The New Encyclopædia Britannica

in 32 Volumes

FOUNDED 1768
15TH EDITION

ENCYCLOPÆDIA
Britannica

Encyclopædia Britannica, Inc.
Jacob E. Safra, Chairman of the Board
Jorge Aguilar-Cauz, President

Chicago
London/New Delhi/Paris/Seoul
Sydney/Taipei/Tokyo

The information on this page refers to
The New Encyclopædia Britannica.

First Edition	1768 – 1771
Second Edition	1777 – 1784
Third Edition	1788 – 1797
Supplement	1801
Fourth Edition	1801 – 1809
Fifth Edition	1815
Sixth Edition	1820 – 1823
Supplement	1815 – 1824
Seventh Edition	1830 – 1842
Eighth Edition	1852 – 1860
Ninth Edition	1875 – 1889
Tenth Edition	1902 – 1903

Printed in U. S. A.

Library of Congress Control Number: 2006921233
International Standard Book Number-10: 1-59339-292-3
International Standard Book Number-13: 978-1-59339-292-5

Britannica may be accessed at http://www.britannica.com on the Internet.

不列颠百科全书

国际中文版

修订版

Encyclopædia Britannica
International Chinese Edition

15

中国大百科全书出版社

《不列颠百科全书》国际中文版

sampler　刺绣样本　绣好的亚麻片，其上示以各种针法。现存的欧洲的最早样本制于16世纪。在可以买到刺绣图集的1523年以前阶段，样本原来的目的是用来示范刺绣针

新泽西州蒙茅斯县1807年的亚麻刺绣样本
费城艺术博物馆供图

法，以备将来使用。到17世纪，样本的作用和外貌都发生了变化。它成为学生的习作而不是针法集锦，习作上注明日期和学生姓名，有时还注上教师姓名。以后样本本身终于成为一种艺术品。从18世纪初期以来，虽然还保留原有的形式，但大部分样本呈方形，主要用来说明整个图案各部分的针法布局。19世纪的样本继续保持同样方式，但主要用帆布制作。因为大部分作品注有日期，所以样本成为刺绣史无与伦比的信息来源。

sampling　抽样　从一个给定的总体抽取有限个个体作为该总体的代表的方法。在生物分析、化学分析、质量控制、社会调查等领域中，通常不可能对每一个个体都进行调查，抽样成为主要的调查方法。最基本的抽样方案是基于概率论（**probability theory**）的随机抽样，即总体的每一个成员均有相同的机会被抽取。例如在50个学生的一个班中选一个代表，每一个学生均有1/50的可能性被选中。同样，要选择若干人组成代表队，每一种成员组合均有相同的选中机会。基于概率论的抽样技术可以使调查者估算结论的可靠程度。反映这种基本思想的其他常用方法有分层抽样、集团抽样（又称聚类抽样）、系统抽样等。分层抽样是先将总体分成若干小组，然后在每一个小组内进行随机抽样。集团抽样是将这些小组作为随机抽样的个体，例如在社会调查时，通常以家庭作为一个小单位。系统抽样是按某种规则而不是随机地进行抽样，例如按名单每隔10个抽取一个样品等办法进行抽样。还有一种是判断抽样，样品的选择是按照研究者的判断而定的，这时，样本的统计特性是不知道的。

sampo　萨姆波　芬人神话歌词中常常提到的一种神秘物件，类似擎天柱或天穹支架。在一组歌词中，描写了造物主伊尔马林恩如何为地狱女妖洛西制造出萨姆波，然后又伙同巫师维南默恩把它偷回；洛西立即追逐，爆发战争；战斗中把萨姆波击成碎片，而这些碎片仍然具有足够的潜能，为人们提供播种和收获以及其他形式的繁荣昌盛的条件。早期评注家们认为组歌为春播典礼仪式之一环，歌唱以祝丰收。一些学者如E.N.塞泰莱、U.哈尔瓦以及晚近的M.哈维奥等人的结论颇趋一致，认为萨姆波一词系指太空之支撑物，此一概念在许多早期有关宇宙的理论中都可见到。萨姆波一名甚至可能是诸如梵语skambha（柱子）及阿尔泰语sumbur（宇宙大山）的同源语。萨姆波作为神秘的“擎天柱”（axis mundi[宇宙之轴]）诸天体绕之而运转，所有生命赖之以存在，故芬兰史诗把它描述成万善之源。

sampradāya　门派　特指印度教内部由师徒代代相传的学派。11世纪前后起毗湿奴教内部产生几个门派，它们一直存在到今天。每一门派都自称由远古一位神话人物创建，都以该始祖之名为名；而教义则自这位神话人物以下代代相传，一直传到今世门派的创建人。

Sampras, Pete　桑普拉斯（1971-08-12，美国华盛顿[哥伦比亚特区]～　）　美国网球名将，创下赢得14次大满贯男子单打冠军的纪录。在其职业生涯中，7次获温布尔登网球锦标赛单打冠军（1993～1995；1997～2000），5次获美国网球公开赛冠军（1990，1993，1995，1996，2002），2次获澳大利亚网球公开赛冠军（1994，1997）。90年代他在职业网坛的主导地位使他与儿时崇拜的偶像R.拉弗齐名，成为有史以来最伟大的网球名将之一。他在全家1978年搬到南加州之后开始打网球。一开始即显示出他在这一项目上的天分，父母请儿科医师和业余网球选手P.费希尔教他打球。费希尔以前从未当过教练，经过一段时间后与桑普拉斯建立了良好的关系并成功指导他进入美国最佳少年网球选手之列。1988年成为职业选手并在后两个赛季进步明显。在1990年的美国网球公开赛中击败A.阿加西，证明他是头号网球选手之一。他以大力发球、精确拦击和谦逊的行为而闻名。2003年正式退出职业网球比赛。

Sampson, Deborah　桑普森（1760-12-17，马萨诸塞普林普顿[美国]～1827-04-29，马萨诸塞沙伦）　美国军人，首批女演说者之一。童年时系契约女仆，富于冒险精神，遂决定参加大陆军，投入独立战争。她女扮男装，使用假名“罗伯特·舒特莱夫”，于1782年参加美军第4马萨诸塞团。因其无须而得到“莫莉”意为“娘娘腔的男孩”这一绰号。她曾参加若干次小规模战斗，受过刀伤及枪伤。后因生热病而暴露其女性身份。1783年退伍。1784年，同马萨诸塞一名叫B.甘尼特的农民结婚，获国会批准的一份年金。1802年她开始向人们讲述其军中经历，演讲时身着军服，并表演兵器教范。她或许是美国第一位以演说为职业的妇女。1838年国会通过法案，为她的继承人提供百分之百的军人年金。

Sampson, William T(homas)　桑普森（1840-02-09，美国纽约帕尔迈拉～1902-05-06华盛顿[哥伦比亚特区]）　美国海军军官，曾在美西战争中制订美国海军的战略。1861年海军学院毕业，美国南北战争时期在联邦海军中服役。1893～1897年任军械局长。1898年美西战争爆发后他任大西洋海军中队司令官，把西班牙海军封锁在古巴圣地亚哥港内。当西班牙舰队设法突围时，被美国海军击溃。但在作战时桑普森正与美国地面部队司令官W.R.谢夫特将军会谈，并不在现场。因此就引起一场大辩论：美国这次海战胜利究竟应归功于战斗的直接指挥官W.S.施莱，还是应归功于制订作战计划的桑普森？1899年他被授予终身海军少将衔。

saṃsāra　轮回　梵语，意为“旋转”。印度哲学概念。根据印度教和耆那教教义，灵魂一经失去其固有的自觉和快乐，即托生为任何一种生物，并继续转生，直到从过去行为的枷锁中获得解脱为止。佛教不承认永恒灵魂的存在，但认为，半永恒性的我体核心也要经历轮回的过程。

Samsat　萨姆萨特　史称萨莫萨塔。土耳其东南部阿德亚曼省村庄。濒临幼发拉底河上游。古时因其为捍卫东西贸易通道上幼发拉底河重要渡口的设防城市，商业和战略地位都很重要。公元前708年萨姆萨特并入亚述帝国。后成为希腊化的科马吉尼王国都城。公元72年臣服于罗马，约640年被阿拉伯人侵占。10世纪曾一度作为拜占廷帝国的军事行政区。12世纪由塞尔柱突厥人统治时萨姆萨特已处于衰落状态。该地作为2世纪作家卢奇安和312年在安条克殉难的圣卢奇安的诞生地而被人们铭记不忘。人口2 214（1980）。

saṃskāra　家祭　印度教教徒一生各个阶段从受胎到死后撒骨灰所举行的个人仪礼。通常由父亲在家举行，为男儿举行的家祭较为讲究。19世纪晚期圣社（现代印度教改革派组织）主张严格举行家祭，目前仅有入法礼（**upanayana**）、结婚礼和丧礼（**antyeṣṭi**）。

Samson　参孙　古代以色列人的英雄，是《旧约》（《士师记》13～16）中一段史诗性叙述里的伟人。他是“拿细耳人”，又是神奇的勇士。关于他的惊人功绩的记述，间接地反映了以色列人初进迦南大部分时期（公元前1200～前1000）受非利士人压迫的情况。《士师记》把参孙与奉上帝旨意拯救以色列人而成为士师的其他伟人并列。《旧约》叙事仅提到参孙作士师“二十年”，写了几段插曲，主要是关于他的活动的起始和结局。他的父母是但支派耶路撒冷附近琐拉的农户，他们见到了上帝的使者，天使对他们说，他们将生一子，他们应当把他献给上帝作拿细耳人（发愿献身于上帝，不饮酒，不剃须发，不触死尸的人）。参孙力大无比，根据传说，他后来丧失了力气，惨祸临身，只因自己违犯了拿细耳人的戒规。他赤手杀死一只少壮狮子，搬走迦萨城门，还做了另外几件惊人之事，但是他与

亭拿的一个女子一同坐席(这女子是以色列人的死敌非利士人),第一次犯戒。其后他又做了几件大事,例如在一次为争个人私利而进行的战争中击杀了许多非利士人。又有一次,参孙到迦萨嫖妓,非利士人袭击他,为他所败。参孙与梭烈谷的女子大利拉有恋情,大利拉哄骗他泄露他力大的秘密——他的拿细耳人长发。大利拉趁他熟睡时叫人剃去他的长发,出卖了他。非利士人捉住他,剜了他的眼睛,拿他当奴隶。最后,他重新有了力气,倾覆了迦萨非利士人礼拜大衮神的大殿,与敌人同归于尽,报了深仇(《士师记》16:4～30)。《士师记》写参孙一生经历的主轴线是他同非利士女人的关系,把他写成受情欲支配的人,情欲使他失败,但又使他产生斗争的疯狂力量,证明以色列人的上帝雅赫维是正确的。他死于大殿,并不是一种自杀性行动,而据一般圣经学者解释乃是恢复他一时放弃的使命——士师和拿细耳人。大多数开明派评注家以及塔木德时代(自公元1世纪起)的一部分犹太教解经家都认为,参孙的故事是传说,是史诗。比较保守的解经家一方面承认故事不似真实,叙述风格近乎民间文学,另一方面又说传说的核心部分是史实,只是经过民间想象的润色和拉比文献的扩充。编写《士师记》的人利用这些故事印证他所宣传的主要道理:以色列人不忠于雅赫维则受人欺压,呼求雅赫维即得解放。

Samsun 萨姆松 土耳其北部城市和萨姆松省省会,历史上称为阿米苏斯。是黑海南岸最大城市。位于克孜勒河和耶希尔河两三角洲之间。建于公元前7世纪,为米利都人在黑海岸边最繁荣的殖民地,仅次于锡诺普。公元前4世纪亚历山大大帝征服小亚细亚后,由本都诸王统治,继续兴旺。公元12世纪后半期被塞尔柱突厥人占领。在塞尔柱统治下超过锡诺普成为欧洲与中亚的贸易中心。14世纪末被奥斯曼人夺取。1919年5月19日,凯末尔在此登陆并组织民族抵抗运动,实为土耳其独立战争的开端和1923年创立共和国的先声。该市现有宽阔的海滨林荫道贯穿东西,道旁政府机关、旅馆和商店排列成行。为富饶的内地农业区的大都会中心及黑海中部海岸的主要出口港。码头有良好的防波堤,20世纪60年代已扩建并现代化,现为土耳其黑海沿岸最大的港口。出口货物有内地的烟草、羊毛和市内工厂生产的卷烟、化肥和纺织品。为来自安纳托利亚内部的铁路的终点站,铁路用以运输来自迪夫里伊的铁矿石。有航空线通安卡拉和伊斯坦布尔,还有公路通安卡拉和锡瓦斯。市内设有五一九大学(1975)。萨姆松省面积为10 296平方千米。属于克孜勒河和耶希尔河流域。人口稠密,土地肥沃,为全国烟草主要产地之一。人口:市303 979(1990)。

萨姆松市一角

中国大百科全书出版社供图

Samudra Gupta 沙摩陀罗·笈多(?～约380) 印度地区性皇帝(约330～约380)。笈多帝国(320～510)常被称为"印度历史上的黄金时代",而沙摩陀罗·笈多是这个时期的"理想帝王"。旃陀罗·笈多一世之子。据传他能征善战,身上有几百处伤痕。又是诗人和音乐家。即位之初即平定叛乱。他的国土大概从现在的安拉阿巴德一直到孟加拉边境。他从北方根据地开始一系列扩张战争,曾击败帕那瓦的国王毗湿奴戈培,迫使南方诸王向他进贡。最强盛时几乎控制了全部恒河流域,并使东孟加拉、阿萨姆、尼泊尔、旁遮普东部以及拉贾斯坦各族统治者臣服。在历次战役中他共杀死9个国王,征服了12个君主。他推崇印度教神毗湿奴,恢复了古老的吠陀马畜祭祀并在祭典上为慈善事业捐赠。因出身名门,他赞成种姓分离,促使婆罗门教成为经典教以及印度社会延续至今的社会行为准则。

Samuel 撒母耳(活动时期约公元前11世纪) 希伯来语作Shmu'el。以色列历史上的宗教领袖人物,被奉为英雄,据《旧约》记载,当时对一名犹太男子所能具有的领导角色均集中于其一身。除了能与上帝相通这一职能外,他还是祭司、士师、先知和军事领袖。他最大的功劳是他在建立以色列王国过程中所起的重要作用。

圣经所载撒母耳生平 有关撒母耳的资料见于《撒母耳记上》(天主教经籍称此为《列王纪上》)。古人把《撒母耳记》上、下两书以人名命名并不表明撒母耳是该书作者(事实上,《撒母耳记上》第25章就记载了撒母耳之死)或是该书主人公;的确,我们很难推论出《撒母耳记》这个书名到底所取何义。

撒母耳之父是以法莲人以利加拿,其母名哈拿。其母起初因无子而祷于上帝,上帝顾念她,乃生撒母耳。哈拿感激上帝,就决定把儿子奉献给示罗的耶和华神殿,叫他在那里侍奉神明,由祭司以利作为监护人。撒母耳还是个男童的时候就接到神谕,神谕预言以利一家必遭败亡(《撒母耳记上》1～3章)。撒母耳长大成人之后,曾鼓动以色列人大败非利士人于埃比尼泽(7章)。以色列众长老请求立一国王,撒母耳忿然拒绝,认为立王是对耶和华的不忠,而耶和华却是以色列的神,不能违背他(8章)。但是,经过耶和华的启示,撒母耳便为扫罗涂油,并当全体以色列人之面,立扫罗为王(9～10章)。扫罗在一次抗击亚扪人的战斗中,领导以色列人大获全胜,证实他不愧是一国之君(11章);此后,撒母耳不再担任领导人(12章)。但是,撒母耳曾复出以宣布耶和华神谕拒绝扫罗为王,一次因扫罗擅自作主行使燔祭之权(13章),另一次是因扫罗未能执行灭绝亚玛力人的诅咒令(15章)——这种原始律例规定,凡是奉献给神的人或物,应予一律毁灭。撒母耳按照耶和华的神谕曾秘密为大卫涂油并立为王(16章)。此后撒母耳退居幕后,并在拉玛的拿约露过面(19章)。撒母耳死后,扫罗曾请一女巫为之招魂;于是撒母耳第3次责备了扫罗(28章)。

关于撒母耳的矛盾传说 根据上述,撒母耳可以说是全以色列的领袖了。他的领导地位见之于指挥战争和贯彻律法,但其权威主要是宗教方面的,而且多表现为先知的职能,尽管他也具备某些祭司的权势。他开始反对在以色列立王,后来却又拥护君主体制。在选拔扫罗和大卫时,他是耶和华的代言人。但是,这种描述并不完全切合实际,而根据许多历史评论家对于这些资料的仔细鉴定,发现若干相互矛盾之处,使人们无论对于撒母耳其人的历史,还是对于其史料来源,都提出不少疑问。鉴定还发现现存资料无一与历史事件在时间上相互吻合;假如把一种资料作为对照的标准时,则其他资料便全部失去其历史价值,结果无从比较和鉴别。

《撒母耳记上》的记载有两大分歧散见于下述一些章节之中,论者分别名之为"赞同王政"的资料(9章1节～10章16节)和"反对王政"的资料(8章以及10章17节～27章)。赞同王政资料中叙述扫罗被立为王时,撒母耳仅为一乡村卜者,除了能运用秘术这一明显的证据而外,尚属默默无闻。王政的建立及国君的甄选,都要按照耶和华的意志行事而由撒母耳进行传达。但是,撒母耳为扫罗涂油的故事中并没有扫罗登位的内容以足成其全部情节;相反,却叙述了扫罗大败亚扪人的过程。鉴定还发现另外有关扫罗为王并无涂油故事的一种记载;扫罗之被遴选为王完全凭借其超人的勇武精神和领导才能,这正和一般士师们之被选拔要凭借才能是一样的。所谓士师就是以色列人征服迦南地区期间所选拔出的领袖人物们。由此看来,撒母耳很可能是被资料的作者硬塞入叙述文字之中的。

反对王政的资料对王位的设置以及扫罗和撒母耳两人都作了完全不同的描述。这种资料记载着撒母耳是一个名贯"全以色列"的人物,然而,"全以色列"这个词在当时尚无确切定义;因之,撒母耳的权威只表现在他的士师这个职位上。王位的设置是不取决于神谕而是由于以色列众长老的请求,但这种请求却被撒母耳看成是对耶和华的一种叛逆行为。国王的选拔不由天启而用拈阄,这说明并不需要某些特定条件,而且那个羞答答的候选者还必须从一个隐蔽之所被召唤出来同大家见面。这个故事同7章和12章关于撒母耳作为士师的那些记述是有联系的,而他被清楚地刻划为最后一名士师。这说明士师制度已被以色列人所摈弃,其原因与其说是这些人不称职,毋宁说是他们的追名逐利的劣迹所造成的。但此传说有两点是值得商榷的:那就是7章所述撒母耳是唯一的一名身兼士师、地方长官和军事领袖三大要职的人物以及他战胜非利士人的内容与史事不符,因这与后面所述扫罗与大卫的战绩是互相矛盾的。

《撒母耳记上》开头所载撒母耳出生及其职业的故事,论者亦认为其中不乏明显的非历史的成分,因而仅属传奇性质。这段叙述,对于确定撒母耳之作为一个先知的角色来说,是一主要依据,但可疑之点在于:是否在这样早的年代里,"先知"就已经作为一种特殊的宗教人物从以色列人中间脱颖而出呢?这个故事还为后来《历代志上》6章中所赋予撒母耳的祭司角色提供了依据;不过此处只是试图以后来的祭司身份来说明撒母耳所履行的种种神圣职责罢了。

有关撒母耳斥责扫罗的故事也有两种不同的记述。第1种记述(《撒母耳记上》13章)称撒母耳的行为是由扫罗僭越祭司特权而引起的。但是,在人类历史的早期,无论是国君的权力还是祭司的特权,都不可能划分得如此明确。第2种记述(15章)称撒母耳因扫罗未能遵守圣战的行为准则而动气。这种说法就不会显露出同第1种说法类似的那种不可能性。那么,实际情况似乎是:有关两人之间发生分歧的传说,代代相传丝毫未变,但对此事细节的记忆却是不确切的了。

重要意义 为什么撒母耳这个人物的重要性足以使后人把他作为建立王国的一个主角来怀念呢?一定曾有一些理由的。不过,他那些先知、卜者和士师的角色除了都很重要之外,在某些方面是全然不可信的。因此他的重要性也许能借下述办法找出答案,那就是:让我们找出一个偶然提到的撒母耳的角色来作旁证,那就是他作为众先知之子所组成的团体的领袖这一角色。由于在资料撰写的过程中,这个事件早已时过境迁因而未曾著录。当时那伙青年人都热中于心醉神迷的礼拜仪式,就以撒母耳为领袖组织了起来。许多迹象表明,他们是一群狂热的宗教保守分子和民族保守分子。他们年轻而富于活力,这给撒母耳既提供人力和物力的基础,也提供了精神和道德力量的基础。作为保守分子来说,他们一定曾在如何对待非利士人对以色列的威胁同新的政治体制为反抗此种威胁所作的许诺之间产生分歧意见,因为新体制既背离宗教传统,也背离民族传统。以色列王国中的这种政治上的分裂局面于是便在撒母耳这个人物身上反映出来,因为他同绝大多数以色列人一样,对分歧中的双方都予以支持。

Samuel 萨穆伊尔(?~1014-10-06,马其顿普里莱普) 980年起的西保加利亚(或称马其顿)沙皇,其国土继承自第一保加利亚帝国。萨穆伊尔原来只统治马其顿,后征服塞尔维亚,控制保加利亚北部、阿尔巴尼亚和希腊北部。他建都于奥赫里德。10世纪80年代在索非亚附近打败拜占廷皇帝巴西尔二世。1014年巴西尔二世又在贝拉西察战役中把他击溃。保军俘虏(据说为1.5万人)被巴西尔下令刺瞎后放回,萨穆伊尔大惊失色,不久死去。保加利亚于1018年成为拜占廷帝国的一个行省。

Samuel of Nehardea 撒母耳(奈哈迪亚的)(约177,巴比伦奈哈迪亚~约257) 又称马尔·撒母耳。巴比伦"阿磨拉"(学者)、奈哈迪亚犹太教学院院长。可能曾受业于巴勒斯坦学者、《密西拿》编纂者之一犹大(哈-纳西)。撒母耳以多才多艺著称,通晓天文、医学和民法,曾任地方法官。力主犹太人与非犹太人保持友善关系,鼓吹国家的法律在民事方面应保护人民。他最重要的著作应推对《密西拿》的注释,以说理明澈著称。

Samuel, books of 《撒母耳记》 《圣经·旧约》的两卷。与《申命记》、《约书亚记》、《士师记》、《列王纪》(上、下)同属公元前550年前后犹太人被掳入巴比伦时期写成的"申典"。此书原为一卷,主要记述以色列国王政的起源及其早期历史。该书以撒母耳命名,显然因为他是书中首要人物,在最初两代国王的拥立中发挥重要作用。在上卷,撒母耳的作用是先知、士师和王国成立前夕的领袖,而扫罗则是国王。下卷叙大卫如何作王。两卷书中有许多并列、重复和互相矛盾之处。关于王国的始建说法不一(《撒母耳记上》9:1~10:6和《撒母耳记上》8、10:17~27)。关于不再让扫罗作王的事,有两种叙述(《撒母耳记上》13:8~14和《撒母耳记上》15:10~31)。关于大卫初见扫罗的事也有两种叙述(《撒母耳记上》16和17)。一处说歌利亚是大卫所杀(《撒母耳记上》17),另一处却说是伊勒哈难所杀(《撒母耳记下》21:19)。有些学者认为,这两卷书是根据两三套连续的资料编成的,另一些学者认为,它们是根据互不相属而长短参差的记录编成的。"大卫宫廷史"(《撒母耳记下》9~20;《列王纪上》1~2)是独立的叙事中最长者,是史书的典范。"申典"史学家或许是把互不相属的记录和片断搜集起来,加以连缀而编成他的著作。作者使用传统资料十分谨慎,每个事件的叙述都符合一种神学观点。对于王政的起源兼收两种互相对立的说法,并列拥护与反对王政的两种态度,作为一个伏笔,衬托后文下卷第7章中上帝对大卫家庭的应许(保证大卫的国永存,但又指出为君无道必遭雅赫维惩罚)。此书的其他部分的文字无不是力图说明这种应许的效验。《撒母耳记下》第7章载上帝承诺永远施恩与大卫王朝,此点十分重要,有利于了解作者当时在巴比伦述史的神学动机。作者希望他的民族复兴,他相信,复兴的条件之一即是承认大卫王室享有来源于上帝的合法性。作者还相信,大卫王朝一旦复兴,列王成败全在于在多大程度上忠于摩西律法。

Samuel (of Mount Carmel and of Texteth), Herbert Louis Samuel, 1st Viscount 塞缪尔(芒特卡梅尔和得克斯泰斯的)(1870-11-06,利物浦~1963-02-05,伦敦) 英国政治家和哲学家。英国内阁最早犹太人阁员之一(1909~1910年任兰开斯特公爵郡大臣),其最重要的成就当数任英国第一任驻巴勒斯坦高级专员(1920~1925)时取得的政绩。早年在伦敦东区怀特查珀尔贫民区从事社会工作,1902年选入下院,属自由党。在任内政部政务次官(1905~1909)时,曾负责制订关于建立少年法庭和对少年犯进行拘留和教养的立法(1908)。两次担任邮政总长(1910~1914,1915~1916),改组了邮政工会,并将电报业务国有化。1916年1月任内政大臣,同年12月辞职。在治理巴勒斯坦的5年间,大大改善了这个地区的经济状况,并致力于各教派之间的和谐。回英国后主持煤炭工业皇家委员会(1925~1926),协助解决了1926年5月的大罢工。1929年重新进入下院。1931年参加麦克唐纳的国民联合政府,任内政大臣。为抗议征收进口关税,于1932年9月辞职。1931~1935年为自由党领袖。1937年封子爵,成为自由党上院领袖。1931~1959年任英国哲学研究所所长。著有《实用伦理学》(1935)和《信仰与行动》(1937;1953再版)。

供图:BBC Hulton Picture Library

Samuel ben Judah ibn Tibbon 塞缪尔·本·犹大·伊本·提本 参阅**ibn Tibbon, Samuel ben Judah** *伊本·提本*。

Samuel ha-Nagid 撒母耳·哈·纳吉德(993,西班牙科尔多瓦~1055或1056,格拉纳达) 犹太教《塔木德》学者、语法学家、语言学家、诗人、战士和政治家,曾在20年间在格拉纳达的哈里发治下掌握实权。格拉纳达大臣器重他的语言和书法才能,聘他为私人秘书。他为大臣出谋划策,大臣临终把他推荐给哈里发哈布斯。哈里发任命撒母耳为大臣,总揽外交和军事。1037年哈布斯死,其长子继位,溺于声色,撒母耳遂成为事实上的哈里发。他在多事之秋,国事和重大战役无不亲身参与主持;势力甚大,使其子约瑟夫得以继其位。撒母耳也是格拉纳达犹太人的纳吉德(首领)和塔木德学院的院长。据传是《塔木德导论》的作者,这是一本久享盛名的塔木德手册。

Samuelson, Paul (Anthony) 萨缪尔森(1915-05-15,美国印第安纳加里~2009-12-13,马萨诸塞贝尔蒙特) 美国经济学家,因在经济理论领域中几乎所有方面都做出极其重大的贡献于1970年获诺贝尔经济学奖。求学于芝加哥大学(1935年文学士)和哈佛大学,1941年获哈佛博士学位。自1940年起任麻省理工学院经济学教授,还数度任政府经济顾问。人们认为他是位才能出众的经济理论家。他运用强有力的数学方法作为解决难题的手段,对经济理论的许多方面做出了贡献。其《经济分析基础》(1947)阐述了其研究工作基本主题——即消费者行为的万能性质乃经济理论之钥匙——的基本原理。他所研究的领域广泛多样,有:经济系统的动态和静态、国际贸易理论在经济总平衡理论中的应用、公共财物分析、资本理论、福利经济学和公共支出。具有特殊影响者,为其乘数和加速效应的数学公式,以及在消费分析方面他所发展的偏好显示学说。他行文流畅易懂。其导论性的教科书《经济学》(1948)发行了数版,现被认为经典著作。《保罗·安·萨缪尔森科学论文集》在1966～1986年间出版,共5卷。

Samuelsson, Bengt Ingemar　萨米尔松 (1934-05-21,瑞典哈尔姆斯塔德～　)　瑞典生物化学家,1982年与瑞典人S.K.贝里斯特罗姆和英国人J.R.文共获诺贝尔生理学或医学奖。他们分离、鉴定及分析了多种前列腺素。萨米尔松又最先描述了前列腺素合成的过程。他毕业于隆德大学,曾在此师从贝里斯特罗姆教授。后到斯德哥尔摩的卡罗林斯卡学院,1960年获生物化学的博士学位,1961年获医学博士学位。以后在该学院工作,并继贝里斯特罗姆任医学系系主任。

Samugarh, Battle of　萨穆加尔战役(1658-05-29)　1657年9月莫卧儿皇帝沙·贾汗患重病后,诸皇子争夺大宝的一次决定性战役。萨穆加尔在阿格拉东16千米处。作战一方是皇三子奥朗则布和皇四子穆拉德,另一方是皇长子、皇储达罗·悉乔。奥朗则布发现一处不设防的无名浅滩,进而转至昌巴尔河一线后,达罗·悉乔退至萨穆加尔。时值酷暑,达罗·悉乔于关键时刻坠象,被部队误认为战死,遂告失败。战争结束后奥朗则布囚禁了穆拉德和父皇,1659年又将达罗·悉乔处死。

samūm　萨姆风　又称西蒙风(simoom)。在阿拉伯半岛和撒哈拉出现的极端干热的小规模旋风。温度常达55 °C,而湿度有时低于10%。萨姆风是在晴朗无云、地面急剧增热时所产生的。在阿拉伯语中,萨姆意指"毒风",并认为它能引起中暑。

samurai　侍　日本武士阶级。"侍"原指贵族的侍从,后来逐渐指整个武士阶级。从12世纪起至明治维新止,他们一直把持朝政。镰仓时代(1192～1333)的侍以他们的军事技能和禁欲主义自豪。室町时代(1338～1573)在禅宗佛教影响下,侍文化产生过诸如茶道、花道这类独特日本艺术。侍必须遵守武士道(**Bushidō**)的行为准则,在蒙受耻辱和遭到失败之后以切腹自杀为荣。德川时代(1603～1867)早期,他们在总人口中不到10%,成为固定的社会等级,形成维护社会制度和稳定社会的一股力量。在德川幕府的250年和平时期中,侍虽仍被允许佩带象征其社会地位的长短刀,但许多人被迫去当文官或经商。此外,18世纪初的城市兴起和商业经济发展,导致繁荣的城市文化最终取代了侍的简朴生活方式。同时,主要靠固定薪俸维生的侍,其经济地位也受到冲击。德川时代末期侍的社会地位虽高,越来越多侍的家庭已陷于穷困。19世纪中叶一些进步的低级武士参加了倒幕运动,实现明治维新。1871年日本正式废除封建制度,侍也失去了特权地位。19世纪70年代,对新政府不满的以前的侍(武士)举行过几次叛乱,但很快便被新建的国家军队镇压下去。

Samut Prakan　沙没巴干　泰国中南部城镇。濒临泰国湾,位于昭披耶河入海口处。为其北19千米曼谷的南部港口,有公路和铁路相通。海湾沿岸多沼泽,居民多聚住于内地。经济以种稻和渔业为主。人口约69 218(1986)。

Samut Sakhon　沙没沙空　泰国中南部城镇。濒临泰国湾,位于猜西河的入海口处,是渔港和稻米加工中心。有公路、铁路和运河通往曼谷。主要经济活动有种植蔬菜和水稻、捕鱼和制盐。人口约53 274(1986)。

Samut Songkhram　沙没颂堪　泰国中南部城镇。濒临曼谷西南泰国湾夜功河入海口。为渔港和稻米、椰子的集散地。有铁路通曼谷。人口约35 477(1986)。

Saṃvara　三跋罗　威妥玛拼音作San Palo。北传佛教所崇奉的保护神。他和喜卢迦及喜金刚一样,是阿闳佛的化身,冠顶佩有阿闳佛的小像。三跋罗是藏传佛教所奉的本尊,据说北京历代大喇嘛都是他的化身。他肤色蓝,4头,每头3眼,愠怒可怖;有12手。

saṃvṛti-satya　俗谛　又称世谛,佛教名词。指以一般人的常识为基础的真理,也就是通过经验而认识的实际,它是日常生活中人所公认的,而且可以用以进行交流。它区别于真谛,真谛掩盖在经验现象之下,非一般语言所能表达。中观学派关于真俗二谛的教义对其他哲学派别,包括非佛教的派别,有很大影响。

San　桑人　又称布须曼人(Bushmen),非洲南部的土著民族,与科伊科伊人或霍屯督人同一族源。桑人主要生活在博茨瓦纳、纳米比亚及南非共和国的西北部。原来人们以为,桑人按照躯体特征、语言及文化,很易辨认。第一,根据体征来看,桑人在外观上完全相似:肤色不黑,似有皱纹;黑发卷曲,状如螺旋;头小而宽;圆脸宽鼻;臀部发达。然而,这些特征没有一项是仅属于桑人所有的;至于其他一些不能直接观察的特征如血型等,桑人既和科伊科伊人一样,也与其他操班图语的诸民族相似。第二,桑人所使用的各种语言的系属关系尚不清楚,有些桑人甚至使用科伊诸语言。第三,绝大多数生存下来的桑人,由于欧洲移民或受其他族源的非洲部落的压迫,都生活在贫瘠地带,他们不得不临时或长期在欧洲人经营的农场劳动以换取工资维生,或同其他非洲人(特别是茨瓦纳人)继续结成那种长期形成的"依附关系",为主家狩猎、放牧或劳作,以换取食物、牲畜、衣服及烟草。因此桑人就不再易于划入一种有明显特征的文化范畴了。然而,确曾一度存在过桑人文化,这种文化现在在某些桑人群体中仍然可以找到。桑人以宗族为主要社会结构形式,各宗族由几个家庭组成,共有25～60人左右。族内家庭则包括夫妻及其哺养的子女,有时家庭因多婚制婚媾而使其成员数目增加。所有宗族成员彼此间常有亲戚关系。各宗族之间,通过交易、访问尤其是婚姻关系,进行着可观的相互交往和交流;同时,亲戚关系,不论是真还是假都交织在一起、广泛分布,这就便利了宗族间人们经常流动,因之任何一个宗族的人口构成状况,都会随时大不相同。每一宗族各自为治,没有族长或头人;在多数宗族内部,遇到特殊情况发生,由技术好的猎手或年长者运用其影响而不是施加其权威。桑人的单个住处是一种简单的半圆形结构,由带有嫩枝的树枝搭成,上面铺草;屋内的什物都是随手可以拿动的;他们的个人物品少而轻便。木材、芦苇及一些动物(以前是石块)都是他们用来制作皮衣、大口袋、水罐、打猎武器等的主要原料。他们狩猎时主要使用弓和毒箭、陷阱、镖枪,有时还用长矛。他们大概总是食用猎物、野菜、水果、坚果、昆虫等;由于猎物不如以前那么丰富,他们不得不越来越依靠采集来维持生活,或最终被迫放弃其全部的古老生存手段。桑人有两个部落(即昆人和格威人)的宗教信仰颇有相似之处,都信奉两个超自然的神灵,一是造物主,一是权威较低但部分掌握生死疾病的神明。昆人和格威人也相信灵魂但不祭祀祖先,这是与大多数班图民族不同之处。21世纪初,生活在博茨瓦纳卡拉哈里西部地区的桑人约有10万人;在纳米比亚的桑人人数次之;在安哥拉东南部的约有10 000人。少数桑人仍过着游牧生活。

San, Saya　沙耶山(1876-10-24,缅甸瑞保地区东德耶坎～1931-11-16,沙耶瓦底)　1930～1932年缅甸反英农民暴动的领袖。原在暹罗和缅甸为僧、医师和占星术士,并为缅甸人联合总会中极端民族主义派的一员。他组织农民起事,并宣布自己要当国王,说他能够团结人民和赶走侵略者。他把自己的信徒编入"迦卢茶军"(迦卢茶为印度神话中的一个神鸟),并于1930年10月在仰光附近的永盛称"王"。同年12月22日夜在沙耶瓦底地区举行首次暴动,不久,暴动扩展到伊洛瓦底江三角洲的其他地区。迦卢茶军带有抵御枪弹的符咒,只以刀剑和长矛为武器,毕竟不是使用机枪的英国军队的对手。暴动瓦解后沙耶山逃往东方的掸邦高原。但1931年8月2日在贺柯被俘,解回沙耶瓦底,由特别法庭判处死刑,在狱中被绞死。暴动中有1万余农民丧生。虽然暴动具有政治性和强烈的宗教特点,但发生的原因主要是经济性的。缅甸南部农民受印度放贷人盘剥,承担沉重赋税。在经济萧条、米价大跌时一贫如洗。他们对沙耶山的普遍支持正说明英国人在缅甸的统治地位的摇摇欲坠和不得人心。

San Agustín de Talca(Chile)　**圣阿古斯丁-德塔尔卡**　参阅 **Talca** 塔尔卡。

Ṣān-al-Ḥajar al-Qiblīyah(Egypt)　**圣哈杰尔-吉卜利耶赫**　参阅 **Tanis** 塔尼斯。

San Andreas Fault　圣安德烈亚斯断层　地壳主要断层。西北向延伸,穿过美国加利福尼亚州南部和北部，长 1 050 千米，经圣弗朗西斯科（旧金山）附近入海。沿这转换断层的活动为走向滑动运动，并为沿这断层路径离地表不远处偶然发生的地震所特有。1906

圣安德烈亚斯断层
供图：John S. Shelton and Robert C. Frampton

年灾害性旧金山大地震和 1989 年相对不太严重的地震皆由沿此断层发生的运动所引起。据板块构造学说，该断层系由地壳两大板块（北太平洋板块和北美洲板块）邻接而形成。沿这条断层，北太平洋板块相对于北美洲板块向北方滑动，在过去地质历史时期，其相对运动大约每年 1 厘米，但是在过去一个世纪运动速度已达每年 4～6 厘米。在 1906 年地震期间，断层线之若干部分运动距离长达 6.4 米。旧金山湾地区快速运输系统（BART）挖掘的隧道正好通过此断层带，各城市、乡镇和房屋开发都在此断层线上或其附近。

San Andres Mountains 圣安德烈斯山 美国落基山脉南段，向南延伸穿过新墨西哥州南部的索科罗、塞拉、多纳安纳三县，与格兰德河平行，长 241 千米。最高点萨利纳斯峰海拔 2 755 米。干旱无植被。山中有白沙漠导弹发射场（1945 年 7 月 16 日爆炸了世界上第一枚原子弹），东侧为白沙国家保护区。

San Andrés Tuxtla 圣安德烈斯-图斯特拉 原称洛斯图斯特拉斯。墨西哥韦拉克鲁斯州东南部城市。临图斯特拉河，在圣马丁火山山麓。海拔 360 米。1664 年火山爆发后建镇，1893 年设市。气候炎热多雨。盛产玉米、烟草、甘蔗和水果。为墨西哥最重要豆类产区的中心。有棕榈叶手工艺品。为铁路终点。有机场。人口 40 412（1980）。

San Andrés y Providencia 圣安德烈斯-普罗维登西亚 哥伦比亚一监督管辖区。由加勒比海中的安德烈斯岛、普罗维登西亚岛和几座小礁组成。美国对其中 3 座小礁提出领土要求。1629 年由英国清教徒拓居。后有牙买加的种植业者、伐木者和黑人奴隶迁此。1786 年归属西班牙。1822 年成为哥伦比亚的一部分。面积 44 平方千米。普遍说英语，多为新教徒。旅游业为主要行业。圣安德烈斯岛产椰子、椰仁干和橘子；普罗维登西亚岛有自给性农业。有几条国际航线经此。人口 35 936（1985）。

San Angelo 圣安吉洛 美国得克萨斯州中西部城市，汤姆格林县县城（1875）。东北距阿比林 145 千米。1869 年建于南、北、中孔乔河汇合处的孔乔堡附近。拦蓄诸河水形成防洪和灌溉用的水库及湖泊。1903 年设市。为羊毛和马海毛的主要市场。每逢 6 月举行羊毛展览。畜牧业重要，每年举行牲畜展览和牧人竞技表演。州立安吉洛大学成立于 1928 年。古德费罗空军基地和轻工业的发展有助于经济多样化。生产石油产品、肉乳产品、棉籽产品、鞋靴、马鞍、西式珠宝、印刷装帧、金属制品及石、黏土、玻璃制品。城东 50 千米处有一因附近河崖发现 1 500 幅印第安人石壁画（史前时期至出现基督教传教士）而得名的佩恩特罗克（意为“石壁画”）镇。人口：市 88 439；都会统计区 104 010（2000）。

San Antonio 圣安东尼奥 美国得克萨斯州中南部城市，贝克萨县县城（1837）。位于圣安东尼奥河河源、巴尔康尼斯陡崖上。为一大都会区中心。建于 1718 年。1731 年规

圣安东尼奥市附近的圣阿塞传教会教堂
供图：George Curtsinger

划为镇。1809 年设市。1821 年墨西哥革命时，为得克萨斯三个西班牙社区之一。1836 年得克萨斯革命时仍然是得克萨斯的最主要城市，有居民 2 500 人。19 世纪 90 年代为较大的运牛中心。该城颇具西班牙风格，距墨西哥边界 241 千米，为通往墨西哥的必经之路。居民多西班牙-墨西哥人后裔，不少人操西班牙语或两种语言。1940 年后，由于军事设施的建立（附近有 4 处空军基地）发展迅速。现在经济发展颇为平衡，行政服务、商业、工业、教育和旅游各业均衡发展。市内有圣玛丽大学（1852）、三一大学（1869）、道成肉身学院（1881）、湖上圣母大学（1896）、圣安东尼奥学院（1925）和得克萨斯大学圣安东尼奥分校（1973）。旅游点有阿拉莫和其他方济各会传教机构，重建的西班牙总督宫和拉维利塔村（西班牙人居民区的一部分），以及风景优美的圣安东尼奥河。1968 年在此举行世界博览会（即赫米斯博览会）的展馆现用作展览、会议、文化、体育活动的综合设施。1981 年 H. 西斯内罗斯当选为该市自 19 世纪中叶以来首位西班牙裔市长，他任职到 1989 年，2001 年 E. 加尔萨当选该市第二位西班牙裔市长。阿拉莫体育馆（建于 1993 年）是举办各种会议和音乐会的地方，也是该市职业篮球队马刺队的主场。圣安东尼奥动物园内的水族馆吸引了众多游客。每年的重大节日包括牧马骑术表演（2 月）、圣安东尼奥节（4 月）和得克萨斯民俗节（6 月）。人口：市 1 144 646；都会统计区 1 592 383（2000）。

San Antonio, Cape 圣安东尼奥角 在古巴西部比那尔德里奥省。为该岛最西端。角尖伸出，在瓜纳阿卡维韦斯湾（北）和科连特斯湾（南）之间。角上有一座灯塔。

San Antonio de Ibarra（Ecuador） **圣安东尼奥-德伊瓦拉** 参阅 **Ibarra 伊瓦拉**。

San Antonio de los Baños 圣安东尼奥-德洛斯巴尼奥斯 古巴哈瓦那省中西部城市。有温泉，为疗养胜地。也为周围农业地区的商业和制造业中心。生产雪茄、服装、酵母等。附近有糖厂。公路和铁路通东北 32 千米的哈瓦那。有一军用机场。人口约 28 137（1981）。

San Antonio Zoological Gardens and Aquarium 圣安东尼奥动物园和水族馆 美国东南部最好的动物展览点之一。动物园及水族馆均建于 1914 年，由圣安东尼奥动物协会经营，占地 14 公顷，内有天然喷泉和岩崖。在这里繁殖并展出的陆生、水生动物有将近 750 种，超过 3 500 只，其中鸟展品之多在全世界数一数二，包括最早能在饲养条件下繁殖的一群加勒比海红鹳和一对有灭种危险的美洲鹤。另外一项值得重视的特色就是它的非洲动物展览，各个露天兽圈皆模拟动物的自然生境（如东非裂谷和平原）。

San Bernardino 圣贝纳迪诺 美国加利福尼亚州南部城市。为圣贝纳迪诺-里弗赛德-安大略都会联合体的中心城市，圣贝纳迪诺县县城（1853）。在圣贝纳迪诺山脉坡底。1852 年规划为镇。1862 年附近发现金矿引来大批居民。1869 年设市。早年作为贸易中心发展起来。现以航天和电子工业、凯泽钢铁公司、圣菲铁路车辆场以及诺顿空军基地为城市经济支柱。设有社区学院（1926）和加利福尼亚州立大学圣贝纳迪诺分校（1960）。设有圣贝纳迪诺国家森林管理局。每年 3 月举办全国柑橘展览会。人口：市 185 410；里弗赛德-圣贝纳迪诺主要都会统计区 3 254 821（2000）。

San Bernardino Mountains 圣贝纳迪诺山 太平洋海岸山脉的一部分。在美国加利福尼亚州南部。从卡霍山口向东南延伸至圣戈尔戈尼奥山口，长88千米。主要山峰有圣贝纳迪诺峰(3 240 米)和圣戈尔戈尼奥峰(3 506 米)。大片山区划入圣贝纳迪诺国家森林。圣贝纳迪诺山为四周地区的重要分水岭。有旅游业。

白雪覆盖的圣贝纳迪诺峰
供图:Josef Muench

San Bernardino Pass 圣贝纳迪诺山口 德语作 Sankt Bernhardinpass。瑞士东南部格劳宾登州境内勒蓬廷山的山口(2 065 米)。941 年始见记载，但据信它从史前时代起就已使用。通过山口的公路把北面的施普吕根村和后莱茵村与南面的城市梅索科和贝林佐纳连接起来。山口正南的圣贝纳迪诺村是一个游览地，一年四季游人如织。山口下面一条长 6 千米的隧道于 1967 年通车，使穿过这一地区的旅行十分方便。

瑞士的圣贝纳迪诺山口
供图:Photo Research International

San Blas 圣布拉斯 巴拿马东部历史地区。包括圣布拉斯群岛。农业和渔业为主要经济活动。居民大多是库纳印第安人。交通完全靠水路和航空线。

San Buenaventura(California, U.S.) **圣布埃纳文图拉** 参阅 **Ventura** 文图拉。

San Carlo alle Quattro Fontane 圣卡洛教堂 又作 San Carlino。罗马的一座巴罗克风格教堂。1634 年由 F.博罗米尼设计，大部分建于 1638～1641 年，1667 年增建了高大的曲线立面。因地形狭窄并受到限制，教堂具有不寻常及不规则的用凸出曲线组成的正十字形平面。立面也同样呈现波浪形的外貌。后来其他巴罗克建筑师在设计教堂时，也采取了这种处理手法。教堂内部设计采用三角形(象征三位一体)作为统一基调。

San Carlos 圣卡洛斯 尼加拉瓜中南部城市。位于尼加拉瓜湖东南角。靠近哥斯达黎加边界。殖民时期为防海盗要塞。1948 年因大火而严重受损。现为知名的海港和商业中心。郊区有伐木业和畜牧业。通公路。人口约8 909(1995)。

San Carlos 圣卡洛斯 菲律宾内格罗斯岛东北部城市。地处一甘蔗产区，1912 年建有一大型糖厂。自宿务岛上托莱多跨塔尼翁海峡的班轮经常为圣卡洛斯周围甘蔗种植园输送大量民工。该市有深水港设施和机场。1960 年设市。人口约 118 259(2000)。

San Carlos 圣卡洛斯 菲律宾吕宋岛中西部城市。1587 年为多明我会所建。1966 年设市。为制陶中心，亦产竹器。周围地区主要种植水稻和玉米。该市位于林加延东南 16 千米的马尼拉-北方铁路沿线。人口 154 264(2000)。

San Carlos 圣卡洛斯 委内瑞拉科赫德斯州首府。濒临蒂尔瓜河。建于 1678 年。曾为法尔孔州首府。是种植玉米、甘蔗、水稻的农业区和养牛业地区的商业中心。有公路通往其他州的城市。人口约 63 000(2000)。

San Carlos de Bariloche 圣卡洛斯-德巴里洛切 又称巴里洛切。阿根廷内格罗河省名胜城镇。位于安第斯山湖区，濒临纳韦尔瓦皮湖。镇内有瑞士移民 1905 年始建的尖顶木屋。附近洛佩斯峰和奥托峰山坡上有滑雪场。当地许多湖泊和溪流可垂钓。所在风景区于 1934 年划为国家公园。W.迪斯尼的影片《邦比》在此拍外景。旅游业为主要经济活动。1960 年美国艾森豪威尔总统和阿根廷弗朗迪西总统在此举行会谈，发表保证两国友好的《巴里洛切宣言》。人口 105 093(1999)。

纳韦尔瓦皮湖畔的旅店
供图:Jerry Cooke—Photo Researchers/美国不列颠百科全书公司

San Clemente 圣克利门蒂 美国加利福尼亚州南部奥兰治县城市。濒临太平洋。在圣迭戈和洛杉矶两市之间。1925 年初建时为房地产开发区，称为“靠海边的西班牙村庄”。因沿岸同名小岛而得名。1928 年设建制。现主要为住宅区。1969 年 R.尼克松总统在此购置房地产作为夏季白宫，城市因此闻名。附近有圣克利门蒂州属沙滩、核电站及一个美国海军基地。人口49 936(2000)。

San Cristóbal 圣克里斯托瓦尔 全称贝内梅里塔-德圣克里斯托瓦尔。多米尼加共和国中南部城市。1575 年该地区发现黄金时建立。1844 年多米尼加共和国第一部宪法在这里签字。现为内地农业区繁荣的商业中心，当地产稻米、咖啡、甘蔗、水果、马铃薯和牲畜。通往首都圣多明各的公路与之相连。人口:城市区约 88 605(1993)。

San Cristóbal 圣克里斯托瓦尔 又称马基拉岛。旧名克里斯托瓦尔。太平洋西南部所罗门群岛的岛屿。位于瓜达尔卡纳尔岛东南 64 千米处。面积 3 188 平方千米。地势起伏，中部山岭高达 1 250 米。有椰仁干种植园和商站。北岸的基拉基拉是最大的居民点。西北岸有马基拉港湾。人口:圣克里斯托瓦尔及附近岛屿约 29 110(1997)。

San Cristóbal 圣克里斯托瓦尔 委内瑞拉塔奇拉州首府。位于梅里达山区的山间盆地，海拔 820 米。建于 1561 年，为安第斯山区最大城市。但仍保持殖民时期色彩。1875 年被地震严重破坏。是周围产玉米、木薯、菠萝、甘蔗和咖啡的农业区的商业中心。有纺织厂、制革厂、鞋厂、烟厂、水泥厂等。有多条公路干线，泛美公路亦由此经过。人口约 307 184(2000)。

San Cristóbal de Las Casas 圣克里斯托瓦尔-德拉斯卡萨斯 墨西哥恰帕斯州中部城市。在恰帕斯中央高原。海拔 2 100 米。约 1527 年建。市内多殖民时期建筑物，有最著名的圣多明各教堂(1560)。建立时即为州首府。1892 年，州首府迁往图斯特拉。经济以农业(小麦、马铃薯和玉米)和林业为主。有制革、酿酒、面粉、罐头和木材加工等工业。连接泛美公路，建有机场。人口约 112 442(2000)。

San Cristóbal Island 圣克里斯托瓦尔岛 又称查塔姆岛，东太平洋加拉帕戈斯群岛最东部岛屿之一。在厄瓜多尔以西 965 千米。面积 505 平方千米。为加拉帕戈斯群岛中人口最多和最富庶的岛屿，原为火山，最高点 896 米。居民点和巴克里索港位于雷克湾畔。英国博物学家 C.达尔文于 1835 年登上该岛收集日后编人《物种起源》一书中的资料。1935 年在岛上建立一座达尔文纪念碑。巴克里索港以前为囚犯监禁地，现为厄瓜多尔一军事基地，输出该岛出产的蔗糖、咖啡、木薯、牛、鱼和酸橙等。人口约 2 781(1980)。

San Diego 圣迭戈 美国加利福尼亚州南部的港口、城市，圣迭戈县府所在地(1850)。濒临太平洋海岸的圣迭戈湾，与墨西哥北部边境相邻，距洛杉矶东南约 195 千米。该市分为大小不同的两个区域:较大的区域向圣迭戈湾的北部和东部延伸;较小的区域从圣迭戈湾向东南延伸到墨西哥边境。该市所处的位置有多种不同地貌,包括宽阔的平顶山、峡谷和宽谷地。地形在北部升高(尤其是在拉

圣迭戈市的圣迭戈传教会教堂

供图:Ray Atkeson—美国不列颠百科全书公司

霍亚区),向东是山脉,靠近山脉是主要建设区。该地区常年气候温和,日照充足;当地降水量少,主要集中在冬季。几乎被陆地包围的圣迭戈湾,是世界上的天然良港之一,水面积57平方千米。该海湾有两个交错的半岛作为屏障;北部和西部的是洛马角,南部和西部的是锡尔弗海滩,在西北部两地之间通过一个狭窄水道与太平洋相连。该海湾是国际航运的主要港口,也是美国最大的军事基地之一。圣迭戈这个加州第二大城市,位于包括圣迭戈县所有城市在内的一个大都会区中心。周围的社区包括埃斯孔迪多(北部)、拉米萨和埃尔卡洪(东部)、纳雄耐尔城和丘拉维斯塔(在该市的北部和南部)、帝国海滩(西南部)和科罗拉多(西部,在锡尔弗海滩的北端)。有10多个印第安人保留地分布在该县各地,墨西哥的蒂华纳位于该县的南部边境。城市面积963平方千米。欧洲人于16世纪到达时当地有4个土著民族。该地区1542年被西班牙探险者J.R.卡夫里略发现并取名圣米格尔,1602年由S.比斯凯诺重新命名为圣迭戈,以纪念西班牙修道士圣迭戈·德·阿尔卡拉·德·埃纳莱斯。1769年7月16日G.德·波尔塔拉在那里建造了一个军事据点,同日,J.塞拉神父为加利福尼亚的第一个教堂(1931年修复)举行落成仪式。19世纪20年代以前居民一直居住在军事据点,后来才开始建设现在称作"旧城"的地区。1834年西班牙对该教区实行控制,该地成为一个城镇。美国于1846年获得加利福尼亚之后,于1850年设建制,但两年后该地又失去了它的特许状。圣迭戈的新城于1867年由商人A.E.霍顿在旧城以南5千米处规划,该地区的发展由于有益健康的气候和1885年开通圣菲铁路而得以确保。1900年以后发展开始加快,人口从当年不足2万人增长到1940年的20万人以上。该市的传统经济基础,农业(柑橘)和捕鱼业得到扩大,增加了制造业(主要是飞机),1914年巴拿马运河开通后,又增加了航运业。巴拿马-加利福尼亚博览会(1915～1916)展示了这条水道带来的城市经济繁荣。军事设施的增加对经济也很重要,特别是美国海军基地。主要设施包括海军基地波因特洛马(1898),海军陆战队征兵站(1919),海军两栖基地科罗拉多(1943);此外,海军陆战队基地彭德尔顿(1942)也建在西北不远处,靠近大海。圣迭戈的陆地面积和人口在1950～2000年间增加了近4倍。工业扩大到包括了电子产品、航空技术以及造船业。此外,该地区变化很小的气候(这是吸引制造业和军事设施的重要因素),引来了大批退休人员和旅游者。圣迭戈的人口有多种文化背景。祖辈来自欧洲的人曾占绝大多数,现在仍然构成总人口的一半以上。1/4的人口是西裔,超过1/8的人口是亚裔。尽管有很多退休人员,但人口相对年轻,大约一半常住居民不足35岁。该市大学毕业生的比例在美国属最高之列。墨西哥劳工的数量也很多,他们乘车往返于美西边境南部的家乡和圣迭戈地区的工作地点(主要是干农活或家务)。该市经济长期以军事设施占主导地位,现在更加多元化。国防工业(如航空和航天工业)仍然非常重要,但旅游业和非国防制造业也占很大比例。高科技,特别是生物技术和电信,在20世纪末发展迅猛。软件,金融和商业服务,环境技术,造船和维修,以及电子产品、电脑设备、医疗产品、药品和运动产品的生产都是重要的经济因素。该市依然是南加州农产品的主要商业出口港和美国的主要农业县之一。主要产品有柑橘、鳄梨、切花、苗圃植物、鸡蛋、黄瓜、西红柿和牲畜。圣迭戈位于太平洋沿岸,靠近墨西哥边境,非常有利于国际贸易,特别是与拉美国家和太平洋沿岸地区。圣迭戈港可以停靠远洋船,有各种货物装卸于该港码头,包括木材、汽车、水泥、砂石、苏打粉、新闻纸、化肥和食品。建有一个国际机场。公共交通系统包括通往墨西哥边境的有轨电车系统。加利福尼亚大学圣迭戈分校(1912)建于拉霍亚,包括斯克利普斯海洋学研究所(1903),圣迭戈州立大学(1897)属于加利福尼亚州立大学系统的一部分。其他高等教育机构包括圣迭戈大学(1949)和几个社区学院。文化设施包括交响乐团和歌剧院、芭蕾舞团、影剧院。该市还是冲锋者(美式足球)和神父(棒球)职业体育运动队的主场。占地485公顷的巴尔博亚公园靠近城区,包括世界知名的圣迭戈动物园;多种艺术和文化组织,如环球剧院和日本友谊园;10多个博物馆,包括自然历史博物馆、美术馆、摄影博物馆、航空航天博物馆、民间艺术博物馆、考古博物馆和当地历史博物馆。米申湾公园位于洛马角的北部,包括1 860公顷的陆地和水面,有海滩、小艇停靠区、水上娱乐活动和野生动物保护地。米申湾还是海洋世界的所在地,这是一个以虎鲸表演闻名的水生动物主题公园。圣迭戈野生动物公园靠近埃斯孔迪多,从国外引进的成群动物自由自在地在730公顷与它们的非洲和亚洲栖息地相似的地方走动。旧城圣迭戈历史公园建在19世纪居民点上,展出手工艺品和复原的建筑,附近的塞拉博物馆位于原西班牙要塞旧址。卡布里约国家保护区建于1913年,存有旧的洛马角灯塔(建于1855年)。该地区气候温暖,光照充足,地形多样,有许多户外娱乐活动的机会。沿海岸线有许多胜地,包括托雷·皮内斯州立保护地(北部)和边境地州立公园及蒂华纳河国家港湾研究保护地(南部)。欧申比奇和太平洋滩是该市靠近米申湾的两个区,保留了一种海边迷人的悠闲氛围。在内陆,克利夫兰国家森林(总部设在圣迭戈)纵贯该县南北。向东是库亚马科牧场和广阔的安扎-伯利戈沙漠州立公园。人口:市1 223 400;都会统计区2 813 833(2000)。

San Diego Zoo 圣迭戈动物园 世界上收集哺乳类,鸟类和爬行类最多的动物园之一。在美国加利福尼亚州圣迭戈市,建立于1916年,由圣迭戈动物学会管理。面积40公顷。位于该市的巴尔博亚公园内,在小山与峡谷之间。有800多种动物,约4 000只。该动物园的一个值得注意的特色在景观美化方面。6 500多种引进的植物栽种于园内地面上,这不但增加了气氛,也为许多种动物增添一些天然食物。该动物园亦以其树袋熊的繁殖种群而著名,这是澳大利亚以外唯一的树袋熊种群。因为其唯一的食物(桉树)在动物园内数量甚多,故树袋熊在此茁壮生长。动物园还成功地饲养有小黑猩猩(倭黑猩猩)、加拉帕戈斯巨龟、獾加狓和邦戈羚的繁殖种群。又有许多有趣的展品,包括一个巨大的白头雕飞行鸟槛,一座可以穿行的热带雨林。此外,该动物园还负责保管猩猩和阿拉伯大羚羊的谱系簿。1972年圣迭戈动物学会建了一个圣迭戈野生动物公园作为圣迭戈动物园的补充。该公园位于圣迭戈市东北的圣帕斯夸尔峡谷,面积730公顷。公园地域广阔,许多动物在园内自由自在地活动。园内架设有一条长8千米的高架单轨铁路,游客可坐车浏览各种生境类型,包括亚洲、东非和南非以及澳大利亚的生境类型。公园内展出的动物有濒危的阿拉伯大羚羊、旋角羚、泽鹿,以及南非以外最大一群圈养的白犀牛。

San Diegueño(people) 参阅**Diegueño 迪埃格诺人**。

San Felipe 圣费利佩 智利中部瓦尔帕莱索地区圣费利佩-德阿空加瓜省省会。在智利谷地阿空加瓜河畔。海拔636米。1740年建。为农业(苜蓿、葡萄、水果、蔬菜和谷物)和矿业(铜和金)中心。有横贯安第斯山脉铁路与西南130千米的瓦尔帕莱索连接,有铁路和公路沟通圣地亚哥与阿根廷门多萨。为智利和阿根廷之间重要贸易中心。人口:城市区约52 000(2000)。

San Felipe 圣费利佩 美国得克萨斯州东南部奥斯汀县历史名城。临布拉索斯河。东距休斯敦72千米。建于1822年。1829年出版第一份得克萨斯英文报纸,建第一批英语学校之一。1832和1833年在市政厅(现已毁)曾数次举行会议,呼吁脱离墨西哥而独立。在1835年的协商会议上,英裔美国人自治团体策划成立临时政府,并组织得克萨斯革命。1836年曾被焚毁,后重建。有S.F.奥斯汀州立公园,其中有奥斯汀小木屋复制品及殖民时期的水井。现为一小农业社区,马路狭窄,仍沿用19世纪20年代殖民者所起的路名。人口618(1990)。

San Felipe 圣费利佩 委内瑞拉亚拉奎州首府。海拔550米。通泛美公路。为亚拉奎

河谷商业和制造业中心。当地所产甘蔗、棉花、可可、玉米、水果、稻米和皮革，大多运至巴基西梅托或通过卡贝略港出口。城内有制糖厂和酿酒厂，该市附近蕴藏铜矿。人口约74 264(2000)。

San Felipe de Puerto Plata (Dominican Republic) **圣费利佩-德普拉塔港** 参阅 **Puerto Plata** 普拉塔港。

San Fernando 圣费尔南多 阿根廷大布宜诺斯艾利斯的首府和行政区。位于布宜诺斯艾利斯市北面，濒临拉普拉塔河口湾。1821年建行政区，面积924平方千米，为大布宜诺斯艾利斯最大的行政区。分为两个不相邻的地区：南部地区完全位于大布宜诺斯艾利斯城市区之内；北部地区位于大布宜诺斯艾利斯城市区之外。区内除首府圣费尔南多市外，主要地区有维多利亚和比尔雷埃斯。圣费尔南多镇1909年升为市。当今的行政区内有乳制品、鱼和水果加工工业，还有锯木厂、家具厂、纸品厂，采石业也有重要地位。圣费尔南多的人口密度为各行政区中最低的。南部地区有铁路、公路和飞机场，通达全国各地；北部沼泽地区人烟稀少，交通不便。人口：区146 896(1999)。

San Fernando 圣费尔南多 智利中部奥伊金斯地区科尔查瓜省省会。位于拉佩尔河畔肥沃的山谷。海拔339米。建于1742年，1840年为省会。地处牧区，其牛仔的牧马骑术表演居智利各地区的前列。除畜牧业外，周围地区还产小麦、饲料、大米、蔬菜和葡萄。泛美公路和南北铁路干线与该市相连接，并各有支线通向海滨游览胜地皮奇莱穆。人口：城市区约48 000(1999)。

San Fernando 圣费尔南多 菲律宾吕宋岛中西部城镇。濒临南海。周围广种烟叶和水稻。菲律宾国家铁路1955年延伸至巴克诺坦前，此处为其北方终点站。有吕宋岛西岸公路通过。外港波罗为吕宋岛北部唯一入口港，也出口该地区的烟叶。建有现代化教堂(1976)和中国式的宝塔。城镇附近有一建于1674年的教堂的废墟。人口约102 082(2000)。

San Fernando 圣费尔南多 西班牙西南部安达卢西亚自治社区加的斯省城镇。坐落在加的斯湾南岸一岩石岛上，四周为盐滩环抱。建于1776年，现为一海军总部驻地，有兵工厂、船坞和18世纪建立的瞭望台。出产盐、石料和轻工业品。人口84 014(1998)。

San Fernando 圣费尔南多 加勒比海南部特立尼达和多巴哥岛群中特立尼达岛上的城市和港口，特立尼达岛的第二大城市。为岛上南半部的行政中心和贸易中心。1818年曾被大火焚毁。重建后，1846年达到目前边界。1853年建自治城镇，20世纪80年代建市。其经济以石油工业为主，地处1900年发现的丰富油田的中心位置。居民中有大量东印度群岛人。人口约30 115(1991)。

San Fernando 圣费尔南多 美国城市和洛杉矶市内的飞地。在加利福尼亚州南部。地处圣费尔南多谷地东北部。1874年筹建。1911年设建制。市西北圣费尔南多水库为洛杉矶(欧文斯河)水道的南端。该水道灌溉谷地，使城市发展起柑橘类水果种植经济。有各种工业，主要生产电子设备和服装。设有洛杉矶教会学院(1975)。人口23 564(2000)。

San Fernando de Apure 阿普雷河畔圣费尔南多 委内瑞拉中西部阿普雷州首府。濒临阿普雷河，为亚诺斯(大草原)河港，海拔仅60米。雨季易被水淹。主要产品为活牛、牛肉和牛皮。为小船停靠港。没有铁路，但为重要航空中心。许多牛肉(尤其在雨季)靠飞机空运外销。人口约95 576(2000)。

San Fernando de Montecristi (Dominican Republic) **圣费尔南多-德蒙特克里斯蒂** 参阅 **Montecristi** 蒙特克里斯蒂。

San Fernando del Valle de Catamarca (Argentina) **圣费尔南多-德尔巴耶-德卡塔马卡** 参阅 **Catamarca** 卡塔马卡。

San Fernando Valley 圣费尔南多谷地 在美国加利福尼亚州南部洛杉矶市商业区西北面。群山环抱。面积670平方千米。原为农业区。现有洛杉矶的数个城郊住宅社区(恩西诺、北好莱坞、圣费尔南多、斯蒂迪奥城、塔尔赞纳、万纽斯、伍德兰希尔斯等)。当地有洛杉矶河流经，建有水库和防洪坝。

San Francesco 圣方济各教堂 天主教方济各会的隐修院和教堂，位于意大利阿西西，1228年追谥方济各为圣徒之后兴建，1253年完成。建筑依山而立，分上下两堂。下堂有G.皮萨诺、契马布埃、乔托、P.洛伦采蒂、S.马尔蒂尼和A.德·博洛尼亚等人所作壁画。地下的圣方济各墓室为1818年增辟。上堂内有圣方济各生平故事的壁画，为乔托及其学生所绘，另有契马布埃、P.卡瓦利尼、J.托利提所作《圣经》故事的壁画。

San Francisco 圣弗朗西斯科 阿根廷科尔多瓦省东北部城市。1886年建立。1915年设市。从19世纪起即为铁路运输的中心。也为四周农牧业区的工商业中心。主要生产亚麻籽油、电池、革制品、鞋、乳制品、农具和冻肉等。有铁路和公路通省会科尔多瓦和布宜诺斯艾利斯。人口：大圣弗朗西斯科56 913(1999)。

San Francisco 旧金山 又译圣弗朗西斯科或三藩市，别名弗里斯科。旧金山在美国关于自己的浪漫梦想中占有牢固的地位——一个凉爽、雅致、美观而世俗的海港。它那陡峭的街道使人们可以看到世界上一个巨大海湾的动人心魄的景观。旧金山人，就这个梦想来说，是一些老于世故的人。他们的生活拥有诸如音乐、艺术和美食等充分的文明享受。他们的城市是一个神妙的地方，虽然几乎只是一个岛屿，由于它的位置和历史，避免了不可抗拒的丑恶现象的污染，而根据上述梦想，这种丑恶现象已经污染了加州其余大部分城市。

尽管这幅图景可能完全是真实的，不免也还有另一个旧金山：它的酒精消耗量按人口计算，与美国任何城市相比都是最高的；自杀率高于全国的平均数；离婚率比纽约市高出几倍。旧金山显然是这样一座城市：梦想与现实之间的紧张状态代价高昂。

而且，自从第二次世界大战以来，旧金山必须对付普遍的城市问题：如空气和水的污染，无限制的建筑，暴力事件和破坏活动造成的丑恶以及内城的衰败。旧金山一直在缩小，因为主要是白人和中产阶级的家庭已迁到郊外，使这座城市的人口从统计上看比通常更老龄化，结婚者更少，白人更少。按人口调查者的乏味说法，几乎每两个旧金山居民中有一个是“非白人”——这里指的是黑人、东亚人、菲律宾人、萨摩亚群岛人和美洲印第安人。其他许多人是来自西属美洲的移民。他们的梦想越来越要求实现一个与旧金山的浪漫梦想没有多少关系的现实世界。然而，梦想与现实都很重要，因为它们已交织在这座城市的或可称之为“港湾矛盾”的组织结构之中。

自然地理与人文地理

地形 **城市位置** 旧金山位于一座半岛的北部尖端，地形起伏多坡，略呈方形，面积约46平方英里(120平方千米)。在它南面是圣马特奥县城郊宿舍区；东面和东北面是海湾；西面和西北面是太平洋。

旧金山最高的山丘是双峰山，即戴维森山和苏特罗山，海拔均在900英尺(270米)以上。最有名的是诺布山，有钱人于19世纪70年代在这里建造了豪华宅第。还有特利格拉夫山，从那里人们一度可以俯览充满华丽而俗气的邪恶景象的巴巴里海岸。由于当年开拓本地的设计者具有将地区划成方格的偏爱，商业街道顽强地爬上陡峭的山坡，使新来此地的驾车者心惊胆战，使缆车简直成了一种多愁善感的不合时宜的东西，并为人们提供海湾的壮丽景色。

旧金山湾是一个在冰河期最后的冰块溶化时淹没水中的河谷。由于铺填潮淹地带有利可图而积极进行，因此，这个海湾在平均高潮时的面积从1880年的大约700平方英里降到仅435平方英里。海湾尚有一半以上部分仍可填为陆地，但1965年州立法机构设立了海湾保护与发展委员会以控制进一步的填海造地计划。海湾最宽处为13英里(21千米)，最深处为金门航道，357英尺。每天通过金门湾流入太平洋的水量为密西西比河河口流量的7倍。

旧金山湾里城区范围内有天然岛屿阿尔卡特拉兹岛和耶尔巴布埃纳岛以及人工造成的特雷热岛。该岛原为1939年世界博览会而造，后改为海军基地。阿尔卡特拉兹岛(西班牙语：鹈鹕)从1934年至1963年是美国著名的具有最大安全性的防逃跑监狱。1969年，当联邦监狱局放弃了破败的监狱牢房后，一个多种族的印第安人集团侵入占领这个岛并声称对已废弃的联邦财产拥有权利，但在

1971 年,他们被强行驱赶了出去。这个岛在 1972 年成为金门国家游乐区的一部分。

气候 旧金山的冬季温和多雨,春季阳光充沛,气候和煦,夏季多雾凉爽,秋季阳光照射,气候温暖。平均最低温度为 51 °F(11 °C),平均最高温度为 63 °F(17 °C),平均降雨量(所有雨量几乎均在 11 月至翌年 4 月间降落)约为 21 英寸(533 毫米)。白昼时间的 2/3 有阳光照射。然而,气候的最突出的特点是夏季的雾。它低垂在城市上空直到中午时间,使冷得发抖的旅游者感到惊恐。这里的雾是由于温暖潮湿的海洋空气和沿岸大洋底层上升的冷水接触产生的温差造成的现象。

日,随后发生了火灾,摧毁了城市中心。大火连续燃烧了 4 天,直到灰烬被雨熄灭。城市中心的 512 个街区,面积合 4 平方英里,被大火吞噬,有 28 000 幢建筑被焚毁,损失财产总值约 3.5 亿美元。约有 700 人死亡,25 万人无家可归。东部一个新闻记者为庆贺当地的一家酒厂幸免于难,写了一首诗:

"有人说是上帝惩罚这座城市,因为它过分欢畅。果真如此,他为什么烧毁教堂,却留下了霍塔林威士忌酒厂?"

1906 年地震以来,地震学家和工程师们一直警告说地震还可能再次发生。后来,有几次比较强烈的地震(超过里氏震级 5 级)曾

主要定居在旧金山、奥克兰和里士满。在旧金山,他们迁入菲尔莫尔大街周围街区里的哥特式木屋居住。这些房子是日本人被赶入战时拘留营后腾空的。到了 20 世纪 80 年代,这个区的性质又发生变化,因为这些房屋的整修翻新和地产的高价使房租增长。比较贫穷的黑人居民被迫迁出他们居住区,搬进这座城市本来已经拥挤的东南部的贫民区。然而,越来越多黑人男女在这座城市的生活中占有显著地位,黑人已获得许多选任职位。

华人 当地的唐人街据说是亚洲以外规模最大的华人社区,也许也是旧金山最不被人理解的少数民族社区。格兰特大街上装潢

旧金山市电报山上的科伊特纪念塔,左为旧金山湾中的阿尔卡特拉兹岛

供图:Colour Library International

城市布局 中心商业区、金融区、北沙滩和唐人街占据了这座淘金城的旧址。此处因滨水地带不断被填充而扩大。1849 年舍弃的许多船只遗骸现在已埋在离岸边几个街区的商业大厦下面。西面,靠近金门桥处是普雷西迪奥。这是美国一个军用地,以其公园式草坪和成片树林著称。在普雷西迪奥南面是金门公园,这里一度曾是沙漠荒地,后开垦成公园。旧金山的其余部分是居民区,从老富户居住的太平洋高地直到主要是黑人聚居的亨特角。

20 世纪 60 年代晚期以后,被称为旧金山曼哈顿化的巨大变化已十分明显。这种变化既受欢迎又遭到痛骂。特别是在金融区,一幢接一幢的高楼大厦建造起来,而这座城市多少世代以来没有多少超过 20 层的建筑。现代化的摩天大楼中有美洲银行中心(52 层)和泛美公司大厦(48 层和一个高 212 英尺的尖塔),后者高耸着,像一座拉长的金字塔。

旧金山有着美国任何其他城市未曾有过的经历——地震破坏。这又是引起人们关切的一个问题。1868、1898、1900、1906 和 1989 年,发生过剧烈的地震。但是,造成最严重破坏的是 1906 年的地震。一谈到旧金山,便使人联想起这次地震。这次地震发生在 4 月 18

袭击这座城市,造成一些损害,但 1989 年的地震(里氏震级 7.1 级)确实摧毁了城内一些建筑物,而在周围地区被破坏的建筑甚至更多。然而,现代化办公大楼大部未遭损坏。这表明新的建筑方法可以给这座城市提供某种保护。

人民 19 世纪后半叶,进入旧金山的移民模式和美国任何其他地方的模式有显著的差别。一批批移民中不仅有向西部迁移的土生土长的美国人,而且有以前未曾在东部沿海地区经过美国化的过程直接乘船到达的欧洲人。一家经营不动产的公司简要地总结了这座淘金城的人口状况,它宣扬自己能够"用英语、法语、德语、西班牙语和意大利语做生意"。旧金山是美国两座最具有欧洲特色的城市之一——新奥尔良是另一座——而且无疑地是最有地中海特色的城市。意大利人一直是该市欧洲人中最大部分,其次是德国人,爱尔兰人和英国人。

黑人 在第二次世界大战以前,约有 2 万黑人住在整个海湾地区,其中约有 4 000 人住在旧金山。此后 30 年中,人数增长了 24 倍。这是由于战争引起的。战争使至少 50 万战时工人来到海湾地区的造船厂和其他工厂。在这些工人中有好几万来自南方,他们

华丽的商店和饭店掩饰了一个由拥挤的简陋住房和"血汗工厂"组成的贫民区。这个地区在一个本来已经人口密集的城市中是人口密度最高的。华人越来越多地迁入以前主要是意大利人居住的北海滩、俄罗斯山的附近山坡或是金门公园北面的里士满区。住在唐人街的许多华人是比较近期的移民,主要来自香港,他们爱好本国语言和生活方式。

日本人 旧金山的日本社区从未有唐人街那种巨大规模,1942 年发布的臭名昭著的 9066 号行政令一举将这个社区勾销,把日本人,不论国外出生或土生土长,一概送往"重新安置中心",这些中心实际上是集中营,只是名称不同而已。日本社区今天的中心是日本城,坐落在菲尔莫尔大街东面的几个街区。在那里开发了一个雄心勃勃的商业文化中心,设有饭店、一家旅馆、商店和营业机构。虽然新生的一代日裔美国人前往日本城是去参观访问、参加庆祝会或购买进口货,但他们自己却植根在其他地方。

西班牙语族居民 这座城市的历史源于西班牙和墨西哥,在人口数量上,说西班牙语的人与那里的华人相差无几,成为当地第二个最大的少数民族。在第二次世界大战前,以"多洛雷斯教会"得名的教会区的居民主要

是蓝领工人和爱尔兰人。爱尔兰人已经大部分被主要来自中美洲和墨西哥的说西班牙语的移民所取代。在他们中间有一些美洲印第安人和萨摩亚人的小块居住区。

菲律宾人　旧金山的菲律宾社区从第二次世界大战以来有显著的发展，蔓延到城市所有地区，特别是市场的南部。菲律宾人特别是在政治、教育和商业方面已成为一个非常活跃的少数民族集团。他们以具有高等文化水平和喜爱艺术和音乐著称。

人口：市776 733；旧金山主要都会统计区1 731 183。旧金山-奥克兰-圣何塞联合都会统计区7 039 362(2000)。

经济　1848～1849年前往加利福尼亚州和19世纪中期前往西部领地和各州的淘金热使旧金山成为西部的首要城市，从俄勒冈边境直至洛杉矶的印第安人村落简称之为“城市”。它至今仍是一个大港口、西部的金融和行政首府、重要的贸易和制造业中心。

这座城市的大部就业人员在金融领域工作。其他主要的就业领域为商业服务(人员提供、建筑维修、安全、计算机，数据处理、广告)、零售业、旅游与会议服务业以及专业服务。许多公司选择这里设立它们的全国性总部。

港口　旧金山从一开始就是兽皮-牛脂贸易的停靠口岸，后来又成为太平洋捕鲸业的基地港口，因此它对航运的重要性一向有切身的认识。在19世纪，船只绕合恩角或从巴拿马地峡航行，“轮船日”曾是一个全体市民的节日；1914年后，货轮和客船通过巴拿马运河从东方驶来。1867年，太平洋邮船公司开辟了第一条横渡太平洋航线，从旧金山驶往横滨和香港。

通过旧金山海关管区的进出口货物使旧金山海湾的联合港口——旧金山、奥克兰、阿拉梅达、萨克拉门托、斯托克顿——成为美国最活跃的国际港口之一。

工业　在海湾地区，制造业是主要的收益来源。在旧金山，制造业是次要的收益来源，主要的工业是服装和其他纺织品、食品加工、造船，而航空航天和电子工业在半岛的各城市是强大的工业。

金融　从第一撮金砂换成硬币以来，旧金山一直是一个金融中心，太平洋证券交易所和许多银行总行都设在这里，其中有美洲银行和韦尔斯·法戈银行。在金融活动方面，旧金山的地位仅次于纽约。

交通运输　洛杉矶很久以前就无条件地向汽车投降了；旧金山曾不时加以反抗，它感到有可能抵制“进步”。好像用断头机斩首那样截断高架码头高速公路就是这种反抗的纪念物。

周期性的烟雾是个严重问题。它主要是由这个地区的汽车造成的。(1955年成立了一个空气污染控制区。)另一个问题是从周围的城镇进入旧金山主要依靠一个高速公路网，而在高峰时间道路拥挤不堪。从东海湾城市奥克兰和伯克利和从北面的马林县来旧金山要通过两座巨大但却超载的桥。旧金山-奥克兰湾区大桥全长4½英里，于1936年建成，它有两个连接的悬索桥，一个在耶尔巴布埃纳岛上的连接隧道，5个桁架跨和一个悬臂跨。橘红色的金门桥通往北面马林县，于1937年建成，它是一座纯粹的悬索桥，中央跨距长4 200英尺。

在渡船被大桥淘汰以前，旧金山拥有一个大规模的渡船航线网。渡船精美，由它运往市场大街下端渡船大楼的旅客人数超过了除伦敦的查灵克罗斯以外的任何其他交通运输站。直到大桥开始交通堵塞，旧金山市民们才认识到他们失去了什么。在旧金山和马林县之间恢复了渡船，但规模较小。

规模更大的措施是市际高速交通系统即“湾区快运”，于1972年开始运营。这条通过一个长3½多英里的海底隧道在旧金山与东湾各社区之间运行的高速铁路线部分是地下铁道，部分是高架铁道。它是在半个世纪中建成的第一个这类的交通系统，在各方面都和较老的系统不同。它的主要特点是有由电子计算机控制、时速平均80英里的舒适的自动化列车。

旧金山坐落在半岛的尖端，一向是铁路运输的死胡同。横贯大陆的火车(1869年9月6日第一辆西行火车沿中太平洋铁路抵达此间)只能将旅客们送到奥克兰，再用渡船和公共汽车运到旧金山。如同在美国其他地区一样，火车的重要性自第二次世界大战以来逐渐下降。就运货而言，卡车运输在很大程度上取代了火车。

旧金山国际航空港位于市县边界线以南7英里处，在海湾西南岸填海所造陆地上。它为市政府所有，亦由其经营管理。

行政与社会状况　政府　和加州的任何其他城市不同，旧金山(1850年设建制)有一个市县统一政府。市县政府仍根据1932年的不动产拥有者特许状行使职权。这个特许状为市长提供强大的行政权力，但将大部管辖权授予一个行政长官(由市长任命)和一个审计官。立法权授予一个选举产生的监督员委员会。其他重要官员是校监和公用事业经理，二者均是委任的。

公用事业　从1934年以来，旧金山的主要水源是离城167英里位于海谢拉的赫奇赫奇水库。其他水源是阿拉梅达县的卡拉韦拉斯水库和南面圣马特奥县的一些水库。按赫奇赫奇水库设计，需要在约塞米蒂国家公园里筑坝拦水，使之成为一个几乎与约塞米蒂谷同样壮丽的河谷，同时修筑通过滨海山脉隧道，其中一条长达25英里。1902年，第一条输送水力发电电力的高压电线在莫凯勒米河上的发电站和约180英里外的旧金山之间建成。从那时以来，湾区发展了建立在内地一些河流上的一个水力发电站网以及在蒙特雷湾的一个蒸汽动力发电厂。

教育　虽然严格地说它们不能算是旧金山的院校，但在湾区规模最大的大学是位于海湾对面伯克利的加利福尼亚大学和半岛南端位于帕洛阿尔托的斯坦福大学。在旧金山本区内，著名的高等院校是旧金山大学(耶稣会)和旧金山州立大学(前称旧金山州立学院)。旧金山州立大学于1899年作为一所师范学校成立，但由于在学术上的卓越成绩获得全国声誉。其他院校包括金门大学，旧金山市立学院(两年制公立学院)以及旧金山艺术学院。

文化生活　旧金山是两个重要音乐组织的所在地。旧金山交响乐团在L.H.戴维斯交响乐大厅演奏，夏季举行流行音乐会。旧金山歌剧团每年早季举行表演，这样它的一些主要歌唱家能够履行他们与纽约市大都会歌剧厅签定的合同。除了美国音乐学院剧团(简称ACT，一个常驻的定期换演节目的剧团)以外，专业剧团实际上是不存在的。现有的商业区剧场主要由百老汇获得成功的巡回表演班子占领。

旧金山人感到他们的城市是艺术家的天堂。对于珍视建筑和公共雕塑的人们来说确实如此，但绘画的收藏则不能与洛杉矶和东海岸的收藏相提并论。然而，值得重视的是亚洲博物馆收藏的玉器和瓷器，加州荣誉军团宫收藏的罗亭的雕塑以及如消防部门先锋纪念博物馆这类小型博物馆收藏的许多珍宝。

最伟大的作家之一马克·吐温把旧金山看作自己的家乡，尽管他只在19世纪60年代中期在这里居住了短暂时间。19世纪在此住过的其他著名作家包括F.诺里斯、A.比尔斯、B.哈特、杰克·伦敦和R.L.斯蒂文森，后者在供膳的寄宿处曾过着极其贫困的生活。在20世纪50年代中期，旧金山是避世派诗人们的主要聚会地之一，其中有L.弗林格蒂(城市之光书店的发行人和共同创办人，该店成为避世派运动的圣地)、G.柯尔索、A.金斯堡、J.凯鲁亚克和G.斯奈德。当前的作家群包括许多负有盛誉的写作家，其中许多人和旧金山州立大学校园内的创作计划保持着联系。

旧金山文化的一个最主要部分从一开始就存在于饭店、旅馆和酒吧。除此以外，必须加上少数民族聚居地的大众文化——唐人街、北海滩的意大利社区、菲尔莫尔区的黑人文化、日本社区、克雷芒大街的俄罗斯社区以及西班牙语族人聚居的教会区等地的文化。

然而，旧金山对美国生活的最大贡献同它的少数民族文化或者其官方所认定的习俗——或如人们提示的，1964年在北海滩一家夜总会里出现的无上装舞女——都毫不相干。相反，与之有关的是“花儿少年”于1967年毫无前兆地突然出现。“花儿少年”是这样一代青年人，他们蓄着长发，不修边幅，自称义无反顾地逃离“大社会”，宣扬和平与爱的善意。不幸的是，到了70年代，他们首府黑特-阿什伯里区的主要街道变成了一个丑恶、危险的毒品交易场。

60年代后期，旧金山一度也变成了摇滚乐的中心。这个中心因下列团体的旧金山音调而全国闻名。这些团体有“杰斐逊飞机”、“报恩的死人”、“水银信使服务”以及像J.乔普林这样的演员。旧金山是同性恋权利鼓吹者的一个中心。美国最大的同性恋者社区之一就位于该地。

历史

探险和早期居留地　令人惊奇的是，旧金山这个地方首先是通过陆地而不是从海上进行勘探的。旧金山海湾是世界上最壮丽的天然港湾之一，而一些伟大的船长和探险家如J.R.卡夫里略(1542～1543)、F.德雷克

(1579)和S.比斯凯诺(1602)驶过海湾入口处竟未注意。1769年,由西班牙探险家G.de波尔塔拉领导的探险队的一个侦察组从一个山顶上俯览了这片浩瀚的水面。据说他们是第一批看见旧金山海湾的白人。直到1775年8月5日,第一艘西班牙船只"圣卡洛斯"号在J.M.de阿雅拉海军上尉的指挥下,穿过海岬,向东行驶,逆着退潮前进,恰好在海港入口处抛锚停泊。虽然德雷克很可能曾驶入港内,但大部分证据反对这一看法。

翌年,来自蒙特雷的移民在J.J.莫拉加海军中尉和F.帕洛牧师领导下,在旧金山半岛的尖端定居下来。军事哨所(现为旧金山的普雷西迪奥,一直在使用)于1776年9月17日成立,而德阿西斯的旧金山教会(通称多洛雷斯教会)于10月9日开放。

大约半个世纪以后,在教会东面2英里的耶尔巴布埃纳小海湾的沿岸出现了一个村庄。开拓者先驱是一个英国人,名叫W.A.理查森的船长。他在1835年清理出一块土地,建筑了旧金山的第一个住所——用4块红杉木和1个前桅帆做成的篷帐。同年,因为从捕鲸者和经营兽皮和牛脂贸易的船长们那里获悉这个巨大的港口具有灿烂的商业前景,美国试图向墨西哥政府购买旧金山湾,但未成功。R.H.达纳的船于1835年进入海湾。他在《桅前两年》(1840年)一书中写道:"如果加利福尼亚有朝一日成为一个繁荣的国度,这个海湾将是它繁荣的中心。"

美国人不得不再等11年。在沿格兰德河发生战斗后,J.B.蒙哥马利船长于1846年6月3日将单桅小战船"朴次茅斯"号驶入海湾,在耶尔巴布埃纳小海湾停泊,后率一队水兵和海军陆战队登岸,在集市升起了美国国旗。1847年1月30日,耶尔巴布埃纳改名为旧金山。人们认为这个名称对于这个镇的未来发展更为吉利。

耶尔巴布埃纳的白人永久居民在1844年不超过50人。到了1846年,居民中有375名白人,此外尚有83名黑人、美洲印第安人和桑威奇群岛人(夏威夷人)。2年以后,就在亚美利加河区发现黄金以前,这个镇约有200个棚屋和住所。居民中约有800名白人。

大城市的发展 19世纪下半叶 1849年旧金山发现金矿后加速了步伐,找到了方向。这个规模不大的村庄最初几乎无人居住,因为它的居民全都蜂拥奔向内地的马瑟洛德,而后来它又突然变成世界上最不寻常的城市之一。大约4万淘金者来自海上,另有3万人穿过大盆地跋涉而来,还有9 000人从墨西哥北迁。到了1851年,800余艘船只停泊在小海湾内,船员们均已弃船登岸。

除了矿工以外,人们都发财了。鸡蛋每个售价1美元。商业区的房地产索取的价格几乎可以和20世纪后期的估定价相抗衡。直到1857年大恐慌时期妄想破灭,5万旧金山人发财而又破产。互相诈骗,动辄动刀开枪。如《萨克拉门托公会》报1856年所说:"6年中,旧金山发生了大约1 400件凶杀案,而只有3名凶手被处绞刑,其中之一还是一名举目无亲的墨西哥人。"两个治安维持会(1851和1856年)以粗暴的和未经法律制定的审判来对付这种挑战,每次绞死4人,以儆效尤。

1859年在内华达领地发现了银矿。对内华达的康斯托克银矿的开采最后盈利3亿美元,将旧金山从一个边境新兴城市变成一个大都市。当地的主要市民是银行家、投机商和律师。他们让自己的妻子穿着巴黎时装,在豪华的饭店和宏伟的旅馆里饮酒吃饭。

旧金山当时从各方面来说都是一个令人陶醉的城市。它的许多魅力使历史学家兼伦理学家B.E.劳埃德在1876年向家长们提出忠告,要求他们:"更密切地注意他们的女儿们,因为女孩们不知道她们所面临的许多危险……并要温和地告诫他们的儿子们,因为他们一旦到了这座让人眼花缭乱的城市的街上,他们就置身于许多诱惑之中。"

19世纪60和70年代标志着现代旧金山的诞生。100多年来,它自称是西部的雅典、巴黎和纽约,但始终没有完全脱去它那狂暴起源的痕迹。正如R.吉卜林在19世纪90年代访问了这个城市之后所说:"旧金山是一座疯狂的城市,大部分是由十足的疯子居住,但他们的女人却十分漂亮。"

20世纪 旧金山在20世纪前半期的成长是由两个巨大变动所决定的。第一个是1906年的大地震和大火,它摧毁了中心商业区。然而,在1906和1910年间,这座城市在废墟上重建起来。另一个巨大变动是第二次世界大战。在这期间,几十万军人通过旧金山去参加太平洋战争,或驻扎在旧金山城内和郊外;此外,约有50万人前来这个地区从事与战争有关的行业,暂时住在海湾周围的各城镇中。这是旧金山地区的永久人口在战后高涨的开始。

San Francisco Bay 圣弗朗西斯科湾 在美国加利福尼亚西部。几乎全部为陆地环绕。圣弗朗西斯科湾由没入海水中的河谷形成。经金门海峡通太平洋。长97千米,宽5～19千米,为世界上最佳天然港湾之一。湾内有数座岛屿,四周有圣弗朗西斯科(旧金山)、奥克兰等大城市和由湾区高速铁路连接的都市区的一些次中心区。

San Francisco Conference 旧金山会议 (1945-04-25～06-26) 正式名称为United Nations Conference on International Organization。建立联合国组织的国际会议。体现同盟国政治目标的一个世界性组织的基本原则在1944年**敦巴顿橡树园会议**(**Dumbarton Oaks Conference**)上已经提出,1945年年初又在**雅尔塔会议**(**Yalta Conference**)上得到重申。参加这个会议者,有来自签署1942年《联合国家宣言》的46个国家的代表团,该宣言提出了同盟国在第二次世界大战中的目标。但是,会议上起领导作用的是所谓"四大国"的外交部长:美国国务卿E.斯退丁纽斯、英国的A.艾登、苏联的V.M.莫洛托夫和中国的宋子文。有5个国家提出申请入会:乌克兰和白俄罗斯苏维埃社会主义共和国——虽然有些西方国家表示反对,说它们不是独立的国家——以及阿根廷和丹麦被接受了。苏联支持的波兰卢布林政府没有被接受,因为其他同盟国家不承认它的合法性(后来,波兰被接纳,并允许作为创始会员国,使总数达到51个)。制订联合国宪章的实质性工作由4个委员会进行,其代表来自所有参加国。每个委员会由2个或2个以上的技术委员会协助。这次会议主要讨论四大国作为联合国安全理事会常任理事国的权限。安全理事会所有非程序性决定(诸如执行针对和平遭破坏的措施,接纳新会员国等等)可由4个常任理事国中的任一国否决。于是,参加会议的较小或较弱的会员国力图削减四大国在安全理事会的权力。这些小会员国力图限制安全理事会的否决权;增加联合国大会的权力;给予联合国大会解释联合国宪章的权力。较小国家的所有这些目标一般都没有获得成功,四大国(因法国包括在安全理事会内,后为五大国)在联合国保持优越的地位。旧金山会议在6月26日由50个国家签署《联合国宪章》后结束。

San Francisco de Macorís 圣弗朗西斯科-德马科里斯 多米尼加共和国中北部城市。建于1777年,地处肥沃的拉贝加雷亚尔地区。为商业和加工业中心,主要销售和加工可可、咖啡、水果、稻米、蜜蜡和皮革。有地方短途铁路和几条二级公路。人口约108 485(1993)。

San Francisco de Quito, Villa de (Ecuador) **圣弗朗西斯科-德基多镇** 参阅**Quito**基多。

San Francisco del Rincón 圣弗朗西斯科-德尔林孔 墨西哥瓜纳华托州西部城市。在图尔维奥河上游。海拔1 762米。为农业中心,有草帽、面粉、长围巾和胶姆糖等产品。墨西哥城—华雷斯城铁路干线在城市附近通过。公路通莱昂。人口66 000(2000)。

San Francisco Gotera 圣弗朗西斯科-戈特拉 萨尔瓦多东部城市。濒临圣米格尔格兰德河。为农业和牧业贸易中心。附近的埃尔迪维萨德罗有金、银开采业。人口约19 887(1992)。

San Francisco-Oakland Bay Bridge 旧金山-奥克兰海湾桥 参阅**Bay Bridge**海湾桥。

San Francisco Peaks 圣弗朗西斯科三峰 美国亚利桑那州中北部三座山峰,即汉弗莱

圣弗朗西斯科三峰远眺

供图:David Muench—美国不列颠百科全书公司

斯峰、阿格西峰和弗里蒙特峰。位于科罗拉多高原费拉格斯塔夫北 16 千米的死火山侵蚀边缘。汉弗莱斯峰海拔 3 851 米，为全州最高点。常年为冰雪覆盖的三峰在科科尼诺国家森林区，适宜发展旅游业及伐木业。

San Fructuoso（city，Uruguay） **圣弗鲁克图奥索** 参阅 **Tacuarembó** 塔夸伦博。

San Gabriel **圣加布里埃尔** 美国加利福尼亚州南部洛杉矶县城市。在洛杉矶市中心区东面的圣加布里埃尔谷地中。1775 年圣加布里埃尔传教会迁此。19世纪80年代规划。

圣加布里埃尔市传教会教堂上的排钟
美国不列颠百科全书公司供图

1913 年设市。现发展为大洛杉矶的居住区，并有一些制造业。当地教堂呈城堡状，式样与西班牙的科尔多瓦清真寺相同。人口 39 804（2000）。

San Gabriel Mountains **圣加布里埃尔山** 美国太平洋海岸山脉的一部分。在加利福尼亚州南部。从纽霍尔山口向东延伸至卡霍山口，长 97 千米。多海拔 2 700 米以上的山峰，最高点安东尼奥山海拔 3 072 米。该山亦包括设有著名天文观测台的威尔逊山（1 740 米）。因气候适宜，一年约有 300 天可进行观测。该山大部处在安吉利斯国家森林境内。南部山麓延入洛杉矶和圣贝纳迪诺两县的住宅和农业区，柑橘类作物素负盛名。

San Gabrielino（people） **圣加布列莱诺人** 参阅 **Gabrielino** 加布列莱诺人。

San Germán **圣赫尔曼** 波多黎各西部城镇。位于中科迪勒拉山麓半干旱区。原在 1511 年建于西海岸。1528、1538 和 1554 年遭法国海盗劫掠。1570 年居民迁往丘陵地带。现代城镇为缝纫业和艺术中心。有西半球最古老的教堂之一——17 世纪的天堂之门教堂（现为宗教艺术博物馆）。1912 年建立波多黎各工业学院（后改名美洲大学），校内国际音乐学院每年举办夏季音乐会。周围地区产甘蔗、咖啡等。人口 12 033（2000）。

San Gimignano **圣吉米尼亚诺** 意大利中部托斯卡纳区锡耶纳省城镇。中世纪为独立的共和国。1352 年财力枯竭，归属佛罗伦萨。市内多哥特式建筑，为全国保护最好的中世纪城镇之一。城墙、城门和 14 个著名旧城塔完好无损。该城原有 72 个城塔，其余的城塔均因地基不稳已倒塌。最著名的建筑有波波洛宫（1288～1323，内有一市博物馆和画廊）、圣阿戈斯蒂诺教堂等。并为重要旅游中心，以产葡萄酒闻名。人口：都市区约 7 043（1991）。

San Giorgio Maggiore **圣乔治-马焦雷教堂** 在建筑史上颇有影响的一座教堂，位于威尼斯雄伟的圣马可教堂对面的圣乔治-马焦雷岛上。1566 年由 A.帕拉弟奥设计，1610 年由 V.斯卡莫齐完成。帕拉弟奥设计的立面表现了古典建筑部件的风格主义应用，突出了中央的山花，两旁各有半个山花。该教堂以内部宽敞明亮著称。

San Giovanni Rotondo **圣乔瓦尼-罗通多** 意大利东南部普利亚区福贾省城镇。据说建在朱庇特庙遗址上。就在福贾市的东北偏北处。圣奥诺弗里奥教堂建于 13 世纪。第二次世界大战后此城镇成为世界闻名的朝圣地。由国际出资以前纽约市长命名的菲奥莱洛·拉瓜尔迪亚医院就建在此以拯救患病朝觐者。附近有铝土矿。经济以农业为主。人口：城市区约 22 970（1987）。

San Giuliano Terme **圣朱利亚诺-泰尔梅** 1935 年以前名为巴尼圣朱利亚诺。意大利中部托斯卡纳区比萨省城镇。罗马时期即以矿泉闻名。1820 年英国诗人雪莱曾来此，当地有他的半身雕像和匾。生产棉织品和灯泡。人口：城市区约 27 999（1991）。

San Guan **三官** 又拼 San Kuan。中国神话中的三位尊神，即赐福的天官、赦罪的地官和解厄的水官。中国戏曲塑造了许多深受欢迎的“天官赐福”的小品。道教认为天、地、水为三种超在力量，据此，东汉张陵之子张衡（2 世纪）提出，“服罪”文书应写 3 份，一份“上之天”（焚烧），一份“埋之地”，一份“沉之水”，这

《三官出巡图》
中国大百科全书出版社供图

叫做“三官手书”。

san-hsien（musical instrument） 参阅 **san-xian** 三弦。

San Ignacio **圣伊格纳西奥** 旧称埃尔卡约或卡约。伯利兹（前英属洪都拉斯）中西部城镇。濒临伯利兹河，靠近危地马拉边界。与本克维霍有贸易往来。原先买卖糖胶树胶和木材。现在交易的商品主要是牛、玉米、豆和稻米。也同危地马拉有一些贸易往来。居民为玛雅印第安人和大量门诺宗教徒。人口：镇 13 483（2000）。

San Ildefonso **圣伊尔德丰索** 西班牙中部卡斯蒂莱-莱昂自治区塞哥维亚省城镇。地处佩尼亚拉腊山麓，在塞哥维亚市东南，周围森林茂密。约 1450 年由亨利四世建为避暑胜地。1477 年由费迪南德和伊莎贝拉赐给哲罗姆会隐士。1720 年复由该会卖给西班牙波旁家族第一位国王腓力五世。王宫中小教堂内有 F.巴耶乌-苏比亚斯的壁画和腓力五世

圣伊尔德丰索镇的王宫
供图：Authenticated News

夫妇的陵墓。1918 年镇内王宫毁于大火，拉格兰哈是许多历史大事件的发生地，如腓力五世逊位（1724）、西班牙隶属法国条约的签定（1796）和禁止女性后嗣继承王位的《萨利克法》的废除等。人口 5 110（1996）。

San Isidro **圣伊西德罗** 秘鲁利马-卡亚俄都市区南部的一区，利马最优美的郊区之一。房屋园林环绕，公园到处可见。当地有私立印加-加尔西拉索大学（1964）、圣心女子大学（1962）、利马高尔夫球俱乐部、印加时期前遗迹、文物陈列馆和许多豪华高层公寓。没有中央商业区。零售店和服务行业分散在全区各地。有几个购物中心。人口：区约 61 979（1996）。

San Isidro **圣伊西德罗** 阿根廷布宜诺斯艾利斯省大布宜诺斯艾利斯的区和区首府。濒临拉普拉塔河河口湾。圣伊西德罗区建于 1784 年。面积 48 平方千米。东北接拉普拉塔河。区内除首府外，主要城镇有布洛涅、马丁内斯、阿卡斯苏索等。工业生产冻肉、乳制品、轮胎、纸张、陶瓷等。圣伊西德罗市为高尔夫球、赛艇、游泳、钓鱼的游乐胜地。有现代化的赛马场吸引着大量游客。整个区位于大布宜诺斯艾利斯市区内，人口较稠密。通铁路和公路。人口：区 296 935（1999）。

San Jacinto, Battle of 圣哈辛托战役(1836-04-21) A.L.德·圣安纳将军所部墨西哥军约1 500名与S.休斯顿将军所部约800名美军在圣哈辛托河畔的交战，结果墨军败北，死约600人，另伤200人，700人被俘，包括德·圣安纳将军在内。美军死6名，伤约30名。圣哈辛托战役的结束保证了得克萨斯美国居民反对墨西哥的独立战争的胜利。

San Jacinto Mountains 圣哈辛托山 美国太平洋海岸山脉的一部分。在加利福尼亚州南部。从圣戈尔戈尼奥山口向东南延伸至圣罗莎山脉北端，长50千米。最高点圣哈辛托

白雪覆盖的圣哈辛托山圣哈辛托峰
供图：Josef Muench

峰海拔3 293米。棕榈泉市位于其东麓。山区大部为自然保护区，有州立圣哈辛托山公园和圣贝纳迪诺国家森林的一部分。圣哈辛托山也为四周地区的重要分水岭。山区游客甚多。

San Joaquin River 圣华金河 在美国加利福尼亚州中部。源出内华达山脉，流向西南转东北，汇入萨克拉门托河。全长560千米。河上筑坝用于水力发电。河谷构成中央峡谷的南段。为美国最富庶农区之一。

San José 圣何塞 哥斯达黎加首都。在开阔、肥沃的山谷内。海拔1 160米。1736年有人定居。1823年设为首都。19世纪40年代为咖啡生产中心。在整个19世纪，咖啡一直是哥斯达黎加收入的主要来源。20世纪这个城市作为全国的政治、社会和经济中心，人口迅速增多，面积也迅速扩大。1950年后工业企业增长一倍以上。亦为运输中心，泛美公路的重要一站，北方铁路和太平洋铁路

圣何塞市的大教堂
供图：Charles May—Shostal/美国不列颠百科全书公司

的枢纽站。有国际和国内机场各一。市内有哥斯达黎加大学(1940)、国立大学(1973)、19世纪的教堂和国家剧院。有一个以美国总统肯尼迪命名的小公园。文物有哥伦布到达美洲以前的金制品。人口341 708(2000)。

San Jose 圣何塞 菲律宾吕宋岛中北部直辖市。1969年设市。为被誉为全国最重要的谷仓地区的贸易中心。城东15千米有潘塔邦岸水坝(1974)，可为当地提供灌溉和向马尼拉供电。该市地处从马尼拉至吕宋岛北岸阿帕里的公路上，建有飞机场。人口107 000(2000)。

San Jose 圣何塞 美国加利福尼亚州中西部城市，圣克拉拉县县城(1850)。地处肥沃的圣克拉拉谷地。濒临凯奥特河及瓜达卢普河。为该州最早建立的城市(1777)。初为西班牙军队补给地，1846年美国占领加利福尼亚后，曾为该州首府。1849年12月首届州立法议会在此召开。1864年通铁路。1940年前工业以干果加工和农业设备生产为主。第二次世界大战中及战后，工业发展，生产电机、飞机零件、汽车等。生产电脑的硅谷在市北兴起更使该城有了惊人的发展。1850年设建制。1960～1980年人口增长3倍以上。现仍为水果及葡萄酒农业区加工及销售中心，工业更趋多样化。文化名胜有市立玫瑰花园、玫瑰十字会埃及博物馆、阿勒姆罗克公园。圣何塞市设有州立加利福尼亚大学圣何塞分校(1857)、圣何塞市立(初级)学院(1921)，附近有圣克拉拉大学和斯坦福大学。人口：市894 943；主要都会统计区1 682 585(2000)。

San José 圣何塞 乌拉圭南部城市。位于蒙得维的亚西北、圣何塞河畔。建于1783年。1825年起义反抗巴西时曾为临时首都。现为农业和工业中心。专门生产肉食、乳制品、革制品、服装、家具及汽车配件。设有农业机械学校。市内巴西利卡大教堂(1857～1874)为巴罗克式建筑，有宏伟的钟楼。人口约33 360(1996)。

San José de las Lajas 圣何塞-德拉斯拉哈斯 古巴哈瓦那省中北部城市。为四周乳品和甘蔗产区的商业和制造业中心。有温泉，为疗养胜地。铁路枢纽，通公路。人口约44 342(1991)。

San José del Guaviare 瓜维亚雷河畔圣何塞 哥伦比亚东南部瓜维亚雷特区的首府。位于瓜维亚雷河右岸。地处北面的亚诺斯(平原)和南面的热带雨林之间的过渡地带。经济以养牛和种植业为主。与波哥大等北部市镇之间有内陆交通。人口29 663(1993)。

San Jose scale (*Aspidiotus perniciosus*) **圣何塞介壳虫** 又称梨圆蚧。同翅目昆虫，破坏性最大的介壳虫之一，1880年发现于北美加利福尼亚圣何塞，可能原产于中国。雌虫黄色，分泌蜡质，覆于体表，形成灰色圆形介壳，直径1.5毫米，壳中部隆起，周围有一黄环。雌虫交配后产出幼虫。一年2～6代。

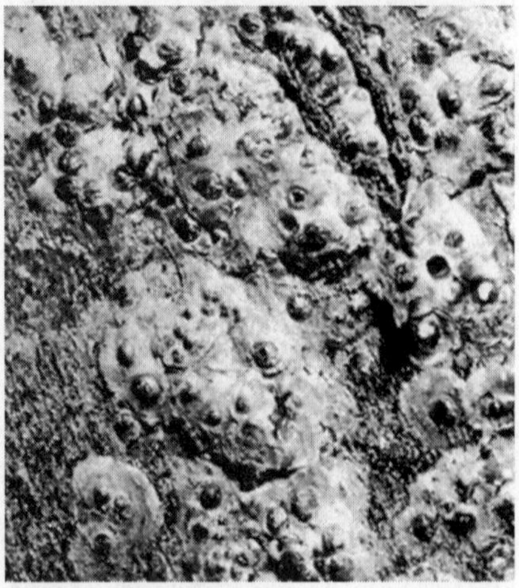

圣何塞介壳虫(*Aspidiotus perniciosus*)
供图：William E. Ferguson

有时数量极多，乃至互相重叠而盖满树枝；有时可致树死亡。一度用喷洒石灰硫磺合剂防治，今喷洒油性杀虫剂更为有效。

San Juan 圣胡安 阿根廷中西部一省。西与智利交界。面积89 651平方千米。西部为山区，有源出安第斯山雪水的河流穿切。三条主要河流(均开发用于灌溉)注入该省东南部半干旱地带的沼泽。16世纪末和17世纪初由西班牙人、多米尼加人和来自智利的耶稣会教徒拓居。人口稀少。1825年自立为省。1776、1944和1977年大地震的震中区均在该省。畜牧业重要。出产葡萄等水果。铜矿藏丰富，但开发有限。省会圣胡安(San Juan)等城市的经济以食品加工为主。有公路通智利。人口约620 023(2001)。

San Juan 圣胡安 阿根廷圣胡安省省会。濒临圣胡安河。三面被安第斯山麓环抱。建于1562年。1593年迁至现址。1944年发生大地震，城市大部被毁。现重建为现代化城

圣胡安市的中央林荫大道
供图：Shostal—美国不列颠百科全书公司

市。肉类、葡萄酒、水果和谷物加工为主要经济活动。阿根廷教育家、总统(1868～1874)D.萨米恩托在此出生，其故居于1910年辟为国家纪念地。人口120 000(1999)。

San Juan 圣胡安 多米尼加共和国西部省份。1938年建立。当时为贝内法克多省。1942

年从中划出拉埃斯特雷耶塔省。其余的3 561平方千米在1961年取名圣胡安省。大部分地区位于富饶的圣胡安山谷。有南亚克河可供灌溉,产稻米、玉米、咖啡等;有伐木业。省会为圣胡安(**San Juan**)市。公路通圣多明各。人口252 637(1993)。

San Juan 圣胡安 多米尼加共和国城市、圣胡安省省会。临圣胡安河。1508年建。19世纪初多米尼加同海地在此战事频仍,继之克里奥尔人又行起义,要求摆脱西班牙统治,实现独立。使多米尼加赢得独立的圣托梅战役(1844)即在附近进行;现建有纪念碑以为纪念。经济活动除畜牧业外,主要生产稻米、咖啡、玉米、水果和马铃薯。人口61 690(1993)。

San Juan 圣胡安 波多黎各首都和最大城市。在该岛北海岸,濒大西洋。西印度群岛的主要港口和旅游地。最早的居民点建于1508年。1533年西班牙人大规模筑垒。16

从圣克里斯托巴尔要塞远眺圣胡安市
供图:Walter Aguiar—美国不列颠百科全书公司

世纪初,圣胡安是去新大陆定居的西班牙远征队的出发地。1885年发生反对西班牙统治的暴动。1898年该城落入美国之手。在20世纪迅速扩大至圣胡安旧城以外,合并沿岸的郊区米拉马尔、桑图尔塞(主要住宅区)、孔达杜、哈托勒工业区和里奥彼德拉斯。至1980年,都市区包括东部、西部若干城市区,人口占全国总人口的1/3左右。由于旧城过于集中,许多政府机关和公私机构已迁至海湾对岸,但拉福塔莱萨(建于1533年,1639～1640年重建)仍为总督府,是西半球使用历史最悠久的行政官邸。都市区为岛上最大的工业和加工中心。有炼油、制糖、酿酒、蒸馏等工业,生产水泥、药品、金属制品、烟草及服装。圣胡安港是加勒比海最繁忙的港口之一。全国的金融中心,许多美国银行和企业在此设有办事处或集散中心。城东的圣胡安国际机场是加勒比海地区最繁忙的机场,该地区的旅游宾馆是拉丁美洲最大和最豪华的。相比之下,圣胡安的一些城镇和村庄却一直是十分破旧,政府曾试图给予改进或移迁其居民,但受挫未成。市内有波多黎各大学校及其几所分校,设圣心大学(1935)等教育机构,是美国属地中最古老的城市。旧圣胡安面积甚小,部分围有城墙,许多地区已复建。名胜有圣胡安大教堂、圣约瑟教堂(建于1532年,为西半球使用历史最悠久的教堂)等。人口:市421 958;城市区434 371;都市区1 967 627(2000)。

San Juan Bautista 圣胡安包蒂斯塔 巴拉圭南部米西奥内斯省省会。为农牧区(主要产茶和养牛)的商业和制造业中心。有商业和农业学校、银行。近通亚松森和恩卡纳西翁的公路干线,公路支线通皮拉尔。人口约6 972(1982)。

San Juan Capistrano 圣胡安-卡皮斯特拉诺 美国加利福尼亚州南部奥兰治县城市。靠近太平洋海岸,在圣迭戈和洛杉矶两市之间。1797～1806年围绕方济各会教堂(1776)发展起来。1812年发生地震,教堂被毁。部分建筑遗迹保存至今。教堂燕子每年在圣约翰日(10月23日)飞离,在圣约瑟夫日(3月19日)飞回原巢。每当燕群离开或返回之际,市民便举行节庆活动。该市部分居民为西班牙-墨西哥-印第安人后裔。有现代化住宅区。1961年设市。人口33 826(2000)。

San Juan de Ciénaga(Colombia) **圣胡安-德谢纳加** 参阅 **Ciénaga** 谢纳加。

San Juan de los Morros 圣胡安-德洛斯莫罗斯 委内瑞拉中部瓜里科州首府。在中央高原南坡。1934年为州首府。疗养胜地,以温泉和斗鸡著称。也是商业和制造业中心,经营活牛、畜产、棉花、玉米、咖啡和烟草。附近储存有氦、氩、氖和氪气。公路通马拉凯。人口约90 252(2000)。

San Juan del Monte 圣胡安-德尔蒙特 菲律宾吕宋岛中部黎刹省城镇。位于奎松城以南、曼达卢永以北,圣胡安河和帕西格河汇合处的上方。为马尼拉东郊工业区兼住宅区。1896年,附近发生的一次著名战役标志着反西班牙殖民主义革命运动的开始。人口124 187(1995)。

San Juan Islands 圣胡安群岛 在美国华盛顿州西北部皮吉特海峡北部,临加拿大边界。北为乔治亚海峡,西为胡安·德富卡海峡。由172个岛屿(主岛有奥卡斯、圣胡安和

圣胡安群岛的岛间轮渡
供图:Bob and Ira Spring—美国不列颠百科全书公司

洛佩斯岛)组成,行政上为圣胡安县。1790～1792年由西班牙人勘察并命名。1859年英国人一头猪在美国人马铃薯地里大嚼特嚼引发的"猪战"后12年间,英美两国均派兵占领,为纪念此段历史,辟有圣胡安岛国家历史公园。1872年边界争端解决后,该群岛归属美国。奥卡斯岛有州立莫兰公园和宪法山(730米,群岛最高点)。岛间通轮渡。多避暑设施。星期五港为县城所在地和群岛中最大城镇,是渔船队基地,设有华盛顿大学海洋学实验室。人口14 077(2000)。

San Juan Mountains 圣胡安山 美国落基山南段的一部分。从美国科罗拉多州西南部沿格兰德河向东南延伸150英里,止于新墨西哥州北部的查马河。北部多矿藏,山峰多

圣胡安山远眺,前为安肯帕格里河谷
供图:Ben Walker—美国不列颠百科全书公司

超过14 000英尺。圣胡安山最高点安肯帕格里峰14 309英尺。格兰德河和圣胡安河均源于此。四周有安肯帕格里河、圣胡安河、格兰德河和卡森国家森林。早期西班牙探险者曾经过的孔布雷斯山口(10 025英尺),现已和沃尔夫克里克山口(10 850英尺)一样有公路通过。

San Juan River 圣胡安河 又称德萨瓜德罗河。尼加拉瓜湖出口的河流。源出湖东南端,沿尼加拉瓜与哥斯达黎加边界注入加勒比海。东南流,接纳圣卡洛斯河和萨拉皮基河,穿过热带森林。全长199千米。水流湍急,只能通行吃水浅的船只。1850～1870年间是美国东部居民去加利福尼亚州的移民路线之一段。

San Juan River 圣胡安河 美国西南部河流。源出大陆分水岭西部科罗拉多州南部的圣胡安山脉,西南流进入新墨西哥州,后折向西北入犹他州,在虹桥国家纪念地附近汇入科罗拉多河。全长580千米。不通航。上游有纳瓦霍水坝。主要支流包括阿尼马斯河、洛斯皮诺斯河、彼德拉河、拉普拉塔河、曼科斯河等。河谷较宽阔地带有灌溉农业。在新墨西哥、犹他、亚利桑那和科罗拉多四州交界处有许多300多米深S形峡谷,称"鹅颈"。

San Justo 圣胡斯托 阿根廷大布宜诺斯艾利斯马坦萨区的城市。1856年12月25日建镇。1955年建市。当时已为重要工业中心,生产耕犁、汽车附件、纸张和橡胶制品。周围农业区种植小麦、玉米、大麦和苜蓿,饲养牲畜。在20世纪60和70年代,圣胡斯托,特别是马坦萨区发展迅速。

San Kuan(Chinese mythology) 参阅 **San Kuan** 三官。

San languages 桑语诸语言 又称布须曼诸语言。南部非洲桑人所操科伊桑语。学者们常把桑语诸语言划为三个语支:桑语北支,包

括克洪语和奥恩语;南支包括阿乌尼语、昂科语和克霍玛尼语;中支包括纳洛语、古依克霍伊语以及加那克霍伊语。虽然学者们从前都认为桑语与科伊语(霍屯督)诸语言属于不同语系,可是随着对这些语言的不断了解,多数学者都把它们划入科伊桑语系内。桑语诸语言最显著特征,正如科伊桑诸语言一样,是广泛使用吸气音。某些桑语比科伊语有更多的吸气音变体,除齿音吸气音(写作 *c* 或/)、颚音吸气音或卷舌音吸气音(写作 *q* 或!)、齿龈音吸气音(写作 *v* 或≠)、边音吸气音(写作 *x* 或//)之外,桑语诸语言还有像接吻声一样的唇音吸气音(写作⊙)、喉音吸气音(写作∠)以及半唇音吸气音(写作Ⅱ)。桑语中支和科伊语一样有"性"的区别,而北支和南支除偶尔出现于代词以外,没有"性"的曲折变化,另外,南支的"数"的区别,也不常表示出来。

San Leandro 圣莱安德罗 美国加利福尼亚州西部阿拉梅达县城市。邻近奥克兰。现为圣弗朗西斯科湾东湾都市地带之一部分,建有郊区设施、商业中心和临湾工业区。1855 年规划。初为一园艺中心并为县城。1872 年设市。附近有奥克兰都市区国际机场。人口 79 452(2000)。

San Lorenzo 圣洛伦索 阿根廷圣菲省东南部城市。临巴拉那河。为可接纳远洋轮船的港口。1944 年设市。经济多样化。其石油化工业在阿根廷位居前列。为内地农区(出产玉米、亚麻、小麦和向日葵)的贸易和制造业中心。有许多工厂,生产汽油、食品、玻璃、纸张、陶器和建筑材料等。圣洛伦索在罗萨里奥市以北 23 千米,是大罗萨里奥的一部分。人口 38 509(1991)。

San Lorenzo 圣洛伦索 洪都拉斯山谷省太平洋港口城市。在丰塞卡湾北岸。海湾水浅,长期阻碍港口发展。1977 年开始疏浚一深水航道使远洋轮能在港口停泊。完工后年设计吞吐量为 110 万吨。市内有锯木厂(加工北美油松供出口)、铁丝网工厂、纺织厂、植物油加工厂和牛奶场。湾内渔业在 20 世纪 70 年代后期受到流入此湾的乔卢特卡河河水污染的威胁。通公路。可使用蒂格雷岛上的机场。人口约 27 700(1996)。

San Lorenzo 圣洛伦佐教堂 佛罗伦萨早期文艺复兴风格的建筑,由布鲁内莱斯基设计,自 1421 年至 15 世纪 60 年代建造,但正立面未完工。布鲁内莱斯基还设计了教堂的老圣器所(1428 年完成)。新圣器所(通常称为梅迪契礼拜堂),包括其中著名的梅迪契墓,主要是米开朗琪罗的作品,他还设计了回廊另一端的洛伦佐图书馆。

San Lorenzo, Treaty of 《圣洛伦索条约》 参阅 **Pinckney's Treaty《平克尼条约》**。

San Lucas, Cape 圣卢卡斯角 墨西哥下加利福尼亚半岛的南端。多岩石岛岬为圣拉萨罗山的南端。圣卢卡斯镇距海角北 3 千米。

San Luis 圣路易斯 阿根廷中西部一省。面积 76 748 平方千米。中北部有圣路易斯山,海拔 2 100 米以上。西北部为盐碱地。1594 年最初有人定居。因印第安人心怀敌意,多次袭击,未能建立长期居住点。1832 年建省。在金托河和孔拉腊河盆地养牛和种植玉米、高粱和向日葵。在圣路易斯山区有伐木业和采矿业(钨、玄武岩和盐)。金托河中游和孔拉腊河流域灌溉农区为梅塞德斯和省会圣路易斯的食品加工业提供原料。人口约 574 053(1999)。

San Luis 圣路易斯 阿根廷圣路易斯省省会。濒临乔里约斯河。建于 1594 年。19 世纪中叶前为常受印第安人袭击的边境城市。现经济活动以农业为主。也有肉类和食品加工业。山麓下的水库可划船和垂钓,附近开采缟玛瑙。人口 146 855(1999)。

San Luis 圣路易斯 古巴圣地亚哥省中部城市。为铁路枢纽和内地农业区(甘蔗、咖啡、水果)的商业和制造业中心。市区和郊区有烘咖啡、榨糖业,附近有锰矿。通公路和铁路。人口约 45 132(1991)。

San Luis 圣路易斯 墨西哥索诺拉州西北部城市。位近墨美边境,距科罗拉多河 4 千米。发展迅速,现为入口港以及灌溉农业区商业和制造业中心。产小麦和棉花。通公路。人口 125 000(2000)。

San Luis Obispo 圣路易斯-奥比斯波 美国加利福尼亚州西部城市,圣路易斯-奥比斯波县县城(1850)。濒临圣路易斯-奥比斯波河,地处圣卢西亚山脉山麓。1772 年创建。1856 年设建制。初为农业中心。1894 年后成为铁路路段站。现生产和提炼石油,产品经太平洋岸圣路易斯港外运。也有轻型制造业、酿酒业和旅游业。设有加利福尼亚州立工业大学圣路易斯-奥比斯波分校(1901)和库埃斯塔学院(1963)。人口 44 174(2000)。

San Luis Potosí 圣路易斯波托西 墨西哥东北部一州。面积 63 068 平方千米。位于内陆高原,地势坦荡,平均海拔 1 800 米。雨量较少,变化多,缺少地表径流。但土地肥沃。畜牧业占重要地位,出口皮革、牛脂和羊毛以及少量的木材。瓜达尔境内有几个大银矿。州内交通网发达。有通往墨西哥城的公路和铁路干线。州首府圣路易斯波托西。人口约 2 296 363(2000)。

San Luis Potosí 圣路易斯波托西 墨西哥圣路易斯波托西州首府。位于中央高原,海拔 1 877 米,气候温和。1583 年始建。1658 年设市。是该地区殖民政权的中心,在墨西哥独立后的政治混乱中起重要作用。1863 年为 B.胡亚雷斯政府所在地。1910 年在此公布《圣路易斯波托西计划》,提出墨西哥革命的政治和社会目标。现为银矿业和农业区中心,也是制造业和金属冶炼业中心。铁路、公路交通枢纽。有机场。以西班牙巴罗克式大教堂而闻名。1923 年设圣路易斯波托西自治大学。人口 849 309(2000)。

圣路易斯波托西市的大教堂和阿尔马斯广场
供图:Art Resource—美国不列颠百科全书公司

San Marco Basilica 圣马可教堂 英语拼作 Saint Mark's Basilica。威尼斯的一座教堂。最初的教堂开工于 829 年(落成献堂典礼举行于 832 年),是专为存放自亚历山大迁来的圣马可遗骸而建。该堂落成后,威尼斯即以圣马可为主保圣人,取代圣狄奥多尔,圣马可的徽号生有双翼的雄狮也就成了威尼斯共和国的国徽。该堂与威尼斯总督府为邻,因而成为总督教堂,1807 年始成为威尼斯主教座堂。976 年威尼斯发生反对总督康提埃诺四世的暴乱,初建的教堂被焚毁,在继任总督 D.孔塔里尼(约 1070 年卒)主持下重建,今堂于 1071 年竣工。平面设计采希腊十字架形(正十字形),有 5 个穹顶。设计带有拜占廷特色,其建造和装饰或许使用了拜占廷和意大利设计师和技工。各个世纪不断增加雕塑、镶嵌画和礼器,使教堂更加富丽堂皇。例如,堂西正面走廊的 4 座铜马,原是君士坦丁堡象征胜利的铜铸的希腊-罗马式四马双轮战车上的,是在第 4 次十字军行动期间迁到威尼斯的。铜马起初存在军械库,13 世纪中置于圣马可教堂外。拿破仑曾把它们运往巴黎,1815 年迁回。内部装饰完全是金底镶嵌画和各种大理石。地面由大理石和玻璃墁成。堂内半明半暗,但见地面晶莹发光。唱诗班席和中殿之间的立屏饰有大理石雕像,为雅各培罗和保罗(马塞涅的)的杰作。钟楼不与教堂相连,原建于 P.特里布诺(912 年卒)任威尼斯总督期间。16 世纪初改建成今日形状,1902 年倒塌,1912 年在原地重建。

San Marcos 圣马科斯 美国得克萨斯州中南部城市,海斯县县城(1848)。东北距奥斯汀 50 千米,在圣马科斯河畔。1807 年曾有人在此定居,后放弃。1846 年重新有人定居,1851 年规划兴建,1877 年设市。农牧业中心。西南得克萨斯州立大学(1899)建立,促进城市发展。有以农业为基础的小工业和轻型制造业,也有旅游业。著名的旅游设施有圣马科斯河源处的空中花园、水下剧场、洞穴等。人口 28 743(1990)。

San Marcos, Castillo de (national monument, Florida, U.S.) 参阅 **Castillo de San Marcos National Monument 圣马科斯堡国家保护区**。

San Marcos of Lima, Main National University of　利马圣马科斯国家重点大学　设于秘鲁首都利马的一所国立男女合校高等学府。1551年由皇家颁布命令建立,1571年罗马教皇颁布诏书认可。1824年秘鲁共和国成立时,该大学关闭,直至1861年才重新开办;1874年成为自治大学。1946年和1969年两次重新改组,旧的院系结构完全由现代的学术科目所取代。现设有经济研究所、病理学研究所、生物化学与营养研究所、热带医学研究所、安第斯山脉生物研究所和自然资源研究所。

San Marino　圣马力诺　全称圣马力诺共和国。坐落在蒂塔诺山坡上的小共和国,位于意大利中部亚得里亚海一侧的罗马涅和马尔凯两区之间,四周被意大利共和国所包围。

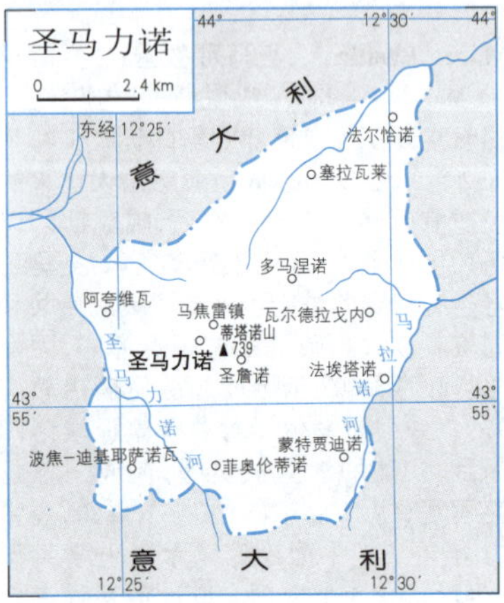

美国不列颠百科全书公司供图

面积不到62平方千米,在1968年世界最小的共和国瑙鲁独立之前,是欧洲仅大于梵蒂冈和摩纳哥的最小独立国家。

其领土呈不规则长方形,东北至西南最长13千米,有马拉诺河和奥萨河穿过,注入亚得里亚海,又有圣马力诺河流经,汇入马雷基亚河。地形以蒂塔诺山(739米)中部的巨大石灰岩为主体,向西南延展为丘陵,东北部则呈缓坡向罗马涅平原和亚得里亚海滨倾斜。蒂塔诺山的轮廓和3座峰顶上的3座古代碉堡在许多英里以外就能看到。

气候温暖适中,夏季最高温度26 °C,冬季最低温度－7 °C。年降雨量从560毫米至800毫米不等。植被是典型的地中海地区型,因海拔高度而有所不同,有橄榄树、松树、栎树、榉树、白杨树、冷松树、榆树以及许多种类的花草。动物除家畜外,还有鼹鼠、豪猪、狐狸、獾、貂、鼬鼠和兔子等。本地鸟和候鸟众多。

圣马力诺共和国的历史可追溯到4世纪初期,据传,圣马里纳斯和一群基督徒为逃避迫害曾到此定居。12世纪时,圣马力诺已发展成为一个村镇自治体,有自己的法令和执政官。尽管邻近的主教和领主对其进行侵犯,自治体始终仍能保持独立,这主要是由于其与世隔绝和山上碉堡的防卫严密。为防止统治附近里米尼海港的马拉泰斯塔家族的袭击,圣马力诺乐于接受其敌对家族蒙太费尔特罗家族的保护,后者统治着乌尔比诺。至15世纪中叶,圣马力诺已成为一个共和国,由选自阿伦戈(即家族大会)的60人大议会统治。击退了16世纪几次令人担心的进攻之后(包括一次博尔吉亚的占领),圣马力诺作为意大利自治城邦的一处遗迹,在文艺复兴后幸存下来。18世纪的寡头统治和多次欲将它并入教皇辖地的企图,标志着该共和国的衰退。

拿破仑进攻意大利时,他表示尊重该共和国的独立,甚至建议扩展其领土(1797)。拿破仑战争结束时召开的维也纳会议(1815)也承认其独立地位。19世纪意大利统一运动期间,圣马力诺曾为加里波第等革命者提供避难地。意大利成为一个统一国家后,一系列的条约(第1次条约在1862年订立)都确认圣马力诺的独立。

圣马力诺宪法源自1600年的法令,规定政府形式为议会制。大议会有60名议员,每5年由全体成年公民选举产生,具有立法和行政管理权,每6个月任命2位执政官,他们在此期间当政,3年内不得再次当选。大议会由2位执政官领导,他们是国家元首和行政首脑。国务会议,即内阁,由10名成员组成,由大议会从议员中选举产生,构成行政权力的中心机构。每个成员负责一个部。

由于几个世纪的采石使蒂塔诺山的石料枯竭,这个赖以生存的行业消失,该地区现在没有了矿石资源。所有电力都是从圣马力诺的主要贸易伙伴意大利用电网输送过来。该国的主要资源是工业、旅游业、商业、农业和手工业。产品包括电子产品、油漆、化妆品、陶器、珠宝首饰和服装。圣马力诺传统的手工艺品包括陶器和锻铁产品,以及现代家具和仿古家具。精美印刷品,特别是邮票,是一项长期稳定的收益。银行业是一个重要的行业。2002年圣马力诺用欧元取代意大利的里拉作为该国的货币。

旅游业是增长最快的行业,为当地居民的主要收入来源。除了传统的短途旅游外,还有以现代宾馆饭店和各种设施为基础的会议旅游以及住宿旅游。

农业尽管不再是圣马力诺的主要经济来源,但依然很重要。小麦、葡萄和大麦是主要的粮食作物;乳品业和牲畜也很重要。约有3/4的土地用于长期耕作。

尽管史前时期和罗马时期人类生存的痕迹就存在于该地区,但现在已知蒂塔诺山和山的坡地肯定是在圣马里纳斯和追随者到来之后才有人居住的。圣马力诺公民占该国人口的4/5以上,其余的大部分为意大利人。有数千名圣马力诺人生活在国外,主要是在意大利、美国、法国和阿根廷。近9/10的圣马力诺公民是天主教徒,但该国没有国教。官方语言是意大利语。广泛使用的当地语言是凯尔特-高卢语,近似于皮埃蒙特方言和伦巴第方言,也近似于罗马涅语。

为公民提供的社会保障极为广泛。国家为那些在私营企业找不到工作的人安排就业。缴纳一笔社会保险金之后,所有公民都能享受免费综合保健医疗,在患病、发生意外和年老时可获得资助,也能获得家庭津贴。国家通过建房计划协助人民自置房屋。14岁以下未成年人享受免费教育。圣马力诺大学建于1985年。国防由一支50人组成的公共安全部队负责。

首都圣马力诺高踞于蒂塔诺山西侧,在其中一个山顶的碉堡下面,四周有三层围墙。坡下的马焦雷镇多少世纪来一直是该国的商业中心,在马拉泰斯塔家庭城堡下的塞拉瓦莱是农业和工业区。圣马力诺大部分还都是农业区,但工业企业已闯入长达数世纪的农业生活之中。

公路网把圣马力诺与周围的意大利地区联系起来。圣马力诺市和里米尼之间有公共汽车相通,夏季可达亚得里亚海滨。从马焦雷镇乘缆车可达该国首都。人口约28 100(2003)。

San Marino　圣马力诺　美国加利福尼亚州南部洛杉矶县住宅城市。位于帕萨迪纳东南。1903年由H. E.亨廷顿建立社区。1913年设建制。亨廷顿庄园现为公共游览地,内有亨廷顿图书馆、美术馆(藏有许多珍品)和植物园。市内老磨坊(1812)为本市最早建筑。人口13 230(2003)。

San Martín (Argentina)　圣马丁　参阅 **General San Martín** 圣马丁将军镇。

San Martín　圣马丁　秘鲁东北部一省(1906年成立)。以解放者何塞·德·圣马丁名字命名。面积52 309平方千米。省会**莫约班巴(Moyobamba)**四周人口集中。居民大部从事农业。出产咖啡、稻谷、棉花、豆类、玉米和香蕉。少量开采石油、瓷土和盐。气候温和多雨,森林茂密,产橡胶、巴拉塔树胶、香子兰和家具木材。通公路。人口约460 000(1990)。

San Martín, José de　圣马丁(1778-02-25,拉普拉塔联邦总督辖区亚佩尤[今在阿根廷]～1850-08-17,法国滨海布洛涅)　阿根廷军人、政治家和民族英雄,帮助领导阿根廷(1812)、

美国军事学院西点博物馆供图

智利(1818)和秘鲁(1821)的反对西班牙统治的革命。其父胡安·圣马丁为职业军人,阿根廷北部边境亚佩尤的行政官员。6岁时举家回西班牙。1785～1789年在马德里贵族学校接受教育。后从军,在穆里卡步兵团当见习军官。此后20年为西班牙国王效力,曾同摩尔人(1791)、英国人(1798)、葡萄牙人(1801)作战。1804年任上尉。1808年拿破仑占领西班牙,西班牙人民掀起反法爱国起义。圣马丁的一生从此开始转折。他在塞维利亚

政府服役两年。1808年因在巴伊伦战役中表现突出，晋升中校。阿尔布埃拉战役(1811)之后升任萨贡托龙骑兵司令。他未就新职，而前往南美洲的布宜诺斯艾利斯。1812年在那里组织掷弹兵部队，反对集中在秘鲁的西班牙保王党人。他在布宜诺斯艾利斯担任军事教官和指挥官，表现十分出色。1813年2月3日在圣洛伦索战胜保王党军队，后去图库曼支援M.贝尔格拉诺将军。他在图库曼附近集训军队，然后出任库约省行政长官。在那里，他又着手建立一支军队，从海上进攻秘鲁。他的第一阶段计划接近完成时，保王党军队重新占领智利，他率部跨过安第斯山脉的隘路、峡谷和关口，常在海拔3 000～4 000米的地方生活。他的行动可与汉尼拔、拿破仑并驾齐驱。2月12日在卡萨斯-德查卡布科发动奇袭，击败保王党人，并夺得圣地亚哥。他用一年多的时间清除国内的保王党军队。最后于1818年4月5日在迈普战役中击溃残军5 300人。圣马丁又努力建立智利海军。1821年他的舰队驶向秘鲁海岸。结果，秘鲁于同年7月28日宣告独立。他担任护国公一职。他坚持向利马推进，因而同在布宜诺斯艾利斯的支持者决裂。他在1822年7月26日在瓜亚基尔同解放南美洲北部省份的S.波利瓦尔会晤，会谈内容不详，但他失望地返回利马。1822年9月20日辞去护国公职务后，同女儿前往布鲁塞尔、巴黎和滨海布洛涅，以度余生。

San Martín, Juan Zorrilla de 圣马丁 参阅 **Zorrilla de San Martín, Juan** *索里利亚·德·圣马丁*。

San Martín del Rey Aurelio 圣马丁德尔雷伊奥勒利奥 西班牙西北部阿斯图里亚斯省和自治地区的自治市，位于坎塔布连山脉，在奥维耶多市东南。该自治市由8世纪阿斯图里亚斯国王奥勒利奥的陵墓而得名，该陵墓位于圣马丁村的堂区教堂中。为一采煤区和畜牧区，以索特龙迪奥为其聚居中心。人口25 233(1981)。

San Martini, Giovanni Battista 参阅 **Sammartini, Giovanni Battista** *萨马尔蒂尼*。

San Mateo 圣马特奥 美国加利福尼亚州西部圣马特奥县城市。位于圣弗朗西斯科湾西岸，为温和的海洋性气候。1793年建立传教会教堂。19世纪50年代兴起一农田环绕的美国村落。1863年规划并通铁路。1894年设市。20世纪50年代以后居民多从事零售商业和轻工业。市内有圣马特奥初级学院(1922)和贝梅道斯田径场。人口约87 266(1991)。

San Miguel 圣米格尔 阿根廷布宜诺斯艾利斯省大布宜诺斯艾利斯萨米恩托将军区的首府。1862年建居民点，10年后建镇。1889年成为新建的萨米恩托将军区的首府。1935年在此建立阿根廷第一座天文台。设有耶稣会神学院和农业试验站。在该城以西，乳制品业颇重要。在20世纪60和70年代，圣米格尔，特别是萨米恩托将军区发展迅速。圣米格尔通两条铁路干线，也与全国公路系统相连。

San Miguel 圣米格尔 萨尔瓦多中东部城市。在圣米格尔和奇纳梅卡火山山麓。建于1530年。1917年强烈地震，损失严重。重建后已成为全国最大城市之一。通美洲公路(泛美公路之一段)和中美洲国际铁路线，为萨尔瓦多东部最重要的商业中心。工业出产纺织品、绳索和皮革制品。周围农业地区种植赫纳昆剑麻、谷物、咖啡、棉花和甘蔗。有现代化市政建筑物、一座18世纪大教堂和萨尔瓦多大学分校。20世纪80年代初政府军同左派游击队作战，该城工业受到破坏。人口：城市区约183 449(1987)。

圣米格尔-德阿连德市的圣费利佩内里私人礼拜堂

供图：© Byron Augustin/D. Donne Bryant Stock

圣米格尔市的大教堂

供图：Ewing Galloway

San Miguel de Allende 圣米格尔-德阿连德 墨西哥瓜纳华托州中东部城市。临拉哈河小支流。1542年始建，为全州第一个社区。由于有莱尔马河系上游河水灌溉，周围农田生产玉米、豆类、小麦、榅桲和桃。附近有锡矿。旅游业占重要地位。设有由美国艺术家S.迪金森和秘鲁艺术家C.德波马尔创办的艺术学校，很多美国人慕名而来。市内教堂和殖民时期建筑物也吸引游人。通公路。城市以西3千米处有铁路。人口60 000(2000)。

San Miguel de Tucumán 圣米格尔-德图库曼 阿根廷图库曼省省会。临萨利河。在景色优美的阿孔基哈山山麓。建于1565年。多次发生洪水。1850年的洪水破坏严重，后省会迁至现址。为畜牧业中心。1812年9月

24日贝尔格拉诺将军的军队在该城以北击败西班牙军队。1816年7月9日，拉普拉塔联合省代表在圣米格尔-德图库曼开会。签署了脱离西班牙而独立的宣言。1876年通铁

圣米格尔-德图库曼市的大教堂
供图：Art Resource—美国不列颠百科全书公司

路和19世纪初引进甘蔗促进了城市商业的发展。产糖业现仍是经济支柱。为使经济多样化，政府关闭几家榨糖厂，发展起新工业。当地气候温和，植物繁茂，有“共和国花园”之称。旅游业成为重要收入来源。市内有科隆布雷斯主教（他将甘蔗引入这一地区）宅邸、殖民时期大教堂、政府大厦（独立大会会址）和各种博物馆以及国立图库曼大学（1914）。人口：城市区约519 252（1999）。

San Miguel del Padrón　圣米格尔-德尔帕德龙　古巴中西部城市。周围蔗糖和乳品产区的小型商业和制造业中心。随着哈瓦那扩大，现已成为哈瓦那都会区的一部分。有大路和铁路通哈瓦那商业区。人口约145 901（1989）。

San Miniato al Monte　圣米尼亚托教堂　意大利托斯卡纳地区罗马式建筑的最优秀实例之一。位于佛罗伦萨，为横向三跨的长方形教堂。外部和内部所采用的黑白大理石镶板和施彩色的露明木屋架是著名的装饰处理。1018年以后由希尔德布兰德主教兴建，1062年完成，教堂正面竣工于12世纪。

San Nicolás de los Arroyos　圣尼古拉斯-德洛斯阿罗约斯　阿根廷布宜诺斯艾利斯省北部城市和河港。位于巴拉那河西岸。建于1748年。1852年5月在此签订《圣尼古拉斯协定》。现经济以河运贸易为主。输出谷物、铁矿石、煤和制成品。为国内市场生产钢铁。一座大型热电厂向布宜诺斯艾利斯市和圣菲省供电。人口132 909（1999）。

San pa-lo（in Buddhism）　参阅 **Saṃvara 三跋罗**。

San Pablo　圣巴勃罗　菲律宾吕宋岛西南部城市。原为西班牙的军事和传教据点，1940年设市。市内有7个火山口形成的小湖，市的四周几乎都是休眠火山锥。工业有椰子加工、制鞋、制衣和制造运输设备。圣巴勃罗是地区市场，有马尼拉铁路和几条公路。人口约205 000（2000）。

San-Pédro　圣佩德罗　科特迪瓦西南部的海港城镇。位于萨桑德拉西南约65千米，滨临几内亚湾。以前只是一个居民不足百人的小渔村。1968年开始建港后迅速成为主要城镇，1970年竣工时成为仅次于首都阿比让的第二大港。最大工业为木加工，主要出口为木产品。是政府发展和出口西南部丰富的森林资源的规划中的航运点。人口70 601（1988）。

San Pedro　圣佩德罗　墨西哥科阿韦拉州西南部城市。位于托雷翁北面60千米公路线上，近马伊兰湖。海拔1 103米。周围农田属拉古纳农业区，生产棉花、小麦、葡萄、水果和蔬菜。工业有轧棉、面粉、榨油和制革等。商品通过铁路和公路输出。人口35 879（1980）。

San Pedro　圣佩德罗　巴拉圭中部城镇。建于1786年，地处水源充足的低地。为周围地区（主要产木材、茶叶、柑橘、牛及其他牲畜）的商业及制造业中心。有锯木厂和果油榨制厂。这一地区的交通运输多靠河道。有公路通亚松森。人口约3 569（1985）。

San Pedro　圣佩德罗　美国加利福尼亚州南部洛杉矶港的主要部分。在帕洛斯弗迪斯半岛东南坡。鸟瞰洛杉矶港湾。1542年首见记载。1882年规划。1888年设市。原为浅水港口。1909年并入洛杉矶后，扩建成为世界最大的人工港之一。其现代化港口设施吞吐洛杉矶港的大部分货物。沿岸有船厂、干船坞、鱼罐头厂和炼油厂。麦克阿瑟要塞军事保留地和卡布里约海滩（有著名的海洋博物馆）在半岛南端。

San Pedro de Durazno（city，Uruguay）　**圣佩德罗-德杜拉斯诺**　参阅 **Durazno 杜拉斯诺**。

San Pedro de Macorís　圣佩德罗-德马科里斯　多米尼加共和国东南部城市。地处马科里斯河口。东南地区主要城市。经济以制糖工业为主。全国许多出口物资经该市现代化港口输出，包括蔗糖、糖蜜、牛和木材。工业有玉米加工和服装制作、肥皂和酒精生产。1970年成立埃斯特中央大学。人口108 485（1993）。

San Pedro Sula　圣佩德罗苏拉　洪都拉斯科尔特斯省省会。1536年由西班牙人建立。重要农业区的中心，生产香蕉供出口，生产甘蔗、稻米、玉米、甜薯、木薯和牲畜供国内消费。该国北部和西部的商业、金融和集散中心，全国主要工业中心。生产食品、木材、饲料、水泥、电器、药品、化工品等多种产品。1974年的菲菲飓风使农业区和某些工业受到严重破坏。1976年开放了一工业自由贸易区。亦为铁路和公路枢纽。有国际机场。人口约452 100（1999）。

圣佩德罗苏拉市的市政宫（前景）
供图：Plessner International

San Rafael　圣拉斐尔　阿根廷门多萨省中部城市。建于1805年。原为农业中心。生产葡萄、水果和谷物。现有酿酒、肉类加工、罐头和乳品厂。在该城西南有石油和铀的蕴藏。迪亚曼蒂河和阿图埃尔河上的水坝提供灌溉用水并为门多萨市供电。人口约70 477（1980）。

San Rafael　圣拉斐尔　美国加利福尼亚州西部城市，马林县县城（1893）。位于圣弗朗西斯科湾西北岸。在1817年建立的圣拉斐尔教堂四周发展起来。1884年通铁路。1890年建立多明我会圣拉斐尔学院。金门桥和里士满-圣拉斐尔桥建成后与旧金山和东湾二城市之间交通便利，因而发展起轻工业。人口56 063（2000）。

San Rafael Mountains　圣拉斐尔山　美国太平洋海岸山脉的一部分。在加利福尼亚州西部。从库亚马河向东南延伸至圣巴巴拉-文图拉县一带，长约50英里。有几座6 000英尺以上的山峰，最高点大派恩山海拔6 940英尺。该山位于洛斯帕德里斯国家森林境内。

San Rafael National Park　圣拉斐尔国家公园　智利南部艾森地区国家公园。濒临太平洋海岸。建于1945年，面积5 900平方千米。园中最吸引人的风景之一为圣拉斐尔湖，该湖是泰陶半岛和大陆间长16千米的峡湾，有圣拉斐尔冰川流入。公园为保护当地动植物而建，也有极大的火山学研究价值。深邃的峡谷和大量的湖泊均为有发展前途的旅游和娱乐中心。有海路和河道与外界沟通。

San Remo　圣雷莫　意大利西北部利古里亚区因佩里亚省城镇。意大利滨海区主要游览地。1861年以来就一直是全年的休养胜地。尤其在1887～1888年德国的腓特烈三世来访

后更增加其知名度。山坡上的旧城有12世纪的圣西罗大教堂和海滨圣母院的圣殿(15～17世纪)。新城有堂皇的别墅、旅馆、公园、风景如画的大街和夜总会等。为全国最重要的花卉市场,向欧洲大陆出口鲜花。亦种植橄榄和柠檬。人口:城市区约56 026(1999)。

San Remo, Conference of　圣雷莫会议　1920年4月19～26日在意大利圣雷莫举行的国际会议,以决定第一次世界大战战败国土耳其奥斯曼帝国前领地的前途。参加者有英国、法国和意大利的总理及日本、希腊和比利时的代表。会议批准了对土耳其和约的最后条文。1920年8月10日在塞沃签署。条约规定取消奥斯曼帝国,责成土耳其放弃对阿拉伯亚洲地区和北非的一切权利,准许亚美尼亚独立和库尔德自治以及由希腊管辖扼达达尼尔海峡要冲的爱琴海诸岛。因新的土耳其民族主义政府拒绝,上述条约为1923年的《洛桑条约》所代替。《洛桑条约》宣布协约国关于库尔德自治和亚美尼亚独立的要求无效,确认土耳其的现有边界。圣雷莫会议期间,在旧奥斯曼帝国的叙利亚省设立两个A委任统治地:北部(叙利亚和黎巴嫩)授权法国治理,南部(巴勒斯坦)授权英国治理。美索不达米亚省(伊拉克)也归英国治理。A委任统治地的条款规定,被置于委任统治的国家应被视为独立国,但在政治上成熟之前归委任统治国管辖。圣雷莫会议期间英法还达成石油协议,规定伊拉克石油的25%归法国所有,法国在石油运输方面享有便利条件。作为交换,还规定摩苏尔并入英国的伊拉克委任统治地。会议还讨论了与《凡尔赛和约》有关的法德在鲁尔区的紧张关系;会议拒绝德国增加军队人数的要求。

San Salvador　圣萨尔瓦多　萨尔瓦多中部一省。南起太平洋海岸附近,北至伦帕河深谷。面积886平方千米。西部有雄伟的圣萨尔瓦多火山(1 960米)。东面有伊洛潘戈湖的一部分。在西班牙殖民时期,圣萨尔瓦多的面积较大,1859年缩小至目前的规模。种植甘蔗、咖啡、谷类、烟草和水果,家畜和家禽饲养业也很重要。制造业主要集中在首都和该省省会圣萨尔瓦多市内及其附近。人口约1 512 125(1992)。

San Salvador　圣萨尔瓦多　萨尔瓦多首都。濒临阿塞查亚特河,海拔682米。圣萨尔瓦多火山在市西北11千米处。1525年由西班牙人建立,1528年迁至现址。1546年设市。1834～1839年为中美洲联邦首都。1839年后为萨尔瓦多首都。1854、1873和1917年屡遭地震破坏,1934年遭水灾,城市毁坏殆尽。现重建有现代化的政府大楼、风景优美的公园和广场。为全国金融、商业和工业中心及运输枢纽。有铁路和公路通阿卡胡特拉、拉乌尼翁和拉利伯塔德诸太平洋岸港口。制造业生产纺织品、服装、皮革制品、木制品、酒类、香烟、雪茄等。亦有肉类加工和酿酒业。市内有国立科学和工业博物馆(1883)、萨尔瓦多国立博物馆(1940;藏有大量马雅文物)、萨尔瓦多国立大学(1841)、中美洲何塞·西门·卡尼亚斯大学(1965)。在20世纪70年代末,该市成为政府军和左派政治力量之间激战的战场。20世纪70年代末附近建有国际机场。人口约415 346(1992)。

San Salvador de Jujuy　圣萨尔瓦多-德胡胡伊　阿根廷胡胡伊省省会。海拔1 259米。建于1593年。为地区文化中心。经济以农业(养羊和甘蔗、水果种植)为主。保存有哥

圣萨尔瓦多-德胡胡伊市的大教堂

供图:Art Resource—美国不列颠百科全书公司

伦布以前时期和殖民时期艺术和建筑,旅游业也重要。名胜有大教堂(收藏许多18世纪艺术珍品)和政府大厦(存有第一面国旗)等。与本国其他地方通航空线和铁路。与玻利维亚通铁路。人口226 961(1999)。

San Salvador Island　圣萨尔瓦多岛　又称华特林岛。西印度群岛内巴哈马群岛中一岛屿。长21千米,宽8千米。许多学者认为,圣萨尔瓦多岛即瓜纳哈尼岛,是哥伦布于1492年10月12日在新大陆登陆的第一个岛屿。然而,有些学者认为,瓜纳哈尼岛实际上是圣萨尔瓦多东南105千米的萨马纳岛。人口约465(1990)。

San Salvador Island　圣萨尔瓦多岛　又称詹姆斯岛,东太平洋加拉帕戈斯群岛一岛屿。在厄瓜多尔以西约965千米。面积526平方千米。地势起伏,有两座火山。较大火山海

圣萨尔瓦多岛风光

供图:© Nicholas de Vore Ⅲ—Bruce Coleman Inc.

拔520米,占据全岛面积的大部分。C.达尔文和美国小说家H.梅尔维尔曾到过该岛。岛上有红鹳栖息地。人们在该岛只能暂时居住。

San Sebastián　圣塞瓦斯蒂安　西班牙中北部巴斯克自治区吉普斯夸省省会和海滨胜地。濒临比斯开湾的乌鲁梅阿河口。1014年始见记载。1160～1190年经纳瓦拉国王智者桑乔准设建制。半岛战争期间,1813年被英葡联军从法军手中夺取并焚毁。原为西班

圣塞瓦斯蒂安镇乌鲁梅阿河上的玛丽亚·克里斯蒂娜大桥

供图:J. Allan Cash—Ostman Agency

牙王室避暑行宫。现今,该镇经济以旅游、捕鱼和制造业(水泥、化工产品、冶金产品、唱片、啤酒和巧克力)为主。拉孔查海滩有一年一度的国际爵士音乐和电影节,每年吸引众多的游客。人口约178 229(1998)。

San Severo　圣塞韦罗　意大利中东部普利亚区福贾省城市和主教区。位于福贾市北面的普利亚台地之北。12世纪是繁荣的市场中心。1627年遭地震严重破坏,中世纪建筑所存无几。现有几座巴罗克式教堂。为周围地区商业、工业和交通中心。人口:城市区约54 928(1999)。

San Simeon　圣西米恩　美国加利福尼亚州西南部圣路易斯-奥比斯波县一村。临太平洋。19世纪60年代创建。1922年新闻出版商W.R.赫斯特在此建造一座巨大的西班牙式城堡作为住宅和隐居所。之后18年间不断扩建和修饰,增建附属建筑、意大利式花园、塑像、水池和喷泉,收藏许多件珍贵艺术品。该出版商的庄园内还有豪华剧场、3个宫殿式宾馆和希腊庙宇。1958年转为公有地产,辟为州立赫斯特-圣西米恩历史保护区。

San Stefano, Treaty of　《圣斯特凡诺条约》　1877～1878年俄土战争后,由俄国强加给奥斯曼政府的一项和平条约,1878年3月3日签订。条约规定对奥斯曼帝国欧洲各省重新处置,若不是条款后来进行了修改,土耳其就会完全失去对巴尔干地区的控制。其最重要条款是建立一个独立的保加利亚公国,公国将包括马其顿之大部并延伸至多瑙河一带,东西则从爱琴海到黑海。条约承认塞尔维亚、黑山及罗马尼亚独立;塞尔维亚与黑山的边界各自延伸到彼此邻接,罗马尼亚则被迫将比萨拉比亚南部割让给俄国,从土耳其划得多布罗加作为交换。再是波斯尼亚-黑塞哥维那进行自治;土耳其的亚洲部分地区割让给俄国,奥斯曼苏丹则对其信奉基督教的臣民给予安全保障。奥匈帝国认为条约助长斯拉夫民族主义,表示反对。英国怕新成立的保加利亚国家将会成为俄国卫星国,且对

1878年3月3日,《圣斯特凡诺条约》提出的保加利亚公国(白色部分)

伊斯坦布尔是一威胁,也表示反对。后来,这个条约经过修改,4个月后,于1878年7月13日签订《柏林条约》。

San Vicente　圣维森特　萨尔瓦多中南部城市。在圣维森特火山(2 181米)东北山麓阿锡瓦帕河畔。附近多温泉和间歇泉。建于1635年。1834～1839年为首都。1854～1859年为国立大学所在地。1936年发生地震,该市部分被毁,后已重建。现为谷类、甘蔗和咖啡产区的服务中心。工业有榨糖、生产纺织品和服装等业。名胜有埃尔皮拉尔殖民时期教堂和附近的阿马普拉帕公园。人口约45 559(1992)。

圣维森特市的皮拉尔教堂
供图:Walter Aguiar

Ṣan'ā'　萨那　又作Sanaa或Sana。也门共和国首都。位于该国西部,在努古姆山西麓,海拔约2 350米。许多世纪以来一直是也门高原的主要经济、政治和宗教中心。萨那的所在地为伊斯兰教以前的古姆丹要塞遗址,据传说此要塞在公元1世纪便已存在。632年,穆罕默德之婿、第4代哈里发阿里使该城皈依伊斯兰教。萨那作为伊斯兰教中心的历史是非正统的栽德派(Zaydī)伊玛目与敌对王朝之间时有时无的争斗的历史。原先定都北部萨达的栽德派教长国虽频繁地为其他王朝所取代,但仍从860年延续到1962年。12～15世纪期间,由于也门的接二连三的征服者在其他城市建都,萨那的财富曾急剧减少。而塔希尔王朝的阿卜杜勒·瓦赫哈卜·伊本·塔希尔(1478～1488在位)却在此营造许多精美的清真寺和伊斯兰教神学院,为该城增色不少。

尽管在名义上萨那自1516年起就受奥斯曼君主统治,从17世纪初到1872年却一直处于伊玛目的有效控制之下,只是从1872年起奥斯曼才成功地占领并掌握了该城。奥斯曼与伊玛目之间的内部冲突一直存在,到1913年的条约给予后者几乎绝对的自治权才告结束。奥斯曼帝国在第一次世界大战中战败后,也门宣告独立,萨那成为国都。1948～1962年伊玛目艾哈迈德统治时期,首都南迁至塔伊兹。1962年也门阿拉伯共和国成立后,萨那再次成为首都。1990年也门阿拉伯共和国与亚丁的也门人民民主共和国合并,萨那成为统一后的国家首都。

萨那古城四周坚墙环绕,墙高6～9米,城门甚多。在建筑学上最为著名的是也门门,1962年革命后更名为自由门。在古城的正中是七层楼的共和宫,原为伊玛目的宫殿,主要的老市场皆在东区。城内有清真寺40余座,大多位于东区。其中特别著名的贾米阿勒·卡比尔或大清真寺,寺中天房或圣龛在栽德派教徒的心目中曾一度可与麦加的天房媲美。城市的西半部有比拉勒·阿扎卜、比拉勒·巴哈伊米和比拉斯赫·沙姆斯3个新区。犹太人居住的低地也在这里。在这个用墙隔开的犹太人区,有人从事纯金纯银的金属加工和刺绣等传统工艺制作。1949～1950年间,首都的犹太人基本上全都离开该国前往以色列定居,给该国的手工业造成几乎致命的打击。

1961年由中华人民共和国协助建成通往西南部荷台达港的现代化全天候公路,萨那的闭塞状况始有所改善。另一条通往塔伊兹的优质公路与老港口穆哈相连接,如今已很少使用。

萨那现为周围地区的贸易中心,除此以外,外国援助也刺激了该城的现代工业,其中以中国援建的棉纺织厂(1966年投产)尤为重要。市内居民多为政府工作人员。老城墙以外已建起新的住宅区。国际机场设在城西约20千米的拉哈巴,西北部的围地之内是从前的伊玛目周末行宫。行宫耸峙于露出地面的陡峭岩石上,俯瞰着德哈尔河。萨那正北方旁代的花园式郊区,有一座摩尔式风格的清真寺。1962～1970年的内战中,该城及其附近的许多住宅和公共建筑受到损坏。萨那大学创建于1970年。人口954 400(1994)。

萨那市的西区一角,背景为努古姆山
供图:Art Resource

Sanaga River　萨纳加河　喀麦隆中部河流。由洛姆河和杰雷姆河汇流而成。全长525千米。在杜阿拉南面48千米形成宽阔河口,注入大西洋,将喀麦隆海岸线分成两部分。上游多瀑布、湍滩。埃代阿建有水电站,向埃代阿和杜阿拉供电。姆巴考的水坝和水库调节水流。

Sanā'ī　萨纳伊(?～1131?,阿富汗伽色尼[今加兹尼])　艾布·马吉德·马吉杜德·伊本·阿达姆的笔名。波斯诗人,波斯语第一首杰出的神秘主义诗歌的作者。他的诗歌对波斯和伊斯兰文学产生巨大的影响。早年生活不详。他是伽色尼居民,一度任伽色尼苏丹的宫廷诗人,为他的保护人撰写颂诗。有段时期经历过宗教上的转变,离开了宫廷,前往梅尔夫,过着修心养性的生活。数年后回伽色尼,但闭门不出,并拒绝了迦色尼保护人巴赫拉姆·沙的奉承。萨纳伊最著名的作品是《真理之园》(《真理之园和法律之路》),这部献给巴赫拉姆·沙的伟大作品分10章,共1万个对句,表达了诗人对上帝、爱情、哲学和理性的观点。萨纳伊的作品在波斯-伊斯兰文学中极为重要。他是第一个用诗歌形式,如颂诗、抒情诗、对句韵诗,表达苏菲主义(伊斯兰教神秘主义)哲学的神秘主义的伦理观点的人。他的诗集约收有3万诗节。

Sanandaj　萨南达季　伊朗西北部城市。海拔1 521米。居民大多是库尔德人,有少数亚美尼亚人。两伊战争期间,该市曾遭受伊拉克空军的飞机袭击并发生库尔德人动乱。工业产品有地毯、皮革与毛皮、大米粉和蔗糖;手工艺有木工、棉织、金属器皿和餐具制造。有公路通马里万、萨盖兹、巴内和比贾尔。人口277 808(1996)。

Sănătescu, Constantin　瑟讷泰斯库(1885～1947-11-08,罗马尼亚布加勒斯特)　罗马尼亚军官和政治家,反法西斯政变后任罗马尼亚首届解放政府总理。1925～1928年在驻巴黎和伦敦使馆任陆军武官。1935年晋升将军。两年后任副总参谋长。第二次世界大战爆发后,1940年率罗马尼亚代表团赴莫斯科。1944年8月23日I.安东内斯库的亲德政权被推翻后,国王米哈伊命其组织临时政府。他指望美国支持他的"民主"政权,坚定地反对共产主义势力的增长。然而在苏联和罗马尼亚共产党人的压力下,他不得不在1944年11月4日改组内阁,12月2日辞职。此后退出政界。

Sanatruces　萨纳特鲁斯(活动时期公元前1世纪)　又名阿尔沙坎。安息国王(公元前

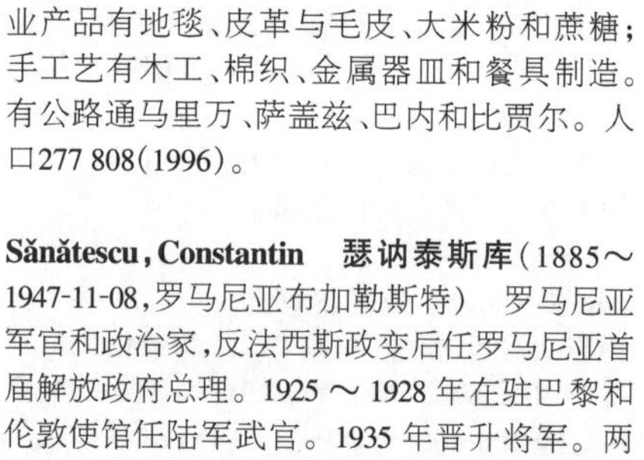

公元前1世纪钱币上的萨纳特鲁斯像
不列颠博物馆供图

76 或前 75 ～前 70 或前 69)。据传他可能是米特拉达梯一世(公元前 171 ～前 138 在位)之子。公元前 88 年米特拉达梯二世去世后,安息陷入王位继承的斗争。亚美尼亚人也乘机入侵。萨纳特鲁斯当时虽已年逾八旬,但人们认为他是最适宜于解决继承问题的王子,于是把他拥上王位,使王国重新统一。

Sanbation(Jewishlegendary river)　参阅**Sambation** 安息日河。

Sanborn, Franklin Benjamin　桑伯恩(1831-12-15,美国新罕布什尔汉普顿福尔斯～ 1917-02-24,新泽西普兰菲尔德)　美国新闻工作者,传记作家,慈善工作者。桑伯恩是新英格兰区古老家族的后裔(其祖先于 1632 年移入),曾就学于菲利浦爱塞特私立高中及哈佛学院(1855 年得文学士)。1855 年移居当时的文教荟萃地马萨诸塞州康科德,积极参加废奴运动,成为约翰·布朗在新英格兰的代表。他曾劝阻布朗袭击哈珀斯费里,但仍旧资助激烈行动派。1860 年初美国参议院最初以传票后改用拘捕令召他到听证会上表白立场,他在外逃亡约两个月,直到马萨诸塞州最高法院保护他不受逮捕为止。他早就开始从事新闻工作,1863 年任《波士顿共和国报》编辑;1867 ～ 1914 年任职于马萨诸塞州《斯普林菲尔德共和党人报》。与此同时,1863 ～ 1888 年间他数度在州慈善委员会工作,致力于监狱改革、精神病患者的照顾以及其他福利事业。他在康科德居住时结交了许多新英格兰的文学名人。他作品极多,包括《梭罗传》(1882)、《约翰·布朗的一生及其书信》(1885)、《阿尔科特生平与哲学》(2 卷,1893;与哈利斯合著)、《爱默生传》(1901)、《霍桑及其友人》(1908)、《七十年的回忆》(2 卷,1909)以及《梭罗的一生》(1917)。

Sancaituhui　《三才图会》　英语作 Illustrated Encyclopedia。中国类书。明嘉靖、万历(1522 ～ 1620)间王圻编,王思义续编。本书汇辑诸书图谱,并附文字说明,是图文并重的类书。全书 106 卷,分天文、地理、人物、时令、宫室、器用、身体、衣服、人事、仪制、珍宝、文史、鸟兽、草木等 14 门。是检索古代文物、人物图像的工具书。

Sancerre　桑塞尔　法国中部谢尔省城镇,位于布尔日东北约 42 千米俯瞰卢瓦尔河的山顶上。在一虽小却很著名的白葡萄酒区的中心。城镇下面的山坡上种植了 280 公顷的索维侬葡萄树,其周围 12 个城镇同样也种了葡萄树。桑塞尔城镇本身有一个曲折的街道网(有许多 15 和 16 世纪的房屋)通往一个 15 世纪的圆柱体采邑塔(城堡主楼)。宗教战争期间,该城镇是基督教新教的根据地,1573 年受到天主教军队的围攻,8 个月后方被攻下。1640 年桑塞尔成为波旁家族亨利二世即孔代亲王第三的领地,在 1789 年法国大革命前,其子孙一直拥有这块领地。人口 2 059(1990)。

Sanches, Francisco　桑切斯(约1550,葡萄牙布拉加或西班牙图伊～约 1623-11-26,法国图卢兹)　医生和哲学家。他信奉一种"推定的怀疑主义"——认为数学的真理是不真实的,而亚里士多德的认识论也是虚妄的。他在蒙彼利埃取得医学学位(1574),并在图卢兹大学教哲学,1612 年任医学教授。他在一篇著名的怀疑论的论文《为什么人们不能认识任何事物》中解释说,因为感官的能力是不可靠的,而且不可能接触到事物的真正本质,所以真正的认识是不可能获得的。世界处于经常的变动之中,并由于一切事物相互关联,如果不理解所有其他事物、这些事物的原因以及它们原因的原因,就无法理解任何事物;可靠的知识是彻底的知识,它只属于上帝。

Sanchez, Sonia (Benita)　桑切斯(1934-09-09,美国亚拉巴马伯明翰～　　)　原名 Wilsonia Driver。美国诗人、剧作家和教育家,以其黑人激进主义主张知名。母亲在她尚为婴儿时去世,9 岁时随父亲移居纽约哈勒姆。1955 年取得曼哈顿的亨特学院政治学学士学位,并曾短期在纽约大学学习诗歌创作。60 年代接触当时的政治激进主义,在《解放者》、《黑人诗刊》、《黑人对话》和《黑人文摘》等杂志上发表诗作。她的第一部诗集《还乡》(1969)多处猛烈抨击了"白人美国"和"白人暴力";之后写有关于她称之为在社会和心理上不自由的黑人的"新奴隶状态"的作品。她的许多诗用美国黑人方言形式写成,摒弃传统的英语语法和发音。多年来,她还与其他激进主义分子一道,提倡在学校开设"黑人研究"课程、鼓吹非洲国家的权利和支持各种其他事业,如尼加拉瓜桑地诺主义者的斗争。1972 年加入伊斯兰民族组织(通常所称的黑人穆斯林)。1966 年后先后在 5 所大学任教,最后于 1975 年接受坦普尔大学(费城)的终身职位,担任住校诗人和英文教授。

Sánchez Coello, Alonso　桑切斯·科埃略(1531或1532,西班牙巴伦西亚附近的贝尼法约～ 1588-08-08,马德里)　西班牙最伟大的传统肖像画的先驱者之一,腓力二世最喜爱的肖像画家。他使西班牙肖像画具有西班牙的特点。这种特点一直持续到 17 世纪 20 年代委拉斯开兹成为宫廷画家之时。童年在葡萄牙度过,后被葡萄牙国王约翰三世派往弗兰德从 A.莫尔学习。1550 年回葡萄牙做约翰的宫廷画师。1555 年因约翰的遗孀、西班牙国王的姐姐胡安娜的推荐而移居西班牙,成为腓力二世的宫廷画师。所作肖像画姿势自然,运笔潇洒,庄严肃穆,色彩温暖,虽受莫尔和提香作品的影响,但表现了独创的才能,绝妙地反映了西班牙宫廷的朴素和拘泥礼仪的情景。普拉多宫的腓力二世像(约 1575)及 I.C.欧亨尼娅公主像(1579)是其最好的作品。

桑切斯·科埃略画的西班牙女王瓦卢瓦的伊丽莎白肖像,约 1560 年

供图:Kunsthistorisches Museum, Vienna

Sánchez Cotán, Juan　桑切斯·科坦(1561,西班牙奥尔加斯～1627-09-08,格拉纳达)　西班牙画家,巴罗克写实主义的先驱者之一。笃信宗教,以静物画闻名。他的画写实细致,有立体感和深度感。他注重物体之间的关系,并着意明暗对照,达到虚实相生的境界,对苏巴朗等以后的西班牙画家有重大影响。

桑切斯·科坦绘《榅桲、卷心菜、西瓜和黄瓜》(约 1602)

加利福尼亚圣迭戈美术陈列馆供图

Sánchez de Bustamante y Sirvén, Antonio　参阅 **Bustamante y Sirvén, Antonio Sánchez de** 布斯塔曼特-西尔文。

Sánchez Muñoz, Gil(antipope)　**桑切斯·穆尼奥斯**　参阅 **Clement(VIII)** 克雷芒(八世)。

Sānchi　桑吉　印度中部中央邦中西部的历史遗址。位于贝德瓦河西岸高90米的砂岩

桑吉的大窣堵波南礼门

供图:Milt and Joan Mann—CAMERAMANN INTERNATIONAL

山丘平顶上，有全国保护最完好的佛教建筑群，其中1818年发现的大窣堵波最为著名。相传为公元前3世纪中叶由阿育王开始建造，后来又有扩建。四周有栏杆，开四门，栏杆和门上刻有佛陀一生故事。其他遗址有几座较小的窣堵波(即佛塔)，一所会堂和一根刻有铭文的阿育王柱以及几所寺庙(4～11世纪)。

Sānchi sculpture　桑吉雕刻　又译山奇雕刻。印度早期(公元前1世纪)装饰大塔(佛冢窣堵波)门廊所作的雕刻。位于中央邦境内，是当时最壮丽的墓碑之一。但桑吉地区

桑吉大窣堵波北礼门的雕刻

供图：Art Resource—美国不列颠百科全书公司

从公元前3世纪到公元11世纪，与佛教中心萨尔那特和马图拉一样，有一个连续不断的艺术发展史。桑吉有三座佛塔。一号窣堵波初建于阿育王时代，以后几个世纪不断扩大。二号窣堵波有雕饰的围栏，建于巽伽王朝晚期(约公元前1世纪)，三号窣堵波有一个兀立的礼门，建于公元前1世纪晚期到公元1世纪。其他重要雕刻有阿育王(约公元前265～前238)所竖立的纪念性石柱、一个早期的笈多庙(17号庙)以及其他一些寺庙。公元前1世纪，增建在大窣堵波的四个礼门，是桑吉雕刻艺术登峰造极之作。每一个门口用两个顶端雕有走兽和侏儒的方柱筑成，在顶部的横梁上，有三宝和法轮。横梁间的方座上满布浮雕，描绘佛传和佛本生故事，以及与早期佛教有关的情节和各种吉祥的象征。雕刻中附有供养人的姓名和纪念毗底沙(阿育王妃生地)的象牙雕刻者的铭文。浮雕削凿很深，刻有连续性故事的板面上雕像密集、富丽而有活力。佛陀是用象征手法表现的，如法轮、宝座或脚印。在门廊的石柱与最低的横梁之间，端坐着药叉(自然女神)。一足抵住石柱，双手攀住树枝，填补了建筑的空隙。

巴卢特(在中央邦境内)的一座窣堵波，建于公元前2世纪中叶，有类似的药叉像，可以看出当时的雕刻技术已有极大的进步。女神胸臀丰满，薄衣贴体，姿势舒展，非常生动自然。

Sancho　桑乔　统治者之名，按国别分列于后，并各以●为标记。

阿　拉　贡

● **Sancho Ramírez　桑乔·拉米雷斯**(1045以前～1094-07-06，阿拉贡韦斯卡)　阿拉贡国王(1063～1094)和潘普洛纳(或纳瓦拉)国王(1076～1094，称桑乔五世·拉米雷斯)。阿拉贡的拉米罗一世之子。纳瓦拉的桑乔四世被谋杀后，他成为纳瓦拉国王，使卡斯蒂利亚的阿方索六世兼并该王国的野心未能得逞。但他在历史上的重要性是作为阿拉贡的国王。1063年其父在格劳斯与摩尔人作战阵亡后，罗马教廷曾组织三次国际十字军反对西班牙的穆斯林(1063、1073和1087)，均告失败。但是，桑乔却凭借自己的力量收复了许多地方，特别是在韦斯卡和蒙松一带。在他统治末期，阿拉贡的势力开始伸到地中海沿岸。他在围攻韦斯卡期间(1094)受伤而死。

卡斯蒂利亚和莱昂

● **Sancho I　桑乔一世**(？～966或967)　西班牙莱昂的国王(956年起)。拉米罗二世的幼子，继承其兄奥多尼奥二世为国王，在一次贵族的叛乱中被推翻，由堂兄弟奥多诺四世取而代之。桑乔向伍麦叶王朝的哈里发阿卜杜勒·拉赫曼三世求援，拉赫曼三世于960年帮助他重新获得王位。

● **Sancho II　桑乔二世**(约1037～1072-10-06或07，莱昂萨莫拉)　卡斯蒂利亚国王(1065～1072)。费迪南德一世的长子。父王遗嘱把卡斯蒂利亚王国分配给他，而把莱昂和加利西亚给他的两个弟弟。他拒不接受这种分封方法，以武力从加西亚手中夺取了加利西亚(1071)。莱昂的阿方索六世于1072年1月在卡里翁河畔的戈尔佩哈尔战役中被击败，只好到托莱多的摩尔人国王处避难。桑乔的胜利是短暂的，因为他在围攻反叛的设防城市萨莫拉时阵亡；萨莫拉当时由其妹乌拉卡以阿方索的名义占据着。

● **Sancho III　桑乔三世**(约1134～1158-08-31，卡斯蒂利亚托莱多)　卡斯蒂利亚国王(1157～1158)，西班牙皇帝阿方索七世的长子。其父遗嘱把国土分给两个儿子，桑乔三世获得卡斯蒂利亚，费迪南德二世获得莱昂。桑乔以军事力量迫使阿拉贡和纳瓦拉订约称臣，以继其父之志。但是，他即位仅一年零十一天即死去。

● **Sancho IV　桑乔四世**(1257～1295-04-25，卡斯蒂利亚托莱多)　卡斯蒂利亚和莱昂国王(1284～1295)。阿方索十世的次子。虽然野心勃勃而又生性残暴，却是一个有才干的政治家和有教养的人。1275年其兄费南多·德拉塞尔达被杀，留下一子阿方索·德拉塞尔达，应为阿方索十世的继承人。桑乔在贵族和军事骑士团支持下，取代其侄继承王位。国内各个阶层以及法国和阿拉贡都支持阿方索·德拉塞尔达。桑乔以长女伊莎贝尔嫁给阿拉贡的詹姆斯二世，才算消除这一威胁。1290年，他曾粉碎非斯国王对安达卢西亚的入侵。桑乔的成功应该归功于最有才干的支持者洛佩斯·迪亚斯·德阿罗。但由于两人发生争论，他在一怒之下把洛佩斯处死(1288)。他很倚重好战的王后玛丽亚·德莫利纳。在他死后，她成为其儿子费迪南德四世的摄政。

纳　瓦　拉

● **Sancho I Garcés　桑乔一世·加尔塞斯**(？～925)　潘普洛纳(纳瓦拉)国王(905起)。他扩大了埃布罗河以南的王国领土；尽管他的都城于924年遭到科尔多瓦的伍麦叶王朝哈里发阿卜杜勒·拉赫曼三世的洗劫，他还是保持了王国的独立。

● **Sancho II Garcés　桑乔二世·加尔塞斯**(？～约994)　潘普洛纳(纳瓦拉)国王(970起)、阿拉贡伯爵。加西亚一世(或二世)之子。973和981年与卡斯蒂利亚和莱昂结盟，被摩尔人打败，臣服于哈里发。他的一个女儿嫁给科尔多瓦的首相阿布·阿米尔·曼苏尔，并成为一名穆斯林。992年桑乔前往科尔多瓦向曼苏尔表示敬意。

● **Sancho III Garcés　桑乔三世·加尔塞斯**(约992～1035-10-18)　潘普洛纳(纳瓦拉)国王(约1000～1035)。加西亚三世之子。在科尔多瓦的哈里发王国处于动乱时，桑乔建立了纳瓦拉对西班牙所有基督教国家的霸权。他不热中于对摩尔人进行"圣战"，但最感兴趣的是扩张领土。在吞并古代法兰克的郡县索夫拉韦和里瓦戈萨两伯爵领地(1016～1019)后，又劝说巴塞罗那伯爵拉蒙一世接受他为领主。桑乔娶卡斯蒂利亚的桑乔·加西亚伯爵之女穆尼亚为妻(1010)。当桑乔·加西亚之子、年幼的加西亚伯爵被暗杀(1029)后，他接受了伯爵的爵位。然后利用卡斯蒂利亚民族统一派人士的要求，占领了莱昂的都城。1034年在这个都城加冕，接受皇帝称号。他把封建制引入其新领地，鼓励克罗尼亚教派的改革，并在基督教西班牙与比利牛斯山北的欧洲地区之间建起密切联系。临死时，遗嘱把帝国划分为四个王国，分给四个儿子，这就不可避免地在他死后造成兄弟自相残杀的战争局面。

● **Sancho IV　桑乔四世**(约1038～1076，纳瓦尔佩尼亚伦[西班牙])　潘普洛纳(纳瓦拉)国王(1054～1076)。加西亚三世(或四世)之子。他不得不与卡斯蒂利亚的民族统一主义和阿拉贡的野心进行斗争。他劝说萨拉戈萨的摩尔人国王成为他的臣藩，这一行动触怒了卡斯蒂利亚的阿方索六世，后者侵入潘普洛纳(1074)，与他的弟兄和权贵相勾结，将他暗杀于佩尼亚伦。此后，潘普洛纳王国在纳瓦尔人同意下被阿拉贡的桑乔·拉米雷斯占领。

● **Sancho V Ramírez　桑乔五世·拉米雷斯**　参阅Sancho(Aragon)桑乔(阿拉贡)项下的Sancho Ramírez桑乔·拉米雷斯。

● **Sancho VI　桑乔六世**(？～1194-06-27)　纳瓦拉(潘普洛纳)国王(1150起)。加西亚四世(或五世)之子。桑乔是第一位被称作纳瓦拉国王的人；此前的历届国王都称为潘普洛

纳国王。1151年，卡斯蒂利亚和阿拉贡在图迪伦签订条约，共同瓜分纳瓦拉。但是，桑乔通过接受卡斯蒂利亚的阿方索七世为他的领主并娶阿方索之女为妻的办法，使他的王国免于毁灭。他自己却在阿方索八世未成年时(1158～1170)，干预卡斯蒂利亚的事务。1176年，两国把它们长期存在的领土纠纷提交给英格兰的亨利二世，请求仲裁。亨利二世派里奥哈前往卡斯蒂利亚。桑乔接受这一决定。他是一名重要的立法者，曾颁发许多市政特许状，并保护来自北方的犹太人和移民。

● **Sancho Ⅶ　桑乔七世**(1154～1234-04-07，纳瓦尔图德拉[西班牙])　纳瓦拉(潘普洛纳)国王(1194～1234)。桑乔六世之子，生性古怪。他与穆斯林友好，而触怒罗马教廷。他在非洲为穆瓦希德人效力(1198～约1200)时纳瓦拉的阿拉瓦和吉普斯夸两省被卡斯蒂利亚占去(1200)。但是，1212年他却和基督教联军一道作战，在拉斯纳瓦斯-德托洛萨击溃穆瓦希德人。桑乔七世和他的前辈一样，也颁发了许多市政特许状。死后葬在经院教堂。桑乔是纳瓦拉200年来最后一个西班牙血统的国王，因为纳瓦拉的王位终于传给香槟伯爵、行吟诗人西奥博尔德，此后一直由法国人继承。

葡　萄　牙

● **Sancho Ⅰ　桑乔一世**(1154，葡萄牙科英布拉～1211-03-26)　葡萄牙第二代国王(1185～1211)。阿方索一世之子。他在位时期，曾向人口稀少的地区移民，建立新市镇，重建边境要塞和城堡。他鼓励外国人在葡萄牙定居，并约请主教、教团及贵族参与其移民兴办项目，他还将大片土地授给军事骑士团(医护骑士团、圣殿骑士团、卡拉特拉瓦骑士团及圣地亚哥骑士团)。在穆瓦希德王子阿布·优素福·耶古卜·曼苏尔入侵后，他利用十字军舰队的帮助，从摩尔人手中夺得锡尔维什(1189)，但当曼苏尔重新发起进攻时，他又失去这个地方和塔古斯河以南的土地。他曾与主教发生各种争论，并在纳贡问题上与罗马争吵。

● **Sancho Ⅱ　桑乔二世**(1207，葡萄牙科英布拉～1248-01-04，卡斯蒂利亚托莱多[西班牙])　葡萄牙的第四代国王。阿方索二世之子。年幼即位，当时局面助长了派别之争，亲政后他努力实现政治上的稳定，但没有成功。他曾对摩尔人作战，攻占塔维拉和卡塞拉(1238～1239)，将葡萄牙的主权扩展到阿尔加维的大部分地区。但从1240年起，国内更加混乱。教皇英诺森四世认为他没有统治国家的能力，1245年把他废黜，另立其兄弟阿方索(后称阿方索三世)。桑乔于1247年隐退到托莱多，次年死去。

Sanchong　三重　又拼 San-ch'ung。中国台湾省北部台北县辖地级市。面积16.32平方千米。位于淡水河西岸，东与台北市隔河相望。18世纪初期已有开发，向为重要商业中心之一，是周围农业区所产稻谷、甘薯、茶叶等农产品集散市场。是台湾北部重要工业区，有食品加工、木材加工、化学、纺织、机械等工业。该市人口稠密，经济繁荣，与台北市仅一水之隔，为台北市的卫星城。该市交通便利，公路网四通八达，有台北大桥、忠孝大桥、中兴大桥等桥梁与台北市相接。中山高速公路横贯市区北部，东北可抵基隆，南可达高雄等城市。市内有先啬宫、龙泉宫等著名庙宇。始建于清乾隆二十一年(1756)的先啬宫在每年农历4月25日举行重要祭典。著名的阳明山风景区位于东北约13千米处。人口380 084(1999)。

Sanchuniathon　桑楚尼亚松(活动时期公元前14或前13世纪?)　古代腓尼基作家。生平事迹不详。公元1世纪比布罗斯的斐罗曾声称他从原文译出了桑楚尼亚松的《腓尼基》一书。此说虽有人提出异议，但据1929年叙利亚出土的文献，其中记载与桑楚尼亚松对腓尼基神话和宗教信仰的许多描述并无出入。

Sancroft, William　桑克罗夫特(1617-01-30，英格兰萨福克郡弗雷辛菲尔德～1693-11-24)　英格兰圣公会坎特伯雷大主教。1651年因拒绝宣誓效忠共和政府而被剑桥大学撤去评议员的职务。王政复辟后任王室牧师。1664～1677年任伦敦圣保罗大教堂副主教。1678年成为坎特伯雷大主教。他与其他六名主教一起向詹姆斯二世请求不要颁布解除对天主教徒和不信奉国教者的禁令的第二次《赦免宣言》(1688-04)，因而被关入伦敦塔。后被宣布无罪。他虽反对詹姆斯二世，但也不承认奥兰治的威廉的王位继承权。1690年被解除大主教职务。

伦敦国立肖像画陈列馆供图

Sancti Spíritus　圣斯皮里图斯　古巴中南部省份。南濒加勒比海。面积6 704平方千米。主要农产品为甘蔗、烟草、稻米和水果，养牛业亦重要。1954年发现石油，至今仍是全国最大的石油产地。亦有蛇纹岩和锰矿开采业。特立尼达为主要工业中心，有榨糖、乳品加工、锯木、雪茄和卷烟等工厂。省会圣斯皮里图斯市通中央公路和铁路干线。人口约405 034(1983)。

Sancti Spíritus　圣斯皮里图斯　古巴圣斯皮里图斯省省会。建于1516年。1524年迁至亚亚沃河畔。古巴内地最古老的城市，狭窄而弯曲的街道、古老的教堂和广场均保持着殖民时代的风格。周围富饶农业地区的商业中心。在中央公路线上。人口约79 542(1981)。

sanction　约束力　在社会科学中，指社会群体的成员对一种行为方式所表示的赞同或否定的反应(或反应所表示的威胁或许可的姿态)用以推行这个群体的行为标准。惩罚(否定约束力)及奖励(肯定约束力)把行为调节得符合社会的规范(**norm**)。约束力可以是散布性的——即社会成员若干个人的自发表示；也可以是有组织的——即按照传统的和公认的程式行动。因此，约束力不仅包括有组织的法律惩处，而且也包括正式的奖励(例如荣誉和爵位)和社会成员们随便的嘲讽或不拘礼节的尊崇。在没有正式法制机构(如法庭)的社会，约束力往往直接由受害者个人或集体来实施。所作的反应是以全社会认可的方式并以与受害程度相当的形式作出的。这可以包括揶揄嘲弄、决斗、伤害、夺取财产或者杀死冒犯者或其群体中的一个成员。全社会的环境以及过错的种类决定约束力类型：法律、宗教以及道德等方面的约束力都能起作用。亲族群体以内的行为不轨，可用宗教约束力，若类似出轨行为是在不同的亲族群体之内出现，则要诉诸法律约束力。约束力除了具有社会控制机制的功能之外，还可以用来整合社会，肯定社会信仰并在信仰被破坏时重申其有效性。

Sanctis, Francesco De　桑克蒂斯　参阅 **De Sanctis, Francesco** 德·桑克蒂斯。

Sanctorius(Italian physician)　参阅 **Santorio Santorio** 圣托里奥。

sanctuary　圣所　宗教名词。指与尘世隔离的圣地。原指有神仙出没的天然场所，如树丛或丘陵，后来则包括人工建筑物。圣所专供特殊宗教仪式之用，圣所之内人人必须纯洁。为了防止圣所受亵渎，规定许多禁忌和戒律。由于圣所至圣不可侵犯，因此按照习俗成为罪犯的庇护所。推而衍之，英文此词又指提供这种庇护所的权力，即庇护权。基督教会的庇护权约在4世纪末得到罗马法律的承认，其根据是因为主教依法有为罪人代求的权利。教会的庇护权逐渐扩大到其所辖地区和邻近地区。根据英国习惯法，重罪犯逃入圣所后可以自行决定是接受审判还是向验尸官认罪后立下誓愿，保证出国，未经国王许可决不返回。过了40天后，如他既不接受审判又不发誓弃绝国籍，将用饥饿来迫使他屈服。除了教会的庇护权以外，英国国王还批准建立其他若干庇护所。直到18世纪庇护权才全部废止。在欧洲大陆，庇护权在16世纪大受限制，到法国大革命时完全废止。庇护权不管其起源和意义如何，似乎完成了它的社会职责。尽管常被滥用，这种制度防止了滥杀和肆意仇杀以及不审而杀的现象。这种制度也是议员豁免权和外交豁免权的根源。

sanctuary knocker　教堂门环　基督教教堂外门上的门环，有时为简单的金属环，有时装饰华丽，例如12世纪初英国达勒姆大教堂的

12世纪初英格兰达勒姆大教堂北门的门环

供图:A.F.Kersting

门环。中世纪的宗教法规定,逃犯只要触及教堂门环即可免予逮捕。

Sancy diamond 桑西钻石 印度产的火红的宝石。形状像桃核,重55克拉。它曾经历了许多王室家族。1570年,法国驻土耳其大使N.H.德·桑西在君士坦丁堡将它购得,提供给法国国王亨利三世和亨利四世。后来,它又被英国女王伊丽莎白一世购买而流入斯图亚特王室。1688年詹姆斯二世从英国逃往法国以后,它再次出现在法国国王路易十四的王冠宝石群中。1792年,它被偷走。1828年当它被俄国皇太子杰米多夫购得时,又再次出现,它在杰米多夫家族中保存到1900年。后来它成了N.阿斯特夫人的财产。

sand 砂 直径为0.02~2毫米的矿物的、岩石的或土壤的颗粒。大多数出现在地表上的造岩矿物都可以在砂中发现,但以砂子形式出现的常见造岩矿物为数甚少。虽然在一些地方,长石、钙质物质、铁矿石矿物和火山玻璃是砂的主要组分,但石英由于某些原因是最常见的。石英在岩石中最多,比较硬,实际上无解理,因此,不易磨损,几乎不溶于水,不分解。大部分的石英砂含有少量的长石,也有细粒白云母小片;细粒白云母虽然软,可是分解慢。所有的砂均含有少量的重造岩矿物,包括石榴子石、电气石、锆石、金红石、黄玉、辉石和闪石。在有些海滨砂和河砂中,这些较重的组分和一些天然重元素由于流水的分选和较轻的组分被冲走而富集起来。这些砂矿砂可能是有经济价值的矿床,可供开采金刚石和其他宝石、金、铂、锡、独居石和其他矿石。绿砂广泛分布在大洋底部,也可在大陆的古老地层中发现。绿砂的颜色是由于含有一种含钾的矿物海绿石而引起的;这种砂可用来做水的软化剂。在陶器和玻璃制造工业中使用很纯的石英砂作为二氧化硅的来源。制造酸性炼钢炉的炉衬也需要类似的砂。在铸造厂浇铸金属采用的铸模是由砂和黏土黏合剂制成的。石英和石榴子石砂广泛地用作磨料。普通砂有大量的其他用途,例如,配制砂浆、水泥和混凝土。

Sand, George 桑(1804-07-01,巴黎~1876-06-08,法国诺昂) 本名阿芒丁-奥罗尔-吕西尔·杜德望,笔名通称乔治·桑。法国浪漫主义女小说家,以她的所谓乡村小说和许多风流韵事而闻名。她在贝里的诺昂农村地区长大,在那里培植了对乡村的深切热爱和理解。这一切后来都生动地反映在她的许多作品中。1817年被送进巴黎一家隐修院读书。1822年和杜德望男爵结婚。婚后最初几年很幸福,但不久即对她那心地善良但感情有些迟钝的丈夫感到厌倦。她先后从一个年轻法官的柏拉图式友谊及同一个邻居的热恋中寻求安慰。1831年1月,她离开诺昂前往巴黎,和桑多合作写文章,以朱尔·桑笔名发表。1832年起,她开始以乔治·桑为笔名,单独写了《安蒂亚娜》。这部立即使她的声誉青云直上的小说,是她对那种不顾妻子的意愿而将其束缚在丈夫身边的社会传统观念的强烈抗议,也是为小说中女主人公抛弃不幸婚姻而自寻爱情之举所作的辩护。在她的《瓦朗坦》(1832)和《莱莉亚》(1833)两部小说里,她把对自由结合的理想扩展到更广泛的社会和

巴黎卡那瓦莱博物馆供图

阶级关系上去。《瓦朗坦》是桑的很多部以农民或工人为主人公的小说中的第一部。与此同时,她情人的名单还在不断加长,最终包括梅里美、缪塞和肖邦等人。但是,如果有人相信桑是一个为迎合她的每一个情人而改变自己的哲学和政治信仰的慕男狂的流行说法,那就错了。当她认为某个男子具有某种近乎完美的品质时,她便与此人同居几年,她照顾这个男人与其说是出自情妇的爱,还不如说是出自近乎母亲的爱。例如,她曾同肖邦同居8年,直到一次争吵后肖邦离她而去。她完全不受缪塞的怀疑主义思想和肖邦的贵族偏见的影响,同时她完全相信并接受哲学家勒鲁的哲学思想,而两人却从未成为恋人。事实上,她早期的多数作品,其中包括《莫普拉·莱莉亚》(1837)、《斯皮里迪翁》(1839)和《里拉琴的七根弦》(1840),或多或少地表现出她曾与之结合的男人的影响。她最后终于在她所谓的乡村小说中找到真正最适合她的形式,这种小说的灵感主要来自她一生对乡村的热爱和对穷人的同情。在《魔沼》(1846)、《弃儿弗朗索瓦》(1848)和《小法岱特》(1849)里,乔治·桑作品中重复出现的主题即爱情超脱传统观念和阶级的障碍,均以她熟悉的贝里乡村为背景又抒发了她对此地的自豪感。这些以乡村为题材的故事大概是她最优秀的作品。晚年写有一系列小说和剧本,论及无可指摘的道德观念和保守精神,其中能够经久流传不衰的作品也许就是自传《我的一生》(1854~1855)和《一位老奶奶的故事》(1873),这是为她的孙子辈写的故事。她在度过平静的晚年之后与世长辞。

sand bug(crustacean) 参阅**mole crab**鼹蟹。

sand crab 沙蟹 参阅**ghost crab**鬼蟹。

Sand Creek Massacre 桑德河大屠杀 又称奇文顿大屠杀(Chivington Massacre)。美国J.M.奇文顿上校于1864年11月29日率领主要由科罗拉多志愿人员组成的1 200人的军队,对科罗拉多东南地区一个已经投降并部分解除武装的切延内族印第安人营地发动的一次有争议的突然袭击。这个营地中有数百切延内族人和少数阿拉帕霍族人。切延内族酋长黑壶巳在谈判议和并得到里昂堡司令官S.安东尼少校允许,在其附近设营。袭击开始时,黑壶升起美国旗帜和一面白旗,但是仍有150~500名印第安人遭到屠杀,其中包括许多妇女和儿童。人们起初为奇文顿的"胜利"欢呼,但后来弄清他搞了一场大屠杀时,他便名声扫地。这一事件是引起阿拉帕霍-切延内战争的主要原因,并对其后10年的平原印第安人战争有着深远影响。

sand cricket 参阅**Jerusalem cricket**沙螽。

sand devil 沙卷风 参阅**dust devil**尘卷风。

sand dollar 沙钱海胆 棘皮动物门海胆纲楯形目海生无脊椎动物。是饼海胆(**cake urchin**)的一类,介于球海胆和心形海胆之间。体扁盘形,特别适于钻入沙底,体表覆以细小的刺,用于挖沙和爬行。口位于体下面的中央。身体上表面呈5辐射对称,像从中心展开的5片花瓣。某些种可见于北美的沙滩上,有5~6个槽沟穿过胆壳。大多数沙钱海胆的直径为5~10厘米。世界上其他地区(除欧洲和南极)的沿岸浅海也可见这种大小的沙钱海胆。

sand dune 沙丘 小山、沙堆、沙埂、或由风的作用形成的其他松散物质。沙丘的存在是风吹移未固结的物质能力的直接作用所致。沙丘通常与风吹沙占据大片面积的沙漠地区有关。例如,据估计在撒哈拉沙漠,沙的沉积约占地700万平方千米。在近代地质史上,在更新世冰河期的干燥期间,沙漠的面积可能更大。当时,北美、欧洲和亚洲都沉积下大面积的黄土(风吹的粉)。沙丘与海岸也有关系,海滩沙子可能被风重新带动起来。

沙漠这个词也可适用于非常寒冷的地区,因此在非冰河时期的南极洲也发现大面积的沙丘。虽然沙粒是沙丘的基本成分,但在合适的条件下,风也可以吹移并沉积黏土粒子或其他松散物质。

沙丘沙的移动有两种方式。第一种,通过跳跃的过程,风把沙粒刮起,吹移一短距离后再落下。沙子在刮过多石的表面时,沙粒可能弹起几米高。否则它们在地表面上移动只有几厘米高。第二种,跳跃的沙粒再一次碰撞地面,并借助冲击力将别的沙粒推向前

进。这种运动称作表层蠕动。

形成沙丘最简单的方式是:一个障碍物,如石头、植物,阻止了气流,使沙子在顺风一侧堆积起来,恰似雪堆形成的方式。沙丘逐渐增大,对风携带的沙所起的阻挡作用就更大,在下风隐蔽处截住跳跃的沙粒。

沙丘增大后,开始顺风缓慢移动,呈更不对称的形状。沙丘对气流的干扰越来越大。这时在沙丘向风的一面风速加大,跳跃沙粒被吹动向上,并越过丘峰,下落到下风丘坡的上部,造成比较陡峭的滑面。沙丘沙粒的直径往往小于1毫米,休止角约为35°。当滑面更为陡峭的上段达到或超过这角度时,丘坡逐渐变得不稳定。沙子最终滑下滑面,沙丘便向前推进。

由障碍物导致形成沙丘的看法不能解释沙丘如何在平滑、水平的表面上形成,并构成由许多大小形状相等的沙堆组成的沙海。有一种看法是:这种沙丘是由空气和地面的摩擦阻力造成的,而且这种沙丘形成的方式与沙波纹在河床或海滩上形成的方式很相似。

新月形沙丘与长条形沙丘有一个基本区别。新月形沙丘是一种典型的沙漠地形。呈新月形,月牙尖伸向下风方向。新月形沙丘高度可超过27米。有人曾提出新月形沙丘形状接近均衡状态时,其长度和宽度相等,高度为长宽的1/10。

长条形沙丘是长长的沙埂。一般来说,它们沿盛行风的方向成一条线。这种沙丘的滑面很可能由旋涡形成。长条形沙丘的沙埂之间凹处的沙子已被风刮走。沙埂延伸很长的距离,有时达几千米。其高度似乎为沙丘底部宽的1/6左右。

虽然沙丘形态主要为新月形和长条形两种,但已知也有其他形式的沙丘。在拥有大量沙子的地区,新月形沙丘可能接合成横向沙丘之"海",新月形沙埂在这里不十分明显。在植被被损坏,并被风刮出一凹地的地方形成抛物线沙丘。虽然它们在平面图上略似月牙形,但月牙尖向上风面延伸,滑面在新月形沙丘的外侧。它们顺风移动,形成U字形。最后还有一种沙丘形式,在中东地区和撒哈拉沙漠地区很著名,称作星形,或角锥沙丘。在平面图上呈多角星形,陡峭的沙埂从角尖向中央高峰上升。人们认为这种沙山并不移动,成为历代沙漠旅行者的路标。

sand eel　沙鳗鱼　参阅 **sand lance** 沙矛鱼。

sand flea　沙蚤　又作sand hopper(沙跳虾),beach flea(滩蚤)或beach hopper(滩跳虾)。

沙蚤(*Orchestia*)
供图:Larry West—Full Moon Studio

端足目跳虾科的数种陆生甲壳动物的俗称。善跳跃。以有机碎屑为食。欧洲沙蚤(欧洲跳虾,*Talitrus saltator*)长约1.5厘米,生活在高潮线以附近的海滩上,白天钻入沙内,夜出寻食。长角沙蚤(长角跳虾,*T. longicornis*)分布从新英格兰至墨西哥湾的北美洲大西洋沿岸,触角与体等长,体长2.5厘米,白蜡色,习性似欧洲沙蚤。欧洲沿岸和格陵兰到阿根廷的东大西洋沿岸的普通沙蚤(活泼跳钩虾[*Orchestia agilis*]或普拉塔跳钩虾[*O. platensis*])长约1厘米,黑褐色或灰色,尾淡蓝色,触角红褐色;生活在湿沙中。

sand fly　白蛉　双翅目白蛉科(Phlebotomidae,或归为毛蠓科[Psychodidae]的一部分)昆虫。幼虫水生,生活在沿岸的潮间带、泥中或潮湿的有机碎屑中。白蛉属(*Phlebotomus*)种类是重要的医学昆虫,在地中海和南亚附近传播白蛉热病毒;在南美、非洲和亚洲传播引起黑热病、东方疖、美洲利什曼氏病和巴尔通氏体病等的寄生原生动物。英语sand fly又指蚋(**black fly**)及拟蠓蠓(**biting midge**)。

sand fly fever　参阅 **pappataci fever** 白蛉热。

sand lance　沙矛鱼　又作sand eel(沙鳗鱼)。鲈形目玉筋鱼科和裸玉筋鱼科海鱼的俗称。约18种。体细长,银白色,盛产于北部诸海,体形及运动方式似鳗。体长约20～

欧洲沙矛鱼(*Ammodytes lanceolatus*)
供图:Jacques Six

46厘米。尾鳍叉形,头与背鳍均较长,群栖性,通常栖息在近岸多浪海底的沙中。对人类经济意义不大,但却是掠食性鱼类及海鸟的重要食物。

sand painting　沙画　又称干画(dry painting)。艺术类型。在美国西南部的纳瓦霍和普埃布洛印第安人当中,沙画形式高度发展,而在大平原和加利福尼亚几个印第安人部落中,其形式就比较简单。在印第安人当中,沙画虽是一种艺术形式,但其宗教意义超过美学意义;它的作用也与医疗仪式有关。沙画是程式化的象征性图画,用少量碾碎的白、蓝、黄、黑、红色沙石、木炭、花粉以及其他干材料,慢慢撒在一块洁净而平整的沙底上而成。现已知约有600种不同的图画,包括各种神像、动物、闪电、彩虹、植物以及与各种仪式有关的圣歌中所描绘的其他象征性的东西。在医疗过程中,选择哪些特殊图画,由巫医决定。图画绘成后患者还要坐在图画中心,把图画中的沙搽在患者身体的有关部位上。仪式结束时,图画随即毁掉。印第安人多年来不愿把沙画的精确复制品长期保存下来,有时在地毯上复制沙画图案时就故意造成错误,据说这样会使原来图案的神力仍可保存下来。今天,为了保存这种艺术形式并作为文物予以收藏,很多沙画已经复制。

sand rat　沙鼠类　几种小啮齿动物的统称,包括沙鼠(**gerbil**)和鼹形鼠(**mole rat**)等。

sand reed (grass)　参阅 **beach grass** 滩草。

Sand River and Bloemfontein conventions　《桑德河公约》和《布隆方丹公约》　英国与进行大迁徙的阿非利堪人(南非白人)分别在1852和1854年签订的条约。英国保证这些阿非利堪人有自治权,对他们的事务不加干涉。这两个条约改变了哈里·史密斯爵士在1848年实行的兼并政策。条约虽有反对奴隶制的条款,但同时废除了英国以前与非洲人首长们订立的条约,并禁止向非洲人,但不禁止向阿非利堪人提供武器弹药,因此有利于白人。英国人依然控制着内陆共和国。

sand sea (desert region)　**沙海**　参阅 **erg** 沙质荒漠。

sand shark　沙鲨　锥齿鲨科(Odontaspididae或Carchariidae)锥齿鲨属(*Odontaspis*或*Carcharias*)约6种鱼类的俗称。分布于各大洋热带与温带沿岸浅水水域,常在海底或近

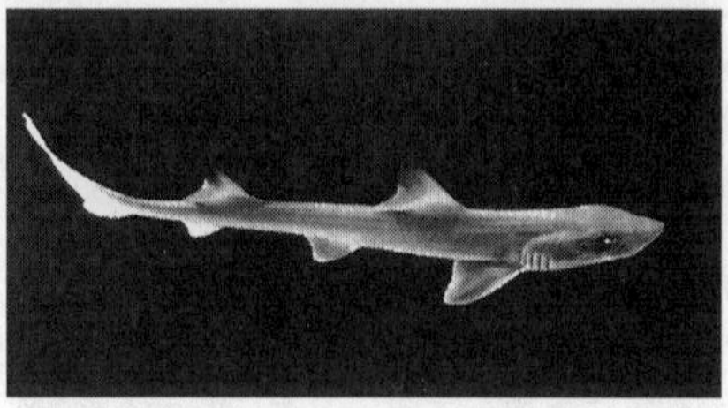

沙鲨(*Odontaspis*)
供图:Grant Heilman—美国不列颠百科全书公司

海底处活动。体长约3～6米,体上部灰褐色,腹部色较浅。性贪婪,但一般迟钝。牙细长而尖,掠食鱼类及无脊椎动物。有两个种:大西洋的沙虎(牛锥齿鲨,*O. taurus*)和澳大利亚的沙锥齿鲨(*O. arenarius*),被认为具危险性。

sand wasp　沙蜂　膜翅目泥蜂科沙蜂族(Bembicini)昆虫。独栖,体粗壮,长约2～2.5厘米。上唇延长,三角形,口器喙状,是为辨认的特征。常为黑色,带白、黄或绿色斑

海岸沙蜂(*Microbembex monodonta*)
供图:William E. Ferguson

纹。巢为沙穴,常常多个巢穴出现于一处。幼虫主要食亲体捕来的昆虫。美国南部常见的护马沙蜂(*Bembix carolina*)常捕食马周围的

蝇;长约2.5厘米;黑色,有黄或淡黄绿色斑纹。海岸沙蜂(*Microbembex monodonta*)沿海岸分布。

Sandage, Allan Rex 桑德奇(1926-06-18,美国艾奥瓦艾奥瓦城～2010-11-13,加利福尼亚圣加夫列尔) 美国天文学家。他发现第一个类星射电源(类星体)——一种状如恒星但发射出强射电波的天体。他是与美国射电天文学家T. A. 马修斯合作发现的。1952年他到加利福尼亚州海尔天文台(现为威尔逊山和帕洛马天文台)任职,在那里完成了他的大部分研究工作。为了探讨某些天文学家的恒星演化理论,他同H. L. 约翰逊于50年代前期论证了许多球状星团中的最亮恒星的光度和颜色的观测特性,从而说明星团可按年龄进行排列,这些信息为认识恒星的演化和星系的结构提供了依据。后来他成为发现和研究类星体的先驱,他的这一工作是将射电源的精确位置同照相天图加以比较,然后用大型光学望远镜在发射强射电波处寻找可见的类星射电源。他和马修斯于1961年证认出第一颗这类为数众多的天体。后来他又发现具有类似特征的某些遥远类星体并不是射电源。他还发现某些类星体的光的强度有迅速而且不规则的变化。

Sandakan 山打根 东马来西亚沙巴州最大城镇和主要港口。濒临苏禄海一海湾,邻近基纳巴唐岸河口,在犬牙交错的海岸线上。为全州商业中心。1874年创建。1947年以前为英属北婆罗洲首府。因经营森林产品贸易诸如木材、藤条、燕窝、珐马树脂和椰子而得以发展。与香港、日本和澳大利亚有悠久的通商史。居民以华人(来自香港的广东人)为主。华人商店和办公楼比比皆是。港口宽阔(长32千米,宽5～16千米),但因基纳巴唐人入口四周淤泥沉积,水浅,1.1万吨以上海轮不能驶入。第二次世界大战后开始兴旺,成为木材、椰干和马尼拉麻的出口贸易口岸。有大规模油棕榈和可可种植园。有造船、儿茶提炼、冷冻和包装对虾工业。设有机场。有公路经拉瑙通州首府哥打基纳巴卢。人口126 092(1991)。

sandal 凉鞋 一种用襻袢、条带在脚背、脚趾或脚踝把鞋底固定在脚上的鞋子。已知最早的凉鞋是约公元前2000年埃及人用纸莎草编制的,在古埃及只有显要人物才穿用皮革、木料或纸莎草制成的凉鞋。古希腊人一般在室内不穿鞋,外出时穿用皮带系结的皮底或毡底鞋;达官贵人有时穿金色凉鞋,妇女有时穿鞋面上有装饰品的凉鞋。罗马人除禁止奴隶穿鞋外,一般在室内也穿鞋;在罗马,鞋的装饰和样式很多,例如贵族穿鞋面上有月亮形装饰的红色凉鞋。罗马还建立了一些规模很大的制鞋业行会。如今,凉鞋极为流行,尤其在暖热的季节里。随着制鞋业的发展,已生产出各种式样和各种材料的凉鞋。凉鞋一词亦指妇女穿的浅口鞋和轻便拖鞋。

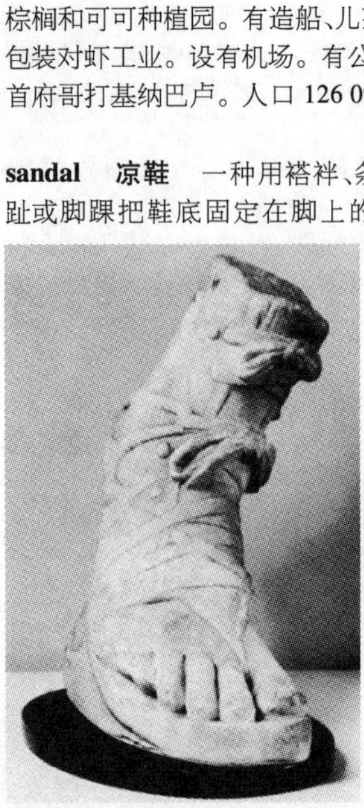

古罗马大理石雕凉鞋
纽约大都会艺术博物馆供图

Sandalwood (Indonesia) **桑达尔武德** 参阅**Sumba** 松巴。

sandalwood 檀香 檀香科檀香属(*Santalum*)半寄生植物,近10种,分布亚洲东南部和南太平洋岛屿,尤指真檀香(白檀香,*S. album*)。真檀香株高可达10米,部分地寄生于其他乔木的根上,但生长缓慢,约需30年其心材方可应用;叶革质,对生。主干和根均含黄色芳香油(檀香木油),可蒸馏提取,用制香水、香皂、蜡烛和民间药材,白色的边材可制装饰性的箱、扇及家具等,香味可保持数年。檀香木磨碎制成糊膏,用于标志婆罗门种姓身份,又可放入香囊用以熏衣。檀香树自古即有栽培,以将其浅黄色的心材用于许多东方葬仪及宗教仪式。有许多非檀香木属植物的木材常作为檀香木的代用品,如似檀香紫檀(*Pterocarpus santalinus*),是豆科紫檀属植物,产于亚洲东南部,木材淡红色。所罗门圣殿中使用的檀香木可能就是紫檀木。

Sandalwood English (language) **檀香木岛英语** 参阅**Melanesian Pidgin** 美拉尼西亚混杂语。

sandarac 香松树脂 又作sandarach。易碎,略带芳香的半透明树脂,通常是呈浅黄粉状的小珠,是制香原料,并用于制造涂覆纸张、皮革和金属制品的醇溶性清漆。未加改性剂的漆膜有脆性,加入一种含油树脂——榄香脂便得到弹性漆膜。香松树胶产自非洲香松树(*Tetraclinis articulata*)或来自生长在澳大利亚、北非和北美的柏松属(*Callitris*)植物。

Sandawe 桑达韦人 住在坦桑尼亚孔多阿附近介于布布河和姆蓬代河之间的地带、操科伊桑语的民族。桑达韦人自1894年即已为人类学家和语言学家所熟悉。该族的文化受班图族的影响显著,住房为单间泥顶木房,建于背风之地。主食是黍类,以脂肪、奶、黄油为辅,极少食肉。传统服装以希卡草、羽毛、皮革制作。主要化妆方法是剃发、刺穿耳垂和面部刺花。耕作使用鹤嘴锄及厩肥,饲养牛、绵羊及山羊。男子清整土地,照管牲畜,狩猎;妇女从事田间耕作和采集食物。由核心家庭组成父系族外婚氏族,氏族是地方自治村社的基础。婚姻为一夫一妻制,行聘礼,禁止姨表及堂房同辈通婚,提倡姑舅表婚。

Sanday, Edgar 桑戴 参阅**Faure, Edgar (-Jean)** 富尔。

Sanday, William 桑迪(1843-08-01,英格兰诺丁汉郡霍姆皮埃尔蓬特～1920-09-16,牛津) 《新约》学者。所著《罗马书评注》(1895,与赫德勒姆合著)和《基督生平概要》(1905),把欧洲大陆学者的大量《圣经》考证著作介绍给英国学者和世界各地安立甘宗信徒。他于1867年受按立,1876年任达勒姆哈特菲尔德学院院长,1882年任牛津大学爱尔兰讲座解经学教授,1895年任玛格丽特夫人讲座神学教授、基督堂牧师。

sandbar 沙坝 又称滨外坝(offshore bar)。位于海面以下或部分露出的脊,由波浪从海滩向海运移的沙或粗粒沉积物构成。波浪在海滩附近海面上破碎时形成的涡流扰动,在砂质的底上侵蚀出一条凹槽。一部分沙被向前输送到海滩上,其余则堆积在凹槽向海一侧。在退浪流和退潮流里悬浮的沙,添加到了沙坝上,正像有些从较深处向岸运动的沙添加到了沙坝上一样。海浪在坝上破碎时的泼击,使坝顶保持在静海水平面以下(半个波高)。在风暴季节的惊涛骇浪中,沙坝和凹槽最显著;风平浪静时,沙坝和凹槽向岸迁移,风大浪高时则向海迁移。因此,尽管沙坝在风暴季节的起伏最大,但淹没得更深。湾口坝可部分或全部穿过湾口,湾头坝则出现在离岸不远的湾头。岸洲或岸滩是露出水面的沙坝,可能是在有风暴的高水位时期内或高潮季节中形成的。在水位较低的平均海平面时期,这种沙坝就露出了水面,并由破浪的前冲流带来的沙和风吹来的沙使之加高;这就使它们持续露出水面。岸洲被浅水的口湖从海滩隔离开,并使海滩同开阔外海相隔绝。岸洲出现在离滨海平原不远的海面上,但在石质海岸,在潮差很大(超过2.5米)的地方,或是波浪作用微弱的地方,或者沙很少的地方除外。在低海岸沿线,岸洲是常见的,如在墨西哥湾海滨附近的海面上,那里的岸洲与平直的海滩平行。岸洲常被进潮口切开,而由水下的潮汐三角洲连接起来,使不规则的海岸线变得几乎平直。

sandbox tree 沙匣树 大戟科两种大乔木响声沙匣树(*Hura crepitans*)及多雄蕊沙匣树

响声沙匣树(*Hura crepitans*)
供图:Walter Dawn

(*H. polyandra*)的统称,均为美洲热带最大树种之一。有趣的是其蒴果形似南瓜,成熟后爆裂开,将种子散出,并发出很大响声。有时作为街道林荫树,但缺点是叶片、树皮和种子有毒,而蒴果爆裂时力量很大,足以伤害人畜。响声沙匣树原产美洲热带大部分地区;雄蕊多数,红色。多雄蕊沙匣树原产墨西哥至哥斯达黎加;雄蕊成簇,白色。沙匣树高近30米,周长1米以上,树干有锥形短刺;叶有长柄,深绿色;树冠圆形,分枝高;蒴果圆球形,直径约7.6厘米,上有沟纹将其分为15部分,英属西印度群岛曾用作吸墨水的沙匣。墨西哥人将其有毒的乳状树汁掺沙以麻痹鱼类。

sandbur　沙刺　早熟禾科蒺藜草属(*Cenchrus*)植物,约20～25种,一年生或多年生漫生禾草,原产北美、北非、欧、亚和南太平洋地区的温暖沙地。生长成杂草。株高近1米,

海岸蒺藜草(*Cenchrus incertus*)
供图:Miles C. Labrum

根浅;叶片开展;小穗包在圆形的刺苞内,刺苞由小穗下的多条刚毛愈合而成,成熟时容易脱落,常附于食草动物的皮毛上。沙刺在形成刺苞前可作饲料。

Sandburg, Carl　桑德堡(1878-01-06,美国伊利诺伊盖尔斯堡～1967-07-22,北卡罗来纳弗拉特罗克)　美国诗人、历史学家、小说家、民俗学者。从11岁起先后从事过各种不同职业:如理发店的清洁工、牛奶车司机、砖厂工人、麦地收获工人等。1898年美西战争爆发时,他参加了伊利诺伊第六步兵团。自传《永远年轻的陌生人》(1953)描述了他早年的这些经历。1910～1912年为社会民主党的组织者和密尔沃基市长秘书。1913年移居芝加哥,成为商业杂志《系统》的编辑,后进入《芝加哥每日新闻》报社。1914年他的《芝加哥诗歌》在《诗歌》杂志上发表。最有名的一首诗是《芝加哥》。他在一首惠特曼式自由诗中歌颂了工人(《烟与钢》,1920)。在《早安,美国》(1928)一诗中,桑德堡似乎对民主制度有些信心不足;但是在大萧条最严重的时候,他在《人民,是的》(1936)这首诗中肯定了人民前进的力量。他为兴奋的听众演唱的民歌后来汇编成两个集子《美国歌谣汇编》(1927)和《美国歌谣新编》(1950)。他写有受欢迎的林肯传《亚伯拉罕·林肯:草原岁月》(2卷,1926)和《亚伯拉罕·林肯:战争岁月》(4卷,1939),

伊利诺伊州立历史图书馆供图

后者于1940年获普利策奖。1948年发表长篇小说《纪念岩》,概括了从普利茅斯巨砾至第二次世界大战美国的经历。他的《诗全集》出版于1950年。此外,还写有4本儿童读物。

sanddab　沙鲆　鲆科琴鲆属(*Citharichthys*)某些可食用的美洲太平洋比目鱼的统称。如其他比目鱼一样,沙鲆的两眼均位于头部同侧;如其他鲆科种类一样,两眼一般均位于头

太平洋沙鲆(*C. sordidus*)
供图:Richard Ellis

的左侧。最普通的种为太平洋沙鲆(暗色琴鲆,*C. sordidus*),体色淡褐,雄鱼具暗淡橙色斑纹;体长可达约40厘米,重1千克。英语中sanddab一词有时也用于美洲鲽(在欧洲称为粗鲽,参阅 **plaice**)和其他比目鱼。

Sandeau, Léonard-Sylvain-Julien　桑多(1811-02-19,法国欧比松～1883-04-24,巴黎)　法国多产小说家。年轻时曾是阿芒丁-奥罗尔-吕西尔·杜德望(后称乔治·桑)的情人,并和她一起写了《玫瑰色与白色》(1831),以笔名朱尔·桑发表。1832年两人分手,奥罗尔使用了乔治·桑的笔名。桑多最成功的小说是《拉塞格利埃尔小姐》(1848)。这是一部关于爱情和阶级意识冲突的故事,写作风格矫揉造作,现在人们阅读它主要是因为它描述了路易-腓力王朝时期的社会。他把他的几部小说改编成剧本,取得极大成功。它还与奥日埃合作,写了几个剧本,其中包括著名的《普瓦里埃先生的女婿》(1854),鼓吹新兴的中产阶级与没落的贵族联合起来。

Sandefjord　桑讷峡湾　挪威东南部西福尔郡城镇。位于接近奥斯陆峡湾湾口的桑讷峡湾顶端。建于14世纪,1845年设镇。20世纪初为世界主要捕鲸中心。现重心已转至航运业和机械、化工等工业部门。设有世界性鲸保护机构。城西有9世纪西福尔国王奥拉夫墓地。1880年在此出土一艘8～11世纪北欧海盗的船只。人口:城市区约35 453(1987)。

Sandeman, Robert　桑德曼(1718-04-29,苏格兰珀斯郡珀斯～1771-04-02,康涅狄格丹伯里[美国])　从苏格兰长老会分离出去的格拉斯派的领袖。该派后更名为桑德曼派。桑德曼于1737年娶格拉斯派创立者格拉斯之女凯瑟琳为妻。1744年受按立为长老,先后在苏格兰境内珀斯、邓迪和爱丁堡以及伦敦等地格拉斯派教会任职。1764年到北美洲新英格兰,参与在一些城镇建立教会。1767年定居于康涅狄格州丹伯里,使该地成为桑德曼派中心。他努力宣传格拉斯观点,使之朝着原始基督教教义的方向发展。

Sandemanian　桑德曼派　原称格拉斯派。苏格兰长老会牧师格拉斯(1695～1773)在1730年前后创立的教派。格拉斯认为,确定某一教会为国定教会在《新约》中找不到教义上的根据,因基督的国本质上是属灵的国度。1730年,格拉斯因坚持自己的信仰被苏格兰长老会开除,他先后在苏格兰的邓迪和珀斯建立自立教会。嗣后他的女婿桑德曼成为该教会的领袖。因此该派在英国和美洲通称桑德曼派。他们认为人不应积累财富,因为那是违背《圣经》教导的。该派在苏格兰、英格兰和美国建起一些教会,但后来渐趋衰落。

Sandemose, Aksel　桑内莫塞(1899-03-19,丹麦莫斯岛尼克宾～1965-08-06,哥本哈根)　丹麦出生的挪威实验主义小说家。他的作品常被用来阐明社会压迫导致暴力这个主题。所写小说受杰克·伦敦及J.康拉德的影响较深。1929年定居挪威,在30年代发表过一系列近乎自传式的小说,痛斥童年时代丹麦深受清规戒律束缚的小城市社会,并从他

挪威驻美大使馆供图

以后的漫游生活中吸取一些惊险情节。这些作品包括《水手上岸》(1931)、《花园里有条长凳》(1937)等。以后写的小说包括《往事如梦》(1946)、《狼人》(1958)及其续篇《费莉西亚的婚礼》(1961)。

Sander, August　桑德(1876-11-17,科隆附近黑尔多夫～1964-04-20,科隆)　德国摄影家,致力于创作德国人民的综合摄影文献。1889年为矿工学徒,1892年得到第一台摄影机,便以此为副业,从军队退役后成为职业摄影师。1904年在林茨开设摄影室,参加第一次世界大战,复员后在科隆定居。20年代他的朋辈中有摄影师和画家,共同献身于称之为新现实主义或新客观主义的艺术创作。1927年桑

德在科隆艺术协会展览会上展出一组题为"20世纪人"的照片共60帧。两年后出版了摄影集《当代面貌》,这是计划中对德国各阶级的成员——农民、工人、学生、艺术家和政治家——的社会学调查摄影丛集的第一集。1933年纳粹执政后,受到官方的刁难,《当代面貌》的底片被没收销毁(其子为社会主义者,遭监禁并瘐死狱中),桑德的作品转向较少争议的乡村风景和自然题材。第二次世界大战后期重新开始作人物摄影,但大多数底片或者毁于轰炸,或者于1946年后被掠夺。他继续从事摄影事业和摄影集的创作终其余生。德意志联邦共和国于1960年授予他功勋章。

sanderling (*Calidris alba* ; Sometimes *Crocethia alba*) **三趾滨鹬** 鸻形目鹬科数量很多的滨鸟类。呈世界性分布。其营巢建于靠近北极的海边不毛之地,越冬时移至各地沙滩。体

三趾滨鹬(*Calidris alba*)

供图:Eric Hosking from the National Audubon Society Collection/Photo Researchers/美国不列颠百科全书公司

长约20厘米。夏季背锈黄色,冬季变成滨鹬中最白的种。翅纹长而白色,较其他小型种更为明显。

Sanders, Barry **桑德斯**(1968-07-16,美国堪萨斯威奇托～) 美国职业美式橄榄球选手。上中学时,他1.73米的身高致使教练到他高中的最后5场比赛才敢让他担任带球跑动进攻后卫。就读于俄克拉何马州立大学时获海斯曼杯(1988),并创下34项大学跑动带球纪录。在代表底特律狮子队比赛的10个赛季(1989～1998)里担任跑动带球进攻的后卫,带球15 269码,成为职业生涯总码数仅次于W.佩顿的球员。保持着多场跑动带球超过150码(25)、单季多场100码以上(14)以及超过50码的达阵次数(15)的纪录。1999年球季开赛之前宣布退役,使职业橄榄球界大吃一惊。2004年入选美国职业橄榄球名人堂。

Sanders, Harland **桑德斯**(1890-09-09,美国印第安纳亨利维尔附近～1980-12-16,肯塔基谢尔比维尔) 美国企业管理领导人。1929年在肯塔基州科尔宾开设咖啡馆,出售家常便饭,深受顾客欢迎,1935年肯塔基州长赠给他荣誉上校军衔。1939年桑德斯利用11种香料的秘密配方以高压锅蒸制美味肯塔基炸鸡,行销全美和加拿大。1964年仅在这两个国家就有600家分店,年收入30万美元。1971年,分店在全世界扩展至3 500家,年营业额达7亿美元。

Sanders, Nicholas **桑德斯**(约1530,英格兰萨里～1581,爱尔兰) 英格兰天主教学者、英格兰宗教改革史学家,向圣公会提出争论的人。桑德斯于牛津大学毕业,后在该校讲授教会法。伊丽莎白一世即位后不久他离开英格兰,在罗马成为神父。他在逃亡到低地国家的英格兰天主教徒中享有极高威望,因此到卢万任神学教授,向圣公会的神学家们,特别是向J.朱厄尔主教,提出了争论。他著作很多,最有名的是用拉丁文写成的一部英格兰宗教改革史,生前未完成,后由另一逃亡神父E.里什顿续成出版(1585),并被译成多种文字,英文版《圣公会分裂宗派的兴起和发展》于1877年问世。后半生竭力为促成军事入侵英格兰、恢复天主教而奔走于罗马和马德里,1579年在爱尔兰登陆策划叛乱未逞,死于该处。

Sanders, Otto Liman von **赞德尔斯** 参阅 **Liman von Sanders, Otto 利曼·封·赞德尔斯**。

Sanderson, Frederick William **桑德森**(1857-05-13,英格兰达勒姆布兰斯珀斯～1922-06-15,伦敦) 英国中学教师。曾改组昂德尔学校,对中等教育的课程和教学法产生重大影响。1889年担任伦敦达利奇学院高级物理教师。1892年北安普敦郡彼得伯勒附近的昂德尔学校的命运正处于关键时刻,他接任校长,完成了一项包括实验室、工场、铸造车间、天文台、实验农场以及宽敞的图书馆在内的雄心勃勃的建筑规划,从而使学校大为改观。他建立的理工科系吸引了许多对古典语文不感兴趣的少年。1905年昂德尔学校学生曾为4 000马力的轮船机器制造了一台倒转机。第一次世界大战期间,学校的车间用于军火生产。H.G.威尔斯所著《一位伟大教师的故事》(1924)叙述了桑德森的一生及其影响。

Sanderson, Sibyl Swift **桑德森**(1865-12-07,美国加利福尼亚萨克拉门托～1903-03-05,法国巴黎) 美国出生的法国歌剧演员。在家乡未受重视因而到欧洲求发展。早年就显露出歌唱天赋,15岁被送到巴黎学习演唱。1883年回国,1885年重返法国,第二年入巴黎音乐学院。1888年化名埃达·帕尔默首次登台演出,在J.马斯内的歌剧《曼侬》中饰演剧名角色。马斯内欣赏她的美貌和歌喉,为了充分展现她跨越三个八度的音域,特地为她谱写了《埃斯克拉蒙德》。1889年首次在巴黎演出,1891年在巴黎歌剧院演唱马斯内专门为她创作的《魔术家》。1893年在C.圣-桑专门为她编写的《弗丽内》中成功塑造了弗丽内这一角色。1894年首演歌剧《泰依丝》,该剧是马斯内最成功的作品,也同样是为她量身定做的。然而桑德森的演出并不是在任何地方都受到好评。1891年在伦敦考文特公园的演出毁誉参半,1895年在纽约大都会歌剧院的首演也未取得成功,美国观众对她的评价是:声若游丝、表演缺乏热情。1896年她在米兰上演歌剧《曼侬》和《弗丽内》,重现往日辉煌。1897年与A.特里结婚并离开舞台。一年后特里病故,她重返舞台。1902年演出R.阿恩的《加尔默罗会修女》,再次大获成功。

sandfish **沙鱼** 几种产于沙质沿岸的相互无亲缘关系的海鱼的统称。鼠鱚科的沙鱼亦称喙鲑,即 *Gonorhynchus gonorhynchus*,生活于印度洋-太平洋地区,从浅水到深海的水域,能迅速地钻入沙中。体细长,可长达37.5厘米。吻尖,口下位,前方具一须。在一些地区被视为美食。鲈形目毛齿鱼科的沙鱼产于北太平洋,体型小而无鳞,口裂垂直,唇具穗。常将躯体部分埋于沙中。有两属,即毛齿鱼属(*Trichodon*)和大鳍毛齿鱼属(*Arctoscopus*),后一属的种类在日本为食用鱼。

sandgrouse **沙鸡** 鸽形目沙鸡科(Pteroclidae或Pterocletidae)常列为沙鸡亚目(Pterocletes)16种亚洲和非洲荒漠鸟类的统称。某些分类系统认为沙鸡与鸽接近而归入鸽形目一个亚目。体长约22～40厘米。体羽灰或褐色,翅尖,腿短,大多数种类有针状中央尾羽。飞行及奔跑均迅速。羽衣厚,皮肤坚韧,是不易杀死的猎禽。跟鸽一样,终生配偶。在

黄喉沙鸡(*Pterocles gutteralis*)

供图:Simon Trevor—Bruce Coleman Ltd.

地面凹陷处产卵2～3枚,卵色深,形长。雄鸟夜间抱卵。幼雏一孵出就能离巢,但尚需双亲很好照料。沙鸡属(*Pterocles*)脚趾裸露。毛腿沙鸡属(*Syrrhaptes*)无后趾,前趾覆有羽毛。

Sandhurst **桑德赫斯特** 英格兰伯克郡布拉克内尔一城镇(堂区)。位于伦敦西南偏西约48千米处,以其附近的皇家军事学院而闻名。桑德赫斯特皇家军事学院旨在训练英国陆军正规军官。它担当1802年由皇家批准正式成立的原桑德赫斯特皇家军事学院和建于1799年的伍利奇皇家军事学院在1939年前执行的训练任务。1940年当局计划将两院合并。因第二次世界大战的干扰,现在的学院于1947年才正式诞生。桑德赫斯特学院的学员入学年龄大多为18.5～19.5岁,入学前须通过竞争性参军考试,然后经过一个短期的列兵操练。学院另外的来源是由国防部1953年建立的位于诺丁汉郡沃克索普的韦尔贝克学院,这是为16.5岁男童设立的学习技术性武器的学校。来自英联邦海外领土的学员约占1/10。学员经过6个学期(每个学期12～13周)的训练后,根据学习成绩和个人素质分配至各军团。英国前首相丘吉尔和蒙

哥马利将军都曾在桑德赫斯特学院受训。人口 14 080(1981)。

Sandia Mountains 桑迪亚山 在美国新墨西哥州中部。北-南走向,长 48 千米,大部处在锡沃拉国家森林境内。最高点桑迪亚峰(3 255 米)上有电视塔,通空中缆车,娱乐场所全年开放,11 月至次年 4 月可滑雪。当地一处山洞中发现有公元前 2.5 万年"桑迪亚人"的制品。

Sandinista 桑地诺主义者 桑地诺民族解放阵线的成员。它是尼加拉瓜 1979 年推翻索摩查·德瓦伊莱总统的一个组织,结束了索摩查家族对尼加拉瓜长达 46 年的独裁统治。桑地诺主义者 1979 ～ 1990 年统治着尼加拉瓜。

桑地诺民族解放阵线系以尼加拉瓜反抗美国军事占领(1927 ～ 1933)的英雄桑地诺的名字命名,于 1962 年由丰塞卡·阿马多尔、西尔维奥·马约尔加和博尔赫·马丁内斯发起组成的革命团体,以实行社会主义及推翻索摩查家族为己任。以后的 10 年中,桑地诺民族解放阵线在学生、工人和农民中间设法获得政治支持者。到了 20 世纪 70 年代中期,它从洪都拉斯和哥斯达黎加避难所对尼加拉瓜国民警卫队的猛烈进攻招致索摩查的血腥报复。丰塞卡与马约尔加被杀,桑地诺民族解放阵线分裂为 3 个派别,对该组织是否应仅在城市中建立革命基层组织,还是继续在全国逐渐谋求支持,或者在日益高涨的起义中与其他政治组织联合,意见不一。1978 ～ 1979 年的尼加拉瓜革命使桑地诺主义者在以丹尼尔和温贝托·奥尔特加·萨维德拉为首的第三派别的基础上再度团结起来。现在已有战士约5 000人的桑地诺民族解放阵线于 1979 年 7 月打败了国民警卫队并推翻了索摩查。

随后由各派分别选出 3 名司令官组成一个九人全国领导委员会来领导桑地诺民族解放阵线,并由以丹尼尔·奥尔特加为首的执政团确定政策。桑地诺民族解放阵线一经在尼加拉瓜执政,即组成地方及地区委员会,并通过工人、青年及其他集团的群众组织取得支持。为了反击以洪都拉斯为基地、部分得到美国武器和财政支援、名为孔特拉斯的反革命武装,温贝托·奥尔特加建立了一支 5 万之众的桑地诺人民军;托马斯·博尔赫组成了一支秘密警察部队,用以防范间谍和持不同政见者。由于在政治权利问题上意见不一,阵线领导的许多非马克思主义成员纷纷离去,把该党和尼加拉瓜推向左转,于是党和国家均变得依赖苏联和古巴的支持。

桑地诺主义者组成的政府没收了索摩查家族的大片土地,并对国家的主要工业实行了国有化,但从未采取苏联式社会主义经济的中央计划体制,容许中小私人企业及农庄的存在。桑地诺民族解放阵线原先声称奉行政治上的多元化,故勉强容忍温和的反对集团存在,并且只是在国内外的强大压力下才同意举行选举。1984 年阵线赢得新议会 96 个席位中的 60 多个,并在被人指责对反对党缺乏保障的选举中将丹尼尔·奥尔特加推上总统的职位。但在 1990 年,对战争和经济萧条感到厌倦的尼加拉瓜百姓投票支持尼加拉瓜反对派联盟的 14 个政党,由它们组成政府,桑地诺主义者遂交出了权力。桑地诺民族解放阵线虽然成为一个反对党,但在国家军队和警察部队中仍具有相当势力。

Sandino, César Augusto 桑地诺(1893 ～ 1934-02-23) 尼加拉瓜游击队领导人,20 世纪中美洲历史上最有争议的人物之一,尼加拉瓜的人民英雄。1926 年他拿起武器支持副总统胡安·巴蒂斯塔·萨卡萨争夺总统职位。1927 年美国海军陆战队进行干涉时,他率领数百人撤退到尼加拉瓜北部山区。1933 年 1 月美国海军陆战队撤离和萨卡萨出任总统后,桑地诺应邀同国民警卫队队长 A.索摩查会晤,但却被国民警卫队杀害。

Sandnes 桑内斯 挪威西南部罗加兰郡的城镇。坐落在博肯峡湾的分支甘达峡湾的顶端。是四周耶伦农业区的主要港口。有优良的道路和铁路连接斯塔万格和挪威南部其他地区。工业产品有纺织品、自行车、船舶和建筑材料以及陶瓷砖等。人口:城市区约43 548 (1989)。

Sandomierz 桑多梅日 波兰东南部塔尔诺布热格省的城镇。位于维斯图拉河与桑河汇合处左岸。1097 年始见记载。由于其地理位置横跨波罗的海、黑海和罗塞尼亚的贸易航线,很早就赢得了重要地位。12 世纪时是桑多梅日公国首府,1286 年设市。13 世纪末鞑靼人侵时被毁,14 世纪波兰卡齐米日大王三世予以重建。后经济上有极大发展,到 16 世纪时已成为波兰最大城镇之一,但到了 17 世纪,由于瘟疫、大火和长期的战争又遭到极大破坏。1772 年转让给奥地利,1918 年又归还给波兰。镇上有许多古建筑物,包括罗马式的圣雅各教堂,一座 14 世纪哥特式大教堂(内有拜占廷时期的壁画),还有奥帕托夫门(曾为古要塞的一部分)。镇上还有一座现代化的硫磺加工厂和玻璃厂以及食品加工厂。人口约 22 600(1988)。

Sandomierz Basin 桑多梅日盆地 波兰语作 Kotlina Sandomierska。波兰东南部低地。位于卢布林高地以南、西喀尔巴阡山麓以北。有维斯图拉河及其支流桑河流经。为构造盆地。有天然通道东接乌克兰德涅斯特河谷上段,西连维斯图拉河上游靠近克拉科夫的奥斯维辛盆地。北部多砂土地,维斯图拉河和桑河汇合处遍布沼泽。煤、天然气和石油蕴藏丰富,所产能源使国内最重要的上西里西亚工业区得到了很大发展。盆地主要工商业中心有克拉科夫、热舒夫和塔尔努夫。

Sandong 三洞 英语作 Three Caves。中国道教术语。道教经典按神学体系分为洞真、洞玄、洞神三部,称为"三洞"。传说这些经书都来自天上神君。天宝君(元始天尊)是洞真教主,所传洞真经是上乘大法。灵宝君(太上道君)是洞玄教主,所传洞玄经是中乘中法。神宝君(太上道德真君,即太上老君)是洞神教主,所传洞神经是小乘初法。

Sandoway 丹兑 又译山多威。缅甸南部城镇和主要海港。在丹兑河河口,临孟加拉湾。曾为若开帝国都城。与阿恰布和兰里岛有沿海贸易往来。有柴油发电厂。附近额不里海滩是旅游胜地。人口 97 746(1983)。

Sandoz, Mari Susette 桑多兹(1901,美国内布拉斯加谢里登县桑多兹邮局～ 1966-03-10,纽约州纽约) 美国传记作家、小说家,以描写美国西部早期生活的著作知名。她在内布拉斯加农村上学和教书时生活非常艰苦,13 岁时一场大风雪使她的一只眼受伤致盲,使她后来得以真实地描写拓荒者和印第安人的生活。她在大学时已写了大约 80 篇短篇小说,但直到30多岁时发表《老朱尔斯》(1935),才首次获得成功。这篇作品描写她父亲艰苦的务农生活。其他著作包括:《疯狂的马》(1942),一部关于苏城印第安人首领的传记;《夏延之秋》(1953),描写印第安人如何离开被美国军队把他们送往的保留地以便返回家园;《猎牛者》(1954),讲述白人定居者屠杀野牛的故事及其对西部产生的社会影响;以及《小比格霍恩之战》(1966)。这些作品因准确地再现了人物和历史事件而受到称赞。

sandpiper 鹬 鸻形目鹬科多种海鸟(包括丘鹬和沙锥)的统称。尤指几种小型至中型,体长约 15 ～ 30 厘米者(在迁徙期间集中在海滨和内陆泥滩)。鹬的喙和腿长度中等,翅窄,尾较短。上体由褐色、浅黄色和黑色区域组成复杂的"枯草"图案。下体白色或淡黄色,秋季羽色较春季浅。有些种类有特征性的羽色,如胸部有斑点,腰部有白色带纹或喉部有明显的斑纹,但其外貌相近,极难鉴别。最小的鹬如唧唧鹬、滨鹬和牛眼鹬极易混淆,以前分别归入 *Erolia* 属、*Ereunetes* 属及 *Crocethia* 属,今统归入滨鹬属(*Calidris*)。

鹬在海岸线和内陆水体的沙滩及泥滩觅食,沿水边奔跑、捡食昆虫、甲壳动物以及蠕虫。飞行时及沿沙滩奔跑时发出尖细的叫声。通常在开阔地段的地面上界限不清的小洞内营巢。产 4 枚具斑点的卵,孵出的幼雏被绒毛,活泼。许多鹬类在北极或亚北极地区营巢,并结成大群穿过北温带到达繁殖地点。

普通鹬(*Actitis hypoleucos* 或 *Tringa hypoleucos*,即矶鹬)在整个欧亚大陆的河流和湖泊长满草的岸边大量繁殖,越冬于非洲到澳大利亚和波利尼西亚;以紧张不安的摆尾动作而著名。斑鹬(*A. macularia*)与矶鹬近缘,是最著名的新大陆鹬,繁殖于亚北极和北美的温带地区的池塘和溪流边,向南到阿根廷越冬。孤鹬(*Tringa solitaria*)繁殖于北美洲,越冬于南美洲,具不寻常的营巢习性:不在地上营巢却占用其他鸟类在树上筑的旧巢。白腰草鹬(*T. ochropus*)与孤鹬近缘,分布于欧亚大陆北部山区,体型稍大于孤鹬。滨鹬属(*Calidris*)的种称鹬或**细嘴滨鹬(knot)**、**三趾滨鹬(sanderling)**和**滨鹬(dunlin**,有时亦称红背鹬)。姬滨鹬(*C. minutilla*)体长不到 15 厘米,是最小的鹬,亦称美洲丘鹬;从阿拉斯加横穿加拿大的亚极地到新斯科舍一带数量很多;在俄勒冈和北卡罗来纳到南美洲海滨一带越冬。紫滨鹬(*C. maritima*)繁殖于多雾的北极高地(主要在北美东部和北欧),越冬地北至格陵兰和英国;体呈淡灰色,脚和嘴黄色;在野外易于接近。另一种旧大陆鹬是红

白腰滨鹬(*C. fuscicollis*)

供图:Helen Cruickshank from the National Audubon Society Collection/Photo Researchers

颈滨鹬(*C. ruficollis*)在西伯利亚繁殖,至纽西兰和塔斯马尼亚越冬。白腰滨鹬(*C. fuscicollis*)繁殖于北美的北极,越冬于南美南部;在繁殖季节体呈铁锈色,其他时为灰色。高原鹬(*Bartramia longicauda*)亦称巴特拉姆氏鹬,或误称为高地鸻,分布于美洲开阔田野;躯体纤细,有灰色条纹,体长30厘米;吃蚱蜢等昆虫。

Sandringham　桑德灵厄姆　英格兰诺福克郡西诺福克区一堂区和皇家宅邸。1861年该宅邸连同周围的7 900公顷沙质石南灌丛和耕地归威尔士亲王(后爱德华七世)所有,从此成为英国王室财产,为几代国王的冬季居住地。1952年乔治六世病逝于此。人口440(1981)。

sandstone　砂岩　砂级颗粒(直径0.063～2毫米)的岩化的堆积物。这是仅次于页岩的第二类最常见的沉积岩,占地壳沉积岩约10%～20%。砂岩因为其量甚多,结构构造和矿物成分多样、复杂,故是侵蚀作用和沉积

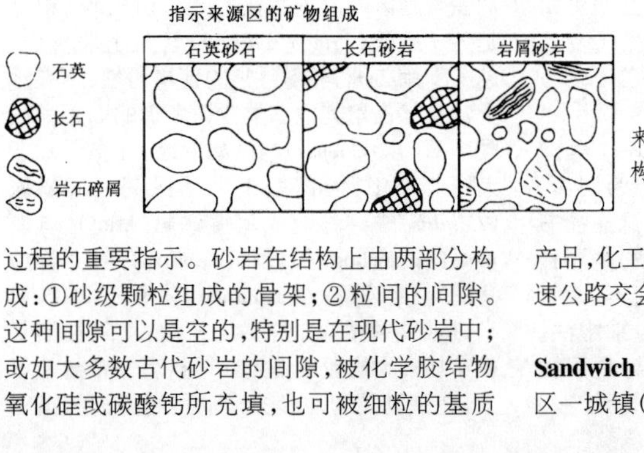

来自不同环境的砂岩结构成熟度及矿物组合

过程的重要指示。砂岩在结构上由两部分构成:①砂级颗粒组成的骨架;②粒间的间隙。这种间隙可以是空的,特别是在现代砂岩中;或如大多数古代砂岩的间隙,被化学胶结物氧化硅或碳酸钙所充填,也可被细粒的基质充填。骨架的主要矿物组分是石英、长石和岩屑。这些矿物组分的相对比例具有成因含义:其一指示源区,其二指示沉积速率。结构特征和矿物成分特征可用于砂岩分类,尽管在应当强调哪一种特征上存在相当大的争论。砂岩的几种重要类别是:沉积石英岩(几乎由纯石英组成),长石砂岩(富于长石,贫于石英,具少量细粒组分),杂砂岩(富含长石和石英,且具显著数量的细粒组分)。与不同类型砂岩共生的沉积岩序显示一些模式,这些模式反映沉积环境和源区。例如,沉积石英岩一般与浅海碳酸盐岩和页岩共生,而杂砂岩则与深水页岩共生。

Sandusky　桑达斯基　美国俄亥俄州北部城市,伊利县县城(1838)。濒临伊利湖最大的天然港湾桑达斯基湾。东距克利夫兰101千米。18世纪,英法在此建商站。1816年康涅狄格州居民在此定居。1824年设市。1838年通铁路。1845年改现名。19世纪50年代该城为帮助黑奴逃亡的地下铁道终点站。港湾位于马布尔黑德半岛南面,为避暑胜地的中心。有渔业、湖区贸易(主要为运煤)、酿酒业和工业(主要生产食品、钢材、生铁铸件、汽车零件、塑料、纸品等)。州立鲍灵·格林大学法尔兰分校(1968)设在市东的休伦。人口29 764(1990)。

Sandviken　桑德维肯　瑞典东部耶夫勒堡省城镇。南滨斯图尔湖。1862年因附近有钢铁工业中心发展起来。1927年桑德维肯为一商业小镇。1943年发展为城镇。该镇现拥有机械、采石等工业。人口:城市区约36 805(2001)。

Sandwell　桑威尔　英格兰西米德兰兹大都会地区自治市。该市由沃利和西布罗米奇都市工业社区组成。面积86平方千米。当地冶金业(主要是制钉业)始于中世纪。13世纪开始采煤。桑威尔市主要工业以当地煤矿和铁矿为基础,18世纪又开掘了运河,工业遂蓬勃发展。建立了钢铁厂,著名的有建在斯梅西克的索霍制造厂(1761)。现该市生产多种金属产品,化工和玻璃工业也很重要。位处三条高速公路交会点。人口约290 091(1999)。

Sandwich　桑威奇　英格兰肯特郡多佛尔区一城镇(堂区)。濒临斯陶尔河,距海3千米。原为港口,11世纪时成为五港同盟之一,中世纪时十分繁荣。1226年获特许状建自治市。英国曾不断从该地向法国派远征队。渔业和贸易兴旺。17世纪,航道入口处泥沙淤积,城镇衰落。现在旧城区内仍有许多古老建筑和狭窄街道。有著名的高尔夫球场和几座中世纪教堂。人口5 000(1988)。

Sandwich　桑威奇　美国马萨诸塞州东南部巴恩斯特布尔县城镇。临科德角湾。为科德角最早的欧洲移民点(1637)。1639年设建制。1825～1888年以玻璃业闻名。现以蔓越橘种植和旅游业为经济支柱。有桑威奇玻璃博物馆、霍克西大厦、德克斯特磨粉厂和赫里蒂奇庄园,其中有若干陈列馆,分别展出古旧汽车以及军事、艺术和手工艺展品。人口20 136(2000)。

Sandwich(island, Vanuatu)　**桑威奇岛**　参阅 **Éfaté 埃法特岛**。

sandwich　三明治　以两片面包夹几片肉、干酪或其他食物为基本形式的食品。虽然这种吃法与肉和面包一样古老,但采用这一名称还是在18世纪,由桑威奇伯爵(第四)约翰命名,因他将切好的面包片夹着肉片,拿到牌桌上边玩边吃。这种制作方法很快在欧洲大陆上风行,此后,由于制作简便,易于携带和变化无穷的配方,它几乎出现在所有的西方食谱中。任何一种面包或面卷,任何一种便于食用的食品,无论是热的或冷的,都可制成三明治。英国饮茶用的三明治用鱼酱、黄瓜、水芹菜或番茄夹在薄面包片中。斯堪的纳维亚三明治无上层面包片,但用鱼、肉片和沙拉覆盖。在法国用面包卷制作三明治。美国创造了精致的三明治配方,以夜总会三明治和鲁宾三明治最受欢迎。前者夹鸡或火鸡肉片、腌熏肉、莴苣、番茄;后者夹咸牛肉、瑞士干酪、泡菜并用俄式浇头盖在黑面包上烤热后食用。热三明治,如著名的到处可见的小面包夹牛肉,是美国营养食品中的名产;夹花生酱和果冻的三明治是美国小学生的主要食品。

Sandwich, Edward Montagu, 1st Earl of　桑威奇伯爵(第一)(1625-07-27,英格兰北安普敦郡巴恩韦尔～1672-06-07,萨福克郡绍斯沃尔德湾)　英格兰海军上将。西德尼·蒙塔古之子。内战发生后,他为议会军招募一个团,曾参加马斯顿荒原、内斯比和布里斯托尔等战役。他是O.克伦威尔的密友,1645～1648年任议员。1653年任国务会议成员。1656年1月任舰队司令。1659年4月R.克伦威尔派他率舰队前往丹麦,安排丹麦与瑞典的和平,但5月间理查德倒台,他返回英格兰,辞去职务。1660年2月重新被任命为舰队司令,护送查理二世从荷兰回英格兰。同年封伯爵。第二次荷兰战争(1665～1667)期间桑威奇伯爵指挥一支分舰队,1665年6月13日在洛斯托夫特附近的海战中建立功勋。同年7月任海军总司令。但因未经国王批准将俘获的荷兰船只上的货物加以分配,于11月被免职。1670年任贸易和殖民委员会主席。1672年

第三次荷兰战争爆发后，他指挥一支分舰队在索莱湾（绍斯沃尔德湾）参加战斗，因所乘军舰“皇家詹姆斯”号被炮火击毁殉职。

Sandwich, John Montagu, 4th Earl of 桑威奇伯爵（第四）(1718-11-03～1792-04-30，英国伦敦) 美国独立战争(1776～1781)期间英国海军大臣。1729年继承祖父的伯爵爵

伦敦国立肖像画陈列馆供图

位。就读于伊顿公学和剑桥大学三一学院。后去国外旅行。1739年成为上院议员。历任邮政总长(1768～1770)、北方事务大臣(1763～1765，1770～1771)、海军大臣(1748～1751和1771～1782)。后期经常因利用职权受贿卖官、贪污腐化受到攻击，但人们一直承认他的工作能力。美国独立战争期间坚持在欧洲海域保持大部分舰队以防法国的进攻。他埋头海军事务，鼓励英国探险家库克船长领导的探险，因此库克以他的名字命名桑威奇群岛（夏威夷）。他著有《地中海环行记》(1799)。1762年他坐在赌桌旁24小时，仅用夹肉面包充饥，“三明治”（即桑威奇）由此得名。

sandwich board 人身悬挂广告牌 又译三明治广告牌。在两块板的顶端穿上带子连接起来，挂在人的肩头，垂于胸前背后而构成的广告牌。这种广告牌流行于19世纪，20世纪

19世纪晚期伦敦的挂人身悬挂广告牌的三明治广告伕

卡尔弗图片公司供图

初已经消失，大萧条时期又一度出现，到20世纪后期已很少使用。C.狄更斯首先称挂这种广告牌的人为“三明治广告伕”。

Sandwich glass 桑威奇玻璃 1825～1888年美国波士顿-桑威奇玻璃公司生产的玻璃。这家工厂由D.贾夫斯创办，生产吹制玻璃、模压玻璃、刻花玻璃和雕刻玻璃。由于美国第一台压制玻璃的机器是贾夫斯于1827年前后研制成功的，因此该厂早期的压制品享有盛名，与约自1830年大致同时研制的法国巴卡拉的压制品有相似之处。从现在收藏的和20世纪30年代在原工厂遗址出土的制品

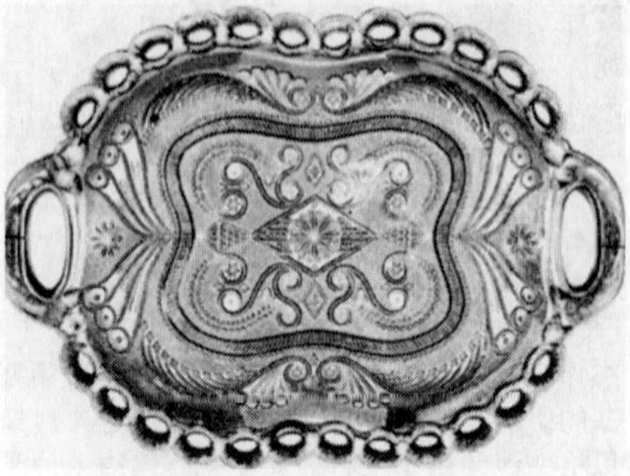

带花边的玻璃碟——可能是1830～1835年间波士顿-桑威奇玻璃公司的产品

科宁玻璃博物馆供图

中，可以看出桑威奇玻璃品的装饰图案丰富多彩，有各式各样的餐具、花瓶、灯具、香水瓶和其他物品。它的另外几种玻璃制品也很出色，其中包括宝石红色条纹图案吹制玻璃器皿和乳色玻璃。

Sandwich Islands 桑威奇群岛 参阅**Hawaii** 夏威夷。

Sandwīp Island 松迪布岛 孟加拉国东南部梅克纳河口湾内岛屿。是恒河三角洲最东端的岛屿，长40千米，宽5～15千米。由梅克纳河携带的泥沙沉积而成，土地异常肥沃，但经常遭受潮波袭击。有轮船与大陆相通。

Sandys, Sir Edwin 桑兹(1561-12-09，英格兰伍斯特郡～1629-10，肯特) 英格兰国王詹姆斯一世在议会中的主要反对者，弗吉尼亚殖民地的创建人。约克大主教埃德温·桑兹之子，诗人G.桑兹之兄。初习法律，1586年进入议会。1593～1599年漫游欧洲大陆。詹姆斯一世即位后封他为爵士。1604年再次选入议会，却在议会中批评国王，尤其反对国王将英格兰和苏格兰合并的计划。因公开主张君主立宪，反对君权神授论而被詹姆斯所恨。1607年参加弗吉尼亚公司和东印度公司。1619年在弗吉尼亚建立代议机构，这是北美殖民地的第一个代议机构。但1624年詹姆斯的政府解散了他的弗吉尼亚公司。

Sandys, George 桑兹(1578-03-02，英格兰约克郡约克附近～1664-03，肯特博克斯利修道院) 英国旅行家、诗人、殖民者和职业外交官。对英语诗歌，特别是对英雄双行诗的发展有重要贡献。所写中东之行的《游途纪实》(1615)在17世纪共发行九版。约克大主教埃德温之子，曾就读于牛津大学。1621～1625年间，任弗吉尼亚殖民地的司库和主管工农业的官员。他翻译并出版奥维德的《变形记》(1621～1626)。他的名望主要来自此

不列颠博物馆供图

译本的修订本，1632年出版时增添了各古代作家的哲学评论的译文和维吉尔的《埃涅阿斯纪》第一卷的译文。他还为德莱顿和蒲柏的英雄双行诗打下了基础。

Sanfilippo's syndrome 圣菲利波氏综合征 又称黏多糖症Ⅲ型，一种少见的遗传性代谢性疾病，系常染色体隐性遗传，以严重的精神发育迟缓为特征。有三种变型，发病机制为在三种黏多糖分解代谢过程中由于三种不同种类的酶的缺乏所导致的代谢障碍。三型均于幼儿期发病，患者常于20岁前即死亡。临床表现为毛发生长过盛及四肢进行性部分性瘫痪。可见轻度侏儒症，发生率及严重程度低于其他各型的黏多糖症。

Sanford, Edward T(erry) 桑福德(1865-07-23，美国田纳西诺克斯维尔～1930-03-08，华盛顿[哥伦比亚特区]) 美国最高法院大法官(1923～1930)。1888年在田纳西州获得律师资格，并在诺克斯维尔开始执行律师业务。其公职生涯开始于1907年，当时西奥多·罗斯福总统任命他为司法部副部长。次年被任命为田纳西州中部和东部地区的联邦法院法官。1923年哈定总统任命他为美国最高法院大法官。他的一些重要的判决意见涉及联邦破产法和言论自由问题。在“利伯蒂仓库诉格兰尼斯”一案中所写的著名的意见是，宣称联邦法院不能发布权利宣告的裁决，即使这种程序是根据州法律的授权。最著名的意见是在“搁置否决权”一案中发表的，他在该案中作出裁决说，总统在国会休会以前有10个一般日历日而不是10个立法日（指国会开会的日子，星期日不计算在内）的时间可以签署一项法案，从而结束了在这个问题上历时140年的争论。

Sanford, Maria Louise 桑福德(1836-12-19，美国康涅狄格塞布鲁克[今旧塞布鲁克]～1920-04-21，华盛顿[哥伦比亚特区]) 美国教育家，以其教学中独具的创新精神和鼓舞作用为人们所记忆。1855年毕业于新不列颠师范学校，后在康涅狄格州各城镇学校任教达12年之久。1867年移居宾夕法尼亚州，1869年被任命为该州尤宁维尔中学校长。她是位创新者，不久即主持教师定期聚会，讲解

其新的教学法。1869年末,在成立5年的(宾州)斯沃斯莫尔学院教英语和历史,次年成为教授。她是位激励人心的教师,相信可利用教室来灌输道德和审美价值观。她开始就这些主题公开演讲。1879年从斯沃斯莫尔辞职。公开演讲一年后,去明尼苏达大学工作。19世纪80年代后期,一些误信人言的房地产投资令她负债累累,而她并不宣告破产,决心全部偿还,这样,她的种种极度节俭的行为成了她的许多怪癖之一。有时大学的董事和州政府的官员对她的方法或其他赚钱的副业(如向学生出租艺术书籍)表示不满,但学生和校友们每次都联合起来给她以支持,使她得以在岗位上坚持下去,直至1909年退休。她继续四处旅行和演讲,特别是在第一次世界大战期间,在全国发表爱国演说。1958年当选为明尼苏达州两位杰出代表人物之一,其塑像安放于美国国会大厦的塑像厅。

sang-de-boeuf 牛血红釉 一种有光泽的血红色釉,常伴有翠绿色条纹,18世纪时,欧洲仿自中国清代,特别是康熙年间(1661～1722)和乾隆年间(1735～1796)的郎窑红,中

中国清代乾隆年间制作的牛血红釉朝圣瓷瓶
伦敦维多利亚和艾伯特博物馆供图

国称为吹红釉。这种釉色是由于釉料中含铜的缘故;铜在窑中还原气氛(即用一氧化碳置换氧气)下转变为红色。

Sang Hongyang 桑弘羊(公元前152～前80) 中国西汉政治家。洛阳(今属河南)人。武帝时任大司农、搜粟都尉。推行盐铁酒类专卖,设立平准、均输机构,控制全国商品,打击富商巨贾势力,增加了政府财政收入。又主张抵抗匈奴攻扰,组织60万人屯垦以抗御侵袭。昭帝年幼即位,与霍光、金日磾、上官桀共同辅政,任御史大夫。公元前81年召开盐铁会议,在会上坚持盐铁官营政策。次年因与霍光政见分歧,被霍诬为谋反,遂遇害。

Sanga River(Central Africa) 参阅 **Sangha River** 桑加河。

Sangallo FAMILY **桑迦洛家族** 意大利文艺复兴时期佛罗伦萨杰出的建筑师家族。最著名的成员有:老安东尼奥及其兄朱利亚诺,他们的侄子小安东尼奥和朱利亚诺的儿子弗朗切斯科。朱利亚诺·达·桑迦洛(1445?～1516)是建筑师、雕塑家、军事工程师。建于普拉托的圣马利亚教堂(1485～1491)是他的

朱利亚诺·达·桑迦洛设计的意大利普拉托市圣马利亚教堂(1485～1491)
供图:Anderson—Alinari from Art Resource/美国不列颠百科全书公司

杰作,为正十字形平面,深受F.布鲁内莱斯基的影响,代表了15世纪最完美的古典建筑风格。他为佛罗伦萨梅迪契家族建造了位于波焦阿卡亚诺的别墅(1485)。1478年为抵御那不勒斯人的入侵,从事佛罗伦萨的军事工程建设。他还参加过罗马圣彼得大教堂的设计。1515～1516年设计的佛罗伦萨圣洛伦佐教堂立面对后来的建筑有深刻的影响。老安东尼奥·达·桑迦洛(1455～1535)早年是军事工程师,最著名的作品是建于托斯卡纳区的蒙特普尔恰诺的朝圣教堂。这是一座典型的文艺复兴全盛时期的建筑,正十字形平面,坐落在俯视峡谷的山顶上,巍峨壮观。小安东尼奥·达·桑迦洛(1483～1546)是当时最有影响的建筑师。20岁来到罗马,1513年为A.法尔内塞主教建造了一座住宅。主教升为教皇保罗三世后,请他将住宅扩建,成为罗马最主要的府邸——法尔内塞府邸(1534～1546)。这是一座16世纪佛罗伦萨城堡式建筑,被奉为学院派风格的代表作,对19世纪前的建筑有很大的影响。他一生为圣彼得大教堂贡献力量,开始充当布拉曼特的助手,1520年任总建筑师。他制作的圣彼得大教堂木模型(1539～1546)现仍陈列在梵蒂冈博物馆中。弗朗切斯科·达·桑迦洛(1494～1576)主要是雕塑家,以精雕细琢见长。作品有马尔奇-梅迪契主教墓(1546)和波诺斐特主教墓(1550)。

śaṅgam literature(India) 参阅 **caṅkam literature** 桑格姆文学。

Sangamon Interglacial Stage 桑加蒙间冰期 北美更新世重要的年代和地层划分单元(更新世开始于约200万年前,终止于约1万年前)。在伊利诺伊冰期之后,威斯康星冰期之前。以上两冰期都是广泛分布的大陆冰川作用时期,也是气候条件严酷的时期,与桑加蒙现代气候条件相反。因伊利诺伊州桑加蒙县研究过的堆积而得名。该间冰期堆积常由广布于美国中部大多数地区的古土壤组成。良好的地层序列见于印第安纳州南部的里奇蒙,提供了该区在桑加蒙期气候条件的很多信息,也提供了关于占优势的森林的信息。伊利诺伊冰期结束时,气候凉爽潮湿。以后逐渐变得较为干旱和温暖。到桑加蒙间冰期顶峰时,气候变得温暖干旱,以砾树-山核桃林占优势。至间冰期晚期,气候重新变凉爽和潮湿,最后进入下一个冰期,即威斯康星冰期。该间冰期时大平原南部地区的脊椎动物有恶狼(一种已绝灭的狼,体型很大)、短面熊、具很发达角的大野牛、哥伦比亚猛犸、剑齿虎、巨地獭、骆驼、美洲豹、马等。这些种的大多数在美国已找不到,或已绝灭。同样真实的是,有很多体态大的小动物,包括啮齿类、食虫类和蜥蜴,这些动物化石在桑加蒙间冰期地层里可找到。

Sangamon River 桑加蒙河 在美国伊利诺伊州。源出尚佩恩县西北部,流向西南,绕迪凯特后西转至州首府斯普林菲尔德,复向北、西流,在比尔兹敦以北汇入伊利诺伊河。全长385千米。距迪凯特西南河崖上有林肯在该州的第一座故居(1830),现辟为州立公园一景。

Sangāreddi 森格雷迪 印度南部安得拉邦梅德格县城镇,县首府。位于曼杰拉河附近的德干高原。城镇经济以农业(稻米、甘蔗和油籽)为主,并以制造铜器、银器和丝绸闻名。人口31 360(1981)。

Sangbui(Liberia) **桑布伊** 参阅 **Sanniquellie** 桑尼奎利。

Sänger, Eugen 森格尔(1905-09-22,奥匈帝国科莫陶附近普雷斯尼茨～1964-02-10,柏林) 德国火箭推进工程师。曾提出"半环球轰炸机"方案,受到西方政府和苏联的重视,但由于远程导弹的发展和高空精确轰炸的难度,他的设想未能实现。1933年,森格尔在成功地试验了一台烧轻油的小型火箭发动机之后,又设计出一架平流层火箭飞机。1936～1945年,森格尔领导制订德国航空研究所的火箭计划,1946～1954年在法国兵工部工作,1954～1963年主持斯图加特的喷气推进物理研究所的工作,1963～1964年在西柏林理工大学任教。

Sanger, Frederick 桑格(1918-08-13,英国格洛斯特郡伦德库姆～) 英国生物化学家。因确定胰岛素的分子结构而获1958年诺贝尔化学奖,1980年他成为第四位两次获得诺贝尔奖的人。桑格曾在剑桥大学圣约翰学院学习,1943年获生物化学博士学位,并在此继续从事生物化学研究,至1951年开始在医学研究理事会赞助下进行研究。桑格用10年时间阐明了牛胰岛素的分子结构,1955年确定了该分子中所有氨基酸的准确顺序。他完全确定一个相当复杂的蛋白质结构这一成就,是实验室合成胰岛素必不可少的开端。他发展的确定蛋白质中各氨基酸连接顺序的实验室技术,为确定许多其他复杂蛋白质的结构开辟了道路。后来桑格的注意力转向确定DNA和RNA分子中各核苷酸的排列顺序。

1977年他阐明了一个小病毒的DNA分子中各核苷酸的排列顺序，因此成就与P.伯格和W.吉尔伯特共获1980年诺贝尔化学奖。他1981年被授予荣誉勋位，1986年授予殊功勋位。

Sanger, John and George **桑格兄弟**（约翰1816，英格兰萨默塞特丘马格纳～1889-08-22，萨福克伊普斯威奇；乔治1825-12-23，英格兰伯克郡纽伯里～1911-11-28，米德尔塞克斯郡芬奇利附近帕克农场） 英国马戏团经理。拥有19世纪英国最大、最重要的一个马戏团。原在其父巡回演出团当助手，1853年他们自组演出团。1871年他们租用阿斯特利圆形剧场。同时在伦敦农业大厅演出马戏节目，并且办起一个大型帐篷马戏团作巡回表演。19世纪70年代后期，兄弟俩各自成立演出班子。乔治撰写的《马戏生涯70年》于1908年与读者见面。

Sanger, Margaret **桑格（夫人）**（1879-09-14，美国纽约科宁～1966-09-06，亚利桑那图森）母家姓希金斯（Higgins）。美国节制生育运动创始人，节制生育运动的国际领袖。被认为

美国节制生育联盟供图

是"节制生育"一词的首创者。桑格夫人在11个兄弟姐妹中排行第6，她曾就读于克拉弗拉克学院，后来在纽约州怀特普莱恩斯医院接受护士训练。曾两次结婚：1900年与W.桑格结婚，离异后1922年与J.N.H.斯利再婚。短期从事教学职业后，她在纽约市下东区实习产科护理业务，亲眼目睹了贫穷、无控制生育、母婴高死亡率和因拙劣非法堕胎致死之间的联系。因而成为一位争取女权运动者，她认为每个妇女都有权避免不需要的怀孕，于是致力于消除有关避孕宣传的法律障碍。1914年桑格夫人开始发行杂志《女反抗者》（后改名为《节制生育评论》），并散发小册子《计划生育》，鼓吹她的观点。她曾因邮寄主张节制生育的材料而被控告，但该案于1916年撤销。同年末，她在布鲁克林区设立美国第一家节制生育诊所，后又被控"有伤风化"，遭到逮捕，于1917年被判服劳役30天。这些及以后的一系列法律干涉事件有助于引起舆论对节制生育运动的支持。桑格夫人依法上诉，促使联邦法院第一次认可医生有权提供关于节制生育方法的意见。1936年，联邦上诉法院对1873年的《康斯脱克法》中有关避孕书刊及工具为诲淫物品的规定重新作了解释，允许医生输入避孕用具和开出避孕用具处方。1921年桑格夫人创立美国节制生育联盟，并担任主席直到1928年。这个联盟是美国节制生育联合会的起源组织之一，该联合会于1942年改称美国计划生育联合会，由桑格夫人任名誉主席。1927年她在瑞士日内瓦组织了第一次世界人口会议，并担任过1953年建立的国际计划生育联合会第一任主席。后来桑格夫人把她的节制生育运动推广到远东国家，特别是印度和日本。桑格夫人的著述甚多，其中包括《母亲须知》（1917）、《我为节制生育而战斗的经历》（1931）及《玛格丽特·桑格自传》（1938）。

sangha **僧伽** 佛教名词，即僧团。根据传统，僧伽由比丘、比丘尼、在家男居士、在家女居士组成。佛、法、僧伽共为佛教三宝。现代僧团都有戒律，律藏是正典之一。僧人，特别是东南亚上座部佛教的僧人，都不事生业，因此僧伽仰赖在家信徒布施食物、金钱。

Sangha River **桑加河** 又拼作Sanga River。刚果河的一条支流。由曼贝雷和卡代伊二源流在中非共和国西南部诺拉汇合而形成，向南流225千米到刚果的韦索，形成喀麦隆与中非共和国、刚果共和国的部分边界；然后折向东南南和西南流过362千米，在博巴卡以南注入刚果河。桑加河自韦索以下汽轮可全年通航；而上溯至诺拉的河段则可间歇地通航。

Sānghar **桑克尔** 巴基斯坦南部信德省城镇。有公路与海得拉巴、卡拉奇和苏库尔相通。桑克尔是个集市城镇，有几座棉纺织厂。四周主要是半干旱土地，是塔干沙漠的一部分。主要农作物有稻米、小麦和棉花。人口：城镇约50 259（1998）。

Sangihe Islands **桑义赫群岛** 印度尼西亚西里伯斯岛东北端海岸外群岛，行政上受北苏拉威西省省会万鸦老管辖。岛群包括桑义赫、锡奥、塔胡兰当、比亚罗岛和一些小岛，总面积1 056平方千米。首府塔胡纳位于桑义赫岛西岸。桑义赫岛的阿武火山（1 850米）为活火山。基督教盛行。种植马尼拉麻，纺织马尼拉麻是最重要的工业，还有渔业和造船业。人口238 433（1980）。

Sāngli **桑格利** 印度西部马哈拉施特拉邦南部城镇。原为桑格利邦首府（1761～1947）。濒临克里希纳河，位于戈尔哈布尔以东，浦那—班加罗尔铁路线上。桑格利镇为印度油籽和姜黄根最重要贸易中心之一。有象头神庙吸引许多朝拜者。工业有棉纺织厂、榨油厂、铜器厂和大卷烟厂。设有希瓦吉大学的几所附属学院。克里希纳河谷地农业多样化，产黍类、甘蔗和乳品。东南的桑格利-米勒杰工业联合体在迅速发展中。该区的艺术、科学、商业、工程和医学院大都集中在这一地区。米勒杰以产乐器著称，米勒杰医疗中心以医术高明闻名。桑格利为传统金首饰业中心。人口：城镇193 197；都会区363 751（1991）。

Sangoan industry **山果文化期工艺** 更新世晚期由阿舍利文化（参阅**Acheulian industry**）派生出来的一种石器工艺，分布在非洲撒哈拉沙漠以南地区，其年代与南非法乌司密斯工艺大体同时。山果文化期工艺遗存在1920年发现于乌干达山果湾，此外，在安哥拉、刚果（金）、肯尼亚和赞比亚亦有发现。在南非和津巴布韦有其变体遗存。山果工艺特点是：有镐、加工木器用的石刨、手斧、刮削器和石片石刀。

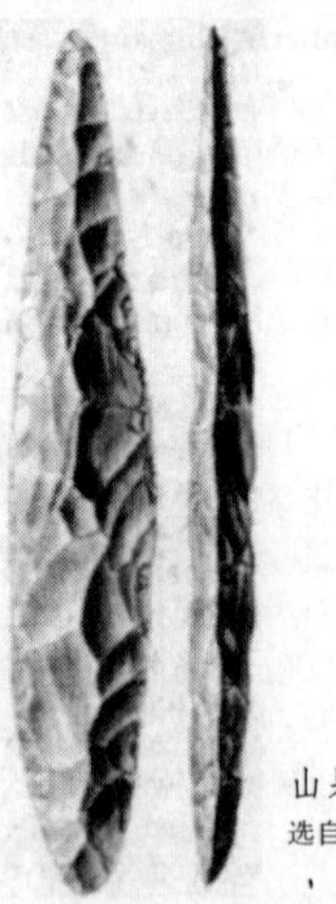

山果文化期的石镐

选自：F.Bordes, *The Old Stone Age*

Sangre de Cristo Mountains **森格雷-德克里斯托山** 落基山脉南段之一部，一般被认为是弗朗特岭（**Front Range**）延伸部分。从美国科罗拉多州中南部彭查山口向东南延伸至新墨西哥州中北部，全长400千米。许多山峰海拔4 300米以上。最高点布兰卡峰4 372米。为佩科斯河和加拿大人河发源地。四周有圣伊莎贝尔、格兰德河、卡森和圣菲国家森林。境内有大沙丘和佩科斯国家纪念地。当地经济以旅游和采矿为主。1719年由西班牙探险者命名。

美国科罗拉多州境内的桑格雷-德克里斯托山

供图：David Muench—美国不列颠百科全书公司

Sangrūr **森格鲁尔** 印度西北部旁遮普邦东南部城市。建于17世纪，为原独立的金德邦首府。1948年成为印度的一部分。为农产品市场，有些轻工业，如手工织布、手工艺品等。有公路和铁路，交通便利。境内大多平坦干燥，可灌溉的地面甚广。主要农作物有小麦、棉花、鹰嘴豆和黍类。人口45 220（1981）。

Sangster, Margaret Elizabeth Munson 桑斯特(1838-02-22,美国纽约新罗谢尔～1912-06-03,新泽西南奥兰治) 婚前名 Margaret Elizabeth Munson。美国作家和编辑,在当时因作品融合了基督教的虔诚和家常的智慧而著称。1855 年发表第一篇短篇小说《小珍妮》。1858 年与 G. 桑斯特结婚。婚后不再写作。1871 年丈夫去世后重新开始写作。曾向《家庭生活》杂志投过几篇稿。1873 年继 M.M.道奇之后出任该杂志儿童专栏编辑。不久出任该杂志主编助理,一直到 1875 年杂志停刊为止。后继续向其他几家杂志投稿。1876 年任《基督教报》家庭专栏编辑,后担任哈珀兄弟出版公司的文学顾问。1882 ～ 1889 年间任哈珀公司《青年人》杂志"小小邮局女局长"专栏主编。1889 年继 M. L. 布思之后出任哈珀公司《市场》杂志编辑,直到 1899 年该杂志倒闭。有多部著作,包括《自传:从我青年时期写起;个人回忆录》(1909)。其作品深受读者喜爱。

Sanguan Pass 散关山口 中国陕西省的关隘。该山口位于陕西宝鸡市南大散岭上。北连渭河支流,南通嘉陵江上源。散关当山川之会,扼中国西南、西北交通枢纽。散关山口又称崤谷。今川陕公路、宝成铁路均由此通过。

sanguine 赭红粉笔画 用血红、淡红或肉色绘成的粉笔或蜡笔画,其颜料通常采用含有某种氧化铁的垩土或黏土。15、16 世纪画家广泛用赭红粉笔作画,如达·芬奇《最后的

米开朗琪罗的赭红粉笔画《东方发饰者的侧面像》(约 1522)
牛津阿什莫尔博物馆供图

晚餐》的草图。赭红粉笔特别适于表现质感和烘托气氛,所以威尼斯画家及以后的鲁本斯和华托等亦爱使用。结合使用赭红粉笔与黑白粉笔所构成的技法称为"三色垩笔技法"。

Sanguozhi Yanyi 《三国志演义》 参阅 **Luo Guanzhong** 罗贯中。

sanhedrin 犹太教公会 在罗马帝国统治下的巴勒斯坦地区的犹太人正式机构,具有政治、宗教和司法职能。这个名词显然原指几种不同的机构,后来专指设在耶路撒冷的犹太人最高立法、司法机关大公会,简称公会,其下设有地方性的公会。据希腊犹太人史学家约瑟福斯的著作和《新约》福音书说,公会是在大祭司领导下的政治和司法会议。在《塔木德》的介绍中,首先是以贤者为首的宗教立法机构,兼及政治和司法。据《塔木德》记载,大公会由 71 名贤者组成,定期在耶路撒冷圣殿方石厅举行会议,由纳西、阿弗贝丁两官员共同主持,负责制订律法。在政治上它可以拥立国王和大祭司,宣战,扩充耶路撒冷城界和圣殿辖区。在司法上它可以审判大祭司、假先知、带头谋反分子和不法部族。在宗教上,它监督赎罪日典礼以及其他典礼,但是,《塔木德》里所讲的到底是理想还是事实,关于这点学者见仁见智,莫衷一是。也有人解释说,这里所介绍的可能是公元 70 年圣殿被毁后一段时间的情况。关于公会的成员也颇多争议,有人说它由撒都该人组成,另说是法利赛所组织的,又一说是由两派轮流或共同组成。公元 66 ～ 70 年发生反罗马叛乱,后果严重,其后耶路撒冷大公会就不再存在(参阅 **yeshiva**)。但是在贾卜奈以及巴勒斯坦其他地方曾先后出现公会,由某些学者组成,是巴勒斯坦地区犹太人的最高宗教、立法和教育机构;在政治方面,它的首脑纳西(族长)是罗马人所承认的犹太人政治领袖。425 年犹太人废除族长制,公会也宣告终止,现代曾有人试图重建公会,但不是未能成功就是昙花一现。

Sanibel Island 萨尼贝尔岛 美国佛罗里达州西南部利县海岸外岛屿,东北距迈尔斯堡约 30 千米。地处沿海水道(北)和墨西哥湾(南)之间,有堤道与大陆相通。长约 20 千米,宽 5 千米。北侧大部为达令国家野生动物保护区。该岛以其相对原始的环境条件闻名,有红树林沼泽地和丰富的野生动物,包括鳄鱼、海龟和几十种鸟类。于 1963 年正式开通堤道之后,1974 年周边地区划入萨尼贝尔市,并通过严格的规划和建筑法规,限制建筑物的数量、高度及靠近海滩的距离。该市严禁在海滩视野范围内设置广告牌、连锁饭店和灯光,并对当地动植物实行保护。是深受喜爱的旅游胜地,以海滩拾贝知名。其贝利-马修斯贝壳博物馆专事收藏贝壳。西北方的卡普蒂瓦岛也是度假地。人口6 064(2000)。

sanidine 透长石 一种碱性长石矿物,是含钾铝硅酸盐($KAlSi_3O_8$)的高温形态,有时产在地表岩石中。在酸性火山岩中呈无色或白色的玻璃状透明晶体。由于地壳中的透长石是快速冷却下来的(它的结构只在 700 °C 以上稳定),因此铝原子和硅原子在晶体格架中呈无序分布。含钾铝硅酸盐的各种形态有一个完整的有序的变化,即从高温透长石(极高温形态)的完全无序分布,经过透长石,随后经过正长石,直到微斜长石的完全有序分布。歪长石这个名称用来指在高温钠长石-透长石系列中钾铝硅酸盐含量小于 40% 的中间成员,歪长石常呈晶体产在富钠的火山岩中,如西西里西南部潘泰莱里亚安山熔岩中。其他产地有坦桑尼亚的乞力马扎罗山、肯尼亚的肯尼亚山、美国怀俄明州黄石国家公园,以及德国的莱茵兰。

sanidinite facies 透长岩相 变质岩矿物相分类中的主要相之一,此相的岩石是在最强烈的接触变质作用下,即在岩浆侵入体与围岩的接触带或在侵入体内的其他岩石包体中形成。形成温度可以接近岩石的熔点;压力相对较低,这取决于侵入体的深度。在更强烈的条件下会引起岩石熔化,而在不太强烈的条件下会形成角岩相岩石。透长岩相岩石的特征矿物有透长石、刚玉、堇青石和夕线石;如温度不太高,也可以出现局部熔化形成的玻璃或残余矿物。所形成的特殊矿物主要取决于火成侵入体周围母岩的成分。二氧化碳和水之类的挥发物在矿物形成反应期间从岩石中排掉。

Sanin, Ivan (Russian Orthodox abbot) **萨宁** 参阅 **Joseph of Volokolamsk** 约瑟夫(沃洛科拉姆斯克的)。

sanitary landfill 垃圾填埋 控制式垃圾地面处理法。这种利用微生物产生的天然发酵进行垃圾处理的方法,1912 年首先在英国实行。通常将垃圾堆积成薄层,压实后在 24 小时内用泥土或其他化学惰性的材料覆盖和密封。可利用推土机等机械设施将垃圾推平、压实和掩埋。这种方法往往被用来开拓无法利用的土地,如填平斜坡使之适于建造建筑物、布置园林等。

Sanjar 桑贾尔(1084或1086～1157-05-08) 塞尔柱王朝的呼罗珊君主(约 1096 ～ 1157),伊朗的末代塞尔柱苏丹。桑贾尔在位时期呼罗珊政局稳定,未发生内讧。他曾征服河间地带的喀喇汗人和印度边疆的伽色尼人。1117 年他攻入伽色尼城,自派君王治理该城。此后花剌子模总督阿特西兹不听约束,河间地带也出现危险敌人,从而削弱了他的统治地位。他的新敌人是以喀拉汗国为首结成的新中亚部族联盟。1141 年他在撒马尔罕附近败北,失掉河间地带。后乌古思族叛乱,1153 年将桑贾尔俘获,囚禁两年。他后来虽然脱逃,但未及恢复呼罗珊政局的稳定即死去。

sanjiaoheyi 三教合一 英语作 Syncretism of Confucianism, Buddhism and Taoism。中国宗教、哲学用语。三教指儒、佛、道。儒教又称孔教,由儒家学派发展而成。它敬天尊祖,以封建伦理的教化为主旨。公元前 2 世纪汉武帝定儒术于一尊,从此,儒教成为中国封建社会统治思想。1 世纪佛教从印度传入中国,道教教团也于 2 世纪成立,此后中国思想界成为儒、佛、道三家活动舞台。三家各有社会基础,学说有相近相通之点,亦有相异之处。中国封建社会中虽有些帝王企图废除某家独尊一教,但都失败。自 2 世纪以后基本上是三教并行。南宋孝宗说过:以佛治心,以道治身,以儒治世。三教间进行过几次激烈斗争,这种斗争一直到 14 世纪还时而出现。三教的异同、优劣,是争辩的主要问题。有不少人如颜之推、陶弘景、顾欢等都从调和三教矛盾出发,提出过三教(或儒佛、佛道)一致口号。

到11世纪三教合一愈益成为中国社会思潮的普遍趋势。契嵩、赞宁、张伯端、王重阳、林兆恩等都是三教合一的积极倡导者。当然，主张三教合一者实际上都以自己一教为中心。从思想文化互相影响的角度说，三教合一意味三教的教义在长期发展中互相融合。如佛教一经传入中国就会合儒教伦理说，借用道家、玄学观念译解佛经。道教从5世纪起大量吸收佛教各种观念和宗教仪式，许多道书从内容到名词术语都吸取佛经。12世纪以来新创立的全真道、净明道其教义更是融合三教学说的典型。从10世纪起儒家亦在先秦儒学基础上大量融摄佛教、道教思想，形成具有融合三教学说色彩的宋明新儒学。13世纪以来，许多中国民间宗教如白莲教、八卦教、真空教、同善社等无不提倡三教合一，混合三教之说组成其教义。中国近世俗文学如《西游记》、《封神榜》、《红楼梦》等都渗透三教合一的宗教观念。在中国城乡还有不少合三教神像于一院的寺庙。这说明对三教思想的兼容并蓄是11世纪以后中国社会的普遍观念，三教合一是宋代以来中国封建文化发展的总趋势。

Sanjō　三条　日本本州新潟县城市。在信浓川三角洲。16世纪初建时为一城堡镇。德川时代(1603～1867)为河港和驿站，以产金属工具闻名。现仍有生产木工工具和民用五金的小作坊2 000多个。人口85 691(1995)。

Sanjō, Go-　后三条天皇(1034-09-03，日本京都～1073-06-15，京都)　日本第71代天皇。非藤原氏所生。1068年即位后改革宫廷礼仪，减少宫廷费用，建立记录庄园券契所，没收未经天皇颁发地契的土地。然改革遭到失势的藤原家族的抵制，多未能成功。1072年让位给儿子白河天皇。创立了由退位天皇统治政府的先例，并导致有权势的藤原家族没落。后三条及其后的统治者通过其顺从的子嗣而掌权达百年之久。

Sanjō Sanetomi, KOSHAKU　三条实美(1838-01-03，日本京都～1891-02-18，东京)　激进的日本宫廷贵族，推动明治维新的政治家。青年时代就是天皇左右宫廷贵族的政治领导者。1862年充当天皇的使者，命令将军把一切外国人赶出日本。翌年萨摩藩发动宫廷政变，他到长州避难。明治维新后，他于1871～1885年任太政大臣。1873年，政府敦促他让天皇批准和朝鲜开战。他不堪压力，让位给能挫败主战派企图的同僚岩仓具视。1885年建立准备立宪的内阁时，他任内大臣(掌玺大臣)，辅佐天皇。

Sanka　山窝　日本贱民，有时被称为日本的吉卜赛人，在本州山区成小群地流荡。山窝和其他日本人在体质和语言上并无不同。对于他们的历史，人们知之甚少。虽然日本史籍中自11世纪起已有记载，但多语焉不详。他们和日本其他受压制的阶层一样，有酋长，并由酋长同封建当局打交道，酋长负责领导该群体。一说他们曾是穴居野人，不足信。大概他们在山区的居地原来从事伐木、烧炭及狩猎。尽管日本法律反对社会歧视，山窝的后裔仍为人们所轻视，与**部落民(Burakumin)**颇为相似。

Śaṅkara　商羯罗(700?，印度卡拉迪村?～750?，盖达尔纳特)　又拼 Shaṅkara。中世纪印度教吠檀多哲学代表人物。宣讲不二论，谓只有梵是真实的，是永恒的根本，是一切事物的本源，一切差异与变化都是幻觉。据传商羯罗生于今喀拉拉邦境内库尔纳河畔卡拉迪村婆罗门种姓南布迪旦族家庭。曾受业于乔荼波多的门生戈文达。可能信仰过瑜伽，后来转向不二论。据传他先到迦尸(瓦拉那西)，然后到印度各地与各派哲学家辩论，其中以与弥曼差派哲学家曼达纳·米斯拉的辩论最为著名。据说商羯罗所著梵文著作不下300多种，其中包括评注、注释和诗歌。主要著作《梵经注》是对吠檀多派基本经典《梵经》的注释。还曾评注《奥义书》。从作品看，他除精通婆罗门教经籍外，还熟悉大乘佛教教义，他的哲学主体较为接近数论派和瑜伽而不是佛教。由他创立的不二论吠檀多派在印度知识界影响较大，印度现代的一些主要思潮均源出于他的学说。

Sankarah, Tall(Iraq)　**泰勒桑凯拉**　参阅 **Larsa 拉尔萨**。

Sankaran Nair, Sir Chettur　桑卡兰·纳伊尔(1857-07-11，印度马拉巴海岸～1934-04-24，马德拉斯)　印度法学家和政治家。具有独立见解，直言不讳，但仍能为当时政府高级官员，实为少见。1899年任马德拉斯邦检察官，1907年任检察长，1908年成为马德拉斯高等法院法官。他支持皈依印度教，判定皈依者不属于贱民。他多年担任印度国民大会党代表，1897年又任国民大会党年会主席。曾创办和主编《马德拉斯评论》和《马德拉斯法学杂志》。1912年封爵士。1915年任总督府教育委员。在任期间极力主张印度宪法改革，支持蒙塔古-切姆斯福德计划(1918年4月22日颁布)。按此计划，印度将逐步实现在英帝国内自治。1919年因反对在旁遮普邦长期实行戒严而辞职。1920～1921年任印度事务大臣顾问。1925年起任印度国务会议委员。他在《甘地和无政府主义》(1922)一书中既攻击甘地的不合作运动，也评击英国政府的镇压行为。

sankin kōtai　参觐交代　1635年日本幕府将军德川家光创立的一种制度，即各地大名每年都要在京城江户居住几个月；他们回领地时，须将妻子留在京城。这一制度保证了大名对德川家的忠诚。许多大名也按照同一办法羁縻自己的家臣。实行参觐交代，有许多商人聚集在国都和主要城市，供应这些大名、领主的需求，从而导致交通改进和商业经济发展。另一方面则形成大名、领主与他们的领地政府分离，负债累累。这项制度于1862年废除。

Sankt Bernhardinpass(Switzerland)　参阅 **San Bernardino Pass 圣贝纳迪诺山口**。

Sankt Gallen　圣加仑　法语作 Saint-Gall(圣加尔)。瑞士东北部一州。面积2 014平方千米。莱茵河、林特河和塞茨河的平坦谷地横贯州境。全州地形差别很大，从宽阔的莱茵平原到西北部地形起伏的菲尔斯滕兰地区，以及南部的阿尔卑斯山高峰和上吐根堡(图尔谷地)。全州1/4以上的面积是森林，其余3/5是草地和阿尔卑斯山地牧场。1803年作为圣加仑州加入瑞士联邦。1890年制订州宪法。该州主要的农业活动是乳制品业，在高地则饲养家畜，莱茵、塞茨两河河谷一带也大量生产水果和葡萄酒，并有一些混作农业。纺织业和刺绣业是圣加仑的主要工业，分布广泛，并制造纺织机械。许多农村家庭从事一家一户的编织或刺绣。州内的其他工业包括化工、医药、巧克力糖、焰火、火柴、光学制品、毛毡和纸张等。开采铁和锰。州内有许多游览地、疗养地和冬季运动场。首府为圣加仑。居民讲德语，约3/4信天主教，1/4信基督教新教。人口约394 590(1983)。

Sankt Gallen　圣加仑　瑞士东北部城镇，圣加仑州首府。612年凯尔特人传教士在此建立一座隐修院，720年左右扩大为本笃会隐修院。城镇是在隐修院四周发展起来的。在1453和1454年，隐修院与城镇分别和瑞士联邦结成同盟。1524年牧师的统治结束，1803年城镇成为新建的州的首府。城镇边沿的堂区于1918年加入。从1846年以后，一直是天主教的主教教区。最著名的建筑物是隐修院教堂和前隐修院的几幢建筑物。圣加仑图书馆(1758～1767)保藏有2 000册左右手稿和大量法兰克王国卡罗林王朝和奥斯曼帝国时代的古版书和其他书籍。有一所商业大学、几所纺织、刺绣和时装学校，几所博物馆，一个剧院和一个音乐厅。圣加仑有悠久的亚麻和棉纺织业的历史，在20世纪初是主要的刺绣业中心。刺绣业迄今仍然繁荣，但金属制品、成衣和玻璃已上升到与刺绣业占同等重要地位。当地的著名活动有两年一次的儿童夏令节、两年一次的国际马展和瑞士全国农产品和乳制品博览会。圣加仑的居民讲德语，信基督教新教和天主教约各占总人口的一半。人口：市约73 367；都会区约127 578(1991)。

Sankt Gotthardpass(Switzerland)　参阅 **Saint Gotthard Pass 圣哥达山口**。

Sankt Michael　圣米迦勒教堂　又作Michaeliskirche。西欧著名宗教建筑之一。在神圣罗马帝国皇帝奥托三世之师柏恩华德主教的监督下，于1010～1033年建造的巴西利卡式(长方形)教堂，位于德国希尔德斯海姆。为奥托时期建筑的最重要例子之一。在第二次世界大战时受损，后修复。

Sankt Michel(city and province, Finland)　**圣米歇尔**　参阅 **Mikkeli 米凯利**。

Sankt-Peterburg(Russia)　参阅 **Saint Petersburg 圣彼得堡**。

Sankt Pölten 圣珀尔滕 奥地利东北部下奥地利州城市。位于维也纳西面,濒临特赖森河。曾一度为罗马殖民地,8 世纪时在隐修院周围发展为城市。1490 年以前由帕绍的主教管辖。1159 年建市。1785 年成为主教教区。主要建筑物有大教堂、市政厅、英格兰女子学院中的灵修堂、普兰德陶尔教堂、主教府、方济各会教堂。奥古斯丁隐修院位于附近的黑措根堡。是重要铁路枢纽,出产办公家具、针织品、化学制品、纸张、机械以及各种纺织品。人口 49 805(1991)。

Sankt Veit 圣法伊特 奥地利克恩滕州城镇。位于克拉根福北面,濒临格兰河。1518 年以前为克恩滕公国首府。市政厅建于 1468 年,旧公爵城堡建于 15 ～ 16 世纪。堂区教堂原为罗马式,14 世纪改为哥特式。附近有弗劳恩施泰因、洪内布鲁恩等城堡。为避暑胜地。有纺织厂和锯木厂。人口 12 229(1991)。

Sankt Wolfgang 圣沃尔夫冈 奥地利中部上奥地利州城镇。在沃尔夫冈湖东岸,巴特伊施尔西面。有登山铁道,全长 1 783 米,由

沃尔夫冈湖畔的圣沃尔夫冈
供图:Jan Elter—Shostal

镇上直达沙夫山,为阿尔卑斯山著名旅游胜地。生产纸张及纤维素。人口 2 715(1991)。

Sankuru River 桑库鲁河 非洲中部刚果(民)的开赛河的主要支流,长约 1 200 千米,源出沙拜高地西部,称卢比拉什河,向北和西北流 460 千米,成为桑库鲁河,再向北并折向西,注入开赛河。在帕米亚穆通博镇以下 590 千米可通航。

Şanlıurfa 尚勒乌尔法 旧称乌尔法或埃德萨。土耳其东南部城市。位于肥沃的平原,三面为石灰岩丘陵所围绕,乌尔法城历史悠久,战略地位重要,自古为从安纳托利亚到美索不达米亚北部的必经之地。乌尔法一名来自古阿拉米语地名吾珥哈。150 年左右基督教传入,不久即为叙利亚最重要的主教管区。以后屡被波斯萨珊王朝占领。638 年左右为阿拉伯人攻占。此后几经易手,1516 ～ 1637 年间曾属土耳其。城内历史建筑有堡垒和部分旧城墙,6 世纪时拜占廷皇帝查士丁尼所建防洪工程,17 世纪阿卜杜勒·拉赫曼经学院和清真寺。该市现为当地农产品和畜产品集散地。出口黄油和羊毛。公路西通加济安泰普,东北通至马尔丁,西北通往阿德亚曼,南至叙利亚北部。人口

尚勒乌尔法市的圣鱼池,池旁为 17 世纪的阿卜杜勒·拉赫曼经学院
供图:Fred J. Maroon—Photo Researchers

276 528 (1990)。

Sanlúcar de Barrameda 桑卢卡尔-德巴拉梅达 西班牙西南部安达卢西亚自治区,加的斯省港口城市。位于瓜达尔基维尔河湾南岸,加的斯市以北。曾先后为罗马人和摩尔人占据。1256 年收复,后来是梅迪纳西多尼亚公爵的住地。1498 和 1519 年分别为哥伦布第三次横渡大西洋和麦哲伦环球航行的启程港。该港现为安达卢西亚著名芳香白葡萄酒的产地和阳光海岸的海水浴场。人口约 55 934(1991)。

Sanlúcar de Barrameda, Gaspar de Guzmán y Pimental, Duke (duque) de 桑卢卡尔-德巴拉梅达公爵 参阅 **Olivares, Gaspar de Guzmán y Pimental, condeduque de 奥利瓦雷斯**。

Sanlunzong 三论宗 英语作 San-lun School。中国佛教宗派。隋吉藏创立。因依印度龙树的《中论》、《十二门论》和提婆的《百论》等三论立宗,故名。又因着重阐发"诸法性空"说亦称法性宗。吉藏承鸠摩罗什、僧肇旧学和僧朗、僧诠、法朗的统绪,撰写"三论"注疏和《三论玄义》,传布龙树、提婆的中观思想。基本内容是:①有得是邪,无得是正,"言以不住为端,心以无得为主",主张破一切有所得见,以无所得为宗旨。②认为世俗关于万物是真实存在的看法(俗谛)和佛教对万物是空无实体的看法(真谛)是"二而不二",不可偏废,是为"中道"。③万物归根到底是"不生不灭,不常不断,不一不异,不来不去",即所谓"八不中道"。625 年朝鲜僧人慧灌把三论宗学说传到日本,慧灌弟子日本僧人智威、道慈又来唐学三论学说,回国传布,形成元兴寺、大安寺两个流派。在中国唐以后三论宗渐趋衰微。参阅 **Mādhyamika**。

Sanmenxia 三门峡 又作 San-men Gorge。中国河南省辖地级市。位于省境西部黄河中游南岸。大部分属黄土丘陵区。辖湖滨区和渑池、陕县、卢氏 3 县,并代管义马和灵宝 2 县级市。面积10 475平方千米,其中市区面积 164 平方千米。公元前 770 年,以周文王弟虢仲为开国君主的虢国,随周平王东迁至上阳(今陕县)是为西虢。公元前 655 年属晋国。战国属魏、韩。秦置陕县,属三川郡。北魏太和十一年(487)置陕州。秦、汉至隋、唐一直是陕、晋、豫交通要冲,关中与关东漕运咽喉。宋以后漕运断,陆路交通更为重要。1957 年析陕县、陕州城、会兴镇及附近地区设三门峡市。因辖区黄河中有人门、神门、鬼门的三门峡而得名。同年动工修建**三门峡水利枢纽工程(Sanmenxia Key Water Control Project)**,大坝位于市区东 13 千米处,有铁路支线和公路通市区。三门峡水库蓄水后市区三面临水,成为湖滨城市。矿产资源丰富,有优质石墨、硫铁、大理石,黄金储量占全省的 87%,为中国四大产金基地之一。现已形成以电力为主体,并有采矿、冶炼、机械、纺织、印染、医药、食品等部门的综合性工业城市。农业生产小麦、玉米、棉花、花生。三门峡黄河公路大桥连接豫晋两省。209、310 国道与陇海铁路纵横交错过境。文化古迹众多,有陕州古城遗址、宝轮寺塔、黄河中流砥柱、虢国墓地车马坑、太阳渡以及仰韶文化遗址等。人口:全市 2 220 000(2005);市区280 000(2004)。

Sanmenxia Key Water Control Project 三门峡水利枢纽工程 中国黄河中游的大型水利枢纽工程。在河南省西北部三门峡市近郊。黄河三门峡段有鬼岛、神岛和人岛(人岛是与左岸相接的半岛),下有梳妆台、张公石岛和砥柱石(高出水面20米,即所谓"中流砥

三门峡水利枢纽工程
中国大百科全书出版社供图

柱")。鬼、神二岛分黄河为三股水流,自右至左分别称鬼门、神门、人门,因名三门峡。河水出神鬼二门后,三股合一,两岸峡谷对峙,形势险峻。河床宽度被束至 120 米,河滩宽约 300 米,河底岩层为中生代侵入的闪长玢岩,质地坚硬,为建造大型水利枢纽的优良坝址。工程在 1957 年 4 月动工,1960 年基本建成。坝高 106 米(从神门底算起),长 875 米。后因水库发生严重淤积,1965 ～ 1973 年进行了两次改建。1965 年第一次改建工程是在左岸增设两条泄洪隧道,将原建的 8 条发电引水钢管中 4 条改建为泄洪排沙钢管,"两洞四管"1968 年投入使用,能使 80% 泥沙及时排出库外,缓和了库区淤积。1970 年后进行第二次改建,打开施工时排水的 8 个底孔,并将另 4 条引水发电钢管进口处降低 13 米,改为低水头发电,水库基本上不冲不淤。现在三门峡水电站安装 5 台低水头水轮发电机组,

总容量为25万千瓦,年发电量13亿度,可供山西、陕西、河南三省工农业部分用电。每年冬春蓄水,既可防凌,又可在晚春放水灌溉下游农田。夏秋汛期黄河水大沙多,可及时开闸泄洪排沙。

Sanmicheli, Michele 桑米凯利(1484,威尼斯共和国维罗纳圣米凯莱[意大利]～1559,威尼斯) 风格主义建筑师,特别以其富于独创性的军事防御工程著称。曾随父乔凡尼和

桑米凯利设计建成的威尼斯大运河畔的格里马尼宫(约1556～约1575)
供图:Alinari/Art Resource, New York City

叔父巴尔托洛梅奥学艺,两者均为维罗纳城的建筑师。青年时赴罗马,在D.布拉曼特和朱利亚诺·达·桑迦洛培训的建筑师们处习艺。在那里又结识了小安东尼奥·达·桑迦洛,后成为合作伙伴。1509～1528年任奥尔维耶托教堂的工长,在那里得到了施工和设计的宝贵经验。桑米凯利和桑迦洛后受教皇克雷芒七世的聘用,对教皇国北部防御工事进行检查,必要时加以维修。他们还监督了帕尔马和皮亚琴察的新防御工事的建造。1527年桑米凯利开始将维罗纳城的防御工事按他大力发展的新的三角形犄角棱堡体系进行改建。1535年,他被任命为威尼斯共和国的军事建筑师,在威尼斯、塞浦路斯、克里特岛等地设计坚固的城堡。诺瓦门(1533～1540)、圣泽诺门(1541)和帕里奥门(1548～1559)均为维罗纳城防御力很强的城门,都是他的最好的成果。他也设计教堂和宫殿,有些是对布拉曼特、拉斐尔、桑迦洛家族和米开朗琪罗的设计进行重新设计。他设计的著名宫殿是位于威尼斯大运河岸上完美的文艺复兴式格里马尼宫(约1556～约1575);著名教堂是维罗纳城的佩莱格里尼小礼拜堂(约1529)。

Sanming 三明 中国福建省辖地级市。位于省中西部。全境多山,西部为武夷山主体杉岭盘踞,地势高峻,其间分布有许多断裂盆地,有红层堆积。与江西交界处还有许多垭口,如茶门隘、青山隘、甘家隘等,成为两省交通孔道。中部为玳瑁山地北段,山体宽大,是尤溪、沙溪的分水岭。东部属戴云山西坡,山高谷深。市区位于沙溪河谷地中的梅列盆地,较为平坦。属中亚热带湿润气候。森林覆盖率达63.3%。三明开发历史较晚,明中叶才辟墟设镇。1936年是沙县辖的三元特区,1940年置三元县。1956年三元、明溪两县合并,改名三明县。1960年析三明县城区设立三明市,为省辖市,三明地区行政公署驻

三明市一角
中国大百科全书出版社供图

地。1983年撤三明地区和县级三明市,设立地级三明市。辖梅列、三元2区和明溪、将乐、大田、宁化、建宁、沙县、尤溪、清流、泰宁9县,并代管永安县级市。面积22 959平方千米,其中市区1 178平方千米。鹰厦铁路沿沙溪河谷地横贯市区,公路四通八达。

三明市利用当地资源,发展钢铁、化工、木材加工、机械、纺织、食品等工业。是福建最大的钢铁、化工、印染、水泥、煤炭、造纸等工业基地。林产品有木材、毛竹、笋干、香菇、松脂、桐油等。三明笋被誉为闽笋之冠,产量也居全省之首。水果以柑橘为主,是中国柑橘生产基地之一。有泰宁金湖、永安石林、桃源洞等国家级风景名胜区。莘口有青钩栲自然保护区。清流县有储量50万吨以上的高品位露天锰矿。人口:全市2 700 000(2005);市区280 000(2004)。

Sanminzhuyi 参阅 **Three Principles of the People** 三民主义。

sann hemp (plant) 参阅 **sunn** 菽麻。

Sannazzaro, Jacopo 桑纳扎罗(1456-07-28,那不勒斯[意大利]～1530-04-24,那不勒斯) 意大利诗人。他的《阿卡迪亚》是第一部田园诗体传奇,它在浪漫主义运动兴起之前是意大利文学的最有影响和最流行的作品之一。20岁时已成为阿拉贡宫廷诗人。1501年,这个王朝末代国王弗雷德里克去位后,他随同国王流亡法国。在这段时间内,他发现了几部失传的拉丁文著作,其中包括奥维德的《钓鱼术》和内梅西安努斯的《狩猎人》。1504年弗雷德里克死后,他回到那不勒斯,在那里度过余生。他留下的《阿卡迪亚》是部分自传性、部分讽喻性的作品,是许多首短诗用叙事散文连缀而成。

Sanniangzi 三娘子(1550～1612) 中国明代蒙古右翼土默特万户首领俺答之妾。又称钟金哈屯。1571年初俺答与中原通贡互市,受明封为顺义王。三娘子常借互市之便访问边塞城市,甚得明地方官员优礼。1582年俺答死后,三娘子主持政务30年,增进与中原地区联系。1587年受明封为忠顺夫人。一生对约束蒙古各部遵守互市条约,维护蒙汉友好关系,增进两族人民经济、文化交流有重要贡献。

Sanniquellie 桑尼奎利 又称桑布伊,或萨尼科莱。利比里亚中北部城镇。位于来自蒙罗维亚和科特迪瓦的公路的交叉点。桑尼奎利镇是马诺人和马林克人的乡村行政中心。设有中学和乔治·哈利纪念医院。有地区性贸易,经销农产品(稻米、木薯、棕油和棕仁)和象牙雕刻。当地钻石开采很重要。人口约10 500(1980)。

Sannō Ichijitsu Shintō 山王一实神道 又称一实神道或天台神道。日本神道教派别,它把神道与佛教天台宗教义相结合。平安时代(794～1185)天台宗建总部于京都郊外的比睿山,山王遂成为释迦牟尼的化身,与神道教的主神天照大神为一体。该派信奉佛教天台宗理论,一实(唯一的绝对真实)是宇宙之本,神道各神与各佛最终将合而为一。该派盛行于德川时代(1603～1867)。

sannyasi 遁世者 印度教名词,指达到第四行期以后的虔修者。此词还特指专门崇奉湿婆的虔修者。同一般婆度一样,遁世者死后一般以坐禅姿式土葬,而不用火葬。

Sano 佐野 日本本州岛栃木县城市。在利根川的支流渡良濑川之畔。四周环低山,占有一块平地、一块台地和几块冲积低地。中世纪时为城下町,德川时代(1603～1867)为一驿站和贸易中心。19世纪晚期工业开始发展,该市现在生产混凝土、屋瓦、纺织品和玩具。人口84 069(1995)。

Sanqing 三清 英语作 Three Pure Realms Above the Heavens。中国道教术语。指三神所

元人画《三清图》
中国大百科全书出版社供图

居的天外仙境，即玉清、上清、太清三境。亦即清微、禹余、大赤三天。在三十六天中仅次于大罗天，而为大罗天所生的玄、元、始三气化成。由始气所成者为清微天玉清境，由元气所成者为禹余天上清境，由玄气所成者为大赤天太清境。三清又指道教崇奉的三尊神，据《云笈七签》卷2引《灵宝经》，玄、元、始三气化成的尊神为天宝（元始天尊）、灵宝（太上道君）、神宝（太上老君）三君。分治三天三境。“一气化三清”之说本此。

sanqu 散曲 中国元代盛行的韵文体式。形式近于词，用长短句，可以歌唱。与词不同的是，能在正字之外加衬字，比较口语化。分小令、套曲两种。小令多为单只曲，可以重复，各首用韵可以互异；来自民间小曲，有少数脱胎于诗词。也有两三支曲调为一单位的“带过曲”。套曲由两支以上相同宫调的只曲连缀组成；长短不论，一韵到底。散曲来源于金代的民间俗谣俚曲，有浓厚地方色彩和民间风格。

Sanron 三论宗 日本佛教哲学派别，是自印度通过中国传入的，在印度称中观学派。参阅 **Mādhyamika**。

sans serif 无衬线体 印刷中去掉了装饰用的衬线的罗马字体——诸如字母s两个拐

ABCDEF
abcdef

无衬线字型

弯处右上端和左下端没有垂直细线，小写字母n、m和l没有底线。

Sansanné-Mango（Togo） **桑桑内芒戈** 参阅 **Mango 芒戈**。

Sanscrit language 参阅 **Sanskrit language 梵语**。

sansculotte 无套裤汉 此词原指法国大革命初期衣着褴褛、装备低劣的革命军志愿兵，后来泛指大革命的极端民主派。无套裤汉大部分是贫苦阶级的人或平民百姓的领袖，但在恐怖统治时期，公务人员和有教养的人都自称无套裤公民。典型的无套裤汉的识别服装是长裤（取代上层阶级的套裤）以及卡马尼奥拉服、红自由帽和木鞋。随着罗伯斯比尔倒台（1794-07）而来临的反动，无套裤汉失势，该名词本身亦遭禁止。

Sansevieria 虎尾兰属 龙舌兰科的一属，50余种观赏植物，主要原产热带非洲。其种类俗名弓弦麻、蛇草、豹斑百合等。根短粗；叶基生，直立，狭长。多数种的叶纤维不透水，可搓绳及做弓弦。金边虎尾兰（婆婆舌，*S. trifasciata* var. *laurentii*）为常见室内栽培植物；叶有黄色条纹；花芳香，小，淡绿色。蛇草

金边虎尾兰（*S. trifasciata* var. *laurentii*）
供图：Sven Samelius

（聚伞圆锥花序虎尾兰、香虎尾兰，*S. thyrsiflora*）的叶有淡绿色带，边缘黄色；花芳香，绿白色，花序长。

Sansi 桑西人 由罪犯构成的部落，原来流浪于印度西北部拉杰布达纳地区，13世纪被穆斯林侵略者赶出。今多在拉贾斯坦邦，或散居印度各地。桑西人自称是拉杰普特人的后代，但据传说，其祖先是另一个罪犯种姓贝里亚。桑西人以窃牲畜作小案为生，因此在1871、1911及1924年的《处置罪犯部落法令》中曾被提到，法令对其流浪生活方式予以取缔。因为他们是不可接触者种姓，且将所得土地或牛群出卖或交换，所以印度政府发起的改革运动遇到重重阻力，进展缓慢。桑西人1961年人口为59 073，讲印地语。其种姓中成员可再分成纯桑西人和半桑西人。有些人现正转为农民和劳工。他们实行父系传宗；他们也是农民种姓贾特的传统家庭系谱记录者。桑西人信奉印度教，少数已改信伊斯兰教。

Sansin 山神 朝鲜宗教所崇奉的山中守护神。对它的崇拜与山中之虎密切相关。朝鲜佛教寺庙如今仍供奉山神。朝鲜土著宗教早期崇拜圣山，后来则崇拜山中的熊、狼，特别是虎。朝鲜今日仍有许多山灵，名称不一，但都是虎的象征。人们相信，如果轻慢山灵，山灵震怒，就会派出野兽伤害村中人畜。传统山神图都是虎或老人，也可能是身披袈裟的僧人，但据说除虎以外的山灵都是女性。现代朝鲜人庆祝山神节是希望五谷丰登、祛魔防病、雨水充足。

Sanskrit language 梵语 又拼 Sanscrit；梵语作 saṃskṛta，意为“雅”语。古印度-雅利安语，印度教徒的古典文学语言。早在公元前18世纪已有基于印度西北部方言的吠陀梵语，见于《梨俱吠陀》。公元前5世纪帕尼尼著重要语法，对梵语进行描写，使之规范化。文学作品使用所谓“古典梵语”，与帕尼尼记写的语言相近，但不全同。古典梵语盛行于公元前5世纪至公元10世纪，并延续至今。目前通行的梵语用天城体书写，不仅用于学术交流，而且用于一些文艺创作，事实上梵语正经历一个复兴过程，即使它既未广泛传播，又非通常的母语。梵语语法与其他古代印欧语言（如拉丁语和希腊语）语法相似，屈折变化繁复，有3种“性”（阳性、阴性和中性）、3种数（单数、双数和复数）和8个“格”（主格、宾格、工具格、与格、夺格、属格、方位格和呼格）。名词格的词尾变化大多仅在单数进行，表示各格的不同形式。形容词的变化与名词同。动词变化有时态、语气、语态、数和人称。

Sanskrit literature 梵语文学 雅利安人所写作的各种作品的总称。雅利安人可能于公元前第2千纪期间，从西北进入印度次大陆。梵语作为婆罗门社会的表达工具发展起来，而这一社会在被穆斯林征服之前的时期内，逐渐确立为整个地区的主要文化力量。梵语文学中吠陀赞美诗的时代始于公元前1500年左右，而梵语的古典时期一直要到约公元1000年才结束。在这2 500年的整个时期内，大多数文学作品的创作日期难以确定；将作品的作者附会于著名或传说人物的倾向，又增加了困难。梵语文学的发展可以分为两个主要阶段，即约公元前1500～前200年的吠陀时代与约公元前500～公元1000年的古典时期，后期与前期有些重叠。

Sansom, William 桑塞姆（1912-01-18，伦敦～1976-04-20，伦敦） 英国短篇和长篇小说及游记作家，特别擅长对伦敦生活及景物进行尖锐的剖析。第二次世界大战前曾在银行和广告公司工作。战后写了几个电影剧本，成为专业作家。其最重要的长篇小说有《躯体》（1949）、《玫瑰花坛》（1954）、《含情的目光》（1956）以及《别了》（1966）。他的短篇小说收于《消防队员之花》（1944）、《可怕的事和可爱的事》（1948）、《一丝阳光》（1952）、《蓝色的天空，褐色的书斋》（1960）和《橙色鸟》（1973）等集子中。后者所收《在水疗旅馆》是他最佳作品之一。此外，还写有一些关于其欧洲之行的游记和一部M.普鲁斯特的传记《普鲁斯特和他的世界》（1973）。

Sansovino, Andrea 桑索维诺（约1467，佛罗伦萨共和国桑萨维诺山～1529，桑萨维诺山） 本名A.康图奇。意大利建筑师及雕刻家，其作品反映了文艺复兴由初期走向盛期的过渡。早期主要作品是1485～1490年间为科宾内利家族创作的佛罗伦萨圣斯皮里托教堂大理石祭坛，其特点是细部精致、表情强烈和生动的叙述性。据16世纪意大利艺术家传记作者瓦萨里记载，他曾在葡萄牙居住数年，1502年回佛罗伦萨并创作大理石群雕《耶稣受洗》，现置于洗礼堂中门上端，其沉着而尊严的姿势，强烈而有节制的表情，以及形体的概括美，使之成为具有文艺复兴盛期风格的第一批作品之一。1505年赴罗马，受教皇尤里乌斯二世之托，作圣马利亚平民教堂中A.斯福尔扎和G.巴索两主教之墓碑。两个墓碑几乎完全一样，1509年完成，是其最有影响的创新之作。两主教长眠的姿态颇为新颖，与所雕刻的凯旋门正相适应。晚年监造圣母堂的装饰及洛雷托的几项建筑。圣母堂的大理石浮雕《圣母领报》是一件绚丽多彩的作品，仍有其早期作品的那种叙事性魅力。在

整个16世纪，桑索维诺的温和文雅风格的影响对米开朗琪罗的巨大而强有力的雕刻起了抗衡作用。其最重要的追随者是J.塔蒂，后从师姓桑索维诺。

Sansovino, Jacopo **桑索维诺**（1486-07-02，佛罗伦萨～1570-11-27，威尼斯） 原名Jacopo Tatti。意大利雕刻家及建筑师，他把文艺复兴盛期的风格引进威尼斯。1502年入佛罗伦萨雕刻家A.桑索维诺的雕刻作坊，因钦佩其师而改用师姓。1505年随佛罗伦萨建筑师朱利亚诺·桑迦洛赴罗马，研究古代建筑及雕刻，并受雇于教皇尤里乌斯二世，修复古雕像，回佛罗伦萨后创作了《圣大雅各》雕像（1511～1518，菲奥雷圣母院）及《酒神》（约1514，佛罗伦萨巴尔杰洛博物馆）。从1518年起在罗马工作，最早的作品有《圣母临产》（约1519，罗马圣阿戈斯蒂诺教堂）、《圣雅各》（1520，罗马蒙塞拉托圣母院）。1527年罗马遭到劫掠后逃往威尼斯，被任为大教堂第一总管，成为画家提香和作家阿雷蒂诺的朋友，

桑索维诺的《酒神》雕像（约1514）
供图：Alinari—Art Resource/美国不列颠百科全书公司

并出任威尼斯首席建筑师，直至去世。他设计的第一座威尼斯建筑是富丽堂皇的宫殿（1533），其中保持了拉斐尔和布拉曼特的罗马宫殿的粗琢底层及横梁式结构的二层。并增加了第三层，还改变了各层比例，使之更加符合威尼斯的宫殿设计传统。他设计的造币厂始建于1536年，其柱身和墙面以有富于想象力的粗琢而著称，整个建筑具有适当强固的外表。他设计的圣马可教堂图书馆为16世纪主要建筑之一，系同年建造。威尼斯时期早期的青铜雕像如福音传教士小雕像和圣马可教堂圣器收藏室铜门（16世纪40年代），都显示了一种新的独立和成熟的风格。弗拉里圣母院的大理石雕像《施洗礼者圣约翰》（1554）显示了壮年风格向晚年风格的过渡。晚年风格的作品有：圣朱利亚诺教堂门上的《托马索·兰戈内青铜雕像》（1554，教堂也是他设计的），《马尔斯（战神）和尼普顿（海神）》的巨型雕像（1554～1556，威尼斯总督府）和圣萨尔瓦托雷教堂的《弗朗西斯克·凡尼尔总督纪念碑》（1556～1561）。在建筑与雕刻的结合方面，他可能比文艺复兴时期其他建筑师都更有成就。他主张保持文艺复兴盛期风格的平衡和严谨，尽管风格主义在当时的意大利成为占优势的艺术趋势。

Santa Ana **圣安娜** 萨尔瓦多西部城市。在海拔656米的山间盆地。通美洲公路（泛美公路之一段）。为全国第二大城市，西部的商业中心和咖啡加工业的中心。拥有全世界最大的咖啡加工厂之一。工业有酿酒和棉纺

圣安娜市的国家剧院
供图：Salmer—SCALA from Art Resource/美国不列颠百科全书公司

织品、家具、皮革制品。市内有萨尔瓦多大学分校、避暑胜地。市西有印第安古城查尔丘阿帕废墟。在1981年末，左派游击队的袭击破坏了该城的基础设施。人口约137 879（1985）。

Santa Ana **圣安娜** 美国加利福尼亚州南部城市，奥兰治县县城（1889）。临圣安娜河。1869年规划。1886年设市。1878年与洛杉矶通南太平洋铁路后成为圣安娜河谷农产品集散中心。第二次世界大战后，附近建起军事设施和高速公路，促进该市住宅和工业的发展。设有圣安娜学院（1915）、C.W.鲍尔纪念博物馆。人口：市293 742；阿纳海姆-圣安娜初步都会统计区2 410 556（1990）。

Santa Ana de Cuenca（Ecuador） 参阅**Cuenca 昆卡**。

Santa Ana Volcano **圣安娜火山** 在萨尔瓦多西南部。为全国最高峰（2 362米）。1920年喷发一次。有火口湖。东麓有名胜科阿特佩克湖。圣安娜市在东北山麓。

Santa Anna, Antonio López de **圣安纳**（1794-02-21，墨西哥哈拉帕～1876-06-21，墨西哥城） 墨西哥军官和政治家。在得克萨斯叛乱（1836）和墨西哥战争（1846～1848）等事件中，是墨西哥政界的风暴中心。下级殖民地官员之子。早年在西班牙军中服役，升为上尉。几乎为当时所有争执的对立双方都作过战。1821年支持A.德·伊图尔维德和墨西哥独立战争，1823年却参与推翻伊图尔维德。1828年支持V.格雷罗当选总统，后又参与将他废黜。1829年在抵抗西班牙重新占领墨西哥的战斗中声望大增，以“坦皮科的英雄”闻名。这一巨大的荣誉使他在1833年以联邦主义者和天主教反对者的身份当选总统。但他实行中央集权统治。1836年进军得克萨斯平定了美国移民的叛乱。得克萨斯于同年3月2日宣布脱离墨西哥独立。他在阿拉莫（**Alamo**）和戈利亚德击败得克萨斯军队后挥师向东到达圣哈辛托河，4月21日被萨姆·休斯敦击败，被俘后送往华盛顿会见A.

历史学会圣哈辛托博物馆供图

杰克逊总统。后者将他遣返墨西哥。回国后他被迫离职。1838年法国海军攻占韦拉克鲁斯，要求对法国侨民受到的伤害给予赔偿。圣安纳率军前往韦拉克鲁斯，只赶上向正在离去的法国舰只进行射击。这次战斗中他失掉了一条腿。但此举使他赢得足够声望，于1839年3～7月在总统外出期间成为独裁统治者。两年后他发动叛乱夺得政权，一直执政到1845年被迫流亡为止。美墨战争爆发后美国总统J.波尔克派船送他回国执行和平使命。但他回国后反而领导墨西哥军队反对美国，直到被W.斯科特将军指挥的美国军队击败。1847年再次退职后移居牙买加，1853年去新格拉纳达。10年后他寻求美国的支持，以推翻法国扶植的墨西哥皇帝马克西米连，同时又表示愿意为马克西米连效劳，但均遭拒绝。在去世前两年贫穷失明的圣安纳方获准回国。

Santa Bárbara **圣巴巴拉** 洪都拉斯西北部城镇。在气候炎热的低地。1761年建。亦为商业中心。主要经济活动是饲养牲畜和种植甘蔗。生产棕榈帽、服装、家具。在该市附近发现有殖民地旧城滕科阿遗迹。通公路，有机场。人口：城市区约22 902（1988）。

Santa Barbara **圣巴巴拉** 美国加利福尼亚州西南部城市，圣巴巴拉县府所在地。濒临太平洋的圣巴巴拉海峡，地处圣伊内斯山麓，位于洛杉矶西北156千米。由于南有圣巴巴拉群岛，北有山脉作屏障，该市全年气候温和适中。1602年比斯凯诺以航海者的守护神命名之。1782年设立要塞，1786年建立圣巴巴拉传教会，后发展为港口和农业集市。圣方济各会西方总部的传道馆，自从其建立以来一直在使用。1846年弗里蒙特在要塞升起美国国旗，1850年建市。随着南太平洋铁路的通车（1887），圣巴巴拉成为海滨游览胜地，发展起以旅游业、柑橘种植、牛的饲养和石油生产为基础的经济。1925年地震后，市内许多建筑物按西班牙殖民时期的风格重建，其土坯建筑特征有法律维护。1940年建

立韦斯特蒙特学院，1946 年成立圣巴巴拉市立(初级)学院，1944 年设立加利福尼亚大学圣巴巴拉分校(1891 年初建时为一所私立学校)。市内还有民主制研究中心和洛斯帕德雷斯国家森林管理处总部。人口：市约 88 753；圣巴巴拉-圣玛利亚-隆波克都会统计区约 383 348(1992)。

圣巴巴拉市的圣巴巴拉传教会教堂

供图：David Muench—美国不列颠百科全书公司

Santa Bárbara de Samaná (Dominican Republic) **圣巴巴拉-德萨马纳** 参阅 **Samaná** 萨马纳。

Santa Barbara Islands 圣巴巴拉群岛 又称海峡群岛，绵延 240 千米的一串岛屿。在美国加利福尼亚州南部太平洋岸外 40 ～ 145 千米处。与大陆隔圣卡塔利娜湾、圣巴巴拉海峡和圣佩德罗海峡。群岛自北至南有圣米格尔、圣罗莎、圣克鲁斯、阿纳卡帕、圣巴巴拉、圣尼古拉斯、圣卡塔利娜和圣克利门蒂 8 个岛。群岛曾是现已绝种的卡纳利尼奥印第安人的家园。1542 年葡萄牙航海家卡夫里略曾来群岛，据说就葬在其中一岛上。群岛地势崎岖多山，最大岛圣克鲁斯岛面积 254 平方千米，最小者为阿纳卡帕诸小岛。群岛分为圣巴巴拉(北部)和圣卡塔利娜(南部)两大岛群。较大岛屿上有大牧羊场。圣卡塔利娜岛则为著名的旅游胜地。海峡群岛国家保护区设立于 1938 年，包括阿纳卡帕、圣米格尔、圣巴巴拉、圣克鲁斯和圣罗莎诸岛在内。1980 年成为国家公园。群岛多海蚀洞，常有海狮、海豹和鸟类栖息，以生长有 830 余种稀有的植物而闻名，其中有大波斯菊。还有海洋无脊椎动物和更新世猛犸的化石。只有圣克鲁斯和圣卡塔利娜两岛有森林。群岛的地质结构与太平洋海岸山脉相类似，其构造是由上冲断层断块合成的(圣巴巴拉岛群是逆斜山脉组合)。岛间海洋盆和海槽深逾 1 829 米。1969 年圣巴巴拉海峡一海底油井破裂渗油使北部数岛的生态环境受到破坏。

Santa Catalina Island 圣卡塔利娜岛 美国圣巴巴拉群岛中岛屿。在加利福尼亚州岸外 35 千米处。长 35 千米，最宽处 13 千米，面积 192 平方千米。最高点奥里萨巴山海拔 648 米。岛上有森林。行政上归洛杉矶县管辖。1542 年被西班牙人发现。1848 年签订《瓜达卢佩伊达尔戈和约》后划归美国。1919 年后发展成为游览地。岛上唯一城市阿瓦朗与大陆的圣佩德罗和长滩两市通轮渡和班机。岛上有海豹栖息地和水下公园等。

Santa Catarina 圣卡塔琳娜 巴西南部海边一州。北接巴拉那州，南邻南里约格兰德州，东临大西洋，西与阿根廷的米西奥内斯省接壤。是巴西一个较小的州，首府弗洛里亚诺波利斯，位于沿海的圣卡塔琳娜岛上。早期西班牙和葡萄牙的绘图员给这地区曾起过各种不同的名字。圣卡塔琳娜这个名字据说是由意大利航海家卡伯特为纪念圣凯瑟琳命名的，当时他在西班牙服役。圣卡塔琳娜是葡萄牙王室于 1532 年建立的更大的世袭上尉管辖区的一部分，但是第一个葡萄牙居民点——靠近巴拉那州边界今日之南圣弗朗西斯科港所在地——直至 1648 年才建立。州内高地大草原过去用于放牧牛群。18 世纪初期，沿着牛群踩出的小道开辟贸易站，这些小道横贯草原，一直通向海边城镇和北部集市。圣卡塔琳娜上尉辖区建于 1738 年，在葡西领土战争中充当前哨基地。1822年巴西脱离葡萄牙的控制，建立帝国。在此之前，该辖区一直由军方从里约热内卢实施管理。1839 年发生一场革命，从南里约格兰德向北展开，在当地成立过短命的圣卡塔琳娜共和国。19 世纪时非葡萄牙的各族人民大量移入。德国人早在 1829 年就到达圣卡塔琳娜州，于 19 世纪 50 年代大批来到，在沿海山谷定居，并建立了布卢梅瑙、若因维利和布鲁斯基等城市。1875 年后，很多意大利人移入。19 世纪 80 年代，波兰人、乌克兰人和俄罗斯人到此。19 世纪 70 年代，非洲奴隶占总人口的 10% 左右；他们于 1888 年获解放。1889 年，巴西建立共和国以取代帝国，圣卡塔琳娜成为巴西一州，弗洛里亚诺波利斯被指定为首府。

海滨之后耸立陡峻的大崖壁，像一面大山墙；全州平地很少。伊格雷雅山海拔 1 808 米，位于州内东南部，为州内最高点。州内有两大水系：其一由沿海河流组成，向东流到海边；另一向南注入乌拉圭河，该河为州的部分南部边界。雨量丰富，年降雨量 1 200 ～2 500 毫米。平均气温夏季高约 21 °C，冬季低约 9 °C。虽然由热带和亚热带的植物混合组成的最初的森林植被已被砍伐，但现在正在实施范围广阔的重新造林计划。居民中极大部分是白种人，其余大多为黑人和印第安人。大多数居民使用的葡萄牙语也影响了各移民群体的后裔所使用的语言。主要宗教为天主教，也有若干新教派别，唯灵论也有很大影响，主要是在市区。州内开办小学已有数世纪，但中学教育直到 20 世纪才在内地普及。1919 年引入高等教育，主要城市内有几所大学。最著名的是设在弗洛里亚诺波利斯的圣卡塔琳娜联合大学，建于 1960 年。森林工业在该州工业中占有重要地位，有木材加工业、家具业和木炭业。南部海滨图巴朗西北和西南 112 千米的地区，是巴西最优质煤炭的主要产地。主要有养牛业、渔业和鱼类加工业。巴西全国小麦很多产自该州。食品加工业和纺织业也很发达。

两条国家公路从南至北纵贯全州，还有一条公路东西向穿越全州。一条铁路线自南至北穿过该州中央地区，但不再有重大意义。没有很好地开发内河和海上运输。主要港口有伊塔雅伊、南圣弗朗西斯科、弗洛里亚诺波利斯、因比图巴和拉古纳。纳韦甘蒂斯有一国际机场。弗洛里亚诺波利斯和布卢梅瑙两地戏剧为大众所喜爱。国立历史与地理研究所始建于 1896 年，文学研究院始建于 1920 年。面积 95 318 平方千米。人口约 4 536 433 (1991)。

Santa Clara 圣克拉拉 古巴中部比亚克拉拉省省会、城市。坐落在珊瑚岩丘陵中，海拔 112 米。为逃避海盗的经常性骚扰，原居住在沿海的雷梅迪奥斯的许多家族于 1689 年逃至此建立了这个城市。城市位于古代印第安人的城镇古巴纳堪原址，根据一些权威性传说，哥伦布误认此地为蒙古皇帝忽必烈的大本营。经济原以畜牧业及相关行业为基础，20 世纪依靠生产蔗糖和烟草繁荣起来。圣克拉拉钢铁联合企业生产钢铁制品和部件。拉斯比亚斯中央大学于 1948 年在此建校。该市位于古巴岛的正中心附近，在中央公路线上，为古巴铁路干线的接轨点。人口约 194 354 (1990)。

Santa-Clara 圣克拉拉 非洲加蓬西北部大西洋岸海角。在利伯维尔以北 20 千米处，位于加蓬河口湾和科里斯科湾之间的较大半岛上，向南伸入加蓬河口湾。当地细沙海滩吸引了一些游客。为推行林业计划，已种植加蓬桃花心树。20 世纪 70 年代规划为矿石(铁矿、锰和铀)出口新港(奥文多港区之一部分)。

Santa Clara 圣克拉拉 美国加利福尼亚州中西部圣克拉拉县城市。临瓜达卢普河。西北距圣弗朗西斯科约 77 千米。1777 年建传教会教堂。1852 年设建制。该城地名、建筑等受西班牙历史影响颇大。后发展成为水果蔬菜加工业中心。20 世纪 40 年代其制造业的发展超过了农业。现有发展均衡的工农业经济。当地大亚美利加游乐园(占地 81 公顷)也为重要经济来源。设有圣克拉拉大学(1851，该州最早建立的高等学府)。1989 年 10 月 17 日加州中部发生地震，该城蒙受一定损失。人口 102 361(2000)。

Santa Clarita 圣克拉丽塔 美国加利福尼亚州南部洛杉矶县城市。地处圣加布里埃尔山与圣苏珊娜山之间圣克拉丽塔河谷中圣克拉拉河沿岸，在洛杉矶西北 55 千米处。由坎宁村、纽霍尔、索格斯、巴伦西亚等几个社区组成，1987 年建市。费尔南狄诺印第安人于公元 5 世纪在此居住。1769 年探险家 G. de 波尔塔拉以当地河流之名命名为圣克拉拉，后改名圣克拉丽塔，即小圣克拉拉之意。19 世纪初西班牙人在河谷中建立农业村落。1839 年转归 A. 德尔瓦尔，成为旧金山牧场的一部分。此地开发为牛羊畜牧中心，但 19 世纪 80 年代的严重干旱导致经济崩溃。1842 年河谷中发现金矿，采矿者蜂拥而至。10 年间金矿开采日趋枯竭。1876 年建成加州首家炼油厂。同年修通连接洛杉矶和旧金山的铁路，河谷中的居民点不断涌现。随着电影业的发展，开始在此地拍摄西部片。1928年河谷因大坝崩塌造成近500人丧生。现主要为住宅区，但也有一些从事生物技术、制造、航空航天和其他高科技的企业。1971年六旗魔山娱乐公园开业。加州艺术学院(1961)和其他几所院校也设于此地。威廉·哈特牧场博物馆藏有西部题材的艺术品和展品。北部的卡斯泰克湖是休闲胜地。人口151 088(2000)。

Santa Claus 圣诞老人 传说中的人物，在美国和其他一些国家被奉为圣诞节的主保圣人。他的通俗形象是依据有关4世纪基督教的一位圣人圣尼古拉的各种传说而形成的。参阅 **Nicholas, Saint**。

Santa Claus 圣克劳斯 美国印第安纳州西南部斯潘塞县城镇。位于埃文斯维尔东北偏东61千米处。1846年规划。当地邮局每年要寄回盖有圣克劳斯(圣诞老人)邮戳的圣诞贺卡100多万封。镇内有圣克劳斯儿童公园，可进行骑马游戏并展出来自许多国家的玩具。镇西的林肯童年生活国家纪念地有林肯幼年时的农场旧居和其母亲的墓地。附近为州立林肯公园和林肯市。人口2 041(2000)。

Santa Coloma de Gramanet 圣科洛马-德格拉马内特 西班牙东北部加泰罗尼亚(地区)巴塞罗那省城市，巴塞罗那市北郊工业区。有冶金、纺织、化工、自行车和香烟纸工业。考古发现表明该地为罗马史前居民点。人口120 958(1998)。

Santa Croce 圣十字教堂 佛罗伦萨的天主教方济各会教堂，为意大利哥特式建筑的最优实例之一。1294年始建，可能系A.坎比奥设计，1442年完成，其仿哥特式的立面和钟楼则为19世纪加建。内墙上有许多托斯卡纳哥特式或原始文艺复兴式的壁画杰作，其中有乔托、T.加迪、A.加迪等人的作品。雕刻中有文艺复兴时期名家如罗塞利诺、多那太罗、米诺、安德烈亚、德拉·罗比亚、达·马亚诺等人的作品。教堂内有许多意大利名人的墓，如L.B.阿尔贝蒂、米开朗琪罗、V.阿尔菲耶里、L.布鲁尼、G.罗西尼及伽利略等。在14世纪建的隐修院内有布鲁内莱斯基设计的帕齐小教堂，是早期文艺复兴建筑的最优秀作品之一。

Santa Cruz 圣克鲁斯 阿根廷南部省份，位于巴塔哥尼亚高原，东濒大西洋，西止于智利边界的安第斯山脉，面积243 943平方千米。人口稀少。该地区内有狂风与尘暴频繁扫过干燥的台地及贫瘠、陡峭的沿海地带。尽管地处南极附近，但气候较为温和，由于靠近海洋，气温适中。该省西部边缘界安第斯山麓，有林木覆盖的山麓丘陵和许多美丽的冰川湖泊。阿根廷湖最为著名，旅游业是那里的主要经济活动。冰川顺安第斯山坡而下进入该湖。省内辟有3处国家公园。莫雷诺国家公园占地1 150平方千米，位于安第斯山中，其间有太平洋与大西洋水系的分水岭。冰川国家公园地处更南端，占地4 459平方千米，以其冰川地形著称。化石林国家公园面积100平方千米。1878年起圣克鲁斯成为巴

圣克鲁斯省罗卡湖上的莫雷诺冰川
供图：Ernesto Alstadt

塔哥尼亚地区一部分，至1884年分出后另立为独立的地区。1955年成为阿根廷一省。贯穿中央沙漠的避风的峡谷中有牧羊场，但几无农业。交通主要靠该省各大西洋港口间的水上运输。内地的羊毛及羊皮经港口运往布宜诺斯艾利斯。省会里奥加耶戈斯(**Río Gallegos**)是阿根廷最南端大陆港口，亦是绵羊贸易中心。其他港口有圣胡利安、圣克鲁斯和德塞阿多港。人口约201 642(1999)。

Santa Cruz 圣克鲁斯 玻利维亚中东部城市，为全国第二大城市。地处热带低地，海拔416米。1561年建立。1811年该城宣布脱离西班牙独立。1950年建成通科恰班巴的公

圣克鲁斯一角
中国大百科全书出版社供图

路。现建有机场。铁路通至巴西的科伦巴后，获得了到达大西洋沿岸港口的通道。圣克鲁斯经济发展迅速，是甘蔗、稻米、咖啡、烟草的贸易中心。城市南北部天然气储量丰富。生产革制品、酒精，有制糖和炼油厂。设有加夫列尔·雷内·莫雷诺大学(1880)。人口约1 116 059(2001)。

Santa Cruz 圣克鲁斯 美国加利福尼亚州中西部城市，圣克鲁斯县县城。地处圣克鲁斯山麓蒙特雷湾北岸，位于旧金山以南约130千米处。该地是圣克鲁斯教堂(1791年建，1931年重建)的所在地，也是布兰西福特典型西班牙殖民地(村)(1797)的所在地。1846年归属美国后发展为木材、水产和农业的中心。1950年后随本地区不断加深的工业化而稳步发展起来。该地的秀丽风景及温和气候是令旅游者神往的两个主要特点。茂密的红杉林扩大了该市以北圣克鲁斯山上树林的面积，使景区更具观赏价值。另一特点是其壮观平展的海滩，吸引着众多旅游者。为接纳游客，已修建一些海边设施，包括一个长达半英里伸入海湾的码头。该市的加利福尼亚大学建于1965年。1989年10月17日加利福尼亚中部发生的地震严重毁坏了该市中心商业区。1866年设市。人口：市54 593；圣克鲁斯主要都会统计区255 602(2000)。

Santa Cruz, Alvaro de Bazán, Marqués de (Marquess of) **圣克鲁斯侯爵**(1526-12-12，西班牙格拉纳达～1588-02-09，葡萄牙里斯本) 当时西班牙最杰出的海军司令，在西班牙海上势力达到顶峰的那个世纪中的多次海战中卓立功勋，是筹建西班牙无敌舰队的第一个倡议者和计划者。出生于海军军官家庭，很早参加海军，曾在地中海与法国人、土耳其人及摩尔人作战，不断晋升，1569年被封为圣克鲁斯侯爵。在勒班陀战役中(1571)他充当后备舰队司令，对于粉碎土耳其舰队起过重要作用。1580年率所部协助阿尔巴公爵征服葡萄牙。3年后，在第二次特塞拉战役中，他打败装备精良的法国的海军中队。西班牙国王腓力二世任命他为"海军总司令"。现在人们普遍认为，他在1583年8月9日写给国王腓力二世的信，是创建西班牙无敌舰队的第一步。腓力任命他为入侵英格兰的海军司令官。他在里斯本开始组织这支舰队。尽管遇到种种困难，但他在过早去逝前仍几乎完成了全部工作。

Santa Cruz de Barahona(Dominican Republic) **圣克鲁斯-德巴拉奥纳** 参阅**Barahona**巴拉奥纳。

Santa Cruz de Tenerife 圣克鲁斯-德特内里费 西班牙加那利群岛自治区的一省，包括加那利群岛西部的岛屿，著名的有特内里费(**Tenerife**)、拉帕尔马(**La Palma**)、戈梅拉(**Gomera**)和费鲁(**Ferro**)各岛。全省面积为3 170平方千米。特内里费岛上的圣克鲁斯-德特内里费港市是该省首府。人口约800 020(1999)。

Santa Cruz de Tenerife 圣克鲁斯-德特内里费 西班牙加那利群岛自治区圣克鲁斯-德特内里费省省会和加那利群岛中特内里费

岛首府,为港口城市。该城建于 1494 年,位于两条经常无水的深谷之间的小平原上。1657 年一支载满珍宝的船队大部分在此港口被 R. 布雷克率领的英国海军分舰队所摧毁。1797 年英国海军英雄 H. 纳尔逊船长(后为海军舰队司令)进攻圣克鲁斯失败,失其右臂。1877 年后,该城香蕉和马铃薯贸易发达;不久城市因港口修缮和旅游业兴起而得到迅速发展。佛朗哥将军为加那利群岛总督时,在圣克鲁斯组织全国性的暴动,导致 1936 年发生的西班牙内战。圣克鲁斯-德特内里费著名的建筑物有圣母受孕堂区教堂、军事博物馆与考古博物馆、一家剧院和一座斗牛场。城中用水来自由水渠引入内地的山泉。设计良好的滨海区与一港口相连,围以两条防波堤。因有炼油厂,圣克鲁斯为船舰加燃料的重要码头。1977 年在洛斯罗德奥斯国际机场发生了严重的飞机相撞事件,582 人丧生,促成南特内里费索菲娅王后机场的兴建,1978 年竣工启用。人口:市约 213 050(1999)。

Santa Cruz del Quiché　圣克鲁斯-德尔基切　危地马拉西北部城镇。海拔 2 021 米。附近印第安人村落的集市中心。主要出产玉米、豆类和牲畜。附近有基切族印第安人以前的首都乌塔特兰的遗迹和矿泉浴场。有公路通奇奇卡斯特南戈和萨卡普拉斯。距危地马拉城 160 千米。人口约 14 352(1994)。

Santa Cruz del Seíbo (Dominican Republic) **圣克鲁斯-德尔塞沃**　参阅 **El Seíbo** 埃尔塞沃。

Santa Cruz Island　圣克鲁斯岛　又称因迪法蒂格布尔岛,东太平洋加拉帕戈斯群岛一岛屿。在厄瓜多尔以西 965 千米处。面积 1 007平方千米。中央火山口海拔701米。南岸阿约拉港有能停泊船只的港湾。主要经济活动有自给性农业、水果及甘蔗种植和养牛。人口 5 318(1990)。

圣克鲁斯岛上的巨型陆龟(*Testudo elephantopus*)
供图:Jen and Des Bartlett—Bruce Coleman Inc.

Santa Cruz Islands　圣克鲁斯群岛　太平洋西南部所罗门群岛的火山岛群。位于瓜达尔卡纳尔岛以东 555 千米。最大岛恩德岛(恩代尼岛)长 40 千米、宽 22 千米。主要出口干椰子仁。居民主要为美拉尼西亚人及少数波利尼西亚人。人口 21 159(1997)。

Santa Elena Peninsula　圣埃伦娜半岛　位于厄瓜多尔西部。是南美洲西海岸沙漠最北端的延伸部分。为一干旱区,当地的安孔有厄瓜多尔的重要油田。半岛上还有炼油厂、盐矿和化肥厂。半岛上的萨利纳斯有海滨休假地,国内旅游业日益发展。

Santa Eugenia de Riveira　圣欧亨尼娅-德里韦拉　西班牙西北部加利西亚(地区)拉科鲁尼亚省城市。濒临大西洋沿岸的阿罗萨湾。曾先后是罗马人要塞和腓尼基人港口。现为海滨胜地和渔港。有水产品罐头、鱼类加工、面粉加工和船用内燃机制造等工厂。人口 26 451(1999)。

圣菲市的州议会大厦
供图:Dick Kent

Santa Fe　圣菲　阿根廷东北部一省,地处低地平原。东临巴拉那河。该省除东北部亚热带有沼泽、稀树草原和簇生的林地及西北部干旱亚热带森林有荆棘和矮树外,都在南美大草原的北部区域内。面积 133 007 平方千米。16 世纪末西班牙人在该省定居,但一直人口稀少。19 世纪初,该省一再遭到印第安人的猛烈袭击,并发生流行病。直至 19 世纪 50 年代中期,经济才稳步增长。此后圣菲省成为农业区和商品谷物产区的中心。重要的作物是小麦、大豆、玉米和高粱,其次是棉花和甘蔗。该省为阿根廷乳制品生产中心,乳制品往往在本地区到处都有的农业合作社中加工。远洋船只在该省 4 个河港——孔斯蒂图西翁镇、罗萨里奥、圣洛伦索和圣菲(省会)——装卸货物。圣菲和巴拉那之间的 7 850英尺长的隧道为两个城市之间的公路交通提供很大便利。人口约 3 068 765(1999)。

Santa Fe　圣菲　阿根廷东北部圣菲省省会。位于萨拉多河河口,与巴拉那市隔河相对。1573 年建。1651 年迁至现址。为亚松森西班牙殖民地服务的供给河港。殖民时期为耶稣会传教中心。1853 年在该地召开的一次代表大会上产生了建立阿根廷共和国的宪法。现经济多样化。有面粉厂、乳制品厂、林产品加工厂、冶炼厂和汽车制造业。现代化港口可停泊远洋货轮,是世界上距海最远的海港(距拉普拉塔河口 250 英里),与玻利维亚、巴拉圭和该国各地通商。市内圣方济各教堂及女隐修院(1680)、拉梅尔塞教堂(1660～1754)和圣菲大教堂(1685)辟为国家历史纪念地。设有国立利托拉尔大学(1919)。人口 287 240 (1980)。

Santa Fe　圣菲　美国新墨西哥州首府,圣菲县县城(1852)。在该州中北部,临圣菲河。位于格兰德河北部河谷,海拔 2 132 米。干燥适宜的气候使之成为避暑胜地,山地滑雪又吸引了大批冬季游客。建于 1610 年。18 世纪为一地广人稀的西班牙殖民地的行政、军事和宗教中心。1848 年归属美国。1851 年成为新墨西哥准州首府。1912 年成为州首府。1880 年通铁路。主要为农牧业者和印第安人的贸易中心。20 世纪 40 年代,市西北建立原子能研究试验基地,给当地经济带来新活力。原总督府(1610)1914 年改为博物馆。新政府办公楼(包括州议会大厦)沿河而建。市内古老的西班牙和印第安村民建筑受到保护。圣米格尔教堂(17 世纪)和圣方济各会大教堂(1869)为代表性建筑。多美籍西班牙居民,为该国西南部文化中心。城市在史前印第安人村落旧址上建立,四周印第安人区现有考古活动。市内建有新墨西哥博物馆(展有印第安和西班牙殖民时期艺术品)、纳瓦霍人礼仪艺术博物馆,设有圣菲学院(1859)、圣约翰学院(1964)、圣菲印第安人学校、新墨西哥聋人学校、国家公园管理局地区总部和圣菲国家森林(在市东)管理局。人口:市62 203;都会统计区 147 635(2000)。

Santa Fe de Bogotá (Colombia)　**圣菲波哥大**　参阅 **Bogotá** 波哥大。

Santa Fe Island　圣菲岛　又称巴灵顿岛,东太平洋加拉帕戈斯群岛一岛屿。在厄瓜多尔以西 965 千米。面积 19 平方千米。岛上分布着小火山锥。有一条干涸水道穿过熔岩通往群岛中为陆地包围的巴灵顿湾。

Santa Fe Railway　圣菲铁路公司　参阅 **Atchison, Topeka and Santa Fe Railway Company** 艾奇逊-托皮卡-圣菲铁路公司。

Santa Fe Trail　圣菲小道　美国历史上,自密苏里州的独立城到新墨西哥州的圣菲的著名大篷车小道。这是1821～1880年一条重要的商路。商人 W. 贝克内尔开辟此道供商人的运货大篷车队并排前进，一旦印第安人进行袭击(1864 ～ 1869 年频繁发生)他们便能迅速围成一圈进行防御。小道从密苏里河开始，沿着阿肯色河和堪萨斯河各支流间的分水岭到今堪萨斯州的大本德，然后沿着阿肯色河继续延伸。在西端有 3 条道路向南拐，到圣菲，其中最短的一条是穿过锡马龙河河谷的"锡马龙捷径"。通过这条小道向东贩运银和毛皮，向西贩运工业制品。这条小道的重要性促使美国在墨西哥战争中夺取了新墨西哥。在美国管辖下，这条小道的使用率更高了，尤其是 1849 年开始用驿马车进行邮递业务之后。1880 年圣菲铁路竣工，小道停止使用。

Santa Gertrudis 圣赫特鲁迪斯牛 肉用牛品种，20 世纪于得克萨斯州大王牧场育成。最初由纯度约 7/8 的婆罗门公牛与纯种短角母牛杂交育成。1910 年进行第一次杂交，以后若干年内一直进行选育工作，在不牺牲类型和体型结构的原则下优先选用红色者。现在的圣赫特鲁迪斯牛通常全身呈红色，额或胁部偶有小白斑，它们是由约 5/8 短角牛和 3/8 婆罗门牛祖先的基础畜群发展而成。是最重的肉用牛品种，躯体及背腹之间距离长，颈部、前胸和脐部附近的皮肤较纯不列颠品种松。实践证明该品种完全适应半热带的美国墨西哥湾沿岸地区。

Santa Hermandad 圣兄弟团 英语作 Holy Brotherhood。15 世纪末天主教君主(斐迪南德和伊莎贝拉)为了维持全西班牙的法律和秩序而建立的保卫团。参阅 **hermandad**。

Santa Isabel (capital of Equatorial Guinea) **圣伊莎贝尔** 参阅 **Malabo 马拉博**。

Santa Isabel 圣伊莎贝尔 旧称伊莎贝尔。太平洋西南部所罗门群岛中部岛屿。在瓜达尔卡纳尔岛西北 80 千米处。长约 209 千米，最宽处 32 千米。以山脉为主脊，最高点为马莱斯科特山(1 219 米)。北端与一组小岛以基亚水道相隔，西南角与圣豪尔赫岛之间为奥尔特加海峡和千船湾。有许多椰子种植园生产椰干，阿拉迪斯港附近有木材业。20 世纪 60 年代发现有含镍红土。主要村庄为基亚和达达利。人口：圣伊莎贝尔及附近岛屿 22 653(1997)。

Santa Lucia Range 圣卢西亚岭 美国太平洋海岸山脉的一部分。在加利福尼亚州中西部。从卡梅尔湾向东南延伸至库亚马河，长 225 千米。南低北高，最高点胡尼佩罗峰海拔 1 787 米。山岭与太平洋(西)和萨利纳斯谷(东)平行。当地林木茂密，有洛斯帕德雷斯国家森林之一部。山岭西侧有沿海旅游公路。1602 年由西班牙探险者命名。

Santa Luzia Island 圣卢西亚岛 佛得角共和国岛屿。位于圣维森特岛与圣尼古拉岛之间。距西非海岸 640 千米。面积 35 平方千米。海拔 395 米。大部地区无人居住。

Santa Maria 圣玛丽亚 巴西南部南里奥格兰德州中部城市。位于雅库伊河谷，海拔 153 米。1797 年建立。1876 年设市。为繁荣的商业中心，以及从圣保罗到乌拉圭边境和从州首府阿雷格里港到阿根廷边境两条铁路干线的枢纽。建有机场，通数条公路干线。工业有机车修配和肉类加工。当地的圣玛丽亚联邦大学建于1960年。人口约230 464(2000)。

Santa Maria 圣玛丽亚岛 又作 Gaua(高阿岛)。太平洋西南部瓦努阿图的班克斯群岛中最大岛屿，面积 342 平方千米。地势崎岖，最高峰加拉特(797 米)为活火山。出口椰仁干和可可。居民为波利尼西亚人。

Santa María "圣马利亚"号 哥伦布第一次向美洲航行的旗舰。长约 36 米，有一层甲板、3 根船桅以及艏楼和艉楼各一座，并装备发射花岗石弹的射石炮。它在航行中性能良好，但 1492 年 12 月 25 日在海地附近的海上触礁沉没。

Santa Maria de Belém (Portugal) **圣玛丽亚-德贝伦** 参阅 **Belém 贝伦**。

Santa Maria dei Frari 托钵修会教堂 威尼斯方济各会教堂，原建于 13 世纪中叶，15 世纪按哥特式风格重建，为威尼斯哥特式宗教建筑的重要实例。教堂内有许多威尼斯派文艺复兴艺术的杰作，如 G. 贝利尼的《圣母子及圣徒》三联画(1488)，提香的《圣母升天》(1516 ～ 1518)与《佩萨罗圣母像》(1519 ～ 1526)。提香死后在此教堂下葬。

Santa María Island 圣玛丽亚岛 又称查尔斯岛，东太平洋加拉帕戈斯群岛最南端岛屿之一。在厄瓜多尔以西 965 千米处。面积 166 平方千米，中央火山口海拔 550 米，青翠的丘陵倾斜到海滨沙滩。1832 年何塞·比利亚米尔将军宣布加拉帕戈斯群岛为厄瓜多尔所有，并在圣玛丽亚岛上建有一个政治犯集中营。现有小居民点。岛民种植水果、粮食，养牛和捕鱼。人口约 57(1980)。

Santa Maria Island 圣玛丽亚岛 葡萄牙亚速尔群岛东南端岛屿。位于北大西洋中。面积 97 平方千米。为蓬塔德尔加达区一部分。西部高原上有一座重要的国际机场。1944 年初建时为美空军基地。供飞越大西洋的班机使用。岛屿首府波尔图镇创建于 15 世纪 30 年代，为亚速尔群岛地区最古老的城镇。1493 年，哥伦布在他首次美洲之行的回程中，曾到过该岛北岸现称为安霍斯的小村庄，现有 15 世纪的堂区教堂和 1432 年献给"发现者"的纪念石碑。人口 6 070(1997)。

Santa Maria Novella 新圣马利亚教堂 英语作 New St. Mary。佛罗伦萨的多明我会教堂。为意大利哥特式建筑，由两位多明我会会士西斯托及里斯托罗设计，约 1278 年始建，除正面外，其余部分 1350 年完成。1456 ～1470 年修建的正面由阿尔贝蒂设计，为早期文艺复兴式。教堂及附属建筑内有意大利哥特式风格和早期文艺复兴风格绘画大师如乔内、安德烈亚、马萨乔、吉兰达约、利比、乌切洛等人所作的壁画，以及布鲁内莱斯基和贝内德托-达·米扎诺等人的雕刻作品。

Santa Marta 圣玛尔塔 哥伦比亚北部马格达莱纳省省会。1525 年建成，为哥伦比亚最古老的城市。1830 年，为争取独立而斗争的英雄S. 玻利瓦尔在城边一座庄园中去世。

圣玛尔塔市的解放者 S. 玻利瓦尔的塑像
供图：Harrison Forman

在 19 世纪中期，圣玛尔塔的商业超过了卡塔赫纳港，后由于通往马格达莱纳的水道不能行驶汽船使该地重要性下降。从 19 世纪 80 年代开始输出南部内地出产的香蕉。1961 年建成的大西洋铁路连接圣玛尔塔和波哥大。通公路和航班。市内马格达莱纳理工大学建于 1966 年。人口约 374 933(1999)。

Santa Marta Mountains 圣玛尔塔山 哥伦比亚北部的安第斯山脉。为火成山，从沿海地带陡然耸起，最高点为积雪的哥伦布峰(海拔 5 775 米)，是哥伦比亚最高峰。圣玛尔塔山较低山坡适于耕作和放牧，但没有很好开发。当地居民中有阿拉瓦克印第安人。圣玛尔塔山西北的圣玛尔塔和东南的巴列杜帕尔是离该山最近的两座城市。

Santa Monica 圣莫尼卡 美国加利福尼亚州南部洛杉矶县城市。濒临圣莫尼卡湾。1875 年由参议员 J.P. 琼斯设计兴建。因当地有清泉，名"圣莫尼卡之泪"，该城遂取名圣莫尼卡。1886 年设建制。早为海滨游览地和港口兼铁路终端站，并发展为居民区。第一次世界大战后在此创办道格拉斯飞机公司。现有航天和通信工业。设有圣莫尼卡市立(初级)学院(1929)。州立威尔罗杰斯海滩和州立公园皆位于太平洋岩壁。人口 84 084(2000)。

Santa Rita Durão, José de (Brazilian poet) **圣丽塔·杜朗** 参阅 **Durão, José de Santa Rita 杜朗**。

Santa River 桑塔河 秘鲁中西部安卡什省的河流。源出安第斯山脉的图科山。流经安卡什和科诺科查湖后始称桑塔河。继而向西北,过瓦扬卡折向西,穿过峡谷注入太平洋,全长300千米。桑塔河由于有山上的冰川和雪原供水,其水流稳定程度居秘鲁沿海河流之首。水量仅次于奇拉河。河口缺少平原,无法大面积灌溉,但该河仍是秘鲁的重要资源。峡谷河段有4座水电站,向钦博特城,尤其是其钢铁厂供电。部分河水北引灌溉特鲁希略四周广大甘蔗产区。

Santa Rosa 圣罗莎 阿根廷中部拉潘帕省省会。建于1892年。作为农业中心发展起来。加工该省东部出产的谷物(小麦)和牛。市内有地区艺术和自然史博物馆。1958年创办拉潘帕大学。该市是阿根廷中部的交通枢纽。人口约95 428(1999)。

Santa Rosa 圣罗莎 危地马拉南部省份。南濒太平洋。面积2 955平方千米。地处高原区。出产玉米、豆类,有咖啡种植园。太平洋低地的农产品有甘蔗、稻米和芝麻。当地有菜牛饲养业。东北部的阿亚尔萨湖风景秀丽。省会奎拉帕(**Cuilapa**)有泛美公路经过。太平洋沿岸公路也穿越该省。人口约319 814(2000)。

Santa Rosa 圣罗莎 美国加利福尼亚州西部城市,索诺马县县城(1854)。濒临圣罗莎河。位于旧金山西北偏北80千米处。1833年创建。1868年设建制。初为索诺马谷地农产品加工和转运中心。现因城市人口不断增加,经济不再以农、林业为主,而依靠零售业。附近月谷有杰克·伦敦小说中提及的"狼屋"。市内"独树展览馆教堂"(用一株红杉树凿成)原是为自命为造物主的土著人R.L.里普利而建。人口:市147 595;圣罗莎-佩塔卢马主要都会统计区458 614(2000)。

Santa Rosa de Cabal 圣罗莎-德卡瓦尔 哥伦比亚中西部里萨拉尔达省城市。为富庶农牧业内地地区的工商业中心。附近地区养蚕,有金、银和水银矿。城市位于公路和铁路线上,通省会佩雷拉。人口54 266(1999)。

Santa Rosa de Copán 圣罗莎-德科潘 洪都拉斯科潘省省会。地处海拔1 160米的高原上。建于18世纪。1843年设市。1869年定为省会,得现名。为该国西部的主要商业中心。工业主要有加工烟草、生产雪茄、榨糖、织席等。还生产木材、家具、皮革制品、服装和饮料。附近有锑矿。亦为公路运输中心。建有机场。人口约24 100(1995)。

Santa Sindone 参阅 **Turin, Shroud of** 都灵尸衣。

Santa Tecla(El Salvador) **圣特克拉** 参阅 **Nueva San Salvador** 新圣萨尔瓦多。

Santalaceae 檀香科 檀香目的一科,约36属,400多种,半寄生灌木、草本或乔木,

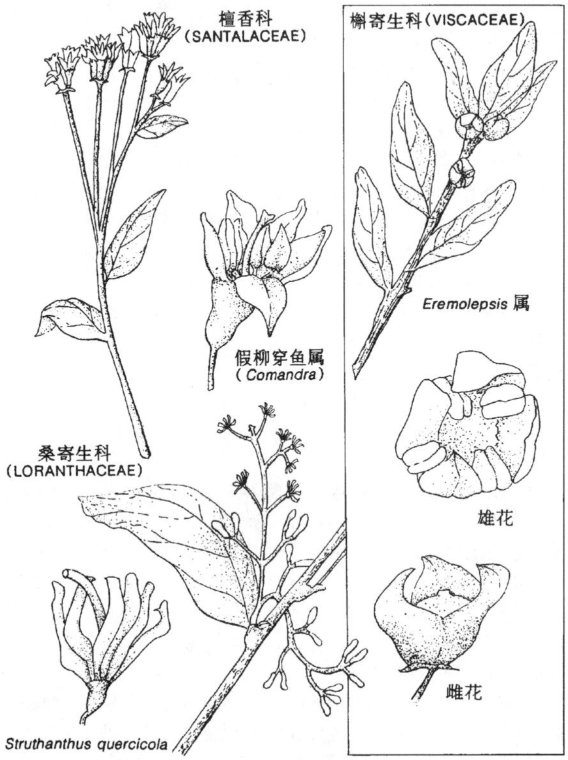

檀香目代表科花的特征

多数是根寄生,也有茎寄生者。产于热带和温带地区。叶含有少量叶绿素,能制造养分,有几属叶退化呈鳞片状,互生,不分裂。但所有种类都在一定程度上寄生于其他植物,具有吸器,伸入寄主体内以获得水分和养分。花小而不明显,两性或单性;通常单生,也有簇生于叶腋或成小穗状者。果为坚果状,色泽鲜艳,具一颗种子。白檀香(*Santalum album*)是本科唯一重要的经济植物,用制香料和家具。本科其他熟知的种有假蟾蜍麻(在北美归假柳穿鱼属[*Comandra*],在欧洲归百蕊草属[*Thesium*])及北美的水牛果(油果、短柔毛檀梨,*Pyrularia pubera*,果形似梨,含油)。

Santalales 檀香目 显花植物的一目,包含多少科意见分歧,少至5科,多至21科。有约10科一般认为属于本目,其中7科有明显的亲缘关系,并在不同的程度上适应于寄生的生境,生于寄主的根或枝上。多数种类分布于热带或亚热带,几乎均为常绿植物。本目植物为多年生草本、灌木或乔木。高者达18米,而极微小油杉寄生(*Arceuthobium minu-tissimum*)是最小的维管植物之一,着花的茎生于寄主身上,长度不及3厘米。许多檀香目种类早已成为用于宗教仪式和民间风俗活动的重要植物。白槲寄生(*Viscum album*)在基督诞生前数百年已为人认识,如今于圣诞节广泛用于欧洲和北美。檀香木早在公元前1700年已被埃及人用于宗教仪式,而亚洲人使用檀香木可能比这更早,至今印度教徒、佛教徒、琐罗亚斯德教徒、以及东南亚的穆斯林仍十分珍视檀香。檀香亦用于木雕,也可以提取檀香油。槲寄生类,如印度的五蕊寄生属(*Dendropthoe*)和热带美洲的 *Struthanthus* 属也是重要的寄生植物,它们可对一些重要的经济作物,如可可、橡胶树、柑橘类和其他果树造成严重损害。油杉寄生属的种类侵害北美西部的球果植物,而美洲寄生子属(*Phoradendron*)的种类为害美国的胡桃、橡树及某些针叶树。檀香目有7个科的所有种类均为寄生植物。其寄生性最明显的证据是吸器的存在,吸器是一种特化的器官,用以深入寄主的活组织并吸收水分以及营养素,寄主和寄生植物的木质部部分愈合以完成此功能。槲寄生科植物的吸器从寄主的软组织中钻出并分枝,油杉寄生

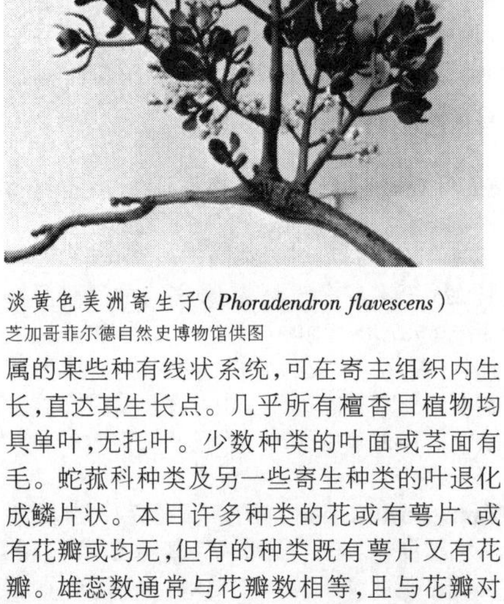

淡黄色美洲寄生子(*Phoradendron flavescens*)
芝加哥菲尔德自然史博物馆供图

属的某些种有线状系统,可在寄主组织内生长,直达其生长点。几乎所有檀香目植物均具单叶,无托叶。少数种类的叶面或茎面有毛。蛇菰科种类及另一些寄生种类的叶退化成鳞片状。本目许多种类的花或有萼片、或有花瓣或均无,但有的种类既有萼片又有花瓣。雄蕊数通常与花瓣数相等,且与花瓣对生。子房多为下位,胚珠数少。木犀科产生

大型的核果，蛇菰科的果实形小。种子含胚乳，通常借来食果实的鸟类散播。

Sant'Ambrogio Basilica　圣安布罗焦教堂 位于意大利米兰的长方形教堂，为伦巴第罗马式建筑的杰出范例。虽然该教堂原建于379～386年，但目前建筑物的最早期部分却修建于9和10世纪。具有拱顶的中堂及侧堂为1128年重建，中庭约建于1050年，而前廊则建于1095～1096年。D.布拉曼特曾于1492～1497年设计该教堂的一部分及其附属的小礼拜堂。他的一些未实现的设计，则是在1955年修建完成的。

Santana　桑塔纳乐队 美国乐队，以萨尔萨舞曲和曼波风格的打击乐让众多摇滚乐听众领略到拉丁美洲的传统音乐。最初主要成员是卡洛斯·桑塔纳(1947年生)G.罗利(1947年生)、D.布朗(1947年生)、M.卡拉贝罗(1947年生)等人。1966年成立于旧金山。桑塔纳乐队在1969年伍德斯托克音乐节亮相后一举成名。同年，首张专辑登上排行榜前十名，卡洛斯跻身于顶尖摇滚吉他手的行列。第二张专辑《神秘符咒》(1970)荣登榜首，产生了《黑魔女》、《聆听我的节奏》等热门单曲。1972年推出《驿站》，风格转向爵士乐。后来有成员开始离开乐队，另组"旅行"乐队。卡洛斯继续与不同的乐手合作，探索爵士摇滚数年。1977年推出畅销的双专辑《月光花》。在整个90年代，乐队一直保持着自己的表演风格。1998年乐队入选摇滚乐名人堂，次年推出专辑《超自然》，在商业方面和评论界都大为成功，事业攀上巅峰。这张专辑是与多位大师级人物合作的产物。它高居排行榜之首，热销2 000万张以上，并一举夺得8项格莱美奖。

Santana do Livramento　圣安娜-杜利夫拉门图 巴西南部南里奥格兰德州西南部城市。海拔210米。1833年建立。1876年设市。所在地区经济以放养牛羊为主。市内有肉类包装及皮革和牲畜副产品加工厂。输出羊毛、木材和巴拉圭茶。为一铁路干线上的海关站，通公路和航空线。人口84 370(2000)。

Santander　桑坦德 哥伦比亚中北部一省。1886年建立。面积30 537平方千米。为哥伦比亚的主要石油生产省份。农产品以烟草为主，卷烟和雪茄制造为重要行业。安第斯山区温和的半山坡地主要种植咖啡。桑坦德工业大学建于1947年。省会布卡拉曼加与马格达莱纳河上的维尔切斯港通铁路。人口1 911 830(1997)。

Santander(province, Spain)　**桑坦德** 参阅 **Cantabria 坎塔夫里亚**。

Santander　桑坦德 西班牙北部坎塔夫里亚省和坎塔夫里亚自治区的首府和港口城市。在桑坦德湾的马约尔角南岸。有暑期大学，为主教座堂所在地。桑坦德大学建于1972年。经济以渔业、炼铁及与港口有关的活动(造船)为基础。制造业门类繁多。人

桑坦德市的海港

供图：Carl Frank

口：市约184 094(1982)；城市区约184 165(1998)。

Santander, Francisco de Paula　桑坦德尔(1792-04-02，新格拉纳达罗萨里奥[今哥伦比亚]～1840-05-06，波哥大) 哥伦比亚军人、政治家，在争取南美独立的战争中与S.玻利

桑坦德尔纪念堂及其塑像

哥伦比亚新闻处供图

瓦尔并肩战斗，1833～1837年任新成立的新格拉纳达(哥伦比亚)总统。1810年他离开法律学校参加爱国军，晋升很快。1816年西班牙重新征服哥伦比亚时他逃往东部低地。1819年以准将身份随玻利瓦尔的军队打回。后任哥伦比亚共和国新格拉纳达或大哥伦比亚(包括委内瑞拉和厄瓜多尔)副总统。1827年以前，他大部分时间在玻利瓦尔不在时代行总统职务。事实证明桑坦德尔是一位能干的政治家，以坚持民主共和原则及办事效率高著称。新格拉纳达独立后不久，桑坦德尔与玻利瓦尔因政治上的分歧开始发生冲突。1826年，玻利瓦尔决定将委内瑞拉保留在哥伦比亚之内，桑坦德尔表示反对，两人冲突达到顶点。1828年阴谋分子袭击玻利瓦尔在圣卡洛斯的官邸，玻利瓦尔在攻击者冲入时逾窗逃走。桑坦德尔被认为与这项阴谋有关而被判处死刑，不过现在人们认为他曾试图劝阻阴谋者。当时因找不出证据，故改判流放。1830年大哥伦比亚瓦解后，1832年颁布新宪法，他应召回国，于1833年4月1日就任新格拉纳达总统。其政府以节俭、稳固和办事有序著称。然而他对玻利瓦尔分子采取的不宽容态度引起了一些动乱和J.萨尔达将军领导的一起未遂政变。1837年总统任职期满后，又任新格拉纳达参议员。他去世后爆发了两年之久的大规模内战。

Sant'Angelo Bridge　圣安杰洛桥 意大利语作Ponte Sant'Angelo，古拉丁语作Pons Aelius。古罗马时代的桥，可能是罗马市内保存下来的最华美的桥。由哈德良皇帝(117～138在位)为连接战神广场和他的陵墓(后改称圣安杰洛古堡)而建于台伯河上。约于公元135年建成。圣安杰洛桥有7孔石拱，主跨5孔，跨径各约18米，建于7米高的桥墩上。13世纪时，教皇克雷芒四世加建了铁栏

罗马市的圣安杰洛桥和圣安杰洛古堡

供图：J. Allan Cash

杆。16世纪时，教皇克雷芒七世在桥头设置了圣彼得和圣保罗的雕像。1688年，又在桥栏上设置了10座G.L.贝尔尼尼设计的天使像。

Sant'Antioco Island　圣安蒂奥科岛 意大利语作Isola di Sant'Antioco。地中海中的火山岛，在意大利撒丁岛西南。面积108平方千米，地势起伏不平，多岩石，海拔高度271米。行政上隶属卡利亚里省。与2千米以东的撒丁岛有铁路相通。主要城镇和港口圣安蒂奥科位于东北岸。是腓尼基人和罗马人的萨尔赛城旧址，该城在欧洲中世纪时被萨拉森人

所毁。有古迦太基人和古罗马人墓地遗址、腓尼基人寺庙和早期基督教的坟窟(位于堂区教堂下面),据传内有圣安条克的遗体。墓地附近有一座博物馆。岛上有葡萄园和盐场,以及重要的渔场。北岸的卡拉塞塔小镇有适合游泳的海滩和通向邻近圣彼得罗岛卡洛福泰的渡船。人口:城市区约12 575(1990)。

Santarém 圣塔伦 巴西北部帕拉州中西部城市。在塔帕若斯河右岸,邻近亚马孙河。建于1661年。1758年建镇,1848年升格为市。美国南北战争(1861～1865)后,一批南部邦联流放者到此定居(后来大多数人回国,一些后裔现仍住在当地)。现为亚马孙河畔重要城市和港口。输出黄檀木油、橡胶、木材和黄麻。制造汽车、机械和电气设备等。有炼铝厂及石油和酒精燃料加工厂。市南数英里处有高400英尺(120米)的圣塔伦高原陡崖。通公路。主要作物有水稻、豆类、木薯等。人口186 518(2000)。

Santarém 圣塔伦 葡萄牙中部圣塔伦区城市、首府和行政区。濒临塔古斯河,在里斯本东北76千米处。该城的波尔塔斯多索尔是中世纪时期王室宅邸阿尔卡苏瓦城堡的遗址。其他古迹有原耶稣会神学院(1676)、格拉萨隐修院的晚期哥特式教堂(内有巴西的发现者P.A.卡布拉尔的墓地)以及早期哥特式圣若昂德阿尔波朗长方形教堂(现为市雕塑博物馆所在地)。每年5月里巴特茹农业博览会在此举行,引来成千上万游客。工业主要有食品加工等。旅游业的地位日显重要。附近发现高岭土,用于制作陶瓷。人口:市23 690(1991);行政区约63 800(1987)。

Santareno, Bernardo 桑塔雷诺(1924-11-19,葡萄牙圣塔伦～1980-08-30,里斯本) 葡萄牙诗人和戏剧家,被认为是葡萄牙20世纪首要剧作家。在科英布拉大学医科毕业后,一面在医院工作,一面写作。他创造的舞台世界令人想起西班牙著名作家加西亚·洛尔卡,主要描写葡萄牙渔民的生活。他企图找出民族的"灵魂",或者葡萄牙人的典型。他的人物摇摆在圣洁和亵渎,有形和玄秘之间。他的剧本具有一种悲哀和病态性质,经常掺杂着情欲。主要作品有《小帆船》(1959)、《旧城的罪恶》(1959)、《渔夫安东尼奥》(1960)、《天使和血》(1961)、《姐妹的生日》(1961)、《犹太人》(1966)、《地狱》(1967)等。

Santayana, George 桑塔亚那(1863-12-16,西班牙马德里～1952-09-26,意大利罗马) 西班牙裔美国哲学家、诗人和人文主义者,曾对美学、思辨哲学和文艺批评做出重大贡献。1912年起旅居欧洲,主要在法国和意大利。

早期生活和经历 乔治·桑塔亚那出生于马德里,父母皆西班牙人。他始终没有放弃西班牙国籍。虽然他用英语写作流畅自如,但在1872年被母亲接到波士顿以前他从未学过英语。此后40年,他大部分时间在新英格兰居住。先后入波士顿拉丁语学校和哈佛学院,1886年以最优异成绩在哈佛学院毕业。随即去柏林大学学习两年哲学,然后回哈佛,在实用主义哲学家W.詹姆斯指导下完成博士论文。1889年任教于哲学系,与詹姆斯和唯心主义哲学家J.罗伊斯共同形成著名的哲学界"三巨头"。尽管如此,他对欧洲怀着强烈的依恋心情。在暑假时回西班牙探望父亲,访问英国。每个休假年都在国外度过:在剑桥大学,在意大利和东方,在巴黎大学。

哥伦比亚大学供图

在哈佛开始写作。《美感》(1896)是对美学的一个重要贡献。这篇论文谈论美感的性质和成分,认为判定任何事物为美"几乎就是建立一种理想",要理解为什么某一事物被思索为美就会使人能够将一时的理想与那些源于基本感情的、"比较永久和普遍的"理想区分开。桑塔亚那在下一部著作《释诗歌与宗教》(1900)中,特别是在探讨这方面的典型例子R.布朗宁的诗作时,详细说明了美学功能与道德功能之间极其密切的关系。

《理性生活》(1905～1906)是一部重要的理论著作,共5卷。这部书是桑塔亚那在学生时代读了黑格尔的《精神现象学》之后构思的,他自称为"人类智慧的假想传记"。他和黑格尔同样认为,理性生活并不局限于纯智力活动,因为理性的所有表现形式都是感情冲动与观念作用的结合。能够反思和领悟乃是本能。他在一系列文章中给上述理论提出实际证明,后来辑成两卷出版,分别题名《三位诗哲:卢克莱修、但丁和歌德》(1910)和《理论的趋势》(1913),他在后一书中精辟地讨论了P.B.雪莱的诗、法国进化论哲学家H.柏格森以及B.罗素的哲学。

返回欧洲 桑塔亚那于1907年被聘为哈佛大学正教授。但是到1912年,当他正在欧洲的时候,母亲故去,他立即向校方寄去辞呈。尽管哈佛大学提出几项诱人的条件,企图请他返校,但他始终未回美国。

桑塔亚那的辞职使同事们感到惊异,因为他的事业正处于高峰。他所有的著作都得到好评,影响很大,它们与他的教学之间似乎存在着密切的联系。很明显,他是一位天才教师:关心自己的学生,一点也不卖弄学问;非常善于分析各种哲学和有关的诗歌,而在应用依然合情合理的标准去判定它们的时候具有清楚的同情心。不过,也可以看出他的辞职是不可避免的:他讨厌学院的紧箍咒;他愿意专心从事写作;他在美国心情不舒畅。由于出身于而且忠诚于拉丁民族,在思想方面,他不但走得远而且看得深,但最后的结果是使他希望"畅所欲言,用英语述说尽可能多的非英国人的事情"。要这样做会形成压力,因此他便以"走"为上策了。

第一次世界大战爆发时,桑塔亚那正在牛津。战争期间,他一直住在那里。虽然有几位知名人士与他为友,但战争使他伤心,因而过着一种遁世生活。1916年出版《德国哲学中的自高自大》,明显表示他坚决拥护协约国的行动。他还写了一些通俗文章,谈论英国人的性格和英国乡村景象。战争结束时,牛津大学基督圣体学院聘他为终身教授,但他谢绝了。

桑塔亚那的哲学体系 1924年,他永久定居罗马。这里的气氛适合于一个土生土长的天主教徒,他虽然发展成为哲学唯物主义者,认为精神世界是完全理想的和不存在的,但却永远尊重天主教和古典传统。3部新著作巩固了他作为人文主义评论家和作家的声誉,在这方面,长篇小说《最后的清教徒》(1935)使其声誉臻于顶峰。

然而,在两次大战之间的年代,他把大部分精力放在思辨哲学上。《怀疑主义和非理性信仰》(1923)是他与自己早期哲学思想分界的重要标志,又是他在4卷本《存在的领域》(1928,1930,1937,1940)中所阐明的新体系的"批判性导言"和提纲。《存在的领域》研究存在的性质,是一部十分精湛和完美的本体论著作。在这些晚期著作中,桑塔亚那由于在理论上达到更精确、更深入和更和谐一致而提高了自己作为哲学家的重要性。《怀疑主义和非理性信仰》比其他任何一卷著作都更明确地表达了他的哲学思想的基本内容,它阐述了一望而知其本质的理论,描绘了"非理性信仰"在知识的各种形态中所起的作用。

在《存在的领域》中,他非常简单明了地阐述了特别复杂的问题。桑塔亚那像运动员一样轻而易举地穿过了哲学的林海,而E.胡塞尔之流的本体论哲学家们或者像J.-P.萨特那样的存在主义哲学家们却恣意妄为,深陷其中而不能自拔。在桑塔亚那的体系中,"本质领域"是内心的确切无疑的知识的领域。本质是具有生命或实体的一般概念,但是并不具有形态。它们包括颜色、味道、气味以及思维和想象中理想的客体。"物质领域"是各种自然客体的世界;对于这一领域的信念,正如有关存在的一切信念一样,是以非理性信仰为基础的。自然主义在他的全部哲学中占有主要地位,这表现于他坚决认为物质领域先于其他领域。

这样一种哲学使得桑塔亚那能够冷静地接受另一次大战的爆发。他在一个天主教疗养院中租了几个房间,开始写3卷本的自传《人物和地点》(1944,1945,1953)。1944年罗马解放后,这位80高龄的著作家发现美国人慕名来访者"潮涌"而至,应接不暇。这时他正埋头写作《统治和权力》(1951),分析社会中的人群;此后在几乎全聋和半盲的条件下,以惊人的锲而不舍的精神翻译罗伦佐·德·梅迪契的情诗"琥珀篇"。在此期间,他一病不起,于1952年9月去世,距第89个生日仅几个月。按照他的遗愿,他被安葬在天主教公墓中西班牙人的茔地。

Santee 桑蒂人 美国印第安人苏人(Sioux)联盟的一个主要分支。

Santee-Wateree-Catawba river system 桑蒂-沃特里-卡托巴河水系 美国东南部内陆水道。长866千米。上游称卡托巴河，源出北卡罗来纳州西部的蓝岭山脉，东南流350千米至南卡罗来纳州的大瀑布。中游称沃特里河，自大瀑布南流至与康加里河汇合处。以下称为桑蒂河，东南流230千米，在乔治敦南面注入大西洋。自河口至卡姆登通航。为南卡罗来纳州最重要水道和水电能源。水系多水坝及湖泊。

Sant'Elia, Antonio 圣泰利亚(1888-04-30，意大利科莫～1916-10-10，蒙法尔科内附近) 意大利建筑师，以设计未来城市著称。先后在米兰和博洛尼亚大学学习，1912年在米兰开始从事建筑业务，随即参与了未来派艺术运动，作了许多米兰市规划的想象图。有一组称为《新城》的图画，曾于1914年5月在“新趋势”社团举办的展览会上展出。他是社会主义者，认为今后的城市规划必须与历史上的建筑形式完全决裂。他所作的数百幅图纸展示出高度机械化和工业化的城市面貌，有摩天楼和高架多层交通系统。这些图纸现陈列在科莫附近的奥尔莫别墅中。圣泰利亚在第一次世界大战中阵亡，他在现代建筑和城市规划领域中影响甚微，其才能至20世纪60年代才获得国际公认。

圣泰利亚绘《新城规划》(1914)细部

供图:Oscar Savio

Santería 桑蒂里亚教 源于古巴，传到邻近各岛和美国而主要流行在黑人和西班牙裔中间的一种崇拜体系。它是从约鲁巴人的文化传统发展起来的，约鲁巴人(原在今尼日利亚和贝宁)在16～19世纪被陆续输送到古巴作奴隶在甘蔗园劳动。同由非洲人带到新大陆的其他崇拜体系(如海地的伏都教和巴西的马库姆巴教)一样，桑蒂里亚教也是融合基督教和西非信仰。该教既信一个至高的神，又信许多圣人亦即叫作“奥里沙”的精灵，这些精灵各具有一种自然力和一些属于人的行为特征。神职人员叫作“桑蒂罗”，据说具有奥里沙的法力。礼拜方式包括：音乐节奏活动(一般是击鼓舞蹈)，用食物和动物献祭，用骨和贝壳制造的器件占卜，跳神和其他活动。据说这种礼拜显示日常生活问题的根源并指出对策。教徒还相信，奥里沙参与世事，护佑某人，甚至附在某人身上，支配他的行动。该教把天主教成分与非洲传统结合，桑蒂里亚教徒认为，圣彼得就是约鲁巴人矿工和其他工人的守护神奥衮，天主教的火炮主保圣人圣巴巴拉就是勇士奥里沙昌戈。由于有这种结合，非洲人就得以一方面保持固有信仰而另一方面摆出天主教徒的姿态，左右逢源。

Santhāl 桑塔尔人 又称曼吉人。印度东部的部落民族，20世纪后期，人数约538万。他们最大的聚居区是比哈尔、西孟加拉及奥里萨诸邦。另有65 000人住在孟加拉国，10 000人住在尼泊尔。所用的桑塔尔语是蒙达语系赫尔瓦里语的一种方言。许多桑塔尔人在阿散索尔附近的煤矿或贾姆谢德布尔的钢铁厂工作，有些人则每年在一段时间内充当农业雇工。在农村里，他们仍旧过着部落生活，最重要的经济活动是种植稻谷。各村都由世袭的头目领导，由长老议事会辅佐；头目还兼有宗教上和仪式上的职能。若干村联成一个较大的地区单位叫做伯尔格纳，也由一个世袭头目领导。桑塔尔人共有12个氏族，每个氏族再分为若干氏族分支，均按父系传代。同一氏族成员间不通婚。各氏族或分支均有自己在装饰式样、食物、住房及宗教仪式方面的某些禁令和禁忌，其成员必须遵守。多行一夫一妻制，虽允许多妻，但罕见。传统宗教以神灵崇拜为中心，头目的祖灵为重要的崇拜对象。

Santiago 圣地亚哥 智利中部的行政区。东与阿根廷接壤。1826年建省，1974年建为大都会区，面积15 349平方千米，跨中央盆地和安第斯山脉。冬季降雨以及迈波河流域的融雪提供发电和城乡用水。河谷为夏季娱乐胜地和通向冬季游乐区的通道。圣地亚哥大都会区为智利主要工业区和农业区。全国绝大部分工商业活动集中在国家首都、区首府圣地亚哥。圣贝尔纳多(有重要铁路工厂)、上普恩特(造纸和石膏加工中心)、梅利皮亚、塔拉甘特和布因等地有大规模农业、贸易和加工工业。乳制品和牛肉生产也重要。农业主产谷物、葡萄、马铃薯和豆类。开采铜、石膏和石灰石。这一地区的城市相距较近，而且交通便利，有铁路干线和优良的地区公路网，商业极为发达。人口约6 038 974(2002)。

Santiago 圣地亚哥 智利首都，圣地亚哥大都会区首府。位于已改造成运河的马波乔河河畔，东面可见安第斯山高耸的山峰。1541年，西班牙征服者P. de瓦尔迪维亚创建此城市，称“新边境圣地亚哥”。当地居民皮昆切印第安人被置于西班牙殖民者统治之下。最初的城市仅限于马波乔河的两个河湾环绕之处，东端韦隆山(现更名为圣卢西亚山)可俯瞰全城。西班牙统治时期，城市发展缓慢。19世纪初，开始改变原有方格布局，向北、向南、尤其是向西发展。马波乔河南岸排干后，改建成供公众散步的场所，即现在的奥希金斯杨树林。智利独立战争(1810～1818)中，由于具有决胜意义的迈普战役发生在该市的边界以外，所以城市仅遭到轻微破坏。1818年圣地亚哥被定为共和国首都，从此以后，国家财富逐渐汇集于此。殖民时期的建筑遗迹有总督宫、市天主教大教堂、铸币所、领事法庭、圣弗朗西斯科教堂、圣多明各教堂、雷科莱塔·弗朗西斯卡纳教堂及默西教堂。科西尼奥宫是19世纪建筑的典范，而美术宫、国家图书馆、工会俱乐部以及比塔库拉、圣路易斯山和洛库罗区的现代住宅则具有20世纪的建筑风格。

大圣地亚哥有智利最大工业群。主要生产食品、纺织品、鞋类和服装，冶金和采铜业也颇重要。市内还有一个活跃的金融区，设有证券交易所、具数百家分行的大银行和众多的保险公司。圣地亚哥是全国铁路的中心。有公路西达圣安东尼奥港，西北达瓦尔帕莱索港，为该市提供了通往太平洋的出口。市内有地下铁道，普达韦尔有国际机场，洛斯塞里约斯机场则起降国内航班。在洛卡斯蒂约和托瓦拉瓦有两个小型民用机场，埃尔博斯克有一个军用机场。该市文化生活具有世界性，本地风俗中可见欧洲和北美文化的影响。在音乐、戏剧、绘画和文学领域出现一股复苏欧洲和美洲印第安混血人之手工艺的热潮。市内有国家档案馆和许多图书馆和博物馆。高等学校有智利大学(1738年创办)、智利天主教大学(1888年)和国家理工大学(1947)。尽管圣地亚哥是国家的首都，国会却不在此开会，而在其西140千米处的瓦尔帕莱索。最著名的娱乐区有圣卢西亚山和圣克里斯托瓦尔山的公园及其动物园和野营地。众多私营和公共体育俱乐部和体育场馆为人们提供各种的运动设施。法雷永斯有滑雪场，沿海地区有若干休假胜地。人口：大圣地亚哥约4 647 444(2002)。

Santiago 圣地亚哥 巴拿马西部城市。在穆蒂斯港以北的太平洋沿岸低地。巴拿马最古老的居民点之一。殖民时期很繁荣，遗留下许多优美的古老建筑。是内地所产农牧产品的交易中心。邻区发现有金矿。泛美公路通过该市。有一机场。人口约55 146(2000)。

Santiago 圣地亚哥 西班牙西北部加利西亚自治区拉科鲁尼亚省城市。在拉科鲁尼亚市西南51千米，萨尔和萨雷拉两河汇流处。公元813年，在附近的帕德龙发现了相传为圣徒詹姆斯的坟墓。约公元44年他在耶路撒冷殉教后，遗骨据传被迁葬到他在西班牙的传教地。尔后，阿斯图里亚斯国王阿方索二世和三世先后在此墓上建土墙和石墙教堂。该市遂沿教堂四周发展起来，中世纪时成为仅次于耶路撒冷和罗马的基督教朝圣地。公元997年整个城市遭科尔多瓦哈里发辖地军事指挥官曼苏尔的焚毁，仅圣徒詹姆斯墓得以幸免。现存其墓上的大教堂于1078年由莱昂和卡斯蒂利亚国王阿方索六世始建，1211年竣工。现经济以农业和手工业(银

西班牙圣地亚哥市大教堂的西面

供图:Steve Vidler/Superstock

器、煤玉器和木刻)为主,也有酿酒、铸造以及亚麻、纸、家具、肥皂、火柴等项生产。人口约87 472(1991)。

Santiago, Battle of　圣地亚哥战役(1898-06～07)　在古巴圣地亚哥附近进行的结束美西战争的战役,美国在陆上和海上都取得了最后的胜利。1898年5月19日,也就是两国爆发战争的一个月以后,西班牙的一支舰队在海军上将P.塞韦拉的率领下进驻古巴南部海岸的圣地亚哥港口。美国海军的大西洋中队在海军少将W.T.桑普森和中队指挥官W.S.施莱的指导下,封锁了圣地亚哥港的进出口。为了从陆上支持海上的行动,美国军队(包括莽骑兵)在圣地亚哥市以东登陆,并在7月1日至3日通过埃尔卡内和圣胡安山两个激烈战役攻破了该市的外部防线。为了逃避被俘的命运,塞韦拉率领其舰队于7月3日冲出港口。在随之发生的战斗中,全部西班牙舰只都受到了美国舰队炮火的猛烈轰击,搁浅滩头,陷于起火或下沉状态。两星期以后西班牙放弃了古巴的圣地亚哥市。美国的胜利结束了这场战争,摧毁了西班牙海军在新大陆的全部抵抗,同时也提高了美国海军的声威。

Santiago, Order of　圣地亚哥骑士团　约1160年,为了抗击西班牙的穆斯林和保护朝拜圣地亚哥-德孔波斯特拉圣地的虔诚信徒而建立起来的基督教骑士队伍。原称卡塞里斯骑士团,1171年改用现名。1174年卡斯蒂利亚国王阿方索七世把乌克莱斯城交给圣地亚哥骑士团,在那里建成他们的中心修道院。到1493年,这个骑士团已拥有将近70万名成员,年收入6万杜卡。是年天主教君主(费迪南德二世与伊莎贝拉一世)接管了这个骑士团,以期他们为王室效力。

Santiago de Cuba　圣地亚哥(古巴的)　古巴南部省份。面积6 346平方千米。北部多山,亦有中央山谷(东西向,有考托河流过)。马埃斯特腊山沿南部海滨自东向西延伸,其中有全国最高的图尔基诺峰(1 972米)。1959年F.卡斯特罗在率众推翻巴蒂斯塔的诸次战役中,曾以马埃斯特腊山为根据地。马埃斯特腊山区和中央山谷出产咖啡、可可。其他产品有甘蔗、玉米、香蕉、木材、水果等,亦有养牛业。乳品业重要。省会圣地亚哥(古巴的)(**Santiago de Cuba**)是全国主要港口之一,中部公路和铁路干线的南部终点站,四周的群山出产铁、锰和铜等矿产。工业包括烘咖啡、制造家具、酿酒、榨糖和纺织业。人口约990 621(1990)。

Santiago de Cuba　圣地亚哥(古巴的)　古巴东部圣地亚哥省省会。位于马埃斯特腊山山谷中,濒临一海湾。海湾入海口两岸是骤然升起的悬崖峭壁。主要悬崖名为埃尔莫罗,约高60米,崖上有殖民时代要塞莫罗城堡。建于1514年。1589年前曾为古巴首都。在美西战争中为双方争夺的重点。城市附近曾多次进行战斗。1898年7月3日在港口附近沿岸一带进行了战争中最重要的一次海战。1953年7月26日,革命领导人F.卡斯特罗率众向该城的蒙卡塔兵营发起攻击,虽然进攻被政府军所击退,但"七二六运动"却永远载入卡斯特罗业绩的史册。在以后的20年中,该城人口迅速增长。圣地亚哥市设有东方大学(1947年建立)、医药学校、体育场和几座博物馆。城市以文化和旅游中心闻名。周围山区有铁、锰及铜等丰富矿藏,为中部公路和铁路干线的南部终点站。人口约405 354(1990)。

Santiago de Guayaquil(Ecuador)　**圣地亚哥-德瓜亚基尔**　参阅**Guayaquil**瓜亚基尔。

Santiago de los Caballeros　圣地亚哥-德洛斯卡瓦耶罗斯　多米尼加共和国圣地亚哥省省会。濒临北亚克河。地处肥沃的锡瓦奥谷地。欧洲人在美洲最早建立的居民点之一。虽经多次地震和火灾的袭击,但仍能幸存而多次定为共和国首都,现仍可见到一些旧城的废墟。名胜有圣路易堡、各种宫殿和圣地亚哥大教堂。1974年建有工科大学。经济主要依赖生产卷烟、糖酒、家具、药品、肥皂、皮革制品和食品加工业。这个城市在圣多明各通往最西北部蒙特克里斯蒂的公路干线上。人口365 463(1993)。

Santiago de Surco　圣地亚哥-德苏尔科　又称苏尔科,秘鲁利马-卡亚俄大都会区的一个社区和区。约成立于1824年(1893和1929年改组)。范围西起苏尔科河,东达安第斯山麓。有泛美公路由北向南穿经。建筑多为高收入者的住宅,一幢幢别墅掩蔽在茂密的园林中。区内有私立中学、国立师范学校、利马大学(1963)和航空学校。娱乐场所有马球和狩猎俱乐部、高尔夫球俱乐部和田径场。人口:区约224 866(1996)。

Santiago del Estero　圣地亚哥-德尔埃斯特罗　阿根廷中北部一省。位于大查科西南缘。面积135 254平方千米。具干燥的亚热带气候。大部为低地平原,典型植被为低矮的灌木丛。西南部和南部有盐沼和湖泊。1553年成为西班牙在阿根廷的第一个据点。1820年自图库曼省划出建省。只有季节性(夏季)降雨,排水不好,仅在杜尔塞和萨拉多河灌溉区有农业。主要农作物有棉花、苜蓿、葡萄、甘薯、各种瓜类等。饲养牛、骡、羊。有多条铁路贯穿该省,通阿根廷各地及玻利维亚和智利等地。人口约720 982(1999)。

Santiago del Estero　圣地亚哥-德尔埃斯特罗　阿根廷圣地亚哥-德尔埃斯特罗省省会。该国最老的连续性的居民点。1553年由西班牙人建立。1556年迁至稍南的杜尔塞河边现址。当地气候极为炎热干燥,但城市四周灌溉平原出产小麦、棉花、亚麻、玉米和苜蓿。市内主要工业为食品加工。著名建筑有哥特式圣弗朗西斯科-索拉诺教堂(1590)和瓦格纳博物馆(展出古人类考古发现物)。有公路和铁路通阿根廷西北部地区和圣菲及罗萨里奥港口。人口约202 876(1999)。

Santiago del Nuevo Extremo(city, Chile)　**新边境圣地亚哥**　参阅**Santiago**圣地亚哥。

Santiago Island(Cape Verde)　参阅**São Tiago Island**圣地亚哥岛。

Santiago Rodríguez　圣地亚哥-罗德里格斯　多米尼加共和国西北部省份。1951年自蒙特克里斯蒂省划出建省。面积1 020平方千米。有国内最大河流北亚克河的几条支流流过。因大部地区属半干旱区,畜牧业比农业重要。但也种植木薯、大蕉、花生、咖啡和烟草。山区有一些伐木业。蒙西翁附近储有钛矿。横跨全省的二级公路通过省会圣地亚哥-罗德里格斯。人口62 144(1993)。

Santiago Rodríguez　圣地亚哥-罗德里格斯　多米尼加共和国西北部圣地亚哥-罗德里格斯省省会。在中科迪勒拉山脉北坡。1936年前名为萨瓦内塔。1951年为新建省的省会。当地商业中心,主要经营烟草、蜂蜡、木材、皮革贸易。通二级公路。人口9 170(1981)。

Santillana, Íñigo López de Mendoza, marqués de　桑蒂利亚纳侯爵(1398-08-19,卡斯蒂利亚-莱昂卡里翁-德洛斯孔德斯～1458-03-25,卡斯蒂利亚瓜达拉哈拉)　即I.洛佩斯·德·门多萨。西班牙诗人、人文主义者,当时主要的文人和政治人物之一。在门多萨拥有广袤的田庄。曾率领贵族对卡斯蒂利亚国王约翰二世作战,以及对穆斯林征伐。搜集有丰富的藏书(现属马德里国立图书馆),扶持艺术,撰写高质量的诗歌。他熟谙法语、意大利语、加利西亚语、加泰隆语。创作了第一批西班牙语十四行诗。他也收录格言,创作传统的说教诗和寓言诗。但是他主要以十首"塞拉尼利亚斯"(牧歌)以及为自己诗集所作的序言而为人所知。

供图:Archivo Mas, Barcelona

Śantiniketan　森蒂尼盖登　又拼 Shantiniketan。印度东北部西孟加拉邦比尔普姆县博尔布尔镇的一部分。过去为独立的城镇。设有诗人泰戈尔创建的维斯瓦-巴拉蒂大学(1921),其前身为诗人创建的露天试验学校(1901)。维斯瓦-巴拉蒂大学 1951 年组建成为一所寄宿制的国际性大学,设有美术、中印文化研究、音乐、舞蹈、亚洲语言研究、师范、理工科等学院以及研究生院等。城镇内保存有泰戈尔故居。1922 年泰戈尔还在附近的斯里尼盖登建立一所学校及其联校,专门研究农村重建、卫生、社会福利以及古代艺术和手工艺的复兴等。许多杰出的印度画家都曾来此学习过。博尔布尔镇人口 38 436(1981)。

森蒂尼盖登的维斯瓦-巴拉蒂大学
供图:Kaypix—Shostal Assoc./美国不列颠百科全书公司

Sāntipur　桑蒂布尔　印度东北部西孟加拉邦纳迪亚县城镇。位于胡格利河北岸。英国东印度公司曾以此地为大工厂中心,其手织平纹细布曾于 18 ～ 19 世纪享誉欧洲。为县内主要棉织业中心,也有农产品贸易与制陶业。1865 年建镇,为印度教朝圣中心,每年有神会。设有加尔各答大学的附属学院。人口 82 590(1981)。

Śāntirakṣita　寂护(活动时期 8 世纪)印度佛教大师、圣人。应吐蕃王墀松德赞(740 ～786 在位)邀请到吐蕃(今中国西藏)。吐蕃发生瘟疫,苯教徒归罪于他,迫使他逃往尼泊尔。据 14 世纪史料,他后来返回吐蕃,促请吐蕃王邀请印度佛教大师莲花生到吐蕃协助他。寂护任桑耶寺第一代住持达 13 年,与莲花生共同讲授瑜伽行派教义和密宗哲学。

Santo(island, Vanuatu)　**桑托**　参阅 **Espiritu Santo** 圣埃斯皮里图。

Santo André　圣安德烈　巴西圣保罗州东南部城市。海拔 743 米。为圣保罗大都会区的一部分。1553 年设镇。1889 年为城市区所在地。20 世纪 30 年代经济开始发展,现在城市许多劳动者为工厂工人。有纺织、金属加工、瓷器、家具等工厂。所在地区出产谷物、甘薯、番茄和其他蔬菜。人口约 648 443(2000)。

Santo Ângelo　圣安热卢　巴西南部南里奥格兰德州西北部城市。在伊茹伊河附近。海拔 306 米。1707 年建。为一以农业为主地区(出产玉米、豆类、牛和猪)的贸易和运输中心。有铁路和公路通上克鲁斯和圣罗莎。建有机场。人口约 64 902(2000)。

Santo Antão Island　圣安唐岛　佛得角共和国西北端岛屿。位于大西洋,距西非海岸 640 千米处。面积 779 平方千米,最高点科罗阿峰海拔 1 979 米。种植咖啡、香蕉、柑橘、甘蔗、烟草、蓖麻和金鸡纳树,饲养马、羊和牛。东北海岸的大里贝拉为首要城镇。人口约 47 124(2000)。

Santo Domingo　圣多明各　多米尼加共和国首都,也是欧洲人在西半球最早建立的永久性城市。位于伊斯帕尼奥拉岛东南岸,奥萨马河口处。1496 年由克里斯托弗·哥伦布的兄弟巴托洛米奥·哥伦布建立,作为新大陆第一块西班牙殖民地的首府。该市亦是西半球最早的天主教的主教辖区。城市原先建在奥萨马河左岸(东岸),称新伊莎贝拉,以纪念伊莎贝拉女王。但后遭飓风摧毁,于 1502 年在河右岸现址上重建,成为西班牙向西印度群岛及附近大陆进行远征探险的主要基地。作为西班牙在美洲属地的政府所在地,圣多明各曾一度繁荣,直到西班牙占领墨西哥和秘鲁后,其重要地位才衰落下去。1586 年,英国海盗德雷克将该市洗劫一空。1655 年市民打败了派来占领该市的英军。1795 ～ 1809 年被法国占领。其后曾被西班牙统治不长一段时间,继而又被海地人侵者占领。1844 年宣布独立,成为新的多米尼加共和国首都,直到 1861 ～ 1865 年随国家归属西班牙。1865 年恢复独立后,该市又一直是多米尼加首都。1936 年一度正式改名为特鲁希略城,以向独裁者 R. 特鲁希略示敬;1961 年特鲁希略遇刺后复改称为圣多明各。圣多明各是多米尼加共和国的工业、商业和金融中心。水电站大坝的建造,为其工业提供了廉价电力,因而对工业发展影响极大。国内最重要工业如冶金、冷冻机械、石油化工、塑料、水泥、纺织及食品加工,均集中在该市。圣多明各亦是该国主要口岸。20 世纪 30 年代,为容纳大吨位轮船,位于奥萨马河口的港口扩建改进,现已能承担大量客货运输。有公路从首都通往国内各地。市内除附近的糖厂外不通铁路。建有一座国际机场。市内有圣多明各自治大学,始建于 1538 年,据称是西半球最古老的大学。其他学校有尤伦纳国立大学(1966)和一所技术大学。文化机构包括国立戏剧艺术学校、音乐学院及国立交响乐队、多米尼加人类博物馆(因其对哥伦布之前的文物收藏而占有重要地位)以及各类公立和私立图书馆,尤其是国家图书馆。大教堂和迪亚戈·哥伦布邸宅是市内两处最著名的殖民地纪念物。大教堂建于 1514 年,具有西班牙复兴时期风格,驰名航海家克里斯托弗·哥伦布的遗骨即置于教堂内。1990 年该市被联合国教科文组织列为世界遗产。人口约 1 817 754(2004)。

圣多明各市的武装部队大楼
供图:Photri

Santo Tomás de Castilla　圣托马斯-德卡斯蒂亚　又称马蒂亚斯-德加尔韦斯。危地马拉东北部港口。濒临阿马蒂克湾。19 世纪比利时人最早在该地定居。1958 年正式改名为马蒂亚斯-德加尔韦斯,但旧名更为通用。政府不满于外国控制邻近的巴里奥斯港,在圣托马斯建深水港和规划城镇。1975 年开放一贸易和工业自由区。现为全国最繁忙的港口,主要装卸杂货,而巴里奥斯港仅限于农产品。也是全国海军司令部所在地。行政上隶属于巴里奥斯港。其人口也计入巴里奥斯港市。

Santo Tomé de Guayana(Venezuela)　**圣托梅-德圭亚那**　参阅 **Ciudad Guayana** 圭亚那城。

Santonian Stage　桑顿阶　上白垩统(自下而上)6 个主要地层单元的第 4 个,代表桑顿期(8 750 万年前至 8 400 万年前)全世界范围内沉积的所有岩层。这个阶的名字来源于法国西部的桑特(Santes)镇,该镇周围区域是这个阶岩层的典型地区。桑顿阶在北欧为格兰奴拉腾白垩层(Granulaten Chalk,意译为"粒状白垩层")所代表,在英格兰为"上白垩层"之一部分所代表,菊在美国为奈厄布拉勒白垩层(Niobrara Chalk)之一部分所代表。菊石类头足动物 *Texanites texanum* 生物带虽然没有出现在典型地区,但它广泛被用来标志这个阶的基底,使用区域远达得克萨斯州、日本、非洲南部、马达加斯加和中东。钙质超微化石 *Marthasterites furcatus* 和 *Lithastrinus grilli* 生物带和浮游有孔虫 *Margino truncana carinata* 与 *M. concavata* 生物带也被用来鉴定这个阶的岩层。桑顿阶覆盖在科尼亚克阶之上,而位于坎潘阶之下。

santonin　山道年　从多种亚洲产蒿属植物的干燥头状花序提取的有毒药物。山道年酸的衍生物是最早的驱蛔药之一,用于人及其他动物,口服给药。现已为效力更强、毒性更低的药物所代替。

Santorin (Greece)　**桑托林**　参阅 **Thera 锡拉**。

Santorio Santorio　圣托里奥(1561-03-29,卡波迪斯特里亚[今斯洛文尼亚科佩尔]~1636-02-22,威尼斯[意大利])　拉丁语作 Sanctorius。意大利医生。首先在医业中使用精密仪器并首先在医学研究中引用定量实

供图:Alinari—Art Resource

验方法(他曾研究基础代谢)。圣托里奥为帕多瓦大学毕业生(1582 年获医学博士学位),后在该校任医学理论教授(1611 ~ 1624)。约 1587 年他似乎曾应召去为一位克罗地亚贵族任私人医生。1587 ~ 1599 年间他的大部时间似乎在南部斯拉夫各国度过,不过此时他仍时常和帕多瓦的同事通信,这其中有天文学家伽利略和解剖学家 H.法布里齐乌斯。圣托里奥是物理医学派的早期倡导者,这一派力求用纯力学观点来解释动物体功能。他还把伽利略的几个发明改用于医学,研制了一个临床温度计(1612)和一个脉时计(1602)。为了验证希腊医生加伦的观点,看人是否还可通过皮肤以"不自觉的发汗"形式进行呼吸,他建造了一个大型称重计,他经常在上面进食、工作和睡眠,以研究其体重的波动同固体及液体排泄物的关系。经连续实验 30 余年,他发现可见的排泄物总量要比摄入量为少。他所著《论医学测量》(1614)是第一部系统研究基础代谢的著作。

Santos　桑托斯　巴西圣保罗州东南部港口城市。位于圣维森特岛靠大陆一侧的冲积平原上。该岛和大陆之间隔一潮汐水道。水道

桑托斯市的港湾和码头

供图:Reflejo—美国不列颠百科全书公司

在城市前展宽成为港湾,可停泊最大船只,码头长 6 千米,同时可停泊约 50 条船。该城 1543 年建立。现为世界主要咖啡输出港。也输出棉花、蔗糖、香蕉、蓖麻油、干牛肉、玉米、海产、橘和皮革。制造并出口运输器材、电机、钢、五金、装饰板和纺织品。有锯木厂、罐头厂。生产水泥、水果糖、肥皂、软饮料、帆布等。库巴唐的炼油厂及一个水力发电站为该市服务。桑托斯为该国最大港口。属亚热带气候,湿热,周围为沼泽,一度不宜居住,但修建排水渠道、平整道路和改进港口以及较好的住房和环境卫生使桑托斯现在成为一个宜人的城市。市郊有瓜鲁雅海滨旅游地,吸引着许多内地游客。有铁路和公路通州首府圣保罗。建有两座机场。人口 415 543(2000)。

Santos, Lucia dos　桑托斯(1907,葡萄牙阿尔茹什特雷尔~　　)　葡萄牙天主教加尔默罗会修女。原为牧羊女,自称于 1917 年在葡萄牙法蒂玛亲见圣母马利亚显圣,该地后来成为圣母圣迹之一。她共见这种异象 6 次。最初一次是在 1917 年 5 月 13 日,当时她与两个堂姐妹正在放牧羊群。圣母显圣的消息引起公众注意,到了当年 10 月,前往法蒂玛参拜的人数已达到 7 万人。据说马利亚是以玫瑰圣母的形状显现的,嘱咐她们要在该地为她兴建小教堂。后来据说许多人在该地看到太阳突然坠向大地的"太阳奇象",桑托斯说那就是圣母降临。桑托斯于 1948 年在科英布拉加入加尔默罗会。1967 年在纪念第一次显圣五十周年时,她陪同教皇保罗六世以及大约 100 万名信徒前往法蒂玛参拜。

Santos-Dumont, Alberto　桑托斯-杜蒙特(1873-07-20,巴西米纳斯吉拉斯州帕尔迈拉[今圣杜蒙特]附近卡班古~ 1932-07-23,圣保罗瓜鲁雅)　巴西发展航空事业的先驱,1909 年研制出的单翼机是现代轻型飞机的雏形。他在法国接受教育,一生中大部分时间住在法国。他对飞行感兴趣,1898 年进行过气球飞行,后开始建造可操纵的飞艇。1901 年制造一艘飞艇从圣克卢起飞,绕埃菲尔铁塔一周,再返回原地,他因此而获得德意志奖和巴西政府颁发的奖金。1903 年莱特兄弟飞行后不久,桑托斯-杜蒙特开始制造重于空气的航空器。1906 年 10 月,他的"14 比斯"双翼飞机赢得了欧洲第一个正式的动力飞行奖德意

供图:H. Roger-Viollet

志-阿奇迪孔奖。11 月,他在 21 秒时间内飞行了220米。1928 年返回巴西,因飞机被用于战争而深感压抑,后自杀身亡。

Santos Montejo, Eduardo　桑托斯·蒙特霍(1888-08-28,波哥大~1974-03-27,波哥大)　拉丁美洲著名记者,哥伦比亚总统(1938 ~ 1942)。1908 年获国立大学法律博士学位,后到巴黎深造。1917 年以后成为自由党积极活动家。1930 年任外交部长。1931 年任桑坦德省省长。1931 ~ 1933 年任出席国际联盟的哥伦比亚代表团团长。1935 ~ 1937 年任参议员。1938 年当选总统,任内发展公共住宅,实行贷款改革,建筑公路,并与委内瑞拉进行边界条约谈判。珍珠港事件后,他与各轴心国断绝外交关系,呼吁促进拉丁美洲的团结,反对帝国主义经济。任期满后仍为自由党积极活动家,1946 年当选副总统。以后主要从事新闻工作。在他拥有的《时代报》上抨击 G.R.皮尼利亚的独裁统治。1960 年纽约哥伦比亚大学因其杰出的新闻工作授予玛丽亚·穆尔斯·卡伯特奖。

Sanudo, Marino　萨努多(1466-06-22,威尼斯~ 1536-04-04,威尼斯)　威尼斯历史学家。他的日记是研究他所处时代历史的宝贵资料。他热爱研究历史和古典著作,曾搜集大量的手稿、珍本、地图和图表。约 1490 年,他开始撰写《执政官们的一生》,记述威尼斯发

轫至1494年9月的历史。1496年1月1日开始写日记，一直坚持到1533年。这些日记形成用威尼斯人观点编写的一部通史。1498年当选元老院议员后，他不仅观察而且参与了他所记述的事件。他的《日记》手写稿达4万页，1879～1902年出版，共58卷。

Sanūsī, as-　赛努西（约1787，北非穆斯塔加奈姆附近图尔什～1859-09-07，昔兰尼加杰格布卜）　北非伊斯兰教教义学家，为20世纪利比亚独立做出贡献的赛努西教团的创立人。他在成长时期亲见统治其祖国的奥斯曼帝国行政官员的腐败。1821年赴摩洛哥首都非斯城继续研究宗教，当时摩洛哥在名义上独立，实际上是法国殖民地。赛努西对外国统治有所体验，又洞察伊斯兰国家内在的弱点，感到必须重振伊斯兰教组织。1828年赴麦加朝觐，顺路访问埃及。羡慕摩洛哥的神秘主义，在埃及先后加入不同教团。1837年在汉志（沙特阿拉伯境内）自建教团，后来称为赛努西教团。这个教团在贝都因人部族中活动，但不干犯他们的部族威权和宗教信仰。1841年赛努西被奥斯曼帝国当局逐出汉志，1843年将教团迁到昔兰尼加，1856年前后又迁到杰格布卜。这一地区远离埃及和奥斯曼帝国的政治势力控制范围，但又靠近北非至汉志和赤道非洲的商旅路线，因此为该教团在部落中进行宣传提供了便利条件。到了20世纪，这个教团发起解放运动，反对意大利殖民主义。利比亚独立后，赛努西的孙子伊德里斯一世自1951至1969年为利比亚国王。

Sanūsīyah　赛努西教团　又拼Sennusiya。伊斯兰教苏非派（神秘主义派）兄弟会组织之一，1837年由赛努西建立。自从1951年利比亚联合王国成立之日起直至1969年它被一个社会主义共和国取代为止，由赛努西教团的首领担任王国的国王。赛努西教团推行改良主义的运动，宗旨为返回早期伊斯兰教的单纯信仰和简朴生活。作为一个传教组织，它力求改革贝都因人的生活，并劝说撒哈拉和中非的非穆斯林人民皈依伊斯兰教。除赛努西大教长及其家族的私人信徒外，绝大多数称为赛努西教友的人并不履行赛努西派的宗教功修。在19世纪末至20世纪初的期间，这一教团在大多数贝都因人中间，在昔兰尼加和锡尔提加、埃及的利比亚沙漠、的黎波里塔尼亚南部、费赞、中撒哈拉及汉志的绿洲居民中间稳固建立。这一教团在昔兰尼加势力最强，它把宗教基层组织札维亚与原有部族体系如此密切地结合到一起，以致在第一次世界大战期间，它能领导教友抗击意大利人。战后，在与英国人和意大利人进行谈判时，赛努西教友以昔兰尼加人民的政治发言人的身份出现，并且在整个第二次世界大战期间一直充当这个角色。1951年12月24日，赛努西教团首领伊德里斯被宣布为独立的利比亚联合王国的国王。1969年9月1日他被卡扎菲上校领导的军事集团推翻。

Sanwa Bank, Ltd.　三和银行　日本的大商业银行。经营国内银行业务和外汇业务。1933年鸿池银行（1877年成立）、山口银行（1879年成立）及第三十四银行（1878年成立）合并，成立三和银行。该行提供全面的国内银行服务及一般消费贷款，并为第一个有联网业务的日本银行（存款的存取可在任何一分支机构办理）。国际业务，特别是外汇买卖由总行和国外的分支机构办理。该行总行设在大阪。

sanxian　三弦　又拼san-hsien。中国乐器，长柄、无品柱，共鸣箱呈椭圆形，两面覆以蛇皮。因琴头装有3个轸子，张弦3根，故名。三弦属弦鸣乐器，通常以宽扁的拨子演奏。一般用来为戏剧和说唱伴奏，也用于乐队中。最大的三弦长约1.2米，音域为3个8度，以右手拨奏。其演奏以雄浑洪亮的滚奏、和弦及指板上大幅度的滑音为特色。20世纪的演奏家白凤岩（1899～1975）和李乙（1932年生）使三弦跃居重要独奏乐器之列。

Sanya　三亚　中国海南省辖地级市，海南省第二大城市，新兴热带海滨旅游、港口城市。位于海南岛最南端。三面环山，南面临海，地势北高南低，依次分布山地、丘陵、台地、平原和谷地。属热带季风气候，干湿明显，5～10月为雨季，10月到翌年5月为干季，多台风。年均降水量1 279.5毫米。西汉时为临振县地，隋为临振郡，唐为振州，宋始称崖州，明清亦称崖州，1912年改名崖县。1984年撤县设立三亚县级市，1987年升为省辖市。面积1 919平方千米。农业盛产水稻、甘薯、甘蔗、花生，以及季节瓜菜（即早春生产北方春夏季瓜菜）、热带水果。经济价值较高的水产品达40余种，鲨鱼翅、鲍鱼干、干海参堪称崖州“三珍”。林业在经济中占重要地位，盛产花梨、子京等珍贵木材。矿产有磷、铁、钛、石灰石等。有著名的田独铁矿。海域石油资源丰富。盐业生产兴盛。工业以轻工为主，有制糖、食品加工、水产加工、木材加工等，还有水泥厂和发电厂。交通便捷，为海南岛南部运输枢纽。海榆东线、西线和中线公路交会于此。海上运输可通广州、湛江、汕头、香港和西沙群岛。三黄铁路通莺歌海等地，现已延伸至全省唯一的万吨级大港——八所港。有定期航班通往广州、香港。建有三亚凤凰机场。三亚丰富的旅游资源和热带风光吸引大量游客。有天涯海角、鹿回头、大东海、小东海、落笔洞、大洞天、小洞天等名胜。人口510 000（2005），其中汉族占55.5%，黎族占42.9%。

三亚河畔新建的住宅小区
中国大百科全书出版社供图

São Bernardo do Campo　圣贝尔纳多-杜坎普　巴西圣保罗州东南部城市。海拔764米。为圣保罗大都会区的一部分。原为殖民地居民点。1553年建镇，1889年为市府所在地。建有许多本国和跨国大公司。主要工业项目有家具制造、汽车装配、纺织和制革。人口688 161（2000）。

São Caetano do Sul　南圣卡埃塔诺　巴西圣保罗州东南部城市。海拔737米。1631年为本笃会僧侣所建。1948年为市府所在地。现属圣保罗大都会区东南部。市内国营公司和跨国公司冶炼有色金属，制造轿车和卡车，生产纺织品和机器配件。还生产化工品和药品。人口140 144（2000）。

São Carlos　圣卡洛斯　巴西圣保罗州中部的高原城市。海拔885米。1865年设镇。1880年为市府所在地。经济以农业、养牛和工业为主。当地出产咖啡、甘蔗、谷物、烟草、棉花和马铃薯等。市内有酿酒厂和纺织厂，设有圣卡洛斯联邦大学（1970）。与州首府圣保罗市通铁路、公路和航空线。人口183 369（2000）。

São Cristóvão　圣克里斯托旺　巴西东北部塞尔希培州东部城市。邻近瓦萨巴里斯河口。为沿海运输港。工业有榨糖和酿酒等。1855年以前为州首府。圣克里斯托旺市保存有17世纪建的圣弗朗西斯科隐修院。人口约62 992（2000）。

São Domingos　圣多明戈斯　几内亚比绍西北部卡谢乌区城镇。临大西洋卡谢乌河河口湾。经济以农业为主，附近的西部海岸地带以种稻为主，内陆种植棕榈，东部生长混合林。圣多明戈斯城有公路和河道与国内其他地区相连。人口19 071（1979）。

São Filipe de Benguela（Angola）　**圣费利佩-德本格拉**　参阅**Benguela**本格拉。

São Francisco River　圣弗朗西斯科河　南美洲河流。全长1 811英里（2 914千米）。是整个流域均在巴西境内的最大河流。源出巴西米纳斯吉拉斯州西南部卡纳斯特拉山脉。自河源向北经巴伊亚州至彼得罗利纳。在彼得罗利纳上游约100英里，河流折向东北，进入急流、瀑布区。出瀑布区后流150英里至注入大西洋的河口。上游地区以多刺植物为主。中游地区覆盖着草原和半落叶林带；下游为泛滥平原地区。河流中的鱼为重要食物来源，包括沙丁鱼。流域气候干旱炎热。多数地区少雨，经常出现旱灾。夏季降雨，其他时期干旱。上游为农业区，下游干燥，宜于放牧。河流水位变幅大，冬季时所有支流均干涸。流域面积为243 681平方英里(631 133平方千米)。彼得罗利纳以上1 000多英里可航行。该河水电潜力约5.2亿千瓦。河流上建有多座供发电用的大型水库。

São Gonçalo 圣贡萨洛 巴西东部里约热内卢州西南部城市。为前州首府尼泰罗伊的东北郊区。工业多样化，以化工业为主。市东有大型水泥厂。所在地区出产柑橘。铁路、公路通尼泰罗伊和内地社区。人口889 828(2000)。

Sao João Baptista de Ajudá 圣若昂巴普蒂斯塔-德阿胡达 前葡萄牙圣多美和普林西比的飞地。在贝宁维达市内，包括一座城堡和一个旧工厂(贸易站)。1788年建立。1961年被达荷美(今贝宁)强行占领；原住在城堡的两名葡萄牙官员及其家人被逐出。

São João da Boa Vista 圣若昂-达博阿维斯塔 巴西圣保罗州中东部城市。海拔729米。1859年设镇。1880年为市府所在地。现为咖啡、水稻、棉花、豆类、甘蔗和水果产区的

圣若昂-达博阿维斯塔市的市中心景色
供图：Plessner International

贸易中心，也生产纺织品、陶器、靴鞋、家具和农业机械，产品通过铁路、公路和航空线运往州首府圣保罗。人口约60 505(1991)。

São João de Meriti 圣若昂-迪梅里蒂 旧称梅里蒂。巴西东部里约热内卢州里约热内卢市郊区和城市。建于1647年。1931年设市。位于圣若昂-迪梅里蒂河源流附近，海拔71米。在里约热内卢市西北23千米。圣若昂-迪梅里蒂周围产甘蔗和牲畜；工业有制革、乳制品、冶金、塑料和橡胶等工厂。有公路通里约热内卢市和内地。居民大多在里约热内卢市就业，有电气通勤列车通该市中心。人口约220 742 (1991)。

São João del Rei 圣若昂-德尔雷伊 巴西米纳斯吉拉斯州中南部城市。海拔860米。初为采金城镇，1838年设为市。保持着殖民时代城市风貌。市内卡尔穆教堂和圣方济各教堂为两座著名的18世纪巴罗克风格的教堂，有巴西雕刻大师A.F.利斯沃亚(人称阿莱哈丁诺，小跛子)的雕刻品。经济以采矿为主，旅游业和纺织及其他制造业为辅。附近有畜禽饲养业，还种植玉米、豆类和水果。货物经铁路送往首府贝洛奥里藏特，市内有几座博物馆。人口约63 680(1991)。

São Jorge Island 圣若热岛 葡萄牙亚速尔群岛中部的火山岛。位于北大西洋中东部，格拉西奥萨岛以南56千米处，面积238平方千米，长58千米，宽6千米。产葡萄酒、谷类、干酪等。主要居住区韦拉什位于该岛西部。1980年的地震使该岛受到严重破坏。人口约9 913(1991)。

São José do Rio Prêto 普雷图河畔圣若泽 巴西圣保罗州西北部的高原城市。海拔475米。位近普雷图河河源。1894年为市府所在地。为一农业区的服务中心。加工农产品、肉类、乳制品、植物油，生产纺织品和化工品。铁路、公路和航空线通圣保罗城。人口约263 454 (1991)。

São José dos Campos 圣若泽-杜斯坎普斯 巴西圣保罗州东南部城市。海拔643米。1767年建镇。1854年为市府所在地。为一出产稻米、甘蔗、豆类、玉米、牛奶和水果的农区服务中心。生产陶瓷、柴油机、轮胎、纸板、肥皂、果酒和人造纤维。铁路、公路和航空交通便利。人口约385 879(1991)。

São Leopoldo 圣莱奥波尔多 巴西南里奥格兰德州东部城市。临锡努斯河。海拔26米。1824年成为巴西南部第一个德国殖民地。1864年建市。现为一农业地区(出产马铃薯、豆类、玉米、稻米、猪和牛)的服务中心。工业生产革制品、武器弹药和铝制品等。设有锡努斯河谷大学(1969)。圣保罗—阿雷格里港公路经过该市。也通河船和铁路。人口约160 228(1991)。

São Lourenço River 圣洛伦索河 巴拉圭河支流。源出巴西南马托格罗索州西北部的波绍雷乌附近，流向西南，在科伦巴以北汇入巴拉圭河。全长约480千米。接纳源于西罗萨里奥附近的库亚巴河之后，其下游有时也称库亚巴河。可通航小船，为贸易和旅游运输线。

São Luís 圣路易斯 巴西马拉尼昂州首府。位于圣路易斯岛的西岸。1612年建立。1615年被葡萄牙人占领。1641～1644年被荷兰人控制。现为该州主要海港和皮奥伊州特雷西纳市产品的主要输出港。与特雷西纳通铁路。工业有炼糖、酿酒、棉纺织、可可加工、冶金产品制造、化工和生产吊床等。输出巴巴苏棕油、蓖麻籽、香脂、皮革、木材、棉花、蔗糖、稻米、木薯和玉米。设有历史和地理研究所以及马拉尼昂联邦大学(1966)。巴西许多著名作家和诗人在此出生。1679年后一直为主教区中心。司法厅等建筑很大程度上保持着葡萄牙殖民时代风格。有公路通贝伦、特雷西纳和巴西利亚，铁路通福塔莱萨，航空线通贝伦和福塔莱萨。人口约164 334 (1991)。

São Marcos Bay 圣马科斯湾 大西洋小海湾。在巴西马拉尼昂州。长约60英里，宽10英里。为梅阿林河河口湾的一部分。接纳格拉亚乌河和伊塔皮库鲁河。湾内有几座岛屿，最大岛为该州首府圣路易斯所在地圣路易斯岛。

São Miguel Island 圣米格尔岛 葡萄牙属北大西洋亚速尔群岛中的最大岛屿。位于罗卡角以西1 190千米处，面积746平方千米。为火山岛，自15世纪以来，遭受过十多次地

圣米格尔岛皮科-达克鲁斯附近的火山口
供图：Graham Young—Photo Trends

震和火山爆发的破坏。现为葡萄牙主要的冬季旅游胜地。出产水果(以菠萝为主)、茶叶、葡萄酒、烟草、谷类、肉类及乳制品等。与附近的圣玛丽亚岛共同组成蓬塔德尔加达行政区。岛上最大城市**蓬塔德尔加达**(**Ponta Delgada**)是该区首府。葡萄牙的超现实主义作家纳塔利亚·德·奥利韦拉1923年诞生于该岛。人口约126 388(1991)。

São Nicolau Island 圣尼古拉岛 英语作Saint Nicholas Island。佛得角共和国岛屿。位于大西洋圣卢西亚岛和博阿维斯塔岛之间，距西非海岸640千米。为一火山岛，岛上多山。面积388平方千米，最高点戈多山海拔

圣尼古拉岛里贝拉布拉瓦镇的港湾
供图：Photri

1 304米。从15世纪起便有人定居，经济以农业(咖啡、柑橘、豆类、谷类)和养马为主。主要城镇里贝拉布拉瓦镇靠近北部海岸。人口约13 500(2000)。

São Paulo 圣保罗 巴西东南部一州。为巴西最富庶和人口最多的州。面积247 898平方千米。生产的制成品占全国总产量一半以上，主要作物咖啡的产量占全国总产量1/3以上。州首府圣保罗为巴西最大城市(在20世纪50年代已超过里约热内卢)。1532年葡萄牙人在该地定居。建立管辖区时，该地称为圣维森特管辖区。1681年改名圣保罗，

圣保罗市州立圣保罗大学的保禄会博物馆
美国不列颠百科全书公司供图

1554年建立的圣保罗镇被指定为首府。在18世纪,该管辖区内的葡萄牙籍居民(称为"保罗人")继续向西方、北方和南方推进。圣保罗原依靠商业、甘蔗种植和多样化的农业,19世纪引入咖啡种植,开辟了一个新的经济纪元。1822年在圣保罗巴西宣布独立,该管辖区成为新的巴西帝国的一个省。1889年成立共和国,圣保罗地区成为州。政治与经济重要性俱增。1889年帝国倒台后,该国3位文职总统都是保罗人。圣保罗州的海岸线长600千米。狭长的滨海地区有潟湖、潮汐水道和山嘴,与马尔山脉的山坡交界。马尔山脉是大陆崖的一部分,大陆崖是海拔460～920米的高原的边缘。高原向西倾斜至该州西部边界巴拉那河。巴拉那河及其支流向西流入拉普拉塔河河口。南帕拉伊巴河从圣保罗市以东转向东北,与海岸平行,流入出产稻米的广阔的泛滥平原。沿海地带平均气温20 °C,年降雨量2 077毫米。高原区平均气温18～20 °C。高山区年降雨量1 500毫米。南回归线在该州南部1/3处穿过。气候温和宜人。沿海地带气候炎热,降雨量大。高原区雨量适中,白日高温,夜晚凉爽。植被多种多样,有几种硬木、野果和可用于医药和装饰的植物。动物的种类和数量也很多,有美洲虎、美洲狮、貘、鹦鹉和短鼻鳄鱼。在葡萄牙人来到之前,两个主要的印第安部族是:住在沿海地带和高原区的图皮瓜拉尼人,和住在内地的塔普亚人。17世纪葡萄牙人贩入非洲奴隶。从19世纪末起,全州人口大约由3种人组成:白种人、黑种人和混血种。以后又来了一些日本移民。巴西式的葡萄牙语为通用语言,英语也很普遍。主要信奉天主教。根据联邦法律,所有公民都可接受免费和义务的初级教育。高等学府有圣保罗大学、麦肯齐大学、公教大学和理工大学——均在圣保罗市。农业已基本上实现机械化。咖啡原为主要收入来源,现仍占总产值的一大部分。工业多集中在圣保罗市及其周围。除咖啡外,其他作物有甘蔗、棉花、玉米、水稻、豆类、巴拉圭茶叶、马铃薯和香蕉、柑橘等水果。一些旧日的咖啡园已改造为牧场,饲养牛、猪、马、羊。公路四通八达。桑托斯为该国最繁忙港口,也是世界上最大的咖啡输出港。圣保罗市有国际机场。人口约36 966 527(2000)。

São Paulo　圣保罗　巴西最大城市,巴西圣保罗州生气勃勃的首府,拉丁美洲首要的工业中心。由于它是世界上大都会人口增长最快的城市之一,它也是南半球最大的城市和世界上最大的大都市之一。有时圣保罗被称为"牵引巴西前进的火车头"。市中心是一座排满钢筋水泥和玻璃的现代化摩天大楼的不断扩大的迷人方阵,生气盎然,充满活力。巴西高原和大西洋之间是大陆崖,大陆崖上有马尔山脉,圣保罗就位于马尔山脉山麓,在里约热内卢的西南约220英里(354千米),地处桑托斯港西北约30英里的内陆。此地原为1554年1月25日耶稣会教士所建立的聚居点,这一天是圣保罗转意归主的周年纪念日,城市因此得名。

自然与人文地理

地貌　城市位置　巴西高原是古代结晶岩石构成的,这些岩石在圣保罗附近形成一片表面稍圆的丘陵,上面覆盖有淡红色的黏土。诸如铁特河(圣保罗就位于岸边)等河流都发源于大陆崖附近,大都向西流至巴拉那河;它们沿途穿过覆盖在结晶岩上面的一层层砂岩和石灰岩,以及形成巴拉那高原的火山岩层。这里有急流和瀑布,还有可供应大量水电的堤坝和水库。

圣保罗海拔2 690英尺(820米),被开阔的田野、山谷和丘陵所环绕。较高的地带是一些高级住宅区;在铁特、皮涅鲁斯和塔曼杜阿泰三河沿岸的冲积地地势较低,为工人住房、制造工厂和商业企业所在地。市区面积为576平方英里;圣保罗大都会区延伸覆盖面积达3 070平方英里,其中包括一些郊区如圣安德烈、迪亚德马、圣贝尔纳多-杜坎普、南圣卡埃塔诺、奥萨斯库、瓜鲁柳斯、迈里波朗、巴鲁埃里、圣安娜-杜巴纳伊巴、弗朗库-达罗沙、莫日-达斯克鲁济斯等。城市周围的开阔地面,黏土中混合有砂粒状沉积物,被用作精耕细作的商品菜园。附近的坎塔雷拉山中保存有约39平方英里的保留林,而圣桑托斯和瓜鲁雅的海滩是宜人的游乐胜地。

气候　南回归线在大约南23°27′处通过圣保罗,并粗略地标示出南美洲热带和温带的界线。然而由于其地势高,圣保罗具有鲜明的温带气候。7月最冷,平均气温14.4 °C,偶有霜冻。2月最暖,平均气温20.6 °C。雨水充沛(特别是10月至3月间的夏季),每年平均达56英寸(1 422毫米)。湿度和空气污染共同形成的朦胧薄雾常笼罩整个城市。

城市规划　圣保罗的中央商业区位于远近驰名的特里安古洛一带,这里1975年落成的42层的意大利大厦拔地而起,高达558英尺。1947年,圣保罗全市仅有三座摩天大楼,其中新建的36层的圣保罗州银行最高。现在全市的现代化大楼星罗棋布,展示了各种建筑材料的应用,也反映出各式各样的建筑风格。

中央商业区的周围是从事加工制造、零售批发贸易和维修业务的广阔地区。住宅区极其广阔,特点是许多低层的红瓦房屋,其间散布着高耸的居民楼、办公楼。郊区购物中心和郊区居民区已屡见不鲜。

圣保罗在1889年以前没有城市规划,直至1972年才通过分区规划法。因此,一直到了19世纪,这个州的首府仍保存有殖民时代的面貌,有狭窄、未曾铺平的街道,有破旧的建筑物,有耶稣会和方济各会风格的老教堂和女隐修院。自19世纪迄今,历届市政当局都试图促进市区发展更加合理化和实现城市运输系统现代化。已列入市政项目的有:铁特河和塔曼杜阿泰河的拉直和改道,大街和大道的扩宽和迁移,新公园和人工湖的开发,超级公路和40英里地铁的建设等。但城市街道排列仍缺乏总体的连贯性,市内交通堵塞和污染问题已经非常严重。

人民　圣保罗原有的居民大多是葡萄牙南部迁来的移民,比较贫穷;然而,他们是想积极改善自己生活状况而永不休止的人民。他们之中有些探险家,组织远征队深入南美洲内地,搜寻奴隶和矿藏;在此过程中,他们扩大了疆界,形成了今日的巴西。

随着1880年后圣保罗州咖啡种植业的大发展,涌入大量欧洲移民。数量最多的是意大利人和葡萄牙人，还有许多西班牙人、日尔曼人和东欧人。其他移民有来自日本和中东的。现在，圣保罗的日本人比日本本土以外任何其他社区的日本人都多，日本农民给该市供应许多水果和蔬菜。圣保罗还有更多的人是从巴西内地（主要是从东北部）迁来的。其中有许多黑人，他们是非洲奴隶的后裔。总而言之，人口中欧洲人占1/2以上，黑人和黑白混血人约占1/3，其余是数量较少的亚洲人和其他地方人的群体。人们差不多普遍信奉天主教，圣保罗大主教区是世界上教友数量最多的教区。其他各教的信徒较少，许多保罗人（圣保罗居民被称为保罗人）也参加当地的宗教崇拜仪式。虽然有些人通常操其他一些语言，但葡萄牙语仍是最流行的。人口：市约9 785 640；大都会区约17 833 757(2000)。

经济 工业与商业 工业发展始于19世纪末期，然而圣保罗大都会区自第二次世界大战以来已成为拉丁美洲最重要的工业中心。圣保罗常被人们称作“南美洲的芝加哥”，可是实际上圣保罗在巴西工商业的主导作用远远超过芝加哥在美国的作用。它的工业产值在巴西最大，遥遥领先；主要生产纺织品、机械和电器、家具、食品、化工和医药产品等。此外，在陶巴特附近有重型冶金厂，在库巴唐有炼油厂和化工厂，在圣贝尔纳多-杜坎普、圣安德烈及其他郊区有制造机动车辆和农用机械的工厂。圣保罗数千家制造工厂可为15%左右的人口提供就业。最近数十年内，工业虽然迅速发展，但对不断增长的劳动力仅能吸收其中很小的部分；因此，失业和就业不足仍是持续性的问题。

批发和零售商业二者都很发达，它们按照各自特点分区布置在全市。银行集中在市中央的特里安古卢，但几乎在各个区都设有分支机构。除了重要的巴西银行之外，还有代表南北美洲、欧洲、亚洲和非洲利益的金融机构。在就业方面颇显重要的是沿街贩卖、在街道上摆摊设点和住地附近的商业网点。

交通运输 主要的交通干线从圣保罗向各方辐射。在市内有康格恩赫斯机场，东面15英里有库姆比卡斯机场，西北60英里有瓦若可布斯机场。这三个大机场连同其他几个小机场，可为圣保罗提供国际和国内航空服务。圣保罗航空公司（VASP）是巴西第二大航空公司，产权属于圣保罗州，总部设在本市。通过桑托斯港可通海运。圣保罗还是铁路交通枢纽，其中有一条从桑托斯通往智利安托法加斯塔横贯大陆的铁路干线。有现代化公路可连通内陆各城市、桑托斯、里约热内卢以及几乎所有巴西各州。市内第一条高速公路于1969年开通，地铁系统也于1976年通车。市内和郊区的汽车交通负荷沉重，尽管街道和公路有所改善，而拥挤堵塞仍为重要而日益显著的问题，使城市的空气和噪声污染的严重状况有增无已。

行政管理和社会状况 政府和服务 圣保罗由市长和市参议会管理。它也是圣保罗州的首府，州政府设于莫伦比西南区的班代兰蒂斯宫。圣保罗除设有州政府的各部、局外，还设有联邦政府的许多分支机构。南北美洲、欧洲、亚洲和非洲各国的领事馆共有50多个。

该市已建成一系列的水库、坑道和运河为市区人民供应淡水，估计市区人口到2000年可达2 000万。1969年开工的康特瑞拉自来水工程极大地增加了供水量；然而人口急剧增长，总是供不应求。由于载有工业废水而被筑坝控制的溪流流速减慢，污染是始终存在的一项威胁。自1900年以来，电力供应充沛。首先，筑坝蓄拦铁特河水，河水通过水渠从大陆崖直泻注入其下的发电机发电。随后，又在西边许多河流上筑起拦河坝，如与巴拉圭联合修建伊泰普坝，以供应该市工业和居民区所需要的电力。

公立和私立卫生保健设施很多，有公务人员医院，产科医院和治疗癌症、结核病及其他疾病的专科医院。

教育 圣保罗公立和私立的初等和中等教育系统都十分发达，还有各式各样的职业技术学校。在高等院校中，有全巴西最大和最著名的州立圣保罗大学，它成立于1934年，后将有历史意义的法律学院（位于古老的圣弗朗西斯科广场）和原有的理工各系，还有药学、牙科、农业和医学诸系合并。后来又增加经济、建筑、工程等学科。附属机构中还有1933年建立的社会学和政治学学院与布坦塔研究所，后者是世界著名的蛇类及抗毒素和抗蛇毒素生产的研究中心。圣保罗宗座公教大学和麦肯齐大学分别于1946和1952年成立。热图柳瓦加斯基金会所建立的企业管理学校也很著名，它是第二次世界大战后为培训管理人员而创立的。

文化生活 早先圣保罗之所以成为一个著名的文化和知识中心，主要是由于1827年开办了巴西首批两所学院之一的法律学院，这所学院培养出许多全国最知名的领袖。圣保罗历史和地理研究所于1894年建立，是该州最古老的文化机构之一。该市也是图书馆、出版社和剧院的主要中心。市立图书馆就设在市内一所摩天大楼之中。1922年由一些青年作家、美术家和音乐家在市立剧院所举行的圣保罗现代艺术周推出了巴西现代主义的艺术。1947年创建的圣保罗艺术博物馆或许是南美洲最佳的博物馆，当代艺术博物馆也很出色。圣保罗交响乐队在音乐领域中同样也是先进的。

圣保罗早已有新闻出版和广播。几家全国最大且最有影响的报纸都在本市出版，其中《圣保罗州报》和《大众日报》二者都有100年以上的历史。1950年创办电视，本市是一些最重要的拉丁美洲无线电广播电台的所在地。

保罗人以热爱体育运动而著名。英式足球是最具吸引力的运动，这从有15万个座位的莫伦比体育场和有7万个座位的帕卡恩布体育场可得到证明。群众喜爱的运动还有游泳、网球、排球、篮球和汽车比赛，在圣保罗南边的印第安诺波利斯有一处汽车跑道，它是世界上最大的跑道之一。还有不可胜数的公园、街头广场和游乐场。圣保罗动物园有3 500头动物，是拉丁美洲最大的动物园。

历史

圣保罗是巴西最早的高原聚居地。1554年开始时它是葡萄牙耶稣会教士领导下的一个很小的印第安人聚居点，处于高草和矮树丛生的铁特河低台地之上。社区增长很慢，到16世纪末仅有居民300人。然而1560年圣保罗已成为一个镇，有镇参议会，可立法和执法。1683年它继圣维森特为世袭封地首领的驻地。其居民早已被称为保罗人。

在整个17世纪期间，圣保罗都是武装起来的开拓者远征的基地。1711年圣保罗获得了城市的地位，然而当时它仍是必须经历显著发展的农业城镇。

1822年9月7日，巴西葡萄牙人皇帝佩德罗一世宣布巴西独立；宣布独立的地点在圣保罗，现由伊皮兰加博物馆和纪念碑所标明。不过，直至19世纪后半期以前圣保罗仍保留殖民地的性质。后来，咖啡种植业突然在圣保罗州铺开，为开始大批涌进的许多欧洲和其他地方的移民提供了就业机会。这些移民中有意大利人（数量超过巴西本地人）、葡萄牙人、西班牙人、日耳曼人、东欧人、叙利亚人、黎巴嫩人和日本人。一个要将圣保罗改造成为一座世界级现代化城市的时代业已开始。

在1885和1900年之间，圣保罗地区已从一个孤立的边远地区改造成为一个以圣保罗和桑托斯港为中心的新的独立地区。由于咖啡业的发展，城市活动的主要中心转移到圣保罗，该市的发展迅速惊人。到1905年新的工业有纺织厂、制鞋厂和其他利用当地原料的制造厂。单单棉纺织厂就雇用了3.9万名工人。

在19世纪末期，圣保罗的人口仅相当里约热内卢的1/10；到1970年圣保罗已成为巴西最大的城市，也是世界上最大的城市之一。它的人口几乎占圣保罗州（巴西人口最多的行政区）的1/2，其工业就业人数约占全国的1/3，而且这两个比例数还在继续增长。每年涌入该市的移民（特别是从贫困的东北部迁移来的）为30万人。圣保罗是一个充满活力的城市，持续不断的发展和官方的估计表明：到2000年圣保罗的人口将超过上海，成为仅次于墨西哥城的世界第二大城市。

São Paulo de Luanda(Angola) **圣保罗-德罗安达** 参阅 **Luanda** 罗安达。

São Roque, Cape **圣罗克角** 巴西大西洋东北岸的岬角。在巴西北里奥格兰德州。在州首府纳塔尔以北32千米处。常被视为南美大陆的最东端，但真正最东端是其东南方的布朗库角。

São Salvador(Brazil) **圣萨尔瓦多** 参阅 **Salvador** 萨尔瓦多。

São Tiago Island **圣地亚哥岛** 又作Santiago Island。佛得角共和国面积最大、人口最多的岛屿。位于大西洋，距西非海岸约640千米。面积991平方千米，最高点安东尼亚峰海拔1 392米。全国农业最发达的岛屿，主要作物是玉米，也种植香蕉、柑橘、甘蔗、咖啡和蓖麻。水产丰富。计划在西北海岸塔拉法尔镇修建新贸易港口。南岸普拉亚（**Praia**）为佛得角共和国首都。人口236 352(2000)。

São Tomé, Cape　圣多美角　巴西大西洋沿岸的岬角。在巴西东部里约热内卢州。在坎普斯东南40千米处。由南帕拉伊巴河沉积物形成。1501年首次被欧洲人发现。

São Tomé and Príncipe　圣多美和普林西比　全称圣多美和普林西比民主共和国，非洲中部国家，位于几内亚湾中的赤道上，由两个主岛（圣多美和普林西比）和一些小岛组

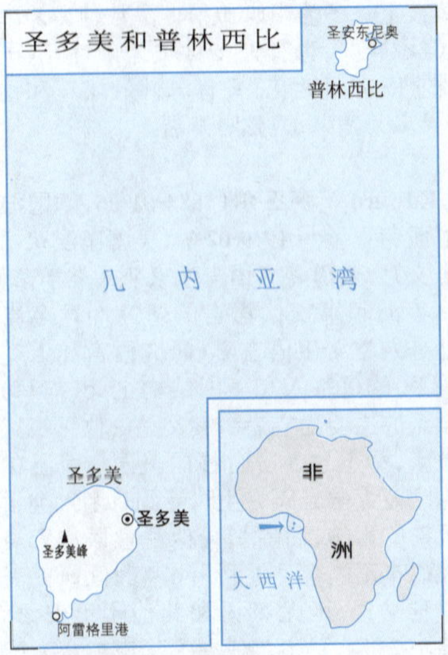

美国不列颠百科全书公司供图

成。总面积1 001平方千米，其中圣多美岛860平方千米。首都和最大的城市为圣多美。人口约147 000（2002）。

土地　两主岛的东北部均为低地，中部为火山高地；两岛均有急流的河川。圣多美岛呈椭圆形，长约49千米，宽约32千米，西部多山（圣多美峰高6 640英尺），东部地势渐渐倾斜。普林西比岛长约16千米，宽约8千米；北半部为平原，南半部多山，最高点为普林西比峰（3 110英尺）。两岛隔海相距约145千米。

气候属热带型，海拔较低地区年平均气温为27 °C；海拔600米以上地区年平均气温约20 °C。10～5月为雨季；6～9月为旱季。圣多美市附近的低地区年平均降雨量约1 000毫米，山地年平均降雨量可高达3 800～5 100毫米。两岛大部分地区均有热带雨林覆盖，1 400米以上高处为山地雨林。两岛的北部和东北部低地有一些草地和林地。

人民　两岛居民种族复杂，但以非洲人为主；有从非洲西海岸运人的奴隶后裔、欧洲南部的殖民者（葡萄牙人为主），还有来自安哥拉、佛得角和莫桑比克的合同工。20世纪70年代，4 000名葡萄牙居民中的大多数离去，并有数百名圣多美难民自安哥拉遣返。官方语言为葡萄牙语，但有数种克里奥耳语广为使用。大部分人信奉天主教。约95%的人口住在圣多美岛，其余则住在普林西比岛。人口出生率很高，但低于非洲的总体平均水平，死亡率很低。人口中几乎一半不足15岁，未来人口无疑将会迅速增长。平均预期寿命在非洲地区相对较高，男性63岁，女性67岁。

经济　圣多美和普林西比的经济部分受政府控制，部分为私营，主要以农业和渔业为基础。国民生产总值增长慢于人口增长；人均国民生产总值属世界最低之列。

约40%的土地为耕地（多半在沿海低地区），其中约80%为国家或外国控制的大型种植园；其余是准许私人保有的小块土地。可可为主要经济作物，种植面积约占全部耕地的一半；其次为椰树和油棕榈（生产椰子、棕榈仁、棕榈油和椰仁干）、香蕉和咖啡。口粮作物有芋头、木薯、面包果和玉米。

远洋捕捞金枪鱼是政府计划扩大的主要经济活动。林业仅限于满足当地锯木的需要。国家大量收购金鸡纳树皮以生产奎宁。制造业仅局限于农作物加工和面包、饼干与饮料的生产以供国内市场。

1975年该国独立前，葡萄牙种植园主、公务员和商人纷纷离去，安哥拉流亡者大批涌入，致使经济陷于瘫痪，可可出口减少。大部分食品至今仍需依赖进口，营养不良一直成为问题。

除占出口80%的可可在国际市场上可卖高价的年份，进口值一般总是超过出口值。其他出口商品有椰仁干、棕榈仁、咖啡和金鸡纳树皮。除食品外，该国主要进口商品为机械、电气设备和石油产品。德国、葡萄牙、荷兰和西班牙为该国主要贸易伙伴。

岛上交通设施不足，但圣多美市有班机通往普林西比岛和非洲大陆加蓬的利伯维尔市。公路总长度约390千米，包括一条环绕圣多美岛的滨海公路。

政体与社会状况　1990年之前，圣多美和普林西比解放运动曾是国内唯一政党。1990年9月的宪法确立了多党民主政体。全国人民议会为立法机关；议员由成人普选产生，任期5年。共和国总统亦由选举产生，任期5年。最高法院为最高司法机关，由人民议会任命。

所有公民均可享受公费医疗。医生人数按人口平均计算高于大多数非洲国家；婴儿死亡率属非洲最低之列。6岁以上儿童须接受免费义务教育。岛上建有数所中学和一所技术学校。

历史　15世纪70年代，欧洲航海家首次抵达圣多美岛时，岛上可能无人居住。其后，葡萄牙人开始将犯人和被流放的犹太人迁徙到该岛，并建起甘蔗种植园，用从非洲大陆运来的奴隶当劳工。在一段时期里圣多美在非洲奴隶贩卖和转运方面亦占有重要地位。17世纪，荷兰人短期占领该岛。在一度衰落后，19世纪末期该殖民地因种植可可而再度繁荣。1909年，英国和德国的巧克力制造商因圣多美的种植园所使用的合同工几乎全部是奴隶，遂联合抵制圣多美生产的可可。1951年，该岛连同其他葡属殖民地一起成为葡萄牙的一个海外省。1952～1973年，劳工由于不满种植园的劳动条件，屡屡举行罢工。在60和70年代初期非洲民族主义和葡萄牙殖民主义的冲突中，圣多美和普林西比两岛只扮演了一个次要角色。两岛于1975年7月12日成为独立的共和国。

São Vicente　圣维森特　巴西圣保罗州东南部城市。位于圣维森特岛，邻近桑托斯湾中的桑托斯城。1532年设镇。1700年为市

圣维森特市普拉亚格兰德大海滩的公寓住宅区
供图：Dilson Martins—美国不列颠百科全书公司

府所在地。现主要为旅游地，有普拉亚格兰德大海滩。人口：城市区约254 718（1991）。

São Vicente, Cabo de（Portugal）　参阅 **Saint Vincent, Cape** 圣维森特角。

São Vicente Island　圣维森特岛　英语作Saint Vincent Island。佛得角共和国岛屿。在圣安唐岛和圣卢西亚岛之间。位于大西洋，距西非海岸约640千米。面积227平方千米，最高点佛得山海拔774米。经济以自给农业（谷类、豆类、马铃薯）和渔业为主。1975年建成一座炼油厂。主要城市明德卢（**Mindelo**）位于西北海岸，为佛得角最重要港口。人口约51 257（1990）。

Saône-et-Loire　索恩-卢瓦尔　法国东部布尔戈涅大区一省。由原勃艮第省的一部分组成。法国最大的省份之一，面积8 575平方千米。索恩河在该省东北部与杜河相连接，向南流过索恩河畔沙隆，然后沿着省东边界流。流经以罗马式教堂而闻名的古老城镇图尔尼后，索恩河过省会马孔（**Mâcon**）。卢瓦尔河沿西南边界流经迪关小工业城镇，然后向西南角流去。中部运河经过蒙索莱米讷和布朗济工业基地。一条高速公路与索恩河平行，从巴黎通往地中海沿岸。大陆性气候，冬季寒冷，夏季炎热。西北部是覆盖森林的莫尔旺山脉，中部和南部的沙罗莱地区是著名的养牛之乡。东部的索恩河谷和布雷斯平原是富饶的农业区，种植谷物、甜菜、蔬菜，饲养家禽和奶牛等。索恩河上游马科奈斯高地和沙龙周围的葡萄园生产高级葡萄酒。布朗济的煤矿仍在开采。勒克勒佐有重金属冶金工业。其他地方有纺织、化工和电子设备制造业。该省设马孔、欧坦、索恩河畔沙隆、沙罗勒和卢昂5个专区，属第戎教育区。人口约555 700（1992）。

Saône River　索恩河　法国东部河流。源出埃皮纳勒西南的维奥梅尼附近，向南流，在里昂附近汇入罗讷河。全长480千米。先后流经上索恩省、科多尔省、索恩-卢瓦尔省，支流有杜河等。从里昂上溯至科尔可航里程达375千米，有水闸30个，几乎完全运河化。下游驳船运输量大。总流域面积约3万平方千米。索恩河通过运河与莱茵河和塞纳河相接。

Saora（people） 参阅 **Savara** 萨瓦拉人。

Saoshyans 萨奥什延斯 琐罗亚斯德教义中在世界末日拯救世人的三位救世主中的最后也是最重要的一位，他要扑灭世界的邪恶。另两位救世主是奥谢塔尔和奥谢塔尔马，他们都是琐罗亚斯德的遗腹子。在世界的末期，每一千年有这么一位救世主出世。再过57年，萨奥什延斯在30位伟人的帮助下摧垮魔力而使死者复活。所有死者的灵魂都已净化后，萨奥什延斯便为他们配制白豪麻汁，他们饮后便永葆纯洁。

sap 汁液 植物的水状液体。细胞液存在于活细胞的液胞中；含养分、废物、无机盐类、含氮化合物等。木质部汁液将土壤中的养分（如溶解的矿物质）从根输送到叶；然后其水分通过蒸腾作用排出。韧皮部汁液于夏天将糖分从叶送到其他部分。参阅 **cohesion hypothesis**。

Sap, Thale（Thailand） **他里式湖** 参阅 **Luang Lake** 銮湖。

sap beetle 露尾甲 鞘翅目露尾甲科，约2 000种。常见于酸臭和发酵的植物汁（如腐烂的果实、发霉木材、真菌）的四周，故英文名意为汁液甲虫。长度最多12毫米，卵圆形或长形。有的种鞘翅遮住腹部，有的种腹端露出。扁露尾甲（*Glischrochius fasciatus*）是北美常见种；黑色，有光泽；鞘翅上有两个红色横列带纹。*Conotelus obscurus*、*C. lobiopa* 和 *G. quadrisignatus* 也是代表性的种类。

sapajou 参阅 **capuchin monkey** 僧帽猴。

Sapele 萨佩莱 尼日利亚南部埃多州城镇和港口。临贝宁河，距贝宁湾口和埃斯克拉沃斯沙坝158千米。与瓦里、乌盖利和阿萨巴通公路。萨佩莱是在尼日利亚尚为殖民地时所建。居民为乌尔霍博人。1925年以来成为木材中心，其胶合板和薄板厂为西非同类最大厂家之一。亦以附近的橡胶种植园著称。20世纪60年代始有鞋靴、砖瓦、塑料和化学制品制造厂。亦为当地农产品销售中心。有面粉厂。设有几所中学、一所贸易学校和一家公立医院。人口约122 800（1991）。

Saphar（ancient Arabia） 参阅 **Ẓafār** 宰费尔。

Sapieha FAMILY **萨佩哈家族** 原名Sopiha。波兰历史上重要的贵族家庭，为属于立陶宛的乌克兰波雅尔（大贵族）后裔。莱夫（1557～1633）青年时为基督教加尔文宗信徒，后重新信奉天主教，支持波兰国王。1589～1623年任立陶宛首相，在混乱时期鼓励波兰干涉俄罗斯。帕韦乌·扬（约1610～1665）在对莫斯科大公国、哥萨克和瑞典的战争中十分活跃，反对波兰国王约翰二世卡齐米日·瓦萨的中央集权政策。莱昂（1803～1878）曾参加1830年的十一月反俄起义，1861～1875年任奥属加利西亚议会议长。尤斯塔奇（1881～1963）于1919～1920年任波兰派往伦敦的使节，1920～1921年任波兰外交部长，后为保卫运动的领袖。

Sapindales 无患子目 显花植物的一目，包括柑橘类及其他重要的果树。多为乔木（一些种类的木材质优）、灌木或藤本。无患子目含15科，约500属，约6 200种。无患子科（Sapindaceae）和芸香科两科的种类即占全目种类的一半以上。余下的种类大部分在其他6个科中。无患子目的种类多分布于热带及亚热带，许多种分布于海拔2 000米以下的雨林中。

无患子科有约2 000种，遍布世界潮湿的热带地区；美洲热带尤为丰富。下述无患子科种类产于热带，果实可食：荔枝（*Litchi chinensis*）、红毛丹（韶子，*Nephelium lappaceum*）、龙眼（*Euphorialongana*）、阿基木（*Blighia sapida*）、西班牙酸橙（*Melicoccus bijugus*）及塞内加尔李（塞内加尔滇赤木，*Aphania senegalensis*）。无患子属（*Sapindus*）的种类含皂角苷，能产生皂沫，可用作肥皂的代用品。

芸香科含约1 700种，乔木或灌木。分布广泛，但主要分布于热带及暖温带地区，非洲南部及澳大利亚数量最多。最著名的种类在柑橘属（*Citrus*），分布于世界各地。本属的低矮乔木包括酸橙（*C. aurantifolia*）、柠檬（*C. limon*）、某些柑类及葡萄柚（*C. paradisi*）。

漆树科约650种，包括各种用作观赏植物的盐肤木属（*Rhus*）灌木。本科其他种类尚有芒果（*Mangifera indica*）、腰果（*Anacardium occidentale*）和阿月浑子（*Pistacia vera*）等。漆树属（*Toxicodendron*）含能致接触性皮炎的树脂，毒性最烈的是毒栎（异形裂片漆树，*T. diversiloba*）、毒盐肤木（毒漆树，*T. vernix*）和毒漆藤（毒常春藤，*T. radicans*）。

橄榄科约600种，其中许多种是热带森林中的主要植物。许多种类，如乳香和没药，以含芳香的树胶或树脂而著名。楝科约575种，以材用树种著名，许多属所产木材均称为桃花心木。槭树科不是一个大科，含约200种乔木，但许多种类为整个北温带地区（从北美、欧洲到中国和日本）森林中的主要树种。本科最著名的种为北美的糖槭（*Acer saccharum*）。七叶树科（Hippocastanaceae）含七叶树属（*Aesculus*），该属的种类如马栗树（欧洲七叶树，马栗七叶树，*A. hippocastanum*）用于制纸浆或用作观赏树或遮荫树。

无患子目多数种类的叶为羽状复叶，互生于茎枝上。多为虫媒传粉。多数种类为单性花，雌雄异株，也有许多种类为杂性花（同一植株上既有两性花，又有单性的雌花和雄花）。果多为蒴果，成熟时开裂。

Sapir, Edward 萨丕尔（1884-01-26，德国波美拉尼亚劳恩堡～1939-02-04，美国康涅狄格州纽黑文） 美国著名语言学家兼人类学家，以对北美洲印第安诺语言的研究而声名卓著。他是人类文化语言学（研究语言和人类文化关系）的奠基人和美国结构主义（描写）语言学派的主要建立者。其父是一位正统犹太教拉比，萨丕尔5岁时移居美国。萨丕尔在哥伦比亚大学当研究生时受到著名人类学家博厄斯的影响，后者引导他注意语言人类学潜在的丰富内容。他利用6年时间研究美国西部雅纳语、派尤特语和其他印第安语。1910～1925年，萨丕尔任渥太华市加拿大国立博物馆人类学部主任，对人类文化学作了切实的研究。重要专著之一是关于美洲印第安人的文化变迁的（1916）。还曾致力于美洲大陆西部印第安诺语言的研究。1925年在芝加哥大学执教，1929年提出把美国、加拿大的大量印第安语言及墨西哥、中美洲某些印第安语共分为6大类。1931年，任耶鲁大学教授，创建人类学系，留此工作直到他去世前两年。萨丕尔提出，人们主要是通过语言去理解世界，并写过许多关于语言与文化的关系的论文。他在1931年曾写道，详尽描述言语中的语言学结构及语言学功能，可为我们提

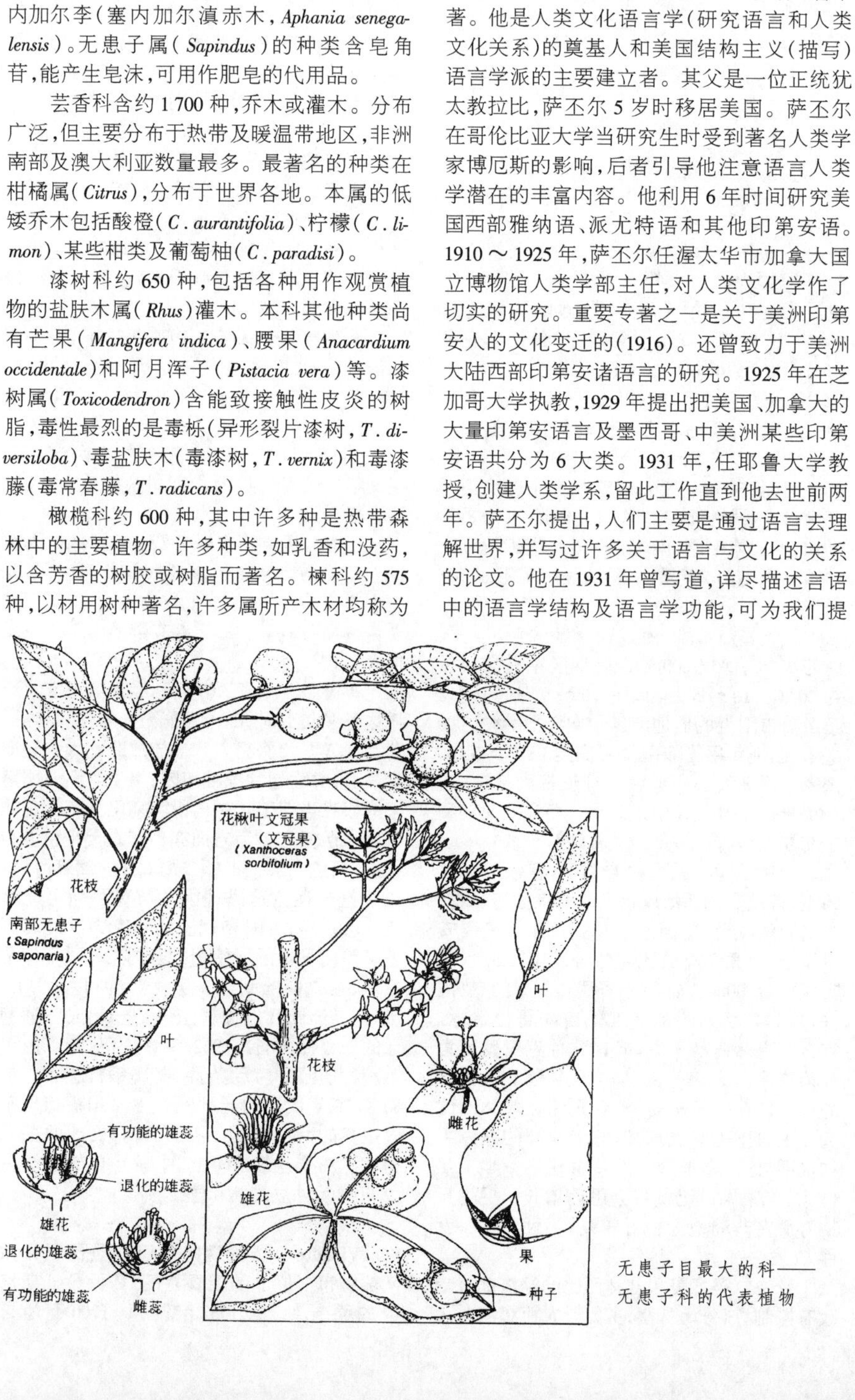

无患子目最大的科——无患子科的代表植物

供一种洞察人类感觉及认知能力的有效手段，并有助于对不同文化背景的诸民族之间不同行为模式进行解释。对比语言学和历史语言学也作过很多研究。他是一位诗人、散文作家、作曲家，同时也是一位声名卓著的学者。他的文体明快、流畅，使他获得极佳文学声誉。著有影响极大的《语言》(1921)和《萨丕尔论语言、文化及个性》(1949)。

Sapir, Pinhas **萨皮尔**(1909，波兰苏瓦乌基～1975-08-12，以色列内瓦提姆) 原名Pinhas Koslowski，Pinhas 又拼 Pinchas。颇具影响的以色列政治人物。20岁时移居巴勒斯坦，加入以色列工党。在英国统治时期，1933年因组织示威和罢工遭监禁4个月。以色列地下军事组织"哈加纳"成员，1948年任军需官，中校军衔。以色列建国后先后任国防部和财政部办公厅主任。1955年任工业和贸易部长，1963年任财政部长。1974年当选以色列犹太代办处及世界犹太复国组织的执委会主席。因有能力在海外犹太社区集资并成功获得美国军事援助而成为以色列政坛中最具实力的人物之一。在保证1969年G.梅厄接替L.艾希科尔出任总理以及后来选定Y.拉宾为梅厄继任人中均体现出他的影响。

sapodilla (*Manilkara*, or *Achras*, *zapota*) **人心果** 山榄科热带常绿乔木。果亦称人心果，味独特，在热带和亚热带许多地区很受重视，通常鲜食，但在世界范围商业价值不大。果球形或卵球形，外表面暗褐色，直径5～10厘米；果肉黄褐色，透明，多汁，味甜，好像梨与红糖同食；含种子3～5枚，成熟时色黑亮，大小如菜豆；未成熟果肉含鞣酸和乳液，味难吃。割开树干可获得乳液，用于制取糖胶树胶(从前是口香糖的重要原料)。人心果在墨西哥南部和中美洲北部野生。栽培者植株中等大小，生长缓慢。木材淡红色，

人心果(*Manilkara*, or *Achras*, *zapota*)
供图：Walter Dawn

坚硬耐用。在某些玛雅遗址仍可见到1 000年前的精心雕刻的人心果木过梁。叶长5～12.5厘米，亮绿色，卵形至椭圆形。花小，不显著。通常用种子繁殖，优良植株可用嫁接繁殖。

sapogenin **皂苷配基** 以类固醇或三萜烯化合物的苷或皂苷(**saponin**)形式存在于多种植物中的一类有机化合物的总称。蟾蜍毒液中的一种类似于类固醇化合物的配基，并不以苷的形式而是以游离态或与含氮化合物结合的形式存在。把类固醇皂苷配基、薯蓣皂苷配基转变成孕酮的方法现已成功。薯蓣皂苷配基的丰富来源是墨西哥薯蓣(*cabeza de negro*)，孕酮用于生产类固醇激素。蟾蜍毒素有损于心脏，可杀死小哺乳动物和青蛙，其化学性质与由洋地黄衍生的皂苷配基相似。用蟾蜍皮制成的药剂，在亚洲已应用很多世纪，欧洲引入洋地黄之前也用以治疗水肿病。

saponin **皂苷** 存在于植物中的多种物质，遇水生成稳定泡沫，包括对心脏有作用的毛地黄组分和其他无作用的物质。非洲和南美土著利用皂苷对心脏的作用，将其用作涂敷箭镞和矛头的毒药。1785年苏格兰医生W.威瑟灵从紫色指顶花提取出毛地黄用于心脏病的治疗。对心脏无作用的皂苷，包括1875年在毛地黄制备中发现的毛地黄皂苷，及从墨西哥薯蓣属植物制取的地奥配基的原料地奥素。一小部分三萜皂苷已从黄豆中分离出来。

saponite **皂石** 蒙脱石(**montmorillonite**)族中的黏土矿物。

sapote (*Calocarpum mammosum*) **美果榄** 又拼 zapote。又称果酱树(marmalade tree)。山榄科(Sapotaceae)乔木，原产中美，已向北栽培至美国东南部。株高约23米；花小，粉红白

美果榄(*Calocarpum mammosum*)
供图：W. H. Hodge

色。木材淡红色，坚硬耐久。果锈褐色，圆球形，直径5～10厘米，果肉红色，味香，可食。

Sapper **萨珀**(1888-09-28，英国康沃尔博德明～1937-08-14，萨塞克斯西奇尔廷顿) 英国军人、小说家。原名赫尔曼·西里尔·麦克尼尔。1920年发表惊险小说《顽强的德拉蒙德》(副题为《一个厌倦和平生活的退役军官历险记》)，一举成名。此后又写了许多受欢迎的续篇，但均不如第一部那样有影响和成功。

sapper **工兵** 军事工程兵。此词源于法语sappe(铲土工作或壕沟)。17世纪时，由于进攻者挖掘掩蔽壕以接近被围困的要塞城墙，该词才与军事工程相联系。当时进攻者也把地道挖到城墙下面，然后把地道搞垮，从而使城墙崩塌。这些堑壕和地道称为坑道，挖掘这些坑道的人就称为 sappers(坑道工兵或工兵)。在现代军队中，工兵有三个职能：他们在战场上架设轻便桥、挖掘坦克陷阱及建设其他工程，以提供战术支援；修筑大型后勤设施如飞机场、补给道路、油库和营房；他们也承担其他的任务，包括排除和销毁地雷、未爆炸的炸弹和炮弹，准备和分发作战地图等。参阅 **military engineering**。

Sapphar (ancient Arabia) 参阅 **Ẓafār** 宰费尔。

sapphire **蓝宝石** 透明至半透明的、天然或人造的刚玉(**corundum**)的变种。大约从公元前800年以来它就成为极珍贵的宝石。其颜色主要是由于含有少量的铁和钛的结果，

亚洲之星，重330克拉的星彩蓝宝石，存放于美国华盛顿(哥伦比亚特区)的史密森学会
供图：Lee Boltin

一般变化于非常淡的蓝色至深靛蓝色之间，最为珍贵的是呈矢车菊那样中等深度蓝色。呈无色、灰色、黄色、淡粉红色、橙色、绿色、紫色及褐色的宝石级刚玉的变种亦称蓝宝石；红色变种称为红宝石。许多蓝宝石颜色不均匀；它也是二色性的，所谓二色性也就是多数变种的颜色随着观察的方向不同而变化。变石蓝宝石在日光下呈蓝色，而在人工照明下呈淡红或紫色，有点像真的变石。在不同条件下，对蓝宝石细心地进行加热和冷却可产生固定的颜色变化(例如黄色变成无色或淡蓝绿色；紫色变成粉红色)。经过强烈的辐射后可变成其他颜色。大多数蓝宝石含有大量微细包裹体，从这些包裹体的反射可产生轻微的带白色的光泽，即所谓的丝绢光泽。星彩蓝宝石之所以呈现星彩，是由于含有微小而整齐排列的矿物包裹体(一般是金红石)和细长的孔洞所致。蓝宝石是许多火成岩(特别是正长岩、伟晶岩和各种贫硅的基性岩类)的原始成分；也产于片岩和变质的碳酸盐岩中。商品蓝宝石大多数采自冲积砾石和其他砂矿床，其中蓝宝石一般与红宝石及其他宝石矿物伴生。这类宝石最著名的来源地(包括某些脉状矿床)是斯里兰卡、缅甸、泰国、澳大利亚(维多利亚、昆士兰、新南威尔士)、印度、马达加斯加、俄罗斯、南非和美国(蒙大拿、北卡罗来纳)。大多数透明的蓝宝石要加工成翻光面型，一般为多面形琢型。这种宝石具有相当亮的闪光，但是由于它们具有中等的色散(即光线分解成单色光)，故显示不多的火彩。颜色不均匀的宝石原材料经过琢磨，可以得到外观颜色均匀的宝石。星彩蓝

宝石和其他不透明的变种都是磨成弧面型，而不是加工成翻光面型。尽管它的硬度大，某些蓝宝石还是可以被琢磨或雕刻的，特别是在东方国家就是这样加工的。1902 年开始商品化生产人造蓝宝石，制造出纯净无瑕的胡萝卜状晶块和细长棒状颗粒。这种人造蓝宝石很多用于珠宝贸易，但大多数人造材料用于制造宝石轴承、仪表、模具、唱机针尖、螺纹的导杆以及其他专门的零件；有些也用做高级研磨材料。人造星彩蓝宝石是用比大多数天然宝石中的蓝宝石更匀称和更清澈的蓝宝石（luminous star）制造的。这种宝石的星彩是通过控制杂质的出溶作用获得的。

sapphire berry（ shrub ） 参阅 **sweetleaf** 山矾。

Sappho 萨福（活动时期约公元前610～约前 580，小亚细亚莱斯沃斯） 又拼 Psappho。希腊著名女诗人，文笔优美，世代享有盛名。就能与读者沟通而论，据认为在希腊文学史上仅次于阿尔基洛科斯和阿尔凯奥斯。用本地方言写作，措词简明生动，善于点评自己的欢乐与痛苦，能冷静地回忆，故其激情深沉有力。据传嫁给安德罗斯岛一个名为凯科拉斯的富翁，并曾与其他贵族一起遭放逐。大半生在莱斯沃斯岛的米蒂利尼度过。作品主题

瓦里出土的约公元前 440～前 420 年的古希腊水罐，上绘萨福坐像
雅典国家考古博物馆供图

以诗人自己与女伴间的友谊及不睦为主，有的诗也描写她的兄弟卡拉克索斯。作品抒发、描写了盛行在当时沉闷气氛中的爱、妒和恨。她的作品与同代人阿尔凯奥斯不同，很少明显涉及当时政治上的动乱。当时，在莱斯沃斯，只有上等人家的妇女参加社交集会。她们可以从事悠闲、高雅的娱乐和消遣，特别是写诗和吟诗。萨福是这些社团之一的主要人物，慕名而至的人很多，有的不远千里而来。她的诗作在她在世和死后三四百年间的出版、流传情况，已无所知。及至学术繁荣的亚历山大时代，曾搜集整理她存世的作品，以标准形式重新出版，计抒情诗 9 卷、哀歌 1 卷。这一版本至中世纪初失传。至 8～9 世纪，只能在他人引文中找到萨福的作品，有 2 首长诗，一首 28 行，另一首 16 行。1898 年以来，残篇随手稿的发现有所增加，但迄未发现新的完整篇章。

Sapporo 札幌 日本北海道首府。濒临石狩川。建于 1871 年。现为重要商业中心，以小樽（临日本海）为外港。有食品加工、木材加工、印刷和出版业。亦为铁路交通中心，设

札幌市中心的大道
供图：Orion Press—FPG

有千岁机场。20 世纪 80 年代在津轻海峡动工修建海底隧道。该市为大众喜爱的滑雪及冬季运动中心，1972 年曾在此地举办冬季奥林匹克运动会。每年庆祝"雪节"，将雪块雕刻成巨大物像。市内有北海道大学（1876）和几处植物园。人口 1 671 765（1990）。

Saprolegniales 水霉目 参阅 **water mold** 水霉。

sapropel 腐泥 含沥青物质的未固结的沉积物。它和泥煤的区别，在于含有较多的脂肪和蜡质，纤维质含量少。当腐泥固结成岩石时，就变成油页岩、沥青页岩或藻煤。其主要组分是富含脂肪和蜡的某些藻类。次要成分为矿物颗粒和孢子、真菌、细菌的腐烂碎屑。这些有机物在还原性条件下集积于水中。

Sapru, Sir Tej Bahadur 萨普鲁（1875-12-08～1949-01-20，印度安拉阿巴德） 印度法学家和政治家，英属印度走向自治中的重要人物，正直而明智，备受英国政府和印度知识分子及政治领袖的信任。1922 年被封为爵士。安拉阿巴德阿格拉学院毕业。1896 年起操律师业。1913～1916 年为联合省立法会议议员。1916～1920 年任帝国立法会议议员。1920～1923 年任总督府法律委员。1930～1932 年代表印度出席伦敦圆桌会议。经他斡旋促成了《甘地-欧文协定》（1931）。据此，甘地中止非暴力抵抗运动并参加第二次圆桌会议。萨普鲁亦部分负责起草浦那协定，修改英方关于印度贱民为单列选民的计划。这项协议使甘地放弃了为抗议英方计划而发起的绝食（1932 年 9 月）。1934 年进入英国枢密院。他支持英国参加第二次世界大战，并不以印度早日独立作为交换条件。

sapsucker 吸汁啄木鸟 䴕形目啄木鸟科的两种北美鸟类。在树上钻一排排整齐稠密的洞，穿透树皮以获得树汁和昆虫。也在半

黄腹吸汁啄木鸟（*Sphyrapicus varius*）
供图：Kenneth W. Fink from Root Resources

空捕捉昆虫。黄腹吸汁啄木鸟（*Sphyrapicus-varius*）约 20 厘米长，在北部地区（在山区则偏南）繁殖，迁徙到西印度群岛和中美洲；落基山脉西部有一地理亚种，红胸红颈。雌雄鸟头部均有醒目的斑纹。威廉森氏吸汁啄木鸟（*S. thyroideus*）见于美国西部的高松林中，但整个分布范围内均不常见。

Saptamātṛkā 七摩怛里 印度教所信奉的七位女神。她们分别是：婆罗摩尼、摩醯首黎、娇么哩、吠瑟拿微、末罗呬弭、印捺哩和遮文茶（或阎弭）。可考的七摩怛里崇拜到了 11 世纪似乎都已绝迹而被日益强大的性力教所融合。

sapwood 边材 又作 alburnum。树木次生木质部的外围活层，功能为将水及矿物质输送到树冠。其细胞中水分较心材多，且无心材中常见的深色沉积物质。色较浅，质较软，在横切面（如树桩）上一般易于辨认。各种树木的心材与边材的比例和形态差异的明显程度各异。

Ṣaqālibah 萨加利巴 在中世纪穆斯林的西班牙，指斯拉夫人，或者来自君士坦丁堡以北黑海沿岸的人。后来泛指在军队中的所有外国奴隶。在 10 世纪的西班牙，购买日耳曼人远征东欧时所俘获的斯拉夫人已经相沿成风。这些斯拉夫人以及来自加利西亚、伦巴第、卡拉布里亚和法兰克人国家的其他奴隶（大都为青年男子）变成了穆斯林，学习阿拉伯语，然后接受当兵或者在皇宫和后宫任职的训练。在西班牙境内，当时萨加利巴的人数随着伍麦叶王朝在伊比利亚半岛及北非的扩张而不断增加。据记载仅在阿卜杜勒·拉赫曼三世在位期间（912～961），奴隶人数就由 4 000 人猛增至 14 000 人。随着人数的增长，奴隶们在穆斯林社会中的地位也在提高。萨加利巴积累金钱和产业，并且拥有自己的奴隶。他们有些成为学者和诗人，有些担任文武要职，成为重大的政治力量。1009～

1091年的混乱时期，萨加利巴在德尼亚、托尔托萨、巴伦西亚和阿尔梅里亚建立了自己的王国。这些小国在1090～1091年间并入西班牙境内新建的穆拉比人的帝国。

Şaqqārah 萨卡拉 又拼Sakkara。埃及古城孟斐斯公共墓地的一部分，在开罗西南24千米处。有埃及历史最早的石室坟墓。墓地以南有第3王朝第2代国王左塞（约公元前

国王左塞在萨卡拉的阶梯式金字塔
供图：A. F. Kersting

2650～约前2575）的阶梯式金字塔。第4王朝的舍普塞斯卡夫在这里建造石室坟墓。第5王朝的国王也在这里建造金字塔。古王国时代（约公元前2575～约前2130）的贵族葬在金字塔周围的石室坟墓里。墓内墙壁上的雕刻描绘人们日常生活的场景。中王国时期（公元前1938～约前1600?）在萨卡拉建造的坟墓比较少。但在新王国时期（公元前1539～前1075），孟斐斯成为行政和军事的主要中心，现已在这里发现当时的许多坟墓，包括霍伦希布将军（后为法老）的装饰华丽的坟墓在内。在萨卡拉还有赛斯王朝和波斯时期几个统治者的坟墓。

Šar Mountains 沙尔山脉 马其顿西部山脉。为巴尔干最崎岖、最难通行的山脉之一，东北-西南延伸约75千米。沿阿尔巴尼亚边境的南延部分，包括科拉比、比斯特拉、亚布拉尼察、加利西亚山岳在内，总长约160千米。是致密褶皱山，有许多陡壁湖或冰斗湖以及锐蚀峰（海拔多超过1 800米），均为当地冰川作用的迹象。山脉之间有一些湖泊和数片洼地，洼地适于耕种和培植果树。森林线以上的牧场可用于畜牧，尤宜牧养绵羊。本地区以生产干酪异常出名。山脉日渐成为登山和冬季运动区，有波波瓦沙普卡冬季运动中心。主要居民点有泰托沃和戈斯蒂瓦尔。马夫罗沃水坝和湖水为弗鲁托克和拉文两水电站供水。沙尔山麓开采铬矿。

Sara 萨拉人 民族集合体，住在苏丹南部边界地区、中非共和国西北部和乍得境内乍得湖以南萨尔周围的中南地区，包括古拉人、卡拉人、克雷什人、恩杜卡人、恩加马人和正统萨拉人，讲尼罗-撒哈拉语系沙里-尼罗语族的中苏丹诸语言，物质文化受到苏丹影响。萨拉人从事锄耕农业（芋头、薯蓣、甘薯为主要作物），兼养牛、绵羊、山羊和鸡，头人在长老议事会协助下管理自治村社。村社由一个族外婚氏族组成，实行一夫多妻制。成年礼每7年举行一次，历时两个月。

Sara Buri 沙拉武里 泰国中部城镇。位于曼谷东北，巴塞河南岸。有公路和铁路通曼谷。经济以纺织业及金属制品、食品、服装、木器等加工业为主。城内一个佛殿仍留有佛陀的脚印，为每年举行庆祝的场所。该镇

沙拉武里镇留有佛陀脚印的佛殿
供图：Jules Bucher—Photo Researchers

是人口稠密的种稻、养牛区。人口约53 467（1985）。

Sara Lee Corporation 萨拉·李公司 美国冷冻烤食、鲜肉与加工肉、咖啡、袜子与针织品以及家用与鞋用物品的主要生产商。该公司于1941年成立，原名南街公司；经过数次更名后，于1945年改名联合杂品公司，1954年又改名联合食品公司。1956年联合食品公司收购一家面包公司——萨拉·李面包房（1935年创立），1985年公司取今名。总公司设在芝加哥，是美国最大的冷冻烘烤食品生产商。它的一些道韦·埃格伯茨子公司是欧洲主要的咖啡销售商；它的哈尼斯牌袜子与内衣是美国主要的产品系列。它还应用几维商标制造鞋油及其他个人生活用品。萨拉·李公司在全世界20多个国家设有制造工厂。

Saraband rug 参阅 **Seraband rug 沙拉班地毯**。

sarabande 萨拉班德舞 原为16世纪粗鄙的西班牙舞蹈。可能起源于墨西哥，也可能是从受阿拉伯文化影响的西班牙舞蹈演变而

J.G.普施纳绘1716年插图画中的萨拉班德舞
伦敦维多利亚和艾伯特博物馆供图

来，传至新大陆后又经修改。男女舞蹈者分别排成两行，由轻快的音乐和响板击节伴奏。1583年西班牙曾严令禁止，但17世纪初叶传入意大利并进入法国宫廷，成为3/2拍子的缓慢、庄重的行进舞。整个17世纪流行于法国，并作为舞台舞蹈得以较久地流传。

Saracen 萨拉森人 中世纪基督教用语，指所有信奉伊斯兰教的民族（阿拉伯人、突厥人、或其他人）。在公元最初3个世纪，晚期古典作家记述的萨拉森人系指西奈半岛上的阿拉伯部族。此后几个世纪，则泛指阿拉伯部

14世纪初期细密画中描绘萨拉森人围攻十字军城堡的场面
不列颠图书馆供图

族。哈里发成立后，拜占廷人把哈里发的一切穆斯林臣民皆称为萨拉森人。这一名称后传到西欧，长期使用，直到近代。

Saraceni, Eugene 萨拉切尼 参阅**Sarazen, Gene 萨拉曾**。

Saracoğlu, Şükrü 萨拉吉奥卢（1887，奥斯曼帝国士麦那附近厄代米什[今在土耳其]～1953-12-27，伊斯坦布尔） 土耳其政治家，总理（1942～1946）。曾在日内瓦学习经济学和政治学。1918年奥斯曼帝国在第一次世界大战中失败后归国。曾参加凯末尔抵制协约国

占领安纳托利亚的运动。1923 年当选为大国民议会议员。1927 ～ 1930 年任财政部长。1933 ～ 1938 年任司法部长。1938 年任外交部长。后任大国民议会议长。作为外长1939

安卡拉文献学院国家图书馆供图

年与英法两国签订同盟条约。在第二次世界大战期间极力保持土耳其的中立地位。1942 ～ 1946 年任土耳其共和国总理，仍继续中立政策，直至 1945 年 2 月第二次世界大战结束前夕向纳粹国家宣战。他的内阁曾推行两项重要的改革法令，即资本征税法和土地改革法。1948 年当选议长，1950 年大选中失去议席。

Sarada script　萨拉达字母　书写克什米尔语的字母，通用于克什米尔及其周围山谷少数受过教育的印度教徒中。当地印度教学校里教授这种字母，但是不用于印刷书籍。萨拉达字母起源于公元 8 世纪，由北印度的笈多体字母派生而来，天城体字母（参阅 **Devanāgarī**）也是从这种字母发展而来。在克什米尔和旁遮普东北部发现的最早的萨拉达铭文刻于 804 年。每个萨拉达字母都有与其相应的天城体字母，而且两种字母排列次序也一样，但外形则有很大不同，萨拉达字母有直而粗的笔划。克什米尔的穆斯林使用波斯-阿拉伯字母，而大多数克什米尔文献则用梵语和天城体字母写成。

Saragat, Giuseppe　萨拉盖特（1898-09-12，意大利都灵～ 1988-06-11，罗马）　意大利政治家、意大利工人社会党的创立者，曾任意大利共和国总统（1964 ～ 1971）。都灵大学毕业。1922 年加入社会党。因反对法西斯党徒，1926 ～ 1943 年被放逐。1943 年回国组织社会党，但被纳粹占领当局逮捕。同年在解放后第一个内阁中任不管部部长。1945 年任驻巴黎大使。1946 年当选为制宪议会议长。1947 年因反对社会党同共产党合作，另组意大利工人社会党。此后不久，任副总理。1948 年当选众议员。1951 年，工人社会党改称意大利社会民主党。1954 ～ 1957 年重任副总理，但因反对政府对北大西洋公约组织的立场辞职。1959 ～ 1960 年任外交部长。1963 年发动反对核电站的运动，同年再度出任外交部长直至 1964 年当选为总统。1971 年辞去总统职务，1976 年任社会民主党书记。

Saragossa（Spain）　参阅 **Zaragoza** 萨拉戈萨。

Sarah　撒拉　又拼Sarai（撒莱）《圣经・旧约》所载犹太人祖先亚伯拉罕之妻，以撒之母。上帝曾应许亚伯拉罕说，要使撒拉成为“多国之母”（《创世记》17：16），她将怀孕生子，撒拉因自己已经年老而不相信。但撒拉 90 岁时生以撒，这就应验了上帝的应许。在这以前，撒拉出于怀疑和恐惧曾把自己的使女夏甲赠给亚伯拉罕，希望夏甲生子。在《创世记》中，撒拉象征顾虑和怀疑；亚伯拉罕代表以色列人的信心和希望。

Saraikela　瑟赖盖拉　又拼 Seraikela。印度东北部比哈尔邦南部城市。为公路交通枢纽与农产品贸易中心。地处起伏的平原，矿藏有铜、铁、石棉和石灰石。人口约 11 180（1991）。

Sarajevo　萨拉热窝　波斯尼亚和黑塞哥维那共和国首都和文化中心。位于特雷贝维奇山麓米利亚茨卡河狭窄的谷地中。城市保持浓厚的伊斯兰特色，有多处清真寺、内部装饰

萨拉热窝市的清真寺
中国大百科全书出版社供图

华美的木制房屋和古老的土耳其集市（巴札尔希亚）。居民约 1/2 是穆斯林。主要的清真寺有加集胡斯雷夫-贝伊清真寺或称贝戈瓦札米亚清真寺（1530）和阿利帕斯哈清真寺（1560 ～ 1561）。胡斯雷夫-贝伊还建造了一座穆斯林学校、一座济贫院和公共浴室。贝戈瓦札米亚清真寺旁有一 16 世纪后期的钟楼。博物馆有市博物馆附属的青年波斯尼亚博物馆、展出 1878 年以来波斯尼亚和黑塞哥维那历史的革命博物馆和一座犹太博物馆。有一所大学（1949），下设矿业学院和理工学院，以及理学院、美术学院和数所医院。原来的 37 条以行业命名的街道有许多保留下来，铜匠街仍旧保持着原貌。

萨拉热窝附近有新石器时代布特米尔文化遗址。罗马人在附近的伊利扎建立了疗养中心，波斯尼亚河发源于此地。有一硫磺矿泉。约公元 7 世纪，先是哥特人，然后是斯拉夫人，开始在这一地区定居。1415 年，萨拉热窝被称为弗尔赫博斯纳。15 世纪后期土耳其人侵入后，该地发展成贸易中心和穆斯林文化的堡垒。杜布罗夫尼克商人在萨拉热窝建起了拉丁区，移居来此地的西班牙系犹太人建立了他们自己的齐富特哈区。17 和 18 世纪该城较为不幸——1697 年，萨伏依王室的欧根亲王焚烧了该城，大火和瘟疫使大部分人丧生。

1850 年，日益衰落的奥斯曼帝国将萨拉热窝作为行政中心。奥匈帝国 1878 年驱走土耳其人，萨拉热窝仍为行政中心，在随后几十年中实行现代化。在这一时期该城也成为波斯尼亚塞尔维亚人抵抗运动的中心。抵抗运动对奥地利统治的愤怒情绪至 1914 年 6 月 28 日达到高潮，波斯尼亚的塞尔维亚人普林西普刺杀了奥匈帝国皇储法兰西斯・斐迪南及其妻子。奥匈帝国以此事件为借口向塞尔维亚发动进攻，从而引起第一次世界大战。1918 年 11 月萨拉热窝议会宣布并入南斯拉夫。第二次世界大战德国占领期间，萨拉热窝抵抗战士对德军进行了数场决定性战斗。战后迅速修复了严重的战争创伤。1992 年波斯尼亚和黑塞哥维那宣布独立后，该城成了激烈的内战战场。

萨拉热窝是公路网中心，有铁路通亚得里亚海。古老的工艺，尤其金属器皿和地毯制造行业，保存至今。为 1984 年冬季奥运会主办城市。工业有甜菜制糖、啤酒、家具、烟、针织、通信器材、农业联合收割机，以及新兴的汽车工业。附近的伊利亚什用萨拉热窝盆地所产褐煤炼焦，并有一座炼铁高炉。人口约 360 000（1997）。

Sarakole（people）　参阅 **Soninke** 索宁克人。

Saramacca　萨拉马卡语　一种以英语为基础的混合语。圭亚那丛林黑人操这种语言。参阅 **Sranantonga**。

Saramago, Jose　萨拉马戈（1922-11-16，葡萄牙阿济尼亚加～ 2010-06-18，西班牙加那利群岛兰萨罗特岛）　葡萄牙小说家，1998 年获诺贝尔文学奖。乡村劳工之子，在里斯本极度贫困的条件下长大。在从事技工、金属加工等多个职业以后，开始在里斯本一家出版公司工作，最后成为新闻工作者和翻译家。1969 年加入葡萄牙共产党，出版了几本诗集。1974 ～1975 年在独裁者 A. 萨拉查被推翻后的文化解冻期，他担任里斯本一家报纸的编辑。随后的反共让他丢掉了工作，50 多岁时开始写小说，这些小说后来为他建立了国际声誉。他最重要的小说之一是《修道院记事》（1982）。此书以 18 世纪的葡萄牙（宗教裁判时期）为背景，记载一位老兵和情人利用一架靠人的意志驱动的飞行器逃离困境的努力。另一部雄心勃勃的小说《拒绝去世的诗人》（1984）叙述了叙述者的浪漫遭遇。小说《石筏》（1986）探讨伊比利亚半岛从欧洲分离而形成岛屿后的情形，而《耶稣基督福音》（1991）设想耶稣是被上帝和撒旦设计的无辜者。在这两本小说中，他为了对人性瑕疵做讽刺性评论，继续在写实历史背景下设定离奇的比喻。他是第一位获得诺贝尔奖的葡萄牙语作家。他也写诗歌、戏剧、随笔等其他类型的文学作品。

Saramo（people）　参阅 **Zaramo** 扎拉莫人。

Saran 萨兰 哈萨克斯坦中东部城市，卡拉干达煤田的主要开采中心。1946年始建于萨兰煤矿附近，1954年建市。有化学和橡胶工业。人口约62 600(1991)。

Saranac Lake 萨拉纳克湖 美国纽约州东北部村庄和四季游览胜地。位于阿迪朗达克山中萨拉纳克和圣里吉斯湖群附近，濒临小弗劳尔湖。始建于1819年，原为一伐木村镇。1884年该村设疗养院后，成为著名的结核病户外治疗中心。作家R.L.斯蒂文森1887～1888年冬曾在此疗养。他创作《巴伦特雷的少爷》的小屋至今犹存。1892年设村。现代设施有州立雷·布鲁克医院，还有一些医学研究实验所，如特鲁多研究所。旅游业和以林业为基础的工业是主要收入来源。美国东部业余滑雪协会设于该村。滑雪运动，尤其在皮斯加山区，是当地主要冬季活动。附近有范胡文贝格山奥林匹克雪橇竞赛滑道。冬季狂欢节(2月)是一年一度的盛举。萨拉纳克湖有北区(初级)社区学院(1967)。人口5 113(1999)。

Sarandon, Susan 萨兰登(1946-10-04，美国纽约州纽约～) 原名Susan Abigail Tomalin。美国电影女演员，多才多艺，富有情感，因在电影《越过死亡线》饰演一个毫不浪漫但订了婚的修女而获1995年奥斯卡奖。1968年从华盛顿的美国天主教大学毕业并获戏剧学士学位后，曾当过模特并在电影和电视剧(主要是肥皂剧)中饰演小角色。在《洛基恐怖秀》(1975)中饰演一个纯情女孩赢得影迷的赞赏。后在L.马莱导演的两部电影《艳娃传》(1978)和《大西洋城》(1981)中得到更大关注，两人发生了恋情。《大西洋城》使她首次获得奥斯卡提名。浪漫喜剧片《百万金臂》(1988)确立了她的明星地位。该片使她与T.罗宾斯相识，两人建立了家庭；这对夫妇成为左派运动的积极支持者。后期电影包括获得奥斯卡提名的《末路狂花》(1991)。

sāraṅgī 萨朗基琴 北印度(印度斯坦)音乐中流行的提琴。萨朗基琴略呈矩形并稍稍压腰的琴身和无品的宽琴颈通常用一块整木刻出。有3根肠衣旋律弦，该琴有时加上金

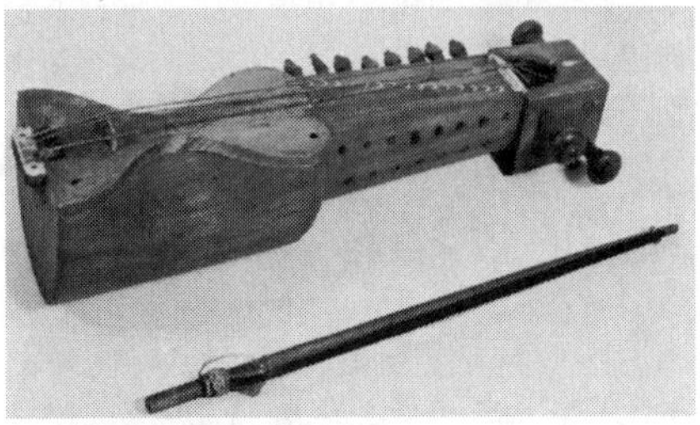

萨朗基琴及琴弓
伦敦维多利亚和艾伯特博物馆供图

属的第4根弦，还常有11～15根共振金属弦。以前为专业女舞蹈演员的乐器，现在用于古典歌舞团中。萨朗基琴有一个广泛演奏的民间音乐变体，叫做萨林达琴，有时亦被人们误称为萨朗基琴。

Sārangpur 萨伦布尔 印度中部中央邦西北部城镇。位于加利信德河东岸，坐落在古代遗址上。有许多耆那教和印度教遗迹。现为重要商业与农产品贸易中心，也有制糖工业与手工织布业。人口约24 330(1991)。

Saransk 萨兰斯克 俄罗斯西部莫尔多瓦城市和首府。位于伏尔加河高地西侧，濒临因萨尔河上游。1641年建为萨兰斯克防线的要塞，一直是重要交通枢纽，有铁路通往梁赞、下诺夫哥罗德、喀山、萨马拉和奔萨。第二次世界大战期间工业得到迅速发展，许多工厂生产机械、电器设备、青霉素和日用消费品。1957年创建一所综合大学，设有莫尔多维亚文化研究所。人口约319 600(1991)。

Sarapeum 萨拉贝姆 又拼Serapeum。古埃及两座神庙名，奉祀希腊-埃及大神萨拉匹。其中一座神庙位于尼罗河西岸，塞加拉附近。最初是为阿匹斯神牛所建。神庙遗址是1850年由法国的埃及学家A.马里埃特发现的。地下室中藏有64具阿匹斯神牛的木乃伊，有大批注明日期的铭文，因而具有编年史价值。另一座神庙萨拉贝姆建在托勒密王朝新都亚历山大，托勒密一世(公元前305～前284在位)选定萨拉匹斯为埃及的主神，令建筑师设计一座神庙，为埃及最大和最好的该神神庙之一。这里是用纯希腊宗教仪式奉祀萨拉匹斯。391年被狄奥菲鲁斯主教捣毁。

Sarapion, Saint 萨拉皮翁，圣(活动时期4世纪中叶) 又拼Serapion。埃及修士、神学家。在关于基督神人二性的神学论战中，拥护亚大纳西(亚历山大的)的正统教义，反对阿里乌派。著有关于圣餐的礼拜仪礼手册，并曾撰文驳斥摩尼教。339年任特穆伊斯主教，阿里乌派联合政界人物反对他，迫使他在359年去职。

Sarapis 萨拉匹斯 又拼Serapis。埃及-希腊宗教所奉祀的神。本来是冥神，后来被奉为太阳神，据说能医治疾病、保证丰收。对他的奉祀沿着商队路线从罗马遍及地中海地区，在各商业城市香火尤盛。诺斯替教认为无所不在的神性钟于萨拉匹斯一身。

萨拉匹斯雕像
供图：Musei Capitolini, Rome

Sarapul 萨拉普尔 俄罗斯西部乌德穆尔特萨拉普尔区城市和行政中心。是卡马河畔的河港。16世纪建为通往西伯利亚贸易通道上的要塞。生产机床、无线电、鞋靴和食品。有几所工学院和一所农学院。人口约110 600(1991)。

Sarasate, Pablo de 萨拉萨特(1844-03-10，西班牙潘普洛纳～1908-09-20，法国比亚里茨) 全名Pablo Martín Melitón de Sarasate y Navascuéz。西班牙著名小提琴巨匠、作曲家。

中国大百科全书出版社供图

5岁开始学小提琴，8岁首次演出，后入巴黎音乐学院学习。1859年开始作巡回音乐会演出，从此驰誉全世界。演奏以音质纯净甜美、音准精确、技艺无懈可击、似不费吹灰之力而令时人折服。许多杰出的作曲家专为他写过乐曲。他还以炫技性小提琴音乐作曲家见称，最受欢迎的作品是《流浪者之歌》(1878)，这是一首由小提琴与管弦乐队演出的吉卜赛风格幻想曲。

Sarasin, Jean-François 萨拉森(1614，法国卡昂～1654-12-05，佩兹纳) Sarasin又拼Sarrazin。法国作家。以嘲讽叙事诗《战败的迪洛》、史诗片段《征服者罗兰》、《西班牙战争》及《瓦蒂尔的殡仪》闻名。曾研究古典文学。1648年进入孔蒂亲王的府邸，从此一生为该家族效劳。他的地位使他得以进入巴黎上流社会，所写诗作机智尖刻。他也写一些历史著作，如《敦刻尔克之围始末》(1649)和未完篇的《瓦伦斯坦的阴谋》，这是一部光辉的叙史典范。他将意大利的诙谐风格引入法国。

Sarasota 萨拉索塔 美国佛罗里达州中西部旅游城市，萨拉索塔县县城(1921)。临萨拉索塔湾。18世纪始见于地图。1885年苏格兰人到此定居。1902年设市。1910年后成为旅游地，建立养牛场。1927年J.林林把林林兄弟及巴纳姆-贝利马戏团总部设在此城。现经济以旅游、养牛和蔬菜种植为主。该市建有著名林林博物馆(展出大批巴罗克艺术品)、阿索洛剧院(1790，运自威尼斯)、马戏博物馆、南佛罗里达大学萨拉索塔分校(1975)和林林艺术学校(1931)。该市附近有

萨拉索塔市的 J. 林林宅邸
供图：Cliff Harden—Shostal

马戏荣誉厅、萨拉索塔丛林公园和州立马亚卡河公园。人口：市 50 961；都会统计区 277 776（1990）。

Sarasvatī　娑罗室伐底　印度教所信奉的文艺女神。根据较晚近的印度教教义，她是大神梵天的配偶。但是，她有自己的作用，即护祐艺术、音乐和文学。传说梵语和梵文天

18 世纪早期手抄本中的娑罗室伐底画像
供图：Pramod Chandra

城字母都是她所创。她的像通常是美丽淑女，通身白皙，白衣，骑天鹅或鹅，手握乐器和书稿。娑罗室伐底也是耆那教和佛教神话中的著名女神。

Saratoga, Battles of　萨拉托加战役　美国独立战争中，于 1777 年秋发生的有利于美军、被称之为战争转折点的几个战役。1775～1776 年美军入侵加拿大失败后，1777 年滞留于圣劳伦斯河的大批英军计划南移。J.伯戈因将军率英军约 8 000 人先后迫降泰孔德罗加要塞（07-06）和爱德华要塞（07-31），渡哈得孙河在纽约萨拉托加附近距美军（1.2 万人，H.盖茨将军指挥）4 英里处扎营。9 月 19 日，英军南进，与大陆军打响弗里曼农庄战役（或称第一次萨拉托加战役），但未能突破美军战线。10 月 7 日，伯戈因率 1 500 士兵外出侦察，遭到 B.阿诺德将军所部美军的猛烈反击，是为比米斯高地战役，亦称第二次萨拉托加战役。10月17日，伯戈因被

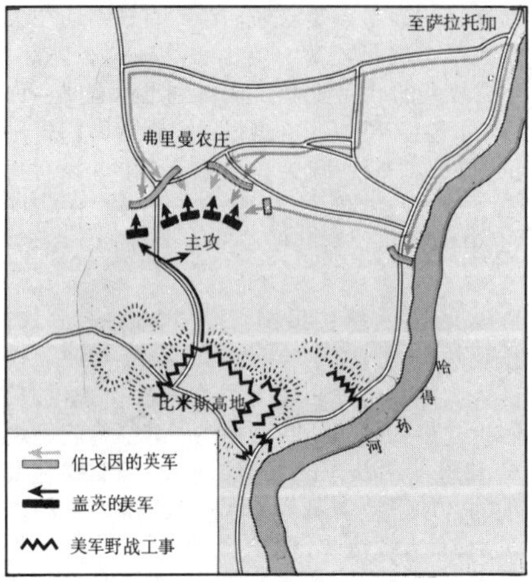

1777 年 9 月的弗里曼农庄战役

包围后率军投降，并签订了《萨拉托加协定》。该协定规定，若降军在战争期间不再在北美服役，则可被释返回英国。萨拉托加战役促

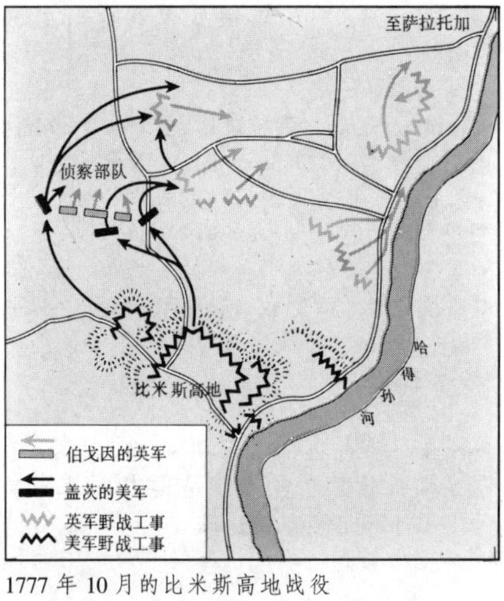

1777 年 10 月的比米斯高地战役

使法国承认美国的独立，并给予美国以公开的军事援助。

Saratoga Springs　萨拉托加温泉　美国纽约州中东部萨拉托加县城市。位于阿迪朗达克山山麓，南距奥尔巴尼 48 千米。当地有许多天然矿泉。1826 年设村，1915 年建市。有纪念独立战争中的萨拉托加战役（1777-09-19～1777-10-07）的萨拉托加国家历史公园。温泉早在 1771 年即已引来游人。1791 年建首家旅馆。19 世纪时已有华丽的维多利亚式旅馆，成为全国最时髦的矿泉疗养地之一。萨拉托加马种改良协会成立于 1863 年，主办一年一度的赛马活动，一直吸引大批游客。市内国立赛马博物馆和荣誉厅，藏有骏马和优秀骑手的纪念物。由于商业性开发，泉水量下降，1909 年 83 眼矿泉归该州管辖。斯基德莫尔学院原为 1911 年建于此地的艺术学校，州立皇家学院开办于 1971 年。私人大庄园“亚多”，1926 年以来即为作家和艺术家的休养所。萨拉托加矿泉疗养地州立公园内有表演艺术中心（纽约芭蕾舞团、费城交响乐团夏季在此演出）。萨拉托加湖在市东南，州立格兰特农舍历史遗址在市北。该市有一些轻工业，产品有纺织品、电子设备、房屋拖车、墙纸等。人口 25 001（1990）。

Saratov　萨拉托夫州　俄罗斯西部一州。位于伏尔加河流域中游，被该河分为两部分，面积 100 200 平方千米。首府萨拉托夫市。右（西）岸大部分地区为河谷和侵蚀的溪谷所隔断的伏尔加高地；左（东）岸为地势起伏的低地平原。干燥的大陆性气候，常有旱灾，年降雨量仅约 380 毫米。开垦肥沃的黑土带几乎破坏了西岸地区所有草原植被，加速了土壤流失。东岸地区为干草原，类似于东南部的半沙漠地区，草地部分为蒿属植物所取代。谷物种植业和牛羊养殖业都很发达。1940 年起工业迅速发展，尤其是伏尔加河沿岸。叶尔尚卡和斯捷普诺耶开采天然气和少量石油，从而发展起炼油和化学工业。人口约 2 707 700（1991）。

Saratov　萨拉托夫　俄罗斯西部萨拉托夫州城市和行政中心。位于伏尔加河中游。1590 年建为伏尔加河贸易航道上的要塞，其地址曾两次迁移，一次在 1616 年，另一次 1674 年迁至现址。19 世纪 70 年代通莫斯科的铁路建成之后，萨拉托夫成为较大的商业中心。今为大型综合工业区。市内跨越伏尔加河的公路桥据说是欧洲最大的公路桥，于 1965 年通车。当地的石油和天然气形成了炼油和大规模化学工业的基地。机械、机床和滚珠轴承，面粉和日用消费品的工业在该市占有重要地位。20 世纪 60 年代在伏尔加河上沃利斯克建成大型水坝和水电站。综合大学创办于 1919 年，设有一所音乐学院和其他高等学校。亦为主要的铁路枢纽，可通往莫斯科、伏尔加格勒、喀山等城市。人口约 892 000（1997）。

Sarawak　沙捞越　马来西亚一个部分，历史上原为一州。构成婆罗州岛西北部。北与文莱和沙巴州交界，东和南界印度尼西亚的婆罗州（加里曼丹）。有犬牙交错的海岸线濒临南海。首府古晋（**Kuching**）。大部分地区被原始热带雨林覆盖。沿岸为沼泽和冲积平原，内地多山，有许多可通航河流。15 世纪为文莱苏丹王国南部省份。1841 年英国冒险家 J.布鲁克因帮助苏丹平定叛乱有功，被封为土王，先后得到美国（1850）和英国（1864）承认。至 1905 年版图逐渐扩大。第二次世界大战时布鲁克“王朝”的统治终止。1946 年割让与英国。1963 年自治并加入马来西亚。经济几乎完全依靠农业。沿海地区所产经济作物有橡胶、胡椒和西谷米。内地施行轮作制。各处种植水稻。主要出口石油产品、木材和橡胶。工业有锯木业和农产品加工业，也生产纺织品、金属容器、肥皂、花砖和小船。居民多为伊班人和华人，还有马来人、陆地达雅克人和梅拉瑙人。河流是内地交通的主要通道。

Sarazen, Gene　萨拉曾(1902-02-27,美国纽约哈里森～1999-05-13)　原名 Eugene Saraceni(尤金·萨拉切尼)。20 世纪 20～30 年代美国著名职业高尔夫球运动员。出生于意大利

供图:AP/Wide World Photos

移民家庭。8 岁起当球僮,先后于 1922 和 1932 年获美国公开赛冠军。1935 年获优秀选手赛冠军。3 次获美国职业高尔夫球协会锦标赛(1922、1923、1933)冠军。连续 6 次代表美国队参加赖德杯赛。退休后在世界各地进行高尔夫球电视宣传,并撰写有关高尔夫球的书籍。

Sarcee　萨尔西人　又拼Sarsi。北美大平原印第安民族,操阿萨巴斯卡语系语言,18 及 19 世纪时居住在萨斯喀彻温河及阿萨巴斯卡河上游附近地区。他们大约在 17 世纪末南移到这个地区,成为黑脚印第安人的北邻,并受到黑脚人的保护,免遭敌人之害。"萨尔西"一名来自西克西卡人(黑脚人)的语言,意为"不好"。萨尔西人吸收了黑脚人文化的主要部分,但有自己的军事会社和太阳舞仪式。烟草是他们唯一的作物,完全用于仪式。他们连续遭受克里人和其他部落的袭击,深以为苦;19 世纪,天花和猩红热流行,人口再度锐减。1877 年,萨尔西人与黑脚人及艾伯塔阿西尼本人共同与当地政府签订条约,将他们的狩猎地区让出,1880 年被安置在居留地。

Sarcocystis　肉孢子虫属　原生动物门寄生性孢子虫的一个属,寄生于哺乳动物(牛、猪、绵羊和人)、鸟类、爬行类的心肌和骨骼肌中。感染的肌肉组织内存在白色囊状团块(肉孢子虫囊),长 25 微米至数毫米。每个肉孢子虫囊分隔成数小间,每小间中有一个新月形孢子样小体。林德曼氏肉孢子虫(*S. lindemanni*)曾见于人的喉、心脏和其他器官的肌肉内。弓形体属(*Toxoplasma*)与之有亲缘关系,而且日益受到重视。弓形体见于许多脊椎动物(包括人类)体内。

sarcodine　肉足虫　肉足超纲(有时称纲或亚门)原生动物。细胞质的内层能流动,可临时突起形成伪足,从而进行运动(阿米巴运动)及摄食。肉足虫包括阿米巴属(*Amoeba*)(参阅 **amoeba**)和一些致病种类,如引起痢疾的溶组织内阿米巴(*Entamoeba histolytica*)等。肉足虫身体球形或不规则形,表膜薄而柔韧。有时有一外壳(*有孔虫*[**foraminiferan**])或骨架(*放射虫*[**radiolarian**])。细胞质由外质与内质组成,内包含一个以上的核。食物由伪足捕捉或靠体表黏附,并在食泡内消化。肉足虫的有性生殖为配子配合,无性生殖为细胞分裂或芽殖。在多核类型的个体中细胞质分裂时发生核分配。有些肉足虫在某个发育阶段有鞭毛;在其他组群具有鞭毛世代与无鞭毛世代的交替。肉足虫可能是单体或群体。虽然有些寄生于植物和动物,但大多数营自由生活,摄食细菌、藻类、其他原生动物或有机碎片。属的鉴别则依据伪足的结构。参阅 **pseudopodium**。

sarcoidosis　类肉瘤病　一种原因不明的以肉芽组织形成为特征的全身病。通常会在 2 或 3 年内自行消退,但亦可能继续发展而侵犯多数器官。可累及肺、淋巴结、眼、唾液腺、肌肉、肝、脾和神经系统的结缔组织。慢性类型的特征性病变为皮肤病损和骨囊肿。类肉瘤病可无症状,亦可在双小腿前方发现红色痛性结节,并且关节疼痛。可引起发热,并持续 6 周到 3 月。慢性型类肉瘤病常引起肺及肾脏的严重病变,肺部病变可使心脏受到损害。

sarcoma　肉瘤　结缔组织的肿瘤(亦称中胚层或间充质细胞瘤)。肉瘤在成人中相当罕见,但在儿童中部是较为常见的恶性疾病之一;往往会扩散到身体的其他组织。一般可分为骨骼以及软组织的肿瘤,后者颇为少见。由于间充质细胞组成各种成熟的组织,所以肿瘤按其特性又可分为骨肉瘤、软骨肉瘤、肌肉瘤或者血管肉瘤。但一个肉瘤内可能含有多种组织,故常以其中最主要的成分命名。骨肉瘤是最常见的肉瘤;在使用抗癌药物之前这种不成熟骨骼(类骨质)的恶性肿瘤病死率非常高,而使用抗癌药物后存活率可提高 90% 左右。有些肉瘤与某种染色体异常有关。

sarcophagus　石棺　考古学术语。埃及第三王朝时期(约公元前2650～前 2575)所使用的石棺都采取宫殿形式并饰以假门窗。第十一王朝开始(约公元前2081)使用匣状的木棺

意大利拉韦纳圣阿波利纳雷教堂内 6 世纪的狄奥多里克大主教大理石棺

供图:Anderson—Alinari from Art Resource/美国不列颠百科全书公司

或石灰石棺。第十七王朝(约公元前1630～前 1540)使用带有人头雕像的人形棺,其材料为纸莎草纸板,稍晚为木、石、陶;王族有时用金棺或银棺。第十八至第二十王朝(约公元前 1539～前 1075),上等阶级在木棺或金属棺外面再加石椁,这种方法一直持续到托勒密王朝时期。希腊本土外的爱琴海地区,在米诺斯文化中期(约公元前 2000～约前 1570)一般均使用彩绘甚精的矩形赤陶棺,棺形有时像房屋或巨耳澡盆。公元前 5 世纪,腓尼基人制作埃及式白大理石人形棺,在希腊化时期又制作铅棺和精雕的大理石棺。在意大利,从公元前 600 年起,埃特鲁斯坎人使用石棺和陶棺;公元前 300 年之后,罗马人使用饰有雕刻的石棺,其棺盖形制常为睡椅形,上面雕有斜倚的死者形象。

sard and sardonyx　肉红玉髓和缠丝玛瑙　硅氧矿物玉髓的半透明、浅褐色到暗褐色的变种,是历史上应用最广泛的两种半贵重宝石。肉红玉髓和与其密切相关的光玉髓被用

产自美国得克萨斯州的缠丝玛瑙

供图:Joseph and Helen Gutterman Collection

来雕刻成宝石已好几个世纪了。肉红玉髓这个名称包括肉红玉髓与光玉髓二者。除了结晶体之外,肉红玉髓是硅氧矿物已知最古老的名称。著名的老产地是在斯里兰卡的拉特纳普勒。肉红玉髓和白色玉髓组成的条带称为缠丝玛瑙,曾经有一段时期它比金、银或蓝宝石还要珍贵。还广泛地用在浮雕和凹雕上。其物理性质与石英相同,参阅 **silica mineral**(表)。

Sārda River　萨尔达河　发源于喜马拉雅山,向东南偏南流经印度-尼泊尔边境的河流,汇入卡克拉河。萨尔达河全长约 480 千米。其上游称喀利河,在伯姆代奥门迪进入恒河平原,逐渐加宽,在萨尔达河坝以下称萨尔达河。萨尔达河坝为 1930 年建成的萨尔达灌渠的源头。该灌渠是印度北部最长的灌渠之一。

sardana　萨尔达纳　一种与西班牙加泰罗尼亚人民族觉醒有着密切联系的集体舞蹈。这是一种由男男女女围成一圈,交叉握住双手跳的舞蹈。他们和着次中音乐器和小鼓奏出的乐曲声起舞,脸部表情庄重、严肃。萨尔达纳舞的基本步法为一系列的长短相间的舞步;在领舞者指挥下精确地组合起来,他用紧握一下手沿圆圈传递信号来指挥舞步的变化。乐曲先慢后快。萨尔达纳舞是19世

萨尔达纳舞
供图:Spanish National Tourist Office, Chicago

纪从一种类似的舞蹈坎特拉帕斯舞发展而来。

Sardanapalus　萨丹纳帕路斯　传说中的亚述国王,以其奢侈的生活方式闻名。他显然代表3个亚述统治者(亚述巴尼拔[**Ashurbanipal**]、沙马什-舒姆乌金和末代国王辛-沙-伊施肯)的混合形象。据希腊历史学家狄奥多罗斯(西西里的)记载,他是亚述王系30位国王中的末代君王,他极力仿效女人的衣装、声音和姿态,每天纺纱和缝衣服。据传说他对亚述为米底人、波斯人和巴比伦人所灭负有责任。他曾3次击败叛军,后在被围困的都城尼努斯为幼发拉底河洪水淹没时他才停止战斗。他在宫中堆起巨大的柴垛,命人将他宫中珍宝和他本人及妃嫔奴仆一齐焚毁。

Sardes(ancient Lydian city)　参阅 **Sardis** 萨迪斯。

Sardica, Council of　撒尔底迦会议(342或343)　在撒尔底迦(即今保加利亚索非亚)召开的基督教会会议。由同情阿里乌派的东罗马皇帝君士坦提乌斯二世和同情尼西亚派的西罗马皇帝君士坦斯一世共同召开,意在解决关于阿里乌主义的论争。这次会议实际上却反而加深教会东西两派和罗马帝国东西两部之间的分裂。会议的第3、4、5三项决议具有重要历史意义,它们承认罗马主教有权管辖其他主教,为日后教皇至上论奠定基础。

sardine　沙丁鱼　鲱科(参阅**herring**)某些食用鱼类的统称,尤指沙丁鱼属(*Sardina*)、拟沙丁鱼属(沙脑鱼属,*Sardinops*)和小沙丁鱼属(*Sardinella*)的种类。沙丁鱼一名亦可

太平洋沙丁鱼(*S. sagax*)
绘图:Tom Dolan

指普通鲱鱼(*Clupea harengus*)以及泡在油中制成罐头的其他小型鲱鱼和似鲱鱼的鱼类。欧洲沙丁鱼(*Sardina*[或 *Clupea*]*pilchardus*)见于地中海以及西班牙,葡萄牙,法国和英国大西洋沿岸。普通鲱鱼遍布北大西洋,包括北美大西洋沿岸。拟沙丁鱼属已知有5个种,但此5个种极为相似,故有时将其并为一个种——快捷拟沙丁鱼(拟沙丁鱼,*S. sagax*);这5个种见于太平洋和印度洋的不同地区,在北美和南美西海岸、日本、澳大利亚以及南非均有捕捞。沙丁鱼形小,银色,体细长;背鳍1,短;无侧线;头部无鳞。体长15～30厘米;聚成密集的大群沿海岸洄游;取食浮游生物。主要在春季产卵,卵在水中漂浮;数日后幼鱼孵出,亦随水漂浮,直至变态发育成能自由游泳的小鱼为止。商业性捕捞的各种沙丁鱼均用于多种目的:市售以供鲜食;制鱼干,咸鱼,熏鱼或磨碎以制鱼粉、鱼油等。最重要的捕捞工具为围网,尤其是其中一个类型——收括围网。其他类型的围网也有应用,这包括陷阱网或鱼梁(由许多木桩构成的固定的鱼围,鱼群沿海岸游动时被引入其中)。捕捞沙丁鱼主要在夜间当沙丁鱼浮到水面取食浮游生物时进行。沙丁鱼捕捞上来后,运到岸上时须泡在浓盐水中。沙丁鱼可用多种不同的方法制成罐头。在罐头食品厂中沙丁鱼先洗净,去头,油炸或蒸熟,然后干燥。在西班牙、葡萄牙和许多其他国家,将已经干燥的沙丁鱼一条挨一条紧紧塞在橄榄油或豆油中;而在斯堪的纳维亚国家也可以将沙丁鱼熏制。沙丁鱼也可以塞在番茄汁或芥末调味汁内。沙丁鱼的主要用途是供人类食用,但沙丁鱼制成的鱼粉用作动物饲料;沙丁鱼油有多种用途,包括制造油漆、清漆、漆布,在欧洲还用以制造人造黄油。欧洲沙丁鱼,幼鲱鱼以及拟沙丁鱼属的种类最常用于制罐头。

Sardinia　撒丁　意大利语作Sardegna。意大利属岛和区。西地中海诸岛中面积仅次于西西里岛的第二大岛。位于意大利半岛海岸以西200千米。北距法国的科西嘉岛12千米,南距非洲海岸200千米。首府卡利亚里。

历史　该岛显著的特点是努拉吉,这是一些用取自死火山的巨大玄武岩块未加任何黏合砌成的截顶圆锥形体建筑(据说现有7 000例),建于史前时期。大多数努拉吉很小,但有少数努拉吉显然是用做堡垒。在多尔加利附近还有一个努拉吉村庄,发现了约80座建筑物的遗迹。现在专家的意见认为努拉吉的历史约在公元前1500～前400年之间。据记载,腓尼基人约在公元前800年在这里定居,是这里最早的定居者。此后,先是希腊人,然后是迦太基人侵入北部。公元前238年罗马人开始了野蛮的占领,持续了700年。此后又被汪达尔人、罗马人(再次)、拜占廷人和萨拉森人占据。该岛在11世纪为比萨获得,后被争夺控制权的热那亚所有。1326年阿拉贡王室取得对撒丁的控制权。西班牙人的统治一直持续到1708年,然后归奥地利所有。1720年,撒丁王国被割让给萨伏依王室,并且并入皮德蒙特。在18世纪末反对法国革命的战争中,皮德蒙特被法国兼并。拿破仑帝国垮台后,归还了撒丁王国在大陆上的领土。19世纪中,几乎扩展至全意大利。1861年,维克托·伊曼纽尔被立为意大利国王,该岛成为统一的意大利国家的一部分。1948年,撒丁获自治政府地位。

自然地理和人文地理　地形主要为花岗岩和片岩构成的山地。最高点为真纳尔真图山脉的马尔莫拉峰(1 834米)。属亚热带和地中海型气候。平原地区降雨量为600毫米,山区为990毫米。河流短且水流急。最重要的河有蒂尔索河和弗卢门多萨河。"马基群落"混杂着岩玫瑰、乳香黄连木、桃金娘、霸王树和矮橡树等灌丛的草地,覆盖着大部分未开垦的乡间土地。

岛上的萨德人来源不详,他们(及其同样神秘的语言)显然受到连续不断的占领者的影响,最强烈的外部影响来自西班牙。早在公元前2000年就与伊比利亚半岛有接触。撒丁语、热那亚语、托斯卡语、加泰罗尼亚语和阿拉伯语在不同地区使用。意大利语为通用语。当地人的特点是以忠诚好客为荣。有大量的民间传说和手工艺品。各村镇每年都要举行节日活动,多为马术表演、精美的绣花服饰展示和以劳内德斯(一种三簧管)伴奏的歌舞表演。

经济以农业和采矿业为主。天然牧场覆盖全岛面积一半以上,广泛饲养绵羊和山羊。出产小麦、大麦、葡萄、橄榄、软木和烟草。渔业主要为捕捞金枪鱼、龙虾和沙丁鱼。岛上矿产资源丰富,有锌和铅(占意大利产量的4/5)、褐煤、萤石、铝土、铜和铁。加工业有铅锌熔炼及制铝和氧化铝。有石油精炼厂和石油化工联合企业。其他工业有食品加工、纺织品生产、制革、木制品加工和电机工业。虽然公路网已经扩展并大大改善,但旅游业基本集中在沿海地区。与意大利各地有海上和空中交通。由于该岛的孤立,仍保留着许多传统。全岛面积23 813平方千米。人口约1 657 562(1990)。

Sardinia　撒丁　又称皮埃蒙特-撒丁或撒丁-皮埃蒙特。1720年以后为萨伏依王室所统辖的王国,以皮埃蒙特(意大利西北部)和撒丁岛为中心。1718年,根据各大国间的《伦敦条约》,皮埃蒙特的君主萨伏依公爵V.阿马戴乌斯二世,被迫将西西里割让给奥地利哈布斯堡王朝,作为交换,他获得了撒丁岛(前此属西班牙)。1848年3月,国王C.阿尔贝特为皮埃蒙特-撒丁王国颁布了一个新宪法,即《阿尔贝特宪法》(**Statuto Albertino**)。这部宪法后来即成为1861年3月17日第一届意大利议会所公布的意大利王国宪法的基础。C.阿尔贝特之子、V.伊曼纽尔二世成为统一的意大利的第一位国王。参阅 **Savoy, house of**。

Sardinian language　撒丁语　撒丁语作Sardo。一种罗曼语,通行于意大利的撒丁岛。它是所有近代罗曼语中和民间拉丁语最相近的语言。主要方言有:通行于撒丁岛中部的洛古多利亚语、南部的坎皮丹尼亚语、西北部的萨萨里语、东北部的高卢利亚语。撒丁语没有标准形式,只有撒多语是一种文学语言,以洛古多利亚方言为基础,多用于民歌创作。意大利语是岛上官方语言,撒丁语文学著作从未有过。最早书面材料,约可溯源至公元1080年的法律契约。

Sardis　萨迪斯　又拼Sardes。古吕底亚王国首都(公元前7世纪),在土耳其马尼萨省内,靠近今伊兹密尔城。位于博兹山麓,控制

着赫尔墨斯河谷的中央平原，且为波斯御道西端终点。为公元前7世纪繁荣昌盛的吕底亚王都，为铸造金银币的城市。约公元前546年被波斯人占领，公元前133年归属罗马人。在罗马帝国统治下它是吕底亚行省的行政和司法中心。公元17年为地震所毁，后经重建。直至拜占廷时代晚期依然为安纳托利亚的大城市之一。遗迹有古代城堡和约1 000座坟墓。

sardonyx 缠丝玛瑙 参阅 **sard and sardonyx** 肉红玉髓和缠丝玛瑙。

Sardou, Victorien 萨尔都（1831-09-05，法国巴黎～1908-11-08，巴黎） 法国剧作家。他与É.奥日埃和小仲马一起主宰了19世纪末期的法国戏剧舞台。他曾被萧伯纳贬低为一种"萨尔都式"的剧作家类型，但至今仍被当做一位资产阶级戏剧大师而受到人们怀念。他1860年创作的《潦草的小字》（英文名《一张废纸》）是佳构剧的典范作品之一。由于他过于依赖剧场技巧去创造生活幻觉，导致声誉迅速下降。他最后一部成功之作《桑·热内夫人》至今仍不时上演。他的最初成功应归功于女演员V.德雅泽的演技，他的70部作品中有一部分是专为她写的；其余的则为S.贝因哈特而作。1877年萨尔都被选入法兰西学院。

śārdūla（Indian art） **沙尔杜拉** 参阅 **vyāla** 芙耶拉。

Sarduy, Severo 萨尔杜伊（1937-02-25，古巴卡马圭～1993-06-08，法国巴黎） 小说家、诗人、评论家和散文家，20世纪最别具一格、最有才华的作家之一。出生于工人家庭，兼有西班牙、非洲和中国的血统。上高中时是最优秀的学生。50年代中期去哈瓦那学医。在首都哈瓦那期间，一心想从事诗歌和绘画，接触到一些老一辈作家。在一老作家负责的《飓风》杂志上发表了他最初的诗歌。1959年革命到来。萨尔杜伊等一批年轻作家被赋予复兴古巴文学的任务。1960年被政府派往巴黎卢浮宫学院学习艺术。因对卡斯特罗政权不满、害怕政权会对同性恋者实施迫害及对作家的著作实行审查制度，他再也没有回到古巴。巴黎有一群评论家和理论家，他们出版《原模原样》刊物，推广结构主义和实验写作，萨尔杜伊与他们关系密切。他还参与西班牙语刊物《新世界》的编辑工作。这些刊物以及他写的大量作品使他名声鹊起。不过古巴文化部门故意对他不加理睬，古巴出版的书刊和参考书从不提及他的名字。第一部小说《姿势》（1963）讲述古巴50年代一个年轻妇女卷入反对巴蒂斯塔政权的恐怖活动之事，反映良好。不过他最重要的作品是那部实验性很强的小说《唱着歌从古巴来》（1967）。书中有3个故事，涵盖了古巴全部历史，并且给出了对古巴文化的总体看法。接着是又一部实验性更强的小说《眼镜蛇》（1972；有英译本），故事背景是一异性装扮癖的场所，有几段情节发生在印度和中国。小说《弥勒》（1978；有英译本）的故事开场于中国西藏，但为寻求救世主，主人公去了古巴和美国，最后在伊朗告终。《蜂鸟》（1982）讲述南美丛林之事；《海边之鸟》（1993）讲述收留艾滋病患者的休养所之事。作者本人即患艾滋病去世。

Sarek National Park 萨勒克国家公园 位于瑞典西北部北博滕省。面积1 931平方千米。建于1909年。北接大湖瀑布公园，西连帕亚伦塔公园。有高山、深谷、高原、冰川。交通不便。许多山峰海拔逾2 000米。最高峰萨勒克峰海拔2 089米，是瑞典第二高峰。有丰富的植被，也有熊、狼、狼獾、猞猁狲等各种动物。

萨勒克国家公园内的滑雪者
供图：Bert Persson—Ostman Agency

Sarekat Islām 伊斯兰教联盟 英语作Islāmic Association。在印度尼西亚获得广泛支持的第一个民族主义政党。1912年成立。最初是一批旨在增进自己经济利益的穆斯林商人的一个联盟，后成为政治组织。主要领袖为佐克罗阿米诺托。至1916年，联盟声称在印度尼西亚各地有80个支部，盟员共约35万人。后来，有共产党人参加伊斯兰教联盟。1921年召开伊斯兰教联盟全国代表大会，宗教领袖阿古斯·萨利姆和阿卜杜勒·穆伊斯提出盟员不得拥有双重党籍的动议，并且得到通过。联盟左翼退盟，另外组成红色伊斯兰教联盟，后来改称人民联盟。这次分裂使伊斯兰教联盟降为二流政党。

Sarema（Estonia） 参阅 **Saaremaa** 萨雷马。

Sargasso Sea 马尾藻海 北大西洋中较平静的椭圆形海域。散布着自由漂移的马尾藻属海藻。位于西经30°与70°、北纬20°与35°之间，在顺时针洋流系统内，西翼为墨西哥湾流。海深1 500～7 000米。特点是洋流弱，降水量小，蒸发量大，风力轻微，海水温暖而咸。所有这些因素加上缺少热量混合，形成缺少浮游生物的生物荒漠区。棕色海藻因有细小而突出的浆果状气囊浮在海面，随风和洋流漂移，并从西南方漂移来的沿岸植物取得少量补充。这些海藻为独特的海洋生物提供营养，其中大都为典型海岸生物，其中一些则仅见于该海域。马尾藻海环绕百慕大群岛，最先为哥伦布于1492年初次航行经过该处时提及。马尾藻的出现，表明接近陆地，从而鼓励他继续航行。

Sargassum 马尾藻属 又称gulfweed（湾藻）、rockweed（岩藻）或sea holly（海冬青）。褐藻的一属，150种。适应于热带环境，大多数种类自由漂浮，也有许多种附着于岸边岩石。大西洋的马尾藻海即因海面布满以漂浮马尾藻（*S. natans*）为主的褐藻而得名。马尾藻的原植体高度分枝，具有中空的浆果状气囊，拟叶体叶片状，边缘锯齿状，故又称海冬青。多行有性生殖，漂浮马尾藻只行裂殖。马尾藻在新西兰用做肥料，在日本则用做汤和酱油的配料。

马尾藻属（*Sargassum*）褐藻
供图：George Lower—the National Audubon Society Collection/Photo Researchers

Sargent, Sir John Philip 萨金特（1888-12-27～1972-02-13） 英国政治家和教育家。1938～1948年任印度政府首席教育顾问。早年在圣保罗学校和牛津大学奥里尔学院学习，曾任滨海绍森德（1927～1931）和埃塞克斯郡（1931～1938）教育局长，后被任命为印度政府教育专员（1938～1942）、印度政府教育顾问（1943～1948）和印度教育部部长（1945～1948）。他的头衔虽有更动，但他在印度的职责却没有任何改变，始终监控并鼓励着省和中央两级的教育发展。1948年回到伦敦，任英联邦第二部主任。1953年离开政府工作，接受了米森登教堂成人教育学院院长职务。1946年受封为爵士。

Sargent, John Singer 萨金特（1856-01-12，佛罗伦萨［意大利］～1925-04-15，英格兰伦敦） 意大利出生的美国画家，其优雅的肖像画创造出爱德华七世时代上流社会永恒的形象。大西洋两岸的富人和特权阶层都来到他

萨金特绘《温德姆三姊妹》(1900)
纽约大都会艺术博物馆供图

的画室以使自己成为不朽。1876 年取得美国国籍。1874 年在巴黎从上流社会肖像画家卡罗吕-杜兰学画。1879 年去马德里研究委拉斯开兹的作品,并去哈勒姆观摩 F.哈尔斯的作品。1884 年沙龙展览上,其名画《某夫人》引起流言蜚语,于是迁往伦敦永居。1886 年《蓓尔美尔新闻报》进行了一次读者投票,他的作品《维克斯姊妹》(1884)被列为当年最糟的画。但1887年《石竹、百合、蔷薇》(1885～1886),则使英国观众为之倾倒。1910 年后致力于壁画和描绘阿尔卑斯山与意大利风景的水彩画。1890 ～ 1910 年间为波士顿公共图书馆作有关犹太教历史和基督教史的壁画,并为波士顿美术博物馆作壁画。

Sargent, Sir Malcolm 萨金特(1895-04-29,英国林肯郡斯坦福～ 1967-10-03,伦敦) 全名 Sir Harold Malcolm Watts Sargent。英国指挥家。自称不列颠的"音乐使节",曾周游全世界。16 岁获皇家管风琴学院毕业文凭,20 岁出头就成为英国最年轻的音乐博士。1921 年初次登台,指挥亨利·伍德的女王大厅管弦乐团,演奏自己的作品,1923 年任皇家音乐学院教师。第二年任罗伯特·梅耶儿童音乐会首席指挥,1929 年指挥考陶尔德-萨金特音乐会。托马斯·比彻姆爵士在 1932 年组织伦敦爱乐乐团时曾得到他的帮助。随后历任阿莱管弦乐团(至 1942)、利物浦爱乐乐团(至 1948)和英国广播公司交响乐团(至 1957)的指挥。从 1948 年起任伦敦漫步音乐会指挥,直到去世。他的合唱指挥是无与伦比的。指挥皇家合唱团与哈德斯菲乐德合唱团都是他演出生涯中很有成绩的一页。他还负责几部英国歌剧的首次演出。1947 年受封爵士。

Sargeson, Frank 萨吉森(1903-03-23,新西兰怀卡托哈密尔顿～ 1982-03-01,奥克兰) 本名诺里斯·弗兰克·戴维。长篇和短篇小说家。所著风格多样的讽刺作品使他成为当时最著名的新西兰文学家。在 20 世纪 20 年代末开始写作前,曾攻读法律并当过律师。早期作品主要是短篇小说。其中许多最先在美国发表,尽管他终生居住在新西兰。短篇小说集有《和我叔叔的谈话》(1936)、《一个男人和他的妻子》(1940)和《那个夏天》(1946)。在长篇小说中,从早期的《我曾在梦中看见》(1949)到晚期的《可怜虫的欢乐》(1969)和《日落村》(1976),他以各种风格探讨社会腐败和个人自由的主题。《小说集》(1964)和《萨吉森小说集》(1973)扩大了他在国际上的影响。

Sargodha 萨戈达 巴基斯坦旁遮普省城市。该市是谷物与经济作物市场。有公路与拉合尔、米杨瓦拉相通,有铁路与费萨拉巴德(原莱亚尔普尔)、拉合尔相连。当地工业有纺织、针织、面粉加工、榨油、轧棉、化工和肥皂等工厂。该市始建于 1903 年,为下杰赫勒姆运河殖民地首府。建有医院、图书馆、体育馆、几所旁遮普大学的学院。人口 291 362(1981)。

Sargon 萨尔贡 阿卡得语及亚述语作 Sharru-Kin。统治者之名,按国别分列于后,并各以 ● 为标记。

亚 述

● **Sargon I 萨尔贡一世**(活动时期约公元前 1850) 旧阿卡德时期的亚述统治者。对他那个时期的亚述详情几乎无史可考,但有一点很清楚:从在灰山发现的书板可知,卡帕多西亚的亚述贸易区当时正在全盛期。这意味着萨尔贡一世有能力维护商路的安全。现在有人提出另一论据,认为卡帕多西亚的贸易区实际就在亚述一个省的疆域以内,卡帕多西亚有一块盖有萨尔贡玉玺的书板可为佐证。

● **Sargon II 萨尔贡二世**(?～公元前705) 亚述最卓越的统治者之一(公元前 721 ～前 705在位)。家系不详。他很可能是提革拉·帕拉萨三世的儿子,撒缦以色五世的兄弟。

巴黎罗浮宫博物馆供图

萨尔贡继兄即位后,立即要解决三个重大问题,即:与巴比伦尼亚南部迦勒底人和阿拉米人部族酋长的关系问题,与乌拉尔图王国和亚美尼亚高地北部各民族的关系问题,以及叙利亚和巴勒斯坦问题。这些地区基本上是父王提革拉·帕拉萨三世征服的属地。萨尔贡不仅要保持这些属地,而且要进一步显示亚述帝国的保护神阿舒尔的威力。萨尔贡即位之际,巴比伦尼亚南部有一个不甘臣服的迦勒底部族酋长马尔杜克-阿普拉-伊迪纳二世,于公元前 720 年打败入侵的亚述军队,并下令将这次胜利记录在泥制的圆柱上,存放于乌鲁克城。泥柱所记的内容显然使萨尔贡感到不快。经过另一次战斗,萨尔贡找到马尔杜克-阿普拉-伊迪纳的铭文,运回自己驻跸的卡拉哈城,以适合他心意的铭文予以代替,公元前 714 年,萨尔贡率亚述大军从都城卡拉哈出发,进入今伊拉克库尔德斯坦的苏莱曼尼亚城附近的地区,一直到札格罗斯山外的高原。目的是要援助受到乌拉尔图国王威胁的亚述帝国的盟邦。一般认为萨尔贡是在公元前 705 年的一次战斗中阵亡。

美索不达米亚

● **Sargon 萨尔贡**(活动时期公元前24～前23 世纪) 别名 Sargon of Akkad(阿卡德的萨尔贡)。古代美索不达米亚统治者(约公元前 2334 ～前 2279 在位)。最早期世界性伟大帝国缔造者之一,曾征服美索不达米亚整个南部,以及叙利亚、安纳托利亚和埃兰(今伊朗西部)部分地区,建立这一地区的第一个闪米特王朝,公认为是美索不达米亚军事传统的缔造者。根据民间传说,有个园丁见到河上漂着一个篮子,把篮子取上来一看,里边有个婴儿,这就是未来的萨尔贡。园丁把他抚养成人。据说萨尔贡的母亲是幼发拉底河中游某城邦的一个女祭司。萨尔贡长大以后,最初给苏美尔北部城邦基什的国王作持杯的近侍。后来率兵打败乌鲁克王(卢伽尔扎吉西),从而建立起自己的霸权。当时卢伽尔扎吉西已经统一了苏美尔各城邦国家,因此,萨尔贡成为整个美索不达米亚南部地区的国王。萨尔贡并不以统治这一地区为满足,他还打败幼发拉底河中游至叙利亚北部的各个城邦以及银矿丰富的安纳托利亚南部山区各城邦,攻占位于伊朗西部扎格罗斯山脉的埃兰王国都城苏萨。据传说,萨尔贡曾率兵对布鲁杉达城进行一次耀武扬威的远征。阿卡德王朝与印度河流域、阿曼沿海地区、波斯湾沿岸及各岛屿、天青石矿产地区巴达赫尚、出产雪松的黎巴嫩、有丰富银矿矿藏的托罗斯山区、卡帕多西亚、克里特,甚至可能还有希腊,都建立了殷盛的贸易关系。萨尔贡在位后期穷于应付此起彼伏的叛乱。但是萨尔贡的帝国并没有全面崩溃,萨尔贡的继承者们仍然能够控制所得到的遗产。

Sarh 萨尔赫 又译萨尔。前称阿尚博堡。乍得南部中沙里省省会,全国第二大城市。濒临沙里河。居民以萨拉族为主,故名。气候温暖,有湿润季节,其周围地区适于种植乍得主要出口货物棉花。1967 年建成纺织联合企业(棉纺、织、漂白、印花),对该国经济十分重要。亦是商业捕渔中心和主要市场,有冷藏库和屠宰场。与该国首都恩贾梅纳及中非共和国首都班吉通公路。沙里河至恩贾梅纳一年内大部时间能通航。有机场、医院、交通学校(1963)。人口约 193 753(1993)。

Sārī 萨里 伊朗北部马赞达兰省城市和省会。建于萨珊时期(公元 224 ～ 651)。12 世纪被蒙古人摧毁,后为卡扎尔王朝都城。萨里市位于塔拉尔河左岸,居民有波斯人、土耳其人、库尔德人、班加什人、阿富汗人和土库曼人。工业有制砖、镶嵌工艺、棉麻纺织、轧棉、织毯、碾米、酿酒、罐头肉及其他食品加工。有铁路通戈尔甘;该市有公路通巴博勒、瑙沙赫尔、沙赫萨瓦尔和阿莫勒。人口70 936(1976)。

sari 莎丽 南亚次大陆妇女的主要外衣,是一块 5 ～ 7 码长,色彩鲜艳,通常绣花的绸缎或棉布。近年亦有用合成纤维织物的。裹在身上,一端任其下垂或用做头巾。公元前

印度蒂鲁吉拉伯利的云母上树胶水彩画中裹莎丽的女子,约 1850 年

伦敦维多利亚和艾伯特博物馆供图

2 世纪的浮雕表明男女上身都不穿衣服,而用莎丽裹在臀部周围,下垂在两腿间,在前下方形成许多绉褶,以此作为时尚。此后无重大变化,直到 12 世纪穆斯林征服印度北部和中部,并要求遮盖身体。于是印度妇女把莎丽裹在短上衣和衬裙的外面,莎丽有竖褶和腰部横褶形成长裙状。

sārindā 萨林达琴 一种由印度较低微的种姓使用的民间提琴。源自中亚,现有各种独特外形,常像一个口袋或提包。琴身为木制,短颈,无品,横弦轴插进立方体的弦轴箱,有 3 根马尾或羊肠线的弦。在北印度流行的变种乐器萨朗基琴,通常有第 4 根金属弦。

Sarino(Korean painter) **小琳** 参阅 **Cho Sok-chin** 赵锡晋。

Sāriska Wild Life Sanctuary 萨里斯卡野生动物禁猎区 印度西北部拉贾斯坦邦阿尔瓦尔县野生动物保护区,1955 年建于萨里斯卡森林。面积 492 平方千米。内有刺槐竹丛覆盖的丘陵和深谷。野生动物有虎、豹、野猪、牛羚、白斑鹿、箭猪、孔雀、鹧鸪和鹁。区内通道良好,有观察塔;还有 10 和 12 世纪的古庙。

Sarit Thanarat 沙立·他那叻(1908-06-16,曼谷～ 1963-12-08,曼谷) 陆军元帅,1958 ～ 1963 年任泰国军人政府首相。1929 年在曼谷朱拉充克劳军事学院毕业,随后任陆军军官。1947 年政变中他支持披汶·颂堪的军事独裁,曾任国防部长和陆军总司令。1957 年推翻披汶,成立文官看守政府。1958 年 10 月夺取政权,公布临时宪法,自任首相。他努力铲除风行一时的腐化现象,打击集团犯罪,禁止吸食鸦片和鸦片走私,推行农村经济发展计划,扩充和改进国民教育。他极端独裁,取缔政党,勒令反对派的报纸停刊,践踏宪法规定的公民权利,不经审讯就把持不同政见者投入监牢。在对外政策方面他亲美反共,使泰国加入东南亚条约组织,并日益依靠美国军援以遏止共产党在泰国国内起事的威胁。

Sariwŏn 沙里院 北朝鲜西南部城市,黄海北道首府。位于载宁江中游。为载宁平原农产品集市贸易中心,铁路、公路和水运枢纽。工业以轻工业为主,有农具、食品加工和纺纱厂等。设有沙里院教育学院、沙里院共产主义学院、沙里院农业学院等 3 所学校和农业研究中心。人口 42 957(最新估计)。

Sark 萨克 法语作 Sercq。英吉利海峡内海峡群岛(**Channel Islands**)的一个岛屿。在根西岛以东 11 千米处。由大、小萨克岛组成,之间有长 90 米的拉库普地峡相连接。面积 5.5 平方千米,包括大萨克岛附近私人所有的布雷库岛。地形基本上为一台地,最高 114 米。沿岸环有峭壁,风景优美。有两个港口:东面的克勒港与内地有两个隧道相通,时间可追溯至 1588 和 1868 年;第二个港口在拉马斯林,1949 年开放。行政上属根西岛管区。遇有必要,警察由根西岛派出并收取报酬。岛上公路禁行汽车。居民点分散。农地占岛面积 1/3,经营乳品业和农业耕作。有一些商品菜园。居住条件有限,游客大部自根西岛当天往返或乘船巡游。人口约 500(1986)。

Sarkar, Sir Jadunath 萨卡尔(1870-12-10,孟加拉卡拉奇马里亚[今在孟加拉国]～ 1958-05-15,印度加尔各答) 印度研究莫卧儿王朝(1526 ～ 1857)第一流的历史学家。曾在加尔各答管辖区学院学习英国文学。萨卡尔在巴特那学院任职期间(1902 ～ 1917)最初教英语,后来改教历史。他选择莫卧儿王朝最后的大皇帝奥朗则布作为自己终生研究的对象。他的第一部著作《奥朗则布的印度》于 1901 年出版。他的 5 卷《奥朗则布史》是用 25 年完成的,于 1924 年问世。萨卡尔又用 25 年的时间专门写作《莫卧儿帝国的衰亡》,共 4 卷,于 1950 年脱稿。萨卡尔的两部单卷本的著作是《柴塔尼亚的生平和学说》(1913)和《西瓦吉及其时代》(1919)。他的所有著作都表明他对波斯语的史料具有广博的知识,而且用英语写得非常精练。萨卡尔于 1926 ～ 1928 年任加尔各答大学副校长,1929 ～ 1932 年为孟加拉议会议员。他于 1929 年被封为爵士。

Sarmatian 萨尔马特人 公元前4世纪至公元 4 世纪生活在俄国(欧洲部分)南部地区至巴尔干东部地区一带的民族。其历史大致可分为以下 4 个阶段:

第一阶段从公元前 6 世纪起到公元前 4 世纪止。在这期间,萨尔马特人从亚洲逐渐迁移、渗入到乌拉尔山西部,本阶段末罗克索拉尼人推进到伏尔加河流域,阿兰人在库班谷地定居下来。萨尔马特人效法这些部落,继续迁动,到公元前 5 世纪逐渐成了乌拉尔山和顿河之间广大平原上的主人。

对西徐亚人的入侵标志着萨尔马特人历史上第二阶段的开始,这一时期从公元前 4 世纪起到公元前 2 世纪止。他们跨过顿河流域,进入了西徐亚人的领地,和西徐亚人进行了多年的战争,逐渐取代了西徐亚人的统治,成为俄国南部大部分地区的统治者。

公元前 1 世纪至公元 1 世纪是第三阶段,萨尔马特人巩固了征服的新地区后,继而入侵罗马帝国的领土(今保加利亚)。虽然他们的进攻于公元 62 ～ 63 年被罗马军队挫败,但萨尔马特人和一些日耳曼人的部落形成了对罗马帝国西部疆土的威胁。

萨尔马特人历史的最后阶段始自公元 2 世纪,终止于公元 4 世纪。在这一阶段初期,他们仍从事扩张战争。但到了公元 3 世纪,哥特人的到来结束了萨尔马特人的统治。在此后一段时期,一些萨尔马特人仍居住在原来的土地上,另一些则跟随哥特人一起作战,进入西欧地区。公元 370 年后,匈奴人在大迁移中进入欧洲,在他们的统治下,生活在南俄的萨尔马特人逐渐灭绝,一些幸存者被匈奴同化,多数人则逃往西部,与其他部落联合,对匈奴和哥特人地区进行骚扰。6 世纪时,萨尔马特人从历史上消失。

萨尔马特人是游牧民族,他们的社会组织及生活方式与西徐亚人相似。萨尔马特人善于组织骑兵,发明了铁镫和马刺,其作战方法有些甚至被罗马人采用。萨尔马特人的妇女在年轻时也要参加作战,据传,如果她们不在战场上杀死敌人就不能结婚。但妇女婚后,就不再从事战争活动,而专心致力于家务。萨尔马特人还是出色的手工业者,能熟练地制造各种精美的金属制品与陶器。萨尔马特人死后不用棺材,人们将死者用一块皮革裹起埋葬,有陪葬习俗。有关萨尔马特女武士的传说,与希腊神话中亚马孙族女武士故事的形成,似乎不无文学上的渊源关系。

Sarmatian Stage 萨尔马特阶 中新世(2 370 万年前至 530 万年前)重要的地层和年代划分单元。介于蓬蒂阶与托尔托纳阶之间。因重要露头位于现今俄罗斯欧洲部分南部的古代萨尔马特部落所在地而得名。中新世时,西欧许多地区上升,而东欧大片地区下沉、被淹没形成与大洋并不相通的内陆海。它由于河流注入而淡化,发育了独特的潟湖型动物化石群,以特殊种属的蛤、螺和苔藓动

物为代表。这些动物极其丰富,但变化很小,几乎没有其他种类的动物存在。苔藓动物常常局部丰富以至于形成似礁状的块体。萨尔马特期的沉积盆地有极咸水也有半咸水,差别很大。

Sarmiento, Domingo Faustino　　萨米恩托 (1811-02-14,拉普拉塔河总督区圣胡安[今在阿根廷]～1888-09-11,巴拉圭亚松森)　阿根廷教育家、政治家、作家。他从一个乡村教师

美洲国家组织供图

逐步上升为阿根廷的第一位平民总统(1868～1874)。在担任总统期间,他关怀国民教育,促进商业和农业生产的增长,加速交通运输的发展,为国家的进步奠定了基础。作为一位作家,他以一本传记性的社会学著作《法昆多,又名文明与野蛮》(1845)最为人们所铭记,表达了与阿根廷潘帕斯草原上加乌乔文化相对立的工业化和城市化的要求。由于他的政治活动和坦率直言,激怒了独裁者罗萨斯,1840年被流放到智利。因其在瓦尔帕莱索报纸《信使报》上发表文章成为新闻界重要人物。在智利的这段时间里,他写了《法昆多》,以为罗萨斯专横的加乌乔助手基罗加写传记的形式,激烈抨击罗萨斯的独裁统治。1842年,他受命创办南美洲第一所师范学校并任校长,从此他终生确信系统地开展国民教育是促进国家发展的首要方法。1845年,智利政府派他到欧洲和美国研究教育方法,归来时认为美国是拉丁美洲发展所要遵循的榜样。1852年回到阿根廷,协助推翻罗萨斯。1868年当选为阿根廷总统,立即开始实施其自由主义理想,即他对民主原则和公民自由的信念,对各种形式的独裁政权的抵制,以建立一个新阿根廷。已出版的52卷著作,大多是关于教育的题材。

Sarmiento de Acuña, Diego　萨米恩托·德·阿库尼亚　参阅 **Gondomar, Diego Sarmiento de Acuña, conde de** 贡多马尔伯爵。

Sārnāth　萨尔纳特　印度北部北方邦瓦拉纳西以北的考古遗址。相传为释迦牟尼第一次布教处。有佛塔及公元前3世纪孔雀王朝阿育王所树立的狮形柱头,现为印度国徽纪念柱。

Sarnen　萨尔嫩　瑞士中部上瓦尔登半州首府。位于卢塞恩西南,萨尔嫩河口。保存在市政厅(1729～1731)的"白皮书"中包括瑞士解放史的现存最古史料(1470年左右)。著名的建筑物有教区教堂(1739～1742)、射击场(1752)、本笃会隐修院和嘉布遣会隐修院,以及一所学院。地处卢塞恩—布吕尼希电气化铁路线上,是旅游中心。有精密仪器、木器和纺织品等工业,居民讲德语,信天主教。人口9 163(1998)。

Sarnia-Clearwater　萨尼亚-克利尔沃特　加拿大安大略省东南部城市,兰顿县县城。位于休伦湖南端,濒临圣克莱尔河。由于1858年在兰顿县发现石油,19世纪末期萨尼亚发展为主要的石油工业中心,建有完善的港口设施、炼油厂(原油自艾伯塔经营道输入)、大型石化工厂、盐类加工和谷物加工厂及多种小型制造厂。国营波利默公司成立于1942年,是加拿大第一家生产人造橡胶企业。有桥梁、铁路隧道和轮渡通西岸美国休伦港。1856年设镇,1914年设市。人口72 738(1996)。

Sarno　萨尔诺　意大利南部坎帕尼亚区萨莱诺省城镇。位于萨雷托山麓。公元553年拜占廷将军纳尔塞斯在附近击败并处死哥特国王泰阿斯。因为有瘴气,长期妨碍了城镇的发展。现为农业中心。有绵麻纺织厂。附近有矿泉。人口:城市区约27 816(1991)。

Sarnoff, David　萨尔诺夫(1891-02-27,俄国明斯克～1971-12-12,纽约市)　美国发展广播和电视事业的先驱。出生在俄罗斯,1900年跟随家庭移居美国,上学时为了资助家庭

供图:AP/Wide World Photos

生活,卖过报纸,当过听差等。1906年离开学校,当了一家电报公司的送报员。利用第一次工资买了一架收发报机,很快熟练掌握了莫尔斯电码操作,成为马可尼无线电报公司的收发报员。经过几年在海上和沿岸工作后,成为约翰·沃纳梅克所建造的世界上最强大的电台的收发报员。该电台位于曼哈顿百货大楼的屋顶上。1912年4月14日萨尔诺夫在此收到正在沉没中的"泰坦尼克"号发出的遇难信号;守着收发报机收发消息共达72小时。马可尼公司立即嘉奖提升他为公司的高级职员。1916年首先提出"无线电自动奏乐器"即市场上称为无线电收音机的建议。1921年,作为新组成的美国无线电公司(RCA)总经理,他为了显示其市场潜力而广播了登普西对卡庞捷的拳击赛,轰动一时。三年内美国无线电公司卖出价值8 000余万美元的收音机。1926年他组建了全国广播公司(NBC)。1928年为了科研创办了试验性的全国广播公司电视台;到1939年已能在纽约世界博览会上利用这一新的宣传工具作成功的表演。电视的发展因第二次世界大战而延宕。战时,他作为预备役军官,在艾森豪威尔将军参谋部服务,任通讯顾问,提升为准将。1930年任美国无线电公司总经理,1947年任董事长;1970年退休。

saro　南美水獭　又称giant otter(巨水獭)。罕见的南美动物,水獭(**otter**)的一种。

sarod　萨罗德琴　又称拉波布琴(rabob)。北印度诗琴族乐器。约从950年起在古典舞乐队演奏,并作为独奏乐器同塔布拉鼓和塔姆布拉琴一起演奏。拨奏或用弓演奏。琴身

萨罗德琴演奏
美国东方艺术学会供图

深厚,面板用皮制,琴颈宽,有一个金属制的无品指板。有4根旋律弦和几根共振弦。旋律弦的定弦为 c′- f′- g′- c″,从中央C起。

sarong　莎笼　马来群岛和太平洋诸岛居民穿的服装。由一块色彩鲜艳的绸缎、棉布或合成化纤织物组成,料长4或5码,用时裹住下身,在腰围处收拢打结,形成遮盖下身的

P.高庚绘《我们向你致敬,玛丽》(1891)中裹莎笼的妇女
纽约大都会艺术博物馆供图

裙;裙长度不一,或及膝,或及脚踝。男女皆穿。最贵重的是来自巴都巴拉和苏门答腊的用金线交织的莎笼。

Saronic Gulf　萨罗尼克湾　又称 Gulf of Aegina(埃伊纳湾)。爱琴海海湾。位于希腊

伯罗奔尼撒半岛阿尔戈利斯的斯基莱翁角与阿提卡半岛苏尼翁角之间。西北-东南长 80 千米，宽约 50 千米。西部经科林斯运河通科林斯湾。湾内有萨拉米斯、埃伊纳和波罗斯岛。雅典港也是希腊最大港口位于萨拉米斯岛东面，北面和西北面有埃莱夫西斯港和迈加拉港。公元前 480 年，雅典海军和陆军曾在萨拉米斯沿海大胜波斯海军。

saros 沙罗周期 天文学名词，指长度为18年又11⅓日（如含 5 个闰年则为 10⅓日）的一段时间间隔。每过这段时间间隔，地球、太阳和月球的相对位置又会与原先基本相同，因而又会发生日食、月食。例如，1973 年 6 月 30 日发生的日食在 1991 年 7 月 11 日又会在大致同一纬度处发生，食的持续时间也差不多。由于天体的位置在每过一个沙罗周期以后略有变动，所以在经过若干个沙罗周期（对日食约为 71 个沙罗周期；对月食约为 48 个沙罗周期）以后，食的循环就会终止。每个沙罗周期内约有 43 次日食和 28 次月食。

Sarouk carpet 参阅 **Sarūk carpet** 赛路克地毯。

Saroyan, William 萨罗扬（1908-08-31，美国加利福尼亚弗雷斯诺～1981-05-18，弗雷斯诺） 美国作家。最初因写有歌颂尽管贫穷、饥饿和没有保障却不乏乐趣的生活的大量活泼、独特和粗犷的短篇小说享有声誉。父亲是亚美尼亚移民。萨罗扬 15 岁就离开学校，靠阅读和写作自修。1934 年发表第一本短篇小说集《秋千架上的大胆青年》。不久又发表另一本短篇小说集《吸气和呼气》（1936）。《我的心在高原》是他的第一个剧本，于 1939 年由同仁剧团上演，获得极大成功。1940 年他拒绝接受给他的剧本《你生活中的好时光》（1939 年首演）颁发的普利策奖，理由是该剧与他的任何其他作品相比"毫无出色之处"。他着重描写一切人的善良天性及人生的价值。对日常语言运用自如，因此笔下人物栩栩如生。大部分故事取材于他童年的经历和家庭遭遇，这主要表现在故事集《我的名字叫阿拉姆》（1940）、小说《人间喜剧》（1943）中。长篇小说《罗克·瓦格拉姆》（1951）和《好笑的事》（1953）根据他本人的婚姻、为人之父和离婚的经历写成。1958 年后大部分时间住在巴黎。

Sarpan（Mariana Islands） **萨尔潘岛** 参阅 **Rota** 罗塔岛。

Sarpedon 萨耳珀冬 希腊传说中众神之王宙斯和柏勒洛丰之女拉俄达弥亚的儿子、吕西亚的一位君主、特洛伊战争中的英雄。他为特洛伊人立下卓著战功，最后被希腊战士帕特洛克罗斯杀死。为争夺他的尸体又展开了一场战斗，最后由阿波罗从希腊人手中把尸体救出，洗净并涂上仙药，然后交给许普诺斯（睡神）和塔那托斯（死神），他们再把他送到吕西亚安葬。那里有一座为他修建的圣殿。根据后来的传说，萨耳珀冬是宙斯和欧罗巴的儿子，克里特国王弥诺斯的兄弟。他被弥诺斯赶出克里特之后，便和他的同伴们乘船去了小亚细亚，最后在那里成了吕西亚的国王。

乌尔奇出土的约公元前 510 年的大口酒杯，上绘许普诺斯和塔那托斯带着萨耳珀冬遗体的图案

供图：Mansell Collection

Sarpi, Paolo 萨尔皮（1552-08-14，威尼斯～1623-01-14，威尼斯） 笔名波拉诺。意大利爱国人士、学者。他在威尼斯共和国与教皇保罗五世进行斗争时为该国神学顾问，他于

供图：Thomas-Photos, Oxford, Eng.

1610～1618 年间撰写《特伦托会议史》，抨击教皇专制主义。他在意大利较早地提倡政教分离。14 岁参加圣仆会，20 岁任曼图亚公爵府神学师，得有充分时间研究希腊文、希伯来文、数学、解剖学和植物学。27 岁任圣仆会分会长。多次访问罗马，与教皇西克斯图斯五世和神学家贝拉明友善。他继续研究解剖学，发现促进血液循环的静脉瓣，而且率先指出瞳孔在光线影响下有胀缩。他的友人，包括天文学家伽利略在内，都认为他是当时欧洲最伟大的数学家。伽利略遭受天主教会谴责以后，萨尔皮说："我颇有把握地相信，总有一天，人们在这一方面增加了知识，就会悔恨对伽利略所施加的屈辱，为如此一位伟人所受的冤枉而痛心。"1606 年教皇保罗五世要求威尼斯撤销限制教会营造的法律，而且要求威尼斯政府将本应受国法审判的两名犯罪司铎（其一为谋杀犯）引渡给他。威尼斯拒绝其要求，于是保罗五世宣布绝罚威尼斯共和国元老院和元首，停该国圣事。萨尔皮以顾问身份著文，支持政府立场。他指出，教皇一贯正确的原则仅实用于信仰问题，因此这次教皇所施处分无效。教皇唯恐威尼斯转向新教，乃同意和解，于是停圣事令撤销，威尼斯同意引渡那两名司铎，但保留国家法庭审判神职人员的权利。罗马异端裁判所传唤萨尔皮，萨尔皮拒绝出庭。1607 年 10 月在街头受到狙击被人刺伤。他声称教廷应对此事负责，但提不出充分证据。萨尔皮写特伦托会议（1545～1563）史是根据威尼斯档案和法国驻会议大使费里埃等人所藏资料。萨尔皮批评这次会议未予各主教以较多自主权，僵化对新教的关系并助长教廷的专制主义。该书被教廷列为禁书，但 10 年间多次再版并译成 5 种文字。

Sarraceniaceae 瓶子草科 双子叶植物的一科，分布于新大陆，具瓶状叶。共 3 属，15 种，均为多年生草本。多数种群在温带气候条件下很繁茂，但常见的种类紫瓶子草（*Sarracenia purpurea*）分布范围自拉布拉多和大熊湖（近北极圈）至亚热带的佛罗里达。有几个种仅分布于潮湿的草甸和酸度极高的沼泽。一般说，瓶子草科植物的茎短，生长于地下，叶自茎部向外向上从不同的角度辐射生长。瓶状叶用以捕捉昆虫，具敞开的口，其形状似喇叭、大水罐或瓮。春季生出一批瓶状叶。秋季可生成无管的瓶状叶，在多荫的条件下，无管的瓶状叶于其他季节亦可生成。瓶状叶表面有蜜腺，在阳光下熠熠生辉，叶的形状特殊，或色彩鲜艳，蚁类及其他昆虫为这些所吸引前来。瓶状叶的唇部生有尖端朝下方的硬毛或其他结构，用以防止跌入瓶中的昆虫逃逸。瓶底含消化液，精疲力尽的昆虫最终落入其中。消化液中含蛋白酶，又有细菌在活动，这些均使昆虫体内的硝酸盐及其他营养成分被释出并被吸收，以补充瓶子草所在环境贫乏的营养供应。猎物的残骸存留在瓶状叶内，直至生长季节终结植物死亡。

以上所述为瓶子草科的共同特征，但典型的种类为瓶子草属（*Sarracenia*）植物，该属植物大部分分布于佛罗里达北部和佐治亚及亚拉巴马南部。瓶子草属植物的叶簇大小不一，红瓶子草（*S. rubra*）的叶簇长 10 厘米，白叶瓶子草（*S. leucophylla*）的叶簇长 120 厘米。其生境从溪流岸边的沙地、砾石地到潮湿的草甸和稀树草原均有。红瓶子草又称甜瓶子草，可生于阴暗处；而其他种则于阳光充足处繁茂生长。达灵顿氏草属（*Darlingtonia*）仅一种——加利福尼亚达灵顿氏草（*D. californica*），又称加利福尼亚瓶子草，分布范围从俄勒冈至加利福尼亚北部，生长于海拔高达 2 000米、气温不高于 18 ℃的红冷杉林和北美红杉林中。瓶状叶形状奇特，似扭曲的瓮状；

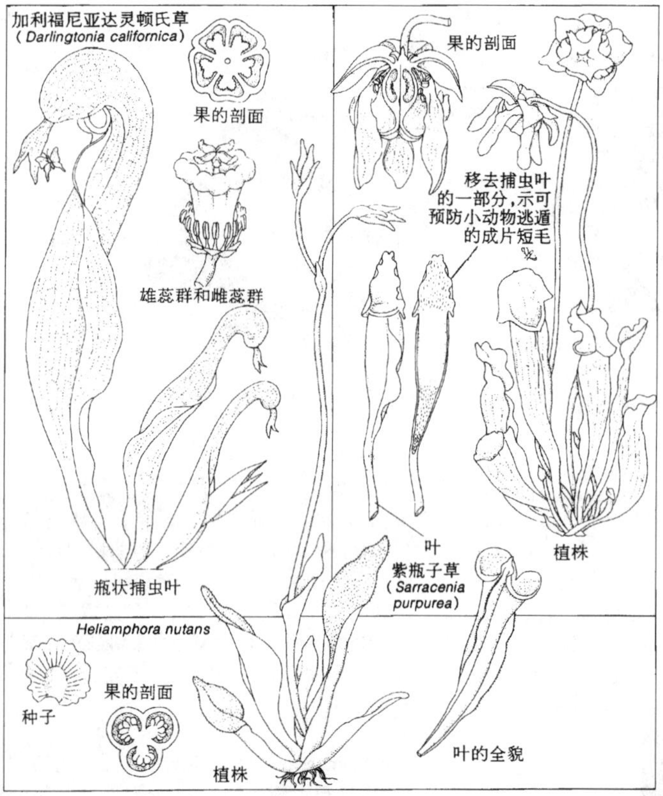

瓶子草科三属的代表植物

顶端有拱盖,上有斑点;口部突出成降落坡道,状似蛇舌;整个外形似蛇,故俗名眼镜蛇草。昆虫常利用降落坡道经圆顶状拱盖进入瓶状叶的口部。拱盖上有许多透光的小孔,引诱猎物爬到瓶的边缘。昆虫常飞向这些小"窗口",但结果落入瓶底的消化液中。卷瓶子草属(*Heliamphora*)生长于圭亚那及委内瑞拉的山地雨林,在山嵴生长成垫状,在低凹的沼泽地与泥炭藓混生。具地上茎,某些种的地上茎可高达 120 厘米以上,并有分枝,稍似灌木状。瓶状叶可高达 50 厘米。

达灵顿氏草属的根状茎生长 15 年后可长达 30 厘米,在以后的年月里,节上出芽,发育成新植株,这样借营养繁殖形成群落。除这种繁殖方式外,所有瓶子草均产生大量种子。花一般单生于花葶顶端,许多种的花葶的高度不超过叶的高度。但达灵顿氏草的花葶有具鳞的苞片,高度几及 1 米。卷瓶子草属的花葶分枝。某些瓶子草属种类于 8 月份即形成花芽,但花芽隐于植株基部,直至次年春天花葶才伸长。在美国南部花早在 4 月开放,但在拉布拉多则直至 8 月才开放。本科植物的花具 5 枚花瓣,雄蕊多数,花粉数量丰富。心皮 5,愈合形成雌蕊;雌蕊基部的子房 5 室(卷瓶子草属为 3 室);花柱顶端膨大,形似伞,常色彩鲜艳似花被(萼片和花瓣),这种花柱在植物中极为独特;柱头 5,位于与伞状花柱部分伞骨尖端相对应的点上。瓶子草科植物的叶色鲜艳,花大而艳丽,又分泌芳香的花蜜,这些均吸引多种昆虫,尤其是蜂类,为之传粉。昆虫将新鲜的花粉带到较老的花的柱头上,从而完成异花传粉。受精后胚珠发育为种子,而子房发育为果实。果为蒴果,成熟后散出种子。在南方地区,种子于夏末萌发,初次霜冻出现前籽苗已经形成。

Sarraut, Albert　萨罗(1872-07-28,法国波尔多～1962-11-26,巴黎)　法国激进社会党政治家,以其殖民政策和在印度支那总督任内的开明统治而极负盛名。出生于一个重要的激进派家庭,这个家庭是《图卢兹电讯报》的所有人。他毕业于卡尔卡松公立中学和图卢兹大学法学院,后成为一名律师。作为众议院议员(1902～1924),他曾任国务部副部长(1906～1909)、陆军部副部长(1909～1910)、教育部长(1914～1915),并两次出任印度支

供图:H. Roger-Viollet

那总督(1911～1914,1916～1919)。在总督任内,他实行开明政策,增加了当地人在文职官员中的比例,认可使用当地语言和当地法律,并继续其前任杜梅的公共工程政策。任殖民部长时(1920～1924,1932～1933),力求协调法国的殖民政策,促进海外属地的开发,曾出版《法国殖民地的进步》(1923)和《殖民的荣耀和奴役》(1931)两书。1926～1940 年萨罗为参议员,曾出任内政部长(1926～1928,1934,1937～1940)和海军部长(1930～1931),并两度出任总理(1933,1936)。1936 年 1 月出任总理后,对德国重新武装莱茵地区感到愤怒,但未采取行动。6 月,辞去总理职务。第二次世界大战期间,萨罗未从事政治活动,在他的兄弟莫里斯遭亲纳粹匪帮暗杀后,他于 1943 年成为《图卢兹电讯报》主编。1944 年遭德国盖世太保逮捕,1945 年被盟军释放。他未能获得国民议会议席,于 1947 年成为法兰西联邦议会成员,1949～1958 年任该议会主席。

Sarraute, Nathalie　萨罗特(1900-07-18,俄罗斯伊万诺瓦～1999-10-19,法国巴黎)　法国女小说家、小品文作者,"新小说"的最早实践者和主要理论家之一。"新小说"指法国第二次世界大战后出现的"新小说"或"反小说",萨特曾用此词来称呼萨罗特的《无名氏的画像》(1947)。在新小说派中,她的作品被最广泛地翻译和讨论。两岁时父母离婚,母亲带她到日内瓦,后又来到巴黎。除了 1908～1910 年在俄国圣彼得堡作短暂逗留外,她一直住在巴黎。法语是她的第一语言。

供图:Mar Garanger

就读于牛津大学(1921),毕业于巴黎大学(1925),并取得学位。1926～1941 年,她是法国律师团成员,后为专业作家。在所写的理论文章《猜疑的时代》(1956)里,她向传统小说的神秘挑战,并在她第一本随笔集《向性》(1938、1957)里对写作技巧作了试验。"向性"的概念是从植物学引进的一个词汇,她以此描述人们头脑中难以察觉的变化,而这些变化是支配人们的态度和行为的根源,以及某些感情如嫉妒、爱、恨或希望的根据。在这些微妙的变化之中,萨罗特勾画出一个专制的父亲如何强迫自己年龄渐大的女儿出嫁(《无名氏的画像》),一个上了年纪的妇女对家具的迷恋(《天象仪》,1959)和一个文学团体如何对待一部新发表的小说(《黄金果》,1963)。以后的作品有《她在那里》(1978)、《言语的用途》(1980)和自传《童年》(1983)。

Sarrazin, Jean-François　参阅**Sarasin, Jean-François 萨拉森**。

SARS　严重急性呼吸综合征　全名 severe acute respiratory syndrome。又称非典型肺炎,简称非典。传染性很强的呼吸道疾病,症状为持续发烧、头痛、身体不适,并伴随干咳,病情可进展到呼吸极度困难。2002 年 11 月出现在中国广东省,在当地最早诊断为非典型肺炎。一位感染的医师,把该病从广东带至香港这个重要的商业中心,随后从香港经由全球的旅客迅速传播至东亚、北美洲、欧洲和世界其他地方。最值得注意的受感染人群为医护工作人员,他们早在世界卫生组织(WHO)

于2003年3月正式确认该病为新疾病之前，就已经受到感染。到5月底，已通报的病例超过8 000例，大多数在中国大陆与香港特别行政区，据报约有800人因而死亡。从新加坡到北京，亚洲的主要城市无不陷于近乎恐慌的气氛中，许多学校和公共建筑纷纷关闭，市民也避免前往可能传播疾病的场所。全世界的卫生机构实施严格的控制措施。到2003年6月，该病基本上得到控制。据信它是由一种冠状病毒引起，这类病毒通常与肺炎和普通感冒有关。这种病毒通过人体的分泌物传播，通常是受感染者打喷嚏或咳嗽所产生的飞沫。大约潜伏一周左右才发病。诊断该病必须先排除肺炎或流行性感冒等其他疾病的可能性，并找出病患的活动与感染者接触史之间的关联。目前还没有研制出特效药，因此一般的治疗方法只能减缓患者的症状，直到病程结束为止。患者必须隔离，而所有曾与其密切接触的医护人员或家属必须遵守严格的例行清洁程序。目前认为患者退烧10天后就不再具传染力。研究人员尚不清楚患者复原后的长远预期或患者再度受到感染的可能性，而目前尚未研制出针对该病的疫苗。

sarsaparilla 洋菝葜 百合科菝葜属(*Smilax*)几种热带藤本的俗称。根可制取芳香调味剂。曾是流行的补药，现用于药品的调味，亦可与冬绿等调味品合用，用于根汁汽水和其他含二氧化碳的饮料。原产墨西哥南部和

洋菝葜(*Smilax*)
供图：A. J. Huxley—美国不列颠百科全书公司

西部海岸至秘鲁一带。为多年生大型藤本，攀缘与蔓生；短而粗的地下茎长出许多具棱和刺的地上茎；叶片大，互生，近柄基部生有卷须，借以攀缘。商业用菝葜主要是马兜铃叶菝葜(墨西哥洋菝葜，*S. aristolochiaefolia*)、雷格尔氏菝葜(洪都拉斯洋菝葜，*S. regelii*)和去热菝葜(厄瓜多尔洋菝葜，*S. febrifuga*)。其他有商业价值的种类有厄瓜多尔的瓜亚基尔洋菝葜及中美洋菝葜(牙买加洋菝葜或危地马拉洋菝葜)。其根晒干后，松松扎成束或紧紧地捆成圆柱形(视产地而异)外运。从其根可分离出几种固醇和一种晶体白糖苷——洋菝葜皂甙(经水解可生成洋菝葜皂甙配质，可合成孕酮一类的类固醇化合物)。野洋菝葜(裸茎楤木，*Aralia nudicaulis*)和假洋菝葜(刚毛洋菝葜硬毛楤木，*Aralia hispida*)产于北美，根有强烈芳香，有时作为真洋菝葜的代用品。

Sarsfield, Patrick 萨斯菲尔德(?，爱尔兰都柏林郡卢肯～1693-08，奥属尼德兰于伊) 爱尔兰詹姆斯党军人，在爱尔兰天主教徒抵抗英王威廉三世的斗争中起主要作用，至今被尊为爱尔兰民族英雄。1671～1678年在法王路易十四的军队中服役。信奉天主教的詹姆斯二世即英格兰王位后，他协助詹姆斯在爱尔兰的军队司令R.塔尔博特(后封泰尔康内尔伯爵)清除爱尔兰军队中的新教徒。1688年奥兰治亲王威廉废黜詹姆斯以后，他跟随詹姆斯去法国，然后到爱尔兰。在爱尔兰的詹姆斯党人对威廉作战的初期，他担任骑兵司令，功勋卓著，晋升陆军少将。1690年7月1日威廉在博因河战役中重挫詹姆斯党人。萨斯菲尔德聚集败兵，组织利默里克保卫战，8月袭击威廉的炮兵部队取得辉煌胜利。1691年10月在利默里克谈判詹姆斯党人投降的问题，后参加路易十四在西属尼德兰的军队。在兰登附近的内尔温登与英格兰军作战时负重伤后死亡。

Sarsi (people) 参阅 **Sarcee** 萨尔西人。

Sartāwī, ʿIsām 塞尔塔维(1935，巴勒斯坦阿卡[今以色列阿卡]～1983-04-10，葡萄牙阿尔布费拉) 巴勒斯坦民族主义者。曾在伊拉克巴格达学医。1967年阿以战争期间作为心脏外科医生在美国从事研究工作。后返回中东加入法塔赫，并接受“巴勒斯坦问题只能通过武装斗争解决”的观点。曾组建解放巴勒斯坦阿拉伯司令部(20世纪70年代中期解散)。当时是阿拉法特的亲密顾问。但其后开始改变观点，致力于通过与以色列温和人士谈判实现双方人民和解。但在巴解组织内部几乎无人赞同其观点，而且以色列官方政策也不让步。1983年4月当他出席在葡萄牙召开的社会主义国际会议时，在举行会议的宾馆大厅遭暗杀。普遍认为此举是从巴解组织中分离出的阿布·尼达尔的组织所为。

Sarthe 萨尔特 法国西北部卢瓦尔大区一省。由原曼恩省东部和安茹省小部分组成。面积6 210平方千米。省会勒芒。萨尔特河及其支流流经境内。北部有两个古老山地，风景优美的佩塞格纳森林地区，海拔340米。东北部有佩尔什丘陵，丘陵上覆盖着山毛榉和橡树，还有牧场，海拔250米。气候温和，夏暖，一年四季雨量均充沛。经济以农业为主，养牛，种植谷物和马铃薯。勒芒地区集中有全省1/3的人口，有电子、电机、汽车和纺织等工业。勒芒附近举行的著名汽车赛每年都吸引着大量观众。拉弗莱什是著名的军官学校所在地，设在1607年建立的耶稣会学院内。该省下设勒芒、拉弗莱什和马梅尔3个专区，属于卡昂教育区。人口529 851(1999)。

Sarthe River 萨尔特河 法国西北部河流。源出奥恩省佩尔什丘陵地区，交替向西向南流，在昂热附近与卢瓦河和马耶讷河相汇，形成卢瓦河的支流曼恩河。全长285千米，在勒芒下游河段可航小型船舶。流域面积约8 000平方千米。

Sarti, Giuseppe 萨尔蒂(1729-12-01受洗，教皇国法恩扎～1802-07-28，柏林) 别名Il Domenichino。意大利指挥家和宗教音乐作曲家，还作有50余部歌剧。早年在博洛尼亚随G.B.马蒂尼学习管风琴与作曲，1748年成为法恩扎大教堂管风琴师和该地剧院院长。1753年歌剧《牧羊王》在威尼斯取得成功后，丹麦国王腓特烈五世先后聘请他担任意大利歌剧指导和宫廷音乐指导(1753～1765)。返意大利后，在威尼斯担任仁爱医院附属孤儿院院长(1775～1779)，后又任米兰大教堂唱诗班指挥(1779～1784)。1784年应叶卡捷琳娜二世之请去俄国担任宫廷指挥。在俄国期间(1784～1802)研究声学法则并发明了一套设备，可测算声音振动以确定音高标准。圣彼得堡科学院因为他的发明而选他为名誉院士。他的比较著名的歌剧有《狄朵之遗弃》(1762)、《两强相争》(1782)等。

Sarto, Andrea del 参阅 **Andrea del Sarto** 安德烈亚。

Sarton, George Alfred Leon 萨尔顿(1884-08-31，根特～1956-03-22，美国马萨诸塞剑桥) 比利时出生的美国学者和作家。其有关科学史的大量研究和著作，为科学史成为一门独立学科做出了许多贡献。他在根特大学学习化学、天体力学和数学，1911年获得数学博士学位。第一次世界大战开始时移居英国。1915年到美国，把他于1912年创办的国际性科学史季刊《爱西斯》带到美国出版。1936年又创办刊载长篇科学史和科学理论的刊物《奥西里斯》，并担任这两个刊物的主编直到去世。1918年任华盛顿卡内基学会副研究员，两年后任哈佛大学讲师，1940～1951年任该校科学史教授。发表重要著作《科学史引论》(共3卷，1927～1947；从荷马到14世纪末)的第1卷后，1931～1932年游历叙利亚、埃及、突尼斯、阿尔及利亚和摩洛哥，以便学习阿拉伯语和研究为完成第2卷所需的原文手稿。后来他计划著作1900年以前的全部科学史，全书9卷，到去世时完成2卷：《希腊黄金时代的古代科学》(1952)和《希腊化时期的科学和文化》(1959)。

sartorius muscle 缝匠肌 大腿上的一块细长、丝带状的肌肉。起于髂前上棘，沿大腿前面及侧面斜行向下。附着于胫骨上端内侧面。主要功能为屈大腿、屈膝并使股骨外旋。

Sartre, Jean-Paul 萨特(1905-06-21，巴黎～1980-04-15，巴黎) 法国哲学家、剧作家、小说家，当代文化生活中的国际知名人物，法国存在主义的首倡者。存在主义哲学强调自由和个人存在的重要性。早年丧父，由外祖父抚养成人。1929年毕业于高等师范学校。1931年起在里昂、巴黎等地任哲学教师。1939年第二次世界大战爆发后应召入伍，1940年被俘，次年遣返。1938年出版日记体小说《恶心》，书中包含了许多哲学主题。他在《想象力》(1936)、《情绪理论大纲》(1939)、《想象力的现象心理学》(1940)这3本书中成功地运用了胡塞尔的现象学方法。不过，最

充分展示其才华的著作是《存在与虚无》(1943)。该书将人的意识(即虚无)与存在(即物性)对立起来,意识是非物质的,并由于这个特征而摆脱决定论。当他完成了对个人

供图:Gisele Freund

自由和人类尊严的辩护后,就将注意力转向社会责任这一概念。多年来他一直表现出对穷人的关心以及对各种被剥夺权利者的同情。在《存在主义是一种人道主义》(1946)一书中,自由成为人类斗争的工具,它意味着社会责任心。1945年开始写4卷本长篇小说《到自由之路》,仅完成3卷,即《理性的时代》(1945)、《缓刑》(1945)、《灵魂的烙印》(1949)。此后他转向戏剧。这方面的著作有《苍蝇》(1943)、《在密室里》(1944)、《肮脏的手》(1948)、《魔鬼与上帝》(1951)、《涅克拉索夫》(1955)。还有其他著作:《波德莱尔》(1947)、《圣·谢奈,逢场作戏的角色和殉道者》(1952),他曾在《现时代》评论月刊上发表许多文章,后收集在7卷集《情况种种》中。第二次世界大战后,萨特热衷于参加法国政治运动,公开赞颂苏联。1954年访问苏联、斯堪的纳维亚、非洲、美国和古巴。他的《话语》获1964年诺贝尔文学奖,但他拒绝接受。1960～1971年,他集中精力写4卷本《福楼拜》,1971年春出版2卷,1972年出版第3卷,企图为读者提供一部福楼拜的完整的传记。在“用行动来承担义务而不是言词”的口号下,萨特从1971年起离开书斋走向街头,卖左翼书刊,参加一些他认为是促进“革命”的活动。

Sarudahiko 猿田彦神 日本神话中的神,天照大神之孙琼琼杵尊降世时,得此神带路。神道教以猿田彦神为引路神和为天皇效力的典范,又为男性的代表。该神之像魁伟而红,长鼻(象征阴茎),眼大而圆。

sarugaku 猿乐 至少从11世纪就有的一种民间流行的日本娱乐形式。14世纪达到其顶峰时期。起初,猿乐主要包括杂技、魔术和哑剧表演。猿乐促进了戏剧形式中能剧和狂言的兴起。

Saruhan DYNASTY 萨鲁汉王朝 统治安纳托利亚西部马尼萨地区的土库曼王朝(约1300～1410),由花剌子模沙的后裔萨鲁汉创建。萨鲁汉公国于1313年征服马尼萨,把领土扩展到爱琴海,并拥有巨大的舰队。1390年被奥斯曼苏丹巴耶塞特一世兼并,1402年中亚统治者帖木儿恢复了它的独立。约1410年萨鲁汉王朝的末代君主希齐尔为后来的奥斯曼苏丹穆罕默德一世所杀,国土再度并入奥斯曼帝国。

Sarūk carpet 赛路克地毯 Sarūk又拼Sarouk。原先指在伊朗西部阿拉克城以北的赛路克村生产的手工铺地用品;后来也指为了供应美国市场在阿拉克及其附近村庄生产

20世纪的伊朗赛路克地毯

供图:Neshan G. Hintlian, Washington, D.C.

的铺地用品。早期产品质量非常好,毯面不厚,图案多样。20世纪初开始采用曲线奎心图后,因对新图案的组成方法不熟悉,出现过做工拙劣的迹象。大批生产的赛路克地毯的特点是毯面厚,为玫瑰色,满地散碎的小花枝和树枝。棉底,拴波斯生纳扣。

Sarum chant 塞勒姆圣咏 以英国索尔兹伯里为中心的中世纪教堂仪式塞勒姆特色礼拜仪式的圣咏。它在使用自由节奏、教会调式、诗篇歌调、曲式和为弥撒和祈祷时刻增加附加段等方面,都与格列高利圣咏相似,但音域较狭,结构更规范化,移调亦更多。塞勒姆圣咏被应用于15和16世纪英格兰和欧洲大陆许多作曲家的复调作品中。宗教改革时期中,英格兰于1547年废弃塞勒姆礼拜仪式。1833年牛津运动的领导人鼓励为圣公会圣咏谱新曲,力图恢复原来的圣公会仪式;他们鼓励恢复格列高利以及特别是塞勒姆圣咏。

Saruwaged Range 萨鲁瓦吉德岭 在巴布亚新几内亚新几内亚岛东北部的休恩半岛。位于中部大盆地北沿。最高点班盖塔山(4 121米)。南侧流出的河流注入马克姆河。

Sarvāstivāda 说一切有部 早期佛教哲学学派。佛教玄学中有一项基本概念,就是认为诸法存在;所谓诸法就是在人的过去行为的影响之下暂时结合以形成人的生命之流的宇宙因素与事件,人认为这种生命之流就是我体与一生的经历。关于诸法的本体实际,早期佛教各派各执一说。说一切有部一方面像其他各派一样认为一切经验事物都是空幻,另一方面又主张诸法因素是永恒存在的实体。

Sarykol Range 萨雷阔勒岭 塔吉克斯坦戈尔诺-巴达赫尚自治州和中华人民共和国的边界山脉。位于帕米尔高原东部,与东面的喀什(即穆斯塔-阿塔)山脉平行。北起马坎苏河河谷,南至贝克山口,全长215英里(350千米)。平均海拔约16 500英尺(5 000米),利亚维尔基尔山为最高点,海拔20 837英尺。萨雷阔勒岭构成阿姆河流域和塔里木河流域的主要分水岭。地质结构为片岩,以及北部的花岗岩和南部的片麻岩。植被稀少,属高山荒漠型。冰蚀较少。

Sarzana 萨尔扎纳 意大利北部利古里亚区拉斯佩齐亚省城镇。位于拉斯佩齐亚东面肥沃的马格拉河平原。963年作为城堡首见记载。1084年建镇。先后属于比萨和佛罗伦萨。1572年转属热那亚。著名建筑物有古老的比萨城堡(1263,重建于1488)、圣母升天大教堂(1355～1474)、15世纪的城墙遗迹等。教皇尼古拉五世出生于此。现为农业和商业中心。在热那亚至罗马的公路和铁路干线上,有重要的早熟蔬菜贸易。人口:都市区约19 621(1990)。

Sarzec, (Gustave-Charles-) Ernest (Chocquin) de 萨泽克(1832,法国雷恩～1901,维也纳) 法国考古学家。在今伊拉克南部特罗(古代吉尔苏)土丘发掘出苏美尔首都拉格什,展现出大量美索不达米亚最早文明中的艺术、语言和历史遗存。1877年开始发掘特罗遗址,断断续续地工作到1901年,系统地发掘了整个地区,使现代世界第一次窥见了苏美尔文化。1880年发现拉格什第7代统治者古代亚(约公元前2150～前2050)闪长石雕像和其他艺术品,这是19世纪亚述学研究的卓越成就之一。除出土建筑遗迹和许多艺术品、武器、容器及其他手工制品外,还发现苏美尔传给巴比伦的最大遗产——文字。从寺庙文档中获得约3万块泥板文书,其上有关于寺庙行政、商业、农业和畜牧方面的各种资料。与L.厄泽合著《迦勒底的考古发现》(1884～1912)。罗浮宫所藏的大量苏美尔艺术品,大部分都是萨泽克的工作成果。

Sasak 萨萨克人 又拼Sassak。印度尼西亚小巽他群岛龙目岛上的最大种族集团,1977年约有人口200万。萨萨克人属德太罗-马来人种,讲萨萨克语(或称萨萨克-巴厘语)。大部分人是自给的农民,密居于岛中央三分之一的土地上,种植水稻、咖啡、蔬菜、椰子、竹子、甘蔗和露兜树。他们的村庄小者只有5～20户,大者人口可达数千。房舍围绕

一中心礼堂修筑。1895年荷兰人占领前，萨萨克人受巴厘人统治。今日的萨萨克人继续承认社会种姓的划分。宗教信仰有两种形式：在较小的村落，人们信奉带有伊斯兰色彩的传统宗教；在较大的居民区，人们则信奉正统的伊斯兰教。

Sāsān 萨珊（活动时期公元1世纪？） 古波斯萨珊王朝的远祖。关于他的生平说法不一，但大多数学者认为他原是波西斯省诸侯，臣属波西斯小王戈奇赫尔。他的儿子（或后裔）巴巴克是萨珊帝国开国者阿尔达希尔一世的父亲。根据传说，萨珊娶戈奇赫尔的女儿为妻。后来他们的儿子巴巴克起来造反，杀掉戈奇赫尔。根据另一种传说，萨珊与巴巴克并非血亲，而是波西斯的国王巴巴克的牧羊人。巴巴克由于梦见萨珊的儿子将来会统治世界，就把女儿嫁给萨珊，后生下阿尔达赫尔。

Sāsānian DYNASTY **萨珊王朝**（224～651） Sāsānian又拼Sāssānian。古代伊朗王朝。它在208～224年间的征服时期中形成，在637～651年间被阿拉伯人摧毁。在阿尔达

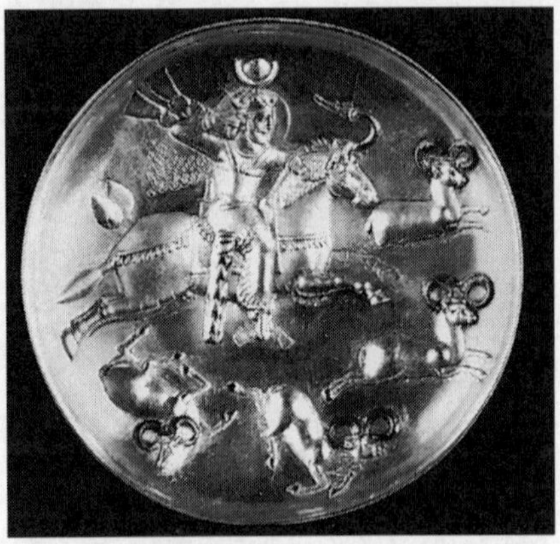

5世纪的萨珊王朝银盘，上镌菲鲁兹一世（457～484）骑射巨角塔尔羊图案
纽约大都会艺术博物馆供图

希尔一世（224～241在位）领导下，萨珊人推翻安息王朝，创建一个帝国。在沙普尔一世（241～272在位）时期，帝国领土大为扩张，北起粟特和伊比利亚（格鲁吉亚），南至阿拉比亚的马宗地区，东达印度河，西迄底格里斯—幼发拉底河流域。以琐罗亚斯德教为国教。政府采取中央集权制，各省官员直接对王室负责，道路、城市建筑、甚至农业都由政府拨款。艺术普遍发展，宫殿富丽堂皇。萨珊艺术最有特色、最辉煌的遗迹可能是岩石雕刻。国家鼓励学术，东方与西方传来的著作均译为钵罗钵语。

Sasarām 瑟瑟拉姆 又拼Sahsaram。印度东北部比哈尔邦罗赫达斯县城市和县首府。位于主要公路和铁路交叉点，为农产品贸易中心，织毯与制陶占重要地位。有古代帝王陵墓。该镇于1869年建成市。人口约98 220（1991）。

Sasebo 佐世保 日本九州长崎县城市。靠近大村湾口。原是一个濒临天然港湾（大村湾）的小村庄，19世纪末作为海军基地迅速扩展。第二次世界大战中部分受到破坏。现为日本海上自卫队基地和商业、渔业港口。人口244 693（1990）。

sashimi 生鱼片 日本风味菜肴，鲜鱼生食。将非常新鲜的鱼切成薄片或根据鱼的情况切成0.75～1.5厘米厚的块或条，拌以绿色辣根糊（山萮菜），沾酱油食用。生鱼片是日本正式筵席上的菜肴，为了品尝其鲜美的味道，这道菜通常先上。大多数常用的海鱼有：金枪鱼、鰤鱼、鲭鱼、海鲷、川鲽等。常用的淡水鱼有：河鲈、鳗鱼和鲤鱼。河虾、蛤肉、龙虾、鲍鱼（石决明）也可生食。日本米酒是佐食生鱼片的传统饮料。

Saskatchewan 萨斯喀彻温 加拿大西部一省，是唯一人为划定疆界的省份。西接艾伯塔，东邻马尼托巴，北连西北地区，南与美国的蒙大拿及北达科他州接壤。面积652 330平方千米。省会位于中南部的里贾纳。

境内南半部大部分处于北美洲中部大平原的延伸地带，北半部处于加拿大地盾区，为人烟稀少的丛林地区，多湖泊和冻土带。野生动物资源丰富，有棕熊、驼鹿、鹿、羚羊和山狮，以及郊狼、狐狸、山猫、金花鼠和野兔等较小动物。该省位于水禽、鸣禽、秃鹰及猫头鹰等候鸟的西迁要道，其中许多在境内筑巢。

克里族印第安人在此定居至少已有5 000年，他们以狩猎野牛为生，直至与欧洲人接触后转而从事毛皮生意。他们给境内一条河取名为萨斯喀彻温（意为湍急河流），此名现已被采用为该省名称。1691年，该地区第一个欧洲人H.凯尔西为哈得孙湾公司考察了这片平原。1868年公司将该地让与英国王室，1870年该地并入新成立的加拿大自治领。由于加拿大太平洋铁路的延伸，1882年起大批欧洲人来此定居。其后当大批麦梯斯人（多为欧洲与印第安人的混血人）攫夺了政权并意欲获得对西部土地的权利时，爆发了里尔所领导的第二次里尔暴动。暴动于1885年被皇家西北骑警所镇压。1905年通过《萨斯喀彻温法》，建制为省。1930年被准许控制其自己的自然资源。自由党成员的统治在1944～1964年被打断，此时全民合作联盟在北美大陆上建立了第一个公开宣称的社会主义政府。1962年它建立了大陆第一个医疗保健计划，并引发一场医生罢工。

居民中英国后裔不到40%。该省有许多容易辨认的乌克兰人、法裔加拿大人、德国人以及其他少数民族的居住地，包括大量来自远东和印度的移民。宗教信仰因民族而异，居民中约有1/3属于加拿大联合教会。其他宗教集团为罗马天主教、路德教、圣公会、乌克兰天主教和门诺会。因移居外省人数超过移入人数，人口增长率一般较低。

经济传统上以采掘业为基础，如石油、天然气和钾碱。钾碱蕴藏于境内斜跨东西的一条狭长地带，石油和天然气则在南部。北部有丰富的铀矿。此外亦可找到盐、硫酸盐钠及各类陶土。其他重要行业为毛皮业和农业。粮食产区位于南部边界与北纬54度之间，以种植小麦为主，但也大面积种植大麦、燕麦和油菜籽。制造业所起作用很小。

该省无力消费自己的主要产品，需要依赖外部市场，因此时时要求政府出面进行大量干预，包括建立保护性关税。横贯大陆的铁路在萨斯喀彻温这个殖民区非常重要。它们系在联邦政府资助下建成，用来运送移民，输入物资，输出谷物。铁路货运至今仍很重要，但客运则由汽车、公共汽车和飞机承担。

该省宪法以1905年通过的《萨斯喀彻温法》（加入联邦）为基础。省政府由一院制议会组成。议会经全民普选产生，任期5年。总理为议会多数党领袖，有权选任其所领导的行政会。代理总督由加拿大总督任命，代表王室。参议员亦由加拿大总督任命，众议员则经普选产生，在渥太华代表本省。法院归省管辖，但所有治安法官职位上的法官皆由联邦政府任命。按照省与联邦政府的协议，加拿大皇家骑警负责维护境内大部分地区治安。该省主要政党有三个：自由党和进步保守党，提倡自由企业，其势力在乡村；新民主党，主张民主社会主义，其势力在城市。

在公立学校及由省政府资助的教会学校中，小学和中学教育均实行免费强制义务制。幼儿教育虽可自由选择，但基本普及。中学阶段有职业和技术培训。萨斯喀彻温大学始建于1907年，在里贾纳和萨斯卡通均有宽阔校园，还在萨斯卡通设有北部研究所和空间与大气研究所。

省艺术委员会建于1959年，为戏剧、美术、音乐、文学及手工艺活动提供资助。萨斯喀彻温大学在里贾纳校园设有一所艺术学校。萨斯卡通和里贾纳均以其美术馆而著称，其中包括P.凯恩的作品，他于1846年访问这一地区，勾画了克里印第安人、野牛及拓荒者。这两个城市亦有交响乐团和专业剧院。里贾纳为省自然历史博物馆和加拿大皇家骑警博物馆所在地；萨斯卡通则是西部开发博物馆所在地。不少城市和乡村居住着德国人、乌克兰人、波兰人、俄国人以及斯堪的纳维亚移民的后裔，每年举行各种节日活动，展示民族服装、音乐、舞蹈和食品。人口978 933（2001）。

Saskatchewan River 萨斯喀彻温河 加拿大艾伯塔省和萨斯喀彻温省的最大河系。源出加拿大艾伯塔西部落基山中，有两大河源，即北萨斯喀彻温河（长1 287千米）和南萨斯

北萨斯喀彻温河中的驼鹿
供图：George Hunter

喀彻温河（长 1 392 千米）。两河穿越萨斯喀彻温省界 320 千米，在艾伯特王子城以东汇合，向东流 550 千米注入温尼伯湖。汇合处有水力发电站。萨斯喀彻温河以鲍河为源头计算，全长 1 939 千米，流域面积 38.3 万平方千米。长期为重要的毛皮贸易通道。现主要用于发电和灌溉。河上有几座水坝，全流域为加拿大最大的灌溉区。该河及其支流巴特尔河、鲍河、老人河、雷德迪尔河的沿河主要城市有埃德蒙顿、卡尔加里、莱斯布里奇、雷德迪尔、梅迪辛哈特、萨斯卡通和艾伯特王子城。

Saskatoon　萨斯卡通　加拿大萨斯喀彻温省中南部城市，位于南萨斯喀彻温河畔。1883 年创建，1890 年始自里贾纳（东南 259 千米处）的铁路修通，1906 年同附近两个拓居地合并，此后发展迅速。为全省第二大城市、重要钾碱矿区和小麦产区的销售中心。工业多样化，有磨粉、食品与乳品加工、肉类加工、酿酒、制革、炼油以及化学制品、化肥、电子设备、服装与筑路机械等。为主要铁路和公路运输枢纽，有繁忙的飞机场。该市为文化教育中心，有交响乐团、美术馆、艺术学校、博物馆、大学。省立聋人学校和萨斯喀彻温研究院总部亦在市内。1906 年设市。人口：市 196 811（1991）；都会区 225 927（2001）。

Sasolburg　萨索尔堡　南非奥兰治自由邦北部城镇。位于约翰内斯堡南面。建于 1954 年。由萨索尔有限公司（前南非煤、油、气有限公司）所建，以向世界上第一个大规模生产煤油的工厂的职工提供住所。选此地筑城因其靠近大煤田、瓦尔河和威特沃特斯兰德高地的集贸市场。有多种石油化工产品。1967 年正式建镇。人口 29 310（1985）。

Sasquatch　大脚野人　又作 Bigfoot。据信存在于美国西北部和加拿大西部的高大而多毛的人样动物，似乎与喜马拉雅山雪人相近。该词源于萨利什语 *se'sxac*，意为野人。一般认为，英国探险家 D. 汤普森于 1811 年首次发现大脚野人的一对脚印。此后，不断有人宣称发现据说是野人留下的足迹。人们所见的图像、照片以及影片（主要是 1967 年 R. 帕特森在加利福尼亚州布拉夫克里克所摄的）都有助于传播这种传说，但没有任何一项材料得到证实。对大脚野人有各种不同的描述，说它像灵长目动物，身高 2～4.5 米，用两脚直立；身上经常散发臭气；或静悄悄地行动，或发出嚎叫。脚印可长达 60 厘米，宽 20 厘米。苏联科学家 B. 波尔什涅夫认为，大脚野人和与之相似的西伯利亚的阿尔马斯野人或许都是尼安德特人的幸存者。但大多数科学家不承认这种生物的存在。

sassaby　萨萨比羚羊　偶蹄目牛科南非大羚羊属（*Damaliscus*）动物，有数种。栖于撒哈拉以南的草原、河漫滩及浓密的灌木丛中，分布范围从西非到东非，并向南至南部非洲。现代的分类系统各家不一致。一般分为两个亚属，3 个种。Beatragus 亚属只有一个种，即亨特氏南非大羚羊（*D. hunteri*），又称亨特氏

南非白纹大羚羊（*D. dorcas dorcas*）
供图：Francisco Erize—Bruce Coleman Ltd.

麋羚（Hunter's hartebeest 或 hirola），分布于肯尼亚东部及索马里西南部。南非大羚羊亚属（*Damaliscus*）有两个种：*D. dorcas*（南非白纹大羚羊［*D. dorcas dorcas* 亚种］及南非白面大羚羊［*D. dorcas phillipsi* 亚种］）和 *D. lunatus*（托皮羚羊），广泛分布于从塞内加尔至埃塞俄比亚乃至南非。萨萨比羚羊肩高约 90～120 厘米，头和躯干长 130～200 厘米。角形优美，似七弦竖琴，可长达 70 厘米。体毛通常具虹彩光泽，柔软，灰色至几乎黑色，或从红色到浓艳的棕色。面部、腿或臀部具有对比鲜明的白色斑块。萨萨比羚羊以草为食。一旦萨萨比羚羊的数量增加到数以万计，开拓者便以狩猎及缩小其栖息地等方式使其数量下降。

sassafras（*Sassafras albidum*）　**檫树**　又作 ague tree。即微白檫树。北美的一种樟科乔木。树皮和根、叶具香味，可作调料、家用药材和茶。根约含 2% 的檫树油，曾是根汁

檫树（*Sassafras albidum*）
供图：Walter Chandoha

汽水的特有配料。原产于从缅因到安大略和艾奥瓦，南到佛罗里达和得克萨斯的沙壤土。通常为小乔木，也有的高达 20 余米。树皮有皱纹，小枝亮绿，花黄色密集，浆果深蓝色。叶全缘，叶形有三种：三裂、二裂及连指手套形，不同形状的叶常生于同一小枝上。

Sassak（people）　参阅 **Sasak** *萨萨克人*。

Sassandra River　萨桑德拉河　西非河流。上游是科特迪瓦西北部的坚巴河，与源出几内亚东部的费雷杜古巴河汇流后称萨桑德拉河，在大西洋萨桑德拉港流入几内亚湾，全长 650 千米。上游流经热带大草原地区，产金刚石；下游是 4 250 平方千米的塔伊自然保护区（以矮河马著称）东部边界，盛产木材、咖啡和香蕉等。水势湍急多险滩，小船可上溯航行 80 千米。

Sāsānian DYNASTY　参阅 **Sāsānian dynasty** *萨珊王朝*。

Sassari　萨萨里　意大利撒丁岛萨萨里省城市、省会。邻近北方海岸。卡利亚里的西北偏北处。12 世纪发展起来。比萨统治时期为自由城镇。1284 年转属热那亚。1323 年由阿拉贡人统治。1562 年建萨萨里大学。1718 年归属萨伏伊王朝。第二次世界大战期间受到盟军的猛烈轰炸。有正面为巴罗克式的大教堂、罗马式的圣马利亚教堂等。G. A. 桑纳的国立博物馆收藏全岛各地的可追溯至史前的出土文物。有铁路、公路通托雷斯港、奥尔比亚等地。以农产品加工业为主。人口：城市区约 120 497；省约 449 951（1988）。

Sassetta　萨塞塔（？～约 1450，锡耶纳［意大利］）　原名斯泰法诺。哥特式画家，被公认为 15 世纪早期锡耶纳最伟大的画家。现存的第一件壁画是为锡耶纳的阿尔特·德拉·拉纳教堂画的祭坛画（1423～1426），其鲜明的色彩和优美的线条明显证明受到锡耶纳传统的强烈影响。其对文艺复兴时期佛罗伦萨第一代画家作品的兴趣反映在 1430～1432 年间他为锡耶纳大教堂画的宏伟祭坛画《雪白的圣母》中。他以此为起点，在哥特风格的影响下，他的风格日益富有强烈的装饰性。这种风格初期表现在科尔托纳的圣多梅尼科教堂的四联画屏中（约 1437），而在给隐修院长圣安东尼的传奇生平所作的组画中达到顶点。他为圣塞波尔克罗的圣方济各教堂画的最著名、最辉煌的祭坛画（1437～1444），原为双面画（现已分开），正面画圣母子与四使徒，背面画圣方济各生平。他画的圣方济各的景象显示出他作为描绘故事的画家所达到的高峰，是他晚期风格的范例。正是他作品中传

萨塞塔绘《圣方济各的葬礼》（1437～1444）
伦敦国家美术陈列馆供图

统与当代要素的熔汇才使得锡耶纳绘画从哥特式转向文艺复兴的风格。

Sassone, Il（opera composer） 参阅 **Hasse, Johann Adolph** 哈塞。

Sassoon, Siegfried (Lorraine) **萨松**（1886-09-08，英格兰肯特布伦奇莱～1967-09-01，威尔特黑茨伯里） 英国诗人、小说家，以反战诗歌和小说体自传而著名。其自传小说所抒发的对英格兰乡村生活的缅怀颇受赞扬。萨松于第一次世界大战时在法国战场任军官，曾两度负重伤。由于发表反战诗《老猎人》(1917)和《反攻》(1918)以及获得十字军功章后公开表明其和平主义立场而广为人知。住疗养院治疗时结识并影响了另一位和平主义的士兵和诗人W.欧文；欧文战死后，萨松出版了他的作品。萨松的自传性作品有《乔治·舍斯顿回忆录》(3卷，1928～1936)和《齐格弗里德的旅程》(3卷，1945)，他其余的诗作收于《诗集》(1947)和《通向和平之路》(1960)。

Sastri, Srinivasa **萨斯特里**（1869-09-22，印度马德拉斯～1946-04-17，马德拉斯） 印度政治家，印度自由联盟的创立者，英国人统治印度时他在国内外担任过多种重要职务。他原是学校教师。热心公共事业，有口才。1907年参加印度公仆社的政治活动，1915年任主席。1916年选入中央立法机构。他拥护《印度政府法》(1919)。根据此法，地方政府某些方面由印人部长管理并向印度选民负责。由于改革中国大党拒绝合作，采取非暴力抵制措施，他退出该党，于1922年创立印度自由联盟，并任主席。同年受政府委派去澳大利亚、新西兰和加拿大，谋求改善当地印度人的生活地位。1926年去南非，1927年任驻南非总代办。两年后在印度任英国皇家劳工委员会委员。1930～1931年积极参加伦敦圆桌会议。1935～1940年任马德拉斯安纳马莱大学副校长。

Śatadru River（Tibet-India-Pakistan） 参阅 **Sutlej River** 苏特莱杰河。

Satan **撒旦** 犹太教和基督教教义中与上帝为敌的众魔之王。英语Satan是《旧约》中的希伯来语"对头"一词的音译。希伯来原词附以定冠词，主要是在《约伯记》里，指最突出的对头，他同"上帝的众子"一起出现在天上宫廷。他的任务是在地上巡游（如同当时波斯国的一种官员），寻找可以（向国王）进行反面汇报的事与人；他的功能与叫作"主的眼目"的一类官员相反，后者巡视世界，鼓励一切善良。撒旦冷眼观察人的无私善行，他可以根据上帝的授权在上帝所定的限度内检验这种善行。《新约》谓撒旦是恶魔之王，是伪装成光明天使而顽强对抗上帝和基督的顽敌。他能进入人的身体，通过人作祟，因此，可以根据某人的行事待人称他为撒旦。撒旦能通过小鬼附在人身上，使人痛苦或患病。罪人的肉体要交给撒旦而毁灭以保存灵魂。耶稣选派70人四出传道，制服了撒旦，他们回来后耶稣看见撒旦从天上坠落，像闪电一样（《路加福音》10:18）。据《启示录》说，当复活的基督从天上复临地上掌权时，撒旦被一条大链子捆绑一千年，然后被释，不久遭受最终失败，陷于永久的惩罚。他还有一个名字叫别西卜(**Beelzebul**)，福音书主要在叙述鬼附人体的事时才使用，此词源出以革伦的神巴力西卜。撒旦又被人认同于魔鬼，在《新约》中，"魔鬼"出现的频率高于"撒旦"。《古兰经》通称他为"哂依陀乃"。在早期基督教著作中，在有关罪恶的性质、救恩的意义、基督的救世事业的目的和效验等问题的议论中，常常提到撒旦。在由全能、全智、普爱的上帝创造和维持的宇宙内，居然有撒旦这样一个灵体，这个问题如何解释，早期和中世纪教会的著作家长篇累牍地议论不休。18世纪出现了否定超自然事物的思潮，基督教自由化神学家受其影响，往往把《圣经》中关于撒旦的提法当作不能照字面解释的"形象思维"，当作一种神话性手段，说明罪恶在宇宙中的存在和程度，即罪恶存在于人之外，不附在于人而深刻地影响人的生存范围。

satanic school **撒旦派** R.骚塞在《最后审判之幻觉》(1821)的序言中用该称谓来指诗人J.济慈、P.B.雪莱、L.亨特和拜伦勋爵，表示他不赞同这些诗人的非正统观点和生活方式。

satanism **撒旦崇拜** 又称魔鬼崇拜，指对被犹太教和基督教传统认为是上帝之敌、至恶化身的撒旦亦即魔鬼的崇拜。撒旦崇拜可以说是对犹太教-基督教精神统治的一种极端反抗。对于撒旦的崇拜有史料可考者在欧洲和美洲始见于17世纪，更早的根源难知。各时代真正崇拜撒旦的人数往往被估计得偏高。教会人士想当然地断定撒旦崇拜源出"女巫"以及诺斯替派、清洁派、鲍格米勒派等异端，但是，这种说法不符合这些异端派别自己揭示的信仰，而且，在消灭女巫运动的高潮中确有一些人被扣上撒旦崇拜的帽子而受迫害，但是，所谓罪证无非是揪斗女巫的人们的狂热想象和酷刑拷问出来的供词。同样，把魔鬼崇拜归之于基督教以外的宗教通常也是论辩中的强词夺理或是误解。不能把现代巫术和新异教与撒旦崇拜混为一谈，因为前者不拜撒旦而拜先基督教的诸神。崇拜犹太教-基督教所谓邪恶之源的撒旦的撒旦崇拜，只能与犹太教-基督教传统共生，因为它与这种传统共有一种世界观，只是把它颠倒过来了。自古撒旦崇拜是以"黑弥撒"(black mass)为中心进行的。人们模拟天主教的圣体圣事，极尽歪曲亵渎之能事。现代拜撒旦派中有人废除这种习俗，代之以纵情恣意的动作，狂舞颠蹈，手足震颤。

Sātāra **萨达拉** 印度西部马哈拉施特拉邦西南部城镇。位于浦那东南克里希纳河与文纳河汇合处。主要工业有机械制造与制糖。设有希瓦吉大学的几所附属学院。设有陈列古代文献与兵器的博物馆。为一富饶农业区，出产甘蔗、小麦、烟草、花生、豆类植物和小米，畜牧业很著名。人口83 336(1981)。

萨达拉镇附近的农民在收割粟

供图：B. Bhansali—Shostal/美国不列颠百科全书公司

Sātavāhana DYNASTY **萨塔瓦哈纳王朝** 在印度南方建立帝国的第一个德干王朝。属安度罗部族。王朝统治始于公元前1世纪末，最初仅统治德干西部的某些地区。早期统治者有辛穆卡、克利希那和沙达迦尼一世。王朝初期曾逼进西海岸的贸易港口及西沙特罗巴人领地，引起连年战争。战争初期，沙特罗巴纳赫巴纳国攻入纳西克及德干西部其他地区。后王朝的最伟大统治者乔达米帕特拉·沙达伽尼(106～130在位)使王朝复兴，又征服了从西北拉贾斯坦邦到东南安得拉邦、从西部古吉拉特邦到东部羯陵伽的辽阔领土。其子伏西希锡帕特拉·普兰梅伊(130～159在位)又向东面和东北面扩张。斯里·耶纳·沙达伽尼(约174～203在位)是这一王朝最后的重要人物，他曾战胜沙特罗巴人，但他后人统治的地域则相当有限。随后，萨塔瓦哈纳帝国四分五裂，到4世纪初完全解体。

Satcher, David **撒切尔**（1941-03-02，美国亚拉巴马安尼斯顿附近～　　） 美国医生、公共卫生官员，1998～2002年出任美国第16任公共卫生局局长。出身小农场主，两岁时因家里求医无门，几乎命丧百日咳，是当地唯一的黑人医生救了他。这次经历使得撒切尔很早就下定决心从医。在当地黑人高中毕业班是致告别辞的成绩最优秀的学生代表，也是仅有的三个考上大学的毕业生之一。1963年毕业于亚特兰大的黑人大学莫尔豪斯学院，并取得理科学士学位。1970年在俄亥俄州克利夫兰凯斯西储大学获得医学和细胞遗传学双博士，是第一位获此学位的非洲裔美国人。20世纪70年代，在洛杉矶查尔斯·德鲁大学医学研究生院及其附属医院金·德鲁镰刀状细胞贫血研究中心做行政工作并任教职，同时还在加州大学洛杉矶分校公共卫生学院工作。1979年重返莫尔豪斯学院主持社区和家庭医疗系。1982～1993年间，出任梅哈里医学院院长。在他任职时，这所有百年历史、致力于培养非洲裔美国医生的大学已濒临破产边缘。为了挽救这所大学及其附属医院，撒切尔为教员队伍补充大量新鲜血液，提高学术水平，确保财政运转。1993年被任命为国家疾病防控中心主任。在任时强调对疾病的预防，主张大力提高儿童免疫率，提高国家对新发传染病的应对能力，并加强对食源性疾病的预防。1998年2月被B.克林顿总统任命为公共卫生局局长；他还兼任美国卫生与公众服务部助理部长直到 2001 年 1 月。这些职务为他强调公共卫生问题和引导生物医学研究计划提供了一个论坛和平台。作为全国最高级别的医生,他向总统提交了一份报告,指出吸烟极大地危害了少数民族,尤其是少数民族青少年的健康;受委托写了一份关于自杀问题的调查报告,试图消除出现在医疗保健上的种族差异,并迫切要求国家展开在精神健康问题上进行"诚实辩论"。2002 年任期届满以后,出任莫尔豪斯医学院全美初级治疗中心主任。

satellite 卫星 天文学名词,指在围绕行星轨道上运行的天然或人造天体。月球就是最明显的例子。在太阳系里,除水星和金星外,其他行星都有天然卫星。已知的天然卫星总数(不算构成行星环的碎块)至少有 40 颗。土星的天然卫星最多,其中 17 颗已得到确认,至少还有五颗尚待证实。天然卫星的大小不一,彼此差别很大。其中一些直径只有几千米大,例如,火星的两个小月亮,还有木星外围的一些小卫星。还有几个却比水星还大,例如,土卫六、木卫三和木卫四,它们的直径都超过 5 200 千米。人造卫星的概念可能始于 1870 年。第一颗被正式送入轨道的人造卫星是苏联 1957 年发射的"人卫"1 号。从那时起,已有数千颗环绕地球飞行。人造卫星还被发射到环绕金星、火星和月球的轨道上。人造卫星用于科学研究,而且在近代通讯、天气预报、地球资源探测和军事侦察等方面已成为一种不可或缺的工具。有人驾驶的卫星实例包括航天站、航天飞机、围绕地球轨道飞行器和进入月球或地球轨道的阿波罗宇宙飞船。

satellite communication 卫星通信 电信中,利用沿轨道绕地球运行的人造卫星为地面上不同的点之间提供通信联系。通信卫星在相距遥远的固定地点(例如两国电话网络的交换台)之间、固定地点和移动用户(例如海岸通信站和海上舰船)之间以及移动用户(例如飞行器与摩托运载工具)之间提供电话、电视和数据服务。其技术主要涉及由地面站向卫星传输信号。卫星舱内的设备接收并放大信号之后,再把它们传输给地面上的某地区。该地区的接收站接获这些信号,即可实现通信联系。

卫星无线电中继站 卫星通过微波无线电提供通信联系,最常用的 30 亿～300 亿赫的超高频带,相当于从 10 厘米至 1 厘米的波长范围。这么短的无线电波仅沿直线发散为很窄的波束,而不是像较长的波那样成不断扩大的球形波阵面向外传播。因此,为了借助微波无线电进行通信,发射机和接收机都必须位于彼此的视线范围内。在陆地上,可以利用高塔或在山顶建站来作到这一点。但是越洋微波通信却非用卫星不可。

向民用卫星通信开放的一些特定频带是由总部设在瑞士日内瓦的国际电信联盟指定的。每个频带包括一个上行链路(地面至卫星)频率和一个下行链路(卫星到地面)频率。至今已用得时间最长且仍负载着最多通信量的频带是 C 频带和 Ku 频带。前者的上行和下行链路各以 60 亿赫和 40 亿赫为中心频率,后者的上行和下行链路各以 140 亿赫和 110 亿赫为中心频率。为了以这些频率转发信号,典型的通信卫星上都装备有多个中继器。每个中继器包括一个调谐到上行链路频率的接收机,一个用来将接收到的信号频率降低到下行链路频带的移频器,和一个能把功率放大使之适于传输的功率放大器。

从卫星上传输信号最常用的微波功率源是行波管放大器,它是真空管技术在卫星中硕果仅存的代表。固体电路功率放大器是一种经济的替代物,主要用于较低功率的传输。太阳能电池是业务卫星中通用的电能源。电池可装在从卫星本体呈辐射状向外伸展的或覆盖在卫星柱状表面的平板上。电能蓄集在镍-镉或镍-氢电池中。地面站接收到的信号强度部分取决于卫星的发射功率,部分取决于接收天线与微波束覆盖面积相比的大小。出于对卫星重量和服役寿命的考虑,对卫星上发射机的功率需加限制,因此以用细的波束专门指向需要进行通信联系的地区为好。要将波束聚焦变细,卫星的天线必须很大,直径可达 2.5 米。典型的卫星天线是抛物面形的。先进的卫星能同时传输多个覆盖面积很广的波束,指向无线电通信量少的地区,以及聚焦很细的"点"波束,指向通信量大的地区。

轨道和姿态 通信卫星由运载火箭送入轨道。大部分卫星都被放入与地球同步的轨道,使卫星在赤道平面内沿圆形路径运行,高度为 35 900 千米。在这一高度,卫星的公转周期与地球的自转周期相等,因此卫星位置始终在地面同一点的上方。卫星在整个服役寿命中必须始终保持正确姿态(即指向正确的方向)。控制姿态的方法可三者任择其一:包括天线在内的整个卫星自旋稳定;卫星主体旋转而天线平台"反旋转",以稳定地指向地面的某一点;用内部陀螺仪和小型助推器喷管保持整个卫星的"三轴"稳定。

卫星通信的发展 1958 年 12 月 18 日美国发射了第一颗通信实验卫星。该卫星沿椭圆轨道绕地球运行,运转 13 天后电池耗竭。最著名的早期卫星之一是 1960 年 8 月 12 日发射的"回声"1 号卫星,是一个聚酯塑料气球,外面镀覆一层铝膜。用它的表面反射无线电信号的通信试验完满成功。1962 年 7 月 10 日发射的"电星"1 号是一颗主动卫星(上面装有接收机和发射机),它首次跨越大西洋传输现场电视信号和电话交谈。1963 年 7 月 26 日发射的"同步"2 号是第一颗同步通信卫星。1964 年 8 月 19 日发射的"同步"3 号首次跨越太平洋转播了持续的电视画面。1965 年 4 月 6 日发射的"国际通信卫星组织"(Intelsat)1 号(亦称"早鸟号")是第一颗商业通信卫星,旨在美国和欧洲国家之间建立宽频带电信业务,以补已有的越洋电缆和短波无线电联系之不足。Intelsat 1 号负载着 240 个话音通道和一个电视通道。1969 年,由于 Intelsat 2 号和 3 号卫星已能用 1 200 多个话音通道完全覆盖大西洋和太平洋,Intelsat 1 号退役。1971 年发射的 Intelsat 4 号负载 6 000 条话音通道。几颗 Intelsat 卫星均由国际通信卫星组织主持在美国研制。国际通信卫星组织成立于 1964 年,旨在维护全球卫星通信联系的空间划分。自 1970 年苏联发射"闪电卫星"开始,许多国家性和地区性组织都发射了自己的卫星,供国内电信使用。20 年来,加拿大、印度尼西亚、印度、日本、欧洲联盟、法国、巴西、阿拉伯国家联盟、澳大利亚、墨西哥、中国和英国都建立了这样的组织。

卫星时代开始以来,姿态控制助推器、太阳能电池和辅助系统方面的进展使卫星服役的寿命延长约 15 年。由于固体电子器件超大规模集成,由于可以使用更轻更有效率的微波空腔滤波器、行波管和固体功率放大器,卫星的有效负载重量已经减小。改进的天线设计良好地控制上行链路和下行链路的波束形状;传输紧密波束的能力可使卫星获得传输功率对预期覆盖面积的较高百分比,以致可以明显地减小地球接收天线的尺寸。改进的天线设计与高增益低噪声的接收机相结合也导致了地球发射天线的尺寸大大减小。最后,频率多次利用技术的发展可使卫星在同一频带中发射和接收多路频道。

到 20 世纪 70 年代末,国际电话总量的 2/3 以上是通过卫星频道发送的。80 年代,随着高容量光纤线路的引入,情况开始变化,因为光纤线路带来比卫星线路更短的延迟时间。对于同步卫星通信来说,它具有近于 72 000千米双向往返行程的时间,最小的传送延迟时间只有约 1/4 秒;实际上延迟时间可能更长些。虽然这样的延迟对许多数据传输而言是可以接受的,但在话音通信中反映得较为明显,有时会使人烦恼。

在低地球轨道(LEO;一般在高度2 000千米)内非同步卫星能够提供更短的传送延迟时间,并且还有其他优势即有可能与小型的、低功率可携带的地面站进行直接上行链路和下行链路的联系。但是,低地球轨道卫星系统需要几十颗卫星才能完成全球覆盖。20 世纪 90 年代晚期开始并由于受到个人移动通信如携带式移动电话业务增长的激励,几家公司试图建立自己的低地球轨道卫星群。这些公司在与以地面为基地的系统的竞争中均遭受各种困难,到 21 世纪初大部分已停业。

satellite observatory 卫星天文台 一种可在大气外观测天体的环地轨道航天器。现代天文学家所以利用卫星天文台,是避免地球大气的吸收和影响天体成像的作用(即星像视宁度)。地球高层大气分子和原子的选择吸收把除可见光和射电波段以外的辐射都阻挡在大气以外,使之不能抵达大气低层。星像视宁度则指穿经地球低层大气的星光所成的像模糊不清的程度。就可能性而言,设在太空中的天文台可检测任何辐射能,但由于使用仪器的限制,通常并不能作到这一点。自 20 世纪 70 年代初以来,许多国家已发射了多种用途的卫星天文台。可在光谱红外区域研究天空的"红外天文卫星"和研究暗弱天体的"国际紫外探测器";在光学波段,哈勃空间望远镜可提供前所未有的清晰的图像,"伦琴"卫星和"康普顿 γ 射线观测台"主要是分别研究 X 射线源和 γ 射线源。另外一些卫星天文台,如"轨道太阳观测台",则专供研究太阳之用,它通常还能同时对太阳作多波段的观测。还有一些观测台用于测量宇宙粒子。

satī (Indian rite)　参阅 **suttee** *萨底*。

Satie, Erik(-Alfred-Leslie)　**萨蒂**(1866-05-17,法国卡尔瓦多斯翁弗勒尔～1925-07-01,巴黎)　法国作曲家,其简朴而不落俗套的、常常是妙趣横生的风格对20世纪音乐的发

中国大百科全书出版社供图

展,特别对法国,有着重要的影响。曾在巴黎音乐学院学习;在咖啡馆演奏钢琴。约1890年与玫瑰十字会运动发生联系,在其影响下创作多首作品,著名的有1895年的《穷人弥撒曲》。近40岁时到圣歌合唱学校学习3年,师从V.丹第和A.鲁塞尔。1917年左右,法国"六人团"的几位年轻作曲家将他视为他们的守护神。后来的"阿尔克伊乐派"就是D.米约、H.索盖和R.代佐米埃尔等人为尊敬萨蒂而组成的。他的音乐代表了与19世纪法国浪漫主义的第一次明确决裂;它与印象派也是针锋相对。在艺术上非常接近达达主义与超现实主义;不尊重传统曲式和音调结构,并用嘲弄性模拟形式写了《三首梨形乐曲》、《脱水胚胎》,还用"病恹恹地"、"轻如鸡蛋"等句子指示演奏者以挖苦印象派。他力求抛弃音乐的矫饰和伤感,揭示其朴实的本质。这种愿望反映在《三首诺斯曲》(1890)中,该曲的记谱不用小节线,也没有调号。在其他一些早期钢琴曲,如《三首萨拉班德舞曲》(1887)和《三首赤脚舞曲》(1888)中,采用了新颖的和弦,表明他是一位和声方面的开拓者。他的舞剧《游行》(1917)的总谱是为打字机、汽笛、飞机螺旋桨、自动收报机磁带和一个彩票摇奖器而写的,并且在斯特拉文斯基和其他一些人之前就采用了爵士乐的材料。"超现实主义"一词第一次出现是在阿波里耐为《游行》所作的节目说明中。杰作《苏格拉底》(1918,4个女高音和室内乐队)取材于柏拉图的对话。他最后完成的严肃钢琴曲是5首《夜曲》(1919)。电影音乐《幕间休息》是他理想中的背景音乐的一个范例。音乐家们对他生活中的非音乐的影响深表遗憾:在生命的最后10年中,他最好的朋友是一些画家,其中许多人是他在咖啡馆演奏时相识的。但他还是深受米约、拉威尔,特别是德彪西这些作曲家的敬佩,德彪西是他近30年的亲密朋友。虽然他嘲笑印象主义,但他对印象主义和后来的新古典主义影响深远。

satiety　**饱满感**　饱食后中止进食的欲望。下丘脑为调节进食量的中枢。一般认为,进食可使体温增高,当下丘脑的温度升高时,进食过程便受到抑制。远在食物消化吸收前饱满感即可出现。在人类有许多因素可限制进食量。胃部扩张引起饱胀感,可使摄食中止。血糖增高似可抑制摄食。体内贮存多量脂肪亦可限制食物的消耗量。情绪或心理因素可引起或延缓饱满感。心情不佳时仅进食几口即感饱胀。采用特别饮食者即未吃饱也能主动停止进食。有时身体还需要更多的营养物质,但食欲已被抑制。对狗来说,吃下的食物的容积在产生饱满感方面起重要作用。若喂以容积不变但营养价值已降低的食物,则在身体表现出对更充足的营养物质的渴求前即可出现严重的营养缺乏症。而大鼠则相反,食物的容积对其摄食量影响不大,其摄食量由食物的营养价值控制。

satin　**缎纹织物**　又称缎子。由缎纹组织(三种基本的织物组织之一)构成的织物。其特征是具有光滑的表面,通常正面富有光泽,反面无光。厚度变化范围很广,以适应各种用途,包括女服、夜礼服、衬里、床单布和室内装饰织物等。最早的缎纹织物是丝织物,现在由其他纤维织制。用缎纹组织织成的纯棉织物称为棉缎。

satin glass　**丝光玻璃**　用于装饰的无光毛玻璃。是把玻璃浸入氢氟酸或其他有侵蚀作用的酸液中制成的。这种制作方法在19世纪亦称"磨砂",并与美国在19世纪后期生产

1886年西弗吉尼亚惠灵生产的桃红色丝光玻璃花瓶

供图:Mansion Museum, Oglebay Park, Wheeling, W. Va.

的高级艺术玻璃有密切的联系。桃红色毛面玻璃就是丝光玻璃的品种之一。与此同时,英国和欧洲大陆也生产类似的玻璃。丝光玻璃的半透明性质,特别适于制造灯罩;有一种丝光玻璃还广泛用来制造"珍珠"灯泡即磨砂灯泡。

satin spar　**纤维石**　*石膏*(**gypsum**)矿的(非晶体)块体变种。

satinwood(*Chloroxylon swietenia*)　**缎木**　东印度和斯里兰卡的一种芸香科乔木,其木材亦称缎木,质地坚硬,呈黄褐色,有绸缎光泽,用以制造细木家具和农具。西印度群岛所产的缎木来自黄崖椒(*Fagara flava*),非洲的缎木来自大叶崖椒(*F. macrophylla*),崖椒属亦属于芸香科。

satipaṭṭhāna (in Buddhist philosophy)　参阅 **smṛtyupasthāna** *念处*。

satire　**讽刺作品**　一种艺术形式,主要为文学和戏剧。它将人类或个人的种种陋习、蠢行、缺点、短处用嘲笑、讥讽、戏弄、挖苦等手段予以揭露谴责,有时还带有催促其改进的目的。虽然在古希腊文学中存在有阿里斯托芬的喜剧这类讽刺作品的例子,但是,罗马大诗人贺拉斯和尤维纳利斯被公认是正式确立诗体讽刺作品这一体裁,而且对后来各种讽刺文学发挥了广泛影响。这两个罗马人是从完全不同的视角走向这个形式的。贺拉斯所设计的讽刺者是城市居民,他关注自己所见到的种种蠢行,但这只使他发笑,而非令他忿怒。尤维纳利斯的著作晚了一个多世纪,他所构想的讽刺者的角色不同。他的最典型的姿态是一个挺直身子的人,他以震惊的目光望着他那个时代的种种腐败堕落现象,心中充满了忿怒和失望。贺拉斯和尤维纳利斯以后的讽刺作品一般都以两位作家之一为模仿对象。从而形成了17世纪英国诗人J.德莱顿认为的两个分支:喜剧性讽刺和悲剧性讽刺。这一命名标出了讽刺作品的界限,无论它是诗歌,是散文,或是其他的讽刺形式。

在难以数计的文学形式中都有讽刺。仅英国文学,讽刺就存在于乔叟的《坎特伯雷故事集》里的非凡的妙语中,本·琼森的喜剧中,德莱顿和A.蒲伯的诗歌中,以及J.斯威夫特在《格利佛游记》所描述的对文明社会的严厉斥责中。讽刺在莫里哀、萧伯纳和布莱希特的戏剧中是主要因素,也存在于其他剧作家中间。而拉伯雷和果戈理则是小说方面的讽刺大家。讽刺也是托马斯·莫尔、A.赫胥黎和G.奥威尔的乌托邦小说的重要因素。电影有时比舞台更具讽刺效果,卓别林在《大独裁者》(1940)中对希特勒的戏弄,S.库勒里克在《怪癖博士》(1964)中对核毁灭的描述以及S.卢美特在《网》(1976)中对商业电视的描述就是说明。在视觉艺术中,漫画是主要的讽刺工具,例如H.杜米埃和T.罗兰森的作品,尽管18世纪英国画家W.贺加斯的风俗铁事画是有名的例外。在20世纪,政治漫画或许是讽刺性评论的最有名的舞台。这些漫画家最喜爱的工具是黑白画,他们在其上用简短的说明文字表示自己的讽刺目的。

Satna　**瑟德纳**　印度中部中央邦东北部城市。濒临栋斯河。为公路、铁路交叉点、农产品和布匹重要集散中心。主要工业有磨面、榨油、手工织布、水泥制造等。有一座热电站。设有阿瓦德希·普拉塔普·辛格大学的几所附属学院。人口:市约156 321;都会区约160 191(1991)。

Satnāmī sect　**萨特拿米教派**　印度兼有印度教和伊斯兰教特色的任何一个集团。最早的集团是由比尔班在16世纪试图把两教信仰合而为一的宗教调合运动时期所建立的。

萨特拿米教徒仿效伊斯兰教，使用 al-ḥaqq（阿拉伯语，意为“真理”）作为真主安拉的另一名字；也把他们的最高神尊为 satnām（源于梵语 satyanāman，意为“名为真理之人”），由此而有其教派名称。他们不拜偶像，反对一切等级和种姓差别，否认伊斯兰教真主与印度教至高神之间有任何区别。萨特拿米教徒承认正统的吠檀多哲学，崇奉主神毗湿奴的化身罗摩和黑天，在性质上仍属于印度教。另一同名教派则是拉奇普特宗教领袖耶吉梵·达斯于17世纪末创立的。现代的萨特拿米教派为19世纪初科玛尔种姓（制革业种姓）的圣者雷伊·达斯所创。一般认为萨特拿米教派之所以盛行于科玛尔种姓，也许是他们希望建立一个宗派组织以提高其种姓威望。

Satō Eisaku　佐藤荣作（1901-03-27，日本山口县田布施～1975-06-03，东京）　日本首相（1964～1972），在他任职期间日本在第二次世界大战后重新成为世界强国。他对核武器的政策促使日本在“防止核扩散条约”上签了字，因此他获得1974年诺贝尔和平奖。1924年在东京帝国大学法学部毕业。随后到铁道省工作。1948年任运输省次官。同年加入自由党。1949年当选为众议员。1952年任建设相，翌年辞职，任自由党总裁。自由党与民主党合并后，为自民党首脑之一。50年代后期在岸信介内阁中任大藏相。1960年池田勇人组阁后留任。1964年池田因病辞职。同年11月国会选举他接任首相。他使日本经济不断增长，并改善了日本同其他亚洲国家的关系。他虽然使日本与中华人民共和国增加了一些贸易，但是中华人民共和国怀疑他对台湾的政策。1969年他同美国总统尼克松就琉球群岛归还日本、从这一地区撤出所有核武器和延长1951年日美安全条约等问题达成协议。由于协议规定在冲绳岛归还日本后仍允许美军驻留，他受到强烈的谴责。20世纪70年代初期，由于在日美贸易中美国有大量的顺差，他遭到各方面的非难。特别是尼克松访华以后，更加不得人心。1972年6月辞职。

Satō Haruo　佐藤春夫（1892-04-09，日本和歌山县新宫～1964-05-06，东京）　日本诗人、小说家、评论家。他的小说以诗意的幻想和浪漫的想象而知名。佐藤出身于具有学术和文学修养的医生之家。1910年入庆应大学，曾上过小说家永井荷风的课，但他当时已参加了以与谢野晶子（**Yosano Akiko**）和她丈夫与谢野宽为中心的《明星》诗人团体，后中途辍学。他的短篇小说《西班牙犬之家》（1916）开始引起人们的注意。这是用梦幻般的语调写成的虚无缥缈的作品。他以散文诗《田园的忧郁》（1919）和《都市的忧郁》（1922）奠定了自己厌世和自我反省的抒情风格。佐藤在1916年同谷崎润一郎成为朋友，但几年后他卷入同谷崎的妻子的爱情纠葛，这一友谊便告结束。他的第一部单独的诗集《殉情诗集》（1921）便是因与她分手的悲哀而写出的；但最后他们还是在1930年结婚了。晚年他转向评论，其中最出色的是为怀念与谢野晶子而写的长篇传记《晶子曼陀罗》（1955）。

Satō Nobuhiro　佐藤信渊（1769-07-18，日本旧出羽国西马音内～1850-02-17，江户）　科学家和日本实行西方化的早期倡导人，主张建立一种基于西方科学和政治制度的专制政府。出生于农业和采矿专家家庭。早年学习荷兰语以及西方科学、历史和军事的论著，写过一些研究心得。曾漫游整个日本，熟悉民情。他建议增强海防，防止俄国的侵略，并在狭隘民族主义的影响下，拟定使日本称雄世界、进行帝国主义扩张的计划。他还主张建立能通过严格控制，对人民灌输民族主义思想的新政府体制。

Satō Nobusuke（Japanese premier）　**佐藤信介**　参阅 **Kishi Nobusuke** 岸信介。

Sato Norikiyo　佐藤义清　参阅 **Saigyō** 西行。

Satori　开悟　又译“证”，汉语为“悟”。日本佛教禅宗用语。指内在的直觉的觉悟。据说这种经验无法解释，不可言传，不可能以理性与逻辑理解，一般须经过一段时期的参禅才能开悟。禅宗中的曹洞宗重视通过坐禅开悟，而临济宗则主张以不同方法引起顿然开悟。参阅 **koan**。

Sātpura Range　索德布尔岭　印度西部德干高原的一部分，为一系列丘陵，蜿蜒于印度半岛最宽的部位，中经马哈拉施特拉邦与中央邦，长320千米。该岭为讷尔默达河（北）与达布蒂河（南）的分水岭，有海拔1 200米以上的山峰。经济贫困，东南侧有开采过的锰矿和煤矿。大部被森林覆盖，西部有柚木林。默赫代奥丘陵的韦恩根格河与本杰河上游地带有农业，较高丘陵上有冈德部落从事刀耕火种。在中央邦中，伯杰默里是一座旅游胜地城，钦德瓦拉是一个次要的行政中心。

satrap　总督　阿契美尼德帝国各省的行政长官。大流士一世（公元前522～前486在位）把帝国分为20个纳年贡的省。一般为王室成员或波斯贵族。由国王任命。在本行省内征收赋税，行使最高司法权，招募和维持一支军队。大流士一世规定一种控制总督的制度，即各行省高级官员和驻军司令直接对国王负责，朝廷官员定期进行视察。公元前5世纪中叶以后，由于中央放松对各行省的监督，总督实际上往往成为独立的统治者。亚历山大三世大帝及其继位者们保留了总督体制。在公元前1千纪的前半期。统治印度北部和西部塞迦人首领也称总督（督军）。

Satriano, Carlo Filangieri, principe di（prince of）　**萨特里亚诺亲王**　参阅 **Filangieri, Carlo** 菲兰杰里。

Satsu-no-umi（Japan）　**幸之湖**　参阅 **Chūzenji Lake** 中禅寺湖。

Sattahip　梭桃邑　泰国东部春武里府港口。位于泰国湾北岸。1920～1923年发展为海军基地，直至20世纪70年代仍以军用为主。有内河和海岸公路通曼谷。其深水设施被认为可取代较浅的曼谷港。人口：城市卫生区13 812（1980）。

Satu Mare　萨图马雷　罗马尼亚西北部一县，面积4 405平方千米。北与乌克兰交界，西与匈牙利接壤；主要由起伏不平的丘陵构成，并由索梅什河及其支流向西北方泄水。萨图马雷（**Satu Mare**）城为本县县城，拥有生产金属制品、木材和其他建筑材料，以及纺织品的工业。卡雷、比克萨德、阿尔杜德等三镇是木材中心。卡罗莱城堡（15世纪）和一座巴罗克式天主教堂位于卡雷。比克萨德以其一些木结构教堂和民间艺术而出名。阿尔杜德有一座16世纪堡垒的遗址。一所民间博物馆设在内格雷什蒂-瓦什——安山岩开采中心。绘有鲜明彩色花卉图案的陶器在瓦马镇生产。本县农业有菜园、果园和葡萄园种植。特什纳德、利瓦达、波米和大塔尔纳为本县另外一些城镇。萨图马雷城和本县较大城镇之间有公路和铁路相通。萨图马雷城附近有一机场。人口约392 054（1997）。

Satu Mare　萨图马雷　匈牙利语称萨特马尔内迈蒂（Szatmárnémeti）。罗马尼亚西北部城市，萨图马雷县县城。在匈牙利大平原东北部边缘，索梅什河右岸，离匈牙利边境13千米，距乌克兰边境27千米。由往索梅什河下游运盐的船民建立。原是集市。1214年首见记载，当时其城堡被蒙古人摧毁。现为重要铁路枢纽，有火车通匈牙利和乌克兰。工业产品有纺织品、机器和各种消费品。人口约129 886（1997）。

Satun　沙敦　泰国南部马来半岛上的城镇。海岸水浅，不利港口发展。为当地公路支线终端的小社区。有几个近海岛屿。主要农产品有稻米、橡胶和椰子。有些伐木业和锡矿采掘业。人口约21 506（1989）。

saturation　饱和　当相反变化过程的速率处于严格平衡时所确定的几种物理或化学条件的总称。与纯的未溶解的溶质相接触的溶液，当它的浓度不再增加时，就处于饱和状态。同样，与纯固体或液体接触的蒸气也是这样。第一个例子中，当纯物质溶解进入溶液中的速率和物质从溶液中离析出来的速率正好相等时，就说溶液是饱和的。第二个例子中纯凝聚物质（液体或固体）蒸发的速率正好等于蒸气冷凝的速率。在给定压强和温度下，饱和溶液和蒸气相当于溶解物或蒸发物可达到的最大浓度。虽然在一定的环境中有可能出现过饱和（浓度超过平衡值的状态）。但这类溶液或蒸气是不稳定的，会自发地返回饱和态。

Saturday　星期六　一星期（**week**）的第七天。

Saturn　萨图恩　古罗马宗教所信奉的神灵，司掌播种或种籽。罗马人认为他就是希腊的农事之神克洛诺斯。萨图恩节是古罗马最著名、最欢乐的节期，原定在12月17日，后来延长至7天之久。届时停止一切工作，奴隶享受暂时自由，一些伦理禁戒放松，人们互相馈赠。萨图恩节的庆祝活动对后世庆祝基督圣诞节与西方世界的新年的习俗有直接影响。

Saturn　土星　太阳系的八大行星之一，按照离太阳由近及远的顺序排列为第六颗。Saturn(萨杜恩)也是罗马神话中司农之神的名字。

土星是太阳系中在木星之后第二个最大的非恒星天体。它的质量约比地球大95倍，体积超过地球700多倍。土星至少有18个冰态卫星，其中9个是1900年以前发现的。它还围以由七个主要光环组成的一个宽广的环系。

从多种观测站上所进行的很宽的电磁波谱的光谱学研究指出，土星的外层是气态的，其中主要是氢和氦，而氦的丰度约是太阳的两倍。土星在电磁波谱的红外波段的热辐射比它从太阳接受到的多80%左右。几百万个大气压强下氢的实验室研究和计算机模拟均指出，氢变成高导电性的液态金属。据此推算出的土星内部结构模型为，其质量的10%～20%集聚在一个石质内核中，周围是一薄层液态金属氢，再外是一个分子氢包层。行星的液态金属性核的快速自转(10小时39分24秒)导致磁层内的电流强度变化。在朝向太阳一边，磁层延伸到$24R_S$处(R_S是土星赤道半径，等于60 268千米)，称为磁层顶；在背向太阳一边，磁层延伸到$80R_S$处，称为磁尾。部分从土星的最大卫星土卫六(**Titan**)的大气中俘获的主要由电子、质子和重离子组成的荷电粒子，被土星磁场抓住并落入笼罩13个土星卫星和土星环系的范艾伦辐射带中。以一个特征周期发射的低频射电波可用未确定行星的自转速率。也发射一些突发的静电放电，同时形成细辐射条纹，称为土星辐条，它们多被约束在土星B环的外侧区域。从太阳风中汲取的荷电粒子流所形成的狭窄极光并不像木星上所显现的那样阔展。虽然在土星大气中似会发生闪电，但迄今也没有提出过确证。

土星自转轴相对黄道(即通过太阳和地球的平面)的倾角约为27°，是木星倾角的9倍。所以，那里也有季节性气候变化。已有实验性证据表明，存在由两个半球的可见云顶外貌的差异所揭示的一种一个季度的热迟滞。在云顶层存在相当大量的光化学不稳定的膦的光谱学证据，使我们推测那里存在强有力的垂直方向混搅过程。这样的环境可能既有助于形成平流层烟雾，也会造成除了两极地区以外的其他地带明显地缺少有特色的大尺度云貌的后果。

土星大气内风的环流与云带所在位置相关不密切。在土星表面中纬带，已观测到类似木星大红斑那样的红色和褐色卵形物。美国“旅行者”号行星探测器所拍摄的照片也证认出存在形态上类似经典液态涡街流那样的云结构。

1610年，伽利略借助一架很原始的望远镜首次观测到土星环，在该简易望远镜内，环系看上去像是两个把手。1659年，C.惠更斯利用一架改进的望远镜推断土星周围有一扁平的环结构，但他错误地认为该结构是固态的、并具有可观的厚度。土星环的平均厚度不超过几百米，它们处在行星赤道面上，在空中具有固定的取向。由于土星赤道面相对其轨道平面的倾角为27°，随着土星的轨道运动，可从不同的角度看到土星环，每隔约七年半呈现出从环缘朝前到环面敞开的外貌变化。由于环的厚度小，在环缘时，看不出土星环。环系由无数分立的各种不同大小的粒状物组成，从最小的细微尘粒到最大的直径可能为几十千米的粒状物体。较大粒状物为数很少，它们甚至可称为小卫星。尚不曾观测到单个的粒状物，但通过它们对日光和雷达波的反射，可以推测出其尺寸大小。已在它们的表面上观测到水冰，或许就是由水冰组成环物质团块。粒状物均沿各自的轨道绕土星公转，靠土星越近的，运动速度越快。

土星的主环计有：中央环或称B环(从$1.5\sim2R_S$)；外环或称A环(从$2.0\sim2.3R_S$)，A环和B环之间为一相对空区域，称为卡西尼环缝；内环或称C环(从$1.2\sim1.5R_S$)。每一环带均呈现出多种多样的精细结构，很像是由于环外(或可能在环内)卫星的各种形式的引力效应所致。还有另外几条较暗弱的环系，其中两条(F环和G环)很窄；另一条(E环)却很宽。它们均是不久之前由行星探测器发现的。

土星环系可能是由与形成行星的同一气、尘冷却云中的冰态物质直接凝聚而成。由于潮汐效应，这些物质未能聚集为一个卫星。也或许是，进入潮汐力破坏区的一个或多个卫星的碎片变成了环系。与陨星的碰撞也可能使这类卫星遭到重大的破碎。

Saturn　“土星”号运载火箭　美国1958年结合“阿波罗”登月计划开始研制的发射航天器用的两级和三级大型运载火箭系列。“土星”I号是美国专为航天飞行而研制的第一枚运载火箭。它是两级火箭，曾用它将试验型“阿波罗”航天器和不载人航天器送入轨道。1961年10月27日进行首次发射，后又进行9次发射，均获成功。“土星”V号是用于“阿波罗”载人月球飞行的三级运载火箭，1967年11月进行第一次发射。在飞向月球时，重约500万磅的第一级火箭，把第二级、第三级火箭和航天器加速到5 400英里/时的速度和41英里的高度。接着重量超过100万磅的第二级继续把速度增加到14 000英里/时以上。到120英里高度处抛掉第二级，第三级短暂点火，把航天器加速到17 000英里/时，进入绕地球轨道。然后，航天员再次点燃第三级的单台发动机，工作5½分钟。当高度达到约190英里左右和速度达到24 300英里/时时关机。由此火箭飞越太空直达月球轨道。

1967年11月“土星”V号运载火箭首次发射
美国国家航空和航天局供图

saturniid moth　天蚕蛾　又称giant silkworm moth(巨蚕蛾)。鳞翅目天蚕蛾科(Saturniidae)昆虫。近800种。世界性分布，主要分布于热带。茧厚，其丝有时具商品价值。成虫体粗壮，被毛；翅宽，常具鲜明的色彩和花纹。大部分种类的翅中央有一个眼斑。伊奥天蚕蛾(玉米天蚕蛾，*Automeris io*)的特征为雄体黄色，雌体红褐色；每个后翅上各具一个大型深色的眼斑。大部分北美种类的翅展不超过15厘米。天蚕蛾的成虫口器退化，多不取食。雄体的触角羽毛状，用以探测远处的雌体的气味。幼虫形大，通常为绿色；主要以树叶为食。多数种类的幼虫具色彩鲜艳的瘤或棘，有的还有具刺激性的倒刺。有些织茧，有些在地下化蛹。天蚕蛾一直用于杂交和变异的遗传学研究。凯克洛庇亚蛾(*Hyalophora cecropia*)体形巨大，是最大的原产北美的蛾。翅展约15厘米，褐色，具白色、红色和灰色的斑纹，并有特别的新月形翅斑；幼虫长达10厘米；本种用来研究激素对变态和冬眠的控制。波吕斐摩斯蛾(多音柞蚕，*Antheraea polyphemus*)为绿色，具白色条纹，并具金色瘤突；以栎树，槭树及桦树的叶为食；于地面在叶中织茧。花大蚕蛾属(*Antheraea*)的种类，包括波吕斐摩斯蛾，有时可作商业用丝的来源；如阿萨姆花大蚕蛾(*A. assama*)是姆珈丝的来源，中国柞蚕(柞蚕，*A. pernyi*)是山东绸的来源，印度蛾(意大利花大蚕蛾，*A. paphia*)是印度柞蚕丝的来源。其他产丝的种类有巨大的阿特拉斯蛾(大乌桕蚕，阿特拉斯樗蚕，*Attacus atlas*)，翅展达25厘米以上。皇帝蛾(*Saturnia pavonia*)分布于欧洲和亚洲温带地区，翅上多鳞片，有多数透明的眼斑，其功能为惊吓掠食者；幼虫在灌木上觅食。普罗米修斯蛾(普罗米修斯丽大蚕蛾，*Callosamia promethea*)亦称山胡椒蛾，幼虫食山胡椒，檫树，丁香及近缘的植物的叶，在北美常见；雌蛾酱紫色，雄蛾浅黑色；茧织在叶内，以一条丝固定于树上。路娜蛾(月形蚕蛾，*Actias luna*)成虫美观，翅展约10厘米，浅绿色，翅边缘镶以褐色窄带，后翅有尾状突起；通常见于北美南部。辛锡娅蛾(月神蛾，樗树大蚕蛾，臭椿蚕蛾，沃克氏樗蚕蛾，*Samia cynthia* [或 *walkeri*])原产于亚洲，已引入北美，主要以樗树(臭椿)和蓖麻的叶为食；成虫橄榄绿色，翅

从上至下依次为：墨西哥皇帝蛾（*Rothschildia orizaba*）；波吕斐摩斯蛾（*Antheraea polyphemus*）；辛锡娅蛾（*Samia cynthia*）；凯克洛庇亚蛾（*Hyalophora cecropia*）；亚洲月形蚕蛾（*Actias selene*）
供图：（上）Alexander B. Klots；（中上）William E. Ferguson；（中）Stephen Dalton—美国不列颠百科全书公司；（中下，下）G. E. Hyde—美国不列颠百科全书公司

上有独特的新月形斑纹；茧卷于叶内，悬挂于树上，其丝质粗，有时亦供商售。赫丘利斯蛾（*Coscinoscera hercules*）产于澳大利亚，有时被误认为鸟；翅宽，深褐色，后翅有尾状突起，翅展达28厘米左右，据报道其翅的面积为昆虫中最大者。

Saturninus, Lucius Appuleius　萨图尼努斯（？～公元前100）　罗马政治家。公元前104～前100年与罗马元老院对抗。公元前103年任保民官。为了求得罗马下层民众的支持，曾颁布大幅度降低粮价的法令。另曾颁布其他法令，分配非洲土地给马略的复员部下，每人不低于60英亩。建立第一个永久性法庭，审理叛国诉状。公元前100年再度任保民官，提出向退伍军人分配土地和在西西里、马其顿和亚该亚建立拉丁移民区的建议，引起骚乱。公元前99年第三次出任保民官，继续推行激进政策，结果失去了原盟友马略的支持，后被敌人用石块砸死。其激进立法在他死后大都被元老院废除。

satyāgraha　不合作主义　印度圣雄甘地在20世纪提出的哲学思想。在实践中主张对某种罪恶实行一种有决心的但非暴力的抵抗。它是指导印度人民反抗英帝国主义斗争的哲学思想，并为其他国家中抗议运动的参加者接受。*satyāgraha* 是印地文，可译作“追求并信奉真理”，或译作“真理之力”。通过保持宁静的心灵，以和平与仁爱的精神追求真理，不合作主义的信奉者能够洞察危难局势的真实本质。这样做的时候，不合作主义者就接触到绝对真理。他们拒绝向谬误屈服，拒绝与谬误进行任何形式的合作，因而也就维护了真理。在与罪恶对抗的整个过程中，必须信守非暴力原则，否则就丧失了正确的洞察力。应向敌手表明自己的意图，禁止使用任何诡计来取胜。不合作主义允许进行非暴力反抗，既要求人们规矩地生活，还要建立可供选择的政治、经济制度。它主张通过劝导来征服别人，认为最后无胜负之分，只是达到了新的和谐。甘地的思想来源于L.托尔斯泰和H.D.梭罗的著作、《圣经》、《薄伽梵歌》及其他印度教著作，然而不合作主义却是他的独创，虽然其根源是印度的非暴力主义——“不害”。1906年，为了反抗南非德兰士瓦殖民政府的一项歧视亚洲人的法令，甘地构思出不合作主义。1917年印度种植靛蓝草的冒帕兰地区发起了首次不合作运动。其后几年中，运动采用了绝食、经济抵制等方式。有人对不合作主义的普遍实用功效提出怀疑，而甘地本人则坚持不合作主义可使任何人信奉，是放之四海而皆准的。参阅 **civil disobedience**。

Satyasiddhi-śāstra　《成实论》　梵语。是阐述空义（舜若），沟通小乘佛教教义与大乘佛教教义的论著计有202品。作者诃梨跋摩（师子铠）原是印度中部婆罗门出身，研习大小二乘佛教。《成实论》激烈否认任何现象有绝对存在或究竟本体现实。此书大约于4世纪初成书，5世纪初（中国东晋）译为汉文。中国小乘佛教成实宗学派（亦称成实宗）根据此书精神兴起，虽然中国佛教界认为此书是大乘部论著。成实宗于625年（唐武德八年；日本推古天皇三十三年）传入日本，但未能流行，后来该宗在中日两国都已绝迹。此书梵文原本已失传。

Satyr and Silenus　萨堤尔和西勒诺斯　希腊神话中半人半兽的野人，而在古典时代，同狄俄尼索斯神有密切的关系。在意大利，同他们相对应的是叫法乌努斯（**Faunus**）。萨堤尔和西勒诺斯最初被描绘成粗野的人，每个人都长着马的尾巴和耳朵并且有一个挺直的生殖器，而后来他们又被描绘成长着山羊的腿和尾巴的人。对于他们何以有两个不同的名字，有两种对立的说法：一个说法是西勒诺斯是亚细亚希腊的名字，而萨堤尔则是同一个神话人物的希腊本土的名字。另一个说法是西勒诺斯的一部分是马，而萨堤尔的一部分是山羊。但是两种说法均不符合早期艺术和文学中的所有例子。从公元前5世纪起，西勒诺斯成了狄俄尼索斯养父的名字，从而使西勒诺斯和萨堤尔逐渐被吸收进对狄俄尼索斯的崇拜中。在雅典的大酒神节上，3个悲剧之后是一个萨堤尔剧（一译羊人剧，如欧里庇得斯的《独眼巨怪》），剧中的合唱队员都扮成萨堤尔的模样。西勒诺斯在萨堤尔剧中虽然也和萨堤尔一样地嗜酒，但是也作为通情达理的人物出现在传说中。

庞贝出土的公元前2世纪青铜雕像《跳舞的萨堤尔》的头部
供图：Bruckmann Munchen

在艺术中，萨堤尔和西勒诺斯是同他们追逐的仙女（或迈那得斯）一道出现的。希腊的雕刻家普拉克西特利斯表现了一种新的艺术风格，而根据这一风格，萨堤尔是个年轻漂亮的人物，只有极少动物的痕迹。

satyr butterfly　眼蝶　又称 meadow brown

小树林眼蝶（*Megisto cymela*）
供图：E. R. Degginer

(草地褐蝶)。鳞翅目眼蝶科昆虫。夏季大量出现于美国和欧洲的树林草原上。幼虫腹部具小而分叉的尾状附器。成蝶体暗褐色或灰色,翅呈褐色,翅展5～6厘米,有明显的环形斑纹(眼斑),可能用以吓唬或迷惑捕食性鸟类。

Satyr play 羊人剧 在一部古典的希腊悲剧三部曲演出之后,作为调剂而加演的滑稽喜剧。现有确证羊人剧是公元前6世纪晚期在雅典的大酒神节庆祝会上开始的,分别由参加竞赛的3个悲剧作者写就,各以一个传说中的英雄为主角,往往就是前面悲剧三部曲中的主人公。一个胆小的、淫猥的和嗜酒的合唱队由狄俄尼索斯的抚养者西勒诺斯带领的11个羊人组成,与主人公一起唱和,表演一段笑剧情节或对神话的模仿。欧里庇得斯的《库克罗普斯》是流传下来的唯一完整的羊人剧。

Satyricon 《萨蒂利孔》 据说是佩特罗尼乌斯(**Petronius Arbiter, Gaius**)所写的一部诙谐的流浪汉小说,成书于1世纪。

Saubel, Katherine Siva 索贝尔(1920-03-07,美国加利福尼亚洛斯凯奥特斯居留地[里弗赛德与圣迭戈两县交界处]～) 婚前名Katherine Siva。美国印第安人学者和教育家,一心致力于保存卡维亚族的文化和语言,并促进其被广大公众更好地理解。在加利福尼亚棕榈泉居留地成长,自幼受父母教导应尊重本族人卡维亚的传统。高中毕业后,在加利福尼亚大学洛杉矶分校任助教(1959～1960),后去德国科隆大学作语言学家H.塞勒的顾问(1964～1974)。在此过程中,成为研究卡维亚历史、文学和文化的学者。与丈夫M.索贝尔等人共同在加利福尼亚州班宁莫隆戈印第安居留地创办了马尔基博物馆。该馆不仅展出史前至当代的手工艺品,并且出版有关这一地区印第安人的学术著作。她自己的学术成就集中在两个迥然不同的方面:民族植物学和卡维亚语言。20世纪70年代末,塞勒与她共同编写卡维亚语语法和词典,这一语言以前从未以文字保留。她也是卡维亚人对植物特殊用途的权威,曾与人类学家L.比恩合著《出自大地:卡维亚印第安人对植物的知识和使用》(1972)以及两本民族植物学笔记。除在加利福尼亚各校园及科隆大学教授卡维亚历史、文学和文化外,她还在加利福尼亚美国印第安人传统委员会任职。由于她的干预,在全加州保留了对美国印第安人来说是神圣的处所。她被加利福尼亚州印第安博物馆命名为1987年度长者,并入选美国全国妇女名人堂。

sauce 酱汁 流质或半流质的混合物,可直接加入食物或在烹饪过程中加入。酱汁使食物保持湿润,增加香味,并改变其质地和外观,也可用作涂敷食品外表的材料,如奶油鸡的白酱汁。液状调味品如酱油、辣椒油、鱼卤、辣酱油等既可用于烹调,又可用作餐桌调味品。很多酱汁以油脂和面粉糊为原料,入锅稍煮数分钟,以消除生面粉味,并最大限度地吸收水分。黄酱汁的制作方法是将油脂面粉糊煮至面粉变黄,然后加入牛奶或稀奶油、原汤、酒、烤肉汁、调料(如洋葱、香菇、块菌片)等烧到需要的稠度。法国的白酱汁和黄酱汁是数十种口味多样的汁料的基本原料。有的酱汁以面包屑增稠,有的用蛋黄增稠,如蛋黄酱是用蛋黄、植物油调制的凉乳浊液。荷兰酱汁及其类似产品是用蛋黄及奶油加热制成的热乳浊液。这些酱汁的典型添加物是各种香草、大蒜、橘皮或菜泥。将奶油、香草及调料加热即成为烹调鱼、蔬菜、家禽、内脏等多种食品的酱汁。有时使奶油变焦黄使具特殊风味,然后加入柠檬汁、醋或刺山柑等以加重味道。硬酱汁或白兰地奶油是用糖、奶油、白兰地及香料等调制的黏稠混合物,用于肉糜及圣诞节布丁。油和醋酱汁如维纳格雷酸味浇汁是沙拉和凉菜最常用的酱汁。英国吃羊肉用的薄荷酱汁也是以醋为基料。番茄酱汁是青菜、香菜、香料及其他蔬菜调制的浓汤,有时还加腌熏肉和火腿。番茄酱加碎牛肉末即成为食用意大利通心粉的肉酱。墨西哥生酱汁是番茄、洋葱、胡椒、胡荽叶的混合物,不加热烹调,为餐桌上的调味品。水果浓汤也可称为酱汁,苹果酱汁、酸果蔓和越橘酱汁、大黄酱汁,都可作为肥肉的调味品。甜点酱汁包括煮过的蛋奶冻、奶油土豆糊、巧克力酱汁(通常用奶油、乳浆、糖制作)及水果酱汁。水果酱汁常用水果或果汁和糖、香料、酒混合。煮水果酱汁用玉米淀粉或竹芋粉来增稠,使其细腻透明。各种甜酱汁是用奶油和白糖煮到糖刚要转化为焦糖状时制成的。

sauceboat 船形调味汁碗 带唇口和手柄的金属或陶瓷碗,用以盛装调味汁。最早的一种银制船形调味汁碗的两端有凸起的唇口,中央两侧各有一个卷轴状的手柄以及一个铸压成形的底。18世纪40年代流行的船形碗只有一个唇口和一个手柄,碗下有三至四个铸造成形的足,只在手柄、足和边缘上加以装饰。中世纪时在洛可可风格的影响下出现了少数装饰过分奢华的调味汁碗。随着新古典主义的出现,船形调味汁碗在一定范围内被带盖的调味汁碗所代替,但到19世纪它又重新在家用银器中取得地位。

1742年的英格兰银质船形调味碗,C.坎德勒制作
牛津阿什莫尔博物馆供图

Saucesian Stage 绍赛斯阶 北美太平洋沿岸中新世早期最下和最老的重要地层和年代划分单元(年龄为2 370万年前至1 660万年前)。位于雷利兹阶之下,因加利福尼亚州的洛斯绍赛斯河旁研究过的露头而得名。此阶已确认可分为3个带,每个带都是以有孔虫的特殊的种为其特征的。可与欧洲的阿基坦阶相对比。

Sauckel, Fritz 绍克尔(1894-10-27,德国哈斯富特～1946-10-16,纽伦堡) 纳粹政客,第二次世界大战期间为希特勒抓奴隶劳工的头子。第一次世界大战时作水手,被英国人俘获,战争结束前一直囚禁在法国。1923年加入纳粹党,为该党下法兰克尼亚的主要宣传员。1927年任图林根的纳粹地方长官,后任该地区内政部长和特派员。1942～1945年任劳动力分配全权总代表,在欧洲的纳粹占领区以武力强征奴隶劳工,极尽压榨剥削之能事。战后,国际军事法庭以战争罪及违反人道罪判处他绞刑。

Sa'ūd 沙特(1902-01-15,科威特～1969-02-23,希腊雅典) 全称伊本·阿布杜勒·阿齐兹·费萨尔·沙特。1953～1964年的沙特阿拉伯国王,伊本·沙特的儿子和继承者。伊本·

供图:Camera Press

沙特征服汉志(1925)后,派两个儿子(沙特和费萨尔)分别去内志和汉志作国王代表。1933年沙特被立为王储,翌年他和费萨尔对也门作战取得胜利。1953年沙特任新建立的大臣会议主席。同年11月即王位。他继续推行其父的现代化计划,特别注重增加医疗和教育设施。20世纪50年代初,沙特阿拉伯开始得到大笔石油收入,但他没有能力处理财务问题,因此不得不改组大臣会议,让费萨尔当主席。1960年他才重新掌权。1963年去国外就医。1964年3月将一切权力移交给摄政费萨尔。同年11月正式被废黜,由费萨尔接替王位。

saudade 萨乌达德 一种普遍渗透于葡萄牙和巴西抒情诗歌中的忧郁、深沉而孤独的,对自然几乎是神秘地崇敬的情调。葡萄牙语原意为"渴望"。这种情调是葡萄牙早期民间诗歌的特点,为后代作家们所发扬。19世纪后期,安东尼奥·诺布雷和特谢拉·德·帕斯夸伊斯是日益盛行的崇尚萨乌达德主义的主要代表。尤其是在诗集《孤独》(1892)的诗歌里,诺布雷的主题、情调(一种无处不在的萨乌达德)以及韵律,无不具有强烈的葡萄牙本色;而德·帕斯夸伊斯则使葡萄牙诗歌中的泛神论倾向典型化了。他们启发了1910年左右以波尔图为中心的葡萄牙文艺复兴。

Saudi Arabia 沙特阿拉伯 全称沙特阿拉伯王国。占阿拉伯半岛4/5面积的国家。西北至东南约1 950千米，西南至东北约1 240千米，北与约旦、伊拉克和科威特交界，东与卡塔尔、阿拉伯联合酋长国及阿曼接壤，东南与阿曼相连，南和西南与也门为邻。西隔红海与埃及、苏丹以及埃塞俄比亚相望，东隔巴林湾与巴林相望、隔波斯湾与伊朗相对。首都利雅得。面积2 240 000平方千米。人口约22 024 000(2000)。

土地 沙特阿拉伯的中央高原沿狭窄的红海滨海平原骤然升起，形成一个高耸的陡崖。这些滨海高地在北部汉志处高达1 500米以上，南部阿西尔处高逾3 000米，高原向东北部倾斜，其熔岩和沙砾荒地形成呈弧形排列的一些世界最大沙漠：北部的内夫得沙漠，面积约57 000平方千米；南部的鲁卜哈利沙漠，又名旷区，面积约650 000平方千米，是世界最大的不间断沙漠。几个长弧形脊地(单面山)和1 450千米长的代赫纳沙漠(沙弧)将北部和南部沙漠连接起来。沙特阿拉伯的地势从沙漠逐渐向东倾斜，直至形成低地沼泽和波斯湾沿岸的哈萨盐滩。波斯湾海岸线蜿蜒曲折，沿岸海水极浅。

沙特阿拉伯境内无常年性河流。淡水全部由地下水提供，有些是绿洲地表水，其他则靠汲取地下井水，井水的补充靠许多内陆河道(沙漠中特有的间歇性溪流)的渗漏和低位蓄水层。占全国面积0.5%的可耕地完全依靠灌溉。土壤的土质很差，这从其赖以形成的基岩成分即可看出。有许多地区被大小不一的卵石所覆盖。

沙特阿拉伯属沙漠气候，有3个明显的气候区：靠近也门边界的阿西尔，有一小块潮湿且气候温和的地带，年平均降雨量逾480毫米；沿西部高地的一块干旷草原，北部宽不到160千米，靠近麦加处则扩展到大约480千米；干旱和半干旱沙漠，占全境土地面积的95%以上。鲁卜哈利沙漠可能会在10年之内根本无雨。冬季全国各地均较凉爽(14～23 °C)；夏季异常炎热，6～8月气温超过38 °C，常常高达54 °C。除了湿闷的沿海地区以外，其他各地湿度均较低。

全国植被以小面积的牧草及灌木丛为主，为游牧民提供了饲养羊群的饲料。无处不在的椰枣树是该国最普遍的野生树木。野生动物包括狼、鬣狗、狐及一些大型动物，如瞪羚、豹和野羊。

沙特阿拉伯的石油储量估计占世界石油总储量的1/4。天然气储量约占世界总储量的4%。另外还有铝矾土、金、铜、铅以及高品位铁矿等矿藏。

人民 沙特阿拉伯的人口主要为阿拉伯人。红海沿岸地区有明显的黑非洲影响，那里的黑人与闪米特人杂居。东部则显然受伊朗、巴基斯坦和印度的影响。境内有大批外籍劳工。

沙特阿拉伯是伊斯兰教的发祥地，居民几乎全部是逊尼派穆斯林。其余人口大部分也是穆斯林，但属于伊斯兰教第二大派什叶派。只有非本国公民，如石油工业的外籍雇员，才是基督教徒。官方语言为阿拉伯语，英语也广泛使用，特别是在石油工业集中的东部地区。

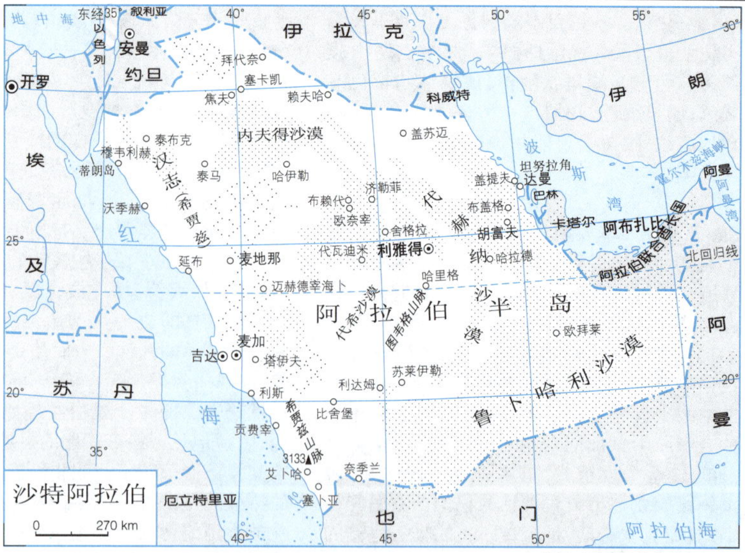

美国不列颠百科全书公司供图

该国人口出生率较高，约40%的人口年龄不足15岁。尽管广袤的沙漠分隔了居民区，城市人口仍占总人口的3/4以上。

经济 沙特阿拉伯属发展中的混合型经济，公有和私营部门同样重要。原油的生产和出口在该国经济中所占的比重最大。自从1970年，沙特阿拉伯的发展一直在五年计划的指引下进行。国民生产总值的增长已不再高于人口增长，但人均国民生产总值与一些发达国家的水平相近。

农业劳动力约占劳动力总数的1/7，产值约占国内生产总值的7%。由于缺水、土壤盐分增加和平均土地占有面积小，农业生产受到限制。主要作物有小麦、高粱、大麦、小米和苜蓿。约70%的食品必须进口。

沙特阿拉伯是石油输出国组织中最大的石油生产国，也是世界第三大石油生产国，产量约占世界总产量的1/10。20世纪70和80年代初，该国逐渐获得阿拉伯美国石油公司的全部股权。沙特阿拉伯的石油全部由该公司生产。政府通过石油矿业总公司对该公司进行控制。石油矿业总公司还负责开发、精炼和销售。阿拉伯美国石油公司还生产产量可观的天然气；其他开发的矿产品有石灰石、大理石、石膏、黏土和盐等。

工业(包括石油)产值占国内生产总值的1/3以上，雇用了1/10以上劳动力。始于70年代中期的沙特工业化规划的基石是石油提炼厂和加工厂的建设。主要投资方式是国家和外国公司合资。其他主要的工业项目还有生产石化产品、化肥和轧钢的工厂。政府一直鼓励私人企业开发小型工业，如糕饼业、印刷业、家具制造业等。服务业占国内生产总值的2/5以上，从业人数占劳动力总数的一半以上。

电力由4个地区电力网提供，每个电力网分别由一独家公司经营，电力生产全部以石油为燃料。

石油收入通常占政府全部岁入的2/3以上。政府的收入略低于支出。国防和国内安全是预算中最大的支出项目。沙特阿拉伯货币局控制通货并管理该国的巨额国外资产。沙特阿拉伯半数以上的商业银行均为合资银行，沙特占多数股份；还有数家商业银行在国外经营。

沙特阿拉伯的石油主要出口到美国、日本、新加坡和法国。1981年，石油矿产总公司建成一条横贯阿拉伯半岛的原油输油管道，从波斯湾一直铺设至红海，使通往西欧和北美的出口路线缩短了3 570千米。沙特阿拉伯的进口商品包括多种各类的制成品和食物。主要供应国有美国、日本、德国、英国和意大利。

政体与社会状况 沙特阿拉伯实行专制君主政体，直至1992年沙特王族制定该国第一部宪法。国家元首和行政首脑均为国王，由王族的亲王们选出。国王根据伊斯兰教法沙利亚进行统治，并力求获得王族、乌里玛、主要的部族领袖、武装部队和政府官员的同意。国王任命大臣会议(或称内阁)辅佐其制定政策和指挥官僚机构。为制约王族的权力，1992年的宪法规定建立一个咨询会议，其成员向大臣会议提出建议，并有权提出立法和审议政府的政策。沙特的司法体系以沙利亚为基础；国王即是该国的最高上诉法院。

沙特阿拉伯通过从美国及其他西方国家购进尖端武器，使本国的武装部队更加现代化。服军役是志愿的。

政府的社会福利制度惠及所有的工作者，并对失业、工伤、患病、妊娠、残废以及老年提供救济津贴。该制度还为所有公民以及外国居民提供免费医疗保健。位于利雅得郊外的费萨尔国王医疗城有一些世界最先进的医疗设备可供该国医生使用。但是沙特阿拉伯的健康和卫生状况仍然普遍不佳，医务人员短缺。许多人染有疟疾、沙眼、肺结核、痢疾和霍乱等疾病。甚至就中东地区而言，该国的婴儿死亡率也相对较高；平均预期寿命仅63岁。

政府为所有学生提供免费教育。教育体制包括六年制小学、三年制初中和三年制高中。沙特的高等教育机构包括二年制的技术学院和商学院以及四年制的大学。有些学生被授予奖学金出国留学，学成后全部回国工作。尽管该国的文盲率约占15岁以上人口的2/5,但政府仍不要求儿童必须上学。

私人办的报纸和沙特大多数团体一样在政治上十分保守,很少批评政府。沙特阿拉伯主要报纸之一《麦地那·穆纳瓦拉》与王族关系密切。电台和电视台均由政府经营。

文化生活 虽然来自较自由的阿拉伯国家的影响开始渗入,留学国外的沙特学生也受到西方的影响,但沙特阿拉伯的文化活动仍严格遵守伊斯兰教的教规。自伊斯兰教创立前时期起,诗歌、规范化散文和修辞一直属于最高艺术范畴,诗人和游方讲故事的人很多。沙特最重要的作家要数奥斯曼·伊本·比什尔,他是19世纪末的一位编年史学家。现在报纸和期刊都登载文学作品,但是游牧民和文盲村民仍然有他们自己的民间文学。音乐和舞蹈一直是沙特日常生活的一部分,尽管严格的瓦哈比教规禁止这两种艺术形式在公开场合表演。视觉艺术局限于几何的、植物的和抽象的图案以及书法。

历史 阿拉伯半岛的中部和北部似乎是阿拉伯人的发源地。伊斯兰教创立前时期的重要阿拉伯部族有居住在靠近红海的汉志北部(即希贾兹地区)的萨穆德人和居住在德丹附近的利夏尼泰斯人。

在古代,半岛外的阿拉伯人影响并控制了阿拉伯半岛大部分地区。位于外约旦地区的莱赫米是第一个使用阿拉伯语作为官方语言的王国。其影响扩展到阿拉伯半岛南部边界。公元4世纪和5世纪时,阿拉伯半岛中西部的肯德人从莱赫米王国手中夺得对阿拉伯半岛中部大部分地区的统治权,但528年又被迫退回。

622年,崇奉一个真主阿拉的麦加古来氏家族的穆罕默德,迁徙到麦地那,创立了西方三大宗教中最新的宗教伊斯兰教。他在麦地那收了许多信徒,回来占领了麦加,并将两地都作为其新宗教的圣城。然而,661年伍麦叶哈里发政权在大马士革建立之后,伊斯兰教的政治中心就离开了阿拉伯半岛,从此再也没有返回。

中世纪的阿拉伯半岛以本地和外来统治者为争夺半岛的统治权而持续斗争为特征。他们当中的大多数人都宣称服从哈里发,但却实行自治并且实际上是独立的。1517年奥斯曼占领该地之前,阿拉伯半岛经历过卡尔马特人、法蒂玛人、塞尔柱人、阿尤布人和马木路克人进行的战争。

阿拉伯现代史的开端与日益增长的反抗奥斯曼统治以及18世纪初叶出现的宗教改革运动紧密联系在一起。1745年瓦哈布开始鼓吹净化伊斯兰教,排除一切外来的和现代的影响。他得到迪里耶的穆罕默德·伊本·沙特的支持,瓦哈比教派的运动遂即扩展到阿拉伯半岛各地。他们的成功受到奥斯曼和埃及抵抗组织的抵制,战斗在整个19世纪持续进行。1904年,伊本·沙特(阿卜杜勒·阿齐兹二世)收复了在阿拉伯半岛中部(内志)原属沙特的全部领土。

1915年以来一直将沙特作为自己的保护国的英国,终于在1927年承认了汉志和内志王国的独立和主权。1932年这两个王国合并,成立了沙特阿拉伯王国。

自第二次世界大战结束以来,沙特阿拉伯一直支持中东的巴勒斯坦运动,通常与美国保持密切关系,并在石油输出国组织中居领导地位。1981年,沙特阿拉伯成为海湾合作委员会的所在地,这是与波斯湾各国有关的一个区域性经济和防务合作组织。

Sauer, Carl O(rtwin)　索尔(1889-12-24,美国密苏里州沃伦顿～1975-07-18,加利福尼亚伯克利)　美国地理学家。研究沙漠、热带地区、美洲印第安人人文地理以及美洲农作物的权威。1915年在芝加哥大学获哲学博士学位。1915～1923年在密歇根大学任教。1923～1954年在伯克利的加利福尼亚大学任地理系主任。他认为地理同人类历史密不可分,正如地球及其资源和环境受人类深刻影响一样。于是在地理学研究的同时深入研究人类学、考古学及社会学。他在著作中表达了各种不同的见解,如爱尔兰的修士访问美洲要比埃里克森早得多,大约4万年之前美洲很多地方已有人居住等。

Sauer, Christopher　参阅**Sower, Christopher** 索尔。

Sauer, Emil (George Konrad) von　绍尔(1862-10-08,汉堡～1942-04-27,维也纳)　德国李斯特风格钢琴家、教师,作曲家,特别以其长久而成功的音乐会生涯著称。1879～1881年在莫斯科音乐学院师承N.鲁宾斯坦,1884～1885年在魏玛师承李斯特。1882～1936年曾许多次巡回演出,包括两次到美国(1898～1899,1908)。1901年任维也纳音乐学院钢琴专家班领导,1908年移居德累斯顿,1915年重返维也纳学院,直到1922年才又回到德累斯顿。写有两首钢琴协奏曲、两首钢琴奏鸣曲和许多钢琴练习曲;编订了勃拉姆斯的钢琴作品全集和L.普莱迪、T.库拉克等人的钢琴练习曲。他的自传《我的世界》于1901年出版。他的声誉主要来自技巧精湛的演奏,而不是作曲。

sauerbraten　酸味燉牛肉　一种加香料的德式燉牛肉。将切好的牛腿肉或臀肉块放入用洋葱、月桂叶、杜松子、丁香、胡椒粒和提味的红葡萄酒、醋中浸泡3～4天,然后风干使呈褐色,再放入滤过的调味渍肉汁中煨燉。常以姜脆饼干屑增稠。在莱茵河地区还加进葡萄干,有时也用酪乳浸汁调味。一般用面条或马铃薯汤团作佐餐食品。

sauerkraut　泡菜　发酵的卷心菜,中欧的一种蔬菜加工方法。将卷心菜切碎,逐层加盐,放入大坛或木桶,用重盖压好,保持发酵温度在15.5 ℃以下,至少约一个月即成。在发酵期,可加入茴蒿籽、胡椒粒和杜松子。泡菜经常与熏肉和香肠一起食用。古罗马人就会做泡菜。西方曾一度失传,13世纪,经鞑靼人重新从中国传入欧洲。在以卷心菜为主要蔬菜的地方,都腌制泡菜。

Sauerland　绍尔兰　德国西北部北莱茵-威斯特法伦州一地区。北邻鲁尔河及其支流默讷河,南接锡格河和韦斯特林山。在历史上以阿恩斯贝格(**Arnsberg**)城为中心。经济原以林业和畜牧业为主,现已发展成鲁尔工业区的铁矿开采区。境内多大坝和水库,为鲁尔区供水。有旅游业,罗塔尔、埃伯和伦讷等山区,有气候宜人的疗养地。

Sauganash　萨根纳施(1780,加拿大～1841-09-28,美国艾奥瓦准州康瑟尔布拉夫斯附近)　又拼Sagaunash。美国波塔瓦托米印第安人首长,与芝加哥白人居民相友善,从而对该城市的发展起了重要作用。有英格兰或爱尔兰血统,在底特律受天主教司铎的教育,英、法语都很流利。曾担任肖尼部落同盟首领特库姆塞的翻译至1813年泰晤士河战役,其后7年任加拿大英国政府印第安事务部主任。1820年移居迪尔本要塞(今芝加哥),宣布效忠美国,1826年起任治安官。1827年通过谈判防止了温内巴戈印第安人起义,1832年又劝阻芝加哥地区印第安人参加伊利诺伊西北部黑鹰首长领导的索克和福克斯人的行动。

Saugeen Peninsula (Ontario, Canada)　**索金半岛**　参阅**Bruce Peninsula** 布鲁斯半岛。

sauger　北美凸鲈　与狗鱼鲈(**pikeperch**)有亲缘关系的一种北美游钓、食用鱼。

Saugor (India)　**绍戈尔**　参阅**Sāgar** 萨格尔。

Saugus　索格斯　美国马萨诸塞州东北部埃塞克斯县城镇。南邻波士顿。1629年创建。1815年设建制。1646年建的索格斯铁厂是殖民地第一家钢铁厂。现主要为住宅区。亦有五金和燃油发动机制造业。原铁厂及厂主之家(1648)现已辟为国家历史遗址。人口26 078(2000)。

Sāūjbūlāgh (Iran)　**萨乌季布拉格**　参阅**Mahābād** 马哈巴德。

Sauk　索克人　又拼Sac。操阿尔冈昆语的北美印第安部落,与福克斯人和基卡普人族

索克人首长(黑鹰的继承人)基奥卡克
美国国会图书馆供图

缘关系紧密。1667年法国人首次遇到他们时,他们居住在今威斯康星州格林贝地区。索克人夏季居住永久性的树皮房屋,聚成村落,靠近田地,以便妇女种植玉米及其他谷物。秋收后,村落分为若干家庭集团,以木柱覆以苇席,构筑冬季住房。春季,全部落聚集于艾奥瓦草原,猎捕野牛。父系氏族管理个人名字的继承问题,并掌管某些宗教仪式;另有若干宗教仪式则由秘密会社如大药师会等主持举行。索克人由一部落议事会和若干世袭酋长进行统治;如遇战争,酋长职务临时由军事首领取代,军事首领则根据其军事才能选出。到19世纪时,索克人已定居于密西西比河沿岸,介于伊利诺伊州罗克艾兰和密苏里州圣路易斯之间。1804年一些小酋长把大部分部落土地出卖给美国政府。索克人对此反对,导致骚动,酿成黑鹰(**Black Hawk**)战争;战后索克人被迫放弃更多土地。他们迁往艾奥瓦、堪萨斯,最后于19世纪末定居在俄克拉何马。20世纪晚期,约有1 000索克人。

Sauk Center 索克森特 美国明尼苏达州中部斯特恩斯县城市。临索克河,在索克湖南端。1856年始有人定居。1863年规划。1876年设村。1889年设市。作为农业区(出产玉米、干草、乳品)的服务中心发展起来,生产黄油和饲料。美国第一位诺贝尔奖获得者、小说家S.刘易斯在此出生。市内S.刘易斯介绍中心展有作家的手稿和信件,并有一所研究图书馆。索克森特为刘易斯小说《大街》(1920)的原型及多部小说的背景。人口3 581(1990)。

Saul 扫罗(活动时期公元前11世纪,以色列) 希伯来语作Sha'ul。古以色列第一代国王(公元前约1021～前1000年在位)。便雅悯支派人基士之子。扫罗由以色列十二支派联盟推举为王,以期希伯来人更有力地抵制非利士的日益严重的威胁。非利士人拥有铁制武器和战车,正向中央山区高地推进。《圣经·撒母耳记上》中有两处提到扫罗,一处记述扫罗第一次同先知撒母耳邂逅的故事。扫罗从亚扪人的压迫下解放基列雅比城,因而在吉甲的公共仪式上被拥立为国王。另一处记述撒母耳对于扫罗即王位的疑惧。撒母耳虽然迫于民众的压力为扫罗施行涂油礼,但他仍警告说,大家将会丧失个人和支派的自由。扫罗对以色列的主要贡献是在军事方面。他同勇敢的儿子约拿单率兵攻打非利士人,多次取得重大胜利,将非利士人逐出中央山区高地。扫罗的宫廷极少东方帝王的特征,既无富丽堂皇的宫殿,亦无大批嫔妃。经考古发掘,他设在基比亚的首都只不过是个简陋的乡村城堡。扫罗在位末期困难重重,非利士人对以色列中心地区发起新的进攻。扫罗实力不足,无法对顽强的敌人进行决定性的打击。他在基列波山集中兵力,切断非利士人攻入耶斯列谷地的通路。扫罗英勇善战,并具有激励部下的能力,他是古今最杰出的军人之一。他赢得人们的爱戴。后来,人们冒着生命危险将他暴露在非利士人堡垒中的遗体运走并妥为安葬。

Saulces de Freycinet, Louis-Claude de(explorer) **索塞·德弗雷西内** 参阅**Freycinet, Louis-Claude de Saulces de** 弗雷西内。

Saule 少勒 波罗的海地区宗教和神话中的太阳女神,主宰地上众生的昌顺和繁衍生殖。根据波罗的神话,少勒乘铜轮车驶过天空,拉车的马终日不停蹄,不倦且无汗。晚间少勒坐在山顶,手持金缰,在海中浴马。然后,她就过银门,进入大海尽头的城堡。有神话说,月神曾向少勒的女儿求爱;立陶宛和拉脱维亚传说中的另一则神话说,月神娶太阳女神,他像月亮一样变化无常,很快又向黎明女神,即晨星求爱,于是雷神便将月神打得粉碎,以惩罚他对少勒的轻薄。奉祀少勒的主要节日为6月23日利戈节。

Sault Sainte Marie 苏圣玛丽 加拿大安大略省中南部城市,阿尔戈马区首府。位于苏必利尔湖和休伦湖之间,濒圣马丽河北岸,与美国密歇根州苏圣玛丽市隔河相望。苏圣玛丽的发展同其急流、船闸和环绕的运河密切相关。现今的"加拿大"船闸是19世纪末出于军事目的而修建,经扩建成为一座深18.5英尺(5.6米)、宽60英尺、长850英尺的大型船闸。廉价的运输和水力发电使苏圣玛丽发展成重工业中心。主要工业产品有钢铁、纸品、木材、柏油和化工产品及啤酒。还是狩猎、捕鱼以及铁矿石生产中心。有国际铁路和公路桥同美国密歇根州苏圣玛丽市相通。另有全加拿大公路和铁路线通往国内其他城市。1887年设镇,1912年设市。人口81 476(1991)。

Sault Sainte Marie 苏圣玛丽 美国密歇根州北部城市,奇珀瓦县县城(1827)。在上半岛东北端,临圣玛丽斯河(被用于水利发电,并沟通苏必利尔湖和休伦湖)急流处。为入口港。有公路和铁路桥连接姊妹城加拿大的苏圣玛丽。为圣劳伦斯航道运输枢纽。1855年落成该河第一组绕过急流河段的水闸。通圣玛丽斯福尔斯运河后游人可乘火车或船来此观光。现经济以运河航运业和旅游业为主,也有林产品和乳品加工业。该地最早为法国人发现(1615～1622)并占据。1762年属英国。1783年归属美国。苏必利尔湖区发现铜、铁矿后促进了移民和城市发展。1879年设村。1887年设市。市内有联邦大厦、州立苏必利尔湖学院(1946)和H.R.斯库尔克拉夫特故居纪念馆。人口约14 912(1992)。

Sauma, Rabban bar(ecclesiastic) **梭马** 参阅**bar Sauma, Rabban** 巴梭马。

Saumaise, Claude de(French classical scholar) 参阅**Salmasius, Claudius** 萨尔马修斯。

Saumur 索米尔 法国西部卢瓦尔大区曼恩-卢瓦尔省城镇。濒临卢瓦尔河。以骑兵学校和产葡萄酒著称。城内有宏伟的安茹公爵城堡,建在卢瓦尔河及其支流图埃河之间高地上。该城还包括卢瓦尔河中的一个岛屿和河右岸部分地区。城堡为14世纪的建筑物,有4座圆塔,16世纪增建了外围防御设施,现在是陈列骑术和马的博物馆。还有一座装饰艺术博物馆。索米尔骑兵学校坐落在

索米尔镇的安茹公爵城堡

供图:Art Resource—美国不列颠百科全书公司

城镇西区19世纪广阔的营房原址上,目前训练运用机械化装甲武器,但仍保留着"黑色训练队"(最早使该校声誉卓著的骑兵教练队)。城镇围绕着布卢瓦伯爵10世纪修建的隐修院和堡垒发展起来,12世纪转为法国王室所有。宗教改革后,成为法国胡格诺派教徒的根据地,并在此地修建了著名的新教徒学院,但1685年南特敕令颁布后,居民大量迁移,学院关闭。第二次世界大战期间(1940)骑兵学校官兵在此英勇战斗了三天,反击兵力占优势的德国军队,城镇在战斗中被摧毁。最近城市经济日益多样化,生产传统产品葡萄酒、蘑菇和蔬菜。还生产铝制品。旅游业发展迅速。人口31 894(1990)。

sauna 芬兰热气浴 又译桑拿浴。用水泼撒在加热的石子上以产生蒸汽而进行的沐浴,在健身房和健身俱乐部颇为流行,也见于某些家庭。芬兰热气浴可能从希罗多德描写的浴室演变而来。希罗多德说,欧亚大陆中部的西徐亚居民将水和大麻子泼撒在热石上以制造令人陶醉的蒸汽。同热气浴最紧密相关的芬兰人,使这种沐浴成为民族传统。芬兰人在湖边近旁建立木屋,内有若干排平石摆成架状,下面有炉膛,以木柴燃烧石块,石块烧热的时候,即泼水以产生大量的蒸汽。沐浴者在蒸汽弥漫的小屋里,用树条或桨状木棒拍打自己,直到皮肤变红刺痛;然后他们跳进冷水里,冬天则在雪地上打滚。这种体温急剧变化被认为对血液循环功能大有裨益。

Saur, Christopher 参阅**Sower, Christopher** 索尔。

Saura(people) 参阅**Savara** 萨瓦拉人。

Saura sect 苏利耶派 笈多王朝时期和中世纪散见于全印度各地的印度教派别;他们崇奉太阳神苏利耶,尊之为万神之神。从吠陀时期印度人就崇拜苏利耶,祈求他保佑,除恶赐福。他们认为,如要求得解脱,就要在日出、正午和日没时拜日,在前额涂红色圆点,

并向太阳祈祷。苏利耶派现在势力衰微，但是正统印度教徒每天仍然使用该派对苏利耶的祈祷文。

Sauria（reptilian suborder） **蜥蜴亚目** 参阅 **lizard** 蜥蜴。

Saurimo 索里莫 旧称亨里克-德卡瓦略。安哥拉东北部南隆达省西北边缘的城镇和省会。海拔1 081米。索里莫为驻防城镇、当地销售中心和全省最大的居民点。葡萄牙探险家于1884年来到这一地区，同当地的隆达人接触。该镇最早为一军事据点。1918年索里莫成为前隆达区行政中心。在葡萄牙的殖民当局统治下，设有空军基地。内地出产的玉米、木薯、豆类、马铃薯和其他粮食作物均在该城镇销售。工业以农产品加工为基础。有公路南通卢埃纳，在卢埃纳与本格拉铁路相连。

saurischian 蜥臀类 蜥臀目（Saurischia）的恐龙，其腰带骨骼的排列似现代的爬行动物，故得此名。蜥臀目是恐龙两个大目之一，另一个为鸟臀目。蜥臀类的主要鉴别性特征为腰带中的耻骨向下向前伸展。有人认为蜥臀类是自小形双足行走的原始恐龙类——槽齿类演化而来。它们的演化稍早于鸟臀类，于晚三叠世（2.3亿年前至2.08亿年前）开始出现。

蜥臀目已知有3个亚目，主要的两个亚目是兽脚亚目和蜥脚形亚目。兽脚亚目（Theropoda）双足行走，肉食性，又分为两个次目：虚骨龙次目和肉食龙次目。虚骨龙形小，四肢细长，体态轻盈，奔跑迅速，捕食体形更小的爬行动物。肉食龙体型较庞大笨重，捕食体型较大的植食性恐龙。霸王龙属（*Tyrannosaurus*）是肉食龙中最为人熟知的种类。虚骨龙和肉食龙的基本身体外形相似，后肢发达用以支撑身体以及行走；前肢小；牙齿尖锐，分布于颌骨全长；头相对较大，颅骨中空，四肢骨长。蜥脚形亚目（Sauropodomorpha），是另一个主要的亚目，其种类均四足行走，大部分种类为植食性。该亚目中出现较早较原始的次目为古蜥脚龙次目（板龙次目）。古蜥脚龙体形庞大笨重，于侏罗纪早期（2.08亿年前至1.87亿年前）绝灭，但演化出体型更大更为进步的蜥脚龙，蜥脚龙在白垩纪末期（6 640万年前）一直是占优势的恐龙类群之一。蜥脚龙包括所有恐龙类中最大的种类，如雷龙属（*Apatosaurus*）、梁龙属（*Diplodocus*）以及腕龙属（*Brachiosaurus*）。总的说，蜥脚龙的特点为体型庞大，颈及尾长，头小，腿呈柱状，四肢骨骼粗壮、实心。蜥臀目的另一个亚目为十字龙亚目（Staurikosauria）。现仅根据少数物种的不完全的化石对该亚目有一些认识。但似乎十字龙亚目由中等大小形似兽脚龙的肉食种类组成。虚骨龙、肉食龙和蜥脚龙一直生存到白垩纪，但其数量少于鸟臀目恐龙。

sauropod 蜥脚龙 蜥臀目蜥脚形亚目蜥脚龙次目（Sauropoda）的恐龙，特征为体型大，四足行走，草食性。蜥脚龙是最大型的恐龙，也是地球上出现过的最大的陆生动物。于晚三叠世或早侏罗世（2.3亿年前至1.87亿年前）演化而成，最繁盛的时期为晚侏罗世（1.63亿年前至1.44亿年前），并生存到白垩纪（1.44亿年前至6 640万年前）。

所有的蜥脚龙均有相似的身体结构：头小，颈极长；躯体庞大而长，内容粗大的胃肠道；腿粗壮，柱状，用以支撑硕大的身躯；尾颇

大西洋竹刀鱼（*Scomberesox saurus*）
绘图：Gilbert Emerson

长，从基部至末端渐细，鞭状。腰带厚重，通过4块（有些种类为5块）骶椎骨与脊柱愈合以给身躯及尾部提供有力的支持。脊椎骨的椎体两旁都有很深的坑窝，以减轻重量，同时又保持其结构上的强度。从前认为蜥脚龙终日泡在浅水中，借助水的浮力支持其笨重的身躯，但有些种类看来更适应生活于坚硬的地面上。蜥脚龙颈长，故能采食树上，甚至最高的树上的食物，取食方式略似现代的长颈鹿。其牙齿往往小而细，数量不多，蜥脚龙似乎借助于吞入胃肠内的石头或细菌来粉碎或分解所食的植物性物质。

蜥脚龙演化出5个科：妖龙科（Cetiosauridae）；腕龙科（Brachiosauridae），包括腕龙属（*Brachiosaurus*）；圆顶龙科（Camarasauridae）；梁龙科（Diplodocidae），包括梁龙属（*Diplodocus*）；巨龙科（Titanosauridae），包括雷龙属（*Apatosaurus*）。较小的蜥脚龙长达15米，而较大的蜥脚龙，如雷龙属（*Apatosaurus*，以前作 *Brontosaurus*）常可达21米。腕龙是目前已知的最大最粗壮的恐龙之一，长可达30米，重量可达80吨。

sauropterygian 蜥鳍类 绝灭的蜥鳍目（Sauropterygia）爬行动物。非常适应水中生活，包括幻龙类、蛇颈龙类，可能还有楯齿龙类，都是中生代（2.45亿年前至6 640万年前）的动物。其中最大的是长达12米的蛇颈龙类。蜥鳍目的特征是以强壮的四肢作"划桨"式的游泳，这与鱼龙类和沧龙类像鱼的运动方式不同。最原始的蜥鳍类是三叠纪（2.45亿年前至2.08亿年前）的幻龙类。这些小爬行类的身体细长，四肢比得上陆上爬行类，这表明有某种程度的陆上运动。幻龙类结构上是蛇颈龙类的祖先（参阅 **Nothosaurus**）。蛇颈龙类出现在三叠纪末，直到晚白垩世（9 750万年前至6 640万年前）为止一直占显著地位。其化石最常见于英国和德国的侏罗系（2.08亿年前至1.44亿年前）及美国的上白垩统。其尾短，身躯粗壮，肩带和腰带腹侧隆起，用以附着强有力的四肢肌肉。四肢结实，像桨，趾关节数目多，颌长，有适于捕鱼的尖齿（参阅 **Plesiosaur**）。中三叠世的楯齿龙类往往被认为是蜥鳍目的亚目。身体结构上与幻龙类相似，但更结实。楯齿龙属（*Placodus*）及其他的典型类型中，为嚼碎所吃的软体动物类而生有宽而平的齿板。许多楯齿龙类发育骨甲。无齿龙属（*Henodus*）具有可与海龟相比的壳。

saury 竹刀鱼 银汉鱼目竹刀鱼科约4种细长海鱼的统称。此类鱼体型小，但是也可长到约35厘米长；两颌呈喙状，牙细小，背、臀鳍后各另具一行小鳍。分布于热带和温带海域，生活于接近海面处，常跃出并飞掠水面。竹刀鱼科具有代表性的种类有大西洋竹刀鱼（*Scomberesox saurus*，分布于大西洋及澳大利亚附近海域）和太平洋竹刀鱼（秋刀鱼，*Cololabis saira*）。

sausage 香肠 将经过调味的猪、牛、羊的肉糜填充在肠衣内制成的食品。也可用禽肉或鱼肉制作。古代巴比伦、希腊、罗马已有香肠。中世纪以来，欧洲不少城市以生产香肠闻名于世，如法兰克福、博洛。意大利的咸香肠也名闻遐迩。近代食品加工香肠，用牛肉或猪肉填充，也可用其他的肉或混合肉。添加谷物和其他非肉成分或增量剂（如水），往往需按政府的规定。美国规定非肉添加物，包括谷物、植物淀粉与大豆粉等的量，不得超过3.5%。对防腐剂、人造色素及其他添加剂也有法律规定。制香肠用的香料与调味品有食盐，随民族和产地不同，还可有芫荽子、肉豆蔻、丁香、大蒜、醋、豆蔻衣、胡椒、辣椒或阿月浑子的果实等，范围很广。肠衣可用肉畜的肠、石蜡处理的纤维袋或新式合成塑料肠衣、重组的骨胶原（不溶性动物蛋白质）。无皮香肠是将成分填充在纤维薄膜包衣内，然后泡入热水再浸入冷水，使香肠表面形成蛋白质薄膜，再剥去纤维包衣制成。干香肠主要在温暖地区生产，以便保藏。干香肠经过脱水加工，提供高浓度的蛋白质、维生素B和矿物质。寒冷地区大多生产鲜香肠和熟香肠。香肠加工包括煮熟、盐腌和烟熏。后两种方法原先是为了防腐，现在主要用来改良风味。根据加工方法分成鲜香肠，生、熟烟熏香肠，熟香肠，干香肠等。除干香肠外，其他所有香肠都需要冷藏，方可长期保藏；在冷藏条件下，干香肠的货架寿命最长。新鲜和生的烟熏香肠，必须在食用前煮熟；熟的烟熏香肠一般加热后食用。熟香肠及干香肠都可直接食用。

sausage tree（*Kigelia pinnata*） **香肠树** 亦称吊灯树。紫葳科香肠树属（吊灯树属）的唯一种，原产热带非洲。株高6～12米，果实香肠状，长30～60厘米，悬垂于绳索状长柄下。花径约10厘米，紫绿色，形状略不整齐或向一侧弯曲，着生于老枝，其悬挂方式便于蝙蝠（主要传粉者）采蜜。花在傍晚后才开

香肠树(*Kigelia pinnata*)

供图:Loren M. Root from Root Resources—美国不列颠百科全书公司

放,并放出老鼠那样的气味吸引蝙蝠,蝙蝠吸食其花蜜和花粉。花于翌晨凋落。

Sausalito 索萨利托 美国加利福尼亚州西部马林县城市,位于旧金山湾沿岸,在旧金山之北、金门大桥对岸。1838 年 W. 理查森获得墨西哥授予索萨利托牧场。他利用村庄良好的天然水湾,出售淡水和蔬菜、养牛,并收取港口费。1849 年淘金热之后,将土地卖给 C. 博茨。博茨制定出建造城市和海军船坞的规划,因海军在巴列霍外的马雷岛上建成船坞,城市未能建起。1871 年北太平洋沿海铁路修通,发展为海港和运输枢纽。1937 年建成金门大桥后,成为旧金山的市郊住宅区。其经济支柱为旅游和服务业,并吸引许多艺术家前来,成为若干画廊和文艺活动的所在地。设有湾区探奇博物馆,是一儿童互动博物馆。天使岛国家公园位于东部近海,西部有金门国家休闲区。人口7 330(2000)。

Sauser, Frédéric 索塞 参阅**Cendrars, Blaise** 桑德拉尔。

Saussure, Ferdinand de 索绪尔 (1857-11-26,瑞士日内瓦～1913-02-22,日内瓦) 瑞士语言学家,其关于语言结构的观念在许多方面为 20 世纪语言科学的研究方法和进展奠定了基础。早在求学时期就以《论印欧系语元音的原始系统》(1879)一书而享有盛名。书中解释了印欧语元音 *a* 最复杂音变的发生过程,对比较语言学作出卓越贡献。此后他没有再著书。历任巴黎高级研究学院讲师(1881～1891),日内瓦大学印欧语言学和梵语教授(1901～1913),日内瓦大学普通语言学教授(1907～1913)。由其学生巴利和塞什艾根据其讲稿等材料整理成《普通语言学教程》(1916)一书是以索绪尔的名义出版的。这部书的问世往往被认为是 20 世纪语言学的新起点。索绪尔坚决主张把语言视为一种社会现象,一种可以予以同时(因为语言是存在于任一特定时间的)和历时(因为语言是随时间的推移而变化的)考察的结构体系。以此他系统地论述了语言研究的诸基本途径,并强调每种途径在其基本原理及方法论方面各不相同,且互相排斥。他还引进了现已在语言学中普遍使用的两个术语——*parol*("言语",即个人所说的话)和 *langue*("语言",即有系统、有结构而存在于一定时间和社会之中的一种语言,比如英语)。这种区分法被证明是开展有成效的语言学研究的主要动力,而且可以视为结构主义语言学发展道路上的起点。

Saussure, Horace Bénédict de 索绪尔(1740-02-17,瑞士日内瓦～1799-01-22,日内瓦) 瑞士物理学家、地质学家、早期阿尔卑斯山探险家。研制成功一种改进的空气湿度计。1762年在日内瓦学院任物理学和哲学教授,

伯尔尼瑞士国家图书馆供图

1766 年他研制成可能是第一个用于测量电压的静电计。在他发表的《阿尔卑斯山纪行》(1779～1796)第一卷中才将地质学一词引入科学术语中,这是一部包含 30 余年地质研究成果的著作。1783 年他研制成功第一个利用头发测量湿度的湿度计。

Saussure, Nicolas-Théodore de 索绪尔 (1767-10-14,瑞士日内瓦～1845-04-18,日内瓦) 瑞士化学家和植物生理学家。定量地研究了水、空气和营养素对植物的影响,从而奠定了植物化学的基础。索绪尔是地质学家 H. B. de 索绪尔之子,他曾协助其父做实验及外出考察。他的工作是建立在 J. 普里斯特利、其师 J. 瑟讷比埃和 J. 因根豪茨等人的工作的基础上。1797 年在《化学年鉴》上他发表了 3 篇论文论述了植物组织中的碳酸及其形成。他在《对植物的化学研究》(1804)一文中,证实了 S. 黑尔斯的理论:植物在日光下吸收水分和二氧化碳并增加重量。他还阐明了植物所需氮素可从土壤中吸收。1808 年开始发表了一系列重要的论文,主要分析了植物细胞中的生物化学反应。他曾多次获奖,到 1825 年他几乎是欧洲所有学会的通讯会员。

Sautrāntika 经量部 古代印度佛教部派。2 世纪时从说一切有部分裂出来。因只信经藏而不信论藏,故名。此派认为法(事物)虽然只是暂时存在,但是,人体内称为"一味蕴"的细意识却可以轮回转生,而这一味蕴中即有善的种子。此派教义对后世大乘佛教影响甚大。

Sautuola, Marcellino de 绍图奥拉 (?～1888,西班牙桑坦德) 西班牙业余地质学家和考古学家。曾在西班牙北部桑蒂利亚纳附近发掘阿尔塔米拉山洞,发现石器时代绘画。在已发现的石器时代绘画中以此年代最为久远(约公元前 20000～公元前 13000)。1875 年他发现洞中有大量破裂骨骸和黑色壁画,开始引起注意。骨骸经鉴定属于已绝迹的巨鹿、野马和野牛。1879 年夏重入洞中研究,发现一具大穴居熊骨架等化石、旧石器晚期工具以及黑色和暗红色颜料痕迹。一日携其 12 岁女儿玛丽亚同去,玛丽亚乃成为实际发现一个侧洞中洞顶著名彩色绘画之第一人。该洞后被称为"史前西斯廷教堂"。绍图奥拉准确临摹,1880 年发表有关这一重大发现的著作。

Sauveur, Albert 索弗尔(1863-06-21,比利时卢万～1939-01-26,美国马萨诸塞波士顿) 比利时出生的美国冶金学家。由于对金属组织的显微镜和显微照相研究而成为物理冶金学奠基人之一。索弗尔移居美国并从事冶金学研究。1924年任哈佛大学采矿与冶金学戈

哈佛大学档案馆供图

登·麦凯讲座教授。他在金属热处理方面的研究工作,至今被认为是科学里程碑。他的著作《铁和钢的金相学与热处理》(1912),对这个领域有重大影响。

Sava, SAINT 萨瓦,圣(1174～1237-01-14,保加利亚索非亚附近特尔诺沃) Sava 拉丁文作 Sabas。塞尔维亚修士,塞尔维亚正教会的创建者。根据他的主张,塞尔维亚教会接受君士坦丁堡牧首的管辖,从此隶属于东正教。原来,在教皇的支持下,萨瓦之兄已于 1216 年前后加冕为塞尔维亚国王,称斯蒂芬二世·内马尼亚,萨瓦无视国王与罗马教会之间的密切关系,1219 年前往尼西亚会见被拉丁派逐出君士坦丁堡而避居该地的东正教普世牧首,受塞尔维亚自治教区大主教衔。返回塞尔维亚后,重新为斯蒂芬二世举行加冕礼。他将教会划分成主教区,任命他在隐修院中的同事与门生为主教,并着手振兴文化和教务,开办学校,开创中世纪塞尔维亚文学的传统。亲自撰写其父斯蒂芬一世本纪。

Sava River 萨瓦河 Sava 又拼 Save。匈牙利语作 Száva River(萨沃河)。巴尔干半岛西部河流。流域面积 95 720 平方千米,覆盖

斯洛文尼亚、克罗地亚、波斯尼亚、塞尔维亚北部等大部分地区。源出尤利安山脉的特里格拉夫峰群，初为萨瓦博希尼卡和萨瓦多林卡两条河流，于拉多夫利察汇合，然后大体向东南偏东流经卢布尔雅那正北方的斯洛文尼亚，形成克罗地亚和波斯尼亚的界河，后进入塞尔维亚，最后在贝尔格莱德注入多瑙河，全长940千米。萨瓦河上游至距多瑙河583千米的锡萨克，有小货船通航。支流有索查河、萨维尼亚河、克尔卡河、库帕河、洛尼亚河、乌纳河、弗尔巴斯河、波斯尼亚河、德里纳河和科卢巴拉河。沿岸城镇有克拉尼、萨格勒布、锡萨克、斯拉沃尼亚布罗德、波斯尼亚萨马茨、斯雷姆斯卡米特罗维察和沙巴茨。

Savage, Michael Joseph　萨维奇（1872-03-23，维多利亚罗斯西［澳大利亚］～1940-03-27，新西兰惠灵顿）　新西兰政治家、首任工党总理（1935～1940），执政期间因恢复经济

供图：Ronald D. Woolf—Camera Press

和实行社会福利计划而赢得公众支持。原在澳大利亚当金矿工人，1907年移居新西兰，不久即积极参加工会运动。1916年工党建立即加入该党。1923年任工党副领袖，1933年成为工党的议会领袖。1935年工党在大选中获胜，他出任总理兼外交部长、土著事务部长和广播部长。他使财政部长W.纳什的反萧条经济措施、教育卫生部长P.弗雷泽的教育改革法和社会保障法得到通过。1938年他领导工党又取得一次最大的选举胜利，1939年支持及早动员参战。此后健康迅速恶化，直至逝世为止，由弗雷泽代行总理职务。

Savage, Richard　萨维奇（约1697，英格兰～1743-08-01，布里斯托尔）　英国诗人、讽刺作家，由S.约翰逊所著最优秀的英文短篇传记之一《理查德·萨维奇先生生平》（1744）的主人公。据他为自己的《杂诗集》（1728；初版，1726）所写序言，他是麦克尔斯菲尔德伯爵夫人安妮与里弗斯伯爵第四R.萨维奇的私生子。1727年萨维奇因一次酒馆争吵杀人案受审，后被宣判无罪获释。1717年出版《召集》，描写一场名叫“班戈争论”的宗教争议。他最值得注意的诗《漫游者》（1729）是一部结构松散、涉猎广博的作品，受到J.汤姆森的《四季》的影响。1737～1738年间萨维奇遇见初到伦敦的S.约翰逊，并且多亏约翰逊为他所写的明察而同情的传记，才得到经久不衰的声誉。

Savage River　萨维奇里弗　澳大利亚塔斯马尼亚州西部城镇。濒临萨维奇河。1877年在萨维奇河沿岸发现铁矿。1965年成立日、澳、美联营企业进行露天开采。萨维奇里弗镇系为工人所设。为便于运输，矿上设有选矿厂，将矿石含铁量提高至67%，再将其碾成粉末，和水成浆，用管道输送至拉塔港，再在拉塔港干燥、制成小球，运往日本。人口540（1991）。

Savai'i　萨瓦伊　南太平洋萨摩亚最西端和最大岛屿。与乌波卢岛隔有阿波利马海峡。该岛长约80千米，最宽处40千米，面积1 707平方千米。多山，最高点西利西利山（1 859米）。出产椰干、香蕉、可可、芋头、咖啡和牛。多野猪。1970年西北部的阿绍，始发展木材工业，1972年木材开始外运，但因缺少机械配件、伐木地点山势崎岖，发展迟缓。岛上主要居住区为东岸的图阿西维。人口约45 050（1991）。

savanna　稀树草原　又拼savannah。一种热带或亚热带草原，特征是有稀疏的乔木或灌木和明显的旱季。稀树草原植被主要见于非洲和南美洲，在马达加斯加和澳大利亚只有较小的面积。南非的稀树草原植被有时叫做裴勒得植被或裴勒得灌丛植被。南美北部的稀树草原地区具有渍水土壤，常称为南美无树草原。非洲稀树草原的草或为高草（高1.5～4.5米）或为低草（30厘米高）。非洲稀树草原的乔木通常多刺且叶小，许多是金合欢属植物。棕榈或仙人掌般的大戟属植物组成的乔木群和单株的粗干猴面包树木也都常见。大群的食草动物曾经常见于所有稀树草原地区，但现在只见于非洲。食肉动物有狮、豹、猎豹等大型猫科动物，还有好望角猎狗、各种鹰和隼。非洲稀树草原其他特征动物还包括鸵鸟和几种秃鹫。

Savannah　萨凡纳　美国佐治亚州东南部工业城市、海港、查塔姆县县城（1777）。在萨凡纳河河口处。1733年创建，1789年设市。城市以许多广场为核心，广场都为小型公园，

萨凡纳市的棉花和松脂制品交易所

供图：David Muench—美国不列颠百科全书公司

种植亚热带植物，四周建有佐治亚殖民时期和希腊复兴式的楼房。是佐治亚州最享有盛名的历史古城和主要旅游胜地，为初期殖民政府所在地，1786年以前一直是佐治亚州首府。美国独立战争期间为亲英派军队占领。港口交通始于1744年，并随烟草及棉花种植园经济和内陆交通的发展而增加。1819年萨凡纳号汽轮由此出发，横渡大西洋驶往利物浦。南北战争中，该城在1862年4月11日前一直为南部邦联补给站。1876年黄热病流行，但该城迅速恢复。在20世纪实现工业化，成为沿海地区的中心城市，和美国东南部工业制成品出口的主要港口。主要工业有造船、造纸、食品加工、化工产品和运输设备的制造等。附近有斯图尔特堡亨特军用机场。有州立萨凡纳学院（1890）和州立阿姆斯特朗学院（1935）。萨凡纳国家野生生物保护区位于萨凡纳河上游16千米处。人口：市约143 352；萨凡纳都会统计区约268 912（1992）。

Savannah　“萨凡纳”号　美国两艘具有历史意义的同名船，各代表航海中的一个里程碑。第一艘“萨凡纳”号于1819年首先用蒸汽机驱动横渡大西洋。它的小蒸汽机和松木

“萨凡纳”号，1819年绘

贝特曼档案馆供图

柴燃料的储量只够它在24天远渡重洋的一部分航程之用，大部分航程依靠满帆行驶，但这次航行表明蒸汽机在航海上具有实用价值。第二艘“萨凡纳”号是1959年在新泽西州卡姆登下水的世界上第一艘核动力货船。它是美国政府为实验而制造的，目的是证明核动力对非军事航行的潜力。船长181.5米，排水量22 000吨，可运载60名乘客和9 400吨货物，巡航速度约20节。60年代它多次在大西洋和其他水域进行示范性巡航。尽管试航是成功的，但由于这种船造价成本高，并未很快在商业航运中推广。

savannah dog　稀树草原狗　参阅**bush dog** 薮狗。

savannah fox　稀树草原狐　参阅**crab-eating fox** 食蟹狐。

Savannah River　萨凡纳河　美国佐治亚州河流。由塔加卢和塞尼卡河在哈特韦尔坝汇合而成，东南流，注入大西洋。全长505千米。主要支流包括布罗德河、利特尔河、布赖尔河。浅水船自河口可上行到奥古斯塔，远洋轮可驶抵萨凡纳以上8千米处。多水坝和水库，河流被充分用于水力发电、治洪和水运。港口城市萨凡纳下方港湾与大西洋岸间有水道相通。

Savannakhét　沙湾拿吉　老挝中南部城镇。位于湄公河左岸。1975年以前，设有师范学校（1911）、公立中学（1946）、佛教中学、商业学校和沙湾拿吉工学院。工业有软饮料制

沙湾拿吉镇的庙塔
中国大百科全书出版社供图

造、制冰和锯木。有机场。公路从沙湾拿吉镇通往孟帕兰、车邦和越南南部的广治。人口:城镇 96 652(1985)。

Savara　萨瓦拉人　又称索拉人(Saora,Sora 或 Saura),印度东部的部落,主要分布在奥里萨、中央、安得拉、比哈尔诸邦,人口约 40 万,其中 32.5 万在奥里萨邦。多数萨瓦拉人已印度化,普遍说奥里雅语。然而他们传统上使用的一种蒙达语方言仍在山区的萨瓦拉人中保留。山区萨瓦拉诸小部落,又以职业不同分为:从事农耕的阇提人;纺纱织布的阿尔西人;冶铁铸造的穆里人;筐篮编织的津达尔人;制陶的昆比人。萨瓦拉人的传统社会单位是大家庭,男女双方都源于一共同的男性祖先。

Savard, Félix-Antoine　萨瓦尔(1896-08-31,加拿大魁北克省魁北克～1982-08-24,魁北克)　法裔加拿大神父、诗人、小说家和民俗学者。他的作品显示出强烈的法兰西民族主义倾向和对加拿大自然景色的爱恋。1922 年被任命为罗马天主教神父。1943 年起在魁北克拉伐尔大学文学院任教。1950 ～ 1957 年任该院院长。他的既可称之为散文诗,又可称之为小说的作品,显示出他对加拿大伐木业和拓荒具有第一手知识,如《驾木筏的能手梅诺》(1937)、《大砍伐》(1943)和《子夜》(1948)等。他还写有故事《马丁与穷人》(1959)和自由诗剧作《疯女人》(1960)。晚年作品有《乌尔苏拉石》(1972)、诗集《在沉寂的边境》(1975)和《演说集》(1975)。

Savary, Anne-Jean-Marie-René, Duke de Rovigo　**萨瓦里**(1774-04-26,法国马尔克～1833-06-02,巴黎)　法国将军、行政官,拿破仑一世的忠仆。1790年参军,曾参加莱茵诸战役。1789 年在埃及任德塞将军的副官,德塞死后(1800),任拿破仑的副官,从精锐宪兵队(拿破仑的贴身警卫)队长很快升至少将(1805)。在耶拿击溃普军(1806)和在波兰奥斯特罗文卡打败俄军(1807)的战斗中均起了引人注目的作用。法俄恢复和平的《提尔西特条约》(1807)签订后,奉拿破仑之命,作为特使前往圣彼得堡和西班牙。1808 年封罗维戈公爵,两年后任警务大臣。1815 年"百日"期间赐封贵族,任警察第一总监。拿破仑在滑铁卢最终战败后,他被囚禁并判死刑,但设

巴黎国家图书馆供图

法脱逃。1819 年平反后返国。1832 年仍积极工作,指挥在阿尔及利亚的驻军。他的《回忆录》(8 卷,1828)以法文和英文出版。

savate　萨瓦特　19世纪上半叶以前流行于法国的脚踢搏斗运动,盛行于巴黎下层社会。萨瓦特衰亡后,其中较有技巧性的踢法同英国的赤拳格斗拳击术结合,成为"法国式拳

泰国的脚踢搏斗比赛
《黑星》杂志社供图

击"。传统的典型招数是用脚后跟反踢对手腹部和倒立蹴踢对手面部。法国拳击到 20 世纪逐渐衰落。在泰国,土著脚踢搏斗运动比拳击更为流行。寺院中的男童习演这种技艺,定期举行比赛。

Sāvatthi (India)　参阅**Śrāvastī** 舍卫城。

Save River (southeastern Africa)　**萨韦河**　参阅 **Sabi River** 萨比河。

Save River (Balkans)　参阅 **Sava River** 萨瓦河。

Save the Children　拯救儿童　一种独立的志愿组织,其宗旨在于为全世界受难儿童提供临时及长期帮助。1919 年,第一个拯救儿童组织在英国成立,为第一次世界大战后遭受饥荒之苦的欧洲儿童进行救济。这个组织随后扩大其工作范围,对世界各地儿童的疾苦都予以关注。类似的拯救机构也在其他国家兴起,其中以美国于 1932 年组建的拯救儿童联合会尤为著名。美国的拯救组织同英国的一样,设法改善国内及国外贫困儿童及其家庭的救济工作,其方式有:文娱活动俱乐部及游戏组、医疗及儿童福利设施、营养补贴、家庭自助及社区发展项目等。拯救儿童组织的活动经费多来源于私人捐赠。

Savelli, Luca　萨韦利(?～1266)　罗马市长,1234 年领导反对教皇格列高利九世的革命,以增进罗马中等阶级的商业利益。出身显赫家族,1234 年成为市政府首脑,立即宣布托斯卡纳、坎帕尼亚以及教会地区的许多城市归罗马市管辖,并要求教皇每年纳税。教皇和枢机主教们逃往罗马附近的列蒂,而反叛者则洗劫了教皇的宫殿和枢机主教们的住宅。后教皇和神圣罗马帝国的联军收复了萨比纳和托斯卡纳。1235 年萨韦利被撤职。其子后来成为教皇洪诺留四世。

Savery, Thomas　萨弗里(约1650,英格兰德文郡希尔斯通～1715,伦敦)　英格兰工程师和发明家,制造了第一台蒸汽泵。17 世纪 90 年代,为了解决煤矿排水的难题,他利用法国物理学家 D.帕潘等人所提出的原理,制造一台蒸汽泵(1698 年取得专利权)。它有一个装满水的密闭容器,向容器内送入高压蒸汽,使水位升高;水被排出后,用喷洒器使蒸汽冷凝,产生真空,将下面的水通过阀门吸上来。为了尽可能连续工作,他在蒸汽泵里装了两个容器。这种蒸汽泵并不完善,当蒸汽压强超过 8 ～ 10 个大气压时缺点尤为明显。几年之后,T.纽科门根据帕潘另一种设想独立设计出常压活塞发动机,萨弗里与纽科门合作共同研制这种机器。萨弗里还发明了船用里程表等。

Savery, William　萨弗里(1721～1787-05,美国宾夕法尼亚费城)　18 世纪美国费城制造奇彭代尔式家具的著名工匠。所做家具从普通椅子到雕花箱子,一应俱全。早期曾受安妮女王风格家具的影响,但大部分作品属于奇彭代尔式。他和许多家具工匠一样,自己

萨弗里约 1735 ～ 1750 年制作的胡桃木扶手椅
芝加哥美术学院供图

制作家具，然后请人雕刻。早在20世纪头10年内发现在纽约范科特兰公园庄园宅邸收藏的矮屉柜上有萨弗里的标记，这就使权威人士把类似的家具归属于他。大约20种其他家具被发现有萨弗里的标记。

Savić, Ilija　萨维奇　参阅 **Garašanin, Ilija** 加拉沙宁。

Savigny, Friedrich Karl von　萨维尼（1779-02-21，美因河畔法兰克福［德国］～1861-10-25，普鲁士柏林）　19世纪德意志法学界最有影响的人物，现代德意志民法体系和一般私

供图：Deutsche Fotothek Dresden, E. Ger.

法理论的创始人，并以他的国际私法体系而闻名于世。出身于法兰克福一个贵族家庭。先后在格丁根大学和马尔堡大学接受教育，1800年开始执教，早在1803年就发表了著名的《占有法》一书。1808年到巴伐利亚的兰茨胡特大学担任罗马法教授；1810年应邀到柏林大学任教，不久就成为那里最有名的教授之一。1814年在反拿破仑战争激励下的民族主义浪潮促使海德堡大学法学教授A.F.J.蒂鲍提出了制定德意志各邦统一民法典的要求。萨维尼在一本题为《论当代立法和法理学方面的使命》的小册中反驳了这一要求。他说，历史的经验表明匆忙编纂的法典是无用的，法律的内容必须和民族精神相吻合，不符合这精神的法律就要失败。因此，他认为习惯是法律的主要表现，经过法学专家们才把这一精神反映在技术性的细节中。用萨维尼的经典性的话来说，法律"首先是由习惯和公众的信仰、然后是由司法判决发展而来的——因此，在任何地方都是由内在的默默运作的力量、而不是由一个立法者的专横的意志发展起来的。"萨维尼把法律看成是一个缓慢的、几乎不能察觉的发展过程，就像语言的发展过程一样。因此，立法和法典最多只不过是用语言表述一系列现行的法律，这些法律的意义和内容只能通过认真的历史研究去发现。历史法理学不仅反对法典化的努力，而且反对理性主义思想家，这些思想家试图从一般的和普遍的原则中引导出法律理论而不尊重民族的特点和习惯。萨维尼则力求通过历史的研究揭示现行法律的内容。1815年他和另外两个人一起创办了《历史法学杂志》；同时开始出版他所著的七卷本的《中世纪罗马法历史》这部巨著（1815～1831），后者是近代研究中世纪法律的基础。根据他的法学方法论，他认为法律科学应该既是历史的，又是系统的，即它应显示出从罗马法所留传下来的历史资料的内在一致性。他后期的著作中，有8卷是《论当代罗马法制度》的专著。其中的第8卷是讨论他的国际私法体系的。1817年他被任命为普鲁士的枢密院成员，1819年受命担任柏林上诉法院法官，1842年出任修订法律大臣。1848年的革命终止了他的政治生涯。1850年他出版了自己的《著作集》，1851～1853年出版了两卷本的《论契约法》。萨维尼是一位有开拓精神的法学家，他对法理学作出了久远的贡献，特别是在揭示现在的和过去的法律制度之间的连续性方面；在奠定法律社会学的基础方面；和在发展许多现在为法律学者们普遍运用的一些重要方法方面。

Savile, George　萨维尔　参阅 **Halifax, George Savile, 1st Marquess of** 哈利法克斯侯爵（第一）。

Savimbi, Jonas Malheiro　萨文比（1934-08-03，葡属安哥拉～2002-02-22，安哥拉卢库塞附近）　安哥拉政治家，长期领导游击战争以反对独立后的安哥拉政府。萨文比是铁路站长之子，在教会学校接受教育，接着获得奖学金出国留学。先在葡萄牙里斯本大学学习医，1965年获瑞士洛桑大学政治学博士学位。1961年参加安哥拉独立运动领导人罗伯托的安哥拉人民联盟（UPA），该联盟是安哥拉人民解放运动（MPLA，简称安人运）的敌手。1966年萨文比与安哥拉人民联盟领导人决裂，同年组成争取安哥拉彻底独立全国联盟（UNITA，简称安盟），为反对葡萄牙对安哥拉的殖民统治而战斗。

萨文比是安哥拉境内唯一坚持战斗直到1975年安哥拉挣脱葡萄牙统治赢得独立的游击队领导人。此时，他已将他最初的一小批支持者扩大为数以千计的游击队。安盟的基地在安哥拉东南部，依靠安哥拉最大的部族奥文本杜人的支持。在各个时期，萨文比获得了中国、南非和美国的援助，以与马克思主义的、受苏联援助的、控制着中央政府的安人运相对立。70和80年代，萨文比继续进行引起分裂的游击战争反对安人运，他相信武装斗争最终将迫使安人运接受有安盟参加的联合政府。1991年萨文比与安人运领导的安哥拉政府签订了和平协议，该协议结束了双方的内战，号召举行自由的、多党参加的全国选举。在1992年大选失败后，萨文比和安盟又恢复了夺取政权的武装斗争，安盟控制了农村的大部分地区。谈判再次举行，1994年签署《卢萨卡协议》：敌意得以停止，军队开始脱离接触。安哥拉总统桑托斯让萨文比担任两个副总统之一，安盟也成为政府的一部分。萨文比随后拒绝了该职位，1997年正式担任反对派领袖一职，该职位于1998年被撤销。1996年萨文比表示他会继续控制安哥拉东北部有利可图的金刚石矿区，尽管1998年有些地方已转交给政府。1998年9月面临来自安盟内部的反对，当时自称安盟右派的一个组织剥夺了他的权力并称该组织为安盟领导。从此，安盟分裂成3个派别。安哥拉政府和南部非洲发展联盟承认安盟右派正式代表安盟。然而，萨文比在2001年3月要求重开谈判，表示愿意接受1994年的《卢萨卡协议》的条款。在政府要求把停火作为开始新一轮谈判的条件，萨文比请求罗马天主教会调解争执的同时，战斗仍在全国继续。政府军队继续追捕萨文比并在莫希科省东部将其抓获。安盟和安哥拉政府于2002年4月达成和平协议。

saving　储蓄　留出当前的部分收入供未来使用的过程，或指在一定时期内如此积累的资金的流程。储蓄的形式有：增加银行存款、购买有价证券或增加现款持有额。影响个人储蓄额度的因素为个人对未来消费的偏好超过对当前消费的偏好的程度、对未来收入的预期，一定程度上还有利率的高低。有两种方法可供个人衡量其一定会计结算期内的储蓄。一是估算其收入再减去其当前的开支，差额就是储蓄。另一种方法就是审阅期初和期末的资金平衡表（内有资产和债务），算出净增值，这就是储蓄。国民储蓄总额是由国民所得减去消费和税收而得出的，这就与国民投资额相同；国民储蓄总额也可由国民生产净值减去用于消费资料和服务的以及政府开支购买物品的部分产值而得出。所以，在国民所得账目中，储蓄总是等于投资。另一种计算储蓄的方法就是估算出一定时期内总净值的变更。由于储蓄与投资密切相关，它对国家的经济进程十分重要。如果一国生产性财富要有所增长，则某些个人就不得消费掉其全部所得。经济进程不仅仅依靠储蓄；个人还必须要有投资意愿，由此增加国家的生产能力。

savings and loan association　储蓄与放款协会　一种储蓄和住宅贷款金融机构，旨在为私人购买、修缮或新建住宅提供贷款。它起源于英国，18世纪初称为房屋互助协会，先后传至欧美各国。1831年费城创立的牛津节俭建筑会是美国的第一个储蓄与放款协会。这种协会以前是合作性组织，存款人就是协会的股东，并按协会利润的大小分取红利；现在协会按固定利率付给存款人利息。许多协会提供与其他储蓄机构相同的服务，如延期付税年金、社会保险支票直接存款、从账户自动扣除抵押付款和保险费及存折贷款等。根据联邦住宅贷款银行委员会（负责管理联邦政府许可的储蓄与放款协会）的规定，协会不必仅仅依靠个人存款来筹集基金，可以向其他金融机构借款，出售抵押担保的证券、货币市场票证及股票。储蓄与放款协会的贷款偿还计划，即直接减少贷款计划，是现今贷款分期偿还计划的原型，要求住宅购买人每月以一定的金额偿付本金和利息；本金逐月增加，利息按月减少。

savings bank　储蓄银行　吸收存款并以利息或股息给予存户的金融机构。它在那些不愿把收入花费完的个人储户与需要花更多钱的借款人之间予以沟通。执行这项职能的机构有：商业银行储蓄存款部、互助储蓄银行或信托储蓄银行、储蓄与放款协会、信贷协会、邮政储金系统和市储蓄银行。除商业银行外，上述机构均不接受活期存款。邮政储金

系统和许多其他欧洲储蓄机构均有政府担保;存款主要投资于购买政府证券和由政府担保的证券。早先人们致力于慈善性的工作,鼓励家境不甚富裕的人进行储蓄,由此发展而产生了储蓄银行。最早的市储蓄银行是由意大利的市营当铺发展而来的。在荷兰,地方储蓄银行都是由一个 1783 年建立的慈善团体的努力而建成的;其第一家地方储蓄银行是 1817 年成立的。英、德等国也于 18 世纪末和 19 世纪初开始建立了储蓄银行。美国的储蓄银行也起源于慈善事业。互助储蓄银行集中于美国的东北部。

Savinkov, Boris Viktorovich　萨文科夫(1879-01-31[旧历 01-19],俄罗斯帝国乌克兰哈尔科夫[在今乌克兰]～1925-05,苏联俄罗斯莫斯科)　笔名 V.罗普申。俄国革命者,既猛烈反对帝俄政府,又猛烈反对苏维埃政权。1903 年参加社会革命党,为该党恐怖组织的首领。1904～1905 年组织对沙皇大臣普列韦和莫斯科总督亚历山德罗维奇的行刺。第一次世界大战中,在法国军队中服务。二月革命后回国,先后任军事委员和陆军部副部长,他与克伦斯基和科尔尼洛夫将军一道,成为临时政府中的"三巨头"。1917 年 8 月因支持科尔尼洛夫将军的"兵变"失败,被迫辞职。十月革命后建立秘密军事组织"保卫祖国和自由同盟",1918 年 7 月 6～21 日在雅罗斯拉夫尔进行暴动,企图配合协约国的入侵掀起全国性反布尔什维克叛乱。暴动失败后去巴黎,央求协约国对苏维埃政权进行干涉。1920 年初应毕苏斯基邀请去华沙组织俄国志愿军团,与波兰军队共同反苏。1921 年 8 月 18 日《波苏和约》在里加签字后,他灰心丧气地回到巴黎。后回苏联。1924 年 8 月 18 日在明斯克被捕,判处死刑,后改徒刑。据称翌年在莫斯科卢比扬卡监狱中自杀。

Savo　萨沃岛　太平洋西南部所罗门群岛东部岛屿。长 5 英里,宽 2 英里,海拔最高为 1 673英尺。无优良锚地。岛上的活火山形成多处热水瀑布和硫磺烟道,有喷发的潜势。最后一次爆发在 1847 年。该岛东南水道现称艾恩博特姆海峡。

Savoe-zee(Indonesia)　参阅**Savu Sea 萨武海**。

Savoie　萨瓦　法国东南部罗讷-阿尔卑斯大区一省。位于意大利边界阿尔卑斯山北部,面积 6 036 平方千米,由早期萨瓦公爵领地的南部组成。罗讷河及其支流吉耶尔河为该省西界。西部分布着前阿尔卑斯多林木的博日山脉和大沙特勒斯山脉;东部 2/3 地区是覆盖着森林的高山,有欧洲最高的一些山峰。伊泽尔河发源东部高山,蜿蜒向西流,其支流阿尔克河在大弯曲处流经莫列讷河谷。两河之间为瓦努瓦斯山,山上有 88 平方千米的冰川。瓦努瓦斯国家公园里的最高峰大卡斯山海拔 3 852 米。有国际公路向东南经过塞尼山口通往意大利的都灵。一条铁路与公路并行,经弗雷瑞斯隧道抵达意大利。阿尔卑斯山峰在该省沿意大利边界伸展,大萨西耶尔山海拔达 3 747 米。尚贝里(省会)通往意大利的公路途经阿尔贝维尔和圣莫里斯堡,在2 188米处穿过小圣伯纳德山口。有公路在阿尔卑斯山区与边境线平行,从塞尼山通到圣莫里斯堡,沿途景色十分壮观。高地山谷区气候寒冷,较低的伊泽尔河谷和尚贝里地区较温暖。高山谷中养牛,较低地区种植谷物、饲料、果树和葡萄。在艾克斯莱班等地开发有温泉疗养地。水力发电为炼铝、特种钢、造纸、水泥和电机厂供电。库尔舍瓦勒、普拉洛尼昂-拉瓦努瓦斯、瓦勒迪泽尔等许多新开辟的旅游胜地和冬季运动场所,扩大了当地的经济收入。该省有 3 个专区:尚贝里、阿尔贝维尔和圣让-德莫里耶讷,属于格勒诺布尔教育区。人口 373 258(1999)。

萨瓦省的阿尔克谷地风光
供图:Art Resource—美国不列颠百科全书公司

Savoldo, Giovanni Girolamo　萨沃尔多(约 1480,威尼斯共和国布雷西亚～约 1548,威尼斯?)　又称 G.达·布雷西亚。布雷西亚画派画家,风格以静谧的抒情性为特征。和以提香为代表的威尼斯画派不同,在其所有作品中,人物形象都保持了传统的面貌。有关其生平记载很少,他可能是奇马·达·科内利亚诺的学生,1508 年佛罗伦萨的行会有其登记。他的作品主要是人物,色彩深沉、丰富。乔尔乔涅的影响可在其画面气氛的处理上看出来。晚期作品人物形象更加明亮和平面化。其技巧在《圣马太》一画中登峰造极,以运用强烈的明暗对比为特征。其一部分作品分藏于欧美各博物馆。

Savón, Felix　萨翁(1967-04-22,古巴圣维森特～　)　全名 Felix Savón Fabré。古巴重量级拳击手,是第二个赢得 3 枚奥运会同一重量级金牌、第一个 6 次获得世界业余拳击冠军的拳击手。身高 1.96 米,1985 年获重量级少年组冠军。一年后赢得世界冠军,并于 1989、1991、1993、1995 和 1997 年连续卫冕。1988 年汉城奥运会因古巴抵制而未能参赛,1992 年巴塞罗那奥运会获金牌,1996 年亚特兰大奥运会卫冕,2000 年悉尼奥运会击败 T.斯蒂文森获金牌。此外还是 1987、1991、1995 年泛美运动会和 1990、1994、1998 年友好运动会的冠军。萨翁回绝了多次打职业拳击的邀请,而由于国际业余拳击协会的规章禁止 34 周岁以上的拳击手参赛,不得不退役。后任古巴国家队教练,带队在 2004 年雅典奥运会赢得 8 个重量级的奖牌,其中包括 5 枚金牌。

Savona　萨沃纳　意大利西北部利古里亚区萨沃纳省省会、城市和海港。在热那亚西南的西部海岸。公元前 205 年是迦太基人反对古罗马的同盟。后与热那亚结盟。1805 年并入拿破仑帝国。1815 年加入撒丁王国。1861 年归属意大利王国。第二次世界大战期间遭到猛烈轰炸。该市虽已基本现代化,但仍保留许多中世纪、文艺复兴时期和巴罗克式等建筑物,著名的有文艺复兴时期的大教堂(1589～1602)、德拉罗韦雷宫和加布里埃洛·基亚布雷拉剧院(1853,为纪念当地诗人 G.基亚布雷拉而建)。为全国主要港口之一,皮埃蒙特和中欧地区的出口港。主要进口煤、石油。也是全国冶铁工业的重要中心,还有造船、机械、电机、硫磺、玻璃、制革和食品加工等工业。有铁路通都灵。位于从热那亚至法国边界的铁路和公路干线上。人口:城市区约 62 459(1999)。

Savona faience　萨沃纳彩陶　一种锡釉陶器,17 和 18 世纪产于意大利利古里亚地区萨沃纳镇和附近的热那亚和阿尔比索拉。画面风格十分独特,予人以天真朴实之感。大多数 17 世纪的制品都是在白坯上用蓝色绘出风景、船舶、动物、鸟类,有时还有人物。画面

意大利阿尔比索拉生产的萨沃纳彩陶碟,约 1660 年
伦敦维多利亚和艾伯特博物馆供图

线条简练准确，往往故意留有可以看得出的笔触痕迹。此外也有在翠绿色坯上用棕紫色或其他颜色绘画类似的图案。典型的盘碟具有镂雕的、做成扇形皱褶的、或其他方式的边饰。18世纪中也盛行类似的装饰风格，以有限的几种颜色描绘出素描式的景物，有时故意使颜色流淌造成模糊的效果。

Savonarola, Girolamo　萨伏那洛拉（1452-09-21，费拉拉公国费拉拉～1498-05-23，佛罗伦萨）　意大利基督教布道家、改革家和殉教士。原学文科，得学位后转修医学。1475年

供图：Alinari—Art Resource/美国不列颠百科全书公司

放弃医学研究，在博洛尼亚加入多明我会。1482年任佛罗伦萨圣马可女隐修院讲师。1485和1486年大斋节期间提出必须整顿教会，鞭笞教会使之获得新生。1487年任博洛尼亚普通学校教务主任。任期届满后赴一些城市传道，后来佛罗伦萨统治者梅迪契家族的洛伦佐运用自己的影响，使他于1490年被遣回佛罗伦萨。萨伏那洛拉成为梅迪契家族强的最无情的敌人。他无所畏惧地抨击佛罗伦萨的暴政。洛伦佐威胁与吹捧并用，企图使他口下留情，但洛伦佐已是命在旦夕。洛伦佐死后不久，1494年法兰西国王查理八世进犯，推翻梅迪契家族的统治。在两年前，萨伏那洛拉即已预言查理八世将入侵并轻易取胜。由于他的这种预见，由于他在同查理八世谈判中所发挥的作用，也由于他能够在政府更换之后缓和各派之间的矛盾，他的权势大为提高。他施行民主政体，建成该市历史上最佳的政府。佛罗伦萨内部的反对派阿拉比亚党以及米兰公爵、教皇等国外势力当时正急于成立神圣同盟以反对法兰西国王，他们希望联合佛罗伦萨。佛罗伦萨拒绝参加这个联盟，于是教皇亚历山大六世于1495年发出敕书，称赞萨伏那洛拉成绩卓异，召唤到罗马去以便亲自听取他发布预言。萨伏那洛拉称病不去。教皇发出第2份敕书，对他进行辱骂并命令他前往博洛尼亚，否则处以绝罚。萨伏那洛拉婉转而坚定地予以答复。教皇的第3份敕书宣布禁止他宣讲教义，并直言不讳地说，这是神圣同盟的意见。数月后，1496年大斋节临近，佛罗伦萨大使请求教皇撤销这项禁令，教皇予以正式拒绝，但是在口头上则表示照办。于是萨伏那洛拉重新上台讲道，讲解《阿摩斯书》，变本加厉地抨击罗马教廷，还含沙射影地提到教皇的私生活。1496年降临节和1497年大斋节期间，萨伏那洛拉继续讲道，讲解《以西结书》。在当年狂欢节期间，他运用他的权力，发动"焚烧虚妄"运动，首饰、淫画、纸牌、赌台一律投之于火，也有少数书籍和艺术品被焚。但此时意大利局势已对萨伏那洛拉不利。在佛罗伦萨内部，他也因政治和经济不利而丧失权力。阿拉比亚党上台执政，强迫他停止宣讲，并于耶稣升天节发动暴乱反对他。罗马教廷根据该党的要求，宣布判处萨伏那洛拉以绝罚。佛罗伦萨政府要求教皇撤销绝罚令未果。方济各会的一名修士扬言，如有人敢于坚持这项绝罚无效，他愿同他一同经受火烧神裁。热烈拥护萨伏那洛拉的弗拉·多门尼科信以为真，表示应战。市议会和市民赞助这种野蛮的裁断法。关于这次神裁的布告宣布，参加者是弗拉·多门尼科和那一名方济各会修士，拒绝受火烧之考验或表现犹豫者，即为失败。事实上方济各会修士并未出场，神裁也未举行。根据布告的条文，萨伏那洛拉本是胜利者。但是人们指责他没有完成神迹。次日，在阿拉比亚党领导下的暴民举行暴乱，闯入圣马可隐修院，捕获萨伏那洛拉以及弗拉·多门尼科和另一名门徒。经异端裁判所草率审讯，转交世俗法庭，分别被判处绞刑与火刑。

Savonarola chair　参阅**scissors chair**剪式椅。

Savonnerie carpet　萨伏纳里地毯　法国萨伏纳里工场或其他地方制造的栽绒铺地用品，通常尺码较大。萨伏纳里工场是17世纪奉王室命令在巴黎沙伊洛特区济贫院旧址建立的；当时生产的栽绒毯供王宫使用或作为皇家赠品。采用花卉和文艺复兴时期建筑图

17世纪的法国萨伏纳里地毯
纽约大都会艺术博物馆供图

案，其中很多仿戈布兰挂毯设计家的绘画。1826年因工场被合并，萨伏纳里产品转到巴黎附近的戈布兰工场。图案风格随各代君主爱好而变化。最近，抽象派或超现实主义作品也表现在萨伏纳里地毯上。萨伏纳里地毯对西方其他地毯厂的产品图案影响很大。

savora　萨沃拉　又拼sabora（阿拉米语，作"说理者"或"反省者"解）。6世纪犹太教学者的称号，他们是巴比伦《塔木德》的定稿人。萨沃拉是继注释犹太教口传律法汇编《密西拿》的学者"阿摩拉"而出现的。萨沃拉之后另一代学者"加昂"继起。

savory（*Satureia hortensis*）　**香薄荷**　唇形科一年生芳香草本植物。干叶及开花的顶端部分可作多种食物（尤其是禽类及填馅）的佐料。在德国称为豆草，但亦用于许多其他蔬

香薄荷（*Satureia hortensis*）
供图：G. R. Roberts

菜及沙拉，也是草本花束的常用成分。干叶绿棕色，味芳香带有温和的辛辣味。原产南欧，栽培于许多气候区，特别是法国和西班牙。古希腊人及古罗马人将香薄荷与百里香掺合用于野味及填馅的调味。凯撒时代，罗马人把香薄荷带入不列颠，殖民者再把它带到美洲。在美国很受欢迎。约含1%的香精油，主要成分是香芹酚。冬香薄荷或矮香薄荷为山地香薄荷（*Satureia montana*），是一种冬季开花的矮小亚灌木，作为调料，可与夏季开花的上述种交换使用。

Savoy　萨伏依　法语作Savoie，意大利语作Savoia。法国东南部历史和文化大区。包括上萨瓦省和萨瓦省，幅员相当于历史上的萨伏依地区。

早期居民为阿洛布罗克斯人，一个曾猛烈抵抗罗马人入侵的凯尔特部落。公元前121年终于被罗马人征服，其领土后并入纳尔榜南西斯高卢省。在柏柏尔人入侵时期，萨伏依地区划归勃艮第家族（437），后传给法兰克的勃艮第王国（534）。萨伏依一名始于这一时期，最终成为专指北起日内瓦湖南至伊泽尔河之间地区的名称。

9世纪加洛林帝国崩溃后，萨伏依分属几个中欧王国，11世纪中叶，处于德意志神圣罗马帝国的宗主权之下。当时，封建领主白手亨伯特一世（萨伏依家族的创始人）曾实际控制该地区大部。欧洲中世纪时期，亨伯特及其继承者曾建立一个地域辽阔的国家，以萨伏依为基地，向东越过阿尔卑斯山一直延伸到皮埃蒙特。

在近代早期，由于地处进入意大利的战

略要地，萨伏依成为法兰西扩张的目标。虽然萨伏依在16和17世纪曾多次被法国军队占领，但萨伏依公爵仍能收复它。当公爵偏爱在意大利的领地而将首府从尚贝里迁往皮埃蒙特的杜林(1563)时，主要讲法语的萨伏依就丧失了在萨伏依领地中的支配地位。1792年在法国革命战争时期被法国兼并。1815年萨伏依又为其传统的统治者所收复。

法国皇帝拿破仑三世同意建立一个包括萨伏依家族统治下的意大利中北部的国家，以此为代价，萨伏依(连同尼斯一起)于1860年永久成为法国的一部分。

从地貌学上看，该地区几乎为纯粹的阿尔卑斯山地貌，位于瑞士日内瓦湖正南。耕地有限，主要用于放牧及种植牧草和其他饲料作物。森林为重要资源，干酪制作和锯木场为重要工业。萨伏依西北部传统的农牧民小屋用木材建造，而高海拔的阿尔卑斯山区小屋主要用石头建造。耕地大多零星分散。居民绝大多数信奉天主教。新教徒极少。

当地食物主要为干酪、淡水鱼、小龙虾、蘑菇、马铃薯和水果。甘酪称为"托姆"，为质地紧密的球形，外覆硬皮。"焦烤"是用马铃薯、鸡蛋和肉汤制作的食品。圣尚-德波塔与蒙塔梅利安出产独特的红葡萄酒；萨瓦白兰地是优质龙胆健胃剂。萨伏依方言受普罗旺斯方言影响，许多词以"oz"或"az"结尾，"z"从不发音。

Savoy, HOUSE OF　萨伏依王室　欧洲历史上的王朝，1861～1946年统治意大利。中世纪在阿尔卑斯山西部取得广大领地(包括今日法国、意大利和瑞士)。15世纪成为神圣罗马帝国的大公。18世纪成为国王，后为意大利统一运动作出了贡献。创业者是11世纪中期的亨伯特一世。阿马戴乌斯五世至阿马戴乌斯八世最著名，他们扩大了领土，受封为公爵。1536～1559年法国占领萨伏依。根据《乌得勒支条约》，维克托·阿马戴乌斯二世(1675～1730在位)于1713年成为西西里国王，1720年后为撒丁国王。其后代占据了意大利东北部的大部分领土。1815年兼并热那亚。复兴运动开始时，以皮埃蒙特为中心的萨伏依王室领地因军事力量较强大是意大利诸邦中唯一不受外国影响的地区。1821年的革命迫使伊曼纽尔一世逊位。1831年C.阿尔贝特即王位后，致力于皮埃蒙特领导下的意大利统一事业，发动第一次独立战争(1848～1849)。其子伊曼纽尔二世(1849～1878在位，1861起为意大利国王)支持首相加富尔施展外交伎俩，赢得了统一，形成以萨伏依王室为首的意大利王国。由于采用议会制，国王已失去以前那种崇高的地位。到了法西斯政权期间，国王更是有名无实。1946年公民投票赞成共和政体，从而结束了萨伏依王朝的统治。

Savoy Alps　萨瓦山　法国东南部格雷晏阿尔卑斯山脉(**Graian Alps**)西北支脉。位于日内瓦湖(北)、中罗讷河(西)、阿尔克和伊泽尔河谷(南)之间。最高峰大卡斯山位于瓦努瓦斯国家公园，海拔3 850米。有时也认为勃朗山群是该山脉的一部分。该地区的主要活动是旅游和户外娱乐活动。

Savoy Conference　萨伏依会议　1661年在英格兰伦敦萨伏依宫举行的会议。参加者有圣公会主教和清教派教牧人员各12名以及双方的各9名助手。会议主题是修订圣公会的《公祷书》。会后大多数清教派人士脱离圣公会。

Savoy Declaration　《萨伏依宣言》　英格兰基督教公理宗的信仰纲要。1658年由在伦敦市萨伏依宫举行的会议制订。《萨伏依宣言》在教义方面与长老宗的《威斯敏斯特信纲》(1646)大同小异，有关教会行政体制的条文则主张各地方教会自主。

Savu (Indonesia)　参阅**Sawu Island**萨武岛。

Savu Sea　萨武海　荷兰语作Savoe-zee。太平洋的部分海域，被印度尼西亚小巽他群岛环绕。北面是弗洛勒斯、索洛、龙布陵、潘塔尔和阿洛；南边是松巴、罗地、萨武、帝汶。海域宽约650千米。面积105 000平方千米。海盆为一向北倾斜的深渊平原，无显著的海底断崖或海槽，最深处3 470米，位于潘塔尔岛以南。

saw　锯　用来把固体材料切成规定长度或形状的工具。大多数锯为一边带有锯齿的薄金属带，或边缘带锯齿的薄金属圆盘。一般锯齿要交替向两边弯曲，使锯缝宽于锯的厚度，以防止夹锯。薄带锯用于各种手工或机械作业，而圆盘锯则均由电驱动工作。

手用弓锯有一个U形锯架，并装有长约20～30厘米、宽约1.25厘米、厚约0.06厘米的锯条，在手柄上有一螺钉，用以调节锯条的松紧。这种锯是机械车间最常用的工具，用来锯断固定于老虎钳上的工件，屠宰业也用它来锯断骨头。修型工或珠宝艺人为把任意形状的材料锯去一薄片，使用一种U形锯架更深、锯条更窄的弓锯。窄锯条机锯或线锯可进行机械作业，能作与手工修型弓锯同样的工作。窄直锯条垂直地装在脉动的下杆和往复运动的上杆之间，它们使锯条快速上下移动。电动弓锯是通用机械车间或工具间必备之物，常用于锯切金属。其锯条比手工弓锯的锯条更宽更厚，锯架也重得多。装有锯条的锯架前后移动，只在一个方向有锯切作用，只要用很小的进给压力或靠自重就能自动地把锯压向工件。

立式带锯的锯条为一条一侧带齿的环状窄金属带，绕两个一上一下装在锯架上的大机动轮回转。锯条对安放于工作台上的工件进行锯切。可以买到各种不同尺寸锯齿的锯条。多数带锯机上的锯条速度是可调的，以适应要锯切的材料。另外，有些锯既非环状亦非盘状，如木工常用的三种手工锯：纵切锯、横截锯和镶边手锯。前两种锯的锯条略呈三角形，长约50厘米，在手柄端其宽度为10厘米，逐渐变窄，到另一端时约为5厘米。纵切锯用于顺木纹锯切，而横截锯则用于横断锯切。这两种锯的主要区别是锯齿的开齿方法不同：纵切锯锯齿的切削刃与锯条成90°，其作用像一排凿子；横截锯的锯齿类似刀刃，交替地向两边掰开，使锯成的锯缝两侧成平行线，便于锯断木材。镶边手锯是一种具有长方形锯条的横截锯，且沿锯齿的对侧有一条厚钢夹背，以保持锯条完全平直。这种锯通常用一种附件来导向，以便在整个过程中保持水平，在斜角锯切时保持正确的锯切方向。

在圆锯床中，摇臂式圆锯床是最有用的一种。电动机轴上装有锯盘，可在水平摇臂上滑动，摇臂装在与重机座连成一体的立柱上。电动机-锯盘组件能在摇臂上作径向移动。并能通过摇臂在立柱上的移动，调节电动机-锯盘组件的高度。同时，该组件还可绕枢轴转动一角度而进行斜角锯切。工件置于机座上的木制工作台上。电动机-锯盘组件在摇臂上的径向移动是手动的，摇臂可在立柱上转到任一角度位置。台式锯床(固定式圆锯床)有一可升高和倾斜的圆锯，可通过水平金属台上的槽推出，再推动台上的工件与锯接触。这种锯为木工车间主要锯床之一，换上硬度足够的锯片还可锯切金属棒料。在冷拉工厂或需要切断大量棒料和轴料之类的工厂中，广泛使用圆锯床或冷锯床，以进行重型作业。操作时，把锯架缓慢地送向工件。

手提式电动圆锯机是把锯片直接装在电动机轴上，大概是最常用的锯，主要用于家庭。借助相应的专用锯片几乎能锯切任何材料，如木材、金属、塑料、玻璃纤维、水泥块、石板和砖块等。对木材能纵锯、横锯或斜锯。马刀锯属于便携式窄锯条机锯，来回运动行程约达2.5厘米，可以纵锯、横锯及斜锯。手提式链锯，实际上已代替了木匠斧或双人锯来伐木，由一薄金属架支撑着一条钢滚子链来传动，沿滚子链长度间隔地装上锯齿，锯齿比链稍宽以确保链子能进入锯口。它由装在锯架上的电动机或小型汽油机，通过一个链轮驱动。

Saw, U　吴苏(1900，缅甸沙耶瓦底～1948-05-08，仰光)　缅甸政治领导人，曾密谋暗杀抵抗运动领袖昂山。与其他缅甸政治家不同，他未受过大学教育，但却有律师执照，曾为1930～1932年农民暴动领袖沙耶山做过辩护。曾任《太阳报》主编。1935年访问日本，获得深刻印象。他想按照日本的模式重建缅甸。1938年创立爱国党，组织纳粹式的"迦卢茶军"。1939年协助策划推翻首相巴莫。1940～1942年任总理。1941年在伦敦谈判自治领地位失败后，曾到里斯本与日本人秘密谈判。1942年1月在海法被英人逮捕，战争期间一直拘留在乌干达。1945年回国，重建爱国党，成为昂山领导的反法西斯人民自由联盟的主要反对派。曾和昂山一起去伦敦，与英国首相艾德礼谈判。但他拒绝在给予缅甸独立的1947年1月27日协议上签字，理由是昂山对英国人让步过多。他号召抵制4月9日大选，但人民自由联盟最终取得决定性胜利。1947年7月19日，他派遣枪手刺杀昂山和新政府的几位部长。后以犯有谋杀罪被处决。

saw-scaled viper (*Echis carinatus*)　**锯鳞蝰**　蝰蛇科毒蛇，产于非洲北部至锡兰的沙漠和

其他干旱地区。可能是蝰蛇科中毒性最强的毒蛇，人被咬一口就会死亡。体长很少超过60厘米。易发怒，富进攻性，通常隐藏石下和啮齿动物的藏身处。体沙色或灰色，背

锯鳞蝰（*Echis carinatus*）
供图：Anton Thau—Bavaria-Verlag

上有一排白色斑点，身体两侧各有一条色浅的"之"字形条纹。鳞片粗糙，受到惊动时，鳞片相互摩擦，发出特有的嘶嘶声。

saw shark　锯鲨　锯鲨科约4种海产长吻鲨类的统称。分布于南非、澳大利亚和亚洲东部海域。吻长，锯形，两侧有尖锐齿状突出物。锯鲨很像锯鳐，但吻锯腹侧有须一对，

日本锯鲨（*Pristiophorus japonicus*）
绘图：Richard Ellis

鳃裂位于头的两侧而不是位于腹面。体型最大的可达约1米长。以吻锯击打斩杀鱼类为食，但对人无害。共有2属：六鳃锯鲨属（*Pliotrema*，有鳃孔6对），锯鲨属（*Pristiophorus*，有鳃孔5对）。

Sawai Mādhopur　瑟瓦伊马托布尔　印度西北部拉贾斯坦邦城镇。是一有城墙的城镇。为重要公路和铁路交叉点，金属品与农产品的贸易中心。以手工生产铜器、漆器、制型纸、圆形纸牌以及卡斯草香料著称，还有食品加工厂和水泥厂。该地区主要农作物有小麦、玉米、稻米、大麦、鹰嘴豆、甘蔗与油籽。矿产有铅、锌、银和膨润土。人口：城镇28 139（1981）；都会区59 083。

Sawākin　萨瓦金　又拼Suakin。苏丹东北部城镇。濒临红海。曾为非洲红海主要港口和赴麦加朝圣的主要渡口。16世纪因受土耳其占领而开始衰落。1821年租给埃及，19世纪主要由埃及控制。20世纪20年代港口被废弃，由北面58千米处的苏丹港取而代之。但现已开始重建为该国第二港。人口3 960（最新统计）。

Sawankhalok　宋加洛　泰国中北部城镇，位于素可泰镇以北的永河河畔。现在该城以北数英里处有宋加洛古城遗址。旧城过去以制陶闻名。人口约20 720（1985）。

Sawara　佐原　日本本州千叶县城市。在利根川下游。17世纪至20世纪初为商业中心和河港。通往东京的成田铁路（1898）修建后，其重要性日增。但后因交通网络变化，该市的市场作用降低。产稻米、酱油、清酒。地当水乡筑波国定公园门户，市内有伊能忠敬（首次考察和测绘日本整个海岸线者）的故居。人口49 784（1985）。

Sawatch Range　萨沃奇岭　落基山脉的南段，在美国科罗拉多州中部。东南走向，从伊格尔河到萨沃奇绵亘160千米，东临阿肯色河，西邻埃尔克山，中段一般称科莱贾特岭，另有耶鲁山、哈佛山和普林斯顿山。这些山及其他多座山峰海拔超过4 300米，其中埃尔伯特山（4 399米）为科罗拉多和美国落基山最高点。圣十字山（4 263米）以其独特形状著称，山顶附近有形似巨大十字的裂缝。公路穿过独立山口（3 686米）和莫纳克山口（3 448米），巴斯克-伊凡霍隧道（铁路和公路）和双湖隧道（引水）也经该地区。1860年发现金矿、铅矿引来大批居民。经济以畜牧业、乳制品业和旅游业为主。群山为怀特河和圣伊萨贝尔国家森林所环绕，是阿肯色河发源地。

sawbelly（fish）　参阅 **alewife** 灰西鲱。

sawbill（duck）　**锯喙鸭**　参阅 **merganser** 秋沙鸭。

Sawbridge, Catharine　索布里奇　参阅 **Macaulay, Catharine** 麦考利。

Sawchuk, Terry　索彻克（1929-12-28，加拿大马尼托巴温尼伯～1970-05-31，纽约市）职业北美冰球队守门员。被认为是冰球运动最出色的人物之一。曾先后参加合众国冰球联盟（1947～1948）和美国冰球联盟（1948～1949），1949年加入全国冰球联盟。在他参加的全部比赛中共有103场比赛使对方未能攻进一球，这个记录一直保持到80年代中期。在1952年的斯坦利杯锦标赛和系列赛中，8局中有4局使对方得零分，另4局中只有5次失误。获全国冰球联盟守门员维津奖（1952、1953、1955）。在与本队队员作喧闹的嬉戏中受伤而死。

sawfish　锯鳐　锯鳐科锯鳐属（*Pristis*）几种像鲨的鳐类的统称。分布于世界热带及亚热带浅水区，底栖，常出入于港湾、河口，有时可上溯江河相当远的距离。已知有些生活和产卵于尼加拉瓜湖中。头、体长而平扁，吻延长，似锯鲨，呈扁而长的刀刃形，两侧缘具强齿。最大的体长可达7米多。虽然一般不被当作危险鱼类，但占体全长1/3的吻锯却也

锯鳐（*Pristis*）
供图：Karl H. Maslowski

令人生畏。吻锯用于觅食活动，或用之发掘栖于海底的动物，或用以在鱼群中杀死或击伤鱼类。在一些地区可捕来供食用、炼油、制革及制作其他产品。

sawfly　叶蜂　又称锯蜂。膜翅目叶蜂超科（Tenthredinoidea）昆虫。叶蜂超科是一个大类群，分布广，有5科。三节叶蜂科（Argidae）包括400多种，体粗壮，世界性分布，幼虫多取食蔷薇、柳、栎和桦。筒腹叶蜂科（Pergidae）种类喜食栎、山胡桃和桉树的叶，主要分布于南美和澳大利亚。本科只有一个属*Acordulecera*。锤角叶蜂科（Cimbicidae）的种类大而粗壮，触角锤状。北美最常见的种为榆叶蜂（美洲锤角叶蜂，*Cimbex americana*）约2.5厘米长，深蓝色；幼虫吃榆和柳的叶。在欧洲，大青杨叶蜂（*Clavellaria americanae*）的幼虫食柳树和杨树的叶。锯角叶蜂科（Diprionidae）的种类俗称球果树叶蜂；中等体长，其中包括球果树的一些大害虫，分布除美国中西部以外的大部分北美地区。叶蜂科（Tenthredinidae）约有4 000种，形态和习性各有不同。一般色鲜艳，常见于花上。有许多种不善飞行。北美的梨樱叶蜂（*Caliroa cerasi*）吃梨、樱

叶蜂（*Cimbex*）
供图：William E. Ferguson

桃和李树的叶，为害甚烈。落叶松叶蜂（*Pristiphora erichsonii*）有时严重为害美国和加拿大的落叶松。榆潜叶蜂（*Fenusa ulmi*）有时严重为害榆树。

Sawhāj　索哈杰　上埃及一省。位于肥沃的尼罗河谷约100千米长的带状地区。面积

1 547 平方千米。尼罗河谷贯穿全省，为约 21 千米宽的平坦谷地，两侧为近 305 米高的石炭岩悬崖。尼罗河贴近河谷东侧，几乎所有的可耕地均分布在尼罗河西岸。该省可居住地区是埃及人口最稠密的地区之一。约有 3/4的就业人口为农民，主要作物有棉花、黍、小麦、甘蔗、洋葱、花生和甜瓜。工业有丝织业等。阿拜多斯有埃及古王国、中王国和新王国的历史遗迹；索哈杰附近的贝卡拉夫可能是左塞王（第三王朝；约公元前 2650 ～约前 2575）的坟墓（泥砖坟墓）所在地。除省会索哈杰（**Sawhāj**）外，主要城镇为艾赫米姆、吉尔贾、泰赫塔。吉尔贾建有一糖厂，20 世纪 80 年代初扩大。人口约 2 455 134（1986）。

Sawhāj　索哈杰　又拼 Sohāg 或 Suhag。上埃及尼罗河谷索哈杰省城镇和省会。有轧棉、纺织和粮食加工厂。是车辆修配中心。索哈杰研究所隶属于开罗爱资哈尔大学。地处开罗-阿斯旺铁路和上埃及公路干线沿线。有横跨尼罗河的大桥连接索哈杰与艾赫米姆。近年来，这两个城市虽然在行政管理上分治，但实际上已经合而为一。人口约 132 965（1986）。

ṣawm　封斋　伊斯兰教名词，指宗教性斋戒，尤指赖买丹月（**Ramaḍān**）举行的斋戒。

sawmill　锯木厂　使用电锯或其他动力机械将原木锯成粗方材、厚板和板材的工厂。有的还可进行刨平、成型、开榫及其他木材表面加工。大型的锯木厂一般都设在靠近河道或铁路等运输方便的地点，工厂的设计也因运输方式不同而异。水运的原木用绞盘依次拖曳进厂。铁路运输的原木则需要有较大的贮存场地，从场地用桥式吊车将原木送到机器上加工。原木加工须在各种大型机器上进行，先把原木截成适当的长度。然后用作往复运动的锯、带锯或圆盘锯锯成各种厚度的板材。组锯是具有一组作垂直往复运动锯条的机械，锯条的间距可以调节，一次就可把原木锯成多块板材。组锯锯条的数量不等，在锯厚板时可少至 4 根，锯薄板时则可多达 50 根。解锯机把经过原木锯机锯的木材再锯成一定规格的木料。以前，从解锯机下来的锯末和锯片经气动管道输送至锅炉房作为燃料，而今，这些材料主要用来制造刨花板和粗纸板。

Sawu Island　萨武岛　印度尼西亚语作 Pulau Sawu。Sawu 又拼 Savu。印度尼西亚东努沙登加拉省萨武海中岛屿和岛群。岛群包括萨武岛（414 平方千米）、赖朱阿岛（36 平方千米）和帝汶南端以西约 160 千米的若干小岛。萨武岛长 37 千米，宽 16 千米。地势低洼且接近平坦，海拔 1 ～ 100 米。气候炎热，每年雨水都冲露出新的火山沃土。居民稠密，大多务农，多信伊斯兰教。主要农产品为玉米和棉花，沿海有大片椰子种植园。还种植一些水果和蔬菜，并饲养牛马。出口主要有椰肉干和鱼。萨武岛主要城镇塞巴和巴赫之间通公路；该岛西部与小巽他群岛的松巴岛、东与帝汶岛之间有船只往来。

Sax, Antoine-Joseph　萨克斯（1814-11-06，比利时迪南～ 1894-02-07，法国巴黎）　又称阿道夫·萨克斯。比利时裔法籍乐器制造家，萨克斯管发明者。父亲善制木管、铜管、

供图：J. P. Ziolo

钢琴、竖琴和吉他等乐器。曾在布鲁塞尔音乐学院学习长笛和单簧管。1842 年前往巴黎，展出他的萨克斯管，这是他为改进低音单簧管的音色进行探索而得的结果。1846 年获专利权。他同父亲一起改进萨克斯号（1845 取得专利）、萨克斯小号和大号。1857 年任巴黎音乐学院萨克斯管教师。后来他又改进了几种乐器，并发明了其他乐器，但未能为它们的商业开发奠定基础。他的许多乐器被法国军乐队采用。一些和他竞争的乐器制作商谋求取消他的专利权，他为此卷入诉讼达 10 年之久。80 岁时一贫如洗，夏布里埃、马斯内和圣-桑等人不得不为他向文化大臣求援。

Saxe, (Hermann-) Maurice, comte de　萨克森伯爵（1696-10-28，萨克森戈斯拉尔［德国］～ 1750-11-30，法国尚博尔）　法国将军和军事理论家，在奥地利王位继承战争（1740～

供图：Giraudon—Art Resource/美国不列颠百科全书公司

1748）时期成功地指挥了法军。萨克森选侯腓特烈·奥古斯特一世（后波兰国王奥古斯特二世）的私生子。1711 年封萨克森伯爵。1719 年，其父为他购买一个德意志团为法国人效劳，他在军事训练中的革新很快受到赏识。1726 年被选为库尔兰公爵，但俄国人于 1727 年将他逐出该领地。回法国后，于 1732 年写完出色的战争学著作《我的梦想》。在波兰王位继承战争（1733 ～ 1738）中，为法军服役且战功卓著，1734 年擢为中将。在奥地利王位继承战争中，法国支持普鲁士反对奥地利，1741 年 11 月，他攻入波希米亚，占领布拉格。路易十五正式向英国宣战，他擢升元帅。与国王一起入侵奥属尼德兰，国王授权他在后来的战役中发号施令。他们的军队包围图尔奈，并在丰特努瓦战役（1745-5-11）中重创从东边前来解围的联军。这是 1789 年法国大革命爆发前法国最后一次大捷。后攻占布鲁塞尔和安特卫普（1746-02）。挥师南下，完成了对奥属尼德兰的征服。1747 年 1 月，路易任命他为法国大元帅。1747 年入侵荷兰，在马斯特里赫特附近的劳费尔德战役中击败联军，攻克贝亨奥普佐姆要塞。后退隐并死于尚博尔。

Saxe-Coburg-Gotha, HOUSE OF（United Kingdom）**萨克森-科堡-哥达王室**　参阅 **Windsor, house of** 温莎王室。

Saxe-Meiningen, George II, duke of　萨克森-迈宁根公爵　参阅 **George**（Saxe-Meiningen）格奥尔格（萨克森-迈宁根）项下的 **George II** 格奥尔格第二。

saxhorn　萨克斯号　比利时乐器制作家 A.-J. 萨克斯（以阿道夫·萨克斯闻名于世）于 1845 年在巴黎取得专利的一族铜管乐器。萨克斯号是19世纪从带活塞的军号发展而成。

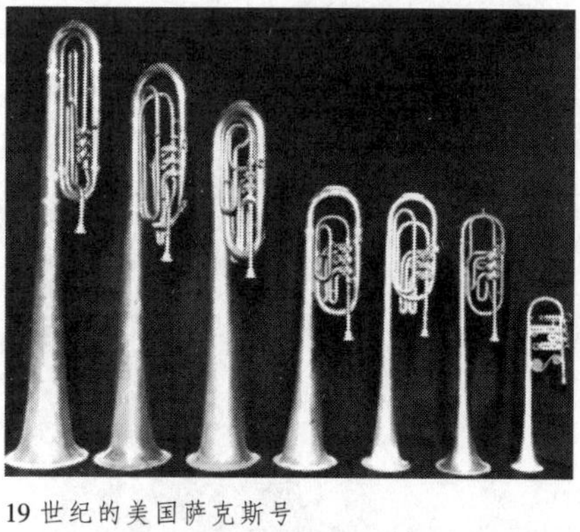

19 世纪的美国萨克斯号
纽约大都会艺术博物馆供图

它为军乐队提供整族带活塞的铜管乐器，用以代替 1825 年以来的各种带活塞的乐器（如活塞军号、短号、尤风宁号等）。从高音到低音的萨克斯号都有与军号一样的粗管体。这种音色深厚的萨克斯号在法国、英国、美国始终是正规的铜管乐队乐器，在这样的乐队中它不叫萨克斯号，仅简单地称为 E♭ 调中音号（英国称次中音号）、B♭ 调次中音号（上低音号）、B♭ 调粗管上低音号（尤风宁号）、E♭ 调低音号和 BB♭ 调倍低音号（有时称大号）。

Saxifragaceae　虎耳草科　显花植物的一科，属蔷薇目，36 属，多为多年生双子叶草本植物。全球性分布，主要原产于北半球寒冷地区和温带地区。特征为叶沿茎互生，有的具深裂，有的形成莲座。花两性，萼片和花瓣 4 ～ 5；花序通常分枝，从浅绿色至白色或黄色，或从粉红色或红色至紫色。果为蒴果，种子多数。本科的栽培种多属虎耳草属（*Saxifraga*）。其他著名的种类，如珊瑚铃属（*Heuchera*）、红升麻属（*Astilbe*）、喷呐草属（*Mitella*）、*Lithophragma* 属、伞草（*Darmera peltatum*）、黄水枝属（*Tiarella*）和千母草（*Tolmiea menziesii*）常栽作岩石花园花卉或边缘花卉。菲律宾红升麻（*Astilbe philippinensis*）的叶在菲律宾吕宋岛北部用作烟叶。岩白菜（*Bergenia purpurascens*）的根状茎在中医里用作止血药和补药。心形叶黄水枝（*Tiarella cordifolia*）产于

北美,可用作利尿药和滋补药。具长匐茎虎耳草(*Saxifraga sarmentosa*)原产于中国及日本,在爪哇、越南和中国许多地区用作治耳痛及其他耳病的草药,在中国亦用于治疗霍乱及痔疮。虎耳草科植物能适应各种不同的潮湿环境。垂头虎耳草(*Saxifraga nutans*)是真正的水生植物。宾夕法尼亚虎耳草(*S. pennsylvanicum*)为沼泽植物,小花叶虎耳草(*S. micranthidifolia*)生长于寒冷的山间溪流中和潮湿的岩石上。另一些种则多少适应于干燥的环境,如三齿虎耳草(*S. tridactyloides*)的茎上有鳞茎状的珠芽,用以贮藏水分。同样,三岐

虎耳草科的裸唢呐草(*Mitella nuda*)

供图:© L. West/the National Audubon Society Collection/Photo Researchers

虎耳草(*S. trifurcata*)的表皮高度角质化。具小球虎耳草(*S. globulifera*)具膜质的芽鳞及被毛的托叶。粗糙虎耳草(*S. aspera*)的叶为肉质,高度角质化,经久不落,可用以贮存水分。以上几个种均为适应干燥生境的实例。有些种具叶莲座,莲座下部的叶仅轻度角质化,因此积存于此的露水可被叶片吸收,水分得以大量贮存,使花葶得以生长。虎耳草属植物以能在暴露的多岩石的巉崖和岩缝中生长而著称。其拉丁文属名 *Saxifraga* 即意为"破岩石者"。虎耳草可生长于欧洲的高山地区,这些地区每年有一段长时间为冰雪覆盖。其根系坚韧而硬,主根深入土壤。某些虎耳草在同样严酷的环境中生长成垫状植物,叶的表面大多退化,枝条极短。但大部分虎耳草科植物生长于潮湿、多阴的林地。这包括虎耳草属、红升麻属、鬼灯檠属(*Rodgersia*)、大叶子属(*Astilboides*)、楯叶草属(*Peltiphyllum*)和博伊金氏草属(*Boykinia*)。

saxifrage　虎耳草　又作 rockfoil。虎耳草科虎耳草属(*Saxifraga*)植物。原产于温带、副极带和高山地区。已经鉴定的约有 300 种。其中有许多种种于岩石庭园和作为花园的沿边花卉。该属植物花小,鲜艳;叶精美,是很受重视的花卉。高山种是开花最早的庭园花卉。弗吉尼亚虎耳草(*S. virginiensis*)、宾夕法尼亚虎耳草(*S. pennsylvanica*)和俄勒冈虎耳草(*S. oregana*)是见于北美的少数几个野生种。硬皮虎耳草(*S. callosa*)、少妇虎耳草(*S. cotyledon*)和草地虎耳草(*S. granulata*)原产于欧洲,有几个变种花白色到淡粉

虎耳草(*S. stellaris*)

供图:John Markham—Photo Researchers

红色,花枝多分枝,很受珍视。圆锥花序虎耳草(*S. paniculata*)原产于北温带,有许多大小、叶形、花色不同的花园品种。匍匐茎虎耳草(*S. stolonifera*)是蔓生植物,有瀑布状的纤匐枝,是该属唯一作为窗台和吊篮植物而广泛栽种的观赏植物。

Saxo Grammaticus　萨克索　活动时期12世纪中期~13世纪初期)　丹麦历史学家,所著《丹麦人的业绩》为第一部丹麦重要史籍,也是丹麦对世界文学所作的第一个贡献。现只知他是西兰岛人,出身武士家庭,1178~1201年可能做过隆德大主教阿布萨隆的执事,其他事迹不详。他的名字最早出现于斯文·阿格森的《丹麦史纲》(1185),提到他写斯文·埃斯特里森(1076卒)的传记。《丹麦人的业绩》是根据大主教阿布萨隆的建议编写的,共16卷,以传说中的国王丹开始,以克努特四世1185年征服波美拉尼亚结束。前9卷记述传说中的约60位丹麦国王,根据古代谣曲、英雄传奇和冰岛轶闻写出。其中值得特别注意的是由萨克索译成拉丁文六韵步诗的3首丹麦英雄诗。后7卷包括萨克索对那个历史时期的记叙,但只有写到和他所处的时代相近的事件时,其史料才具有独立的权威性。他介绍了丹麦2 000年的历史全貌,说明丹麦国家源远流长。其作品成为许多19世纪丹麦浪漫派诗人的灵感源泉。

Saxon　撒克逊人　日耳曼民族的一支,古时居住在今石勒苏益格地区和波罗的海沿岸。曾在北海大肆进行海盗活动。5世纪早期在德意志北部以及沿高卢和不列颠的海岸迅速扩展。由于这种扩展他们同法兰克人发生冲突。772年法兰克统治者查理曼决定进行一场征服和同化的战争。战争断断续续进行了32年,结果把撒克逊人并入法兰克帝国。

Saxon DYNASTY　萨克森王朝　又名利乌多尔芬王朝,919~1024年德意志国王(神圣罗马帝国皇帝)的统治家族。919年该家族开始掌权,该年萨克森公爵利乌多尔芬当选为德意志国王,称亨利一世。亨利一世之子及其继承人奥托大帝一世于955年在对马扎尔人的战争中取得了决定性的胜利,他们继续实行亨利一世向斯拉夫领土扩张的政策;并插手意大利事务,控制教廷。萨克森王朝通过对德意志境内的教士们颁赠土地,建立了一个经久的支持王室、反对世俗贵族的体系。962年,教皇约翰十二世在罗马为其加冕称帝,他缔结了《奥托特权条约》,规定教皇与皇帝的关系,开创德意志民族的神圣罗马帝国。其子奥托二世(973~983)继续执行他的政策,但其孙奥托三世(983~1002)关心意大利事务,损害了德意志。该支最后一代的亨利二世(1002~1024)又关注德意志。亨利二世死后无嗣,亨利一世的另一后代、萨利安人康拉德二世被选为国王,从而开创了萨利安王朝。

Saxon duchies　萨克森诸公国　又称埃内斯特诸公国。德意志中东部图林根地区若干邦国的统称。1485~1918年由韦廷家族的埃内斯特一支统治;包括今德国图林根州和巴伐利亚州北部一小部分。埃内斯特诸公国始于1485年,当时萨克森选侯邦由选侯腓特烈二世的两个儿子恩斯特和阿尔贝特分别继承,选侯位由恩斯特及其子智者腓特烈三世(1486~1525在位)承袭;后者曾是马丁·路德的保护人。1547年,恩斯特一支丧失选侯封号和大部分领地,但保有魏玛(耶拿在内)、哥达、爱森纳赫、扎尔费尔德和科堡,后来又收复阿尔滕堡、艾森贝格(1554)和其他领土(1583,包括迈宁根)。由1583年直到19世纪初期,埃内斯特家族领地几经分合。萨克森-魏玛-爱森纳赫最杰出的公爵为查理·奥古斯特(1775~1828在位),在其统治期间,魏玛成为德意志文化中心,伟大作家歌德、赫尔德及席勒均曾受其赞助。1807年,埃内斯特诸公国均加入拿破仑组织的莱茵联盟。1815年又均以主权国身份参加德意志邦联。1826年起共有4个公国:萨克森-魏玛-爱森纳赫大公国,萨克森-迈宁根-希尔德堡豪森公国,萨克森-阿尔滕堡公国以及萨克森-科堡-哥达公国。1866年的七周战争中,除萨克森-迈宁根-希尔德堡豪森支持奥地利以外,其他公国均站在获胜的普鲁士一方。1867和1871年,皆为北德意志联邦和德意志帝国的成员。1918年德国革命中,埃内斯特统治者全部退位。1920年这些统治者原来的领地并入新的图林根,唯独科堡加入巴伐利亚。萨克森-科堡-哥达一支于19和20世纪成为与欧洲诸王朝相关的显赫世家:1831年,其家族一名成员成为第一代比利时国王,称利奥波德一世。另一成员阿尔贝特1840年与英国女王维多利亚婚配,其后裔为20世纪五位英国国王。第三名成员斐迪南1836年与葡萄牙女王玛丽亚二世婚配,其后裔在1853~1910年间为葡萄牙王朝统治者。第四名成员于1887年被选为保加利亚国君,建立一个王朝,并一直统治到1946年。

Saxon language, Old　参阅 **Old Saxon language** 古撒克逊语。

Saxon Mirror (medieval law code)　参阅 **Sachsenspiegel**《撒克逊明镜法》。

Saxony 萨克森 德语作Sachsen，法语作Saxe。德意志历史上几个重要地区的名称。曾用于指：①1180年前，德意志北部广大地区，包括荷尔斯泰因，但主要为易北河河口和下游以西及西南地区；②1180～1423年间，两个较小且相距甚远的地区，一个位于荷尔斯泰因东南易北河下游右岸，另一个位于易北河中游；③1423～1952年间，德意志中部大片地区，其主轴心一直延伸至易北河，从最广义上来说，还包括与波希米亚（捷克）交界的从图林根至卢萨蒂亚的整个地区。

1180年以前，萨克森一名用于指约公元200～700年间日耳曼民族萨克森部落征服或统一的地区，包括荷尔斯泰因和今德国的下萨克森州内易北河下游以西地区。5世纪时，萨克森人由此向西扩张，取道海上，进入不列颠。8世纪末，萨克森人被法兰克统治者查理大帝征服，皈依基督教。843年，萨克森成为东法兰克（或日耳曼）王国的一部分。

10世纪初，在利乌多尔芬王朝统治下，萨克森成为世袭公国。919年萨克森公爵亨利被选为德意志国王，建立萨克森王朝，或称奥托王朝，延续至1024年（参阅 **Saxon dynasty**）。在奥托王朝统治下，德意志人向东进入斯拉夫人的领土。

961年萨克森公爵封号转给比隆家族。比隆家族保有这一封号直到1106年。其后这一公国于1142年传到韦尔夫家族狮子亨利三世手中。1180年，狮子亨利为神圣罗马帝国皇帝红胡子腓特烈一世废黜，领地四分五裂，仅有两小块相距甚远的地区仍保留萨克森的名字：荷尔斯泰因东南的萨克森-劳恩堡和易北河中游（今莱比锡北部）的萨克森-威登堡。这两块领地在阿斯卡尼亚家族统治下一直团结一心，至1260年，出现了两个独立的阿斯卡尼亚王朝。自13世纪中叶起，萨克森公爵受封为选侯（有权参与选举神圣罗马帝国皇帝的诸侯），两支为这一权利角逐的结果是威登堡一支于1356年获选侯位。劳恩堡一支延续至1689年，其领地后被汉诺威吞并。

1422年，威登堡一支绝嗣，萨克森公爵兼选侯领地被授予韦廷家族的迈森侯爵好战者腓特烈一世，从此萨克森一名遂用于全部韦廷领地，包括奥斯特兰（莱比锡周围地区）和卢萨蒂亚及图林根的大部地区。腓特烈死（1428）后，韦廷家族在分配遗产上发生争执。1485年，腓特烈二世（1464卒）的两个儿子阿尔贝特与恩斯特根据莱比锡条约，将领地永久划分为阿尔贝特萨克森（东支）和恩斯特萨克森（西支）两部分。阿尔贝特萨克森包括迈森侯爵领地（首府为德累斯顿）和图林根北部（西支领地情况，参阅 **Saxon duchies**）。

16世纪，阿尔贝特一支获得选侯领地，并赢得恩斯特一支在图林根和威登堡的土地。选侯亨利（1541卒）和莫里斯（1553卒）都信奉了信义宗。奥古斯特（1553～1586在位）制定了阿尔贝特萨克森法典，并使首府莱比锡成为商业和艺术中心。在“三十年战争”（1618～1648）期间，乔治一世（1611～1656在位）为德意志基督教新教诸侯领袖，但从此以后，阿尔贝特萨克森的领导地位逐渐为新勃兰登堡-普鲁士所取代。1697年，选侯腓特烈·奥古斯特一世（1694～1733在位）成为波兰国王，倡议在萨克森和日益衰落的波兰王国之间成立一个经济挹注同盟，这个同盟一直延续至1768年。

1806年拿破仑占领萨克森，使之成为王国。之后，萨克森王国一直是拿破仑最忠实盟友之一。拿破仑被推翻后，维也纳会议（1814～1815）将王国领土大片割让给各战胜国。普鲁士获得威登堡、托尔高、北图林根和卢萨蒂亚的大部地区，成为普鲁士的萨克森省。缩小了的萨克森王国成为德意志联邦的一部分。

1830年起义后，王国于1831年颁布了一部宪法。1848年革命推翻了国王腓特烈·奥古斯特二世（1836～1854在位），但一周后，在普鲁士部队援助下复辟。1871年加入新建的德意志帝国。其后数十年，由于不断工业化，社会民主党人成为一支举足轻重的政治力量。第一次世界大战德国战败（1918），萨克森的君主制被废除。魏玛共和国时期（1919～1933），萨克森为自由邦，采用共和宪法。在希特勒第三帝国（1933～1945）和德意志民主共和国时期被划为一个州，直到1952年撤销建制。1990年东西德统一过程中重新成为萨克森州。

Saxony 萨克森 德语作Sachsen。德国东部一州。1990年东西德重新统一的过程中，萨克森州进行了重新组建，范围包括前东德的德累斯顿、开姆尼茨（原卡尔·马克斯城）和莱比锡专区的大部，以及科特布斯专区的小部分。东德的上述专区是1952年从历史上的萨克森自行设立的。现在的萨克森州占有原东德的东南部分，面积总计18 337平方千米。首府德累斯顿。今日的萨克森州几乎全部属于德国中部偏东山区，只有其最北部的若干土地和莱比锡周围区域转属大北欧平原。主要山脉厄尔士山脉，沿着州南界延续160千米，海拔1 200余米。西部和西南部是该山脉的附属群。州的东南角为上卢萨蒂亚山所占据。这一群的西北部和沿易北河两岸是一片风景如画的有山有深谷的区域，即众所周知的萨克森瑞士。易北河的上游经过州从西北流向东南。易北河的支流穆尔德河是萨克森州的第二大河。萨克森有一片德国东部最肥沃的土地，农业高度发展，但向南部厄尔士山攀登可发现肥沃度有所减弱。小麦和其他谷物是主要农作物，在厄尔士山广阔的牧场上主要饲养牛。林业也很重要，铅、锡、煤是州的主要矿产。主要工业是纺织品制造业，在开姆尼茨和茨维考以及许多小城市中心开展经营。州的最大城市莱比锡是印刷出版和重型机械业的中心。制造采矿用、纺织用、造纸用和印刷用的机械是萨克森工业基础的总特色。州的第二大城市德累斯顿有一些重工业，并且制造许多种类的精密光学仪器和电力设备。迈森和开姆尼茨是瓷器和其他陶瓷类的生产中心，人口稠密。主要城市中心是莱比锡、德累斯顿、开姆尼茨、普劳恩、茨维考和迈森。人口约5 014 435（1989）。

Saxony-Anhalt 萨克森-安哈尔特 德语作Sachsen-Anhalt。德国中东部一州。源自安哈尔特（**Anhalt**）的公国（1863～1918）。1918～1945年为德国的一个州。1945年后成为萨克森-安哈尔特的一部分。后者1949～1952年是德意志民主共和国（东德）一个新建的州，这期间它被分裂为马格德堡和哈雷两专区。1990年东西德重新统一时，这个第二次世界大战后的萨克森-安哈尔特州被重新组建，包括原马格德堡和哈雷专区的大部分以及科特布斯专区的小部分，总面积20 445平方千米。首府马格德堡。易北河流经萨克森-安哈尔特的东部和北部土地，其两个支流萨勒河和穆尔德河的水则流入州的南部土地。易北河流域的沙地平原散布有农田、牧场、松树林和沼泽地。州的西南部分点缀有哈茨山的山麓小丘。州的中部有弗莱明灌丛和丰饶的宝德地区，后者始自西南部的哈茨山麓延至马格德堡的易北河。除了北流易北河流域之外，州的最北部分多半是阿尔特马克荒地。肥沃的低地包括宝德地区和萨勒河及穆尔德河流域有利于小麦、紫花苜蓿和甜菜的栽培。多产的农业使当地的食品加工业上升到重要地位，尤以炼糖和面粉磨坊为最。也饲养牛。比较起来，荒地人口稀少，生产一些裸麦、马铃薯和牛。州里开采的褐煤、岩盐、铁矿石和钾碱数量可观。人口稠密的宝德地区有设施完备的铁路和公路网，州里的商业一般受可航行河流的推动。易北河沿岸的马格德堡市是重要的内陆港，经米特尔兰运河与西部的德国航行系统连系起来。马格德堡有食品加工业和金属制造业。南部的哈雷市是一个重要的铁路枢纽，并有各种食品加工业以及化工厂和冶金厂。其他城市有德绍、哈尔伯施塔特、维滕贝格、施滕达尔和梅泽堡。人口约3 004 456（1989）。

saxophone 萨克斯管 一种单簧族从高音到低音的管乐器，以圆锥形金属管身与有指键为特征。A.-J.萨克斯于1846年在巴黎获此乐器专利权。它的圆锥形管身最初用黄铜

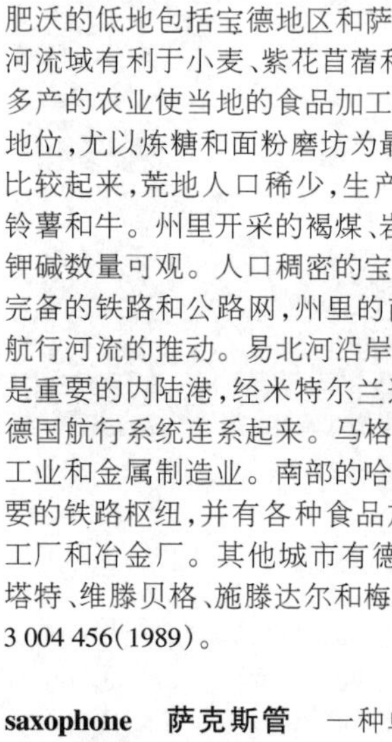

高音萨克斯管

供图：Henri Selmer & Cie, Paris

制，上有约24个孔用盖键操纵，吹口同单簧管相似。两个8度键孔可使乐器超吹较高音区内的相应8度音。除最高音和一种B♭调的高音萨克斯管管身像单簧管一样是直的以外，萨克斯管都有一个向上翻的下端，上端是

一个可以拆下的弯曲管。一般的音域记谱原先为从中央 C 以下的 B 到 C 以上第 3 个 F，但不久后就向下扩展半音而包含 B♭ 音。发音则因不同乐器而异：B♭ 高音萨克斯管比记谱低一个全音；E♭ 中音萨克斯管低 6 度；B♭ 次中音萨克斯管低 9 度；E♭ 上低音萨克斯管比中音的低 8 度；B♭ 低音萨克斯管比次中音的低 8 度。比较少见的有最高音、倍低音、最低音萨克斯管。所有普通形式的萨克斯管最初都是 C 调或 F 调；C 调旋律萨克斯管是 C 调的次中音萨克斯管，有时用来演奏没有移调的声乐曲。第一次世界大战前后，它是美国的流行独奏乐器，后为舞蹈乐队所采用，成为摇摆乐与其他爵士乐发展中最重要的一种独奏乐器。在大乐队中得到采用后，吹口的设计有所改变，以发出更明亮更有穿透力的声音。现代产品的管径比早期乐器更大。萨克斯管具有很大的灵活性，能很好地与铜管和木管乐器配合，不常用作音乐会乐器，但却是爵士乐中即兴演奏旋律的主要乐器。最杰出的爵士乐萨克斯管演奏家有 L.扬、C.霍金斯、C.帕克、S.罗林斯、O.科尔曼和 J.科尔特兰等人。

Say, J(ean-)B(aptiste)　萨伊（1767-01-05，法国里昂～1832-11-15，巴黎）　法国经济学家，以其市场说（亦称"销售说"）最为闻名。他认为供给会自行创造需求。不认为萧条是由需求普遍下降所造成的，而是由某些市场的临时生产过剩和另外一些市场的临时生产不足所造成的。他相信这种不平衡一定会自动调节，因为生产过剩的企业必须重新安排生产以迎合消费者的需求，否则就会被挤垮。萨伊的市场说到 20 世纪 30 年代大萧条之前一直为正统的经济学奉为最基本的信条。它的

供图：H. Roger-Viollet

含意很明显：资本主义制度是会自行调节的，不需要政府干预经济事务。萨伊任过保险公司职员、杂志编辑（1794）、总编辑和执政府的护民官（1799）；1807～1813 年开办棉纺厂；1817～1830 年，在工艺美术学院开设工业经济讲座；从 1830 年至逝世任法兰西学院政治经济学教授。其主要著作为：《政治经济论》（1803）。

Say, Léon　萨伊（1826-06-06，法国巴黎～1896-04-22，巴黎）　法国经济学家，曾任法兰西第三共和国财政部长。出身于新教名门望族。初入新闻界，在《辩论报》工作，后任该报编辑。他因全面反对第二帝国，特别反对奥斯曼男爵的政策而名声四扬。1875 年他拒绝投票支持君主制，而投票支持立宪共和制。萨伊曾任众议员（1871～1876，1889～1896）、参议员（1876～1889），并在 7 届政府中担任财政部长（1872～1873，1875～1876，1876～1879，1882）。在第一任期间付清巨额战争债务，显示出理财的才干。他不赞成第三共和国经常举债的状况，力图保持自由贸易。1880 年出任驻伦敦大使，并兼任参议院议长（1880～1882）。他在议会中的政治态度越来越倾向于反对社会主义。但在 1883 年以后终于承认政府必须支持公共工程。他曾广泛论述经济学，写过名著《第三共和国时期的法国财政》（1898～1901），主持过《新政治经济学词典》（1891～1892）的出版工作。

Say, Thomas　赛（1787-06-27，美国宾夕法尼亚费城～1834-10-10，印第安纳新哈莫尼）　美国博物学家，常被视为美国描述昆虫学的奠基人。所著几乎均为分类著作，迅即被欧洲动物学家所赏识。1817 年起撰写《美国昆

耶鲁大学美术陈列馆供图

虫学》，1824、1825 及 1828 年分卷出版。曾参加北美地区的多次考察，包括 1820 年斯蒂芬·朗率领的到落基山脉的考察活动。担任过美国哲学学会的负责人（1821～1827），1822～1828 年任费城的宾夕法尼亚大学博物学教授。1826 年在印第安纳州新哈莫尼参加了实验理想社区，1827 年社区被禁；但他留在该市，后此城市发展为文化中心。所著《美国贝类学》（6 卷，1830～1834）由其在新哈莫尼实验社区的同事 C.A.勒叙厄画插图。在去世后出版了他的昆虫学、贝类学及古生物学的大量论文文集。

Sayaboury（Laos）　参阅 **Xaignabouri, Muang 沙耶武里**。

Sayan Mountains　萨彦岭　俄罗斯中部偏东与蒙古接壤地带的广阔山区。俄罗斯境内的山地，分布在克拉斯诺亚尔斯克边疆区和伊尔库茨克州南部、图瓦北部、布里亚特西部。形成向北凸出的弧形山地，西起阿尔泰山，东至贝加尔湖，南与外贝加尔湖地区的哈马尔达坂山系相连。可分为地理历史各异的东、西两段，东、西两山系分界处海拔 3 000 米。东部地势较西部高且有冰川，蒙库萨尔德克山高达 3 491 米。

Sayat-Nova　萨亚特-诺瓦（1712，格鲁吉亚梯弗里斯～1795，梯弗里斯）　亚美尼亚行吟诗人。以咏唱情歌闻名。1750～1765 年任格鲁吉亚伊拉克利二世的宫廷歌手。1770 年进入哈巴特的一座隐修院，后被波斯入侵者杀害，殉道而死。现存诗歌大部以阿塞拜疆突厥语写成，其余用亚美尼亚语和格鲁吉亚语写成。

Sayce, Archibald H(enry)　塞斯（1845-09-25，英国格洛斯特郡格洛斯特～1933-02-04，萨默塞特巴斯）　英国语言学家，对中东语言学研究做出许多有价值贡献，他是第一本

牛津阿什莫尔博物馆供图

用英语写的亚述语语法作者。一生学习并使用约 20 种古代和现代语言写作。1869 年任牛津大学女王学院研究员，后任导师（1870～1890），开始撰写多种范围广泛的学术著作之第一批，撰有《亚述语比较语法》（1872）、《亚述语语法初阶》（1875）及亚述语音节表（1877），间以若干亚述语译作，并写成两卷本《语言科学导论》（1879）。1890 年他去埃及旅行为不列颠博物馆购得两份古希腊文手稿，其中一份是长期以来被认为早已散佚的亚里士多德著《雅典宪法》。1891～1919 年担任牛津大学的亚述学教授。晚年主要著作包括《古代希伯来史》（1897）、《早期以色列人及其周围民族》（1898）及《楔形文字铭文考》（1907）。其《回忆录》于 1923 年问世。

Saye and Sele, William Fiennes, 1st Viscount 塞耶和塞尔子爵（第一）（1582-05-28，英格兰牛津郡班伯里附近布劳顿堡～1662-04-14，布劳顿堡）　英格兰政治家，议会上院中反对詹姆斯一世和查理一世的主要人物；内战中议会的支持者。理查德·法因斯的独生子。牛津大学新学院毕业。他在议会中反对詹姆斯一世的政策。1622 年因拒绝国王强制捐款而被囚禁 6 个月。1624 年受封子爵。1630 年起积极从事开拓殖民地的活动。曾加入向加勒比海的普罗维登斯岛殖民的公司。1635 年在康涅狄格河上建立移民区，以他的名字命名为塞耶布鲁克。1639 年第 1 次主教战争中，拒绝宣誓为查理一世向苏格兰人作战。1642 年任议会安全委员会委员。8 月内战爆发后，为议会军招募 1 团人。1647 年军队与议会发生斗争，他致力于议会与国王达成协议，并代表议会与查理一世在怀特岛纽波特谈判（1648-04～11）。查理被处死后引退。1660 年 4 月曾参加协商议会。王政复辟后任枢密官。

Sayers, Dorothy L.　塞耶斯（1893-06-13，英格兰牛津郡牛津～1957-12-17，埃塞克斯威特

姆） 英国学者、作家，写过很多神秘侦探小说。书中塑造了一位机智、风趣的人物彼得·温姆西勋爵，把渊博的学识、富有文化修养的谈吐与侦探小说的扑朔迷离融为一体。1915年获牛津大学中世纪文学学位，是从该校毕业的第一批女生之一。发表的第一部主要作品是《谁的尸体?》(1923)，彼得·温姆西勋爵在此书中首次以一个文雅时髦的绅士和学者的面目出现。此后15年，她每年发表一二部长篇小说。此外，还写过一些短篇小说，其中主要人物除彼得勋爵外，另有一个侦探人物蒙塔古·埃格。她还出版过侦探故事选集《罪行集》(1929)。晚年转而写作神学剧本和神学著作，如《信条还是混乱?》(1947)。翻译了但丁《神曲》中的《地狱》(1949)和《炼狱》(1955)，第三部《天国》去世时未能完成。

Sayers, Gale　塞耶斯(1943-05-30，美国堪萨斯威奇托～　　) 全称 Gale Eugene Sayers。美国职业美式橄榄球运动员。在堪萨斯大学时两度成为全美明星球员。1965年成为芝加哥熊队极具爆发力的带球跑动后卫(1965～1971)，在参赛的第一个赛季总共有2 272码跑动带球，接球和回踢球，以及22次持球触地得分，创造了当时新球员的纪录。同年，在与旧金山49人队的对阵中单场比赛6次持球触底得分，平了全国橄榄球联盟的纪录。他理所当然地被评为1965年最佳新球员。两次创联盟的跑动带球纪录，连续5次被评为全国橄榄球联盟最佳球员(1965～1969)。他与熊队队友布莱恩(1970年死于癌症)的亲密关系在1971年颇受好评的电视电影《布莱恩之歌》中得到描绘。

Sayers, Tom　塞耶斯(1826-05-25，英国萨塞克斯布赖顿～1865-11-08，伦敦?) 英国拳击运动员，历史上第一次国际最重量级锦标赛的参加者。身高仅5英尺8.5英寸，体重155

供图：BBC Hulton Picture Library

磅，号称"小个子奇人"、"职业拳击运动中的拿破仑"。他经常与比自己身材高大的对手比赛，只在1853年10月18日的一次比赛中以61个回合中输给兰厄姆。1857年6月16日以10个回合胜体重185磅的培里，这是最重要的一次胜利。1860年4月17日在英国汉普郡法恩伯勒迎战美国运动员希南，争夺国际冠军。他年龄比希南大7岁，体重比希南轻40磅，经两个多小时42个回合后右臂受伤，看来希南即将获胜，但此时观众冲上赛台，结果裁判员被迫判这场比赛为平局，双方并列冠军。塞耶斯此后退出比赛，英国人为他筹募捐款3 000英磅。

Sayf ad-Dawlah　赛义夫·道拉(916～967，叙利亚阿勒颇)。 全名 Sayfad-Dawlah Abū al-Ḥasan ibn Ḥamdān。叙利亚北部统治者，阿勒颇的阿拉伯人哈姆丹王朝创始人。以赞助学者及其反对希腊人的军事斗争而闻名。早年为伊拉克瓦西特城主。946年占领阿勒颇，次年攻克大马士革。然后进军埃及，夺取拉姆拉，但未能向前进展。他与伊赫什德王朝媾和，此后即以拜占廷帝国为主要对手。从950年一直到死每年他都与拜占廷人作战。他打过许多胜仗，但未能永久占据领土。962年他遭到惨败；拜占廷的20万大军进攻阿勒颇，夺得该城，一周后撤退。两年后卷土重来，被击败。他的周围聚集了很多文人学者，著名的有大诗人穆太奈比和哲学家法拉比。赛义夫·道拉本人也是一位具有卓越艺术才能的诗人。

Sayida (Lebanon) 参阅 **Sidon** 西顿。

Sayram Hu　赛里木湖 中国新疆维吾尔自治区西部构造陷落湖。又名三台海子。古称天池。位于博乐市西南。海拔2 072米，面积454平方千米，最大水深86米。湖四周是倾斜低岸，水草丰美，为优良牧场。无大河注入湖内，流域内也少冰川和永久积雪，湖水来源于大气降水(年降水超过500毫米)和湖周山地坡面径流。湖水于12月下旬封冻，冰厚1～2米，次年5月解冻。湖内原无天然鱼类，现人工试养获得成功。赛里木湖已划为自然保护区。

sayyid　赛义德 阿拉伯语尊称。与谢里夫这一称呼一样，有时仅限用于穆罕默德出身的哈希姆家族成员，特指穆罕默德叔父阿拔斯和艾布·塔列卜的后人以及阿里与穆罕默德之女法蒂玛的后人。在汉志地区，这一称呼限于阿里与法蒂玛所生幼子侯赛因的后裔。在巴基斯坦和印度赛义德有无数个，他们成为穆斯林四个主要集团之一。在也门，他们声称为先知后裔，因而成为颇有势力的特殊阶层。历史上，许多朝代的统治者也自称是赛义德。

Sayyid DYNASTY　**赛义德王朝** 印度德里苏丹国的统治者(约1414～1451)。这个家族称赛义德，自诩为先知穆罕默德的后裔。1398年帖木儿入侵德里苏丹国并洗劫了德里，从根本上削弱了其中央集权。其后50年间印度北部实际上已四分五裂，为若干军事首领所分据。王朝的第一代是原旁遮普总督基兹尔汗(1414～1421在位)。他为了收敛财物曾到处打家劫舍。他的继承者穆巴拉克·沙略有成就，但在1434年被害。其后代穆罕默德·沙和阿拉姆·沙都是无能之辈。1448年阿拉姆·沙放弃德里，跑到巴塘。三年后巴鲁尔·洛提夺取德里，另建洛提王朝，即德里苏丹国的末代王朝。

Sayyid ash-Sharīf, as- (Iranian theologian) **赛义德·艾什·谢里夫** 参阅 **Jurjānī, al-** 朱尔贾尼。

Sazonov, Sergey Dmitriyevich　萨宗诺夫(1860-08-10[旧历07-29]，俄罗斯梁赞省～1927-12-25，法国尼斯) 俄国政治家和外交家、外交大臣(1910～1916)。1883年进入外交部。妹夫斯托雷平任首相(1906～1911)期间，曾任驻英、美和梵蒂冈大使(1904～1909)。1909年5月任副外交大臣，1910年10月任外交大臣。他的政策主要是与法英两国保持友好关系，缓和与德国的关系以及保持巴尔干半岛的现状。他在巴尔干的合作者与代理人促成建立了一个反对奥斯曼帝国的巴尔干同盟，尽管与俄国反对奥地利的初衷不同，他最终还是支持了该同盟。1914年6月28日奥地利大公斐迪南被刺后，奥地利向塞尔维亚提出最后通牒。萨宗诺夫立即明确表示俄国不容许奥地利消灭塞尔维亚，并力请沙皇尼古拉二世下令俄国军队实行全面动员。奥地利对塞尔维亚宣战后4天，德国于8月1日对俄宣战。1916年因劝说尼古拉在战后容许波兰自治而被解除大臣职务(7月23日)。二月革命(1917)前不久任驻伦敦大使，但5月被俄国临时政府解职。此后去巴黎。十月革命后，他在那里成为高尔察克海军上将的反布尔什维克政府的外交部长。

Sbeitla (Tunisia)　**斯贝特拉** 参阅 **Sufetula** 苏费土拉。

scab　疮痂病 一类植物的细菌性或真菌性疾病，特征为果、块茎、叶或茎上硬壳状的损害。英语中 scab 一词又指这些罹病植物部位的病损——疮痂。疮痂病常侵害苹果、禾谷类、黄瓜、桃、美洲山核桃、石楠属(*Photinis*)植物、马铃薯和火棘等。受侵害植株的叶枯萎早落。普通疮痂病由细菌引起，可在干燥的碱性土壤中迅速蔓延，马铃薯对之敏感。木灰、新鲜的粪肥和石灰会增加土壤的碱性，避免使用这些东西可以预防疮痂病。其他防治疮痂病的措施包括栽种抗病品种或无病种子、块茎和球茎等；消毁有病部分；清除杂草；蔬菜与花卉轮作；定期往植株上喷洒杀真菌剂等。

scab　痂 病理学概念，涵指损伤后的继发病变。主要由干燥的浆液、血液或脓液构成。参阅 **wound**。

scabies　疥疮 又作 sarcoptic itch。由人疥螨(*Sarcoptes scabiei variety hominis*)引起的皮肤寄生虫病，伴有夜间剧痒。人疥螨又称痒螨。雌体可长约0.35毫米，在皮肤表层下钻成长数毫米的隧道，每日在隧道内产卵2～3枚。这些隧道有时可在皮肤表面看见，呈深色波纹似的线条状。72～84小时后幼虫钻出皮肤，约17天后经数次脱皮变为成虫，并进行交配。疥螨钻入皮肤，数日至一个月左右引起剧痒，是为疥疮的初始症状。搔抓通常引起继发皮肤损害，包括丘疹、脓疮以及皮肤结痂。据信骚痒多为对疥螨所产生化学物质的变态反应所致。疥疮最常见于指缝间，此外皮肤上的自然皱褶处和受压迫部位亦为好发部位。疥螨通过皮肤-皮肤间的接触传播，亦可通过衣服和被褥传播。疥疮的治疗有争议。一般用1%的林丹洗剂，林丹即γ-氯化苯(γ-六六六)，此法有毒性。其他治疗药物包括 permethrin(以提自菊花的化合物为基础合成的药物)。

scabious　山萝卜　又作scabiosa。川续断目(**Dipsacales**)川续断科山萝卜属(蓝盆花属，*Scabiosa*)植物，约100种，一年或多年生草本，原产于欧亚大陆温带、地中海地区和东非山地，有些为重要的园艺花卉。基生叶莲座状，茎生叶亦多。头状花序；花小，数多，多为两性；花冠5裂；边花较大，为雌花；总苞叶状。针插花(紫盆花、甜山萝卜、庭园山萝卜、轮锋菊，*S. atropurpurea*)一年生，高约1米，基生叶深裂，茎生叶羽状；花序直径5厘米；花芳香，

高加索山萝卜(*S. caucasica*)
供图：Valerie Finnis

白色、玫瑰色、深红色、蓝色或深褐紫色；原产欧洲南部。小山萝卜(鸽状山萝卜，*S. columbaria*)多年生，高0.6米；基生叶长，广椭圆形，齿裂，茎生叶深裂；花序直径3.5厘米，花鲜蓝色；原产于欧亚大陆和非洲。多年生山萝卜(高加索山萝卜，高加索轮锋菊，*S. caucasica*)多年生，高0.75米；基生叶狭窄，全缘，茎生叶深裂；花序直径达8厘米，花鲜蓝色；原产于欧洲东南部。鬼咬山萝卜为川续断科驟断属(*Succisa*)植物。

Scaevola, Gaius Mucius　斯凯沃拉　传说中拯救罗马(约公元前509)的英雄。据说在埃特鲁斯坎国王波塞纳围攻罗马城时，他自告奋勇前去行刺，但刺死的却是波塞纳的侍从。在法庭上受审时他声称有300名壮士要来行刺国王，他仅仅是其中的一个。为了向敌人显示大无畏精神，他把右手伸进正在熊熊燃烧的祭坛圣火里，看着烈焰把手烧焦，始终不缩回来。波塞纳被他的勇气打动，又害怕刺客接踵而至，就下令将他开释，并同罗马人讲和。穆西乌斯回罗马后得到奖赏和"斯凯沃拉"("左撇子英雄")的称号。这个故事大概是为了美化罗马著名的斯凯沃拉家族而编造的。

Scaevola, Publius Mucius　斯凯沃拉(?～约公元前115)　罗马著名的法学家之一，提比略·格拉古失败相关事件中的重要人物。公元前175年执政官斯凯沃拉之子。公元前141年任人民保民官。公元前136年任行政长官。保民官提比略·格拉古提出农业改革法案时，据说曾向他咨询。公元前133年与皮索同任执政官。提比略竞选第二任保民官时，最高祭司西庇阿·纳赛克请求斯凯沃拉谴责提比略为暴君，他表示拒绝。提比略被谋杀后，他没有公开惩罚罪犯。不过其后他带头反对西庇阿的寡头制派别。斯凯沃拉是罗马民法的奠基人之一，著有多部法律著作，但均失传。

Scaevola, Quintus Mucius　斯凯沃拉(?～公元前88)　也称作占卜官。著名的罗马法学家。创立罗马法科学研究方法的大祭司昆图斯·穆丘斯·斯凯沃拉的堂兄弟。他向父亲学习法律，并向罗得岛的斯多葛派哲学家帕奈提奥斯学习哲学。约在公元前120年担任亚细亚省的总督。虽然在返回罗马时被控有敲诈行为，但是他成功地为自己进行了辩护，并于公元前117年被选为执政官。他对有权势的将军盖约·马略高度尊敬，并且投票反对苏拉宣布马略为公敌的动议(公元前88)。他在晚年还为罗马最伟大的雄辩家之一的西塞罗讲授过法律，是西塞罗的《雄辩篇》、《友谊篇》以及《国家篇》诸书中的对话者之一。

Scaevola, Quintus Mucius　斯凯沃拉(?～公元前82)　也称作大祭司。对罗马法进行科学研究的创始人。在公元前95年任执政官时，和他的同僚一起使《李锡尼·穆西亚法》获得通过。该法将某些未合并到罗马共和国(所谓拉丁和意大利同盟)的集团从公民册上除名。这一措施酿成的动乱爆发为公元前90～前88年的同盟者战争。执政官卸任之后，他担任亚细亚省总督。在这个职位上他惩罚那些不缴纳税款的农民，并发布了成为以后总督所仿效的有关省行政管理的法令。大约在公元前89年他被任命为大祭司。虽然他本身并不笃信宗教，但他却管理着祭司学院并坚持遵守传统的宗教仪式。他是一套80卷本系统的民法论著和一部立法法观、司法判例与古代文献摘篇汇编的作者，该汇编为后世作家经常援引和仿效。此外，他写了一本篇幅不大的称作为《解说》的手册，包括法律的简略规章和法律名词的解释，这是在拜占廷皇帝查士丁尼一世时的早期法学家著作选《学说汇编》中所摘引的最古老的著作。他在苏拉与马略为夺取最高权力而进行的大屠杀中被杀死。

scaffold　脚手架　在建造、维修、清扫建筑物或擦洗机器时用以提升并支托工人和材料的临时平台。用单块或多块尺寸适宜的木板塔成，板下支架根据脚手架的形式及用途可有不同的支撑方法。用木材搭脚手架时脚手板由现场装配的木架支承，木架用立柱、横木和排木搭成，在纵横方向间都有交叉的斜撑，脚手板铺放在排木上。在工作面积大而高度不太需要调节的情况下，如室内天花板抹灰

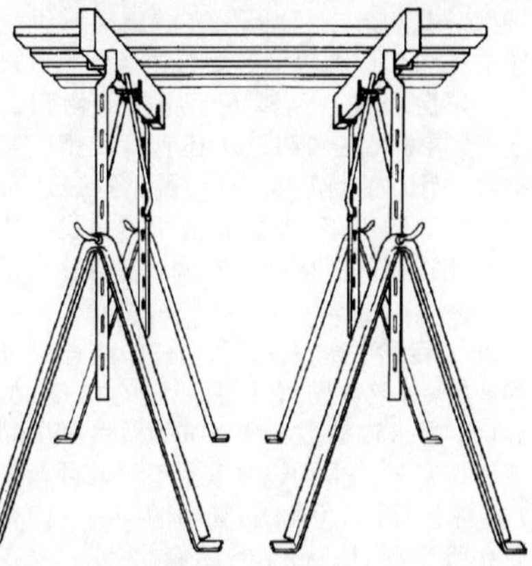

钢支架脚手架

装饰，采用搁凳式支架。搁凳有木工常用的简单的木架，或者可以在2～5米的范围内调节高度的特制木架。现在大多数建筑工地都已用钢管或铝管脚手架。钢管脚手架可很方便地组装成任意形状、长度和高度的工作平台。架子装上小轮便成为能灵活移动的脚手架。还可以在脚手架周围张上帆布或塑料布以防风、雨。悬挂式脚手架由两根水平横木，即支承脚手板的短木构成。每根横木挂在一滑轮机构上，在建筑框架上方悬出一挑梁，通过滑轮的钢索就系在挑梁上。横木和脚手板组成工作平台，滑轮机构中的棘轮传动装置可使平台上升或下降。大型的悬吊脚手架配有电动机，平台的升降由脚手架上的工人自己操纵电动机，进行控制。

Scala, della, FAMILY　参阅 **della Scala family 斯卡拉家族**。

scalare　梯纹鱼　神仙鱼(**angelfish**)类数种受喜爱的水族箱鱼的通称。

scalawag　南方佬　美国历史上对内战结束后支持联邦重建计划的南方人的贬称，或指与获释黑奴及由北方到南方的提包客(**carpetbagger**)合作共同支持共和党政策的人。南方佬来自南方社会的不同阶层。在最南部各州，许多人很可能就是原来种植园主兼商人贵族阶层中的辉格党人；在南部各州，他们往往是山区农民，南北战争时期，同情北方的联邦政府。重建时期，南方佬的人数约占全体白人选民的20%，在任何选举中或制宪会议上构成一股相当大的力量。"南方佬"一词来源不明；此词至迟于19世纪40年代出现于美国，最初是指农场里不能干活的牲畜，后来则指无用之人。

scaldic poetry　参阅 **skaldic poetry 吟唱诗**。

scale　鳞　动物学术语。组成某些动物皮肤的小片状结构。鳞为动物提供保护使免受环境或天敌之害。鱼鳞由来自真皮层的骨质形成。板鳃类(如鲨)有盾鳞；是一种骨质带刺的突起构造，表面釉状。雀鳝和弓鳍鱼的硬鳞结构也相似，但外覆一层特殊釉样物质称硬鳞质。现认为真正的牙齿即来自盾鳞。在高等的鱼类则或为圆鳞(如鲤)或为栉鳞(如鲈、太阳鱼)。这都是典型的覆瓦式鳞片。圆

鳞大、薄、圆形或卵圆形,在游离缘可见生长轮。栉鳞形似圆鳞但在叠置边缘处可见栉状齿。来自表皮的角鳞见于爬行动物和鸟腿上;某些蜥蜴在角鳞之下还有真皮鳞。某些哺乳动物(如大鼠、穿山甲)的鳞样表皮来自修饰的表皮组织,大多数由角质构成。鳞一词也用指某些昆虫如蛾的体表覆盖物。

scale 音阶 音乐术语,指一系列逐级进行的音符、音或音程,它们将所谓的"8 度"加以分切。将 8 度分成 7 个音符的做法很早即用于西方音乐。中世纪音乐家采用各种各样的 7 音符音阶,称为调式;其中两种——伊奥尼亚和爱奥利亚——现仍普遍应用(形式略有变化),即自然大调和自然小调音阶。在每一大调和每一小调音阶中,半音音程与主音的关系都是一样的。大调音阶的半音出现在第 3～4 音符和7～8 音符之间。小调音阶有两种形式:旋律小调音阶与和声小调音阶。在旋律小调音阶中,上行时第 2～3 音符和7～8 音符之间为半音;下行时第 6～5 音符和第 3～2 音符之间为半音。在和声小调音阶中,半音出现在 2～3、5～6 和 7～8 音符之间,6～7 之间为增 2 度音程。半音音阶由 8 度中的所有 12 个半音组成,可说是自然音阶的一种"着色"。例如,中世纪的音乐家不是把 C 和升 C 看成不同的音符,而是看成一个音符的两个方面。可以将它写作 C,然后在演出时"根据需要或是为了美的效果"而加以改动。到了后来,由于平均律这一调音体系的应用,自然音阶便建立在 8 度中 12 个音符的任一音符上。19 世纪时期,半音的过多应用使自然音阶的调性概念遭到局部的破坏。12 音体系的音阶采用半音音阶中的音符,但不许确立任何调性中心。20 世纪的勋伯格、韦伯恩和贝尔格等作曲家在其称为"序列主义"的作曲技巧中运用 12 音音阶。人们常把全音音阶和德彪西联系在一起,虽然早在 18 世纪莫扎特就曾在题为《音乐的玩笑》的六重奏中加以应用。顾名思义,这是一个没有半音的音阶,因此只包含 6 个音符。19 和 20 世纪的许多各不相同的作曲家们还创造了其他试验性的音阶。许多历史的和某些现存的音乐传统只用 5 个音符(及其 8 度移换),这样的实践产生了"五声音阶"。这是一种缺音的音阶,其中包含大于一个全音的音程。人们比较熟悉的一种五声音阶就是相当于键盘上的黑键的音阶。参阅 **diatonic; heptatonic scale; major scale; pentatonic scale; whole-tone scale**。

scale insect 介壳虫 又称蚧。同翅目介壳虫超科几个科昆虫的统称。雌虫无翅,足和触角均退化;雄虫有一对柔翅,足和触角发达,无口器。体外被有蜡质壳,有保护作用,形似介壳或吹绵蚧,因此得名。卵通常埋在蜡质丝所成的团块中,附于雌虫身体下或雌虫分泌的介壳下。每一种介壳虫仅栖于一定的寄主植物上。侵袭植物的根、树皮、叶、枝或果实。主要害虫有圣何塞介壳虫(即梨圆蚧)、蛎盾蚧、皮屑介壳虫和生于柑橘类枯株上的桔紫蚧和红圆蚧。胭脂虫、紫胶蚧和地珠有经济价值。参阅 **Chinese wax; cottony-cushion scale; ground pearl; oystershell scale; San Jose scale; scurfy scale**。

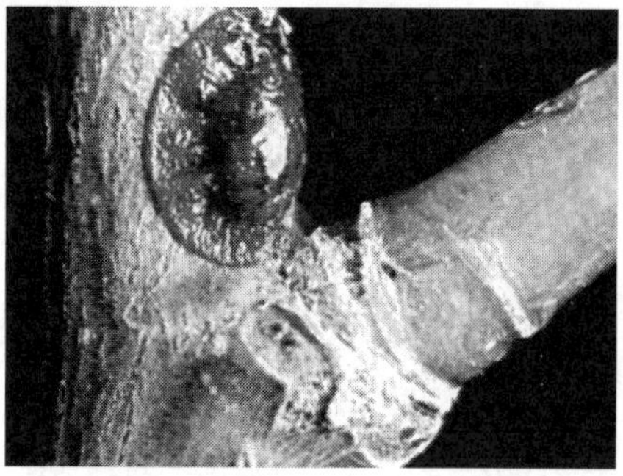

软介壳虫(*Lecanium conic*)
供图:Fran Hall—Photo Researchers/美国不列颠百科全书公司

scale worm 海鳞虫 多毛纲鳞沙蚕目环节动物。分布广泛。自由生活,海栖。长0.5～25 厘米。包括鳞沙蚕(参阅 **sea mouse**)和镖鳞虫属(*Arctonoe*,普通海鳞虫)。背稍隆起,有复瓦状排列的成对扁鳞。吻能伸展,有指状软突起及 4 个角质颚。

scaleless dragonfish 无鳞龙鱼 鲑形目黑巨嘴鱼科动物,90 多种。主要大洋的热带海域均可见到。完全无鳞,口内多尖锐的牙齿,形状凶恶,故得名。背鳍及臀鳍均位于身体的尾端;胸鳍通常缺如,因此身体的大部分看不到鳍。下颌有长触须,沿体侧有一列发光器官。大部分无鳞龙鱼体长约 10 ～ 15 厘米。栖于海水表层至 1 500 米深处,一般喜栖息于深水处。

scaletail 鳞尾松鼠 鳞尾松鼠科几种非洲啮齿动物的统称。参阅 **flying squirrel**。

Scalia, Antonin 斯卡利亚(1936-03-11,美国新泽西特伦顿～) 美国最高法院大法官(1986 年始),是法律界有名的保守派。其父为西西里岛移民,其母为意大利裔美国人,他曾就读于纽约市天主教教区附属学校,之后以名列前茅的成绩毕业于华盛顿(哥伦比亚特区)乔治敦大学,1957 年获文学士学位。后赴哈佛大学法学院深造,参与颇具声望的《法律评论》编辑工作,1960 年毕业。他于 1961 ～ 1967 年于克利夫兰一家法律事务所工作,1967 ～ 1974 年在弗吉尼亚大学法学院任教,1974 ～ 1977 年任职于美国司法部。1977 年,他回到学术界,专任芝加哥大学法学院教授,直到 1982 年里根总统任命他为哥伦比亚巡回审判区的联邦上诉法院法官为止。1986 年,里根总统又任命他为最高法院法官,在参议院获得一致通过。斯卡利亚反对"实践主义司法",支持"约束主义司法"。他以较严谨的态度解释国会制定的法律,以较宽和的态度解释州或地方的法律(除非后者与联邦法律或保守的宪政原则相抵触)。

Scaliger FAMILY 斯卡利杰家族 参阅 **della Scala family** 斯卡拉家族。

Scaliger, Joseph Justus 斯卡利杰(1540-08-05,法国阿让～ 1609-01-21,荷兰莱顿) 荷兰语文学家和历史学家。其有关年代学的各种著作,为文艺复兴时期学者们所作最大的贡献之一,大有助于历史研究及古典作品研究中的校勘工作。意大利医师和哲学家 J.C. 斯卡利杰之子。1525 年移居阿让。早年在波尔多上学,很快就成为杰出的学生。1559 年去巴黎学习希腊语和拉丁语,然后开始自修希伯来语、阿拉伯语、叙利亚语、波斯语和一些主要的近代语言。1562 年他改奉新教开始到法国和德国大学去游学,后到意大利研究古文物。法国新教徒受迫害,他于1572年去

供图:Cliche Musees Nationaux

日内瓦,在此教书,并于 1574 年回到法国,1593 年受聘到莱顿大学教书。他被誉为当时学识最渊博的学者,并终老于该地。他的最主要著作是研究各种历法的《时间校正篇》(1583)。他比较各文明古国创造的计时方法,纠正错误,第一次把年代学建立在科学基础上。他的另一重要著作是《时间宝库:优西比乌斯〈编年史〉校勘本及其他》(1609)。此书对早期基督教教会史家优西比乌斯所辑《编年史》进行校订,重新编排,并把一组希腊、罗马遗闻轶事序其年代,汇为一编,附于书后。另两篇著作,是论述钱币研究为历史研究的一种新近而可靠的手段,分别发表于 1604 及 1616 年,由此奠定了钱币学的基础。斯卡利杰是一名多产著作家,他的全部作品在他死后于 1610 年汇编刊行,两卷通信集则分别于 1624 及 1627 年问世。

Scaliger, Julius Caesar 斯卡利杰(1484-04-23,威尼斯共和国里瓦[意大利]～ 1558-10-21,法国阿让) 意大利裔法国籍古典学者。从事植物学、动物学、语法研究和文学批评。自称为曾统治维罗纳市达两个世纪的德拉·斯卡拉家族的后裔。1531 和 1536 年他以两篇批判伊拉斯谟所著的《西塞罗风格》的激烈尖刻的拉丁文演说词一举成为学者。事实上,人们认为他反对伊拉斯谟关于西塞罗风格的观点是狭隘和短见的,完全曲解了对方嘲笑当时西塞罗的崇拜者过分仿效其风格的用意。有关斯卡利杰的早期生平不详。1525 年他离开意大利前往法国基安内,任阿让主教的医生,并成了法国公民,在那里度过余生。除一本论希波克拉底《论梦》的小册子外,他的学术著作均在晚年发表,散见于权威作家的论述中。主要著作有:《植物论》(1556)、《培养智慧的秘法》(1557)、《论拉丁语》(1540)、《诗论》(1561)等。斯卡利杰主要兴趣是对古典作家作进一步了解和批判性评价。

scallop 扇贝 又作 escallop，fan shell 或 comb shell。扇贝科(Pectinidae)尤其是扇贝属(*Pecten*)的海产双壳类软体动物。本科约有50个属和亚属，400余种。世界性分布，见于

正在逃避一种海星(赤红海盘车，*Asterias rubens*)的扇贝(*Chlamys opercularis*)

供图：Douglas P. Wilson

潮间带到深海。壳扇形，但蝶铰线直，蝶铰的两端有翼状突出。大小2.5～15厘米以上。壳光滑或有辐射肋。肋光滑、鳞状或瘤突状。色鲜红、紫、橙、黄到白色。下壳色较淡，较光滑。有一个大闭壳肌。外套膜边缘生有眼及触手，触手短，能感受水质的变化，壳张开时如垂帘状位于两壳间。扇贝常见于沙中或清净海水的细砂砾中。取食微小生物。靠纤毛和黏液收集食物颗粒并移入口内。能游泳，这在双壳类中十分独特，闭壳肌收缩，使双壳相互拍击，喷出水流，借其反作用力推动本身前进。卵和精排到水中受精。孵出的幼体自由游泳，随后幼体固定在水底发育，有的能匍匐移动。后来幼体体内出现足丝腺，用以固着在他物上。有的终生附着生活，有的中途又自由游泳。海星是其最重要敌害，会用腕将其包围，用管足吸附使壳张开，将胃翻出消化其壳内的柔软肉体。原始人即食扇贝并把贝壳作为器皿。中世纪时，朝圣扇贝(*P. jacobaeus*)的壳的图案成为一种宗教标志(圣詹姆斯之章)。扇贝的大闭壳肌可食，主要产地在马萨诸塞州乔治斯浅滩的东北部和芬迪湾(新不伦瑞克—新斯科舍)。海扇贝(巨扇贝，深海扇贝，*Placopecten magellanicus*)产于新英格兰和加拿大东部，该处常见种还有海湾扇贝(*Aequipecten irradians*)。盖扇贝(*A. opercularis*)是不列颠群岛的食用贝，还作为鱼饵。

scalping 剥头皮 将敌人带发的部分或整块头皮剥下来作为战利品。虽然北美印第安人在战争中有此惯例，但并非印第安人独有。希腊历史学家希罗多德曾记载斯基泰人有此习俗；同时据传某些西伯利亚西部民族也有剥取敌人头皮的做法；而且很可能古波斯人亦有此习。由于法国、英国、荷兰、西班牙的统治者恩赏剥取敌对的印第安人和白人的头皮，这一做法扩散到了北美中部和西部的多数地区。许多美国边疆居民和士兵也采纳了这种风俗。剥头皮有不同意义，东南部的印第安人认为，剥取敌人头皮是成为勇士和安抚死者幽灵的必要做法；平原印第安人则认为这是一种战争荣誉。带发头皮通常取自已死的敌人，但是平原印第安人却宁愿从活人的头上剥皮。这一做法并不一定是致命的，一些受难者也曾被活着释放。剥下的带发头皮有时用作仪典上的祭品，或者在欢庆胜利的仪式上由妇女带着跳舞，以后就作为勇士的饰品保存起来，或用作药品或被扔掉。

scaly anteater 有鳞食蚁兽 参阅 **pangolin** 穿山甲。

Scamozzi, Vincenzo 斯卡莫齐(1552，威尼斯维琴察～1616，威尼斯) 意大利文艺复兴后期建筑师、建筑理论家，被誉为新古典主义智慧之父。早年接受父亲贝尔托蒂的教育，并受到维琴察奥林匹克学院的熏陶。他曾设计萨尔茨堡的教堂，但长期在威尼斯和帕多瓦工作，设计府邸、别墅、教堂、剧院，以及帕尔马诺瓦这座设防城市。他的理论虽在某些方面与A.帕拉弟奥不同，但是他的著作《建筑思想的共性》(1615)却使帕拉弟奥主义对英国新古典主义建筑产生了影响。他是一位有名的剧院设计家，1585年他完成了帕拉弟奥设计的奥林匹克剧院。他在萨比奥内塔的宫廷剧院(1588～1590)中，创造了符合当时演出要求的剧院形式，布景装置向前延伸到舞台的表演区，设置演员出入场门，部分表演区向前延伸到乐池上。

scampi (*Nephrops norvegicus*) **挪威海螯虾** 又作 Dublin Bay prawn 或 Norway lobster。又称都柏林湾匙指虾、挪威龙虾。甲壳纲十足目动物，龙虾的一种，可食。广布于地中海和大西洋东北部从北非到挪威和冰岛的洋底。英、法、挪威、意大利等国都进行捕捞，以作佳肴。穴居于10～250米深的软海底。体长约200毫米，重约200克。螯细长，几乎与体等长，易于鉴别。多用拖网捕捞，一小部分用设饵虾笼捕捞。鲜售、烹调后出售或以冻虾形式出售，整售或仅售其尾部，去壳或不去壳。参阅 **lobster**。

Scandinavia 斯堪的纳维亚 史称斯堪的亚。北欧的一部分，通常包括斯堪的纳维亚半岛的挪威、瑞典以及丹麦。有些学者从地质和经济的观点出发，认为应包括芬兰；也有人从人类学、文化和语言的观点出发，认为应包括冰岛和法罗群岛。最近人们除斯堪的纳维亚外，还使用诺尔登一词，指丹麦、芬兰、冰岛、挪威、瑞典这些相互关系密切，而区别于欧洲大陆其余的国家。

Scandinavian Airlines System (SAS) **斯堪的纳维亚航空公司** 丹麦、瑞典、挪威三国合营的航空公司。1951年斯堪的纳维亚三国航空公司——丹麦航空公司、挪威航空公司和瑞典航空运输公司通过协议联合组成该公司。三国政府在本国各自的公司中有50%的投票股权，其余为私股。该公司经营50个国家中近100座城市之间的邮政、客运、货运班航。该公司也提供旅游及膳食服务并在斯堪的纳维亚和格陵兰经营旅馆业。总公司在瑞典斯德哥尔摩。

Scandinavian Ice Sheet 斯堪的纳维亚冰盖 更新世时期覆盖大部分北欧的最大冰体之一(更新世开始于约250万年前，终止于距今约1万年前)。该冰盖范围最大时几乎到达北纬48°，据估计大约覆盖了660万平方千米的面积，厚度达到3 000米。它起源于挪威的约斯特谷冰原地区，向西扩展到英国，向东几乎到达莫斯科。到更新世末后退到约斯特谷冰原地区。

Scandinavian languages 斯堪的纳维亚诸语言 属日耳曼语族北日耳曼语支。现代标准语有丹麦语、瑞典语、挪威语(丹麦挪威语及新挪威语两种变体)，冰岛语和法罗斯语。常被分为东部分支(丹麦语和瑞典语)和西部分支(挪威语、冰岛语和法罗斯语)，约11世纪(海盗时期末)均由共同斯堪的纳维亚语诸方言发展而来。最早文字记载溯源至公元200～800年间的如尼字母铭文碑刻。冰岛语和法罗斯语保留许多古代诺尔斯词汇和语法形式，是现代斯堪的纳维亚诸语言中最保守的，其他斯堪的纳维亚人多不懂得。另方面，挪威人、瑞典人、丹麦人却能以各自语言互相交谈，通信，因这三种语言具有许多共同词汇，语法特点相似，而许多发展变化均来自共同斯堪的纳维亚语(600～1050)。所有斯堪的纳维亚语的共同特征是，定冠词都是重读词后词，如挪威语的 *boken*(这本书)，就是由 *bok*(书)和 *en*(这个)所组成的。

Scandinavian law 斯堪的纳维亚法律 指中古时期日耳曼早期法律中独立的一个分支。它起源于目前挪威、丹麦和瑞典的领土，在9～13世纪期间扩展到一些定居的或被征服的领土，如冰岛、格陵兰、法罗群岛、英国的一部分、爱尔兰、诺曼底、芬兰以及波罗的海沿岸其他领土。在9世纪斯堪的纳维亚各国还未成为统一的王国以前，各地区和省区实际上在法律和行政方面都是独立的。虽然法律的发展在各地都沿着类似的路线前进，但出现了若干单独的法律体系或法律。最初没有成文法，法律体系只包括经过全体自由民的民众会议所保存、发展和批准的习惯法。这些会议是由一个或几个熟悉法律的出色人物主持的。他们对法律作出说明，对有关适用于特定案件的法律规则发出指示，当传统的法律不够用时，则经会议同意制定新的法律。一种朝着更大范围内统一法律的趋势逐渐显示出来，结果有共同的会议和共同法律的更加广大的地区便形成了。在11～13世纪之间各省区的法律已有文字记载。其中大多数往往由私人编纂，有时也出自国王的指示，而且毫无例外地都是用本地语言写成。在挪威，国王马格努斯六世(1263～1280)早在1274年就已经为乡村地区制定了共同的法典，2年以后又为城市制定了共同法典。类似的发展在14世纪也发生在瑞典，但丹麦却停留在三种不同省区法律的统治之下，一直到克里斯蒂安五世颁布了丹麦法(1683)为止。除了私法的主题(婚姻、继承、财产和契约)以外，这些法典还包括宪法、行政法、刑法

和程序法。教会法一般是排除在外，作另行处理。这些法典主要是习惯法的编纂。除了有若干教会法的痕迹之外，外来的影响是微不足道的。但这些法典在某些方面确实又脱离了习惯法。省区的法律还允许并规定血亲复仇，但马格努斯王的法典却废止了个人复仇并宣告国王的官吏应对罪犯提起刑事诉讼并给予惩罚。此外，大概是由于基督教的影响，又引进了帮助贫苦者和无依无靠者的法律规定。至于土地所有权的规则则显然保持最初的情况，例如把赎回权交给家庭而不是交给国王或氏族。到近代的初期，颁布了若干补充法律，在某些情况下则将原来的法典加以修改。最后到克里斯蒂安五世在位时，完成了一部全面的法典，而早期的而且常常是失效的法律就被称为《丹麦法》(1683)和《挪威法》(1688)的法典所取代。这些新法典主要是以两国现行的国内法为基础，外来的影响相对来说很少。在那个时期个人权利特别受到重视，刑法的规定若和其他欧洲国家的立法相比，也比较人道。15 世纪时瑞典曾颁布一个原先法典的修正版，但人们仍越来越感到需要有更加现代化的立法。以丹麦、挪威为榜样，瑞典于 1734 年由王室委员会起草了一部新法典，该法典同样适用于瑞典的属地芬兰。这些旧法典几乎已完全被现代议会通过的法令所取代。

Scandinavian literature 斯堪的纳维亚文学 由丹麦、法罗群岛、冰岛、挪威及瑞典等地居民以他们的语文所写成的作品的总称。斯堪的纳维亚文学可定为起源于中世纪，当时最杰出的作品是冰岛人和挪威人所写的英雄及神话短诗、吟唱诗和萨迦。其他著名的中世纪作品还包括：12 世纪末 13 世纪初丹麦作家萨克索·格拉马提库斯所写的《丹麦人的业绩》(1185 ～ 1222)；盛行于斯堪的纳维亚地区但以丹麦人写得最好的民谣；1303 ～ 1312 年间以瑞典语写成的骑士诗《尤富米亚之歌》。1397 年，挪威和丹麦在政治上结为一体，在其后数世纪中丹麦语是两国的文学用语。

路德派宗教改革给斯堪的纳维亚文学带来很大的冲击。16 世纪中叶，《圣经》被译成瑞典语、丹麦语以及冰岛语等方言版本后，当地产生了一批数量甚丰、或是支持或是抨击宗教改革运动的学术性辩论文章，以及早期路德派的赞美诗及讲道文。17 世纪，丹麦金果的抒情诗与赞美诗，以及瑞典谢恩赫尔姆的诗作，尤其是他的寓意说教史诗《海格立斯》(1658)，都反映出欧陆新古典主义对斯堪的纳维亚文学姗姗来迟的影响。18 世纪，启蒙运动在丹麦及瑞典蓬勃发展。在丹麦有挪威出生的霍尔堡的喜剧，在瑞典有达林的刊物《瑞典阿耳戈斯》(1732 ～ 1734)，在带动英、法思想及文学形式上起重要作用。

18 世纪末 19 世纪初，斯堪的纳维亚浪漫主义运动部分地受到 18 世纪英国诗的启发，如麦克弗森的莪相系列诗歌以及格雷与杨的诗，但大部分是受到德国作家的影响，如歌德、席勒、海德堡民间传说派(格林兄弟)及耶拿哲学派(谢林、施莱格尔兄弟)。政治上的屈辱事件(1807 年哥本哈根被轰击，瑞典将芬兰割让给俄国)使丹麦和瑞典致力于提倡民族浪漫主义文学(颂赞浑沌传说中伟大的过去)。丹麦作家埃瓦尔和欧伦施莱厄都选择神话传说作为写作主题。瑞典走相同路线的代表作家有泰格奈尔和耶伊尔，而阿特博姆和斯塔格奈利乌斯是玄学派浪漫主义诗人的领袖。芬兰虽在 1809 年割让给俄国，但在随后很长一段时间里仍以瑞典语作为文学用语，当时最著名的作家是诗人鲁内贝里和学者作家托佩利乌斯。

浪漫主义运动在 19 世纪初是冰岛文学和语言学复兴的主流所在。主要的代表作家是索拉伦森，他所写有关民族主义的诗成为 19 世纪后来大多数抒情诗的典范。1814 年丹麦将挪威割让给瑞典后，韦格朗及其他杰出的挪威文学家认为这是发展独立文化的良机，而坚持将现存的丹麦因素完全排除于挪威文学之外。在民族浪漫主义运动占优势地位之时，奥森根据与古诺尔斯语有关的乡村方言创造出一种文学语言，而当时许多作家也转向挪威辉煌的过去或当代的生活中找寻灵感。

19 世纪末，丹麦评论家布兰代斯倡导现代文学，他要求作家抛开浪漫主义理想，而以社会现实为写作题材。丹麦小说家兼诗人 J. P. 雅科布森、挪威作家比昂松与易卜生以及挪威剧作家斯特林堡等人群起响应。在此之前他们被民族历史题材所吸引，在此之后他们都追随布兰代斯的倡导，成了他“现代的突破”文学运动的先锋。易卜生在其最著名的作品中揭露了传统道德的伪善面具，但其晚期作品则充满强烈的象征主义色彩。斯特林堡的作品也有类似的转变，从现实主义转到近似象征主义及表现主义。两人在国内皆遭受反对，都是在移居国外后终于得到国人的肯定。19 世纪 90 年代出现了反对社会现实主义的趋向。丹麦的约恩森代表新浪漫主义诗的复兴并回归宗教信仰；挪威的汉姆生探讨个人的主观经验；瑞典的海登斯塔姆及拉格洛夫再一次探索神话及奇幻故事。

20 世纪前半期的杰出作家有丹麦的彭托皮丹与迪内森、瑞典的贝里曼以及挪威的温塞特。也有许多自工人阶级崛起的天才，如丹麦的尼克索，瑞典的雍松、马丁松(与雍松共获 1974 年的诺贝尔文学奖)和莫贝里，以及挪威的桑内莫塞、乌普达尔和布罗滕，他们的作品都以描述早期生活的奋斗经验著称。现代主义诗的前锋有瑞典籍芬兰裔的瑟德格兰和比约林，瑞典的埃克勒夫、舍贝里和拉格尔克维斯特(也是小说家和剧作家)，丹麦的布昂涅利克和蒙克-彼得森，以及挪威的 R. 雅科布森。

两次世界大战使得剧作家专注于道德及存在的主题，如丹麦的蒙克、阿伯尔和挪威的格利格等人的剧作。也追求同样主题的小说家有瑞典的达耶尔曼、法罗群岛的布罗(H. J. 雅科布森的笔名)及冰岛的拉克斯内斯(获 1955 年诺贝尔文学奖)。

自 20 世纪 60 年代中期至 70 年代末期，斯堪的纳维亚的大部分文学作品都是对社会及政治的抗议。对资本主义制度的不满、对第三世界贫穷的关注以及对越战的厌恶，使得作家们深信需要用纪实作品和具有政治使命感的作品来提高大众的觉悟。然而至 80 年代，幻想文学又开始抬头。现今斯堪的纳维亚文学中，一些主要作家(如林德格维斯特、里夫比约、扬松及 S. B. 雅科布森)的作品，展现出对现代社会问题更富哲学性的探讨，对神话及幻想故事充满兴趣，对文学技巧作更多的试验。

Scandinavian Peninsula 斯堪的纳维亚半岛 北欧大半岛，包括挪威和瑞典两个国家。长约 1 850 千米。北起巴伦支海，东濒波罗的海，南临卡特加特海峡和斯卡格拉克海峡，西傍挪威海和北海。面积 75 万平方千米。主要为块状山构成，为古波罗的地盾的一部分。挪威和瑞典分别占有块状山脉的西东两侧。但瑞典一侧有广阔的斜坡，徐缓地伸人波罗的海，而挪威一侧的山脉直达海岸边缘，形成断岩削壁的峡湾。

Scandinavianism 斯堪的纳维亚主义运动 参阅 **Pan-Scandinavianism 泛斯堪的纳维亚主义运动**。

scandium 钪(Sc) 化学元素，周期表 IIIb 族过渡稀土金属。银白色相当软的金属。1871 年，在 D. I. 门捷列夫预言应该存在一种暂名为类硼的元素以后，L. F. 尼尔松于 1879 年在稀土矿硅铍钇矿和黑稀金矿中，发现了氧化钪。1879 年末，P. T. 克莱夫鉴定出钪就是假设的类硼。斯堪的纳维亚和别处的许多重稀土矿以及许多锡矿和钨矿中均含少量钪，核裂变产物中也含有钪。钪的宇宙丰度是比较高的。虽然在地球上钪的丰度约占第 50 位，但在太阳中约占第 23 位。将钪沉淀为难溶的硫酸钪钾或用乙醚萃取硫氰酸钪，都可容易地将它跟其他稀土分离。1938 年，用电解氯化钾、氯化锂和氯化钪的低共熔混合物(即由这些组分组成的具有最低熔点的混合物)的方法首次制备出金属钪。目前，小量的钪大多是从约含 0.02% 氧化钪的钛铈铁矿中提取铀时的副产品。钪这种罕见金属的应用还很有限。它比重小、熔点高，建议作为合金添加剂用于要求轻质金属的装置中。在原子核反应堆中经辐照后，钪发出很强的 γ 射线，半衰期 85 天，因此可用于放射疗法。钪的化学性质更像 3 价稀土元素，而不太像铝或钛。然而，由于钪离子半径(0.73 埃)显著小于稀土离子平均半径(0.96 埃)，钪的某些性质与稀土并不相像。因此，Sc^{3+} 离子是比较强的酸，生成络离子的倾向也大得多。Sc^{3+} 离子是顺磁性的。天然钪均由稳定同位素钪 45 组成。钪原子序数 21。原子量 44.956。熔点 1 539 °C。沸点 2 832°C。比重 2.989(25 °C)。化合价 3。电子组态 2,8,9,2 或 $(Ar)3d^1 4s^2$。

Scania (Sweden) **斯堪尼亚** 参阅 **Skåne 斯科讷**。

Scania question (Scandinavian history) 参阅 **Skåne question 斯科讷问题**。

scansion 韵律分析 指对一首诗的韵律结构加以分析，并用符号表示出来。英诗中的韵律分析是从分析古希腊、罗马音量诗的古典方法演变而来，它使用一套符号来表示一

首诗的结构,其中包括主要的音步格式、每一行中音步的数目和押韵的方式。韵律分析的目的在于帮助读者更好地理解一首诗通过韵律要素来表达意义的方式。一首诗在格律方面的偏差往往对其意义发生很大的影响。英诗的韵律分析有3种主要方式:图解式、音乐式和声学式。图解式韵律分析最常用,其主要符号是—或/,表示诗句中重读的音节;⌣表示非重读的音节;单竖线(|)表示音步的划分;双竖线(‖)表示诗行中的一次停顿。这种分析用这些符号按照语言的自然韵律先标出重音音节,然后是非重音音节。但它并不能把语言的细微变化记录下来,因此它是一种高度简化的分析。由于几乎没有诗篇在韵律方面绝对正规,格律通常决定于出现最多的音步类型,如抑扬五音步格或扬抑三音步格。音乐的以及声学的分析是十分复杂的两套办法,它们能比图解式分析更敏锐地感觉到语言的声调上和重音上的变化。音乐符号(即八分之一音符表示非重音音节、四分之一或二分之一音符表示重音音节,休止符表示停顿)记录重音的差别。现代声学语言学家则用示波器之类机器来捕捉微小的重音变化。

Scapa Flow 斯卡帕湾 苏格兰奥克尼群岛的锚地。在苏格兰最北端。南北长约15英里,宽8英里。其辽阔的背风水域被选为英国舰队到北海巡逻的理想基地。在第一次世界大战的大部分时间里,英国大舰队以此为基地。第二次世界大战期间英国舰队也停泊于此,但备受潜艇的袭击和空袭。基地于1956年关闭。

scapegoat 替罪羊 犹太教用语。指在《旧约》所规定的赎罪日仪式上象征性地承担犹太人所犯之罪的山羊(《利未记》16:8～10)。据有些学者考证,犹太人为了安抚旷野邪灵阿撒泻勒(Azazel),抽签选出一头山羊,将它牵到耶路撒冷城外一绝崖上抛下,带走全族所犯罪愆。现该词引申为泛指无辜但为他人承担罪责的集团或个人。用动物赎罪的习俗由来已久,而且所用兽类不同,甚至有用人祭为他人赎罪者。基督教谓耶稣基督亦神亦人,为人赎罪而死,使人得以称义,这种教义也反映用动物赎罪的概念。

Scaphites 船菊石 头足类(与现代章鱼、鱿鱼、鹦鹉螺有关的动物)的绝灭属。化石见于海相地层。因其存在仅限于白垩纪的一定分期(白垩纪开始于1.36亿年前,延续0.71亿年),所以是有用的标准化石。壳形与生长方式十分异常。开始壳紧卷,后来长成直型,而后在终点又卷曲,成熟的壳为直段连接双环的壳形。

在美国南达科他州瓦斯塔的夏延河发现的船菊石(*Scaphites*)化石
布法罗科学博物馆供图

scapigliatura 浪荡文学派 19世纪中叶意大利文学中的一个先锋派运动,主要在米兰。它受到波德莱尔、法国象征派诗人群、爱伦·坡以及德国浪漫派作家的影响,探求以带有怪诞和病态的因素和直接的现实主义描写性的叙事作品,取代意大利文学中古典的、阿卡迪亚的和道德的传统。该运动的创始人之一C.阿里吉(卡洛·里盖蒂的笔名),在他的小说《浪荡文学和2月6日》(1862)中,为该集团杜撰了这个名称。其主要代表人物是小说家G.罗瓦尼和E.普拉加。其他成员包括诗人和音乐家A.博伊托、诗人和文学教授A.格拉夫,以及I. U.塔尔凯蒂。真实主义流派的两个主要作家L.卡普安纳和G.维尔加曾从浪荡文学派汲取灵感。这个集团由于反对崇拜偶像,成为20世纪的文学流派如未来主义和隐逸派诗人的榜样。

Scapin 司卡潘 意大利即兴喜剧中的定型人物——滑稽男角。尤以其胆小懦弱称著,遇见矛盾冲突即拔腿逃窜。司卡潘通常扮演一个靠不住的侍从和做杂事的仆人。莫里哀剧本《司卡潘的诡计》使这个人物成为法国喜剧的一部分。

J.卡洛绘于17世纪的司卡潘画像
伦敦维多利亚和艾伯特博物馆供图

scapolite 方柱石 似长石矿物的一族中之任一种。产于富钙的变质岩中,尤其是在大理岩、片麻岩、麻粒岩、绿片岩和夕卡岩中。主要产地在加拿大的魁北克与安大略;瑞典的基律纳;美国的宾夕法尼亚和澳大利亚的昆士兰。这些矿物形成固溶体系列(即化学置换系列),这固溶体中钠和钙在分子结构里互相置换。钠柱石是含钠铝硅酸盐,钙柱石是含钙铝硅酸盐,它们是理论上的端员(纯化合物),是人工合成的,而天然产出的矿物中至少有20%彼此已相互置换。天然产出的方柱石有若干名称,即钙钠柱石(以前的族名),针柱石(现在用来作为富钠柱石变种的名称)和中柱石(现在用来作为富钙柱石变种的名称)。关于化学式及详细的物理性质,参阅 **feldspathoid**(表)。

scapula 肩胛骨 又作 shoulder blade。脊椎动物肩带上的大骨。两块。人类的肩胛骨为三角形,位于第一和第八肋之间的背上部。后面有一斜向外上方的高起骨嵴(肩胛冈)分成上下两个窝:冈上窝与冈下窝。嵴和窝上有肌肉附着,用以转动手臂。肩胛冈外侧端为肩峰,是在前侧与锁骨连关节的突起,有助于形成肩窝的上部。三角形肩胛骨的外侧尖端变宽成浅凹,称为关节盂,与上臂骨肱骨的头连接形成肩关节。关节盂上面是喙突,构成肩胛窝上缘。肩胛骨边缘上附着有肌肉,这些肌肉可以应上肢活动的需要来移动或固定肩胛骨。

scar 瘢痕 刀伤、烧伤和手术伤口等组织损伤的修复在皮肤表面留下的痕迹。其组织成分有纤维细胞、胶原纤维和毛细血管;其肉眼形态特点为色泽灰白、缺少弹性;从组织发生学角度看,瘢痕是从肉芽组织老化发展来的,而肉芽组织则是来自伤口周围的纤维母细胞和血管内皮细胞。瘢痕中没有汗腺、皮脂腺和弹力纤维等器官和组织结构,当然也就得不到相应的防护,故瘢痕常感微痛和搔痒。有时瘢痕可以生长过度而呈瘤样增生,称瘢痕瘤或*瘢痕疙瘩*(keloid);还有一种瘢痕过度增生的情况,称肥厚性瘢痕。二者的临床诊断以是否超越原伤口范围为界,前者超越,而后者否。不管是哪种情况,如果发生在大面积三度烧伤患者,都是一件很麻烦的事,因为它们会极大地限制患者愈后的活动,尤其是关节运动。而且所有的瘢痕,尤其是未经治疗而自行愈合的三度烧伤所形成的瘢痕有可能发生恶变。瘢痕过度增生的治疗是整形外科学的最重要的临床和研究课题。常用的方法之一是擦皮法,即按规则磨除难看的、过度增生的瘢痕。此法的适应症为手术瘢痕或痤疮的愈后瘢痕。预防瘢痕过度增生的方法是彻底清创后,认真缝合伤口,然后再用凡士林纱条覆盖好,使之不要结痂。因为创面的大小、伤口有无感染和结痂与否,是瘢痕形成范围的决定因素。

scarab 甲虫形护符 古埃及宗教的徽章,其形象为蜣螂。埃及人认为蜣螂产卵于粪球中,又把粪球滚入穴中吃掉,因此蜣螂的生命周期是自然界循环过程的缩影。甲虫形护符象征人的灵魂永生不灭,早期埃及墓葬中有大量死蜣螂发现。甲虫形护符常用块滑石陶瓷做成,底部通常饰以图案,既作护符,又作印章,有的仅用作装饰品。最常见的是甲虫形护符印章。最早见于旧王国(约公元前2686～约前2160),可能是从所谓"钮印"演变而来。中王国时期的这种印信带有螺纹和官衔,后来的图案的铭文形式不一。这些铭文

纪念古埃及 18 王朝阿孟霍特普三世与泰伊王后结婚的甲虫形护符
芝加哥大学东方学院供图

有时是某一地方或某一神灵的标记,有时是祝愿之词。

scarab beetle 金龟子 鞘翅目金龟子科昆虫,共约 30 000 种,世界性分布。体短粗结实,卵圆形。与其他甲虫不同之处在于触角的构造,触角末端呈 3 个鳃片状(形如扁平的板片),3 片合起来则形如棍棒。前足的外缘常有齿或呈扇形,适于挖掘。金龟子大小不等,最小的种类长 5 毫米,最大的是非洲的歌利亚金龟子,体长达 12 厘米,是已知最大的昆虫之一。金龟子的习性千差万别,许多种类以粪便为食,或食腐烂的植物性物质,其他种类食生长中的根或叶,少数种类食真菌。金龟子科包括几个亚科:花金龟亚科(Cetoniinae,参阅 **flower chafer**);鳃角金龟亚科(Melolonthinae,参阅 **chafer; June beetle**);丽金龟亚科(Rutelinae,参阅 **shining leaf chafer**);金龟子亚科(Scarabeinae,参阅 **dung beetle**);犀金龟亚科(Dynastinae)。金龟子科包括多种农业害虫,如六月鳃角金龟、蔷薇金龟和**日本丽金龟(Japanese beetle)**。神圣金龟(*Scarabaeus sacer*)是一种蜣螂,古埃及人视为神圣。因为金龟子体型大,许多种类的前翅质硬,极为光泽,且色彩鲜艳,故为昆虫收藏家最喜欢收集的昆虫科之一。

Scaramouche 斯卡拉穆恰 意大利即兴喜剧中的定型角色,一个不讲道德和不可靠的仆人。他爱好玩弄诡计,但反而时常陷入困境;然而他又总能使自己摆脱,通常还使一个

佚名画家的《法国和意大利笑剧演员》(1670)中的斯卡拉穆恰
供图:LAUROS—Giraudon from Art Resource/美国不列颠百科全书公司

无辜的局外人成为他的替罪羊。

Scarborough 斯卡伯勒 加拿大安大略省东南部城市。作为一直辖市,连同东约克直辖市、埃托比科克市、约克市、北约克市和多伦多市一起组成大多伦多市。北接马克姆区;东连皮克灵区;南濒安大略湖;西邻多伦多市、北约克市和东约克直辖市。1967 年 1 月 1 日成为大多伦多直辖市。第二次世界大战以来,由一农村迅速发展为经精心规划的工业区和居住区一体化的城市。市内有称为金街的商业区。城市公园占地面积达 1 000 多公顷。有附属于多伦多大学的斯卡伯勒学院(1964)、百年纪念学院(1967)和圣奥古斯丁神学院。人口 593 297(2001)。

Scarborough 斯卡伯勒 英格兰北海沿岸城镇(自治市),属北约克行政郡、约克历史郡。10 世纪原为渔村。12 世纪修建了诺曼式城堡。1626 年后建矿泉浴场,后建海滨浴场。18 世纪成为著名游览地。1845 年建铁路更促进了城市的发展。现仍为英格兰东北部主要海滨游览城镇。亦为重要会议中心和住宅区。该区面积 817 平方千米,大部分在北约克高沼地国家公园内。该地有牧羊农场,海岸悬崖旁有风景优美的渔村。人口约 108 200(1998)。

Scarborough 斯卡伯勒 加勒比海南部特立尼达和多巴哥岛群中多巴哥岛的主要城镇和深水港。1796 年定为多巴哥岛首府。山顶上有乔治王堡(18 世纪 70 年代),有兵营和医院废墟。城市位于椰子产区,工业有锯木业和生产酸橙油。人口 4 000(1990)。

Scarborough 斯卡伯勒 美国缅因州西南部坎伯兰县城镇。在大西洋沿岸诺纳萨奇河口,为大波特兰和比德福德-索科都市区的郊外住宅区。1658 年由两个居民点合并而成。1883 年后,海景画家 W. 荷麦在附近定居,许多作品反映了大西洋沿岸风光,其画室现辟为国家纪念馆。水产加工、旅游业和斯卡伯勒·唐斯赛马场均有经济意义。人口约 16 970(2000)。

scarecrow 稻草人 一种安放在田地里的装置,用以吓走鸟类或其他动物,防止它们吃掉或毁坏种子、嫩枝和果实。稻草人通常是用秸秆扎成的人体模型,装有能随风摆动并反光的部分以增加恫吓效果。如果给稻草人穿上开枪射击过鸟群的猎人所穿的衣服,效果则会更好。常见的稻草人变体是捕食动物(如猫头鹰、蛇)的模拟像。有时还给稻草人装上声音装置,可将捕食动物的叫声、动物害怕的昆虫的声音录下,用时放出。如可用斑虻(鹿蝇)飞行的声音将鹿吓走,使之离开幼树林。自动发射的碳化物炮及其他模拟的枪击效果可使迁徙的雁群远离玉米地。

Scarfe, Gerald 斯加夫(1936-06-01,英国伦敦~) 英国讽刺画家,以把政治家和知名人士的肖像画得奇形怪状而著称。斯加夫的早期作品发表于《旗帜晚报》、《笨拙》周刊,特别是《私探》双周刊。1966 年起斯加夫为伦敦《每日邮报》定期供稿。同年《杰拉尔德·斯加夫人物》画集出版,该书题材广泛,手法全面。斯加夫的有些肖像,手法相当现实;另一些则大加歪曲。其有的作品充分使用明暗衬托,有的则仅以线条勾勒。1967 年,开始为英国广播公司画动画片及从事电影导演工作。

scarification 划痕 又称疤痕(cicatrization)。一种在人体上制造出具有装饰图案的凸起疤痕的行为。参阅 **body modifications and mutilations**。

scarlatina 参阅 **scarlet fever 猩红热**。

Scarlatti, Alessandro 斯卡拉蒂(1660-05-02,两个西西里王国西西里巴勒莫[今在意大利]~1725-10-24,那不勒斯) 全名 Pietro Alessandro Gaspare Scarlatti。意大利歌剧和宗教音乐作曲家,古典和声学发展史中最重要的人物之一。写过 115 部歌剧。第 1 部《双重面貌》(1679)赢得瑞典女王赞赏,1680 年为女王创作《忠实的爱情》,并在其宫廷服务。1684 年回那不勒斯,任王室小礼拜堂乐长达 18 年之久,为宫廷创作40余部歌剧和音乐娱

供图:Archivo Mas, Barcelona

乐节目。1702 年去佛罗伦萨,1707 年任罗马枢机主教小礼拜堂乐长;翌年在罗马圣马利亚大教堂任同一职务,并创作两部较大规模的歌剧,供威尼斯的狂欢节演出之用。其中的《米特里达特·尤帕托雷》被认为是他最佳作之一。1709 年返那不勒斯任原职。写了一些小夜曲和弥撒曲,创作歌剧《诚实的公主》(1710)、《西皮昂在西班牙》(1714)、《雌虎》(1715)。3 段体的咏叹调形式即在这些歌剧中形成,其中对管弦乐队弦乐器的运用也比以前大胆。1716 年为教皇克雷芒十一世写了一首弥撒曲,同年完成他的第 1 部滑稽歌剧《光荣的胜利》。1718 ~ 1721 年又创作了一些歌剧和宗教音乐。1723 年回那不勒斯时似已退隐。

斯卡拉蒂以其主题发展与变化音和声著称,其手法先现于比他晚很多年的莫扎特和舒伯特等作曲家的作品。他主要以歌剧传世,创立了其中的意大利序曲形式,成为古典交响曲的先驱。他的室内乐也同样富有特性。他一生写下的 600 多首室内康塔塔保存至今。所作管弦乐为数不多,但对歌剧管弦乐队的发展贡献颇大。在他的青年时代,弦乐主要用于演奏引子和里托奈罗(过门),而他却着重用管弦乐队为人声伴奏。他对管乐器的运用也同样新颖。

Scarlatti, Domenico **斯卡拉蒂**(1685-10-26,那不勒斯[意大利]～1757-07-23,西班牙马德里) 全名 Giuseppe Domenico Scarlatti。意大利作曲家,以所作555首键盘乐器奏鸣曲特别闻名,它们大大扩展了拨弦键琴在技术上和音乐上的潜力。

早期生活与声乐作品(意大利) D.斯

巴黎国家图书馆供图

卡拉蒂与巴赫和韩德尔同岁,其父 A.斯卡拉蒂是著名声乐作曲家。斯卡拉蒂最早两部歌剧于1703年他16岁时问世,从而开始了他前半生的事业。1705年父亲送他去威尼斯,据说是师从作曲家 F.加斯帕里尼。在威尼斯结识韩德尔。1709年春,他已继其父担任流亡罗马的波兰女王卡齐米拉的乐长兼作曲师;这期间(直至1714年女王离开为止)他创作了一系列歌剧和一些应景的作品。其中有些音乐留存至今,但是,若非仰仗后期拨弦键琴奏鸣曲的余泽,这些作品今天不会引起什么兴趣。1713年时斯卡拉蒂已与梵蒂冈建立了联系;1714～1719年间任圣彼得教堂乐长。这段时间内斯卡拉蒂以《安布列托》(1715)一剧结束了他的显然从来是不太成功的歌剧作曲事业。

对他的前途大有希望的是与葡萄牙大使馆的关系;1714年他应邀为庆贺葡萄牙王储诞生而创作一首康塔塔。1719年辞去梵蒂冈之职,1720年底到达里斯本,任葡萄牙国王若昂五世乐长,兼巴尔巴拉公主音乐教师;公主以后将成为他的庇护人,他后来的拨弦键琴奏鸣曲也大多是为公主而作。接着又写作了一些小夜曲和教堂音乐,其中大多差强人意,但没有什么特色。这时他的生活正发生重大变化。1725年父亲去世;1728年他最后一次去意大利,43岁时与一个年轻罗马女子结婚;1729年他的学生巴尔巴拉公主与西班牙王储、未来的费迪南德六世结婚,斯卡拉蒂随这对王室伉俪前往西班牙。

晚年生活和键盘乐器作品(西班牙) 他将在西班牙度过余年,先是在塞维利亚(这时可能已在谛听西班牙流行音乐和模仿"贩夫走卒之流所唱的曲调旋律"),1733年以后则在马德里的皇家宫邸和附近的拉格兰哈和埃尔埃斯科里亚尔等宫廷。这时,和往昔的许多联系似乎已经割断,拨弦键琴奏鸣曲从此进入自由天地,在风格上有了特别巨大的发展。斯卡拉蒂作为声乐作曲家基本上已不复存在,没有迹象可以说明他参与了他的朋友、阉人歌唱家法里内利在宫中主持的豪华歌剧演出。关于斯卡拉蒂的生平和性格,现存最完整的记录可见之于自1738年出版的《练习曲》(其中收有30首奏鸣曲)开始的一系列拨弦键琴奏鸣曲,以及1742和1749年为巴尔巴拉所誊写的一些手抄本。从1752到1757年去世为止,他仍继续活动,其主要证明就是为巴尔巴拉王后所作的最后一系列杰出的拨弦键琴奏鸣曲手稿。

奏鸣曲 在斯卡拉蒂的555首奏鸣曲中,约有10首是为小提琴和通奏低音而作;3首专供管风琴用;其余全为拨弦键琴曲。他最成熟、最多产(350首奏鸣曲)的时期始于1753年(时年67岁),直至4年后他去世为止。在他的拨弦键琴音乐中可以感觉到坚持不断的发展,其主要特点是通过主题结构的刻意经营和调性幅度的延伸而将简单的二部舞曲形式加以扩展。键盘技巧的蔚为奇观的革新——包括双手交叉——常伴以大胆的不协和音、标新立异的声部进行和不着边际的转调。在早期奏鸣曲中,占有优势地位的是快乐章;中期则慢乐章出现的频率较高,抒情性的幅度较广;及至晚期奏鸣曲,则风格更加简炼,更加集中。虽然早期奏鸣曲中有几首(例如小提琴奏鸣曲)包含多至4乐章,但绝大部分都是单乐章的,通常分成两段。至少有388首显然是成双组合,用同一调性或用关系调,实际上等于是194首双乐章奏鸣曲。另外至少还有十来首组成三联曲的奏鸣曲。晚期奏鸣曲所用的乐器大多为地中海传统的单键盘拨弦键琴,音域为5个8度,有两个8尺音栓。在如此简单和貌似力量有限的条件下,斯卡拉蒂营造出五花八门的音响和织体,把他的拨弦键琴作品提高到可与肖邦和李斯特的钢琴曲媲美的水平。

scarlet fever **猩红热** 又作 scarlatina。一种急性传染病,病原为某些类型的溶血性链球菌(典型者如酿脓链球菌)。1676年英国医生 T.西德纳姆曾描述此病。潜伏期2～7天,以发热、咽痛、头痛起病,小儿可见呕吐。2～3天后颈、腋窝、腹股沟及胸部开始出现猩红色的小点疹,并弥漫躯干及四肢;面部潮红,故唇显苍白,称之为环口苍白圈;咽部红肿,软腭亦见红色点疹。舌面初复厚苔,舌边肿胀充血,4天后舌苔剥脱,舌面红肿,舌乳头显著(草莓舌)。全身淋巴结肿大,颈淋巴结可有压痛。皮疹及发热持续一周或一周以上。约1/3病例有脱屑。并发症常见,每继发鼻窦炎,猩红热恢复期鼻窦炎仍不愈,成为重要的病灶,造成带菌状态。耳、颈淋巴结炎引致脓肿形成,亦可伴发乳突炎。在某些病例链球菌进入血液,侵及远处组织。晚期并发症有肾炎(发生率为0.5%～1%)、关节炎及风湿热。链球菌对青霉素高度敏感,故青霉素为首选药,从人血清制备的γ球蛋白亦有疗效。治疗尚包括卧床休息及多饮水。20世纪中叶以后猩红热较前少见,病情亦轻,在美国和英国尤其如此。原因可能为链球菌的毒力或人体抵抗力改变,而与青霉素及磺胺药的应用无关。许多疾病的发病率和严重性在几百年中有升有降,可能猩红热目前正在消亡。

scarlet maple **猩红花槭** 参阅**red maple**红花槭。

scarlet snake(*Cemophora coccinea*) **猩红蛇** 游蛇科小型穴居夜间活动的蛇。产于美国,分布于新泽西到佛罗里达地区,向西可远到

猩红蛇(*Cemophora coccinea*)

供图:Hal H. Harrison from Grant Heilman

得克萨斯州。对人无害,因身上有红、黑、白和黄色环状斑,有时被人常误认为是假珊瑚蛇。有时也似猩红王蛇。

Scarpanto(Greece) **斯卡潘托** 参阅**Kárpathos**卡尔帕索斯。

Scarron, Françoise **斯卡伦** 参阅**Maintenon, Françoise d'Aubigné, Marquise de**曼特农侯爵夫人。

Scarron, Paul **斯卡龙**(1610-07-04,受洗礼,巴黎～1660-10-07,巴黎) 法国作家,对戏剧、诙谐叙事诗和小说三种文学形式的发展作出过重要贡献。现仅以《滑稽小说》为人们

巴黎国家图书馆供图

所铭记。出身于小资产阶级,家人本要他作教士。在布列塔尼居住一段时间和访问罗马之后,斯卡龙定居巴黎,并投身于写作。最初创作的都是诙谐作品,他的长达7卷的《乔装打扮的维吉尔》(1648～1653)获得很大成功。在莫里哀到达巴黎前几年,斯卡龙在巴黎戏剧界已是举足轻重的人物。所写戏剧情节通常来源于西班牙的文学作品,甚至连他最成功的喜剧《亚美尼亚的堂·雪飞》(1647)在很大程度上也是根据索洛尔扎诺的一个剧本写成的。虽然他的戏剧现已不再上演,但却具有真正的历史意义,莫里哀就从中获得很多启发。斯卡龙在戏剧上的深刻实践经验表现在他的《滑稽小说》(3卷,1651～1659)中。这部小说的风格属于西班牙流浪冒险传奇一类,叙述一个巡回剧团的喜剧性遭遇。小说的幽默比其模仿的滑稽体裁更经受得住时间考验,因为它更富于人情味而不仅是舞文弄墨。书中的现实主义使它成为人们了解17世纪法国一些省份的珍贵史料。1652年,与F.多比涅结婚。她后来成为曼特农夫人,即法王路易十四颇有影响的情妇,后成为不公开的妻子。

Scarsdale 斯卡斯代尔 美国纽约州纽约市北郊住宅区,韦斯特切斯特县的城镇和村庄。在希思科特购得此地后,1701 年开始有人拓居。希思科特奉威廉三世之命购置土地以建造斯卡斯代尔庄园,英国德比郡的希思科特住宅区即以此为名。在怀特普莱恩斯战役(1776)之前,英国将领豪将其指挥部设在乔纳森格里芬农场,该村庄于 1915 年建立,城镇(1788 年创建)则与其邻接。人口16 987(1990)。

scat 食粪鱼 鲈形目金钱鱼科鱼类。种类不多,分为两属:下垂鱼属(*Prenes*)及金钱鱼属(*Scatophagus*)。分布于从印度西部海岸到新几内亚、澳大利亚北部等地的印度洋-太平

百眼鱼(*S. argus*)
供图:Hans Joachim Richter

洋河口湾和海水水域,亦分布于非洲沿岸。偶会进入各种淡水生境。以腐物为食,食腐烂的动植物遗体及粪便等。最熟知的种是百眼鱼(*S. argus*),幼鱼是水族箱中常见的鱼类。成体可长至 30 厘米,但幼鱼可在小鱼缸中饲养数月之久。幼鱼色彩鲜艳,体有多数黑色斑点,鳍带橙色。线鳍䱵科的线鳍食粪鱼(*Rhinoprenes pentanemus*)是新几内亚的半咸水鱼。

scat 拟声唱法 又作 scat singing。爵士乐中的一种演唱风格。用情绪激昂的无意义的拟声音节来代替歌词,在一旋律的基础上作即兴独唱。西部非洲在打击乐的音型上加上一些固定不变音节的唱法似乎是拟声唱法的前身,但这种风格是 1927 年通过小号手兼歌手阿姆斯特朗的演唱开始流传的。有一种流传甚广的说法,认为拟声唱法是因为歌手忘了歌词而形成的,此说可能有一定道理,但它不能解释这一风格何以历久不衰。早些时候,阿姆斯特朗为歌手们(尤其是为布鲁斯歌手 B.史密斯)伴奏时,他的"即兴重复段"的吹奏采取无歌词声乐曲的性质,但他的拟声演唱却反其道而行之。后来的拟声歌手都各具独创风格,并与他们时代的音乐风格相吻合。

Scáthach 斯凯萨琪 盖尔语,意为"朦胧缥渺者";凯尔特神话中的女杰,尤以教育武士著名,斯凯萨琪为莱思拉的阿尔德-格兰内之女。她住在一个海岛(相传即是斯凯岛),城堡牢固,由其女乌阿萨琪守门。斯凯萨琪在城堡中向无数凯尔特英豪传授武艺,诸如撑竿跳(用于攻城堡)、潜水战和使用她所发明的带刺鱼叉(称作"盖博戈")。斯凯萨琪最知名的高徒是库·楚兰,此人同她在一起达一载之久,学会诸般武艺,多次取胜。凯尔特神话中的另外一些英豪也曾亲得女豪杰斯凯萨琪的教诲。

scatologia 秽语癖 又作 coprolalia。抑制不住地使用猥亵语言并从中得到性快感的一种性偏离。秽语癖者一般通过给素不相识的人打猥亵电话来满足自己的欲望。受话者会感到惊恐万状,这种反应却引起秽语癖者的性唤起,这种人在打电话时常有手淫。与此无关的、同样是抑制不住地口出秽语的**图列特氏综合征(Tourette syndrome)**,即秽语综合征,则是由神经系统障碍所引起的。

scattering 散射 物理学术语,一个粒子与另一个粒子碰撞时运动方向发生改变的现象。按物理学定义,两个互相排斥的粒子,例如两个正(或负)离子不需要直接接触就可能发生碰撞。亚原子粒子实验表明:这些粒子间的电斥力服从库仑定律,即斥力与粒子间距离的平方成反比,换言之,距离若减小一半,斥力则增为原来的 4 倍。许多实验表明(见图),散射粒子的轨迹无论偏转角取何值

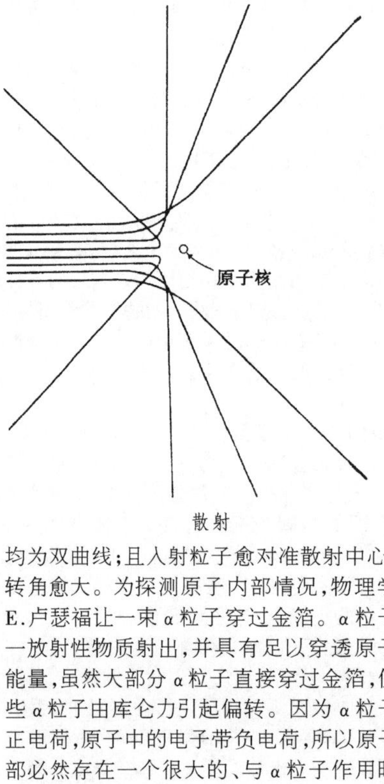

散射

均为双曲线;且入射粒子愈对准散射中心,偏转角愈大。为探测原子内部情况,物理学家E.卢瑟福让一束 α 粒子穿过金箔。α 粒子由一放射性物质射出,并具有足以穿透原子的能量,虽然大部分 α 粒子直接穿过金箔,但有些 α 粒子由库仑力引起偏转。因为 α 粒子带正电荷,原子中的电子带负电荷,所以原子内部必然存在一个很大的、与 α 粒子作用时产生库仑力的正电荷。就这样发现了原子核。

scaup 拾贝潜鸭 又称 bluebill(蓝嘴鸭)。鸭科潜鸭属(*Aythya*)3 种潜水鸭的俗称。大拾贝潜鸭(*A. marila*)亦称斑背潜鸭、大蓝嘴鸭,繁殖于欧亚大陆和新北区的大部分地区。小拾贝潜鸭(小潜鸭,*A. affinis*)分布于新大陆,亦称小蓝嘴鸭,繁殖于北美西北部地区。在新大陆,两者均在美国沿海岸地区越冬,小拾贝潜鸭可抵达墨西哥中部。两者均为通常的猎禽,在野外很难区别。飞行时,大拾贝潜鸭翅膀后面的白色条纹几乎伸展到翅尖,而小拾贝潜鸭的则仅达到翅膀的一半。两者的体长均约 38～51 厘米。雄体胸部为深色,背部灰色,大拾贝潜鸭的头呈暗绿色,而小拾贝潜鸭的头部为亮紫色,可能带绿色光泽。雌体体羽褐色,蓝色的嘴周围具白斑。主要以蛤类为食。另外一种为新西兰拾贝潜鸭(*A. novaeseelandiae*)。

Scaurus, Marcus Aemilius 斯考鲁斯(约公元前 162～约前 89) 罗马元老院贵族党领袖,公元前 100 年左右罗马政府炙手可热的人物之一。贵族家庭出身,经商致富后进入政界。公元前 115 年当选为执政官。同年击败阿尔卑斯山几个山民部族,在罗马举行凯旋仪式。此后成为首席元老,直至去世。公元前 112 年曾出使努米底亚王国。公元前 109 年任监察官,修筑经过比萨通向德尔托纳的埃米列阿大道。公元前 104 年接管处理粮食供应事务的大权。公元前 90 年以勾结外国图谋不轨罪受审,最终无罪开释。古人对他的评价往往带有浓厚的政治偏见。西塞罗对他大加颂扬,而萨卢斯特则把他贬得很低。其自传今已不传。

Scaurus, Marcus Aemilius 斯考鲁斯(?～公元前 52 以后) 第三次米特拉达梯战争中庞培的度支官和代理财政长官。为同名有权势政治家之子。公元前 64 年率兵进驻犹太,立阿里斯托布卢斯为诸侯。公元前 55 年任撒丁尼亚行省总督,次年即被指控勒索财物。西塞罗等为他辩护,结果宣告无罪。公元前 52 年因选举作弊被放逐。

scavenger 食腐动物 又作 carrion-feeder。部分或完全以动物尸体为食的动物。许多无脊椎动物,如吃腐肉的甲虫几乎完全以腐败的动物尸体为食。埋葬虫在地下食小动物尸体之前就先钻入尸体内。有些脊椎动物如兀鹫,完全靠腐肉生活。但大多数脊椎动物的食性显示出更多的灵活性。秃雕在可能的情况下均食死鱼,但必要时也会捕食,并抢夺鹗杀死的猎物。大多数大型的肉食哺乳动物,如狮和狼,偶尔会食被其他动物杀死的动物的尸体。斑纹鬣狗是众所周知的食腐动物,其颌强有力,用来咬碎骨头。独居的鬣狗主要靠腐肉生活;但鬣狗种群大的地方,它们会成群结队地夜间行猎。有 30 只一群的鬣狗可赶走小群的狮子,并夺取其杀死的猎物。

Sceaux ware 索镇陶瓷器 锡釉陶器和瓷器,于 1748～1794 年间产于法国索镇一家工厂。其装饰技艺都很高超,釉彩颜色范围广,画面主题有山水、人物及花鸟。用粉红色勾画的丘比特爱神(派生于弗朗索瓦·布歇的绘画艺术),是路易十五时期的典型作品。用自然写实的花卉、水果以及这些纹样的浮雕装

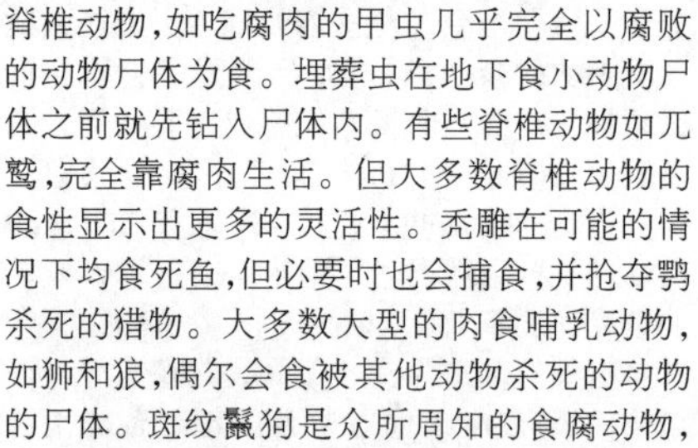

约 1770 年的索镇陶瓷信函架
伦敦维多利亚和艾伯特博物馆供图

饰的制品，可能是由理查德·格洛制作的，他于1772年买下了这家工厂。

scél 塞尔 古爱尔兰语，意为“故事”。在爱尔兰盖尔语文学中，指有关神和民间英雄的早期散文和韵文传说，大部分起源于11世纪或之前。过去，塞尔被分为主要的和次要的两类。主要的即最重要的塞尔又根据它们所歌颂的下列活动分类：毁灭、抢牛、航海、私奔、暴死、大火和其他。在现代，人们根据故事中的人物和时期，把它们划分为故事组。包括：①神话故事组，专述不死的神祇；②厄尔斯特故事组，专述公元前1世纪康诺尔王统治时期的厄尔斯特英雄；③芬尼亚故事组，主要描述3世纪科马克·马克·阿特统治时期的芬恩·麦库尔的作战队伍的事迹。

Scelba, Mario 谢尔巴（1901-09-05，意大利西西里卡尔塔吉罗内～1991-10-29，罗马） 意大利律师、天主教民主党政治家，1954～1955年任总理。罗马大学毕业，其政治生涯始于人民党。该党于1923年因反对法西斯政府遭到镇压时，谢尔巴退隐民间。1943年人民党恢复，改称天主教民主党，谢尔巴自1944年起担任该党主要顾问。1946年选入制宪议会，接连担任内阁职务。作为总理，谢尔巴试图在左右两派间采取中间路线。他是反对社会主义者左派参加联合政府的最后几个有影响的天主教民主党人物之一，1962年因此而被排除于范范尼的内阁之外。一项被称为谢尔巴法的法令对法西斯主义作出定义并在任何阶段都对法西斯主义加以禁止。

scenario 电影脚本 电影制作中，根据影片的原始设想按画面要求写成的文本。脚本大纲规定每一画面的气氛及其与这个段落中其他镜头的关系。摄制台本的作者根据脚本中有关摄影的规定安排每一单独镜头的拍摄。详细的脚本规定每一镜头的精确长度，写出每一句对话，载明每一场景要用的全部音响效果和音乐，但这样的脚本现在已不再使用。通常脚本写明主要镜头，包括其中的对话和形体动作，使导演可以据此去安排表演。但导演也可不要脚本，按照自己认为最能表达主题的想法去指导表演。导演通常按照脚本的主要规定进行工作，但随着摄制工作的进展，按已展开的剧情对脚本进行修改。

Scenedesmus 栅藻属 绿藻的一属，4个、8个或16个细胞排成一列组成群体。是淡水

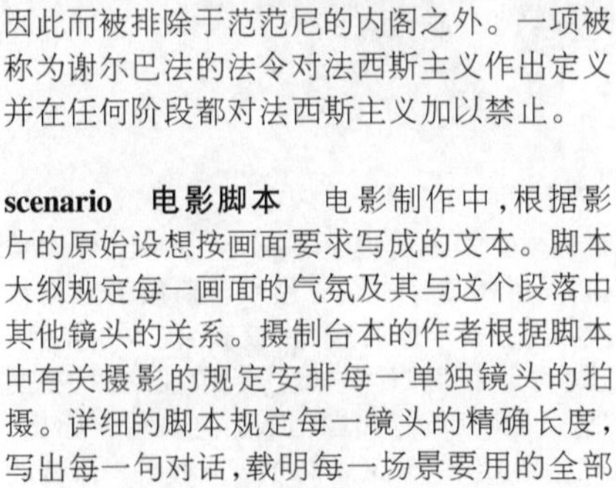

一种栅藻（高倍放大）

供图：Robert W. Hoshaw

浮游生物常见的组分，常用于光合作用的实验研究。在污水净化过程中，可为细菌提供氧以分解有机物并破坏其他有害物质。以不动的似亲孢子进行繁殖。

Scepticism（philosophy） 参阅 **Skepticism** 怀疑论。

sceptre 节杖 统治者作为权利和威严的象征、在举行典礼时使用的附有装饰品的棍或杖。希腊人、罗马人和日尔曼部族流行使用这类具有各种形式和各种含义的原始象征

5～6世纪拜占廷牙雕可折闭双连书写板上左手持节杖的执政官像

供图：SCALA—Art Resource

物。加洛林王朝的人首先使用长杖，但也摹仿罗马人那种短杖，所以，从10世纪起，欧洲国王即位时就使用两根杖。在大多数国家，第二根杖被代之以宝珠，这是一种在古代代表宇宙的球状体。英国是曾经保留两根杖的唯一国家，两根杖变得长短一样，一根顶上装有一个十字架，另一根顶上装有一只鸽子，以示区别。

Scève, Maurice 塞夫（约1501，法国里昂～1560或1564?，里昂） 法国诗人，生前曾被誉为诗坛奇才，死后长期默默无闻。20世纪的评论家与诗人恢复了他的名声和地位，其主要根据是他的组诗《台里埃》。塞夫常被称为里昂派作家的领袖；这派作家包括P. du居勒和L.拉贝。但是现在并没有实据说明这是一个有组织的学派。里昂位居南北欧之间的贸易通道上，系人文主义一大中心。塞夫最初以在1533年“发现”了意大利大诗人彼特拉克的劳拉在阿维尼翁的坟墓，继而又在1536年以《赋眉》一诗而出名。这首诗在费拉拉的诗歌比赛上被评为首选，随后收入《描绘女性肉体诗选》，这部诗选在1537～1550年间曾多次重印。塞夫的《台里埃，德行的典范》（1544）是一首有449个结构紧密，每段十行，每行十音节段落的组诗，富于形象，其主题与风格则是柏拉图式和彼特拉克式的。长期以来，《台里埃》被认为是作者头脑中的一个理想，实际上可能指的是P. du居勒。居勒之死似乎是部分触发塞夫在退隐乡间后所写的《柳成行，咏孤独生活的一首田园诗》（1547）的一个因素。

Schaarbeek（Belgium） 参阅 **Schaerbeek** 斯哈尔贝克。

Schacht, Hjalmar 沙赫特（1877-01-22，德国丁列夫～1970-06-04，联邦德国慕尼黑［今在德国］） 德国银行家与财政专家。因1922～1923年遏止了威胁魏玛共和国生存的毁灭性通货膨胀而闻名于世。曾出任希特勒国社党政府的经济部长（1934～1937）。1908年任德累斯顿银行副行长。第一次世界大战初期，沙赫特担任布鲁塞尔德国占领政府财政顾问（1914～1915）。1916年被任命为德国国民银行——后与达姆施塔特银行合并——行长。1923年任魏玛共和国财政部通货管理专员期间，制定严密的货币计划以遏止严重的通货膨胀，稳定德意志马克。同年12月，担任德国主要金融机构国家银行的总裁。其后于1929年率代表团出席巴黎会议，讨论德国赔款偿付新计划，但否决了会议的主要文件——杨格计划。1930年辞去国家银行总裁一职，开始与德国右翼政党建立联系。希特勒上台（1933年1月）后，沙赫特重任国家银行总裁，这个职务在他后来担任德国经济部长（1934～1937）时一直兼任。作为经济部长，他负责推行国社党的消除失业及重整军备计划。但因与1936年实际成为德国经济

供图：Archiv fur Kunst und Geschichte, Berlin

主持者的戈林相争，乃辞去部长职务。因反对希特勒的重整军备开支，又于1939年被免去国家银行总裁职务。第二次世界大战后，受审于纽伦堡国际军事法庭，最后宣判无罪。后来他于杜塞尔多夫自建银行，并担任数国的财政顾问。

Schadow, Gottfried 沙多（1764-05-20，普鲁士柏林［德国］～1850-01-27，柏林） 德国雕刻家，被认为是现代柏林雕刻学派的创始人。曾师从宫廷雕刻家塔萨尔特，并曾去罗马受教于特里佩尔和卡诺瓦（1785～1787）。1788年，继塔萨尔特之后担任柏林皇家雕刻学校校长。其第一座巨型作品是亚历山大·封·德尔·马克伯爵墓碑（1790，柏林），最著名的作品是柏林勃兰登堡门上雕刻的《胜利的四马战车》（1793）。最精美的作品是普鲁士的路易丝公主和弗蕾德丽克公主的群雕（1797，柏林）。晚年因视力减退逐渐转于美术理论的写作。两个儿子鲁道夫·沙多（1786～1822）

沙多的大理石雕塑《路易丝与弗里德里克两公主》(1797)
柏林国家博物馆供图

和威廉·封·沙多-戈登豪斯(1788 ～ 1862)都是著名画家。

Schaefer, Vincent Joseph　谢弗(1906-07-04,美国纽约斯克内克塔迪～ 1993-07-25,斯克内克塔迪)　美国从事研究工作的化学家和气象学家。1946 年为研究降水的物理性质而进行了一系列的系统性实验。在马萨诸塞州从飞机上用干冰(固体二氧化碳)颗粒对云层进行催化,成功地造成了降雪,从而开创了实验气象学学科和天气控制。谢弗就读于纽约的协和学院,1928 年毕业于戴维树木整形学院。1933 ～ 1954 年,在通用电气实验室做研究工作,战争期间他在这里专门研究飞机的结冰问题。研究分析表明,当云层中存在足够多的冰粒而消除了危险的过冷水环境时,飞机的机体上就停止结冰。谢弗偶然发现利用干冰人工产生这种条件的方法。1959 年,谢弗去奥尔巴尼的纽约州立大学执教,1964 ～ 1976 年任大气科学教授。他被委任为美国艺术和科学学会会员,并获美国气象学会的奖励(1957)和特别通报嘉奖(1976)。

Schaeffer, Claude-Frédéric-Armand　舍费尔(1898-03-06,德国施特拉斯堡～ 1982-10-05)　法国考古学家,其对叙利亚沙姆拉角古城乌加里特的发掘,揭示该地从公元前约 1195 年上溯至公元前第 6、第 7 千纪文化发展绵延不断。发掘也增进了对迦南北部文明的了解,有助于解释《圣经·旧约》中一些难懂章节。1924 ～ 1933 年任施特拉斯堡史前及高卢-罗马博物馆馆长,1933 ～ 1956 年任圣日耳曼昂莱国立古物博物馆馆长。1929 ～ 1939 年在乌加里特从事研究。他发现这个古代港城与世界各地广有联系:不同时期都有来自埃及、美索不达米亚、赫梯和地中海等地文明的影响。除发掘许多建筑遗迹和器物,有助于勾划乌加里特城市历史面貌外,还发现数百块楔形文字泥板,后证实为与《圣经》希伯来语有关系的一种闪语。舍费尔对这些泥板文书的探讨,见《沙姆拉角-乌加里特楔形文字作品》(1939)和《乌加里特志,Ⅰ ～ Ⅵ 卷》(1939 ～1969)。第二次世界大战后继续在土耳其、塞浦路斯和叙利亚从事发掘和研究。1948 年发表《比较地层学与西亚年代学》,对考古学有重要贡献。

Schaeffer, Pierre　沙费(1910-08-14,法国南锡～ 1995-08-19,普罗旺斯地区艾克斯)　法国作曲家、音响学家及电子工程师。1948 年在法国无线电广播和电视台与他的同仁们一起,将具体音乐(**musique concrète**)公之于世。他将生活中各种有生命的和无生命的声音录入磁带,进行复合处理,使原来的声音发生畸变并以音乐的形式加以结合。处理的方式包括变换回放的速度以改变音高、把录音带回放、剪辑录音带以便更精确地控制时值、滤除或加强某些声波频率以及其他更复杂的手法。他与 P.亨利合作的 10 个乐章的《单人交响曲》(1950)是第 1 首主要的"具体音乐"作品。该小品与其他"具体音乐"反映了一种处理音响的方式,对以机遇或"机运"方式创作的作曲家曾产生重要影响。沙费所著《朝向具体音乐》(1952)介绍了他的工作情况。

供图:D.R.T.F.

Schaepman, Hermanus Johannes Aloysius Maria　斯哈普曼(1844-03-02,荷兰蒂贝亨～ 1903-01-21,罗马)　荷兰政治家,天主教司铎和著作家。他创立一些天主教政治俱乐部(罗马天主教国家党的前身)及天主教-加尔文教议员联盟(1888 ～ 1905)。1867 年受神职,1869 年以教会史论文得博士学位,在神学院任教多年。曾发表诗歌和关于宗教和政治的文章。1872 年任《时报》主编,1895 年任《公教报》主编。为保护同教人的权利曾创办一些天主教政治俱乐部。1880 年选入议会第二院,成为天主教议员的领袖。从 1901 年起在克伊波的联合内阁中任职。他领导天主教-加尔文教议员联盟为教会学校争得与公立学校同样的国家补贴。他的诗集有《教皇》(1866)和《阿耶·索菲亚》(1886);论文集有《人与书》。

Schaerbeek　斯哈尔贝克　佛兰芒语作 Schaarbeek。比利时中部布拉班特省城市。为布鲁塞尔东北部工业郊区,是组成大布鲁塞尔的 19 个区之一。该市为铁路枢纽,有一座发电站,生产服装、化工品和机器。人口:城市区约 102 417(1992)。

Schäfer, Edward Albert　谢弗　参阅 **Sharpey-Schafer, Sir Edward Albert** 沙比-谢弗。

Schäfer, Karl　舍费尔(1909-05-17,奥匈帝国维也纳[今属奥地利]～ 1976-04-26,奥地利)　奥地利花样滑冰运动员。自幼练习花样滑冰,1928 年冬奥会得第 4 名,当时还差几个月不到 19 岁。1929 年首次获得欧洲锦标赛冠军,1930 年获世界锦标赛冠军。整个滑冰生涯中连续 8 年获欧洲冠军,7 届世界锦标赛冠军。此外还获得 8 次奥地利蛙泳冠军。1932 年冬奥会赢得第一枚金牌。规定动作是他的强项,并以优雅与机智闻名。他不仅是一名运动员而且是一位舞蹈家,他在滑冰动作中引进了"模糊自旋"(又称开始自旋)以及许多舞步,包括华尔兹与探戈的成分。1936 年冬奥会获第二块金牌。1936 年以后退役,主要参加巡回冰上音乐舞蹈表演。1940 年成立自己的冰舞剧团。后任奥地利花样滑冰教练。

Schaff, Philip　沙夫(1819-01-01,瑞士库尔～ 1893-10-20,纽约市)　美国普世教会运动领导人、神学家。他的著作,特别是《基督教世界内的各种信经》(1877)为现代美国教会史研究树立表率。他于 1844 年由德国移居美国,同年任宾夕法尼亚州默瑟斯堡德裔基督教归正宗神学院教授,讲授教会史和《圣经》版本学。在就职时发表引起争议的演说,后来以《新教原理》为题出版。这篇演说指出,天主教和新教教义中的积极成分终将融合而成为超越宗派的、以宣传福音为宗旨的公教教义。沙夫与另一神学家内文(1803 ～ 1886)共同提出的默瑟斯堡神学,就是以这篇演说所阐明的某些主张为基础的。这种神学反对强调个人灵性生活的奋兴神学,主张树立有组织的教会的权威。1864 年沙夫任反对在星期日进行商业活动的纽约安息日委员会书记。翌年辞去默瑟斯堡神学院教授职务移居纽约市。1870 年任协和神学院教授,加入长老会。

美国国会图书馆供图

Schaffhausen　沙夫豪森　瑞士最北部的一州。在莱茵河以北,康斯坦茨湖以西。面积 298 平方千米,其中约 90% 土地肥沃。北部、东部和西部都与德国接壤,德国的领土把全州分成三部分。州首府沙夫豪森(**Schaffhausen**)在最大的部分内。州内有两小块德国飞地。兰登高原(最高点达 912 米)为其主要地形特征。沙夫豪森州于 1501 年加入瑞士联邦,1876 年制订州宪法。主要的工业有机械、金属制品、钟表、珠宝、纺织、罐头食品、皮革制品、水泥、玻璃、纸张和化工产品。木器和酿酒业亦占重要地位。水力发电为化工厂、炼铝厂和机器厂提供电力。栽培葡萄是主要农业,林业也重要。居民多讲德语,信基督教新教。人口约 69 759(1983)。

Schaffhausen 沙夫豪森 瑞士北部沙夫豪森州首府。位于莱茵河右岸,康斯坦茨湖(即博登湖)以西。1045 年首见记载。1049 年前后,内伦堡的伯爵埃伯哈德三世在此建立本笃会众圣隐修院,该地区围绕着它发展起来。1190～1218 年成为一个自由的帝国城市。1330 年开始受哈布斯堡控制,1415 年独立。1454 年与瑞士联邦结盟,1501 年被接纳为正式成员。前众圣隐修院的教堂有一口古钟(铸于 1486),据说激发了席勒的灵感,写出了著名诗篇《钟之歌》。原有隐修院现为市立博物馆。其他著名建筑物有穆诺特要塞(1564～1585)、教区教堂(1460～1517)、旧市政厅(1382～1412)、新市政厅(1617)和有 T.斯廷梅尔所作壁画的骑士厅。现为繁忙的铁路枢纽和旅游中心。工业有金属制品、纺织品和钟表。附近莱茵河上有水力发电站,郊区有炼铝厂。居民讲德语,大部分信新教。人口约 34 396(1983)。

沙夫豪森市的穆诺特要塞

供图:Josef Muench

Schäffle, Albert 舍夫勒(1831-02-24,符腾堡尼尔廷根～1903-12-25,斯图加特) 德国经济学家、社会学家、奥地利商业和农业部长(1871);推行波希米亚王室土地帝国联邦化的计划。先后在蒂宾根(1860)及维也纳(1868)任政治经济学教授,1862～1865 年为符腾堡议会议员,1868 年任新的德意志联邦关税议会代表。1871 年 2 月入奥地利内阁任职。提出重新确定波希米亚在帝国中的地位的计划,遭到德意志人与马扎尔人强烈谴责,计划搁置,内阁倒台(1871-10)。此后,在德、奥的政治与社会福利立法方面,他的思想继续发生影响。著有关于经济学、社会学的文集若干种,另有两卷回忆录于死后问世。

Schaffner, Jakob 沙夫纳(1875-11-14,瑞士巴塞尔～1944-09-23,法国斯特拉斯堡) 瑞士作家。1913 年起住在德国,属于新的一代瑞士作家,他们为追求绝对的伟大,并且相信人生是永无涯际的冒险而毅然与他们所厌恶的中产阶级社会传统决裂。早年失去双亲,4 本自传体小说《约翰内斯》(1922)、《约翰内斯·沙腾霍尔德的少年时代》(1930)、《在德国漫游时期》(1931)、《斗争和成熟》(1939),描写了他作为孩童、慈善学校学生、鞋匠以及一个四处飘零的自学成材的作家的经历。他的作品想象力丰富,他的信念属尼采一类,并在某种程度上与陀思妥耶夫斯基相似,终于引导他追随纳粹主义。此外,还写有《康拉德·皮拉特》(1910)、《幸福的渔夫》(1925)。

Schall von Bell, Adam 汤若望(1591-05-01,科隆～1666-08-15,北京) 耶稣会传教士、天文学家,中国清朝(1644～1911 或 1912)顺治皇帝(1644～1661 在位)的重要顾问。汤若望曾在罗马学习伽利略天文学理论,1622 年到中国。他很快使中国人深感西方天文学的优越性,被授予高级职位,翻译西方天文学著作,改进中国历法。明朝(1368～1644)覆灭,满洲人建立清朝,汤若望任钦天监。顺治帝之母孝庄皇太后患疑难症,得汤若望治愈,汤若望遂成为少年皇帝顺治的心腹顾问,尊为长辈。顺治帝允许他于 1650 年在北京建教堂,几次亲身前往礼拜。顺治帝死后 3 年即 1664 年,反对基督教的一位官员在对汤若望心怀不满的中国天文学家的支持下指控他阴谋反对朝廷,举出耶稣会著作中谓中国人为古代希伯来人旁支的说法为证。他们还指控他施法术使顺治帝早亡。在审讯中,汤若望因患中风而不能言语。他的新到达的青年伙伴南怀仁(1623～1688)为他辩护,南怀仁的汉语不足以进行充分辩护。汤若望和他的几位中国基督徒同事被判凌迟。但次日发生地震,被视为是不祥之兆,汤若望由此获得减刑,而 5 位中国基督徒天文学家被处决。在汤若望去世两年以后,他的所有罪名被推翻。

Schally, Andrew Victor 沙利(1926-11-30,波兰威尔诺～) 波兰出生的美国内分泌学家。分离并合成了多种下丘脑释放的激素,因而与 R.吉耶曼、R.耶洛共获 1977 年诺贝尔生理学或医学奖。1939 年他全家逃出波兰。他曾在伦敦大学学化学。1955 年从麦吉尔大学毕业,1957 年获生物化学哲学博士学位。后在美国休斯敦贝勒大学、图兰大学医学院、新奥尔良退伍军人管理局医学中心等处任职。1962 年入美国籍。曾合成促甲状腺素释放激素、分离并合成黄体化激素释放激素,并研究了生长激素释放抑制因子的作用。

Schāmil (Caucasian leader) 参阅 **Shāmil** 沙米尔。

Schapera, Isaac 沙佩拉(1905-06-23,南非加里斯～2003-06-26,英国伦敦) 南非人类学家,以对南非和博茨瓦纳民族的人种志和类型学的深入细致的研究闻名。他在 20 年里对贝专纳兰(即今博茨瓦纳)的多次实地调查,使他能以土著语言记录口头传说的历史,并能就其他文化对土著民族文化所产生的影响进行细致考察。对南非布尔人和霍屯督人两种族间交互影响以及贝专纳兰的茨瓦纳人、布须曼人及白人之间的交互影响都作过分析,从而建议将"应用人类学"作为一种工具来解决南非其他种族问题。沙佩拉曾在英国及南非政府部门工作,以其对土地保有权及人口迁徙的研究成果,对几个地区的殖民政府所推行政策的效果进行了分析。曾获伦敦经济政治学院哲学博士学位,曾受教于 A. R.拉德克里夫-布朗及 B.马林诺夫斯基等人,学习结构分析及功能分析的理论和方法。他的著作倾向于证实拉德克里夫-布朗的动态涵化理论而较少阐述当时流行的马林诺夫斯基的非历史模式学说。他个人的说法则强调经验的及历史的研究观点。1950 年前任教于开普敦大学,1950～1969 年间在伦敦大学教书。著有《茨瓦纳酋长颂诗》(1965)、《茨瓦纳部落之祈雨仪式》(1971)、《J.奥斯汀小说中的亲属称谓》(1977)。

Scharnhorst "沙恩霍斯特"号 德国战列巡洋舰。1939 年建成,第二次世界大战中它使盟国海上运输遭受重大损失,1943 年 12 月 26 日被英国的"约克公爵"号战列舰击沉。"沙恩霍斯特"号为一艘火力强大的战舰,标准排水量 26 000 吨,乘员 1 400 人,载有 4 架飞机、9 门 11 英寸炮、12 门 5.9 英寸炮以及 14 门 4.1 英寸高射炮、16 门 37 毫米高射炮。"格奈泽瑙"号是该舰的姐妹船。

Scharnhorst, Gerhard Johann David von 沙恩霍斯特(1755-11-12,汉诺威博登瑙～1813-06-28,布拉格) 普鲁士将军,发展了近代的总参谋部体制。曾与军制改革家格奈泽瑙合作,制定"速成兵制度"。新兵只受短期训练,便送入预备役,使更多士兵可得到训练。这项制度增加实际上受过训练的官兵数额,而使常备军不超过拿破仑在蒂尔西特和约(1807)中为普鲁士规定的 4.2 万名限额。1778 年加入汉诺威军队,18 世纪 90 年代在比利时与法国革命军队作战。1801 年,他上书普鲁士国王要求授以中校、封为贵族,并批准他改组普鲁士军队。1804 年被封为贵族,任教柏林军事学院。他的一位学生克劳塞维茨后来成为著名的战略著作家。1806 年耶拿战役被法军俘获，不久获释。他认为必须招募大量公民兵员以代替小批长期服役的职业雇佣兵。他还认为国民兵役制需由政治改革加以配合。蒂尔西特和约后任军队改革委员会

供图：Nieedersachsisches Lardesmuseum, Hannover, Ger.

主席，但拿破仑对他的活动产生怀疑，迫使国王撤销了许多改革。1811～1812年普鲁士被迫与法国结盟反对俄国，他长期请假。重返军界后又于1813年任布吕歇尔的参谋长。吕岑战役(1813-05-02)中负伤，未及复元即赴布拉格协商奥地利参战，在当地去世。

Scharoun, Hans (Bernhard)　沙龙(1893-09-20，德国不来梅～1972-11-25，西柏林)　德国建筑师，20世纪20年代现代建筑运动的积极参与者。1912～1914年，在柏林工学院学习。

供图：Archiv fur Kunst und Geschichte, Berlin

1927年德意志工匠联盟在斯图加特举办的建筑展览会上展出当代著名建筑师的作品，其中有他设计的一栋住宅。第二次世界大战前的杰出作品有布雷斯劳的一所养老院(1929)和柏林的西门子居住区内的住宅(1930)等。纳粹执政时期，他的建筑活动被迫中止。第二次世界大战后，担任城市规划方面若干政府职务和学术性的工作。1963年，他设计了著名的柏林爱乐交响乐团的音乐厅。其他名作有斯图加特的“罗密欧与朱丽叶”公寓(1963)。

Schary, Dore　沙利(1905-08-31，美国新泽西纽瓦克～1980-07-07，纽约市)　美国电影制片人、电影剧本作家、剧作家兼导演。一生拍摄电影300多部。1930年首次登台演出。1932年前往好莱坞从事电影剧本写作。到1940年，他已创作46部电影剧本并成为制片经理。1948～1956年任米高梅影片公司制片副经理，尔后便成为独立制片人。他与人共同演出并执导了极受欢迎的舞台音乐剧《永远不会沉没的莫莉·布朗》(1960)。还创作、演出并执导过他自己的几部剧作，其中包括有名的《康波贝洛的日出》(1957)。电影剧本《小伙子的市镇》(1938)获奥斯卡奖。1970年被任命为纽约市文化事务第一专员。

Schattschneider, Elmer Eric　沙奇奈德尔(1892-08-11，美国明尼苏达贝瑟尼～1971-03-04，康涅狄格旧塞布鲁克)　美国政治学家、教育家，以对政党政治的研究而闻名。1915年在威斯康星大学获文学学士学位，1927年在匹兹堡大学获文学硕士学位，1935年在哥伦比亚大学获哲学博士学位。先后执教于哥伦比亚大学(1927～1930)、新泽西州新不伦瑞克市拉特格斯大学(1929～1930)和康涅狄格州米德尔敦市卫斯理大学(1930～1960)。他在著作中强调通过政党竞争而形成政府的重要性，认为冲突产生政治生命力，冲突通过民主制度的作用而适合社会的需要。沙奇奈德尔研究公益与私利的区别，断定强有力的党派政府有利于公益。主要著作有《党派政府》(1942)及《二亿美国人在寻求一个政府》(1969)等。

Schaudinn, Fritz　绍丁(1871-09-19，东普鲁士勒森宁肯～1906-06-22，汉堡)　德国动物学家。1905年与皮肤病专家E.霍夫曼共同发现梅毒的病原苍白螺旋体(*Spirochaeta pallida*，后称苍白密螺旋体[*Treponema pallidum*])。他将原生动物学发展成为一门实验科学因而闻名。1894年获柏林大学动物学的博士学位，1898年任该校讲师，1904年任柏林皇家卫生局原生动物学实验室主任。他最先将阿米巴痢疾病原体溶组织内阿米巴(*Entamaeba histolytica*)及无害的结肠内阿米巴(*Entamaeba coli*)区分开。1904年证实钩虫病确系经皮肤感染。他对人及鸟类的疟疾的研究为以后的疟疾寄生虫研究提供了线索。

Schäuffelein, Hans Leonhard　绍伊夫莱因(约1480，纽伦堡～约1539，神圣罗马帝国讷德林根)　Schäuffelein又拼Schoyffelin，Scheifelin，Schenfelein。德国画家和木刻设计师。作品深受丢勒的影响，其第一幅作品维也纳附近的奥本·圣法伊特教堂的一幅祭坛画，是丢勒起稿的。1509年活动于蒂罗尔，后到巴伐利亚，为奥汉森的贝内迪克廷大教堂画祭坛画，并成为皇帝马克西米连一世的御用艺术家。他作为一位成熟的版画设计家，为皇帝制作铜版画和木刻插图。1514年在讷德林根设立了一个创作室，大部分时间从事绘画。其晚期作品表明他是一位天才的肖像画家，主要作品是讷德林根市政大厅内描绘“犹滴传说”的环墙壁画。

Schaulen(Lithuania)　**绍伦**　参阅**Šiauliai 希奥利艾**。

Schaumburg-Lippe　绍姆堡-利珀　第二次世界大战结束前德意志帝国中最小的邦之一。东抵威悉河中游，1866～1946年间其四周均为普鲁士的领土。首府为比克堡。绍姆堡或绍恩堡在林特尔恩的东北，原为自12世纪初见于史籍的伯爵家族古城。1559年起信奉信义宗，1640年家族消亡，领地被分割。绍姆堡-利珀为残族之一，1807年以具有独立主权的公国身份加入莱茵联盟。1815年加入德意志邦联，1866年加入北德意志联邦，1871年加入德意志帝国。1918年革命使它成为“自由邦”，1922年实行共和民主宪法。1946年并入下萨克森州。

Schauspiel　戏剧　演出或公开表演的通称。在18世纪晚期德语文学中，该词更为特定的意义特指那些兼具悲剧和喜剧特征的戏剧。这类戏剧属于结局美好而主人公也没有死去的严肃戏剧。

Schawlow, Arthur Leonard　肖洛(1921-05-05，美国纽约芒特弗农～1999-04-28，加利福尼亚帕洛阿尔托)　美国物理学家，因他在激光和激光谱学方面的研究工作与美国的N.布洛姆伯根和瑞典的K. M. B. 西格班共获1981年诺贝尔物理学奖。肖洛小时候随家人移居加拿大。曾在多伦多大学就读，1949年获博士学位。同年前往哥伦比亚大学，在该校开始与C.汤斯合作从事微波激射的研究、激光和激光谱学。1951～1961年是贝尔电话实验室的研究物理学家。1958年他和汤斯发表了一篇论文，简要介绍了激光的工作原理，尽管第一台激光机是由另一位美国物理学家T.梅曼在1960年制作的。1961年肖洛成为斯坦福大学教授。被认为是激光谱学方面的世界权威，因利用激光研究电磁辐射与物质的相互作用与他人共享1981年诺贝尔奖。其著作包括《红外线和光学的微波激射》(1958)、《激光及其利用》(1983)。

Schechina(Judaism)　参阅**Shekhina 舍金纳**。

Schechter, Solomon　谢克特(1847-12-07，罗马尼亚福克沙尼～1915-11-19，美国纽约州纽约)　美国犹太教保守派领袖、塔木德的杰出权威和文献考证家。先后在维也纳、柏林和伦敦研究塔木德文献以及犹太教律法的拉比纲要，1890年任剑桥大学塔木德学讲师。1909年他根据在剑桥讲课的讲义著《拉比神学的若干方面》，以同情的态度重新评价法利赛派。1896年到开罗考察出土古文献，1902年到纽约市任美洲犹太教神学院院长。在研究犹太教时强调研究犹太人的历史以正确理解上帝的作为。1913年成立美国协和犹太教会堂，原只包括23个保守派教团，后来发展到800多个。

Scheele, Carl Wilhelm　舍勒(1742-12-09，德国波美拉尼亚施特拉尔松德～1786-05-21，瑞典雪平)　Carl又拼Karl。瑞典化学家。先于J.普里斯特利发现了氧，并有许多其他重要的发现。他起初在哥特堡给一个药剂师当了8年学徒，后来在马尔默(1765)和斯德哥尔摩(1768)当药剂师。1770年定居于乌普萨拉。1775年被选入斯德哥尔摩皇家科学院，随即

移居雪平，并在此开了一家药房。在他仅有的著作《论空气和火》(1777，英译本作《对空气和火的化学观察和实验》)中，舍勒谓大气由两种气体组成：一种维持燃烧，另一种阻止燃烧。前者称为“火空气”即氧，他曾从硝酸、硝石(硝酸钾)、二氧化锰、二氧化汞及其他物质制得它。毫无疑问，他在1772年左右制得氧气，比普里斯特利早两年。但是由于他的结果发表推迟了，历来很少将氧的发现归功于他。舍勒的家境贫寒，又缺乏一般的实验条件，但他发现各种新物质的纪录，恐迄今仍是无与伦比的。他的第一篇科学论文发表于1770年，是关于由酒石中离析出酒石酸的。而他在生命的最后几年里，首先分离出砷酸(1775)、钼酸(1778)、乳酸(1780)、钨酸(1781)和普鲁士酸(氢氰酸)(1783)。他还分离出并研究过柠檬酸、苹果酸、草酸和没食子酸。1774年他对二氧化锰的分析，导致他发现了氯和氧化钡。他的其他发现还有甘油、舍勒绿颜料(1775，亚砷酸铜)和硫化氢、氰化氢、氟化氢等有毒气体。

scheelite 白钨矿 钙的钨酸盐矿物($CaWO_4$)，是重要的钨矿。在20世纪，当钨被用于合金钢中和电灯的灯丝时，这种钨矿石就有了商业价值。Scheelite的命名是为纪念瑞典化学家C. W.舍勒，因他在1781年从白钨矿得到了钨酸。白钨矿常呈致密块体或晶粒块体，产于接触变质矿床、高温矿脉和伟晶花岗岩中。美国广泛开采白钨矿的地点在北卡罗来纳州、加利福尼亚州和内华达州。出产白钨矿的地点还有英格兰的康沃尔和坎伯兰，以及玻利维亚、新南威尔士、新西兰、西伯利亚、瑞士和法国。白钨矿呈白色、黄色、褐色或绿色，具玻璃至金刚光泽。大部分白钨矿能发荧光，其颜色随钼的含量而在蓝白或白到黄色之间变化。其莫氏硬度为4.5～5；比重5.9～6.1；属四方晶系。白钨矿是一种连续系列的固溶体的一个端员，这种固溶体的第二个组分是类似的矿物钼钙矿($CaMoO_4$)。

Scheer, Reinhard 舍尔(1863-09-30，汉诺威奥伯恩基兴[德意志]～1928-11-26，德国马克特雷德维茨) 德国海军上将，日德兰战役(1916)德国公海舰队指挥官。1879年加入德国海军。1910年任霍尔岑多夫统率的公海舰队参谋长，1913年指挥一战斗分舰队。第一次世界大战爆发后，提倡使用潜艇，以潜艇战略家著称。1916年升任舰队指挥官，与英国主力舰队会战于日德兰(1916-05-31～06-01)，这是第一次世界大战中仅有的大海战。虽然英国舰队在数量上居于优势，但舍尔的卓越指挥保住了公海舰队。1918年8月8日继霍尔岑多夫任海军参谋长，5个月后退役。著有描述日德兰战役的《世界大战中的德国公海舰队》(1919)。

Scheffel, Joseph Victor von 舍费尔(1826-02-16，巴登卡尔斯鲁厄[德国]～1886-04-09，德国卡尔斯鲁厄) 德国诗人和小说家。他的风靡一时的妙趣横生的史诗式作品《塞金根的号手》(1854)和历史小说《埃克哈德》(1855)与大众要求言情的趣味十分投合，使他成为当时拥有最广大读者的德国作家之一。舍费尔的父亲为巴登的工兵军官，母亲为诗人。他遵严父之命，在慕尼黑、海德堡和柏林大学攻读法律。1848年开始，在巴登政府机关服务。不久，他获准暂时离职去意大利旅行并学习绘画。1853年，他辞去政府职务，转攻文学。1857～1859年间，在多瑙埃兴根任菲尔斯滕贝格亲王的图书管理员。1865年被授予枢密官称号，1876年被封为贵族。舍费尔的声誉建立在他作为一个文笔流畅的诗人以及他的浪漫主义和民族主义的立场上，他不愿如当时写实主义者那样提出攻击与非难，而爱透过玫瑰色的眼镜来看德国古代光荣史迹。他的以细致的史料研究为依据的《埃克哈德》以10世纪的圣高尔修道院为背景，是这一世纪最受欢迎的德国小说之一。他的其他作品有写5世纪史实的小说《胡基德奥》(1884)、诗集《夫人历险》(1863)和大学生诗歌集《鼓起兴致来!》(1868)。舍费尔往后的作品失去了对批评家的吸引力，他们认为这些作品过于腻味琐碎。

Scheffler, Johann (Christian mystic) **谢弗勒尔** 参阅**Angelus Silesius**安杰勒斯(西里西亚的)。

schefflera 鹅掌柴 又称umbrella tree(伞树)。五加科几种热带常绿灌木或乔木的统称，能耐弱光条件，广泛栽作室内观叶植物。鹅掌柴属(*Schefflera*)植物如新西兰七

鹅掌柴属(*Schefflera*)植物

供图：Phil Clark

指树(*S. digitata*)可高7.5米；八叶鹅掌柴(*S. octophylla*)原产亚洲，亦可高7.5米。最普通的种是澳大利亚伞树(掌状叶鹅掌柴，*S. actinophylla*[或*Brassaia actinophylla*])，高达12米，在夏威夷及其他温暖地区广泛栽作风景树，也是世界各地最受欢迎的室内植物之一。夏威夷鹅掌柴(*B. arboricola*)植株矮小，叶小。

Scheidemann, Philipp 谢德曼(1865-07-26，里森-卡塞尔卡塞尔[德国]～1939-11-29，丹麦哥本哈根) 德国社会民主党政治家。他未经党或政府授权，便于1918年11月9日在帝国议会的阳台上宣布魏玛共和国成立，造成事实。他后来任共和国第一任总理。谢德曼原为新闻记者，1903年后为国民议会议员，他支持德国参加第一次世界大战。大战结束前担任最后一届帝国内阁的不管部部长。1918年11月至1919年2月参加临时共和政府6人执政会议。谢德曼为魏玛共和国首任总理(1919-02～06)，因不满凡尔赛和约辞职。后任卡塞尔市市长(1920～1925)。他反对政府通融迁就军方和反动政党的一切企图。1922年他险遭暗杀。纳粹上台后(1933)移居国外。

Scheidt, Samuel 沙伊特(1587，萨克森哈雷[德国]～1654-03-30，哈雷) 管风琴家和作曲家。从斯韦林克学习，2人对巴罗克时期德国北部的管风琴风格有影响。1609年在哈雷的莫里斯教堂任管风琴乐师。约在1619年，成为勃兰登堡侯爵礼拜堂的管风琴乐师，后任唱诗班指挥。作为教师备受尊崇，作曲家A.克里格尔出自其门下。最早出版的作品包括一些宗教声乐曲，著名的有8声部的《圣诗集》(1620)和4卷《宗教协奏曲》(1631～1640，2至4声部加通奏低音)。《新记谱法》(共3辑，1624)的出版是管风琴音乐史上的大事，其中收有幻想曲、托卡塔，以及最重要的众赞歌旋律的变奏曲。他把众赞歌旋律加以音乐变奏以及把人声和乐器的不同组合运用在不同诗节的做法，是后来基督教信义宗以众赞歌为基础的康塔塔的先声。他的作品虽然受到斯韦林克影响，但仍显示出自己的精湛对位技巧。他在《记谱法集》(1650)中为100首圣歌和诗篇歌写了和声化的伴奏，为信义宗教堂中逐渐形成的会众歌唱的做法指引了方向。

Scheifelin, Hans Leonhard 沙伊夫林 参阅**Schäuffelein, Hans Leonhard**绍伊夫莱因。

Schein, Johann Hermann 沙因(1586-01-20，萨克森格林海因[德国]～1630-11-19，莱比锡) 德国作曲家，作有宗教音乐与世俗音乐。他和M.普雷托里乌斯、H.许茨同为最早将意大利巴罗克风格引入德国音乐的作曲家。父为教师和牧师。7岁丧父，全家遂从格林海因农村迁回德累斯顿旧居。13岁在德累斯顿宫廷圣堂唱诗班任男童女高音歌手，同时师从该堂乐长；学习聪敏。1603年入莱比锡大学学习，不久又被瑙姆堡附近的舒普福尔塔学校录取，学习音乐与人文科学，先后共4年。后重返莱比锡大学学法律和文科，为期亦4年。在整个学习过程中音乐才华毕露，1615年在魏玛任教堂乐长。翌年在莱比锡荣任圣托马斯教堂乐监这一备受敬重的职务(一个多世纪以后J. S.巴赫亦曾任此职)，在两个教堂指挥合唱音乐，并教拉丁文和音乐，每周14小时左右。此时，沙因作为一位世俗和宗教声乐作曲家声誉鹊起，和他的挚友许茨及熟人S.沙伊特同被誉为当时德国三大杰出作曲家。沙因的《奥格斯堡信纲圣咏》(1627)共收约200首配置和声的众赞歌，其中约80首旋律出自他的手笔。《锡安的排钟圣歌集》(1615)收有30首器乐经文歌，均为绚丽的威尼斯风格。在所作《新礼拜宗教协奏曲》(1618)和世俗音乐《田园风味》(1624)中亦可看到意大利风格的影响。《田园风味》中应用半音体系(采用和声外音或以和声外音为基础的和声)，是德国世俗音乐采用半音体系的早期范例。沙因创作的器乐曲为数不多，其中《音乐之宴》(1617)是一本出色的变奏组曲曲集，它的创作要比“变奏组曲”这一名词的提出早许多年。

Schelde River 斯海尔德河 又拼 Scheldt，法语作 Escaut(埃斯科河)。河流长 435 千米。源起法国北部，经比利时，于荷兰境内注入北海。该河与莱茵河下游及默兹河流经之处为全世界人口最稠密地区之一。有许多小运河及可通航的支流，是流域中农业发达的法兰德斯平原、比利时纺织业中心、法国北部的煤田及里尔-鲁贝-图尔宽工业区的重要水路。主要支流有河左(西)面的斯卡尔普河和利斯河、右面的登德尔和亚珀尔河。河口湾有诺德、南贝弗兰德和瓦尔赫伦三岛，原将河口分为东斯海尔德水道和西斯海尔德水道，但 1866 年东斯海尔德水道被一新筑大堤拦断，堤上铺设通往荷兰弗利辛恩的铁路。南贝弗兰德与瓦尔赫伦两岛的出口，亦被一堤坝拦断，唯一联系两水道的是南贝弗兰德岛口运河。西斯海尔德水道最浅处为 7 米，涨潮时可容吃水深达 10 米的海轮驶至安特卫普。其上游浚通为运河后，斯海尔德河在比利时境内通航约 200 千米，在法国境内通航约 63 千米。沿岸著名城市有法国的康布雷和瓦朗谢讷以及比利时的图尔奈、奥德纳尔德、根特和安特卫普。斯海尔德河上最繁忙处为安特卫普和根特之间的一段航道，沿岸有多处工业地区。康布雷的上游不通航，但圣康坦运河将该城与索姆-塞纳河水系连接起来。斯海尔德河还由蒙斯-孔代运河与桑布尔-默兹河水系相联。在根特，由根特-泰尔讷曾运河可直通西斯海尔德水道，根特-奥斯坦德小运河通北海。因斯海尔德河河口湾大部分由荷兰人控制，长期以来，佛兰芒人与荷兰人为使用该河作航运出海口而进行的争夺十分激烈。荷兰人欲削弱安特卫普的贸易而于 1648 年独占封闭河口湾之权。1863 年，比利时最终买得此权利并得到沿海各国的支持而宣布斯海尔德河通航自由。安特卫普后遂发展为国际大港口。

Scheler, Max 谢勒(1874-08-22，德国慕尼黑～1928-05-19，美因河畔法兰克福) 德国社会与伦理哲学家，以研究现象学的方法而知名。这是现象学的奠基人 E.胡塞尔所使用的一种哲学方法。谢勒早在 1901 年在耶拿大学任讲师时就受到胡塞尔观点的影响。1907～1910 年在慕尼黑任教授时，曾与胡塞尔的几个学生相识。1910 年返回柏林后在 1917 年前写成他的主要著作。1917 年进入德国外交部，先后任驻日内瓦和海牙外交官。1919 年任科隆大学哲学与社会学教授。1920 年成为和平主义者，并改宗天主教。1924 年左右转而对人与世界采取偏重于泛神论的观点。作为一个现象论者，他试图找出各种精神状态的本质以及它们同它们的对象的关系。他与胡塞尔不同之处在于他直截了当地承认对象是一个独立存在的实体。他的主要伦理学著作《伦理学的形式主义和物质价值伦理学》(1913～1916)严厉地批判了康德的形式主义伦理学，主张一种以人的目的和意图为基础的伦理学。他通过人的感情先验地把一切价值按等级排列，主要依据是 17 世纪法国哲学家帕斯卡的"次序"或"心的逻辑"。按照这种逻辑，道德行为是个人的 并产生于个人对价值的前理性选择或拒绝。唯一达到高水平道德的途径是一个人的"模范作用"。谢勒在后期开始确定人类的"超人类学的"地位，在所著《人在宇宙中的地位》(1928)及身后发表的若干手稿中他提出了近似浮夸的有关"存在"的论点：人—上帝—世界是在绝对时间内一种自我生成的宇宙(进化)过程。这个过程有两个"极"：精神和生活驱动力。精神本身是无能为力的，除非精神的诸概念能与生活因子(物质条件)一起"发挥作用"，以使这些概念得以付诸实现，才会发挥其能量。这一观点颇似美国实用主义，谢勒对实用主义终生感兴趣。神圣的精神亦需人类生活和历史的结合以促其成为现实。现实即存在于这两个极的"对抗"之中。对抗作为现实不仅是他的现象学的中心论点，也是其著作《知识社会学》(1924)的主要内容。

Schellendorf, Paul Bronsart von 舍伦多夫 参阅 **Bronsart von Schellendorf, Paul 布龙萨特·封·舍伦多夫**。

Schelling, Friedrich Wilhelm Joseph von 谢林(1775-01-27，符腾堡斯图加特附近莱昂贝格[德国]～1854-08-20，瑞士巴特拉加茨) 康德之后德国唯心主义运动的三巨人之一。费希特是伦理的主观唯心主义者，黑格尔是

供图：Bayerisches Nationalmuseum, Munich

辩证的绝对唯心主义者，谢林是美学的客观唯心主义者。他们的著作标志着德国古典哲学的顶峰。谢林 15 岁入蒂宾根的神学院，19 岁写出第一部哲学著作《论哲学的可能性及形式》(1795)，寄给费希特，颇受赞赏。紧接着又出版《论自我是哲学的根本》。这两部著作的基本主题是绝对。绝对不能定义为上帝，每个人都是绝对，即绝对自我。这种自我是永恒的，可用理智的直觉加以领会。1795～1797 年在莱比锡任家庭教师，此时他的思想上起了一个决定性的转折。认为自己原来敬为哲学楷模的费希特在其哲学体系中没有对自然给予充分注意，而他则要表明自然对于精神具有能动作用。这种自然哲学是他的第一个独立的哲学成就，使他在浪漫主义者中闻名，并得到著名作家歌德的赞赏。1798 年任耶拿大学教授。通过讲课和著书发展了他的自然哲学，先后发表《对自然哲学的看法》(1797)、《论世界灵魂，为解释一般有机体的一种高级物理学假说》(1798)、《先验唯心论体系》(1800)、《对我的哲学体系的说明》(1801)。由于观点不同，与费希特互相激烈攻击。在维尔茨堡和慕尼黑的讲课中，继续讲授他在耶拿时的观点，认为在一切存在中，绝对本身直接表现为主观和客观的统一。黑格尔正是在这一点上开始了对他的批判。黑格尔在《精神现象学》(1807)中，不指名地指责了谢林的体系。他认为谢林将绝对定义为主观和客观不加区别的统一，这种绝对相当于黑夜，"在黑夜里所有的牛都是黑的"。这一批判对谢林是一个沉重的打击。黑格尔哲学当时被公认为权威的体系，因此，谢林从社会生活中隐退。

1806 年任慕尼黑造型艺术学院秘书长。在慕尼黑时期，试图以新的方式加强他的哲学。在《论人类的自由》(1809)中，他认为人的真正自由，只能是既有行善的自由，也有作恶的自由。这种自由的可能性有两个基础：一个是表现物质欲望和冲动的污浊的原始基础；另一个是清明理智基础，作为一种构成力量发挥控制作用。当非理性的冲动控制了理智时，人就从美德堕落为邪恶。该书明显地运用了基督教教义，其中的见解奠定了他晚期哲学的基础。根据未发表的著作草稿《时代》(1811)以及晚期演讲的手稿，主要是 1841 年在柏林大学作的《论神话和启示中的哲学》演讲，可以看到他背离了唯心主义思想而转向原始的基督教真理。在探索德国唯心主义哲学的发展时，可以看到谢林在早期和中期所形成的自然哲学和同一性哲学居于以自我为出发点的费希特唯心主义和黑格尔的绝对精神体系之间。他在晚年时成为批判性地阐明黑格尔哲学的第一个思想家。他认为人不仅被理性所决定，也被污浊的自然冲动所决定。这一见解现在被评价为理解人的现实的一种积极的尝试，超过了黑格尔所达到的水平。

Schelling, Thomas C. 谢林(1921-04-14，美国加利福利亚奥克兰～) 全名 Thomas Crombie Schelling。美国经济学家。2005 年因将博弈论运用于对手必须不断相互影响的案例，特别是在国际贸易、条约和冲突中，而与 R.J.奥曼共获诺贝尔经济学奖。两人因为"通过博弈论分析改进了我们对冲突和合作的理解"而受到嘉奖。谢林于 1951 年获得哈佛大学博士学位，然后开始在联邦政府的各个机构和项目工作，包括美国预算局、马歇尔计划和总统办事机构。1953～1958 年在耶鲁大学教授经济学，1958～1990 年在哈佛大学任教，后一直在马里兰大学任教。也曾是兰德公司的高级职员(1958～1959)。他对美苏的核军备竞赛进行了分析，出版了《冲突战略》(1960)一书。该书将博弈论称为社会科学的数学方法。他的理论是：一个国家防御核战争的最好方式就是保护自己的武器，而不是保护人民。在《武器与影响力》(1966)一书中提出了有限报复的理论。1965 年美国在滚雷行动中就运用了其理论。在哈佛期间，他将博弈论运用于国际贸易谈判中，出版了他最具影响力的两本书《微观动机和宏观行为》(1978)和《选择与结果》(1984)。1991 年当选美国经济学会主席。在他所作的主席演说《全球变暖的经济学》(1992)中，赞成征收碳排放税。2002 年再次提到这个主题，赞成 G.W.布什总统对《京都

议定书》的反对意见。

schemochrome 构形色 生物体内以光反射方式作为颜色来源的无色的亚显微结构，有多种。有机体内能把光分成为其组分颜色的物理结构有：脊、条纹、小面、连续的层以及多数随机散布的微小光散射体。

Schendel, Arthur(-François-Émile) van 斯亨德尔(1874-03-05，爪哇巴达维亚～1946-09-11，阿姆斯特丹) 荷兰小说家，他把浪漫主义气质与几乎是古典的风格结合到一起，

供图：Iconographisch Bureau

写出他那个时代的几部伟大作品。最初两部长篇小说《恋爱中的流浪汉》(1904)和《迷途中的流浪汉》(1907)，虽然以中世纪的意大利为背景，但是历史的情节服从于主人公塔马罗尼的内心生活和想象。他的所有后期作品也都是以命运和人终不免受命运处置为主题，但手法则越来越转入写实主义，如《约翰娜·玛丽亚号》(1930)和《一出荷兰剧》(1935)。晚年作品中以《世界是一个舞会》(1938)和《灰色鸟》(1937)最为有名。

Schenectady 斯克内克塔迪 美国纽约州中东部城市，斯克内克塔迪县县城(1809)。濒临莫霍克河和巴尔杰运河。与奥尔巴尼和特洛伊一道组成工业城市联合体。1661年建

斯克内克塔迪市协和学院的操场和图书馆

供图：Milt and Joan Mann from CameraMann

为荷兰移民居住地。18世纪初涌入大量英国移民，该地得以发展成为哈得孙河上运输终点。1765年设为自治镇；1798年设市。1825年伊利运河开成后，繁盛的转运业务衰落下来。1831年莫霍克—哈得孙铁路通车和1848年建立机车厂，该市经济得以复兴。1886年爱迪生机械厂由纽约市迁至该市。1892年由若干企业合并组建的通用电气公司及其总部设于该市。后又建立了制造广泛系列的电器设备工厂、一些试验室及核研究中心。也生产体育用品、电线和电缆设备、化工产品。协和学院和大学(1795)校园内有杰克逊植物园(40公顷)。斯克内克塔迪县社区学院开办于1968年。该市商业区内仍保存有殖民地时期的旧貌。人口：市65 566；奥尔巴尼-斯克内克塔迪-特洛伊都会统计区874 304(1990)。

Schenfelein, Hans Leonhard 申夫莱因 参阅 **Schäuffelein, Hans Leonhard** 绍伊夫莱因。

Schenk, Ard 申克(1944-09-16，荷兰安娜-保洛娜～) 荷兰速度滑冰运动员，在1972年冬季奥运会上获1 500米、5 000米和10 000米速滑3块金牌，是第一个在世界锦标赛上获得500米、1 500米、5 000米和10 000米速滑世界冠军的人。他是前国家滑冰教练之子，于1964年开始参加国际比赛。1966年首次在欧洲锦标赛中获胜，先后获1 500米(1967、1970～1972)、5 000米和10 000米(1971～1972)世界冠军。自1973年起为职业运动员，多次在欧洲和世界锦标赛上夺魁。

Schenk von Stauffenberg, Claus, Graf von (count of) **申克·冯·施陶芬贝格** 参阅 **Stauffenberg, Claus, Graf (Schenk) von** 施陶芬贝格。

Schenker, Heinrich 申克尔(1868-06-19，俄国维斯尼奥锡吉～1935-01-14，维也纳) 奥地利音乐理论家。由于对18、19世纪音乐作品中的结构层次有深入理解，对旋律及和声的结构和形式规律提出了新的认识。他在世时并不为人所知，只在奥地利当私人教师。他跟A.布鲁克纳学作曲。在致力于探索音乐的构成和一致性的基本原则之前，曾是一位伴奏者。他将18、19世纪的作品视为完美无瑕的音乐作品典范，以调性和声大师的作品(约1650～1900流行)为根据进行分析。在这方面，他编纂了巴赫和韩德尔的作品，以及贝多芬的钢琴奏鸣曲。他的理论著作包括论述某些特定作品的文章，其中有《贝多芬的第九交响曲》(1912)和著名的《新音乐理论和幻想》(分3部分，1906～1935)。他在《音乐中的杰作》一书中阐述了他最重要的理论：伟大的音乐作品都源于一个单一的乐思，它们的一些对比主题仅仅代表这个单一基本思想的一个不同侧面。他的假设对20世纪的音乐理论家产生了很大影响。

Schenoudi (Coptic abbot) 参阅 **Shenute** 谢努特。

Scherchen, Hermann 谢尔欣(1891-06-21，德国柏林～1966-06-12，意大利佛罗伦萨) 德国指挥家和20世纪音乐的捍卫者，对当代许多作曲家影响巨大。音乐上靠自学成材。早年演奏中提琴，曾随奥地利作曲家勋伯格巡回演出。1918年在柏林创立新音乐协会。1920～1921年任音乐杂志《旋律》编辑。1933年从德国逃亡至布鲁塞尔，任《音乐生活》杂志编辑。第二次世界大战期间及战后，曾在西班牙、法国及欧洲其他城市担任指挥。1964年在美国指挥费城交响乐团作首次演出。他与先锋派作曲家合作，通过录音制品和现场演出来介绍他们的作品。他指挥维也纳、伦敦、巴黎的管弦乐团灌制唱片与音带。特别重视巴罗克时期的大师们及贝多芬的作

供图：BBC Hulton Picture Library

品。作为勋伯格及其乐派与年轻一代作曲家之间的一个重要纽带，他对L.诺诺以及20世纪中叶其他杰出作曲家(特别是在意大利)的事业卓有影响。谢尔欣著有《指挥手册》(1929)、《音乐的本质》(1946)与《大众音乐》(1950)等。

Scherrer, Paul 谢乐(1890-02-03，瑞士圣加伦～1969-09-25，苏黎世) 瑞士物理学家，与P.德拜合作发展了X射线衍射分析法。德拜-谢乐法广泛用于鉴定不易形成完整大晶体的物质。他的一生大部分时间生活在苏黎世。1916～1960年任苏黎世大学物理学教授和物理学研究所所长(1920～1960)。谢乐因对固体物理学、量子物理学和核物理学的贡献而于1946年被任命为瑞士原子能委员会主席。

scherzo 诙谐曲 音乐术语，往往是交响曲、奏鸣曲或弦乐四重奏的第3乐章。在巴罗克时期，它也指一种轻快的声乐或器乐曲。在19世纪则为一种独立的管弦乐曲。在19世纪的交响曲、奏鸣曲和弦乐四重奏中，诙谐曲取代了18世纪的小步舞曲。小步舞曲原是贵族的舞蹈音乐，比较庄重，而快速的3/4拍子的诙谐曲则和它不一样，在力度和配器中都充满着使人意想不到的变化。小步舞曲和诙谐曲都包含一个对比性的乐段，称为三声中部，其后又按ABA的格式而回复到小步舞曲或诙谐曲。到19世纪时，诙谐曲不一定必然用于大型作品，但它仍然总是一首快速进行的乐曲。门德尔松《仲夏夜之梦》中的诙谐曲就具有明亮的配器效果和令人振奋的快速节奏；而在肖邦的4首钢琴诙谐曲中，戏剧性的、略带阴沉的情绪与比较抒情的三声中部交替出现。后来的一个浪漫主义的范例是杜卡的《魔法师的弟子》，这是一首“以歌德谣曲为依据的诙谐曲”。

Scheveningen 斯海弗宁恩 荷兰西部南荷兰省海滨胜地及渔港。位于北海海岸。14世纪以来渔业发展。海滨沙滩广阔。1818年建立首家浴场后，一直是全国最受欢迎的海滨胜地。港口最近扩建，有货物和集装箱装卸站。工业有鱼类冷冻厂和罐头食品厂。著

斯海弗宁恩码头夜景

供图:J. Allan Cash—美国不列颠百科全书公司

名场所有穹顶的赌场(1887)和欧洲主要的水产拍卖厅。该地在行政上隶属海牙。

Schiaparelli, Elsa　斯基亚帕雷利(1890-09-10,意大利罗马～1973-11-13,法国巴黎)　意大利出生的法国女装设计师,她采用零配件和鲜明的色彩使女装款式显得富有生气达

斯基亚帕雷利1953年设计的"短大衣"

供图:AP/Wide World Photos—美国不列颠百科全书公司

40年。1932年她倡始用垫肩;40年代设计了裘皮衬里的夹克和缀有人造钻石的女内衣;50年代她推广了鲜艳的红色、金黄色和黄绿色的"短大衣"。她曾在美国当过电影剧本作家和一家进口公司的翻译。20年代后期,定居巴黎,从事自由写作和雕塑,不久便自己开设了第一个小的女时装店。到1935年,她已成为高级时装的首领,并迅速扩大经营首饰、香水、化妆品、女内衣和泳装。她的设计以把新颖和朴实、简洁和鲜艳的色彩相结合而著称。1947年,她使用的新颜色"艳粉"在时装界引起轰动。她的"冰蓝"色也很流行,她的用各种新奇色彩染的皮毛亦盛行一时。1949年在纽约市设分店,大批生产她设计的套装、连衣裙和西服上衣。她同设计师迪奥尔一起,推动了巴黎时装在全世界的销售。

Schiaparelli, Giovanni Virginio　斯基帕雷利(1835-03-14,意大利萨维利亚诺～1910-07-04,米兰)　又译斯基亚帕雷利。意大利天文学家、参议员,他所提出的关于火星上有线状结构的报告曾引起人们纷纷争论火星上是否有生物。1854年他前往柏林,向J.F.恩克学习天文学,两年后任俄国普尔科沃天文台助理观测员,1860年辞职,后又到意大利米兰的布雷拉天文台担任同样的职务,1862年任该台台长,1900年退休。他于1861年发现小行星赫斯佩里亚。5年后,他发现流星群与某些彗星具有相似的轨道,并断定流星群是彗星的残骸。通过计算,他认为英仙座流星群是1862年第3号彗星的残片,狮子座流星群是1866年第1号彗星的残片。他还从事双星观测并广泛研究过水星、金星和火星。斯基帕雷利把他在1877年所发现的火星上独特的结构称为canali,本是"线条"之意,有人把它误译为英文canals(运河),从而引起人们纷纷猜测这些运河是否为智慧动物所凿。他在观测水星和金星后断定,它们的自转周期与公转周期相等,即总以一侧对着太阳。这一观点曾普遍得到公认。直到20世纪60年代后期才用先进的雷达技术和空间探测手段发现并非如此。

Schickele, René　席克勒(1883-08-04,阿尔萨斯上埃恩海姆～1940-01-31,法国旺斯)　德国新闻记者、诗人、小说家和戏剧家,他在国际冲突中的个人体验使他的作品成为争取和平和理解的有力呼吁。他是一个活跃的驻外通讯员、编辑,又是《白叶》的出版者。他把这个杂志变为第一次世界大战期间欧洲反战情绪的最有效的喉舌。作为阿尔萨斯人,他对德法两国之间的冲突有切肤之痛。和平解决这些冲突,乃是他一生为之奋斗的目标。在德法之间忠诚未能专一,这一点在他的第一本诗集《驰人生活》(1905)和第一本小说《陌生人》(1907)的主题和风格里,已是清晰可辨。这一冲突有力地表现在剧本《汉斯在蚊子洞里》(1916),剧中的汉斯在战时必须在

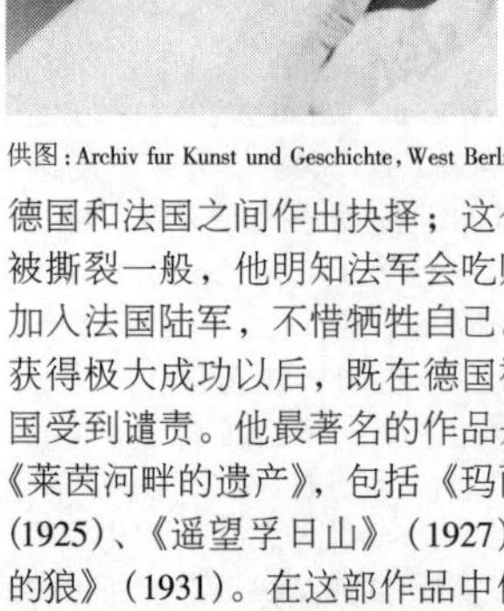

供图:Archiv fur Kunst und Geschichte, West Berlin

德国和法国之间作出抉择;这个主角的心像被撕裂一般,他明知法军会吃败仗,但还是加入法国陆军,不惜牺牲自己。这个剧本在获得极大成功以后,既在德国被禁,又在法国受到谴责。他最著名的作品是小说三部曲《莱茵河畔的遗产》,包括《玛丽亚·卡波尼》(1925)、《遥望孚日山》(1927)和《羊圈中的狼》(1931)。在这部作品中作者暗示,创建超民族的欧洲文化的理想地区是黑林山和孚日山之间的区域,因德、法文化在此相遇并融合。1933年席克勒逃出德国成为法国公民。

Schiedam　斯希丹　荷兰西部南荷兰省城市和河港。位于鹿特丹西面斯希和新马斯两河汇合处。1273年建市。中世纪时水产与谷物贸易发达,后为鹿特丹取代。古迹有15世纪圣约翰教堂、17世纪市政厅、交易所(1792)和马泰内瑟古堡(1260)废墟。现以酿酒业著称,还有造船、铸铁、机械制造、玻璃、化工等工业。人口约71 280(1983)。

Schiele, Egon　希勒(1890-06-12,维也纳附近图尔恩～1918-10-31,维也纳)　奥地利表现主义画家、描图家和版画家。以色情的人体绘画知名。在维也纳美术学院学习时(1908～1909)受先锋派和德国新艺术思潮的强烈影响。后结识维也纳分离派领导人G.克里木特,在线条和构图上得益于克里木特优雅的装饰手法。但希勒强调超越装饰的表现,用激动紧张的线条加强感情的力量。一开始就把感情集中在人体上,炽热的、不安的色情题材的处理曾引起轰动;1909年在维也纳帮助建立新艺术派。1911年到欧洲各国展览。1918年的维也纳分离派展览专门为他开辟了一间展室。其重要作品包括《给自己算命的人》(1911)、《枢机主教和修女》(1912)和《拥抱》(1917)。

Schiess, Betty Bone　席斯(1923-04-02,美国俄亥俄辛辛那提～　　)　婚前名Betty Bone。美国圣公会牧师。辛辛那提大学学士(1945),锡拉丘兹(纽约)大学硕士(1947)。与W.A.席斯结婚后当过20年贤妻良母。20世纪60年代受女权运动、民权运动和反战运动的影响,开始在圣公会内致力于清除性别歧视的运动。1972年罗切斯特神学研究中心授予其神学硕士学位。然而当她要求授予神职时却因为性别被拒绝。1974年由一个退休主教团授予神职。其后,教会法庭对她的起诉和她对圣公会的控诉显示出教会内对女性根深蒂固的偏见。1977年圣公会教会投票通过允许女性担任神职。先后担任锡拉丘兹大学和康奈尔大学的牧师,以及纽约生命与法律专门调查委员会委员。1994年入选全国妇女名人堂。

Schiff, Dorothy　希夫(1903-03-11,美国纽约州纽约～1989-08-30,纽约)　美国报纸出版商。曾在宾夕法尼亚学院(1920～1921)求学,并过了几年富有的社会名流生活。20世纪30年代开始对社会服务和改革产生兴趣。曾在亨利街文教馆理事会、西奈山医院和纽约的女子工会联合会任职,并参与了其他几个福利组织的工作。她还放弃了由于家庭关系继承的共和党人身份,成为一个活跃的民主党人和主张新政者。1939年用家族财产购买了美国连续出版时间最长的报纸《纽约邮报》(1801年由A.汉弥尔顿创刊)的大部分股权,成为董事、副总裁和财务官,正式任命她的第二任丈夫G.巴克尔为业主和总裁。1942年巴克尔因病退休,她成为报社业主(纽

约的第一位女性报社业主)和总裁,1943年与巴克尔离异。后嫁给了T.萨克雷。在她的领导下,该报成为鼓吹自由的报纸,坚定支持工会与社会福利立法。她将《纽约邮报》改成小报式的编排,包括大众报道与专栏。结果在20世纪60年代该报成为当地唯一保留下来的午后日报。1962年成为该报总编辑。1976年她将该报售与澳大利亚出版商R.默多克。1976～1981年为该报的顾问。

Schiff, Jacob H(enry)　希夫(1847-01-10,美因河畔法兰克福～1920-09-25,纽约市)　美国金融家和慈善家。在德国出生和受教育,1865年迁至美国,定居纽约。1870年成为美国公民。1875年同当时库恩-洛布公司的首脑S.洛布的女儿结婚,不久进入该公司。1885年洛布去世,希夫负责管理整个公司。他成为美国最主要的铁路银行家之一。1897年希夫给铁路大王E.H.哈里曼以财政支持,使其购得破产的联合太平洋铁路公司的控制股权。他在19世纪末、20世纪初几条横贯大陆铁路的改组中,起过关键性作用。晚年为慈善和教育事业提供数以百万美元计的捐款。

Schiff, Moritz　希夫(1823-01-28,美因河畔法兰克福～1896-10-06,日内瓦)　德国生理学家。1844年获格丁根大学医学博士学位,曾在巴黎师从F.马让迪。1846年任法兰克福动物学博物馆鸟类馆馆长。1848年起义时他为革命者提供医疗服务,从而失去在格丁根大学任职的机会。1854年后在伯尔尼大学、佛罗伦萨高级研究所(1863～1876)、日内瓦大学(1876～1896)等地任教授。1856年在伯尔尼大学用实验证明狗和豚鼠切除甲状腺后会死亡;1884年又证明移植甲状腺或注射甲状腺提取物可消除去甲状腺动物的症状。甲状腺提取物治疗突眼症及黏液水肿即以其研究为根据。他又首次注意到大脑皮质能促进血液循环;并最早研究了切除小脑和部分脊髓后所引起的生理效应;认识到迷走神经对调节心脏功能的作用(虽然他认为迷走神经的作用是运动性而非抑制性的);发现胆汁中的胆盐或胆酸排入小肠后还能被再吸收入血液并回到肝脏(希夫氏胆汁循环)。主要著作为《生理学论文集》(4卷,1894～1896)。

Schikaneder, Emanuel　希卡内德　(1751-09-01,巴伐利亚施特劳宾～1812-09-21,维也纳)　德国著名演员、歌唱家、剧作家兼剧院经理。现在主要以他曾为莫扎特歌剧《魔笛》作词而受到怀念。22岁时写了第一出小歌剧并在其中饰主角。5年后成为他自己组建的剧团的经理。该团定期轮演的剧目包括莱辛、歌德和卡尔德隆的剧作。他在莎士比亚剧作中所饰角色更是有口皆碑,尤以哈姆雷特为最。1784年剧团受到奥皇约瑟夫二世的垂青,随后便在维也纳驻足。在维也纳,他的注意力转向歌剧。歌剧《魔笛》(莫扎特作曲,他作词)1791年举行首演时,他亲自饰巴巴奇诺一角,他那富有表现力的男中音歌喉使其名望达到顶峰。他的演出逐渐变得奢侈豪华,因而1801年在专门为他兴建的维也纳剧院举行揭幕演出时,所付费用几乎使他破产。

Schildkraut, Joseph　施尔克劳特(1895-03-22,维也纳～1964-01-21,纽约市)　奥地利出生的美国舞台剧、电视剧和电影的演员。1910年其父首次赴美巡回演出时随同前往,1912～1913年在美国戏剧艺术学院学习。1913年在柏林首次登台,演出赖恩哈特执导的戏剧。1917～1920年在维也纳演出,1920年移居纽约市。在美国舞台上演过的剧作有《李利奥姆》(1921,与勒加利恩合作)和《彼尔·英特》(1923)等,其舞台演出一直继续到20世纪50年代。拍摄过50多部电影,其中有《万王之王》(1927,与其父合拍)、《戴铁面具的人》(1939)、《骗子们》(1945)和《一个从未讲过的最伟大的故事》(1965)等。他饰演的最佳角色是《埃米尔·左拉一生》(1937)中的德雷福斯(获奥斯卡奖)以及《安娜·弗兰克日记》(舞台剧,1955;影片,1959)中的弗兰克。自传《父亲与我》于1959年出版。

Schiller,(Johann Christoph) Friedrich von 席勒(1759-11-10,符腾堡马尔巴赫～1805-05-09,萨克森-魏玛公国魏玛)　德国最伟大的戏剧家、诗人和文学理论家之一。席勒是

柏林国家博物馆供图

个军官家庭的第二个孩子。他13岁时,父亲奉专制的符腾堡公爵之命,勉强把席勒送入军事学校(即卡尔学校)学习。公爵决定让他学法律,后来才同意他学医。席勒在军事学校忍受可憎的约束达8年之久,完全与家庭和外界隔绝。毕业后在斯图加特任某团的助理军医,地位低下、薪俸微薄。在这小国暴君统治下度过的青年时代,使席勒看到运用和滥用权力的问题。这个主题贯穿他的大部分剧作。他的愤怒特别表现在他的第一个剧本《强盗》里。该剧1782年1月13日在曼海姆国家剧院初次公演,轰动一时,成为德国戏剧史上的一个里程碑。它对令人窒息的俗套和高官显宦的腐化作了震撼人心的抗议。席勒未经公爵的批准,私自前去参加首演,被公爵判处14天禁闭,禁止再写剧本。席勒决定夤夜出逃,离开斯图加特前往曼海姆时,随身带着一部新作的手稿《斐爱斯柯在热那亚的谋叛》,写16世纪一个想成为独裁者的人的发迹和没落、野心和失败。新剧未为曼海姆剧院经理接受。席勒过着逃亡者衣食无着的困苦日子,直到他寄寓在同学的母亲沃尔措根夫人的家里。于是,席勒创作他的第三个悲剧《阴谋与爱情》(1784),并动手写《唐·卡洛斯》。从斯图加特出走6个月后,席勒终于得任曼海姆剧院的专职剧作家。《阴谋与爱情》写一个贵族青年热爱一个出身卑微的少女。此剧表现出了席勒对戏剧的天生悟性。人类基本感情对旧势力所设置层层障碍的叛逆,是此剧主题的号召力所在;加上社会批判的逼人气势和对话及人物的鲜明生动,使此剧的演出获得巨大成功。但席勒未能偿清债务,生活仍无保障。一年合同到期,席勒又一次需要朋友的帮助以摆脱经济困境和感情危机,后者是由他对卡尔普夫人的无望的爱恋造成的。他迁往莱比锡。C. G.克尔纳成为他的莫逆之交,资助他在萨克森居住两年。两年将尽时,席勒的第一部诗剧《唐·卡洛斯》(1787)出版,标志着剧作家席勒发展过程中的一个转折点。该剧写西班牙宫廷中的一件家庭风波:王子卡洛斯爱上了继母,国王菲力普和儿子发生冲突。但父子间的冲突并不停留在家庭戏剧层面上,而有着广泛复杂的政治背景。从家庭到政治领域的视点转移,使剧本篇幅变得冗长,情节过于曲折。但这些缺点得到了弥补:剧中有大量扣人心弦的场景和性格各异的人物,其中以性格复杂、成天苦思盘算的悲剧人物国王最令人难忘。此剧第一次让人听到席勒的无韵诗所特有的铿锵音调。过去德国剧作家虽曾用过无韵诗体,但直到席勒的《唐·卡洛斯》和歌德的《伊菲格涅亚在陶里斯》(1787)才一起使其被公认为德国诗剧的诗体。

在情趣相投的新朋友的圈子里,席勒体验到一种满意、欢乐、信任的感情,这表现在他的《欢乐颂》里。贝多芬用这首颂歌作为他的《第九交响乐》的合唱曲。1787年7月席勒前往魏玛,歌德第二年才回来。1794年后两人之间建立的友谊,成为德国文学史上动人的一章。歌德起先对席勒颇为冷淡,后来还是推荐他任耶拿大学历史学教授。作为自己才学的证明,席勒先已呈交《尼德兰独立史》(1788)。他的《三十年战争史》(1791～1793)进一步提高了他作为历史学家的威望。这部历史也为他最伟大的剧作《华伦斯坦》(1800发表)提供了素材。

1790年席勒和夏洛特结婚,婚后第二年席勒的健康状况彻底崩溃。由于长期操劳过度,他的胸部和消化系统的疾病并发,难以治疗。这时两位丹麦贵族赠给他优厚的年金三年让他养病。席勒决定用部分时间研究康德的哲学。但不久便感到要提出自己的哲学见解的强烈愿望。钻研康德使席勒在1793～1801年间写出一系列论文,力图阐明审美活动的实质、社会功能以及与道德体验的关系:《论优美与庄严》、《论崇高》以及论诗歌创作两种类型的《论朴素与感伤的诗》。最后一文以及《论人的审美教育书简》均首次发表在刊物《季节女神》上。

1793～1801年间席勒创作了一些精美的"哲理诗":《理想与人生》、《散步》、《歌唱的力量》,包含了席勒哲学和批判思想的精髓。1797年写的一些叙事诗(包括《手套》、《潜水者》、《伊比库斯的鹤》)属于他最受读者欢迎的作品之列。在《华伦斯坦》三部曲里,席勒

达到了他剧作家创作力的高峰。三十年战争中神圣罗马帝国的统帅华伦斯坦心中盘算着叛国与敌人会师,成为帝国主宰。这一刻画乃是对权力的诱惑及其所包含的危险的深刻研究。接着他又创作另外四部剧:《玛丽亚·斯图亚特》(1800 首演)、《奥尔良的姑娘》(1801)、《墨西拿的新娘》(1803)和《威廉·退尔》(1804)。四剧各有千秋,都很出色。《玛丽亚·斯图亚特》尤胜一筹。席勒逝于魏玛,那时他正用俄国题材写一出新剧《德梅特里乌斯》,从留下来的片断来看,它可能成为一部杰作。

席勒的早期悲剧抨击政治压迫和社会习尚的专制。后来的剧本着重写心灵的精神自由,它使人能超越肉体的脆弱和物质条件的重压。他的哲理诗和论文说明,艺术会怎样帮助人们获得内心的和谐并通过各个公民的"审美教育"会出现一种更美好、更人道的社会制度。他的全部作品的显著特征之一是它的现代性,是它对 20 世纪的令人惊讶的现实意义。

Schiltberger, Johann　希尔特贝格(1380,巴伐利亚洛霍夫附近~约 1440)　德意志贵族。所著《旅行记》描述了他所游历的地区(现主要在外高加索地区及俄罗斯境内),是关于中世纪时期的重要记载。年轻时曾参加匈牙利国王西吉斯蒙德讨伐土耳其的东征,于 1396 年 9 月 28 日在尼科波利斯(今保加利亚的尼科波尔)的一次决战中被俘,成为奴隶,因此得以看到小亚细亚和埃及。当土耳其于 1402 年 7 月 20 日在安卡拉被打败后,他为蒙古可汗帖木儿所获,并受到优待,因此得以熟悉撒马尔罕,观察了亚美尼亚、格鲁吉亚、西伯利亚、伏尔加河中游和俄罗斯东南部。后来逃出半奴役的处境,取道君士坦丁堡,经过喀尔巴阡山以北的欧洲东、中部,回到巴伐利亚(1427)。《旅行记》是最早的德意志地理著作之一,约 1460 年出版;英文版于 1879 年问世。

Schimmelpenninck, Rutger Jan　希默尔彭宁克(1761-10-31,荷兰代芬特尔~1825-02-15,阿姆斯特丹)　荷兰政治家、爱国者党领袖。1805 ~ 1806 年在拿破仑一世的政权下统治巴达维亚联邦,实行了彻底的财政与教育改革。1784 年起在阿姆斯特丹当律师,1794 年在爱国者党革命委员会中积极活动。1795 年 1 月推翻共和国执政奥兰治亲王威廉五世时,他已是革命委员会主席。1796 年任市政府主席,巴达维亚共和国第一届和第二届国民议会代表。1798 ~ 1802 年任驻法大使,他在法国赢得拿破仑的信任。此后任驻英国大使。1803 年再次任驻法国大使。1805 年,当拿破仑把巴达维亚共和国改为巴达维亚联邦时,任命他为政府首脑。他努力改革税收制度和教育制度。1806 年拿破仑改联邦为荷兰王国,他便离开政府退隐。1811 年拿破仑封他为法兰西帝国男爵,任命他为法国参议员。1813 年回国,1815 ~ 1821 年为荷兰议会第一院(参议院)议员。

Schimper, Andreas Franz Wilhelm　席姆佩尔(1856-05-12,法国斯特拉斯堡~1901-09-09,瑞士巴塞尔)　德国植物学家,最早成功地把大陆划分为若干植物区的科学家之一。1878 年在施特拉斯堡大学获博士学位,1880 ~1881年在巴尔的摩的约翰斯·霍普金斯大学任职,后回欧洲在波恩大学任职至 1898 年。1898 ~ 1901 年任巴塞尔大学教授。他广泛游历了巴西、爪哇、东非和加那利群岛,考察了那里的热带植物。他和其他植物学家的考察成果于 1898 年发表在《以生理学为基础的植物-地理学》一书中。该书从气候学和生理学方面对世界植被进行研究。第 1 部分讨论了影响植物生命的因素,第 2 部分提出了世界植被的分类法,第 3 部分对世界植被作了系统阐述。它还描述了植物向新地区传播的途径以及植物分布区域的意想不到的稳定性。1880 年他证实淀粉既是光合作用的产物又是植物储存能量的来源。1881 年证明淀粉在植物细胞的特定部位形成;1883 年他把这些实体命名为叶绿体。同年还证明新的叶绿体只能从已存的叶绿体分裂产生。

供图:Archiv fur Kunst urd Geschichte, Berlin

Schindewolf, Otto Heinrich　申德沃尔夫(1896-06-07,德国汉诺威~ 1971-06-10,蒂宾根)　德国古生物学家,以对珊瑚和头足类的研究而著名。1919 ~ 1927 年在马尔堡大学任教,1927 年任柏林地质调查所所长,1948 年起任蒂宾根大学教授,1964 年以荣誉教授衔退休。他对无脊椎动物化石的研究,使他提出这样一个问题,即现代的进化理论(这种理论包括研究群体遗传如何可以引起一定物种内的变化)是否总是能够应用于各种类型的起源。他特别怀疑这种理论是否能够解释等级较高的分类范畴如科、目和纲的起源。他在研究从连续的地层中采得的不同种的珊瑚和菊石的化石后,得出的结论是:最新近的一些分类范畴,不可能是通过一般认为代表进化特征的一些缓慢的、中间阶段产生的,而是通过个别的大转变产生的。例如,他要人们注意菊石,其中被菊石活体接连占据的腔室既保存着菊石发育的细节,又保存着菊石进化的细节。他认为造成这些构造特征的遗传上的变化是在一个世代中发生的,而且是在胚胎的早期阶段上发生的;在以后的几个世代里,这种构造将通过个体的越来越晚的阶段保存下来,直到最后,甚至到成熟阶段也牢固地建立了。尽管他的观点未被许多生物学家特别是种群遗传学家所接受,但他毕竟引起了对进化的基本问题的注意。著有《古生物学基本问题》(1950)、《古生物年代学基础和方法》(1950 第 3 版)以及《对菊石系统发生史的研究》(1961 ~ 1968)。

Schiner, Matthäus　希内尔(约1465,瑞士米勒巴赫~ 1522-10-01,罗马)　瑞士天主教教士、教廷外交家。1499 年任锡永主教,不久显示外交才能。参与缔结 1503 年的阿罗纳条约,从而使贝林佐纳以及布莱尼奥谷地归属乌里、施维茨、下瓦尔登各州,又为教皇尤里乌斯二世争取到瑞士雇佣军的支援以对抗法兰西国王路易十二。1511 年立为枢机主教,不久奉派执掌诺瓦拉主教区事务。1513 年斯福尔扎继承米兰公爵之位,主要是靠希内尔的活动;教皇利奥十世的登位也得力于他。1515 年法兰西新国王弗兰西斯一世经过马里尼亚诺一役战胜瑞士,其后希内尔进行许多努力,意在联合教廷、哈布斯堡帝国、英格兰而结成同盟。1519 年西班牙国王查理一世当选为神圣罗马帝国皇帝(称查理五世),也是由于有希内尔的支持。他后来成为查理五世的心腹,1521 年使查理五世宣布宗教改革家路德为非法。1521 年任神圣罗马帝国皇帝驻瑞士联邦代表,再一次使皇帝和教皇获得瑞士雇佣军。

Schinkel, Karl Friedrich　申克尔(1781-03-13,勃兰登堡~ 1841-10-09,柏林)　德国建筑师、画家,以其在诸多相关艺术领域中的古典浪漫主义创作,成为当时德国的美学鉴赏权威。1798 ~ 1800 年随建筑师 F. 吉利学习,1800 ~ 1802 年求学于柏林建筑学院。随后去意大利多年,1805 年经巴黎返回柏林,成为一名画家。1809 年为王后路易丝设计家具,他用浅色梨木创造了一种朴实淡雅的家具形式,与周围的古典气氛相得益彰。1815 年任普鲁士国家建筑师,他以各种历史上的建筑风格为依据,为国王威廉三世及其他王族设计了大量作品,如希腊复古式的柏林皇家剧院(1818)和柏林古代博物馆(1822 ~ 1830),仿哥特式的王后陵墓(1810)和以砖和赤陶建成的柏林韦尔德教堂(1821 ~ 1830)。1824 年重新游历意大利,1826 年访问苏格兰及英格兰。1830 年任普鲁士公共建筑总监。曾为王储威廉和奥古斯特亲王装饰寝宫。作为城市规划师,他设计了柏林的林荫道和广场。他的舞台设计和铁件设计也为人称道。他为歌德的戏剧所作的布景,使整个舞台沐浴在图画般的幻境之中。

Schio　斯基奥　意大利北部威尼托区维琴察省城镇。在维琴察市西北面,濒临莱奥格拉河。为制造业中心。有毛纺、机器制造、木材加工和刃具制造业。附近有铅矿和瓷土矿。历史遗迹有圣彼得罗教堂(部分 16 世纪)和圣方济各教堂(1442)。城镇附近有一第一次世界大战的墓场和纪念地。人口:城市区约 35 596(1981)。

schipperke　小船工狗　比利时的狗品种。数世纪前在佛兰德育成,多年用于守卫驳船。祖先为一种黑色牧羊狗(也是比利时牧羊狗的祖先)。体短而壮,无尾,被毛厚而黑,头形似狐。体高30.5~33厘米,体重达8千克。

小船工狗

供图:Sally Anne Thompson—美国不列颠百科全书公司

性格活泼好奇。耐劳而精力充沛。善猎害兽和守卫。

Schirach, Baldur von 希拉赫(1907-05-09,柏林~1974 08 08,西德克勒夫) 纳粹政客,纳粹青年运动首领。其父是剧院导演,其母为美国人。就读于慕尼黑大学。1925年加入国社党,1932年当选国会议员。1933年6月18日被任命为德国全国青年领袖,指导所有的纳粹青年组织,包括希特勒青年团在内,担任这一职务直至1945年。1940年8月还兼任维也纳纳粹党地方长官。1945年被捕,以违反人道罪被国际军事法庭判处20年监禁。1966年获释。

Schirra, Walter M(arty), Jr. 希拉(小)(1923-03-12,美国新泽西哈肯萨克~) 美国航天员。1962年他曾驾驶"水星"计划中的"西格马"7号飞船,也是第一次进行太空会合的"双子座"6号的指令长(1965)。13岁开始飞行,1945年毕业于海军军官学校。在朝鲜战争中执行过90次任务。后任美国海军试飞员,1959年被提名为航天员,是最早的7名航天员之一。1962年10月3日他乘"西

美国国家航空和航天局供图

格马"7号飞船绕地球6圈。希拉与T. P.斯塔福德同乘"双子座"6号的飞行由于技术问题而两次推迟,最后才于1965年12月15日发射,这时"双子座"7号已经发射11天。希拉成功地使"双子座"6号同"双子座"7号会合,并相互靠近到相距不到1英尺。他指挥了"阿波罗"7号的飞行(1968-10-11~22),这是"阿波罗"计划第一次载人飞行,同乘者有D.艾西尔和R. W.坎宁安。他们试验了制导和控制系统以及后来登月飞行用的火箭发动机的重新起动能力。1969年希拉退役,在科罗拉多州一些私营企业中任职。

schism 教会分裂 基督教用语,指基督教会的统一遭到破坏。中世纪最重要的分裂是使基督教世界分为天主教会和东正教会的大分裂。此事发生在1054年,起因于种种争执和事件。虽然1965年教皇保罗六世和君士坦丁堡普世牧首阿特那哥拉斯一世同时宣布撤销1054年双方互判绝罚的处分(参阅**1054, Schism of**),其实分裂从未得到弥合。中世纪另一次重大的*西派教会大分裂*(**Western Schism**)是罗马与阿维尼翁两地两教皇乃至三教皇并立的局面。基督教的最大分裂是宗教改革运动中新教脱离罗马教廷。天主教法典规定,凡曾受洗者,虽仍自称基督教徒,但违抗教皇或与天主教会成员断绝团契,即为分裂分子。在20世纪,普世教会运动争取各派别合作与归一,在天主教第二次梵蒂冈会议(1962~1965)之后,由于天主教与新教增进合作,各派别在教会分裂问题上的态度已趋于灵活。

Schism of 1054 参阅**1054, Schism of** 1054年教会分裂。

schist 片岩 片理高度发育的或易裂成薄层的粗晶质岩石。带状构造发育很差或不发育。大多数片岩主要是由片状矿物,例如白云母、绿泥石、滑石、绢云母、黑云母和石墨组成。长石和石英在片岩中的数量比在片麻岩中的数量要少得多。许多片岩具绿色,并在一定的温度和压力范围内形成,从而在变质岩的矿物相分类中划分出绿片岩相。许多片岩的片状矿物具平行排列方向而且有发育良好的褶皱,这表明片岩是在应力下形成的,而各个方向所受的应力不同。片岩的矿物组成和矿物含水量高表明片岩是在相对低温低压条件下形成的。片岩的分类一般是以它的矿物成分为基础,有不同的名称就表明特征矿物的存在。滑石片岩含有大量的滑石,它有滑感,片理发育良好,呈淡灰绿色。云母片岩经常含有白云母而不是黑云母,虽然这两种云母都是常见的。云母片岩代表比滑石片岩要稍高一些的变质程度,颗粒更粗一些,能看到单个的云母片。

Schistosoma 血吸虫属 吸虫的一属,其中3种因导致*血吸虫病*(**schistosomiasis**)而为人熟知。参阅**fluke**。

schistosomiasis 血吸虫病 又作bilharziasis。一组由血吸虫引起的人及其他哺乳动物的慢性疾病,在人类可能为严重性仅次于疟疾的寄生虫病。可分为三种:①日本(或东方)血吸虫病,病原为日本裂体吸虫,见于日本、中国中部及南部、菲律宾、泰国、印尼。②曼氏(或肠)血吸虫病,病原为曼森氏裂体吸虫,见于非洲、阿拉伯国家、波多黎各、西印度及南美北部。③膀胱(或尿路)血吸虫病,病原为埃及裂体吸虫,见于非洲、中东及南欧。血吸虫生活于宿主器官的血管内可达20年,并不断引起组织损害。雌虫长10~25毫米,每日产卵300~3 500枚,虫卵进入肠腔或膀胱,随粪尿排出,入淡水孵化成毛蚴,游入中间宿主螺类体内,发育成尾蚴,人或其他哺乳动物因工作、洗澡或游泳接触疫水,尾蚴即脱落尾部,从皮肤侵入,进入血流。本病多见于卫生情况较差的农村,兴修灌渠可促进螺类中间宿主及疾病蔓延(如埃及)。联合国卫生组织估计,全世界有患者1.8亿~2亿。本病发病时先表现为对寄生虫及其产物的过敏反应,症状为咳嗽、傍晚发热、巨大荨麻疹、肝肿大及压痛。急性期粪、尿中可带血。慢性期的特征为虫卵在器官壁内堆积,致组织纤维化、器官功能下降。肠血吸虫病时可见严重的肝脏损害,膀胱血吸虫病时虫卵可成为结石的核心。纤维化可延及盆腔器官,尿路可继发感染。虫卵偶致脑、肺病损。尸检时几乎所有器官均发现过虫卵。若非感染大量尾蚴,早期诊治可望痊愈。治疗常用锑剂杀灭成虫。已广泛应用五氯酚钠、二硝基邻环己基苯酚及硫酚铜杀灭螺类中间宿主,但效果不一。

Schizaeaceae 莎草蕨科 真蕨纲(Filicopsida)真蕨目(Filicales)的一科,俗称攀缘蕨科,6属约160种。一般认为该科比较原始,因其特征是孢子囊大,单生,有由厚壁细胞组成的

海金沙属(*Lygodium*)植物

供图:A to Z Botanical Collection—美国不列颠百科全书公司

环带围绕顶端。孢子囊通常着生在特殊的小叶(羽片)上,无囊群盖。地下的根状茎簇生或匍匐生长。该科各属通常分布于热带及亚热带地区。莎草蕨属(*Schizaea*)30种,其中小莎草蕨(*S. pusilla*)形小,有两种形态的叶:禾草状叶和具裂片的叶。海金沙属(*Lygodium*)约40种,以北美产的掌叶海金沙(攀缘蕨、哈特福德蕨,*L. palmatum*)为代表,其藤状叶在匍匐茎上表面成行排列。*Anemia* 属90种,主要产于美洲热带和亚热带地区,其特征是基部羽状叶对生,具分枝并产生孢子囊,但无绿色光合叶片。*Actinostachys* 属的叶片退化成极狭窄的条状,生于中脉的两侧。

schizocoelomate 裂体腔动物 具裂体腔的无脊椎动物。典型的裂体腔见于环节动物和软体动物,系胚胎发育时中胚层裂开而形成的体腔。裂体腔动物不同于肠体腔动物,肠体腔系由胚胎肠道外翻成囊形成的体腔。

schizophrenia 精神分裂症 一组严重精神障碍，共有下列症状：幻觉、妄想、感情淡漠、思维障碍和脱离现实。精神分裂症患者的症状多歧，但一些权威将其分为4型，各具特异表现。①单纯型或称未分化型。起病隐袭，对外界的交往和兴趣逐渐减退。情绪缺乏深度，思想简单，内容多为具体事物，心理活动相对缺乏，智力的使用逐渐减少，后退到简单且定型的行为。②青春期痴呆型或称错乱型。情绪反应狭隘且不切合情境，行为愚蠢怪异，有妄想和幻觉。③紧张型。主要特点为突出的运动行为障碍。患者可保持几乎完全不动状态，常采取雕像样姿态。缄默症（不能说话）、极端顺从，以及缺乏几乎一切随意活动，这些症状也常见。在这种不活动状态之前或在这种状态之间也可能有过分活动及兴奋的发作，动作多属于冲动而难以预料的类型。④类偏执型。比其他几型出现要晚。主要表现为被迫害妄想或夸大妄想，合并有不实际和不合逻辑的思维，且常伴有幻觉。这些类型并不互斥，患者可能表现出难以分类的症状群。精神分裂症还可能和其他精神病，特别是躁狂抑郁症混杂在一起。幻觉和妄想虽非必然存在，但常是精神分裂症中的突出症状。最常见的幻觉属听觉型：患者听到（不存在的）人声并相信是真实的。患者可有各式各样的妄想，包括许多极为荒唐却属本病特征的妄想。大多数患者都有的一个症状是思维过程松弛；表现为思维错乱不连贯，联想间缺乏逻辑线索，言语不清无法使之理解。精神分裂症跨越一切社会经济、文化及种族界线。在平均寿命中患本病的风险占8/1 000。精神分裂症是精神病院住院的最主要原因，占长期住院病人中更大的比例。本病通常在十余岁时或在成年阶段的初期表现出来；此后的病程则变异极大。精神分裂症病人中有约1/3完全而持久地恢复，1/3有反复发作，还有1/3退化为慢性病号，工作及生活能力严重衰退。解释精神分裂症原因的各种学说曾探索过解剖、生物化学、心理、社会、遗传及环境等各方面原因。尽管研究很多，但至今没有确定，或者说没有找到一个单一原因。有强有力的证据说明，遗传常有很大关系，而研究人员仍在患者脑中寻求生物化学的异常。紧张生活体验可触发本病的初发。大部分慢性病人无治愈方法，不过大多数病例的症状却可用抗精神病药物结合心理疗法和支持疗法进行有效控制。参阅 **psychosis**。

Schlegel, August Wilhelm von 施莱格尔（1767-09-08，汉诺威汉诺威［德国］～1845-05-12，德国波恩） 德国学者和批评家，德国浪漫主义运动思想最具影响的传播者之一，莎士比亚剧作的最出色的德语译者，又是一位东方学者和诗人。

他的父亲为基督教新教牧师，叔父为作家约翰·埃利亚斯·施莱格尔。他先在汉诺威上学，1787年入格丁根大学攻读古典语言学和美学。1791年他去阿姆斯特丹任私人家庭教师，1796年移居耶拿为席勒创办的昙花一现的期刊《季节女神》写作。此后，他与他的哲学家和批评家弟弟弗里德里希合力创办期刊《雅典娜神殿》（1798～1800），该刊成为德国浪漫主义运动的机关刊物，其撰稿人中有施莱艾尔马赫和诺瓦利斯。

1798年，施莱格尔任耶拿大学特聘教授，在任教期间，他开始了早已策划的莎士比亚作品的翻译工作（1798～1810）。他本人翻译了17个剧本，其余在蒂克指导下由蒂克的女儿多罗茜娅和鲍迪辛译出。施莱格尔所译的莎士比亚剧作成为这位伟大剧作家的标准德译本和德语文学翻译的最高成就。施莱格尔所译卡尔德隆·德·拉·巴尔卡的5个剧本（两卷，1803～1809）与他的彼特拉克、但丁、薄伽丘、塞万提斯、塔索和卡蒙斯的作品选译同样显示他的传译外国文学杰作之神于德语之中的功力。那些作品选译结成一集，题为《意大利、西班牙与葡萄牙诗歌选萃》（1804）。

1796年，施莱格尔与卡洛琳·米夏埃利斯结婚，但她在1803年离开他而与哲学家谢林结合。1801年，施莱格尔去柏林作文学艺术演讲，全面论述欧洲文学与思想史，对希腊罗马古典主义和启蒙运动大加贬斥，而推崇中世纪的超越时间之上的神灵观念。这些讲演后来编成一集出版，名《美术与文学讲演录》（1884）。在与米夏埃利斯离异之后，施莱格尔伴随斯塔尔夫人旅行德国、意大利、法国和瑞典。1813～1814年任瑞典王储贝纳多特的新闻秘书。1808年他在维也纳所作一系列重要讲演汇集出版，名《戏剧艺术和文学讲演录》（1809～1811）。他在讲演中抨击法国新古典主义戏剧，推崇莎士比亚，表扬浪漫主义戏剧。这些讲演被译成多种文字，在全欧洲传播了浪漫主义的一些思想。

1818年施莱格尔去波恩大学任文学教授直至去世。他在波恩出版《印度文库》，前后共三卷（1820～1830），创办了一所梵文印刷厂，印行了《罗摩衍那》（1829）等经典作品。他是德国梵文研究的奠基人。

批评施莱格尔的诗作的人承认他掌握形式已是炉火纯青，但他的诗歌仅等于学识的展览。作为诗歌评论家，与他的弟弟弗里德里希相比，他被认为更偏于经验主义和更有体系，而不如其弟富于思辨的意味。施莱格尔将世界文学看作一个有机整体，这一看法影响了柯尔律治。他的作品全集由伯金编辑，在1846～1847年分12卷出版；他的书信由克尔纳编辑，于1930年出版。

Schlegel, Friedrich von 施莱格尔（1772-03-10，汉诺威汉诺威～1829-01-12，萨克森德累斯顿） 德国作家、批评家。他提出过许多哲学思想，启发了早期德国浪漫主义运动。他思想开放，在其挑战性的《随感》和《片断》（在《雅典娜神殿》等期刊中发表）中有丰富的设想和理论。他关于一种普遍的、历史的和比较的文学学科的构想曾产生深远影响。曾在格丁根和莱比锡读书，后在耶拿同哥哥奥古斯特·威廉一起密切合作，创办季刊《雅典娜神殿》。他认为希腊的哲学和文化对于全面的教育是必要的。在费希特的先验哲学的影响下，他发展了自己的浪漫主义概念，认为诗应该同时具有哲学、神话、讽喻和宗教的意味。但半自传性长篇小说《路琴德》（片断，1799）和《阿拉尔柯斯》（1802）不那么成功。一度在耶拿大学任教。1804年结婚，在巴黎研究梵文，发表《印度人的语言和智慧》（1808），这是比较印欧语言学的第一个尝试，也是研究印度语言和比较语言学的起点。

供图：Goethemuseum, Frankfurt am Main

1808年，他和妻子信奉天主教，把浪漫主义的概念同中世纪基督教思想结合起来。他成为反抗拿破仑和争取德国独立运动的意识形态发言人，曾在维也纳首相府工作（1809），编辑过两本关于艺术的杂志《欧罗巴》和《德意志博物馆》。1820年任天主教刊物《和睦》编辑，在该刊抨击了他以前的信念，导致他同哥哥的决裂。他的文集最初发行于1822～1825年，共10卷，1846年扩为15卷。

Schlegel, Johann Elias 施莱格尔（1719-01-17，萨克森迈森～1749-08-13，丹麦索勒） 德国作家、批评家（奥古斯特·威廉和弗里德里希·封·施莱格尔的伯父）。在莱比锡学过法律，后于1743年任萨克森驻丹麦大使私人秘书，从1748年起在索勒学院任教。在德国公众对莎士比亚全然无知的时候，他在《莎士比亚与安德烈亚斯·格吕菲乌斯比较》（1741）中，显示他很了解莎士比亚的天才，该文对比了莎士比亚和那位17世纪德国重要戏剧家和诗人的优劣。施莱格尔发展了一种文学评价理论，强调艺术的宗旨在于提供娱乐，而不是教育或提倡道德。这一理论成为后来美学领域发展的先声。他的喜剧《沉默的美人》（1747）和《善女的胜利》（1748）曾受到莱辛的赞扬。

Schleicher, August 施莱谢尔（1821-02-19，萨克森-迈宁根公国迈宁根～1868-12-06，普鲁士耶拿） 德国语言学家，为当时比较语言学之集大成者，其方法论亦对以后的研究工

供图：Bildarchiv Preussischer Kulturbesitz, Berlin

作具有指导作用。早在蒂宾根大学求学时即信奉黑格尔哲学，后来又受到达尔文学说的影响，于是拟以黑格尔的历史观和达尔文的自然选择学说为基础，得出一种合乎逻辑和

科学的语言学理论。1850 ～ 1857 年在布拉格大学讲授古典语文学和希腊语、拉丁语比较研究，并转而从事斯拉夫诸语言的研究工作。1852 年，生活于普（鲁士）属立陶宛的农民之中，开始研究立陶宛语，为直接根据言语而不单凭书本研究一种印欧语的初次尝试。研究结果写成著名的《立陶宛语手册》（1856 ～1857），该书由语法、读本和词汇组成，是对立陶宛语进行科学描述和分析的第一部著作。在耶拿大学任教授期间（1857 ～ 1868），发表了许多著作，其中包括成名之作《印度日耳曼系语言比较语法纲要》（1861 ～ 1862），曾试图重建原始印欧语。施莱谢尔认为语言是有机体，它包括发生、成熟、衰亡阶段，可以用自然科学方法来研究。曾按照植物分类法探究若干组亲属语言并按谱系树的方式加以排列，后称谱系树理论，是印欧语史和历史语言学理论研究上的一个重大进展。

Schleicher, Kurt von　施莱谢尔（1882-04-07，德国勃兰登堡～ 1934-06-30，柏林）　德国军官、魏玛共和国最后一任总理。1932 ～ 1933年希特勒的故手。1900年参加德国武

供图：Archiv fur Kunst und Geschichte, Berlin

装部队，1919 年加入新成立的国防军，1929 年任国防部少将局长。其后 3 年是魏玛共和国的决策人物之一。他施展诡计，使布吕宁下台（1932-05），让巴本接任总理。他担任国防部长，1932 年 12 月 1 日巴本被迫辞职，他又出任总理。他图谋使纳粹党人处于国防军控制下，以免纳粹违反法律和宪法。为此，与希特勒密商，表示愿意参加由希特勒任总理的政府，条件是他自己仍主管国防军。希特勒予以拒绝，从此认为施莱谢尔是他的主要敌人。1933 年 1 月，兴登堡解除施莱谢尔的职务，任命希特勒为总理。一年半以后，在“长剑之夜”血腥清洗中，他被希特勒的党卫军杀害。

Schleiden, Matthias Jakob　施莱登（1804-04-05，汉堡～ 1881-06-23，美因河畔法兰克福）　德国最早接受达尔文进化论的植物学家之一。与 T. 施万共同创立细胞理论。1824 ～1827 年在海德堡求学，后在汉堡做律师，但很快就对植物学发生兴趣，并以全部时间从事植物学研究。不满同时代植物学家强调分类学，他热心于用显微镜研究植物的结构。后任耶拿大学植物学教授，1838 年著《植物发生论》，说明植物体各部分均由细胞或细胞衍生物所组成。于是他就首次提出一条生物学原则，这在当时还只是一种非正式的信

供图：Bildarchiv Preussischer Kulturbesitz, Berlin

念，而其重要性则堪与化学上的原子理论相提并论。他也认识 1831 年苏格兰植物学家 R. 布朗发现的细胞核的重要性，并意识到细胞核与细胞分裂的关系。1863 年在俄国多尔帕特任植物学教授。

Schleiermacher, Friedrich (Ernst Daniel)　施莱艾尔马赫（1768-11-21，普鲁士西里西亚布雷斯劳～ 1834-02-12，柏林）　神学家、布道家、古典语言学家。他对普鲁士宗教、生活和文化影响重大，公认为是现代新教神学的缔造者。他自 1783 年至 1785 年人虔敬主义摩拉维亚弟兄会在尼斯基所办学校，逐渐对希腊和拉丁古典著作发生兴趣，对宗教生活有独特的感受。1787 年入哈雷大学，勤学而能独立思考，除学习神学外，还认真研究康德的哲学著作。后来在东普鲁士施洛比滕地方任多纳伯爵家庭教师，除教学外还经常布道。1794 年通过第 2 次神学考试任兰茨贝格助理牧师。1799 年著《论宗教——致蔑视宗教的知识界人士》，系统地介绍基督教信仰，并向浪漫主义者指出，浪漫主义其实与宗教相差不远，因为宗教是“对宇宙的感受和直感”，是“有限者对于无限者（上帝）的感受”，基督教就是这种感觉体系之一。这部著作论述宗教与文化之间的活生生的联系，对当代青年神学家影响甚大。1800 年施莱艾尔马赫发表《独白》，从伦理学的角度观察宗教，指出宗教是自我个性的直感与行动。他认为，每一个人的个性都是无限者本身的“代表象征”。1804年任哈雷大学布道员和特别神学教授。

供图：Bildarchiv Preussischer Kulturbesitz, Berlin

1807 年拿破仑人侵普鲁士，他被迫离开哈雷移居柏林，并四处演说鼓吹民族抗战。他还协助洪堡筹建柏林大学。1809 年任柏林圣三一教堂牧师，1810 年任柏林大学神学教授至终年。他极力提倡普鲁士教会归一运动，促成信义宗和加尔文宗的联合。

Schlesinger, Arthur M(eier)　施莱辛格（1888-02-27，美国俄亥俄齐尼亚～1965-10-30，波士顿）　美国历史学家，注重研究社会与城市的发展，极大地拓宽了美国史学的治学手段。曾在哥伦比亚大学研究历史，深受进步学者 J. H. 鲁宾逊、J. T. 肖特韦尔和 C. A. 比尔德的影响。1912 年开始在俄亥俄州立大学任教，1919 年转赴艾奥瓦大学，在那里讲授“美国历史的新观点”、“美国社会和文化史”等课程。1924 年开始在哈佛大学任教 30 年。在他影响下，哈佛设立了美国文明史的博士课程，拉德克利夫学院建立了美国妇女史图书馆。他的第一部著作《1763 ～ 1776 年的殖民地商人与美国革命》（1917）是阐明独立战争时期经济状况的最重要著作之一。他的《1878 ～ 1898 年城市的兴起》（1933）阐明美国城市的兴起对国家发展所起的主要作用。他与 D. R. 福克斯合编的《美国生活史》（13 卷，1928 ～ 1943）是对美国文化的全面考察。

Schlesinger, Arthur M(eier), Jr.　施莱辛格（小）（1917-10-15，美国俄亥俄哥伦布～2007-02-28，纽约市）　美国历史学家、教育家和官员。1938 年毕业于哈佛大学。他在 1939 年出版的《O. A. 布朗森传记：天路历程》引起人们的注意。第二次世界大战期间在战时新闻办公室和战略服务办公室任职。1946 ～ 1961 年任哈佛大学历史教授。《杰克逊时代》（1946）一书的出版赢得广泛赞誉，他为此获得普利策奖。他在此书中从文化、社会、经济以及严格的政治方面对杰克逊时代的民主重新作了解释。他的主要著作是《罗斯福时代》，由各自独立的 3 卷组成：《旧秩序的危机：1919 ～ 1933》（1957）、《新政来临》（1958）、《动乱的政事》（1960）。他从同情的角度描绘和叙述了 F. D. 罗斯福总统的新政。施莱辛格是一位活跃的持开明政治观点的人。他曾先后担任过 A. 史蒂文森、J. F. 肯尼迪总统竞选期间的顾问。肯尼迪任命他为拉丁美洲事务特别助理。他研究肯尼迪政府的专著《J. F. 肯尼迪在白宫的一千天》（1965）再获普利策奖。1966 年起他在纽约市立大学教授历史。其他著作还有《苦涩的遗产》（1967）和《帝国总统》（1973）。

Schlesinger, Frank　施莱辛格（1871-05-11，纽约市～ 1943-07-10，美国康涅狄格莱姆）美国天文学家。他率先使用照相术确定恒星位置和测量恒星视差，由视差可直接求出恒星距离。1899 ～ 1903 年施莱辛格主管在加利福尼亚尤凯亚的国际纬度站。接着他被任命为威斯康星州威廉斯湾叶凯士天文台的天文学家。在叶凯士天文台，他开始发展测定恒星视差的照相方法。为了消除或互相抵消所有的误差源，他精心操作和计算。由于成效卓著，他的照相视差测量技术大部分仍原样保持至今。他在任匹兹堡阿勒格尼天文台台长时（1905 ～ 1920），获得一架专供测量视差用的长焦距折射望远镜。他在他的《视差总表》（1935，第二版）中发表了7 534颗恒星

的视差。除视差工作外,他在阿勒格尼也率先使用广角照相机测定恒星的位置和自行(恒星在垂直于观测者视线方向的位置变化率),以取代以前费力的目视方法。在他指导下编制的15卷《耶鲁天区星表》载有约15万颗恒星的测定结果。1920～1941年施莱辛格任耶鲁大学天文台台长。在此期间他继续从事视差工作。他在国际天文学联合会的创建(1919)中也有突出的作用,并曾担任该联合会副主席(1925～1932)和主席(1932～1935)。

Schlesinger, John 施莱辛格(1926-02-16,英国伦敦～2003-07-25,美国加利福尼亚棕榈泉) 全名John Richard Schlesinger。英国电影导演,其电影以题材广泛、敏感细腻著称,故事背景多选在英国和美国。父亲是一位犹太医生。他在第二次世界大战期间为本国军队表演魔术,从而进入演艺界。他完成巡回演出的任务后,进入牛津大学学习并参加学校的演出。在20世纪50年代,他在英国的戏剧和电影中参加演出,包括两部著名影片《哦……罗萨琳达》(1956)和《血拼大西洋》(1956),这两部影片由著名的M.鲍威尔和E.普雷斯伯格共同执导。1957年,施莱辛格开始为英国广播公司执导纪录片和电视系列片。1961年,他导演的纪录短片《终点》在威尼斯国际电影节上获奖,该片讲述的是在伦敦滑铁卢火车站约24小时中发生的事情。施莱辛格执导了他的第一部剧情长片《一夕风流恨事多》(1962)之后,又拍摄了一系列影片,包括《说谎的比利》(1963)、《宝贝儿》(1965)和《疯狂佳人》(1967),从而确立了他作为英国著名导演的地位。这几部影片都是由J.克里斯蒂主演的,她的走红在一定程度上要归功于这些影片的成功。作为包括K.雷兹、T.理查森和L.安德森等人在内的一批新崛起的社会现实主义导演中的一员,施莱辛格以纪实方式探究人际关系中的复杂动态,尤其是那些热恋中的人们的相互牵连。施莱辛格执导的第一部美国影片是《午夜牛郎》(1969),该片分析了在冷漠无情的纽约,两个无家可归的男人(由D.霍夫曼和J.沃伊特主演)之间形成的一种不同寻常的亲密关系。该片获得了奥斯卡最佳影片奖和最佳导演奖。与他的其他许多影片一样,《午夜牛郎》之所以受到赞扬,是因为施莱辛格能够以坚定、现实的眼光来看待美国社会。评论家认为英国出生的施莱辛格以好奇的眼光观察美国的城市生活,往往能够抓住一些被美国导演认为是理所当然而不予重视的细节。在《午夜牛郎》之后,施莱辛格能够随心所欲地、既拍摄了《霹雳钻》(1976)和《苏联间谍》(1984)那样的美国大片,又拍摄《血腥的星期天》(1971)、《魂断梦醒》(1979)和《琴韵动我心》(1988)那样的低成本英国影片。在发行了一些票房不佳的影片之后,施莱辛格又以影片《魔鬼英豪》(1995)重新获得人们的关注。尽管这部片子是为英国的电视制作的,但结果却戏剧性地在美国上映并获得一定成功。他后来执导的影片还有《逍遥法外》(1996)和《好事成双》(2000)。1970年被任命为伦敦国家剧院院长。

Schlesinger, John (Richard) 施莱辛格(1926-02-16,伦敦～) 英国电影与戏剧导演。他导演的第一部影片是纪录片《终点》(1960),在威尼斯国际电影节获奖。他的前3部故事片《一种爱情》(1962)、《说谎的比利》(1963)、《宝贝儿》(1965)是对当代英国城市的尖刻讽刺。接着他拍摄了据哈代的小说改编的《远离疯狂的人群》(1967)。《午夜牛郎》(1969)获奥斯卡最佳影片和最佳导演奖。他后来的影片有《星期天、血腥的星期天》(1971)、《蝗虫的一天》(1975)、《长跑者》(1976)等。他为皇家莎士比亚剧团导演了《雅典的泰门》(1964)并在伦敦西区导演了歌舞剧《我和亚伯特》(1972)。1973年施莱辛格被任命为伦敦国家剧院院长。

Schleswig 石勒苏益格 艾德河以北日德兰半岛南部的历史和文化地区,包括现德国北部石勒苏益格-荷尔斯泰因州北半部和丹麦南部的南日德兰州。12世纪时为丹麦一公爵领地,并一直为丹麦的封地。至1866年该地区被普鲁士并吞,与荷尔斯泰因合并成为一个省。第一次世界大战后,1920年根据凡尔赛条约,该地区北部占多数的丹麦人举行了公民投票,赞成与丹麦合并。在石勒苏益格城西有9～12世纪丹麦与德国战争的遗迹。此处有丹麦国王建造的巨大的防御城墙。附近有古代斯堪的纳维亚商人住地的废墟。现在,全地区存在着日耳曼和丹麦两种文化影响,有斯堪的纳维亚语的地名,也有德语地名。德国地区大多数居民说低地德语,而在丹麦地区多数人则说丹麦语。85%以上的人信奉基督教新教。

Schleswig 石勒苏益格 德国北部石勒苏益格-荷尔斯泰因州城市。围绕施莱湾顶部形成一个半圆弧。804～808年首见记载。9～11世纪曾是波罗的海-北海的重要贸易中心。该市现存最古老市特许状是1250年的。18世纪由于汉萨城镇吕贝克的竞争、内战以及施莱湾的不断淤积,城市贸易减少。第二次世界大战以来,为高级法院和州博物馆(在戈托普城堡)所在地。博物馆中最著名的陈列品是尼丹姆船——1863年在尼丹姆沼泽中发现的一艘4世纪的北欧海盗船。多数人在服务行业工作。有制造业、农业和林业。人口约24 288(2003)。

Schleswig-Holstein 石勒苏益格-荷尔斯泰因 德国最西北的一个州。面积15 729平方千米。该州从易北河下游和汉堡州向北延伸至丹麦,从而占据日德兰半岛的南半部。东临波罗的海,西濒北海,东南毗邻梅克伦堡-西波美拉尼亚州。州域还包括波罗的海的费马恩岛和北海的霍尔戈兰岛、叙尔特岛、福尔岛、阿姆鲁姆岛,以及北弗里西亚群岛中的其他德国岛屿。首府为基尔。

历史 石勒苏益格在荷尔斯泰因的正北,它们在历史上曾是丹麦、瑞典、神圣罗马帝国、普鲁士和奥地利等国逐鹿的场所。该地区有一些丹麦少数民族居住在德国人占优势的地域,而一些德国少数民族周围又都是丹麦人,因而其历史就是国界与主权争夺以及(更近期间的)和解的过程。19世纪,丹麦与普鲁士在石勒苏益格-荷尔斯泰因归属问题上旷日持久的争吵已为众所周知。石勒苏益格-荷尔斯泰因在历史上曾长期是丹麦的一部分。石勒苏益格的最北部分现仍属于丹麦。

12世纪,石勒苏益格成为公国,1864年以前一直是同丹麦有联系的封地(但不是没有争论)。荷尔斯泰因获得更为独立一些的发展,它被丹麦国王作为公爵领地统治了数个世纪,但同时仍为神圣罗马帝国的封地。1815年后,荷尔斯泰因并入新形成的德意志联邦。

19世纪40年代,关于石勒苏益格和荷尔斯泰因的各自讲德语和丹麦语的少数民族的权利问题、丹麦王室的继承权问题以及丹麦在两个公爵领地的利益问题,构成丹麦和普鲁士之间和后来丹麦、普鲁士和奥地利之间争执的焦点。这时石勒苏益格的聚居情况是丹麦人在北部,德国人在南部,在北部城镇和中部则两者混居。荷尔斯泰因的居民几乎完全是德国人。

拿破仑战争唤醒了德国人的民族感情,历史上就已存在于石勒苏益格和荷尔斯泰因之间的政治联系促使两个地区在联合的德国以内形成一个单独的国家。在石勒苏益格北部(或北石勒苏益格)的丹麦人展开了对抗运动,从1838年起在丹麦国内,对抗运动亦已展开。丹麦的自由主义派强调石勒苏益格已属丹麦数百年之久,因而德国与丹麦的边界应为艾德河(该河在历史上就已标明是石勒苏益格和荷尔斯泰因之间的边界)。丹麦的民族主义派渴望在石勒苏益格与荷尔斯泰因的分离过程中,将石勒苏益格并入丹麦。相反地,德国的民族主义派试图进一步确定在脱离丹麦的过程中石勒苏益格与荷尔斯泰因联合。这些分歧导致1848年3月石勒苏益格-荷尔斯泰因占多数的德国人的公开暴动,支持脱离丹麦并同德意志邦联紧密联合。这次暴动得助于普鲁士的军事干预,普鲁士军队将丹麦军队赶出石勒苏益格-荷尔斯泰因。丹麦和普鲁士之间的这场战争持续了3年(1848～1850),直到诸大国对普鲁士施加压力迫使它接受1852年伦敦协定时,战事才告结束。根据此和平协定的条款,德意志邦联将石勒苏益格-荷尔斯泰因归还丹麦。作为回报,在1852年伦敦议定书中,丹麦政府同普鲁士达成协议,保证丹麦同石勒苏益格的结合不能比后者同其姊妹公爵领地荷尔斯泰因的结合更紧密。

然而,1863年,自由党政府说服了新的丹麦国王克里斯蒂安九世为丹麦和石勒苏益格签署了新的联合宪章,于是,普鲁士和奥地利作为1852年议定书的维护者,放手出面干涉。在随后的丹麦战争(1864)中,普鲁士和奥地利在两个短暂的战役里粉碎了丹麦的军事抵抗,在10月订立的维也纳条约中,克里斯蒂安九世将石勒苏益格和荷尔斯泰因割让给普鲁士和奥地利。随后,普鲁士和奥地利为新赢得的领土相互争吵,结果以普鲁士在1866年的七周(或奥普)战争中战胜奥地利,以石勒苏益格和荷尔斯泰因都成为普鲁士的一部分而告终。这种做法使北石勒苏益格讲丹麦语的多数居民对普鲁士的统治产生不满情绪。

1871年德意志帝国形成以后，石勒苏益格-荷尔斯泰因的争论收缩为德国和丹麦对北石勒苏益格主权之争。结束奥普战争所订立的布拉格条约(1866)规定，只要该地区多数居民通过自由投票同意，北石勒苏益格就同丹麦重新联合，但是1878年普鲁士和奥地利双方同意废除此条款。第一次世界大战中德国失败以后，于1920年在北石勒苏益格的北部和南部分别举行了公民投票，以便其各自居民可在归属丹麦和德国之间进行抉择。结果北石勒苏益格北部70%的投票人主张加入丹麦，而南部80%的投票人主张仍留在德国之内，因而北石勒苏益格的北部成为丹麦的一部分，而其南部成为德国的一部分。丹麦和德国之间在石勒苏益格的边界确定持续至今。第二次世界大战后，石勒苏益格-荷尔斯泰因的德国部分被组织成为德意志联邦共和国的一个州。参阅 **Eider Program**。

土地 从地形上，石勒苏益格-荷尔斯泰因可大致分为东部地区、中部地区和西部地区。东部农村丘陵地区湖泊星罗棋布。此区域土壤肥沃，是德国最丰饶的小麦产地之一。波罗的海沿岸为一片峭壁，峡湾犬牙交错。该州中部为高地(一古老的冰碛区)，土地贫瘠，只在最近两个世纪才得以耕作。西部地区由平地、沼泽地、无树木土地组成，只能部分耕种。其上多沟渠、池沼和堤堰。沼泽以西为受潮水冲刷的浅滩和洼地。一些洼地和沼泽已开垦出来，种植青草，并用以放牧牲畜。然而，东岸总是暴露在风、潮、激浪和暴雨中，土壤在不断流失。从气候上说，石勒苏益格-荷尔斯泰因位于受湾流影响的区域，冬季温和，夏季不热，有高湿度和充沛的降雨量(年均760毫米)使植物得以茁壮生长。

人民 大量人口住在城市，他们集中于基尔(主要城市和行政、工业中心)以及吕贝克、新明斯特和弗伦斯堡。第二次世界大战结束所带来的棘手社会问题，如溃退的德国军队以及100多万德国的被疏散人员和难民(其中大部分被苏联红军从东方驱赶过来)，使石勒苏益格-荷尔斯泰因的人口比战前增加50%。新近，一些青年工人倾向于迁移出该州，特别是去汉堡。

自第二次世界大战以来，由于来自梅克伦堡、东普鲁士和类似地方人口流入的遗留影响，该地区的人口结构已有显著变化，从而导致方言的衰落，尽管低地德语仍有人使用。在该州北部有一个操丹麦语的少数民族，他们有自己的学校。石勒苏益格-荷尔斯泰因大多数居民信仰基督教新教。

经济 农业产量占全州净经济产量不足1/10，但是石勒苏益格-荷尔斯泰因仍然把大部分土地用于农业。该区域的农场已被迫将其结构合理化，在一定程度上这是国外竞争的结果，并且自1945年以来已经进行大量的土地改革和作物专业化。农场、食品加工厂和销售企业结合在一个组织之内是农业系统日益增长的特征。小麦、甜菜和马铃薯是较普通的适于栽种的作物。然而，饲养牲畜提供的收入在农场收入比例中比种植作物高得多。牛奶和乳制品、猪和牛饲养是农场收入的主要来源。虽然该州森林储量不多，但是该州向其他地区供应林木幼苗，此种重要性使它被称为“德国森林的摇篮”。

工业对该州经济起日益重要的作用。主要部门包括造船、机械制造和电气工程——都是基尔的重要工业——以及造纸、纺织、服装等工业。近年来旅游业也有很大发展。

海岸线长和战略地位使该州成为几个世纪以来的海洋运输中心。波罗的海峡湾包含吕贝克、基尔和弗伦斯堡等主要港口。横跨石勒苏益格-荷尔斯泰因连接北海和波罗的海的基尔运河的运输极为繁忙。

文化生活 该州以高水准的教育著称。教育系统的中心是具有历史意义的基尔大学(1665)，加上吕贝克的医学院(1964)。还有一些师范学院以及许多其他专业化的高等学校。在中等教育方面，已兴建一些合作性质的中学，为分散生活在农村的家庭服务。

有大约50所重要的博物馆，它们主要涉及当地和州的历史。成人教育和图书馆具有特殊的传统并得到推进。设在基尔的世界经济研究所是欧洲历史最悠久的经济研究机构之一，它有一个拥有大量政治经济学方面藏书的专业图书馆。人口约2 564 565(1989)。

Schlick, Moritz 施利克(1882-04-14，柏林～1936-06-22，维也纳) 德国逻辑经验主义哲学家。他是欧洲实证主义哲学学派(即维也纳小组)的领袖。曾先后在瑞士的洛桑和德国的柏林(在德国物理学家M.普兰克指导

供图：Osterreichische Nationalbibliothek, Vienna

下)学物理，后以物理学方面的论文获哲学博士学位。所著论文《根据现代逻辑来看真理的本质》(1910)反映了他的科学素养，并使他于1911年得以在罗斯托克大学任教。1922年在维也纳任归纳科学哲学教授。他摆脱早期认识哲学的幻想，试图确立一些新的方法，即通过诉诸科学的方法，来确定“人们如何认识他们所知道的东西”的性质。在维也纳，聚集在他身边的哲学家有R.卡纳普和O.诺伊拉特以及数学家和科学家K.哥德尔、P.弗兰克和H.哈恩。E.马赫和L.玻尔兹曼在施利克之前担任维也纳哲学教授，在他们的影响下，维也纳小组还吸收了哲学家B.罗素和L.维特根斯坦的著作中的观点。小组成员结合的基础是：他们都反对形而上学的抽象；都把哲学的陈述建立在经验的证据上；都信仰现代符号逻辑的手法；都相信哲学的发展前途在于它能为科学服务。1929年当逻辑实证主义运动开始扩大其影响时，施利克赴加利福尼亚，在斯坦福大学任短期的客座教授。他的著作有《现代物理学中的空间与时间》(第2版，1919)、《普通知识论》(1918)、《伦理学问题》(1930)。在他去世后出版的有《自然哲学纲要》(1948)和《自然和文化》(1952)。

Schlieffen, Alfred, Graf von 施利芬(1833-02-28，柏林～1913-01-04，柏林) 德国军官，总参谋部首脑，他研制了第一次世界大战爆发时德军(经重大修改后)使用的进攻计划。

供图：E. Bieber, Berlin

一普鲁士将领之子，1854年参军。不久调任总参谋部，参加过反奥地利的七周战争(1866)和普法战争(1870～1871)。1884年前后，担任总参谋部军史处处长，1891年，担任参谋总长。当时，德国必须面对两线作战的可能性——西线对付法国，东线对付俄国。为解决这个问题，其前任瓦尔德塞和毛奇元帅的目标为首先进攻俄国，施利芬与他们不同，提出了首先给法国以决定性打击、速战速决的方案。其设想是：东线只驻少数部队，以遏制缓慢动员起来的俄国军队，而将德军主力部署于西线。由于南部多山，不适于大部队快速行动，因此，西线南段兵力略少，重兵集中于北段，以便席卷比利时及法国北部，包抄法军，最后将其歼灭于德国南翼。这便是1905年定型的施利芬计划的实质，他于该年退役。第一次世界大战之初，这套计划未予全盘执行。施利芬的继任人小毛奇曾大幅度削减其进攻力量，并因德国未能赢得迅速和决定性的胜利而遭到谴责。

Schliemann, Heinrich 谢里曼(1822-01-06，梅克伦堡-什未林的新布科～1890-12-26，那不勒斯) 德国考古学家，特洛伊、迈锡尼和梯林斯的发掘者；常被视为史前希腊的近代发现者。7岁时父亲送他一本历史书，书中有描绘特洛伊大火的插图，从此他深信荷马诗中的故事是有真实历史根据的。14岁时听到有人用希腊语朗诵荷马史诗。他对于学语言有热情又有秉赋，记性极好，又肯用功，能顺畅地读、写8～13种语言。青年时曾经商。19世纪50年代成为美国公民。回到俄国后，他于36岁那年弃商治学，把财力、精力用于研究史前史，尤致力于探索特洛伊城址所在地。为了训练自己考古能力，他游历了希腊、意大利、斯堪的纳维亚、德国、叙利亚和世界许多地方，访问印度、中国和日本，还到巴黎学习考古。1868年谢里曼携带大笔资金前往希腊和小亚细亚，寻找荷马时代的遗址。翌年发表了《伊萨卡、伯罗奔尼撒和特洛伊》

一书。1873年他发掘了希萨立克的一座古老城市及碉堡遗址,写成《古代特洛伊》(1874),他认为此城即荷马的特洛伊城。对此,学者中有人疑之,有人信之,公众多从其说。1874～

供图:Deutsche Staatsbibliothek, East Berlin

1876年,他在维奥蒂亚附近发掘了"米尼亚斯宝藏"遗址。其间还发表了《特洛伊及其遗址》,并且开始发掘迈锡尼遗址。1876年他开始发掘"拱券墓",1878年发表《迈锡尼》一书,1884年与德普费尔德一起在迈锡尼附近发掘大型的设防遗址梯林斯。晚年苦于耳疾,遍走欧洲寻医访药,终无结果而卒。谢里曼发现了荷马时代的特洛伊,也发现了土耳其史前青铜时代文明,是考古学的最早普及者。他从事考古事业时,实地调查工作尚无规矩可循,可以说,他与F.皮特里、A.皮特-里弗斯等人一样,筚路蓝缕,功在辟径。

Schlöndorff, Volker　施伦多尔夫(1939-03-31,德国威斯巴登～　　)　电影导演,战后西德电影运动的主将。曾在巴黎学习电影,为L.马勒、A.雷乃和J.-P.梅尔维尔充当助手。回德国后参加青年德国电影运动。第一部影片《年轻的托尔勒斯》(1966)立即得到重视。这部影片对一所野蛮的德国军事学院中一个敏感的小伙子进行了剖析,采用了平静质朴的导演风格。这使他显得与更富个性特色的W.赫尔措格或R.W.法斯宾德有所不同。经过一番周折后他成立了自己的电影公司,所拍的第一部影片是改编自B.布莱希特剧本的《巴尔》(1970),由法斯宾德主演。次年与女演员、后来也成为导演的冯·特洛塔结婚,他们合作的最著名作品是《丧失了荣誉的卡塔琳娜·布鲁姆》(1973)。施伦多尔夫导演的《铁皮鼓》(1979)获戛纳电影节金棕榈奖和最佳外语片的学院奖(奥斯卡奖),显示出与他早期作品不同的风格。他后来的影片有据普鲁斯特原著改编的《斯万的爱情》(1984)。

Schlosser, Friedrich　施洛塞尔(1776-11-17,普鲁士耶弗尔～1861-09-23,巴登海德堡)　历史学家、教师。他写的通史强调以说教和批评的态度看待过去,是兰克扬名以前德国最流行的历史著作。律师之子。1794～1797年在格丁根大学学习神学。1814年任法兰克福大学历史教授。3年后开始在海德堡大学讲授历史,直至逝世。主要著作是《供德意志民族学习用的世界史》(18卷,1854～1856)和《18和19世纪迄法兰西帝国衰亡为止的历史》(6卷,1836～1848)。

Schlumberger, Conrad and Marcel　施卢姆贝格尔兄弟(康拉德1878-10-02,德国盖布维莱尔～1936-05-09,斯德哥尔摩;马塞尔1884-06-21,盖布维莱尔～1953-08-19,法国诺曼底)　兄弟俩出生于德国,都是地球物理学家和石油工程师,以1928年发明连续电测井法而著名。康拉德自1907年起在巴黎矿业学院任物理学教授,1923年辞去这个职务,同马塞尔合作,研究将实用物理学应用到矿山地质和石油地质方面。1913年康拉德发明了第一个探测非磁性矿床的地球物理学方法,1923年兄弟二人在罗马尼亚领导了第一次大规模石油勘测。他们还发明了一种记录式油井测温计。1929年兄弟二人发现在钻孔中电势的增高同油砂的位置之间有相关性;1931年他们向市场推出了一种将电势测量结合到钻井记录中的技术。1912年他们创办施卢姆贝格尔兄弟有限公司,把他们的技术推广到全世界。采油技术的改变为各地所接受,从而得到了重大发展。

Schlumbergera　蟹爪兰属　仙人掌科的一属,有3种,原产巴西,现广为栽培以观赏其花。花形长,美丽,为本科所特有,适于蜂鸟传粉。植株附生于树上、灌木上或生于岩石间荫蔽处。拉塞尔氏蟹爪兰(*S. russelliana*)、平头蟹爪兰(蟹爪兰 *S. truncata*[很长时间列入 *Zygocactus* 属])茎节短扁。普通的**圣诞节仙人掌**(**Christmas cactus**, *S. bridgesii*),又称布里奇斯氏蟹爪兰,分布北半球,花期约在圣诞节前后,可能是前两种的杂交种。仙人掌状蟹爪兰(*S. opuntioïdes*)及钝棱蟹爪兰(*S. obtusangula*)的茎节圆形,但花与前述种相似。春季开花的**复活节仙人掌**(**Easter cactus**)的学名从前为盖特纳氏蟹爪兰(*Schlumbergera gaertnerii*),今归入 *Rhipsalidopsis* 属。

Schlüter, Andreas　施吕特尔(1664?-05-22受洗,汉堡?～1714,俄国圣彼得堡)　德国雕刻家和建筑师。德国巴罗克风格的第一个重要的和最伟大的大师。早年生活情况不详,但曾在但泽受教,并在华沙积极活动(1689～1693),1694年德国选帝侯腓特烈三世召他到柏林作宫廷雕刻。现存最重要的作品有:加里宁格勒(原柯尼斯堡)的《腓特烈三世铜像》(1696～1697)和柏林的大选帝侯《弗雷德里克·威廉骑马雕像》(1703完成)。这两件作品均表明他对罗马雕刻家G.L.贝尔尼尼及法国宫廷雕刻家F.吉拉尔东的作品甚为熟悉。1698～1706年间在柏林积极从事建筑工程事业的指导,并为皇宫、兵工厂、旧邮局提供雕刻装饰品。旧邮局于1889年拆毁。皇宫于第二次世界大战中被毁,但兵工厂的拱顶石雕刻,特别是表现临死战士的组雕,作为他天才的最好例证而仍然存在。1713年应俄皇彼得大帝之召赴圣彼得堡,但在那里未作出任何显赫成就即于次年去世。

施吕特尔的青铜塑像《大选帝侯》(1703)

供图:Staatliche Schlosser und Garten, Berlin

Schmalkaldic Articles　《施马尔卡尔登条款》　基督教信义宗的信纲之一。为1536年路德所撰写,坦率阐述他自己的信仰。起初,教皇保罗三世颁发通谕,要求举行会议,讨论如何对待宗教改革运动(这次会议几经延期,1545年才在特伦托举行)。于是支持路德的萨克森州选帝侯腓特烈一世要求路德修订新教早期的信仰声明,以便确定何者为基本信仰。路德完成初稿后即邀请几位宗教改革家到维滕贝格共同讨论,经过略事修改,由8位神学家签署,1537年1月递交腓特烈一世。《施马尔卡尔登条款》共分三部分:第一部分论上帝的独一性、三位一体、道成肉身和基督,路德认为在这些问题上,天主教和新教之间没有实质上的分歧。第二部分论基督、因信称义以及弥撒、修会和教廷。第三部分为天主教和新教均可考虑的15条,包括罪、律法、悔改、圣事、认罪、传教事业以及教会的定义。

Schmalkaldic League　施马尔卡尔登同盟　德意志宗教改革运动期间,神圣罗马帝国境内信奉新教的各诸侯国为了保卫信义宗教会不受皇帝查理五世迫害而成立的自卫同盟。1531年在德意志施马尔卡尔登组成。其领导人为黑森的菲利普(高尚的)和萨克森的约翰·腓特烈一世。查理五世曾被迫予以事实上的承认,但到1547年他实际上已把这个同盟摧毁。

Schmeling, Max　施梅灵(1905-09-28,德国勃兰登堡小卢考～2005-02-02,霍伦施泰特)　德国最重量级拳击运动员,从1930年6月12日(J.夏基在淘汰赛中败于他)到1932年6月21日(他在15回合比赛中得分低于夏基)一直保持世界最重量级拳击冠军头衔,是获得此项称号的第一个欧洲人。1921年对拳击产生兴趣,3年后成为职业选手。1926年赢得德国轻重量级冠军,1928年又赢得最重量级冠军。他在美国进行过多场冠军挑战赛,1929年先后战胜顶尖的最重量级拳击选手J.里什科和P.乌斯库顿,1930年与夏基对决冠军。他最精彩的比赛是1936年6月19日在第12回合比赛中击倒J.路易斯。施梅灵与路易斯之间的重赛变成一个国际政治舞台的较量。他获得大胜之后,纳粹党想利用施梅灵的宣传价值。这个不关心政治的施梅灵(他从没加入过纳粹党)被拔高成纳粹思想的

"雅利安人"代表。事实上,希特勒和罗斯福在1938年6月22日第二次比赛之前都分别会见了各自的选手,两国媒体花大量篇幅从国家主义和种族关系的角度报道此场比赛。

1932年施梅灵(右)迎战M.沃克

供图:AP/Wide World Photos

路易斯在比赛中占优势,在重赛第一回合两分钟就把施梅灵击倒。当施梅灵明显感觉不行时,德国的电台转播随之中断。赛后因两根椎骨断裂住院治疗,一星期后返回德国。此次失败使他没能得到纳粹党高官的欢心。在后来几年,有消息说在1938年11月9～10日的水晶之夜行动中施梅灵曾在他的柏林住所保护过两个犹太儿童。第二次世界大战期间他在德国军队当伞兵,1941年进攻克里特时负伤。1947～1948年返回拳击赛场,在德国的5场比赛中胜3场,43岁时退休。他一共打了70场比赛,赢55场,其中38场将对手击倒。后来在美国有权势的朋友帮他获得可口可乐公司在联邦德国的特许权,使他成为富人。50年代施梅灵到美国看望过路易斯,两人成为好友。回忆录发表于1977年,该书英译本于1998年出版。

Schmidt, Arno (Otto)　施密特(1914-01-18,汉堡～1979-06-03,联邦德国采勒)　德国作家,其长、短篇小说结构复杂,遣词造句富有个人特色,内容近乎淫秽,有浓重的实验色彩。他在布雷斯劳大学毕业后,从事纺织业工作(1934～1939)。第二次世界大战中为英军俘虏。1946～1947年开始写作,1949年出版了短篇小说集《海怪》。小说描述上帝心存恶念,是社会的祸害,与后写的两部作品组成题为《诺波达第的儿女》(1963)三部曲,充满了悲观绝望气氛。其他早期作品有《铁石心肠》(1956)和《学者共和国》(1957)。他的巨著为《纸片之梦》(或译《采特尔之梦》,1970),行文结构近似J.乔伊斯,共1 330页,每页三栏,每栏各叙一24小时的思想活动过程。以后的小说如《无神论者的学校》(1972)和《镶金边的黄昏》(1975)继续进行这类结构试验。施密特也写评论文章,翻译J.乔伊斯和W.福克纳等英语作家的作品。

Schmidt, Bernhard Voldemar　施密特(1879-03-30,爱沙尼亚奈斯岛～1935-12-01,汉堡)　德国光学仪器制造家,发明了以他姓氏命名的望远镜,广泛用来拍摄大面积的天空,因为它的视野大,成像清晰。施密特做过报务员、摄影师和设计师,直到1898年。1901年他到德国的米特韦达工程学校就读,并留在那里装配一个小的车间和天文台,直到1926年。他在那一期间所制作的抛物面反射镜和16英寸的望远镜使他成为著名的光学技师。1926年施密特到贝格多夫的汉堡天文台工作,3年后,他设想出望远镜的一种新透镜系统。所有以往用来观察大面积的反射望远镜都受成像缺陷的困扰。特别在使用球面透镜时会发生球差;如果使用抛物面反射镜,即使稍稍偏离光轴,也会发生像畸变(彗差)。施密特成功地设计出一种望远镜,把一块特制的透镜和放在它后面若干距离处的一个球面镜组合使用,消除了上述像畸变。

Schmidt, Helmut　施密特(1918-12-23,德国汉堡～　)　社会民主党政治家,1974～1982年担任联邦德国总理。施密特为教师之子,第二次世界大战期间服役于德国国防军在东线战场的一个装甲师。后来参加了阿登攻击战,获铁十字勋章。战后加入社会民主党,入汉堡大学研究经济学,1949～1953年在汉堡市政府的经济与交通部门工作。1953～1961年当选联邦议院议员,1961～1965年又回到汉堡工作,1965年再度当选为联邦议员。1968年成为社会民主党副主席,并在勃兰特总理政府中先后出任国防部长(1969～1972)及财政部长(1972～1974)。

作为社会民主党领导成员,在社会民主党与盟友自由民主党联合执政期间,施密特在勃兰特总理辞职后,于1974年5月16日当选为联邦德国总理,并因其办事干练、深得民心,于1976及1980年二度连任。然而80年代初出现世界性经济衰退时,他拒绝削减联邦德国的社会福利事业,因而使中间派自由民主党退出与社会党的联合执政。施密特因失去国会中的多数,在1982年10月1日国会通过了对他的不信任投票后,辞去总理职务。继任人为基督教民主联盟的科尔。施密特继续担任联邦议院议员,直至1987年自政界引退。他在德国政治事务及欧洲国际关系方面著述颇丰。

在总理任内,施密特深受广大西德人的尊敬,是最受人尊崇与最具影响力的西欧领袖之一。在外交方面,他谋求与苏联集团的东欧国家和解,而同时保持联邦德国与美国的伙伴关系。他对德意志民主共和国(东德)同样致力发展较为紧密的关系,而又保持联邦德国在欧洲共同体和北大西洋公约组织军事联盟中的重要成员地位。

Schmidt, (Johann) Kaspar　施密特　参阅 **Stirner, Max** 施蒂纳。

Schmidt, Maarten　施密特(1929-12-28,荷兰格罗宁根～　)　生于荷兰的美国天文学家。他从类星射电源(类星体)射线波长的认证中得出:类星体可能是迄今人类所观测到的最遥远和最古老的天体。施密特先后在莱顿和格罗宁根大学学习,1956年在莱顿大学获得博士学位,1959年受聘威尔逊山和帕洛马天文台(现称海尔天文台)。1978～1980年,任海尔天文台台长。早先他根据银河系内恒星星际气体和星际尘埃的空间分布,提出一个银河系结构的数学模型,促进了天文界对银河系的结构和动力特性的了解。但他最重要的工作在于研究类星体。他在1963年发现,在最亮的类星体光谱中,偏离正常位置并大大向红端移位的4条谱线是氢的谱线。施密特等人认为,红移说明类星体距离地球特别遥远,而且正在以超过任何已知的天体运动速度远离地球而去。根据这种高速测算,施密特等人认为,我们所看到的类星体的光可能已在空间走了150亿年。因此,一些包括施密特在内的天文学家提出,这些极其遥远而且十分古老的类星体,实际上是一些处于早期阶段的星系。因此,施密特的发现和他提出的有关类星体的解释,是对过去公认的宇宙年龄和宇宙起源学说的挑战。

Schmidt, Mike　施密特(1949-09-27,美国俄亥俄代顿～　)　原名Michael Jack Schmidt。美国职业棒球运动员,是棒球史上最优秀的全能三垒手之一。1971年被费城费城人队选中,整个棒球生涯都在国家联盟费城人队效力。初在小联盟,1972年升入大联盟。第一个赛季致全力于改进击球,到1974年本垒打已在全联盟领先。1980年打出48支本垒打,在国家联盟8个赛季本垒打第一。18年棒球生涯结束时共打出本垒打548支(当时在棒球史上排名第9),击球跑垒得分1 595分,获得金手套10次(1976～1984,1986)。他既善防守,也能进攻。有他参赛,费城人队赢得两面国家联盟三角旗(1980,1983),一次世界职业棒球锦标赛冠军(1980)。1980、1981和1986年三次当选最有价值球员。1995年入选纽约棒球名人堂。

Schmidt, Wilhelm　施密特(1868-02-16,德国赫尔德～1954-02-10,瑞士弗里堡)　德国人类学家和天主教司铎、欧洲人种学的文化历史学派先驱人物。施密特是圣言会成员。早期受F.博厄斯等人类学家的影响,但对他影响最大的是F.格雷布纳在**文化圈**(**Kulturkreis**)理论中提出的关于文化传播的思想。1906年施密特创办《人类》杂志,刊载圣言会传教士从世界各地,特别是从新几内亚和多哥发回来的人种志研究实地调查报告。他对家庭的进化进行了研究,并把不同的家庭类型和生存模式结合起来研究。他认为,甚至在原始社会里,个人对社会习俗也有影响。主要学术著作是《神的概念的起源》(12卷,1912～1955)。该书和《宗教的起源与发展》(1930)均提出,大部分原始民族信奉一位至高神明,而其宗教也可视为一神教。

Schmidt-Rottluff, Karl　施密特-罗特鲁夫(1884-12-01,德国开姆尼茨附近罗特鲁夫～1976-08-09,西柏林)　德国油画家、版画家,以其表现主义的风景画和裸体画著名。1905年在德累斯顿学建筑,和E.L.基尔希纳及E.赫克尔一起组成桥社。其木刻作品如《带帽子的女人》(1905)具有表现力,《风天》(1907)显示其大胆而色彩不协调为特征的风格。这种风格也表现在《戴单片眼镜的自画像》(1910)中。1911年迁居柏林,从这时期的作品中可以看出他对立体主义的兴趣。他后期的木刻,如《基督头像》和《双头像》(均作于

施密特-罗特鲁夫绘《戴单片眼镜的自画像》(1910)

供图：Staatliche Museen Preussischer Kulturbesitz，Berlin

1918)，流露出立体主义的影响和他对于非洲雕刻的兴趣。纳粹党在德国当权后禁止他作画。第二次世界大战后又重振旗鼓，但已没有早期作品的气魄。

Schmidt telescope　施密特望远镜　又称施密特照相机（Schmidt camera）。一种望远镜，其球面主镜接收穿过一薄而非球面透镜（称改正透镜）的光所成的复合图像能消除主镜的球面像差，因而它是一种折反式望远镜，即其中的光学结构既有反射又有折射。由于所用的物镜是球面的，不是通常反射望远镜中那种抛物面的，所以能消除像散现象并获得宽阔的视野。实际上，施密特望远镜比一般反射式望远镜能提供更大的天区和更清晰的图像，因而是作天体巡天观测的一种理想工具。这种望远镜是汉堡的贝格多夫天文台的施密特（**Schmidt，Bernhard Voldemar**）1930 年发明的。施密特-马克苏托夫望远镜为 D.D. 马克苏托夫 1941 年所发明。它在设计和使用上与施密特望远镜类似，但用一球状的凹凸透镜取代施密特望远镜的改正透镜。

Schmucker，S(amuel) S(imon)　施穆克尔（1799-02-28，美国马里兰黑格斯敦～1873-07-26，宾夕法尼亚葛底斯堡）　美国基督教信义宗神学家、教育家。一向主张在美国信义宗内部实行改革。1820 年参与成立信义宗大会以协调美国全国各信义宗教会。1826 年会同他人成立葛底斯堡神学院（今名信义宗神学院）和宾夕法尼亚学院（1832 年立案时改称葛底斯堡学院）。

Schnabel，Artur　施纳贝尔（1882-04-17，奥地利利普尼克～1951-08-15，瑞士阿克森施泰因）　奥地利钢琴家、教师，他的演奏和唱片使他成为当时的一位传奇人物，而对于后来的钢琴家而言，则是一位博学的音乐家的典范。幼为神童，曾在维也纳著名钢琴家、教师列希蒂茨基门下学习。自 1900 年起卜居柏林，1925～1933 年是柏林国立音乐学院首屈一指的钢琴教师。1933 年希特勒当权后移民瑞士，1939 年起寓居美国，直至第二次世界大战后才返回瑞士。他是演奏贝多芬、勃拉姆斯和舒伯特音乐的专家。他并非一位钢琴技巧大师，但他却能以具有睿智的洞察力把音乐的每一点微妙内涵表达得娓娓动听。作为作曲家他受到同时代的勋伯格的影响。其音乐观表现在所著《对音乐的见解》（1933）与《音乐与其阻力最大的方向》（1942），还具体地表现在他编订的《贝多芬钢琴奏鸣曲集》中。

供图：Jack Greenstone—Camera Press

schnauzer　髯狗　德国培育的狗品种。分为标准型、小型和大型三型。标准型或称中型，为原种，其形象见于绘画及一尊 15～16 世纪的雕像。另两型源出该型。用于守卫和捕鼠。聪明，勇敢。体壮，体形方正。吻端钝，颊毛密而长。被毛硬而卷曲，黑或胡椒盐色。标准型髯狗常用于守卫和作伴，又用作传送急件狗、红十字会狗和警犬；体高 43～51 厘米，体重 12～17 千克。小型髯狗于 1899 年用小型的标准型髯狗和猴㹴育成，外形与标准型相似，体高 30～36 厘米，体重 6～7千克；胡椒盐色、银色与黑色相间或黑色；体结实强壮，是活泼而耐劳的玩赏狗。大型髯狗最大，育成最晚；巴伐利亚的养牛者需要一种形似标准型髯狗而体型更大的牧牛狗，便将标准型髯狗与各种役用狗，最后与黑色丹麦大狗杂交，育成本型。大型髯狗亦体壮，被毛卷曲，体高 53～66 厘米，体重 30～35 千克；胡椒盐色、黑色或黑色与棕黄色相间；起初用作牧牛狗，后供肉用及守卫啤酒厂，19 世纪初以来在德国广泛用作警犬。美国养狗协会将标准型及大型髯狗归入役用狗，而将小型髯狗归为㹴狗。

标准型髯狗

供图：Sally Anne Thompson—美国不列颠百科全书公司

Schneidemühl（Poland）　施奈德米尔　参阅 **Piła 皮瓦**。

Schneider，Eugène　施奈德（1805-03-29，法国比代斯特罗夫～1875-11-27，巴黎）　19 世纪法国大工业家之一，政界中的显要人物。幼年丧父，一贫如洗。初入银行工作，即以才华出众、气魄过人著称。1830 年任巴泽耶钢铁厂厂长。1836 年买下路易十六创办的皇家金属制造厂——勒克勒佐金属加工厂。他经营有方，勒克勒佐工厂成为世界上最大的工业企业。该公司致力发展造船和军火工业，建造了法国第一艘轮船（1840）和第一台蒸汽机车（1838），在波希米亚（今捷克共和国）、匈牙利、罗马尼亚、波兰等地均拥有大企业。他决定进入政界，1845 和 1846 年当选为国民议会议员。1851 年一度任农商部长。翌年再次当选众议员，从此支持拿破仑三世。他于 1857、1863 和 1869 年均再次当选，先后担任过议会的副议长和议长，并以积极支持开明帝政著称。死后公司由其两子经营，他们均入政界，任众议员。

Schneider，Hannes　施奈德（1890，奥地利阿尔贝格施图本～1955-04-26，美国新罕布什尔北康韦）　奥地利出生的滑雪教练员。在犁式转弯、半犁式转弯和半犁式接平行式转弯的基础上设计新的技巧，称为阿尔贝格技术。他在美国帮助推广滑雪运动。少年时代，他观察到人们喜爱的滑雪方法是从北欧人那里学来的双腿僵直的直立姿势，不适合阿尔卑斯山的地形。作为一个年轻的滑雪教练员，提出保持屈膝姿势以使身体重心向前的滑雪技术。这种技术强调速度而且同时采用原已为人所知的几种转弯动作。第一次世界大战期间在奥地利军队服役并教授滑雪技术。战后在奥地利圣安东创办阿尔贝格学校。奥地利并于德国后，纳粹分子霸占这个学校的校址，1938 年施奈德前往美国。一年后在北康韦创办学校。美国滑雪教练员多出身于该校。

Schneider，Vreni　施奈德（1964-11-26，瑞士埃尔姆～　　）　瑞士高山滑雪女运动员。滑雪史上最杰出的小回转与大回转选手。3 岁开始滑雪。作为瑞士国家滑雪队队员，在 3 届世界杯赛（1989、1994、1995）中获得第一，连续 10 年总分排在前六名。她的 6 次小回转、5 次大回转冠军纪录无人能比。1989～1999 赛季在世界杯各项比赛中赢得 13 个冠军，包括全部 7 个小回转赛。1988 年奥运会获小回转和大回转金牌。1992 年奥运会在大回转中跌倒，小回转也只得第七。1994 年冬奥会获小回转金牌、高山混合银牌和大回转铜牌。1994～1995 年世界杯赛季之后退役，总共获得 55 个世界杯冠军。

Schneirla，Theodore Christian　希奈拉（1902-07-23，美国密歇根贝城～1968-08-20，美国纽约）　美国动物心理学家。对军蚁的行为方式做过一些最早的研究。曾求学于密歇根大学，1928 年获哲学博士学位。1928 年赴纽约大学任教。1932 年在全国研究理事会资助下第一次（共去过 8 次）到巴拿马运河区的巴罗科罗拉多岛研究军蚁的行为，次年发表《巴拿马军蚁研究》，对军蚁行为提出新见解。他发现军蚁的行为以 36 天为一周期，其中前 16 天迁移不定，后 20 天营定居生活。1934 年他报告说：蚁群迁往新地时采取一种特定的方式;蚁群袭击行为分别在上午和下午各达到一次高峰。他发现天气突变会引起突发行动。1944年他指出,蚁群进行袭击是其兴奋程度所致,而不是由于缺少食物。1942年任纽约大学动物心理学副教授。1943年任纽约美国自然历史博物馆动物行为馆副馆长;在墨西哥南部研究军蚁回来后,于1947年升任博物馆馆长。不久把第一批军蚁引入美国。写过许多篇科学论文。与人合写过数本心理学著作,如1935年与N.R.F.梅尔合著《动物心理学原理》,1938年与L.W.克拉夫茨合著《近期心理学实验》等。

Schnitger, Arp 施尼特格尔(1648-07-09,奥尔登堡施马伦弗来斯[德国]~1719-07-24或25,帝国自由城邦汉堡诺因费尔德) 巴罗克时代技艺最精湛的管风琴制作家之一。他的优美乐器曾使巴赫等作曲家产生灵感。18岁开始学徒。1676年移居诺因费尔德。曾制造约150架管风琴,其中最精美的是巴赫在汉堡圣雅各比教堂弹奏的那架。他最晚制作的几架管风琴的音管中虽然可以察觉到意大利的影响,但他的琴仍是北方信义宗风格的。现存的由他制作的乐器音响清澈纯净,是当时演奏北德意志对位风格乐曲的理想工具。他的音管一般由锡铅合金制成,而不是木制的,传统上分为宽窄两类。

Schnitzer, Eduard 施尼策尔 参阅 **Emin Paşa, Mehmed** 艾敏帕夏。

Schnitzler, Arthur 施尼茨勒(1862-05-15,奥地利维也纳~1931-10-21,维也纳) 奥地利剧作家、小说家。他的心理戏剧分析了世纪交替时的维也纳资产阶级的生活,并以此

供图:Bild-Archiv, Osterreichische National-bibliothek, Vienna

知名于世。他是一位著名的犹太医生之子,本人曾取得医学学位,一生大部时间用于行医,尤其是对精神病治疗法感兴趣。他的成名作《阿纳托尔》(1893)为一组7个独幕剧,描绘一个年轻而又有钱的维也纳花花公子逢场作戏的恋爱史。虽然这些剧作远不如他此后的作品那样深刻,但是这些剧本显示了他在刻画性格上的天赋,唤起感情的能力,以及一种独特的、往往是抑郁的幽默。《轮舞》(1897)是一套戏剧性的对话,共10组,描写在情欲支配下的男男女女的无情和冷酷。1920年上演时,引起了哄动。他探索了人的心理,刻画了爱情中的自私、贪生怕死和性爱的错综复杂,以及由于苦恼的内省而惹起的病态情绪。他在剧本《轻浮的爱》(1896)和《可猎物》(1896)中,写出奥地利军事荣誉准则的空洞和虚伪。他最成功的小说《古斯特少尉》(1901)写的是同一主题,是欧洲文学中第一部写内心独白的杰作。在《逃进黑暗》(1931)中,他揭示颠狂的发作过程。剧本《贝恩哈迪教授》(1912)和小说《通向野外的路》(1908)写出了奥地利犹太人的处境。

Schnorr von Carolsfeld, Julius 施诺尔·冯·卡罗斯费尔德(1794-03-26,萨克森地区莱比锡[德国]~1872-05-24,德国德累斯顿) 画家、设计家、德国拿撒勒艺术运动的重要活动家。最初从其父学画。1818年在罗马参加一群自称拿撒勒派或路加弟兄会的艺术社团。他的油画受早期文艺复兴艺术和丢勒作品的影响,勾线精确,色彩纯洁明亮,运用复杂的象征细节。他对壁画的复兴和"纪念碑艺术"的创造很有兴趣,曾仿照L.阿里奥斯托壁画风格为马西莫别墅的前厅作装饰画。1827年离开罗马定居慕尼黑,为国王路易一世服务,把在意大利学到的壁画艺术介绍到德国。1851年游历英国后,曾作《绘图圣经》(1852~1860),创作了200多幅木刻,并为伦敦圣保罗大教堂设计了窗子。

Schnorr von Carolsfeld, Ludwig 施诺尔·冯·卡罗斯费尔德(1836-07-02,巴伐利亚慕尼黑[德国]~1865-07-21,萨克森德累斯顿) 德国男高音歌唱家,以善演瓦格纳角色而闻名。1855年在卡尔斯鲁厄歌剧院举行首次独唱会。与女歌唱家M.加里格斯结婚后于1860年迁居德累斯顿。他不但善于演唱利德(艺术歌曲)与清唱剧,而且也演唱歌剧,尤以扮演汤豪舍和罗恩格林而脍炙人口。1862年瓦格纳亲聆施诺尔的演唱并邀请他们夫妇2人研究特里斯坦与伊索尔德两角色。歌剧的一些具体要求使他们望而生畏,但瓦格纳还是说服他们接受了这部戏。经过一段特别苛求的排练之后,歌剧《特里斯坦和伊索尔德》于1865年6月10日在慕尼黑首次演出。演出后施诺尔回到德累斯顿开始排练《唐·乔凡尼》,但因发热而神志昏迷,5天后中风。临终时尚高声歌唱并呼唤瓦格纳之名。

Schober, Johann 绍贝尔(1874-11-14,奥地利佩尔格~1932-08-19,维也纳附近巴登) 奥地利总理(1921~1922、1929~1930)。他同捷克斯洛伐克共和国建立友好关系,但无法通过谈判使奥地利与德国统一。1918年任

供图:Bild-Archiv, Osterreichische National-bibliothek, Vienna

奥地利警察总监。1921年6月出任总理。他的政府得到基督教社会党和泛日耳曼党的支持。他于1921年12月同捷克斯洛伐克签订《拉尼条约》。但泛日耳曼党认为条约最终可能阻碍奥地利与德国的统一,退出政府,1922年5月绍贝尔辞职,重任警察总监。1929~1930年再度出任总理。1930年12月至1932年1月任副总理兼外交部长。

Schoeck, Othmar 舍克(1886-09-01,瑞士不伦嫩~1957-03-08,苏黎世) 瑞士音乐家,当时主要的利德(歌曲)作曲家之一。曾在苏黎世学习。1907年,舍克在莱比锡从M.雷格尔学习。回苏黎世后在合唱团当指挥至1917年。1917~1944年任圣加伦交响乐音乐会指挥。所作声乐套曲主要有:《哀歌》(1922~1923)、《加塞伦》(1923)和《漫游格言》(1928)。

Schoelcher, Victor 舍尔歇(1804-07-22,法国巴黎~1893-12-26,乌耶) 法国报界人士和政治家,积极主张在帝国范围内结束奴隶制。出身于富有的瓷器制造商家庭,但对商业缺乏兴趣。1829年赴美国旅行,对所见弊端深感震惊,从此成为忠诚的废奴主义者。1829~1848年从事新闻工作,不断撰文论述奴隶制的野蛮。1848年任海军部次长,曾起草废除殖民地奴隶制的著名法令。当选议员后,他为消除殖民主义的弊病而全力工作,在国民议会中为支持黑人的事业慷慨陈词。拿破仑三世发动政变时(1851)被流放。1870年回国。1871年当选议员,1875年当选为终身参议员。晚年为进行社会改革、废止死刑,以及为在殖民地统治中实行宽容而奔走呼号。还写有多本社会问题和政治问题的论著。

Schoenberg, Arnold (Franz Walter) 勋伯格(1874-09-13,维也纳~1951-07-13,洛杉矶) 奥地利裔美籍作曲家,创造了一种以12音的系列为根据的新作曲手法,称为"无调性"(**atonality**)手法。亦为20世纪最有影响的教师之一。知名作曲家A.贝尔格和A.韦伯恩均出自其门下。

早期生活 父母均无特殊音乐才华,但却喜爱音乐。兄及表兄为职业歌手。不足9岁即开始创作小提琴二重奏等小品。1890年丧父。为补贴家庭经济,开始在银行供职,直至1895年。在此期间结识正崭露头角的青年作曲家和业余管弦乐队指挥策姆林斯基,在后者指导下学习和声学、对位法和作曲法;结果写成他的第一首公开演出的作品《D大调弦乐四重奏》(1897);这首四重奏深受勃拉姆斯风格的影响,在1897~1898和1898~1899年演出季中得到维也纳听众的好评。

第一批主要作品 1899年勋伯格创作高度浪漫主义的标题音乐弦乐六重奏《升华之夜》,这在他是前进了一大步。此曲取材于R.戴默尔的同名诗,是第一首为这样的重奏而作的标题音乐。它的标题性与和声使得那些因循守旧的节目委员会成员大为震怒,因此直至1903年才演出,而且受到公众的强烈抨击。但自那以后它的原来形式以及勋伯格后来写的弦乐队改编形式均成为他最走红的作品之一。1901年,为了改善经济状况,他决

定迁居柏林。R.施特劳斯帮助他在斯特恩音乐学院觅得教职(任作曲教师),并利用自己的影响为他获得德国音乐协会颁发的李斯特奖学金。在施特劳斯鼓励下勋伯格根据比

供图:Pictorial Parade

利时作家梅特林克的戏剧而创作他唯一的大型管弦乐队交响诗《佩利亚斯与梅丽桑德》(1902～1903)。1903年返回维也纳后,与马勒结交,后者成为他最有力的支持者之一。下一部主要作品是《D小调第一弦乐四重奏》(作品第7号,1904)。这部作品的音乐织体高度紧密,形式与众不同,将“古典”弦乐四重奏惯用的四乐章融为一个庞大结构,全曲将近50分钟一气呵成而无间歇,因此在1907年首演时听众难以理解。1906年的《E大调室内交响曲》采用类似形式,但比较简练,因所选器乐重奏组而见新意。他摒弃“后浪漫主义”的巨型乐队,转而为一个只有15件乐器的室内乐式的组合写作。在这些年中,勋伯格的教学活动日益显示其重要性。自1904年起,年轻的奥地利作曲家贝尔格和韦伯恩投入其门下学习;两人的丰功伟业均得力于他的推动,而勋伯格也反过来大大受益于他的忠实门徒的智慧的激励。所著《和声学》(1911)、《作曲入门示范》(1942)、《和声的结构功能》(1954)、《对位法初级练习》(1963)和《作曲基本原理》(1967)都明显表现出他的杰出教学天赋。

脱离调性的演变 到这时为止,勋伯格的所有作品都是严格的调性音乐;换言之,每首作品都采用一个特定的调,以一个特定的音为中心。可是,当他的和声与旋律变得更加复杂时,调性就不大重要了。“超越”调性的过程可见之于《第二弦乐四重奏》(1907～1908)末乐章的开端处。此曲还有一创新之处:它是第一首采用声乐声部的弦乐四重奏。1909年2月19日勋伯格完成了他的作品第11号,第一钢琴曲,这是有史以来第一首完全摆脱“调性”结构手法的作品。凡这类没有调性中心,而且可以毫无限制地随意试验音的各种和声性或旋律性组合的作品,通称“无调性”音乐。无调性器乐曲往往比较短;较长的声乐作品中唱词起着统一的作用。勋伯格的最重要的无调性作品有:《五首管弦乐曲》(作品第16号,1909)、女高音和管弦乐队的单人剧《期望》(作品第17号,1924)、《月光下的彼埃罗》(21篇朗诵,室内乐伴奏;作品第21号,1912)、配乐戏剧《命运之手》(作品第18号,1924)和未完成清唱剧《天梯》(1917年开始)。

1916和1917年曾在奥军短期服役。在战争年代极少创作,一方面是由于军事服役的要求,另一方面则是由于他正在思考如何解决因摆脱调性而引起的大量结构问题。他希望能找到一个新的统一原则,帮助他支配现已在他掌握之中的丰富的和声与旋律资源。1921年7月底前后,勋伯格对一个学生说:“今天我找到了可使德国音乐在此后100年内立于不败之地的东西。”这就是十二音作曲法。勋伯格开始写第一首十二音技法的作品、即他的《钢琴组曲》(作品第25号)。所谓十二音作曲法,即由12个不同的音构成的特定音列来编织成曲;该音列可用其原形、逆行、转位或逆行转位;亦可上、下移调到任何音高水平。勋伯格用这一方法创作了许多人公认为他最伟大的作品歌剧《摩西与亚伦》(始于1930年)。终其余生勋伯格继续采用十二音技法。但偶尔也回到传统的调性。第一次世界大战后勋伯格的音乐日益为人赞赏,但所发明的十二音体系却遭到相当大的非难。作为教师继续获得成功。1925年应邀到柏林普鲁士艺术学院主持音乐作曲大师班。勋伯格已经攀上了事业的顶峰。他的教学获得好评;他正在创作一些重要作品:《第三弦乐四重奏》(作品第30号,1927)、歌剧《日复一日》(作品第32号,1928～1929;1930年首演)以及《电影场景伴奏》(作品第34号,1929～1930)。1933年国社党在德国崛起,要求在德国文化生活的所有领域消除犹太人的影响。勋伯格被艺术学院解雇;移民美国后于1933年就职于波士顿马尔金音乐学院;次年迁居加利福尼亚,后来一直寓居那里,1941年入美国籍。曾在南加利福尼亚大学(1935～1936)和洛杉矶加利福尼亚大学(1936～1944)担任主要教职。在美国所作的主要作品表现出他对十二音方法的运用日益得心应手,技巧娴熟。这一时期的杰作有《小提琴协奏曲》(作品第36号,1934～1936)、《第四弦乐四重奏》(作品第37号,1936)、《钢琴协奏曲》(作品第42号,1942),以及钢琴伴奏的小提琴《幻想曲》(作品第47号,1949)。1951年7月2日,20世纪著名指挥家谢尔欣在达姆施塔特指挥《摩西与亚伦》中的《围绕金牛之舞》。报告这次演出巨大成功的电报在勋伯格去世前11天给他带来最后的喜悦。

Schoenheimer, Rudolf 舍恩海默(1898-05-10,德国柏林～1941-09-11,美国纽约州纽约)德国出生的美国生物化学家。他用放射性同位素“标记”分子的技术,使得在动植物体中对于有机物质的跟踪成为可能,并使新陈代谢研究发生根本的变革。他1923年毕业于柏林大学医学系,1933年前一直在莱比锡和弗赖堡讲授生物化学。此后离开德国赴哥伦比亚大学,与发现氘(重氢)并对其他同位素进行研究的H.C.尤里合作。在该校又与D.里顿伯格合作,用同位素标记食物的组分。在用这种食物饲养的动物细胞组织中,可以辨认出这些同位素,从而认识了食物的代谢过程。舍恩海默还因研究胆固醇与动脉粥样硬化的关系而闻名。在其事业的黄金时期自杀。

Schoff, Hannah Kent 肖夫(1853-06-03,美国宾夕法尼亚上达比～1940-12-10,费城)婚前名Hannah Kent。美国社会福利工作者和改革家。1873年结婚,定居费城。1897年当选为常设的全国母亲大会副主席。1899年组织宾夕法尼亚州母亲大会,任主席;1902年当选全国母亲大会主席直至1920年。期间设立捐赠基金和大会总部,主持在各州成立分会,由8个发展到37个,会员19万人,并出版大会刊物《儿童福利》(后改名《全国家长-教师》)。还组织几次由国务院和母亲大会共同主办的国际会议。母亲大会和家长-教师协会一起,在促成有关儿童劳动、婚姻和教育的立法方面起着主要作用。1899年,费城一个8岁女孩(寄宿公寓的小女佣)因纵火被捕入狱;促使她发起改善少年犯待遇的运动。向州议会提出一系列法案,1901年通过,设立单独的未成年人法院、少年临时拘留所和监护官制度。1909年任美国教育署主办的正常儿童犯罪原因委员会主席。1915年根据对犯罪儿童的详细调查研究出版《任性的儿童》一书。另外还主持在教育署内成立家庭教育处。

Schöffe 舍芬型陪审官 在德国,指主要被指定在下级刑事法院与专职司法官共同就法律和事实作出判决的非专职法官或陪审官。舍芬型陪审官也可以在高级法院审理案件。1976年以後,在高级法院有两名舍芬型陪审官与3名专职法官共同审理案件,在下级法院有两名舍芬型陪审官与1名专职法官共同审理案件。人们虽认为舍芬型陪审官是德国法律制度中的重要组成部分,但有许多专职司法人员,包括律师和法官在内,倾向于认为这种陪审官的影响将日渐缩小,最终将被取消,因为陪审官所提出的意见更多地是个人意见而不是法律意见。非专职司法人员是8世纪末期查理大帝作为司法制度中一项永久性的特征而设置的,在某些案件中并被授予与法官有作出同等判决的权力。起初并不要求非专职陪审官都要经过法律训练,到15世纪末他们成了世袭法官;到17世纪则被专职法官取代;到19世纪又退回到原来的非专职陪审官制度,以此作为削弱在轻微刑事案件中新建立的陪审团的权力。1924年陪审团被废除,舍芬型陪审官也被纳粹党取消。1950年在西德重新建立了这两种制度,但1976年通过的一项法律削减了舍芬型陪审官的数目。舍芬型陪审官从地方议会中选举产生,但政府官员、医生、教士以及65岁以上、30岁以下的人,不得担任舍芬型陪审官。

Schöffer, Nicolas 舍弗(1912-09-06,奥匈帝国考洛乔[今在匈牙利]～　　) 出生于匈牙利的法国艺术家,其雕刻作品以应用机械运动、声和光而著名。1932～1935年在布达佩斯美术学院学习绘画,随后入巴黎美术学院深造,1948年加入法国籍。早期的金属雕刻品反映出他有意识地接受现代流派构成主义和新造型主义的影响。后期的动态艺术作品命名为“时间动态”,“空间动态”和“光影动态”,其效果随观众对时间、空间和光影的不同体验而变化。这些作品的特点是,使用旋转器械、音响设备以及帷幕,使不断变换颜色和阴影的图案投影到帷幕上,例如《列日的空

中转塔》(1961)。其作品常常被应用于实验剧场,例如《诗之夜》(1956～1957)。

Schöffer, Peter 舍费尔(约1425?,黑森盖恩斯海姆[德国]～1502,美因茨[德国]) 德国印刷商、J.谷登堡的助手,后来自己创办印刷所。曾在巴黎靠当抄写员的收入上学,后在美因茨为谷登堡当学徒,进入谷登堡和J.富斯特合伙的印刷所,后来成为富斯特的女婿。他的至今保存得最好的代表作,是1457年美因茨版的《祷告诗篇》和1462年48行版的《圣经》。《祷告诗篇》是第一本注明出版日期、地点和印刷者名字的书。他第一个用字模铸出铅字,并用来印刷拉丁文《圣经》第二版。他一生印刷过300多种书。

schola cantorum 圣歌合唱学校 中世纪罗马教廷歌唱学校及所属教堂唱诗班,是现代罗马西斯廷教堂唱诗班的前身。据说该学校由教皇西尔维斯特一世(335卒)创建,教皇格列高利一世(604卒)改组。但最早述及它的书面记载见于8世纪。它的宗旨是教授歌唱技巧和素歌曲目,当时凭口传。在格列高利教皇领导下,学制据说为9年。在西方教堂圣咏逐渐规范化的过程中,该校的音乐家们起了主要作用。其他城市亦建立此类学校,有的成为主要音乐中心。1894年在巴黎建立的合唱学校也采用这个名称,虽教学重点仍是素歌,但后来发展成为一般的音乐学院。

Scholarios, Georgios (Greek Orthodox leader) **斯科拉里奥斯** 参阅 **Gennadios II Scholarios 金纳迪乌斯二世(斯科拉里奥斯)**。

Scholasticism 经院哲学 从文艺复兴时期起,至少到19世纪初期"经院哲学"一词正如"中世纪"这一名词一样,都是用于贬义的。它被看成是蹩脚拉丁文写成的烦琐议论,并被认为是对天主教神学的屈膝顺从。而19世纪初的浪漫主义又过高地估计了中世纪的一切东西。现在的学者们则能对此作出无偏见的研究。

性质和意义 经院哲学是一种十分复杂的现象,学者们为它下的定义各有不同。有些历史学家则将它解释为欧洲中世纪时期在基督教学校中所教授的哲学。按照黑格尔的意见,公元529年是从古代哲学到中世纪哲学的交替时间。在这一年,信奉基督教的罗马皇帝查士丁尼下令封闭了雅典柏拉图学园。但对经院哲学更重要的是,同一年建立了蒙太卡西诺隐修院,这是第一个本笃会的隐修院。经院哲学是一种规模空前的"学术的"事业,延续达数百年之久。如果不是当时的一些经院哲学家们做了大量耐心的艰苦的准备工作,则现今的历史学家们能否直接研究柏拉图、亚里士多德和奥古斯丁,就很难说了。

历史和论点 中世纪经院哲学的目的是"获得一切可能得到的真理",其中当然也包括基督教的教义。这一原则虽然已由奥古斯丁说出,但6世纪初的学者波伊提乌对此才作了清楚的论述。他的名著《哲学的藉慰》是在死囚牢里写成的。作为经院哲学的奠基人,他提出"要尽可能把信仰和理性结合起来"。这便成为数百年来经院哲学的基础。他的著作讨论神学,却没有引证一句经文,完全是一种逻辑和分析。虽然经院哲学家强调信仰和理性的结合,却一贯反对理性主义。和理性主义相对立的是所谓伪狄奥尼修斯著作的"消极神学"。消极神学的主要论点可归纳如下:除神在《圣经》上启示的名字之外,不能称它别的名字;其次,即使启示的名字,由于它是通过人的有限理智来认识的,也不能表示出上帝的本性,所以,对上帝的一切积极的称谓同时需要有相应的否定;第三,神学家甚至无权称上帝为"实在"或"存在",因为这类概念都是来自上帝的创造物,上帝作为创造者,它的本性决不能和创造物相同。

在中世纪的著名神学家中,11世纪坎特伯雷的安塞姆完全不受消极神学的影响。他充分相信人的理性有力量阐明基督教信仰的奥秘,这使他和理性主义相接近。经院哲学的成熟是和亚里士多德理论的复兴分不开的。以前不为西方所知的亚里士多德的主要著作《形而上学》、《物理学》、《尼珂马可伦理学》和《灵魂论》陆续被译成拉丁文。亚里士多德著作的阿拉伯注释家也随之而来,其中最著名的是11世纪的阿维森纳和12世纪的阿威罗伊和迈蒙尼德。在13世纪的那些基督教大全里,几乎每页上都能看到这三个名字。第一个勇敢地接受新亚里士多德主义挑战的中世纪神学家是大阿尔贝特。他虽不懂希腊语却注译了全部拉丁文本亚里士多德著作。托马斯·阿奎那着手把信仰和理性、《圣经》和亚里士多德著作结合起来。他认为,一个神学家从对自然研究所得的益处虽难以预见,但一般说来,信仰须以关于自然的知识为前提,并且错误往往使人偏离信仰的真理。他在关于上帝的文章中论证,人们不仅不知道上帝是怎样的,也不知道事物的本质。1274年托马斯死后,信仰和理性的分裂日趋极端化。生活在13世纪末的"精明博士"邓斯·斯科特斯把上帝和自由联系起来,认为降福、拯救、创造等等都是上帝绝对自由的做法所产生的。14世纪的唯名论者奥康姆则主张"两重真理"。他认为单个的事件是"真实的",而这些事件的连贯则不然。这种事实论,既不能靠计算,也不能靠推断,只能凭经验。所以理性不过是对付具体现实的一种力量。

持久的因素 经院哲学中也有对一切时代都有意义的因素。第一,经院哲学不仅信奉正常历史规则,即观念一旦表述出来就在未来时间中继续存在,而且中世纪的智力成就已超过了这一规则,并对反对经院哲学的哲学家们施加特殊影响。如笛卡儿、洛克、斯宾诺莎、莱布尼茨都从中世纪观念得到益处。第二,文艺复兴的经院哲学和19、20世纪的新经院哲学都是回到经院哲学的尝试。这两次运动主要对T.阿奎那的著作感兴趣。第三,经院哲学运动具有持久意义的最重要方面是它接受这样的基本信条:人所知道的真理和上天启示的真理并存。理性是人们把握世界的自然能力。理性和信仰不能相互冲突。

Scholes, Myron S. 斯科尔斯(1941-01-07,加拿大安大略蒂明斯～) 全名Myron Samuel Scholes。加拿大出生的美国经济学家,以与同事F.布莱克合作制定期权定价公式(option valuation formula)而闻名,该公式减少了投资者的风险而激励了股票期权(优先认股权)市场。1997年与推广使用布莱克-斯科尔斯公式使之适用于金融的其他领域的R.C.默顿共获诺贝尔经济学奖。布莱克死于1995年,因死者不能获得诺贝尔奖,他1977年未能入选获奖者名单。斯科尔斯1961年获加拿大安大略省哈密尔顿的麦克马斯特大学的文科学士学位。后在芝加哥大学师从诺贝尔奖获得者M.H.米勒,1964年获工商管理学硕士学位,1970年获哲学博士学位。1968～1973年和1973～1983年先后在麻省理工学院和芝加哥大学任教;1983年入斯坦福大学,任法学和金融学教授,1996年成为荣誉教授。他也在许多经济和金融机构,包括全国经济研究局、所罗门兄弟公司及他和默顿合办的长期资本管理公司任职。斯科尔斯在经济学领域和世界金融市场方面所做的最大贡献是1973年发表的带有他名字的布莱克-斯科尔斯期权定价公式。期权是一种交易人或投资者在未来某一确定时间有权买卖资产的契约。在期权定价公式出现前,投资者无法精确地确定未来期权的价值。为了减少巨大损失的风险,投资者要计算一种风险溢价;然而当时没有一种准确的方法来确定这种溢价。布莱克-斯科尔斯公式显示出风险溢价已作为因素计入股票的价格之中,从而降低了投资期权的复杂性。尽管公式相当复杂而且涉及许多假定和限制,但它使期权和衍生金融工具的交易大大容易为投资者所能接受,从而在世界范围内成为交易人对股票期权定价的主要方法。默顿后来又消除了许多限制,使该公式适用于金融交易的其他领域,如住宅抵押和一般的风险管理等。

Schollander, Don 斯科兰德(1946-04-30,美国北卡罗来纳夏洛特～) 美国游泳运动员。在1964年东京奥运会上获4枚金牌,是取得这种成绩的第一名美国游泳运动员。在该次奥运会上,创4分12.2秒的400米自由泳世界纪录和53.4秒的100米自由泳奥运会纪录;他所参加的美国队创400米和800米接力游泳世界纪录。斯科兰德以速度、泳姿完美以及不遗余力的自由泳而著称。20世纪60年代初他打破若干美国和世界的自由泳纪录。1963年成为在2分钟内游完200米的第一人,1963年7月到1968年8月,9次提高了这个距离的成绩。1964年奥运会之前,他曾将200米自由泳世界纪录缩短到1分57.6秒,并打破400米自由泳世界纪录。1968年在墨西哥城奥运会他先代表美国队在预赛中以1分54.3秒创200米自由泳世界纪录,后获该项运动银牌。为1983年首批进入美国奥林匹克名人堂的运动员之一。

Schomberg, Frederick Herman, duke of 绍姆贝格(1615-12-16,巴拉丁领地海德堡～1690-07-01,爱尔兰博因) 德意志军事冒险家、法国元帅、英格兰贵族,在1634年至1690

年间几次欧洲大战中为各个不同的国家作战。其父是巴拉丁选侯腓特烈五世的宫廷司法官，基督教新教徒，母亲安妮是英格兰贵族之女。1633 年，他志愿供职于奥兰治的腓特烈·亨利麾下；三十年战争期间，在萨克森-魏玛的贝尔纳德的部队中服役（1634 ～ 1637），参加上莱茵诸战役。1639 年，前往荷兰，担任军职数年。1650 年，投石党运动期间，枢机主教马萨林招请绍姆贝格及其所部德意志步兵支援法国王室部队，在勒泰勒战役（1650-12-15）中击溃叛军。1652 年 10 月 28 日被任命为旅长，在反对西班牙及孔代亲王诸战役中，成为优秀军官。1660 年，去里斯本组织葡萄牙军队，抗击西班牙。1668 年在一次宫廷革命中支持佩德罗（后为佩德罗二世）掌权后重返法军，并成为法国人。在包围及攻占马斯特里赫特（1673-06）时，担任路易十四的参军；1675 年，被授予法国元帅军衔。1685 年，路易十四废除《南特敕令》，基督教新教徒绍姆贝格被逐出法国，受到勃兰登堡"大选侯"腓特烈·威廉的欢迎。1688 年，这位选侯把绍姆贝格及一支普鲁士军队借给奥兰治亲王威廉（后为英国国王威廉三世），绍姆贝格偕同亲王进驻英格兰。1689 年 4 月成为英格兰人，5 月受封为绍姆贝格公爵。1689 年 8 月率部讨伐爱尔兰詹姆斯二世，在博因河战役中阵亡。

Schomburgk, Sir Robert Hermann 朔姆布尔克（1804-06-05，萨克森-艾伯丁公国温斯特鲁特河畔弗赖堡～ 1865-03-11，柏林附近舍讷贝格） 德国出生的英国探险家和测量员，他

供图：BBC Hulton Picture Library

确定的"朔姆布尔克线"是 1841 ～ 1895 年间英属圭亚那的边界线。朔姆布尔克于 1844 年被封为爵士。朔姆布尔克曾在德国受教育，1829年去美国，1831 年从美国去英属维尔京群岛的阿内加达岛考察，记录过当地船舶，特别是美国船舶失事发生率。1835 年被皇家地理学会派往英属圭亚那探险成功，并于无意中发现王莲。1840 年著有《英属圭亚那风貌》。1848 年任英国驻圣多明各（今多米尼加共和国）的领事，1857 年任驻暹罗（今泰国）曼谷的领事。1864 年 12 月因健康日下而退休。

Schön Martin 舍恩·马丁 参阅 Schongauer, Martin 施恩告尔。

Schönbein, Christian Friedrich 舍恩拜因（1799-10-18，士瓦本梅青根～ 1868-08-29，巴登-巴登附近绍尔斯贝格） 德国化学家。发现并命名臭氧（1840），最先描述火棉（硝化纤维）。先任教于英国埃普瑟姆，后任教于瑞士巴塞尔大学（1828），1835 年任化学和物理学教授。火棉的发现始于他在妻子厨房里的一次意外事件。当他用妻子的棉布围裙擦拭洒出的硝酸与硫酸时，棉布蚀毁了，这促使他去研究硝化纤维。他还研究过铁的钝态、过氧化氢的性质和催化作用。一生共撰写 360 多篇科学论文。

Schönbrunn, Schloss 申布伦府邸 哈布斯堡家族的洛可可式夏季别墅，位于维也纳。由 J.B.F.冯·埃尔拉赫于 1695 ～ 1696 年设计，1711 年建成。1737 年和 1744 年先后由冯·埃尔拉赫之子 J.E.F.冯·埃尔拉赫和 N.帕卡西进行改建。花园原由 J.- N.雅多在约 1705 ～ 1706 年布置，1765 年由 F.冯·霍亨伯格重新设计。整个花园及其中建筑物占地在 2 平方千米以上，1918 年起对公众开放。

Schönbrunn, Treaty of 《申布伦条约》 奥地利反对拿破仑的解放战争失败之后，于 1809 年 10 月 14 日在维也纳申布伦城堡签订的一项协议。奥方失地 8.3 万平方千米，人口 350 万。拿破仑分得阜姆、伊斯特里亚、的里雅斯特、克罗地亚的一部分及卡林西亚和卡尼奥拉的大部分；俄国因支持拿破仑而分得东加利西亚的塔诺波尔地区；华沙大公分得西加利西亚，连同克拉科夫、卢布林两城市；巴伐利亚则分得萨尔茨堡、贝希特斯加登、因河地区以及豪斯鲁克山的一半。奥地利同意偿付大笔赔款，将军队裁减至 15 万人，并与英国断绝外交及贸易关系。缔约之后，出现了法奥紧密联系的短暂时期。

Schöneberg 舍讷贝格 德国柏林一区。13 世纪时是农村居民点，为旧舍讷贝格。1874 年旧舍讷贝格与新舍讷贝格合并。1920 年与弗里德瑙合并成现在的区。波茨坦大街的最高法院大楼于 1945 年成为盟国管制委员会所在地。1948 年市政厅成为西柏林行政中心。在钟楼里悬挂着美国 1951 年赠送给西柏林的美国自由钟的复制品。工业有印刷、啤酒酿造、精密仪器、光学制品和电信设备。人口约 149 407（1989）。

Schönemann, Johann Friedrich 舍内曼（1704-10-21，普鲁士克罗森［今在德国］～ 1782-03-16，梅克伦堡什未林［德国］） 德国演员兼剧院经理，德国公共剧院发展中颇有影响的人物。1725 年首次登台演出，1730 年加入 C.诺伊贝尔剧团，以善演喜剧而为人所仰慕。1740 年与其妻（女演员韦格勒）自建剧团。起初巡回演出，1751 年之后主要在什未林和汉堡演出。该剧团虽然主要演出诸如高乃依、伏尔泰和莫里哀等人的法国剧作，但因其舞台布置和表演技巧而产生很大影响。他一直未能克服传统德国戏剧中刻板的表演风格，但因善于经营，吸引并鼓舞了一些表演技巧比较自然的明星演员，如埃柯夫、施罗德和阿克曼等人。后来，他转而贩卖马匹，但未获成功。1757 年放弃剧院经营。晚年沦为宫廷仆人，在贫困中度其余生。

Schönerer, Georg, Knight (Ritter) von 舍内雷尔（1842-07-17，奥地利维也纳～1921-08-14，茨韦特尔附近鲁泽瑙） 奥地利政界的极端分子，泛日耳曼党创始人（1885）。仇视犹太人，在帝国末期，也许是群众反民主情绪的最出名的代言人。1873 年选入帝国议会，即采取亲普鲁士和仇视犹太人的立场。他在中产阶级下层和青年协会中赢得力量强大的追随者们。1888 年因袭击报馆入狱，泛日耳曼党一度失势。但 1897 年因他得以重新选入议会，该党又东山再起。1898 年以后与反天主教的"脱离罗马运动"有密切联系。作为一位全国性的政治人物，他的势力于 1901 年曾达到顶峰。1907 年该党几乎从奥地利政治舞台上消失，但他的思想影响并未削弱。

Schongauer, Martin 施恩告尔（1445 或 1450，阿尔萨斯科尔马［今在法国］～ 1491-02-02，巴登布赖萨赫［今在德国］） 别名舍恩·马丁或许布施·马丁。德国 15 世纪画家、版画家，丢勒以前最优秀的铜版画家。金匠之子。1465 年曾入莱比锡大学短期学习。是位多产的画家，其油画、版画在许多国家中均可见到。绘画所存无几，其中有《玫瑰园中的圣母》（1473）。此画将雄伟与细腻结合起来，接近佛兰德斯画家韦登的风格。其他作品包括科尔马博物馆祭坛两侧的油画；6 幅小油画，其中以《耶稣诞生》（柏林）和《神圣家族》（维也纳）最为成熟；布赖萨赫大教堂的壁画《最后审判》（发现于 1932），大概是他的最后作品。其铜版画作品共约 115 幅，均以花押字母署名，体现出晚期的哥特式风格。技艺上他采取扩大鲜明对比和组织结构的范围，使雕版艺术臻于成熟。其较大、较精细的铜版画如《圣安东尼受试探》或《圣母马利亚之死》，都是他早期的作品。晚期喜作小幅版画，即使 12 幅一组的版画《基督受难》这一类题材亦如此。其最富表现力的版画是单人画，例如《庭院中的圣母》、《圣塞巴斯蒂安》等。

Schönherr, Karl 舍恩黑尔（1867-02-24，奥地利阿克萨姆斯～ 1943-03-15，维也纳） 奥地利作家，以其淳朴和粗犷地描述农民生活中关于政治和宗教问题的剧本闻名于世。是乡村教师的儿子，后成为维也纳的开业医生。1897 年写了剧本《蒂罗尔的犹大》（1927 改写），在该剧中一个农村耶稣受难剧中的犹大变成现实生活的背叛者。《信仰与家乡》（1910）被视为他的最佳剧作，内容是农民对反宗教改革的反抗。他承认挪威剧作家易卜生是他的老师，自己处身于现实主义和象征主义中间。其他以农民为题材的作品有《木刻者》（1900）、《大地》（1907）和《苦难中的人民》（1915）。他还写过几部关于医务界和中产阶级问题的戏剧，最优秀的有《学院万岁》（1922）、《它》（1923）和《饥饿封锁》（1925）。他的小说和随笔写的是类似题材。他的作品收集在《文集》（1927）之中。大部分剧本首先在维也纳的宫堡剧院和德意志人民剧院上演。

Schönlein, Johann Lukas 舍恩莱因（1793-11-30，德国班贝格～1864-01-23，班贝格） 德国医师。他试图证实医学是一门自然科

学,从而有助于建立临床医学教学和实践的现代方法。1824～1833年在维尔茨堡大学,1833～1840年在苏黎世大学,1840～1859年在柏林大学任内科学教授。将尿及血液的显

供图:Archiv fur Kunst und Geschichte, Berlin

微镜检查与化学分析方法结合起来用以诊断疾病的第一人。1839年发现并描述了黄癣的病原舍恩莱因氏毛癣菌。1828年创用血友病一词。1837年首先描述了见于过敏性紫癜(舍恩莱因-亨诺紫癜)及风湿性紫癜(即舍恩莱因氏病)患者皮肤有小出血点,并伴有关节肿痛及手、脚或眼睑肿胀。

Schönwald, Albert (musician) **舍恩瓦尔德** 西克洛斯的原名,参阅 **Siklós, Albert** 西克洛斯。

school drama 院校戏剧 指文艺复兴时期全欧洲各学校、学院学生所演出的戏剧。最初这些剧目由学者用拉丁语撰写用作教学作品,尤其是在耶稣会学校,但后来也被视为一种娱乐。作品包括泰伦斯和普劳图斯等拉丁学者的译本和模仿作品,以及用本地语写的原创剧。已知首部英国喜剧《拉尔夫·罗伊斯特·多伊斯特》(约1553年)就是由剧作家和校长N.尤德尔写的一部院校戏剧,供学生在威斯敏斯特学校演出用。

Schoolcraft, Henry Rowe 斯库克拉夫特 (1793-03-28,美国纽约奥尔巴尼～1864-12-10,华盛顿[哥伦比亚特区]) 美国探险家和人种学家,以发现密西西比河的源头和从事有关北美大平原印第安人的著述而闻名。他对这一地带的最初接触,始于1817～1818年在现今密苏里州和阿肯色州所作的矿物资源考察之行。1820年,曾作为地志学者去密西西西比河上游和苏必利尔湖进行考察;1821年发表了有关这次旅程的日志。因与印第安人接触很有经验,被任命为负责苏必利尔湖地区印第安事务的联邦政府代表。1822年,在该地区与一混血的奥吉布瓦姑娘结婚,该部落此后即成为他研究的一个专题。1832年,再次赴密西西比河上游进行勘察,测定现今明尼苏达州艾塔斯卡湖为其发源地。所著《艾塔斯卡湖考察记》(1834),连同1820年的考察纪事,于1855年题名《密西西比河源考察记》再次发表。作为密歇根州印第安事务监督,他同奥吉布瓦人达成协议(1836),该部落割让密歇根州北部大片土地与美国。他在人种学方面的主要贡献见于《有关美国印第安部落的历史、环境和前途的史料和统计资料》这部巨著(6册;1851～1857)中。另一重要著作是《阿尔吉克人研究》(1839初版;1856再版时题为《海华沙的传说》),H.W.朗费罗所写《海华沙之歌》取材于该书。

Schooner 斯库纳纵帆船 在两根或更多桅杆上张挂纵帆的帆船。在前桅上也可能配备一个或多个桅顶横帆,或者更普通的是一个或多个艏三角帆或百慕大帆(向前延伸到

双桅斯库纳纵帆船"谢南多厄"号

供图:Ted Heidenreich Jr.

艏斜桁的三角帆)。虽然有横帆装置的船在信风到来之前极适于长途航行,但是却不宜作海岸航行,因为在沿岸必须应付所有种类的风。斯库纳纵帆船在海岸风中较易操纵;吃水浅;相对于其尺寸而言,需要的船员较少。18世纪以后,纵帆船已流行于全世界。在19世纪中期的美国,在其对华贸易和加利福尼亚的黄金贸易中,船速就是金钱;斯库纳纵帆船的设计嫁接到了老式的全帆装三桅商船上,就形成了著名的快帆船。

Schooreel, Jan van 参阅 **Scorel, Jan van** 斯霍勒尔。

Schopenhauer, Arthur 叔本华(1788-02-22,普鲁士但泽[今波兰格但斯克]～1860-09-21,美因河畔法兰克福) 被称为"悲观主义哲学家"。他是黑格尔绝对唯心主义的反对者、新的"生命"哲学的先驱者。对人间的苦难甚为敏感,因而他的人生观带有强烈的悲观主义倾向。致力于哲学家柏拉图和康德著作的研究,蔑视费希特、谢林和黑格尔。

叔本华生于富商家庭,早年受到良好的教育。1809年进入格丁根大学学习医学,第二学期便转向人文学科。1811～1813年去柏林大学学习,1813年夏完成博士论文,并在耶拿大学取得哲学博士学位。毕业后去魏玛,与歌德交往甚密。不久去德累斯顿,直至1818年。

1819年,叔本华发表了其重要著作《意志和表象的世界》,分为四篇,其中包括:认识论、自然哲学、美学和伦理学。第一篇从研究康德开始。叔本华认为世界是我的表象,这一点只有借助人的理智结构,即空间、时间、因果关系才是可以理解的。而这些思维结构仅仅表现出世界的外部现象,表现大量的一个接一个的事物——而不是自在之物。第二篇提出了一个概念的本质问题。在大千世界的一切事物中,只有一种东西可以从两个方面来描述,这就是人自己。人可以外在地把自己理解成物体和现象,也可以内在地把自己理解成所有事物基本本质的一部分,即意志。意志是自在之物,它是单一整体性的,是玄奥的,是不能改变的,是超越于时间空间之外的,是没有原因和目的的。在现象界中,它表现在一个上升的意识系列之中,表现在高一级的形态不断地对低一级形态的斗争。这是一种永恒地无目的的斗争,它与痛苦和灾难不可分割地联系在一起。有鉴于前两篇论述的是肯定形式的意志,后两篇有关美学和伦理学的论述则指向意志的否定,作为一种可能的解脱。通过意志的实现程度而产生的一系列等级差别和艺术上的等级是相一致的,即从最低级的——建筑艺术——通过诗的艺术,到最高级的艺术——音乐。但艺术仅仅是短暂地使人摆脱意志的作用,得到解放。真正的解放只能产生于打破自我对个性的束缚。这部书标志了叔本华思想发展的顶点。尽管他因受到同代人的冷遇而感到失望,但他坚信真理的最后胜利。他认为,"真理是可以等到的,因为它长久存在"。因而经过了19年的"无声的愤慨"之后,他在1836

供图:Archiv fur Kunst und Geschichte, Berlin

年发表了短篇论文《论自然界中的意志》。叔本华这篇文章灵巧地运用了迅速发展的自然科学中的疑问和发现来维护他关于意志的学说。在前言中他公开地对"骗子"黑格尔及其帮派予以沉重的抨击。然而直到1853年之后,叔本华的哲学才为世界所重视。这时叔本华的影响开始扩大。他的思想——在一定程度上通过尼采——影响了活力论、生命哲学、存在主义哲学以及人类学的观念和方法。他的一生并不得志,在去世前几年获得声誉以前,一直过着隐居生活。

Schorel, Jan van 参阅 **Scorel, Jan van** 斯霍勒尔。

schorl 黑电气石 电气石(**tourmaline**)族中的一种含铁的黑色矿物。

schorlomite 钛榴石 钙铁榴石(**andradite**)的富钛变种。

schottische 绍蒂谢 成对的民间社交舞,可能起源于苏格兰或德国。这种舞在19世纪的欧洲和南北美洲成为流行的舞厅舞,并以包括苏格兰、北欧和墨西哥在内的各种民

1886年版画中的绍蒂谢舞
卡尔弗图片公司供图

间舞传统形式出现。在这种舞的多种变体中,轻松的三步一跳的步法是共同的。对舞者通常沿舞厅转圆圈漫步向前,相互旋转或变成新的花样。乐曲为2/4拍或4/4拍。

Schottky, Walter 肖脱基(1886-07-23,瑞士苏黎世～1976-03-04,西德普雷茨费尔德) 德国物理学家。他在固体物理学和电子学方面的研究,产生出多种现在因他而命名的装置。入柏林大学在M.普朗克领导下从事研究工作,获工程、技术和自然科学博士学位。曾执教于维尔茨堡大学(1920～1922)和罗斯托克大学(1923～1927)。从1927年至其以90岁高龄逝世前不久,一直在西门子公司任工业研究员。1914年发现了真空管中热离子发射的一种不规则现象,现称肖脱基效应。1915年发明屏栅真空管,1919年发明四极管,为最早的多极管。在《热力学》(1929)一书中,他率先指出半导体的价键结构中存在电子"空穴"。1935年,他注意到当晶体点阵中的一个离子从所在位置阵转移到晶体表面时,就在点阵中留下一个空位,这类点阵空位现称为肖脱基缺陷。1938年,他创建了一种理论,将金属半导体接触点的整流性态解释为与两种金属材料之间接触面处的势垒层有关。后来基于该理论制成的金属半导体二极管即称为肖脱基势垒二极管。

Schottky effect 肖脱基效应 外加电场使受热物质表面发射电子所需的能量降低,因而从表面逸出的电子增多的现象。从某一特定物质表面逸出一个电子所需的最低能量叫做功函数,这能量是由热能提供的。可以加上很弱的外电场把已经从物质表面发射出的电子吸走。外场增到一定值,功函数值就降低;外场继续增强,功函数也随着继续降低,于是电子发射流继续增大。但是,若外场到达甚高值,电子发射显著增多,这时又开始发生另一类型的电子发射,称为强场致发射,简称场致发射。

Schouten, Willem 斯考滕(1567?,荷兰霍伦～1625,马达加斯加安通吉尔湾) 荷兰探险家,其1615～1616年的一次探险发现了在南美南端的一条连接大西洋和太平洋的新航线——德雷克海峡。荷兰东印度公司垄断所有经过麦哲伦海峡船只从事的东印度贸易,1615年,一位阿姆斯特丹商人艾萨克·勒美尔发起一次探险以寻找通往太平洋的新路线。他的儿子雅各布和经验丰富的老船长斯考滕带领两条船于1615年5月出发,第二条船由斯考滕的兄弟简领航。12月他们抵达南美的东南端海岸,而较小的一条船却在该处着火,不得不放弃。第二个月,他们继续向南航行,斯考滕将美洲的最南端起名为合恩角,然后经过火地岛与斯塔滕岛之间的勒美尔海峡驶进太平洋。这条新路线现在称为德雷克海峡,比原先通过麦哲伦海峡的路线略为长一些,但较简单方便。探险队在1616年10月到达其目的地爪哇巴达维亚(即现今的印度尼西亚雅加达)之前又发现了南太平洋的一些新岛屿。雅加达的荷兰总督不相信斯考滕发现向西的新路线,遂没收了他的船货,并判斯考滕和勒美尔破坏垄断罪将他们遣返回荷兰;勒美尔死于途中。斯考滕回国之后出版了他和勒美尔的日记并附有地图,事实证明,这些日记对后来的探险家是极为珍贵的资料。

Schouten Islands 斯考滕群岛 又译实珍群岛。旧称米索雷群岛。印度尼西亚太平洋中群岛。位于伊里安查亚省北部沿海鸟头湾口。主要岛屿有比亚克、苏皮奥里及农福尔。比亚克岛南岸的比亚克镇是主要居民点和行政中心。该群岛,特别是农福尔和比亚克两岛,是伊里安查亚省人口最稠密的地区。在新几内亚岛北海岸外,还有同名岛屿,但属于巴布亚新几内亚。

Schouwburg 苏堡剧院 阿姆斯特丹第一座永久性剧院。1637年在皇帝运河河岸建成,1638年1月3日开业。舞台离地面7英尺,无舞台前部拱形装置或前幕。永久性的双层舞台正面由一些柱子构成,柱间挂有表明不同背景的绘景平板。侧面的柱子上方设有平台式舞台。椭圆形的观众厅里有两排包厢和一条游廊,其地板向下倾斜并摆有几排长凳。1664～1665年旧剧院拆毁,新建剧院按意大利巴罗克风格设有舞台前部装置、精美的舞台边厢、地板门、悬吊布景和机械装置。1772年被大火完全烧毁,后在该市城墙附近重建,1890年又毁于火。

Schoyffelin, Hans Leonhard 参阅 **Schäuffelein, Hans Leonhard** *绍伊夫莱因*。

schreibersite 陨磷铁矿 含铁和镍磷化物[$(FeNi)_3P$]的陨石矿物,见于所有铁陨石中。常呈板状,成为包围瘤状陨硫铁的外壳。棒状陨磷铁矿称为陨磷铁镍矿(rhabdite),而且一度被认为是另外一种矿物。陨磷铁矿和陨磷铁镍矿都属于正方晶系。关于详细的物理性质,参阅 **native element**(表)。

Schreiner, Olive 施赖纳(1855-03-24,开普殖民地威特贝尔根[今在南非]～1920-12-11,开普敦) 又译席莱纳。南非女作家。创作了南非第一部小说杰作《一个非洲庄园的故事》(1883)。她才智过人,对政治和社会持有力主男女平等的和自由开明的见解。虽然没有受过正式教育,但博览群书,并受到母亲的教诲。1874～1881年旅居英国,充当家庭教师。在此期间,写了两部半自传性的小说:《水中仙女》(1928)和《一个非洲庄园的故事》,并开始写《人与人之间》(1926)。《一个非洲庄园的故事》出版后,立即在欧洲和北美洲取得成功,有许多名人对她大加赞赏。这部小说讲的是草原上一座与世隔绝的庄园里一个少女的故事,她面对布尔人刻板的社会习俗,为赢得自身的独立而斗争。小说具有独创性,叙事和描写均沉稳娴熟,背景富有异国风情,生动地表述了男女平等的、反基督教的宗教和婚姻观点,因而声名远播,产生了广泛的吸引力。此外,她还写过《妇女和劳动》(1911)一书,被广泛誉为妇女运动的"圣经"。

Schreiner, William Philip 施赖纳(1857-08-30,开普殖民地维特贝根[今在南非]～1919-06-28,威尔士拉德诺兰德林多德韦尔斯) 南非政治家,南非战争(1899～1902)爆发时任开普殖民地总理。作家兼政治活动家O.施赖纳之弟。他是一个稳健的政治家,努力防止战争,后成为民权捍卫者。1893年为开普殖民地议会议员,1893和1894～1896年任C.罗得斯政府部长,1898年当选为总理。先寻求英国人与布尔人和解,南非战争既起,又竭力保持开普殖民地中立。其政府于1900年倒台。1909年被选为南非制宪会议代表,但未出席会议,却为1名被非法指控叛乱的非洲酋长出庭辩护。他反对宪法草案,因为它没有保障非洲人的公民权。后为新建的南非联邦参议员,作为非白人代表。1914年任南非联邦政府驻伦敦高级专员。

Schrieffer, John Robert 施里弗(1931-05-31,美国伊利诺伊奥克帕克～) 美国物理学家,与J.巴丁、L.N.库珀一起因建立了BCS(他们的姓氏首字母)理论而共获1972年诺贝尔物理学奖。那是最早的一种成功的超导性微观理论。就读于剑桥的麻省理工学院和厄巴纳的伊利诺伊大学,1957年获伊利诺伊大学哲学博士学位。他作为在巴丁指导下的年轻研究生参与了对金属在极低温下会失去电阻这一现象的解释。他在BCS理论方面的主要贡献来自一次在乘地铁时产生的灵感。1957～1959年在芝加哥大学,1959～1962年在伊利诺伊大学任教,然后转入费城宾夕法尼亚大学,1964年获M.A.伍德物理学教授称号。1969～1975年成为康奈尔大学的A.D.怀特无固定职责教授,从1980年起任圣巴巴拉的加州大学物理学教授。1964年出版《超导性理论》一书。1968年获得美国全国科学院的康斯托克奖金。此外还获取美国瑞典人工程师学会的J.埃里克森奖章,并成为美国艺术与科学学会会员。

Schriek, Sister Louise Van der 施里克(1813-11-14,荷兰贝亨奥普佐姆～1886-12-03,美国俄亥俄辛辛那提) 原名 Josephine

Van der Schrieck。美国天主教领袖，在她的领导下美国中西部和东部均建起了那慕尔圣母会及其教育机构。在比利时那慕尔圣母会学校接受教育。1837年成为该会的见习修女，1839年成为路易斯修女。她是志愿移民去美国建立修女会的8位修女之一。1840年在俄亥俄州辛辛那提落脚，建立了比利时以外的第一个永久性基地。不久开办寄宿学校、贫民子弟学校和主日学校。1845年成为女修道院院长，1848年成为落基山脉以东所有女修道院地方管事。在其任职的38年间，她管辖的机构由2所增加到27所，有大约800名修女在波士顿、费城、华盛顿[哥伦比亚特区]等城市的修女会学校和近50所教会小学工作。1867年派修女去辛辛那提非洲裔美国儿童学校工作。还在几个城市开办成人夜校。在她严格的传统的管理之下，那慕尔圣母会的工作蒸蒸日上，得以为美国东部和中西部城市日益增多的天主教徒提供服务。

Schrock, Richard R. 施罗克（1945-01-04，美国印第安纳伯尔尼～　）美国科学家，因研究有机化学中极为重要的烯烃复分解反应，与R.H.格拉布斯和Y.肖万共获2005年诺贝尔化学奖。施罗克因“首先生产出易位反应的有效金属化合物催化剂”而获奖。1967年获加利福尼亚大学里弗赛德学士学位，1971年获哈佛大学博士学位。1975年到麻省理工学院任教，1989年任F.G.凯斯化学讲座教授。根据肖万在20世纪70年代初首先阐明的机理，施罗克系统地试验了多种含钼、钨或其他金属的催化剂，以了解哪些金属可以使用及其如何起作用。1990年和同事们报告了所用的含金属钼的有效烯烃复分解反应催化剂的进展。它们的化学特性基于一类称为施罗克卡宾的含金属化合物。但是这些新的烯烃复分解反应催化剂对于空气和水降低其活性的影响很敏感。他的研究推动了多种有用产品的开发，其中包括先进的塑料、燃料添加剂、控制有害植物和昆虫的药剂和药物等。

Schröder, Friedrich Ludwig 施罗德（1744-11-03，梅克伦堡什未林[今在德国]～1816-09-03，雷林根）德国演员、剧院经理和剧作家，第一个把莎士比亚戏剧介绍到德国舞台上的人。他是一个卓越的喜剧演员。曾在其继父的剧团里作儿童演员，并向其作演员的母亲学演技。1771年任汉堡国家剧院经理，在职9年。在汉堡，早期最精彩节目就是莎士比亚的戏剧。他在这些戏剧中扮演哈姆雷特、伊阿古、夏洛克、李尔王、法尔斯塔夫和麦克白等主要角色，成为当时首屈一指的演员。他还为汉堡观众上演了歌德早期的剧目《葛兹·封·贝利欣根》、《克拉维戈》和《施特拉》，以及其他一些受莎士比亚影响的狂飙突进运动的剧作家，如克林格和瓦格纳等人的作品。他还从英国引进了穆尔的《赌棍》和李洛的《伦敦商人》等剧。1780年离开汉堡到维也纳伯格剧院，在那里当了4年演员，他的演出使该剧院随之闻名。1785～1798年再度主持汉堡剧院，并上演了他在维也纳写的许多剧作。

Schröder, Gerhard 施罗德（1944-04-07，德国代特莫尔德附近莫森贝格～　）德国政治人物、总理（1998～2005）。曾在汉诺威从事律师工作，1980～1986年当选联邦议院议员。1986年竞选下萨克森州州长失败。在州议会领导社会民主党，1990年当选州长。在“红绿”联合政府中社会民主党与绿党联合，1994年社会民主党赢得绝对多数。1998年3月在州选举中表现突出，被社会民主党提名为联邦总理候选人。1998年秋领导社会民主党赢得竞选胜利，与绿党组建联合政府。出任总理后致力于促进欧洲一体化、降低德国高失业率、在能源生产中限制使用核能、推进东德经济重建。施罗德政府放宽德国有关公民身份的法律，并在科索沃（1999）和阿富汗（2001）部署德国部队。2002年再次当选总理。其第二任期前半期，在联合国安理会成员国之间遭遇外交对峙。2002年11月德国支持安理会关于要求武器核查人员重返伊拉克的决议。12月美国总统G.W.布什指责伊拉克未与武器核查人员充分合作。两个月后，美、英、西提出第二份决议，明确授权使用军事力量打击伊拉克。德、法、俄三国公开反对该项决议，由此造成德美关系不睦。2003年3月英美出兵伊拉克，德国表示强烈反对。因国内经济持续走低，2003年宣布重大改革计划，削减宽厚的社会福利制度。他提出的改革措施，遭到工会的反对。2004年辞去党领导职务。2005年地区选举中社会民主党表现欠佳，施罗德随后提前举行大选。基督教民主联盟及基督教社会联盟虽勉强获胜，但未能超过半数。经过数周谈判，决定组建联合政府，由基督教民主联盟的A.默克尔出任总理。施罗德退出新政府内阁。

Schröder-Devrient, Wilhelmine 施罗德-德夫里恩特（1804-12-06，汉堡[德国]～1860-01-26，萨克森-科堡-哥达科堡[今在德国]）德国女高音歌唱家，以刻画德国歌剧中的著名戏剧角色而闻名。著名男中音歌唱家和名伶之女，早年双亲曾对她进行舞蹈动作与发音训练，并在舞台上表演过舞剧与儿童剧中的角色。1821年在维也纳首次登台演出歌剧。翌年韦伯选她塑造《自由射手》中的阿加莎；同年贝多芬的《菲岱里奥》在维也纳重演时由她扮演莱奥诺拉，两者都博得极大的好评。人们常将该剧重演的成就归功于她，因它首演时并未获好评。瓦格纳觉得她唤醒了他作为作曲家的使命感。后来她为瓦格纳塑造了几个歌剧中的角色。1822～1847年演唱于德累斯顿、萨克森、柏林、魏玛、巴黎以及伦敦，扮演一些戏剧性极强的角色，获得极大成功。她的艺术歌曲独唱会和音乐会也受到很大的欢迎。1847年在俄罗斯帝国拉脱维亚的里加作最后一次的歌剧演出。1856年在德国举行最后一次音乐会。

Schrödinger, Erwin 薛定谔（1887-08-12，维也纳～1961-01-04，维也纳）奥地利理论物理学家。和A.爱因斯坦、N.玻尔、M.玻恩、W.海森伯、W.泡利、L.德布罗意、P.A.M.狄拉克一起于20世纪20年代后期，发展了量子力学（**quantum mechanics**）。因建立描述电子和其他亚原子粒子的运动状态的波动方程，和狄拉克共获1933年诺贝尔物理学奖。薛定谔生于维也纳一个科学工作者家庭。

供图：Foto IWAN

1906年入维也纳大学学习，毕业后留校，1920年以前主要在维也纳大学任教，1921～1927年在苏黎世大学任教，1927～1933年接替M.普朗克的职务出任柏林大学物理系主任，成为A.爱因斯坦的同事。因纳粹迫害犹太人，1933年离德到奥、英、比、意等地。1940年到爱尔兰的都柏林高级研究院。1956年回维也纳，任维也纳大学荣誉教授。

1924年，德布罗意提出了微观粒子具有波粒二象性：即不仅具有粒子性，同时也具有波动性。在此基础上，1926年薛定谔采纳这个建议，花费半年时间写成用偏微分方程描述微观粒子运动状态的理论。薛定谔方程是量子力学的基本方程，它与量子力学的关系，和牛顿运动方程与行星天文学的关系相似。但它引入的是波动方程，其解只能与物理事件出现的概率相联系，不像牛顿方程能得出行星轨道的具有确定形象的解。1940～1956年他定居在爱尔兰期间，从事自然科学史中的物理学和哲学的研究，颇有建树。这期间还著有《生命是什么》一书，试图用量子物理阐明遗传结构的稳定性，尽管以后分子生物学有了发展，但此书仍不失为介绍这一学科的最有益和最深刻的书之一。和他同时代的所有物理学家相比，他以智力上的多才多艺而格外突出，他精通所有西方文化中的哲学和文学，他给儿童们写的科普读物是同类作品中的佼佼者，他研究过古希腊的科学和哲学。他在最后的著作《我的世界观》中表述的哲学观点和吠檀多哲学的神秘主义非常相近。由于他非凡的天赋，薛定谔在他一生中几乎对自然科学和哲学的所有分支都做出过重大的贡献。

Schrödinger equation 薛定谔方程 量子力学中的基本方程。1926年由奥地利物理学家E.薛定谔得出。这一方程对量子力学就好像牛顿运动定律对大尺度现象的经典力学同样重要。薛定谔方程本质上是波动方程，它描述的是支配微粒运动的概率波或波函数（参阅 **de Broglie wave**）的形状，并指明在外界影响下这波将如何变化。薛定谔将他的方程应用于氢原子，非常精确地预言氢原子的很多特性，从而证实了该方程的正确性。薛定谔方程广泛地用于原子物理学、原子核物理学与固体物理学中。

Schroeder, Patricia **施罗德**(1940-07-30,美国俄勒冈波特兰～) 婚前名 Patricia Nell Scott。美国国会女议员。1961 年获明尼苏达大学历史学学士学位,1964 年获哈佛法学院法学学位。1964～1972 年间曾担任全国劳工关系委员会现场律师、法学教授、科罗拉多州计划生育组织法律顾问等多种职务。任科罗拉多州民主党众议员达 12 届之久(1972～1996),是国会妇女问题核心小组的主席之一,特别关注育儿假、儿童保育、计划生育等家庭生活问题。作为邮政局和公务员委员会中位居第二的成员,倡导制定保护联邦工人计划。此外,还是众议院军事委员会首位女委员,坚决维护军中女权并反对过高军费开支。称 R.里根总统为"特氟隆总统"(意指批评似乎与里根绝缘),以其语言才能闻名。离开众议院后,任美国出版商协会主席兼首席执行人。

Schruns **施伦斯** 奥地利西部福拉尔贝格州城镇。位于伊尔河畔,为蒙塔丰河谷的主要城镇。有历史悠久的牲畜集市。19 世纪初以来,为国际闻名的避暑胜地,有现代化矿泉疗养浴场,而且成为冬季运动中心。出产纺织品,亦为木材集散地。人口 3 729(1981)。

Schubart, Christian Friedrich Daniel **舒巴特**(1739-03-24,士瓦本上松特海姆～1791-10-10,符腾堡斯图加特) 德国狂飙突进时期诗人。以其路德教会虔信派和民族主义的倾向而知名。1758 年入埃朗根大学,求学两年,后为谋生而担任私人教师、助理牧师、盖斯林根和路德维希堡的风琴师;但由于行为放荡,仿作祈祷文而意存嘲讽,被逐出该地区。随后旅居海尔布隆、曼海姆、慕尼黑;在奥格斯堡作较长时期的居留时,创办《德意志纪事报》(1774～1778),赖朗诵名诗人新作糊口。随又因痛斥耶稣会教士而被逐出奥格斯堡,逃至乌尔姆。1777 年又在该地被逮捕,原因不明(极有可能是因为讥刺了符腾堡大公),不经审讯而被囚禁在霍恩阿斯珀格堡垒 10 年。在囚禁期间,研读神秘典籍,创作诗歌。舒巴特《诗集》(1785～1786)的特点,一是狂飙突进时期的虚浮辞藻;二是虔信派性质的强烈的宗教情感;三是爱国狂热。1787 年在普鲁士国王腓特烈二世建议下舒巴特获释,曾作《腓特烈大王颂》表示感激。此时,他被任命为斯图加特剧院的音乐指导和经理,同时继续办报,并着手写自传《舒巴特的生平和思想》(1791～1793),未完稿即卒。

Schubert, Franz (Peter) **舒伯特**(1797-01-31,维也纳附近希迈尔福格伦～1828-11-19,维也纳) 奥地利作曲家,古典主义音乐和浪漫主义音乐之间承前启后的人物,以所作歌曲(利德)和室内乐中的旋律与和声闻名于世。其他作品尚有《C 大调(大)交响曲》(1828)、《B 小调交响曲》(未完成,1822)、弥撒曲和钢琴曲。

早期生活与事业 父为教师。全家均有音乐天赋,组织家庭四重奏,小舒伯特拉中提琴。其音乐基础教育受之于父兄,后又随教区教堂管风琴师学习管风琴和音乐理论。1808 年获奖学金,得以进入帝国宫廷教堂唱诗班,并就读于维也纳主要的平民学校"国立寄宿学校",导师有帝国宫廷管风琴师 W.卢齐卡和当时风华正茂的作曲家萨利埃里。舒

供图:Historisches Museum der Stadt Wien

伯特在学生管弦乐队拉小提琴,很快升为首席,卢齐卡缺席时由他指挥。生性腼腆,不敢出示首批音乐作品,后经同学帮助鼓励,克服羞怯心理,他的作品才终于得到萨利埃里注意。1812 年嗓子变音后离校,但仍继续私下跟萨利埃里学习至少 3 年。同时入维也纳师范学院学习,1814 年起在父亲的学校担任助理。因身材矮小未被录取服兵役,继续执教鞭直至 1818 年。1813～1815 年间的大量作品以其花色繁多和内在价值而引人注目。它们是一个年轻天才的作品,虽不够成熟,但已显示出独特风格,别具匠心而富于想象力。除 5 首弦乐四重奏外,还有 3 首大型弥撒曲和 3 首交响曲。第一部长篇歌剧《魔鬼的欢乐宫》作于师范学院时期,但是这一时期他的主要兴趣在于歌曲创作;1814 年 10 月根据歌德《浮士德》中的诗歌谱写《纺车旁的格丽卿》,这是他的第 30 首歌曲,在这一杰作中他一举而创造了德国利德歌曲这一体裁。翌年创作 140 余首歌曲。这时舒伯特的表面生活过得很平静。师范学院的朋友们对他忠心耿耿,介绍他和迈尔霍费尔与绍贝尔相识;1815 年底绍贝尔使年轻作曲家燃起了摆脱教学任务的希望之火。1816 年春舒伯特申请莱巴赫某学院音乐总监职位未成,他的朋友试图引起歌德对他的歌曲的兴趣也无结果。最后,绍贝尔于 1816 年 12 月说服舒伯特请长假。虽然父亲不情愿,他还是获准离校,然后和绍贝尔一起在后者孀居的母亲家里度过 8 个月。1817 年初绍贝尔将男中音歌唱家 J.M.沃格尔带回家,这次见面的结果是沃格尔演唱舒伯特的歌曲轰动维也纳。他和胡滕布伦纳兄弟的友谊也始于这一时期。但是这种自由自在的生活好景不常,1817 年秋舒伯特回校任教,他对朋友自称是"失意的音乐家"。前两年他创作硕果累累,歌曲有《该倪墨得斯》、《流浪者之歌》和取材于歌德小说《威廉·迈斯特》的《竖琴手之歌》。还有舒伯特自称为"悲剧的"《C 小调第四交响曲》(1816)和广受欢迎的《降 B 大调第五交响曲》(1816)。1817 年着手创作他的技艺高超的钢琴奏鸣曲系列,其中最优秀的是《降 E 大调第七》和《B 大调第十一》。舒伯特的教书生涯于 1818 年夏结束。他的作品的第一次公开演出于 1818 年 3 月在维也纳举行,演出的曲目为《C 大调意大利序曲》;6 月离开维也纳去埃斯泰尔哈吉伯爵在匈牙利的避暑别墅,担任公爵两个女儿的音乐教师。炎夏数月他迸发出新的创作活力,完成了钢琴二重奏《E 小调法国歌曲变奏曲》和《降 B 大调奏鸣曲》等作品。

成熟期 回到维也纳后,在冬天的几个月中创作轻歌剧《孪生兄弟》。1819 年 6 月他与沃格尔一起出发去歌唱家在上奥地利的家乡度长假。乡村的旖旎风光使作曲家欣喜若狂。在施泰尔他创作了他的第一首遐迩闻名的器乐作品《A 大调钢琴奏鸣曲》和著名的《鳟鱼五重奏》(钢琴与弦乐)。1820 年 6 月《孪生兄弟》在维也纳首演,成绩平平,沃格尔一身兼演兄弟两角。同年 8 月为戏剧《魔竖琴》所作配乐演出。这时舒伯特的声誉已不是只限于朋友和资助人的范围,而已扩大到更广的社交圈子。1820 年底的《C 小调四重奏乐章》是 20 年代中期那些杰出弦乐四重奏的先声。舒伯特为出版自己作品所作的一切努力都是枉费心机。1821 年初几个朋友自告奋勇集资为他出版歌曲《魔王》,反映热烈,所筹经费足够连《纺车旁的格丽卿》也一起出版。在维也纳舒伯特的歌曲和舞蹈音乐风靡一时,以致包揽了全部社交音乐会。但范围更广的歌剧和公开音乐会仍然对他采取回避态度。他下决心要在歌剧方面一显身手,3 幕歌剧《阿尔方索和埃斯特雷拉》完成于 1822 年,但从未上演。1822 年秋动笔创作《B 小调交响曲》(未完成),这部出自作曲家肺腑的作品虽未完成,却并未注定要默默无闻。两个乐章和一个写了一半的诙谐曲于当年 10 和 11 月完成。年底舒伯特染病后,仍继续不断地写作。1923 年 2 月写作《A 小调钢琴奏鸣曲》,4 月又试图以独幕轻歌剧《家庭战争》打入维也纳的剧院。可是这一年的名作是声乐套曲《美丽的磨坊女》,它是舒伯特抒情艺术的一个缩影。夏天的一部分时间舒伯特是在医院度过的,可能在病床上已开始写他的最雄心勃勃的歌剧《费拉布拉斯》。该剧被维也纳最有威望的康顿剧院的董事会拒绝。为戏剧《罗莎蒙德》所作配乐于 12 月在维也纳公演。1824 年的前几个月舒伯特贫病交加,一蹶不振的感觉折磨着他。但在这几个月中他写了 3 首绝妙的室内乐作品。这一年的 3 月他写给画家库培尔魏塞尔的信中自称是"世上最不幸、最可怜的人",沮丧之情跃然纸上。由于迫切需要钱,他在夏天又回到埃斯泰尔哈吉家的教师职位,于是健康和精神再度恢复生机。这一时期写了几首恢宏的钢琴二重奏、《C 大调钢琴奏鸣曲(大二重奏)》、《创作主题降 A 大调变奏曲》和《匈牙利嬉游曲》。虽然他的歌剧始终没有演出,在这些年中他的歌曲和主调合唱曲却经常在维也纳公演。出版事宜进展迅速,他的经济情况仍较窘迫,这正是《湖泊女郎》歌曲写作的时期。器乐曲有 A 小调和 D 大调钢琴奏鸣曲。在暑假里他写了一部交响曲的初稿,很可能就是完成于 1828 年的《C 大调(大)交响曲》的开始。

最后的年代 1824 年萨利埃里辞去帝国音乐总监之职,他的副手提升正职。1826 年舒伯特申请助理音乐总监的空缺;虽有几位有权势的人大力支持,但仍没有成功。此后直至去世,他对一切事物都采取听其自然的

态度,不再申请专业职务,也不再递交歌剧作品来确定自己的地位。很难相信舒伯特没有意识到自己超人的才力,但是由于自知出身寒微,缺乏教养,甚至举止略嫌粗鲁,他变得畏首畏尾、迟疑不决、矜持寡言。他毕生献身作曲,靠稿费和不定期的教学维持生计。1826年的歌曲包括为莎士比亚的《听,听,云雀》和《谁是塞尔维亚?》配写的音乐。1827年创作《冬之旅》套曲的前12首歌曲。1827年贝多芬之死对他有着极大影响,因为在他最后几首器乐曲中表现出与贝多芬音乐相似的更深邃、更理智的特性,不过他的强烈个性并未被湮没。1827年9月在格拉茨短期休假。回来后创作《降E大调钢琴三重奏》,并继续写《冬之旅》的第二部分。同一时期还写了钢琴独奏《即兴曲》和《音乐的瞬间》。在生命的最后一年创作了一系列杰作。年初他的钢琴二重奏中的大手笔《F小调幻想曲》问世。3月《大交响曲》和《米里亚米凯歌》竣工。6月创作他的第6首弥撒曲。8月回到歌曲写作,其成果以《天鹅之歌》为题编为一集出版。9月至10月初这个系列由3首钢琴奏鸣曲结尾,即C小调、A大调和伟大的《C大调弦乐五重奏》,最后这首是古典主义音乐时期的"天鹅之歌"(指最后的作品)。

舒伯特唯一的一次公开音乐会在1828年3月26日举行;它在艺术上和经济上都大获成功,于是这位一贫如洗的作曲家终于有能力为自己购买一架钢琴。1823年的一场病使舒伯特的健康受到损害,而不停顿的工作则使他筋疲力竭。1828年10月他染患伤寒症,生命的最后几天他的兄长和几位挚友在一旁照拂。

有人认为舒伯特在音乐史上的地位模棱两可,因为他处在古典主义音乐和浪漫主义音乐这两个世界之间。但是可以说他是最后一位伟大的古典主义作曲家。他的音乐主观上是富于感情的浪漫主义风格,具有诗意的构思和革新的语言,然而在曲式上却是按照古典主义的模式营造的,因此,在20世纪,人们越来越明确舒伯特实在是属于海顿、贝多芬和莫扎特的时代,而不属于舒曼、肖邦、瓦格纳那个时代。

Schuch, Franz　舒赫（约1716,维也纳～1763,汉堡）　德国喜剧演员兼剧院经理。他使方言形式的即兴喜剧非常流行,把即兴表演角色沃斯特与意大利即兴喜剧中的丑角哈乐根合二为一。18世纪40年代随其巡回剧团来到德国,在此留居,直至去世。在其经营下,该剧团极受欢迎,并与诺伊贝尔等传统剧团展开激烈竞争,获得极大成功,埃柯夫这位德国当时最伟大的演员曾短时期参加过这个剧团,后来剧团又聘请过演员兼剧作家布兰代斯。剧团的演出比早期其他剧团更为讲究和耐人欣赏,但又完全扎根于日常生活,因而受到广泛欢迎。尽管对白和形体动作的即兴表演仍是该剧团表演的主要内容,但总的结构却比较有节制,也比较曲折有趣。舒赫对即兴丑角哈乐根加以改造并在其身上糅进沃斯特的特色,从而使他在全国广受欢迎,给从意大利传来的剧种注入了新的活力,为改进德国大众戏剧做出了贡献。舒赫去世后不久,由于其子经营不善,剧团逐渐衰落。

Schuchert, Charles　舒赫特（1858-07-03,美国俄亥俄州辛辛那提～1942-11-20,康涅狄格州纽黑文）　美国考古学家,建立古地理学和研究古地质年代陆地和海洋分布状况的先驱。父亲去世后他负起供养弟妹的责任,并因此养成对化石的强烈兴趣。19世纪80年代,他为国家地质勘探队将苔藓动物和腕足动物化石绘图,自己也收集了许多有价值的标本。1894～1904年任美国国家博物馆馆长,在该处以其分类学工作著名。后任耶鲁大学古生物学教授,直到1923年以荣誉教授之衔退休。他与L. V.普里森合著的《地质学教程》(1915)一直到20世纪中叶仍是历史地质学的权威教材。他是北美最杰出的古地理学权威,他在这方面的成就总结在《北美历史地质学》第1卷中,该书于1935年出版,篇幅甚大,综合了当时在古地理学方面掌握的知识。又著有《北美历史地质古地理学教程》和《地球及其周期性变动》(1927)。

Schulberg, Budd (Wilson)　舒尔伯格（1914-03-27,纽约市～2009-08-05,纽约西安普敦）　美国小说家、电影剧本作者和新闻记者。1936年受完正规教育后,先任电影剧本审读员,后成为电影剧本作家。接着,开始创作一些短篇小说并加入了共产党;1939年因共产党要他在第一部长篇小说中反映马克思主义的教义而退党。他的小说《什么使萨米跑起来》(1941)获得了重大成功。第二次世界大战期间和战后,他入伍并任海军军官和战略情报局军官。由于为纽伦堡审判收集了纳粹战争罪行的见证而荣获陆军军功勋章。1947年,第2本长篇小说《他们摔得更惨》问世,该小说揭露了职业拳击的种种不可告人的内幕。1950年,他的长篇小说《不抱任何幻想的人》获"美国图书馆奖"。1954年,创作了获得广泛赞扬的电影剧本《码头风云》,获奥斯卡奖。1971年,在纽约市创办"弗雷德里克·道格拉斯创作艺术中心"。所著《电影:一个好莱坞王子的回忆录》描写了他在这一美国电影业中心度过的童年时代。

Schulenburg, Ehrengarde Melusina, Gräfin von der（countess of）　**舒伦堡女伯爵**　参阅 **Kendal, Ehrengarde Melusina, duchess of 肯德尔女公爵**。

Schuller, Gunther　舒勒（1925-11-22,美国纽约州纽约～　　）　美国作曲家、演奏家、指挥和作家。由于在爵士乐和古典音乐两方面的广泛实践,以及所作含有爵士乐和十二音音乐因素的作品而闻名。出身音乐世家。虽然主要依靠自学成为技巧精湛的圆号演奏家,但早就对爵士乐发生兴趣,曾将埃林顿"公爵"的几首乐曲改编为交响乐,并与"现代爵士乐四重奏团"等爵士乐团体一起演奏。1959年在马萨诸塞州莱诺克斯的爵士乐学校任教。1964～1967年执教于耶鲁音乐学校。作为作曲家,舒勒是从韦伯恩(以其简练的十二音作品闻名)的路线起步的。所写《大提琴协奏曲》(1945)是一首颇有传统风格的作品。后来的室内乐则以不寻常的乐器组合引人注意,例如《协奏式幻想曲》(1947)和《低音提琴四重奏》(1947)。1955年前后,他把根本不相同的音乐风格的因素在所写的《十二对十一》(室内乐队与爵士乐即兴演奏)等作品中成功地加以结合。后来的作品,包括《光谱》(1960年首演)、《变体》(1961)、一首钢琴协奏曲和一首交响乐,仍继续保持这一倾向。其他作品还有儿童歌剧《渔夫和他的妻子》(1970)、《随想曲》(1972)和《低音大管协奏曲》(1979)等。他还组建了新英格兰音乐学院雷格泰姆重奏团,它所录制的《赤背书》成为最畅销唱片,1973年获全国录音艺术科学学会颁发的格莱美奖。

Schulmeister, Karl　舒尔迈斯特（1770-08-05,法国阿尔萨斯诺夫莱斯泰特～1853-05-08,斯特拉斯堡）　拿破仑一世的间谍首脑。舒尔迈斯特终其一生怀有这样一个奇怪的信念:尽管其父只是一个贫穷的乡村牧师,他是匈牙利贵胄。1804年充当情报官员,在勒内·萨瓦里将军手下工作。1805年萨瓦里将他介绍给拿破仑,引荐时说:"陛下,他是个大脑发达但全无心肝的人。"同年晚些时候他到了维也纳。化装为一因间谍嫌疑而被法国放逐的匈牙利贵族拜见奥地利陆军司令马克·冯·莱贝里希,后者对这位年轻难民颇感兴趣,任命其为参谋部的情报科长。他就利用这一职位向马克提供假情报,包括特地编印的报道法国内部不安的法国报纸和信件。他还贿赂两名奥地利军官,对上述消息作证。1805年10月马克深信法军为镇压国内叛乱正从前线撤回,命令全军出击,因而很快就被优势法军包围,并被迫投降。他因而受到怀疑。但由于法军很快占领了维也纳,他侥幸未被处置。1805～1809年间他还被派到爱尔兰和英格兰执行任务。1809年任兵站总监,乘机聚敛了大量财富。同年底拿破仑第二次占领维也纳时,他任该城警察总监。后担任法国情报局局长。1810年隐退回乡。1814年,一个与拿破仑作战的奥地利炮兵团把他的庄园洗劫一空。"百日战争"后,他一贫如洗,在斯特拉斯堡摆香烟摊。

Schultz, Dutch　舒尔茨（1902-08-02,美国纽约布朗克斯～1935-10-23,新泽西纽瓦克）　A.弗莱根海默(Arthur Flegenheimer)的别名。美国匪徒。20世纪20～30年代在纽约市经营私酒和其他诈骗生意。出生于纽约市布朗克斯区,其别名系取自当地一个老匪徒的名字。他起初进行夜间盗窃活动,进而经营私酒贩运,拥有酿酒厂和非法酒店,并在布朗克斯和曼哈顿的部分地区做彩票买卖。他领导的一伙匪徒曾卷入多次流血的帮派之争。1933年,他因逃避所得税被控,在审判前数月逃往新泽西州纽瓦克隐蔽起来;纽约的许多"生意"被其对手抢走。他企图返回纽约以便重操旧业,但是成了纽约特别检查官T. E.杜威的打击目标。1935年10月,他产生了暗杀杜威的念头,并把他的计划告知A.阿纳斯塔西亚和其他匪首。但是纽约犯罪集团的首脑们不愿采取与官方公然对抗的行动。1935年10月23日,舒尔茨和他的3名保镖,在纽瓦克一餐厅被枪手C.沃克曼和M.韦斯杀死。

Schultz, Henry 舒尔茨(1893-09-04,俄罗斯帝国波兰沙科谢日纳～1938-11-26,美国加利福尼亚圣迭戈) 美国计量经济学先驱。求学于纽约,在哥伦比亚大学为研究生。第一次世界大战后在伦敦从K.毕尔孙研究经济学与统计学,返美后从事统计工作。受H.L.穆尔影响完成了对需求的开创性经济计量研究。1926年起在芝加哥大学任教,直至逝世。在芝加哥大学时,研究过大量商品的有关数据,后提出一些经济计量方法,以回归法最为出名。1938年出版《需求理论与测定》,为其毕生研究努力之结晶。

Schultz, Theodore William 舒尔茨(1902-04-30,美国南达科他阿灵顿附近～1998-02-06,伊利诺伊埃文斯顿) 美国经济学家,因其"人类资本"(教育、才能、精力、意志)在经济发展中作用的研究与英国的W.A.刘易斯共获1979年诺贝尔经济学奖。1927年自南达科他州立学院毕业,1930年在威斯康星大学获得哲学博士学位。1930～1943年在艾奥瓦州立学院任教;1943～1972年在芝加哥大学执教,1946～1961年任经济系主任。在《传统农业》(1964)一书中,对发展经济学家提出的流行观点,即发展中国家的农民不愿革新是非理性的,提出了挑战。他坚持认为,农民对政府制定的高税率和人为压低粮食价格正在做出理性反应。他还注意到发展中国家的政府缺少培训农民运用新技术这样非常重要的农业延伸服务。他认为农业发展是工业化的前提。作为经验主义经济学家,为深入了解农业经济而在旅行时访问过农户。第二次世界大战之后,他遇到一对上了年纪、看起来很穷的农民夫妇,他们似乎对生活非常满意。他问其原因。他们回答说,他们并不穷,农活所得可以使他们送4个孩子上大学,他们相信教育会增加孩子的生产力,进而增加收入。那次谈话导致舒尔茨用公式来表达他的有关人力资本的概念。主要著作有:《不稳定经济的农业》(1945)、《教育的经济价值》(1963)、《经济增长与农业》(1968)、《人类资本的投资》(1971)、《投资于人民:人口质量的经济学》(1981)等。

Schultze, Max (Johann Sigismund) 舒尔策(1825-03-25,德国弗赖堡～1874-01-16,波恩) 德国动物学家、细胞学家。1861年将细胞定义为具有一个核的原生质团,并视细胞为构成动物和植物的基本物质。曾任哈雷大学解剖学讲师,1859年到波恩大学任教,1872年任解剖学研究所所长。他是杰出的组织学家,创用几种新的染色技术,包括采用锇酸染细胞的精细结构。曾撰文讨论某些感觉器官的神经末梢,这些器官包括内耳(1858)、鼻(1863)、视网膜(1866)。1865年创办《显微解剖学文献》,任主编终生。

Schulz, Charles 舒尔茨(1922-11-26,美国明尼苏达明尼阿波利斯～2000-02-12,加利福尼亚圣罗莎) 20世纪中叶美国最成功的报刊连环画之一《花生》的作者。他的《花生》连环画开始于1950年,以半自传性的经历描绘了一群3～5岁的儿童,所画的人物有感情脆弱而不会办事的男孩查利·布朗、他的小妹妹萨利、厉害而别扭的露西、露西胆小的弟弟利

供图:CBS

纳斯、颇有音乐才能的斯科罗埃德等,还有薄荷帕蒂、紫罗兰、猪窝和小鸟伍兹多克。《花生》连环画已被改编成电视剧公映。1999年被诊断出患有结肠癌后,正式宣布退休计划以便更好地进行治疗。出乎意料的是,在其最后一部卡通连环画出版的前夜他在睡梦中死去。

Schumacher, Kurt 舒马赫尔(1895-10-13,德国库尔姆～1953-08-20,西德波恩) 德国政治家,第二次世界大战后恢复的德国社会民主党第一任主席。出身商人家庭,曾在哈雷大学、柏林大学及明斯特大学学习。第一次世界大战期间服兵役,失去右臂。1920年担任社会民主党出版的《士瓦本日报》政治编辑。1924～1931年担任符腾堡州议会议员,1930～1933年成为德国国会议员。1933年纳粹党上台后,舒马赫尔被捕,其后10年在集中营里度过。德国战败后,他着手重建社会民主党,是1945年10月在汉诺威举行的大会主席。1946年5月担任德国社会民主党西部三占领区主席。他设法吸收中产阶级与宗教界人士,以扩大该党基础,在1947年柏林多次选举中,德国社会民主党得票比以往任何时候要多。另一方面,他不与共产党人妥协的态度,引起来自苏联占领区的不断攻讦。他长期患病,1948年截去左腿。1949年成为德国联邦下院反对派领袖,反对舒曼计划、法国-萨尔州关税联盟以及重新武装德国。但是,他渴望统一德国。

Schuman, Robert 舒曼(1886-06-29,卢森堡～1963-09-04,法国梅斯) 法国政治家、欧

供图:H.Roger-Viollet—Harlingue

洲煤钢联营缔造者,为欧洲经济和政治统一而奋斗,以便最终建立一个"欧洲合众国"。1919年任法国国民议会议员。1940年德国占领法国后,9月被德国盖世太保逮捕。1942年逃脱,参加抵抗运动,直至法国解放(1944)。他是人民共和运动创始人。曾任财政部长(1946-07-11)、总理(1947-11～1948-07和1948-08～09)、外交部长(1948-07～1952-12)、司法部长(1955～1956)。任外交部长时曾制订舒曼计划(1950),以促进欧洲经济和军事的统一、法德两国的接近,防止两国间再度发生战争。1952年,他的计划中的经济部分得到实现,成立了欧洲煤钢联营。这是导致1958年组成欧洲经济共同体(即共同市场)的一系列经济协定中的第一个。1958～1960年任共同市场的协商机构欧洲议会的主席,并任该议会议员至1963年2月。

Schuman, William 舒曼(1910-08-04,美国纽约州纽约～1992-02-15,纽约) 全名William Howard Schuman。美国作曲家、教育家和行政官员。所作交响曲、芭蕾舞剧和室内乐

纽约朱利亚德音乐学院供图

以将欧洲模式用于美国主题而著称。舒曼曾在纽约市马尔金音乐学院修习和声与作曲,后又就读于哥伦比亚大学师范学院,1935年获理学士学位,1937年获文科硕士学位。1936～1938年在朱利亚德音乐学院师从R.哈里斯。哈里斯影响了舒曼的音乐方向,并引起A.科普兰和S.库塞维茨基对他的关注。在此期间,第一交响曲、一首弦乐四重奏、第二交响曲上演,后又撤回。《美国节日序曲》(1939)、《第三弦乐四重奏》(1939)、《第三交响曲》(1941)和根据W.惠特曼的诗而写的康塔塔《自由之歌》(1942)使他声誉鹊起,并多次获奖。1935～1945年执教于纽约布朗克斯维尔的萨拉·劳伦斯学院,后任朱利亚德音乐学院院长(1945～1962)。任职期间进行教务改革,革新教学法与课程设置,并延聘一些知名美国作曲家充实教师阵容。1962～1969年任纽约市林肯表演艺术中心主席,奖励美国作品的委托创作和演出,协助推出林肯中心学生节目,主办学生音乐会。1970年开始私人经商,担任美国录像公司董事长。舒曼共作有交响曲10部,其中《第六交响曲》以他经常采用的大-小和弦为特征,可能是他最优秀的成果。此外,舒曼还写了芭蕾舞剧《底流》(1945)、《夜行》(1947)和《犹滴》(1950)。作品还有四首弦乐四重奏、一部棒球题材的歌剧《强大的凯西》(1953)和一些形形色色的合唱作品;《强大的凯西》后改写为

康塔塔《凯西在击球》,于1976年演出。后期管弦乐作品有为麦克利什的诗配乐的《死气沉沉的年轻士兵》(1976)和《老英国轮唱协奏曲》(1976)。

Schuman Plan 舒曼计划 1950年5月9日,法国外长R.舒曼建议设立一个控制法国和西德煤钢生产的统一机构,欧洲其他国家也可以参加。根据这个建议,成立了**欧洲煤钢共同体**(**European Coal and Steel Community**)。

Schumann, Clara 舒曼(1819-09-13,萨克森莱比锡[德国]~1896-05-20,德国美因河畔法兰克福) 母家姓维克。德国女钢琴家、作曲家,作曲家R.舒曼的夫人。5岁开始学钢琴,作为一位神童1835年已誉满全欧。1838年被奥地利宫廷召见并被选为维也纳享有盛名的音乐之友协会会员。她不顾父亲强烈反对,于1840年同舒曼结婚。曾在莱比锡音乐学院任教、作曲,并经常巡回演出。她丈夫于1856年去世后,她与作曲家J.勃拉姆斯建立了职业上和私人的亲密友谊,并编订她丈夫的作品全集(1881～1893年出版)。她自己的作品有:管弦乐曲(其中有一部钢琴协奏曲)、室内乐、歌曲以及许多钢琴独奏的风格小品等。

Schumann, Elisabeth 舒曼(1885-06-13,德国梅泽堡～1952-04-23,纽约市) 德国出生的美国女高音歌唱家,以演唱德国艺术歌曲和莫扎特与R.施特劳斯的音乐著称。1910年在汉堡歌剧院首次登台。1914年在纽约市大都会歌剧院扮演施特劳斯歌剧《玫瑰骑士》中的索菲。1919年在维也纳歌剧院演出。1921年随施特劳斯去美国巡回演出。1938年定居美国,任教于费城柯蒂斯音乐学院,1944年入美国籍。1948年,其《德国歌曲》在伦敦出版。

费城柯蒂斯音乐学院供图

Schumann, Robert (Alexander) 舒曼(1810-06-08,萨克森茨维考～1856-07-29,波恩附近恩德尼赫) 德国浪漫主义作曲家,以所作钢琴音乐、歌曲(利德)和管弦乐特别闻名。他的最著名的钢琴音乐中有许多是为后来(1840)成为他妻子的钢琴家克拉拉·舒曼而作。

早年生活 父为书店老板和出版商。6岁开始接受音乐教育,1822年发表最早的作品《诗篇150》的配乐。与此同时也表现出文学才华,从事戏剧和诗歌写作。1827年开始在音乐上受到奥地利作曲家F.舒伯特、在文学上受到德国诗人J.P.里希特的影响,而且这些影响都十分深远持久。父亲早逝;1828年迫于母命入莱比锡大学攻读法律。在莱比锡的时间不是用于学习法律,而是用于歌曲创作、即兴弹奏钢琴和像里希特那样写自传体小说。有好几个月他跟著名教师维克认真学习钢琴,从而认识了维克的9岁女儿克拉拉,作为一个出色的钢琴家,她在自己的一帆风顺的音乐会生涯中正崭露头角。1829年夏舒曼离莱比锡去海德堡,在那里熟悉了大量早期合唱音乐。他按照舒伯特的风格创作了一些圆舞曲,后用于钢琴套曲《蝴蝶》(1832)之中;同时勤奋地练琴,立志要弃法律而成为钢琴演奏大师,最后他母亲终于同意他于1830年10月返回莱比锡随维克作一个阶段的试验性学习;维克对他的天赋评价甚高,但对是否能持之以恒,是否会勤学苦练,则持怀疑态度。他的作品第1号是一套变奏曲,于1831年出版。他原想以演奏为业,但由于右手手指意外受伤,演奏大师的希望化为泡影。不过也许坏事变好事,反而使他从此悉心作曲。对舒曼而言,这是钢琴作品硕果累累的时期,它们或是立即出版,或是经修改后再出版。1836年1月前后舒曼爱上了16岁的克拉拉·维克。克拉拉对他虽也有意,但却遵从父命中止了他们之间的关系。舒曼感到自己被遗弃达16个月之久,这期间创作杰出的钢琴《C大调幻想曲》表达自己时而灰心丧气、时而听天由命的心情,甚至在他于1834年协助创办并任编辑的《新音乐杂志》上撰文对克拉拉进行隐蔽的挖苦。克拉拉首先作出让步姿态;1837年9月13日——她18岁生日那天——舒曼正式向她父亲提出结婚请求;对方起初没有拒绝,只是"环顾左右而言它"。

舒曼与妻子克拉拉

贝特曼档案馆供图

成熟的年代 这时舒曼进入了他最多产的创作时期,写作一系列富于想象力的钢琴曲。但他并不感到真正快乐,因为克拉拉提出非有经济保障不可,否则就不结婚;她父亲也还未允诺他们的婚事。这事拖了一年多的时间,后经法院干预,两人终于在1840年12月结成眷属。这年年初他又回到他已有12年未曾问津的独奏歌曲的领域,在11个月(1840年2～12月)中几乎创作了所有使他成名的歌曲:《香桃木》套曲、根据海涅和艾兴多夫的词而作的两套《声乐套曲》、《诗人之恋》、《女人的爱情与生活》以及许多单篇的歌曲。克拉拉一直在敦促他开阔视野,采用其他媒介进行创作,首先是管弦乐队。于是在1841年1～2月之间他创作了《降B大调第一交响曲》,不久便由德国作曲家门德尔松在莱比锡演出。继而又写了《序曲、诙谐曲和终曲》和钢琴与管弦乐队的《幻想曲》,后者于1845年增加两个乐章,扩展为著名的《A小调钢琴协奏曲》;另外还有一首D小调交响曲。他一鼓作气写了这些管弦乐后,锐气暂时消失了。

1842年6月至1843年1月他写了几首室内乐,对他来说这是一个新的开始。1843年的主要作品是他迄今为止最雄心勃勃的创作,根据T.穆尔的《拉拉·鲁克》而作的"世俗清唱剧"《天堂与佩里仙子》。12月4日他首次以指挥身份登台演出此剧。在写作《佩里仙子》期间,莱比锡国立高等音乐学校成立,门德尔松任校长,舒曼任"钢琴演奏、作曲和视谱演奏"教授。他又一次开始了对他不相宜的活动。1844年的前几个月与克拉拉一起去俄国巡回演出,因感到自己屈居次要地位而心情沮丧。回莱比锡后辞去《新音乐杂志》编辑之职。8月为取材于歌德《浮士德》的歌剧写了几个唱段,但由于严重的精神崩溃而中止工作,最后离开莱比锡。1844年12月～1850年9月他和克拉拉住在德累斯顿,健康逐渐恢复。1845年12月开始《C大调第二交响曲》的创作,但由于耳神经的疾病这部总谱直至10个月后才完成。想在莱比锡和维也纳觅得职位的努力宣告流产,不得已而求其次,接受了杜塞尔多夫市音乐总监之职。1850～1851年他创作了《A小调大提琴协奏曲》和《降E大调第三交响曲(莱茵)》,并彻底改写了10年前的《D小调交响曲》,出版时排为《第四》。他还指挥了8次联票音乐会;但是气质上的差异很快就表现出来,他作为指挥的不足之处也暴露无遗。1852年12月有人要求他辞职,但他拒不从命;1853年10月合唱队拒绝在他指挥下演唱,关系彻底决裂。1854年2月舒曼抱怨耳疾"严重发作,痛苦不堪",接着就出现听力幻觉;他要求送他去精神病院,次日企图溺水自杀未遂(19世纪30年代他至少三度有自杀意图)。1856年7月29日卒于波恩附近恩德尼赫的一所私人精神病院。

Schumann-Heink, Ernestine 舒曼-海因克(1861-06-15,布拉格附近利本～1936-11-17,好莱坞) 母家姓Rössler。奥地利女低音歌唱家,在第一次世界大战以前是瓦格纳和R.施特劳斯歌剧的主要表演者之一。1878年在德国德累斯顿首次登台,扮演威尔地《游吟诗人》中的阿祖切娜。1896～1906年在拜罗伊特演唱瓦格纳的歌剧。1899～1904年在纽约市大都会歌剧院演出。她经常举行独唱会,曾在美国巡回演出一部轻歌剧。虽然主要以演唱瓦格纳的角色闻名,她的曲目包

大都会歌剧院协会供图

括约 150 个角色。晚年在美国以广播演唱闻名。

Schumpeter, Joseph A(lois)　熊彼特(1883-02-08,摩拉维亚特里施～1950-01-08,美国康涅狄格塔科尼克)　美国经济学家和社会学家。以其资本主义发展和经济周期的理论而闻名。出生于摩拉维亚,在维也纳上学,在切尔诺维茨、格拉茨、波恩和哈佛等大学从事学术活动,从 1932 年起到逝世,在哈佛大学任教。1919 年一度任奥地利政府财政部部长。在经济学理论方面影响很大。在《资本主义、社会主义与民主》(1942)一书中声称,资本主义发展终究会自行消亡,而由某种方式的公共管理制度或社会主义所代替。其他著作有:《经济分析史》(1954,死后发表)、《经济发展理论》(1912)、《经济周期:资本主义之理论的、历史的和统计的分析》(1939)等。

Schurz, Carl　舒尔茨(1829-03-02,科隆附近利布拉尔～1906-05-14,纽约市)　美国德裔政治领袖、记者、演说家、富于献身精神的改革家,曾在世风日下的时期极力要求在政府

美国国会图书馆供图

中推行严格的道德准则。早年在波恩大学求学时,因参加 1848 年德国革命被捕,后从狱中脱逃。1852 年到美国,定居威斯康星州,不久即积极参加反奴隶制运动。1860 年出席共和党全国代表大会,支持提名 A.林肯为总统候选人。林肯当选后任他为驻西班牙公使,其间回国提倡立即解放黑奴。1862 年参加联邦军,任志愿兵少将,曾指挥第二次布尔溪战役(1862-08)以及钱瑟勒斯维尔、葛底斯堡和查塔努加诸战役(均在 1863)。战后巡视南方,向 A.约翰逊总统报告情况。他坚决主张维护黑人的权利,把给予自由奴隶以选举权作为南部各州重新加入联邦的条件。但约翰逊未采纳这些意见。1866 年他任底特律《邮报》编辑,后又任德文版《圣路易西方邮报》编辑。1869～1875 年任美国参议员。此时在政治腐败、重建政策和兼并圣多明各等问题上与 U.S.格兰特总统发生争吵。1872 年参加建立"自由共和党",反对格兰特再次提名。后支持 R.B.海斯竞选总统。海斯当选后任命他为内政部长(1877～1881)。任内极力改革文官制度,对印第安人采取比较进步的政策。19 世纪 80 年代编《纽约晚邮报》和《民族周刊》,写《H.克莱传》(1887)和《A.林肯传》(1889)。90 年代为《哈泼斯周刊》写社论。1892～1901 年任全国文官制度改革同盟主席。在政治生涯中,他的一次重大冒险是鼓励具有改革思想的共和党人(通称为共和党独立派)支持 1884 年民主党总统候选人 G.克利夫兰。

Schuschnigg, Kurt von　舒施尼格(1897-12-14,奥匈帝国特伦托里瓦德尔加尔达～1977-11-18,奥地利因斯布鲁克附近穆特斯)　奥地利政治家、总理。曾努力防止纳粹德国接管奥地利(1938-03)。原在因斯布鲁克当律师,在政治上同情君主制。曾参加基督教社会党,1927 年选入联邦民族院。1932 年任司法部长,1933 年任教育部长,1934 年陶尔斐斯总理被暗杀后任联邦总理。1936 年 5 月迫使领导法西斯准军事组织保安团的副总理吕迪格尔辞职,同年 10 月他解散了保安团,从而消除了保安团对政府的威胁。1938 年 3 月德国吞并奥地利后被迫辞职,不久被纳粹分子投入监狱。1945 年 5 月获释。1948～1967 年在美国教书。此后返回奥地利。著有《与希特勒作斗争》(1969)。

Schütz, Heinrich　许茨(1585-10-08,萨克森克斯特里茨～1672-11-06,德累斯顿)　作曲家,被公认是 J.S.巴赫前最伟大的德国作曲家。1599 年在卡塞尔任唱诗班歌手。1608 年到马尔堡大学学法律。1609 年去威尼斯学音乐,师承 G.加布里埃利。在威尼斯创作其第一部成名之作是一套五声部的意大利牧歌(1611 年出版)。1613 年回德国,在莱比锡继续学习法律。1628 年重访威尼斯,此时蒙特威尔地已是该地音乐界主要人物,许茨很可能曾跟他学习。1633～1635 年任哥本哈根宫廷唱诗班指挥。从 1635 年起,除多次访问丹麦宫廷外,他一直在德累斯顿选侯府第供职,虽然他不断请求免职。现在所知的他的全部作品几乎都是根据宗教歌词谱写的、或有或无器乐伴奏的声乐作品。在已知的他的世俗作品中,《达夫尼》(1627 上演)是第一部德国歌剧;它和为萨克森的约翰·乔治二世的婚礼(1638)而作的乐曲均已佚失。他的特殊成就是把意大利单旋律作曲家的新风格带入德国音乐。他的音乐在感情上仍然是极富个人和德国特色的。在《神圣交响曲集》第一集(1629 年出版)中他采用拉丁语;此后便采用本国语言。第一首德文安魂曲是他为独唱和合唱而写的《音乐的葬仪》(1636 年出版),其中的独唱或二重唱往往表现为意大利式的绚丽多彩,而合唱部分则坚持德国众赞歌传统。他中期的其他主要作品有《宗教小协唱曲集》(1636、1639 年出版)、《宗教合唱音乐》(1648 年出版)和《神圣交响曲集》第二、第三集(1647、1650 年出版)。在所有这些作品中,他强烈的戏剧意识颇引人注目。《圣诞清唱剧》预示着晚期更简朴的作品风格,例如一些无

莱比锡卡尔·马克思大学供图

伴奏受难曲,其中甚至连《圣诞清唱剧》中那着墨不多的声乐音型也无影无踪。朴素的经文由独唱者以宣叙调方式表达,而犹太人和牧师的唱词则谱成简短的复调合唱。

Schutzbund　保卫同盟　全称"共和保卫同盟",第一次与第二次世界大战期间奥地利社会民主党的准军事组织。1923 年建立,以维护社会改革纲领为主要目的,招致奥地利保守的资产阶级各政党的仇视,20 年代维也纳经常发生示威活动,1927 年在保卫同盟与反动势力之间发生冲突,反动势力误射击毙老人和儿童各 1 名。维也纳一陪审团认定杀人者无罪,左翼人士大怒,其后法院一处楼房被焚,于是骚乱更趋严重。1934 年 2 月发生内战,经过 4 天战斗,保卫同盟被政府军和保安团打垮,于是该组织的积极活动告终。

Schutzstaffel(Nazi Germany)　参阅 **SS 党卫军**。

Schutzvereinigung(Swiss league)　参阅 **Sonderbund 分离主义者联盟**。

Schuyler, Louisa Lee　斯凯勒(1837-10-26,美国纽约州纽约～1926-10-10,纽约海兰福尔斯)　美国社会福利工作者,以组织和促成有利于贫民和残疾人的公共服务与立法而知名。年轻时就关心纽约儿童救助会的工作。南北战争爆发后,任妇女救济协会内通信联络委员会主席。救济协会很快成为美国卫生委员会最大的附属单位。1871 年转而致力于慈善事业,1872 年组织州慈善救助协会,支持地方上的志愿团体视察和改进监狱、救济院、教养院、医院以及学校的状况。特别关注贝尔维尤医院,1973 年成立贝尔维尤护士学校。自 1884 年起领导州慈善救助协会争取将精神病患者从人员短缺、设备简陋的县救济院转到州医院,1892 年实现。1908～1915 年联合其他组织成立全国防盲委员会(后改为协会)。她以其终生服务而获得多项荣誉。

Schuyler, Philip John　斯凯勒(1733-11-11,美国纽约奥尔巴尼～1804-11-18,奥尔巴尼)　美国军人、政治领袖、大陆会议代表。出身纽

约名门。法国印第安人战争中(1755～1760)升任少校。战后赴英格兰谈判殖民地战争赔偿问题。1768～1775年任纽约众议员,第二次大陆会议(1775～1777)代表。1775年独立战争爆发时被任命为大陆军四少将之一。他曾指挥北方战线,组织对加拿大的入侵准备,但因病未参与入侵。两年后在泰孔德罗加堡战役中败北。1778年应他本人的要求送军事法庭受审、但被宣判无罪。次年辞去军职。1778～1780年再度出任大陆会议代表。后任纽约州参议员(1780～1784,1786～1790),积极支持批准美国宪法。是纽约州第一批两名美国联邦参议员之一(1789～1791)。1791年竞选连任失败,重任州参议员(1792～1797)。

Schwab, Charles M(ichael) 施瓦布(1862-02-18,美国宾夕法尼亚州威廉斯堡～1939-09-18,纽约市) 美国早期钢铁工业企业家。曾任卡内基钢铁公司与美国钢铁公司总经理;后又创办伯利恒钢铁公司,成为美国庞大的钢铁生产商之一。在宾夕法尼亚州布拉多克由A.卡内基经营的埃德加·汤姆森钢铁厂当工人时,善于与人相处,工作关系融洽。这种特殊才能使他迅速跃居卡内基企业王国的最高领导地位。19岁时是该厂襄理。1887年负责管理该厂。1892年霍姆斯特德工厂发生流血罢工,卡内基委派他前去平息劳资纠纷,恢复正常生产。在他的努力下,劳资关系大为改善,同时通过技术革新提高了生产效率。1897年施瓦布年仅35岁时,即成为卡内基钢铁公司总经理。1900年12月施瓦布向金融家J.P.摩根提议把几家相互竞争的公司组成大型钢铁联合企业,并为此积极奔忙。1901年美国钢铁公司成立时,年仅39岁的施瓦布当第一任总经理。1903年因与摩根等不和辞去该职。1904年他合并了两个企业组成伯利恒钢铁公司,最终该公司发展成为当年自己与摩根联合建成的钢铁巨人(美国钢铁公司)的劲敌。伯利恒公司在第一次世界大战期间以供应协约国战略物资而迅速发展。因其在战时获得暴利,他和伯利恒公司都被人称为"死亡的掮客"。1927～1932年作为美国钢铁学会主席,他无疑是美国钢铁工业的主要发言人。晚年享有巨大财富(2亿美元)和威望。30年代大萧条、生活上的挥霍浪费,加上一些轻率投资,使他遭受损失。1939年去世时已濒于破产。

Schwabach, Articles of 施瓦巴赫条款 基督教信义宗早期信纲。1529年路德与维滕贝格其他神学家所拟订。其内容后为1530年梅兰希顿所撰写的《奥格斯堡信纲》所吸收。此文件是应萨克森选帝侯约翰的要求而写,意在为宗教改革运动各派提供共同纲领。萨克森和勃兰登堡政治当局也承认此项文件。

Schwabe, Samuel Heinrich 施瓦贝(1789-10-25,德国安哈尔特德绍～1875-04-11,德绍) 德国业余天文学家,发现太阳黑子数目的变化有大约10年的周期,他经过17年几乎逐日观察之后才于1843年公布。他也是精细描绘木星**大红斑**的第一人(1831)。他于1857年获英国皇家天文学会金质奖章,1868年当选为英国皇家学会外籍会员。施瓦贝是当时唯一享有这种荣誉的业余天文爱好者。

Schwaben (historic region, Germany) 参阅 **Swabia 士瓦本**。

Schwaben 施瓦本 德国南部巴伐利亚州西南角的行政区。南邻奥地利。成立于1934年。面积9 994平方千米。地处德国阿尔卑斯山以南,大部在伊勒-莱希高原。该高原北界多瑙河,东为莱希河,西至伊勒河,森林覆盖的山岭和沼泽谷地之间是肥沃的台地。高原南方是一排排的山麓丘陵,有风景优美的草地、森林和湖泊,构成德国主要乳酪和黄油产区阿尔高;肯普滕是该地乳品业的贸易中心,还有纺织、造纸和机械工业。再往南,靠近德奥边境,丘陵隆起为陡峭的山间草地和阿尔高山山峰。该地多冬夏季体育运动场所和矿泉疗养胜地,最著名的是奥伯斯特多夫。游览城镇菲森附近有1869～1886年为巴伐利亚国王路德维希二世建造的著名的"仙堡"。多瑙河北面讷德林根镇周围是名叫里斯的圆形肥沃低地,主要生产甜菜、马铃薯和谷物。工业集中在区行政中心奥格斯堡、新乌尔姆等城市。奥格斯堡是重要交通枢纽和巴伐利亚州的第三大工业中心,生产机械、电气产品、纺织品和服装。新乌尔姆生产汽车和机器。高等教育集中在奥格斯堡,有奥格斯堡大学、狄塞耳工业大学和三所音乐学院。居民3/4以上信天主教。人口约1 565 809(1989)。

Schwäbisch Gmünd 施瓦本格明德 德国西南部巴登-符腾堡州城市。濒临雷姆斯河。斯图加特东、士瓦本山北。古罗马所建防线经过该市北部,设有2个城堡。1162年建制。1268～1802年为帝国自由城市。14世纪以贵重金属制品业闻名。市内有罗马式约翰内斯教堂(约1230)和14世纪哥特式神圣十字架大教堂等名胜古迹。现为珠宝首饰加工业中心,第二次世界大战后从捷克引进玻璃器皿制造业。还有贵重金属制造专业技校。人口约61 492(2003)。

Schwäbisch Hall 施瓦本哈尔 德国南部巴登-符腾堡州城市。濒临科赫尔河,在海尔布隆的东面。霍恩洛厄区的中心,1276～1802年是帝国自由城市。因有含盐矿泉和盐贸易而兴旺发达。市容保持着中世纪的特色,有良好的市场、半露木架的房屋和木桥。著名名胜古迹有在罗马地基上建的哥特式圣米歇尔教堂(1527)、洛可可式市政厅(1731～1735)等。教堂宏大的巴罗克式阶梯夏天常作为露天剧场的舞台。附近有本笃会隐修院的科姆堡山地城堡。施瓦本哈尔是兴旺的矿泉疗养地。制造建筑材料、电器、纺织品等。人口约31 375(1989)。

Schwagerina 希瓦格蜓属 有孔虫类蜓的绝灭属(小型单细胞原生动物,与现代的变形虫有亲缘关系,但具有可保存在化石记录中的硬壳)。是下二叠统有用的标准化石(二叠纪开始于2.86亿年前,延续4 100万年)。根据特殊的壳形和内部构造鉴别不同的种。许多大面积的含石油沉积与该属有关。

Schwann, Theodor 施万(1810-12-07,普鲁士诺伊斯～1882-01-11,科隆) 德国生理学家。明确提出细胞为动物结构的基本单位,从而创立了现代组织学。曾于柏林学医,

供图:Bruckmann—Art Reference Bureau

1834～1838年任J.P.弥勒的助手。1836年研究消化过程时从胃中分离出一种消化酶——从动物组织制备出来的第一种酶,称之为胃蛋白酶。1839～1848年任比利时卢万大学生理学教授,观察了酵母孢子的形成,并作出结论:糖和淀粉的发酵都是生命过程的结果。他熟知M.施莱登,1838年施莱登在耶拿大学提出植物的细胞理论,次年施万在《关于动植物的结构和生长的一致性的显微研究》一书中把细胞理论扩展到动物中。在比利时卢万大学和列日大学(1849～1879)任教时,又研究肌肉收缩和神经结构,发现食管上段的横纹肌及包绕周围轴突的髓鞘(其细胞现称施万氏细胞)。创"新陈代谢"一词以说明活组织内发生的化学变化,查明了微生物在腐败过程中所起的作用。观察到卵是一个细胞,最后发育成为完整的机体,从而提出胚胎学的基本原理。

Schwartz, Delmore 施瓦茨(1913-12-08,美国纽约布鲁克林～1966-07-11,纽约州纽约) 美国诗人、短篇小说家、文学评论家,因其对文化的异化和探求同一性的抒情描述而著称。曾就读于威斯康星大学、纽约大学和哈佛大学,后在哈佛等校任教。使他一举成名的他的第一本书《责任在睡梦中开始》(1939)收有同名短篇小说一篇和一组诗。其他作品有诗剧《谢南多亚》(1941)、长篇内省诗《创世记,第一部》(1943)、主要写中产阶级犹太人家庭生活的短篇小说集《世事原是一场婚礼》(1948)和《成功的爱情及其他故事》(1961)。他的文学评论明晰、敏锐,发表在各杂志上。《新诗选 1938～1958》出版于1959年。曾任《党派评论》(1943～1955)和《新共和》(1955～1957)编辑。

Schwartz, Melvin 施瓦茨(1932-11-02,美国纽约州纽约～) 美国物理学家和企业家,与L.M.莱德曼和J.施泰因贝格尔以他们有关中微子(不带电荷和实际上没有质量的亚原子粒子)的研究而共获1988年诺贝尔物理学奖。在纽约市哥伦比亚大学学习物理,

1958 年在该校获哲学博士。1958 ～ 1966 年在哥伦比亚大学执教,1966 ～ 1983 年任斯坦福大学物理学教授。自 1970 年起,任数字通道公司董事长,这是由他创立的一家从事计算机保安系统设计的公司。施瓦茨因他与哥伦比亚大学的同事莱德曼和施泰因贝格尔于 1960 ～1962 年间在布鲁克黑文国家实验室所作的研究而获诺贝尔奖。中微子几乎从不与物质相互作用,因而过去在实验室研究中,要探测它们是极其困难的。据估计,若有 100 亿个中微子行经地球,在其全部行程中,只有一个中微子可能与物质微粒相互作用。三位科学家依施瓦茨的建议行事,设法产生了由数千亿中微子组成的中微子束,并令它穿过一个由固体物质构成的探测器,从而提高了中微子相互作用的统计概率。为达到此目的,他们用粒子加速器产生出一股高能质子流,然后令其射向用金属铍制成的标靶。质子流的轰击产生出一股不同粒子的粒子流,其中有些是 π 介子。π 介子在行进过程中衰变为 μ 子和中微子。从铍标靶中出来的粒子束又行经 13.4 米厚的钢壁垒,以滤掉除中微子之外的所有其他粒子。随后,这束纯中微子进入一个大的铝制探测器,在探测器中,有少数中微子与铝原子相互作用。通过分析这些相互作用,三位物理学家发现了一种新类型的中微子,后来被称为 μ 子中微子。

Schwarz-Bart, André　施瓦茨-巴尔(1928-05-23 法国梅斯～　　)　法国小说家,第二次世界大战后最伟大的文学作品之一《最后一个正直的人》(1959)的作者。父母是波兰

供图:Keystone

籍犹太人,1924 年移居法国。1941 年他们被纳粹放逐,后遭杀害,当时他只有 13 岁。年轻的施瓦茨-巴尔虽然对法语几乎一窍不通,却积极地投入抵抗运动。后靠从图书馆借书自修了法语。《最后一个正直的人》描写几百年来欧洲犹太人受到的迫害和种族灭绝的惨祸,对这一时期的欧洲良心进行了探讨。此书追溯了犹太的"36 个正直的人"之一莱维的殉难,此人在纳粹主义的疯狂时期被捕,经受了各种非人的恐怖。1966 年,施瓦茨-巴尔和他的西印度群岛妻子西蒙娜一起发表了《一盘青香蕉炒猪肉》。这是作者触及种族问题并追溯黑人在历史上的不幸遭遇的小说组中的第一本。其余的小说还有《孤独的黑白混血女人》(1972)等。

Schwarzburg　施瓦茨堡　1918年以前的两个德国独立邦,最初为中世纪施瓦茨堡伯爵的图林根领地。若干世纪以来,施瓦茨堡领地一再被分割、合并,直至 1584 年施瓦茨堡-宗德斯豪森及施瓦茨堡-鲁道尔施塔特两支出现。1697 年,施瓦茨堡-宗德斯豪森诸伯爵被确认为神圣罗马帝国邦君,1710 年施瓦茨堡-鲁道尔施塔特诸伯爵也被确认为邦君。两个独立的邦君统治区于 1807 年加入莱茵联盟,1815 年加入德意志邦联。在七周战争中,它们都支持普鲁士,1866 年加入北德意志联邦,1871 年加入德意志帝国。1918 年德国革命时两邦成为共和国,1920 年并入图林根。

Schwarze Elster River　施瓦策埃尔斯特河　易北河右岸(东岸)支流。发源于德国比绍夫斯韦达西北 7 千米处卢萨蒂亚山,向北流,在卡门茨附近转向东北流入上卢萨蒂亚地区。在森夫滕贝格以西进入下卢萨蒂亚。在埃尔斯特韦达处转向西北,在维滕贝格东南 14 千米处注入易北河。全长 180 千米,流域面积5 498平方千米。

Schwarzenberg, Felix, Prince (Fürst) **zu　施瓦岑贝格**(1800-10-02,奥地利哈布斯堡领地波希米亚克鲁莫[今捷克共和国捷克克鲁姆洛夫]～1852-04-05,奥地利维也纳)　奥地利

供图:Bild-Archic, Osterreichische National-bibliothek, Vienna

政治家。在 1848 ～ 1849 年革命期间哈布斯堡帝国几乎完全崩溃,是他使帝国又成为欧洲伟大强国。1818 年加入奥地利陆军。1824 年转入外交界,在首相梅特涅的扶植下,先后在奥地利驻葡萄牙、俄国、法国、英格兰、撒丁和两西西里王国的大使馆中工作。1848 年革命爆发后他力主对维也纳的革命群众实行镇压。同年 11 月出任首相兼外交大臣。12 月初把 18 岁的弗兰茨・约瑟夫一世拥上皇位,取代优柔寡断的斐迪南一世。施瓦岑贝格倡议通过的 1849 年宪法将这个哈布斯堡帝国转变为中央集权的专制国家。他一方面恢复奥地利国内的秩序,一方面采取强硬的外交政策。1850 年与普鲁士几乎发生战争,但在俄国的支持下,才强迫普鲁士放弃了成立一个没有奥地利的德意志国家的意图。当王权重新巩固地建立后,他劝约瑟夫一世于 1851 年废除 1849 年宪法,开创一个新的专制时代。他的主导作用随着其去世而告终。

Schwarzenberg, Karl Philipp, Prince(Fürst) **zu　施瓦岑贝格**(1771-04-15,奥地利维也纳～1820-10-15,[德国]莱比锡)　奥地利陆军元帅和外交家。拿破仑战争中最成功的联军司令之一,对法国皇帝1813～1814年的失

供图:Heeresgeschichtliches Museum, Vienna

败作出了重大贡献。哈布斯堡帝国的贵族世家出身。1787 年加入奥地利陆军。1788 ～ 1789 年对土耳其人作战。在第一次反法联盟战争(1792 ～ 1797)中任骑兵军官,在第二次反法联盟战争(1798 ～ 1802)中战绩辉煌,曾于 1800 年掩护奥军的撤退。1805 年施瓦岑贝格任帝国最高军事委员会副主席,他计划建立民兵来保卫奥地利的国土,并开始实行一些军队改革。在 1809 年反拿破仑战争中他指挥作战有功。1810 年任驻法国大使。曾参加拿破仑与奥地利公主玛丽亚-路易丝的婚姻以及奥地利参加 1812 年法国的对俄战争的谈判。曾指挥奥地利部队入侵俄国,但 1812 年冬又配合奥地利的政策撤回国内,以便于俄普两军会师。后力主反对拿破仑。1813 年晋升陆军元帅,任反拿破仑联军总司令。施瓦岑贝格把盟国军队集结在莱比锡附近,大破拿破仑,解放了德意志。大捷以后他把法军赶过莱茵河,并指挥所部在法国境内作战。1814 年任帝国最高军事委员会主席。在维也纳会议(1815)上他反对普鲁士取得整个萨克森的要求,防止普鲁士包围奥地利占有的波希米亚。1817 年中风,3 年后逝世。

Schwarzenegger, Arnold　施瓦辛格(1947-07-30,奥地利格拉茨～　　)　奥地利裔美国健美运动员、电影演员、政治人物。在健美圈子里有"奥地利橡树"之称。1967 年首次获得业余的环球先生称号。1968 年移居美国加州之后参加美国举办的各类大型训练和比赛,4 次获得环球先生称号,退休之前接连 6 次得到奥林匹亚先生头衔(1970 ～ 1975)。1980 年他出人意料地重返健美赛场并再次获得环球先生称号。在完成纪录片《魔鬼先生》(1977)之后,开始出演高票房的《王者之剑》(1982)及续集(1984)。他以健壮的体格和深沉的口音闻名,在出演《魔鬼终结者》(1984)后成为国际巨星。其他电影包括《龙兄鼠弟》(1988)、《魔鬼孩子王》(1990)、《魔鬼总动员》(1990)、《真实的谎言》(1994)与《魔鬼毁灭者》(1996)。1983 年加入美国籍,1986 年与记者 M. 施赖弗结婚。20 世纪 90 年代他在州和联邦政府的共和党内变得越来越活跃。2003 年当选美国加利福尼亚州州长。

Schwarzkopf, Elisabeth, Dame　施瓦茨科普夫(1915-12-09,德国波森附近亚罗茨欣[今在波兰波兹南]～2006-08-03,奥地利施伦斯)　德国女高音歌唱家。曾在西方各大歌剧院演出,尤以精通德国利德(艺术歌曲)闻名。1934 年入柏林高等音乐学校,曾获多项奖金。1938年,在

柏林市立歌剧院首次登台。她的才能很快引起匈牙利女高音歌唱家 M. 伊沃根的注意，后者教她唱利德。1942 年，她在柏林开始以独唱演员的身份出现。1944 ～ 1950 年是维也纳国家歌剧院首席花腔女高音歌手。经常在

中国大百科全书出版社供图

伦敦科文特加登剧院、米兰拉斯卡拉歌剧院和拜罗伊特与萨尔茨堡音乐节演出；她的歌声宏亮而又灵活，音色温暖亲切，再加上她的表演才能，使她得以成功地塑造了咪咪、帕米娜、索菲、蝴蝶夫人等角色，还在斯特拉文斯基的《浪子的历程》(1951) 中塑造了安娜·特鲁洛夫这一角色。1953 年在纽约市作美国首演时演唱利德，后在美国巡回演出一年。1955 年开始与旧金山歌剧团一起在美国演唱歌剧。9 年后又在纽约市大都会歌剧院首演。1971 年宣布告别歌剧舞台；1975 年在美国举行告别独唱会。她的录音包括大部分莫扎特歌剧、R. 施特劳斯的歌曲以及巴赫、勃拉姆斯、马勒、沃尔夫等人的作品。她也在影片中露面。

Schwarzkopf, H. Norman　施瓦茨科普夫 (1934-08-22, 美国新泽西特伦顿～2012-12-27, 佛罗里达坦帕)　美国陆军将领，指挥"沙漠风暴行动"——1991 年波斯湾战争中把科威特从伊拉克占领下解放出来的以美国为首的联合军事行动。陆军准将之子，1946 ～ 1951 年随父至国外旅行，后进纽约州美国西点军校学习，1956 年毕业。是年被授予美国陆军少尉军衔，1964 年获洛杉矶南加利福尼亚大学导弹工程学硕士学位。越南战争期间两度在南越服役 (1965 ～ 1966, 1969 ～ 1970)，作为一名大受嘉奖的老战士回国。1974 至 1982 年担任一系列任期两年的职务，军衔节节晋升。1983 年擢升为少将，是年指挥美国地面部队入侵格林纳达。1986 年任军团司令，1988 年成为四星上将，被任命为美国中央司令部总司令（即对中东地区任何军事行动负责的司令）。1990 年 8 月伊拉克入侵和占领科威特时，施瓦茨科普夫指挥 70 万美国、欧洲和阿拉伯军队在沙特阿拉伯集结与伊拉克对抗。在他的指挥下，盟军于 1991 年 1 月 16 日开始对伊拉克及其在科威特的阵地进行轰炸。2 月 24 日开始地面作战，仅经过 100 个小时的战斗，盟军即迅速收复科威特，歼灭大部分伊拉克军队，或使之失去战斗力，而盟军仅遭到极少的伤亡。战争结束后，施瓦茨科普夫被欢呼为民族英雄，同年晚些时候他退出现役。

Schwarzschild, Karl　史瓦西 (1873-10-09, 德国美因河畔法兰克福～1916-05-11, 波茨坦)　德国天文学家。他在实测和理论两方面的贡献，对 20 世纪天文学的发展产生了极为重要的作用。史瓦西的卓越科学才能，在他 16 岁时发表的《天体轨道理论》一文中已崭露头角。1901 年他成为格丁根大学教授和大学天文台台长，8 年后应聘为波茨坦天体物理台台长。在格丁根工作期间，史瓦西创立了精确的照相光度测量方法。他的研究结果清楚显示出恒星的颜色和光谱型之间的关系。在测定双星间距的过程中，史瓦西率先使用粗光栅（例如在一玻璃板上用腐蚀法刻出密集的平行线），这一技术在测定恒星的星等和颜色方面有广泛的用途。他还发展了一些分析日食时拍得的太阳光谱的基本方法。他阐明辐射平衡原理并最早清楚认识到辐射过程在恒星大气的热转移中有重要作用。他的恒星运动假说是天文学中用现代统计方法所得出的最重要的结果之一。他还从理论上研究了辐射对小固态粒子施加的压力。史瓦西对理论物理和相对论也作出了重要贡献。他是发展 N. 玻尔的原子光谱理论的先驱者之一，他和 A. 索末菲分别独立提出普遍"量子化定则"，推出斯塔克效应（电场对光的影响）

供图：Bildarchiv Preussischer Kulturbesitz, Berlin

的完善理论并创立分子光谱星子理论。他求出爱因斯坦广义引力场方程的第一个严格解，用它可描述质点周围空间的几何性质。他用这个普遍方程建立了黑洞的基础理论，根据这一理论，只要天体的质量足够大，逃逸速度就会超过光速，而使这种天体无法直接观测到。第一次世界大战时，他在德军中服役，死于军中。

Schwarzschild radius (physics)　**史瓦西半径**　参阅 **gravitational radius** 引力半径。

Schwarzwald (Germany)　参阅 **Black Forest** 黑林山。

Schwassmann-Wachmann 1, Comet　施瓦斯曼-瓦赫曼 1 号彗星　德国天文学家 F. C. A. 施瓦斯曼和 A. A. 瓦赫曼于 1927 年用照相方法发现的彗星。在已知彗星中，它的轨道最接近正圆形（偏心率为 0.131），并始终保持在木星和土星轨道之间。它还因亮度有爆发式突变（有时在几小时内亮度就增加几个星等）而引人注目。

Schwechat　施韦夏特　奥地利东北部下奥地利州城镇。位于多瑙河西岸，毗邻维也纳东南郊。11 世纪首见记载，为罗马军营。1624 年开辟为集市。1938 年起划为维也纳的一个区，1954 年重归下奥地利州。教区教堂 (1764) 内有著名的室内装饰。盛产淡啤酒，也是重要的工业中心，有大炼油厂、化工厂和面粉厂。维也纳主要飞机场设此。人口 14 683 (1991)。

Schwedt　施韦特　全称奥得河畔施韦特 (Schwedt an der Oder)。德国东部勃兰登堡州城市。濒临西奥得河。位于波兰什切青西南面。1265 年见于记载，为一城镇，原属贵族领地美拉尼亚，1479 年归属勃兰登堡。1689 ～ 1788 年为勃兰登堡贵族霍亨索伦一支的驻地。第二次世界大战中遭到严重破坏，但 18 世纪宫殿依然完好。一向为烟草种植中心。第二次世界大战后工业发达，有大炼油厂，其油管通波罗的海海港罗斯托克和哈雷附近的洛伊纳化学联合企业，该企业于 1964 年开始运转。城镇内还建有化肥厂和造纸厂。人口约 38 691 (2003)。

Schweidnitz (Poland)　**施韦德尼茨**　参阅 **Świdnica** 希维德尼察。

Schweigaard, A. M.　施韦高 (1808-04-11, 挪威克拉格勒～1870-02-01, 克里斯蒂安尼亚［今奥斯陆］)　挪威法理学家和经济改革家。帮助实现挪威向资本主义经济的转变。在 19 世纪 30 和 40 年代曾任法理学及经济学教授，积极鼓吹经济自由主义。1842 年选入议会，在议会中服务直至 1869 年。他是挪威由重商主义农业经济过渡到自由企业经济的领导人。他与在政府中任职的 F. 斯唐志同道合，互相协作，促进一些重要的经济改革，如自由贸易、自由选择职业以及发展公路铁路等。1869 年在他离开议会时挪威已走上了向现代化经济发展的道路。

Schweinfurt　施韦因富特　德国中部巴伐利亚州城市。在浚通为运河的美因河岸，位于维尔茨堡东北。791 年首见记载。10 世纪中该城为一侯爵府所在地，1254 年成为帝国的自由城市。1618 ～ 1648 年三十年战争期间该城为瑞典的古斯塔夫斯二世所占领并在该地构筑碉堡（现有碉堡遗址）。1803 年施韦因富特转属巴伐利亚。第二次世界大战期间，因为是德国的滚珠轴承主要制造中心而成为美国空军多次大规模的轰炸目标，于 1943 年的轰炸中险遭炸毁。施韦因富特的名胜有晚期哥特式的市政厅 (1570 ～ 1572)、圣约翰内斯教堂 (1554 ～ 1562) 和今市立博物馆建于其中的古体育馆 (1581 ～ 1583)。19 世纪的德国抒情诗人吕克特生于该城。施韦因富特是下法兰克尼亚地区的工业中心，有钢铁、汽车和电子器件等制造业。也是一葡萄酒产区的中心，有酿酒厂和一个重要的牛羊市场。人口约 54 483 (1991)。

Schweinfurth, Georg August　施魏因富特 (1836-12-29, 俄罗斯帝国拉脱维亚里加［今在拉脱维亚］～ 1925-09-19, 德国柏林)　德国植物学家、旅行家。考察了尼罗河上游的加扎勒河地区，并发现刚果河的支流韦莱河。出于对非洲植物的兴趣，他横越红海到达苏丹

的萨瓦金港，后由陆路于 1863 年到达喀土穆。1866 年返回柏林，获准到加扎勒地区进行植物考察。1869 年 1 月通过萨瓦金回喀土穆，开始对白尼罗河的考察。后又与一群象

供图：Bavaria-Verlag

牙商人一起去苏丹西南部探险。他访问了邦哥人和芒贝图人，还访问了据说有吃人习性将牙锉成尖形的纳伊姆-纳伊姆人。提出第一份关于刚果俾格米人的权威性材料。1870 年 3 月他穿过尼罗河和刚果河的分水岭到达刚果河支流，即西向的韦莱河（他曾误认此河为尼日尔河的一部分）。韦莱河的发现帮助他最后对尼罗河水系范围作出估价。1873 年他发表《非洲的心脏》一书。1875 ～ 1888 年他住在开罗，研究埃及和中东地区的植物、地理、古植物以及考古学。

Schweitzer, Albert　施韦策（1875-01-14，德国上阿尔萨斯凯泽贝尔［今在法国］～ 1965-09-04，加蓬兰巴雷内）　阿尔萨斯出生的德国神学家、哲学家、风琴演奏大师和赤道非洲

供图：© Karsh from Rapho/Photo Researchers—美国不列颠百科全书公司

传教医生。1952 年因致力于“四海之内皆兄弟”这一博爱信念指导下的各种事业而获得诺贝尔和平奖。

施韦策出身于信义宗牧师之家，身为长子，曾在斯特拉斯堡大学攻读哲学和神学，1899 年获得哲学博士学位。与此同时，他在学校担任哲学讲师并在圣尼古拉教堂担任牧师，第二年又获得神学博士学位。1906 年，他发表《从赖马鲁斯到弗雷德》一书，成为世界知名的神学家。后此书英译为《历史真实中的耶稣之研究》。他在这本书及其他著作里，都强调耶稣和圣保罗的末世观点与人类历史之圆满终结有关。他认为，他们的看法是由对即将来临的世界末日之期待而形成的。

在那些岁月里，施韦策也成为一名优秀的音乐家，于 1893 年开始在斯特拉斯堡担任风琴师。他原在巴黎学习风琴时的老师维多尔认为施韦策是一名出色的巴赫演奏者，对这位大作曲家的作品具有超常的领悟能力，便叫他写一本研究巴赫生平与艺术成就的著作，结果他写成了《巴赫——音乐家兼诗人》（1905）。在这本书里施韦策把巴赫看成是一位宗教神秘主义者，并把他的乐曲比作自然界诸超凡而和谐的力量之有序的组合。

1905 年，施韦策表明他愿作为一名基督教团的医生以便献身于慈善事业，1913 年他如愿以偿。其妻海伦·布莱斯劳曾为协助他从事医疗工作而接受护士培训。于是施韦策夫妻二人出发前往法属赤道非洲加蓬省的兰巴雷内。施韦策在当地人民的协助下，选定奥果韦河的沿岸地带，建起一所医院。起初医院的设备和各项费用均由他个人的收入来支付，后来则以来自许多国家的个人及基金会的捐赠作为补充。第一次世界大战期间，施韦策曾一度在当地以敌侨的身份（德国人）遭到短期拘留，后在法国又被作为战俘扣押，他益发对世界各种问题引起注意，感动之下写出《文明的哲学》（1923）一书，提出他个人的“尊重生命”的哲学观点，成为涉及所有生灵的一条道德原则，并相信这原则是人类文明继续生存所必需的。

施韦策于 1924 年返回非洲，重建他那所久已废弃的医院，将院址移至奥果韦河上溯两英里的地方。后来又增设一处麻疯病治疗区。到 1963 年时，已有 350 名患者由其亲属陪伴住院治疗，另有 150 名患者则住进治疗区。所有这些麻疯病患者由大约 36 名白人医生和护士负责治疗和护理，还有不定数量的当地工人协助各项劳务。

施韦策在百忙之中从未完全放弃其音乐爱好和学术研究。他于 1930 年出版《使徒保罗的神秘哲学》；他还周游欧洲，在各地举办讲演会及风琴独奏会；他灌制唱片，并把开始于 1911 年同维多尔合作编辑的巴赫作品集重新整理出版，题名《巴赫风琴曲作品集》（1912 ～ 1914）。他获得诺贝尔和平奖时发表的演说《当前世界的和平问题》（1954）发表后，曾在世界各地广泛流传。

尽管有人偶然批评施韦策的医疗作风未免有些专断，医术不够精湛，尽管有时有人对其神学著作不无微词，但他的影响仍然具有强大的道德感染力，常常可以用来鼓舞其他传教士从事济世活人的高尚事业。

Schweiz　参阅 **Switzerland 瑞士**。

Schweizerische Nationalpark　（Switzerland）参阅 **Swiss National Park 瑞士国家公园**。

Schweizerisches Zivilgesetzbuch　参阅 **Swiss Civil Code《瑞士民法典》**。

Schwenckfeld (von Ossig), Kaspar　施文克菲尔特（冯·奥西格）（1489，下西里西亚奥西格［德国］～ 1561-12-10，乌尔姆［德国］）　神学家、作家、布道家。他所创立的教会现存于美国，称施文克菲尔特会。1511 ～ 1523 年他先后在几处宫廷任顾问，1518 年经历灵性觉醒，7 年后在维滕贝格访路德，提出自己对圣餐的观点，两人意见分歧。返回西里西亚，进一步发展自己的神学理论并设计宗教改革计划。他主张中间路线，要建立介乎天主教和信义宗之间的一种学说。他强烈抨击天主教和路德学说，因而被列格尼兹公爵解职，乃于 1529 年到施特拉斯堡。1533 年在施特拉斯

供图：Schwenkfelder Library, Pennsburg, Pa.

堡教会大会为自己的教义理论辩解，要求信仰自由，驳斥德意志宗教改革家布塞尔，但正统派的领导者们不变初衷，继续控制大会。施文克菲尔特遂迁居乌尔姆，1539 年又被信义宗人士所逐。次年发表《伟大的信纲》一文，反驳抨击其教义的人。当时新教内部正努力调和路德派和茨温利派在圣餐礼问题上的分歧，而他在《伟大的信纲》中强调这种分歧，因此施马尔卡尔登同盟乃对他予以谴责。他的信徒纷纷脱离正统教会，另立教会和弟兄会。其后他隐姓埋名，不断易地避居，更换笔名写作，反驳他人对他的批评。他死后他的许多兄弟会仍在德意志南部地区活动，经三十年战争始衰。

Schwerin　什未林　德国北部梅克伦堡-西波美拉尼亚州首府，城市。位于什未林湖西南岸。原为文德人住地，1018 年首见记载。1160年由萨克森公爵亨利（狮子）建为自治

什未林市的故公爵宫殿

供图：W. Krammisch—Bruce Coleman Inc./美国不列颠百科全书公司

市。1358 年改属梅克伦堡。在三十年战争期间为华伦斯坦率领的帝国军队占领（1624 ～ 1631）。14 世纪中叶～ 1471 年、1621 ～ 1695 年以及 1701 ～ 1934 年，为统一的梅克伦堡州首府。1952 ～ 1990 年该市为东德什未林区首府。名胜古迹有故公爵宫殿、宫内教堂、哥特式大教堂等。为奶品业和农业地区的铁路枢纽和商业中心。1945 年后，工业有很大发展，有农业机械、起重机、塑料、电缆、木制品、纸烟等制造业。人口约 97 694（2003）。

Schwertbrüderorden　参阅 **Brothers of the Sword, Order of the 宝剑骑士团**。

Schwimmer, Rosika 施维默(1877-09-11,奥匈帝国布达佩斯[今在匈牙利]～1948-08-03,美国纽约州纽约) 匈牙利出生的女权主义者和和平主义者,既受到迫害也得到全世界的赞誉。家境拮据,1896 年当簿记员。1897 年组织匈牙利全国女职员协会,任主席至 1912 年。又组织几个其他妇女组织,并出版著作,是很有感染力的演讲人。1913 年组织国际妇女选举权联盟第七届大会,并当选为通讯秘书。翌年到伦敦任联盟新闻秘书。1914 年到美国会晤女权领袖 C.C.卡特、国务卿 W.J.布赖恩和总统 W.威尔逊,要求调停战争;为停战而四处奔走直到 1917 年。1915 年初帮助卡特和 J.亚当斯组织妇女和平党,并全力组织海牙国际妇女大会。1918 年任匈牙利驻瑞士公使。1919 年被 B.库恩的共产党政府剥夺公民权,1920 年霍尔蒂政权时逃往维也纳。1921 年到美国,定居芝加哥。但是受到各种团体的公开毁谤和暗中抵制。被指控为德国间谍、布尔什维克特工和犹太阴谋集团人员等各种罪名;申请美国公民身份也被驳回,因为她拒绝声明将拿起武器保卫美国。她提出上诉,但最终最高法院以 6 比 3 否决她的申诉。虽然余生在美国度过,但实际上她是一个无国籍的人。晚年致力于成立世界政府。

Schwind, Moritz von 施温德(1804-01-21,奥地利维也纳～1871-02-08,德国慕尼黑) 奥地利出生的德国画家,早期浪漫派的重要人物,主要描绘理想化的奥地利和德国,描绘骑士、城堡和当时的乡间风光。曾参加以

施温德绘《束情妹与王子》(1835)
供图:Munchner Stadtmuseum

作曲家舒伯特为中心的社团,与这位作曲家同住过一个房间,并画过这位作曲家的肖像及其钢琴演奏社交晚会。与这位作曲家一样,他在自己的家乡被忽视,曾为咖啡馆画指示牌以解决债务。1828 年从维也纳迁居慕尼黑,在那里他的作品很快售得高价。1847 年任慕尼黑学院教授,为著名的瓦特堡创作一组历史题材的漫画,并为慕尼黑圣母院创作三联画。但他却以画蜜月情侣、依依离别者、沉思的流浪汉以及类似题材而闻名。在这类作品中,其多愁善感与真诚的激情、精湛的技巧和对细节的准确洞察交织一起。

Schwingen 抢摔 源起于瑞士和蒂罗尔斯河流域的摔跤运动。运动员着紧口摔跤裤,束坚固腰带,以利抓握。常用举起对方或腿绊等方法。先倒地者为败。抢摔比赛最早于 1805 年举行。

Schwinger, Julian Seymour 施温格(1918-02-12,美国纽约州纽约～1994-07-16,加利福尼亚洛杉矶) 美国物理学家,因系统地阐述了量子电动力学,从而使量子力学与爱因斯坦的狭义相对论相符合,与 R.H.费因曼和朝永振一郎共获 1965 年诺贝尔物理学奖。施温格是个神童,21 岁获得哥伦比亚大学哲学博士学位。1939～1941 年在伯克利加利福尼亚大学 J.R.奥本海默领导下工作。1945 年,在哈佛大学任教。在该校阐述了他的量子电动力学理论,当时并不知道费因曼和朝永也分别在独自研究同一问题。从 1972 年到去世,他是加利福尼亚大学洛杉矶分校物理学教授。

Schwitters, Kurt 施维特斯(1887-06-20,德国汉诺威～1948-01-08,英国威斯特摩兰小兰代尔) 德国达达派美术家和诗人,以擅长抽象派的拼贴画和浮雕构造闻名。第一次世界

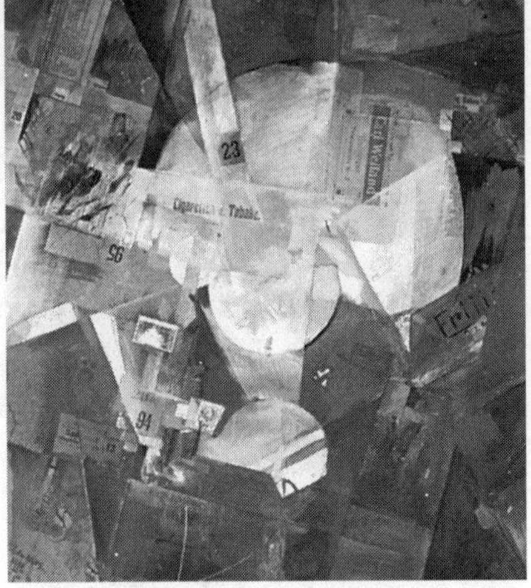

施维特斯绘《光亮的中心图画》(1919)
纽约现代艺术博物馆供图

大战后向往初露头角的达达派,在汉诺威组织自己的达达支派。用各种日用品(火车票、线轴、报纸、绳头、烟卷和邮票)组配成构图,并把自己的一切艺术活动称为"梅尔茨"(Merz,从德语"商业"一词中析出的无意义的词)。约 1920 年施维特斯开始用日用品在汉诺威自己住宅中筑造一所"教堂",称为梅尔茨楼,建了 16 年,一直搞到住宅没有一点空地,不幸毁于第二次世界大战。1937 年因德国政府宣称施维特斯的艺术是颓废的,他就移居挪威,开始筑造第二个梅尔茨楼(1951 年焚于大火)。1940 年德国入侵挪威,施维特斯逃亡英国,开始筑造第三个梅尔茨楼,未成而死,这件未完成的作品现存于泰恩河畔纽卡斯尔市纽卡斯尔大学内。

Schwyz 施维茨 瑞士中部一州。穆奥塔谷地和济尔河谷地横贯州境。面积 908 平方千米,其中 3/4 以上土地肥沃,湖泊面积约占 65 平方千米。最高点默茨托克峰海拔 2 716 米,全州大部分是丘陵地区。972 年始见记载。1240 年直接隶属于帝国。在哈布斯堡的鲁道夫四世拒绝承认其隶属特权后,1291 年首起与相邻地区乌里和翁特瓦尔登结成永久同盟。在战胜奥地利人(1386)以后,版图大大扩展。1798 年成为海尔维第共和国的一部分,1803 年再次获得独立州的地位。现基本上是一个牧业州,以当地饲养的棕色牛著名。工业(纺织和家具)集中在施维茨城和苏黎世湖附近。沿韦吉塔尔湖有几座水电站。州内有几条山区铁路,但几乎没有铁路干线。最大的城市是首府施维茨城和朝圣中心艾恩西德伦。居民主要讲德语和信奉天主教。人口约 116 100(1993)。

Schwyz 施维茨 瑞士中部施维茨州首府,位于卢塞恩以西,大米滕山山麓。是全州传统的中心。它的联邦档案馆(1936)保藏着 1291 年瑞士联邦的特许状。著名的建筑物有

施维茨的市政厅,背景为大米滕山
供图:Beringer and Pampaluchi

巴罗克式的圣马丁教堂(1769～1774)、哥特式克谢尔小教堂、古代圣彼得女隐修院、州历史博物馆、市政厅(1642～1645)和几座 16、17 世纪的贵族住宅。气候温和宜人,为有名的夏季游览地,是到山区旅游的出发地。附近有著名的滑雪区伊贝尔格雷格、霍尔策格和斯托斯。居民大部分讲德语和信奉天主教。人口约 12 740(1990)。

Sciacca 夏卡 意大利西西里区南部阿格里真托省城镇。阿格里真托市西北。自古就以疗养胜地闻名,有含硫温泉。海岸城镇外表现代化,但有著名古建筑城墙(1336,约 1550 重建),已毁坏的卢纳城堡和 14、15 世纪教堂等。现为农业中心,有渔港。人口:城市区约 38 791(1993)。

Sciadopitys verticillata (tree) 参阅 **umbrella pine 伞松**。

Sciascia, Leonardo 夏夏(1921-01-08,意大利阿格里真托附近拉卡尔穆托～1989-11-20,巴勒莫) 意大利作家。因对政治腐败和独

断权力的形而上学的考察而知名。夏夏就读于卡尔塔尼塞塔的马吉斯特拉莱学院，多年任文职或教员，1968年退休后专门从事写作。他的政治生涯开始于1976年，当时他是巴勒莫市参议会的一名共产党议员。以后他又成为意大利议会的一名激进党议员。第一部著作为讽刺法西斯主义的《独裁的寓言》(1950)。早期还写过两本诗集。他的第一部有分量的小说名《撒在伤口上的盐》(1956)，记录了一个西西里小城的历史以及政治对其居民生活的影响。在《西西里的大伯大叔们》(1958)的四篇短篇小说中进一步考察了他所谓的"西西里习气"。虽说西西里生活和心态一直是他写作的主要题材，但到1961年出版了刻画黑手党的《猫头鹰的日子》之后才发现自己真正擅长的是神秘小说。于是他接着写了许多神秘小说，其中有《一个人的幸福》(1966)、《旗鼓相当》(1971)和《想方设法》(1974)。此外，他还写作历史分析文章、剧本、短篇小说和论述西西里和其他题目的文章，并为塞拉里奥出版社编辑一套丛书，专收西西里作家所写的罕见和未曾出版的作品。

sciatic nerve　坐骨神经　起自脊髓，腰、骶神经及腹腔神经丛，沿臀部及大腿后方下行的一条人体最粗大的神经。在膝关节后上方分为胫神经及腓总神经，分布于小腿及足部。

sciatica　坐骨神经痛　一种神经病。表现为沿坐骨神经径路，自后腰放射到下肢腿后侧部的疼痛。通常于动作不当、用力过猛而扭伤腰部后立即或经数小时至数天后出现疼痛。咳嗽、喷嚏、屈颈时疼痛加剧。处于某些姿势时坐骨神经受到的牵引减到最小，疼痛亦可减轻；因此患者步行时患肢往往在膝部屈曲，髋部外旋。本病常伴有椎间盘突出、坐骨神经根受压移位。多数病例(包括椎间盘突出者)卧硬板床休息数日至数周即见疗效。但某些病例需行神经减压术。此病通常为良性，但可暂时影响活动。病因或是除椎间盘突出外的占位性病变压迫了神经根；或是累及周围神经的全身性疾病的一部分。

Scicli　希克利　意大利西西里区东南部拉古萨省城镇。位于拉古萨市南面。1693年受地震严重破坏。后重建，其主要建筑为巴罗克式。经济以农业为主。附近有沥青矿。人口约25 614(2001)。

Scidmore, Eliza Ruhamah　西德莫尔(1856-10-14，美国威斯康星麦迪逊～1928-11-03，瑞士日内瓦)　美国旅游作家和摄影家，其著作和发表在杂志上的文章经常将亚洲旅游和亚洲文化放在显著地位。1873～1874年间在(俄亥俄州)奥伯林学院就读。之后迁居华盛顿[哥伦比亚特区]，向纽约市和密苏里州圣路易斯各家报刊投稿评论政治社会事务。不久去阿拉斯加旅游，写了许多文章介绍这片遥远的国土，发表在各杂志上，后结集出版，书名《阿拉斯加及其南部沿海岸地区和锡特堪群岛》(1885)。曾在亚洲尤其是在日本度过漫长岁月。她写的有关旅游、礼仪和政治等方面的文章发表在《世纪》和《今日世界》等刊物上。1890年起成为全国地理学会会员，在不同时期曾担任该学会的通信秘书、副主编、外事秘书和学会理事会理事等职。她为《国家地理杂志》写的文章一般都附有她自己拍摄的照片。曾写过许多著作，包括《日本人力车时代》(1891)、《爪哇，东方花园》(1897)、《中国，长盛不衰的帝国》(1900)和《冬天的印度》(1903)等书。1885年从日本旅行返回美国后，上书美国政府，要求政府同意为美国首都引进日本樱树。到1910年，樱树才作为与日本友谊的象征来到华盛顿[哥伦比亚特区]。1928年去世后，日本政府曾要求将她的骨灰葬在日本横滨。

science　科学　涉及对物质世界及其各种现象并需要无偏见的观察和系统实验的所有各种智力活动。一般说来，科学涉及一种对知识的追求，包括追求各种普遍真理或各种基本规律的作用。

Science, Museum of　科学博物馆　位于波士顿。美国较早的科学技术博物馆，创立于1830年。陈列品包括岩石、矿石、植物、动物标本、火箭和人造卫星模型以及医学、电学和其他学科的题材。查尔斯·海登天文馆就设在博物馆的场地上。还有一个藏书丰富的科学图书馆。出版物有一种每月简讯。

Science and Industry, Museum of　科学工业博物馆　1926年由慈善家J.罗森沃德在芝加哥建立。其陈列馆设在哥伦布世界博览会美术宫，该博览会1893年在芝加哥举行。博物馆展示主题包括矿业、汽车、电信、航空与航空学、宇宙飞行、农业及医学。

Science and Technology of China, University of　中国科学技术大学　以理工科为主的综合性大学。校址在安徽省合肥市。1958年9月20日创办于北京，首任校长郭沫若。1970年迁至现址。1977年在北京成立了全国第一所研究生院，1978年又首创少年班，在

中国科学技术大学少年班的学生在做实验
中国大百科全书出版社供图

全国招收15岁以下优秀少年入学深造。学校有8个学院、24个系和少年班(教改试点班)以及研究生院、软件学院、继续教育学院、网络教育学院等，在苏州、上海设有研究院。有37个本科专业，109个硕士学位授权点，17个一级学科博士学位授权点，93个二级学科博士学位授权点，有工商管理(MBA)、公共管理(MPA)和工程硕士等专业硕士学位授权点；17个博士后流动站，48个博士后流动站学科专业，具备培养学士－硕士－博士的完整教育体系，是中国科学院博士生重点培养基地。有数学、物理学、力学3个国家理科基础科学研究与教学人才培养基地和生命科学与技术国家人才培养基地，19个国家重点学科，19个安徽省重点学科。已建成国家同步辐射实验室等16个国家、中科院和安徽省级重点科研机构，正在筹建合肥微尺度物质科学国家实验室。学校有教职工3 500人，中国科学院院士20人，中国工程院院士5人，教授468人，副教授580人。普通高等教育在校学生13 228人，其中本科生7 463人，硕士生4 039人，博士生1 726人；另有专业学位硕士生2 080人。校园总面积约146万平方米，建筑面积89万平方米，图书馆藏书165万余册。有《中国科学技术大学学报》等多种学术刊物。

science fiction　科学幻想小说　20世纪发展起来的一种文学类型。科学幻想小说作家在其作品中描述科学发现、技术进步以及未来的事件和社会变化如何影响人类。对这些影响的描写，可能是对科学事实和原理的一种细致周密的推断，或是将这些事实原理扩展到与它们完全矛盾和毫不相干的一些领域。无论哪种情况，以科学为依据的真实性都是必不可少的，因此，这一文学类型的先驱M.雪莱的哥特式小说《弗兰肯斯坦》(又名《当代普罗米修斯》)(1818)和R.L.斯蒂文森的《化身博士》(1886)皆属科幻小说之列。由于现代科学的兴起，特别是天文学和物理学的巨大变革，使科幻小说的兴起成为可能。除早先还不能称之为科幻小说的幻想文学类型外，18世纪的假想登月或其他行星和伏尔泰的《米克罗梅加斯》(1752)中的太空旅行；斯威夫特的《格利佛游记》(1726)中描写的那种奇特文化；19世纪爱伦·坡、霍桑和奥布赖恩的小说中的科幻成分，均是科幻小说的重要前奏。真正的科幻小说始于19世纪末凡尔纳的科幻小说和威尔斯的具有科学思想的社会批评小说。不过，凡尔纳的科学只是停留在发明的水平上。科幻小说作为一种自觉的文学类型的发展始于1926年。当时H.根斯巴克(Gernsback, Hugo)以两词音义合并，杜撰出一个混合词Scientifiction(合乎科学的虚构)，创办了《惊人的故事》杂志，专门刊登科幻小说。1937年，J.W.坎贝尔出任《惊人的科幻故事》编辑。他所办的杂志和I.阿西莫夫、R.布雷德伯里、A.C.克拉克、R.A.海因莱因等作家的小说和故事的出版，使得科幻小说成为严肃小说的一种体裁。一些并非专门从事科幻小说创作的作家，如A.赫胥黎、C.S.刘易斯、G.奥威尔和K.冯内古特对于这一文学类型的探索，也有助于扩大科幻小说的影响。第二次世界大战后，科幻小说呈现一派繁荣景象，具有显著特色的科幻小说家包括A.E.范·福格特、J.G.巴拉德、R.布雷德伯里、F.赫伯特、H.埃利森和B.奥尔迪斯。广播、电视和电影在70和80年代使这种文学类型更为流行。

Science Museum　科学博物馆　位于伦敦，英国国立科学与工业博物馆，创建于1857年，保存并陈列有关在自然科学技术发展史

上具有意义以及对现代科技研究和探索也具有意义的实物。历史收藏馆展出了数学、天文学、物理学和化学等学科及其应用方面的陈列品。各陈列馆还以计算技术、空间研究和新近的科学发展等方面的展品为重点。实业收藏馆包括农业、运输业、电气工程、船舶工程和机械工程、喷气发动机、地球物理学、电信学和家用器具等方面的展品。从1980年开始还收藏了惠尔康医学史博物馆的所有藏品。约克国立铁路博物馆是科学博物馆的分馆，它展现了英国铁路工程的历史、发展情况及其社会面貌。

Science Museum of Victoria 维多利亚科学博物馆 位于澳大利亚墨尔本，是一所国立科学技术史博物馆，建于1870年。收藏并陈列有关农业、天文学、普通工程学、运输、武器、能源、采矿业、细菌学、公共卫生和摄影术等方面的展品。除X射线、钟表学和电子学等早期样品外，还有澳大利亚自行设计和制造的第一架飞机——杜伊甘双翼飞机——和澳大利亚制造的第一台汤姆森蒸汽引擎汽车。博物馆设有一个天文馆，并开办了一个业余无线电台。

Sciences, Academy of 法国科学院 法语作Académie des Sciences。1666年J.-B.柯尔贝尔创建的科学学会。大约从1662年开始，包括R.笛卡儿、B.帕斯卡、P.伽桑狄和M.梅森在内的一批学者，在巴黎定期举行私人会晤，学会的目的就在于使会晤正规化。由柯尔贝尔倡议，学会第一次在皇家图书馆召开，1666年取名为皇家科学院。1699年，在法国王室赞助下，学会进行改组，迁往罗浮宫，改用现今名称。早在1721年，科学院即设立奖金，奖金项目不断增加。法国大革命后，国民公会于1793年取缔了科学院和其他王室学会。1795年，由新建的国立研究院的一个分支机构接管科学院的工作。1816年恢复原名，但仍为法兰西研究院的一部分。科学院的两个学部是：①数学和物理学部；②化学和博物学部。下设几何学、力学、天文学、地理学和航行学、物理学、化学、地质学、植物学、动物学、农业经济学、医学和外科学等研究机构。过去和法国科学院有联系的外籍杰出科学家有B.富兰克林和爱因斯坦。科学院院士的名额通常是院士130名，通讯院士160名，外籍院士80名。

Sciences, Academy of 俄国科学院 俄语拉丁字母转写作Akademiya Nauk。俄国研究自然科学、社会科学、技术和生产的最高科学团体和主要的协调机构，由被选入科学院的杰出俄国学者组成。成员分3类：院士、通信院士和外籍院士。科学院还培养学生，发表科学成果和科学消息，它与许多国际科研机构保持联系，并与外国科学院合作。科学院指导其他科研所和大专院校研究所的研究工作，其各部门在主席团的领导下组成4个学部：物理学-数学学部、化学-生物学学部、地球科学学部和社会科学学部。1724年彼得大帝一世在圣彼得堡创立科学院，1725年由其遗孀叶卡捷琳娜一世改为科学艺术研究院，以后几次更换名称，1925年改称现名。最初数十年外国著名学者如瑞士数学家L.欧拉和D.伯努利曾在该院工作。第一位俄国院士M.罗蒙诺索夫是科学家和诗人，于1742年被选为院士，他在许多科学领域内做出了大量的贡献，该院的最高奖"罗蒙诺索夫奖章"以他的姓氏命名。在沙皇统治下，该院由朝廷大臣出任院长，并控制为数不多的研究机构。1917年后，通过选举产生主席，在整个苏联时期它作为新兴的科学机构扩大其研究范围，到1934年，当它从列宁格勒（圣彼得堡）迁往莫斯科时已拥有25所研究所。1991年苏联解体前，科学院指导260所以上的研究机构，包括实验室、海军研究所、天文台、研究站和科学团体，它的分支机构遍布于整个苏联。

Scientific American 《科学美国人》 最受重视的美国科学月刊之一。1845年由新英格兰发明家R.波特在纽约创办，当时为周刊。次年波特将该刊售给另一发明家A.E.比奇。当时正是各种发明纷纷涌现的时代，由于该刊熟悉专利法和有关发明的各种问题，于是附设了一个专利代理机构，曾为爱迪生和莫尔斯这样的发明家进行咨询。这反过来更加强了该刊的地位。到1853年该刊销售量达3万份。自此时起除报道各种发明外也开始登载各门科学如天文学、医学的介绍文章。该刊最早提出建设地下铁道的主张并在百老汇地下建成一段由比奇设计的地铁，试运行达一年。从创刊时起使用木刻插图，20世纪是率先使用铜版图片的刊物之一。1921年改为月刊。它的文章文笔优美，以学术研究为依据，并附有科学名词的定义和插图。

scientific theory 科学理论 由人类的想象力构想出的广阔领域的系统性概念化结构，它包括关于物体和事件内在规律性的经验定律的体系；这些物体和事件既可以是所观察到的，也可以是假定的；由这些定律所提出的结构并设计用科学的合理方式来解释这些事物。为了想解释他所体验的事物，科学家采用：①仔细地观察或实验；②报告他所发现的种种规则；③系统地解释纲领（理论）。如果这些规则的陈述是精确的，那么这一陈述就可以作为经验定律来表达所观察的事物或特征的连续关系，这样当经验定律由于在事物中揭示出一种条理性而满足了科学家的好奇心时，他就提出一个系统的纲领或科学理论，来提供一种"这些定律为什么会得到"的一种使人能接受的解释。

经验定律和科学理论有若干不同。在一条定律中，凡是条理清楚的、可以观测的那些法则都可用来确定该定律每一词项的含义；这样，一条定律可通过仔细地观察这些词项所涉及的事物和性质予以检验。实际上，各种定律都是先通过概括和规划观察到的关系而形成的。可是在科学理论中，某些词项通常所涉及的事物并不是所观察到的。由此可见：理论是人类头脑的想象的产物——既是哲学判断和美学判断又是观察的结果，因为这些只是由观察信息所提示而不是从中归纳概括所得到的。此外，理论通常不能以与定律在同样的基础上进行检验并被接受。一条经验定律表示极小一部分可观察事物的统一关系，科学理论则有更广阔的范围，可解释各种这类定律并预言其他尚未发现的定律。

理论可以用假设体系作为其特征，经验定律可作为从这假设体系中演绎出来的定理，所以，理论可以是具有抽象的逻辑形式，含有公理、构成法则、从公理演绎出的法则，还含有凭经验解释其符号的种种定义，可是实际上，理论很少构造得这么缜密。

用过去科学的遗产或者采用恰当的比喻来给一个理论作解释，这不是理论的固有要素。但是，只要小心谨慎地运用，这类解释就比较易于领会；找到新的应用；提出较为重要的修正；把理论及其所解释的定律联系起来，特别是当它们十分复杂的时候。理论的力量有两个特征：科学理论的抽象形式所容许的许多可能的解释，以及它们的解释的被控制都要求助于假设的实体——提供解释以灵活性，在人类努力理解自然的规则中使科学理论成为有力的工具。

Scientology 科学论派 正式名称科学论教会（Church of Scientology），20世纪50年代兴起于美国的宗教-科学运动，开创人是作家哈巴德（1911～1986）。先是哈巴德提出推智学，作为一种心理疗法，后来推智学即被吸收到科学论中。哈巴德于1950年出版《推智学——关于精神健康的现代科学》，成为畅销书，推智学遂正式推出。根据推智学，人的每一条经验都记录在脑中，成为"心像"，痛苦的经验称为印迹，不能完全被"分析性"即有意识的心灵所感受。印迹是构成"反射性"即无意识的心灵的一部分，它一经更晚一些时候的经验所激发，就会使人采取不合理性的行为。疗法是由患者在"听士"的协助下面对印迹，使心灵摆脱其羁绊，达到"净化"。如此看来，推智学即是消除印迹从而试图改进精神健康的一套技术。科学论包括一套条理清晰的信仰，诸如关于"瑟探"（灵魂、生命力）在物质宇宙中的作用——物质宇宙称为MEST（物质、能、空间、时间）。科学论教会于1954年在美国正式成立，其后在英国和其他几个国家建立了组织。该教会经常由于它的科学和宗教理论以及它向徒众提出的经济要求而受到抨击。自60年代起，该教会以及它的一批首领面临政府的公诉和私人的控告，罪名是诈骗、逃税、财务混乱以及阴谋盗窃政府文件，另一方面该教会声称受到政府机关和现有医疗机构的迫害。过去曾充任科学论教会工作人员的一些人指控哈巴德利用教会免税地位建立以营利为目的的企业帝国。直到90年代该教会仍在忙于应付诉讼，致使信徒人数下降。

Scilly, Isles of 锡利群岛 又作Scilly Isles。英国英格兰康沃尔郡西南方岛群，约由50个小岛和许多礁石组成，距兰兹角40～58千米。总面积约16平方千米。群岛由花岗岩构成，是康沃尔大陆花岗岩地质构造的延伸。群岛中最大的圣玛丽斯岛，海拔50米，岩石构成的海岸地势险峻，暗礁林立。由于气候极为温和——月平均气温为7～16 °C——

故动植物不同于英国本土。亚热带植物繁茂;海鸟种类繁多,其中燕鸥是英国最稀有的品种;为英国唯一的曼岛剪水鹱栖息地。岩石和礁石群中有海豹。岛上有坟冢和柱墩形状的史前遗迹。亨利一世(1100～1135年在位)将该群岛送给德文郡的塔维斯托克修道院院长。16世纪属皇家所有,1571年租给戈多尔芬。1593年戈多尔芬在休镇建斯塔堡。英国内战时期,查理亲王在此避难,直至1646年逃往泽西群岛。早期为海盗巢穴,后为臭名昭著的走私场所。1834年史密斯取代戈多尔芬家族成为群岛的租赁人。1933年,主要岛屿归属英国王室。只有圣玛丽斯、特雷斯科、圣马丁斯、布莱赫和圣阿格尼丝五个岛屿有人居住。多数人口居住在圣玛丽斯岛。岛上的休镇有码头和锡利历史与史前博物馆。主要行业为旅游业和花卉及蔬菜栽培,后者得益于温和的气候。渔业亦占重要地位。在彭赞斯有海船和直升飞机通英国本土。在行政上为英格兰的一个特别行政单位,当地议会既担负区议会又担负郡议会的职能。人口约2 153(2001)。

scintillation counter 闪烁计数器 利用致电离射线穿过一定的固体或液体物质(闪烁体)所引起的闪光触发的辐射探射器。闪烁体中有铊激活的碘化钠和硫化锌,以及有机化合物(例如掺入固体、塑料或液体溶剂中的蒽)。这些闪光被铯锑光电合金转换成电脉冲,经光电倍增管放大约百万倍,最后被计数。闪烁计数器易感受X射线、γ射线和带电粒子,可高速计粒子数并测量入射辐射的能量。

Scioto River 赛欧托河 美国河流。发源于俄亥俄州中西部奥格莱塞县,东南流,在朴次茅斯注入俄亥俄河。全长381千米。哥伦布附近建有3座水坝。支流有奥伦丹吉河和比格沃尔纳特河。河谷富石灰岩土壤,异常肥沃。

Scipio, Publius Cornelius 西庇阿(?～公元前211) 第二次布匿战争期间(公元前218～前201)罗马将军、执政官(公元前218)、总督。公元前218年他率军由水路前往高卢南部以阻止迦太基的汉尼拔进入意大利。但因到达太晚,他把军队留给其兄指挥,独自返回意大利。在北意大利,他希望沿波河支流抗击汉尼拔,但在提契努斯失败、受伤后退往特雷比亚与朗戈斯会合。年底再次战败。公元前217年他被派往西班牙任总督,在埃布罗河战役中粉碎了汉尼拔突入意大利的企图(前215)。公元前212年,他攻占萨贡图姆。他向南挺进,但于公元前211年在上巴埃蒂斯遭到惨败,本人阵亡。其子为大西庇阿。

Scipio, Quintus Caecilius Metellus Pius 希皮奥 参阅**Metellus Pius Scipio, Quintus Caecilius** *梅特卢斯·庇护·希皮奥*。

Scipio Africanus THE ELDER **西庇阿(大)**(公元前236～前184或前183) 罗马将领,以战胜迦太基大将汉尼拔、结束第二次布匿战争著称。罗马大贵族家庭出身,自曾祖父起代代为执政官。公元前218年他的父亲任执政官时,率领抗敌。公元前216年,大西庇阿作为军事保民官参加坎尼战役,战败后逃往

新迦太基出土银币上被认为是大西庇阿的头像
哥本哈根国家图书馆供图

卡努西姆,只剩下残部4 000余名。公元前213年大西庇阿解甲,任营造官。公元前210年罗马拟派兵增援西班牙,但据说没有一个高级将领请命。这时大西庇阿挺身而出,自愿前往,获得为在西班牙阵亡的父亲复仇的机会。他在西班牙不仅要钳制住迦太基军队,阻止他们派兵增援在意大利的汉尼拔,而且还要扭转战争局势,将敌人赶出伊比利亚半岛。公元前209年,大西庇阿突然从设在塔拉哥的大本营对敌人在新迦太基城的主要基地发动陆海军联合进攻。他在新迦太基城取得大批物资和给养,还有西班牙的人质和当地的银矿。他训练军队掌握新的战术之后,公元前208年在巴埃蒂卡的巴埃库拉城打败迦太基统帅哈斯德鲁巴·巴尔卡。在这次战役中,他用一支轻装部队作掩护,将主力分成两路,进攻敌人的两侧。哈斯德鲁巴逃往意大利,与他的兄弟汉尼拔会合。大西庇阿没有苦苦追赶,而是在西班牙打败两支迦太基驻军,占领了加的斯。从此,罗马完全控制了西班牙。公元前205年,大西庇阿当选为执政官。他作出一个大胆的决定:置在意大利的汉尼拔于不顾,向非洲出击。他率兵渡海到西西里,公元前204年率领3.5万人在非洲登陆,随即包围乌提卡。公元前203年初,他火烧哈斯德鲁巴和西法克斯的大营,然后突然猛袭敌人在上巴格拉达斯的大平原集结的部队,以两翼双重迂回包抄的战术全歼敌军。他攻克突尼斯城以后,迦太基人提出和谈的要求。但为时不久,汉尼拔从意大利返回非洲,公元前202年双方重新交战。大西庇阿先向西南方向进军,与努米底亚王子马西尼萨率领的精锐骑兵会合,然后,他挥戈东进迎击汉尼拔,双方在扎马会战。他的迂回战术这次虽未能奏效,但罗马和努米底亚的骑兵突然对汉尼拔军队的后方发起进攻时,胜负已见分晓。罗马获得完全胜利,长期的布匿战争宣告结束。

为了表彰大西庇阿的功勋,罗马授以"阿非利加征服者"(阿非利加努斯)的称号。公元前199年大西庇阿任监察官,成为首席元老。公元前194年他第二次出任执政官时反对全面侵入希腊。前193年出使阿非利加和东方。晚年遭到以大加图为首的政敌的攻击。前184年他受指控但未定罪,他离开罗马后在利特努姆的寒舍中病逝。

Scipio Africanus THE YOUNGER **西庇阿(小)**(公元前185或前184～前129,罗马) 又称西庇阿·埃米利安努斯。罗马将军,以他在第三次布匿战争中的功勋和兼吞西班牙著称。其父第三次马其顿战争的英雄卢西乌斯·埃米利乌斯·保罗斯曾任执政官和监察官。西庇阿诞生后不久,保罗斯与妻子帕皮利娅离婚。可能由于父亲再婚,他被大西庇阿的儿子普布利乌斯·西庇阿收为养子。公元前168年西庇阿随生父保罗斯参加第三次马其顿战争。在决定性的彼得那战役中,他勇猛追击敌军,深入险境。战争结束后,其父为了进一步培养他的膂力和勇气,让他去管马其顿王家猎苑。公元前167年返回罗马,参加父亲的凯旋庆典。公元前152年,他可能当选为度支官,进入了元老院。公元前151年,由于罗马军队在西班牙连遭惨败,人们对前往伊比利亚半岛服兵役谈虎色变,罗马统治阶层就征兵问题发生了争执,保民官反对征兵,而执政官则力主征兵。在这关键时刻,西庇阿挺身而出,志愿到西班牙作战。他的行动唤起人们的信心,立刻有许多官兵效法他的榜样。西庇阿在几次西班牙战役中表现得极其英勇,公元前151年杀死一个向他挑衅的西班牙酋长。他在因特加提亚首先登上敌方的城墙。公元前150年他作为军事保民官,随罗马大军去非洲与迦太基作战。当时,两位执政官分别从陆上和海上围攻迦太基城。后来有一位执政官返回罗马,迦太基人遂对另一位执政官的营地发动夜袭。多亏西庇阿的机智,才得以挽救险恶的形势。由于对迦太基的战争陷入僵持状态,西庇阿决定回罗马参加公元前148年大营造司长官的竞选。但是,由于他战功卓著,罗马公民希望由他掌握军权。尽管他的年龄比担任执政官的最低法定年龄小5岁,他还是在保民官的大力支持下当选为执政官,接管了非洲战场的指挥权。他一回到非洲,立即决定从陆海两面封锁迦太基城。他不断收紧包围圈,公元前146年春,终于破城而入,经过6天巷战,使迦太基城化为一片废墟。西庇阿把迦太基国改成罗马新的非洲行省,然后回罗马参加凯旋仪式,人们欢呼他是第二个阿非利加努斯。他成为一位人民英雄。不久当选为公元前142年的监察官,他铁面无私地执行任务。这时,在西班牙与凯尔特伊比里亚人作战多年的罗马军队节节败退,狼狈回家。但是,西庇阿主张采取强硬政策。公元前134年他第二次当选执政官,取得凯尔特伊比利亚战争的指挥权。他率领志愿兵前往西班牙,包围凯尔特伊比利亚人的首府努曼提亚。经过8个月的困城,公元前133年守军4 000名终于投降。从此,罗马确立了对西班牙的统治。公元前132年,西庇阿第二次在凯旋仪式中返回罗马。此时提比略·格拉古正在推行改革,西庇阿持反对态度。公元前129年的某一天,他准备就意大利问题发表讲演。但早晨人们发现他在卧室中死去。死因始终是不解之谜。就其

一生而言,除军功外,他文化素养很高,热心支持文化活动,对拉丁文学的发展和希腊、罗马思想的融合产生了很大影响。

Scipione,Francesco 希皮奥内 参阅 **Maffei, Francesco Scipione, marchese di** 马费伊侯爵。

Scirophoria 斯奇洛弗里昂节 又拼Skirophoria。希腊宗教节日,即每年斯奇洛弗里昂月(约6或7月)12日打谷时在雅典举行的节日。在象征保护雅典土地不受烈日灼害的大白伞下,雅典娜的女祭司和波塞冬(海神)与赫利俄斯(太阳神)的祭司,从卫城走到斯奇隆。此节或许与塞斯摩弗洛斯节(**Thesmo-phoria**)为对,似乎是纪念雅典娜的;但也有人说是纪念谷物女神得墨忒耳和她的女儿珀耳塞福涅的。

scissors 剪刀 剪切工具,由刃口相对的两个金属刀片组成,当其一端的手柄靠拢时,刀片接触,进行剪切。现代的剪刀有两种:常用的支枢式剪刀在剪切端和手柄端之间用铆钉或螺钉连接;弹簧式剪刀在手柄端用C形弹簧连接。大概在青铜时代已有弹簧式剪刀,中世纪末以前在欧洲普遍使用。古罗马以及中国、日本和朝鲜使用铜制或铁制支枢式剪刀。16世纪欧洲家庭已使用剪刀,直到1761年,英国人R.欣奇利夫才在设菲尔德开始用铸钢大量生产。19世纪生产了许多手工打制的剪刀,并在手柄上作了精致装饰。19世纪末为了便于机械化生产,产品式样简化。两个刀片略微向对方扭弯,使其只在支枢和刀片的剪切部位两处接触,且当手柄合拢时,刀片的尖端接触。至于精制的剪切工具,在两片未加工的金属毛胚和扣钉上打上识别标记,以便成套生产。毛胚通常由炽热的钢条在落锤的冲模上快速锤锻而成,不过用冷锻毛胚制成的剪刀也具有令人满意的质量。钢的含碳量为0.55%～1.03%,高碳钢剪刀用于剪切硬度较高的物件。外科手术剪刀用不锈钢制成。某些有色合金不产生火花,也不受磁场的干扰,用于制造剪切柯达炸药和磁带的剪刀。手柄和刀片通常制成整件,但有的剪刀手柄与刀片用电焊焊接。为了恢复剪刀的锋利,须要熟练地研磨刀片,每个刀片顺着刀的扭曲度平滑地轻轻通过磨轮,在整个过程中用力均匀,以免造成刀刃不平或其他缺陷。特种大剪刀用于剪切金属板,装有高杠杆臂长比的手柄,以便于剪切金属。此外还有修剪树木的修枝剪刀等。

scissors chair 剪式椅 又作X-chair,Savonarola chair或Dante chair。装在两侧或前后两个交叉的曲线形支架上的古老座椅,基本结构很简单。最早的制品可追溯到公元前2000年。椅座最初用皮革或布制成,置于支架的顶端,也可固定在支架的交叉点上,这样交叉点以上的部分可作扶手用。由于运用剪刀的原理,这种椅子适合做成折叠式。中世纪初期,剪式折叠椅问世,主要用于礼拜仪式上。16世纪也为纺织工人等使用,20世纪普遍用作花园用椅及特殊用途。固定剪式椅在

16世纪的意大利剪式椅
伦敦维多利亚和艾伯特博物馆供图

18世纪末大受群众欢迎,19世纪中叶使用金属构件制作,20世纪初始,成为艺术和手工艺运动的副产品。

Sciuridae 松鼠科 啮齿目的一科,包括花鼠(**chipmunk**)、飞鼠(**flying squirrel**)、地松鼠(**ground squirrel**)、旱獭(**marmot**)、草原犬鼠(**prairie dog**)、松鼠(**squirrel**)等。

SCLC 参阅 **Southern Christian Leadership Conference** 南方基督教领袖会议。

sclerenchyma 厚壁组织 坚硬、木质化的细胞构成的植物组织,起支撑作用,有多种形式。成熟的厚壁组织细胞为死细胞,细胞壁极厚,内含木质。厚壁组织的细胞有多种不

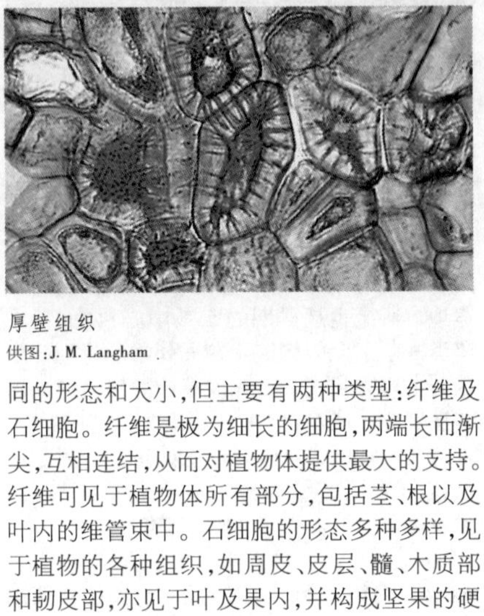

厚壁组织
供图:J. M. Langham

同的形态和大小,但主要有两种类型:纤维及石细胞。纤维是极为细长的细胞,两端长而渐尖,互相连结,从而对植物体提供最大的支持。纤维可见于植物体所有部分,包括茎、根以及叶内的维管束中。石细胞的形态多种多样,见于植物的各种组织,如周皮、皮层、髓、木质部和韧皮部,亦见于叶及果内,并构成坚果的硬壳和许多种子的坚硬外皮。

scleritis 巩膜炎 巩膜的炎症。原因不明,可能与感染、类风湿病、痛风或月经不调有关。青年妇女中较多见。患者眼球有放射性疼痛并畏光、流泪。可引起青光眼、角膜或葡萄膜炎症,甚至失明。治疗应针对其原发病因。巩膜外层炎发病部位较表浅,病程较短,在角膜巩膜缘附近的巩膜上出现炎性结节,数周后消失,以后可在另一部位复发。

scleroderma 硬皮病 一种使皮肤变硬并固着于皮下结构的慢性皮肤病。病因不明,可在任何年龄发病,多见于25～55岁之间,女性多于男性。主要的病理变化为胶原纤维肿胀、数量增多,形成密集的致密组织,使皮肤失去其正常弹性。早期症状为手及手指发僵、疼痛,手部皮肤发紧且肥厚,指关节部的正常皮肤皱纹消失。有时间隔数年后方发生全身病变:如原因不明的发热,呼吸困难,肺纤维组织化,心内膜、心肌及心包膜发炎,胃肠紊乱和严重的肾机能障碍。随着病情的发展,皮下组织钙化更为广泛。后病情可稳定或缓慢消退。类固醇类激素可以减轻肿胀和炎症。热疗、按摩和被动运动可防止肢体发生固定的畸形。易地疗养可改善病情。

Sclerodermatales(fungus) **厚皮马勃目** 参阅 **Lycoperdales** 灰孢目。

sclerophyll 硬叶植物 生有防止水分散失的硬韧常绿叶的木本植物的统称。阔叶的硬叶植物(包括冬青属[*Ilex*]植物等种类)被称为地中海植被(**Mediterranean vegetation**),因它们生长在具有地中海气候(夏季干热,冬季温湿)的地区。窄叶的硬叶植物有代表性的种类有松树等。

scleroprotein 硬蛋白 细胞和组织内数种纤维状蛋白质的统称。以前认为具不溶性,今知可溶于稀酸(如柠檬酸及乙酸等)溶液。胶原(**collagen**)及角蛋白(**keratin**)是两类最重要的硬蛋白。其他硬蛋白有:丝心蛋白(占天然丝成分的约67%——其余成分是丝胶蛋白)、弹性蛋白(弹性纤维的结构蛋白质)、海绵的某些蛋白质(海绵硬蛋白)、珊瑚的某些蛋白质(柳珊瑚素,角珊瑚素)、鞭毛蛋白(某些细菌鞭毛的结构蛋白质)、网硬蛋白(与弹性蛋白及胶原均见于哺乳动物皮肤中)。

sclerosis, multiple(neurological disease) 参阅 **multiple sclerosis** 多发性硬化。

sclerotin 壳硬蛋白 一种黑褐色的生物色素,由蛋白质经酶促鞣化而成。见于昆虫的表皮和卵壳、某些甲壳类的体壳以及陆生和海生蠕虫的刺毛。壳硬蛋白不仅像黑色素一样使昆虫的表皮变黑从而遮住有害的光线,而且由于它使表皮蛋白质硬化因而具有明显的保护效应。

sclerotium 菌核 某些真菌(如葡萄孢属[*Botrytis*]、小菌核属[*Sclerotium*])的一种休眠孢子。坚硬,致密,由菌丝体组成。外表黑色。能持续维持休眠状态。大小不一,小者仅数个细胞,大者可逾10厘米。丝核菌属(*Rhizoctonia*)的菌核常见于马铃薯块茎上,麦角菌的菌核对人和动物有毒。参阅 **ergot**。

Scodra(Albania) 参阅 **Shkodër** 斯库台。

Scofield,(David) Paul 斯科菲尔德(1922-01-21,英格兰萨塞克斯赫斯特皮尔波因特～2008-03-19,萨塞克斯附近) 英国演员,以成功地表演莎士比亚戏剧角色及其他舞台角色而闻名。曾在伦敦克罗伊敦轮演剧院学校和面具剧院学校接

受演员训练。第二次世界大战期间随多家剧团巡回演出，慰问军队，此后加入伯明翰轮演剧院。1946年移居埃文河畔斯特拉特福镇，在那里取得首次巨大成功，先后在《辛白林》中扮演克洛顿，在《爱的徒劳》中扮演唐·阿德里安诺·德·亚马多，在《一报还一报》中扮演路西奥，以及扮演亨利五世和哈姆雷特等莎剧角色。1949年首次在商业戏剧中扮演主角，在特伦斯·拉蒂根那部命运不佳的《冒险故事》中扮演亚历山大大帝一角。他在罗伯特·博尔特的《可祸福与共的人》中扮演的托马斯·摩尔爵士一角使他取得最大成功，此剧1960年在伦敦、1961～1962年在纽约演出，为他赢得托尼奖(1962)和其他荣誉。次年他去安大略斯特拉特福莎士比亚戏剧节演出，在《科利奥兰纳斯》和《爱的徒劳》中扮演角色。后来他又在《万尼亚舅舅》(1970)和《富尔蓬涅》(1971)等剧的舞台演出中取得成功。斯科菲尔德于1955年首次登上银幕，在《可祸福与共的人》(1966)影片中扮演摩尔，这个角色为他赢得奥斯卡最佳男演员金奖。随后他又在彼得·布鲁克执导的影片《李尔王》(1971)中扮演李尔；在《精巧的平衡》(1973)中扮演托拜厄斯，此剧由爱德华·阿尔比创作，由托尼·理查森按阿尔比原剧导演。他还在《亨利五世》(1989)中扮演法国国王一角。

Ščokino (Russia)　参阅 **Shchyokino** 希奥基诺。

Scolari, Paolo (pope)　**斯科拉里**　参阅 **Clement III** 克雷芒三世。

scolecite　钙沸石　沸石族中与钠沸石(natrolite)有密切关系的矿物。

scoliosis　脊柱侧凸　一种脊柱畸形。脊柱向侧方偏歪，归类于脊柱侧弯的一种病变类型。参阅 **spinal curvature**。

Ščolkovo (Russia)　参阅 **Shchyolkovo** 希奥尔科沃。

sconce　壁式灯台　固定在墙上放置蜡烛、灯和其他发光物体的木制或金属制台架。是最古老的家庭和公共场所使用的固定照明装

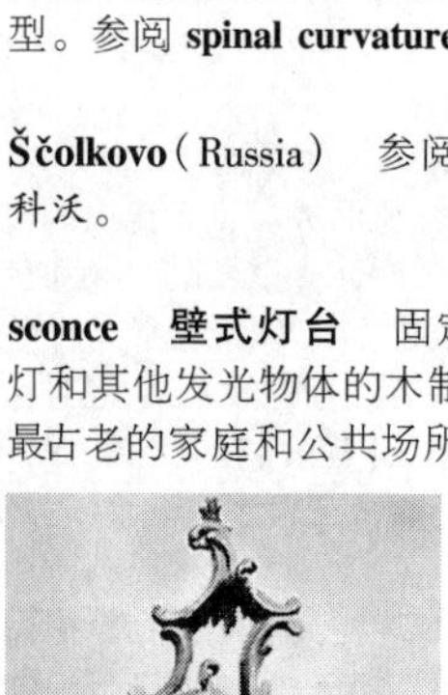

英国18世纪中叶的洛可可风格木雕镀金壁式灯台
伦敦维多利亚和艾伯特博物馆供图

置。最早见于古希腊、罗马时代。中世纪在欧洲教堂举行圣职授任仪式时习惯于在墙上装上烛台，从而促使其式样更为精美。17世纪在上面装有镜子和金属反射镜等精制品，以增加亮度。随着室内装潢的日益讲究，出现了纤巧华丽的洛可可式、东方式和古典式灯台。在这些更为精致的灯台(还可包括时钟和镜子)中，背板通常称为枝形烛架，具有炫耀排场意义。随着电灯的发明，壁式灯台重新流行，在其上装上假的蜡烛，蜡烛头上装有特别设计的仿火焰光的灯泡，别具一格。

Scone　斯昆　澳大利亚新南威尔士州东部城镇。位于纽卡斯尔西北130千米，在铁路、公路线上，为周围牛羊、比赛用马匹、核桃和蔬菜等产区的贸易中心。附近有格伦邦水坝和水库。斯昆为区域水土保持管理中心。当地温根山(即火烧山)蔚为奇观；地下煤层闷烧生烟从山侧一条裂缝冒出，青烟袅袅，已达数世纪之久。人口3 949(1981)。

Scone　斯昆　英国苏格兰泰赛德行政区的小村庄。位于泰河附近、珀斯市北面。8世纪时旧斯昆继福蒂维奥特之后成为皮克特王国的都城。据说苏格兰和皮克特联合王国的

泰赛德的斯昆宫
供图：A. F. Kersting

第一位国王麦卡尔平在9世纪时从邓斯塔夫内吉城堡将斯昆石(或称命运石)带到斯昆。所有的苏格兰国王都是在这块石头上加冕的。15世纪前斯昆一直是苏格兰国王的加冕地。斯昆也是早期的宗教中心；1120年一座奥古斯丁会的修道院在一处凯尔特隐修院基础上建立起来。宗教改革中隐修院遭劫掠并被焚毁。现在建在隐修院原址上的是一座称为斯昆宫(1803～1808)的建筑。古村后迁走，以便在新宫殿周围建一座花园。新斯昆村就建在附近。人口4 897(1981)。

scone　烤饼　源于英国、闻名世界的快速焙烤食品，用大麦或燕麦面粉经发酵，擀成圆形，切成4瓣后，在烤盘上焙烤而成。英国人在款待客人饮茶时，常食用涂有奶油的热烤饼。在面粉、苏打、糖和盐的混合料中加入些奶油和蛋，则味道更佳。面团稍加揉和，擀成圆饼，常切成三角形。在烤前，涂上蛋清，有些食谱，要求掺些马铃薯泥。使用发酵粉的茶点蛋糕，有时夹一些无核葡萄干，擀成圆形，或切成楔形、菱形等各种形状，在烘箱内烤熟。

Scone, Stone of　斯昆石　又称命运石。苏格兰历代国王加冕时使用的一块石头。色淡黄，长方形，长66厘米，宽41厘米，高28厘米，重152千克。上面仅有一纵长形十字作为装饰。据凯尔特人传说，先祖雅各曾在伯特利枕此石梦见天使。它从圣地经埃及、西

威斯敏斯特教堂内的加冕宝座及斯昆石
美国不列颠百科全书公司供图

西里和西班牙，约于公元700年运至爱尔兰，置于古代爱尔兰国王加冕处塔拉山丘上。凯尔特苏格兰人占领苏格兰后，此石约在840年被K.麦卡尔平移至斯昆村。后被嵌在国王加冕的宝座下面。1292年巴利奥尔是在此宝座上加冕的最后一位苏格兰国王。1296年英格兰国王爱德华一世入侵苏格兰，把此石劫往伦敦。1307年他在威斯敏斯特教堂特制一个宝座，将此石嵌在座下，称加冕宝座，这是英格兰国王兼苏格兰国王的象征。古代曾有预言说，这块石头到哪里，苏格兰人就将在哪里为王。1603年伊丽莎白一世女王死后无嗣，苏格兰国王詹姆斯六世成为英王詹姆斯一世。苏格兰人就说这预言应验了。1950年圣诞节早晨此石被盗回苏格兰，4个月后返还，重新嵌到宝座下。

scop　吟游诗人　盎格鲁-撒克逊的豪门艺人，通常依附于某个王室朝廷，尽管也会到各王宫去朗诵自己的诗歌。除了表演自己编写的作品，吟游诗人还要担当历史学家的任务，做日耳曼各民族口述传统的保护人。古英语诗《漫长的旅程》(可能作于7世纪)是一位虚构的吟游诗人的传记，它使人们对吟游诗人的社会地位和作用有所了解。

Scopas　斯科帕斯(活动时期公元前4世纪)　希腊古典时代末期雕刻家及建筑师。古代作家将他与普拉克西特利斯和利西波斯并列为公元前4世纪后半期三大雕塑家。他在表现强烈感情为艺术题材方面颇具影响。出生于帕罗斯，可能属于这个希腊岛屿上的一个艺术家庭。按照古代著述，他曾致力于公元前4世纪的三大古建筑：泰耶阿(在阿卡迪亚)的雅典娜·阿列亚神庙、以弗所的阿耳忒弥斯神庙和哈利卡纳苏斯的摩索拉斯陵墓。雅典娜·阿列亚神庙是一座新庙，公元前394年后不久开始兴建。据2世纪希腊旅行家保萨尼阿斯称，斯科帕斯是以建筑师和雕刻家的双

重资格参加这项工作的。他提到庙里在雅典娜·阿列亚两侧的阿斯克勒庇俄斯和许革亚的雕像是由斯科帕斯负责制作的。很可能斯科帕斯也参与了神庙三角形檐饰的雕刻,包括描写猎获卡利敦野猪的现存残片,该残片现在保存在雅典国立考古博物馆。保存下来的头部显示出强劲有力和独特的风格,从中可获得对斯科帕斯作品的概念。头近似方形,双目深陷,五官绷紧,显示出极度紧张的神态。公元1世纪罗马作家普林尼称,斯科帕斯雕刻的浮雕装饰的是阿尔忒弥斯神庙众多圆柱中的一根,但遗留下来的三根有装饰的圆柱都不像是他的作品。他还和布莱克斯、提谟修斯及莱奥卡雷斯等一起制作了哈利卡纳苏斯的摩索拉斯陵墓的雕塑。过去人们认为表现尼俄柏的女儿们的毁灭的一组雕刻可能是出自斯科帕斯之手,也可能出自普拉克西特利斯之手,现在则相信是斯科帕斯的作品。该组雕刻的复制品现藏佛罗伦萨乌菲齐美术馆。众多斯科帕斯的独立雕像中,最著名的有《梅涅德》(德累斯顿国立艺术收藏馆藏)和《渴望》,其复制品现存于罗马音乐学院大厅。

Scopes Trial　斯科普斯审判案　1925年7月10～21日在美国田纳西州代顿举行的一次审判,曾轰动一时。其经过是美国田纳西州代顿的中学教师约翰·斯科普斯因讲授进化论而被指控违反州法。田纳西州议会于1925年3月宣布,《圣经》教导上帝创造人类,

R.柯尔比发表在纽约《世界报》上的漫画《为田纳西审判案搜集资料》(1925)

供图:Granger Collection

宣传与此相悖的理论即为非法。世界注意力集中于此案件的审理过程及其诉讼程序,因为程序允许原告被告双方可以在有关圣经的解释方面进行面对面的论辩,一方是基督教基要主义者对圣经所采取的照字面解释经文的办法,另一方是教徒对圣经所作的不拘泥于字句的阐释的方式。W.J.布赖恩(**Bryan, William Jennings**)领导一个小组代表公诉即原告一方,C.达罗(**Darrow, Clarence [seward]**)则负责为被告一方进行辩护。法官在审理此案时,不问这项法律是否违宪,也不问有关达尔文主义的进化论是否正确,只问斯科普斯是否有这种行为。斯科普斯承认,结果被判罚款100美元。斯科普斯上诉,州最高法院裁断该项法律合乎宪法,但认定斯科普斯处罚过重,免予追究。该项法律于1967年被废除。

scopolamine　东莨菪碱　又作hyoscine。一种生物碱,得自多种茄科植物,如颠茄、莨菪及紫曼陀罗等。是颠茄所含数种生物碱中药理作用最强的一种,部分原因为其溶解度较高,能较快地到达作用部位。同阿托品一样,它对副交感神经有抑制作用,剂量较大时对自主神经节亦有抑制作用。对中枢神经系统有明显的抑制作用,其药用价值即基于此。与吗啡合用能产生"朦胧"麻醉(记忆及痛觉缺失状态)。这种配伍方法一直用于分娩,类似的配伍方法用于手术前给药。本品口服对晕动病有效,机制可能是中枢抑制作用及解痉作用。亦用于控制帕金森氏病的强直和震颤。因本品有毒性,故只能应用极小剂量。

scops owl　红角鸮　角鸮属(*Otus*)的旧大陆鸟类,不同于新大陆的种类——鸣角鸮。参阅 **screech owl**。

scorch　灼伤　一种植物病害症状,由不良条件或细菌、真菌感染所致,组织呈现"烧伤"外观。不良条件包括烈日下炎热干燥的风、土壤营养物不平衡、水位或土壤坡度的变化、深栽、浅土层板结、根上表层铺筑路面、近海处盐分浸渍、低温、空气污染、根部受束捆等。灼伤常表现为沿叶脉或叶脉与叶缘间的组织死亡。防治方法包括矫正致病的环境条件,在地点适宜的肥沃土壤中播栽植株,并合理灌水、施肥、修剪和施加地面覆盖物。参阅 **sunscald**。

Scordisci　斯科迪斯奇人　凯尔特部落。公元前3世纪初曾入侵希腊,最后定居于萨乌斯河与多瑙河汇合处的锡尔米乌姆之东。公元前2世纪末期至前1世纪初期,他们经常劫掠马其顿,迫使那里的许多罗马总督同他们作战。约公元前12年,他们似已归顺罗马人,在帝国统治下获得某种程度的地方自治权力。

score　总谱　音乐作品的手稿或印刷的乐谱。可包含独奏(唱)作品的单一声部,也可包含构成管弦乐曲的许多声部。"完全总谱"即管弦乐总谱,它记有一首大型乐曲的所有声部,每一声部单独用一谱表,各谱表排成纵列(但相关乐器的更细分部常合用一行谱表),供乐队指挥用(供每一演奏员用的谱称为"分谱",只记载他演奏的一行或几行音乐)。这样,指挥一眼就能看到每一演奏员应该演奏的音乐,并了解合奏的整体音响。有些指挥赞成背谱,以便集中精力指导演出。将"完全总谱"加以压缩以适应钢琴弹奏,称为"钢琴总谱"。这类总谱,特别是复杂的作品,常常分由两架钢琴弹奏。为歌剧或清唱剧等大型作品排练用的声乐总谱包含根据管弦乐声部缩编的钢琴谱,各声乐线条分别列在钢琴谱的上方。在完全的管弦乐总谱中,各声部的正常排列是(自上而下):木管、铜管、打击乐、竖琴和键盘乐器、弦乐器。如有独奏(唱)声部,例如在协奏曲中,习惯上就放在弦乐器上方。声乐作品中的标准排列(自上而下)是:女高音、女低音、男高音和男低音,因此在四声部声乐作品的总谱第1页上常用这4个声部的英文名称首字母缩拼词SATB。把音乐记成总谱的实践始于中世纪初的复调音乐乐派,但在13～16世纪期间逐渐衰落。13世纪初它被唱诗班歌本所取代,这是一种大型手抄本,女高音和女低音声部通常记写在相对两页的上半部,男高音和男低音声部则占用下半页。这是一种节约的安排,因为演唱歌词的上方声部比进行缓慢的下方声部需要更多的空间。整个唱诗班聚集在谱架上的歌本周围,人人都能读到乐谱。15和16世纪的声乐和器乐以分谱形式出版,每一分谱包含一个声部的音乐。牧歌(一种世俗主调合唱曲)的各声部有时交叉地印在一张纸上,便于歌手们围绕长方形桌子而坐。现代总谱中的小节线垂直穿过各个声部,这一形式早在16世纪意大利人罗勒的牧歌和加布里埃利的管弦乐中已经采用。音乐家所能达到的最苛求的造诣之一就是不用借助钢琴缩编谱而在琴上弹出完全的管弦乐总谱。总谱阅读要求演奏者能将所有的基本要素一一注释出来,包括和声、旋律、对位等等,以便做到令人满意地复现整个乐队。难度更大的是,演奏者不但要能视谱奏出高音谱号和低音谱号,而且须奏出中音和次中音谱号,并且将那些实际音响不同于谱上所记的木管与铜管乐器的声部移调。有经验的听众在听管弦乐曲和合唱曲时,如能边听边看总谱,可以更方便地领会作品的整体布局,并理解管弦乐效果的组成要素。

Scorel, Jan van　斯霍勒尔(1495-08,尼德兰哈布斯堡阿尔克马尔附近斯霍尔～1562-12-06,乌德勒支)　Scorel又拼Schooreel或Schorel。荷兰人文主义者、建筑家、工程师和画家,他为荷兰建立起意大利文艺复兴的绘画风格。以运用现代色彩和丰富的装饰见长。1519年先到德国,在纽伦堡访问了丢勒,随后游历了瑞士,又在克恩滕逗留,受聘制作了上费拉赫教堂的三联画;然后到威尼斯,为乔尔乔涅和帕尔玛的作品所激励;接着又往耶路撒冷朝圣,大量的习作成为他后来构思的依据。他到罗马,又受到米开朗琪罗和拉斐尔作品的影响。1524年回到荷兰,将诸如人体、古典的衣饰、建筑和宽阔而有想象力的风景等意大利的绘画要素引进荷兰。其最出色的作品是几个主妇的肖像画和一些"年轻学者"的肖像。《基督进入耶路撒冷》是其第一幅大画,其中有拥挤的场面,城市的面貌和用荷兰手法描绘的米开朗琪罗的"洪水"。人物作前景,风景隔得很远,强调了空间透视,从而成为17世纪古典风景画家遵循的规律。

Scoresby, William　斯科斯比(1789-10-05,英国约克郡惠特比附近克罗帕顿～1857-03-21,德文郡托基)　英国探险家、科学家和牧师。北极地区科学研究的先驱者,在了解地球磁力作用方面有过贡献。10岁时,乘其父之船"果敢"号作第一次北极捕鲸航行。以后,在1811年即指挥该船。1813年,他测定

出海底的极地水比海面的温暖。他在1822年航行去格陵兰时，测量了650千米长的东岸，这是他最后一次北极区探险。随后在剑桥大学研究神学成为牧师，但未终止科研工作。1848年横越大西洋时，对波浪高度进行了有价值的考察。1856年曾去澳大利亚收集关于地球磁力作用的资料。

Scoresby Sund　斯科斯比湾　格陵兰东部深海湾。位于格陵兰海，深入海岸70英里(110千米)。1822年由W.斯科斯比绘制海湾地图。湾内岛屿星罗棋布，最大为米尔内地岛，长约60英里，宽约25英里，最高点7 987英尺。斯科斯比松位于湾口北面，是E.迈克尔森于1924年建立的渔猎镇。斯科斯比松镇人口约470(1990)。

scoria　火山渣　比重大的、深色的、含有许多气孔(气泡状孔洞)的玻璃质火山碎屑岩。泡沫状火山渣是爆发式喷发的产物(例如在夏威夷)，并且作为绳状熔岩(表面光滑或呈波涛状)上的泡沫状外壳出现。气泡是由固结的玄武岩质岩浆构成的极薄的壳。其他的火山渣有时称为火山灰渣，很像煤炉烧剩的结块或灰渣。

scorodite　臭葱石　磷铝石族中的矿物，含水的砷酸铁($FeAsO_4 \cdot 2H_2O$)，呈浅葱绿色或淡灰绿色到肝褐色的晶体集合体，或呈淡绿色到浅灰色或褐绿色的土状块体。它与砷铝石形成连续的固溶体系列，在砷铝石中铝置换臭葱石晶体结构中的铁。砷铝石为白色到浅灰色皮壳和多孔的块体。这些矿物产于毒砂受到氧化作用所产生的风化带中。详细物理性质，参阅 **arsenate mineral**(表)。

scorpaeniform　鲉形类　又作mail-cheeked fish。又称铠颊鱼。鲉形目(Scorpaeniformes)硬骨鱼。广布各大洋，亦见于北半球的淡水水域。栖于海岸带至4 000米深处及寒冷的溪河和某些水深的淡水湖。体长一般30厘米，深海的红鲉长达90厘米。形多似鲈形目。体多粗短，呈纺锤形，有的种体细长(如八角鱼)。多数鲉科、鲂鮄科、杜父鱼科的种有2背鳍(有时相连)，前背鳍有硬棘。背鳍、臀鳍、胸鳍均大或极大，有的种带棘的前背鳍退化。本目的一个特征是眼下方有由第二眶下骨突出形成的条状突起，上有棘刺；在有的种扩张而与其他颅骨(如前鳃盖骨)愈合形成硬质盔甲状，在有的种不明显。胸鳍胸位，有时变形为吸盘(如吸盘圆鳍鱼)，骨直接连于锁骨后外一骨。鲉形目鱼类主要分布于热带大陆架浅海，栖于不平的海底及珊瑚礁间；体形及体色均具隐蔽作用，头上多有垂片，鳍膜、体鳞及体色均与背景融为一体。有些种(如杜父鱼)体色鲜艳，多为红色；胸鳍大，色鲜明或有明显鲜绿色或孔雀蓝色眼形斑，其作用似为警戒色。隐藏着的毒鲉属(*Synanceja*)种类看似被浸蚀的珊瑚或岩石，纹丝不动，直到被棍戳到或被脚踩到，便竖起背鳍的棘。每棘两侧各有一大形毒腺，可刺伤其他动物并注入大量毒液。剧痛迅即遍及整个伤肢，有时导致死亡。广布于热带印度洋-太平洋的蓑鲉属(*Pterois*)种类体色艳丽，显为警戒色；背鳍和胸鳍极长，长针状的背棘与毒腺相连。许多其他鲉形目种类具鳍棘或头棘，可造成创伤，但仅少数有毒腺。鲬类主要见于沙底、泥底或河口；身体扁平，埋在沙或泥中，仅两眼露出；多数种类主要吃小鱼。鲂鮄类是广泛分布的底栖鱼；下方的2～3个胸鳍条粗长，与其他鳍条分离，成为味觉、触觉和运动器官，可支撑身体在水底缓慢移动；多数吃穴居在海床内的甲壳类、软体动物及鱼。杜父鱼类是鲉形目中数量最多的沿岸鱼及主要的淡水类群；一般小型，栖居在多草的水塘及石缝中。克内尔氏杜父鱼(*Cottus kneri*)及凯斯勒氏杜父鱼(*C. kessleri*)分布于贝加尔湖及河系，有商品价值。圆鳍鱼类的某些种也生活在沿岸；腹鳍变成能抗波浪的吸盘，此类中也有远洋及远洋底栖的种类。六线鱼类为远洋鱼类，仅在繁殖季节底栖。北太平洋的单鳍多线鱼(*Pleurogrammus monopterygius*)一生中大部分生活在远洋，有相当大的游钓及商业性捕捞价值。鲉形类的生殖方式极其多样。胎生贝加尔湖鱼科种类的性别比例极不平衡，雄性只占3%～4%；胎生。杜父鱼科的其他类群卵生，雄性有护卵行为。短角床杜父鱼(*Myoxocephalus scorpius*)筑简单的巢，由雄鱼守护。有些圆鳍鱼科种类亦筑巢，并由雄鱼守护，如吸盘圆鳍鱼(海母鸡，*Cyclopterus lumpus*)。但狮子鱼(*Liparis liparis*)将成簇的卵产在海葵和海藻上，不护卵。北太平洋某些圆鳍鱼类(如中华短吻狮子鱼[*Careproctus sinensis*])的雌鱼有一条长形产卵器，把卵产入堪察加蟹的壳下。八角鱼科种类产少量卵，常将卵藏在石隙中。钩鼻八角鱼(*Agonus cataphractus*)将2 400个卵产在海带中空的假根内，孵化期可长达12个月。鲉亚科(Scorpaeninae)的卵产在气球状胶质团内。鲈鲉亚科(Sebastinae)，如北大西洋红鱼(海生平鲉，*Sebastes marinus*)体内受精，卵在输卵管内发育；初生仔鱼发育不成熟，产仔多达36万尾，多于其他胎生鱼类。北美大西洋沿岸的海鸣鱼(卡罗米纳锯鲂鮄，*Prionotus carolinus*)以会发声而闻名，体腔背侧有一大鳔，侧面有肌肉可使之振动，稍受激惹即发出吠声、咆哮声及一系列咯咯声，产卵季节亦鸣。某些杜父鱼类发出哼声及咆哮声，据信系肩带运动所产生。鲉形目分为6个亚目。(1)鲉亚目(Scorpaenoidei)。椎骨24～40，前部肋骨缺或固着。①鲉科(Scorpaenidae)。②鲂鮄科(Triglidae)。③毒鲉科(Synancejidae)。④疣鲉科(Aploactinidae)。⑤丑鲉科(Pataecidae)。⑥头棘鲉科(Caracanthidae)。(2)六线鱼亚目(Hexagrammoidei)。椎骨42～64，肋骨附着于椎体横突。①六线鱼科(Hexagrammidae)。②裸头鱼科(Anoplopomatidae)。③栉鳍鱼科(Zaniolepididae)。(3)鲬亚目(Platycephaloidei)。头和体前部甚扁平，椎骨约27，无鳔。1科：鲬科(Platycephalidae)。(4)针鲬亚目(Hoplichthyoidei)。小型，体极纵扁，无鳞，但有骨板。1科：针鲬科(Hoplichthyidae)。(5)南鲬亚目(Congiopodoidei)。体尖角形，背鳍棘发达，无鳞。1科：南鲬科(Congiopodidae)。(6)杜父鱼亚目(Cottoidei)。大多无鳞。皮肤有刺，或有骨板。①杜父鱼科(Cottidae)。②贝加尔湖鱼科(Cottocomephoridae)。③胎生贝加尔湖鱼科(Comephoridae)。④诺曼氏鱼科(Normanichthyidae)。⑤拟杜父鱼科(Cottunculidae)。⑥八角鱼科(Agonidae)。⑦圆鳍鱼科(Cyclopteridae)。

指鳍鱼科(Dactylopteridae)或归入本目，或另立为指鳍鱼目(Dactylopteriformes)。似鲂鮄科。

scorpion　蝎　蜘蛛纲蝎目(Scorpionida)动物，1 200～1 300种，特征为体细长，尾部为环节形，末端有一毒刺。蝎体长13～175毫米。有6对附肢。第一对附肢(螯肢)小，用以撕开猎物。第二对附肢(须肢)较大，末端两节坚强，呈钳状，水平地伸向前方，用作感觉器官及用以攫住猎物。后四对为步足，末端呈钳状。蝎为夜行性，主要以昆虫及蜘蛛为食，用形大、强而有力的脚须攫住猎物，将其撕碎，并吸其汁液。遇大型的猎物则通常先用尾刺蜇并注入毒液使之麻痹，然后把它吃掉。交配时，雌体及雄体均跳"求偶舞"，这有双重目的：雄蝎需寻求平地以排出精包；还要将雌蝎引到精包上方以便接受精包；雌蝎接受精包以后雄蝎常被雌蝎所吞食。受精卵在雌蝎体内发育，幼体生出后即附在雌蝎背上，停留约12日。蝎毒至少有2种。一种为血液毒，可致轻度至重度局部反应，如水肿、变色和疼痛。另一种为危险的神经毒，可致严重的局部或系统性后果，如惊厥、瘫痪、心率紊乱及死亡。大多数蝎遇其他动物时宁可退避而不攻击，而且不会主动螫人，除非受到骚扰。

背负幼蝎的雌蝎

供图：J. A. L. Cooke

scorpion fish　鲉鱼　又作rockfish。鲉科，特别是鲉属(*Scorpaena*)多种底栖海鱼的统称。广布于温带和热带水域，一般生活于岩礁间，因而有时也称岩鱼或石鱼。形似鲈，头大而多刺，鳍棘粗强，有些种的鳍棘带毒，但不论有毒与否，均能致深而疼痛的创伤。许多鲉

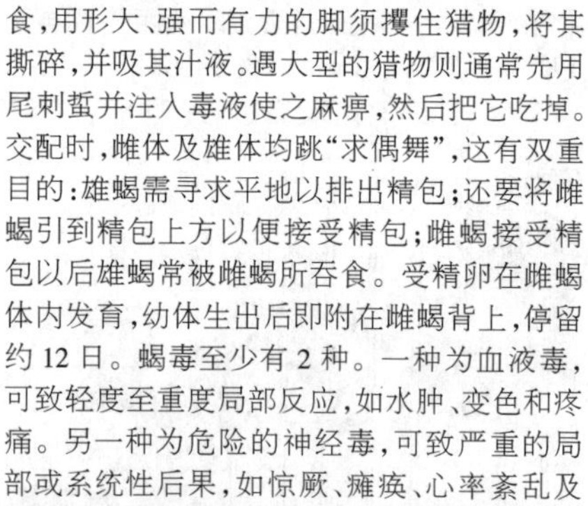

加利福尼亚鲉鱼(*Scorpaena guttata*)

供图：Bud Meese from Root Resources—美国不列颠百科全书公司

类颜色晦暗，另一些则较鲜艳，常呈各种深浅不同的红色。最大种类体长约1米。鲉为肉食性，一般为定居型，常静伏海底，许多鲉靠身体颜色及（某些种）靠头、体上各式各样的瓣片和突出物与周围环境密切混为一体。鲉类著名种类有红鲉（**redfish**）和蓑鲉（**lionfish**）。

scorpionfly　蝎蛉　又称举尾虫。长翅目（Mecoptera）昆虫，特征为在长吻末端有咀嚼式口器；触角长丝状，多节；翅两对，膜质，具网状脉，透明或有暗色点斑或具带斑。幼虫

蝎蛉（Mecoptera）
供图：E. S. Ross

似毛虫，在土中化蛹。幼虫及成虫均取食动物（尤其是昆虫）尸体，也食植物。对人无害，并能清除动物尸体。雄虫可将腹部末端鳞茎状节——生殖器，常像蝎子一样向上举在背上，因而得名。

Scorpius　天蝎座　又称天蝎宫。在天秤座和人马座之间的一个黄道星座。黄道十二宫之一，位于赤经（类似于地球上经度的天球坐标）16时30分和南赤纬（天赤道以南的角距

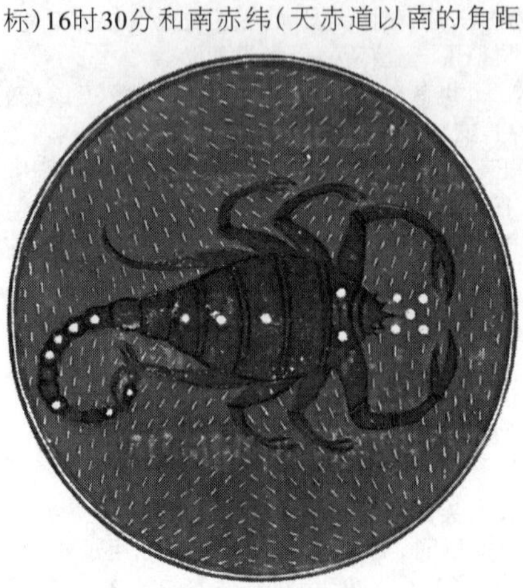

约1475年意大利《祈祷书》插图画中的天蝎座
供图：Pierpont Morgan Library, New York City

离）30°附近。星座内最亮的恒星心宿二（天蝎座α）是一等星。在占星术中，天蝎宫是黄道第八宫，被看作是主宰10月24日至11月21日前后的命宫。天蝎宫像一只蝎子，这与蝎子螫猎人奥里翁致死的希腊传说有关。据说这是当天蝎座东升猎户座就西落的原因。另一个希腊神话则说，蝎子曾使无经验的年轻御手费厄顿驾驶的太阳神的马匹受惊而狂奔。

Scorpius X-1　天蝎座 X-1　天空中最亮的X射线源，星表号为Sco X-1。它是在天蝎座方向发现的第一个这种天体。这个于1962年发现的X辐射源不但很强，而且同其他X射线源一样，还有很大的变化。这种变化表现在两个方面：一是时标为时分量级的大变动和大输出；另一是变动不大的小输出。1966年，首次在可见光波段观测到天蝎座X-1。用光学方法观测的天蝎座X-1并不突出，只不过是一颗蓝色的暗弱天体而已。天蝎座X-1的全部情况迄今未明，但它应该是一密近双星，其中的一子星（白矮星或中子星）用光学方法不得见。大多数的银河系X射线源也是这样。当物质从那颗用光学方法可以看到的蓝热星落向不可见的坍缩伴星时，就产生出X射线，因为这些物质受到坍缩星极强引力场的加速和挤压。与大多数X射线双星不同的是，天蝎座X-1的可见子星的质量并不很大。

Scorsese, Martin　斯柯席斯（1942-11-17，美国纽约州长岛弗拉兴～　　）　美国电影导演、编剧和制片人，他的许多影片描写美国文化残酷的、并往往是凶暴的一面。斯柯席斯孩提时身体虚弱，并患气喘病，在下曼哈顿东部美籍意大利人聚居区长大。在试图成为罗马天主教教士未能成功之后，他早年对电影的兴趣重又萌发，遂进入纽约大学，获得电影制作专业本科生学位（1964）和研究生学位（1966）。在为别的导演编辑了几部影片和执导了两部他自己的质朴的故事片之后，斯柯席斯因《小街陋巷》（1973）一片受到高度重视，该片探讨了纽约市意大利居民区教会与市井生活之间的冲突。这部影片在现实主义的具体描写和自然主义的、部分地是即兴的表演方面，是他的一部典型的作品。翌年，斯柯席斯在《艾丽斯不再住在这里》一片中，探索了完全不同的主题，描写了一个新成为寡妇的女人带着她的一个儿子在松散地联系着的旅程中，横越西部自我发现的故事。由于斯柯席斯在《出租汽车司机》（1976）中，使用清晰而详细的暴力镜头，描写一个心理变态的出租汽车司机在纽约市的孤独生活和拯救世界的狂想，因而引起争议。他的下一部影片《纽约，纽约》（1977），探索了第二次世界大战后的十年里，一位年轻的演奏爵士音乐的萨克斯管吹奏者与一位女歌唱家的忧伤的浪漫关系。之后，拍摄了《最后的华尔兹》（1978）、《愤怒的公牛》（1980）、《喜剧之王》（1983）、《基督的最后诱惑》（1988）和《好人》（1990）等。斯柯席斯是20世纪后期美国最为一贯地富有创作性的电影制作者之一。他的一些影片由德尼罗主演，他们之间的合作，成为电影史上最富成果的导演-演员合作之一。

Scorza, Manuel　斯科萨（1928，秘鲁利马～1983-11-27，西班牙马德里）　秘鲁小说家、诗人和政治活动家。他在描绘印第安人反对压迫和剥削的斗争时将神话的和幻想的成分同社会写实的成分结合起来。1949年，斯科萨参加了一个反对奥德里亚将军的独裁政权的小组。同年，他的第一本诗集《远方书笺》出版，但被当地警察局没收。他被迫流亡，曾在多国居住，生活贫困不堪。1956年他的诗集《诅咒》在秘鲁为他赢得了荣誉。同年，他参加了"公社运动"并支持在塞罗德帕斯科爆发的农民起义。他被选为"公社运动"的书记并为它起草了政治宣言。斯科萨以写印第安人的反抗的小说蜚声国内外，这些小说的第一部《兰卡斯战鼓》（1970）描绘1955～1962年间在秘鲁发生的事件和印第安人的悲惨处境。其余四部为《隐身人加拉蓬博的故事》（1972）、《失眠的骑手》（1978）、《阿加皮托·罗布勒斯之歌》（1978）和《闪电之墓》（1979）。它们的一个基本主题为用泛灵论的观点描绘印第安人所过的生活。这些印第安人同势力强大的封建地主和现代资本主义势力作斗争，不幸大多归于失败。斯科萨最后定居于巴黎，并曾在高等师范学校任教。他在一次飞机失事中丧生。

scorzalite　铁天蓝石　与天蓝石（**lazulite**）相似的磷酸盐矿物。

Scot　苏格兰人　古代爱尔兰北部操盖尔语的民族。他们5世纪时移住到苏格兰。10世纪前，斯科舍（Scotia）一词原指爱尔兰，而斯科舍的居民则是苏格兰人（Scotti）。这些移民占据阿盖尔和比特以后曾建立达尔里阿达王国，与爱尔兰境内的达尔里阿达王国形成对峙之势。圣哥伦巴开始在他们中间传布基督教，574年参与拥立阿丹为苏格兰达尔里阿达国王。此后苏格兰人又向东扩张到后来所说的阿瑟尔森林和厄恩河谷，向北扩张到埃尔金地区。843年苏格兰人（达尔里阿达）之王肯尼思一世·麦卡尔平兼任皮克特人的国王，几年之内就把"皮克特兰"与"苏格兰"合并，成立阿尔巴王国，这就是现代苏格兰的雏形。1034年苏格兰人通过继承和战争不但统治阿尔巴，又取得了对洛西安、坎布里亚和斯特拉斯克莱特的宗主权，其疆域相当于现苏格兰大陆部分的全部土地。1305年这个王国又分成苏格兰、洛西安和盖洛韦。在14世纪苏格兰成为整块土地的名称，所有居民不论其来源，一律称为苏格兰人。

Scot, Michael　斯科特（约1175～约1235）　苏格兰学者和数学家。他把亚里士多德著作从希伯来语和阿拉伯语译成拉丁语的译著，是西欧接受这位哲学家的一个里程碑。他在何处获得硕士学位已不可考。1217年在托莱多。1220年在博洛尼亚。1224～1227年可能在教廷供职。1224年5月升任爱尔兰卡舍尔大主教，但一个月后便辞职。1227年之后，供职于神圣罗马皇帝腓特烈二世的西西里宫廷。他的作品大多都没有注明日期。有关自然哲学的作品主要是他早年在西班牙时期的作品，而有关占星术的著作则写于晚期居住在西西里时。在托莱多，除翻译比特鲁吉的作品之外，还从希伯来语或阿拉伯语翻译了亚里士多德的《动物志》，并有可能翻译了亚里士多德的《宇宙论》，也许还翻译过亚里士多德的《灵魂论》和阿威罗伊所作的注释（在同一抄本上发现）。他写过3篇有关占星术的论文，人们认为一些炼金术的著作也是他

写的。

Scotch heather 参阅 **heather** *帚石楠*。

Scotch whisky 苏格兰威士忌酒 以大麦芽为主要原料的威士忌酒。参阅 **whiskey**。

scoter 海番鸭 又作 sea coot。又称海蹼鸡。鸭科海番鸭属（*Melanitta*）三种海鸭的统称。在真鸭中属于潜水鸭类。极善游泳和潜水。除繁殖期外多见于海洋中。雄体亮黑色。北美的斑头海番鸭（*Melanitta perspicillata*）繁殖于加拿大和阿拉斯加的北部森林和冻原；在东部自新斯科舍省到佛罗里达州岸边越冬，在西部自阿留申群岛到加利福尼亚南部岸边越冬。白翅海番鸭（丝绒海番鸭，斑脸海番鸭，*M. deglandi* 或 *M. fusca*）分布于赤道以北，直到近北极地区。黑海番鸭（普通海番鸭，*M. nigra* 或 *oidemia nigra*）分布范围相同。黑海番鸭在新大陆数量最少。三种海番鸭均主要以海生动物（蛤等）为食，其食物中10%为植物。三个种常混在一起觅食。

Scotia Arc 斯科舍岛弧 由斯科舍海岭、多山的大西洋南部诸岛（南乔治亚、南桑威奇、南奥克尼群岛）和南极半岛组成的岛弧系统。岛弧沿南极半岛向北伸延，然后转向东，形成一U字形曲线转回与南美洲火地岛和安第斯山相接。全长约4 350千米，是太平洋之外少数几个岛弧之一。环抱斯科舍海，东端止于南桑威奇海沟。

Scotia Sea 斯科舍海 南大西洋海域，面积90万平方千米以上，是一个构造复杂的海盆，北、东、南三面被斯科舍海岭和一些岛屿所环绕。斯科舍海岭是一条向西敞开的、长约4 350千米的圆弧形水下山脊，两端分别连接南美洲火地岛和南极半岛。在西部，斯科舍海盆与德雷克海峡之间以一条西北走向的、断断续续的海底高地作为分界线。东端有着圆弧形活火山系的斯科舍海岭在形状和构造上与加勒比海东部的北安的列斯火山链相似，因此，早期的地质学家E.休斯和O.诺登舍尔德把斯科舍海岭称为南安的列斯。1902～1904年，苏格兰南极探险队在威廉·布鲁斯率领下乘“斯科舍”号到达这一海域，遂以此命名。嗣后在南乔治亚岛和福克兰群岛相继建立永久性和半永久性居民点。1957～1959年国际地球物理年期间及之后，智利、阿根廷、英、美等国的科学考察队曾对这一海域进行大量和广泛的科学调查。斯科舍海以南乔治亚岛与南奥克尼群岛之间海底高地为界，分为两个小海盆，西海盆比东海盆大。水深一般在3 000～4 000米之间。但南桑威奇火山岛弧以东的南桑威奇海沟中的米蒂厄海深渊达7 900米以上。海水流经德雷克海峡和斯科舍海，以顺时针方向围绕南极大陆流动。斯科舍海岭的北支，包括南乔治亚，处在亚南极气候区；南支在南极区辐合带之南，则处在寒冷的南极气候区。其生物群也随之而异。南乔治亚岛有丰富的苔原植物，至少有50种维管植物，而在南极气候区内的岛屿，包括南奥克尼群岛和南设得兰群岛，则只有以无籽植物为主的初级群落，如地衣、苔藓和藻类。鸟类多为海鸟和少数涉禽和陆鸟，有海燕、企鹅、海鸥、燕鸥、贼鸥和鞘嘴鸥。会聚区以南的其他生物有近100种鱼类和几种鲸和海豹。人类的捕杀使海洋哺乳动物数量锐减，有几种已濒于灭绝。无意中带去的猫、狗、老鼠和野兔使一些岛上在地面筑巢的鸟类受到威胁。

Scotland 苏格兰 英国领土的一部分，其余为英格兰，威尔士及北爱尔兰。位于英国最北部，面积约占大不列颠岛的1/3。南连英格兰，三面环海：西、北濒大西洋，东临北海。

自然地理与人文地理 原名喀里多尼亚，苏格兰一名系由斯科舍（Scotia）派生出来的。斯科舍是从爱尔兰移民过来的苏格兰人部落定居的地带。1707年以前苏格兰一直独立，后承认《合并法案》，与英格兰合并，成为联合王国的一个组成部分。苏格兰没有单独的立法机构，目前在联合王国下议院中占有72个席位，所有苏格兰贵族都有资格进入上议院。苏格兰不具有主权国家的行政和政治权力，然而在它自己的立法和教育系统中仍保留着传统主权的痕迹：政教分离。

尽管他们的族源不同——包括凯尔特人、盎格鲁人和诺曼人——现在的苏格兰人已基本上融合成单一民族。英语是主要语言；苏格兰教会（长老会）是国教。

苏格兰境内多为山地，通常从北至南分为3个地理区域：高地、低地和南部山地。高地被大格伦峡谷断层线自东北至西南分为两部分，峡谷内多湖泊，其中最著名的是尼斯湖。西北高地位于大格伦峡谷北，绵延的格兰扁山脉位于其南。低地地区只是与毗邻的地区相对而言，其实并不平坦，有低丘陵散布其间，包括不少苏格兰最好的耕作地区。南部山地的高度不如高地地区，地貌也并不那样崎岖不平，地区内大部分是由冰川作用形成的狭窄、平坦的山谷分离的台地。高地的东南部是开阔的特威德河流域土地肥沃的农业区。高地的西南部地形向加洛韦半岛倾斜。

苏格兰的山地大多覆盖着草地和灌木林。泥炭地约占苏格兰总面积的1/10，广阔分布在低洼地和沼泽地。石楠和欧洲蕨是泥炭地的主要代表植物。苏格兰属温带海洋性气候，比起苏格兰所处偏北的纬度来说这里的气候比较温和。位于斯特拉斯克莱德地区西海岸外的内赫布里底群岛的泰里岛冬季最冷月份的平均温度为5 °C，同期在东海岸的邓迪则为3 °C。在最热月份邓迪的平均温度为15 °C，泰里岛为14 °C。降雨量差别较大，在外赫布里底群岛年降雨量不超过1 000毫米，而在高地地区的本尼维斯山区年降雨量为3 600毫米。东海岸大部分地区降雨量为630～810毫米，但苏格兰约有2/3的地区降雨量大于1 000毫米。

在北海油田开发以前，苏格兰的经济发展比较迟缓。在20世纪70年代和80年代初期，岸上与油田有关的企业提供了成千上万的就业机会，如建造油井生产平台和一些为北海油田服务的行业。但在80年代后期由于世界石油价格连续下滑，失去了许多就业机会。

煤炭是苏格兰的主要矿产资源，主要产区在洛锡安、法夫和斯特拉斯克莱德地区。其他断断续续开采的矿业还有金矿、银矿、铅矿和铬铁矿。尽管泥炭在地下0.6米即可开采，而且可开采的地区也很多，但经济价值有限。水力资源比较丰富，特别是用于水力发电。苏格兰也有用煤和油的火力发电站，但查珀尔克罗斯、亨特斯顿和敦雷等地的核电站大约提供苏格兰所需总电量的2/5。

苏格兰的海洋渔业占英国渔业和水生贝壳类捕获业的2/3以上。彼得黑德为欧盟捕获白鲑上岸的主要港口。格兰扁地区是英国的主要渔业加工中心之一。由于机械化效益日益提高，农业发展很快。在南部山地和高地地区主要是山地养羊，而在东北部则牲畜饲养与种植饲养作物并重。西南部奶牛饲养业非常普遍。小麦、大麦是当地主要农作物。还有一些其他具有地区特色的农作物，例如东洛锡安的果菜园、泰赛德地区的木莓场以及斯特拉斯克莱德河谷克莱兹代尔区的玻璃暖房栽培的番茄和精耕细作的水果栽培。

林业也是苏格兰的一项重要行业，对保持农村地区人口已起到作用。电子工业自20世纪60年代以来发展很快，尤其是在法夫、洛锡安和斯特拉斯克莱德地区。早在20世纪60年代初期汽车工业在苏格兰已具相当规模，第二次世界大战时期就有钟表制造、现金出纳机、精密仪器以及挖掘机械方面的工业。纺织工业在霍伊克、加拉希尔斯、塞尔扣克、皮布尔斯、格拉斯哥和艾尔等地仍保持兴旺。钢铁工业和造船工业过去曾是苏格兰的经济支柱，但现在有些衰退。印刷业和啤酒酿造业在爱丁堡和格拉斯哥很有基础。苏格兰的港口吞吐大量的各类物资，进口大于出口，进口中有相当一部分为转口物资。航空运输正在稳步发展，主要机场有格拉斯哥、阿伯丁、普雷斯蒂克和爱丁堡。

共有8所高等院校，分布在爱丁堡（政治、文化首府）、格拉斯哥、圣安德鲁斯、阿伯丁、邓迪和斯特灵。每年一届的爱丁堡国际节已成为世界最大的文化盛事之一。苏格兰国家交响乐团和苏格兰芭蕾舞团在世界上享有崇高声誉，民歌和音乐也非常流行。苏格兰的作家可选用3种语言：盖尔语、苏格兰语和英语，不过英语是最流行的语言。苏格兰还以拥有一座国家美术馆、一座国家画像陈列馆和一座皇家苏格兰博物馆而自豪。

历史 有证据表明，在公元前3千纪即有人类在以后称作苏格兰的地区居住。到耶稣诞生时，居民已分别不同族源组成部落。公元82年至208年间罗马人曾数次入侵，但他们未能建立永久的立足点。

到9世纪中期，该地区分散的王国联合组成一个大的凯尔特君主国，一直延续到公元1057年麦克佩斯统治结束为止。继承麦克佩斯的马尔科姆三世以及他以后的继承人将英格兰的影响逐渐引入这个地区。1296年，英格兰国王爱德华一世企图强行直接统治苏格兰时，爆发了争取独立的运动，直到1328年结束。英格兰国王爱德华三世承认叛乱领袖罗伯特·布鲁斯为苏格兰国王罗伯特一世。

在布鲁斯的儿子戴维二世之后即位的斯

图亚特王室与英格兰的敌人法兰西保持着密切关系。然而由于发生了J.诺克斯领导的苏格兰宗教改革运动,法兰西的影响和天主教教会受到攻击,1567年信奉天主教的苏格兰玛丽女王被迫放弃苏格兰王位,让位于她的幼子詹姆斯六世。此后,长老会成为苏格兰的国教。

英格兰女王伊丽莎白一世于1603年逝世时,她的亲戚、苏格兰的詹姆斯六世继承了她的王位,称詹姆斯一世。在一个统一的君主下,苏格兰和英格兰除因英格兰内战君主被废黜的短时期外,仍各自保留着它们的君主国。至1707年,两国国会通过《合并法案》,与威尔士一起加入大不列颠王国。法案规定,在苏格兰自治的立法权和司法权得到保证以后,苏格兰解散自己的国会,派代表参加威斯敏斯特国会,并定长老会为国教。

当斯图亚特王朝最后一位君主安妮女王于1714年去世时,汉诺威王室登上英格兰的王座。许多高地苏格兰人仍保持着对斯图亚特家族的忠诚。1715年和1745年有两次叛乱都是企图为几个觊觎王位者恢复斯图亚特王室。被称为詹姆斯党叛乱的两次叛乱均被政府军平息。第二次詹姆斯党叛乱也是最后一次反抗英格兰统治的努力,自此以后苏格兰的历史成了大不列颠历史的一部分。

自19世纪20年代以后,产业革命使苏格兰发生巨大变化,人口开始显著增长。造船业、煤矿业以及钢铁工业取代纺织业成为当时苏格兰的主要产业。自由党(自19世纪中叶),以后是工党(自20世纪初期),往往支配现代苏格兰的政治。20世纪后期,苏格兰的传统重工业呈下滑状态,该地区成为电子制造业中心和北海近海油田基地。面积78 783平方千米。人口约5 062 011(2001)。

Scotland, Church of　苏格兰长老会　苏格兰的民族教会,是在16世纪宗教改革运动中接受长老宗信仰的。相传苏格兰的第一个基督教会是由圣尼尼安在公元400年左右建立的。在6世纪,爱尔兰传教士到苏格兰,其中圣科伦巴在563年前后定居于艾欧纳岛。1192年,苏格兰教会被宣布为罗马教廷的"特殊女儿",直接由教皇管辖。1472年圣安德鲁斯定为大主教驻地,1492年改为格拉斯哥。苏格兰最早一批宗教改革家处在路德的影响之下,但是随后接受了瑞士宗教改革家的影响。***诺克斯*(Knox, John)**逐渐成为苏格兰宗教改革运动的领袖,他使它带上了加尔文主义的色彩。从诺克斯所草拟的《苏格兰信纲》、《公共礼仪书》(亦称《诺克斯礼仪书》)和《戒规书》可以看出,诺克斯仰慕加尔文和加尔文在日内瓦所领导的宗教改革运动——《戒规书》论建设敬畏上帝的教会和社会的方案。苏格兰宗教改革派于1560年8月举行会议,废止教皇在苏格兰的权力,通过《苏格兰信纲》,取缔弥撒。苏格兰教会与罗马教廷决裂后,经过一百多年尚未最后决定采用主教制还是长老制管理。统治苏格兰的国王查理一世主张主教制,而苏格兰人民则坚持长老制。经过漫长而复杂的斗争,直到1689年威廉和玛丽登位,长老制才永久确立。

17世纪末,基本上由专业神职人员形成强大的集团,叫做温和派,他们在教会里得势。他们受到坚持由《威斯敏斯特信纲》体现的传统加尔文主义的福音派的反对。1712年英国国会恢复对苏格兰的保护权,选举苏格兰教会牧师的权利由土地所有主垄断,百姓无权过问;于是教会由温和派牧师控制。奋兴运动和主日学运动壮大了福音派,于是,在1833～1843年间,温和派与福音派之间的冲突加剧。最后,由查尔默斯领导的人数众多的一派脱离国定教会而于1843年另行组成苏格兰自由长老会。苏格兰长老会的海外传教人员除一人外都参加了苏格兰自由长老会,教会内的精英学者也大都参加了新的教会。温和派逐渐在苏格兰长老会内失势,出现了较为英明的领导层。英格兰的保护权于1874年结束,教会同苏格兰自由长老会关系日益密切。1921年,政府同苏格兰长老会的历史悠久的关系断绝,苏格兰长老会仅为民族教会而不是国定教会。经过几年谈判,两教会于1929年统一,仍用原名苏格兰长老会。其后,苏格兰长老会继续积极开展海外传教事业,积极参加新教的普世教会运动。1959和1971年都有人提出苏格兰长老会归属英格兰圣公会而被击败。

Scotland, Free Church of　参阅**Free Church of Scotland *苏格兰自由长老会***。

Scotland Yard　伦敦警察厅　又译苏格兰场。系伦敦大都会警察部队的总部。根据1829年内务大臣罗·皮尔在议会提出的一项法案,建立了伦敦警察部队。原先的总部在白厅街4号,有一进入苏格兰场的大门,因而得名苏格兰场。1890年新总部在泰晤士河河堤建成,称新苏格兰场,1967年又移至维多利亚街,仍称新苏格兰场。虽然伦敦警察厅的职责范围限于大伦敦地区,但不包括伦敦市(另有警署)。其职责是侦查和预防刑事犯罪,维持社会秩序,管理交通,登记车辆,组织紧急民间防卫。下设4个局:行政管理局、交通管理局、刑事调查局(CID)和警员招募与训练局。CID负责一切刑事侦查工作,设有犯罪记录处、指纹与图片部、紧急特勤队、化验室和警探训练学校。伦敦警察厅保存大量犯罪档案,并设有专门分队保护来访要人;此外还负责与其他执法机关和国际刑警的联络。英国其他地方的警察常可从伦敦警察厅得到帮助,特别是遇到疑难案件。该厅还协助训练英联邦其他国家的警察人员。

Scots Confession　《苏格兰信纲》　拉丁语作 Confessio Scoticana。苏格兰长老会第一部信仰纲要。主要执笔人是诺克斯。1560年由苏格兰议会通过。它揭示温和的加尔文主义,全文共25条。1581年的《第二苏格兰信纲》又称《国王信纲》或《民族圣约》,对《第一苏格兰信纲》有所补充,强烈抨击罗马教廷,经过国王、枢密院及全体廷臣所批准并为全体苏格兰人民所接受。1647年通过《威斯敏斯特信纲》,《苏格兰信纲》遂作废。

Scots language　苏格兰语　又作 Lowland Scottish 或 Lallans。苏格兰低地人的历史语言,与英语极其相近,现可视为英语的一种方言。苏格兰语直接由北部英语衍生而来。由于盎格鲁-诺曼人的统治,北部英语在11～14世纪之间取代了苏格兰境内大部分地区通行的苏格兰盖尔语。到14世纪早期,北部英语已成为高地以东及以南全部苏格兰人的口语,只有高地地区继续使用苏格兰盖尔语。1328年苏格兰取得独立,其后当地口语便被称为苏格兰语(Scottis),以别于英吉利语(Inglis)。而两个世纪过去以后,苏格兰语同北部英语在读音上已有差别,在词汇方面亦然,只是程度较小而已。苏格兰语最早的文献可溯至14世纪晚期,到16世纪时,它已完全代替了拉丁语而成为王国主要文学语言和卷宗文书语言。不过,自16世纪中叶以来,由于英格兰文化、经济及政治上的支配地位,已使苏格兰语不断英语化,到20世纪中期,它可被看做只是英语的一个地区方言了。苏格兰方言的明显特点是使用卷舌的r音,元音缩短,复合元音简化。参阅 **Scottish literature**。

Scotsman, The　《苏格兰人报》　爱丁堡出版的晨报,在苏格兰有广泛影响并在多年间被认为是负责任的新闻报道的典范。1817年创刊时是周报,1855年改为日报。该报社论立场偏向保守,但在版面处理和销售上经常采用革新方法。该报是欧洲第一家拥有有线图片传真设备的报社,也是第一家在伦敦舰队街设办事处的非伦敦报纸。该报以保持不偏不倚的观点而知名,同时注重正确地报道政治、艺术、文学和国际新闻。

Scott, Alexander　斯科特(约1525～约1585)　苏格兰抒情诗人,因对苏格兰旧体诗韵格律运用自如,被认为是苏格兰16世纪最后的马卡里斯(诗人)之一。生平事迹不详。现存诗35首,见《班纳坦手稿》(1568)。他也留下一出引人入胜的闹剧,及一首押头韵的应景诗,有趣地反映了基督教改革运动初期苏格兰的状况。

Scott, Bartbara Ann　斯科特(1928-05-09,加拿大安大略渥太华～2012-09-30,美国佛罗里达阿米利亚)　加拿大花样滑冰运动员。1944～1946和1948年获加拿大女子锦标赛冠军,1945年获北美冠军。1947年赢得欧洲和世界锦标赛后成为加拿大民族英雄,连玩偶娃娃都按她的形象制作。1948年再度获胜。她是赢得欧洲冠军的第一个北美洲人和唯一的北美洲女运动员。1948年以后欧洲锦标赛就只限欧洲人参加了。同样在是1948年,她在瑞士冬奥会上赢得女子花样滑冰金牌。1948年6月成为职业滑冰者,在好莱坞冰上舞蹈中表演花样滑冰。退出滑冰比赛后成为一名很有竞争力的女骑手。

Scott, CharlesPrestwich　斯科特(1846-10-26,英国萨默塞特巴斯～1932-01-01,曼彻斯特)　英国著名记者。曾任《曼彻斯特卫报》(1959年改称《卫报》)主编达57年。1869年毕业于牛津大学基督圣体学院。在爱丁堡《苏格兰人报》作短期见习记者后,于1871年加入《卫报》。翌年被任命为主编,当时仅26岁。他提倡的思想和方针使该报成为全世界最受尊敬的报纸之一。他要求刊登有创见的高质量文章,并坚持该报新闻必须诚实公正。他曾说过:"评论是自由的,但事实是神圣的"。作为主编,他介绍许多杰出的记者进《卫报》工作。1905 年该报发行人泰勒逝世后,他购买了该报。他特别注意报纸的社论版。在他主编下,《卫报》曾支持过不少反潮流的事业,如支持 1886 年的爱尔兰自治法案,尽管该法案受到强烈反对。第一次世界大战期间英国民族主义情绪高涨时,《卫报》刊登了少数派对国际主义与和平主义等问题的意见。1921 年《卫报》成立 100 周年时,斯科特已经当了几乎半个世纪的主编。他于 1929 年退休。

Scott, Duncan Campbell **斯科特**(1862-08-02,加拿大西区[今加拿大安大略]渥太华～1947-12-19,渥太华) 加拿大有地方色彩的诗人。他的诗描写北方荒原未开发的大自然

加拿大公共档案馆供图

和印第安人保留地的生活。曾在印第安人事务局担任 50 多年行政官员(1879～1932),对印第安人怀有真挚的感情。他的诗受他的密友、渥太华诗人 A.兰普曼的影响。从 1893～1947 年出版了几部诗集,其中有《魔屋及其他诗篇》(1893)和《爱之圈》(1947),质量参差不齐。此外,还出版了两部小说《瓦伊格村中》(1896)和《埃尔斯皮的巫术》(1923)。

Scott, Dunkinfield Henry **斯科特**(1854-11-28,英国伦敦～1934-01-29,汉普郡贝辛斯托克) 英国古植物学家,当时研究植物化石结构的第一流权威。1876 年毕业于牛津大学,1880 年在维尔茨堡大学从德国植物学家尤利乌斯·冯·萨克斯学习。后来在伦敦大学学院和理科师范学校任教。1892 年担任基尤镇皇家植物园乔德雷尔实验室名誉主任直至 1906 年。最早发表的著作论述植物解剖学。他的《结构植物学导论》(1894,1896)是研究显花和隐花两类植物结构的指南。1894～1895 年与英国古植物学家 W.C.威廉森发表了三篇关于植物化石形态学的论文。1895 年威廉森去世后,他为多份杂志撰写了一系列研究报告,其中描述了很多前所未知的化石植物。他的《化石植物学研究》(1900)一书大大地普及了古植物学的知识。

Scott, Francis Reginald **斯科特**(1899-08-01,加拿大魁北克～1985-01-31,魁北克蒙特利尔) 20 世纪 20 年代蒙特利尔派诗人,加拿大诗歌事业的有影响的促进者。他帮助创办了多种文学杂志,还编过一些诗歌选集。作为诗人,他是一个出色的讽刺作家和社会批评家。他的《序曲》(1945)、《事件和讯号》(1954)和《针眼》(1957),以通俗口语和会话体裁写成。他的《诗歌选集》出版于 1966 年,《这舞是独一的》出版于 1973 年。1920～1923 年获罗得斯奖学金在牛津大学学习,回加拿大后在麦吉尔大学攻读法律,1928～1969 年在该校任教。作为一个社会主义者和宪法专家,著有《加拿大的社会计划》(1935)、《发展中的加拿大联邦》(1958)和《宪法论文集》(1977)。

Scott, George C. **斯科特**(1927-10-18,美国弗吉尼亚怀斯～1999-09-22,加利福尼亚韦斯特莱克村) 全名 George Campbell Scott。美国演员。20 世纪 40 年代曾在海军陆战队服役 4 年,后来在密苏里大学攻读新闻和戏剧。50 年代初靠干一些非技术性工作养活自己,在电视台和保留剧目制作中当过许多角色。1957 年在莎士比亚的剧作《理查三世》中饰演理查,该剧获得极大成功,他的表演也获得极高评价。在以后的 2 年中在外百老汇和百老汇戏剧中出演了一系列成功的角色。其早期电影角色,如《桃色血案》(1959)、《江湖浪子》(1961)与《芳菲何处》(1968),曾受到好评。具有强烈的银幕个性,以其粗壮的脖子和吼叫声闻名。他以《巴顿将军》(1970)一片获得奥斯卡奖,但他拒绝接受,称这种竞争为"炫耀肉体"。后期电影包括《医院》(1972)、《硬蕊》(1979)、《熄灯号》(1981)与《恶意》(1993)。出演的电视剧有《代价》(1970,获艾美奖,同样拒领)和《圣诞颂歌》(1984)。

Scott, Sir George Gilbert **斯科特**(1811-07-13,英国白金汉郡高科特～1878-03-27,伦敦) 英国维多利亚盛期最成功的仿哥特式建筑师之一。曾在伦敦一位建筑师处学习。1838 年他设计了一生所作众多教堂的第一座,但他真正的建筑艺术生涯是在他钻研了 A.W.

斯科特设计的伦敦肯辛敦公园内的艾伯特纪念馆(1863～1872)
供图:C.M.Dixon

N.普金关于中世纪建筑的著作以后开始的,牛津的殉教士纪念堂(1841)是他潜心钻研后的第一件作品。他以 14 世纪德意志哥特式的设计在汉堡尼古拉教堂(1845～1863)设计竞赛中获胜,赢得了国际声誉。他最著名的作品有:伦敦艾伯特纪念馆(1863～1872)及密德兰旅馆(1865 年设计)。斯科特的声誉,建立在他所从事的大量重要建筑工程之上。他设计、修复或参加策划的建筑物,约有 850 座,其中包括教堂 500 座、大教堂 39 座,还有许多学校和大学。由于他是当时最大的建筑事务所的组织者及主持人,他自己设计的作品究竟有多少,就难以明确了。仿哥特式建筑运动包括修复中世纪年久倾圮的教堂与隐修院,是否应予修复,即使在 19 世纪时,也是引起人们争论的问题。后人对斯科特修复一些有名的大教堂,怀有一种复杂的感情。1872 年封为爵士。

Scott, James **斯科特** 参阅 **Monmouth, James Scott, Duke of 蒙茅斯公爵**。

Scott, John **斯科特** 参阅 **Eldon, John Scott, 1st Earl of 埃尔登伯爵(第一)**。

Scott, Robert Falcon **斯科特**(1868-06-06,英国德文郡德文波特～1912-03-29,南极洲) 英国海军军官和探险家,曾率领著名的、但是不幸的第二次南极探险(1910～1913)。

不列颠博物馆供图

1880 年参加皇家海军。1897 年升上尉。在指挥一支南极探险队皇家"发现"号船时(1901～1904),被证实是一个有能力的科学考察者和足智多谋的领导人,在返回英国途中升任舰长。1910 年 6 月乘船进行第二次南极洲探险,目的是探索罗斯海地区和到达南极。装备有摩托雪橇,带有马和狗。与另外 11 人在 1911 年 10 月 24 日从埃文思角登陆出发。不久发动机损坏。在不到南纬 83°30′处,被迫将马枪杀,将狗群遣回。12 月 10 日,探险队带着三架人拉雪橇开始攀登比尔德莫尔冰川。至 12 月 31 日,有 7 人返回基地。剩下的探险队员斯科特、威尔逊、鲍尔斯、欧茨和埃文思,于 1912 年 1 月 18 日到达南极。他们经过 81 天的艰苦跋涉,精疲力尽,当他们发现阿蒙森比他们大约早一个月到达南极的证据时,大为失望。回程时的天气意外地恶劣。埃文思死于比尔德莫尔(2 月 17 日)。食物和燃料不足。欧茨由于体力衰竭和想通过自我牺牲以救助同伴,于 3 月 17 日在南纬 79°50′处爬入暴风雪之中。其余三位幸存者挣扎前进了 10 英里,但随后被持续 9 天的另

一次暴风雪封闭在帐篷里，最终冻死在距目的地11英里处。3月29日，斯科特在他最后的日记中写道："每天我们都准备出发前往11英里外的目的地，但帐篷外依然是暴风雪在旋转……我们将一直坚持到最后，但我们越来越衰弱，最后结局可能不太远了。真遗憾，我想我再也没法写下去了！"搜寻者在1912年11月12日找到了帐篷，内有冻死的探险队队员的遗体、斯科特的记录和日记，以及从比尔德莫尔采集到的地质标本。斯科特因其勇气与爱国心被推崇为国家英雄，他的遗孀被授予爵士，这个地位原来属于她的丈夫。罗兰·亨特福特的《斯科特与阿蒙森》(1979)一书对斯科特的南极探险在计划、判断与领导才能方面予以批判性地考核。

Scott, Sir Walter　司各特(1771-08-15，爱丁堡～1832-09-21，苏格兰罗克斯堡阿伯茨福德)　苏格兰小说家、诗人、历史学家、传记作者，常被认为是历史小说的首创者和最伟大

伦敦国立肖像画陈列馆供图

的实践者。他的生活经历、成就和声誉充满了矛盾。他既是18世纪苏格兰头脑冷静的知识分子，又是浪漫主义运动的先驱；既是保守派，又颂扬乞丐、流浪汉和疯子；既是个理性主义者，又被迷信、预兆和预言弄得神魂颠倒；既是个十分成功的作家，赚得巨额收入，又破了产，以穷困结束一生。司各特作为小说家的最大成就和对历史研究的最大贡献，可能是他关于不同文化相互冲突的观点。18世纪英国作家倾向于认为人性到处一样，文明都来源于古希腊和古罗马，非此即是野蛮。司各特则在他的小说中表明世界上存在着多种文化。他编排小说情节时，最喜欢采用的手法是把主人公放在两种不同的文化之间，使他们无法放弃对任何一种的依恋和忠诚，而感到左右为难。父亲是律师。曾随父亲学习法律，但对此很不认真。他充满青春活力，喜欢外出旅行，当过志愿骑兵，研究文物，大量阅读意、西、法、德、拉丁等文字的书籍。他对民间传统诗歌进行调查，于1802～1803年出版《苏格兰边区歌谣集》(3卷)一书。他还为当时颇负盛名的《爱丁堡评论》写文章。1805年出版长篇叙事诗《最末一个行吟诗人之歌》。继该叙事长诗之后，又创作了脍炙人口的《玛密恩》(1808)和《湖上夫人》(1810)。他和当时一些杰出的文人如华兹华斯和骚塞是好友，后来又和拜伦结为知己。司各特一生写有许多诗作，他的诗轻松、流畅，能生动描写景物和反映诚挚的忧伤；然而他自己也知道他基本上是个二流诗人。他的文学生涯在1814年初夏发生转折。他以惊人的速度一次写完描写18世纪苏格兰高地风土人情的小说《威弗利》。此后四五年中，他继续快速地写出了一系列小说，包括《盖伊·曼纳林》(1815)、《米德洛西恩的监狱》(1818)、《艾凡赫》(1819)和《昆丁·达沃德》(1823)等优秀作品。这些都是不同时代的历史小说，时常是以中世纪为背景。不过他最好的作品都是写苏格兰和苏格兰的历史，许多材料取自民间传说。他的小说当时都是匿名出版的，但很受欢迎，而且许多人逐渐知道或猜测是他写的。到1827年他才正式宣布自己是这些小说的作者。晚年开始写日记，主要记述他1825年以后贫病交加的不幸生活，这部个人生活的记载反映了司各特的勇气、幽默和谦逊。1831年他前往那不勒斯养病，因不幸再度中风折回英国，于翌年逝世。司各特的历史小说丰富和发展了19世纪的欧洲文学，对欧洲和美国的作家都产生过影响。

Scott, Winfield　斯科特(1786-06-13，美国弗吉尼亚彼得斯堡～1866-05-29，纽约西点)　美国将领，1852年竞选总统失败。1808年为炮兵上尉，于1812年战争中晋升少将。战后留军服役，曾赴欧洲研究战术。1841～1861年为美国军队的指挥官。1838年监督切罗基印第安人自南部各州迁居密西西比河以西保留地。在墨西哥战争(1846～1848)中指挥美军由海上入侵墨西哥，占领韦拉克鲁斯(1847-03)，于9月14日进入墨西哥城，从而结束战争。由于这一贡献，斯科特获名誉中将军衔。他是杰出的辉格党人，1852年获该

美国国家档案馆供图

党总统候选人提名，但因辉格党在奴隶制问题上出现分裂，而为民主党人F.皮尔斯所击败。南北战争爆发时(1861-04)任美军指挥，因年迈于同年11月退休。

Scottish bluebell (plant)　**苏格兰蓝钟花**　参阅 **harebell 圆叶风铃草**。

Scottish Chaucerian　苏格兰乔叟派　参阅 **makar 马卡尔**。

Scottish deerhound　苏格兰猎鹿狗　一个似灵猩的狗品种，被称为"苏格兰皇家狗"。历史可追溯到16世纪。一度仅苏格兰贵族方能饲养，被用来猎苏格兰牡鹿。体较灵猩大，骨架较重。体高71～81厘米，体重34～50千克。被毛粗而卷曲，由蓝灰色到黄棕色。传统上被视为体壮、敏捷、驯顺的狩猎用狗，也是忠实而温良的伙伴。

Scottish Gaelic language　苏格兰盖尔语　又作 Scots Gaelic 或 Erse。凯尔特语族戈伊迪利语支的语言之一，通行于苏格兰西北海岸及赫布里底群岛。苏格兰盖尔语是爱尔兰语一个新分支，于5世纪时被引进苏格兰(取代较早的凯尔特语)，至13世纪发展成一独特的盖尔语方言。共同的盖尔语文学语言15世纪前通用于爱尔兰和苏格兰，到15世纪时，苏格兰语与爱尔兰语已分化到难以相互理解的程度，因之苏格兰盖尔语可被看做与爱尔兰语迥然不同的一种独立语言，用苏格兰盖尔语写成的手稿也在这时开始出现。

Scottish Highlands (Britain)　**苏格兰高地**　参阅 **Highlands 高地**。

Scottish law　苏格兰法　指苏格兰的法律惯例与法律制度。1707年英格兰议会和苏格兰议会合并时，两国的法律体系是很不相同的。苏格兰主要是在上个世纪将大部分由荷兰与法国法学家发展了的罗马法(民法)作为指南。苏格兰法并不是根据罗马法制订的，只有当苏格兰人自己的普通法或习惯法出现了空白的时候，他们才求助于罗马法。不管怎样，罗马法还是引进了不少。在合并统一以后的一个时期里，苏格兰法律体系吸收了许多英国法。原因之一是大部分苏格兰现行法律都是从属于对两国同样适用的制定法。在1876年以前，上议院在法律方面全部是由作为苏格兰上诉的最高法院的那些英国律师组成的，它曾倾向于对苏格兰的上诉案件适用英国法。有些教科书的作者倾向于把英国法与苏格兰法同样看待，由于他们的影响以及法院对英国判例的引用都起了重大作用。同化得最厉害的是商法。自从合并统一法颁布以来，苏格兰法院的民事与刑事管辖权一直是同英国法院的民事与刑事管辖权分开，并保持独立。最高的民事法院是苏格兰高等民事法院，它由18名法官组成，在爱丁堡旧议会大厦内开庭。它分外院和内院，外院有13名法官，内院有两个庭4名法官，这两个庭都是上诉庭审理来自外院或郡法院的上诉案件。对该院判决的再上诉，则由上议院审理。苏格兰最高的刑事法院是高等刑事法院，它与苏格兰高等民事法院同样也是由18名法官组成。它不仅在爱丁堡开庭，而且也在一些城市与自治市进行巡回审判。高等法院审理案件常常有陪审团，苏格兰审理刑事案件时的陪审团由15人组成。陪审团的裁断采用多数通过，对于有合理怀疑的案件，陪审团作出的裁断可能是"罪证不足"。自从1926年起，作为刑事上诉法院的高等刑事法院，有权审理或是由高等刑事法院陪审团或是由郡法院陪审团审理过的某些案件提出的上诉。上议院不受理刑事案件的上诉。苏格兰为地方司法划分为六个郡管区，国王给每个郡任命一名郡官与一批郡官副手。郡官和他的副手们都是主持郡法院(苏格兰古老法制)的法

官，他们主要是审理民事上诉案件和履行某些行政职务。郡法院实际上与苏格兰高等民事法院同时拥有民事管辖权，也有广泛的刑事管辖权。轻微刑事犯罪可由地方法院审判，这种法院通常由国务大臣任命的治安法官审理。负责在高等法院、郡法院和地方法院提起刑事诉讼的是检察长，协助他的有副检察长、12个检察长助理以及设在苏格兰各地的检察官，英国政府设在爱丁堡的办公机构（其常设负责人为英国政府代表）是与此项起诉工作有联系的一个部门。苏格兰没有大陪审团的设置。

Scottish literature 苏格兰文学 指用苏格兰盖尔语、苏格兰低地方言、标准英语以及各种英语和苏格兰语的混合体写成的作品的总称。现存最早的苏格兰低地方言作品源自14世纪下半叶。第一位著名的作者是J.巴伯，写有记述国王罗伯特一世布鲁斯功绩的诗《布鲁斯》(1376)。吟游诗人哈里继承了巴伯军事史诗的传统，在15世纪末创作英雄传奇《威廉·华莱士爵士》。苏格兰文学第一个伟大时期出现在1425～1550年，其间的主要作家，如R.亨利森、W.邓巴、G.道格拉斯和D.林赛深受乔叟作品的影响。它的极盛时期在18世纪，即R.彭斯的时代。但自从与英格兰合并以后，特征就逐渐模糊，许多重要的苏格兰作家都被双方称为是自己的作家，例如沃尔特·司各特爵士的作品就构成了英国文学的重要部分。第一次世界大战后，出现了苏格兰文学，特别是诗歌的"复兴"，试图恢复苏格兰盖尔语的威望，使其成为能够表现当代欧洲理性概念和人类共有的思想。苏格兰文学复兴以诗人H.麦克迪尔米德为中心，他用搀杂有16世纪古语和各种苏格兰方言的语言表达当代思想。复兴运动进一步受到X形十字学会(1936～1960)的推动，该学会出版季刊《X形十字评论》，鼓励研究和用苏格兰盖尔语写作。这一新的理性倾向也影响了20世纪40年代苏格兰戏剧的复兴及第二次世界大战后新一代苏格兰诗人的出现。

Scottish Lowlands (Scotland) **苏格兰低地** 参阅 **Lowlands** 低地。

Scottish National Dictionary 《苏格兰民族词典》 爱丁堡出版的词典，收有约自1700年以来已知的全部苏格兰词语。这部词典是一方面遵循语言区域的方针，一方面遵循历史的原则而编成的。全书共10卷，从1931年开始编纂，到1976年出齐。还将出版一卷缩编本，并正在编纂1700年以前的苏格兰语词典。《苏格兰民族词典》词目选自苏格兰文学、官方文献、私人藏书、专门的方言文章、各种词汇表和其他词典。因按历史原则编写词条，故尽可能地提供词汇的来源，并考虑到它们从不同地区演化而成的多种习惯用法和意义。它对词的不同拼法和用法介绍十分详尽，对古文形式或口语形式均加说明。每个词条都有说明性的例句。

Scottish National Party (SNP) **苏格兰民族党** 1934年从苏格兰民族党(1928成立)和苏格兰党(1932成立)的联盟中分裂出来的政党，其宗旨："在英联邦内成立苏格兰自治政府"和"在联合王国中建立新的关系"，尤其在防务、外交政策和关税方面争取同英格兰一样负共同责任。1948年将所有属于其他政党的成员清除出党，该党缩小成不引人注意的小团体，1962年时只有2 000名党员。后来情况有所变化，1966年选举中，该党23名候选人获5.03%选票；1974年获30.4%选票、11个议席；但1979和1983年仅获2席；1987年获3席。

Scottish National Zoological Park and Carnegie Aquarium 苏格兰国家动物园及卡内基水族馆 由苏格兰皇家动物学会于1913年创建于爱丁堡的、拥有大批陆栖和水栖动物的机构。面积32公顷，共展览300多种的1 250多只动物，其中包括世界上最好的一个企鹅繁殖种群。该园为科普教育做了大量工作。

Scottish terrier 苏格兰㹴狗 又作Scottie。一个短腿㹴狗品种。喜欢苏格兰㹴狗的人常认为此品种是最古老的高地㹴狗，但此论点未得证实。体小而矮，有胡须，身宽，眼机警，

苏格兰㹴狗
供图：Sally Anne Thompson—美国不列颠百科全书公司

腿短，步态摇摆。被毛坚硬，为黑色、杂色、灰色、蓝灰色和浅黄棕色。成年狗体高约25.5厘米，体重8～10千克。强壮而大胆。

Scotts Bluff National Monument 斯科茨布拉夫国家纪念地 美国内布拉斯加州西部斯科茨布拉夫县内的国家纪念地。位于北普拉特河沿岸，斯科茨布拉夫市对面。面积13平方千米，设于1919年，以捕兽取其毛皮的人斯科特命名。其中心为个大隆突，即峭壁，高出河面244米。这峭壁是一面悬崖的一部分，是俄勒冈和摩门小道上的一个显著路标，是对步行、骑马或坐篷车将美国向西推进的人的一个纪念物。峭壁下的博物馆展示了拓

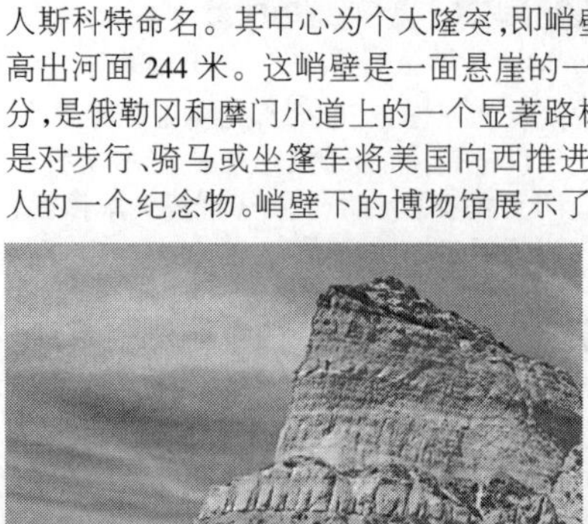

内布拉斯加州的斯科茨布拉夫国家纪念地
供图：Milt and Joan Mann from Camera Mann

荒者的历史和艺术。

Scottsboro 斯科茨伯勒 美国亚拉巴马州东北部城市，杰克逊县县城。在坎伯兰高原的边缘，邻近田纳西河。1931年因**斯科茨伯勒案件**(**Scottsboro case**)而引起举世关注。为农业中心，经销棉花、服装和木材。有两座核电站。为田纳西流域管理系统的重要组成部分。市东北有拉塞尔洞国家史迹保护地（石器时代有人居住达8 000多年）。人口13 786(1990)。

Scottsboro case 斯科茨伯勒案件 20世纪30年代美国亚拉巴马州斯科茨伯勒9名黑人青年被指控强奸两名白人妇女的案件。这9人被捕之后，经私刑毒打约有3个星期，才于1931年4月提交法庭审讯。当时即有两名志愿律师，为他们免费辩护。尽管有几个医生检查了这两名妇女，证明她们并没有被强奸，但全部由白人组成的陪审团却宣布9名被告有罪，除年仅12岁的最幼者外，其余人都被判处死刑。这一裁决公布后在南方以外的各地引起一场责难的风暴。北方的自由主义团体和进步团体特别是美国共产党，都为"斯科茨伯勒少年"鸣冤。1932年美国最高法院撤销原判（"鲍威尔诉亚拉巴马州"案）。亚拉巴马州对一名被告进行了重审，再次判刑。1935年美国最高法院又撤销这一判决（"诺里斯诉亚拉巴马州"案）。亚拉巴马州再次审判另一名被告海伍德·帕特森，并判处75年徒刑。但在民间团体的不断压力下，该州终于释放了4名年龄较小的被告（他们已在狱中服刑6年），最后除帕特森外均准予保释。帕特森于1948年逃往密歇根州，3年后以杀人罪被判刑，死于监狱。最后一名幸存者C.诺里斯在1946年获假释后逃往北方，1976年亚拉巴马州州长予以赦免。

Scottsdale 斯科茨代尔 美国亚利桑那州中南部马里科帕县城市，菲尼克斯城郊住宅和游乐区。该市商业区为工艺美术中心。有数条运河（索尔特河工程）横贯市区。农产品有莴苣、谷物和棉花。市北设有塔利辛·韦斯特-弗朗克·劳埃德·赖特建筑学校。科桑蒂基金会设于附近。1895年始有人定居，原为一驿站。1951年设镇。1961年设市。人口202 705(2000)。

Scotus, John 斯科图斯 参阅**Erigena, John Scotus** 埃里金纳。

scouring rush (plant) **擦洗灯心草** 参阅 **horsetail** 木贼。

Scrabble 纵横拼字 一种用字母牌在方盘上纵横拼字的所谓"盘-牌"游戏，2～4人玩。方盘上画有225个方格，字母牌共有100个。各家围绕方盘而坐，互相看不到他人面前的字母牌。各家最初从牌堆中取7块牌，然后每自其中取用一块则须补上一块，各牌上印有各字母的相当分值，分值的高低大致与该字母在英语单词中出现的频率成反比，即越不常出现分值越高。在盘上一个方格里摆上

一块字母牌,力争纵横都拼成字。将已拼成字的字母的分值累加起来,如有字母双联、字母三联、单词双联、单词三联等情况,则照规定倍增。一家手中已无单个字母牌,或盘上已无法再摆,即为一局终了。此时须将各家手中尚未用上的字母牌的总分值扣除。得分高者胜。纵横拼字最初叫做“交叉字谜”,是以纵横字谜及颠倒字母构成新词之法为基础而于1931年由建筑师A.M.巴茨设计的。1948年J.布鲁诺特重行设计,更换现在的名称,在市场上进行推销。1954年首次在英国销售。纵横字谜后来生产许多外语版,还有盲文版及电磁版,一直是美国主要“盘-牌”游戏的一种。自1973年起,美国逐年举行纵横拼字锦标赛。

Scranton　斯克兰顿　美国宾夕法尼亚州东北部城市,拉克万纳县县城(1878)。在拉克万纳河谷。是包括卡本代尔和威尔克斯-巴里在内的工业联合体中心。1788年有永久性居民点。1840年建立煤铁公司。几易其名,1851年改称现名。1850年已有轧钢厂、制钉厂和钢轨厂,并以出产诺丁汉花边而著称。1853年设为自治镇,1866年设市。20世纪50年代煤炭工业衰落。现主要产品有纺织品、服装、电子设备和金属制品。为宾州公路交通枢纽和印刷业中心。设有斯克兰顿大学(1888)、宾夕法尼亚州立大学分校(1921)等4所高等院校和州立聋人学校及国际函授学校。设有市立公园和博物馆。人口:市76 415;斯克兰顿-威尔克斯-巴里都会统计区624 776(2000)。

scrap metal　金属废料　用过、报废的金属,系工业金属和合金,特别是钢、铜、铅、铝、锌生产的重要来源。从废料中还可回收少量的锡、镍、镁和贵金属。废金属中的有机物杂质,如木料、塑料、涂料和织物,可予烧除。金属杂质可以是有用的、惰性的或有害的。有害杂质可通过加入纯金属稀释到允许的比值,或在精炼过程中脱除。金属废料通常经过配混和重熔后生产与废料成分类似的或更多元的合金。

scraper　铲运机　施工中,在地势较平坦地段作短途(最远约3.2千米)搬移泥土的机械。有自行式和拖式两种类型,为一带有活门的箱形车斗,斗上装有铲土刀。车斗前行

自行式铲运机

时,将铲刀切入土沟,使土进入车斗。装满后,活门关上,提起车斗将土运到卸土地点。是筑路工程中的主要工具。

scraper　刮鸣乐器　音乐中的一种打击乐器。表面有锯齿,用一根棍刮奏发声。石器时代即为人所知,常同魔法和仪式联在一起,在地理上分布很广。刮鸣乐器通常有骨制、葫芦制、木制、角制以及贝壳制数种。这些乐器有时附加葫芦或开洞以增加共鸣。轮牙响盒是一种比较复杂的刮鸣乐器,它是把齿轮放在一个装有带弹性的舌的框子里,当齿轮转动时,舌刮轮上的齿发声。欧洲和亚洲常把这种乐器当作信号器(第二次世界大战时预报毒气袭击)或用于仪式(中世纪天主教复活节前一星期的礼拜)。R.施特劳斯在他的交响诗《蒂尔恶作剧》(1895)的总谱中采用了轮牙响盒,斯特拉文斯基的《春之祭》中有为锯琴演奏而作。

scrapie　痒病　侵害绵羊和山羊神经系统的致死性疾病。表现为各种痒症,动物搔擦附近的物体。从感染到出现症状需时甚长(绵羊可超过两年之久)。现认为痒病是病毒引起的。早期症状除瘙痒外,尚包括神经症状,如头颈轻度颤抖以及磨牙。本病不发烧。绵羊虽有食欲,但体重减轻,行走时步态不稳,可能站立不住。无治疗方法。

scratchboard　刻拓版画　又称刮拓版画(scraperboard)。是商业美术家和插图画家十分喜用的一种技法,所作的图画便于复制并酷似木版画。其制作过程是,使用一块特制板,其上涂有一层白垩和胶之类的吸收性物质如石膏等作底子,亦可以采用一块准备好的图案或点刻过图案的纹理板,先把黑色的绘画墨汁均匀地涂在板上,然后用叫做“刮

J.登维尔1972年制作的刻拓版画
供图:J. Denvir

刀”的专门工具刻刮板上的墨汁层,直到把所需要的线条或块面刮到出现白色为止。如想获得凸版木刻的效果,可将表面的墨层刮去,白底上留下所需的墨色线条。刻拓版画主要为了复制,所以极少用于单张画。

screamer　叫鸭　雁形目叫鸭科3种南美洲水禽。因粗嘎的叫声能传到远处而得名。体高75厘米,栖息于沼泽地,成群取食水生植物,用芦苇筑巢。能在高空翱翔几小时。由于体色深,体态丰满,颈具环纹,且嘴形似鸡,所以看起来像长腿的雉。解剖学特征很特殊,叫鸭肋骨是不具钩状突的两群现代生存的鸟类之一;其骨骼含气最多(甚至最外侧趾骨亦为中空);皮肤包含一种小气囊系统是粗嘎鸣声独一无二的来源。羽毛被覆全身(除脚外)而不是分片生长,皮肤并无裸出区(这是只有企鹅和一些大型不能飞行的鸟类才有的特征)。此外,在每个翅膀弯曲处有一对向前生长的大骨刺。南美北部的角叫鸭(*Anhima cornuta*)前额上有一个细长向前弯曲的钙化突起。南美洲中东部原野的冠叫鸭(*Chauna torquata*)和哥伦比亚及委内瑞拉的黑颈叫鸭(*C. chavaria*),在头后面均具冠羽。

screech owl　鸣角鸮　角鸮属(*Otus*)新大陆多种鸟类的统称,是鸱鸮科的典型代表。旧大陆产的角鸮属种类称为红角鸮。这两组均具脸盘和耳羽束。体具隐蔽色,类似树皮。

普通鸣角鸮(*O. asio*)
供图:A. A. Allen—Bird Photographs, Inc.

体型小,体长约20～30厘米。许多种有明显的地理变异:北方亚种较南方亚种个体稍大,但花纹不如南方种明显。本属几乎遍布全球。角鸮属中著名的种有产于欧洲南部、亚洲和非洲的普通红角鸮(普通角鸮,*Otus scops*)、北美的普通鸣角鸮(*O. asio*)和北美西部的花彩角鸮(*O. flammeolus*)。以小型哺乳动物、鸟类和昆虫为食。

screen, projection　参阅 **projection screen** 银幕。

screw　螺纹件　在机器结构中,带连续螺旋肋的圆柱形件,或用作紧固件,或用作力和运动变换装置。图示现代应用的螺钉及螺钉头的主要形式:当零件之一具有螺纹孔时,或与螺母相结合时,用螺钉A、B和F来使零件紧固在一起。当拧紧后,螺钉伸长,形成拉力负荷,使零件夹紧。机器螺钉有多种形状的螺钉头,大多都有适合于螺丝刀的槽。它们比有头螺钉和螺栓的尺寸更小。图中,紧定螺钉C装入一机件的螺孔内,拧紧后,杯形末端被压入配合件(通常为一个轴)以防止相对运动。紧定螺钉的末端也做成与配合孔相适应的圆锥形或圆柱形,且其头部是带槽的和方形的。双头螺栓为两端带螺纹的螺栓,它的一头永久性拧入一机件中,而在另一头则用螺母紧固。当自攻螺钉被拧入钻孔或铸孔中时,可在一些材料如金属、塑料、玻璃纤维、石棉和浸渍树脂层压板内形成螺纹。图中螺钉

D通过排出导向孔附近的材料，使它围绕螺钉流动而形成螺纹。切削螺纹的自攻螺钉有切削刃和容屑槽，可以切除材料而形成螺纹。木螺钉E有多种直径和长度；使用大尺寸的木螺钉时，要先钻导向孔以免木料劈裂。方头木螺钉G是用来把重物体紧固到木料上的大木螺钉，螺钉头为方形或六角形。用于变换力和运动的螺杆称作传动螺杆。螺杆千斤顶可将扭矩变换为推力。起升重物的推力是靠在一个固定的螺母内转动螺杆来产生。用一根长杆转动螺杆时，在其一端施加较小

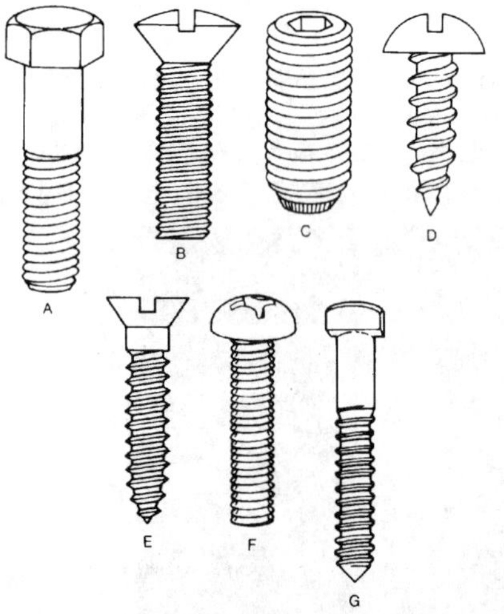

螺钉及其头部形状：A有头螺钉；B椭圆头螺钉；C凹头紧定螺钉；D自攻螺钉；E平头木螺钉；F十字槽头机螺钉；G方头木螺钉

的力就能产生大的推力。机床上夹持工件的工作台，可由装于工作台两端轴承内的、并与固定在床身上的螺母配合的旋转丝杠带动，在导轨上作直线移动。类似的力矩-推力变换，可用两种方式获得：①转动一根轴向固定的螺杆，来驱动一个沿螺杆转动的固定螺母；②转动一个轴向固定的螺母，用来驱动一根通过螺母转动的固定螺杆。

screw moss　螺旋藓　又作twisted moss。又称扭曲藓。真藓目（Bryales）墙藓属（*Tortula*）植物的俗称。分布北半球，在墙壁、土壤、岩石、沙丘和树上形成黄绿色或红棕色垫块。原产于北美，约25种。北美和英国最常见的种是泛生墙藓（墙藓，*T. muralis*）和乡间墙藓（*T. ruralis*）。螺旋藓植株高度从0.5～10厘米，因种而异。拟叶体舌状，顶端通常有一根长毛。围绕孢蒴口部的齿常螺旋状扭曲，在基部连合成一个管状膜。

screw-pine　旋叶松　**露兜树目（Pandanales）**露兜树科露兜树属（*Pandanus*）几种有分叉状气生根的灌木及乔木的俗称。

screwdriver　螺丝刀　用于拧转槽头螺钉的手工工具。标准螺丝刀带平头刀片，有各种尺寸，可用于拧转头部带直槽的螺钉。对头部带十字槽的螺钉，要用合适的专用螺丝刀。最常见的专用螺钉是图示的那种十字槽头螺钉。螺丝刀杆由韧性钢制成，其刀头经淬火以减小磨损；柄由木材、金属或塑料制成。对于不使用直柄螺丝刀的螺钉，可用偏头螺丝

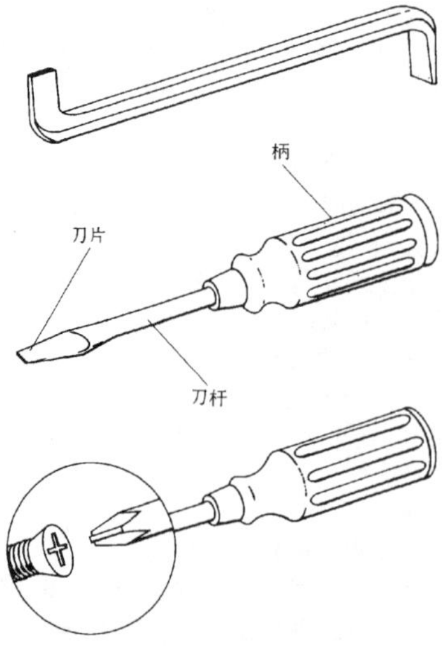

螺丝刀：（上）偏头螺丝刀；（中）螺丝刀的各个部分；（下）十字槽头螺丝刀

刀；这种工具无柄，但有一根两头弯为直角的杆。一刀片与杆成直线，而另一刀片与杆成直角。螺丝刀片可夹持在手摇钻上能旋转而推向螺钉头的自动刀柄上，或夹持在钻床上的齿轮减速驱动装置上。

Scriabin, Aleksandr (Nikolayevich)　斯克里亚宾（1872-01-06，莫斯科～1915-04-27，莫斯科）　俄国钢琴音乐与管弦乐作曲家，以不寻常的音色探索音乐中的象征主义而闻名。1882～1889年在莫斯科士官学校受训，同时学习音乐。1888年入莫斯科音乐学院，从V. I.萨福诺夫学钢琴，从S.塔涅耶夫和A.阿伦斯基学作曲。1892年毕业时已创作作品第1、2、3、5和7号钢琴曲。1898～1903年在莫斯科音乐学院任教。然后悉心作曲，1904年定居瑞士。1900年后对神秘哲学入迷，作于这一时期的《第一交响曲》的合唱末乐章（他

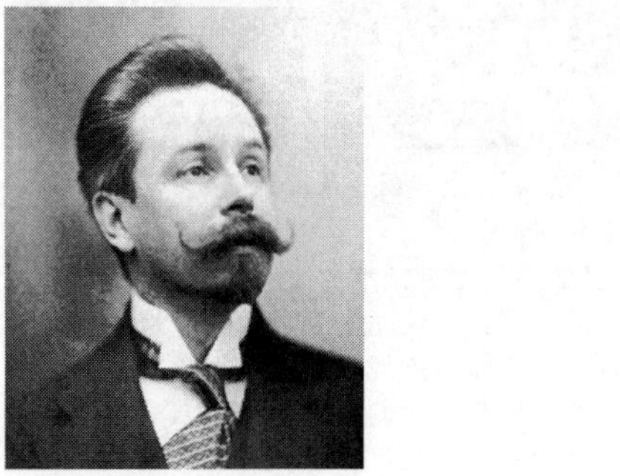

供图：Novosti Press Agency

自己作词）把艺术作为一种宗教形式加以颂扬。在瑞士完成了《第三交响曲，神圣之诗》，1905年在巴黎由尼基施指挥首次演出。1906～1907年，去美国旅行，在那里举行了一些音乐会。1908年他常去参加布鲁塞尔的通神论者的活动。通神论思想亦同样地为管弦乐曲《狂喜之诗》（1908，纽约）和《普罗米修斯》（1911，莫斯科）提供了基础。1909年在指挥家库塞维茨基鼓励下返回俄国。这时他不再是单纯地从音乐的角度进行思考，而是期盼着一个无所不包的“神秘世界”。他计划这首作品要从一个“礼拜仪式行为”开始，使音乐、诗歌、舞蹈、色彩和气味结合起来，在崇拜者心中诱发一种“崇高的、最后的狂喜”。他为这首《神秘》的“预备行动”写了歌词，但音乐只留下一点素描。他靠敏感而又精致的钢琴曲获得声誉。他的钢琴作品包括10首奏鸣曲（1892～1913）、一首早期的钢琴协奏曲、许多前奏曲和其他小品。他年轻时是肖邦的崇拜者，很早就呈现出个人的风格。由于实现了融合肖邦、法国印象主义、R.施特劳斯和俄罗斯音乐风格的潜流，他在近代俄罗斯音乐的发展上有一定的地位。少数几部作品如《升F小调钢琴协奏曲》（作品第20号）及一些钢琴前奏曲，使他在国际上赢得了持久不衰的听众群。

Scribe, (Augustin-) Eugène　斯克里布（1791-12-24，巴黎～1861-02-20，巴黎）　法国戏剧家，情节简洁、结构紧凑的所谓“佳构”戏剧的大师。他写过各种各样的戏剧，并经常与人合

供图：H. Roger-Viollet

作。他的喜剧表现了资产阶级的价值观念和偏好，并颂扬了社交和家庭生活的美好。他还以他的历史剧为世人铭记，包括《一杯水》（1840，这是从一件琐事中引出重大历史事件的剧本）、《贝特朗与拉顿》（1833）。《阿特利叶娜·勒库弗勒》（1849）是一部情节剧，描写一个女演员垂青一位贵族，但却没有意识到他的优越地位和真实面目。

Scriblerus Club　涂鸦社　18世纪英国的一个文学俱乐部。创始成员包括著名的托利党才子A.蒲柏、J.斯威夫特、J.盖依、T.帕内尔和J.阿巴思诺特。该社宗旨是通过一个名叫M.斯克里布莱鲁斯（意为“涂鸦”）的虚构雇佣文人去嘲弄那些自命博学不凡、满口陈词滥调的人。成员之间的互相激励产生了深远的影响。盖伊的《乞丐的歌剧》是根据斯威夫特向涂鸦社提出的一个建议写出的，而涂鸦社的宗旨在斯威夫特所著的《格利佛游记》中，特别是描写勒普泰岛之旅的第3册，则表达得明白无误。

Scribner FAMILY　斯克里布纳家族　Scribner原拼作Scrivener。美国出版商家族。1846年创办斯克里布纳子弟出版公司，发行各种作家的书籍，并印制数种期刊。第一代是查尔斯·斯克里布纳（1821-02-21，纽约市～1871-08-26，瑞士卢塞恩），他与I.D.贝克（1850卒）在纽约市合办这家出版公司。最初出版哲学和神学书籍。斯克里布纳晚年，该公司出版英国和欧洲大陆文学作品的重印本和译本。他去世后，该公司由他的三个儿子约翰·布莱尔（1850～1879）、查尔斯（1854～1930）、阿瑟·霍利（1859～1932）先后主持。以次子

查尔斯担任总经理的时间最长（1879～1928）。在他任职期间，该公司出版了美国作家如：H.詹姆斯、G.W.凯布尔、T.罗斯福、G.桑塔亚那、E.华顿、R.拉德纳、E.海明威等人

供图：Charles Scribner's Sons

的作品；也出版了英国作家G.梅瑞狄斯、R.L.斯蒂文森、R.吉卜林、J.M.巴里、J.高尔斯华绥等人的作品。该公司出版的期刊有《斯克里布纳月刊》（1870～1881）、《圣尼古拉斯》（1873～1881）、《斯克里布纳杂志》（1887～1939）等。

scrimshaw　贝雕　用贝壳、鲸牙或海象牙之类制成的装饰品。源于美洲或盎格鲁美洲的捕鲸者。用折刀或帆针刻出画面，然后用黑色进行蚀镂。描绘的题材有捕鲸场面、捕鲸

约1850年的美国鲸牙贝雕

供图：collections at Mystic Seaport，Mystic，Conn.

船、海战、巡防舰、双桅船、情人、花束、共济会会徽、盾形纹章以及爱尔兰竖琴等。作品可追溯到17世纪末，但工艺到1830～1850年期间才达到高峰。

Scripps，Edward Wyllis　斯克里普斯（1854-06-18，美国伊利诺伊拉什维尔附近～1926-03-12，利比里亚蒙罗维亚外海上）　报纸发行人。1878年创办第一份报纸后，组织了美国第一家主要的报纸联营，后于1907年成立合众社。1872年起，受雇于同父异母哥哥詹姆斯·斯克里普斯（1835～1906），在底特律的报馆工作。1878年11月2日，自办《克利夫兰"辨士"新闻报》（后称《新闻报》）。迄1887年，已控制了圣路易斯、底特律和辛辛那提几家报纸。1894年，和同父异母哥哥乔治·斯克里普斯以及另一人米尔顿·亚历山大·麦克雷一起组织斯克里普斯-麦克雷报业联合公司。1909年建立另一个联营公司——斯克里普斯海岸联合公司，囊括美国西海岸的各家报纸。最后，他在15个州内共拥有34家报纸。他的报纸为他称做"百分之九十五"（即普通大众）而写，价格低廉、政治独立、自由开明、倾向劳动者。1922年，将股权过户给儿子罗伯特·斯克里普斯。罗伯特和罗伊·W.霍华德一起改组公司为斯克里普斯-霍华德联合公司。1902年建立第一家辛迪加——"报业社"（NEA），向各家报纸提供特写、插图和漫画。5年后，将斯克里普斯-麦克雷报社（建于1897年）和另一家新闻出版社合并，成立合众社，1958年与赫斯特系的国际新闻社合并，称合众国际社。1903年与同父异母姐姐艾伦（1836～1932）共同创办圣迭戈海洋生物站（后称斯克里普斯海洋研究所）。1926年，艾伦在加利福尼亚州克来尔蒙特创建斯克里普斯学院（女校）。

Scripps，Ellen Browning　斯克里普斯（1836-10-18，英国伦敦～1932-08-03，美国加利福尼亚拉霍亚）　英国出生的美国新闻记者、出版商和慈善家，其个人投资于家族报业所聚集的财富使她得以大量捐助教育、公共娱乐和医疗机构。1844年随家人由英国移居美国，定居伊利诺伊州拉什维尔。1859年毕业于该地的诺克斯学院女生部，后在乡村学校任教。1867年移居密歇根州底特律，协助其兄詹姆斯经营刚收购的报刊《每日广告报》和《论坛报》。后来回到家乡照顾患病的父亲，父亲去世后又回去帮助刚创办《底特律晚报》的兄长。1878年她协助同父异母弟弟爱德华在俄亥俄州克利夫兰创办《便士新闻报》。她为该刊提供资助并撰写文章和专栏，同时继续为《底特律晚报》工作。最后于1883年放弃新闻记者工作，但仍继续投资于爱德华的企业，因为他又收购了几家报纸，为斯克里普斯-麦克雷报业联合公司（后来的斯克里普斯-霍华德报系）奠定基础。她最终在全国16家日报拥有大量股份，投资回报成倍增长。1891年定居于爱德华在加利福尼亚州圣迭戈附近的新别墅，6年后在拉霍亚建起自己的别墅。她还投资于房地产获利。约从1900年起，通过仔细计划的慈善事业散发她的大量财富成为她的主要事务。她家在拉什维尔的农庄被改造成斯克里普斯纪念公园。1903年和爱德华成立圣迭戈海洋生物站，1912年移往拉霍亚成为加利福尼亚大学的一部分，现称斯克里普斯海洋研究所。她给予诺克斯学院和拉霍亚的毕晓普斯学校大笔捐赠。与爱德华共同在拉霍亚创建斯克里普斯纪念医院（后为斯克里普斯治疗研究基金会）。她还创建斯克里普斯女子学院，1927年在加利福尼亚克莱尔蒙特开学，是几所联合但各自独立的学院之一；还捐款建立圣迭戈动物园和开发托里松树公园。曾出任全国娱乐协会董事。

Scripps Canyon　斯克里普斯海底峡谷　美国加利福尼亚州拉霍亚岸外的太平洋海底浅峡谷。因距斯克里普斯海洋研究所很近而得名，是研究得最充分的海底峡谷之一。有一浅支谷，距海岸很近，水深仅40英尺（12米）；在1.3英里外与一较大深峡谷（拉霍亚峡谷）相连，其轴线深980英尺。斯克里普斯峡谷谷壁呈V形，高约360英尺。

script　电影剧本　影片的文字稿本。它可以有不同的类型，有的只提供一个简要的剧情大纲，有的则是详细的摄制台本，其中明确规定每一动作、表情以及内涵。剧本常常不按故事的时间顺序而按最适于拍摄的顺序写作。其语言接近日常生活语言。剧本可以作为文学作品发表并不拍成影片，可以在影片拍成后发表供人阅读，也可扩写成小说。使用电影剧本的方式因导演而有所不同。D.W.格利菲思（1875～1948）在工作时实际上不用剧本，而是在拍摄中完成其影片。M.塞纳特（1880～1960）使用相当详尽的剧本，但经常即兴增加一些噱头。另一方面，英国导演A.希契科克则在开拍前仔细设计每一细节，在拍摄中完全按照剧本的规定，并且同剧本作者一起仔细设想每个镜头的画面。

scriptorium　缮写室　修道院所专为手稿抄录人员辟出的工作场地。缮写室是中世纪一大特征。由于圣本笃对文学活动的支持，缮写室成为最具特色的本笃会内较大机构。然而所有在缮写室工作的人员，并非全是修士；来自隐修院外的在俗信徒和书稿装饰者，加强了教会抄写员的队伍。从希腊-罗马时代起，图书馆、手稿出版商、大学以及类似机构都设有非宗教性的缮写机构。

scripture　经籍　又作sacred scripture。世界上各宗教的圣书。经籍在世界文献中占很大一部分。经籍在体裁、卷册多少、成书年代和神圣程度上差异甚大，但是其共同特点是，其中的词句被信徒奉为神圣。

神圣言语不同于普通言语之处，在于它们据信具有和传输精神力量和神奇力量，或者是神灵或其他神圣存在体通过它们用充满力量和真理的词句向人们做启示。

经籍大多先是口传，一代代地靠背诵下传，后来才书写成文。少数经籍至今犹是口传，例如美洲印第安的圣诗（最近才由人类学家记录下来）。不少经籍仍带有明显的原始口传痕迹，必须朗诵才能对之有最佳理解。事实上，许多印度教徒和佛教徒仍然认为，他们的经籍，默读不如朗读那样掌握其意义和含意。因为他们认为，朗读声增益经文的真理和力量，不是单独默读者所能领会的。

但是，并非一切经籍起初都是口传，也不是经籍内容都是直接在礼仪上诵读用以祈求神奇灵力。成文的经籍大都或有叙事性质或有阐发性质。事实上，神圣和半神圣文献的类型很多，而且形形色色。既有神奇的如尼字母（runes；古代日耳曼系一种字母）和原始时代、上古时代的符咒，也有颂诗、祷词、偈颂、神话、神灵及英雄本事、史诗、寓言、神圣律法、礼仪指南、主要宗教人物的教诲及其解

说、训诲性的秘闻录、先知圣贤对话以及哲理议论。事实上,经籍只求表达宗教感情和信念,不拘形式。

经籍依其权威性和神圣程度分成不同类别。其中最重要、最神圣者往往辑成正典(教内标准典籍);正典一经全教公认或正式宗教机构确定,就固定化,也就是说,正典仅限于某些著作,只有这些著作具有完全的权威性,而且不容进一步更动。未收进正典的著作(具有半神圣、半正典性质者),可能仍然十分有价值,作为补充文献。

区分正典与半正典经籍的突出实例见于印度教。印度教经籍浩如烟海,斑斓万种;包括已经著录的古代材料和各种宗教文献,但不包括著述这些文献的先知圣人的详细生平。最古老的部分四部《吠陀》(颂诗)似是公元前2千纪印度西北部的印度-雅利安系家族所著。公元前1000年以后又产生了《梵书》(评注及礼仪指南)、《森林书》(林中修行者之书)以及《奥义书》(哲学论文)。四部《吠陀》和上述著作,共同被认为比后世任何著作都更为神圣,统称"天启";其后的著作称为"传承"(即经过最初天启之后一段时间追忆、再解释而写成的)。前者为正典,是完备的,不可增益,也不可更动;后者为半正典、半神圣。

佛教经籍记述公元前6世纪乔达摩·佛陀的生平和教诲,最初以巴利语出现,这种方言与佛陀所操的摩揭佗语相近。经过一段时间,佛陀所发起的运动扩展到印度境外,佛教遂采用梵语作为宏传的工具,梵语是广泛通行于古代东方的一种古典印度语言。这样就出现了一种区别:上座部经籍用巴利语,被认为正典。分布较广的各部派所产生的大量著作被称为大乘经籍,用梵语写成。大乘经籍后来译成藏语、汉语和日语,进一步得到传播。

中国固有宗教的基本文献是否可以援照一般宗教圣书之例称为神圣,这是值得商榷的问题。无论是道家还是儒家的经典都不能说是以启示为根据的。两家的文献从一开始即被认为是人的智慧著作,是由人为人而写的。然而,它们逐渐具有了权威性,实际上是正典地位,因而受到高度崇敬,可以说事实上是神圣的。道家的《道德经》和儒家的《五经》和《四书》的确是如此。

最严格的正典是由教内正式机构确定的正典。犹太教的正典,亦即基督教徒所谓《旧约》,是由公元90年在巴基斯坦地区雅弗奈举行的拉比会议确定的,未收入的半神圣著作被基督教徒称为《外典》。天主教后来也把它们收进正典。创立基督教的耶稣没有留下成文著作,但是,他的追随者深受他的启发,以口传形式把他的言论和详细生平保存下来,最后写成四部《福音书》。再加上圣保罗和他人所写的书信和《约翰启示录》,一并构成一部神圣正典,称为《新约》,4世纪末由教会审定。也有《新约外典》,伪造之处甚多,未获得正典地位。

在没有宗教机构审定而赋予权威的情况下,经籍只好自己申张自己的权威性。穆斯林认为,这在《可兰经》并非难事。它是穆斯林唯一的正典亦即信仰标准,他们相信它具有内在的自证能力,可以使自己取得可信性,因为它是真主自己的原话,传给穆罕默德,穆罕默德逐字背诵,一字不增,一字不减。穆斯林对《可兰经》的这种信仰,接近于基督教中的基要派,此派认为,《圣经》是上帝的话,从头到尾都是由上帝逐字启示的。

有一大批文献,其神圣性不如上述各种文献。它们解释神授真理和神授律法并叙述故事,说明尊卑人士如何(自觉或不自觉地)回应神的启发。它们实际上是真经的佐证。

突出的例子是《塔木德》,它是律法、民俗和评注的汇编,许多犹太人士认为,它的权威性十分接近摩西的《托拉》(即律法书,亦即《五经》)。的确,在后于《圣经》的拉比著作中,《塔木德》被公认为第二部《托拉》,补充成文的摩西律法。另一个实例在基督教,该教的各部主要信经曾在不同时代被认为无误的声明,偏离者即为异端。其中主要者有《使徒信经》以及《尼西亚信经》(325)、《君士坦丁堡信经》(381)、《卡尔西顿信经》(451)这三部《普世信经》。此外天主教又加上一批教皇谕令,这些谕令以信经的形式扼要说明天主教会历次会议所作出的结论,其内容有圣事、变体论(谓圣体圣事上所用的饼与酒果真在本质上转化成基督的身体和血)、告解、圣母无原罪始胎、教皇永无谬误、圣母肉体灵魂一并升天。新教特有的信仰声明也具有不同程度的约束力,其中有1530年的《奥格斯堡信纲》(信义宗)、1563年的《海德尔堡教理问答》(归正宗)、1646年的《威斯敏斯特信纲》(长老宗)、1647年的《威斯敏斯特小教理问答》(长老宗)等等。

在过去7个世纪中,一批宗教著作在西方取得了半神圣(假如不是完全神圣)的地位,其中有托马斯(肯彭的)(1379或1380～1471)的《师主篇》、班扬(1628～1688)的《天路历程》、艾娣(1821～1910)的《科学与健康——读经关键》和史密斯(1805～1844)的著名发现《摩门经》。

Scrivener FAMILY　参阅 **Scribner family** 斯克里布纳家族。

scrofula　瘰疬　结核病的旧称。各历史时期"瘰疬"一词意义有所不同,但实质上指骨及淋巴结的结核,尤其指小儿的骨或淋巴结结核。因过去迷信该病患者经国王一触即可治愈,在英国俗名"国王病"。

Scroggs, Sir William　斯克罗格斯(约1623,英格兰牛津郡德丁顿～1683-10-25,伦敦)　英格兰首席法官(1678～1681),一个引起争议的人物,他曾主持对那些被控在1678年天主教阴谋中企图拥立信仰罗马天主教的约克公爵詹姆斯(后为詹姆斯二世)即王位的人的审判。曾在牛津大学和格雷律师学院受教育。内战初期为查理一世打过几天仗。1653年取得律师资格,护国政府时期操律师业。他得到查理二世的宠信,1665年封为爵士。1676年任民事法院法官。1678年成为高等法院首席法官。他在主审天主教阴谋一案时,完全相信圣公会教士欧茨的揭发材料,判处了一些"谋反分子"。由于他不得人心,查理被迫于1681年将他免职。

scroll painting　画卷　中国画中画面长宽不成比例,宽度可依据题材尽量延长并可供装裱成卷的绘画作品。可展挂于壁上以供观赏,也可于观赏时,一边随手展开,另一边同时卷起,逐一研读画面中的局部内容。画卷最有代表性的是山水画卷。这是中国古代画家天才的创造。对祖国山河大地的美好景色,画家想把它尽收笔底,鉴赏者想一览无余,采用长卷形式便能不受空间甚至时间的限制。画家使用了"散点透视法"。传世名作有董源的《潇湘图》、赵幹的《江行初雪图》、许道宁的《江山渔父图》、王希孟的《千里江山图》以至张择端的《清明上河图》等。此后代有名作,一直到现在张大千的《长江万里图》,将几十里以至几千里几万里的景色组织到一张画面中来,观赏者亦恍如置身云端或画中,得以尽情游览。这种"散点透视"方法提高和扩大了绘画艺术的表现功能,高度服务于场面较大、内容较复杂的主题,取得了很好的艺术效果。约与中国全景山水画出现同时,12、13世纪在日本出现了称为"大和绘"的长横幅日本画。其最早的实例之一为日本文学巨著《源氏物语》的配画,以画面和文字交替出现。以后更以日本中期著名故事和传记为主题,绘制了画卷,深受日本人民赞赏,形成独具特色的日本画传统风格。

scrollwork　涡卷形装饰　又称漩涡饰。在建筑和家具设计中所用的状如波浪、蔓藤、纸卷等的曲线装饰。在古典建筑中,主要的例子为爱奥尼亚式柱头上的涡卷,也出现在科林斯式和组合式柱头上,但不如前者突出。在檐壁上则常有连续波形涡卷浮雕。英国哥特式建筑的早期和盛饰期流行一种纸卷状的线脚,后来在19世纪用于仿哥特式家具中。在各种古典复兴式时期,古希腊和罗马的涡卷形装饰流行于家具设计中,美国18世纪时常用的涡卷形山花即其中一例。

Scrope, George Julius Poulett　斯科罗普(1797-03-10,英国伦敦～1876-01-19,萨里费尔劳恩)　英国地质学家和政治经济学家,他对火山的研究有助于否定那认为全世界岩石皆由大洋沉积作用形成的水成论。他本姓汤姆森,1821年到威尔特郡的最后一个老伯爵W.斯科罗普家入赘,改随岳父姓。1816～1817年在大学读书时,就访问了那不勒斯,维苏威火山的活动激起了他对火山的兴趣。1821年调查了法国中部奥佛涅山脉的死火山,并为他的论文《论法国中部的地质和死火山》(1827)搜集了资料。他开始研究时,著名德国学者A.G.维尔纳的教条还占着统治地位,而他不久就在推翻水成学派的思想方面起了作用。他的第一篇著作《对火山的见解》(1825)被认为是火山学方面最早的有系统的论文。这篇论文在关于火山活动的令人满意的理论方面,以及表明火山在地球历史中所起的作用方面,是第一次尝试。他早就懂得水在火山活动中所起的重要作用,他排除了认为火山口是由于地壳坍塌而形成的理论。他关注社会问题和政治问题,1833～1868年为下院议员，发表过一系列鼓吹自由贸易和社会改革的小册子和评论。

Scrophulariaceae 玄参科 玄参目12个科中的1科，约190属4 000余种，广布世界。该科中没有重要经济作物，但有许多有名的园艺观赏植物，如金鱼草属(*Antirrhinum*)、婆婆纳属(*Veronica*)、蒲包花属(*Calceolaria*)、钓钟柳属(*Penstemon*)等。有些种类，如柳穿鱼属(*Linaria*)及毛蕊花属(*Verbascum*)则是讨厌的杂草。紫花洋地黄(*Digitalis purpurea*)的叶可提取药物洋地黄。本科特征是：花两性，花冠筒状，裂片二唇形，两侧对称；雄蕊多是4枚(婆婆纳属2枚)，2长2短；子房上位，通常有2室。

Scrophulariales 玄参目 显花植物的一目，含12科，约750属，近10 000种，分布于除南极外的所有大陆。约2/3的种类为草本；余下的种类中大部分为灌木，少数为木质藤本或乔木。本目包括可食用的植物(如油橄榄及芝麻)、观赏草木及灌木和许多成为寄生性杂草的种类。玄参目中约2/3的种类见于热带，1/3见于世界温带地区，约50种分布于北极。大部分种类为多年生，但也有一些短

钓钟柳属(*Penstemon*)植物

供图：Werner Schulz

命的荒漠草本及长寿的热带乔木。本目3个大科——玄参科、爵床科及苦苣苔科即包括本目约3/4的种类。

玄参目种类的株型差异极大，水生的橄榄绿狸藻(*Utricularia olivacea*)的茎长10厘米，而蚁木(*Tabebuia guayacan*)为高约50米、直径2米的乔木。最小的玄参目植物果实为小花草属(*Micranthemum*)的蒴果，长度不及1毫米；最大的果实见于香肠树(吊灯树，*Kigelia pinnata*)，长90厘米，有时重达7千克以上。玄参目包括水生及寄生的种类。狸藻科(Lentibulariaceae)的种类为水生，狸藻属(*Utricularia*)种类为唯一的在水下捕食猎物(原生动物、甲壳动物、蠕虫、刚孵出的幼鱼等)的植物。列当科(Orobanchaceae)和玄参科包括所有已知有重要农业意义的根部寄生植物(通过吸器将根附着于宿主的根部)。列当科的野菰属(*Aeginetia*)和假野菰属(*Christisonia*)寄生于甘蔗，而玄参科的独脚金属(*Striga*)及 *Alectra* 属的种类寄生于玉米、甘蔗、稻、高粱、花生、大豆及烟草。

玄参目内多草本观赏植物。最著名的庭园植物及温室植物有老鼠簕属(*Acanthus*)、圣保罗花属(*Saintpaulia*，非洲紫罗兰)、金鱼草属(*Antirrhinum*)、蒲包花属(*Calceolaria*)、钓钟柳属(*Penstemon*)及块茎苣苔属(*Sinningia*，格洛克辛氏花)。本目一些观赏灌木亦为人们熟知，如好望角倒挂金钟(*Phygelius capensis*)、连翘属(*Forsythia*)、茉莉属(*Jasminum*)、丁香属(*Syringa*)及女贞属(*Ligustrum*)。玄参目也包括一些最华丽的热带观赏乔木，如含羞草

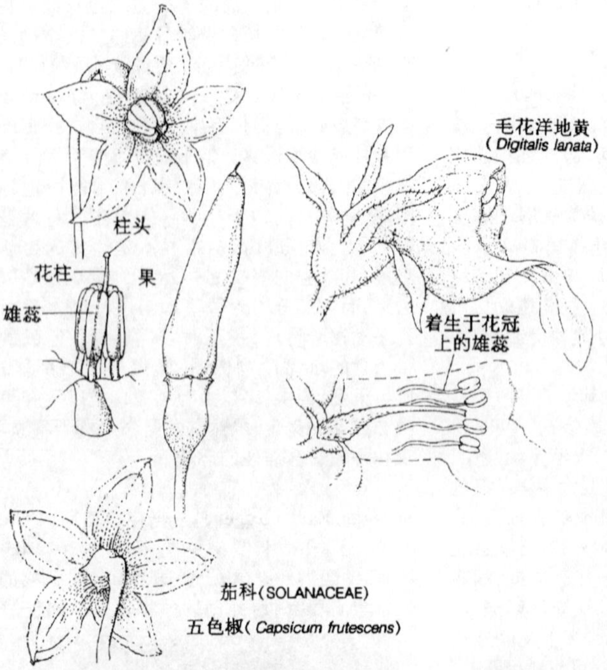

玄参目代表植物

叶蓝花楹(*Jacaranda mimosifolia*)、白花的印度栓皮树(园圃烟筒花，*Millingtonia hortensia*)及非洲郁金香树(钟形火焰树，*Spathodea campanulata*)。梓树属(*Catalpa*)的种类在温带地区是著名的树种。本目一些花卉植物，花的形态和颜色多种多样，可与兰花匹敌。

木犀科的欧洲木犀榄(油橄榄，*Olea europaea*)原产于旧大陆，自古即栽培以取用其可食的果实。胡麻科(Pedaliaceae)的芝麻(东方胡麻，*Sesamum orientale*)亦原产于旧大陆，种子可榨油，或用作调味品或制糖果。毛花洋地黄(*Digitalis lanata*)及紫花洋地黄(*D. purpurea*)分别用以提取强心药地高辛及洋地黄毒苷。

玄参目的大多数种类的叶为单叶，互生或对生。花几乎均为完全花、具备花(即两性花)。多数种类借昆虫传粉，少数借蜂鸟传粉，更少数甚至借蝙蝠传粉(如香肠树和印度喇叭花)。种子通常借风力、水力、或动物散布。本目大多数种类结蒴果，成熟后蒴果果皮裂开或裂开小孔。本目其他果实类型有浆果、翅果、核果等。种子数目各异，球花属(*Globularia*)只一粒种子，而列当科俄罗斯草苁蓉(*Boschniakia rossica*)的种子有333 000粒。

scrotum 阴囊 雄性生殖系统中，由薄层皮肤构成的囊，中间有隔将两个睾丸及附睾分开。阴囊为下腹部皮肤的延续，其内壁衬以一层薄平滑肌组织(肉膜)。阴囊皮肤富含色素，并有较多的皮脂腺、汗腺及毛。表面有一条称为阴囊缝的中间嵴，为左右两囊的分界标志，阴囊缝与囊内的中隔相连，中隔由肌肉组成。阴囊的功能为保护睾丸，维持睾丸温度在32.5～36.5 °C之间。遇冷、运动、性兴奋时阴囊收缩以保存热量；遇热时阴囊松弛以利散热。老年时阴囊平滑肌张力变弱松弛。鼠、野猪、种马等动物的阴囊常紧贴身体，睾丸的散热依靠其周围丰富的血循环系统。人在高热时，有些动物在炎夏时，阴囊内温度升高可引起暂时性不育。

scrub-bird 薮鸟 澳大利亚两种稀有鸟类的统称，组成薮鸟科(雀形目)，与琴鸟近缘。褐色，尾尖，略长，似美国的褐矢嘲鸫。西部薮鸟(嘈杂薮鸟，*Atrichornis clamosus*)长22厘米，19世纪40年代发现于澳大利亚西部的干燥灌木林中，1889年后一度认为已经绝灭，但1961年又重新发现。赤褐薮鸟(*A. rufescens*)长18厘米，19世纪60年代发现于新南威尔士的潮湿森林中，与西部薮鸟相隔4 000

赤褐薮鸟(*A. rufescens*)

绘图：H. Douglas Pratt

千米，现在知道分布在昆士兰，保护在拉明顿国家公园中。薮鸟很少飞行，但能迅速走得无影无踪。解剖特点为：锁骨发育很差，未能接合，又是雀形类中唯一没有叉骨的鸟，所以几无飞行能力。鸣声与众不同：响亮聒耳多变而若口技。在地上筑巢，巢庞大，有圆顶，特点是衬以木浆，木浆干燥后坚韧如卡片纸板。

scrub mite 参阅 chigger 恙螨。

scrub oak 矮栎 原产于北美干燥土壤的山毛榉科栎属(*Quercus*)几种灌木状小树的统

称。特指冬青叶栎(*Q. ilicifolia*),产于美国东部;又称熊栎;是分枝错综复杂的观赏灌木,高约6米;叶似冬青;槲果小,具条纹,几乎无柄。西部的加利福尼亚矮栎(灌丛栎,*Q. dumosa*)为常绿灌木,高约2.5米,叶长2.5厘米。落基山矮栎(波叶栎,*Q. undulata*)高达9米。

scrub typhus　恙虫病　又作tsutsugamushi disease。又称丛林斑疹伤寒。恙虫病立克次氏体引起的人类急性传染病,通过某种恙螨的叮咬传播到人体。恙虫病立克次氏体*Rickettsia tsutsugamushi*主要是某些螨的寄生物,其中两个近缘的种:红纤恙螨*Leptotrombidium (Trombicula) akamushi*和德利纤恙螨*L. deliens*是疾病的携带者。这些螨在幼虫时期,从野生啮齿动物或其他小动物受到感染。螨的幼虫咬人,人就被感染。

恙虫病发生在东南亚和其附近岛屿及日本,1899年日本第一次描述该病,1906～1932年间曾系统研究。第二次世界大战中,恙虫病使得数以千计的驻扎在太平洋战区的乡村或丛林地带的军人病死或丧失战斗力。人被受染的恙螨叮咬后10～12天就会发病。在叮咬处出现红色或粉红色病损,病人开始觉得头痛、发热、畏寒以及周身疼痛,淋巴肿大。发热开始后约一周,躯干及四肢的皮肤出现粉红色斑丘疹,皮疹可蔓延至四肢。热程可在两周结束,但亦常延至3～4周。常并发广泛性肺炎,心、肺和血液也可出现异常,导致心功能受损和循环衰竭。若不治疗,恙虫病可以致命。现已可用氯霉素或四环素治疗,治疗后病人迅速康复。

scrubland　硬叶灌丛带　低矮、常绿、叶革质、气味常芳香的灌木群落(通称作地中海型植被)生长区,主要局限在夏季干热、冬季凉爽、多雨的滨海地区。硬叶灌丛带沿地中海区与澳大利亚西部、南部及南、北美等南、北纬30°～40°的滨海地区分布。这些地区覆有浓密的植被,该植被在冬季雨量适宜、夜温罕低于10～15 °C时发荣滋长。各洲的硬叶灌丛带除极少数的植物属共同外,互相各不相同。北美西海岸(特别是加利福尼亚州)所形成的硬叶灌丛带称作沙巴拉(chaparral)。该处年雨量250～500毫米,夏季极干燥。一年生植物有金地草、灌木罂粟与勿忘我,多年生植物有矮栎、鼠尾草与山丁香;较干燥的内陆地区有香米索与带木。环地中海的山脉低坡,即北非、希腊、法国南部、西班牙与中东西海岸等处,有称作马基(macchie)的硬叶灌丛带,以薄荷、月桂类、香桃木、金雀花、迷迭香、百里香、油橄榄与无花果树占优势。许多原为马基的地带,已因人类实施灌溉工程而转为作物生产地。世界上范围最广的硬叶灌丛带见于澳大利亚,该处拥有最富变化的硬叶灌丛带植物相,其中年雨量为380～1 000毫米的西部硬叶灌丛带植物相占优势;硬叶灌木总计约有1 000种,包括豆科植物、香桃木、茅膏菜,以及桉属(*Eucalyptus*)与金合欢属(*Acacia*)中类似灌木的种。硬叶灌丛带于一年的过程中一般变化不多,大部分植物为常绿,唯一明显的季节变化与叶子的颜色有关:叶子在干旱的夏季呈橄榄绿色,于潮湿的冬季则被鲜绿色的新叶取代。植物的生长通常局限于潮湿的冬季,冬季温度罕低于冰点;适宜的冬季气候使种子在充分降雨后萌芽。植物相最显著的季节变化见于一年生植物,它们在夏季焦干来袭前的冬季完成生长期。硬叶灌丛带常见的长期干旱可使许多植物种死亡,那些种因不够强壮而无法在类似沙漠的条件下成活。干燥的夏季还会使硬叶灌丛带受火灾凌虐,火势横扫海岸平原与斜坡,一直烧到森林或沙漠边界。但是火灾不至于消灭植物相的大部分,因为多数硬叶灌木能由地际根冠处萌芽,而常于一两年内重生。对大多数动物而言,硬叶灌丛带并不是适宜的生活环境,其茂密的植被使中、大型哺乳动物难以通过,而大部分的芳香草本与硬叶灌木又为许多动物所讨厌,甚至对它们有毒。但以种子为食的小型动物(如小囊鼠与更格卢鼠)则可见到;昆虫、以昆虫为食的鸟类以及爬虫类亦在其间觅食,虽然它们更喜欢栖于草原、森林等较适合居住的环境。

Scruggs, Earl (Eugene)　斯克鲁格斯(1924-01-06,美国北卡罗来纳燧石山～2012-03-28,田纳西纳什维尔)　美国蓝草音乐风格的班卓琴演奏家,所开创的独特器乐风格促进

乡村音乐基金会供图

了五弦班卓琴的普及。他出身于音乐世家,5岁即开始弹奏父亲的班卓琴,15岁已在当地广播电台演出。11、12岁开始试验一种运用右手拇指和食、中指的拨奏技术,最终得以完善,被称之为"斯克鲁格斯风格"。1945年12月参加B.门罗的"蓝草小伙子"乐队,该乐队以前从未以班卓琴演奏员为主要演员。这一演奏小组成为蓝草乐队的样板,常在大奥普里电台节目中演出。1948年斯克鲁格斯与吉他手兼男高音歌唱家L.弗拉特一起脱离该队而另行成立"雾山小伙子"乐队。弗拉特与斯克鲁格斯乐队成为独步一时的著名蓝草乐队之一,在50和60年代曾录制唱片数十张。斯克鲁格斯所作器乐曲,包括《雾山坍塌》、《燧石山号外》和《厄尔的夸台》都特别受人喜爱。弗拉特和斯克鲁格斯于1969年分道扬镳。斯克鲁格斯联合其子加里、兰迪以及后来的史蒂夫一起组成一个电气化乡村摇滚乐小组"厄尔·斯克鲁格斯轻歌舞剧团"。自1980年起斯克鲁格斯不再专职从事演出,但仍继续以不同风格录制音乐唱片。1985年被吸收为"乡村音乐协会名人堂"成员。

scruple　斯克鲁普尔　药衡单位,等于20格令,或1/3打兰,也等于1.295克。古时,货币的重量制度习惯于分得较细。英语中scruple一词来自拉丁语*scrupulus*,意为"小石头"或"细砾"。斯克鲁普尔是罗马商业重量单位,还是货币的重量单位。1德拉克马*drachma*(希腊银币的基本单位)含3斯克鲁普尔。

scrying (divination)　参阅**crystal gazing 球晶占卜术**。

scuba diving　水肺式潜泳　在水中使用水下呼吸器一类整套装备的游泳活动。参阅**underwater diving**。

Ščučinsk (Kazakhstan)　参阅**Shchuchinsk 休钦斯克**。

Scudder, Janet　斯卡德(1869-10-27,美国印第安纳特雷霍特～1940-06-09,马萨诸塞罗克波特)　原名Netta Deweze Frazee Scudder。美国雕刻家,以其20世纪初为众多私人和公共机构创作的著名喷泉而为人们所铭记。曾在(俄亥俄)辛辛那提美术学院学习绘画、解剖和塑像,最后把主要兴趣放在木刻上。1891年移居芝加哥,短期从事木刻工作后成为雕刻家L.塔夫特工作室助手。她协助塔夫特为世界哥伦布博览会制作雕像,并部分由于他的介绍得以为博览会伊利诺伊和印第安纳州展厅创作雕像。定居纽约市之前,在巴黎师从美国雕刻家F.麦克蒙尼斯,不久即在纽约接得第一份重要任务,受托为纽约律师协会雕刻印章。接下来又接得其他建筑装饰和塑像雕饰的任务。1896年回到巴黎,并通过麦克蒙尼斯将她的几件雕饰出售给卢森堡博物馆。1899～1900年去佛罗伦萨旅行时,第一次看到多那太罗和A. del韦罗基奥的作品,由此促使她着手制作《蛙泉》(1901)。1899年回到纽约,建筑师S.怀特和大都会美术馆购买了《蛙泉》的不同版本。她那优美的富有情趣的花园雕塑和喷泉,以其独具特色的圆胖欢快小天使开始大受欢迎。J. D.洛克菲勒等人的定单源源不断,她成了当时最成功的美国雕刻家之一。1909年起再次去法国生活,直至第一次世界大战爆发才返回美国,与拉法耶特基金会(由她组织的)、红十字会和基督教青年会一起积极投入救济工作。战后又回到巴黎近郊的居所。1920年当选为全国设计学会准会员。晚年从事绘画,1933年曾在纽约展出作品。1939年离开法国,次年在美国去世。自传《塑造我的生活》1925年出版。

Scudder, Vida Dutton　斯卡德(1861-12-15,印度马都拉～1954-10-09,美国马萨诸塞韦尔斯利)　美国作家、教育家和改革家。1862年随寡母从印度迁居美国,定居波士顿。1884年毕业于史密斯学院,随后到英国牛津大学

研究伊丽莎白女王时期文学一年。1887年成为韦尔斯利学院的英语教师,1910年任正教授。1888年加入圣十字同志会,这是一个半隐修组织,约有50名圣公会女教徒,专心于祈祷和实现社会和谐。她积极参加若干社会福利组织,当年晚些时候在波士顿参与创建丹尼森住房社区。1903年参与组织妇女工会联盟。曾写过论述文学和社会主义理想的书籍,包括《现代英语诗人精神生活》(1895)、《英国文学入门》(1901)、《社会主义和个性》(1912)和自传《旅途中》(1937)。1928年退休。

Scudéry, Madeleine de　斯居代里(1607,法国勒阿弗尔～1701-06-02,巴黎)　法国女小说家、社会活动家。她根据真人真事创作的小说在17世纪享有盛誉。剧作家G.德·斯居代里的妹妹。小时父母双亡,由叔父抚养成人。叔父死后,到巴黎投奔哥哥。由于天生聪慧,才华横溢,不久便在郎布耶公馆的文学圈子中崭露头角。17世纪40年代末,她取代朗布耶侯爵夫人,成为巴黎文学界的女盟主,并创立自己的沙龙"星期六俱乐部"。1642年出版第一部4卷集小说《易卜拉欣,或杰出的巴夏》。以后的作品更长,像《阿塔梅纳,或居鲁士大帝》(1649～1653)和《克雷莉娅,罗马的故事》(1654～1660),每部都长达10卷。当时的读者之所以欣赏她的小说,不仅由于这些作品的长度,而且因为这些作品使他们看到当时重要社会名流的生活。这些名流在小说中以波斯、希腊和罗马的战士和少女的面目出现;《阿塔梅纳》中的萨福便是斯居代里自己,而她的朋友也称她为萨福。其他作品有《阿尔马希德,又名奴隶王后》(1660～1663)、《玛蒂尔德·达吉拉,西班牙的故事》(1667)和《凡尔赛漫步,又名赛拉尼尔的故事》(1669)。虽然她的小说极受读者欢迎,并获得塞维尼夫人等名流的赞赏,但也受到布瓦洛等评论家的讽刺与批评。

Scullin, James Henry　斯卡伦(1876-09-18,维多利亚特拉瓦拉[澳大利亚]～1953-01-28,维多利亚墨尔本)　澳大利亚政治家、工党领袖,任总理时领导国家度过大萧条最初几年。1903年加入工党。1910～1913年为议员,并主编工党报纸《回声报》。1922年再度当选议员,1928年成为工党领袖,使该党达到1916年分裂以来最强大时期。1929年任总理。当时正值经济萧条时期,他采取紧缩通货政策(降低工资、实行配给、限制进口和平衡预算),颇有成效。但由于发生昆士兰矿业丑闻,财政部长被迫辞职,内阁在财政政策上发生分裂。他支持财政部长重返内阁并实行扩大信贷计划,导致工党分裂,1931年竞选失败。1932～1935年在议会中为反对党工党领袖。1949年自议会退休。

sculling　荡双桨　指在单人艇、双人艇和4人艇的小型划船比赛中用双手荡桨。参阅**rowing**。

sculpin　杜父鱼　又作bullhead或sea scorpion。又称大头鱼、海蝎鱼。鲉形目杜父鱼科(Cottidae)多种小型鱼类的统称。约300种。主要产于北半球北部海洋和淡水水域。体长形,后部渐细。体型最大者最长约60厘米。头宽大粗厚。鳃盖具一或一个以上的棘,胸鳍大且呈扇形,皮肤裸露或具小刺,背鳍有鳍棘及鳍条,两部分分离或连续。底栖,活动少。多产于浅海,少数生活于深水中;鮈杜父鱼(*Cottus gobio*)等则生活于淡水。杜父鱼的经济意义不大,味道不佳。美洲绒杜父鱼(*Hemitripterus americanus*)可用为捕龙虾的诱饵。有的杜父鱼食有经济价值的小虾和幼鲑、幼鳟等。鮈杜父鱼属于杜父鱼属(*Cottus*),是一种常见的淡水杜父鱼,见于欧洲的江河和湖泊中。体小,长约10厘米,褐色,有斑纹。同属的许多其他种则产于亚洲和北美。大西洋产的杜父鱼有:短角床杜父鱼(*Myoxocephalus scorpius*)形大,褐色,有斑,见于欧洲、北极和北美;长角床杜父鱼(*M. octodecemspinosus*)为北美常见种,体色多样,颊部具长棘;美洲绒杜父鱼为北美种,头部饰有肉质瓣片,与某些其他杜父鱼类一样,离水后能吸入空气而使身体鼓胀。太平洋的种类有:大理石纹若鲉杜父鱼(云石光皮鲉,*Scorpaenichthys marmoratus*)是大型的东太平洋可食种,肉通常呈蓝或绿色。鹿角杜父鱼(*Leptocottus armatus*)为北美的常见种;尖头杜父鱼(*Vellitor centropomus*)为东方常见的长吻种。英语中sculpin一词也用于冰杜父鱼科的小型鱼类,主要分布于北太平洋,这些双角杜父鱼最大的约25厘米长,体背及侧线上具骨板(棱鳞)。

sculpture　雕刻　一种在三维空间通过凿刻、塑造或焊接将硬质或可塑材料造成艺术品的美学表现形式。这些形象可以体现于独立的物体、浮雕的外表或者由各个生动的画面到将观众团团围住等动人的景观造型设计。可以利用种种不同的媒介物,如泥、蜡、石头、金属、纤维、木材、石膏、橡胶、偶然"发现的"物品,甚至空间本身,以表达作者对于造型的形状、质量、情调和相互关系的构思。材料的成形与拼合可用雕刻、仿型、模塑、铸造、锻冶、焊接、缝合、组装或其他方法。

sculpture, environmental　参阅**environmental sculpture 环境雕刻**。

Scunthorpe　斯肯索普　英格兰亨伯赛德郡一区(自治市)。面积34平方千米。1870年建炼铁业后发展迅速。现钢铁生产发展很快,经济几乎完全依赖于以钢铁工业为基础的高度集中的单一工业联合体。另有小规模服装工业为妇女提供就业机会。人口约60 500(1991)。

scurfy scale(species *Chionaspis furfura*)　**皮屑介壳虫**　又称糠皮雪盾蚧、皮屑长蚧。美国果树和观赏植物的重要害虫,属同翅目。雌体灰色,梨形,长约3毫米。雄体小于雌体,白色,具3条纵嵴。栖于遮荫的树木上,使树皮看似铺满皮屑,使叶和果上出现斑点。温暖地区一年两代,凉爽地区仅一代。喷洒油性杀虫剂可予控制。

scurvy　坏血病　又称维生素C缺乏症。是人类最早认识的营养性疾病之一,因食物中缺乏维生素C(抗坏血酸)引起。维生素C广泛存在于自然界许多新鲜水果和蔬菜中,尤其是柑橘属水果。虽然大部分脊椎动物、低等动物和植物都能利用葡萄糖自身合成维生素C,但人类必须从食物中获取。抗坏血酸对人体组织中胶原的形成有重要作用,如果缺乏抗坏血酸,就会干扰组织的正常合成过程,这是本病的各种临床和病理表现的基础。坏血病的临床症状和体征主要有:牙龈水肿、出血,牙齿松动,关节和下肢疼痛,僵直,皮肤和机体深部组织出血,伤口愈合缓慢,以及贫血等等。虽然在古籍中早有关于坏血病的记载,但对该病的首次详尽描述是见于中世纪十字军东征的有关档案卷宗中。后至15世纪末期,坏血病成了长年在海上漂泊的海员们致残和死亡的主要原因。直到1753年,人们才第一次认识到坏血病和饮食有关,明确了该病是营养缺乏疾病这样一个概念。当时苏格兰海军军医J.林德发现,多饮橘汁、柠檬汁和酸橙汁不仅可以治疗,而且可以预防坏血病。现在,极典型的坏血病已经很少见了,在美国的孤寡老人中还有散发病例。有些人饮食结构极为不合理,维生素C含量不足;有些婴儿长期用奶粉或代乳品喂养,又不及时补充橘汁和维生素C,在上述几种人群中也可见散发病例。婴儿型坏血病(巴洛氏病)有些特殊症状,如下肢水肿,弯曲时疼痛,发育过程中的骨损害等。维生素C是治疗该病的特效药。成人100毫克/天,儿童25毫克/天,婴儿10毫克/天,再佐以合理饮食,即使是严重病例,几天内亦可奏效。

scutage　免兵役税　来源于拉丁语scutum,意思是"盾",又称盾牌钱(shield money),法语作écuage。指按封建时期的法律,骑士为免除他对领主应服的军役而交纳的款项。领主可以向其属从收取一笔金钱(或别的有价之物,通常是一匹马),作为他服役出征的代替物。这种制度对双方都有好处,随着12世纪和13世纪欧洲货币经济的扩大,它得到了迅速的发展。免兵役税在许多国家实行,其中包括法国和德国,在英国实行得最为普遍。英国第一次提到免兵役税是在1100年,起初,大概是以教会的佃户为主要征收对象,因为他们难以为国王的军队凑足他们应出的骑士名额。后来很快变成征收骑士地产的一般赋税,到了13世纪,还统一了税率。王室可以征收免兵役税,但凡是要求佃户服军役的,佃户不得拒绝。从理查一世(1189～1199)统治时期起,改为主要向佃户征收特殊的贡金(其数额大于常规的免兵役税),以代替在某一特定战役中的服役。由于国王约翰经常强行征收沉重的免兵役税,1215年的英国大宪章禁止不经大议会的同意就征收免兵役税。在13世纪,免兵役税和贡金都继续实行,后者更为盛行。向未参加战役的中等(中间)佃户征收的免兵役税,由国王和亲自服军役的主要佃户分享。到14世纪,免兵役税被废弃。

Scutari(Albania)　**斯库塔里**　参阅**Shkodër 斯库台**。

Scutarı(Turkey) **斯库塔里** 参阅**Üsküdar**于斯屈达尔。

Scutari, Lake 斯库台湖 巴尔干半岛最大的湖泊。在黑山和阿尔巴尼亚边境上。面积390平方千米,雨季涨水时达530平方千米。地质史上是亚得里亚海一个海湾。湖的西面和西北面山岭陡峭,东面有平原和沼泽。有6条河流注入此湖,其中莫拉查河为最大的河流。博亚纳河自该湖南端注入亚得里亚海。湖岸的小村庄以古老寺院和城堡闻名。阿尔巴尼亚的斯库台城在湖南岸。

Scylax OF CARYANDA **西拉克斯**(活动时期公元前6世纪) 古希腊探险家。是地理学的先驱,第一个报道印度的西方观察家。据希罗多德的报道,他受波斯王大流士一世派遣(约公元前515),调查印度河的航路,两年半以后到达赫罗昂波利斯地峡(苏伊士地峡),然后由海路返回。古代当局的资料似乎表明,他留下了一部航行日记。然而,以他的名字流传下来的、现存的《水手航海指南》不可能是他的著作。另一部描写梅拉萨的卡里安·赫拉克利德斯的著作也被说成是他所著,对此仍有异议。赫拉克利德斯是在反抗波斯的暴动(公元前498)和可能在第二次波斯战争(公元前480)中闻名的。

Scylitzes, John 西里泽(活动时期11世纪下半叶) 拜占廷宫廷官员、历史学家,《历史纲要》著者。此书叙述811～1157年的历史,前半部系抄袭他人的著作,后半部大都根据当时已散佚的资料和当时的口头传说写成。西里泽史作的希腊文本未曾刊行,仅因乔治·塞德里努斯为此书所作的编订本问世,西里泽之名才为人所知。

Scylla and Charybdis 斯库拉和卡律布狄斯 在希腊神话中,她们是两个长生不死、无法抵抗的妖怪,堵塞了希腊英雄奥德修斯漂流时所经过的狭隘水域(后确定为墨西拿海峡)。斯库拉有12只脚,蛇样的长脖颈上长着6个头,每个头上有3排鲨鱼似的利齿,她的腰部系着正在吠叫的若干狗头。在她的洞巢里,她吞食任何敢于接近她的东西,包括奥德修斯的6个伙伴。有时人们说她原来是人形的,但是出于喀尔刻或安菲特里特的嫉妒才被巫术变成这种可怕的样子。有时人们把她同另一个斯库拉相混,后者由于爱上克里特国王弥诺斯而出卖了自己的父亲墨伽拉国王尼索斯。卡律布狄斯则伺伏在对岸一箭之地处的一株无花果树下,每天吞吐海水3次,对来往船舶危害极大。她的性格很像是漩涡的化身。遇到海难的奥德修斯抓住一颗树才勉强逃命,过了很长时间,被她吞没的临时制造的木筏重新出现在水面。斯库拉在古代常被合理地解释为石头或礁石。二者都是希腊水手第一次冒险进入没有探测过的地中海西部水域时所面临的种种危险的诗意的表现。

Scypha 樽海绵属 又作*Sycon*。又称双沟海绵属。钙质海绵纲(Calcispongiae)的一属,海产,体指形,其沟系属双沟型。双沟型海绵

双沟型海绵(*Scypha*)
供图:Jack Mckenny—Tom Stack and Associates

体内有许多流入管和鞭毛管(放射管),水从流入管外端的流入孔进入体内,再到中央腔并经身体顶端的大孔——出水孔——流出。樽海绵长约2～3厘米。

scythe 长柄大镰刀 最重要的一种手工农具。由一弯曲刀片以某一角度安装于弯曲长柄上,用于收割谷物。现代长柄大镰刀的柄上有一凸起的手把,在收割谷物和青草时,用

19世纪晚期美国东部的农民所使用的长柄大镰刀
国际收割机公司供图

一手紧握手把以便灵活摆动。长柄大镰刀的确切起源尚未弄清,但在古代使用不多。欧洲在公元8世纪加洛林王朝时期,随着农业的发展,当收割贮存越冬饲料的工作变得重要时,长柄大镰刀才得到了广泛应用。

scythebill 镰嘴鸟 又作sabrebill或sicklebill。又称马刀嘴鸟、弯嘴鸟。雀形目砍林

红喙镰嘴鸟(*Campylorhamphus trochilirostris*)
供图:Paul Schwartz—Photo Researchers

鸟科镰嘴鸟属(*Campylorhamphus*)5种中、南美洲热带林鸟的统称。体长约23厘米,嘴长而向下弯,占体长的1/3。

Scythian 西徐亚人 又称斯基泰人。公元前9世纪,西徐亚人生活在阿尔泰山以东地区。周宣王(公元前827～前781在位)时期,对猃狁(匈奴民族在周末的名称)用兵,迫使他们向奥克苏斯河(阿姆河)流域退却,并把生活在那里的马萨盖塔伊人赶跑。而马萨盖塔伊人在向西迁徙中又进入了西徐亚人的领地,并迫使西徐亚人西迁,这样,一场大规模的民族迁移开始了。但也有一些学者认为,西徐亚人的西迁是因大旱所致。

西徐亚人是出色的牧民。他们游牧部落的流动性为他们带来了许多便利。当他们突然出现在伊朗东北边境时,居住在那里的波斯人和其他民族都为之震惊。当然,西徐亚人继续西迁遭到了高加索地区的辛梅里安人的反抗,双方进行数十年战争。由于辛梅里安人多是徒步作战,而西徐亚人都是骑兵,最终西徐亚人打败了辛梅里安人。西徐亚人的胜利使他们在西波斯地区到哈利斯河(克孜勒河)流域一带建立了一个王国。

西徐亚人的国王传位于子,朝臣显赫。全国分为四个行政区,各有一个长官负责司法、税务工作。每个行政区里都有许多村落,村落中依旧保持着部落生活方式与家长统治制度。村落中首领都由该村落中的长者担任,国王与行政区长官定期召集各村落首领开会。此外,每年春季君主都要检阅,酬劳军队。西徐亚人的军队由自由民组成,他们得到衣着、食物,但没有报酬。发生战争时,全国还要分成三个区,以便招募士兵。

公元前625年,西徐亚人侵入叙利亚,他们的势力范围甚至达到埃及边境。此时米底人征服波斯诸部落,感到西徐亚人不断增长的势力构成威胁,于是,对西徐亚人发动战争,并把西徐亚人赶出安纳托利亚。然而,西徐亚人仍然控制着俄国南方大部地区和伊朗北部边境地带。在咸海地区居住的一些西徐亚人则和达哈人混居而同化,后来成为安息人。而另外还有一些单独活动的西徐亚人部落,他们的活动范围一直达到匈牙利与东普鲁士一带。

西徐亚人不但是出色的牧民,而且也擅长狩猎与捕鱼,一些西徐亚定居部落也从事农业。此外,西徐亚人还能制作各种金属制品。西徐亚人虽然没有货币,但他们不仅与中亚诸国有商业往来,而且和本都诸城市的希腊人也有贸易关系。

西徐亚人虽然也崇拜一些神,但他们从来不是虔诚的教徒,也有寺庙。在他们的社会组织中没有祭司,只有一些术士与占卜家。

公元前4～前2世纪,萨尔马特人入侵,西徐亚王国被推翻。

Scythian art 西徐亚艺术 又称干旷草原艺术。指从俄国的欧洲部分一直到内蒙古阿尔泰山脉以东游牧于中亚地区的部落所制作的装饰品,主要是首饰、马具、篷帐和车辆。古籍中仅存的少量资料表明,称为西徐亚人的这些部落从公元前7～前6世纪到公元前

4～公元2世纪被萨尔马特人征服前，曾统治黑海以北的平原达几个世纪之久。西徐亚许多艺术珍品(现存圣彼得堡爱尔米塔什博物馆)用赤金铸造，于17～19世纪重现于

西伯利亚出土的西徐亚人镶绿松石金质皮带扣
供图：Novosti Press Agency

世，当时还没有现代考古方法，不能更多地查明这些物件的来源。西徐亚人使用木、骨、皮革、贴花毛毡、青铜、铁、银、金和金银合金等各种材料制作艺术品。从阿尔泰的巴季里克墓葬遗址发掘出许多保存完好的饰有华丽的刺绣和贴花的衣物；南俄罗斯豪富的服饰上缝有布满压金小花的饰板。这一时期艺术品的图案以动物为主要形象。游牧民族因经常迁徙，所制造的装饰品一般较小，但许多是用珍贵材料制成的，而且实际上所有制品工艺超群。最引人注目的是长30.5厘米的金制半卧人像，这也许是西徐亚战士携带的圆盾上的装饰品。

SDECE　外国情报与反谍报署　Service de Documentation Extérieure et de Contre-Espionnage的缩写。参阅 **DGSE**。

Sea, Law of the　《海洋法》　1982年12月10日117个国家(和苏联的两个加盟共和国——白俄罗斯和乌克兰)在牙买加蒙特哥贝签订条约编订而成的法律。该法显示出这些与会国家制订涉及领海、航道和各种海洋资源的国际法的努力。美国、英国、西德、以色列、意大利以及其他几个工业化和发展中国家没有在上面签字，他们中的许多国家反对有关海底矿产开采的条款，他们声称，该条款会抑制企业的自由经营。主要签字国中有苏联和法国。依照该条约的规定，各国主权管辖水域是从该国海岸起向外延伸12海里(22千米)。在此区域内，允许外国商船有权无害通过。超出12海里以外，所有无论商用或军用的船只和飞机都可以自由通行。每个沿岸国享有在离海岸200海里(370千米)范围的水域内捕捞鱼类和其他海洋生物的排他性权利；凡是国家之间的分隔水域不足400海里(741千米)者，则需要同意划定另一界线。每个有大陆架的沿岸国都享有从岸边起200海里内大陆架上开采石油、煤气和其他各种资源的排他性权利。至于海底采矿，一般认为公海上的各种海底矿物是"人类共同的遗产"，对它进行开采应由一个全球性的机构来主持。虽然允许私人的和国家的矿产公司参与，但要给予全球性的矿产公司一块与私人或国家公司面积相同或价值相等的开采基地。同时还要有一个生产最高限额，以防止海底矿产开采会给陆基同样矿产的生产者造成经济上的损害。私人矿产公司还必须将自己的技术和技术专业知识售给全球性的企业。有关该条约及其条款的争议可以经过新的海洋法庭或借由仲裁或经过国际法庭予以裁断。

sea-air interface　参阅 **air-sea interface** 气海界面。

sea anemone　海葵　刺胞动物门珊瑚虫纲海葵目无脊椎动物，主要营固着生活，外形似花朵。见于所有大洋从潮间带到10 000米以下深处。有的种类生活于半咸水中。温暖海水中者最大，色彩最鲜艳，数量最多。*Tealia*属种类色彩鲜艳，见于温带地区。海葵有约1 000多种，体型差异很大，直径从数毫米到约1.5米。最大的海葵为*Stoichactis*属的种类，也是最大的刺胞动物。海葵的形态和习性千差万别。体圆柱形，或粗短或细长。口位于身体上端，口周围的部分称为口盘，围以

海葵(*Metridium*)
供图：(上)M. Woodbridge Williams；(下)George Lower—the National Audubon Society Collection/Photo Researchers

花瓣状通常色鲜艳的触手。触手数目或多或少，但均为六的倍数。海葵通常为黄色、绿色或蓝色；以基盘附着于坚硬的表面，如岩石、码头的木材、海生贝类或螃蟹的背上。大部分海葵几不移动；有些则偶然极为缓慢地爬行或以翻筋斗的方式缓慢移动。有些属，如爱德华兹氏海葵属(*Edwardsia*)、滨海葵属(*Halcampa*)和*Peachia*属无足盘，但将身体深埋于泥沙中，仅露出口和触手。幻海葵属(*Minya*)在近海水表面处漂浮，口部向下垂挂。海葵无骨骼，但能分泌角质的外膜。有的种类能分泌黏液，借以黏附沙粒、贝壳碎片或其他异物。触手具刺丝囊，用以麻痹猎物，如鱼类或其他海生动物。某些种类仅食微生物。海葵又为海蛞蝓、海星、鳗鱼、比目鱼和鳕鱼等所食。大部分海葵为雌雄异体。精子和卵通常排入水中，受精在此发生。有时，如在滨海葵属和海葵属(*Actinia*)，精子引入雌体的腔肠中，卵即在此受精。有些种类，如*Anemonia*属，有时可发生纵裂，分成相等的两个个体，借此进行无性生殖。有些种类，如*Metridium*属，足盘可裂成多片，每片生成新的个体。海葵经常与其他生物共生。移栽寄居蟹(*Pagurus arrosor*)将丽海葵属(*Calliactis*)种类放在其栖居的螺壳上携带着。寄居蟹长大，旧壳已经太小时，便另觅新壳为居，并将海葵也移到新壳上。普里多氏真海葵(*Eupagurus prideauxi*)总与隐匿疣海葵(*Adamsia palliata*)生活在一起，从不单独生活。海葵鱼属(*Premnas*)和双锯鱼属(*Amphiprion*)等属的鱼类常安全地生活于*Stoichactis*属，*Radianthus*属和*Discosoma*属的海葵有毒的触手间。但这些鱼类也会被其他海葵个体，甚至同一种海葵的其他个体所蜇刺和吞食。

sea bass　海鲈　鲈形目鮨科鱼类的统称。多为海生，见于热带和温带浅海。约400种，许多种类为著名的食用鱼或游钓鱼。虽然鮨科鱼均俗称海鲈，但许多种类却另有俗名，如石斑鱼、花石斑鱼、大石斑鱼、灰海鲈等等。

黑海鲈(*Centropristis striata*)
绘图：Tom Dolan

海鲈形似鲈鱼，体较长。鳞小，口大，尾鳍后缘直或圆形。鮨类的背鳍为分类特征：分为两部分，前部的鳍条变为棘，后部的鳍条为软条；前后两部通常相连，但亦可隔以缺刻分开。肉食性，以鱼类、甲壳类、软体动物及其他无脊椎动物为食。有的种类游泳不息，石斑鱼等则较少游动。某些种类，如佛罗里达近海的束腰沙鱼(*Serranellus subligarius*)为雌雄同体；另一些种类，如石斑鱼，可先发育成为一个性别，随后又变为另一个性别。鮨类体型差异甚大，小者仅长数厘米，大者如大石斑鱼(*Epinephelu sitajara*)和巨海鲈(巨坚鳞鮨，*Stereolepis gigas*)可长达2米，重225千克以上。不同种间及同种个体间体色差异极大。有些种类能改变体色。有些种类幼体的色型与成体不同。有些种类栖于深水的个体与栖于近岸者相比，体色更红。鮨科的食用鱼及游钓鱼有*石斑鱼*(**grouper**)、黑海鲈(条纹锯鮨，*Centropristis striata*，灰色、浅褐色或浅黑色，分布于大西洋西部)及*Petrometopon cruentatus*(分布于大西洋西部热带水域)。

狼鲈科(Moronidae)有时视为肖鲈科(Percichthyidae)的同义词，有时视为鮨科的一个亚科，约12种，俗名亦称海鲈。分布范围较鮨科海鲈靠北，见于北美、欧洲、亚洲、非洲及澳大利亚温带海域。背鳍分为前后两部分，基部相连。少数种如条纹海鲈(岩生石鮨[*Morone saxatilis*]或岩生狼鲈[*Roccus saxatilis*])进入河流产卵。白鲈(美洲石鮨[*M. americana*]或美洲狼鲈[*R. americanus*])又进入淡水产卵，在某些地区则永久生活在内陆河川或池塘中。著名的狼鲈科海鲈有：欧洲

海鲈(*Morone*[或 *Dicentrarchus*] *labrax*)分布于斯堪的纳维亚到地中海一带,常见于河口。条纹海鲈,著名的北美食用鱼及游钓鱼,体有黑色条纹,可重达 14 千克。白海鲈(金眼石鮨,*M. chrysops*)分布于美国东部的河流,体有深色条纹。白鲈分布于北美大西洋沿岸,最大者体长约 38 厘米,重约 1.4 千克。

sea buckthorn (*Hippophae rhamnoides*) **沙棘** 又作 sallow thorn。又称柳棘。胡颓子科(Elaeagnaceae)柳树状灌木,高约 2.5 米;叶窄,背面呈银白色;果球形,橙黄色,直径约8

沙棘(*Hippophae rhamnoides*)
供图:A. J. Huxley—美国不列颠百科全书公司

毫米。常见于大不列颠的东部和东南部沿海的沙丘,亦广布于欧洲和亚洲山地。常栽培以观其叶及果。

sea butterfly(snail) **海蝴蝶** 参阅 **pteropod** 翼足螺。

sea cave **海蚀洞** 悬崖上由海洋或湖泊的波浪作用形成的洞穴。陡峭的海岬或海浪直接冲击的悬崖海岸几乎都有海蚀洞。它是机械侵蚀的产物,而不是对大多数内陆溶洞之形成起主要作用的化学溶蚀过程的产物。悬崖上的软弱带在波浪冲击下崩塌并被侵蚀殆尽;这些洞在每一个波浪造成的水压的作用下不断扩大。通常称为"通风孔"的孔洞最终可能穿过海蚀洞的顶板,从而容许每一个波浪造成的压力以喷射浪花的形式得以释放出去。

加拿大马格达伦群岛砂岩上的海蚀洞
供图:Bruce Iverson

sea coot(duck) **海蹼鸡** 参阅 **scoter** 海番鸭。

sea cow (*Hydrodamalis gigas*) **海牛** 又作 Steller's sea cow。又称斯特勒氏海牛。海牛目(Sirenia)的大型海兽,曾栖息于白令海中白令岛和科珀岛周围寒冷的水域。"海牛"一词有时又指海牛目的其他种,如热带海牛(**manatee**),更常用来指儒艮(**dugong**)。斯特勒氏海牛于 1741 年被发现,为陪伴 V. 白令作探险航行的 G. W. 斯特勒所描述。海牛体长至少 7.5 米。头相对较小。尾鳍分成两叉,宽阔,水平位。皮肤深褐色,有时有白色条纹或斑点,无牙。以海草为食。斯特勒氏海牛被发现后,俄国的捕海豹者纷纷大肆滥捕。整个海牛种群估计曾达 5 000 头,至 1768 年已经绝灭。

sea crayfish **海螯虾** 龙虾科数种大螯虾的通称。参阅 **lobster**。

sea cucumber **海参** 棘皮动物门海参纲无脊椎动物。约 1 100 种。海参体圆柱形,柔软。长约2～200厘米,厚1～20厘米。色深,暗淡。多瘤状突起,形似黄瓜。内骨骼退化为皮肤内形态各异的微小骨片。许多种海参有从口到肛门的 5 行管足。肛孔兼司呼吸和排出废物。口周围有 10 根或更多能伸缩的触手,用于取食(含营养物质的泥或小型

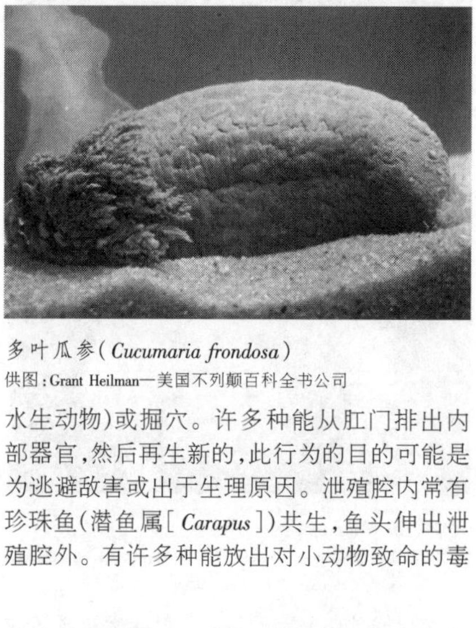

多叶瓜参(*Cucumaria frondosa*)
供图:Grant Heilman—美国不列颠百科全书公司

水生动物)或掘穴。许多种能从肛门排出内部器官,然后再生新的,此行为的目的可能是为逃避敌害或出于生理原因。泄殖腔内常有珍珠鱼(潜鱼属[*Carapus*])共生,鱼头伸出泄殖腔外。有许多种能放出对小动物致命的毒素,但对人无生命危险。南海岛屿居民把海参汁放入水中杀鱼或麻痹鱼。关于食用海参,参阅 **bêche-de-mer**。海参见于所有大洋,多在浅水中,但有时也在深水中。主要产在印度洋和西太平洋。海参属(*Holothuria*)有 80 ～ 100 种,形大,多瘤状突起,在珊瑚礁上数量很多。

sea elephant(aquatic mammal) **海象** 参阅 **elephant seal** 象海豹。

sea fan **海扇** 又称柳珊瑚。刺胞动物门珊瑚纲柳珊瑚目柳珊瑚属(*Gorgonia*)动物,海产。由圆柱形固着生活的水螅体组成,水螅体组成扁平的扇状群体,故名。群体中每个

海扇(*Gorgonia*)
供图:Douglas Faulkner

水螅体的触手数均为 6 的倍数,而与黑珊瑚(8 的倍数)不同。中轴由可弯曲的角质物质(柳珊瑚素)组成,用以支持群体的各分支,外有一层活组织。活体呈红、黄或橙色。伸出的触手组成一个捕食浮游生物的网。扇形的群体多向横截水流的方向生长,以增加捕食的机会。柳珊瑚属约500种,各种之间分支的样式差异很大,但均高达 61 厘米。见于各大洋的浅水中,但以佛罗里达、百慕大和西印度群岛的大西洋沿岸最多。

sea fig(plant) 参阅 **ice plant** 冰叶日中花。

sea-floor spreading hypothesis 参阅 **seafloor spreading hypothesis** 海底扩张假说。

sea gooseberry **海醋栗** 栉水母门球栉水母属(*Hormiphora*)和侧腕水母属(*Pleurobrachia*)动物的俗称,海产无脊椎动物。广布于各海洋,约 90 种。无固着期,终生营浮游生活。以箭虫等小型浮游动物为食。夜间,其蓝白色光有时使海水变色。对人无害,是欧洲鲱鱼的重要食料。体胶质,透明,大致呈球形或梨形。体侧有 8 条间隔相等的纵栉板。栉板由数千条愈合的纤毛组成,纤毛依次击水而推动躯体前进,击水动作由反口极中央的一种感觉器协调。身体另一端为口,通入胃部。通过透明的身体可看到从胃通出 8 条管道。在感觉器的附近有数个肛孔。在体两侧从触手囊中伸出两条分支的长触手。触手

上有黏细胞，这种细胞的头端有黏性，用以捕食。

sea hare 海兔 后鳃亚纲海兔科海洋腹足类动物。壳退化成一平板。触角突出如兔耳，体光滑，或有许多突起。取食大型海藻。如黑指纹海兔（*Aplysia dactylomela*）绿色，有

海兔（*Aplysia*）
供图：S. C. Bisserot—Bruce Coleman Ltd.

环形斑，长10厘米，生活在加勒比地区多草的浅海中。

sea hen 海母鸡 吸盘圆鳍鱼（**lumpsucker**）的一种。

sea holly（algae） **海冬青** 参阅**Sargassum 马尾藻属**。

sea horse 海马 刺鱼目海龙科暖海产小型鱼类的统称。体包于骨环所形成的甲胄中，尾向前弯且能缠卷，头呈马头状而与身体形成一个角，吻呈长管状，口小。背鳍一个，由

直立海马（*Hippocampus erectus*）.
供图：Des Bartlett—Bruce Coleman Ltd.

软鳍条组成。眼可以各自独立活动。体型各异，长约4～30厘米。游泳力差，一般生活于沿岸带，在海藻或其他水生植物间，以尾部攀缠其上。游泳时保持直立状态，靠各鳍推进和改变鳔中的含气量而上升或下沉。以口快速吸入小生物为食。雄鱼携带受精卵，雌鱼将卵产于雄鱼尾部的育儿囊中，直到孵化。幼鱼孵出时，雄鱼扭曲身体，将仔鱼从育儿囊的唯一开口放出。海马是水族箱观赏动物，或视作珍品。用于纹章图案，或用作药材。其种类有：产于大西洋的倭海马（*Hippocampus zosterae*）比别的种体小；欧洲的多枝海马（*H. ramulosus*）或称斑海马（*H. guttulatus*）；太平洋产的管海马（*H. kuda*）形大，褐色或浅黑色；澳大利亚的怀特氏海马（*H. whitei*）体型中等。

Sea Islands 海群岛 美国南卡罗来纳、佐治亚和佛罗里达州沿海一系列低沙岛。在桑蒂和圣约翰斯河口之间，临大西洋沿岸航道。1568年被宣布为西班牙领土。17世纪末成为英国殖民地。海群岛早期被看做私人王国。不同岛屿各有其主，19世纪全部归属美国。卡罗来纳诸岛居民以黑人为主，讲**古勒语（Gullah）**，风俗独特。群岛出产稻米、棉花

海群岛杰凯尔岛州立公园内的景致
供图：John Hall

等农作物。20世纪20年代棉花受虫灾，遂发展多样农业。水产有虾、蟹、牡蛎。辟有数处野生动物保护区和公园，其中有的以堤路和桥梁与大陆相通。圣西蒙斯岛上有弗雷德里克堡国家保护区（1945）。最主要的岛屿为波特罗伊尔。

sea kale（*Crambe maritima*） **海甘蓝** 即海生两节荠。十字花科多年生植物，原产于

海甘蓝（*Crambe maritima*）
供图：A to Z Botanical Collection—美国不列颠百科全书公司

欧亚大陆海滩和峭壁。形状似甘蓝，其嫩叶可烹食；成长叶有蜡质，蓝绿色，具粗齿，长30～90厘米。花白色，四瓣，有蜜香，从基生叶上生出。

Sea Lake 锡莱克 澳大利亚维多利亚州西北部马利地区城镇。位于蒂勒尔湖南岸。坐落在科尔德公路上，有铁路通往东南314千米的墨尔本。地处小麦种植、牧羊和灌溉农业区。有制盐厂（炼取蒂勒尔湖的盐）。人口943（1981）。

sea leopard（aquatic mammal） 参阅**leopard seal 豹形海豹**。

sea lettuce 石莼 在中国俗称海白菜。石莼属（*Ulva*）绿藻。常生长于海洋岩石岸边的潮间带。其碎片可被海浪冲上岸。也生长于富含有机物或污物的半咸水中。原植体片状，似莴苣叶，长达30厘米，有两层细胞，外被坚韧的胶鞘。生活史为同形世代交替。偶

低潮时露出的石莼（*Ulva lactuca*）
供图：Alison Wilson

可发生裂殖。石莼富含碘和维生素A、B、C。可用制沙拉及汤。

sea level 海平面 气-海界面的位置，陆上高度和水下深度都以它为起算点。每个地点的海平面，随着潮汐、大气压力和风而不断改变，较长期的变化则受地球气候变化的影响，因此较好的作法是将海平面定义为平均海平面，即在长期内对潮汐活动的各个阶段进行平均而得到的海面高度。地球平均海平面在

20世纪的大部分时间每年平均上升1.2毫米，其中有显著的短期上升加快(1946～1956年每年5.5毫米)。已经证明，这种上升变动已经发生了很长时间。3.5万年前海平面与目前位置很相近，距今1.5～3万年间下降了130米，以后一直上升。同等大小的海平面升降可能是与更新世(距今200万年至1万年)大陆冰川的消长相伴而生的，因为大洋水是冰川冰的最终来源。海盆形状与大小的缓慢变化对海平面的影响则较小。

sea lily 海百合 棘皮动物门海百合纲海生无脊椎动物，成体以柄固着于海底而生活，柄上有鳞茎状的身体和羽状分枝形似蕨叶的触手(腕)，整个动物外形似植物。海百合主要

美观新海百合(*Neocrinus decorus*)
供图:© Charles G. Messing

见于深海，以有机物碎屑为食。现存80种。长度均不及60厘米。许多种归属于后海百合属(*Metacrinus*)，分布范围自日本至澳大利亚。美观新海百合(*Neocrinus decorus*)是西印度群岛的常见种。已知绝灭的有5 000多种，其中有的长达20米。这些绝灭种是古生代(5.7亿年前至2.25亿年前)的重要标志化石。

sea lion 海狮 海狗科(Otariidae)动物，海豹(参阅**seal**)的一类，属于有耳海豹，5种。特征为：被毛粗糙，短，无明显的下层绒毛，有海狗科特有的小型的外耳，身体柔软。除加利福尼亚海狮外，所有雄性都有鬃毛。海狮的鳍肢比无耳海豹的长，能转动后鳍肢用四肢在陆地前进。以鱼和头足纲动物(如枪乌贼和章鱼)为食。集大群繁殖，一雄率领3～20雌。妊娠期12个月。幼仔褐色。人类小规模地猎杀海狮以取其肉、皮及脂肪。加利福尼亚海狮(*Zalophus californianus*)栖息在加利福尼亚、加拉帕戈斯群岛和日本沿海。灰白色至深褐色，但湿的时候似乎是黑色。雄性的最大体长约2.5米，体重270千克；雌性约1.8米，重90千克。眼大，好嬉戏，马戏团及动物园内训练来表演节目的海豹常是本种。北方海狮(斯特勒氏海狮，有鬃毛北海狮，*Eumetopius jubata*)分布于白令海和北太平洋两岸，淡褐至金褐色。雄性体长和体重约为3.3米和1 000千克；雌性约为2.5米和270千克。南方海狮(南美海狮，*Otaria byronia*)褐色，腹部浅黄色。雄性长约2.5米，重520千克；雌性约1.8米，重135千克。澳大拉西亚地区栖息有2种大型海狮：澳大利亚海狮(灰新海豹，*Neophoca cinerea*)和新西兰海狮(胡克氏海狮，胡克氏新海豹，*Neophoca*[有时称 *Phocarctos*] *hookeri*)。雄性体长2.5～3.5米，体重410千克；雌性体长1.8～3米，体重230千克。

南方海狮(*Otaria byronia*)
供图:George Holton—Photo Researchers

sea marigold 参阅 **ice plant** 冰叶日中花。

sea moth(fish) 参阅 **dragonfish** 海蛾鱼。

sea mouse 海鼠 又称鳞沙蚕。多毛纲鳞沙蚕属(*Aphrodita*)海产环节动物，因外形及行为似鼠而得名。通常7.5～15厘米长，有的长达30厘米。略呈椭圆形。背微隆起，有稠密的刚毛垫，刚毛长约2.5厘米。海鼠也像小鼠那样钻洞和爬行，寻食死亡的动物和腐败的动物尸体。口旁有两对触须状附肢。无眼。全靠许多有毛的小桨状附肢运动。雌雄同体，异体受精。见于潮间带下的泥底或沙底，分布于大西洋两岸和地中海。矛鳞沙蚕(*A. hastata*)分布于从圣劳伦斯湾至切萨皮克湾的北美海岸，于暴雨后常被冲到岸上。

海鼠(*Aphrodita*)腹面的分节现象
供图:Javier Palaus Soler—Ostman Agency

欧洲常见种为针鳞沙蚕(*A. aculeata*)。

Sea of Happiness(Japan) **幸之湖** 参阅 **Chūzenji Lake** 中禅寺湖。

sea pansy 海三色堇 又称海肾。海鳃(**sea pen**)类的某些海生动物。

sea parrot 海鹦 参阅 **puffin** 角嘴海雀。

sea pen 海鳃 刺胞动物门珊瑚虫纲海鳃目(Pennatulacea)无脊椎动物，营群体生活，300种。形似羽毛笔，故其英文名原意为“海笔”。分布范围从极地海洋到热带地区的浅

Leioptilus 属海鳃
供图:Douglas Faulkner

海和深海水域。群体具中央肉茎，其下部为柄，用以将群体固着于泥沙中；上部为轴，其上面着生水螅体(空心肉茎，自由端有口和触手)或枝(上面着生多数水螅体)。中央肉茎称为初级水螅体或轴水螅体；由此生出的分枝称为次级水螅体。某些属，如 *Chunella* 属，只有少数水螅体。其他种类的水螅体为数达35 000。初级水螅体只是一根肉质的茎，中心有一根角质的棒，口和触手退化。可是许多海鳃类外形不似羽毛笔。如分布于北美太平洋和大西洋沿岸的海肾属(*Renilla*)种类形扁平，宛如肾脏，由两半愈合而成，所有水螅体均位于上面一侧。*Anthoptilum* 属、*Funiculina* 属、*Balticina* 属、*Stylatula* 属和沙箸属(*Virgularia*)的种类形细长，棒状，可长达2米。另一些属，如 *Leioptilus* 属，长度不到20厘米，从中央肉茎上生出相对较大的叶状水螅体。多

数海鳃为黄色,橙色,红色或褐色。各水螅体内以中空的管相通,海鳃能通过此管道将水摄入或排出,从而涨大或缩小身体。以水螅体一端的触手捕捉小型生物为食。多数海鳃

海肾属(*Renilla*)海鳃

供图:Bud Meest from Root Resources—美国不列颠百科全书公司

被触碰或受到其他刺激时能发光。次级水螅体有两种类型:管状个员和独立个员。管状个员能通过群体管道系统吸入水流。独立个员司摄食和生殖,能产生卵和精子。精子和卵通过口部排到水中,受精在此发生。浮浪幼体从卵孵出,约一周后沉落海底,发育为新群体的轴水螅体。

Sea People　海上民族　指青铜器时代末左右,特别是公元前13世纪入侵安纳托利亚东部、叙利亚、巴勒斯坦、塞浦路斯和埃及的任何航海者群体。他们摧毁了诸如赫梯帝国等古老的强国。由于古代近东屡遭入侵,以致记录突然中断,这种大动乱的确切范围和根源现在已经无从确定。埃及人曾与海上民族两次交战:第一次是在迈尔奈普塔王(公元前1236～前1223)在位第5年,第二次是在拉美西斯三世(约公元前1198～前1166)在位期间。

sea poppy(plant)　**海罂粟**　参阅 **horned poppy** 具角罂粟。

sea power　海上力量　一国用来将其军事力量向海洋扩张的手段。海上力量是以一个国家利用海洋来反抗敌人和对付竞争对手的能力来度量的,它包括各种组成成分,诸如作战舰船和武器、辅助舰船、商船、基地以及训练有素的人员等。控制海上运输的飞机即使从陆上基地出动也算作海上力量;从航空母舰出动的飞机即使突击内陆目标也是海上力量的延伸。为作战而专门设计的军舰(区别于武装商船)是在16世纪首次出现的。从那时起,直至第二次世界大战,除了对海岸或内陆目标轰击力大大提高外,海上力量的作用始终没有变。海上力量的强弱决定于下列因素:人口,政权性质,经济状况,港口数目和质量,海岸线长度,本国殖民地和与所需求的海上交通有关的基地的数目和地理位置。海上力量的主要目的始终是保护己方海运不受敌方袭击,并摧毁或阻止敌方的商业或军事海运。当交战国一方在一部分海域能绝对控制海运时,这个国家就可视为有了制海权。海上力量可对敌人施加军事和经济压力,阻止其进口作战物资以及输出商品获取资金;向中立国施加压力,阻止其同敌方贸易。这种使用海上力量的方式就叫做封锁。海军也被用来从海上轰击陆上目标,20世纪上半叶这一作用变得特别重要。航空母舰的发展使轰击能力由平面发展到立体。后来导弹核潜艇的问世也出现这种情况。20世纪60和70年代,核潜艇是海上力量独一无二的最重要的工具。在全面核战争中,核潜艇的作用同战略空中力量和陆基导弹几乎不分轩轾。A. T.马汉的《海上力量对1660～1783年历史的影响》(1890)一书是论述海上力量为国家实力基础的经典性著作。

sea robin　鲂鮄　又称豹鲂鮄(gurnard)。鲂鮄科体长的底栖鱼类的统称,产于世界暖海及温带海洋。体形长,头被骨板,背鳍两个。胸鳍扇形,下部几根鳍条分离,各自形成指状触器,用以在海底"步行"以及探寻软体动物、甲壳类及其他底栖动物。体色鲜艳,胸鳍更

灯鲂鮄(*Trigla lucerna*)

绘图:Karen Allan

绚丽多彩。如欧洲的灯鲂鮄(*Trigla lucerna*),体淡红色,胸鳍具鲜亮蓝色和绿色的边缘与斑点。鲂鮄类也能发声,能以鳔与相连的肌肉发出人耳能听到的声音。美洲大西洋沿岸常见的普通鲂鮄(卡罗来纳锯鲂鮄,*Prionotus carolinus*)以能发声而闻名。最大的鲂鮄类长可达约70厘米。一些鲂鮄具鳞,有些只被以骨板。被骨板的种类有时另分立为黄鲂鮄科(Peristediidae),体扁平,栖深水,其他方面均与具鳞的鲂鮄相似。

sea rocket　海南芥　十字花科海南芥属(*Cakile*)植物,约17种。原产北美、欧亚大陆、亚洲西部、澳大利亚诸地海岸至阿拉伯沙漠中部。海边海南芥(*C. maritima*)产欧洲,叶圆裂,质厚,有蜡质;花穗淡蓝紫色;直根长;带叶的分枝高30～60厘米,从直根长出。无小齿海南芥(*C. edentula*)原产北美海滩及大湖区,与上述种相似。

sea scorpion(extinct aquatic invertebrate)　**海蝎**　参阅 **giant water scorpion** 广翼蝎。

sea scorpion(fish)　**海蝎鱼**　参阅 **sculpin** 杜父鱼。

sea serpent　海蛇　神话和传说中的海洋动物,传说像一条巨蛇。在整个古代世界,人们普遍相信海底深处住着巨兽。在《旧约全书》中有几处提到,上帝与名叫利维坦或拉阿伯的妖敌进行一场原始格斗。虽然提到利维坦之处,通常均指一种龙形动物,但这名称也用来泛指一般海妖(参阅 **dragon**)。类似的格斗在整个古代中东都有。巴比伦文学中记载着马尔杜克神与多头蛇龙提阿马特之间的一场战斗;而在赫梯神话中,司风雨之神战胜了巨龙伊卢杨卡。同样,叙利亚北部沙姆拉角(古代乌加里特)的一首迦南诗记载了巴力神同一个叫利维坦的怪物之间的一次战斗。马尔杜克同提阿马特格斗的故事被认为是基督教神话中圣乔治与龙的传说的前身。尽管海蛇的故事持续存在许多世纪,但迄今捕获的动物都无一例外地证明是属于早已为人熟知的种类。大量关于巨大海怪的已考证过的故事的存在,似乎可以解释为对已熟知的动物观察不确所致。例如,一些彼此追逐游动的海豚,有规律地抬头呼吸空气出现的直上直下的波动,会造成是一条蛇似的大动物前行的身影。大堆的海草的翻动常常被错认为是什么大动物。欢快的鲨鱼,海蚯蚓、带鱼或皇带鱼及海狮也被人当成所谓的海蛇。对海蛇最生动的描述是与鲸的博斗,它可以缠它两圈,把它拖入水底。过去见到淡水中的"怪兽",特别是见到苏格兰北部内斯湖"怪兽"的说法由来已久,它们一直是调查研究的对象,但至今仍无定论。

sea slug(snail)　**海蛞蝓**　参阅 **nudibranch** 裸鳃类。

sea snail(fish)　参阅 **snailfish** 狮子鱼。

sea snake　海蛇　海蛇科海栖毒蛇的统称,50余种。身体扁平,尾呈桨状,适于水生生活。鼻孔开口于吻背,有瓣膜司开闭。有几种的躯干比头和颈部粗得多,在咬猎物时能

黑纹海蛇(*Laticauda colubrina*)

供图:Douglas Faulkner

保持身体稳定。有的种,如扁尾蛇亚科(Laticaudinae)的种像陆栖种类那样具宽大的腹鳞,其他种,如海蛇亚科(Hydrophiinae)种类腹鳞小,不适于陆地生活。多数体长1～1.2米;最大的种,如日本的鲜美海味——半环扁尾蛇(*Laticauda semifasciata*)体长相当于一般种类的两倍。大多数海蛇栖于澳大利亚和亚洲的沿海及海湾,仅黄腹海蛇(浮游海蛇,长吻海蛇,*Pelamis platurus*)广布太平洋至马达加斯加和整个新大陆。体长约1米。深棕色

或黑色,腹部为鲜明的黄色。海蛇类以鱼为食,有时集大群于海面晒太阳。扁尾蛇亚科有几个种上陆产卵,其他皆于海中产幼蛇。海蛇一般攻击速度缓慢,但有的种类,如青环海蛇(*Hydrophis cyanocinctus*)和钩嘴海蛇(裂颌海蛇,*Enhydrina schistosa*)带有致命的毒液。

sea sparrow 参阅 **auklet** 小海雀。

sea spider 海蜘蛛 又作 pycnogonid。节肢动物门坚殖腺纲(Pycnogonida,又称皆足纲[海蜘蛛纲,Pantopoda])蜘蛛状海产动物。以细长的足在海底步行或在动植物间爬行,有的能踩水。多数在4个躯干节上生4对细长的足。热带浅水种体长3毫米,深水种50厘米。口三角形,在细长的吸吻的末端,吻常较躯体更大更长。成体吸食软体无脊椎动物的体液,或取食水螅虫(刺胞动物门)和苔藓虫。具4个单眼,但深水种常无眼。消化系统和生殖系统有分支通入足内。雌雄异体,体外受精。雄体以一对特化的足携卵直到孵化。许多种的幼体寄生在刺胞动物或软体动物身上,但无重要经济意义。神经系统和循环系统简单,似无呼吸和排泄系统。分类依据为各种前部附肢是否存在。现存约12科,目的区分不清楚。现存约600种,已知侏罗纪(约1.36亿年前~1.90亿年前)有一化石种。坚殖腺类有时又称鞭尾蝎(有鞭蝎)。

sea squirt 海鞘 又作 ascidian。尾索动物亚门(Urochordata,或称被囊动物亚门[Tunicata])海鞘纲无脊椎动物。具有原始脊椎动物的一些特点。营固着生活。形似马铃薯而

海鞘(*sea squirt*)
供图:Kenneth R. H. Read

不像动物,各海洋均有分布,从潮间带到最深处。成体永久固着在码头柱桩、船体、岩石、大型海贝和大型蟹背上。单独固着或成群体。外有保护性被囊。水由两个大孔流入和流出体腔,食物和氧随水流进入。栖于沿岸的种类以动植物残屑为食;深水种类主要以浮游生物为食。雌雄同体,但排入水中的卵由异体的精子授精。幼体形似蝌蚪,自由游泳。体前端吸盘的后方是口。尾部有脊索和神经索。幼体找到固着地点后,以吸盘附在其他物体上。尾部萎缩消失。除一个神经节外,脊索和神经索完全消失。也行出芽生殖,在近基部处生出指状芽,脱落后固着在别处长成新个体。

sea star 海星 参阅 **starfish** 星鱼。

sea swallow 海燕子 几种海岸燕鸥类海鸟的俗称。参阅 **tern**。

sea trout 海鳟 参阅 **weakfish** 狗鲅。

sea turtle 海龟 棱皮龟科和海龟科的海栖龟类的统称。适应水生生活,四肢变成鳍状,利于游泳。一般仅在繁殖季节离水上岸,雌龟将卵产在掘于沙滩的洞穴中。棱皮龟

棱皮龟(*Dermochelys coriacea*)
供图:Jane Burton—Photo Researchers

(*Dermochelys coriacea*)是现存龟类中最大的种类,长约2.1米,重约540千克。两个前鳍末端之间的跨距约2.7米。最大体长可达3米,重约900千克(但未充分证实)。背甲由骨板组成,覆以深褐色或稍黑的革质皮肤。背部有7条明显的纵棱,腹部有5条。栖于全球各海洋,长于游泳,杂食。绿龟(*Chelonia mydas*)以脂肪为绿色而得名;体大且重,背甲长约0.7~1.0米;体重约90~140千克。最大的体长约1.2米,重375千克。背甲宽而平滑,全身褐色或淡绿色,见于全球各地沿海的温暖水域;主要取食海藻;与其他海龟不同,有时上岸晒太阳。蠵龟(*Caretta caretta*)大型,形似绿龟,但头部较大。微红褐色或褐色,背甲长约0.7~2.1米。大者一般重135千克,但曾记录过重约400千克者。据报告其脾气坏,肉食性,遍布全球各海洋。玳瑁(*Eretmochelys imbricata*)体较小。上下颚钩状。其种名意为"覆瓦状",指背甲上的骨板覆瓦状排列。遍布全球海洋温暖水域。富攻击性,以动物和植物为食。甲长约40~55厘米,体重约13~45千克。里德氏龟(丽龟属[*Lepidochelys*])是小型海龟,甲宽而圆。大西洋里德氏龟(肯普氏丽龟,*L. kempii*)灰色,甲长60~79厘米;产于墨西哥湾,偶见于墨西哥湾流,北至新英格兰,东至大不列颠和欧洲。这种龟俗称"杂种龟",此名源于人们误认为大西洋里德氏龟是绿龟和玳瑁的后代。太平洋里德氏龟(*L. olivacea*)栖于印度洋-太平洋区的温水区域;体大于大西洋的种类,略呈绿色,取食动物和植物。

sea urchin 球海胆 棘皮动物门海胆纲体呈球形器官辐射状排列的动物,约700种。表面骨板互相嵌合成壳。从口到肛门有5条步带区,上有孔。管足从孔伸出,细而末端通

石笔海胆(*Heterocentrotus mammillatus*)
供图:Douglas Faulkner

常有吸盘。壳的小结节上有可动的长棘和叉棘,上面可能有毒腺。口位于体下面,内有称作亚里士多德氏提灯的一种复杂的咀嚼器官(也可能有毒,有齿,能伸出从岩石上刮取藻类和其他食物)。有些种能在珊瑚、岩石,甚至钢铁中开凿隐蔽场所。生活在海底,常在硬物上用管足和棘运动。*Sperostoma giganteum* 见于日本深海,曾发现一巨大个体,为最大的海胆。帽针海胆类,如地中海和东大西洋的 *Centrostephanus longispinus*、印度洋-太平洋的刺冠海胆(毒刺海胆,*Diadema*[前作 *Centrechinus*] *setosum*)以及弗罗里达和西印度群岛的安的列斯冠海胆(*D. antillarum*),有长达30厘米的毒刺。印度洋-太平洋的石笔海胆(*Heterocentrotus mammillatus*)的刺12厘米长,1厘米厚,其粗细足以当笔使用。偏肿三列海胆(*Tripneustes ventricosus*)的卵巢可以生吃或煎食。地中海地区的"海果"即 *Paracentrotus lividus*(极善钻凿岩石)及其同属海胆的卵块,巨紫球海胆(*Strongylocentrotus franciscanus*)分布于美国太平洋沿岸,其卵是佳肴。紫球海胆(*S. purpuratus*)亦分布于美国太平洋沿岸,稍小,能在钢桩中打洞。*Lytechinus variegatus*(浅绿色,分布于美国东南海岸及加勒比海)及 *Psammechinus*(或 *Echinus*) *miliaris*(形大,刺短,分布于冰岛、欧洲及西非)生活于浅水,会用管足捡起海藻碎片或贝壳以遮挡阳光。阿巴契斯海胆属(*Arbacia*)的种类,如微点阿巴契斯海胆(*A. punctulata*)形小,浅红或浅紫色,自科德角至西印度群岛常见,常用于胚胎学实验,产卵数可达数百万。参阅 **cake urchin**; **heart urchin**。

sea-urchin cactus 海胆掌 仙人掌科刺猬掌属(荷包掌属,*Echinopsis*)植物,约30种,原产南美中等海拔沙漠灌丛地及草原。有数种(尤其是复活节百合掌[薄刺猬掌,*E. multiplex*])易栽培,花大,花管长达25厘米,很受欢迎。大部分种类耐寒,在地中海气候条件

海胆掌(*Echinopsis tubiflora*)

供图:Grant Heilman—美国不列颠百科全书公司

下能在室外生长。该属植物圆球或圆柱形,最大的种类高达1.5米,茎多肋,刺短。花通常芳香,一般为白色,少数呈粉红色,日落后开放。花期最长36小时。

sea walnut(*Mnemiopsis*) **海胡桃** 栉水母门触手纲属动物的俗称,常见的海洋浮游动物。外形似海醋栗,但如其他多种栉水母一样,体伸长成8叶。成体长约70毫米,营浮游生活。与海醋栗不同,除见于沿海岸带外,还见于远海。可能没有体型更大的动物数量能比海胡桃多。海胡桃有时聚成大群。体侧栉状器发蓝白色光,夜间集成大群时使海洋变色。最常见于暖海中,但亦见于纬度较高的海中。在美国东海岸一带常被冲上岸,海胡桃一名即源于该地区。海胡桃对人无害。

sea whip **海鞭** 柳珊瑚目数属珊瑚的统称,其特征是体色多样,鲜艳,生长成长鞭状。该长"鞭"由微小的水螅体聚集生长于一条茎上构成,水螅体可着附在其他水螅体身上。

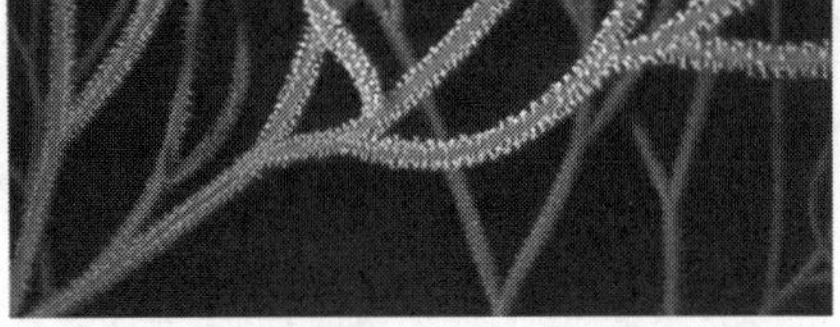

海鞭(*Ellisella*)

供图:Douglas Faulkner

水螅体体内含石灰质的骨针,成为坚硬但可屈曲的支持物。

Seabiscuit **航海饼干**(1933年出生) 美国良种赛马。在1935～1940年的6个赛季中,89场胜33场,共赢彩金437 730美元,创当时美国良种马最高纪录。1937年创$1\frac{1}{8}$英里的1分$48\frac{4}{5}$秒纪录。次年在一次著名的竞赛中挫败1937年3岁良种马三王冠赛的优胜者海军上将。最后一次比赛是在加利福尼亚州圣阿尼塔的让步赛中获胜,赢得10万美元。其后退役为种马。

Seaborg, Glenn T(heodore) **西博格**(1912-04-19,美国密歇根伊什珀明～1999-02-23) 美国著名核化学家,由于分离和鉴别超铀元素与E.M.麦克米伦共获1951年诺贝尔化学奖。1934年在洛杉矶加利福尼亚大学获学士学位,1937年获伯克利加利福尼亚大学博士学位。1937～1945年在伯克利相继担任研究助理、讲师和助理教授。1946年任化学教授。1958～1961年任伯克利加利福尼亚大学校长。他和其同事在1940～1955年先后发现原子序数为94～102的9个新元素。其中,钚(94)是早已为人们所熟悉的用于核裂变和核动力的材料。第二次世界大战期间,他领导的芝加哥大学冶金实验室用新设计的铀反应堆首次以工业规模生产钚,也是最早从核反应产物中成功地分离钚。其他

美国原子能委员会供图

的新元素是镅(95)、锔(96)、锫(97)、锎(98)、锿(99)、镄(100)、钔(101)和锘(102)。为预示这些元素的性质以及解决这些元素和许多重元素在元素周期表中的排列问题,1944年西博格提出了重要的编制原则,称为锕系元素概念。按照这个概念,这14个质量比锕大的元素属于周期表中单独的系列。西博格担任过美国原子能委员会主席(1961～1971),其后回到伯克利加利福尼亚大学。他发表过许多论文和专著,其中有与W.R.科利斯合著的《人与原子》(1971)。

Seabury, Samuel **西伯里**(1729-11-30,美国康涅狄格格罗顿～1796-02-25,康涅狄格新伦敦) 美国圣公会首任主教。曾在耶鲁大学和爱丁堡大学学医。1753年受按立为牧师,先后在新泽西州新不伦瑞克、纽约州杰梅卡和韦斯特切斯特教区工作,同时他还行医。曾撰写小册子劝告美国人不要争取脱离英国而独立,引起主张独立的政治家小汉密尔顿撰写多种小册子予以批驳。1783年任康涅狄格和罗得岛主教。1785年在苏格兰受圣职后回到美国。

Seacole, Mary **西戈尔**(1805,牙买加金斯顿～1881-05-14,英国伦敦) 婚前名Mary Jane Grant。牙买加护士,克里米亚战争期间曾在前线照顾过英国伤员。父亲是一名苏格兰军人,母亲是牙买加自由黑人妇女,能熟练地掌握当地传统医药,对在她家寄宿的病人提供看护。1836年与E.H.西戈尔结婚,在旅行结婚期间,他们先后到过巴哈马群岛、海地和古巴,详细考察了当地的传统医学和治疗方法。1844年,丈夫病故后巴拿马流行霍乱,她从中取得了更多的护理经验。回到牙买加后就开始护理黄热病患者,其中有不少是英国军人。1854年,克里米亚战争迅速扩大,英法两国对俄国宣战,前线伤员激增,但给养缺乏、战地护士奇缺。此时,西戈尔正在伦敦。尽管她护理经验丰富,但她自告奋勇上前线的申请还是被拒绝了。她认为要求遭拒是由于种族偏见。1855年,在丈夫的亲戚帮助下,她以随军商贩的身份混进战区,开了一间英国旅馆,向英国军人出售食品、各种补给和药品。还在战区医院帮助伤员,在前线伤员转运站营造出一种家庭氛围。特别是对霍乱和痢疾患者的治疗做出重要贡献。战后,她回到英国后受贫困困扰,宣告破产。她的窘境引起了媒体的注意。为了给她募集救济款,军界连续4天在皇家苏瑞园举行盛大筹款晚会,以感谢她对国家做出的贡献。法国、英国和土耳其都向她颁发了勋章。1857年,她的自传体小说《西戈尔夫人漫游记》出版并成为畅销书。她逝世后似乎被世人遗忘,但在2004年英国百位伟大的黑人评选活动中,西戈尔位居榜首。

seafloor spreading hypothesis **海底扩张假说** 大洋地壳沿一些统称为大洋中脊体系的海底山脉带形成,并从这些带横向向外扩张的学说。这一思想在板块构造学的发展中起了关键作用,而板块构造理论则在20世纪的后25年使地质学思想发生了革命。海底扩张假说是美国地球物理学家H.H.赫斯于1960年提出的。赫斯以关于深海海底的新发现为依据,设想来自地幔的熔融物质一直在沿着环绕全球各大洋达6万千米的大洋中脊顶部不断上涌。岩浆一旦冷却,就从洋脊两翼被推开。这种扩张造成了越来越新的洋底,而上涌物质的流动则被设想为引起大陆漂移的诱因。例如,据信濒临大西洋的各大陆正在以每年1～2厘米的速率背离大西洋中脊运动,因而大洋盆地以两倍于此的速率加宽。凡是大陆濒临深海沟系的地方,例如在太平洋中,洋底地壳则向下弯转而俯冲于大陆地壳之下,最终重新进入并溶解在它所发源的地幔之中。有一大批确凿的证据支持海底扩张假说。例如,用热探针进行的研究表明,通过洋底沉积物的热流一般都与通过大陆的不相上下,唯独在大洋中脊的某些地点,测得的热流为正常值的3～4倍。这种异常的高热流值被认为是在洋脊顶部熔融物质人侵的反映。研究结果还揭示,洋脊顶部具有地震波速异常之低的特征,这可以归结为上涌岩浆引起热膨胀和微破裂的结果。大洋磁异常(局部地磁扰动)的探索进一步确证了海底扩张假说。这种研究已经证明,距离洋中脊系的轴线越来越远时,地磁场强度交替出现高值异常和低值异常。这种异常特征

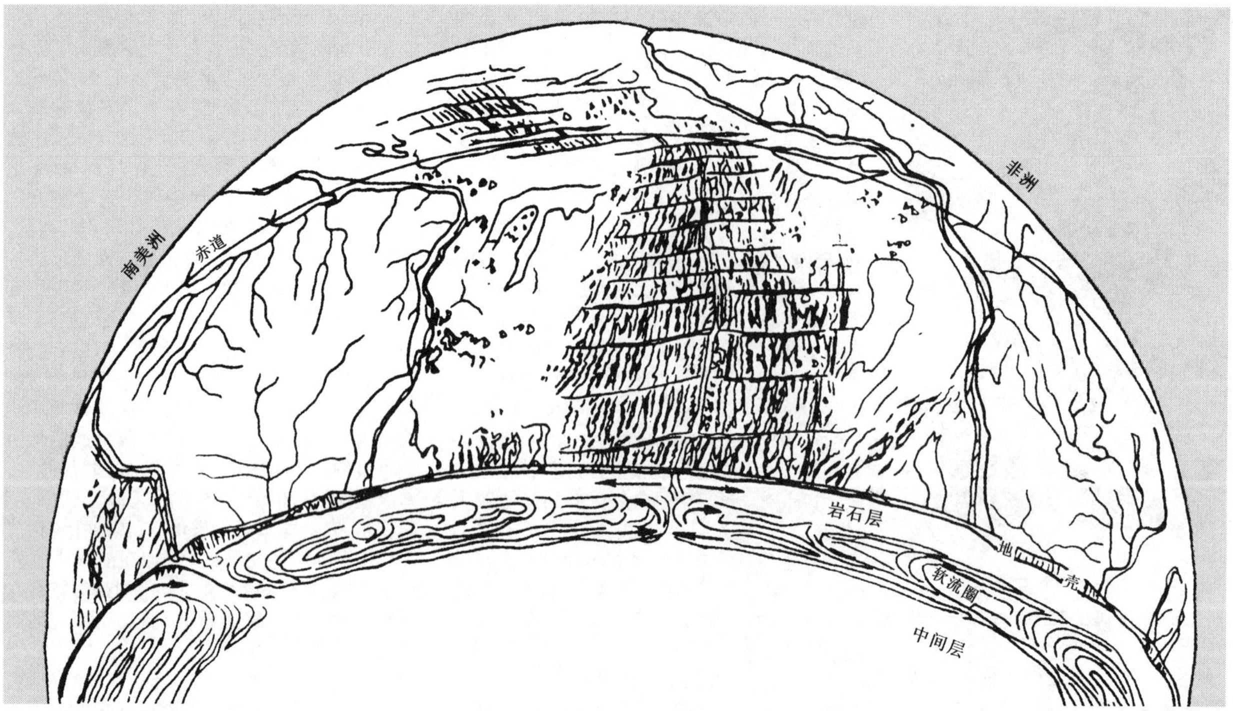

海底扩张假说图示

在轴线两侧呈对称分布并与轴线平行，形成平行的异常条带。对海洋沉积物厚度的测量和对这些海底物质的绝对年龄测定为海底扩张提供了附加的证据。采用钻孔取芯、挖掘和深海钻探等多种方法，迄今所采集到的最古老的沉积物年代仅为侏罗纪，也即它们的年龄不超过1.9亿年。这些发现与多年来盛行于地球科学家之中的认为大洋盆地是恒久不变的学说是不相容的。

sea food　海味　可食水生动物的总称，既包括海水动物也包括淡水动物，但哺乳动物除外。大多数无毒的水生动物均可食用，甚至有毒的，如河豚鱼亦可经特别处理后食用而不致伤害消费者。鱼和其他海味是人类的主要食物，为世界人口提供15%的蛋白质，仅次于谷物。不带脂肪的鱼肉蛋白质含量占重量的18%～25%，与牛肉和禽肉相等，但热量低。鱼蛋白质每克含热能4～10卡，而瘦肉蛋白质每克含热能10～20卡，肥肉为30卡。海味包括：所有多骨刺的鱼和较原始的鲨鱼、鳐鱼、魟鱼、锯鲛、鲟鱼、八目鳗；甲壳动物，如龙虾、蟹、小虾、对虾、小龙虾；软体动物，包括蚌蛤、蚝、海扇、贻贝、玉黍螺、峨螺、蜗牛、鲍鱼、蜮；头足类软体动物，如鱿鱼、章鱼、墨鱼；食用海蜇；海龟；蛙类；棘皮动物，如海胆、海参。主要的商品海鱼是各种鲑鱼、鲱鱼、鳕鱼、鲽科鱼（川鲽、比目鱼、拟庸鲽、箭齿鲽）、真鲈、鲹科鱼、金枪鱼、鲭鱼和沙丁鱼。主要的淡水鱼有鲤鱼、鳗鱼、鳟鱼、白鱼、狗鱼、梭鲈和鲇鱼。捕捞长度范围从4.3米长的金枪鱼到5厘米长的银鱼和小鳗鲡。海味的滋味因其品种及环境的不同而有很大差异。有的种类过于油腻、粗糙或多刺，因而没有任何烹调的价值。一般来说，海鱼比淡水鱼好吃，洁净清冷的急流中的鱼比热而混浊的死水塘或小河里的鱼好吃。在污染的水中生长的甲壳动物及软体动物对健康有害，且不好吃。由于鱼容易腐败，所以历来人们将捕获物晒干、烟熏、盐腌、酸渍或发酵。甚至不十分需要这种保存法，因为具有特殊风味，这类食品仍然很有市场。鱼可以整条烧，或切成鱼片、鱼块、鱼段烧。甲壳动物一般是直接生煮，大多数软体动物亦然。较大较韧的软体动物则可磨碎，或切片、捶击使韧肉变得柔软。很多海味能生吃，或完全生吃，或醋渍以改进质量。除肉外，鱼卵和龟蛋也可食用。鲟鱼卵制成的鱼子酱过去是一种廉价的普通菜；19世纪后期全世界鲟鱼的数量急剧下降，现在成了美食的代名词。烹调鱼或贝壳类，要注意不得滥煮。一般经验是：按照鱼的最厚部分计算，每2.5厘米厚度要煮10分钟；若和佐料一起煮则需增加5分钟；冻鱼需要延长一倍时间。世界上鱼的烹调技术甚多，可炖、炸、烤、干烧、嫩煎、蒸或生吃。海味经常与其他原料混合，配成多种美味的炖菜、汤、烩菜、秋葵汤或浓羹。凡肉细味美的海味可少用佐料和酱汁；而具有异味且肉粗、油腻者，则应加较多的强调味料。

Seagram Company Ltd.　西格拉姆有限公司　从前的加拿大公司，曾是世界最大蒸馏酒生产商和销售商。公司开创时S.布朗夫曼在蒙特利尔拥有一家酒厂——制酒者有限公司；1928年该公司收购了西格拉姆父子公司。合并后的新公司名为制酒者-西格拉姆有限公司，在禁酒时期后一阶段及20世纪30年代发展迅速。至40年代它已成为美国与加拿大的最大制酒商。公司在其创造人之子E.M.布朗夫曼（1971年成为公司的领导）的领导下，于50与60年代实现了经营多样化，从原先制造混合威士忌酒的基础出发，发展到生产和销售苏格兰威士忌酒、波旁威士忌酒、朗姆酒、伏特加酒、杜松子酒及许多其他不同的酒。它还扩大产品销售，远及欧洲、拉美、东亚及非洲市场。1989年E.M.布朗夫曼之子接管公司，开始出售公司的酒类业务，后与一家法国媒体公司合并。至2002年公司的所有资产已归其他多家公司所有。

seal　印记　在提供或使用文件及证件时，将雕刻过的硬物表面压在蜡或黏土等较软物质上造成浮雕图案而形成的印记。远古即使用印记来证实文件的真实性。研究印记的印记学（**sigillography**）是一门重要的历史学科。

seal　海豹　所有鳍脚型水生哺乳动物种的统称。分布全世界，常栖息于海岸附近，寒冷的两极海域特别多。海豹是肉食性海洋动物，体长1～6.5米。在陆地上生育和脱毛，极善游泳和潜水，特别是韦德尔氏海豹（**Weddell seal**）。各种海豹的潜水深度为150～250米，在水下可以停留20～30分钟以上。对于水生生活的适应性变化包括：身体呈流线型；四肢变成短的桨形鳍肢；有一层厚的皮下脂肪（海兽脂）保暖，并提供食物储备，产生浮力。有的作远距离定期迁徙。以鱼类、甲壳类动物和其他海洋动物为食。许多种（可能大部分种类）有植入延迟。妊娠8～12个月，每产1仔。奶中含约50%的脂肪，幼兽生长迅速。海豹常被猎杀以取其肉、皮及脂肪。无耳海豹（真海豹）无外耳，属海豹科（13属，18种）。雄或小于雌，或比雌大得多，因种而异。无耳海豹靠划动后鳍肢游水，后鳍肢不能向前移动，在陆地上只能拖动身体前行，或者不停地扭动。大多数无耳海豹繁殖季节雌雄结对。幼兽2～4个星期断奶。多数种的幼兽生下来有覆以绒毛的白色毛皮。这些毛皮，尤其是竖琴海豹（参阅 **harp seal**）幼仔者，在毛皮业很受珍视。有耳海豹（海狮和皮毛海豹）有外耳，属海狗科（7属，12种）。鳍肢比无耳海豹长，雄比雌大1～3倍。靠前鳍肢推进游水。向前转动后鳍肢，四肢着力在地面向前移动。繁殖季节集成大群。幼兽吃奶4～6个月。马戏团海豹(参阅 **sea lion**)为海狗目的种类。参阅 **carnivore**;**mammal**。

sealing wax 封蜡 从前广泛用于密封信件以及在文件密封处压上印记的材料。在中世纪,是由蜂蜡、威尼斯松脂和颜料(通常为朱砂)组成的一种混合物。后来,从印度尼西亚来的虫胶代替了蜂蜡。蜡经熔化和搅拌配制而成,然后将熔融的混合物倒入棒形模中,把模移到待密封的信封或文件上方,用蜡烛或其他火焰加热,最后在形成的蜡滴上压上封印。

Sealyham terrier 锡利哈姆㹴狗 19世纪后半期 J. 爱德华兹船长育成的㹴狗品种,用以在其威尔士锡利哈姆庄园内猎狐、水獭及獾。体小而壮,短腿,胆大,精力充沛,善猎。被毛有两层,下层松软,上层坚硬,呈单一白色或体白色而在头和耳上有黑白相间的斑纹。肩高约 27 厘米,体重约 9.5 千克。

Seamans, Robert C(hanning), Jr. 西曼斯(小)(1918-10-30,美国马萨诸塞塞勒姆~2008-01-28,马萨诸塞贝弗利农场) 美国航空工程师,研制现代飞机先进的飞行操纵系统、火控系统和制导系统方面的先驱。1941 年当他还在麻省理工学院攻读硕士学位时,就担任该院的飞机仪表学教员。在美国工程师 C. S. 德雷珀的指导下,他研究海军高射炮用的火控系统。他关于高速飞机操纵和导航问题的博士论文,对于发展导弹的自动飞行控制、自动跟踪设备、寻的系统以及洲际弹道导弹的制导系统证明是很有价值的。1945 年任麻省理工学院航空工程助理教授,1949 年任副教授。1950 ~ 1955 年任海军导弹计划(流星计划)的总工程师,其后又任美国无线电公司机载系统实验室主任。3 年后任美国无线电公司导弹控制和电子设备部主任。他历任国家航空和航天局局长助理(1960 ~ 1965)、副局长(1965 ~ 1968)、科学顾问(1957 ~ 1967)、空军部部长(1969 ~ 1973)、国立工程学院院长(1973 ~ 1974)、能源研究与发展署署长(1974 ~ 1976)。1977 年回麻省理工学院任环境与公共政策的卢斯讲座教授,次年又被任命为麻省理工学院工程学院院长,直至 1981 年。1965 和 1969 年获国家航空和航天局优异服务勋章。1980 年获 T. D. 怀特国防奖。

Seami Motokiyo 参阅 **Zeami** 世阿弥。

seamount 海山 高出周围深海底至少1 000 米以上的海底大火山,较小的海底火山称海丘,平顶的海山称平顶海山(guyots)。大西洋东北部的"大流星桌状海山"显示出能够包含这种特征的规模大小,它高出周围地域 4 000 米,基底直径达 110 千米。较大的海山的山坡通常都向上凹,坡度很少超过 14°;较小的海山则没有这种上凹,山坡可以陡到 35°。平面往往呈椭圆形或细长形,可能是由于熔岩是从海底的线状裂缝中喷出的。海山上采掘出的物质大部分都是微晶质或玻璃质的大洋型玄武岩,大概是海底熔岩流形成的。顶上和坡上一般都薄薄地盖着一层海相沉积物。在所有大洋盆地里都有海山,按 20 世纪 70 年代后期的报道,仅太平洋盆地里的海山就超过 1 万座。几乎每次海洋考察都会发现新的海山,估计全世界各大洋里约有 2 万座海山。如果几座海山是由一条线状裂缝中流出的熔岩形成,就可造成排成一线的海山丛。大多数太平洋的海山都呈 10 座到 100 座的线形山丛或狭长山群。海山链中的各个海山可以共有一条脊,将山根连接起来,像太平洋中部山脉那样。太平洋盆地里的海山链往往沿西北一东南方向排成一行,而且许多海山链同断裂带密切相关。西南太平洋的埃尔坦宁断裂带就是一例。大西洋西北部至少有一条海山链,即新英格兰海山群。在印度洋方面还没有见到海山链的报道。这可能是因为这个洋盆还测量得不够。

séance 降神会 以灵媒(**medium**)为中心人物而设法与亡灵通话的集会。通常在暗处或光线较弱之处举行,因为据说光线不利于人鬼相通。一般有 6 ~ 8 人参加,参加者往往手挽手站成圆圈。如果听到据说是亡灵所发出的声音或灵媒发言或者看到亡灵,信者就认为人鬼已经相通。有时恍惚听到不知从何而来的音乐充满房间,有时物件似乎自行移动,有时出现由灵媒所产生的"外质"(**ectoplasm**)形成死者手、肢体或全身形象。其他人鬼相通手段还有鬼笔写字、入定灵言、扶乩等。至于某些招魂者是否真能与神鬼相通,仍无定论。

seaperch(fish) 参阅 **surfperch** 海鲫。

seaplane 水上飞机 可以在水面上起落、漂浮的飞机。机身类似船体的,称船身式水上飞机;有分离式浮筒的,称浮筒式水上飞机。第一架实用的水上飞机是G. H. 柯蒂斯于 1911 和 1912 年在美国制造和飞行的。他的发明使英国在第一次世界大战时制成水上飞机,由此而出现了海军航空任务,如海洋巡逻、反潜战、布雷和海上救援。战后,这些飞机的商用型创造了当时航程和续航时间纪录。1919 年美国海军的海基水上飞机 NC-4 第一次经亚速尔群岛横渡北大西洋。20 年代后期,世界上最大、最快的飞机都是水上飞机。1929 年苏联装有浮筒的昂特 4 型飞机由莫斯科经西伯利亚到纽约,以及 30 年代意大利的机群从罗马飞到里约热内卢和从罗马飞到芝加哥,这几次飞行充分显示了水上飞机的效用和多用途的特性。第二次世界大战爆发后,由于陆基飞机的航程增大,以及陆上基地和航空母舰的建设,水上飞机的军事意义和商业意义逐渐降低。第二次世界大战后水上飞机仍继续发展,但是规模很小。水上飞机必须有足够的浮力,在水面滑行,速度还未达到飞行速度之前,还必须有支承其重量的措施;它起飞和降落时有一定的安定度并便于飞行员操纵;它的结构强度必须能经受降落时的冲击力;它的水阻力必须很小,以便获得合理的短起飞滑跑距离。柯蒂斯提出了两种形式的水上飞机以满足上述要求。他研制了浮筒式水上飞机,实质上是用浮筒代替机轮的陆上飞机;另一种是船身式水上飞机,主浮体与机身组合成一个单一的船形体。这两种形式的浮体设计上都包括梯阶形底部以便起飞。当速度和升力增大时,机身抬起,只用梯阶着水,这样它就以最小的摩擦力滑过水面。在浮筒式或船身式水上飞机上加上可收放的起落架也是柯蒂斯最先制成的,这就创制了陆地跑道上和水上都能用的两栖飞机。单浮筒的或单船身的水上飞机必须有两侧浮筒或翼尖浮筒以保证飞机直立。如果是双浮筒的或双船身的,或单船身加上短翼或吃水线上有舷侧突出部的,就不要这些东西了。第二次世界大战后研制了能在水上和各种无铺筑面的场地,如雪上、冰上、泥地、草地上起落的全基地飞机。

美国海军的 P5M-2 型水上飞机
美国海军部供图

search engine 搜索引擎 在因特网或万维网上搜寻信息的工具。搜索引擎实际上是一个巨大的数据库,涵盖无边的因特网。大多数是由三个部分组成:至少要一个程序,俗称蜘蛛、爬虫或蠕虫,在因特网上爬行搜集信息;一个数据库,储存已经搜集的信息;还有一个搜索工具,使用者输入关键词描述想要的信息(通常是在搜索引擎所属的网站)就到数据库去搜索。从为数众多的搜索引擎中挑选子集(通常约 10 个),然后汇编和把结果编辑成索引的整合搜索引擎也被越来越多的人使用。著名的搜索引擎包括谷歌(Google)和雅虎(Yahoo)等。

search and seizure 搜查和扣押 指执法官员为了取得充分的证据,保证对罪犯逮捕和定罪所采取的做法。各国之间允许警方和其他执法人员执行搜查和扣押的幅度有相当大的差异,而给予被告人的个人权利的保护范围也有很大的差别。大多数国家要求用某种形式的法院授权令,以便使搜查和扣押得以依法执行,但在这方面也存在着很大的差别(参阅 **warrant**)。例如,在南非,如果时间的拖延会妨碍警方完成任务时,他们便可以不顾必须携带令状的要求。在法国,凡是遇到恶性犯罪或犯罪正在进行或犯罪刚实施完毕时,警方对搜查和扣押则具有广泛的权力;但在其他情况下,则需要有法院的授权。搜查和扣押问题在美国具有很大的重要性,因为宪法的制定人在第 4 条修正案中规定:"人民有保护其身体、住所、文件和财产的权利,不受无理拘捕、搜查和扣押,此为不可侵犯的权利,除了有正当的理由,以宣誓或代誓宣言确保,并具体写明要搜查的地点,要拘捕的人或要扣押的物品外,不得颁发搜查、拘捕或扣押令。"从那时起,司法界的注意力经常集中在什么是实际上构成非法搜查和扣押上。不经授权没收的物证(例如枪支、麻醉药品、文件以及偷窃的财物),用电子窃听手段截获的口头通讯以及未经授权侵入个人的隐私处发现的情况都包含在非法搜查和扣押这一概念内。如果搜查是经被搜查人同意下进行的,即使被搜查人的同意可能是受了警方欺骗的影响,该搜查也被认为是合法的。任何按照司法机关照章颁发的搜查令进行的搜查也同样被认为是合法的。随着合法逮捕的搜查,而且被认为是在合法的范围内进行的,则允许不用搜查令。合法的逮捕可以定义为:或者该逮捕是按照正式颁发的逮捕令进行的,或者是在场执行逮捕的官员目睹该犯罪或是据有正当的理由相信被捕的人犯了罪。"阻拦搜身"的情况同样是通常保证中的一种例外。警察官员有权暂时扣留并进行搜身寻找武器,只要是该官员有合理的根据相信此人携带有武器并具有危险性。美国州法院和联邦法院都要求把违反宪法第4条修正案而取得的证据排除在刑事诉讼之外。这一所谓排除规则,以前适用于联邦法院和仅及一半的州法院,经过最高法院于1961年在"马普诉俄亥俄州"一案中的裁决,已适用于所有的美国法院。排除规则还未得到大多数其他法系的承认,但在许多国家里,法官可以自行斟酌拒绝采纳明显用非法手段得来的证据。

searchlight 探照灯 由反射器形成集中光束的一种电灯,具有很高的光强,用来探照远处的目标,或用作信标。约于1870年始用碳弧灯,1910年前后用稀土的氟化物或氧化物掺进碳中以产生特别耀眼的光亮。约1877年法国陆军上校A. 芒让发明了一种双球面玻璃镜,它广泛用在探照灯上,直到1885年前后才被抛物面反射镜取代。在军事应用上,反射镜一般都用金属制作。现代最大的探照灯仍然使用碳弧。较小的探照灯用白炽灯和放电灯。

Searcy 瑟西 美国阿肯色州中东部城市,怀特县县城(1837)。临近小雷德河。原为一矿泉疗养地。1835年设市。农产品、木材和河运业为早期发展的基础。20世纪30年代植棉业衰退,经济更趋多样化。现经营畜牧、养禽和轻型制造业。附近美国空军导弹基地一枚"大力神-Ⅱ"式导弹于1965年爆炸,死亡50余人。市内有哈丁学院(1924)。人口15 180(1990)。

Searle, Ronald 塞尔 (1920-03-03,英国剑桥郡剑桥～2011-12-30,法国德拉吉尼昂) 英国讽刺版画家,以所作圣特立尼安学校(虚构)女孩儿的漫画而知名。曾在剑桥艺术学院学画,30年代后期开始发表幽默作品。第二次世界大战期间,在皇家工程兵部队服役,新加坡沦陷时为日军所俘。后来他把当时经历画成画集于战后出版。自1946年起,他的作品开始在国内杂志上发表。首次为《笨拙》投稿是在1949年。1956年加入《笨拙》编辑部。1941年开始创作圣特立尼安学校的女孩儿,直到1953年。这套漫画后来拍成四部电影。1961年他移居法国。在他的50部以上的著作中有《雷克的进步》(1968)、《罗纳德·塞尔》(1978)等。

Searles Lake 塞尔斯湖 美国加利福尼亚州南部的干盐湖,形成连接许多现代干旱盆地的更新世水系网的一部分。这个干盐湖的蒸发盐中含有某些在别处比较少见的矿物,例如天然碱和碳酸芒硝。这个干湖是以J. 塞尔斯与D. 塞尔斯兄弟姓氏命名的,他们于1863年在那里发现硼砂,并于1873年开始采掘丰富的矿床。现在,在天然碱镇(特罗纳镇)附近有一座历史纪念碑,追忆这一发现。

Sears, Isaac 西尔斯 (1730-07-01?,马萨诸塞西布鲁斯特[美国]～1786-10-28,中国广州) 美国独立战争前纽约城的爱国者领袖,在鼓动和领导反英示威中作用突出,得到"西尔斯王"的绰号。他原是商人,也从事海上武装私掠活动。1765年《印花税条例》危机期间首次表现出爱国思想,参加新成立的爱国组织"自由之子社",成为纽约城反英暴动的群众领袖。1770～1773年在殖民地人民抗议《汤森条例》和《茶叶条例》的斗争中,他领导群众抵制英货,1774年领导纽约类似波士顿茶党的组织,并签署召开大陆会议的号召书。1775年4月因爱国主义活动被捕,但钦佩他的人却在监狱门前营救了他。4月下旬,即列克星敦和康科德流血事件后,他及其追随者把效忠派官员赶出纽约城,并控制了市政府。1777～1783年作为私掠船主出没在海面上,直到战争结束才回纽约城重新经商,也从事政治活动。1784和1786年两次选入纽约州议会。1786年前往中国经商,死于广州。

Sears, R. W. 西尔斯 (1863-12-07,美国明尼苏达斯图尔特维尔～1914-09-28,威斯康星沃基肖) 美国商人。他将邮售珠宝商店发展成为庞大的零售公司——西尔斯-娄巴克公司。父亲去世后,年仅17岁的西尔斯到明尼阿波利斯-圣路易斯铁路工作,先后在明尼阿波利斯和雷德伍德福尔斯当车站站长。一次,一个雷德伍德福尔斯的珠宝商拒收一批手表,西尔斯便以低价邮售给其他车站站长,处理了这批手表。1886年他用所获利润5 000美元在明尼阿波利斯开设邮售钟表店,名为西尔斯钟表公司。不到一年他雇用A. 娄巴克为钟表修理工并将商店迁往芝加哥。1887年他印出邮售商品目录,内有钟表、金刚石和首饰,保证货劣退款。两年后他以10万美元售出商店,前往艾奥瓦州打算开设农村银行。可是他又立即返回明尼苏达州,与娄巴克合伙开设新的出售钟表和首饰的商店。此商店初名娄巴克公司,后名西尔斯-娄巴克公司,1893年迁至芝加哥。这年公司邮售目录196页,内有缝纫机、马鞍、自行车、靴鞋、乐器等各式各类产品。到1894年,几乎完全由西尔斯拟稿的目录已增至507页。他还为公司撰写报纸、杂志上的大幅广告稿;他善于投顾客之所好,其广告对美国中西部顾客,尤其对乡村顾客有感染力。1895年娄巴克将公司的股权售给J. 罗森沃德。罗森沃德长于公司急需的行政管理,这与西尔斯创造性的销售技巧可互为补充,相得益彰。后来,由于两人在广告预算上意见分歧,西尔斯于1909年辞去总经理职务,到芝加哥以北自己的农场居住。

Sears, Richard Dudley 西尔斯 (1861-10-26,美国马萨诸塞波士顿～1943-04-08) 美国网球运动员。1881年获美国草地网球男子单打冠军,是第一名获此称号者,其后6年中蝉联不倒,这一成绩迄今仍未被任何一名业余选手超过。连续6年获美国网球男子双打冠军(1882～1884、1886～1887,与德怀特合作;1885与克拉克合作)。1888年因受伤退出草地网球比赛,但4年后赢得第一届美国硬地网球锦标赛男子单打冠军。

Sears, Roebuck and Company 西尔斯-娄巴克公司 经营普通商品、工具、家庭用品、服装和汽车零件及服务的主要零售商。该公司是西尔斯控股公司的子公司。1886年R. 西尔斯在明尼苏达州明尼阿波利斯创办R. W. 西尔斯公司,通过邮购销售手表。1887年他把业务移至芝加哥,雇请A. 娄巴克维修手表,建立了邮购手表和珠宝业务。该公司的第一本销售目录也在同年问世。1889年西尔斯卖掉公司,但几年后与娄巴克又成立了一家邮购公司,1893年开始称西尔斯-娄巴克公司。1895年成衣福商J. 罗森沃尔德买下娄巴克的全部股权,并重组了邮购业务。与此同时,西尔斯编写了该公司很快就出名的销售目录。该公司通过低价向零售店不多的农村销售各种商品发展迅速。美国邮政开办的农村地区免费投递(1896)和包裹邮寄(1913)业务使西尔斯公司能够把公司的商品寄往居住在最边远地区的顾客。罗森沃尔德1909年继任公司总裁。1920～1943年间西尔斯公司拥有不列颠百科全书,并通过目录销售该书。1924年R. 伍德将军加入该公司并成为公司后来30年的领导天才。伍德注意到开始有郊区和农村的顾客开汽车到市区销售点购物。为开发这个商机,他1925年在芝加哥开了第一家西尔斯零售店,商店数量增长迅猛,到1931年零售额已超过邮购销售。公司在第二次世界大战之后的经济繁荣期迅速发展,其美国零售商巨头的地位到80年代才受到真正挑战,当时凯玛特公司的销售总额超过了它。沃尔玛最终超越这两个公司,在20世纪末成为世界最大的零售公司。80年代西尔斯公司业务多元化,加入了房地产和金融服务,但到1992年西尔斯开始卖掉一些子公司,以便集中精力发展其滞后的零售业务。1993年公司停发其普通商品目录,1995年抛售其最大的子公司全州公司,这是西尔斯1931年创办的一家保险公司。除销售家用物品、五金制品和服装外,西尔斯还为汽车和家用商品提供维修服务。2005年与凯玛特公司合并。

Sears Tower 西尔斯大厦 美国芝加哥的一幢办公摩天楼,由西尔斯-娄巴克公司经营,有110层,高443米(不包括广播天线塔),1973年建成,是20世纪70年代世界最高的建筑。该大厦设计人为印度出生的工程师F. 汗。大厦采用竖直的管状焊接钢构架,使之具有足够的刚性抵抗横向风力,这种系统使如此之高的建筑所需的结构钢材达到最低限度。几乎全部钢材均在工厂焊接预制，仅在工地铆接。平面由 9 个 23 米见方无柱的方形单元组成，以上 9 个单元组成每边 69 米长的方形底部。在第 50 层上收进斜对角的两个单元，第 66 层上收进另一斜对角的两个单元，第 90 层上收进三个单元，最上部分为 20 层。外部装修采用黑色铝和青铜色玻璃。第 30 ～ 31、48 ～ 49、64 ～ 65、106 ～ 108 层各两层之间有装备着百叶的设备层，形成一条黑色的环带。大厅内有美国雕刻家 A. 考尔德所作的一幅巨大电动壁画《宇宙》。

seas, high (maritime law) 参阅 **high seas** 公海。

Seasat 海洋卫星 美国1978年6月27日发射的海洋监测实验卫星。在它运行的 99 天中，每天在绕地球轨道上转 14 圈，每 36 小时监测近 96% 的洋面。卫星上的仪器能透过云层提供大量海洋要素的资料，包括浪高、水温、洋流、风、冰山和海岸特征。它虽然从 1978 年 10 月 9 日起因电源故障停止发送资料，但却证明卫星监测能获得海洋现象的许多有用的资料。这些资料已被 23 个政府和学术机构的科学家所利用。海洋卫星的资料对越洋航行的船只和飞机也是有帮助的。

seashell 海贝壳 海生软体动物（如螺类、双壳类和石鳖）的坚硬的外骨骼，用以保护和支持身体。由外套膜分泌而来，主要成分为碳酸钙。可分为数层不同的微观结构，其力

鹦鹉螺（*Nautilus pomphius*）的剖面图
纽约美国自然史博物馆供图

学性质各异。壳的各层由外套膜的不同部位分泌，但真正能生长的只是壳的边缘部分。真珠层是最有特色的微观结构之一，位于贝壳的内层，见于某些腹足类、双壳类以及鹦鹉螺属（*Nautilus*）和旋壳乌贼属（*Spirula*）头足动物。贝壳一个或两个，或由一系列背板形成（如石鳖）；亦可退化为位于身体内部的板片或小粒（如某些海蛞蝓）。在腹足类、双壳类和有壳的头足类，贝壳的螺旋形式接近等角螺线或其变体；但在一些种类，如蠕螺——蛇螺科（Vermetidae）种类，贝壳的螺旋形状不规则。贝壳上常饰以棘、叶状线、肋、索或沟，其功能在某些种为保护身体免遭掠食者的捕食、增加强度或帮助挖穴。腹足类的壳口部位最为薄弱，易为掠食者所侵袭，可借复杂的褶和齿来保护。许多种类借钙质的或角质的厣板封闭壳口。鹦鹉螺和旋壳乌贼的壳呈平面盘旋状，内部分为许多壳室，各壳室之间纵贯一条多孔的管，称为体管。壳室内含大量的水和气体，并借体管调节其含量以控制身体在海洋中的垂直运动。许多种类外套膜边缘的特殊细胞能分泌各种色素，使贝壳具鲜艳的颜色和复杂的花纹。在某些情况下这些色彩和花纹有伪装的作用，但大多数情况下其意义不明。海贝壳形式纷繁，外形美观，颜色鲜艳，在全世界都有人从事收集（参阅 **shell collecting**）。自古以来海贝壳亦用以制造首饰、纽扣、镶嵌材料或其他装饰品。在古代，某些海贝壳，如牙贝、宝贝等曾用作货币。参阅 **bivalve; gastropod; nautilus**。

season 季节 依据连续的天气变化所划分的一年的四个部分，即冬、春、夏、秋四个季节。在北半球通常认为分别开始于冬至即12月22或23日、春分即3月20或21日、夏至

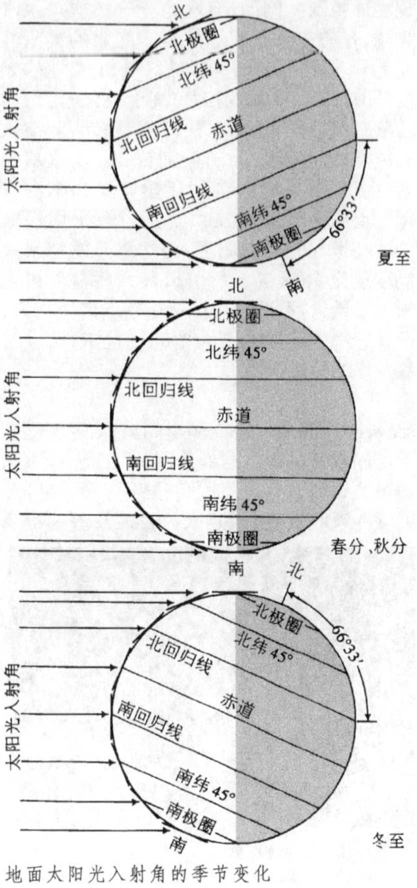

地面太阳光入射角的季节变化

即 6 月 21 或 22 日和秋分即 9 月 22 或 23 日。春、秋分时昼夜等长，冬至在一年中白天最短，夏至在一年中白天最长。南半球与北半球相比，夏季与冬季相反，春季与秋季相反。除在热带和极地区域以外，年变化的基本特征是气温在一次最高值和一次最低值之间波动。这种变化是由于太阳光射到地球表面的角度和地面每天的日照时间具有年变化所致。地球绕轨道运动时，其轴在空间保持近似恒定的方位，它与轨道平面的倾角约为 66°33′。地球绕太阳轨道的一半时期内，北极是向着太阳的，北半球任一地点接受太阳光线的角度比南半球各地更接近于 90°，这就造成北半球受热较多以及白天光照时间较长；另一半时期内情况相反。在极地区域季节由短夏和长冬组成。这种划分主要是以日光为依据，因为整个冬季是持续黑暗，整个夏季是持续白昼或曙暮光。低纬度地区，一年内日射量（接收到的太阳辐射）和温度的变化幅度很小，季节性的天气变化主要是依据雨期和旱期来定。这种湿度的变化是由于热带辐合区（在赤道附近环绕地球的狭窄多雨带）的移动。辐合带随着太阳作季节性的南北移动，在其经过的地区交替出现雨季和旱季。在赤道附近，辐合带每年经过两次的区域，就有两个雨季和两个旱季。在印度，由季风造成的降雨和干旱的明显季节交替一直向北延伸到温度有明显季节变化的地区，结果，从 12 月至 2 月为干冷季节，从 3 月至 6 月中为干热季节，从 6 月中至 11 月为雨季。

seasoning 干燥 在木材加工中将成材进行干燥以备应用。未干的木材，易受虫害并因变干而收缩、开裂和翘曲。最常用的干燥方法为气干法和窑干法。气干法是把板材堆成垛，并用垫木隔开，使空气流通。堆垛形成斜面，以便排除雨水。窑干法是把木材放在装有风扇及暖气管的烘干室内进行干燥。用盐或尿素浸渍木材，可以加速干燥。

Seastrom, Victor 参阅 **Sjöström, Victor** 舍斯特伦。

seat worm 参阅 **pinworm** 蛲虫。

SEATO 参阅 **Southeast Asia Treaty Organization** 东南亚条约组织。

Seaton Valley 锡顿谷 英格兰诺森伯兰郡以及泰恩-韦尔地区一地方。在泰恩河畔纽卡斯尔都市联合区东北偏北。经济大部分依赖 10 个煤矿村的生产，现矿业衰落。其中克拉姆灵顿矿村现设为新城镇，以发展其他行业。人口约 46 140(1981)。

Seattle 西雅图（约1790，俄勒冈区［今美国华盛顿西雅图］～ 1866-06-07，华盛顿波特麦迪逊保留地） 美国杜瓦米什、苏卡米什和其他皮吉特湾印第安人部落酋长，对白人殖民者友好。早年受法国传教士的影响，信仰天主教。1855 年签订《埃利奥特港条约》，出让印第安土地和建立印第安保留地。1855 ～ 1858 年印第安人反白人起义时，他仍忠于殖民者。白人居民出于感激，决定以他的名字作为日益发达的市镇名。1890 年该市当局在他的墓上建立一纪念碑。

Seattle 西雅图 美国华盛顿州主要城市，金县县城(1853)。位于埃利奥特湾（皮吉特湾）和华盛顿湖之间的狭长地带上。是西北部太平洋岸最大城市，通往亚洲和阿拉斯加的门户港口。周围自然景色极为秀丽。奥林匹克山挡住冬季大雨；东有高高的喀斯喀特山又使该城免受内陆冷、热之苦。1851 年创建，1853 年规划，1865 年设镇，1869 年设市。1893 年成为大北方铁路重要终端。该城在

19世纪90年代育空、阿拉斯加淘金热时期为重要补给站。因地处通阿拉斯加内航道南端，发展为世界最大海港之一（有80千米的码头）。1905～1910年与邻近的城镇合并，

西雅图市中心的太空针
供图：David Muench

人口达237 194人。巴拿马运河的通航、华盛顿湖通航运河的竣工和史密斯湾码头及杜瓦米什水道的开发，使该市商业迅速发展。第二次世界大战期间发展造船和飞机工业，经济繁荣。现经济多样化，工业以宇航、机械、木材为主，还有食品加工、金融、保险和运输业。生物医学、海洋科学和电子工业也日趋重要。为波音飞机总公司所在地和大型捕鱼船队及皮吉特湾、奥林匹克半岛渡轮的母港。有劳顿要塞（1897）和桑德角海军航空兵基地。西雅图中心（30公顷，1962年世界博览会会址）有185米高的太空针和歌剧院。有伍德兰公园和动物园、开拓者广场、志愿者公园和阿尔基岬。西雅图美术馆的展品反映出其文化深受东方人和印第安人影响。华盛顿湖是举行摩托快艇（金杯赛）、划艇和游艇的比赛场地。设有华盛顿大学（1861）、西雅图大学（1892）、西雅图太平洋大学（1891）和4所社区学院。人口：市537 150；主要都会统计区2 334 934；西雅图-塔科马联合都会统计区3 465 760（1999）。

Seattle Slew　西雅图斯卢（1974年出生）　美国的英国纯种赛马。是第一匹赢得美国三王冠赛保持不败纪录的赛马。1977年连获肯塔基大赛、普利克内斯有奖赛和贝尔蒙特大奖赛冠军，连夺三王冠，获奖金641 370美元，超过其他赛马，被评为1977年良马。1978年退出马赛，留作种马。全经历共参加17场比赛，获14个第一名，两个第二名，1个第四名。

seawater　海水　构成海洋的水，这些海洋覆盖着70%以上的地球表面。海水是复杂的混合物，含有96.5%的水、2.5%的盐类和少量的其他物质，其中包括溶解的无机和有机物质、颗粒和少量的大气气体。海水中最丰富的6种离子是氯（Cl^-）、钠（Na^+）、硫酸根（SO_4^{2-}）、镁（Mg^{2+}）、钙（Ca^{2+}）和钾（K^+）。按重量计，这些离子约占所有海中盐类的99%。这些盐类在单位体积海水中的含量，可因局部的水量增减而有所变动（如由于沉淀和蒸发）。海水中的含盐量用盐度（*S*）来表示，其定义为每千克海水中所溶解盐类的克数，并用千分之几表示。公海中的盐度据观测约为34‰～37‰。海水中另一些较多的溶解物质是无机碳、溴化物、硼、锶和氟化物。在多种较少的溶解化学组分中，最值得注意的是无机硫和无机氮，它们对于海洋中栖息的生物体的生长很重要。海水还含有各种溶解的大气气体，主要是氮、氧、氩和二氧化碳。海水中含有的其他组分有溶解的有机物质，如碳水化合物和氨基酸等，以及富含有机物的颗粒。这些物质主要来源于海洋上部100米深度内，在那里，溶解的无机碳通过光合作用转化为有机物质。海水的组成受许多不同的化学和物理学输运机制的影响。例如，河流中溶解的物质汇入海洋。微粒也可由远离海洋的大陆起源地带，被风力传送到中部海域。各种化合物也可由通过海底地壳环流的水热溶液带入深部海水。海水的许多特征与一般的水相同，因为它们的化学和物理性质相同。例如，海水的分子结构与淡水相同，容易在分子间形成键。海水的某些性质差异，是由于含盐的缘故。例如，海水的黏度（即对流动的内部阻力）高于淡水，因为其盐度较高。同理，海水的比重也较大。海水的冰点低于纯水，而沸点则较高。海水蕴藏着工业上很重要的各种化学元素的丰富资源。世界上大量的镁和溴是由海水中提取的。在世界的某些地区，仍然靠蒸发海水来制取氯化钠（食盐）。此外，海水脱盐后可无限地提供饮用水。在中东沿海及其他地方，已在干旱地区建造了大型的脱盐工厂，以缓和淡水的短缺。

seaweed　海藻　海产藻类的总称，通常固着于海底或某种固体结构上，包括红藻、绿藻和褐藻的种类。其根状固着器只有固着功能，而不能吸收营养。最惹人注目的海藻为褐藻

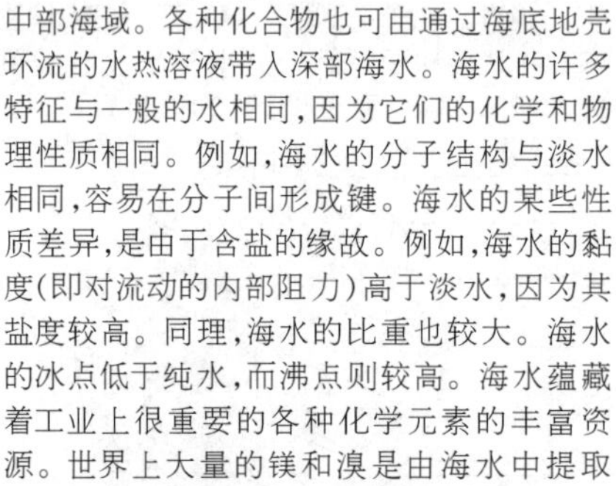

墨角藻属（*Fucus*）海藻
供图：Ralph Buchsbaum

类；红藻生长成地毯状，形如藓类，见于低潮处。海藻在浅水中常密生成片。在水深50米以内的岸边形成明显区带。生长于高潮线上的海藻常暴露在空气中；低潮线下的海藻则不能长期暴露于空气，故不能于近海岸处生长。墨角藻属（*Fucus*）、巨藻属（*Macrocystis*）、海囊藻属（*Nereocystis*）和海带属（*Laminaria*）等类群只能在18 ℃以下繁殖，故广布于较冷的水域。常见的褐藻（**brown algae**）包括大型褐藻、马尾藻属（**Sargassum**）和墨角藻属（**Fucus**）。太平洋及南极地区的巨藻属和海囊藻属的某些种长度超过33米，是最大的藻。海带属在太平洋沿岸及不列颠群岛都很丰富。在墨西哥湾流和马尾藻海中马尾藻常见，呈自由漂浮的大团块，其外形与其他海藻不同，形似具叶和浆果的枝条，“浆果”实际是空心的气囊，使叶状体浮在水面。不列颠群岛潮间带常见的多泡墨角藻（*F. vesiculosis*）也借气囊漂浮。常见的红藻（**red algae**）包括掌状红皮藻（**dulse**）、石花菜属（*Gelidium*）、角叉菜属（*Chondrus*）和紫菜（**laver**）。北大西洋的掌状红皮藻（*Rhodymenia palmata*）淡紫红色，由扁平的单生或丛生的叶状体所构成，总的外观呈扇状，分裂成多数二叉型裂片。低潮时，大西洋岩石海岸潮间带的下半部，丛生着角叉菜属的各个种（参阅 **Irish moss**）。春夏两季，不列颠群岛、日本及其他地方潮间带的高潮线下紫菜属（*Porphyra*）的种类很多。海藻中绿藻较少，石莼属（*Ulva*）便是其中之一（参阅 **sea lettuce**）。海藻具有重要的经济价值，如紫菜、掌状红皮藻、马尾藻和石莼在世界各地作为食物，褐藻常用作肥料，石花菜属用于制造琼脂。

sebaceous gland　皮脂腺　哺乳动物皮内小的产油腺体。常开口于毛囊，向囊管内释放一种油脂物质——皮脂，皮脂从那里到达皮肤表面。皮脂腺除手掌和足底外分布全身，以头皮和颜面最为丰富。皮脂腺分泌皮脂，内含脂肪（甘油三酸酯、蜡酯、角鲨烯以及胆固醇）混合体和细胞碎屑，通过连接腺体和毛囊的皮脂管排泄出来。皮脂能在皮肤表面形成油性薄膜，有助于保持皮肤的弹性，防止皮肤丧失或吸收过多的水分。妊娠后第四个月皮脂腺开始由胚胎的毛囊形成，在出生时已发育完好且较大。到儿童时期皱缩，但到发身期开始时皮脂腺再次增大。腺体的成熟似乎依赖于血液循环中的男性激素，尤其是睾酮的水平。皮脂腺在皮肤表面的开口被堵塞时皮脂堆积在腺体和皮脂管内，引起痤疮。皮脂内的甘油三酸酯可能通过细菌的作用而起化学分解，释放出游离脂肪酸，从而引起炎症反应，产生痤疮的典型病损（丘疹）。

Sebanga Poort（Zimbabwe）　**塞班加波特**
参阅 **Shurugwi** 舒鲁圭。

Sebaste（ancient town, Palestine）　**塞巴斯泰**
参阅 **Samaria** 撒马利亚。

Sebasteia（Turkey）　**塞巴斯铁亚**　参阅 **Sivas** 锡瓦斯。

Sebastian　塞巴斯蒂昂（1554-01-20，葡萄牙里斯本～1578-08-04，摩洛哥阿尔卡萨基维尔）　葡萄牙国王（1557起），宗教狂热的统治者，在攻击摩洛哥穆斯林的十字军行动中丧失性命。他死后，许多臣民相信他会复活，将他们从西班牙统治下解救出来。这种对于复国救主的信仰叫做塞巴斯蒂昂主义。塞巴斯蒂昂3岁时继承祖父若昂三世的王位。他受耶稣会士的严格教育，长大成人后，认为自己必定赢得对穆斯林的胜利。1568年掌握政权，竭力实现他的最大野心。1578年率领由葡萄牙人和国际冒险者组成的庞大军队，在拉腊什附近登陆，但被拥有巨大优势兵力的摩洛哥军

击溃。讹传他在这次战争中幸免于难，于是兴起了塞巴斯蒂昂神话。1584～1598 年间，先后曾有 4 个骗子自称塞巴斯蒂昂。

Sebastian, Saint 塞巴斯蒂昂，圣（？～约 288，罗马[意大利]） 早期基督教人士。据传生于高卢，约 283 年在罗马参加皇帝卡里努斯的军队，后来在皇帝戴克里先军中任队长。他是基督教徒，并且引领许多士兵信奉基督教。此事暴露后，皇帝命令用乱箭射他，幸得不死，由一信教的寡妇护理恢复健康。后来被乱棒打死。文艺复兴时期的艺术家们喜用塞巴斯蒂昂殉道的事迹作为题材，通常把他画成乱箭刺身的英俊青年。

Sebastián Vizcaíno Bay 塞瓦斯蒂安·比斯卡伊诺湾 墨西哥下加利福尼亚半岛西部的太平洋海湾。西北—东南长约 130 千米，东西宽 100 千米。湾内有小岛群，其中塞德罗斯岛最大。东北和东部海岸多沙滩和小湾。南岸东部为沼泽地，西部靠陡峭山岭。欧亨尼亚角在西南端。海湾产鲨鱼，沿海有盐场。

Sebastiano del Piombo 塞巴斯蒂亚诺（1485，威尼斯[意大利]～1547-07-21，教皇国罗马[今在意大利]） 意大利画家，试图将威尼斯画派的丰富色彩与罗马画派的纪念碑式的形

塞巴斯蒂亚诺绘《圣母怜子》（约 1517）
供图：SCALA—Art Resource/美国不列颠百科全书公司

式相结合。师从乔尔乔涅，深得其道，以至两人的作品常难区分。1511 年定居罗马后，成为拉斐尔艺术圈的一员并很快证实自己是出色的肖像画家。约 1515 年，他受米开朗琪罗的影响并与他合作做画，按米开朗琪罗的画稿画了《圣母怜子》（约 1517，维泰博市立博物馆）和《鞭笞》（1516～1524，罗马蒙托里奥圣彼得教堂博尔盖里尼礼拜堂）。他把威尼斯画派的暖色同他大概是由于与米开朗琪罗的交际而学到的坚实的、雕刻般的素描结合在一起。1519～1530 年特别以肖像画载誉罗马。

Sebek 塞贝克 又拼 Sobek，希腊语作 Suchos。埃及宗教所奉的神。原来可能是丰产

约公元前 600～前 100 年上埃及的塞贝克青铜神像
不列颠博物馆供图

神，兼司死亡和丧葬，后来成为爬行动物和国王的守护神，甚至同太阳神瑞结合而成为塞贝克-瑞，代表以鳄形出现的太阳。

Sebeknefru 塞拜克奈夫鲁 又拼 Sobekneferu。埃及女王（公元前 1760？～前 1756？在位），第 12 王朝最后一位统治者。其父阿门内姆哈特三世结束其长期统治后，她的异母兄长在晚年继承王位。兄长去世时无男嗣，而她是最近亲属，遂由她继承王位。她享有国王称号，拥有王权，她行使法老全部职权。在尼罗河三角洲东北部发现她的雕像表明，她具有全部王权标志和传统国王仪表。在位期间继续实行第 12 王朝的政策。尼罗河第二瀑布有记载说明她最多执政 3 年。

Sebenico（Croatia） **塞贝尼科** 参阅 **Šibenik** 希贝尼克。

Sebert（Anglo-Saxon ruler） 参阅 **Saberht** 萨伯赫特。

Sebeş 塞贝什 罗马尼亚中西部阿尔巴县城镇。位于塞贝什河谷，地当主要公路线上。中世纪为特兰西瓦尼亚重要城镇。福音派新教会教堂是雄伟的罗马式和哥特式建筑物，前后用两个世纪的时间建成。扎波利亚大厦是特兰西瓦尼亚议会 1556 和 1600 年举行会议的场所，大厦内现设有博物馆。现代工业有制革、纺织和木材加工。人口约 29 713（1992）。

Sebetwane 塞贝特瓦内（？～1851，巴罗策兰[今在赞比亚]） 又拼 Sibituane。南部非洲国王（约自 1820 年起）。自故乡（在今南非中部）迁徙至今赞比亚西部，建立一强大国家。在姆菲卡尼时期（祖鲁人连年争战和大规模部落迁徙年代）被逐出奥兰治自由邦（约 1820）后，他率其索托（最初用名）族迁向西北，先定居维多利亚瀑布附近，1838 年又西迁巴罗策兰，征服当地洛齐居民。赢得洛齐人的忠诚，又击退恩德贝勒（马塔贝勒）武士姆济利卡齐两次进攻。他目光远大，以宽厚公正态度对待被征服民族，从而能巩固其征服地，防止本族科洛洛人形成贵族阶层，给被征服酋长一定权力，遂在巴罗策兰保持一平静的王国。1851 年遇见探险家 D. 利文斯敦，向利文斯敦叙述其经历。利文斯敦对其人及其科洛洛王国有深刻印象，作有详细记载。

Sebha（Libya） 参阅 **Sabhā** 塞卜哈。

Sebinus, Lacus（Italy） **塞比努斯湖** 参阅 **Iseo, Lake** 伊塞奥湖。

sebkha（saline flat） 参阅 **sabkhah** 盐沼。

seborrheic dermatitis 脂溢性皮炎 又称脂溢性湿疹。皮炎（**dermatitis**）的一种病变类型。

Sebou, Wadi 塞布河 摩洛哥北部主要河流。源出中阿特拉斯山脉，向北流至非斯，折向西，在迈赫迪耶注入大西洋。全长 450 千米。谷地为橄榄、稻米、小麦、甜菜和葡萄主要产区。盖尼特拉距迈赫迪耶 16 千米，海轮可溯河而上，为繁忙的港口。有勒多姆和贝斯等支流河。勒多姆河有热电站；贝斯河有水电站。

Sebring 锡布灵 美国佛罗里达州中南部城市，海兰兹县县城（1921）。位于坦帕东南 113 千米处。城环杰克逊湖而建，以每年 3 月举行国际汽车大奖赛闻名。建于 1912 年，1913 年设镇，1923 年设市。现为附近柑橘林和牛牧场的加工运输中心。在前空军基地建起工业园。附近有州立海兰兹汉默克公园。人口 8 900（1990）。

Sebta 塞卜泰 参阅 **Ceuta** 休达。

Sebuano language 参阅 **Cebuano language** 宿务语。

Sebüktigin 赛布克特勤（约 942，阿富汗巴尔斯汗～997-08，巴尔赫） 阿富汗伽色尼王朝创建者。这个王朝统治今天的阿富汗大部地区达 150 余年。原为突厥奴隶。后与伽色尼（现名加兹尼）总督的女儿结婚。977 年继任总督。此后 20 年间极力扩大地盘，占领了今阿富汗的许多地区。997 年他决定传位给幼子，但贵族们拥护其长子马哈茂德。998 年经过战争，马哈茂德即位。

SEC 参阅 **Securities and Exchange Commission**（SEC）证券交易委员会。

Secchi, Pietro Angelo 塞奇 （1818-06-29，摩德纳公国[今在意大利]雷焦艾米利亚～1878-02-26，意大利罗马） 意大利天主教耶稣会司铎和天体物理学家，他率先对恒星光谱进行巡天观测并提议按光谱型划分恒星。1833 年他进耶稣会，1839 年任意大利洛雷托耶稣会学院的物理学和数学讲师。1844 年回

罗马，完成他的神学研究并在罗马学院授课。1848 年，被耶稣会逐出罗马，他便去英格兰兰开夏郡克利瑟罗的斯托尼赫斯特学院，接着又到华盛顿市的乔治敦大学。由于他有天文学家的声誉，1849 年获准回罗马成为罗马学院的天文学教授和天文台台长。他建造一座新天文台并在该台从事恒星光谱学、地磁学和气象学等方面的研究。根据对恒星光谱的巡天观测，他认为恒星可按其光谱型分成 4 类。这种分类法后来被扩充为以单纯的温度序列为基础的哈佛分类系统。他证明日食时看到的日珥是太阳本身的一部分，并发现日珥的许多表现形式以及一种像日珥一样的小气体喷射流(现称为针状体)。

L.-T.-J. 维斯孔蒂和 H. 勒菲埃尔设计的第二帝国风格的巴黎罗浮宫扩建部分

供图：French Government Tourist Office

Secco　西科　参阅 **John X VI (or X VIII)** 约翰十七世(或十八世)。

secentismo (literary style)　**十七世纪主义**　参阅 **Marinism** 马里诺主义。

secession　脱离联邦　美国历史上，11个蓄奴州脱离联邦的行动，引发了美国南北战争。此事发生在 1860 ～ 1861 年间 A. 林肯当选总统以后。在美国，长期以来脱离联邦是一种威胁而不是一种使联邦解体的行动。支持脱离联邦者在《独立宣言》中为更迭或废除一个政府并建立一个新政府找到借口。更具体地说，那些认为联邦只不过是各州间的一种契约的人主张州可以退出契约，一如它当初加入一样。尽管绝非同意脱离联邦，J. 麦迪逊和 T. 杰斐逊早在 1798 年的弗吉尼亚和肯塔基州的决议案中就阐明了"州权-契约论"的观点。他们的政敌、新英格兰地区的联邦主义者在 1814 年的哈特福德会议上干脆主张脱离联邦。密西西比问题已显露出蓄奴州脱离联邦的迹象，但《密苏里妥协案》(1820)暂时地平息风波。然而，19 世纪 30 年代的关税问题使南卡罗来纳走到了脱离联邦的边缘。1840 ～ 1860 年间，随着北方各州反奴隶制情绪日趋激烈，南方各州频频威胁要脱离联邦。1850 年妥协案虽使地区性冲突有所缓和，但在整个 19 世纪 50 年代中，关于允许还是禁止在西部各准州实行奴隶制的问题，一直使南北双方意见发生尖锐的对立。19 世纪 50 年代在准州应保持自由州，即禁止蓄奴的思想基础上成立了共和党。南方人发誓说，如 1860 年共和党人当选总统就必然导致脱离联邦。是年，民主党因扩展奴隶制问题而分裂，林肯当选为总统。1860 年 12 月 20 日，南卡罗来纳州的特别代表大会一致通过了脱离联邦的法令。密西西比、佛罗里达、亚拉巴马、佐治亚和路易斯安那等州于 1861 年 1 月相继效法。得克萨斯州也于同年 2 月 1 日通过表决脱离联邦(比林肯就职总统还早一个多月)。J. 布坎南总统否认脱离联邦的权利，同时也否认联邦政府有使用武力对付脱离联邦的州的权力。林肯就职一个月之后，才决定向南卡罗来纳州查尔斯顿港的萨姆特要塞送去备战物资。同年 4 月 12 日，南部邦联炮击要塞，南北战争遂告爆发。南方偏北地区各州(弗吉尼亚、北卡罗来纳、阿肯色和田纳西)被迫在联邦政府和南部邦联之间作出抉择，它们也投票决定脱离联邦。

Sechten, Ludwig von　参阅 **Siegen, Ludwig von** 西根。

second　秒　时间的基本单位，现在用铯原子在规定条件下的电磁辐射来定义。过去秒的定义为平太阳日(地球相对于太阳自转的平均周期)的 1/86 400。到 20 世纪中期，由于对计时准确度的要求提高了，这一定义不再适用。1956 年国际计量委员会重新规定秒的定义为 1900 回归年的 1/31 556 925.974 7。1960 年国际计量大会批准了这一定义。但是，由于 1900 年已经过去，故而上述定义缺乏可操作性。因此，1964 年该会临时定义秒为：地面状态的铯 133 原子在两个超精细能级之间跃迁所对应的辐射的 9 192 631 770 个周期的持续时间(参阅 **atomic time**)。1967 年按铯原子性质的定义成为国际单位制的唯一定义。铯原子辐射周期数的选择，是力求使被定义的秒长尽可能接近过去用天文方法确定的历书时的秒长(上述按回归年的分数定义的秒长)。

Second Baku (Russia)　**第二巴库**　参阅 **Volga - Ural Petroleum and Gas Province** 伏尔加-乌拉尔石油与天然气区。

Second Coming　基督复临　又称 Second Advent 或 Parousia。基督教名词。指将来基督在荣耀中重返世界立国，审判仇敌并奖赏活着的和死去的忠实信徒。早期基督教徒相信基督不久就会再来(参阅 **millennium**)。后世宣传基督复临论的人们认为，基督随时可以再来，基督教徒应当时刻准备迎接。这些人士所根据的文献有福音书(《马太福音》24、25；《马可福音》13；《路加福音》21:5 ～ 26；《约翰福音》14:25 ～ 29)、《启示录》以及其他《圣经》材料和圣传材料。参阅 **Last Judgment**。

Second Empire style　第二帝国风格　又称拿破仑三世风格、第二帝国巴罗克风格或美术风格。19 世纪后半叶在国际上占优势的建筑风格。约自 19 世纪 20 年代中期至 40 年代末，建筑学家热衷于采用意大利文艺复兴时期、路易十四时期和拿破仑一世时期的建筑蓝图，使一些公用建筑物显得端庄华贵，从而发展成第二帝国风格。L.-T.-J. 维斯孔蒂和 H. 勒菲埃尔设计的巴黎罗浮宫扩建工程集其大成，堪为其结构完美和富有装饰性的模式。随着城市的扩大和各国政府的需要，这种古典风格迅速成为许多新公共建筑的"官方样式"，从而建立了威望。尽管建筑形式各有不同，但其一般特征大致相似：首先，建筑物大，尽量自由耸立；其次，房间布局成轴向对称，整体布局为方形或近似方形；第三，建筑物外部采用古典装饰，细部的雕凿极尽奢侈；第四，通常采用高顶凹凸形复折屋顶(即每一面有两个斜坡，斜坡下部比上部更陡)，打破了正侧面的区别；第五，建筑物末端的凸出部分向前伸展，中央部分则随着高耸的复折屋顶向上伸出；第六，通常都在四周加一列安装在弓形柱基上的立柱，或加筑若干进层柱桩。第二帝国风格的一个重要变体是拿破仑三世风格，以 1853 ～ 1870 年间由 G.-E. 奥斯曼男爵主持巴黎大规模重建工程的一些建筑物结构为其突出表现。公共建筑物各立面的复折屋顶高度相同；只有最重要的建筑物才有凸出部分。布局轮廓清晰，变化柔和，装饰细节却又丰富多彩，使之有别于其他地区的第二帝国风格，从而保持了城市规划的总体均衡。

Second International (Socialist federation)　参阅 **International, Second** 第二国际。

Second Opium War　第二次鸦片战争　参阅 **Opium War** 鸦片战争。

Secondary Capital of Yan　燕下都　中国战国中、晚期燕国都城遗址。在今河北省易县。1930 年起发掘。由东、西两城组成，东西约 8 千米，南北为4千米。东城是燕下都的主体，

燕下都遗址

中国大百科全书出版社供图

是战国时期列国都城中最大者。北部是宫殿区，共分布三组宫殿群。南部是居民区。在宫殿区和居民区发现有制铁、兵器、铸钱、烧陶遗址。西北隅有 2 个陵墓区，是当时王室墓区。从 1966 ～ 1974 年，遗址内总共发现 14

处人头骨丛葬遗迹，掩埋人头骨近3万个，这个现象应当与战国中期后段的大规模战乱有关。

secondary education 中等教育 传统上为正规教育的第二阶段，自11～13岁左右开始，通常至15～18岁结束。*初等教育*（**elementary education**）和中等教育的划分，不仅在课程设置上，而且在组织机构上，都已逐渐变得不太明显了。中学、小学、初级中学和其他各种划分形式纷纷出现，产生了不止两个阶段的各种划分方法。

兹将对全世界具有广泛影响的几个主要欧洲国家及美国的教育体制简介如下：

法国体制 法国自1968年开始了若干教育改革。当代法国为所有儿童提供到5年级的第一阶段教育。过渡的6和7年级加上8和9年级，组成所谓的指导阶段教育。在这个阶段学生要学习某种必修的基础课程、一门第二外语和若干门选修课。9年级结束时学生必须就接着上高级中等学校还是上职业学校作出抉择。原则上，家长、学生和学校导师三方应该在这项抉择上达成协议，但是为了解决分歧，也可请求裁决。

法国有两种公立中学，即中等学校，15～18岁的学生可进入其中任何一种：①公立普通与技术教育中学（LEGT），接替了过去传统的文科公立中学；②公立职业教育中学（LEP），包含一系列职业技术的学习和训练。公立普通与技术中学从10年级开始有某种选定的基础课程，可使11和12年级学生专攻下面5个学科领域中的一种：文学-哲学课程、经济学和社会科学、数学和物理科学、地球和生物科学、科学和工业技术。10和11年级有共同的基础课和一些选修课。但到12年级，面向学生主要学习领域的所有课程都是选修课。学业完成后有业士学位考试，通过考试者可进入大学学习。

职业技术中等教育是设有选修课程的三年制专业，可以得到30来种技术业士学位中的一种。学生也可选择一年制的课程，这不授予任何资格，也可选择在工场接受学徒训练。

德国体制 德国的教育由各州政府主管。全国各地的初等和中等教育的结构不完全一致。然而，各州的初等教育年限都为8或9学年。这一段学业完成后，学生可有三种基本的选择。经过小学教师的指导和根据家长的要求，他们可以上实用中学、大学预科或者基础中学，基础中学是初等教育的继续。

学生进入基础中学后继续学习语文、算术、地理、历史、科学、音乐、美术和体育。在完成4或5年的课程后一般都要接受学徒训练。

在德国，中等学校是指这样一些学校，学生毕业时可获得“高级中学毕业证书”，凭此资格可进入大学学习。实用中学为学生提供进一步的一般教育，学习几门为职业学校作准备的课程及英语。学生16岁时毕业，转入职业学校或接受学徒训练。

够条件者也可转入大学预科学校。

大学预科是德国青年学生的第三种选择，这种学校为高等教育提供严格的学术准备。类似法国公立中学和英国文法学校，大学预科是为学术上最有前途的学生设计的。重点课程为：语言、数学、自然科学和社会科学。在整个9学年中，学生都必须十分用功，如成绩不佳可能转入基础中学。而且在16岁时，学生也可以终止学习，转入职业学校。

在大学预科的学生必须通过高级中学毕业考试，取得高级中学毕业证书才能进入德国大学。考试科目则根据学生早先选定的课程如古典语言或数学-科学等，而有所不同。

英国体制 在英国，第一阶段教育叫做初等教育，学生为5岁（在北爱尔兰为4岁）至11岁（在苏格兰为12岁）的儿童。约有90%的学生接着上综合学校，这种学校吸收学生是不考虑学生的能力或天资的。其组织方式不尽相同，招收的学生从11岁～18岁；11～12岁到16岁；或12～14岁到16～18岁不等。超过16岁，学生可以进入第三级学院，既有学术科目也有职业科目。

其他学生，到了11岁，在经过甄选程序后，大多上现代中学或文法学校接受中等教育。

1988年通过的《教育改革法》为英格兰和威尔士所有郡立学校5～16岁的学生建立了全国性的课程设置及系统的成绩评定办法。北爱尔兰于1990年通过了类似的法律。苏格兰于1988～1989年立法，要求家长更多地参与学校的管理工作。在英格兰、苏格兰和威尔士等地，家长有法定的权力表示对某一特定学校的选择。

要升入大学学习的学生必须通过一系列考试并获得一般学历证书。这些考试分两个等级：基本水平和优等水平。如要升入大学，必须在英语、外语、科学和数学等科同时获得两种水平的及格成绩。6年级的课程在很大程度上是为优等水平测试作准备的，并提供高度的专门化知识。

在英国，存在一批和其他各类学校相分离但极为重要的独立自主的学校。这些初等及中等学校财政自给。这类独立自主的学校中最著名的为“公学”。其中有些学校，如著名的伊顿公学和哈罗公学，都长期享有杰出的国际声誉。几个世纪以来，这些学校培养了许多在学术上可以接受更高教育的学生，典型地升入牛津大学和剑桥大学，并最终进入英国领导层。尽管这是英国教育中颇有争议的问题，并常被指责加深了令人反感的社会差别，这些学校依然极受欢迎。

苏联体制 前苏联各国的教育模式和上面所述的大不相同。第一阶段教育为8年制普通教育学校。8年制学校的合格毕业生可进入若干种中等学校，包括工艺学校、一般中等学校及各种职业或技术学校。教育当局试图在小学的最后几年和中学的最初两三年期间为学生提供长期的指导，将他们纳入差别日益扩大的学习课程中去。许多学生在普通教育学校毕业后直接参加工作。对于想继续上学的学生来说，17～18岁时对大学的选择是最关键的。大专院校只能招收15%～20%的中等学校毕业生。大多数工艺学校或普通中学毕业生须先就业2～3年，然后经过考试，合格者才能进入高等学校。

美国体制 美国也有特殊的教育模式。没有明显区别小学教育和初等教育的传统，对绝大多数学生来说美国只有一个包括初等和中等教育的单一体系。

美国的教育由各州自行负责，因而在结构上各有不同。但儿童都是年满6岁时就近上学。根据社区的选择，初等教育可自6年延至8年。

在美国，80%以上中学年龄组的学生都上中学。几十年来美国的目标就是为全体学生提供单一型的中等教育机构，人们普遍称之为综合性中学。虽然这个名称的确切含义经常是不明确的，但是综合性中学通常都开设广泛的普通课程和专业性课程，容纳学习能力有巨大差距的学生。因此，同一美国中学的学生，有的计划升入大学，有的打算念完中学就停止。但是，有时候这种区别并不像表面显得那么大，因为美国的学校受到居住区格局的强烈影响，在有些社区，这种格局有助于家长和学生有相同的抱负。

secret ballot 参阅 **Australian ballot** *秘密投票*。

Secretariat 塞克雷塔里亚特（1971年出生） 美国纯种赛马。是一匹赚钱最多的马。1973年，它在肯塔基大赛、普利克内斯有奖赛和贝尔蒙特大奖赛中获得美国三王冠；它是继1948年西泰勋（Citation）实现三王冠之后获得这一殊荣的第一匹马。塞克雷塔里亚特的种马名叫“勇敢的统治者”，母马名叫“好东西”。这匹弗吉尼亚种栗色雄马2龄时身高已超过16掌幅，相当于3龄马的高度。它的驯马师是L.劳林，骑手是R.特科特。塞克雷塔里亚特2龄时首次参赛获第4名。这是它没有获得奖金的仅有的一次比赛。此后，在它短暂而光辉的两年比赛生涯中，它16次夺得冠军，3次获亚军，一次名列第3。共赢得奖金1 316 808美元。这个数额超过参加同等数量比赛的任何马匹。在贝尔蒙特大奖赛中，它以31个马身长的空前优势获胜，同时创造了2分24秒的土跑道纪录。1973年11月退出比赛后留作种马。死于1989年。

Secretariat （联合国）秘书处 执行和协调联合国行动的机构，由秘书长领导。联合国秘书处对联合国工作的影响远比《联合国宪章》中指出的要大，这主要是因为秘书处的工作班子是由常设的专家级官员组成，而不是由成员国政府委派人员组成。工作人员是根据工作业绩招募，也考虑到合理的地区分布。秘书处人员要宣誓忠于联合国，不允许接受本国政府的指示。秘书处的人员实际上组成了国际的文职部门，其中有翻译、职员、技术人员、行政人员、项目主管人员和谈判人员。秘书长由联合国大会根据安全理事会的推荐选任，任期5年，连选连任。必须得到安全理事会5个常任理事国一致同意才能担任此职，因此，秘书长一直来自中立的小国。秘书长在大会、安全理事会、经济及社会理事会和托管理事会的全部会议上都是行政首长，并履行这些机构委托给他和他领导下的工作人员的各项职责。秘书长对大会提出年度报告，介绍联合国工作情况，并可将他认为是威胁国际和平与安全的任何问题提交安理会审议。秘书长是联合国的主要发言人，也是该机构最直观、最权威的形象。秘书处总部设在纽约市联合国大厦。

secretary 橱式写字台 又作 secretaire 或 escritoire。一种装有抽屉的小写字台。把其中的一个抽屉打开后，可把前板放下，作为书写用的平面。从这一基本构造出发，形成许

波士顿 1765 ～ 1775 年的带镜门的橱式写字台
供图：Henry Francis du Pont Winterthur Museum, Delaware

多种式样。法国 18 世纪上半叶的早期式样，由两部分组成：下半部分是一个柜，装有坚固的门或滑门，有的在门后装有一排抽屉，有的抽屉露在外面；上半部分装有一块活动的前板，放下后作为书写用的平面。这部分装有文件架、抽屉和格子，用以存放墨水、纸张和文件等。虽然这一形式一直固定不变，但却产生不少新的款式。例如，在装有活动前板的上半部分的顶端装上门镜；后又在下半部分辟出一个空间，以容纳膝部，而把抽屉分别装在这一拱形空间的两边。它还被制造得更为轻巧和精致：下半部分的实体为 4 条腿所代替，这些腿往往雕刻得同动物的腿维妙维肖。上半部分往往是鼓形橱，内装抽屉和文件架。这种写字台基本上是坤式家具，是为闺房而不是为图书馆设计的，因此成为一种华贵的器物。20 世纪它的一些原理为各类组合家具所运用。

secretary bird（*Sagittarius serpentarius*） **文书鸟** 即蛇鹫。蛇鹫科的非洲干旱高地猛禽，现存唯一的陆栖猛禽。腿长，体瘦但强有力。高 1.2 米，翅展 2.1 米。头上有 20 根黑色冠羽，貌似从前耳后带着羽笔的文书。体羽浅灰色，大腿黑色，飞羽黑色，翅衬白色纹。头和喙似卡拉卡拉鹰。尾有一对长的中央饰羽。腿长并有厚鳞保护，以免被蛇咬伤。主要以蛇为食，亦食蜥蜴、蚱蜢、鼠和鸟卵。步行捕获猎物。觅食时成对或成小群，发出

文书鸟（*Sagittarius serpentarius*）
纽约动物学会供图

汽笛似的鸣声以保持联系。会将蛇踩死或将蛇在地面上摔打致死，有时将蛇带到空中然后摔到地上。在多数非洲国家受到保护，有时为人驯养，用以在农场周围捕蛇。巢大，由树枝构成，造在荆棘树丛中。每产通常 2 卵，孵化期 7 周，靠双亲反哺的食物喂养。

secretary-general （联合国）秘书长 联合国的主要行政官。参阅 **Secretariat**。关于历任联合国秘书长名单，参阅 **United Nations**。

secretin 肠促胰液肽 十二指肠黏膜受胃酸或被消化的蛋白质刺激时分泌的一种消化激素。为低分子量蛋白质。能促使胰脏排出富含碳酸氢离子的胰液，又促进肝脏分泌胆汁。

secretion 分泌 由生物体内的腺体或细胞产生并释放某种物质的过程。分泌物包括酶和激素（可促进和调节复杂的生物化学过程）；此外，身体组织也分泌各种起润滑和湿润作用的物质。一般认为在一个细胞内戈尔吉氏器及与其有关的分泌颗粒与分泌物的产生和释放有关。大部分分泌液泌于身体内部，但有一些泌于体外，明显可见，如泪液和汗液。胃黏膜中有四种分泌细胞，其分泌物参与消化过程。内分泌腺直接向血液中分泌激素，随血流到达起作用的部位。英语中 secretion 一词又指分泌物。

Sect Shintō（religion） 参阅 **Kyōha Shintō** 教派神道。

sectile, opus 参阅 **opus sectile** 碎块拼镶工艺。

Section d'Or 黄金分割画派 关心几何形式的比例和匀称的立体派画家团体。以 J. 维庸为首，主要成员有 R. 德洛内、M. 杜尚、R. 杜尚-维隆、A. 格莱茨、J. 格里斯、R. 德·拉·弗雷斯内伊、F. 莱热、A. 洛特、L. 马库西斯、J. 梅桑热、F. 皮卡比亚和 A.D. 德·塞贡扎克。1912 年在巴黎举行了首次展览。1914 年第一次世界大战开始后停止活动。

Secular Games 百年节 拉丁语拼作 Ludi Saeculares。古罗马庆祝新世纪开始的节日，源于埃特鲁斯坎人。3 天 3 夜祀奉各种神祇。这些神祇起初为冥界神灵，后来，阿波罗、狄安娜和勒托等神也被包括在内。第一次得到确证的百年节是在公元前 249 年举行的，第二次、第三次分别在公元前 146 和前 17 年。其他节庆同时庆祝罗马建城，于公元 47、88、147、204、248 和 262 年举行。1300 年，教皇卜尼法斯八世恢复了这一节日，称之为教皇禧年节。

secular institute 在俗信徒团体 在天主教内一方面实行神贫、贞洁和听命以求达到天主教徒纯全标准，另一方面又以在俗身份做好本职工作而同时担任教会职务的人所组成的团体。参加团体的人不必当众发愿，不必过共同生活，也不必着特殊服装。第二次梵蒂冈会议（1962 ～ 1965）号召在俗信徒团体保持固有宗旨而又不断适应时代的要求。

secularism 现世主义 不讲今世以外之事而专讲地上生活的社会运动。在欧洲中世纪，笃信宗教的人士中间有一种强烈的倾向，蔑视人间事务，默念沉思有关上帝和今世以后之事。中世纪的这种倾向在文艺复兴时代引起了一种反作用，就是现世主义，表现为发展人文科学，人们开始更加注重人类文化成就和人类在现世实现自我的可能性。在整个近代史和现代史，现世主义运动一直持续不断，往往被人们认为反基督教和反宗教。但是，在 20 世纪后半叶，有些神学家提出现世基督教。他们说，基督教不应只讲神圣之事和今世以外之事，人类应当在世界内找到实践基督教价值观的机会。他们认为，耶稣所传信息的真正意义可以在现世城市生活中发现并实践于其中。

Secunda 塞肯达 南非德兰士瓦省现代公司城镇（1974 年后建）。在约翰内斯堡以东 130 千米。这一地区蕴藏有丰富的煤，水源充足。系南非第二个和第三个用煤提炼石油工厂的所在地。和*萨索尔堡*（**Sasolburg**）的第一个工厂一样，塞肯达厂生产有商业价值数量的油。第二个厂由南非煤炭、石油和瓦斯公司所建，1982 年全面生产。除汽油外还生产品种繁多的化学品。附属企业生产化肥、塑料、合成纤维和洗涤剂。

Securities and Exchange Commission（SEC） **证券交易委员会** 美国的管理委员会，在 1934 年参议院银行与通货委员会调查纽约证券交易所经营情况之后由国会建立。委员会的宗旨在于杜绝骗人的销售活动和终止导致 1929 年证券市场崩溃的证券操纵，以恢复投资者的信心。它禁止缺乏支付资金而买进证券（保证金购买），对证券市场及经纪人提供登记及监管；制定条例防止在证券交易中不公正地利用未公开的情报。委员会还规定准备出售证券的公司要充分说明有关证券的情况。它在公司破产的案件中还充当法院的咨询人。

security 证券 证明持有人当时尚未占有但有权接受某项财产的书面凭证。证券最常见的形式为股票和债券。机构（可能是政府、

公司或金融机构)筹集资金时可发行证券。发行的证券可以是股本所有权的形式:普通股和优先股。普通股的所有人享有一些权益,如取得股息、选举董事、检查账目以及在公司清算时代表剩余利益;优先股在获取股息和清算时收回剩余财产收益方面享有优先权,而在其他方面则有所限制。另外,证券也可以采用债务的形式,即债券。债券是规定在某一日期支付一定数量的金额并按某一利率支付这段时间利息的字据。证券有以特别的财产如房地产作担保的,叫抵押债券;有仅凭发行人一般信用作保证的,叫信用债券。两种类型的证券都在有组织的证券交易所公开买卖。交易所为买卖双方会合而提供场所,新的证券也可以在这里发行上市。世界上主要的交易所都集中在纽约、东京和伦敦。三个地方都形成自己严格的有规章制度的组织,约束交易所成员并保护购买的公众,以防止不公正的交易。

一般,公众仅可通过有执照的证券商或经纪人买卖证券;证券商或经纪人同其他人一起建立起公司股票的市场。有些交易所通过拍卖进行交易,出价高的人从开价低的出售人购进,有些交易所通过谈判进行交易,由证券商报出售价和低一点的购价(即出价)。证券价格受到许多因素的影响。外部因素如国际动荡、政府政策的变更、收支平衡问题及外国证券行市的趋势,无不有所影响。对于个别的证券,公司当前财政状况及其前景影响价格颇大,该行业内部的总趋势也有很大影响。

1970年以来证券买卖的方式发生了根本的变化,就是:在几乎所有有活跃证券交易的国家里,小投资者所发挥的作用在下降,而控制庞大资金的机构投资者所发挥的作用却随之在增加。由于大机构总都是按类似的标准经营有价证券,而且一齐进入与退出市场,它们一直是价格波动日益剧烈的重要因素。

政府证券通常是每年支付固定金额利息的债券;它在最终偿付方面有安全保证因素,这与大多数商业证券不同。然而政府证券也在市场上买卖,价格也要按经济的趋势和状况,以及买卖双方相对的平衡而上下波动。因此,这些证券在短期间内也有与商业证券同样的风险。政府证券市场价格变动的主要原因是利率的变动趋势。通货膨胀的前景和政府借贷要求的变化也影响这些证券的行市。

不论是私人投资者还是机构投资者,基本上都使用下列同样的标准来比较不同类型的证券:对违约的安全程度、预期的收益率、证券交易的便利与费用、实现投资的难易与代价。综上所述反映了一个事实,就是证券和证券交易所有所发展,以求意欲投放资金的投资者和寻找资金谋利的企业家聚合在一起。

Security and Co-operation in Europe, Organization for(OSCE) 欧洲安全与合作组织 前称欧洲安全和合作会议(1972～1994)。几乎所有的欧洲国家及美国和加拿大的代表参加的组织,以对从整体来说影响欧洲大陆安全与稳定的重大问题作出决定。成立于1972年。第一次会议(1973～1975)有欧洲所有33个国家(阿尔巴尼亚除外)及美国和加拿大参加。会议以于1975年8月1日签署《赫尔辛基协议》(**Helsinki Accords**)宣告结束。美国和苏联各自领导的联盟(分别为北大西洋公约组织和华沙条约组织)在协议中承认第二次世界大战后各国边界不可侵犯,并作出承诺尊重人权和基本自由。各次续会分别于1977～1978年在贝尔格莱德、1980～1983年在马德里和1985年在渥太华举行。国家或政府首脑每2～3年举行一次会议。当东欧所有共产党政府于1989年瓦解和1990年东德与西德重新统一成为不可避免时,第二次重要的首脑会议于1990年11月在巴黎举行,以正式结束西方集团与苏联集团长期在欧洲对抗的局面。成员国总数因德国于同年10月统一而从35个减至34个。巴黎首脑会议通过了建立新欧洲的巴黎宪章。1991年爱沙尼亚、拉脱维亚和立陶宛成为成员国,俄罗斯占有前苏联的席位。1992年前苏联的各共和国也成为成员国,阿尔巴尼亚亦然。

security and protection system 安全保卫制度 以保护人身和财产免遭范围很广的危害为宗旨的各种手段或装置,这些危害包括犯罪、火灾、事故、间谍、破坏、颠覆和攻击。

大多数安全保卫制度强调某些危害多于强调别的危害。例如,在一个零售商店里,安全防范主要是针对入店行窃和店员的不诚实行为(例如盗窃、贪污和诈骗)。一组典型的受保护的项目包括:组织中的人员(如雇员、顾客和居民)的人身安全;有形的财产,如工厂、设备、成品、现金和有价证券;以及无形的财产,如绝密的国家安全资料或私人组织的"专有的"资料(如商业秘密)。安全保卫制度与政府的警察和消防队等机构之间的一个重要的不同之点,在于前者采取的措施着重消极的和预防的方面。

保安制度广泛存在于各种不同的组织中,从政府机关和工厂到公寓建筑和学校。较大的组织可能有它们自己的专门的保安制度或者可能通过合同向专业化的保安组织购买保安服务。

保安制度的发展 保安制度的起源尚不清楚,但使用门锁和装有铁栏的窗子之类的家庭保护技术则由来已久。由于文明的进步,人们对消极保卫与积极保卫的区别有所认识,积极保卫的责任被赋予警察和消防部门。

到19世纪中叶,私营组织如瑞典的菲利普·索伦森和美国的阿伦·平克顿等私人公司已开始建立起有效的大规模的保安服务事业。平克顿的组织向私营企业和政府提供间谍、反间谍、内部保安、调查和执法等方面的服务。在美国出现集体谈判之前,破坏罢工也是一项主要关注的事。索伦森的组织与此不同,它致力于为工业减少损失的服务。它提供训练有素的人员去防止和对付由于犯罪、火灾、事故和洪水造成的损失,并在联合王国和西欧其他地方建立了这种类型的保安服务事业。

第一次和第二次世界大战使人们更加认识到保安制度作为一种防止军事间谍、破坏和颠覆的手段的重要性;这种制度实际上成了国家的保安制度的一部分。第二次世界大战后,由于国际紧张局势加剧和国防生产规模扩大,这种设施大部分保留下来,并成为日益专业化的保安工作复合体的一部分。

保安制度和硬件在世界各地的发展和传播,是一个不平衡的过程。在比较不发达的国家里,或者在最近工业化的国家里的不发达地区,安全技术一般处于初级形式,例如装有铁栏的窗户、锁和初级的保安人员。然而,在很多这样的地区,一些大规模的国际公司的设备和一些敏感的政府设施使用了复杂的保安装置和技术。

20世纪60年代以来,与犯罪作斗争的保安制度在大多数国家里发展特别迅速。那些起作用的因素有:要求高度保安的企业数目增多;发展了新的保安业务,例如保护专有的资料;特别容易受到伤害的机密资料的日益计算机化;加强了对犯罪的报案和因此而来的对犯罪更容易察觉;在很多国家里需要保安制度来对付暴力示威、投掷炸弹和劫持飞机。

保安制度越来越自动化,特别是在发觉和报知危害及伤害方面。这种情况在以下两方面都是如此,一方面是在针对犯罪的适用上,例如发现有人非法闯入的设备;一方面是防火警报和反应(扑灭)系统。微型化和电子学上的进展反映在保安设备上是它更小、更可靠和更容易安装和维修。

保安制度的类型 保安制度按生产企业类型可分为工业、零售业(商业)、国营企业、政府承包企业或医院的保安制度;按组织机构类型可分为契约保安机构或独营的保安机构;按保安方式类型可分为人员或物质保安措施;按保安任务或重点可分为工厂保护(有各种定义)、防盗、防火、防止事故发生、保护机密(国家的机密或企业专有的机密)情报。这些分类中显然有些是互相重叠的。

小型企业的保安形成了一种特殊情况。由于小型企业雇不起专设的专业保安人员,各种保安措施就必须与日常的工作和人员训练相结合,或者从外面的保安机构购买。内部的和外来的盗窃是其主要关注的事。

住宅保安形成另外一种特殊类别。规模较大的住宅或公寓楼群,特别是统一管理的,可以采取复杂的保安措施,包括用闭路电视监视电梯和过道,雇用训练有素的保安人员等。用于住宅或小型公寓建筑的比较简单的设备如外部照明及报警器得到越来越多的应用。大城市的有些居民区共同雇用巡逻服务或组织居民自愿巡逻。

物质保安措施 在过去几十年中保安技术上最有效的进展是在物质保安措施方面,即用有形的手段保安。物质保安措施有两个主要的组成部分:房屋建筑和附属装置;设备和器械。

一幢建筑物的安全设计可以通过计划和限制入口的数目和位置,及仔细注意出口、交通情况和货物装卸处等进行。

设备和器械可以分成不同的类别,这要取决于根据什么标准。如果以目的为标准,一些主要的类别有:文件保存器,包括保险箱和档案柜;通讯,如收发两用无线电设备和变换频率(防止窃听)的电话机;身份识别,包括证章和要求使用密码的自动进入管制系统;调查和侦察(如测谎器)以及发现非法闯入的器械，如光电管和超声波传导设备；观察和监视，包括窃听和录音设备、摄影机、闭路电视和单向镜；针对观察和监视的反措施，如旨在发觉电子监视器械的设备；以及防火。根据所起的作用进行分类的系统形成了另外一组类别。包括围绕的障碍物（篱笆、墙）和锁以防止或控制进入，以及照明系统以帮助监视和阻止非法闯入。

保安设备技术有了很大的改进。其中比较显著的例子包括报道未经批准的移动物品情况的传感器装置；身份识别和进入管制系统，这种系统能够直接“判读”诸如声音特点和手掌纹理之类的人身特征；能够在夜间扫描建筑物的监视装置；以及能够在相当远的距离之外进行监视而不必进入建筑物内的装置。

保安计划的一个主要部分包括采取旨在征集和有效地使用可靠人员的措施。“人员保安”这个词往往用来包括这样一些措施，这些措施旨在只录用那些能够充分信赖其可靠性的人。采取这些措施的前提是，由于雇员不可靠而造成的损失，比来自外部原因造成的损失（夜盗、抢劫、入店行窃、间谍）更为经常而且往往损失更大。另一个前提是，对雇员的未来行为的最好的预测之一是他过去的行为。

一般的同义语是“甄审”和“考查”。最普通的方法是背景调查，包括获取关于一个人过去所受的教育、就业情况和个人行为的所有有用的资料，和对个人未来可能的忠诚和诚实情况作出判断。因此，档案和计算机化的国家资料库是社会作出的反应的例子，在这个社会里，巨大的地理流动性使得有必要保存记录作为判断的基础。另一项技术是测谎器测验。除了甄选技术外，还有其他的措施旨在使人员在被吸收入制度后仍然保持个人的可靠性，如对雇员的思想灌输计划和弱点测验。

制度和程序构成针对保安的人员——行政管理的另一个领域。用这样一种方式设计工作方法和管理监督是可能的，即保安是人们谋求以最小的代价获得最大的成果的一种价值。这样的例子包括使用自动化记录保存系统，使用表格和报告定期核对实际的盘存，以及适用双重责任原则，即把工作分配成这样：一个雇员的工作为检查另一个雇员的工作准确性。

由于控制系统不是自我管理的，必须对它们进行定期的检验和调整。一个典型的程序是弱点测验或“假想失误”测验，在这种测验中，故意把一项失误或违犯，例如一张错误的发货单，放置到系统中，看它是否能被发现和报道。秘密的调查人员，如雇用的“购物者”检查售货员是否诚实，也担负着检查控制系统的运转情况的任务。

警卫人员的训练、监督和动员是人员-行政的保安措施的另外一些重要的方面。使用操作人员达到保安目的又是一个方面。这样的例子包括工程师、生产工人和事务人员运用政府的保安规定以保护机密资料，以及售货员与保安人员合作以侦察入店行窃者。操作人员在达到生产目的的同时达到保安目的上给予的合作，要求精明的训练和通讯计划、监督、雇员的动员和管理的范例之间的相互作用。

以上大部分情况中默示的人员一关系措施表明，普通雇员的态度和他们所创造的社会气氛或者有助于保安，或者构成它的最大的敌人。因此，要想使保安计划获得成功，就必须在实际上得到整个劳动队伍的巨大理解和合作的情况下执行。保安计划只能与工人和各级行政人员的社会关系和忠诚的总的类型和气氛一样的良好。

Security Council　安全理事会　联合国机构，其主要职责为维护世界和平与安全。安全理事会最初由 11 个理事国组成，其中 5 个为常任理事国（中国、法国、原苏联、英国、美国），6 个为非常任理事国，由联合国大会选出，任期两年。1965 年联合国宪章修正案被批准后，理事会成为一个有 15 个理事国的机构，即由原来的 5 个常任理事国和 10 个非常任理事国组成，后者依据公平地域分配的原则选出。在这 10 个非常任理事国中，由大会每年选出 5 个，任期两年；每年有 5 个退出。主席由各理事国轮流担任，为期一月。每一个理事国有一个投票权。关于一切“程序性”问题（其定义时有争议），安理会的决定由其任何 9 个理事国（1965 年前为 7 个）的赞成票通过。关于实质性问题，包括对争端进行调查和实施制裁，需有 9 个赞成票（1965 年前为 7 个），包括拥有“否决”权的 5 个常任理事国的赞成票在内，方能通过。但实际上，常任理事国可以弃权而不致影响决议的有效性。关于某事究系程序性问题抑或实质性问题的投票，其本身即为一个实质性问题。由于安理会需不间断地行使其职责，每一理事国都应有代表常驻纽约市联合国总部。

任何国家，即使不是联合国会员国，均可将其为一方的争端提交安理会。如安理会发现，对和平造成真正的威胁，破坏和平，或是侵略行为（第 39 条），或未能履行国际法庭的裁决所规定的义务（第 94 条），安理会可号召联合国会员国实施外交或经济制裁。如果这些措施证明还不够，联合国宪章允许安理会对挑起战端的国家采取军事行动。冷战期间，美苏之间持续不断的争吵使安理会难以发挥其作用。但是，自从 80 年代末开始安理会的权力和威信有了增长。1987 ～ 2000 年间该机构授权的维和行动比以前任何时候都要多。除几个常设的和专门的委员会外，安理会的工作还得到军事参谋委员会、制裁委员会、维和部队委员会以及国际促裁委员会的帮助。

Secyon（ancient Greek city）　参阅 **Sicyon** 西锡安。

Sed festival（Egyptian religion）　**塞德节**　参阅 **Heb-Sed festival** 赫卜塞德节。

Sedaine, Michel-Jean　塞代纳（1719-06-02，巴黎～1797-05-17，巴黎）　法国戏剧家，以写过一部优秀的家庭喜剧《不知不觉成了哲学家》（1765）闻名于世。他是一个熟练建筑工人的儿子，因此只得作为石匠开始他的人生历程。1752年发表了一本诗集。他的戏剧生涯始于 1756 年，当时他为一些轻歌剧写过脚本。法国大革命使他穷困潦倒，1795 年被免去他在1786年获得的法兰西学院院士资格。

供图：H. Roger-Viollet

《不知不觉成了哲学家》首次问世时，因其对决斗的处理不妥而被禁演，到 1875 年该剧才以本来面目与观众见面。该剧以多愁善感和理想化的笔触，描绘一个富商家庭的生活。在 19 世纪曾一度受到欢迎，但现在人们研究它主要是出于历史原因。

Sedalia　锡代利亚　美国密苏里州中西部城市，佩蒂斯县县城。西北距堪萨斯城 121 千米。1857 年始建。1864 年设市。密苏里太平洋铁路修经此地后，日趋发达。1866 年为得克萨斯州牛群重要铁路起运站。密苏里—堪萨斯—得克萨斯铁路修通后，兴建有大型铁路工厂。为农产品集散地，有多种工业制品，如鞋、服装、工具、家用电器等。设有密苏里州博览会、州博览会社区学院（1966）；附近有怀特曼空军基地。人口约 20 255（1994）。

Sedan　色当　法国东北部香槟-阿登大区阿登省城镇。位于默兹河右岸，比利时边境西南 14 千米处。当地 15 世纪的城堡据说是欧洲最大者。在城镇中心有一座为蒂雷纳子爵立的塑像，他是法国 17 世纪著名军人，出生于城堡中。16 ～ 17 世纪色当是服装业的中心。纺织业仍为该城及其周围地区的重要行业，其他工业有金属加工、医疗器械、化工和食品加工业等。普法战争中，这里是 1870 年法国军队失利的地点。第二次世界大战期间，1940 年德军在此地冲破了法国防线。人口 22 407（1990）。

sedan　西方轿子　水平安装在两根平行轿

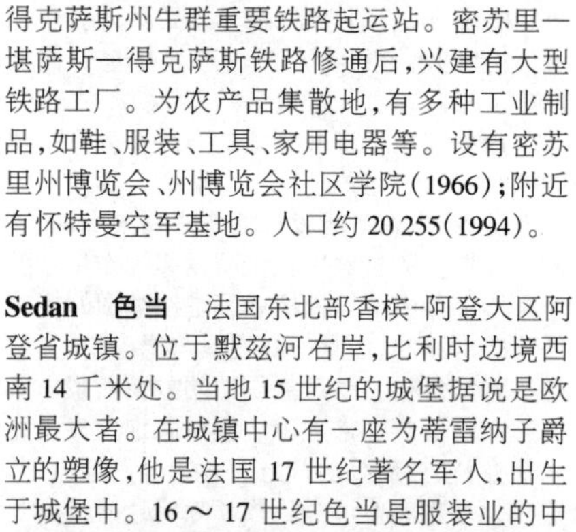

18 世纪的西方轿子
伦敦科学博物馆供图

杠上的有篷座椅，由人抬或由牲口驮。17～18世纪时，轿子在意大利、法国和英格兰是一种豪华的奢侈品。人们常在轿子上精心地雕刻、装饰并绘上各种神话图景和纹章图案。轿子在英格兰很受欢迎，因为它缓和了当时伦敦街头被成群马车所拥塞的状况。在殖民地时期的美国，轿子主要在纽约市和费城等地为富人所使用。1789年，B.富兰克林曾乘坐轿子。

Sedan, Battle of　色当战役(1870-09-01)　普法战争中的一次决定性战役，法国惨败，导致第二帝国的垮台。法军12万人，由麦克马洪元帅指挥，德军20多万人，由H.冯·毛奇将军指挥，激战于法国边界重镇色当附近。麦克马洪与拿破仑三世率领一支部队，欲自马恩河畔沙龙，驰援东北方面的梅斯要塞，以解法国莱茵军团之围。毛奇从报纸报道了解到麦克马洪所部的调动情况，就立即命令由萨克森王储艾伯特指挥的新建默兹军团，截击麦克马洪。1870年8月29～31日的3次默兹河战斗，德军迫使麦克马洪退守色当要塞。正当麦克马洪考虑是否再度东向出击到梅斯去还是西向撤往巴黎时，毛奇调动第3普鲁士军团，由普王储腓特烈·威廉指挥，完成了对色当的包围。9月1日清晨麦克马洪受伤，法军指挥部陷于极端混乱，致使德军在未遇严重抵抗的情况下，进行包围。法军竭力突围，使用大规模骑兵冲锋，但无法挽回颓势，死亡惨重。德国炮兵对法军阵地进行整日炮击后，于下午发起总攻。拿破仑三世看到大势已去，投降。翌日晨，率其所部8.3万人当了战俘。法军3 000人死亡，1.4万人受伤，2.1万人失踪或被俘。德军伤亡9 000人。德军乘胜进军巴黎，9月4日，巴黎群众起义，推翻了第二帝国。

Sedang language　色登语　又称Rôtea，Hadang，Hôtea或Hôteang。操这种语言者居住在越南昆嵩省，约有10万人。色登语是巴纳语北部语支的第二大语言(巴纳语最大)，属澳斯特罗-亚细亚语系孟-高棉语族。通行于昆嵩省色登南部的托德拉语可能是它的一种方言，但常被认为是一种独立语言。

sedarim　参阅**seder**回目。

sedative-hypnotic drug　镇静催眠药　可用来缓解紧张和焦虑、使精神变得平静，或能诱导睡眠的一类化学药物。其药理作用视剂量而定，小则镇静，大则催眠。镇静催眠药有类似鸦片制剂的药理作用，抑制中枢神经系统的兴奋性，但它能在不影响患者的情绪和痛觉的前提下达到其镇静、催眠的作用，故有广泛的使用价值。酒精和鸦片作为唯有的两种镇静催眠药，为人类沿用了几个世纪。最早人工合成的镇静催眠药是水合氯醛(1869)、巴比妥(1903)和苯巴比妥(1912)，并在其后20年间完成了巴比妥家族系列中多种药物的合成和临床应用。直到20世纪中期才有第二代新的合成镇静催眠药问世，主要是苯并二氮䓬类(即所谓小安定药)。20世纪中期以前，巴比妥类是应用最为广泛的安眠药。常用的有苯巴比妥、司可巴比妥(速可眠)、异戊巴比妥和戊巴比妥。大剂量时，这些药物可致人丧失神志，故多用于全身麻醉。剂量再大就会抑制呼吸中枢，导致呼吸衰竭、昏迷、直至死亡。长期服用巴比妥类安眠药可致耐受和成瘾。前者需不断加大剂量才能维持药效；后者停药时可出现戒断综合征(不安、焦虑、虚弱、失眠、恶心和惊厥等)。由于这些副作用，60年代以来，巴比妥多被苯并二氮䓬类药物取代。这类药可更有效地缓解焦虑而较少催眠作用，很少产生耐受和成瘾，大剂量也不至产生中枢抑制，而且有效剂量大大少于巴比妥类药物。常用制剂有利眠宁(盐酸甲氨二氮䓬)、安定(苯甲二氮䓬)、三唑安定、舒宁(去甲羟基安定)、三唑苯二氮䓬等。但如连续服药4～6周，机体也会对这些药产生耐受和戒断症状(焦虑不安等)，故不能长期服用。苯并二氮䓬类药物的药理作用机制是促进γ-氨基丁酸的生物活性。现已知γ-氨基丁酸是一种抑制焦虑的中枢神经介质。抗精神病药(即大安定药)、三环类抗抑郁药、抗组织胺类药物亦可有镇静、催眠的作用(非其主要药理作用)。无需医生处方即可在市场买到的安眠药大多以抗组织胺类药为其活性成分。

Seddon, Richard John　塞登(1845-06-22，英格兰兰开夏埃克尔斯顿～1906-06-10，澳大利亚和新西兰之间的海上)　别名King Dick。新西兰政治家、总理(1893～1906)。1863年

供图：BBC Hulton Picture Library

到澳大利亚当金矿工人。1866年移居新西兰，仍当金矿工人，塞登在金矿纠纷中为矿工辩护，从而在当地政治中崭露头角。1879年进入议会，1891～1893年在工党政府中任矿业和公共工程部长。1893年出任总理，曾提出妇女选举权法案，获得通过。又颁布W.P.里夫斯的《劳资调解和仲裁法》(1894)和J.麦肯齐的《土地法》(1894)。人们普遍认为1898年的《养老金法》是他在立法中的最佳杰作。在对外政策方面他是个帝国主义者，吞并斐济未成，最终在1901年兼并库克群岛。他向毛利人强购大片土地，并反对东方民族向新西兰移民。极端亲英，曾在南非战争(1899～1902)中派兵支持英国。在全国选举中连续第5次获胜后不久，从澳大利亚返国途中猝亡。

seder　回目　复数作sedarim。历史最悠久的犹太口传律法汇编《密西拿》的任何主要法规或主要部分之名称。参阅**Mishna**。

seder　逾越节家宴　犹太教徒的家宴，于犹太教历尼散月15和16日举行，是逾越节庆祝活动的开始。逾越节所纪念的是公元前13世纪摩西时代以色列人举族迁出埃及摆

逾越节家宴器物：(左)15世纪的西班牙文版的《出埃及记》；(中)置于19世纪德国逾越节家宴碟子上的酒杯；(右)19世纪的波兰银质以利亚杯
供图：纽约犹太博物馆—Art Resource/美国不列颠百科全书公司

脱奴役状态之事，但犹太人尤其难忘的是，这一事件是上帝在西奈山发出启示的先声。改革派犹太人以及以色列国境内的犹太人仅举行一次家宴，因为他们规定逾越节为七天而不是八天。家宴开始时，家长着白袍，举杯为节日祝福。全家洗手，家长把生芹菜或其他生蔬菜蘸醋或盐水分给每人。此时将象征古代所食逾越节羔羊的羊胫骨以及煮鸡蛋自盘中取出，人人诵祷文。斟满第二杯酒后，家中最年幼者依礼就此节日礼仪提出4个问题，全家同声背诵规定的答案，从灵性方面进行解释，基本上是复述《出埃及记》所记情节。全家再次洗手，分食无酵饼和蘸有酒酿果酱的苦味野菜，然后用饭。饭后诵感恩词，第三次斟酒表示感谢上帝恩惠。接近尾声时全家齐声诵《颂赞诗篇》，斟第四杯酒感谢上帝的全知护佑。有人还要斟第五杯酒，献给先知以利亚，因为据说以利亚会突然出现在逾越节家宴上，预报弥赛亚降临。宴后往往唱民歌。参阅**Haggada；Passover**。

Sederholm, Jakob Johannes　塞代霍姆(1863-07-20，俄罗斯帝国芬兰赫尔辛基～1934-06-26，赫尔辛基)　地质学家，探查芬兰前寒武纪岩石(年代为39.6亿年前至5.7亿

赫尔辛基芬兰国家博物馆供图

年前)的先驱。1888年任芬兰地质委员会地质师，1893～1933年任该委员会主席。他积极推动和领导了该委员会产生出优秀的图件、报告和科学论文。他的研究工作集中在

花岗岩的成因，以及岩石的地层顺序、年代和对比等方面。他的《论花岗岩和片麻岩》(1907)一书附有英文摘要。其余有英译本的著作有:《论芬兰西南部的混合岩以及有关的前寒武纪岩石》3卷(1923～1924)和《论芬诺斯堪迪亚地质，主要关于前寒武纪》(1932)。

sedge 莎草 莎草科(Cyperaceae)植物的通称。

Sedgefield 塞奇菲尔德 英格兰东北部达勒姆行政、历史郡的区。地处海拔90～120米间的石灰石高原。西依奔宁高原，东南接北海沿海平原向内陆延伸部分。历史上与西达勒姆煤田和东达勒姆煤田的南界有联系。塞奇菲尔德现已没有正在开采的煤矿。农业种植经济作物，广泛饲养乳牛。开采之石灰石用于铺路、制造水泥和用作冶炼钢铁的助熔剂。其工业区于20世纪80年代初得以扩大，可生产轮轴、齿轮、雷达用部件和电视部件等产品。附近的希尔登、费里希尔和斯彭尼穆尔原为煤镇，现为轻工业中心。行政中心是斯彭尼穆尔。面积217平方千米。人口约89 300(1998)。

Sedgemoor 塞奇莫尔 英格兰西南部萨默塞特行政、历史郡的区。地处该郡的中北部，大部为低洼的盆地，有肥沃的冲积土壤。境内有帕雷特河和布鲁河流经。现农副业有乳牛饲养、谷物种植和柳条筐编织等行业。东北部的切德镇(向以乳酪著称，现产量有限)是商品菜园中心，主要产草莓。区首府布里奇沃特原为港口，现生产砖瓦、鞋靴和家具。面积568平方千米。人口约104 300(1998)。

Sedgemoor, Battle of 塞奇莫尔战役(1685-07-16) 英国历史上，在英格兰布里奇沃特东南约3英里处，由费弗沙姆伯爵第二和J.丘吉尔(后为马尔伯勒公爵)率领的国王詹姆斯二世的军队对蒙默思公爵的主要由农民构成的军队的大屠杀。蒙默思公爵是查理二世的私生子，为基督教新教徒，企图从其叔父、天主教徒詹姆斯二世手中夺取王位。1685年6月11日他在莱姆里吉斯登陆，自立为王，但未能取得布里斯托尔，而退至布里奇沃特。这时他的去路被国王军队堵截。蒙默思冒险夜袭。将近取胜时，他的骑兵逃跑，步兵未能越过把他们与王军隔开的壕沟，他的未经训练和无人指挥的追随者失败。他被俘，不久被斩首；部下很多人也被判处死刑。

Sedgwick, Adam 塞奇威克(1785-03-22，英格兰约克郡登特～1873-01-27，剑桥郡剑桥) 曾译薛知微。英国地质学家。最先将Cambrian(寒武纪)这个名称用于现代测定为5.7亿年前至5.0亿年前的这段地质时期。他早年受教于登特和塞德伯的中学，以及剑桥大学三一学院，1810年他在该学院被选为研究员。尽管他是数学家，对地质学所知甚少，但却于1818年被任命为剑桥大学三一学院的伍德沃德地质学讲座教授。当时，大学用人常常是根据此人的一般声誉而不是专长。塞奇威克立即着手在大学的研究项目中确立地质学的重要地位，并开始进行许多次为他履历中所特有的地质考察。1827年他与R.I.麦奇生合作，考察了苏格兰的西部和北部，这是他们多次合作考察英国和欧洲大陆各处的第一次。1829年当选为伦敦地质学会主席，两年后在威尔士

供图:BBC Hulton Picture Library

北部开始野外工作。在那里他建立了当地岩层的顺序，并将最老的含化石岩层命名为寒武系(Cambria为威尔士的古名)。麦奇生与塞奇威克共同研究了德文郡的页岩和砂岩，并提出Devonian(泥盆纪)命名(取自"德文郡"名，现代测定为4.08亿年前至3.6亿年前)。他们把自己的发现在《论德文郡的自然构造》(1839)一文中提交地质学会。关于发现和命名某个早古生代岩层(后来定名为奥陶系)的优先权的不幸争执，破坏了麦奇生与他的合作关系。他著有《英国古生代岩层划分概要》(1855)。1903年正式开放的剑桥塞奇威克博物馆，就是为纪念他而建造的。

Sedgwick, Adam 塞奇威克(1854-09-28，英格兰诺福克诺里奇～1913-02-27，伦敦) 英国动物学家。地质学家亚当·塞奇维克的侄孙。以研究蠕虫样生物栉蚕属(*Peripatus*)而负盛名。他视栉蚕为环节动物与节肢动物之间的重要联系。曾于伦敦的国王学院及剑桥大学三一学院学习。1878年在比较解剖学及胚胎学权威F.M.鲍尔弗任院长的一所动物研究学院任讲师。1882年鲍尔弗去世，他接任院长。1897年任三一学院院士及指导教师，两年后继A.牛顿任剑桥大学动物学教授。1909年任南肯辛顿的帝国理工学院动物学教授。他是《动物学教程》(3卷，1898，1905，1909)的作者，后任编辑。

Sedgwick, Anne Douglas 塞奇威克(1873-03-28，美国新泽西恩格尔伍德～1935-07-19，英国汉普斯特德) 美国侨居国外的作家，其畅销小说评述了欧洲和美国的文化差异。9岁起住在伦敦。她原本为了自娱而写的小说《令人生厌的阿基纳德小姐》于1898年在伦敦出版，获得成功后相继又出版了多本书。她将美国和欧洲的传统习俗和伦理道德进行对照。《坦特》(1911)是她第一部力作，在美国畅销。接着出版了短篇小说集《鸟巢》(1912)和《邂逅》(1914)。第一次世界大战期间，夫妻二人在法国的医院和孤儿院工作。战后她继续写作，著有非虚构类作品《80年前在布列塔尼度过的童年》(1919)，以及几本短篇小说和长篇小说，包括畅销书《法国小姑娘》(1924)。1931年最后一次访问美国期间当选国家艺术和文学学院院士。

Sedgwick, Catherine Maria 塞奇威克(1789-12-28，美国马萨诸塞斯托克布里奇～1867-07-31，马萨诸塞西罗克斯伯里[今在波士顿]) 美国早期女作家，其小说在世界各地广受欢迎，属美国最早的本土风格文学作品。曾在其兄的敦促下，答应就正统加尔文主义的偏激行为写成小册子。1822年不署名出版时，已经扩为长篇小说《新英格兰的故事》。值得注意的是小说生动准确地描绘了她的家乡伯克希尔山的景色和人物。接着又写出《红杉》(1824)、《林伍兹一家》等作品，从而牢固树立了她作为小说家的声誉，并为本土文学的发展做出了有意义贡献。最后一部小说《婚否?》于1857年出版。

sedilia 司祭席 特指哥特式基督教教堂中神职人员座席，通常为3个单独的为司铎、助祭、副助祭3人设置的石凳。在十字形教堂中位于祭台或唱诗班席之南。最初为独立式

英格兰剑桥郡切里欣顿13世纪上半叶后半期教区教堂内的司祭席

供图:A.F.Kersting

的石凳，自12世纪晚期始，建筑师将石凳设计在祭台上凹入的壁龛内。常逐次作成阶梯形。壁龛上常设有华丽的华盖、雕饰拱和尖顶。

sedimentary facies 沉积相 指沉积岩层的物理、化学和生物诸方面，以及同一地质时期各地层层序间的横向变化。只有在沉积物积淀了很长时间，足以压实胶合形成坚硬岩层的地方才能形成沉积岩。沉积作用一般发生于沉积物能在沉积盆地中不受扰动地滞留多年的地区。虽然有些沉积盆地很小，但有些却很大，占地数千平方千米，而且同一盆地中常有多个不同的局部沉积环境。物理、化学、生物诸因素影响着这些沉积环境，而这些环境产生的外部状况又在很大程度上决定着积聚的沉积物的性质。环境状况发生横向变化时，几种不同的局部沉积环境便可能同时并存于同一盆地中。在那里最终形成的沉积岩可能与这些沉积环境有关。这些性质不同、但处于同时期和并列的沉积岩称作沉积相。瑞士地质学家A.格雷斯里于1838年首次使用了这一术语。

沉积相有多种:陆源相，由从古老岩石被侵蚀剥落下来并被运送到沉积地点的颗粒积聚而成；生物成因相，由有机体的整个外壳或外壳碎片和其他坚硬部分积聚而成；化学相，由从溶液中析淀出来的非有机物质沉积而

成。正如环境条件会随时间的推移而变化，不同的沉积地点的形状和特性也会发生变化，因而每一沉积相都有三维构造，而且早晚也会改变其位置。

沉积相的描述或命名的方法有多种。岩相可由其主要物理特性（岩性）识别；生物相可由生物学（更确切地说是古生物）属性——化石来定义。两者都可直接反映沉积盆地的沉积史。如把不同起因模式归结为不同的相（即看作是岩相或生物相），便可将相的遗传系统形象化。如用环境条件作标准进行区分，常可分为冲积相、沙洲相或礁相。如因对岩石本身有了新的或更精确的认识，则必须修订解释，不然便可能引起混淆。

现代沉积盆地中，不同的局部沉积环境间存在着有规律的联系。同样，在地层剖面中，各相之间也存在着有规律的联系。举一个普通的例子，在一积水盆地的边缘（即滨线）与积水较深的中部之间有规律地交替形成岩相和生物相。较浅水域中的沉积物的颗粒较粗大，较深水域中的沉积物颗粒较细小。随着时间变化，海平面也发生变化，这通常会造成地层剖面中的连续变化。海平面上升，海水淹没原来的陆地，原浅水处较粗的沉积物移至新淹没的地区沉积，而原来的浅水区域现在水位加深，接受颗粒较细的、或不同的沉积物。海水侵入内陆，沉积带也跟着延伸至内陆；海水后撤，沉积带也自海岸后退。

德国地质学家J.瓦尔特于1894年指出：在一个经过水域扩大和水位加深而导致海水淹没陆地，或反之，海水从陆地退回的沉积盆地中，其垂直的相序列和水平的相序列相同。这就使得地质学家在得知一个沉积盆地表面相的特性后，便可精确预测该盆地的深处可能会有什么矿。但是，瓦尔特的这个结论显然只适用于层序连续性中没有大的中断（即侵蚀间隔）这种情况。

通过对各相之间关系的研究，我们认识到岩体间那种有顺序的、剧烈的、互相剥蚀的接触方式对发现相的成因模式也具有重要意义。很多相明显地在时间上、空间上重复地依次出现。如在一个相的序列中进行垂直钻孔，可发现一种垂直的特性。在许多冲积层中，含煤层的石炭系、二叠系和其他岩系中都可观察到这种现象。黏土、煤、页岩和砂岩下的相可能重复地出现多次，称作旋回层。这种循环性或周期性的沉积在世界许多地方不同岩层中都有记录，而且可能以许多方式出现。但是，重新审察原先被描述为周期性的岩层序，便发现这种现象不像原先想象的那么普遍，那么固定不变。

现在人们认识到，相之间的联系和分布取决于有关联的控制因素。最重要的因素有沉积过程、沉积物来源、气候、大地构造（地体运动）、海平面变化、生物界活动、水化学和火山活动等；其中，沉积环境（气候）和大地构造运动最为重要，因为它们可以最终控制其他诸因素。

在开发诸如化石燃料这种地球资源的工业中，对相（或沉积盆地）的研究分析很重要。它可导致测知哪里可找到煤、石油、天然气或其他沉积物。除了对岩石样芯进行研究外，相的分析还对岩石的各种地球物理特性，如密度、电磁性和放射性的研究有用。利用从钻孔中得到的这些信息可以快速地识别相和判断其间的关系，就可确定那些有重要经济价值资源的位置。

sedimentary rock 沉积岩 在地表或靠近地表由于沉积物的堆积和石化所形成的岩石（碎屑岩），或由于溶液在正常地表温度下的沉淀所形成的岩石（化学岩）。沉积岩是地表露出的最普遍的岩石，但它只占整个地壳组成的一小部分。火成岩和变质岩在地壳中占主导地位。

其重要特征是成层形成的；每层都有反映其沉积条件、源岩性质和搬运方式的特征，在许多情况下，还有反映地质历史时期生物记录的特征。重复的或连续的建造提供了长时期的记录，虽然可能出现一些变动，在任一地区沉积可能不连续。

碎屑岩是最常见的沉积岩，由火成岩、变质岩和先存沉积岩风化破碎产生的物质所形成。这些碎屑经水、风或冰的搬运沉积下来，接着被胶结成致密岩石。页岩、角砾岩、砾岩、碎屑灰岩、黄土、石英砂岩、长石砂岩和杂砂岩都是碎屑沉积岩的例子。某些物理化学性质，如粒度、矿物成分和胶结物提供了这类岩石分类的基础。例如，颗粒小于0.06毫米的碎屑岩属页岩，颗粒为0.06～2毫米的岩石属砂岩，颗粒大于2毫米的为砾岩。碎屑岩的组成矿物，除不稳定矿物外，是源岩所具有的那些矿物；不稳定矿物容易分解、溶解或蚀变。黏土矿物、长石和石英随着搬运距离或风化时间的增加将保留下来，而橄榄石、辉石和云母将消失或发生蚀变。碎屑岩是由于胶结物质特别是碳酸盐或石英的沉淀而黏结起来的。碎屑岩的另一个明显特征是具有较宏观的沉积构造，如粒序层理（图1）、波痕、

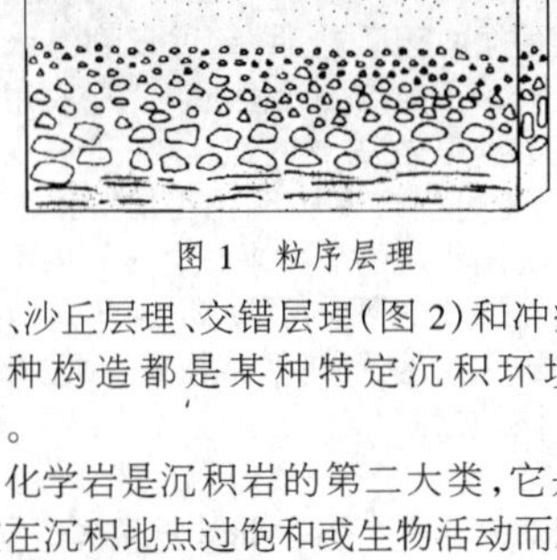

图1 粒序层理

泥裂、沙丘层理、交错层理（图2）和冲痕。其中每种构造都是某种特定沉积环境所特有的。

化学岩是沉积岩的第二大类，它是由于溶液在沉积地点过饱和或生物活动而发生沉淀所形成的，其中可出现不定数量的碎屑物，尤其是黏土和粉砂。最常见的化学岩，一种是由方解石和文石组成的石灰岩，另一种是由白云石组成的白云岩。化学岩的矿物成分反映沉积条件，特别是酸碱度（pH）、氧化还原电位（Eh）、盐度和温度。这些矿物成分可以根据今天的观察或实验室实验而与某些化学沉积物相对比。除了这些物理因素之外，许多无脊椎动物也沉淀碳酸盐。再一类化学岩是蒸发岩（如盐岩、石膏和硬石膏）和有机岩（如泥炭和煤）。

化学沉积岩的构造是由原来分散的物质的分凝造成的。这些构造包括鲕粒、结核、晶球、团块和龟背结核，它们是在沉积期间或沉积后不久形成的圆形或不规则形物体。由与岩石不同的物质分凝造成的常见团块有

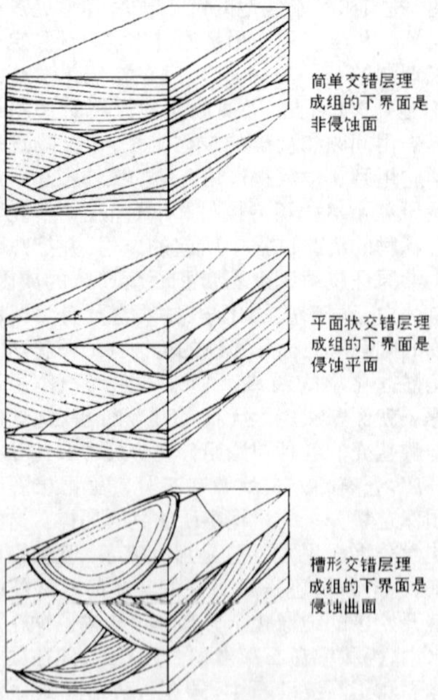

图2 交错层理

燧石、磷酸盐和黏土铁质岩。化石残体在石灰岩和白云岩中常见，既可呈原生的坚硬部分出现，也可呈铸型出现。白云岩通常是重结晶的灰岩，其中镁在沉积期间或沉积后取代了钙，粒度一般较粗，构造不明显。

sedimentation 沉积作用 在地质科学上，指固体物质从流体（通常为空气或水）内的悬浮状态或溶解状态中沉积下来的过程。就广义说，沉积物也包括冰川冰的堆积物以及那些仅在重力作用下聚集起来的物质，如山麓堆积物或陡崖底部的碎石堆积物。这个术语通常用作沉积岩石学与沉积学的同义词。最常见的沉积作用过程的物理学、固体颗粒从流体中沉积，是很早就知道的。1851年G.G.斯托克斯建立的沉降速度方程，是讨论沉积过程的传统起点。他指出球体在流体中沉降的末速与流体的黏度成反比，与流体和固体的密度之差，与有关球体的半径以及重力的大小等成正比。该方程只对非常小的球体（直径不到0.04毫米）才有效，因而对斯托克斯定律提出了各种各样的修正案，以便适用于非球状的颗粒以及大些的颗粒。但是，没有一个实用的沉降速度方程对于天然沉积物的甚至最基本的物理性质提出满意的解释。碎屑成分的粒度及其分选、形状、圆度、组构、压实等，是许多复杂的过程造成的，这些过程不仅与流体介质的密度和黏度有关，而且与沉积流体的平移速度，与由平移运动产生的湍流，以及与流体流过的河床粗糙程度等有关。这些过程还与所推动的固体物质的各种力学特性，与沉积物搬运的持续时间以及其他一些不太了解的因素有关。地质学家一般根据不同地理和地貌环境中的沉积物的结构、构造和所含化石等研究沉积作用。曾以极大的努力区分地质记录中的陆相、近岸相、海相以及其他各种相的堆积。关于沉积环境

的分类及其识别标准仍有争论。对现代沉积作用的研究促进了对古代沉积物的分析与解释。海洋学与湖泊学的考察使得对于墨西哥湾、黑海、波罗的海以及世界各地不同的河口湾、湖泊和河流盆地的沉积作用有了更多的了解。化学沉积作用是通过化学原理和定律来理解的。早在1905年,著名物理化学家J.H.范托夫即把相平衡的原理应用到卤水结晶作用问题和盐矿的成因上了,但把物理化学应用到化学沉积作用方面的工作很少。最近研究了氧化还原电位和pH值在许多化学沉积物的沉淀过程中所起的作用,并把热动力学原理应用到硬石膏和石膏矿床的成因、有关白云岩形成的化学、铁质岩及有关沉积物的问题等方面作了新的努力。地球化学家还根据化学的最终产物来研究沉积作用过程。就像一次庞大无比的化学分析,地球的硅酸盐壳的各种原始组分在分析中彼此互相分离,分离的方式就像在实验室里把岩石物质作定量分析的过程中所达到的那样。这种化学分馏作用并不总是那么完备,但总的说来,这个结果还是相当好的。在前寒武纪时就开始了的地球化学分馏作用造成了钠在海水中,钙和镁在石灰岩和白云岩中,硅在层状燧石和正石英砂石中,碳在碳酸盐和碳质沉积物中,硫在层状硫酸盐中,铁在铁质岩中等等之类的大量聚集。虽然在有些情况下岩浆分凝作用产生单矿物岩石,如橄榄岩、辉石岩,但岩浆作用和变质作用过程在对这些或其他一些元素有效的分离与富集上是不能与沉积作用过程相比的。

sedimentation tank　沉淀池　又作settling tank。现代化污水处理系统的组成部分。在大都市污水处理系统中,废水先经粗格栅排除大的物体然后通过一系列的沉淀池作净化处理。沉渣池将砂和炉渣沉淀下来,前面几道沉淀池排除重的有机物,而曝气池则将输入的污水与活化了的、含有大量细菌的污泥与微细气泡混合以促使有机物迅速氧化,最后一道沉淀池清除混合液中残余的悬浮物。德国工程师K.英霍夫研制了一种双层沉淀池,上层收集沉积物,并使其下滑到进行细菌作用的下层。虽然在使污水通过沙床过滤之前,仍旧先广泛应用英霍夫沉淀池作沉积污物之用,但新式的沉淀池设有泵送污水的设备能加快处理过程。参阅 **activated-sludge method**。

sedimentology　沉积学　研究沉积岩的物理与化学性质及其形成过程,包括沉积物的搬运、沉积、岩化(转化为岩石)过程的一门学科。沉积学的众多研究的目的是,解释沉积物源区域和沉积地的古代环境条件。沉积学家研究在不同地理环境下沉积物的组分、结构、构造和化石内容。利用这些手段,他们可以区分出地质记录中的陆相、滨海相和海相的沉积物。

sedition　煽动叛乱　指反对国家的犯罪行为。尽管其最终结果可能与叛国罪一样,但一般限于指以某种方式(如以言词或书面)组织或鼓动反对政府而尚非叛国的罪行。英国普通法规定:发表煽动叛乱的文章或演说是一种犯罪行为。现代的法规制定得比较具体。打出某种旗帜或鼓吹某种运动,例如使用暴力的工团主义或无政府主义,不时被宣布为煽动叛乱。参阅 **treason**。

Sedition Act(U.S.,1798)　**《镇压叛乱法》**　参阅 **Alien and Sedition Acts《客籍法和镇压叛乱法》**。

Sedley, Sir Charles, 4th Baronet　塞德利(1639-03,英格兰肯特艾尔斯福德～1701-08-20,伦敦汉普斯特德)　英国王政复辟时期诗人、剧作家、才子和廷臣。曾进牛津大学读书,但未得学位。兄长死后,他袭封从男爵。王政复辟(1600)以后,他成为宫廷才子中的重要成员。德莱顿和沙德韦尔都是他的好友。在1688年革命中,塞德利积极拥戴威廉和玛丽。在他以后的生活中他好像变成一个严肃的议员,参加了威廉三世的各届议会,他的发言被认为富于思想和情理。他的剧作写于1668～1687年,其中著名的是《贝拉米拉》(1687),系根据罗马剧作家泰伦提乌斯的《阉奴》的主题改写,生动有趣。但他的文学声誉是靠他的抒情诗和译诗。他的最佳抒情诗,如众所周知的《菲利是唯一使我欣慰的人》,颇为典雅、动人。所译贺拉斯颂歌和维吉尔《农事诗》,均受到高度赞扬。

Sedom　塞多姆　又拼Sodom。以色列东南部工业基地。地近死海南端。为1961年以色列国会特许的国营死海工厂的所在地。据说《圣经》中的所多玛和蛾摩拉(**Sodom and Gomorrah**)两城在附近。1937年,卡利亚(在死海北端)的巴勒斯坦钾碱公司在此设钾碱分厂时,创建此基地;当时无公路,运输仅靠死海上的小船。1948～1949年阿-以战争初期,卡利亚被外约旦的阿拉伯军团占领,切断塞多姆与以色列的连系。该地有6个多月依靠空运供应。1952年该地与贝尔谢巴之间建成全天候公路。1954年死海工厂恢复生产。死海水浅的西南角大部分已用圩堤圈起,海水由此用泵打至晒盐池,经过日晒海水蒸发后便是一种不纯洁的光卤石。工厂利用光卤石可提取纯度达97%的氯化钾;进一步处理光卤石,还可生产溴和溴化乙烯。该地为亚非两洲所用钾肥的少数来源之一。由于夏季潮湿炎热(8月份平均温度为34℃),工人并不全年居住该地,而是经常往来于阿拉德、迪莫纳与该地之间。

sedra(Judaism)　参阅 **sidra 周诵段**。

seduction　诱奸　在法律上,指男子引诱(不使用暴力)某个先前是贞洁的女子同意与之性交的行为。广义是泛指一切引诱他人与之性交的行为,而不论被引诱者为同性或异性,也不论是否贞洁。在大多数西方国家里,诱奸一般并不是刑事罪,但在美国多数州里,法律规定诱奸的男子应负刑事责任。构成犯罪的条件各州不同,但至少包括以下一个或几个条件:以欺骗或许诺结婚的方法诱奸女子;诱奸先前是贞洁的女子;诱奸一定年龄以下(从18岁到25岁以下不等)的女子;诱奸者已达一定年龄。在大多数州,一旦诱奸者与该女子结婚,其诱奸罪就不再追诉;在另一些州,则只要诱奸者主动提出与之结婚,就不再追诉。有几个州,若无被诱奸女子的证词确证,则不得以诱奸定罪。参阅 **rape**。

sedum　景天　又作stonecrop或orpine。景天科景天属(*Sedum*)植物,肉质,约600种,原产于温带地区及热带山区。有些种叶形独特,有些种花鲜艳,白、黄、粉红或红色,均可栽于温室,用作观赏植物。一些植株不高的种常植于岩石庭园及岩墙上,又用作花坛边缘植物。金色景天(苔景天,*S. acre*)、白花景天(*S. album*)及假景天(*S. spurium*)植株低矮,形如苔藓,密生成片,常见于岩石及墙上。常植于花园的观赏种有:大景天(*S. maximum*)植株稍高大,花浅绿色;紫花景天(*S. telephium*)亦称欧洲冰叶日中花,花红紫色;金钱掌(西博尔德氏景天,*S. sieboldii*)亦称十月花,花粉红色,叶蓝绿色。墨西哥景天(*S. mexicanum*)花黄色,是美观的吊篮植物。几个近缘种,如驴尾景天(*S. morganianum*)及佛甲草(*S. lineare*)也是吊篮花卉。

Seebeck, Thomas Johann　塞贝克(1770-04-09,俄罗斯帝国爱沙尼亚塔林～1831-12-10,普鲁士[德国]柏林)　德国物理学家。曾在柏林及格丁根大学学习医学,于1802年获医学博士学位。但他放弃从医去搞科学研究。1814年他被选为柏林科学院院士。由于研究玻璃受应力产生的极化现象荣获科学院1816年的年度奖。在各种金属的磁化能力实验中,他观察到磁化的赤热铁有不规则反应,最后的结果就是现在所说的磁滞现象。又用不同的金属偶和各种导体做了许多实验,发现可以把许多导电材料依它们温差电的次序排列起来。他最重要的贡献是塞贝克效应。他于1821年发现,把一条铜和一条铋两头接起来形成一封闭回路,将一端加热,只要两端保持有温度差,回路中就有感应电流流动。任何一对不同金属都有如上的电流出现。他最初的实验只要用手握着金属偶的一端就能测出回路中产生的感应电流。

Seebeck effect　塞贝克效应　在至少由两种不同导体所组成的回路中,当两接点处于不同温度时,就产生电动势,因而也就产生电流。这些导体通常是金属,不过不一定是固体。这种效应是德国物理学家T.J.塞贝克于1821年发现的。塞贝克效应用于高灵敏度和高精度的温度测量(参阅 **thermocouple**),也可为某些特殊用途发电。

Seeberg, Peter　塞贝尔(1925-06-22,丹麦斯克吕斯楚普～　　)　丹麦小说家。处女作《次要人物》发表于1956年,描述第二次世界大战末柏林的一群外籍工人。他们栖居在一个虚构的世界(摄影棚)和一段虚构的时间里,他们的逐渐异化对于整个人类社会现状有象征意义。塞贝尔的风格是尽可能客观,在作品中有意识地不加任何评论。1957年发表的《鸟食》也贯穿着同样的主题,仅仅通过主要人物虚无主义作家汤姆的意识才能领悟现实。这部作品是对西方文化中异化现象无情的写照。此外,他还发表了一部优秀短篇小说集《寻求》(1962),书中人物因失去了自己的身份而感到苦恼。他们行动,却全然不知自己行动的动机是什么。

Seeckt, Hans von　泽克特(1866-04-22,普鲁士石勒苏益格～1936-12-27,柏林)　德国将领,1920～1926年德国陆军首脑,在魏玛共和国成功地改编了军队。1885年入伍,1889年

供图:Bildarchiv Preussischer Kulturbesitz, Berlin

后任职参谋部达20余年。第一次世界大战期间任第十一军参谋长(1915-02)及土耳其陆军参谋长等职。1919年11月任军队办公室主任。支持使德苏关系正常化的拉帕洛条约(1922)和其他秘密协定。作为德国训练苏军和帮助苏联建设重工业的报偿,德国军队可以在俄国训练坦克及空勤人员,从而避开凡尔赛条约的限制。泽克特极力保持军队的实力和声誉。但在1926年,由于他使军官决斗合法化及同意一位霍亨索伦王子参加军队演习,遭到议会及公众谴责,被迫于10月8日辞职。1930～1932年当议会保守派议员,1934～1935年赴中国任国民党军队顾问。著有回忆录《我的生平》(1938)和《他的生平》(1940)。

seed　种子　植物的繁殖器官,内含微型的植物体(胚胎),通常伴有供胚胎发育所需的养料,外覆以种皮。

典型的显花植物于传粉及受精后开始生成种子。花粉粒落在雌蕊柱头上后萌发形成花粉管,花粉管向下生长达到子房内的胚珠。来自花粉管的精细胞与胚珠中的卵细胞结合,完成受精;受精卵分裂,生成胚。双受精过程指两个精细胞与胚珠中的两个细胞分别融合形成受精卵以及胚乳。胚和胚乳外面形成一层外衣(种皮)以提供保护,种子从而形成。种子成熟时,包绕着胚珠的子房也发育为果实将种子包绕于其中。在许多植物,种子与果实融为一体并一同散布(所谓传播体);在另一些植物,种子形成分离的单位。

裸子植物的胚珠裸露,外面无子房包覆。裸子植物的特征是:传粉与受精之间时间间隔较长,在受精前胚珠早已开始发育为种子。例如,一种松树的含胚珠的雌球花在冬季即开始发育而到春季才受粉;第二个生长季节卵细胞才受精,直到第三年,成熟的种子才释出。

大多数种子均较小,重量不足1克。最小的种子是不含养料储备的种子,这见于兰科植物及其他一些寄生植物。另一个极端是复椰子的种子,可重达27千克。因为种子是许多动物的主要食物,对植物物种而言,产生许多小型的种子比产生少数大型种子更有利于生存。种子及传播体的大小及形状对散布方式均十分重要。从种子的外形是圆的还是扁的,便可以判断它们是否要滚动,还是要在落下处萌发。有些种产生休眠期及散布方式不同的种子,以应付环境灾害。

种子高度适应于借动物、风或水携带。肉质的果(包括浆果)具诱人的香味、颜色或味道,吸引动物来取食,种子具坚韧的种皮,可不被消化。小至鼠类大至象类等哺乳动物采食这些果实后,将消化不了的种子随粪便排出到别处。具棘刺、钩、倒钩或刺毛的传播体最常通过有皮毛的哺乳动物携带。许多鸟类将果实(包括坚果)和种子携带于喙部;其中一些果实及种子被食下,另一些则掉落或储藏于别处。

种子极微小的植物,传播体具特殊结构以借风力的植物,均以风为主要散布媒介。有些种子具毛,可借风力飘散;另一些具翅,借以滑翔,有的内充空气,形似微型的气球。风滚草的植株折断,被风吹到各处,一路散布着种子。许多海滩、池塘、沼泽植物的种子由软木塞样或含空气的果实所包绕,可借水流飘游到新地点萌发。一些植物以自我散布为特征。有些植物可将种子弹出;另一些植物的传播体具盘绕、屈曲能力的附属物,故能爬行。

种子萌发前需要不同量的湿度、光线和温度。环境有利时,水及氧气渗入种皮,于是新的植物体开始生长。种子的寿命长短差异极大;有的种子的生存萌发能力仅能维持一周左右,而另一些种子已知可在数百年乃至数千年后萌发。

seed beetle　豆象　鞘翅目豆象科昆虫,900多种。卵圆形或卵形,长1～10毫米,黑或褐色。鞘翅短,腹端露出于鞘翅外。豌豆象(*Bruchus pisorum*)和大豆象(*Acanthoscelides*

豌豆象(*Bruchus pisorum*)
供图:Jacques Six

obtectus)最著名。豌豆象长约5毫米,深褐色,鞘翅上有白斑。雌虫产卵在嫩豌豆荚上,幼虫钻荚入豆。受侵染的豌豆能在水上飘浮。大豆象产卵在干豆上,可产卵多次。形似豌豆象,唯鞘翅上无白斑。这两种均分布全球,幼虫均以干豆为食。

seed fern　种子蕨　苏铁纲(或门)已绝灭的种子蕨目(Pteridospermales)植物,繁盛于石炭纪和二叠纪(34 500万年前至22 500万年前)。叶蕨状,大。某些种极像现代树蕨;但几乎没有证据表明它们起源于真正的蕨类。有人认为种子蕨可能是被子植物的祖先,但解剖学

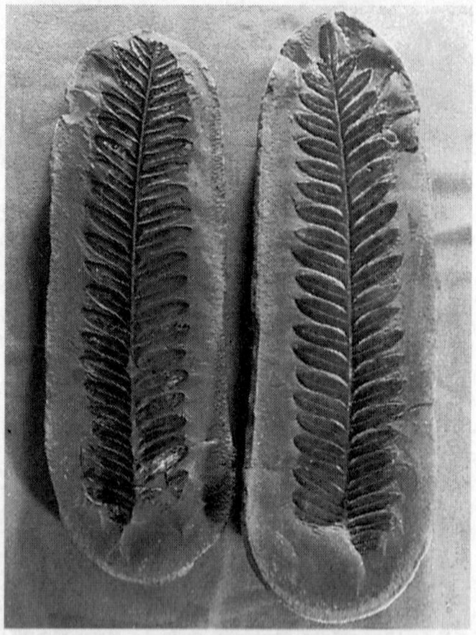

麦克勒基藏品中的种子蕨(*Alethopteris serli*)
供图:John Gerard—美国不列颠百科全书公司

未能提供这种证明。柔蕨科(Lyginopteridaceae)、髓木科(Medullosaceae)和芦茎羊齿科(Calamopityaceae)是古生代时期的代表。皱皮木属(*Lyginopteris*)生活于晚石炭纪,是该目已知种类中最原始的,其茎直径达3厘米,叶长达0.5米。髓木属(*Medullosa*)的茎构造复杂,维管束有数束,这在现代植物里没有与之完全相似的情况;诺埃氏髓木(*M. noei*)可高达5米。茎形态难以归入其他科的种类归入芦茎羊齿科。中生代种子蕨的盾生种子蕨科(Peltaspermaceae)是一个早期类群,有一个具梗的产生种子的器官,粗看像向日葵的头状花序;兜生种子蕨科(Corystospermaceae)有各种被保护的生殖构造;凯顿蕨科(Caytoniaceae,有时作凯顿蕨目[Caytoniales])是最高度特化的裸子植物,花和果与被子植物很相近。

seed plant　参阅 **spermatophyte 种子植物**。

seed shrimp　参阅 **mussel shrimp 介形虫**。

seedeater　食籽雀　主要以种子为食的鸣禽,具坚实的圆锥形嘴用以弄碎种子。包括雀、鹀、燕雀、大嘴雀、金丝雀、织布鸟和蜡嘴鸟等。又专指雀科鹀亚科(Emberizinae)食籽雀属(*Sporophila*)的约30种鸟,常见于新大陆温暖地区,形小,成群取食草籽,夜间密集栖

条纹丝雀(*Serinus striolatus*)
供图:A. J. Deane—Bruce Coleman Ltd.

息。如广布的变异食籽雀(*S. aurita*),雄鸟具黑白相间或黑褐相间的斑纹,且个体变异和地理变异甚多。在东非和南非,金翅科(或认为是雀科的一个亚科)的丝雀属(*Serinus*,加那利雀)亦称为食籽雀,如大家熟悉的黑喉丝雀(黄腰食籽雀,*S. atrogularis*)。

seedsnipe 籽鹬 又作 lark plover。鸻形目籽鹬科4种南美洲鸟类的统称。适应于吃种子和绿色植物。与海鸥、燕鸥近缘。体有条纹,尾短圆,翅长。籽鹬是鸻形目鸟类中唯一有羽毛覆盖鼻孔和主要以植物为食的种类。

倭籽鹬(*Thinocorus rumicivorus*)
绘图:John P. O' Neill

多成群地出现于自福克兰群岛到阿根廷南部和厄瓜多尔的苔原和潘帕斯草原上。最小的(体长约15厘米)和分布最广的种是最小籽鹬(倭籽鹬、巴塔哥尼亚籽鹬,*Thinocorus rumicivorus*),离巢时用沙把卵盖住。最大的(体长约30厘米)种是盖伊氏籽鹬(*Attagis gayi*),营巢于安第斯山的高处。

Seeger, Pete 西格(1919-05-03,纽约市～)保持民间音乐传统的美国歌手。20世纪60年代民歌复兴时期启发青年演唱者的主要人物。在哈佛大学学习两年后于1938年搭便

供图:David Gahr

车及货运列车周游全国,收集了大量乡村歌谣、劳动歌曲、赞美诗,并发展了五弦班卓琴的非凡技巧。1940年组织了"阿尔马内克演唱小组"。这个四重唱小组的另一位明星是民歌手兼作曲家W.格思里。他们在工会大厅、农场集会以及所有欢迎他的平民主义政治情绪的场合演唱。该小组于第二次世界大战后不久便解散。1948年他另组织"织工演唱小组",在大学校园里、音乐会上以及通过录制几张唱片获得相当成功。就在他们在全国闻名后不久,关于西格以前曾参加过左翼和劳工政治活动的风言风语大量流传,"织工"成员突然发现他们上了许多娱乐业主的黑名单,越来越难售出音乐会预订票或唱片,只得在1952年解散。50年代以后西格经常独自工作或与家人合作。作为一名独唱演员他仍是黑名单的牺牲品,一连好几年几家主要电视网拒绝他在电视上露面。在以后几年这场争议才逐渐平息。在他写的或与别人合作的许多歌曲中,有《花儿全都到哪里去了》、《假如我有铁锤》、《吻比酒更甜蜜》、《转,转,转》。20世纪70和80年代他曾为消除哈得孙河污染的规划而积极工作。

Seegers, Hercules Pietersz(oon) (Dutch painter) 参阅 **Seghers, Hercules Pietersz(oon)** 塞赫尔斯。

seeing 星像视宁度 又称视宁度。天文学名词,指望远镜显示图像的清晰程度,它取决于大气湍流活动程度。肉眼所见星体的闪烁,一般认为是高层大气湍流引起。望远镜清晰度不佳往往是低层大气湍流所致。各层大气湍流使大气中产生密度不同的不稳定区域,使光线不能顺利地直接通过并保持强度不变。如果大气湍流使天体发出的光迅速而不规则地变换方向,那末,小型望远镜所显示的图像就会闪烁跳动,大型望远镜则扩大失真度,使图像更为弥散。

Seeing Eye dog 代目狗 参阅 **guide dog** 领路狗。

Seeker 寻求派 17世纪英格兰许多清教徒脱离圣公会,组织小团体,寻求并等待上帝派来创立真正教会的新先知,这批信徒通称寻求派。他们不相信人只要作圣事、受洗礼并读《圣经》就可以得救。寻求派是公谊会的前身。该派在欧洲受迫害,很多人迁居美洲罗得岛。

Seekonk River 锡康克河 美国罗得岛州河流。长约8 000米,注入普罗维登斯河,可通航。为纳拉甘西特湾潮水区最北端。

seepage 渗漏 在土壤工程学中,指土壤中水的运动。渗漏往往是修建基础的关键性问题。渗漏取决于几个因素,如土壤的渗漏率及压力梯度等,主要是指各种力通过重力和其他因素对水的作用。渗漏率大小有一很宽的范围,且与土壤结构及成分有关。据此,对要求不发生渗漏的水坝、水库以及需要迅速排水的路基和渗水层,可调整填土的组成级配,作出安全的令人满意的设计。

Seers, Eugène 塞尔(1865,魁北克博阿努瓦[加拿大]～1945-01-17,美国马萨诸塞波士顿)笔名Louis Dantin(路易·当坦)。加拿大法语诗人和评论家,被认为是魁北克第一位重要的文学评论家。他在还是宗教团体圣体会的成员时,就开始写宗教诗、短篇小说和评论文章。1903年脱离该宗教团体,成为波士顿一名印刷商,后又为哈佛大学出版社工作。他的评论最初为与加拿大法语作家的书信,20世纪20年代在蒙特利尔获得公众的赏识。在他的《美洲法语诗人》(1928)和《评注》(2辑,1931、1935)中,坚持以艺术价值作为判断作品的唯一标准。他还出版有诗集《克鲁索的箱子》(1932)和半自传性小说《范妮的童年》(1951)。

Sefardi(Judaism) 参阅 **Sephardi** 西班牙系犹太人。

Sefardic language 谢法尔迪语 参阅 **Ladino language** 拉迪诺语。

Sefer ha-bahir 《光明之书》 犹太教著作。以象征手法注释《圣经·旧约》,主要是剖析希伯来字母的字形和读音以阐发经文的灵义。该书长期对犹太神秘主义卡巴拉派的发展发挥重大影响。该书缺乏系统性,晦涩难解,希伯来文和阿拉米文混杂,但毕竟把完整的神秘主义象征体系引进卡巴拉派和整个犹太教。犹太教神秘主义认为,上帝共有十个溢出阶段,象征创世之功以及宇宙的持续存在并说明其意义。关于这种说法的现存最古老的资料见于《光明之书》。该书还论及灵魂的转附以及象征神力流溢的灵性谱系,从而将这些教义传进卡巴拉派。该书又提出罪恶乃是存在于上帝本身的一个本原。

Sefer ha-temuna 《隐喻之书》 犹太教希伯来文著作,作者不详。该书赋予希伯来文每一字母以灵义,并提出"托拉"(《律法书》)有隐义。该书最初于13世纪出现在西班牙,它提出,宇宙的发展分为若干周期,每一周期代表上帝的一种属性以阐发律法书的灵义。该书主要论述最初的三个周期,即恩宠期、审判期和怜悯期,各期有自己相应的律法书。人类目前生于审判期内,因此把律法书当作一整套禁令和戒律阅读。

Sefer ha-zohar 《光辉之书》 13世纪犹太教神秘主义卡巴拉派著作。大部以阿拉米文写成,卡巴拉派内许多人认为该书与"托拉"(《律法书》)和《塔木德》同样神圣。该书反复叙述创世之功的奥秘,广泛解释造物主的10个溢出阶段,以说明创世之功和宇宙的继续存在。该书兼论罪恶问题并从宇宙论角度论述祈祷和善功的意义。

Sefer-Ḥasidim 《虔诚者之书》 又拼Sepher Ḥasidim。犹太教著作,是中世纪德意志犹太教哈西德派信徒日常宗教生活的珍贵记录。该书原旨是供灵修者当作手册使用。

Sefer Torah 律法书卷 Sefer又拼Sepher。犹太教用语,指《圣经·旧约》起始五卷的抄本。由高超书法家用希伯来文抄在精制犊皮纸或羔皮纸上,存放于会堂的藏经柜内,专供安息日、星期一、星期四和宗教节日礼拜时公

开诵读之用。

Sefer Yetzira 《创世之书》 犹太教著作。论白法术及宇宙,是已知此类著作中历史最悠久者。该书提出宇宙的起源是希伯来文的22个字母以及上帝的10个溢出阶段即10个数。据说两者相加便构成上帝用以创造宇宙的"32条秘密智慧之道"。讹传该书为亚伯拉罕所著,因此又称"我祖亚伯拉罕字母表"。该书约于3～6世纪之间问世,作者不详,其中一些章节是后人所添。该书所提出的关于数的概念对后世的犹太教有深刻影响。在这10个数中,最先4个代表宇宙元素,即上帝之灵、空气、水、火;后6个代表6个空间方向。10个数和22个字母都分别对应于人体各器官,以人体为宇宙的缩影。

Seferis, George 塞菲里斯(1900-03-13,奥斯曼帝国安纳托利亚士麦拿[今土耳其伊兹密尔]～1971-09-20,希腊雅典) 希腊诗人、散文家和外交家。乔治俄斯·斯蒂利亚努·塞菲里阿底斯的笔名。1963年获得诺贝尔文学奖。曾在巴黎学法律,后参加希腊外交工作直至第二次世界大战。战争期间他追随自由希腊政府。战后在黎巴嫩、叙利亚、约旦和伊拉克任职,后任驻伦敦大使(1957～1962)。1931年他的第一部诗集《转折》一出版,人们立即欢呼他是"未来的诗人"。随后出版的有《水池》(1932)、《神话和历史》(1935)、《习作》(1940),长诗《画眉鸟号》(1942)及《航海日志》3本。他的诗选被广泛译成其他国家文字。1947年获雅典学院的荣誉称号。他是"30年代一代"最杰出的希腊诗人,这一代人把象征主义全面引入现代希腊文学。他那优雅的抒情和新颖的词汇给希腊诗歌带来新的活力。

sefira 塞菲拉 又拼Sephira。犹太教卡巴拉神秘主义用语,指造物主上帝的十种表征之一。在卡巴拉文献中,此语的意义逐步演变,终于指不可知的上帝借以透露自己是造物主的表征。塞菲拉计有至尊冠冕、智慧、睿性、爱、大能、美、恒在、威权、首创和王者身份。

Sefrioui, Ahmed 塞夫里维(1915,摩洛哥非斯～) 摩洛哥长、短篇小说家。作品记录了非斯普通百姓的日常生活。他是柏柏尔磨坊主之子,曾在非斯上学,后任该地旅游局局长。他是马格里布少数几个能以同情的笔触描写穆斯林传统生活和价值观念的法语作家之一。他的《琥珀念珠》(1949)包括14篇短篇小说,描写《古兰经》学生、赶驴人、香客、手艺人、店主、流浪汉和神秘主义者等未同化于法国殖民地文化的人们的生活,尘世间充满了忧郁的调子。第一部长篇小说《宝盒》(1954)回忆青年时代,第二部长篇小说《奴隶屋》(1973)写伊斯兰信仰与诗歌、爱情、革命的不同要求所引发的冲突。

Sefton 塞夫顿 英格兰默西赛德都会郡的都会自治市。属兰开夏历史郡。北起里布尔河口湾,沿爱尔兰海岸延伸,南至默西河口湾。都会自治市包括马格尔、布特尔、克罗斯比、福姆比、绍斯波特等镇及周边地区。18世纪末叶,利物浦的发展给该区带来了新的发展。利物浦码头逐渐向北扩大到布特尔。布特尔今日有默西赛德的主要码头,码头附近有许多工厂,有谷物加工厂和食用油精炼

塞冈第尼绘《矫揉造作的母亲们》(1894)

供图:Osterreichische Galerie, Viema

厂,新工业区和办公楼区也发展起来。1850年利物浦—绍斯波特铁路通车给全海滨地区带来了影响。利物浦的商人在该区的克罗斯比、福姆比、绍斯波特等地建立家宅,沿岸地区成为著名的住宅区。绍斯波特发展成度假胜地。旅游业对塞夫顿的经济十分重要。全国障碍赛马在东南部的安特里赛马场举行。部分海岸沙丘被辟为高尔夫球场。克罗斯比有男童学校(1620)和女童学校(1888)各一所。面积151平方千米。人口约282 956(2001)。

Segal, George 西格尔(1924-11-26,美国纽约州纽约～2000-06-09,新泽西南不伦瑞克) 美国雕刻家,其单色石膏人像常置于布置着现世物品的环境中。1950年毕业于纽约大学

西格尔及其作品

供图:© Arnold Newman

普拉特设计学院,后在拉特格斯大学深造,1963年获美术硕士学位,早期为抽象派画家。50年代后期与流行艺术成员结交。他从活模特儿身上翻制石膏像,置于有陈设背景或布景中,如卧室中、餐馆里或汽车上。其脸部带着朦胧表情的白色雕像放在精心布置的环境中,再现了当代世界人的孤独感。西格尔的作品曾在美国、加拿大和欧洲展出。著名的作品有《卡车》(1966)、《自助洗衣店》(1966～1967)、《热狗摊》(1978)等。

Segamat 昔加末 西马来西亚中南部城镇。濒临昔加末河。在吉隆坡—新加坡铁路线上。地处柔佛平原中心,周围有油棕榈和橡胶种植园及采石场。有一小飞机场。人口34 008(1980)。

Segantini, Giovanni 塞冈第尼(1858-01-15,奥地利帝国蒂罗尔阿科[今在意大利]～1899-09-28,瑞士蓬特雷西讷) 意大利画家,以阿尔卑斯风景画和寓意画而知名。其作品把象征主义的内容与新印象主义的画法糅合在一起。塞冈第尼生长在意大利阿尔卑斯山区农民家庭,原为牧人。他以素描消磨漫长的孤独时间。他的作品引起地方当局的重视,送他到米兰艺术学校学习。1894年定居瑞士阿尔卑斯山恩加丁地区,过着一种孤独生活,终其一生。他曾试验过一种视觉上的混合方法,类似点彩派的画法。同时在其《奢侈的惩罚》(1891)、《矫揉造作的母亲们》(1894)和《生命泉边的爱情》(1896)等几幅作品中,可以看出他可能受到文学著作的启示,发展了象征主义的题材。他是一个天生的泛神论者,感到自己在神秘地和周围的山脉亲切交谈。他的作品通常以阿尔卑斯山为背景。他留下一幅未完成的著名三联画《生命、自然和死神》,现藏于瑞士圣莫里茨的塞冈第尼博物馆。

Segar, Elzie (Crisler) 西格(1894-12-08,美国伊利诺伊切斯特～1938-10-13,加利福尼亚圣莫尼卡) 美国漫画家,所作《波佩》(Popeye)的主人公是粗鲁的海员,靠吃菠菜而力大无穷,现已成为各国尽知的民间英雄。在芝加哥,靠R.F.奥特考尔特的斡旋,入《先驱报》,画《卓别麟的滑稽舞》。1917年该报停刊,他到纽约之后,《金氏特稿辛迪加》接受他的建议,自1919年起刊登他所作的长篇连环漫画《顶针戏园》,其中主角波佩直到1929年1月才出场,靠菠菜之助,制服情敌。其他出场人物中以吃汉堡包成癖的滑头寄生虫威姆匹最出名。所画人物后来出现在M.弗莱谢尔所作的数百部动画片中。不到6年,重要的菠菜产地,得克萨斯州克里斯特尔城的中央广场上竖起波佩的雕像。

Segesta 塞杰斯塔 希腊语作Egesta。西西里的古城,位于今卡拉塔菲米西北约3千米,为艾利米人的主要城市。修昔底德认为艾利米人属特洛伊族。塞杰斯塔人的文化属希腊文化,但他们通常总是联合迦太基人反对希腊人。在第一次布匿战争之初,塞杰斯塔居民屠杀迦太基驻军后即与罗马结盟。塞杰斯塔城在罗马的统治下受到优待,并且成为自由城邦。

Seghers, Charles Jean 塞热(1839-12-26,根特～1886-11-28,阿拉斯加) 两度任加拿大境内不列颠哥伦比亚地区温哥华岛天主教主教。1863年受神职,不久出发到温哥华岛主教区任职。1869～1870年代表温哥华岛主教德默斯出席第一次梵蒂冈会议,1873年继德默斯任主教。1878年任美国俄勒冈州俄勒

冈市大主教助手，大主教辖区包括俄勒冈、爱达荷、蒙大拿以及加利福尼亚北部。3年后塞热任大主教。1883年偕同美国境内其他各位大主教前往罗马，筹备第三次巴尔的摩全会，这次会议促进了美国教区教育制度的发展。在塞热访问罗马期间，温哥华岛主教座空缺，塞热后来请求返回温哥华岛，1885年这项请求获准。次年塞热访问阿拉斯加，一同伴精神失常，将他杀害。

Seghers, Hercules Pietersz(oon)　塞赫尔斯（约1590，尼德兰哈勒姆？～约1638，阿姆斯特丹）　Seghers又拼Seegers。荷兰荒凉古怪风景的油画家和蚀刻画家。作品多数描绘险恶的山景：悬崖峭壁，怪石嶙峋，僻野荒谷，断树残干及稀疏的废墟。他的蚀刻是版画史上最早最感人的实验。他使用不同颜色的墨水，常在色纸或染色纸甚至画布上印画，并通过手绘使每张版画更富于变化。

塞赫尔斯绘《山地风光及远处的全景》
供图：SCALA—Art Resource/美国不列颠百科全书公司

segmentation　分节　又作metamerism或metameric segmentation。一种动物的躯体构造形式：由呈直线排列的一系列相似的部分构成，每部分为一个体节，在胚胎期按从前至后的次序形成。环节动物门、节肢动物门与脊索动物门的全部动物躯体均分节。前两门在成体显示出明显的分节。而脊索动物门成体动物的肌肉、椎骨与肋骨分节的形式亦很明显（如鱼），即使不显著（例如哺乳动物），其每一个体也是严格按照**体节（somite）**构成的方式而发育的。**绦虫（tapeworm）**体节（节片）的形成与上述3类动物的体节有很大不同，因此大多数动物学家都认为绦虫不是分节动物。由于环节动物门和节肢动物门的分节与脊索动物门的分节很可能是独立出现的，因此，分节本身并不说明它们之间有亲缘关系；但每一门都有其具体的分节形式，这清楚地表明了各门内种类间的衍生关系。在棘头纲与袋形动物门一些成员的体表可呈环状，有时十分显著，酷似分节；但事实上这种结构仅仅是表面性的，并非真正的分节。

segmented worm　环虫　参阅**annelid环节动物**。

Segner, Johann Andreas von　谢格奈（1704-10-09，匈牙利普雷斯堡～1777-10-05，德国哈雷）　德意志物理学家和数学家，1751年提出液体表面张力的概念，他把这种力比拟成拉伸的膜。他认为有一种微小的、察觉不到的吸引力保持着表面张力。这种概念为表面张力理论的发展奠定了基础。他曾在耶拿、格丁根和哈雷等大学教授物理学和数学，并在1750年发明简单反作用式水车。数学家L. 欧拉通过研究这种机械而发明了一种原始的涡轮。谢格奈还研究了陀螺的理论并出版了《算术和几何原理》和《液体表面的性质》。

Segni, Antonio　塞尼（1891-02-02，撒丁萨萨里～1972-12-01，罗马）　意大利政治家，曾任总理（1955～1957，1959～1960）和总统（1962～1964）。原为律师。1919年参加天主教民主党（当时称意大利人民党），在外省从事组织工作。1924年任该党全国委员会委员，但两年后墨索里尼解散了一切政党。他在帕维亚、佩鲁贾和卡利亚里等大学教农业法17年，也当过萨萨里大学校长。1943年成为重建的天主教民主党萨丁地区的组织者之一。1944年起在大多数天民党政府中担任部长职务。在农业部长任内（1946～1951），因实行土地改革而被称为“白色布尔什维克”。两次出任总理，任总统两年半之后于1965年退休。

segoni-kun　塞戈尼-孔　西非班巴拉部落蒂瓦拉会成员佩带的仿羚面具。据信面具具有使农业丰收的伟力。蒂瓦拉舞蹈者将面具系在一个酒椰纤维织成的帽上，然后戴在头顶，在种植仪式中模拟羚的优美动作翩翩起舞。面具种类繁多，虽风格近似，但无一雷同。每一面具均雕刻精美，舞动时活泼多姿。羚的头、颈、角突出，躯干部分则弱化处理。班巴拉风格的特点，亦即装饰图案的重复出现，甚至在极度抽象的塞戈尼-孔面具上也可以出现。

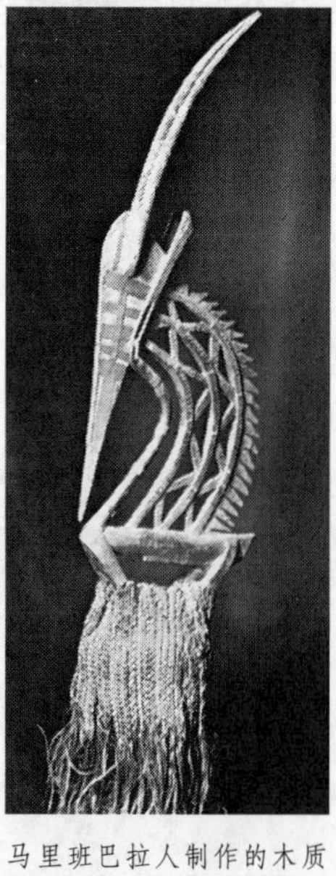

马里班巴拉人制作的木质及纤维材料的塞戈尼-孔
供图：A. Held—J. P. Ziolo

Ségou　塞古　马里中南部城镇。位于尼日尔河右岸，沿河延伸6千米以上。城镇历史悠久，17～18世纪为繁荣昌盛的班巴拉王国的第一个首都。地处人口稠密地区，始终是重要的贸易中心。1932年开工的大型灌溉系统总部设于此。中国人建的纺织厂是马里最有成效的工业企业之一。该地区以农业为主。已扩大了播种水稻的水浇地。其他作物有棉花、甘蔗、黍、花生、木薯和豆类。养畜业亦重要。人口：城镇约88 877（1987）。

Segovia　塞哥维亚　西班牙中北部卡斯蒂莱-莱昂自治区一省。北及东北为布尔戈斯和索里亚省，东南接瓜达拉哈拉和马德里省，西南邻阿维拉省，西北接巴利阿多利德省。面积6 949平方千米。为海拔762米的高原。经济以农业为主，出产小麦、黑麦、大麦、大麻、亚麻和蔬菜；有羊、牛、骡和猪饲养业。旅游业和工业集中在省会**塞哥维亚（Segovia）**。人口约150 015（1986）。

Segovia　塞哥维亚　西班牙卡斯蒂莱-莱昂自治区塞哥维亚省省会。在马德里市西北。公元前700年前后即为伊比利亚人居民点。约公元前80年被罗马人占据。公元8世纪初受摩尔人统治。1079年由阿方索六世收复。阿方索十世在位期间辟为行宫。1586～1730年间为造币厂所在地。16世纪末遭瘟疫祸害后衰落。19世纪的铁路时代又恢复繁荣。著名教堂有12世纪的圣埃斯特万教堂、圣马丁教堂、拉特立尼达教堂、圣洛伦索教堂和圣米利安教堂等。该地中世纪晚期为纺织业中心，后为农业取代。市内现有许多工厂。人口约53 526（1986）。

塞哥维亚市的要塞王宫
供图：C. I. R. I.—EDISTUDIO

Segovia, Andrés　塞戈维亚（1893-02-21，西班牙利纳雷斯～1987-06-02，马德里）　西班牙音乐家，被誉为当时最杰出的吉他演奏家。

主要通过展示吉他的表情与技巧潜力,而使吉他在20世纪重新成为音乐会乐器,他可说是这方面的最重要力量。90高龄仍在音乐会演出。自幼学钢琴和大提琴,但对吉他一

供图:AP/Wide World Photos

直情有独钟;由于当时吉他的名声不佳,被认为只是咖啡馆里弹奏的乐器,不易物色到称职的吉他教师,因此他主要靠自学。1909年在格拉纳达音乐学院读书时,举行了第1次公开演奏会。1916年在巴塞罗那演出,后至马德里演出。1919～1923年到南美巡回演出。1924年首次在巴黎演奏,赢得国际声誉。他把原为诗琴和比乌埃拉(西班牙吉他式样的诗琴)所写的乐曲及库伯兰、拉莫和巴赫等为拨弦键琴所写乐曲改编成150首吉他乐曲,从而扩大了吉他的曲目。他还推动一些20世纪作曲家为吉他作曲,其中包括M.卡斯泰尔诺沃-泰代斯科、A.卡塞拉、H.维拉-洛博斯、J.图里纳、M.庞塞和A.鲁塞尔。《1893～1920年自传》出版于1976年;《安德烈斯·塞戈维亚,我的吉他之书》出版于1979年。

Segovia aqueduct　塞哥维亚输水道　从弗里奥河向西班牙塞哥维亚市供水的输水设施,全长16千米,始建于古罗马图拉真大帝(53～117)时代,迄今完好。用一种深色花岗岩干砌(不用灰浆)而成,地面以上部分长275米,由148个高9米以上的拱组成。中部因地势低凹,建造了双层拱,高出地面28.5米。

Segrave, Sir Henry (O'Neal de Hane)　西格雷夫(1896-09-22,美国马里兰巴尔的摩～1930-06-13,英格兰威斯特摩兰温德米尔湖)　美国出生的英国赛车和摩托艇运动员,3次创陆地速度世界纪录。曾在伊顿公学和桑德赫斯特学院受教育。第一次世界大战时服役于皇家空军。战时他对赛车感到兴趣。1923年获法国大奖赛冠军,1924年获西班牙圣萨瓦斯蒂安大奖赛冠军。他是戴防撞头盔的第一个选手。1926年驾驶日光牌汽车创每小时152.33英里(245.15千米)的世界陆地速度纪录。1927年3月驾驶靠第一次世界大战时期飞机发动机驱动的1 000马力日光牌汽车参加比赛,时速达到203.79英里,再次创造纪录。1929年3月第3次创速度世界纪录,时速为231.44英里。1927年开始参加摩托艇比赛,次年在美国佛罗里达州迈阿密获国际锦标赛冠军。在他创每小时85.8海里的水上速度纪录后不久,因所驾摩托艇失事伤重而死,事故原因可能是撞到飘浮的树杈。1929年被封为爵士。

Segrè, Emilio (Gino)　塞格雷(1905-02-01,意大利蒂沃利～1989-04-22,美国加利福尼亚拉斐特)　意大利出生的美国物理学家,因发现反质子与美国的O.张伯伦共获1959年诺贝尔物理学奖。1932年,塞格雷任罗马大学物理学助理教授,两年后参加了费米所领导的中子实验,用中子轰击包括铀在内的许多元素,产生了比铀重的元素。1935年他们发现对核反应堆的运转很重要的慢中子。1936年塞格雷离开罗马,任巴勒莫大学物理实验室主任,一年后发现锝,这是自然界未发现的第一种人造元素。塞格雷在1938年访问加利福尼亚时,被意大利法西斯政府从巴勒莫大学撤职。于是他留在美国,任伯克利加利福尼亚大学副研究员。1940年他和同事发现元素砹;后来和另一个小组发现钚239,查明它是可裂变的,与铀235很相似。钚239曾用于第一枚原子弹和投到长崎的原子弹。1943～1946年任洛斯阿拉莫斯科学实验室的一个组长,1944年入美国籍,1946～1972年在伯克利任物理学教授。1955年和O.张伯伦使用新的高能质子同步稳相加速器产生并判明了反质子,从而为其他许多反粒子的发现打下基础。1974年被任命为罗马大学原子核物理学教授。所著《原子核和粒子》于1964年出版。

segregation, racial　参阅**racial segregation**种族隔离。

Séguéla　塞盖拉　科特迪瓦中西部城镇。位于马恩—布瓦凯和本贾利—达洛亚公路交叉点。有稻米加工厂,是热带草原地区稻米、木薯、玉米、薯蓣和牛等物产的贸易中心。居民主要是穆斯林马林克人。金刚石矿增加了该城镇的重要性。人口29 003(1988)。

seguidilla　塞吉迪亚　一种西班牙民间舞蹈,随地区而异;又是一种在西班牙民歌中广泛使用的诗歌形式。这种舞是用富有弹性的小舞步轻轻踏脚,队形多变、举止高傲的求爱舞蹈。歌词是由几首"科普拉",即一种即兴发挥的爱情或讽刺短诗——7-5-7-5音节型的4行诗组成,第2行和第4行的元音押韵。这种即兴发挥的爱情或讽刺的短诗后面,往往有一个"埃斯特里比略"——5-7-5音节型、第1行和第3行的元音押韵的3行押韵诗节。在这种随地区而变化的舞蹈中,塞吉迪亚-塞维利安纳舞(又称塞维利安纳舞)尤为著名。这种舞蹈最典型的情况是:由一段乐器演奏的引子和一段歌唱引导。在塞维利安纳舞和一些其他地区的塞吉迪亚舞中,舞者在每首"科普拉"结尾时突然停止,只是在乐器奏出插曲后再重新开始跳舞。通常每换一首"科普拉"舞步就越加复杂。乐曲为3/4或3/8拍子,舞者的响板打出与脚步的动作相对应的复杂的节奏。塞吉迪亚舞的诗歌形式也在其他民歌和舞蹈中出现,并有多种形式。早在15世纪就有人用这种诗歌形式写诗。到了16世纪基本形式被固定下来,并经常在西班牙黄金时代的戏剧中出现。

C.略韦特1929年绘画中的塞吉迪亚舞

马德里国家图书馆供图

Séguier, Pierre　塞吉耶(1588-05-28,巴黎～1672-01-28,法国圣日耳曼昂莱)　法国路易十三和路易十四时代的大法官。出身于法官世家。1612年购得巴黎大理院(高等法院)法律顾问一职。1618年任王庭审查官。1921年任塞吉耶讷司法行政官。1624年其叔父辞去巴黎大理院院长职务,让位给他。1633年任掌玺官。1635年任最高司法职务法国大法官,终身职。他依附有权势枢机主教黎塞留和马萨林,顺利执行职权至1650年。1637年被派往瓦尔德格拉斯调查有私通西班牙嫌疑的法国王后奥地利的安娜的文件。据某些历史学

巴黎国家图书馆供图

家称，他事先将此事告知王后，从而挽救了她。1639年被派前往监督对诺曼底一次叛乱的镇压。1642年，他主持对森-马尔元帅的审讯，此人因密谋陷害黎塞留被判死刑。投石党运动期间，曾举棋不定，后期支持叛乱贵族。在这纷乱时期，他曾两次被撤职（1650～1651，1651～1656）。路易十四亲政初期，1662年12月负责审判被控贪污的财政大臣N.富凯。1665年起主持为改革司法制度而新设立的司法委员会。塞吉耶提倡艺术，他的藏书是当时最有价值的书库之一。

Séguin, Edouard **塞甘**（1812-01-20，法国克拉姆西～1880-10-28，纽约市） 美国精神病医生。生于法国。他为智力严重迟钝的儿童首创了现代教育方法。在研读医学外科学和内科学之前，他曾就学于巴黎圣路易斯公立中学及欧塞尔学院。从一开始他就对精神疾病感兴趣。1839年为智力严重迟钝的儿童开办了一所学校。建立了一套全新的治疗方法，这种治疗方法的理论前题是：白痴者的头脑既没有疾病，又不是变态，而只是在生前、生中及生后智力发展受到了抑制。因此，治疗方法得从感觉训练入手，使患者尽可能地在社会上运用他的感觉器官。后来，这种方法得到广泛的认同。他办的学校闻名于全世界；类似的学校在欧洲大量出现。1846年发表《白痴的精神治疗、卫生及教育》。此书很快被认为是心理学方面的优秀著作。50年代初移居美国，先住在俄亥俄州（1851），不久又迁往纽约（1854）。为智力迟钝儿童建立了几所学校。1860年在纽约州芒特弗农建立自己的诊所。曾在纽约大学获得医学博士学位。1863年回到纽约市，开始为兰德尔岛救济院的智力迟钝儿童进行医疗工作。1866年出版第二本书，名为《白痴及其心理治疗法》，并在新泽西州奥兰治市塞甘心理学校将其设想付诸实践，着重于感觉和运动神经的训练。著有或与人合写了一些关于使用体温表的书，其中一本是《医疗温度测量法和体温》（1876）。

Séguin, Marc **塞甘**（1786-04-20，法国阿诺奈～1875-02-24，阿诺奈） 法国工程师，发明钢索桥和管式蒸汽机锅炉。1822年他对钢索的强度进行了很有意义的试验。他和弟弟卡米耶一道研究索桥的原理，当时索桥上使用的是链索，1824年他们在图尔农的罗讷河上用平行的钢丝制成的钢索建立了一座索桥，这是全世界这类现代桥梁中的第一座。他还最先建议在车行道两侧增设腹板桁架解决负荷下的偏斜问题。铁路出现后他致力于机车动力的研究，发明多火管锅炉，取代早期蒸汽机所用的水管锅炉，标志着一项决定性的进展。G.斯蒂芬森在他的“火箭”号机车上使用了塞甘式锅炉，这台机车1829年在利物浦—曼彻斯特铁路上竞赛获胜。塞甘还负责进一步提高机车效率，并且再次与弟弟卡米耶进行合作，在圣艾蒂安和里昂间建筑法国第一条铁路（1824～1833）的工程中起了主导作用。他还对理论物理学做出了贡献，并写了有关索桥、铁路、蒸汽船和蒸汽动力的一些工程论文。

Segura River **塞古拉河** 西班牙东南部河流。源出哈恩省塞古拉山脉，向东流经伊比利亚半岛最干旱地区，在阿利坎特以南注入地中海。全长341千米。冬季洪水很大，夏季近乎干涸。现在塞古拉河及其支流上建有大坝多座以控制水流，灌溉面积及开发面积达120 000公顷以上。

Sehested, Hannibal **塞赫斯泰德**（1609，瑞典爱沙尼亚厄塞尔［今爱沙尼亚萨雷马岛］～1666-09-23，巴黎） 政治家，他为丹麦统治下的挪威取得部分自治并为丹麦行政体系的现

供图：Nationalhistoriske Museum paa Frederiksborg

代化奠定了基础。1629～1632年间在国外旅行，以后依附于丹麦及挪威国王克里斯蒂安四世的宫廷。1640年成为国务会议成员，1642年任挪威总督，同年他与国王克利斯蒂安四世的妹妹克利斯蒂安娜结婚。在1643～1645年克利斯蒂安四世与瑞典的第二次战争中，塞赫斯泰德数次攻入瑞典，使挪威免遭瑞典进攻。在1646～1647年间他为挪威争取到管理财政的部分权力，以便将收入用于支付军费及战债。1648年国王死后，他被国务会议中的反对派指控贪污，被迫将其庄园交给王室。1651年他退出国务会议，1651～1658年侨居国外。与瑞典战争（1657～1660）重启时他回到丹麦，被派与瑞典谈判，订立《哥本哈根条约》（1660），维护了丹麦的体面。从此塞赫斯泰德重得国王欢心，曾任财政大臣并再度任国务会议成员。他大力使丹麦国家行政机关现代化，例如建立政府各级机构等。

Sehna rug 参阅 **Senna rug** 生纳地毯。

Sehore **塞霍尔** 又拼Sihor。印度中部中央邦西部城镇。原为英国兵营。地处锡万和拉蒂亚两河交汇处附近。为重要铁路交叉点和农产品贸易中心。主要工业为制糖、轧棉和手工织布。设有波帕尔大学的一所附属学院。周围农业区的主要农作物有小麦、高粱、亚麻子、玉米和棉花，农田由贝德瓦河、巴尔伯蒂河与讷尔默达河灌溉。人口52 190（1981）。

Sehul, Mikael（Ethiopian ruler） **塞胡尔** 参阅 **Mikael Sehul** 米卡埃尔·塞胡尔。

Sei Shōnagon **清少纳言**（966或967～1013?） 日本日记作家和诗人，一个机智风趣、又学问渊博的宫廷女官。她的《枕草子》除了其出色的和有特点的日本散文风格之外，又是了解平安时期（784～1185）日本宫廷生活的最好的当代资料。清少纳言是诗人清原元辅的女儿，在大约991～1000年间在定子皇后身边供职。《枕草子》涉及的是她在宫中生活的整个时期，一部分是她自己印象和观察的生动记述和回忆，一部分则是作者把人物、事件和周围的物品按诸如“烦恼的事”、“解闷的事”等范畴列举出来并加以分类。该作品之所以知名，是由于清少纳言对自然和日常生活作了细致的描述，并把感激之情同冷漠的、甚至尖利刻薄的价值判断（这是深于世故的宫廷女官的典型表现）融为一体。清少纳言显然不是一个美女，但是她的敏悟和才智使她在宫廷中占有地位。从与她同时代的紫式部的日记中得知，她的这些优点也使她树敌不少。尽管清少纳言能够表现出巨大的温情，但在表现她的机智方面却往往是无情的，她对那些不幸者，那些因无知和贫困而在她看来显得可笑的人们是没有什么同情心的。传说清少纳言晚景凄惨孤单。《枕草子》1929和1967年分别出版了A.韦利和I.莫理斯的英译本。

sei whale（*Balaenoptera borealis*） **鳕鲸** 又作Rudolphi's rorqual。又称鲁道菲氏鳁鲸、大须鲸、鳕鱼鲸或黑板须鲸。鳁鲸科（Balaenopteridae）行动疾速的须鲸。通常长约13～15米，背面为浅蓝灰色或灰黑色，腹面色较浅。鳍肢小，胸部有约50条较短的纵褶沟，须板黑色，内侧有白色细须毛。栖息在从北极到南极的大洋，夏季栖于寒带和温带的水域，冬季迁徙至温暖水域繁殖。

Seibert, Florence **塞伯特**（1897-10-06，美国宾夕法尼亚伊斯顿～1991-08-23，佛罗里达圣彼得斯堡） 全名Florence Barbara Seibert。美国科学家，因在结核菌素实验和将无热源液体用于静脉注射液方面所做贡献而闻名于世。3岁时感染脊髓灰质炎，但学习成绩优秀，以第一名的成绩毕业，赢得马里兰州陶森古彻学院的奖学金。第一次世界大战期间，她在哈莫斯雷造纸厂；后又争取到耶鲁大学奖学金；1923年毕业，获生物化学博士学位。她在做博士论文时发现：用被污染的蒸馏水制成的静脉注射液可导致患者发热。于是，她发明了一种可消灭所有细菌的新蒸馏技术。在芝加哥大学完成博士后研究之后，在

芝加哥斯普雷格纪念研究所讲授病理学，同时在宾夕法尼亚大学的亨利·菲普斯研究所教授生物化学。作为造访瑞典乌普萨拉大学的美国古根海姆基金学者，塞伯特于1937～1938年发明了一种分离和提纯结核菌素中活性蛋白的方法。在首次生产出纯蛋白衍生物（PPD）之后，塞伯特获准做第一次PPD皮肤试验。该试验先后被美国（1941）和世界卫生组织（1952）标准化以后投入临床。1958年退休，后出任美国公共卫生署顾问，后又作为弗吉尼亚州彼得斯堡贝弗朗特医疗中心癌症研究室主任，活跃在癌症实验研究的第一线，直到脊髓灰质炎的并发症严重威胁身体健康才停下手中工作。1990年入选美国妇女名人堂。

seiche　假潮　又称静振。湖泊或局部封闭的近海岸入水口如河湾、海湾、港湾中水体的韵律性波动。持续几分钟至几小时或长至两天。对这个现象最早的观测和研究是18世纪在瑞士的日内瓦湖（莱芒湖）进行的。这些研究表明，在海口、海湾都会发生假潮。假潮可能是由大气压力的局部变化引起，也可以由地震运动引起，在近岸入水口也可能由海啸引起。例如，1964年阿拉斯加地震的地震面波通过美国西南部得克萨斯州时，激起该地区的假潮巨浪。假潮行为的研究表明，水面一经扰动，重力试图恢复水平面，就会发生垂直简谐运动。这种运动传到盆地的整个长度，传播速度随水之深度而不同，它被传播到水域的尽头反射回来，产生干涉。多次反射产生一个或更多个波节的驻波。这驻波不会遭受到垂直的运动。湖泊的长度是波节之间距离准确的倍数。假潮可能在港湾进口处产生强的往复潮流或者使得停泊的船只系留缆绳振动以至震断而干扰航运，威胁停泊的船只。假潮也可以淹死那些在码头上和岸边不警惕的人们。

Seiemon（Japanese potter）　**清右卫门**　参阅 **Ninsei** 仁清。

seif　纵形沙丘　又译赛夫沙丘。狭长的沙丘或沙丘链。通常平行于某一盛行风向，或两个及两个以上彼此以锐角相交的不同风向的合成矢量方向。沙丘脊由一系列尖顶和隘口组成。陡面（即滑面）可因风向的不同而改变。大部分赛夫沙丘位于开阔荒漠的粗沙沙席之上。在利比亚和伊朗南部常见的赛夫沙丘高可达90米，宽为高的6倍，长可达100千米。侧风促使沙丘加高加宽，平行于其轴向的风能使沙丘加长。

Seifert, Jaroslav　塞费尔特（1901-09-23，布拉格～1986-01-10，布拉格）　捷克诗人和新闻工作者。获诺贝尔文学奖（1984）的第一个捷克作家。在1950年前，塞费尔特一直以从事新闻工作为生。但他的第一本诗集《泪城》出版于1920年。他早期的无产阶级诗歌反映了他青年时期对苏联的共产主义未来的向往。然而随着他年事日长，他对苏联的统治制度越来越感到失望，他的诗风也开始变化。在《无线电波传播》（1925）和《夜莺唱走了调》（1926）中，所谓纯诗歌的抒情因素明显增多。1929年塞费尔特脱离了共产党。本国的方方面面是他的诗作中最常见的题材。在《把电灯关掉》（1938）中，他描写了慕尼黑协定以及根据这一协定捷克斯洛伐克的一部分被德国

捷克斯洛伐克新闻社供图

吞并的情景。布拉格则是《浴着灯光》（1940）讴歌的对象，而1945年的布拉格起义成了《泥做的头盔》（1945）的中心事件。塞费尔特写了大约30本诗集，此外，他还为一些报刊撰稿，并从事儿童文学的创作。1966年他被授予“民族诗人”的称号。1968年苏联入侵捷克斯洛伐克，塞费尔特是对这次入侵予以谴责的几位作家之一。他用捷克语写的回忆录于1981年出版。

Seiffert, Ernst（singer）　**赛费特**　参阅 **Tauber, Richard** 陶伯。

Seignelay, Jean-Baptiste Colbert, marquis de　塞涅莱侯爵　参阅 **Colbert, Jean-Baptiste** 柯尔贝尔。

seigneur, droit du　初夜权　又称“领主权”。中世纪欧洲存在的一种封建权利，即领主有权与其所属的任何封臣的新娘睡第一夜。在各原始社会中都有类似情况；但在欧洲，这种现象的存在几乎只有间接的证据。可能在法国和意大利部分地区早期曾短暂存在过但决非普遍的现象。而且封臣可以用赎金赎取初夜权，因此初夜权似乎形成了另一种赋税。

seigniorage　铸造利差　从运到造币厂供铸造硬币的金属块中要扣除若干金属作为收费，这项收费除了铸币费之外，其余部分就是铸造利差。过去这种扣除，有时用贱金属代替补充到金属块中，降低了铸币的成色。在交换中所得到的铸币的货币价值，往往低于金属块的市价。最终，商人停止向造币厂提供金属块，因而铸币供应量不足。现在发行的铸币，仅用作国内的代币，无需具有高的内在价值，低标准的白银或某些贱金属合金，都可以满足需要。在铸币的成本费与其法定面值之间常存在有很大的差额，此差额或利润，通称为铸造利差。

seignorialism　参阅 **manorialism** 庄园制度。

Seikan Tunnel　青函隧道　连接日本列岛中心岛屿本州与其北邻岛屿北海道的海底隧道。青函隧道为世界最长的隧道，长53.8千米，其中23.3千米位于将本州与北海道隔开的津轻海峡水下。隧道内有一条铁路线，隧道的建设由日本国家铁路公司发起，于1964年开工，1988年竣工。开凿时，雇佣工人达3 000名之多，由于塌方、淹没及其他灾难丧生者总计34名。虽然工程巨大，土方浩繁，并且投入很多资金，但用途极为有限，因为本州与北海道之间的空运更快，而两者的运费现在也几乎相等。当50年代最初设计隧道时，本州与北海道之间的主要运输工具是轮渡。1954年津轻海峡一艘渡船被台风吹翻，丧生者达1 400余人，这促成了修筑隧道的计划。此后，空运的实用性大增，青函隧道在两岛之间载运旅客的数目不可避免地要比飞机少得多。不过，这一隧道仍不失为20世纪土木工程中的艰苦业绩之一。

Seine-et-Marne　塞纳-马恩　法国北部法兰西岛大区的省。在大巴黎东南部。由部分前法兰西岛省和香槟省组成。面积5 915平方千米。马恩河经北部流向巴黎。塞纳河经南部枫丹白露森林和省会默伦向西北流向巴黎。富庶的河谷地区为巴黎市场提供蔬菜、水果和乳制品。马恩河和塞纳河之间的布里厄高地有机械化生产谷物、饲料、马铃薯、甜菜和放牧的大农场，面积占全省的一半以上。气候温和。默伦、蒙特罗、讷穆尔和楠日为工业区，有食品加工、化工和电器设备制造等行业。西部已为巴黎城区扩展所波及，但仍为周末旅行地。古建筑有枫丹白露城堡、维孔宫等。是第一次世界大战激战的战场。该省下设默伦、莫、普罗万3个专区；属巴黎教育区。人口约975 400（1987）。

Seine-Maritime　滨海塞纳省　法国北部上诺曼底大区的省。濒临英吉利海峡。1790年设立，原名为塞纳-因弗里厄雷。1955年命名为滨海塞纳省。面积6 278平方千米。位于广阔的白垩高原上，西北是130多千米的海岸线。南界从本省最大城镇勒阿弗尔港口向东沿蜿蜒而下的塞纳河南面，通过高原和森林，过古城鲁昂（省会）和埃尔伯夫到博韦西面。属于海洋性气候，冬季温暖、夏季凉爽。塞纳河谷中多雾。鲁昂地区是法国最湿润的地区，平均每年120个降雨日。农业主要有两类，饲养奶牛和种植农作物（谷物、甜菜、马铃薯、亚麻和水果）。塞纳河谷部分地区包括鲁昂和勒阿弗尔已高度工业化。塞纳河口湾的炼油厂通过管道与巴黎相通。建在唐卡维尔横跨塞纳河河口湾上游的欧洲最长的悬索桥，大大改进了公路交通状况。该省有良好的旅游设施，特别是在海边和塞纳河谷。一些隐修院和教堂的废墟成为人们经常参观游览的历史遗迹。该省下设鲁昂、迪耶普和勒阿弗尔3个专区；属鲁昂教育区。人口约1 209 400（1987）。

Seine River　塞纳河　仅次于卢瓦尔河的法国第二大河。源出第戎西北30千米处的朗格勒高原，向西北流经巴黎后，在哈佛尔附近注入英吉利海峡。全长780千米。塞纳河位于法国北部，流域面积约为78 700平方千米。流域内纵横交错的河道极大地便利了法国内陆的水上交通。包括奥布河、约纳河、马恩河

和瓦兹河在内的几条主要支流分散于一系列陡崖深谷之中，将塞纳河流域分割成3个各具特点的部分。朗格勒高原塞纳河的上游部分发源于勃艮第的科多尔地区塔斯洛山，海拔471米，向西北流经145千米至罗米伊镇。在这个小镇附近接纳奥布河后，塞纳河中段向西流动，环绕宽广谷地中的法兰西岛流至蒙特罗，在左岸接纳约纳河。再折向西北，越过法兰西岛流向巴黎。然后继续沿宽阔的河床向西北方向穿过石灰岩高原，在巴黎北部和南部分别接纳马恩河和瓦兹河。巴黎南部的塞纳河下游大致向西北流向英吉利海峡的入海口。鲁昂虽然距海120千米，但一度曾为法国主要港口，现已被位于塞纳河宽阔的出海口北岸的哈佛尔取代。河口处迅速变宽，在唐卡维尔以南延伸26千米。塞纳河流域大部分由渗透性岩石构成，其吸水性缓解了塞纳河水灾的危险。整个流域的降雨量分布均匀(一般为650～750毫米)，较高的东部和南部边缘地区有降雪。塞纳河，特别是巴黎南部的河段，是法国的主要水路之一，主要运输建筑材料和石油产品。

Seine-Saint-Denis 塞纳-圣但尼 法国北部法兰西岛大区的省。北、东两面为巴黎城界。面积236平方千米。1964年大巴黎行政区改革时创建，主要由原塞纳省的北部和原塞纳-瓦兹省的一些部分组成。西界包括塞纳河向西北转弯时形成的两支和新月形的圣但尼岛。北部边界以内有布尔歇机场的南面部分。该机场现正由在鲁瓦西的戴高乐机场(1974年启用)所取代。东部有邦迪森林、马恩河畔古尔奈郊区和圣马丁森林的一部分。南边界内有蒙特勒伊。马恩河从该省东南角穿过。从巴黎通往里尔的北方高速公路途经圣但尼，并与两个机场相连。该省为密集的工业化地区，人口稠密，大量工厂和工人住宅混合在一起。该省有省会博比尼和勒兰西两个专区，属于巴黎教育区。人口1 324 301(1982)。

Seine Series 塞纳统 加拿大安大略省和美国明尼苏达州北部前寒武纪地层单位(前寒武纪开始于约46亿年前地壳形成之时，终止于距今5.7亿年前)。塞纳统根据安大略省塞纳河沿岸研究过的良好露头命名。形成巨厚的沉积岩地层序列，覆于基韦廷统上，中间有不整合面，该面代表塞纳统沉积之前一个主要侵蚀期。塞纳统以基质内含有巨大花岗岩漂砾的显著的砾岩开始。可以认为该砾岩代表一长时间侵蚀期，期间，基韦廷山的花岗质核心出露。统内存在的花岗质侵入岩，年代大约11亿年，而组成山核的花岗岩已确定是上述侵入岩年龄的两倍。塞纳统可能与刀湖统相当；假如这样，刀湖统名称对于塞纳统这一名称就具有优先权，而应当得到使用。

Seingalt, Jean-Jacques, chevalier de 塞恩加尔骑士 参阅 **Casanova, Giovanni Giacomo** 卡萨诺瓦。

Seipel, Ignaz 赛佩尔(1876-07-19，维也纳～1932-08-02，奥地利佩尔尼茨) 天主教司铎，奥地利总理(1922～1924和1926～1929)，曾利用法西斯准军事组织保安团反对社会民主党，结果使法西斯主义在国内势力加强。1899年受神职，1918年奥地利革命前曾在萨尔茨堡大学和维也纳大学教道德哲学。赛佩

供图：Bild-Archiv, Osterreichische Nationalbibiothek, Vienna

尔后为基督教社会党领袖之一。1922年5月组织第一次政府，与大德意志党联合。他为奥地利从国际联盟得到1亿美元的贷款，条件是在盟国监督下实行财政和行政改革。1924年6月被刺受伤，同年11月辞职。在第二次任总理期间(1926～1929)他未能在议会中取得多数，他曾利用保安团反对奥地利的社会党人。这一行动成为其门徒陶尔斐斯破坏奥地利民主政治，建立教士-法西斯专政制度(1934)的先兆。1930年9～11月任外交部长，后因病辞职。

Seis de Septiembre (Argentina) **九·六城** 参阅 **Morón** 莫龙。

seisin 依法占有 欧洲封建社会里的一种随着时间的推移而成为合法的占有形式。依法占有并不是所有权，也不仅仅是由于获取土地就能确定的占有。依法占有属于使用了土地或对土地行使了权利的个人。在有关依法占有的争端中，胜者将是能够证明他在争讼以前的时期内曾经耕种这块土地或在这块土地上执行了法律的人。如果他的祖先曾经拥有这块土地，并且他能通过证人的证词证明这一点的话，他的案件就有了更充足的理由。如果一个自由保有权所有者占有土地，或者某个别的人为他占有土地，这就存在实际上的依法占有。在法律上依法占有是继承对土地的依法占有的人的权利，即使他并未实际占有该土地。

seismic belt 地震带 世界上大多数地震活动集中发生的地球表面之狭长地带。如果说，岩石圈被看作是由几大板块构成，板块相对移动的边缘就是世界的地震带。岛弧、山带、火山作用、深海槽及地震活动是地震带的特征。环太平洋带和阿尔卑斯带是两个大地震带，前者环绕太平洋；后者从亚速尔群岛穿过地中海和中东到印度北部、苏门答腊和印度尼西亚，与环太平洋带连接。

seismic sea wave 地震海波 参阅 **tsunami** 海啸。

seismic survey 地震勘测 调查地下地层构造的方法，与油、气或矿床勘探的关系尤为密切。该法以测定声波发射时间与反射或折射的脉冲到达一个或几个地震探测器的时间之间的时间间隔为基础。虽然最常用的方法是在地下引爆黄色炸药来激发这类声波，但在地下爆炸可能造成损害的地区，如有洞穴的地区，也可采用电振动器或落重(重锤)。探测器收到声波后立刻记录下其振幅和时间，从而得到一幅地震图(地震记录)。示意图以简化的形式介绍了地震勘探法。一般说来，地表附近岩石的密度随深度而增加，因此在图中所示第二层较第一层致密。在发射点发出的声波，可以通过反射或折射或既反射又折射而到达接收点。当发射点与接收点相近时，反射波通常先到达接收点。但两点距离较远时，脉冲经折射路径传播得更快，这是因为声波沿第二层顶部的速度大于通过第一层的速度，于是折射波先到达。因此，地震波达到的深度和通过的介质与发射点和接收点

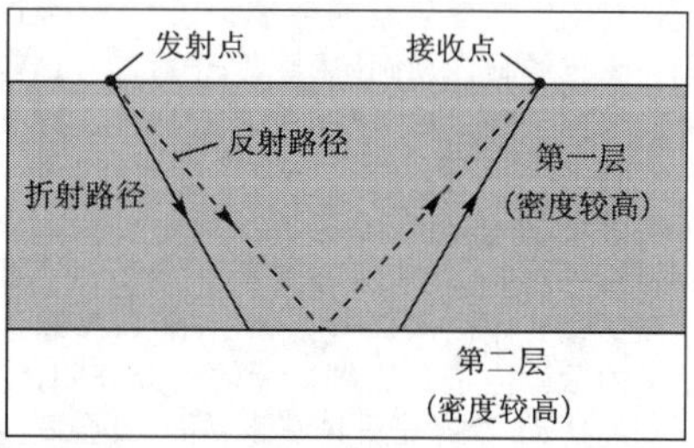

地震勘测方法示意图

间的距离和地层的密度有关。地震勘探的成果可用地下构造的剖面图表示，犹如通过声波发射点、探测器和地心，向下切一个剖面(称地震剖面)。

seismic wave 地震波 地震、爆炸或类似现象所产生的振动，在地球内部或沿地表传播。地震主要产生4种波，两种为体波，在地球内部传播；两种为面波，沿地表传播。对地震波图像(记录的振幅迹线与地震波频率)的解释，可以取得关于地球及地下构造的信息。人工产生的地震波用于石油和天然气勘探。在两种体波中，初波(或称P波)速度较高，因而比次波(或称S波)，到达地震台站快。初波也叫压缩波或纵波，使岩石质点沿传播路径往复运动，随着波通过任一点，就将岩石拉伸或压缩，像空气中的声波一样(参阅 **longitudinal wave**)。初波传播速度，在地表岩石中约为每秒6千米，在地下2 900千米深度接近地核处约为每秒10.4千米，波进入地核后，速度降为约每秒8千米，在地心附近增到约每秒11千米。由于静压力的增加和岩石成分与岩相的变化，速度随深度而增加。速度增加一般使波沿向上凹的曲线传播。次波也叫横波或剪切波，使岩石质点沿垂直于传播的方向往复运动，波经过时，岩石随其往复畸变。次波速度在地表约为每秒3.4千米，在液核边缘增到每秒7.2千米。在地核内部不能传播，地核内横波消失使人不得不认为地核外层是液体。次波和初波一样，沿凹面向上的曲线传播，振动速度较慢，但振幅较大。两种面波的一种叫洛夫波，以A.E.乐甫的姓氏(Love，又译洛夫)命名，他首先预测该波的存在。该波传播较快，沿弹性不同的固体岩层表面传播。波所造成的岩石质点位

移，完全与传播方向垂直，没有竖向或纵向成分。洛夫波和其他面波一样，能量从波源向两个方向而不是3个方向散开，所以这些波即使源自遥远的地震，也在地震台站留下很强的记录。另一种主要的面波叫作瑞利波；该波以L.瑞利的姓氏命名，他首先从理论上推出该波之存在。它沿弹性固体的自由面传播。它的运动是纵振与竖振的结合，使岩石质点产生椭圆运动。在各种地震波中，瑞利波及其他面波对地震仪的效应最强。

seismograph 地震仪 记录由地震、爆破或其他使地球震动的现象所引起的地面动荡的仪器。它原来是为了记录自然界的地震而设计的，现已有许多其他用途。

早期的地震仪称为验震器，并不能记录地面的振动，而只能指示发生了震动。地震计原指测量地面运动大小的仪器。有些地震仪装有一种叫传感器的电磁元件，能将地面的运动转换成电流的变化。地震波曲线图就是地震仪所作的记录。

地震仪的发展 中国学者张衡早在公元132年就发明了记录地震发生的验震器——候风地动仪。根据现有文献记载，它呈圆柱形，圆柱的上部四周分布8只口中含有圆珠的龙首，在龙首的正下方相应有8只蟾蜍。当发生地震时，有一颗圆珠从龙口落入蟾蜍的口中，发出声响。17世纪，在意大利根据水的溢出来检测地震；后来，先后用装满水的碗和装满水银的杯子检测地震和地动。1855年，意大利的L.帕尔米耶里发明由几根U形管组成的地震计，管内装满水银，并指向罗盘的不同位置。当地面发生振动时，水银的运动控制电接触点，使时钟停止运行，同时启动在其上记录水银表面浮标运动的滚筒，因此能指示地面运动开始发生的时刻、相对强度和持续时间。

测量地面运动的基本问题，是设法找到一个当地面运动时仍能保持不动的稳定点，各式各样的摆被用来解决这个问题。最简单的普通摆是用金属丝或连杆悬挂在固定点的重物（如钟摆）；在倒置摆中，重物固定在下端尖锐的直立连杆的顶端；在水平摆中，一端有重物的连杆悬挂在两点上，地面发生震动时摆在近似的水平面上摆动。1840年，在苏格兰珀斯郡的科姆里附近设置了以普通摆为基础的地震计；1841年在科姆里附近6处设置了以倒置摆为基础的地震计，以记录当地的地面震动。

1880年，当J.A.攸英、T.格雷、J.米尔恩以及在日本工作的英国科学家们开始研究地震时，地震仪得到迅速发展。同年，在东京附近横滨发生强烈地震后，他们创立了日本地震学会，在学会的赞助下发明了各种检测仪器，这些仪器就是现在地震仪的原型。在这一时期研制的仪器中，有米尔恩设计的、至今仍享有盛誉的水平摆地震仪（图1）。通过支点（P）和固定在支点上方一点的丝线（T），将挂有重物（M）的悬臂（B）水平悬置；薄板（C）上开有平行于悬臂的狭缝，并与悬臂（B）的一端连接；另一块类似的薄板上开有与薄板（C）的狭缝成直角的狭缝，并固定在装有记录滚筒（D）的匣子上。油灯的光线通过两条狭缝形成一个小亮点，投射在卷在滚筒上的感光方格纸（溴素纸）上。米尔恩用这种地震仪成功地记录了发生在日本的几次地震，后来他又用这种仪器在英国建立小型的地震监测网。

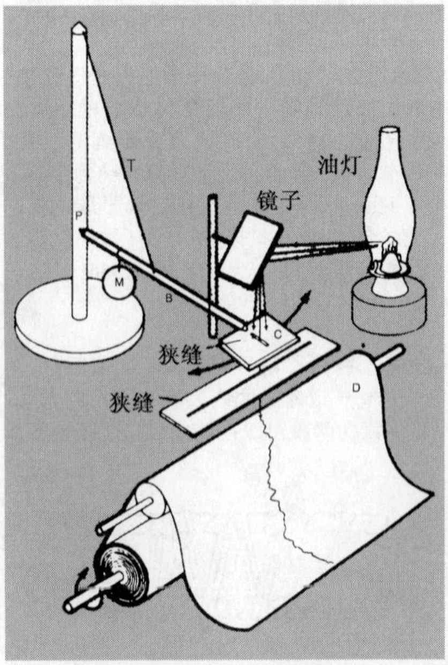

图1 米尔恩水平摆地震仪

第二次世界大战后水平摆式的地震仪有了很大的改进，在美国研制的用于记录长周期地震波的普雷斯-攸英型地震仪在全世界得到广泛的应用。这种地震仪采用米尔恩式的水平摆，不过支持摆的支点改用富于弹性的金属丝，以避免摩擦。

现代地震仪的基本原理 若普通摆可在某一方向上自由摆动，若地面在摆的自由摆动方向上迅速运动而摆静止时，则由于惯性，摆仍将停留在原来位置上。若地面来回运动（摆动），且摆动周期（来回摆动一次所需的时间）比摆的自由摆动周期短得多时，则摆仍将静止不动，因而地面相对于摆的运动便可记录下来，并且可以用某种方式将这种运动加以放大。这就是地震仪的基本原理。

在实际工作中，经常发现摆的周期与地面摆动周期相差不大。在这种情况下，地震仪不能正确记录地面的运动，但其误差可易于用数学方法计算出来。

概括地说，地震仪是一种记录摆与地面相对运动的仪器，同样也可求出摆的偏角与地面运动速度（或加速度）的比值。这个比值叫做地震仪的速度（或加速度）灵敏度。

如果摆的自由振动没有减至最小，它将影响对地面运动的正常记录。降低摆自由振动最简便的方法是将摆悬置于其阻力与摆的速度成正比的黏稠液体中。在实践中所需的阻力由阻尼器产生；空气阻尼器利用活塞在汽缸中运动产生阻力，电磁阻尼器由铜片在强磁场中运动所感应出的电流产生阻力。

地面的运动可分为3个方向；2个水平方向，1个垂直方向。因为每个方向上的运动都须分别记录下来，所以一台完整的地震仪必须有3个摆，分别记录3个方向上的运动。

记录方法有机械式和电磁式等几种。在机械方法中，将熏烟纸卷在滚筒上，安装时使滚筒能随地面运动；与摆相连的记录笔尖轻压在熏纸上，转动着的滚筒每转一周就错开一些，使先后的记录不致重叠。滚筒不停地转动，一张熏纸一般可连续使用24小时。摆的偏角通常用单或双倍数杠杆加以放大。这种方法简单、经济，但为了克服笔、纸之间的摩擦，地震仪必须有很大的质量，有些机械式地震仪重达1吨或更重。光束式记录是用随摆运动的镜子将光线反射到滚筒上的感光纸上，这样摆就可不受摩擦的影响了。

现在广泛采用的电磁式记录法，是使固定在摆体上的线圈在磁场内运动，线圈内感生的电流作用于检流计，就像发电机开动电动机一样。这种方法不需要机械阻尼器，因为固定在摆体上的线圈内的电流与磁场之间的电磁作用即可产生阻尼力。若将线圈内产生的电流用电子技术加以放大，即可得到很高的放大倍数。有些用于记录微震的短周期地震仪，放大倍数可达100万倍以上。在平常的地震观测中，地面开始振动的时间被记录下来，并在地震波曲线图纸上每分钟或每小时作出不同的记号。

以上所说的地震仪都是在一特定的地点测量地面的振动。相反，应变地震仪不用摆，它根据地面两点间的距离变化来测量地震。图2中（A）和（B）是两块相距约20米以上的矮墩，悬臂的一端固定在墩（B）上，另一端位于靠近墩（A）的位置，因地震波产生的地面应变使两墩的间隔发生变化，这种变化可从

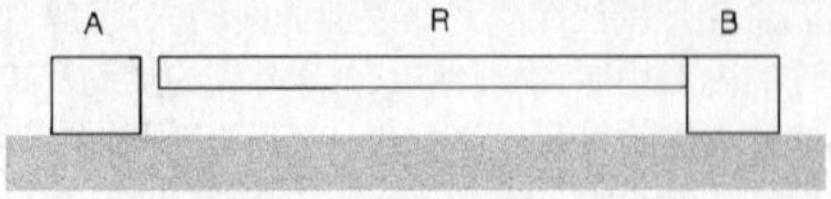

图2 应变地震仪

悬臂的未固定端与墩（A）的距离测量出来。应变地震仪是在1935年发明的。

地震仪的应用 从震源经地下或沿地面传播的地震波引起地面振动，地震仪是记录地面振动的仪器。用于近距离测量的地震仪构造简单，直接指示沿传播方向振动的P波和沿与传播方向成直角的方向振动的S波以及表面波；测量远距离地震的仪器构造比较复杂，因为它还指示从震源发出后到达地震仪之前经地壳反射或折射的各种地震波。这些地震波到达的时间与离震中距离之间的关系用时间-距离曲线来表示，垂直坐标代表到达的时间，水平坐标代表离震中距离。如果将地震台站所测得的各种地震波到达的时间与标准的时间-距离曲线相比较，即可求得震中与地震台站之间的距离。若已知震中与3个地震台站之间的距离，用三角学的简单方法即可计算出震源的位置。

火山爆发通常伴随着许多小地震，特别是当火山经长期休眠后重新活动时，用灵敏度高的地震仪观测地震波，对预报火山活动能起重要作用。在一次大地震之前常常出现轻微的地震，用灵敏度高的地震仪观测非常微弱的地震波，有助于预报灾难性的地震。

地震仪有时用来探测不引起地震的微震。微震是一种微弱的、持续时间很长的地面振动。有些微震常常与发生海上风暴有关。

地震仪可用于探测遥远距离外的地下核试验，探测中必须把地下核爆炸所产生的相当微弱的地震波与自然界的微震相区别。

1965 年建于美国蒙大拿的大孔径地震台阵，有 525 台地震仪分布在 30 000 平方千米的地区内。这个系统将各地震仪的信号合并后，对探测地震现象具有极高的灵敏度。

火药爆炸所产生的地震波，被设置在爆炸点附近不同位置上的高灵敏度地震仪记录后，通过分析直接到达的 P 波和经地层界面反射或折射的 P 波的时间-距离曲线，即可了解当地的地质构造，包括地层的深度及其倾角，以及地震波在每一层的传播速度等。由于用这种方法于 1923 年在美国发现一个大油田，所以地震勘探取得了快速进展，现已用于石油和天然气勘探。第二次世界大战后用于地震勘探的仪器和技术有了很大的改进，只需爆炸少量炸药，即可探明深达 40 ～ 50 千米的地壳构造。

地震仪也可探测矿山爆破、采石和公共工程所产生的地面振动。用地震学的方法进行初步考察，可以估算振动的强度，从而估价一定数量的炸药可能造成的破坏。由于周围岩石中的应力增加而发生岩石迸裂，岩石突然从深井或巷道中喷出。采矿经验表明，可由灵敏度很高的地声仪——一种野外用的便携式地震计探测出的微小振动持续增加，一般说明有岩迸的危险。

在工程上有一种专为记录地面强烈运动的地震仪，用于像日本那样容易发生地震的地区修建抗震建筑物。

用地震仪探测月球表面的振动，对了解月球的内部构造、物理性质、月球外壳的活动及其成分等极为重要。第一台月震仪由“阿波罗”11 号的宇航员于 1969 年安装在“静海”基地上，它由 3 台长周期地震计和 1 台单分量、短周期垂直地震计组成。1976 年“海盗”1 号和 2 号航天器用着陆舱在火星上安放了类似的仪器，以测定在这颗行星上地震活动的范围。

seismology　地震学　研究地震与地震波(弹性波)在地球内部传播的学科。它作为*地球物理学*(**geophysics**)的一个分支，提供了关于行星内部成分与状态的很多信息。研究目标可为局部或区域性的，如在勘探石油或矿藏中试图测定地下断层和其他地下结构；也可是具有全球性意义的，如试图测定地球内部相位不连续面、岛弧海沟或大洋中脊的地球物理特征、一般地球物质的弹性特征等。近年来，更多地注意地震预报以及在不同地理位置上地震危险的评价，以努力减少地震的危害。并且，地震学家还研究人类活动如高坝后面的贮备水、向深井喷射的流体以及地下核爆炸所引起的地震。这些研究的目的在于寻找控制天然地震的途径。

Seistan (Iran)　参阅 **Sīstān** *锡斯坦*。

Seitz, Karl　赛茨(1869-09-04，维也纳～1950-02-03，维也纳)　奥匈帝国解体后奥地利代理国家元首(1919 ～ 1920)，维也纳市长(1923 ～ 1934)。社会民主党人。奥匈帝国末年赛茨一直为帝国议会议员。第一次世界大战后任奥地利共和国临时国民议会议长(1918 ～ 1919)。此后他历任制宪议会议长(1915-05 ～ 1920-10)、民族院议长和共和国代理总统(1920-10 ～11)。1923 年当选为维也纳市长，他推行迅速发展社会服务事业的革命计划。1944 年 7 月被纳粹逮捕，先后被关在拉文斯布吕克集中营和普劳恩集中营。1945 年 3 月奥地利解放后任奥地利社会党名誉主席。

Seixal　塞沙尔　葡萄牙塞图巴尔区城镇。有现代公路经附近的阿尔马达与里斯本相通。初为渔村，后发展成为重要渔港。1836 年设市。第二次世界大战后建有葡萄牙第一个炼钢厂，从而在该地区建立全国最重要的工业联合体，现有机床、机器等厂，并有船舶制造和修理等设施。人口：镇 2 956；自治市 87 344(1981)。

seizing　捆扎　用一根绳索将两根圆材、两根绳索或一根绳索的两段捆在一起的方法。一根绳索的两段可以捆扎成绳套或闭合的绳

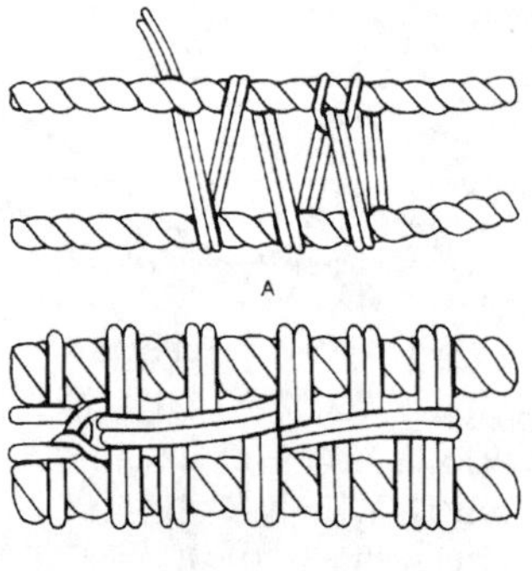

(A)斜向捆扎法；

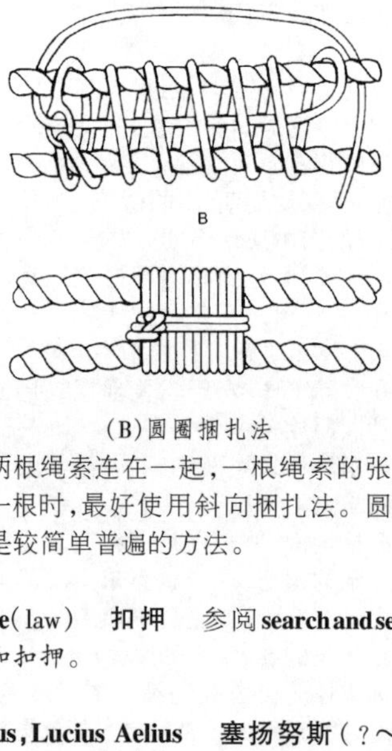

(B)圆圈捆扎法

圈。两根绳索连在一起，一根绳索的张力大于另一根时，最好使用斜向捆扎法。圆圈捆扎法是较简单普遍的方法。

seizure(law)　**扣押**　参阅 **search and seizure** *搜查和扣押*。

Sejanus, Lucius Aelius　塞扬努斯(？～31-10-18)　提比略时期罗马帝国的主要官员。14 年任御林军司令，31 年任执政官。后因有人告发他阴谋篡位，遂被皇帝提比略处死。

Sejarah Melayu　《马来由史话》　英语作 Malay Annals。用马来语写的有关马六甲苏丹国的最优秀的文学和历史著作之一。成书于 15 或 16 世纪某一时期。原作写于 1536 年之前，1612 年奉苏丹阿卜杜拉·马阿亚·沙之命进行加工修改。现仅存这个改写本的手稿。作品主题是赞美约建于 1400 年左右的马六甲苏丹国的伟大和显赫。虽然《马来由史话》只提到一个日期，但它所描写的事件仍能为其他史料所证实。这部书由许多没有历史联系的故事组成，着重描写马六甲苏丹、他们的宫廷和政府官员的活动。此外，还描写外国统治者，以及马六甲的对外关系和它作为区域贸易中心的重要性。值得注意的遗漏是根本没有提到农民的生活。《马来由史话》的意义不仅在于优美动人的叙事和人物性格刻画，而且在于它还可作为 1511 年马六甲苏丹国被葡萄牙人打败之前有关马六甲和马来人世界的重要史料。

Sejong　世宗(1397～1450)　朝鲜李朝国王。他在位期间(1419 ～ 1450)，朝鲜文化达到登峰造极的地步。世宗最闻名于世的是制定用法最科学的朝鲜语字母和禁止所有和尚离开汉城，从而大大削减佛教寺院的权力和财富。

Sekani　塞卡尼人　一个濒于灭绝的印第安部落，操阿萨巴斯卡语，大部居住在落基山脉东麓及西麓的河谷地区，相当于今加拿大不列颠哥伦比亚及阿尔伯塔两省。塞卡尼人常常遭到其邻近民族克里人、比弗尔人、卡列尔人及舒斯瓦普人以及白人猎户及矿工的骚扰和驱逐。因疾病及猎物短缺而造成的营养不良，也使其死亡人数不断增加。塞卡尼人分为几个独立的族群，组织松散，只有名义上的领袖。塞卡尼意为“岩上居民”，原为其中一个族群的名称，整个部落尚无通名。他们生活游动，经常住在以木柱上覆云杉皮或树枝临时搭成的简陋茅屋或披屋。他们猎捕驼鹿、驯鹿、熊、石山羊、河狸及其他猎物；他们打猎时主要使用陷阱，也用弓箭、梭镖及棍棒。他们厌恶食鱼，只有食物奇缺时才不得已而食之；因之他们就蔑称其邻族卡列尔人为“食鱼者”。塞卡尼人信仰万物有灵，认为动物、风、雷均有灵气或魔力。塞卡尼人的每个男人都有一个以上的保护精灵，均与鸟兽相联系，在危急时刻，可以唤其魔力以获得救助。塞卡尼人相信巫医能致病也能医病。

Sekhmet　塞赫迈特　又拼 Sakhmet。埃及宗教的女神。司争战之事，性凶猛，从事消

埃及新王国时期塞赫迈特的闪长岩雕像
纽约大都会艺术博物馆供图

灭与太阳神瑞为敌的势力。其形象常为母狮或狮首女身,头顶太阳和埃及眼镜蛇。

Šeki(Azerbaijan) 参阅 **Sheki** 舍基。

Seki Kōwa 关孝和(1642,日本藤冈～1708,日本) 又作 Takakazu。公认的日本数学的奠基人。出身于武士家庭,在孩提时就是数学神童。他建立了行列式的数学理论,比 18 世纪德国数学家 G.莱布尼兹的理论更广泛,时间上也早些。在微积分学方面也有重要发现,其中不少已由他的学生建部贤弘继承和应用。由于日本当时各学派之间的保密以及武士礼教所要求的谦逊,现在很难对他的贡献作出全面、准确的评价。

Sekigahara, Battle of 关原之战(1600-10-20) 日本史上,德川家族建立霸权的一次著名战役。德川家康和石田三成原都是丰臣秀吉手下的武将。秀吉死后,子秀赖继位。因秀赖年幼,由几名武将共同摄政。德川家康居摄政首席,开始独揽大权。另一摄政者石田三成不服,与之对抗。两个封建主的人军在琵琶湖和名古屋之间的战略要地关原进行大会战。结果石田败北被斩。家康得胜以后,立即重新分配采邑,巩固他的政权,建立了持续 265 年的德川幕府。

Sekondi-Takoradi 塞康第-塔科拉迪 加纳南部几内亚湾港口城市。荷兰人和英国人 17 世纪都曾在该城建要塞。该城 20 世纪初在修通内陆金矿铁路后十分繁盛。由于 1928 年在塔科拉迪开辟人工港,当地港口在商业上已废弃。1946 年塞康第与塔科拉迪是单一的自治市,1963 年成为城市。塞康第为新老建筑混合的城市,从山丘延伸至海岸。旧港用于渔业和游船业。塔科拉迪是一个规划良好居住区,绿树成荫,有现代房屋。两个防波堤围绕 90 公顷海面。有码头装运铝土矿和石油,港口为加纳数条铁路终点,并有公路和航空线相通。城市也有轻工业、农业和渔业。繁忙的市场和街摊都由妇女主持。人口约 103 653(1988)。

Seku Ahmadu Lobbo 参阅 **Shehu Ahmadu Lobbo** 谢胡·艾哈迈都·洛博。

Selachii(fish class) **鲨纲** 参阅 **chondrichthian** 软骨鱼。

seladang 马来野牛 马来亚的野牛,印度野牛(**gaur**)的一种。

Selaginella 卷柏属 蕨类植物的一属,其种类通称为卷柏(**spike moss**)。

Selangor 雪兰莪 马来西亚西部的区。地处马六甲海峡沿岸冲积平原。雪兰莪的历史和经济发展与两条河流有着密切的关系,这两条河就是巴生河与冷甲河。马来人和移民的华人主要通过这两条河来此定居。雪兰莪初为马六甲统治下的森美兰九邦之一。18 世纪独立。19 世纪后期成为英国保护国。1896 年加入马来州联邦。1948 年加入马来亚联合邦。1890 年后大力修筑公路、铁路联通新加坡和槟城,以运输产量不断增长的橡胶和锡。大城镇有巴生港(Port Kelang)、瓜拉

雪兰莪区的一处橡胶园

供图:Shostal

雪兰莪、新古毛和加影。现主要生产锡、椰子和橡胶。高地山谷和北部沿海的丹戎加兰沼泽地带产稻米。菠萝、咖啡、茶叶、可可和棕榈也是重要农产品。巴都亚兰有煤矿。工商业集中在首都吉隆坡-必打灵查亚和巴生港之间的地区。

Selangor Civil War 雪兰莪内战(1867～1873) 马来酋长之间的冲突。后来有华人帮会卷入。自 1860 年阿卜杜勒·萨马德立为苏丹后,马来的酋长们逐渐形成两个阵营。下游酋长与上游酋长对立,主要分歧在于征收锡的出口税问题。罗阇·马赫迪得到异见派上游酋长的默许占领和控制了富饶的巴生市。当苏丹转而支持其女婿齐阿乌丁时,他进一步疏远异见派酋长,冲突即不断发生。与此同时,在雪兰莪和巴生流域的华人锡矿工人分成义兴和海山两帮,也为争夺锡矿控制权而斗争,并均寻求与马来酋长结盟。到 1870 年,义兴帮与罗阇·马赫迪联合,而海山帮则站在齐阿乌丁一边。1873 年末,齐阿乌丁在英国的支持下,终于击败马赫迪一方。这次内战造成马来的经济混乱,也为英国于 1874 年扩大控制范围铺平了道路。

Selassie, Haile(Ethiopian emperor) **塞拉西** 参阅 **Haile Selassie** 海尔·塞拉西。

Selassie, Sahle(ruler of Shewa) **塞拉西** 参阅 **Sahle Selassie** 萨赫勒·塞拉西。

Selayar 塞拉亚 又拼 Salayar,又称卡比亚(Kabia)。西里伯斯(苏拉威西)岛西南端一组岛群中的最大岛屿,属印度尼西亚南苏拉威西省,其他还有帕西、巴胡卢昂、普拉西及丹布朗干等岛。诸岛上多山。塞拉亚岛面积 899 平方千米,有肥沃低地 671 平方千米。居民以望加锡人和武吉斯人的混血种为主。该地区出产椰子、玉米、胡椒、盐和海参。西海岸有主要港口本滕与巴东(**Padang**)。人口 100 500(1999)。

Selborne, Roundell Palmer, 1st Earl of 塞尔伯恩伯爵(第一)(1812-11-27,英格兰牛津郡米克斯堡～1895-05-04,汉普郡彼得斯菲尔德附近) 即 R.帕尔默。英国大法官(1872～1874,1880～1885)。他几乎是独自起草了一个综合性的司法改革方案,即 1873 年的《最高法院司法组织法》。根据这项法令,英国法院制度的错综复杂的双轨制——普通法和衡平法——大部分被废除,以利于建立一个单一的法院系统。新的最高法院的各个庭都有权适用衡平法以及普通法的救济措施,在发生矛盾的情况下则以衡平法的原则为准。他是一位成功的衡平法律师和下议院议员(1847～1852,1853～1857,1861～1872),曾担任副检察总长(1861～1863)和检察总长(1863～1865)。1868 年 4 月,他与下议院中的少数派投票反对当时任财政大臣和下院领袖的 W.E.格莱斯顿所提出的撤销爱尔兰圣公会的国家教会的地位的决议。同年晚些时候,新近担任首相的格莱斯顿建议他出任大

伦敦国立肖像画陈列馆供图

法官,被他拒绝。但在 4 年以后他接受了这个职位,并受封为男爵。1882 年当维多利亚女王把伦敦新的法院建筑正式交给他时,他受封为伯爵。当查尔斯·乔治·戈登将军在苏丹喀土穆的驻军遭马赫迪革命者围攻(1884～1885)时,他是主张救援的少数几个大臣之一。1885 年当格莱斯顿转而奉行爱尔兰自治原则时,他与这位首相终于决裂。

Selborne, William Waldegrave Palmer, 2nd Earl of 塞尔伯恩伯爵(第二)(1859-10-17,伦敦～1942-02-26,伦敦) 即 W.W.帕尔默。英国海军大臣(1900～1905)和驻南非高级专员(1905～1910)。他积极促进重建英国海军舰队,使之在第一次世界大战中得以抗拒大大扩充了的德国海军。他还成功地建议成立南非联邦。他是律师兼政治家塞尔伯恩伯爵第一之子。英国首相索尔兹伯里的女婿。他和 J.费希尔海军上将一起使海军的训练制度现代化,并倡议建造"无畏"型战舰。1905 年任驻南非高级专员兼德兰士瓦和奥兰治河殖民地总督。1907 年他主张德兰士瓦和奥兰治河殖民地与纳塔尔和开普殖民地联合组成南非联邦。1910 年建立南非联邦的《南非法案》生效前不久,他返回英格兰。

Selby 塞尔比 英格兰北约克行政郡、约克历史郡的城镇和区。大部分位于艾尔河和乌斯河的泛滥平原。该区前诺曼时代的居民点沿着主要水路乌斯河设立,为中世纪重要的宗教中心;再往西是一条陆路,连接约克和沃夫河畔的塔德卡斯特镇。该区现为集约种植业区,塔德卡斯特和塞尔比为集散地。塞尔比镇有农产品加工等工业,如面粉厂和甜菜厂。有石灰石和石膏开采业,还有其他一些矿产。20 世纪 70 年代新开发的塞尔比煤田

极大地促进了该区的经济发展。约克大学设在区东缘的赫斯灵顿。区面积 602 平方千米。人口约 71 200(1998)。

Selby, Norman 塞尔比 参阅**McCoy, (Charles) Kid** *麦科伊*。

Selcraig, Alexander 参阅 **Selkirk, Alexander** *塞尔扣克*。

Selden, John 塞尔登(1584-12-16,英格兰萨塞克斯萨尔温顿～1654-11-30,伦敦) 英国法律文物学家、东方学家和政治家。他是文物学会的领导人士,该学会是17世纪英国历史研究的中心。

伦敦国立肖像画陈列馆供图

1612 年他取得律师资格后,执行财产转让方面的律师业务,但很少出席法庭。他的第一部主要著作《荣誉称号》(1614)一直是一部有用的参考书。《盎格鲁-不列颠编年史》(1615)是一部诺曼人征服(1066)之前英国民政政府的历史。他获得的东方学家的声誉,有赖于《辛达格马塔海湾散记》一书(1617;主要是讨论近东的多神论)和后来的论古代犹太人的历法、婚姻法和司法行政管理问题等著作。他与帕特里克·扬以及理查德·詹姆斯一起汇编了一部被称作"阿龙德尔大理石"的雕刻品汇集目录册(1628)。1647 年他发表了第一部印刷版的古代英国法律书《弗莱塔监狱》。塞尔登的《什一税的历史》(1618)一书中虽然承认英国教会征收什一税的合法权利,但是不承认这种作法的神圣权。这本书受到了压制,枢密院强令作者公开认错。他曾两度因支持下议院(他于1623年被选入下议院)反对国王查理一世而被囚禁;但后来他却成为一名保王派。他为英王写了《海洋封锁》(1635)一书,证明一个国家对公海统治的合理性,以反驳雨果·格劳秀斯的《海洋自由论》(1609)。从 1640 年起,他又一次改变政治立场,参加了下议院反对坎特伯雷大主教威廉·劳德的起诉,并反对查理一世本人。

Selebi-Phikwe 塞莱比-皮奎 博茨瓦纳东部矿业城镇。位于弗朗西斯敦东南 100 千米、一大型铜-镍矿和一冶炼厂综合企业的中心。为 20 世纪末全国发展最快的城镇之一。该铜镍企业 1974 年投产,政府拥有其 15%的股权。塞莱比-皮奎是博茨瓦纳罗安公司为矿业社区建设的城镇,有现代住房和水电设施,世界银行和其他国际发展机构提供部分资金。有公路、铁路和机场,可与博茨瓦纳交通干线相连接。人口约 39 772(1991)。

selection 选择 生物学术语,指凭借自然因素或人工控制因素使具有某基因型(遗传组成)的生物个体优先得到生存和繁殖的机会或更容易被消灭的现象。通过自然选择的进化理论是 C.达尔文和 A.R.华莱士于 1858 年提出的。他们认为,对环境适应能力强的物种较对环境适应能力差的物种更容易生存并产生后代,从而使得若干代后有用的适应所出现的频率增加。在一定的环境中可用的资源有限;这便促进了竞争,在竞争中同种的或不同种的生物相互斗争以求生存。生物为争取食物、空间和配偶而竞争,在竞争中适应能力差的个体必然死亡或不能进行生殖,而适应能力较强的个体则生存下来并得以繁殖后代。在生物之间不存在竞争的情况下,产生自然选择的原因便是纯粹的环境因素,如恶劣的天气和季节变化。人工选择(或选择育种)与自然选择不同之处为物种可遗传的变异是由人通过控制育种来操纵的。如果一个动物或植物在适当的环境中具有为人类所需要的特性,则育种者便试图分离并增殖决定这些特性的基因型。人类从经济或审美的角度出发需要这些特性,但这些特性对生物体在自然环境中的生存繁衍却不一定有用。群选(大批选择)即根据外形选出若干个体,并令其交配;在其后代中进一步选出人类喜欢的性状,这个过程只要需要就一代一代继续下去。根据祖先的生殖能力和质量选择种用家畜,这种做法称为谱系选择。后代选择则指根据后代的能力和测试结果选择种用家畜。家系选择指让来自同一祖先但彼此间无直接血缘关系的生物体进行交配。纯系选择指从优良品系的后代中选择后代并使之繁育若干代,直至建立一个仅具有所需性状的生物纯系。达尔文又提出性选择学说:雌性个体选择最具有吸引力的雄性个体与之交配;因此突出的雄体所产生的后代多于平庸的雄性个体。

selection coefficient 选择系数 符号为s。遗传学术语,用以测量某一基因型与其他基因型相比,在生物群中不利于生存的程度的数值。它表明某一特定性状在生存和成功地繁殖后代过程中的相对利弊。某一特定基因型的选择系数与该基因型的适合度(或称适应值,某基因型可以繁衍的相对几率,符号为W)之间的关系,可用公式表示:$s=1-W$。选择系数的值为从 0 到 1。致死的基因型的选择系数是 1。如果某一具体基因型仅能产生 65% 的可存活幼体,那么它的选择系数便是$s=1-0.65=0.35$。研究人员用选择系数来预测群体内世代之间基因频率的变化率。

selection rule 选择定则 量子力学中对物理体系能否由一态变到另一态的一些限制。选择定则可以判明具高概率的容许跃迁和概率极小或为零的禁戒跃迁。选择定则通常是对表征跃迁特性的一个或较多个量子数的变化规定出一套限制。例如,每当原子从较高能态跃迁至较低能态,总要辐射光或其他电磁能;只有电子的轨道量子数增减 1 并且其磁量子数不变或也增减 1 的跃迁才是容许跃迁。不符合这一选择定则的辐射是罕见的。在亚原子物理学中,不稳定粒子自发地通过多种过程转变为其他粒子,称为衰变。中子衰变为质子和电子,μ子衰变为电子和中微子,等等。但是,选择定则禁止发生某些衰变。比如,电子就永不衰变。禁戒跃迁中的选择定则是守恒律的特殊情况,例如电荷守恒。实际上它是基本物理定律的特殊表现形式。

Selene 塞勒涅 希腊语,意为"月亮"。拉丁语作 Luna。希腊、罗马宗教中月亮女神的化身。她在新月和满月的时候受到祭祀。她的父母是提坦神许珀里翁和忒伊亚。她的兄弟是太阳神赫利俄斯(有时又说是她父亲),姊妹是黎明女神厄俄斯,丈夫是宙斯。她同恩底弥昂的关系最密切,她爱恩底弥昂,但是宙斯使恩底弥昂长期睡在拉特摩斯山上的一个洞穴里;塞勒涅到那里去会见他,同他生了 50 个女儿。一说潘神爱上了她。到公元前 5 世纪,她有时被等同于阿耳忒弥斯或"明亮者"福柏。她通常被描绘成一个头顶月亮(往往是新月)并驾着一辆两匹马拉的车子的女子。在罗马的阿文亭山和巴拉亭山都为她建有神殿。

Selenga River 色楞格河 蒙古和俄罗斯中东部河流。发源于蒙古境内库苏古尔湖以南,由伊德尔河和木伦河汇合而成。该河流向东北,与鄂尔浑河汇合于苏赫巴托尔;从那里开始才被称为色楞格河。该河继续北流,进入俄国境内再转向东,到达布里亚特首府乌兰乌德。河水从此处向北流到塔陶罗沃,再向西弯转,流经一片三角洲,注入贝加尔湖。色楞格河从苏赫巴托尔到河口顺一缓坡流动,为蒙古进入俄罗斯亚洲平原的通道。西伯利亚大铁路循该河谷上游到达乌兰乌德,此处有一支线延伸到苏赫巴托尔,然后沿鄂尔浑河通至蒙古首都乌兰巴托。色楞格河长 1 480 千米,5～10 月河水解冻期从河口到苏赫巴托尔以北,可以通航。448 000 平方千米的流域中包括鄂尔浑河、哈努伊河和额吉河等在蒙古境内的支流,以及奇科伊河、希洛克河、乌达河、吉达河和捷姆尼克河在俄国境内的支流。蒙古帝国古都哈拉和林位于鄂尔浑河上游附近。

selenite 透明石膏 *石膏*(**gypsum**)矿的晶体状变种。

selenium 硒(Se) 周期表ⅥA氧族化学元素。其物理性质和化学性质与硫和碲很相近。1818 年,瑞典化学家 J.J.贝采利乌斯首先确认硒为一种元素。硒是一种准金属元素(性质介于金属和非金属之间的化学元素),在世界上分布很广,但数量很少。在自然界偶尔也能发现游离硒,并通常与游离硫伴生。但更常见的形式是硒化物,它跟硫化物一起,存在于铁、铅、银和铜等金属矿物中。当焙烧含硒的硫化物矿石时,硒作为副产品存在于烟道灰中,亦可从电解精炼铜所得阳极(正电端)泥中提取硒。硒有好几种不同的形式,其中最重要的有三种:以粉末状存在时为红色、以玻璃体存在时为黑色的无定形(非晶)硒,还有红色晶体和灰色金属形晶体。三种之中,以金属形硒在正常条件下最稳定。在室温下,其他形式的硒均能缓慢地转变成金属形硒。因为金属形硒在光线照射下导电性增大,且能将光直接变为电能,故硒常应用于光电池、太阳能电池和摄影用曝光表。硒还能将交流电变为直流电,故已广泛用于整流器中。掺到玻璃中的少量硒有脱色作用,掺入大量硒会使玻璃具有亮红色,因而适用于信号灯。硒还用于制造陶瓷和钢制器件用的红色釉料,也用于橡胶硫化工艺以提高橡胶的耐磨性。在化合物中,硒呈-2、+4、+6氧化态,在高氧化态时它表现出明显的酸性。虽然硒元素本身无毒性,但它的许多化合物有剧毒。硒直接跟氢化合生成硒化氢 H_2Se,这是一种无色、恶臭的气体,是一种累积性的毒物。硒也可跟大多数金属反应生成金属硒化物(例如硒化铝、硒化镉和硒化钠)。硒与氧化合时形成二氧化硒SeO_2,这是一种白色链状的多聚体物质,在有机化学中它是一种重要的试剂。该氧化物跟水反应生成亚硒酸H_2SeO_3。硒能形成各种各样的化合物,在这些化合物中,硒原子既跟氧原子又跟卤素原子结合,典型的例子有氯氧化硒(Ⅵ)SeO_2Cl_2,它是一种极强的溶剂。硒酸H_2SeO_4是硒的最重要的酸,它是像硫酸一样的强酸且更易被还原。硒原子序数34。原子量78.96。稳定同位素的质量数74、76、77、78、80、82。熔点:无定形硒50 °C,灰色晶体硒217 °C。沸点685 °C。密度:无定形4.28克/厘米^3,灰色晶体4.79克/厘米^3。氧化态-2、+4、+6。电子组态2,8,18,6或(Ar)$3d^{10}4s^24p^4$。

selenium cell　硒光电池　一种用以产生或控制电流的光电器件。硒光电池通常用在照相机的曝光计、防盗警报器、电子门的启开与计数装置、工厂装配线的电子控制系统以及工业用的彩色视感器。在彩色分辨力和灵敏度这一类指标方面,硒光电池的性能优于真空管光电池;但它的响应速度较慢。因此,硒光电池不能用于电影胶片上高保真光声迹的播放。

Seleucia(Turkey)　**塞琉西亚**　参阅**Silifke**锡利夫凯。

Seleucia on the Tigris　塞琉西亚(底格里斯河畔)　希腊语作Seleukeia。塞琉古一世尼卡托(公元前312～前281在位)所建立的东都,为一座具有希腊风俗习惯的城市。该城代替巴比伦作为美索不达米亚的最大城市,它与希腊文化在美索不达米亚的传播有密切联系。它位于底格里斯河畔,在现在巴格达东南32千米处;是一个世界性城市,居民大部分为马其顿人和希腊人,也有犹太人和叙利亚人。根据普林尼(老)记载,当时人口为60万。自公元前2世纪安息人开始统治底格里斯-幼发拉底河流域的期间,塞琉西亚在地位和贸易方面仍然是东方第一大城。塞琉西亚保持着对希腊的感情,有时还公然反抗安息国王;而安息国王则偏爱附近的泰西封,建立了一个与之相抗衡的运河港口沃洛奇西阿斯。最后塞琉西亚在公元165年被罗马司令官阿维狄乌斯·加西阿斯焚毁,据传当时该城至少有30万居民。该城的毁灭标志着美索不达米亚希腊化时期的结束。罗马皇帝塞维鲁在公元197年征服安息的战役中,发现该地是一片荒凉。后该城已无任何遗迹;1927～1932年对该地(当时称特勒·乌马尔)进行发掘,结果虽引人注目,但所获不多。

Seleucia Pieria　塞琉西亚佩里亚　希腊语作Seleukeia。位于古代叙利亚,是安条克的港口和西利西亚(今土耳其的萨曼达附近)的边防要塞,在奥朗提斯河入海口以北约6千米处。它与安条克、阿帕梅亚、雷俄狄西亚合为叙利亚的四城邦。城市建立在摩沙山多岩石的山坡上,其天然屏障及优良港湾很快使它成为重要城市安条克的港口。在托勒密王朝与塞琉西王朝之间的历次战争中,该城具有重大的军事意义;后被罗马人承认为独立城市,并用作海军基地,其后又被废弃。

Seleucia Tracheotis　塞琉西亚特拉切奥蒂斯　希腊语作Seleukeia。西利西亚(在今土耳其南部)城市,位于卡利卡德诺斯河(今格克河)沿岸,距入海口有数英里,城址的选择无疑是为了防范来自海上的攻击。有卫城城堡遗迹,而城防工事、岩石上凿出的一个大贮水池以及大片坟场也至今犹存。该城一度是供伊索里亚吞吐的港埠,有权自行铸造钱币。它是塞琉古王国创建者塞琉古一世在旧址附近建立的。第三次十字军东征时,神圣罗马皇帝红胡子腓特烈在此渡河溺死(1190)。13世纪时,该城被土耳其人占领。今为土耳其城镇锡利夫凯。

Seleucid kingdom　塞琉西王国　塞琉西王国(公元前312～前64)是希腊化时代的大国之一,领土曾西至欧洲色雷斯、东至印度边境的广大地区。王国创立者塞琉古一世于公元前321年成为马其顿帝国的巴比伦尼亚总督。他在亚历山大大帝死后分割马其顿帝国的前将军间的战争中,于公元前312年在加沙打败德米特里,收复巴比伦尼亚,建立塞琉西王国。到公元前305年,王国权力巩固后,他向东扩大版图,穿越伊朗至印度河,然后向西进入叙利亚和安纳托利亚。公元前301年在伊普苏斯大败安提柯。公元前281年他兼并了色雷斯的切尔松尼斯,但同年被杀后由其长子安条克一世继承王位。他及其继位者采用旧波斯帝国政权的许多制度,特别是划王国为省。安纳托利亚诸省以及王国中部地区由兼揽军政大权的"长官"管理,省长只管理行政事务,军队则由军官统率。安条克三世大王(公元前223～前187)统治时王国进入历史发展的新阶段。他彻底改革行政机构,双重制被废除,"长官"成为全省行政首脑,由负责财政的专门官员予以协助。行政中心位于西部的萨迪斯和东部的塞琉西亚。塞琉西王朝控制了安纳托利亚及其希腊城市,在整个近东地区发挥了巨大的政治、经济与文化力量。对安纳托利亚及叙利亚间的托罗斯山中要道以及对安纳托利亚与色雷斯之间的赫勒斯湾的控制使它统治着这一地区的商业贸易。叙利亚的塞琉西居民点,首先是安蒂奥克成为王国施展其军事、经济和文化影响的地区中心。塞琉西王国是希腊化文化的重要中心,它保持着希腊习俗对中东土著文化的优势。操希腊语的马其顿贵族阶级始终占有统治地位。但希腊文化基本上限于城市,安条克四世在耶路撒冷圣殿中设置宙斯神像把希腊文化置于最高地位,同时抵制希腊文化霸主地位的运动也极度发展,致使公元前165年发生马加比起义。这场持续25年的起义最终把塞琉西势力逐出犹太,并在巴勒斯坦建立了独立的犹太国家。公元前3世纪时王国失去对大部分领土的控制。公元前190年塞琉西人被罗马击败,这标志着王国衰落的开始。此时爱琴海的希腊城邦摆脱了塞琉西王朝的统治,卡帕多西亚和帕加马也实现了独立。公元前3世纪中叶,安息、大夏、粟特也赢得了独立。公元前200年安条克三世对黎巴嫩、巴勒斯坦的征服,以及对亚美尼亚的短暂占领补偿了罗马人对安纳托利亚大部分的占领。安条克四世死(公元前164)后衰落加速,到公元前141年幼发拉底河以东土地全部丧失。公元前64年王国被罗马人最后征服时,王权已仅仅限于叙利亚和西利西亚东部而已。

Seleucus　塞琉古　又拼Seleukos。统治者之名,按年代顺序排列于后,并各以●为标记。

● **Seleucus I Nicator　塞琉古一世**(公元前358或354,马其顿欧罗普斯～前281-08或09,色雷斯利西马基亚附近)　马其顿军官、塞琉西王国缔造者。在亚历山大大帝死后的斗争中,他由巴比伦总督升为以叙利亚、伊朗

公元前4世纪末至前3世纪初钱币上的塞琉古一世像

不列颠博物馆供图

为中心的帝国的国王。他是安条克之子,曾作为亚历山大的部将参加征服波斯的战争。公元前326年率马其顿步兵进攻印度王波罗斯。公元前323年亚历山大死后,他指挥骑兵卫队,参加摄政佩尔狄卡斯驱逐埃及总督托勒密的战役。然而到埃及之后,他却参与刺杀佩尔狄卡斯。公元前321年马其顿帝国分裂,塞琉古成为巴比伦总督。公元前317年他支持安提柯。公元前316年安提柯要求他进呈巴比伦岁收的帐目,他拒不从命,逃往埃及投奔托勒密。公元前316～前312年,他在托勒密手下任职,成为托勒密的一员大将。公元前312年在南叙利亚的加沙战役中,他与托勒密的其他将领共同指挥埃及军队打败德米特里。是年8月他率领一支小部

队收复巴比伦，这意味着塞琉西时代的开始(按马其顿历为公元前312年10月7日，按巴比伦历为公元前311年4月3日)。后来，安提柯命令大将尼加诺和德米特里从东西两面夹击巴比伦，但未能把塞琉古赶走。公元前305年塞琉古称王，并逐步将其国土扩展到伊朗东部，最远到印度。公元前302年冬他回到小亚细亚，与卡山得和利西马科斯合作，在伊普苏斯战役(公元前301)中打败安提柯。三个胜利者瓜分安提柯的土地，塞琉古获得了叙利亚。就在这时候，托勒密占领了叙利亚南部，从而引起塞琉西王朝与托勒密王朝之间的连绵不绝的战争。公元前285年塞琉古俘获德米特里，粉粹了德米特里征服亚洲的美梦。公元前281年塞琉古吞并利西马科斯的王国。塞琉古企图重建亚历山大的帝国，遂渡海前往欧洲，拟向马其顿挺进。但在8月底或9月初他被托勒密·塞劳纳斯刺杀。塞琉古是一位精力充沛的君主，他一手创建塞琉西大帝国，使这个帝国拥有最广阔的领土，在帝国内部，他注重行政管理，建立许多新城。他鼓励科学研究，支持人们勘察里海和恒河。在意大利赫库兰尼姆曾发现一座塞琉古的青铜胸像，极其传神，现藏那不勒斯。

● **Seleucus II** Callinicus **塞琉古二世**(?～公元前225) 塞琉西王朝第4代国王(公元前246～前225在位)，安条克二世之子。安条克二世抛弃他的妻子莱奥迪西(即塞琉古二世的母亲)后与托勒密的女儿贝勒奈西结婚。但到公元前246年他为重新同莱奥迪西和塞琉古在小亚细亚一起生活又抛弃了贝勒奈西。不久莱奥迪西将他毒死，立其子为国王，称塞琉古二世。莱奥迪西在安条克的同党也将贝勒奈西杀死。贝勒奈西的兄弟托勒密三世刚刚继承埃及王位，他立即侵入塞琉西王国，吞并了东部各省，他的舰队横扫小亚细亚海岸地区。塞琉古则牢牢据守着小亚细亚内陆，待托勒密回师埃及，他立即收复了叙利亚北部地区和较近的伊朗诸行省。后来塞琉古在安卡拉(约公元前235?)被莱奥迪西所支持的其弟安条克·希拉克斯击败，只好把托罗斯山外地区让给他的弟弟和半岛上的其他强手。其中帕加马在阿塔罗斯一世治下兴盛起来，安条克·希拉克斯则亡命色雷斯，于公元前228或前227年在那里死去。塞琉古于一年后因坠马而死。

● **Seleucus III**, Soter **塞琉古三世**(?～公元前223) 塞琉西王朝第5代国王(公元前225～前223)，塞琉古二世的长子。他企图从堂兄阿塔罗斯一世手中夺回小亚细亚的帕加马。他派出的第一个大将安德罗马库斯被阿塔罗斯击溃并被擒。于是塞琉古三世率兵越过托罗斯山亲征。然而他在弗里吉亚被杀。由其弟安条克三世大王继承王位。

● **Seleucus IV** Philopator **塞琉古四世**(约公元前217～前175) 塞琉西王朝第7代国王(公元前187～前175在位)，安条克三世大王之子。他继承的帝国虽然不如其父统治时那样强盛，但疆土仍然广大，内含叙利亚(包括西利西亚和巴勒斯坦在内)、美索不达米亚、巴比伦尼亚和伊朗东部(米底和波斯)。由于罗马强行索取大量战争赔款所造成的财政困难，塞琉古四世被迫实行避免耗资冒险的政策；同时因其子被送往罗马当作人质，更不敢有任何野心。公元前175年塞琉古四世被首相赫利奥多罗斯暗害，其弟安条克夺取了王位。

Selevin's mouse (*Selevinia betpakdalaensis*) **月鼠** 又作dzhalman或desert dormouse。别特帕克达拉月鼠。又称荒漠睡鼠。栖居俄罗斯的荒漠动物，啮齿目月鼠科(Seleviniidae)唯一的种。发现于1939年，可能与睡鼠科(Gliridae)种类有亲缘关系。体结实，毛长而厚，呈灰色，体长约8厘米，尾长。主要为夜行性，接受几分钟日照便可致病。主要吃蜘蛛和昆虫，善攀缘，短跳前进。有冬眠习性。

月鼠(*Selevinia betpakdalaensis*)
绘图：Donald C. Meighan

self 自我 被某一个体实际体验到的"我"。现代心理学用"自我"的概念取代了古代心理学中"灵魂"的概念。自我这一概念一直是很多人格理论体系的中心环节，如S.弗洛伊德、A.阿德勒、C.容(又译荣格)、G.W.奥尔波特、K.霍尔奈、C.罗杰斯、R.梅、A.H.马斯洛。容认为：自我是一个由有意识和无意识心理过程构成的整体，在深度和广度上都超过了意识的自我(ego)。自我的成熟过程就是以健康人格为终极目标的个性化形成过程。罗杰斯认为：一个人的所有行为和思想意识都受他的自我概念的支配，因此要使心理治疗取得实实在在的效果，就必须在改变他的自我概念上下功夫。梅对此也是采取一种存在主义的态度，他认为自我是一个充满潜力的动态实体。马斯洛的自我实现的理论基础是需求层次学说，强调一个人的最大满足或最高需求。参阅**humanistic psychology**。

self-amputation 自我截肢 参阅**autotomy 自残**。

self-defense 自卫 在刑法上，指证明对他人施加重大伤害是正当的，因为这种伤害是作为保护自己的手段而施加的。一般地说，当杀人者有理由认为在袭击者面前有立即丧失生命或遭受重大身体伤害的危险，而要避免这种危险就必须杀死袭击者时，这种杀人行为就不是犯罪行为。自卫原则受到要求退避的限制。没有进行挑衅而受到他人凶猛袭击的一方，在符合合法自卫的必要条件时可以坚持不退让而杀人。然而，有些国家要求即使在这样的情况下，声称无罪的一方在能够退避而不增加面临的危险时必需以退避来避免危险。如果一方曾在某种程度上促成争端，就要求他尽一切可能的努力退避。如果他曾以进行凶猛的袭击挑起争斗，他必须首先完全退出争斗并向对方明确表示停止进一步袭击的意图，才能声称有自卫的权利。有关使用致命的武力以拯救第三方免于死亡或重大伤害的规则与自卫原则有明显的联系。在被保卫的一方是杀人者的家庭成员、杀人者对他负有特殊的保护义务的情况下，如果杀人者有理由认为被杀者是袭击者、杀他是为拯救第三者的生命所必需的话，一般可以免除杀人罪。在美国的某些州和在有些欧洲国家里，保卫者只能使用被保卫者在他本身进行自卫时有权使用的那种武力。一个人通常可以为了阻止一项暴力重罪的实施而杀人，如果他有理由认为这样做是为阻止犯罪所必需的话。致命的武力有时可以用来使一个正在逃避合法逮捕的人就范。参阅**homicide**。

self-determination 自决 某一群人，通常是具有一定的民族意识的人，建立自己的国家和选择自己的政府的过程。自决的概念最初源于民族主义学说。第一次世界大战期间，美国威尔逊总统在其"十四点声明"中曾把自决列为战后世界一项重大目标。第二次世界大战后联合国对此作出明确阐述。联合国宪章阐明自决有两种含义。第一，一个国家的自决权就是它有权自由选择自己的政治、经济、社会和文化等方面的制度；第二，自决权就是一个民族有权组成国家或者自由地决定它同某一已经存在的国家实行联合的形式。这两种含义在联合国宪章中均有其根据(宪章第1条第2款；第55条第1款)。对于非自治领土，行政管理当局应负责保证其政治的进步和自治的发展(宪章第73条第1款和第2款；第76条第2款)。

self-fertilization 自体受精 同一个体产生的雌雄配子(性细胞)融合的现象。见于雌雄同体的生物，包括大部分显花植物、很多原生动物和无脊椎动物。自核交配即一个个体内小核分裂多次，产生多个核，其中两个配子核融合成合核，后又分裂成大、小核，其余的核退化。这常见于单细胞生物，如原生动物草履虫。然而这些生物体也可以通过接合进行生殖，在接合中两个个体的遗传物质通过胞质桥进行交换，如此完成异体受精。高等植物多为雌雄同株，但大多数自花授粉的种类也能进行异体受精，即使在专性自体受精的种类中，异花授粉也会偶然发生。许多雌雄同体的动物具有异体受精的适应，故很少进行自体受精。作为进化和生殖机制，自体受精可使一个孤立的个体产生一个地方种群，并使合乎需要的遗传品系稳定下来，但不能在这一种群中提供有意义的变异，因此限制了这一群体适应环境变化的能力。

self-incrimination 自我归罪 在法律上，指作证者提供可能揭露自己有罪而要受到惩罚的证据。该术语一般是在涉及有权拒绝提供这种证据时才使用。在有些欧洲大陆国家（例如德国，但不是法国），担心会造成自我归罪的人可以自行决定是否作证。而英美的做法却与此不同，除被告人以外，任何人不能拒绝作证；他只能引用拒绝提供自我归罪证据的权利，至于他是否必须作证要由法官决定。如需作证，他必须回答除去他认为会造成自我归罪的情况以外的任何问题。

self-propelled artillery 自行火炮 参阅 **tank destroyer** 自行反坦克炮。

Self-Realization Fellowship 自我实现团契 美国宗教团体。创始人为印度裔瑜伽师瑜伽南达（1883 ～ 1952）。他多年讲学授徒，1935年成立本团契，总部设在洛杉矶。自我实现团契在世界许多地方设有活动中心，此外还有一批推崇瑜伽南达思想的独立组织。瑜伽南达根据公元前 2 世纪波怛阇利的《瑜伽经》提出自己的理论，传授结合潜心入定与调节“生力”运行的迦梨陀瑜伽术；并主张把精力与注意力由“外界”转向“内界”。该团契的礼拜兼容印度教和基督教的礼仪，包括沉思、讲道和音乐。

Selfoss 塞尔福斯 冰岛西南部村庄。位于雷克雅未克东南偏东 48 千米处，距大西洋约 8 千米。地处全国主要农业区的西缘。是农产品集散地和乳制品业中心，所产牛奶大部分供应首都。亦为旅游胜地。人口约 3 977（1992）。

Selfridge, Harry Gordon 塞尔弗里奇（1864?-01-11，美国威斯康星里彭～ 1947-05-08，英国伦敦） 英国伦敦塞尔弗里奇百货商店的创办人。威斯康星小店员之子，17岁在芝加

伦敦塞尔弗里奇公司供图

哥加入菲尔德-莱特公司（后称马歇尔·菲尔德公司），工作 25 年，成为小股东。1906 年携款往英国，在伦敦牛津大街开始筹建一所大商店。合伙人中途退出，他获得一位富茶商的支持。1908 年以塞尔弗里奇公司的名义注册（资金 90 万镑），于 1909 年开业。由于广告富有想象力，宣传具有独创性，商店内部布置新颖，很快就使塞尔弗里奇商店家喻户晓。1937 年成为英国公民。1939 年失去经营特色，因为个人挥霍亏空，银行迫其让位。

Seli River（Sierra Leone） **塞利河** 参阅 **Rokel River** 罗克尔河。

selichot（Judaism） 参阅 **selihot** 忏悔祷词。

Šelichov, Gulf of（eastern Russia） 参阅 **Shelikhov, Gulf of** 舍列霍夫湾。

Seligman, C(harles) G(abriel) 塞利格曼（1873-12-24，英格兰伦敦～ 1940-09-19，牛津） 英国人类学的先驱者。曾在美拉尼西亚、锡兰（今斯里兰卡）及尼罗河苏丹进行实地研究。尽管受的是医科教育，塞利格曼于 1898 年参加了剑桥大学去托雷斯海峡的考察队。归国后虽重操旧业但深为人类学所吸引，1904 年再去新几内亚考察。为了对该地区各民族进行分类，曾对其种族、文化和社会方面的典型特征加以区分，从而建立了他后来从事实地考察的模式。所著《英属新几内亚的美拉尼西亚人》（1910）取材完备，为以后英国著名人类学家 B.马林诺夫斯基著作之蓝本。1904 年塞利格曼与 B.Z.萨拉曼结婚，此后夫妇两人在考察和著述工作中合作。他们 1907 ～1908 年考察锡兰土著文化遗迹后，发表了《维达人》（1911）。1909 ～ 1912 年及 1921 ～1922 年，他们夫妇两度去苏丹考察，总结多年研究成果，写成《尼罗河苏丹的非基督教部落》（1932）。1910 年塞利格曼受聘为伦敦经济政治学院人种学讲师，1913 ～ 1934 年任该院兼职教授，1938 年任耶鲁大学客座教授。后期著作有《非洲的人种》（1930）和《埃及和黑非洲》（1934），前者长期以来为一基础性参考典籍。

Seligman, Edwin Robert Anderson 塞利格曼（1861-04-25，美国纽约州纽约～1939-07-08，纽约州普拉西德湖） 美国经济学家、教育家。1885 年获哥伦比亚大学博士学位，留学德国和法国。1891 ～ 1931 年任哥伦比亚大学政治经济学教授达 40 年之久。退休后编辑《社会科学百科全书》，共 15 卷，于 1930 ～1935 年间出版。他协助创立美国经济协会及美国大学教授协会，是“学术自由”思想的坚强捍卫者。对经济学的主要贡献在“公共财政”、“赋税的最后负担”、“累进税分析”、“征税方式”等方面。最知名的著作有《赋税的转嫁与负担》（1892）、《累进税理论与实践》（1894 和 1908）。1931 年完成古巴税法研究，甚为著名。

Selihoth 忏悔祷词 又拼 Selichot。犹太教用语。指崇拜仪式中所用的认罪祷文，原为赎罪日和禁食日撰写，后来其他礼拜也采用。从新年以前开始，经过十天忏悔直到赎罪日，各次礼拜都要诵忏悔祷词。这种祷词的主题是上帝就他的慈恩的 13 种具体表现对摩西的训诲（《出埃及记》34:6 ～ 7）。

Selim 谢里姆 奥斯曼帝国苏丹名，按年代顺序分列于后，并各以●为标记。

● Selim I 谢里姆一世（1470，奥斯曼帝国阿马西亚［今在土耳其］～1520-09-22，乔尔卢） 别名耶乌嗣（Yavuz）。奥斯曼苏丹（1512 ～ 1520）。他南征北战，使奥斯曼人在穆斯林世界居于领导地位。他即位后，东方伊朗的萨非王朝的缔造者伊斯梅尔一世提倡什叶派教义，与奥斯曼人的逊尼派教义相对立。此外，在安纳托利亚的“红头”人（拥护伊斯梅尔的土库曼人）公开举行了叛乱。谢里姆首先征服“红头”人，然后派遣大军与伊斯梅尔作战，1514年8月23日在幼发拉底河东岸的查尔

供图：Sonia Halliday

德兰战役中，伊斯梅尔遭到惨败。此后，谢里姆把安纳托利亚的库尔德人和土库曼人的一些公国并入奥斯曼帝国。由于征服埃尔比斯坦（今在土耳其）的杜勒卡迪尔公国，他同叙利亚和埃及的马木路克王朝发生冲突。在迈尔季达比克战役（在阿勒颇以北，1516）和赖伊达尼亚战役（在开罗附近，1517）中，他击败马木路克王朝的军队，因而把叙利亚、埃及和巴勒斯坦纳人奥斯曼人的势力范围。在开罗，麦加的谢里夫向谢里姆奉献这座圣城的钥匙，表示承认谢里姆是伊斯兰世界的领导者。

● Selim II 谢里姆二世（1524-05～1574-12，奥斯曼帝国君士坦丁堡［今土耳其伊斯坦布尔］） 别名萨里（Sari）。奥斯曼苏丹（1566 年起）。他是苏莱曼一世之子。耽于酒色，不

伊斯坦布尔市托普卡珀故宫博物院供图

理朝政。国家大事一概交给首席大臣、女婿穆罕默德·索科卢处理。由于 1586 年同奥地利签订和约，奥斯曼人在摩尔多瓦和瓦拉几亚加强了统治。在东方，谢里姆二世与波斯的统治者塔赫马斯普一世保持友好关系，也门的叛乱也被镇压下去（1569 ～ 1570）。在地中海，由于奥斯曼从威尼斯人手中夺得塞浦路斯，罗马教皇、意大利诸国和西班牙结成反奥斯曼联盟。这个联盟虽然在勒班陀摧毁奥斯曼的舰队（1571），但未能抵御奥斯曼在第二年重新建立的新海军。结果，1573 年威尼斯承认奥斯曼在地中海的霸权。1574 年，奥斯曼人从西班牙人手中收复突尼斯。

● **Selim III 谢里姆三世**(1761-12-24,奥斯曼帝国君士坦丁堡[今土耳其伊斯坦布尔]～1808-07-29,君士坦丁堡) 奥斯曼苏丹(1789～1807)。诗人、古典音乐作曲家。他受

供图:Sonia Halliday

其父穆斯塔法三世的影响,具有革新的热情。1789年即位后,试图结束帝国面对的社会、经济与行政管理的混乱,设立一个改革委员会,颁布许多新法规,推行省府、税务及土地保有期的改革。其中最主要的是军事改革:除设立新的陆军学校和海军学校以外,还成立新的步兵团,按欧洲的方式进行训练。谢里姆即位时,奥斯曼帝国正与奥地利和俄国作战。1791年与奥地利签订《斯维什托夫条约》,翌年与俄国签订《雅西条约》。1798年拿破仑侵入埃及,谢里姆同英俄两国结成联盟。1801年法军撤离埃及以后,他见到拿破仑在欧洲势如破竹,不仅承认拿破仑高踞帝位(1804),而且向俄英两国宣战(1806)。谢里姆的改革方案和法国日益增大的影响引起保守派联盟的不满。1807年发生叛乱,使他身陷囹圄。在混乱局面中,他被继位者穆斯塔法四世下令绞死。

Selimiye(Turkey) **塞利米耶** 参阅 **Side 锡德**。

Selinus 塞利努斯 希腊语作 Selinous。古代西西里岛南部沿海希腊城市,在今卡斯泰尔维特拉诺东南13千米处,以化为废墟的多立安神庙而闻名。该城在公元前651年或

塞利努斯一座有多立安圆柱神庙的废墟

供图:Hirmer Fotoarchiv, Munchen

628年为墨伽拉希布莱阿和希腊的墨伽拉两地移民所建。它以当地现仍生长的野芹(希腊语:selinon)得名。公元前5世纪塞利努斯极为繁荣,宏伟的神庙都是在当时建造的。由于扩大城市领土,塞利努斯与对手城市**塞杰斯塔(Segesta)**卷入边境纠纷。公元前480年迦太基人在希梅拉战役中失利,塞利努斯与锡拉库萨结盟反对迦太基。后来塞杰斯塔人求助于迦太基人对抗塞利努斯,结果迦太基10万大军于公元前409年攻入塞利努斯并破坏了这座城市,城墙被拆毁,居民中仅有2 600人得以逃脱。虽然该城成为迦太基属地而且重新有人居住,但却从未恢复元气。公元前250年迦太基将该城夷为平地并将居民迁至利利巴厄姆(今马尔萨拉)。考古发掘中发现了塞利努斯的广大废墟。尽管有历史记载,但据推测塞利努斯古址是被地震而不是被人力所摧毁。5座神庙的遗址遍布于该城筑有城堡的卫城内,还有3座有巨大的多立安圆柱的神庙遗迹矗立在塞利努斯东边的小山上。现意大利城镇塞利农特即建于遗址附近。

Seljuq 塞尔柱人 乌古思(古兹)土库曼部族的统治家族。11世纪率部入侵西南亚,建立一个强大的帝国,包括美索不达米亚、叙利亚、巴勒斯坦和伊朗的大部分。它标志着土耳其权力在中东的开始。在10世纪中亚和俄罗斯东南部的土耳其民族迁徙和斗争的过程中,一支游牧的突厥部族在酋长塞尔柱率领下定居于锡尔河下游地区,后来信奉了伊斯兰教逊尼派。他们曾为萨曼王朝及伽色尼的马哈茂德驻守边防。塞尔柱的两个孙子查格里·贝格和图格里勒·贝格在波斯人支持下建立起自己的王国。查格里统治呼罗珊的广大地区,而图格里勒在1063年去世时已经完成了创建包括西部伊朗和美索不达米亚在内的大帝国的伟业。在艾勒卜·艾尔斯兰马利克沙阿苏丹统治下,塞尔柱帝国已经包括整个伊朗、美索不达米亚全境以及叙利亚(包括巴勒斯坦在内)。1071年艾勒卜·艾尔斯兰在曼齐刻尔特打败拜占廷大军,俘获拜占廷皇帝罗曼努斯四世,为土库曼族人定居小亚细亚开辟了道路。由于1055年图格里勒在巴格达战胜白益王朝,塞尔柱人成为在逊尼派哈里发领导下穆斯林统一的重建者。首相尼扎姆·穆尔克在艾勒卜·艾尔斯兰和马里克沙两朝始终大权在握,他负责帝国的组织工作。塞尔柱帝国无论在政治上或宗教上都给伊斯兰教留下了丰富的遗产。塞尔柱时代建立起**马德拉沙(madrasah)**网,统一培训国家的行政官员和宗教学者。苏丹们建造了大批清真寺(如伊斯法罕的大清真寺)。帝国内波斯文化自治团体繁荣,因为塞尔柱人没有自己的伊斯兰传统,没有自己强大的文学遗产,他们接受了波斯经师们的文化语言,波斯文学广为流传,而阿拉伯语除宗教学者外已不再使用。尽管塞尔柱帝国取得很大的成就,但是它却无力阻止新的恐怖主义教派——阿萨辛派的发展。这个教派在1092年刺杀了尼扎姆·穆尔克。马里克沙死后,塞尔柱帝国陷入四分五裂状态,出现了一批独立而不稳定的公国,接踵而来的是血腥的权力斗争,最后一批的伊朗塞尔柱人战死在1194年的战场上。到1200年塞尔柱人的政权除安纳托利亚外已全部消失。1071年艾勒卜·艾尔斯兰在曼齐刻尔特的胜利为乌古思部族打开了拜占廷的边界。不久乌古思族人就成为拜占廷地方势力斗争的雇佣军人。他们逐步扩大自己的影响,作为皇帝的盟友控制了安纳托利亚。1097年的十字军把他们赶入安纳托利亚内地,使他们陷入拜占廷希腊人(西)和叙利亚的十字军公国(东)的包围之中。塞尔柱突厥人在安纳托利亚建立了鲁姆苏丹国。尽管它的居民中有基督徒、亚美尼亚人、希腊人、叙利亚人和伊朗穆斯林,现代人仍把鲁姆视为"土耳其人"。鲁姆国商业、农业和艺术兴旺繁荣,对宗教和种族的宽容促进了稳定与秩序。1230年鲁姆苏丹阿拉丁·卡伊·库巴德一世反对花剌子模沙王朝的战争最终导致鲁姆苏丹国和塞尔柱人政权的解体。花剌子模失去缓冲国就意味着当入侵的蒙古人抵达土耳其东部边界时,塞尔柱人不能抵御他们。1243年克塞山战役后,尽管边远山区仍存留一些突厥族的小埃米尔国,但塞尔柱的独立已永远消失,它一度成为蒙古人的一省。到13世纪初塞尔柱王朝已灰飞烟灭。

Selkirk 塞尔扣克 加拿大马尼托巴省东南部城镇。位于温尼伯市东北,在雷德河岸,靠近入温尼伯湖口的深水航道起点。是为马尼托巴省中、北部服务的湖区主要港口和鱼类以及木材转运站,并有游艇码头。1812年始有人定居。该镇是农业区服务中心,1917年起生产钢材。造船业和船舶修理业为主要行业,还生产饲料和混凝土构件。镇内有省立心理卫生中心。城镇正北的巨石建有下加里堡(1831);它曾为哈得孙湾公司总部,亦为至今唯一保存完好的加拿大毛皮贸易时期的贸易站。人口9 815(1991)。

Selkirk 塞尔扣克 苏格兰边界政务会辖区、塞尔扣克历史郡的敕准自治市。位于俯瞰埃特里克河的山麓上;有一所本笃会修道院建于12世纪早期,后迁到凯尔索。12世纪,塞尔扣克城堡被爱德华一世(1272～1307在位)统治下的英格兰人占领。后由苏格兰民族领袖华莱士夺回,但在1333年再度落入英格兰人之手。现为毛纺生产和旅游中心。人口5 922(1991)。

Selkirk, Alexander 塞尔扣克(1676,苏格兰法夫拉戈～1721-12-12,在海上) Selkirk 又拼 Selcraig。苏格兰水手。笛福所著《鲁宾孙飘流记》(1719)主人公的原型。他是鞋匠之子,1695年出走海上,曾在太平洋加入海盗集团。1703年在一条从事劫掠的平底船上当领航员。1704年9月与船长发生争吵之后,自动要求被放在智利瓦尔帕莱索以西400英里

(640千米)的胡安·费尔南德斯群岛中无人居住的马萨铁拉岛上。他独自逗留在那里,直到1709年2月才被船长为W.罗杰斯的一艘英格兰船发现,接到船上。1711年10月到达英格兰。次年,罗杰斯发表《环绕世界的航行》,其中包括对塞尔扣克在该岛生活的描述。塞尔扣克死时为一英国船上的大副。散文家R.斯梯尔在1713年12月3日一期的《英格兰人》中也讲述了塞尔扣克的故事。

Selkirk, Thomas Douglas, 5th Earl of, Lord Daer and Shortcleuch　塞尔扣克伯爵(第五)(1771-06-20,苏格兰柯库布里圣玛丽岛～1820-04-08,法国波城)　即T.道格拉斯。苏格兰慈善家。1812年在加拿大建立雷德河居民点(阿西尼博亚),后发展成马尼托巴省的温尼伯市。1799年父亲去世后,塞尔扣克继承伯爵爵位。1803年移民至加拿大,在爱德华王子岛上建立一个大居民点,希望移民得到比苏格兰更好的生活条件。1810年他成为哈得孙湾公司领导人,翌年5月从公司取得雷德河谷大片土地的所有权。此后不久又在上加拿大博尔东建成同样的移民社区。他开发雷德河殖民地之举受挫于贸易竞争对手西北毛皮公司,1818年1月按法律对该公司给予巨额赔款。11月因病和财产损失而返回英国。

Selkirk Mountains　塞尔扣克山脉　大部分位于加拿大不列颠哥伦比亚省境内的山脉,为哥伦比亚山脉的主要支脉。朝东南方向作弧形展开,连绵320千米,跨过美国边境而达爱达荷州和蒙大拿州北部。该山脉同珀塞尔峰(东)和哥伦比亚河(西、北)相邻接,有时被视为落基山系一部分。南部诸峰最低,平均海拔2 300米,但许多北部山峰都超过3 000米,最高的桑福德山为3 530米。另外在许多地方塞尔扣克山奇峰拔地而起,高出附近山谷地面2 400余米,构成一幅壮丽的景色。北部有国立冰川和雷夫尔斯托克山公园,加拿大太平洋铁路和横贯加拿大公路均可通达,有公路从罗杰斯山口穿过该山脉。

塞尔扣克山脉中的唐纳德山及横贯加拿大公路的部分路段
供图:Bob and Ira Spring—美国不列颠百科全书公司

Selkirkshire　塞尔扣克　又作Selkirk。苏格兰东南部历史郡,地处一个起伏的高地区域,有埃特里克山谷和亚罗河穿越其间,在东部与里弗特威德相连,塞尔扣克完全位于苏格兰的边界政务会辖区境内。古代曾被罗马人占据,他们在埃特里克山谷和纽斯特德安营扎寨。罗马人退走后的6个世纪,该地区的历史为整个苏格兰东南部的历史。它曾为不列颠斯特拉斯克莱德王国的一部分,后为撒克逊诺森伯里亚王国的一部分,最后约在1020年被苏格兰吞并。以后该地饱受苏格兰人与南面的英格兰人之间数世纪之久的边界战争之苦。到16世纪它称为埃特里克森林,为苏格兰国王的狩猎场。英国内战时期,保王党蒙特罗斯伯爵格雷厄姆将军的军队被日益削弱,1645年9月在菲利普豪被莱斯利的誓约派部队击败。小说家沃尔特·司各特爵士从1799年至他去世,一直任塞尔扣克郡长。塞尔扣克未受产业革命的影响,基本上保持着乡村的特色,只有一些毛纺织生产。当时该郡最大城镇是加拉希尔斯,塞尔扣克为该郡历史上著名的首府。

Sella, Quintino　塞拉(1827-07-07,皮埃蒙特比耶拉附近莫索[意大利]～1884-03-14,比耶拉)　意大利政治家,意大利统一后曾协助民族政府奠定稳固的财政基础。原主修工程学,在步入政坛之前曾在都灵执教数年。1860年塞拉被选入皮埃蒙特众议院,1862年短期出任新统一的意大利的财政大臣。两年后他再任此职时,发现自己不得不处理严重的预算赤字。他的解决方案是征收磨谷税。最初该方案遭到反对,他本人被迫于1866年辞职,但政府终于在1868年开征谷粉税。在他第三度担任财政大臣的任期内(1869～1873),塞拉终于依靠以此项税收方案以及其他措施挽救了意大利政府的财政危机。1870年由于法德战争的需要,法国驻军撤离罗马后,塞拉劝说国王伊曼纽尔二世占领罗马作为国都。

Sellers, Peter　塞勒斯(1925-09-08,英国南海～1980-07-24,伦敦)　原名Richard Henry Sellers。多才多艺的英国喜剧演员。在严格的角色固定时代享有国际声誉。歌舞团表演者之子,从小就在他双亲的喜剧中表演。50年代早期,他曾在通俗广播喜剧系列《傻瓜秀》中演出。50年代中期开始登上银幕,包括《河东鼠吼》(1959)、《我很好,杰克》(1959)、《洛丽塔》(1962)与《奇爱博士》(1964),他所扮演的角色受到普遍欢迎。在喜剧《粉红豹》(1964)及续集中扮演的经常出错的探长克鲁索深受欢迎,跻身超级明星之列。后因在《妙人奇迹》(1979)中饰演一位心智单纯的园丁而获奖。

Selma　塞尔马　美国亚拉巴马州中部城市,达拉斯县县城。濒临亚拉巴马河,在蒙哥马利以西大约80千米处。1732年首次出现在地图上,标注为埃科宾维尔,后来称为穆尔之崖,因为一个叫穆尔的定居者1815年到达此地。约1819年W.R.金为该地重新命名,以纪念苏格兰诗人J.麦克弗森所写的奥西恩诗集。美国内战期间该地是邦联军的一个供给站,联邦军队攻占该地(1865-04-02)后放火烧毁。1965年3月塞尔马成为马丁·路德·金领导的黑人选民登记运动的中心。当地针对民权激进分子的暴力活动导致了一场大规模的非暴力抗议游行,参加者从塞尔马出发一直行进到州首府蒙哥马利。1996年游行路线被定为国家历史小道。国家选举权博物馆和研究所位于埃德蒙·皮特斯桥附近,纪念为争取选举权法案的通过所进行的斗争。当地经济以农业、林业和制造业为主。该地有塞尔马大学(1878)、华莱士社区学院塞尔马(1963)以及肯考迪娅学院(1922)。人口约20 512(2000)。

Selmi, Francesco　塞尔米(1817-04-07,摩德纳公国维尼奥拉[意大利]～1881-08-13,意大利博洛尼亚)　意大利化学家和毒物学家,胶体化学的奠基人之一。1867年成为博洛尼亚大学的化学药理学和毒物学教授。在此之前,曾于都灵和摩德纳执教。1845～1850年,他发表了无机胶体化学(特别是氯化银、普鲁士蓝和硫)的第一批研究结果。他对毒物学研究主要涉及腐败和中毒。1870年他创造了"尸碱中毒"(食物中毒)这一名词。塞尔米的《化学科学和工业百科全书》(11卷,1868～1881)是用意大利文出版的第一部化学百科全书。

Selong language 塞隆语 参阅**Halǎng language** 哈朗语。

Selormey, Francis 塞洛米(1927-04-15,黄金海岸泽卢科非[今在加纳]～) 又译塞洛尔梅。加纳作家,兼任教师。其半自传体小说《小径——一个非洲人的童年时代》(1966)被誉为是对非洲文学的杰出贡献。以体育教师和行政官员开始其生涯。《小径》描写一位在过分严厉的父亲教养下成长起来的青年寻找爱情而一无所获的故事。文笔清新简洁,质朴无华,其幽默和悲怆以及对父母子女关系的深刻剖析受到赞誉。塞洛米后成为加纳电影公司故事片剧本作家。

Selous, Frederick Courteney 塞卢斯(1851-12-31,英国伦敦～1917-01-04,坦噶尼喀基萨基附近[今坦桑尼亚]) 英国猎人兼探险家。他的非洲中南部之行,扩大了对后来称作罗

伦敦国立肖像画陈列馆供图

得西亚的这一地区的了解。1871～1872年从开普敦漫游到马塔贝莱兰,并获准在那里任意狩猎。他在南非德兰士瓦和刚果盆地之间探险、狩猎,为博物馆和私人收藏家收集博物标本达18年之久,并作了十分有价值的人种调查。塞卢斯于1890年加入英国南非公司,为将马尼卡兰边境地区置于英国控制之下而积极工作。在他所著《在赞比西亚的20年》(英国《地理杂志》第1卷,1893年)概述了他的旅行见闻。另发表了几本著作,有描写马塔贝莱战争的《罗得西亚的阳光和风暴》(1896)和《关于非洲自然界的笔记和回忆》(1908)。

Selous Game Reserve 塞卢斯禁猎区 世界上最大的禁猎区,在非洲东部坦桑尼亚东南部。因英国博物学家、探险家塞卢斯而命名。面积约41 400平方千米。地跨基隆贝罗、鲁阿哈、鲁菲吉等河流,林地植被中杂有茂密的硬木林和非洲仅存的美丽原始灌丛。为长牙象和长鬃狮最大的集中地之一,其他有水牛、豹、犀牛和斑马,还有各种羚羊和鸟类。最初无路可通,1963年狩猎线路建成后对外开放。

Selten, Reinhard 泽尔滕(1930-10-05,德国布雷斯劳[今波兰弗罗茨瓦夫]～) 德国数学家。由于发展了对策论,与J.F.纳什和J.C.豪尔绍尼共同获得1994年诺贝尔经济学奖。对策论是研究有混合利益的竞争者之间的对抗的数学分支学科。泽尔滕是一位书商的儿子,曾在法兰克福大学学习数学,并在1957年获得学位。40年代后期,他在《财富》(Fortune)杂志上读到一篇关于对策论的论文而对对策论发生兴趣。1965年泽尔滕改进了纳什的研究,提出区分理智决策和非理智决策的理论,以预测对策的结果。他曾执教于柏林自由大学、比勒费尔德大学和波恩大学(从1984年起)。

Selukwe (town, Zimbabwe) **塞卢奎** 参阅**Shurugwi** 舒鲁圭。

selva (marsupial) **塞尔瓦负鼠** 参阅**rat opossum** 鼩负鼠。

Selvon, Samuel (Dickson) 塞尔冯(1923-05-20,特立尼达～1994-04-16,西班牙港) 加勒比地区小说家,东印度群岛人的后代,以生动地描写定居于西印度群岛和其他地方的东印度群岛人的生活而闻名。第二次世界大战期间,他在一支皇家海军的地方支队任无线电报务员,在游弋加勒比海的扫雷舰和鱼雷快艇上工作。闲暇时开始写诗,1946年在《特立尼达卫报》工作。1950年来到伦敦,在印度大使馆当职员,并从事业余写作。他的第一本小说为《一个更亮的太阳》(1952)。《孤独的伦敦人》(1956),描述在充满敌意的城市里,天真的移民如何靠机智谋生的情景。后期作品包括小说《我听到雷声》(1962)、《家养的云雀》(1965)、《摩西升开》(1975)和《摩西出走》及戏剧集《阳光下的高速公路》(1991)。

Selwyn-Lloyd, John Selwyn Brooke Lloyd, Baron 塞尔温-劳埃德男爵 参阅**Lloyd, (John) Selwyn (Brooke)** 劳埃德。

Selye, Hans 塞耶(1907-01-26,奥匈帝国维也纳～1982-10-16,加拿大魁北克蒙特利尔) 全名Hans Hugo Bruno Selye。内分泌学家。以其紧张和压力对人体的影响的研究成果而闻名于世。塞耶先后求学于布拉格德意志大学、巴黎和罗马的大学,并于1929年获医学博士学位,1931年获哲学博士学位。1931年就业于美国约翰斯·霍普金斯大学,任研究员;1932年受聘于加拿大蒙特利尔的麦克吉尔大学,继续他的具有开创性的研究工作。后来,他出任蒙特利尔大学国际应激学研究所所长。1936年,当塞耶把卵巢激素注射到实验大鼠后,发现大鼠的肾上腺皮质的外层细胞增生、胸腺退化和多发溃疡形成,最后死亡。而且他还发现,所有上述这些变化和那些因错服毒药、暴力应激和环境紧张所造成的病变,实际上是一样的。塞耶把这种现象归结于紧张因素对大鼠的影响。塞耶还把他的理论应用到人类。他用实验验证了一些属于压力诱导性内分泌系统功能紊乱的疾病或病态,如心脏病、高血压等。塞耶给这类疾病命名为适应性疾病。塞耶有33部著作,最有代表性的有《无痛苦的压力》(1974),现已有多种文字译本问世。

Selznick, David O(liver) 塞尔兹尼克(1902-05-10,美国宾夕法尼亚匹兹堡～1965-06-22,好莱坞) 美国电影制片人。由于在第二次世界大战前后制作艺术质量很高的叫座影片而闻名。他在电影方面的早期训练来自其父(纽约默片时期的制片人)。1926年到好莱坞。此后10年间,在米高梅、派拉蒙和雷电华公司,从场记、助理编剧迁升为制片人。30年代他的许多脍炙人口的影片是豪华的情节剧如《八时晚餐》(1933)、《一个明星的诞生》(1937)或者是精心改编的文学名著,如《大卫·科柏菲尔德》(1935)、《安娜·卡列尼娜》(1935)、《双城记》(1935)和《汤姆·索耶历险记》(1938)。其中最令人难忘的是电影史上票房价值最高的影片之一《乱世佳人》(1939),获10项奥斯卡奖。塞尔兹尼克制作的其他影片有A.希契科克导演的《蝴蝶梦》(1940,获4项奥斯卡奖)、《迷魂咒》(1945),C.里德导演的《第三人》,以及由塞尔兹尼克的妻子珍妮弗·琼斯主演的《自君别后》(1944)、《太阳浴血记》(1946)、《珍妮的肖像》(1948)和《永别了,武器》(1957)。

Šemacha (Azerbaijan) 参阅**Shemakha** 舍马哈。

Semang 塞芒人 马来半岛上的尼格利陀民族,操一种澳斯特罗-亚细亚语。20世纪末期人口估计不到4 000人;在泰国也只有100人,被称为俄克人(意为"卷发人")。他们传统上以游猎和采集野根、野菜为生;现在多数从事农业。他们或居洞穴,或住悬崖之下,或以枝叶构成居所,以防风雨。社会的基层结构是自治的地方性族群,由族长及其妻、子、媳和孙辈组成。宗教信仰复杂,包括多种神祇。

Semang languages 塞芒诸语言 参阅**Jahaic languages** 贾海诸语言。

semantics 语义学 又称semology或semasiology。研究语言意义的学科。语义学可以从哲学或逻辑学的角度来研究,或以语言学的观点来思考。

在哲学和语言学科目中,语义学是对语言的各种符号和它们的意义之间的关系的研究。虽然它们以不同方法和为了不同目的而研究语义学,两者都力图解释人们如何从语言表述中获得意义。

哲学的语义学 20世纪的哲学家撰写了大量论文论述语言符号(词、句子等)传输意义的方式。在20世纪20和30年代,逻辑实证学派的学者曾尝试把数学和逻辑学体系的同样的准确性和明晰性引入对语言的研究中。他们认为各种"自然"语言都是不精确的,于是设法提出一种基于"理想"语言的详细的语义学理论,这种理想语言应是既不含混也无歧义的。

逻辑学家们在根本上依据参照和验证的观念发展词对世界的关系的理论。参照模式所说明的是,一个语言学符号,例如一个词,只有当它有一个参照对象或所指事物时,才是可理解的,而所指对象或可由直接观察见

到，或可由感觉而领悟到，或两者兼备。例如波士顿的含义就是指波士顿这个城市。乔治·华盛顿的含义就是指美国某个总统。不过，参照这个概念不能说明像“正确”或“错误”这样的抽象词语，也不能解释像动词或介词那样没有清晰明确的所指对象的语词。还有，正如哲学家G.弗雷格以晨星(the morning star)和昏星(the evening star)为例所指出的那样：这两种表达方式具有相同的所指对象，但不具有相同的意义。因而，以参照这个概念来解释语言学符号所含有的意义时就显得不适当了。

确认验证原则所依据的概念是，为了理解一个句子，人们必须熟悉辨别句子真伪的条件。根据这个原则，一切有意义的语句，或是分析性真实(即由释义而知其为真)，或是经验性真实(即通过感官经验可能确证其为真)。在 $1+x=3$ 的等式中，人们知道2可以满足等式中 x 的条件，使等式成为真的。类似的是，“x 是湿的”这句话，如果用“水”来替换 x，句子就是真的。同时，“……是湿的”，这个陈述语，只有把任何一个能使其成为真的词(橘汁、牛奶等等)插入时，句子才是可理解的。再次，这些可替换句子是凭经验就可以验证的。验证性原则的批判者在其他各种问题中还特别指出，这一原则无法解释那些量既不真也不假但仍然是有意义的表达方式(如“洗洗你的手！”)。

为充分了解意义而提出的参照方式和可验证性这两种理论都有不足之处。从而导致“使用论”的发展。实证论者认为语言符号和说话者及听话者的意图和行为是分离开的，使用论者与之相反，却认为词的意义取决于理解该词的人如何使用它。使用论是语言哲学发展的一个重要阶段，因为它为语言符号提供一种语境并说明意义是怎样根据语言习俗来表现的。有些语言理论家走得更远，他们认为词并没有意义；是人们赋予它们意义。

语言学的语义学 各种语言学理论都企图描述所有自然语言的共同特征。现代语言学家研究语言的3个层面：语音的(与语音有关的)，句法的(与词根据语法结合成句有关的)，语义学的。跟前两个方面所做的相比，语言学家们在语义学方面几乎毫无建树。这个大有争议的主题把语言学家们分裂成好几个阵营。解释语义学派的成员研究不依赖于使用条件的语言的结构。生成语义学派的人们与之相反，坚持认为，必须承认语言在交际和交流上的巨大力量，认为句子的意义就是句子的一种使用功能。还有人则走得更远，他们认为理论家们如果不考虑到人们是如何获得概念并使之与词的意义相联系的各种心理学问题时，语义学的研究就不可能向前发展。

semaphore 信号标 一种视觉通信法，通常用旗帜或灯光作标识。在发明电报以前，就用信号标从高塔上发送信号标志，向远处传达信息。最早的这类信号系统是C.沙佩于1794年在法国创制的，用的是一组装在杆子上借枢轴转动的臂板；杆子装在高塔上，各塔的间距8～16千米，通过望远镜观测收看信息。现代信号机包括可动臂板或一排排横

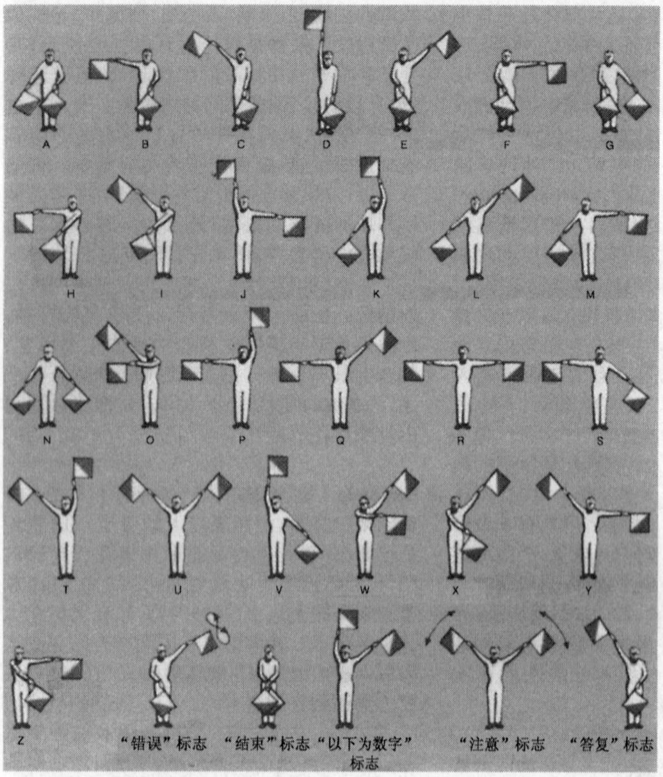

信号旗发送的信号标志图示：数字1～9同于英文字母A～I，是在“以下为数字”的信号标志之后打出的；数字0同于英文字母J

拟臂板的灯光，从高塔上显示，一般用于给火车发信号。在船舶间发送信号的信号标，是由人双手各持一面小旗，伸开双臂展成不同角度，表示不同的字母或数字。

Semarang 三宝垄 印度尼西亚中爪哇省的县名、省会和城市。位于爪哇岛北岸。该城分为新、旧两部分，临三宝垄河。三宝垄河已被疏浚通海。郊区的岗蒂为风景美丽的住宅区。虽然三宝垄是爪哇的大港之一，但有西北季候风时港口须停止作业。所以船舶要泊在岸外5千米处，以小船卸货。有渔业。工业有玻璃、制鞋、电器设备、纺织和小船制造。出口橡胶、咖啡、蔗糖、椰干、烟草、可可、柚木和木薯。与爪哇各大城镇有铁路相连，有一机场。人口：城市约1 005 316(1990)；县706 257(1980)。

semasiology 参阅 **semantics** *语义学*。

Sembène Ousmane (Senegalese author and filmmaker) **桑贝内·乌斯曼** 参阅 **Ousmane, Sembène** *乌斯曼*。

Sembrich, Marcella 塞布里切(1858-02-15，奥匈帝国加利西亚维希涅夫奇克［今在波兰］～1935-01-11，纽约市) 波兰花腔女高音歌唱家，其歌剧和音乐会演唱均享有盛名。幼从父学习小提琴与钢琴，12岁举行两种乐器独奏会。后师从W.斯坦格尔学习钢琴与声乐，并与之结婚，又在V.罗基坦斯基门下学习声乐。1874年曾为李斯特弹奏和演唱。据传李斯特鼓励她在声乐方面继续深造。1877年在雅典作首次歌剧演出。在德累斯顿的第二次演出获得极大成功，因此在该市逗留两年，然后在伦敦科文特加登剧院演唱了5个演季。曾在奥地利、俄国、斯堪的纳维亚半岛、法国、西班牙以及美国巡回演出。1883年在纽约市大都会歌剧院演唱。15年后成为该院演员，一直演到1909年告别歌剧演唱会才脱离该院。1917年以前她仍经常举行音乐会，此后便致力于教学工作。A.格鲁克、M.吉利扎以及D.基安尼尼等都是她的学生。

Semelaic languages 塞米莱诸语言 又称南阿斯里诸语言；“阿斯里语”一名源于马来语orang asli，意为“土著”语言。塞米莱诸语言为斯特罗南亚细亚语系孟-高棉语族阿斯里语支的一个亚支，包括3种语言，通行于马来西亚南部及中部。这3种语言是贝蒂塞语(以前叫做马梅里语或贝西西语)、塞米莱语及塞马克贝里语。与塞诺伊诸语言一样，塞米莱诸语言过去有时也被称为萨凯语。

Semele 塞墨勒 又称提俄涅。希腊神话中，第比斯的卡德摩斯和哈耳摩尼亚的女儿，和宙斯生了狄俄尼索斯，即罗马神话中的酒神巴克斯。宙斯的妻子赫拉得知塞墨勒与宙斯的私情后大怒，便乔装成一个年老的奶妈，哄骗塞墨勒向宙斯提出一个要求，要他在下次和她幽会时，像出现在赫拉面前一样佩带齐全。宙斯已答应将满足她的任何愿望，这时他便不得不信守诺言，虽然明知这样做将使她丧命。原来所谓佩带齐全，就是要他作为雷神佩带闪电。塞墨勒果然为闪电杀死。宙斯只从她的子宫中救出了他们两人尚未出生的孩子*狄俄尼索斯*(**Dionysus**)。据这一故事的有些说法，永生不死的狄俄尼索斯长大以后下到哈得斯(冥界)带出了塞墨勒，使她也永生不死，甚至成了一位女神。

semen 精液 雄性生殖道排出的白色至微黄色不透明液体,含有精子和精浆。精子可使卵子受精,而精浆可维持精子的生存。精子由睾丸产生,约占精液总体积的 2%～5%。精子通过雄性生殖道时与各附属腺体分泌的液体相混合。精子在睾丸产生后贮存在附睾,附睾分泌液中有钾、钠及甘油磷酸胆碱(一种精子的能源)等物营养精子。精子在附睾内成熟,成熟的精子通过输精管到输精管壶腹。壶腹分泌一种微黄色液体——硫组氨酸三甲基内盐(一种还原物质)以及营养精子的果糖。射精过程中,前列腺液和精囊液加入精液,以稀释精液并为精子提供合适的环境。精囊液占精液总体积的 40%～80%,精囊液中含有果糖、氨基酸、枸橼酸、磷、钾及称为前列腺素的激素。前列腺液占精浆体积的 15%～30%,其组成主要是枸橼酸、酸性磷酸酶、钙、锌、钾、蛋白分解酸及溶纤维素。最后参与精液构成的液体为尿道球腺及尿道腺的分泌液,一种黏稠透明润滑的黏液,其性质属蛋白质。精浆可稀释精子,为之提供活动场所,液体太多或太少都可抑制精子的运动。精浆中含少量的钾、镁和充足的氧,温度适宜,酸度微弱,这是精子进行自身运动的必要条件;精液中的硫酸盐可防止精细胞肿胀;果糖是精子的主要营养物质。人类每次射精的精液总量平均为 2～5 毫升,正常含有 2 亿～3 亿精子;种马的射精量约为 125 毫升。精液中又常含有由生殖道脱落的变性细胞,偶含脂肪、蛋白质、色素晶体颗粒等。

Semënov, Nikolay Nikolayevich (Soviet scientist) 参阅 **Semyonov, Nikolay Nikolayevich 谢苗诺夫**。

Semi-Arianism 半阿里乌主义 4世纪基督教会中出现的歪曲三位一体论的一个异端学说。虽然它对阿里乌主义的极端立场作了修正,但仍然背离正统派的三位一体教义。阿里乌主义认为圣父、圣子、圣灵是三体分立,圣子和圣灵的神性来自圣父,是后来由圣父所造而低于圣父。半阿里乌主义认为圣子与圣父相似而不是一体。阿里乌主义和半阿里乌主义都在 325 年尼西亚会议上受到谴责。

Semi-Pelagianism 半贝拉基主义 17世纪基督教神学名词,指 429～529 年流行于法兰西南部的反对奥古斯丁神学的学说。贝拉基主义否认原罪,认为人有完全的自由意志。半贝拉基主义则认为:人人皆有原罪,而原罪是使人堕落的力量,如果没有上帝的恩宠,人无法克服这种力量,恩宠为基督教徒生活及行动所必需。他们也认为洗礼包括婴儿洗礼是必要的。但是他们驳斥奥古斯丁的学说,力辩人内在的腐败并未严重到使人不能凭本身意志趋向基督。根据这种理论,人在不受外力援助的情况下,可以靠自己的意志接受救恩的福音,但如没有上帝的力量,仍不能实际上悔改得救。较晚近的半贝拉基主义则认为,上帝的促进力并不是上帝凭着慈爱之心注入人心灵的内在力量,而仅仅是指传教的外部作用或《圣经》经文所传达的福音和上帝的应许与警戒。半贝拉基主义最强的论点在于它强调上帝的义;它说,如果上帝使人连迈开争取救恩的第一步的本性都没有,上帝就不成其为义。但是,半贝拉基主义的逻辑结果必然是:人争取得救的意志,并不需要上帝无条件的、超乎自然的、慈爱的授权与鼓舞。

semibox turtle 半箱龟 参阅 **Blanding's turtle 布兰丁氏龟**。

semiconductor 半导体 电导率在导体和绝缘体之间的任何类结晶固体都是半导体。这种材料经化学处理后可以传送和控制电流。半导体用于制造各种电子器件,包括晶体管和集成电路。半导体材料可分两大类:本征的和非本征的。本征半导体有很高的化学纯度(其杂质比值只有 $1/10^{12}$)。它的电导率很低,并且和温度的关系很大。常用的本征半导体是单晶硅、锗和砷化镓。这些材料掺以少量杂质(浓度在 $1/10^{6}$ 上下)可以转变成在科学技术上更重要的非本征半导体。掺杂工艺使电学性质改变,电导率显著增大。例如元素硅原子的最外壳层有 4 个电子,这些电子为相邻原子所共有,不能在固体中自由移动。因此,纯硅是不良导体。如果用外壳层有 5 个电子的磷作为杂质对硅掺杂,则这第 5 个外层电子不被相邻原子束缚,可以在固体中自由移动。另一类杂质原子,例如硼,它的外层电子只有 3 个,比硅原子的外层电子少一个。用它作为杂质代替硅原子时缺少一个电子,就出现一个空位(或空穴)。这空穴的性质就像一个具有正电荷的可自由移动的粒子。空穴的存在也能使硅的导电能力增大。100 万个硅原子中有 10 个原子被硼原子代替就可以成为非本征硅半导体。非本征半导体可分成 n 型和 p 型,前者是电子过剩,后者是电子缺乏。在一定情况下,本征半导体也可以是 n 型或 p 型,因为电子和空穴的浓度虽然相等,但是它们的迁移率不同,在这种情况下,导电过程由迁移率最大的载流子所决定。

semiconductor device 半导体器件 用半导体材料制成的电子电路器件的总称。可用作整流器、放大器、开关、光探测器或光发射器,或其他功能的器件。

发展过程 1947 年贝尔电话实验室的 J.巴丁、W.H.布拉顿和 W.B.肖克莱发明的称为晶体管的半导体器件迎来了"第二次工业革命"。经过 10 年的发展,晶体管已成为电子设备中很多种**电子管**(**electron tube**)的充满活力的代用品,并且用在数字计算机上。计算机制造者将晶体管用在控制、运算和逻辑电路中,使计算机系统更有效、更小和更快。

半导体器件及其制造技术的进一步研究,导致电子电路元件进一步缩小和计算机硬件的重大进展。最重要的是 20 世纪 50 年代后期集成电路的发展。这种器件是在微小的半导体材料芯片上制造大量的晶体管、二极管和电阻器。70 年代初期开发了微处理机,这是一种大规模集成电路,其中包含完成计算机中央处理器(即计算机中解释和执行指令的部分)全部功能的电路。微处理机的大量生产不仅使**微型计算机**(**microcomputer**)得到普遍使用,也使工业机器人和其他自动化机器以及智能的生活用具(包括自动聚焦照相机和可编程序的家用设备)得到发展。

特性 一般半导体材料的电阻率在绝缘体和金属之间。元素半导体的电阻率总是随温度上升而下降,并且有光照时电阻率常常下降(即光电导现象)。极纯半导体的导电能力很差。半导体中掺上某些杂质后,电导率显著增大。常用半导体材料硅和锗原子的最外壳层有 4 个电子(称为价电子)。掺杂用材料原子有 5 个或 3 个价电子。用具有 5 个价电子的锑、砷和磷掺杂时引入电子,产生 n 型载流子;用具有 3 个价电子的铝、硼和铟掺杂时产生缺少电子的空穴,称为 p 型载流子(参阅 **semiconductor**)。少量掺杂原子不影响基本半导体的冶金性质,但对电学性质影响很大。

最常用的半导体是元素硅。20 世纪 60 年代起硅代替了锗成为制造半导体器件的首选材料,其原因有:①地球上丰富,价格较贱;②在较高温度仍有半导体性质;③硅的氧化膜有良好的电绝缘性质,还可用作引入所要杂质的掩膜。硅用于集成电路和一般二极管、晶体管外,也用于如变容二极管、肖特基二极管和晶闸管等。70 年代起,研究人员对硅和锗以外的其他半导体越来越有兴趣。最受重视的是周期表上第三族元素(铝、镓、铟)和第五族元素(磷、砷、锑)的化合物。这些Ⅲ-Ⅴ族化合物允许光子与电子和空穴相互作用,使它们适用于光电器件,能高效地发射光,或工作于特别高的频率。这种器件的一个例子是用在声频数字光盘上和光纤通信系统中的半导体激光器。Ⅲ-Ⅴ族化合物的光电器件可做太阳能电池和发光二极管(简称 LED),用于数字显示和一些光通信系统中的相干光光源。研究人员在探索一种实用的光电子电路,它集成半导体激光器和晶体管在一个芯片上。这种电路可以使计算机工程师开发出更强有力的超级计算机,它们具有更快的处理和计算数据的系统,因为它们是用光子工作,光子的速度比一般电子电路中的电子快得多。

semiconductor memory 半导体存储器 由一个或多个集成电路组成的一类计算机存储设备。参阅 **computer memory**。

semiconductor radiation detector 半导体辐射探测器 参阅 **solidstate detector 固体探测器**。

seminal vesicle 精囊 雄性动物的一对长囊状腺体,其分泌液进入射精管,组成精液的 40%～80%。某些哺乳动物精囊的容量比人的大得多,如野猪的精液可为人的 50 倍;而某些动物如猫、狗则无精囊。精囊分泌一种浓稠的液体,由果糖、蛋白质、枸橼酸、无机磷及钾组成。果糖是精子生存的主要能源;其他化学物质维持精液的中性,帮助精子运动(自身运动)。性成熟的男人精囊长 5～7 厘米,宽 2～3 厘米。由一条 15 厘米长的细管卷绕盘曲而成,细管周围为结缔组织。管壁分 3 层:内层为湿润折皱的黏膜;中层为呈纵形和环形排列的肌层;外层为纤维外膜。黏膜层分泌精囊液,精囊充盈时其皱折伸展变平。肌肉组织及弹性纤维收缩时精囊液排入射精管。精囊的大小与活动受激素的控制,雄激素是影响精囊生长与活动的主要激素,其产生量与年龄有关。青春期雄激素开始产生,约在 30 岁以后趋于下降。雄激素缺乏可引起精囊退化(萎缩)。

Seminole 塞米诺尔人 操穆斯科格语的北美印第安部落,为克里克人的旁支。18 世纪后半期,有许多佐治亚的下克里克人村镇的居民,迁往佛罗里达北部原来阿帕拉奇人和蒂穆夸人的土地上,1775 年便有塞米诺尔人这个名字了。塞米诺尔人中间杂有印第安人和黑人逃亡奴隶,还有逃避白人与印第安人权力角逐而来到这里的人们。他们的生活以渔、猎为主,农业为辅,居住茅顶木柱的简陋棚屋,颇似其北部邻族的夏季居所;衣着均饰以鲜艳的彩色布条,以模仿西班牙人的织锦衣料。塞米诺尔人力图抗击白人对其土地的侵占,以免西迁,曾于 1817 ～ 1818、1835 ～ 1842 及 1855 ～ 1858 年之际,频繁进行战争(参阅 **Seminole Wars**)。但大多数人最后投降,被迫移往印第安准州(今俄克拉何马州),被安置在克里克人居留地的西部。少数塞米诺尔人留在佛罗里达,20 世纪末期,其后裔约有 1 000 人。塞米诺尔人与切罗基人、奇克索人、克里克人及乔克托人同属五文明部落,19 世纪 30 年代都被美国政府强迫迁往居留地。在 70 多年的时间里,每个部落都得到一份土地,并仿照美国制度,各组成一准自治政府。为准备 1907 年俄克拉何马改置为州,部落的土地向白人开垦户开放,由联邦政府代为管理,或分配给获释奴隶进行耕作。1906 年部落政府撤销。

Seminole 塞米诺尔 美国俄克拉何马州中部塞米诺尔县城市。位于俄克拉何马城东南偏东。1890 年建为农牧业贸易中心。1926 年发现塞米诺尔大油田,一年内人口从千人左右骤增至 3.5 万。是年(1926)设市。工业有炼油、油田设备、服装、排水管制造等。设有塞米诺尔初级学院(1931)。人口 9 251 (1990)。

Seminole Wars 塞米诺尔战争 (1817 ～ 1818,1835 ～ 1842,1855 ～ 1858) 美国南北战争以前,美国与佛罗里达的塞米诺尔印第安人之间的 3 次冲突,最后以印第安人被迫将其所热爱的土地向白人开放告终。第一次塞米诺尔战争(1817 ～ 1818)起因于美国当局企图抓回在塞米诺尔部落中生活的逃亡黑奴。在 A.杰克逊将军指挥下,美军侵人这一地区,驱散村民,焚烧他们的集镇,夺取了西班牙人控制的彭萨科拉和圣马克斯。根据《泛大陆条约》,西班牙人于 1819 年让出了佛罗里达地区。第二次塞米诺尔战争(1835 ～ 1842)是在大多数塞米诺尔人拒绝放弃在奥基乔比湖以北专为他们建立的居留地、拒绝迁往密西西比河西之后发生的。在奥西奥拉(**Osceola**)酋长率领下,塞米诺尔部落的战士们为保卫家园而顽强地战斗。在这次战斗中,美国士兵阵亡 2 000 名之多,政府耗资 4 000万～6 000万美元。最后,奥斯西奥拉投降,大多数塞米诺尔人同意西迁。第三次塞米诺尔战争(1855 ～ 1858)是美国为进一步驱逐佛罗里达的塞米诺尔部落而发动的,流血较少,坚持不离去的少数塞米诺尔人在美国政府同意赔偿的情况下也迁往西部。

semiotics 符号学 又作 semiology。研究符号及符号应用行为的学科。瑞士语言学家索绪尔给符号学所下的定义是研究“社会中各种符号之生命”的一种学科。虽然早在 17 世纪时,英国哲学家洛克就曾按此意义使用过符号学这个词,但此词作为一种跨学科的方式而用于检查不同领域的不同现象这一概念,还是 19 世纪末和 20 世纪初随着索绪尔及美国哲学家皮尔斯的独立研究工作而出现的。皮尔斯在符号学方面的开创性工作是以其所提倡的实用主义哲学及逻辑理论为基础的。他对符号所作的定义是“示于某人以说明某事的东西”。他对符号学主要贡献之一是把符号归纳为三大类:①图像,图像与其所指之物相似,如提防落石的路标;②标记,标记可与其所示之事物形成联想作用,如以浓烟表示明火;③记号,记号仅因约定俗成而与所示之事物产生联系,如词语或交通信号等。皮尔斯还指出,符号永远不会有固定含义,因为意义必须不断地加以限制或调整,才适合于其所指之事物。索绪尔视语言为一套符号系统,他在语言学著作中就曾提出各种概念和方法,而符号学者们则把这些概念和方法应用于语言以外的符号系统。这类基本的符号学概念之一是索绪尔对符号的两种不可分割的组成部分加以区别:①能指或表示成分,就语言来说,这就是一套语音或书面上的记号;②所指或被表示成分,这就是符号所含的概念或意义。索绪尔还区分言语(parole)与语言(langue)两者间的差异,“言语”是实际的个人表述,而“语言”则是使个人表述为他人所理解的那一套约定俗成的底层系统。正是这种形成言语底层构架的语言,引起了符号学者的极大兴趣。这种对特殊符号应用之后的构架所产生的兴趣,使学者们把符号学同结构主义的方法联系起来,因为结构主义就是要对这些关系进行分析的。因之,索绪尔的学说也被认为是结构主义(特别是结构语言学)和后结构主义的理论基础。现代符号学者已把皮尔斯和索绪尔的理论应用于许多领域,如美学、人类学、精神分析、通信、语义学等。这些学者中最有影响的是几名法国人,包括 C. 莱维-斯特劳斯、J. 拉康、M. 富科、J. 德里达、R. 巴尔泰斯和 J. 克里斯蒂娃等。

Semipalatinsk 塞米巴拉金斯克 哈萨克斯坦东部一州。面积 179 600 平方千米,大部分在哈萨克高地。北部有额尔齐斯河,南部有阿亚古兹河。东部卡尔巴山地,中部和东南部与中国交界处有成吉思套山和塔尔巴哈台山,后者将额尔齐斯流域与巴尔喀什湖-阿拉湖区洼地隔开。萨瑟科尔湖、阿拉湖和斋桑泊构成其东部和南部的部分边界。属大陆性气候,干燥。植物多生长在干旷草原。经济以农业为主。工业多集中于首府塞米巴拉金斯克。其他城镇有阿亚古兹、恰尔斯克等。农作物(尤其是谷物)生长在最北部和东南部。草原、半沙漠和山区牧场主要经济为养羊业。卡尔巴山地的奥埃佐夫有金矿,铜矿主要集中在热兹肯特(前奥尔洛夫卡)。塞米巴拉金斯克东 50 千米额尔齐斯河上建有大型水电站(1979)。农村居民占人口 1/2 以上。居民主要是哈萨克人和俄罗斯人。还有一些日耳曼人、鞑靼人和乌克兰人。人口约 841 900(1991)。

Semipalatinsk 塞米巴拉金斯克 哈萨克斯坦东部塞米巴拉金斯克州城市和首府。是通往西西伯利亚平原的额尔齐斯河岸港口。1718 年始建时为俄国要塞,位于现址下游 18 千米处。为避开春季频繁的洪水,于 1778 年迁至现址。地当蒙古至俄罗斯、西伯利亚至中亚两条商路的交叉点上。1917 年革命前每年有 11 000 头骆驼途经此地。1854 ～ 1859 年作家陀思妥耶夫斯基曾被流放到此。1906 年西伯利亚铁路修至此地及 1931 年土耳其斯坦至西伯利亚铁路竣工促进了城市发展。经济以食品加工业和轻工业为主。消费品产量占哈萨克斯坦总产量的 1/3 左右。拥有哈萨克斯坦最大的肉类加工厂之一,还有纺织厂、服装厂、鞋厂及大型水泥厂。有师范学院、医学院、兽医学院、俄罗斯-哈萨克剧院和 3 所博物馆。18 世纪的要塞城门现仍被完好地保存下来。人口约 344 700(1991)。

semipalmated goose 半蹼雁 参阅 **magpie goose** 鹊雁。

semiplosive (semantics) **半爆破音** 参阅 **affricate** 塞擦音。

Semiramis (Assyrian queen) 参阅 **Sammuramat** 萨穆-拉玛特。

semispinalis muscle 半棘肌 位于脊柱两侧的深层肌。起于下部脊椎骨的横突,向上横过数节椎骨,止于上方脊椎骨的棘突。但上部半棘肌(头半棘肌)止于枕骨。下部及中部半棘肌(背半棘肌及项半棘肌)协助竖直脊柱及旋椎。上部半棘肌(头半棘肌)又能协助仰头。

Semitic languages 闪米特诸语言 通行于北非及近东的闪米特-含米特语系五个语族之一(其他语族为埃及语族、柏柏尔语族、库施特语族和乍得语族)。闪米特语族分为 4 个语支:①东部语支,只有阿卡德语一种语言;②西北语支,包括古迦南语、亚摩利语、乌加里特语、腓尼基语、布匿语、阿拉米诸语言、古叙利亚语、现代叙利亚语以及希伯来语;③南部语支,包括阿拉伯语和马耳他语;④西南语支,包括南阿拉伯语及埃塞俄比亚诸语言。闪米特语语音体系的特点是相当数量的辅音在口腔后部和喉腔形成。由辅音构成的词根赋予词以基本词义,同时再用元音模式表现出其细微区别。原无定冠词，后来除阿卡德语（通行于美索不达米亚）与吉兹语（通行于埃塞俄比亚）外，均有冠词。原有3个格（主格、宾格和属格），可是只在阿卡德语和古典阿拉伯语中才完全保留下来。这个语族的所有语言都有阳性、阴性的区别；早期的动词有体（表示动作的式）的区别而没有时态，现代诸语言已发展出时态形式。

Semito-Hamitic languages 闪米特-含米特诸语言 参阅 Hamito - Semitic languages 含米特-闪米特诸语言。

Semler, Johann Salomo 泽姆勒（1725-12-18，萨克森-萨尔费尔德公国萨尔费尔德～1791-03-14，勃兰登堡哈雷） 德意志信义宗神学家和评论家。泽姆勒以科学方法研究《圣经》经文，采用非教条的、严格根据史实的诠释法，招致强烈反对。他率先否认《旧约》和《新约》全部经文是根据上帝启示写出并且完全正确的说法，并提出重要证据。他否认正典的权威性，通过考证辨明早期犹太人的基督教义和晚近的广义基督教义的区别。

Semliki River 塞姆利基河 非洲连接爱德华湖与艾伯特湖的水道。位于东非大裂谷西支。自爱德华湖西北端流出，沿鲁文佐里山西麓向东北偏北蜿蜒流经230千米，注入艾伯特湖。下游部分形成刚果（民）和乌干达的界河。沿河有大面积冲积平原，部分包括在维龙加国家公园内。野生动物众多，有象、河马、鳄鱼和各种羚羊。三角洲田皂角树（一种多刺速生树）和纸莎草丛生，并不断向艾伯特湖的浅水区域扩展。

Semmelweis, Ignaz Philipp 塞麦尔维斯（1818-07-01，奥地利帝国匈牙利布达～1865-08-13，维也纳） 匈牙利产科医师。发现了产褥热的病因，并采用防腐剂进行预防，取得

布达佩斯塞麦尔维斯医学历史博物馆和图书馆供图

显著效果，在医学科学上开创了一个新纪元，被誉为“母亲的救星”。他曾于佩斯大学、维也纳大学学医，后在维也纳任产科医师（1847～1849）。当时住院分娩的产妇死亡率达25%～30%，死因多为产褥热。有人认为病因为拥挤、通风不良、哺乳或“瘴气”。他不顾上级的反对进行了研究，发现在由实习医师接生的产房中，产褥热的死亡率高于由助产士接生的产房，并证明原因是：医学生对因产褥热而死亡的产妇进行尸检后，直接进入产房，将疾病传播给健康产妇。便命令医学生在每次检查前必用漂白粉溶液洗手，使感染率大为下降。1848年他卷入革命运动，并因此受到排挤。1850年回佩斯行医，他的产科消毒法在匈牙利得到公认。1861年发表《产褥热的病原、实质及预防》。但他的发现遭到欧美医学者的激烈反对。1865年他精神失常，在患病入精神病院前，他在手术中误伤右手，卒因伤口感染而逝世。后来，他的观点终为医学界所接受。外科消毒法之父J.利斯特对他评价很高。

Semmering 塞默灵 奥地利中东部山口，为阿尔卑斯山最东和最低的山口，海拔3 232英尺（985米）。位于施泰尔马克与下奥地利两州的州界上。为维也纳经施泰尔马克通往巴尔干半岛、经克恩滕通往意大利、经恩斯河谷通往因斯布鲁克的交通要道。贯穿山口的第一条大道始建于1728年，1839～1842年重建。塞默灵铁路（1848～1854）是世界上第一条山间铁路，穿过将近1英里长的隧道，从山口顶峰下行282英尺。第二条与之平行的隧道建于1952年。塞默灵山口开阔处为疗养胜地和冬季运动中心。四周为布满松林的高地，北有拉克斯山（6 585英尺）和施内山（6 811英尺）。

Semmes, Raphael 塞姆斯（1809-09-27，美国马里兰查尔斯县～1877-08-30，亚拉巴马莫比尔） 美国南部邦联海军军官。他指挥“亚拉巴马”号战舰进行的果敢进攻在美国南北战

美国海军部供图

争（1861～1865）中期曾使联邦的商船运输陷于停顿达两年之久。1826年为海军候补军官，待命期间攻读法律，1834年取得律师资格。曾于墨西哥战争（1846～1848）中服役。亚拉巴马脱离联邦（1861-01）后，他辞去海军中校职务。4月南北战争爆发后，任南部邦联海军中校，曾指挥邮轮“萨姆特”号俘获17艘北方商船，后又指挥新造的“亚拉巴马”号军舰于1862～1864年间俘获、击沉或焚毁82艘北部联邦船只（价值达600多万美元）。最后在英吉利海峡与北方战舰“基尔萨季”号遭遇，经90分钟战斗被迫投降。塞姆斯落水为英国游艇救起。后赴瑞士，旋返南部邦联。领海军少将衔，协助指挥詹姆斯河上南部邦联海军。战后返回莫比尔当律师。著有几部关于墨西哥战争和南北战争的书。

Semnān 塞姆南 又拼Samnān。伊朗北部的省。东与呼罗珊省交界，南与伊斯法罕省接壤，西与中央省（德黑兰省）为邻，北与马赞达兰省相接。面积90 039平方千米。本省区北半部由厄尔布尔士山脉构成，包含一些狭窄的峡谷；南部地面通过低矮的阶地逐渐降低，直到卡维尔盐漠的平坦荒地。发源于厄尔布尔士山脉的加雷河，向南流入卡维尔盐漠。居民大多数务农，玉米、烟叶、棉花、甜菜、靛蓝植物、水果等为主要农产品。工业产品有糖、皮棉、面粉、砖、酒精饮料、地毯和皮革制品等。矿产品有铬、铅和煤。省会塞姆南城与拉斯杰尔德、阿米拉巴德、达姆甘、伊玛目沙赫（以前叫沙赫鲁德）、马亚梅等城之间有公路和铁路相通。人口417 035（1986）。

Semnān 塞姆南 伊朗北部塞姆南省主要城镇和县。海拔1 138米。在厄尔布尔士山南麓。城中有清真寺（建于12世纪）和几个大教堂。为谷物、棉花和烟草市场，也产纺织品、地毯和杏仁、无花果糖酱。有铁路通往德黑兰和麦什德。人口：镇64 891（1986）。

semolina 粗粒面粉 制作面食的硬质小麦带麸粗粉，也是制作谷类早餐食品、布丁及麦片粥的粗粒带麸面粉。参阅 pasta。

semology 参阅 semantics 语义学。

Sempach, Battle of 森帕赫战役（1386-07-09） 瑞士联邦反对奥地利哈布斯堡王朝的一次决定性战役。来自乌里、施维茨、翁特瓦尔登和卢塞恩的瑞士军队，在森帕赫附近的迈耶硕尔茨与哈布斯堡王朝的蒂罗尔公爵利奥波德三世的奥军交战。当时奥军正对近期入侵哈布斯堡领地的卢塞恩进行报复。双方兵员人数，其说不一。有的说奥军6 000人对瑞士军1 500或1 600人，有的说双方各为4 000人。结果奥军溃败，利奥波德本人阵亡。

Semper, Gottfried 桑珀（1803-11-29，汉堡～1879-05-15，罗马） 建筑师、艺术家。德国和奥地利新文艺复兴式建筑风格的主要实践者之一。曾在慕尼黑和巴黎学习。1826～1830年前往意大利和希腊研究古典建筑。1834～1849年在德累斯顿从事建筑业务。后因参加革命活动，被迫流亡巴黎和伦敦。1855～1871年，先后担任苏黎世工业学院建筑系和约斯坦建筑学校的主任。1871～1876年参与维也纳改建工作，他的作品有别于其友人K.F.申克尔的新古典主义风格，而标志着上述风格的转变。他的设计多属折衷主义作品，主要有德累斯顿歌剧院（1837～1841，1878年重建）、苏黎世工业学院（1858～1864）、维也纳的两座皇家博物院（1872～1881）。他在《技术风格和工艺美术》（1860～1863）一书中强调技术的合理性是风格的根源并阐述了色彩在装饰艺术和建筑中的应用，具有深远的影响。

Sempill (of Beltrees), Sir James 森皮尔（1566～1626-02，苏格兰伦弗鲁郡佩斯利） 苏格兰诗人，以所写讽刺诗《给教皇剔牙，又名小贩的祈祷文》（1630?）而为世人所知。该诗为一个小贩同一个教士的一席反对教皇对话，用有韵对偶句写成。出身于苏格兰诗人世家，同詹姆斯六世国王为总角之交，曾入圣

安德鲁斯大学，后为苏格兰驻英格兰(1599)和驻法国(1601)大使。1600年受封爵士。

Sempill, Robert 森皮尔(约1595～约1665) 苏格兰诗人，首创后来成为苏格兰幽默挽诗体标准格式的韵律。他是诗人詹姆斯(贝尔特里斯的)之子，曾就读于格拉斯哥大学。写有凭吊哈比·西姆森的挽诗《基尔巴钱笛师哈比·西姆森的生与死》(1640)，这一苏格兰语幽默诗，后被J.沃森收入《精选集》(1706)。该诗因为曾被诗人A.拉姆齐誉为"哈比标准韵"并将其韵律运用于本人的几首诗中而享有盛名。"哈比标准韵"有时亦称"哈比·西姆森诗节"，后以这种诗韵的最主要代表者R.彭斯命名，称为"彭斯诗节"。

Semple, Ellen Churchill 森普尔(1863-01-08，美国肯塔基路易斯维尔～1932-05-08，佛罗里达西棕榈滩) 美国女地理学家。曾倡导人类历史和文化决定于自然环境之说。但该学说引起很大争论，后终被反自然环境决定论所取代。曾获瓦瑟学院文学士学位(1882)和文学硕士学位(1891)，继而在莱比锡大学受业于德国人类地理学家F.拉采尔。森普尔后来间或从事写作，间或执教，先后工作于牛津大学、芝加哥大学、哥伦比亚大学、科罗拉多大学、韦尔斯利学院、克拉克大学等院校，1923～1932年任克拉克大学人类地理学教授。著有《美国历史及其地理环境》(1903)、《地理环境的影响》(1911)及《地中海区的地形》(1931)等。

Şemseddin Ahmet ibn Süleyman ibn Kemal Paşa 塞姆塞丁·艾哈迈德·伊本·苏莱曼·伊本·凯末尔帕夏 参阅 **Kemalpaşazâde** 凯末尔帕夏扎德。

Semyonov, Nikolay Nikolayevich 谢苗诺夫(1896-04-15[旧历04-03]，俄国萨拉托夫～1986-09-25) Semyonov又拼Semënov。苏联物理化学家，因对化学动力学，特别是对链和支链化学反应机理的研究，与英国C.欣谢尔伍德共获1956年诺贝尔化学奖，他曾在圣彼得堡(列宁格勒)大学学习，于俄国发生革命的1917年毕业。在西伯利亚托木斯克大学任教一段时间。1920～1931年在列宁格勒约飞物理技术研究所工作，1928年任列宁格勒工业学院教授。1931年以后，任苏联科学院化学物理研究所所长，1944年任莫斯科大学教授。他是第一位获得诺贝尔奖的苏联公民，并出版了他的有影响的著作:《化学动力学和反应能力的若干问题》(1954)。

Sen, Amartya 森(1933-11-03，印度森蒂尼盖登～) 印度经济学家，由于他对福利经济学和社会选择的贡献，以及对社会最贫穷成员问题的兴趣，而获得1998年诺贝尔经济学奖。因研究饥荒的起因而闻名，进而提出预防或控制食物短缺的实际解决办法。曾就读于加尔各答的总统学院。接着到剑桥大学三一学院就读，在那里先后获得学士学位(1955)、硕士学位(1959)和博士学位(1959)。曾在印度和英国的一些大学教授经济学，包括德里大学(1963～1971)、伦敦政治经济学院(1971～1977)、牛津大学(1977～1988)，后来转到哈佛大学(1988～1998)，在那里担任经济学和哲学教授。1998年被任命为剑桥大学三一学院院长。他影响深远的专著《集体选择与社会福利》(1970)启发了研究人员把注意力转向基本福利等问题。他设计一些方法来测量贫穷的程度，进而得到有用的信息来改善穷人的经济状况。他对饥荒感兴趣是源于个人的体验。9岁时目睹1943年孟加拉国的饥荒，其中300万人饿死。他相信当时印度粮食供应充足，但粮食分配受阻，因为特定人群(指乡村劳动者)失业而失去购粮能力。在著作《贫穷与饥荒:论给予与剥夺》(1981)中，他揭示在许多饥荒的情况下，粮食供应并未减少很多。导致社会特定人群挨饿的原因是若干社会和经济的因素，例如工资减少、失业、粮价升高、粮食分配系统不彰。他的研究成果影响了政府和国际组织处理粮食危机的态度。为了实现经济增长，他认为教育和公共卫生等社会改革必须要先于经济改革。

Sen, Keshab Chunder (Hindu social reformer) 森 参阅 **Keshab Chunder Sen** 盖沙布·钱德尔·森。

Sen, Mrinal 森(1923-05-14，印度东孟加拉[今孟加拉国]～) 印度电影导演，用一系列艺术手法来探索祖国的社会及政治现实。曾在加尔各答大学学物理，后当过记者、药品推销员和电影音响技师。他对电影制片和马克思主义哲学感兴趣，是源自20世纪40年代与印度人民戏剧协会的联系。第一部电影《黎明》(1956)不很成功。《婚礼日》(1960)和《从头再来》(1961)这两部描述婚姻关系的电影反映了他的政治热诚和对意大利新现实主义者以及同事S.雷伊影片的仰慕之情。60年代拍摄的几部电影，诸如《白日做梦》(1965)，揭示出他想冲破商业电影惯例的愿望。《舒姆先生》(1969)被认为是他最伟大的影片，由印度著名演员U.达特出演一个孤独的官员。影片描述他偶遇被控受贿的收票员的妻子的情节。该影片运用了即兴创作和嘲讽的幽默手法，还用自然主义的手法描述了印度农村，故成为印度电影里程碑式的作品。在加尔各答三部曲即《采访》(1971)、《加尔各答71年》(1972)和《游击战士》(1973)中，通过艺术风格的实验和不连贯的叙述来探索当代加尔各答平民的不安。《宁静裹着的黎明》(1979)塑造了一个家庭，因女儿失踪而陷于绝望;《案件结束了》(1982)讲述一个家庭中的仆人因一氧化碳中毒死在主人家中。这两部审视中产阶级道德观的影片备受赞扬。《案件结束了》于1983年获得戛纳国际电影节评委会特别奖。《寻找饥荒》(1980)讲述一支电影小分队拍摄1943年孟加拉大饥荒的故事，1981年获得柏林国际电影节银熊奖(评委会特别奖)。20世纪80年代前后，他已是印度国内名人，被认为是印度最重要的电影导演之一。

Sen Rikyū 千利休(1522，日本堺～1591，京都) 日本茶道大师。他完善了茶道仪式，使之上升到民族艺术的高度。他把茶道从各个方面重新作了规定，如程序、器皿、茶室建筑以及茶室园林的风景布局。他完全恢复了简单朴素的仪式，这种仪式是15世纪僧人、日本茶道的奠基者珠光所实行的。利休坚定地确立了闲寂、枯淡的茶道美学观点。在利休时代，茶室变小(从珠光的4½席之地的房间改小到2席之地，即1.8平方米的房间)，而且更为幽静，并设一小门。在他指导下制作的茶碗具有乡村朴素的特征。利休对艺术标准和社会礼节两方面的影响巨大，因此成为日本文化史上最著名的人物之一。

Sena 塞纳 莫桑比克中部城镇，濒临赞比西河。为河港及铁路枢纽。经济以种植甘蔗和制糖为基础。塞纳糖业公司在赞比西河三角洲卢阿博和马罗梅乌拥有种植园，在20世纪60年代中期是莫桑比克最大的企业，雇员在10 000人以上。公司总部设在塞纳，附近沿河有几个制糖厂。莫桑比克独立后，公司在1978年收为国有，生产由古巴专家主持。各制糖厂均有铁路专线与贝拉铁路连接。人口:城市约102 000(1986)。

Sena DYNASTY 森纳王朝 11～12世纪统治孟加拉的印度王朝。创建者为希孟塔森纳。他原为巴拉王朝的附庸，11世纪中期宣布独立并自立为王。希孟塔森纳的继承者毗查耶森纳(约1095～1158在位)开始建立国家，控制了孟加拉全部和比哈尔北部。森纳王朝在孟加拉复兴了正统的印度教，重新建立了种姓制度以及妇女必须嫁给同一种姓或较高种姓的制度。森纳王朝的最后一个重要的国王是拉克什曼纳森纳(约1178～约1205)，他热心奖励文学，诗人查耶蒂伐和杜义都在他的宫廷里写诗。1202年他被突厥首领穆罕默德·巴克迪亚尔·卡尔吉赶出讷迪亚，3年后死去。森纳王朝的国王们在东孟加拉继续统治了几十年，但孟加拉的主要政治权力已转入穆斯林手中。

Sena Gallica (Italy) 塞纳加利卡 参阅 **Senigallia** 塞尼加利亚。

Sénac, Jean 塞纳克(1926-12-29，阿尔及利亚贝尼萨夫～1973，阿尔及尔) 阿尔及利亚法语诗人，积极促进民族文学事业。《诗集》(1954)是他早年作品，主要描写对儿童时代的悔恨，但对他个人和他的民族的创造力表示乐观。然而，随着阿尔及利亚反对法国殖民统治的独立战争于1954年爆发，他转向战斗和民族自豪感这样的主题，体现在《武器下的太阳》(1957)、《我国人民的晨曲》(1961)和后来的几部诗集之中。他是加缪的密友，但不同于加缪及阿尔及利亚的其他大多数法语作家，他把自己的财产全都投入阿尔及利亚反对法国殖民统治的斗争。1962年他在国民教育部工作，1963～1966年任阿尔及利亚作家协会秘书长。他编辑了《阿尔及利亚新诗选》(1971)，向公众推荐了9名阿尔及利亚青年诗人。他被认为是阿尔及利亚最活跃也最受人推崇的诗人之一。1973年塞纳克被暗杀，原因不详。

Senanayake, D(on) S(tephen) 森纳那亚克(1884-10-20，锡兰科伦坡[今斯里兰卡]～1952-03-22，科伦坡） 锡兰独立后的首任总理。一生虔信佛教。曾在科伦坡英格兰圣公会圣托马斯学院读书。毕业后经营大橡胶园。1922 年进入锡兰立法会议。1931 年当选为议会议员，并任农业和土地部长达 15 年之久。他促使议会通过《土地开发法》，实施灌溉计划改造贫瘠土地。第二次世界大战期间外国大米供应减少，他便同埃及和巴西开展贸易，使面粉进口量增加 10 倍。1923 年发起合作社运动，强调发展合作实现农业现代化。1947 年任总理，获得僧伽罗人、泰米尔人和欧洲人的尊敬。任职期间实行大移民计划，使 25 万人定居在原来没有人烟的地区。由于国家缺少煤炭、石油和天然气，他努力发展水力发电。除任总理外，他还兼掌国防和外交，1951 年又兼任卫生和地方行政部长。

Senancour, Étienne Pivert de 瑟南古(1770-11-16，巴黎～1846-01-10，法国圣克卢） 法国作家，《奥贝曼》(1804)一书的作者。此书为19世纪初期小说，描写一个生性敏感、精神痛苦的青年。成书 30 年后被人们重新发现，引起浪漫主义者及其读者的兴趣。其父原希望瑟南古选择教士职业，但他却于 1789 年出走瑞士，婚后家庭生活十分不幸。法国大革命后，他被列入流亡贵族名单，直至 1803 年才返回法国。1815 年王政复辟后，他几乎一直过着隐居生活，为报纸和杂志撰稿。1827 年他的《伦理与宗教传统简史》(1825)被认为亵渎神灵，遭罚金及监禁处分，后经上诉撤销原判。《奥贝曼》反映出卢梭的影响。卢梭认为，人类的本性由于文明的进步而变恶。瑟南古笔下的主人公隐居于瑞士山间，受着忧郁和一事无成的折磨。小说初问世时并未受到公众注意，1833 年再版时附有评论家圣伯夫的导言。由于小说描写了一个夭折的天才和那种因"荒漠迷途"而引起的受挫之感，被圣伯夫称为"本世纪最真实的小说之一"。

供图：H. Roger-Viollet

Senate 元老院 古罗马的理政和咨询机构，在罗马宪政中存在的时间最长。王政时代早期就发展成为一咨询机构。公元前 509 年拥有 300 名成员。整个王政时代元老院仅由贵族组成，权力不确定。随着王政的结束(公元前 509)，它成为执政官的咨询机构，由执政官委任其成员，并应他们的要求与会。其地位虽低于行政官员，但因执政官仅任期一年，元老院却为永久性机构，因而在经验和威望上元老院成员往往高于该年度执政官。执政官卸任后自动成为元老院一员。就总体而言，元老院在共和国早期仍为咨询机构，无确定的行政权。共和国最后 200 年间发生了巨变。它成为长存不废、自主立法的机构，独立于年度执政官。约公元前 312 年，元老院议员的遴选由执政官转改为由监察官进行。公元前 81 年，苏拉把度支官人数增至 20 名，并规定前度支官也可成为议员。这样一来，元老院的权限大增，通过一些不成文的规定，更有效地控制了行政长官，成为古罗马的主要统治机构，对内外政策、立法、财政和经济问题提出至关重要的意见。它有权给行政官员分配职司，确定授予执政官管辖哪两个行省，延长其任期，并指定设立元老院委员会以协助总督管理被征服的土地。与外国缔和等事务均由它负责。在意大利自由市镇、省或属邦间发生争执时它往往充当仲裁者。虽然公元前 218 年以后元老院议员个人不得经商，但财政权仍由元老院控制。自提比略·格拉古以后(公元前 133 年)，元老院的权力受到了保民官，尤其是军事领袖的挑战，其权势一再受到削弱。由于内战的影响，苏拉时代增至 500 或 600 人的元老院人员不足。凯撒把它增至 900 人，多数为自己的支持者。结果元老院的人员构成中有许多骑士，甚而有行省居民，过去反对凯撒的元老院议员所剩无几。奥古斯都时代元老院威望有所恢复，允许它在大部分行政领域进行合作。它继续负责国库，具有司法功能。不过它完全丧失了外交权。皇帝可以召集并主持元老院会议，其名字亦居元老院成员之上，可随心所欲遴选新成员。此时意大利和外省出身的议员增加。加列努斯时期元老院失去了军团指挥权，行省管理权也大都丧失。君士坦丁时期实际上与骑士混同。4 世纪时新元老院人数增至约 2 000 人。它仍被视为一个宪政中有代表性和必不可少的组成部分。其中最重要的议员为大地主，他们几乎成为封建主。在蛮族扩张之际，他们代表了罗马的文明，在意大利坚持异教信仰。5 世纪时，一些议员还与蛮族领袖携手反对帝国政府。6 世纪，元老院自历史记载中消失，最后一次为人提及的时间是 580 年。

Senate 参议院 美国国会立法机构之一，1789 年根据宪法建立。由每个州各选出两名参议员，任期 6 年。参议院中每两年有大约 1/3 的参议员任期届满。美国制宪元勋们把参议院的作用设计为对全民直选产生的众议院的一种制约。因此，各州不论地域大小和人口多少，在参议院都有同等的代表权。此外，在美国宪法第 17 条修正案(1913)实施之前，参议员的选举是间接的，由各州议会选出。现在，参议员由各州的选民直接选出。在美国所有的立法中，参议院与众议院都负有同等的责任。国会的任何法案都必须有两院通过的相同的文本方能生效。根据美国宪法(第 2 条第 2 款)关于"提出意见与同意"的规定，参议院被赋予一些重要的权力，其中包括：条约的批准权，需经所有出席的参议员的 2/3 多数通过；对一些重要政府官员任命的批准权（例如对内阁成员、大使和最高法院大法官的任命），只需简单多数通过。参议院还有在由众议院提出的弹劾案程序中的裁决权，但必须有 2/3 多数通过才能定罪。和在众议院中一样，政党和委员会制度在参议院中也对程序和组织起着支配作用。每个政党选出一位领袖来协调参议院的活动，这些领袖通常都是其本身具有相当大影响的参议员。参议院各政党的领袖们还在任命他们所属党派的成员参加参议院各委员会上起着重要作用，这些委员会考虑和审议立法并对政府机构和部门实行一般监督。16 个常设委员会主要围绕一些重大的政策领域组成，每个委员会都有它的工作人员、预算和各种小组委员会。在那些重要的常设委员会中，有拨款、财政、政府活动和外交关系等委员会。在可能是公开的或秘密的议案最后审定会议上，法律的最后文本得到审议。还成立了一些特别委员会从事某些研究或调查并向参议院提出报告——例如，伦理研究特别委员会和老龄化调查特别委员会。由于参议院人数较少，它可以比众议院进行更多的辩论。为了纠正妨碍会议进程的情况——阻碍立法行动的没完没了的辩论——有 3/5 的参议员投票即可对终止辩论提付表决；如果辩论的立法将改变参议院的办事规则时，只需有出席参议员人数的 2/3 赞成便可宣告辩论终结。参议院中的政党控制结构不那么严密；有影响的参议员采取的立场可能比政党采取的立场(如果有的话)更为重要。宪法关于参议员的任职资格规定为：年龄至少 30 岁，成为美利坚合众国公民已满 9 年，并在其选举州有合法居住资格。

Sendai 川内 日本九州西南部鹿儿岛县城市。位于川内河下游，自古以来为交通中心。德川时代(1603～1867)为城堡镇和军港。19 世纪末随着鹿儿岛铁路的开通，川内市发展成为地方商业中心。第二次世界大战中受破坏严重。现为拥有大型纸浆厂的工业区。设有一所大学(1949)。人口 71 444(1985)。

Sendai 仙台 日本本州北部宫城县城市和首府。位于七北田川和广濑川之间。最初由

仙台市"七夕祭"活动中的街头景象

供图：Cosio—Shostal/美国不列颠百科全书公司

一封建领主规划，是伊达家族的住地。现为东北地方最大城市和商业中心。它是铁路枢纽，但依靠位于松岛湾西南端的盐釜外港转运货物。有少量制造业（生产木玩偶等），主要供当地消费。周围地区有稻田和果园。仙台亦为一教育中心，设有东北大学。公园占城市面积比例之大居日本城市前列。当地大崎八幡神社以建筑精美著称，每年举办“七夕祭”活动，吸引了全国各地的游客。人口约 660 076（1983）。

Sendak, Maurice (Bernard) **森达克**（1928-06-10，纽约市～2012-05-08，康涅狄格丹伯里） 美国艺术家，因绘制和撰写带插图的儿童读物而知名。他是波兰移民的儿子，在

森达克为《野物在哪里》（1963）所绘的插图
供图：Harper & Row, Publishers, Inc.

纽约市艺术学生联合会受过正式美术训练。在求学期间，森达克为全美喜剧团画背景，为一家玩具店设计橱窗陈列。他最初绘插图的儿童读物是 M. 埃梅的《奇异的农庄》（1951）和 R. 克劳斯的《要挖一个洞》（1952）。二者都很成功。从此，森达克给许多作家的儿童读物绘制插图，计 80 本以上，作家有 M. 德容、E. H. 米纳里克和 R. 贾雷尔等。从《肯尼的窗户》（1956）开始，他自写自绘了几篇故事。其中有小小的 4 本《小小文库》（1962）和他的创新三部曲：《野物在哪里》（1963；1964 年获考尔德科特奖章）、《夜间在厨房里》（1970）和《在那外边》（1981）。1975 年森达克以他所写的故事中的几个孩子为基础，编导了一部特别的电视动画片。1978 年他将其扩大为一出音乐剧。除了把他自己写的几篇故事（包括《野物在哪里》在内）改编成歌剧外，森达克还为一些其他作品进行了舞台设计，特别著名的是他 1980 年为休斯敦市演出的莫扎特的《魔笛》所设计的城市。1983 年他为华盛顿州的西雅图芭蕾舞剧团设计了柴可夫斯基的芭蕾舞剧《胡桃夹子》的演出。S. G. 莱恩斯所著《森达克的艺术》于 1980 年出版。

Sender, Ramón José **森德尔**（1902-02-03，西班牙阿尔科莱阿-德辛卡～1982-01-15，美国加利福尼亚圣迭哥附近） 西班牙小说家，作品以西班牙历史和社会问题为题材，并追求个人在哲学和伦理方面的满足。一生属于共和派，因从事政治活动曾被监禁。20 年代初曾在西班牙驻摩洛哥军队服役，后在马德里《太阳报》工作。第一本小说《伊曼》（1929）尖锐抨击了摩洛哥战争。以后的小说《公共秩序》（1931）描写警察的残暴；《七个红色星期日》（1932）描写劳动者的骚动，他继续强调社会正义的重要性。《惠特先生在反叛队伍里》（1935），描写分裂主义者的起义，获国家文学奖。内战（1936～1939）对他影响甚深，他在西班牙共和军中服务，其妻被国家主义分子杀害。《反击》（1938）一书，系根据战时经验所写，旨在为共和派争取支持。内战结束后，他流亡国外，后定居美国，在大学任教。后期作品有《莫森·米良》（1953），描写农民生活和战争状况。自 20 世纪 60 年代中叶起森德尔的作品能够在西班牙再次出版。9 本系列小说《黎明的纪事》20 多年间才出版完毕；小说在于探讨社会和个人需要之间的关系。在《农神的儿女》（1968）及其他作品中，他探究了神话和神秘的主题。

Sendero Luminoso (Peruvian Maoist group)
参阅 **Shining Path** 光辉道路派。

Senebier, Jean **瑟讷比埃**（1742-05-06，日内瓦～1809-07-22，日内瓦） 瑞士植物学家和博物学家。证明了绿色植物在光的作用下吸收二氧化碳，放出氧气。瑟讷比埃出身于富商家庭。曾攻读神学，1765 年被任命牧师。1769 年成为瑞士尚西的牧师，1773 年任日内瓦市图书馆管理员。1786 年发表重要文学著作《日内瓦文学史》。此时他开始植物学研究，1787 年成为《系统百科全书》的工作人员，负责编纂植物生理学部分。他对植物学最重要的贡献总结于《论光线的物理-化学作用》（1782）、《阳光作用的研究》（1783）及《阳光对植物的作用》（1788）等著作中。1800 年他完成了一部重要著作《植物生理学》，书中他证明二氧化碳通过光的作用固定在组织中，而氧气仅在二氧化碳存在的情况下才释放出来。他的这部著作为以后的光合作用研究奠定了基础。

Seneca **塞内卡人** 操易洛魁语的北美印第安部落，住在今纽约州西部和俄亥俄州东部，是**易洛魁联盟（Iroquois League）**5 个原有成员中最大的部落，也是最重要部落之一。在联盟中，他们有 8 名首领作为代表参与各项事务。秋季，塞内卡男人分为小组，离开村庄，参加一年一度的围猎，仲冬方归；春季则为捕捞季节。妇女负责种植玉米及其他蔬菜。各家庭通过母系亲缘关系互相联系，共住若干长形房屋；这些家庭组成 8 个族外婚氏族，氏族再组成两个半偶族，半偶族各设首领，主要负责有关围猎及丧葬的仪式。每一社区建有男丁议事会，以便指导村长的工作。塞内卡人常与其他印第安部落作战，其损失便由夺取的村镇作补充。17 世纪的历次战争，使塞内卡人的土地大片扩展，由原来自塞内卡湖至杰纳西河之地，进而掩有自纽约州西部尼亚加拉往南并沿阿勒格尼河直入宾夕法尼亚州境内这一片地带。由于与白人距离远，猎物、粮食易于获取，他们能够布署千名战士，其军力与联盟其余各部落军力之和相等。美国革命时期，塞内卡人协助英军，许多村庄被毁。1797 年获得 12 块居留地，其中 4 块存留到 20 世纪末期。现在虽然大多数塞内卡人名义上是基督教徒，但有些人仍继续在纽约州西部三座长形房屋中举行传统的宗教仪式。

约 1600 年的塞内卡人长房
罗彻斯特博物馆和科学中心供图

Seneca, Lucius Annaeus **塞内加**（约公元前 55，西班牙科尔多瓦～约公元 39，科尔多瓦？） 一部拉丁文论雄辩术——一种修辞练习形式——著作的作者。他所写的《演说家修辞

美国国会图书馆供图

风格分类》仅约有半部尚存。4 世纪的一部节本保存了某些其他部分，包括另两篇序言；此节本对他所引用的一些人物作了生动的描述。他保存着约一百个演讲艺术的范例。在他著作中的分册序言里，他对帝国早期的文学生活发表了有价值和有趣味的见解。他还保存着李维和其他人关于西塞罗之死的陈述。

Seneca, Lucius Annaeus　塞内加(小)(约公元前 4,西班牙科尔杜瓦～公元 65,罗马)　古罗马哲学家、政治家、雄辩家、悲剧作家。塞内加是公元1世纪中叶罗马学术界的领袖

柏林国家博物馆供图

人物,公元 54 ～ 62 年尼禄在位前期塞内加同其朋友一起实际上统治着罗马世界。他出身于富有家庭,为罗马著名修辞学导师老塞内加的次子。塞内加从塞克斯蒂学派学习哲学,后来因病去埃及疗养。公元 31 年回到罗马,开始政治活动。公元 41 年以与皇帝克劳狄的侄女尤里安·列维拉公主私通的罪名被流放到科西嘉岛。他在那里研究哲学和自然科学,写出 3 篇题为《安慰》的论文。公元 49 年被召回罗马,公元 50 年任执政官,结帮拉伙组成一个权力集团。后来担任皇储尼禄的教师。公元 54 年克劳狄被谋杀后,塞内加和布鲁斯爬到权力的顶点。在塞内加为尼禄起草的讲演稿中,公开承认元老院的特权,禁止女子参与朝政。然而,皇太后阿格丽品娜却毫不退让,依然行使她的权力。塞内加于公元 62 年挂冠而去。余年写了一些最出色的哲学著作,传世者有《安慰》、《论天命》、《论智者不惑》、《论忿怒》、《论悠闲》、《论宽恕》、《论心灵的安宁》、《论生命的短促》、《论幸福》、《论道德》、《自然界问题》等。另有政治讽刺文章《变瓜记》,悲剧《菲德拉》、《特洛伊妇人》、《提埃斯忒斯》、《腓尼基少女》、《美狄亚》、《奥狄浦斯》、《阿伽门农》、《疯狂的赫拉克勒斯》、《奥塔山的赫拉克勒斯》和《奥克塔维亚》,最后两部可能是后人的仿作。公元 65 年塞内加由于政敌指控他参与皮索阴谋而被勒令自尽。

Seneca Falls　塞尼卡福尔斯　美国纽约州中西部塞尼卡县城镇。位于芬格湖地区塞尼卡河畔。利用该河 15 米落差发电。主要制造业有机械、电气及电子设备、纺织品等。1787 年初建。1831 年设建制。1848 年女权大会在此召开。该镇为女装改革先驱 A.J. 布卢默及女权和废奴主义者伊莉莎白·卡迪·斯坦顿的故乡。人口 7 370(1990)。

Seneca Falls Convention　塞尼卡福尔斯会议　1848年7月19～20日在美国纽约州塞尼卡福尔斯举行的妇女争取选举权的大会。塞尼卡福尔斯是伊莉莎白·卡迪·斯坦顿的家乡,她和卢克丽霞·莫特共同设计并指导了这次会议的召开。这两名女权运动领袖曾被排除在 1840 年伦敦召开的世界反对奴隶制大会之外,这件事使她们产生了争取妇女权利的念头。在 1848 年的大会上,斯坦顿宣读了《舆情宣言》,提出妇女的委曲和要求,这个文件是仿照《独立宣言》草拟的。《舆情宣言》号召妇女组织起来为争取自身的权利而请愿。大会通过 12 项决议,要求当时妇女被剥夺的各项权利和特权,其中 11 项一致通过。第九项决议要求妇女选举权,因斯坦顿坚持才勉强通过。这使塞尼卡福尔斯会议受到讥讽,使许多支持女权者放弃其支持意见;不过,这项决议终成为争取妇女选举权运动的基石,1920 年第十九次宪法修正案终于通过,妇女参政权得到保证。

Senecan tragedy　塞内加悲剧　指公元1世纪罗马斯多葛派哲学家塞内加用无韵诗写的 9 部文学剧本,即主要供阅读而非供舞台演出的戏剧。16 世纪中期意大利人文主义者重新发现了这些悲剧。它们成为文艺复兴时期舞台悲剧复兴的典范。当时两种各不相同的伟大戏剧传统——法国新古典主义悲剧和伊丽莎白悲剧——均从塞内加那里汲取灵感。他的剧本大都是欧里庇得斯悲剧的改作,也有据埃斯库罗斯和索福克勒斯作品改写的。当时对希腊原本知者甚少,因此塞内加的剧本便被误认为是希腊古典时期的戏剧。法国新古典主义戏剧传统在 17 世纪的高乃依和拉辛悲剧中发展到最高阶段,它们在形式上和风格的高雅方面均借鉴塞内加戏剧。这些新古典主义者们采用了塞内加的某些创新:剧本中有一个心腹朋友(通常是一个仆人),以语言代替动作以及吹毛求疵的道德说教。伊丽莎白时代的剧作家们则发现塞内加的那种鲜血淋漓的复仇主题要比其戏剧形式更适合于英国人的口味。在莎士比亚的《哈姆雷特》中也可见到塞内加悲剧的痕迹。

sénéchal　参阅 seneschal 总管。

Senefelder, (Johann Nepomuk Franz) Alois　塞尼费尔德(1771-11-06,布拉格～1834-02-26,慕尼黑)　德国平印发明家。他希望印出所写的剧本,但无力负担刻制印版的费用,就试图自己来刻。一次他偶然发现可用石版

供图:H. Roger-Viollet

刻制印版(1796)。他在记载中说,有一天他把洗衣单上的项目用油笔匆匆地记在一块巴伐利亚石灰石上,他想如果把石面上的其余部分腐蚀掉,则上面的痕迹会像浮雕一般地留下来。两年的实验使他发现平版印刷术,1818 年他在《平版印刷术大全》中记载了他的发现。

Senegal　塞内加尔　全称塞内加尔共和国。非洲西部凸出部位最西端的国家,面积 196 722平方千米。首都达喀尔。该国西濒大西洋、北和东北与毛里塔尼亚以塞内加尔河为界、东与马里以法莱梅河为界、南与几内亚比绍和几内亚接壤。冈比亚在塞内加尔西南部的冈比亚河沿岸形成一块飞地。人口约 9 905 000(2002)。

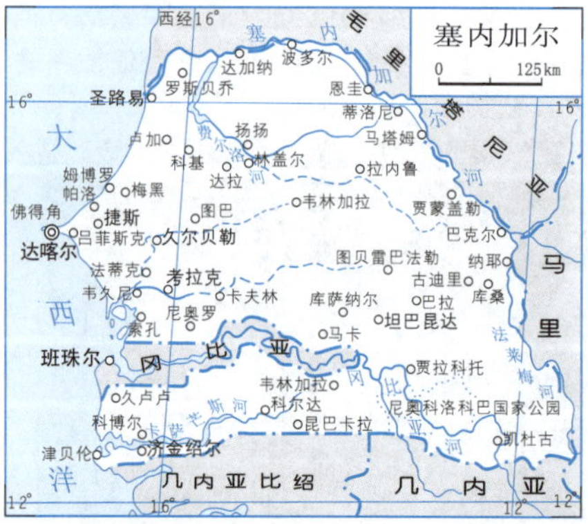

美国不列颠百科全书公司供图

土地　塞内加尔为一地势平坦的国家,可划分为 3 个主要结构性区域。佛得角陆岬和佛得角地区肥沃区域位于该国最西端,是由坚硬火山岩小高原群构成的;东南部和东部为与几内亚边界上的福塔贾隆山岳凸出部分相邻的断层地块边缘,其最高点海拔达 500 米;位于西面佛得角和东面断层地块边缘之间的巨大而浅的盆地。境内大西洋海岸为受激浪冲击的沙质海岸。萨卢姆河口以南海岸由一些溺湾(淹没的河谷)构成,岸边红树林沼泽地日渐增多。主要河流塞内加尔河流域(塞内加尔境内面积约 64 000 平方千米,其余部分位于马里、毛里塔尼亚和几内亚境内)控制着境内向西注入大西洋的水系。尽管境内呈现出相同的外部景观,但土壤类型多种多样,有冲积土、淋溶黏土、淡褐土和砂质土等。

大部分地区属苏丹型气候,为干燥沙漠气候和湿润热带气候之间的过渡;捷斯至法莱梅河下游河谷一线以北属萨赫勒气候区。萨赫勒气候区雨季为 7 ～ 10 月;苏丹气候区为 6 ～ 10 月。北部年降雨量约为 355 毫米,南部约为 1 525 毫米。气温依季节而变化,平均在 24 ～ 38 ℃之间,北部气温最高。萨赫勒气候区的植被以稀疏的灌丛和刺槐为其特征;佛得角南部为日益繁茂的热带稀树草原。境内有猴子和羚羊,还有疣猪、狮子、黑豹、鬣狗和野猎狗。河中有鳄鱼、河马和乌龟。

森林约占土地总面积的 31%。可耕地约占 27%;约有 30% 土地可作为草场或牧场。该国有丰富的磷酸盐和铁矿储量。

人民　塞内加尔有 7 个较大的族群,其中包括沃洛夫人、塞雷尔人、富拉尼人(颇尔人)、图库洛尔人、迪奥拉人、马林克人和索宁克人,还有其他若干较小的部族。较大的族群各自讲不同的语言,居住在萨赫勒和热带稀树草原地区;这些地区从前都曾支持过苏

丹西部古代诸帝国,如加纳、马里和桑海。在信奉宗教的人口中,伊斯兰教徒最多(超过90%)。

人口总体结构年轻,不足15岁的人口占47%。人口出生率和死亡率均很高。有3/5人口居住在城市区。

经济 塞内加尔属发展中的市场经济,主要以农业为基础。自从独立以来,该国所取得的有限经济增长因遭到导致严重衰退的周期性旱灾而受挫。国民生产总值的增长与人口增长基本持平。人均国民生产总值相对较低。

农业约占国内生产总值的1/4,占用3/4的劳动力。农业基本上是单一经营,花生是最重要的经济和出口作物,约占总耕作面积的2/5。重要的粮食作物有黍稷和高粱;大米需大量进口。政府计划通过增加农作物种类,扩大棉花、水稻、甘蔗和商品蔬菜及水果的种植面积,以减少经济单纯对花生的依赖。商业性渔业发展迅速;鱼产品出口约占总出口额的1/10。以磷酸盐开采为主的采矿业也在不断发展。卡萨芒斯沿海有重要的石油蕴藏。

制造业几乎占国内生产总值的1/4,雇用约1/10的劳动力;发展程度在讲法语的西非地区仅次于科特迪瓦。花生油的生产为最重要的工业,纺织业次之。国内其他企业还生产软饮料、精制糖、乳制品、卷烟和鱼罐头(主要是金枪鱼)。

服务业、商业和运输业几乎占国内生产总值的一半。达喀尔为西非重要港口和全国铁路系统的终点站。境内公路系统完善且仍在不断扩大,旅游业已成为外汇收入主要来源。

塞内加尔的经济发展主要靠外援,特别是法国提供资金。尽管旱灾造成的农作物出口波动部分被矿产品和鱼产品出口的高收入所抵消,但塞内加尔外贸仍存在巨额逆差。主要贸易伙伴有法国、尼日利亚、科特迪瓦、美国和日本。

政体与社会状况 塞内加尔共和国基本上倾向于社会主义,但建立在议会民主制的基础之上。现行宪法制定于1983年,几乎完全仿照原先的1963年宪法。国家行政首脑为总统,由直接选举产生,任期5年。总统任命和领导内阁,并兼任全国总司令。

国民议会有120个议席,是国家的立法机构,议员由直接选举产生,任期5年。塞内加尔社会党是最重要的政党,成立于1958年,原称塞内加尔进步联盟,是在桑戈尔(自独立之日起到1980年底一直任该国总统)领导下建立的。1980年修改宪法后取消对成立政党的一切限制;到80年代中期,全国共有10多个政党存在。

1982年成立塞内冈比亚邦联。塞内加尔和冈比亚两个成员国保持各自的主权,但在国防、外交和金融方面采取统一的政策。

塞内加尔政府对6～12岁未成年人实行义务教育,但仅约有40%的学龄儿童注册入学。中学教育则根据国家发展中各项事业的需要而设立。达喀尔建有一所大学。

农村地区的医疗卫生条件一般要比城市地区差得多;全国约有70%的医生在达喀尔。平均预期寿命男性仅44岁,女性47岁。

塞内加尔的文化主要由口传文学保存下来。西非歌舞艺人吟诵一种描绘武士功绩的诗歌。前总统桑戈尔就是一位诗人,与名为“黑人性运动”的20世纪文学运动有联系。

历史 公元10世纪,塞内加尔与北非各部族之间建立起联系;11世纪图库洛尔人皈依伊斯兰教。但在18世纪之前图库洛尔人一直受信奉万物有灵论的部族统治;万物有灵论在塞内加尔各地一直流行到19世纪。

葡萄牙人于1444年绕过佛得角,翌年登上塞内加尔沿岸探险。1638年法国人在塞内加尔河口建立贸易站,并于1659年建立了圣路易城。1677年法国人对先后被葡萄牙人和荷兰人占领过的戈雷岛提出领土要求。在整个17和18世纪期间,欧洲人从塞内加尔境内运走大批奴隶、阿拉伯树胶、象牙和黄金。

1693～1814年,法国和英国轮番控制塞内加尔海岸地区。1814年的《巴黎条约》把圣路易城和戈雷岛划归法国;两地于1817年被法国人重新占领。1848年奴隶制被废除。法

塞内加尔首都达喀尔堆积如山的花生及其上的搬运工

供图:Hoa-Qui/Viesti Associates, Inc.

国人在费德尔布的统率下向内陆扩张;他阻止了图库洛尔帝国的发展,并在塞内加尔设立必要的殖民地机构。19世纪末期,塞内加尔的一些城市居民获得法国公民身份。1895年塞内加尔成为法属西非的一部分;1902年达喀尔成为首府后,经济发展迅速。

1946年塞内加尔全体居民都成为法国公民;该殖民地成为法国的一个海外领地。1958年,塞内加尔成为法兰西共同体内的一个自治共和国;1959～1960年该国与马里结成联邦。1960年,塞内加尔被承认为独立国家;独立运动的领导者桑戈尔成为共和国第一任总统。1981年1月桑戈尔引退,前总理迪乌夫接任总统职位;1963年发布的限制政治活动的禁令被解除。1983、1988和1993年,迪乌夫三次连任总统。反对党领导人A.瓦德于2000年3月赢得总统职位。

Sénégal River 塞内加尔河 非洲西部的河流,发源于几内亚的富塔贾隆高原,向西北流过马里,然后向西注入大西洋,为北面的毛里塔尼亚和南面的塞内加尔之间的界河。长1 641千米,流域面积450 000平方千米。其两大源头巴芬河和巴科伊河在马里的巴富拉贝汇合成塞内加尔河。在河的下游,主要支流法莱梅河在马里-塞内加尔-毛里塔尼亚三国交界地带的巴克尔附近注入塞内加尔河。从巴克尔至达加纳,河流穿过20千米宽的冲积谷地。洪水于9月初来到巴克尔,10月中抵达达加纳。水位上升约3.5米,流量为旱季的300倍,河水注满整个河谷。在达加纳以下,塞内加尔河进入三角洲,河水满溢的面积更宽。由于海洋上加那利洋流的影响和信风自北部吹来,河口向南倾斜,形成长形沙嘴巴巴里通格。源流巴芬河和法莱梅河所承接的年降雨量为2 000毫米;塞内加尔河流域年降雨量为250～760毫米。塞内加尔河流域的典型树木为金合欢属植物,包括阿拉伯胶树,这种树可生产商业用的阿拉伯树胶。篦鹭、苍鹭和白鹭等鸟类分布很广。河岸旁常见刺猬、巨蜥蜴和野猪。塞内加尔河流域的主要居民为沃洛夫人、图库洛尔人和索宁克人。在这一地区,还有小群通常以游牧为生的富拉尼人和毛里人。退洪后,土地上种植稻米。在达加纳附近,支流陶乌叶河上修建的拦河坝使田地得到灌溉,塞内加尔河中的洪水从这一支流注入吉耶尔湖。洪水退后关闭水闸使水坝内蓄有清水。塞内加尔河口附近的贾马水坝可使洪水泄出,在旱季防止盐水进入。河上毛里塔尼亚的罗索、博盖和卡埃迪等港口之间船只频繁往返。

Senegambia 塞内冈比亚 塞内加尔和冈比亚两个独立国家的有限联盟。两国于1981年11月达成联合协议,3个月后成立塞内冈比亚联盟。协议要求两国采取以下走向联邦的步骤:合并军队和公安部队,结成经济和货币联盟,协调外交政策和交通运输,建立联邦组织机构及制度。上述合并实现后,两国将仍保持各自的独立。塞内加尔和冈比亚于1982年7月开始履行该协议。1989年解散。

senescence 衰老 生物体随着**增龄(aging)**而表现出的身体功能衰退。除增龄外,衰老一词亦指**老年(old age)**的状态或情况。

seneschal 总管 法语拼作*sénéchal*。在中世纪和近代初期的法国,为宫廷或贵族家中的执事或主要管理人员。随着时间推移,其重要性日趋下降,往往相当于**执行官(bailiff)**。该职务和称号一直沿用至法国大革命。在墨洛温时代,宫廷总管仅次于宫相,负责管理宫廷事务人员。在加洛林王朝统治时期,则负责安排国王或皇帝的日程。到1071年,成为主要官员——宫廷内府执事、军队统领以及皇庄总管。至12世纪中叶,此职已无实权,多为荣誉性质。法国的大藩臣大部分都有自己的总管,这就是日后法国行政区划分为司法官辖区和总管辖区的根据。但在诺曼底、曼恩、安茹和奥弗涅,总管为执法官所代替。

Senfl, Ludwig 森夫尔(约1490,瑞士苏黎世或巴塞尔～约1556,巴伐利亚慕尼黑[德国])瑞士作曲家。被认为是当时讲德语的最重要的大师。师承H.伊萨克,很快掌握了法国-佛兰芒风格,并成为神圣罗马帝国马克西米连一世室内乐作曲家。约在1520年迁居奥格斯

堡,在那里完成了伊萨克的《康斯坦丁努斯合唱曲集》,编辑了《圣歌选集》(1520),这是德国最早出版的乐谱之一。1523年起,在慕尼黑工作。所作7首弥撒曲采用模拟手法(将一首现成的主调合唱曲加以改写)和固定旋律。约出版了150首德国艺术歌曲(1534,1544)。

Senga (people) 参阅 **Nsenga 森加人**。

Senghor, Léopold (Sédar) 桑戈尔 (1906-10-09,法属西非塞内加尔若阿勒[今在塞内加尔]~2001-12-20,法国韦尔松) 诗人、教师、政治家,塞内加尔总统(1960~1980),是非洲黑人文化艺术自豪感这一概念的主要提

联合国供图

倡者。其父为塞雷尔部落一富商,母亲是天主教徒。他最初立志要作教师-牧师,在附近一所天主教会的学校和神学校上学。20岁时,他感到他一生事业不是当牧师,乃转至达喀尔一所中学继续求学。1928年桑戈尔获得部分奖学金去巴黎,先在高中后在巴黎大学接受正规教育。在此期间,桑戈尔发现现代绘画、雕刻和音乐明显受非洲艺术的影响,这一发现证实了他的非洲将对现代文化大有贡献的见解。1935年桑戈尔成为第一个在法国学校任高级教师的非洲人,开始在图尔为法国学生讲授法文。两年后调至巴黎附近一所高级中学。1939年被征服兵役,参加第二次世界大战。1940年被俘,在德国集中营关押两年。被俘期间,他写下了一些他的最出色的诗篇。获释后,他参加了法国抵抗运动。

战后,桑戈尔被选为法国制宪会议成员。1946年他作为塞内加尔参加法国国民议会的两名代表之一去巴黎。他以社会主义者身份获选后,于1948年创立塞内加尔民主集团。1951年作为该政党的候选人,以大大领先的票数重新当选为法国国民议会议员。5年后当选塞内加尔的铁路枢纽捷斯市市长,并再次当选法国国民议会议员。1956年法国议会通过法案,赋予其非洲各领地以较大程度的自治。桑戈尔是最早反对这一法案的人之一,理由是它强调的是分区治理而并非联邦治理。桑戈尔知道分区治理的结果是出现许多无力独自生存与发展的小国。为了消除这一法案的后果,他帮助创立了一系列政党以推动在联邦基础上的非洲统一事业。然而所有其他政党都不如非洲民主大会搞得成功。在塞内加尔内部,他帮助创立了塞内加尔进步联盟(1976年后称社会党)。直至90年代初,该党仍是塞内加尔的执政党。50年代后期,桑戈尔帮助西非各政治集团建立起一个联盟,最终产生了一个夭折的马里联邦,其成员有塞内加尔,法属苏丹(马里)、达荷善(贝宁)和上沃尔特(布基纳法索)。1959年12月,桑戈尔向法国总统戴高乐发出一个雄辩的成功的呼吁,请他同意非洲国家独立。马里联邦仅维持到次年8月,当时它的最后两个成员:塞内加尔和法属苏丹终于也分道扬镳。塞内加尔成为共和国,桑戈尔被一致选举为总统。1962年后期,桑戈尔遇到了第2个重大危机,当时的马马杜·迪亚总理、桑戈尔的长期追随者,发动了一次政变。塞内加尔人民又一次团结起来支持桑戈尔,马马杜·迪亚被判处无期徒刑。新宪法通过后,桑戈尔再次当选总统。1980年12月31日,在他第5任总统中期,他宣布退休,由阿卜杜·迪乌夫继任。

在担任最高行政长官期间,桑戈尔努力使塞内加尔农业现代化,提倡一种开明的国民观念,并与贪污腐化和效率低下的现象作斗争,与各非洲邻国建立较为密切的关系,继续与法国人合作。他主张实行一种适合非洲现实的非洲社会主义,既不要无神论,也不要过分强调物质生活。他追求一种开放、民主、富于人情味的社会主义而不提"无产阶级专政"这样的口号。他是第三世界的有力代言人,反对不利于农业国家的不公平贸易条件。桑戈尔与马提尼克的塞泽尔和法属圭亚那的达马斯同在30与40年代提出黑人应以黑人(文化)传统自豪的论点。该论点可以说是非洲黑人经历的文学和艺术体现。桑戈尔成为这一论点的杰出发言人,1948年他所编选的一部非洲黑人法语诗选则成为黑人文化运动的基本文献。他本人又是一位不同凡响的诗人,诗集有《影子之歌》(1945)、《黑色的奉献》(1948)、《埃塞俄比亚人》(1956)、《夜曲》(1961)和《主哀歌》(1979)。1990年他出版了《诗歌总集》。1984年,他就任法兰西学院院士,成为该学院历史上第一位黑人院士。

桑戈尔一生充满了矛盾。他是一位天主教徒,塞雷尔部落人,却成为一个绝大多数居民是穆斯林人和沃洛夫族人国家的元首。他是一个才智出众的知识分子,而支持他的民众主要是农民。他是一位卓越的诗人,但他同时又是一位手腕高明的职业政治家,他引导他的国家获得了独立,20年的实践证明他是一位能干而有成就的领袖。

Senglea 森格莱阿 马耳他东部城镇。与科斯皮夸和维托里奥萨组成旧时著名的三镇。该镇在法国湾和船舶修造厂湾之间的狭小半岛上,与瓦莱塔隔格兰德港相望。1552年马耳他骑士在半岛上建起堡垒。1554年建镇。在1565年的马耳他之围中起过重要作用。18世纪因商业和造船业发展,成为三镇中最繁荣的城镇。第二次世界大战中几乎被炸为平地,战后修船业恢复,成为该镇就业的主要来源。人口约3 536(1999)。

Senglinqin 僧格林沁 (1811~1865-05-18) 又拼 Seng-ko-lin-ch'in。中国清末将领,蒙古亲王。博尔济吉特氏。蒙古科尔沁旗(今属内蒙古)人。1825年袭封郡王。1853年为参赞大臣,率骑兵防堵太平天国北伐军。1855年以击溃北伐军晋封亲王。1859年在大沽抗击英法联军获胜。次年因大沽失守和通州六里桥溃败被夺爵革职。1861年后对捻军作战,先后镇压山东长枪会、河南金楼寨白莲教军、安徽捻军、山东淄川刘德培军、山东邹县文贤教军,因战功恢复亲王爵位,并命统辖山东、河南军务。连同直隶、山西4省督、抚、提、镇统兵大员也归其节制。1864年后屡被捻军赖文光、张宗禹部击败。1865年5月18日在山东曹州(今菏泽)高楼寨吴家店战役中被围歼斩首。

Sengzhao 僧肇 (384~414) 又拼 Seng-chao。中国东晋僧人。俗姓张,京兆(今陕西西安)人。原好老庄之学。读旧译《维摩诘经》后极为赞赏,认为在思想上找到归宿,因而出家。不久,鸠摩罗什到姑臧(今甘肃武威),僧肇前往受学。后随同到长安(今西安)参加译场,成为鸠摩罗什得力助手。与僧睿等详定经论,深得罗什正传,以擅长般若学著称。僧肇在罗什门下称为"解空第一"。鉴于当时佛教学者论著文义舛杂,解说乖谬,不合佛教本义,僧肇以流畅的文字确切表达般若空宗基本理论。其《般若无知论》深受鸠摩罗什和慧远赞赏。还著有《不真空论》、《物不迁论》、《维摩诘经注》等。僧肇的论文是中国佛教哲学史名篇。《不真空论》成为三论宗理论渊源,被吉藏推为"玄宗之始",即三论宗实际创始人。南朝梁、陈之际,《不真空论》、《物不迁论》、《般若无知论》、《涅槃无名论》与《宗本义》经人汇编成集,名《肇论》,该书在中国佛教思想史和中国哲学史上均占有重要地位。

Senigallia 塞尼加利亚 拉丁语作Sena Gallica(塞纳加利卡)。前称锡尼加利亚。意大利中部马尔凯区安科纳省城镇和主教区。临亚得里亚海,濒米萨河口。建于公元前6世纪。公元6世纪时为沿海五城区的城市之一。1631~1860年为教皇辖地之一部分,当时以其集市而闻名。教皇庇护九世于1792年出生于此。重要古建筑有城堡(1480)、美惠女神隐修院(1491)、大教堂(1787)和18世纪的埃尔科拉尼宫。现为海滨游览地、渔港、农产品集散地。工业有制造农具、纸袋和家具。人口:城市区约40 991(1989)。

senile dementia 老年性痴呆 发生在老年人的基本智力功能丧失。其病理基础是神经细胞的广泛坏死和脑萎缩。老年性痴呆是以该患者中年以前的智力水平为参照的。常受累的是记忆功能,最初只表现为心不在焉、丢三拉四、碎嘴唠叨。随着病情进展,记忆的丧失范围逐渐扩大,直到忘却人际活动和基本生活技能,不能单独活动。患者的语言功能、空间知觉、时间知觉、判断能力等基本知觉能力明显减弱,人格变态也是常见症状。老年性痴呆是一种慢性、渐进性疾病,多见于75岁以上人群。常见的病因是**阿尔茨海默氏病** (**Alzheimer's disease**),50%以上的老年性痴呆患者系由该病所致;目前此病尚无法治疗。占第二位的病因是多发性脑梗死,即动脉硬

化性痴呆；此症多继发于高血压、动脉硬化等血管疾病。因脑动脉血栓栓塞所致的、反复发作的、多发性的灶状脑实质性坏死是导致痴呆的直接原因。通过积极治疗脑血管病，人们可以有效地预防和延缓动脉硬化性痴呆的病情发展。病因还有亨廷顿氏舞蹈病、帕金森氏病和多发性硬化症等。

Senior, Nassau William　西尼尔（1790-09-26，英国伯克郡康普顿博尚～1864-06-04，伦敦）　英国古典经济学家、牛津大学首任政治经济学德拉蒙德教授。受教于伊顿公学和牛津大学。初为律师，为19世纪前半叶主要经济学家之一。1836年出版《政治经济学大纲》，提出资本储蓄与积累应视为生产成本，此说受到马克思主义学者批判。他推广地租概念，发展了利息起源的理论，在古典经济学界开展反对马尔萨斯人口论的活动。他对贵重金属分配理论有所发展，并揭示了生产率对一般物价水平的重要影响。

senior citizen　老年人　年老的人，尤指60或65岁以上者，参阅 **old age**。

Senlis　桑利　法国北部皮卡第大区瓦兹省城镇。位于瓦兹河支流诺纳特河沿岸、巴黎东北偏北51千米处的林区。地名来自4世纪时该地的罗马名称西尔瓦尼蒂乌姆城。在卡佩王朝的创立者于格·卡佩统治下成为法兰西王室领地的一部分。987年卡佩在此称王。桑利尚有许多中世纪建筑。圣母马利亚教堂（原称大教堂）的13世纪高78米的塔尖，尽管有某些文艺复兴时期的增建部分，仍为法兰西岛大区哥特式建筑的最佳典范。这座教堂于1155年动工兴建，直到16世纪才竣工。桑利还有其他一些中世纪教堂、文艺复兴时期的房屋和一座王室城堡。该镇旧时的中心现仍由巨大的高卢-罗马内城墙围住，中世纪所建的外城墙遗迹也尚存。桑利现为巴黎人的度假地。工业有金属加工和家具制造。人口14 345（1982）。

senna　旃那　豆科多种植物的统称，尤指决明属（山扁豆属，*Cassia*）的种，主要产于亚热带和热带地区。许多种用于医药；有的种树皮含鞣质，可用于制革；某些种属于最艳丽的开花木本植物之列。亚历山大旃那（亚历山大番泻、尖叶决明，*C. acutifolia*）原产于埃及、苏丹及尼日利亚；西伯尔氏决明（*C. sieberana*）原产于塞内加尔至乌干达一带；这两个种在印度均有栽培，其叶用作泻药。鞣皮匠决明（*C. auriculata*）为高大灌木，原产于印度南部，树皮是该处主要的鞣料来源。在美国东部，野生的决明属植物，如柔毛果决明（*C. hebecarpa*）和马里兰决明（*C. marilandica*）可高达1.25米，花穗艳丽，花瓣黄色。咖啡旃那（收敛草、西方决明、望江南，*C. occidentalis*）原产于南、北美洲，在旧大陆热带地区广泛种植，用作泻药。烛台旃那（*C. alata*）又称蜡烛树、有翅决明或翼山扁豆，为灌木，高可达2.5米，热带地区常见，花鲜艳，株形美观，在加利福尼亚栽作观赏植物。膀胱旃那即膀胱豆属（*Colutea*）植物，灌木或小乔木；花黄色；荚果张大。蝎子旃那（*Coronilla emerus*）为小冠花属植物，亦为灌木，花黄色艳丽，故栽作观赏植物。

双穗决明（*C. didymobotrya*）
供图：Gerald Cubitt

Senna rug　生纳地毯　Senna又拼Sehna。居住在伊朗西部生纳城（现名萨南达季）或其附近的库尔德人手工织制的铺地用品。以其图案及配色精致、织制优美而著称，在库尔德地毯中首屈一指。同一图案中经常采用相同花饰，如采用赫拉特菱形饰，菱形格子透过交缠的玫瑰花叶或透过交错的卷叶尖花纹隐约可见。整个大地布满这种花饰，或采用奎心图案，中心为六角形，两端为直线拱顶。大边布满细小饰物及地毯行业通常称之为“海龟”的阿拉伯对称花饰。整个图案极为复杂繁琐。虽然生纳一词用来代表波斯地毯的拴扣方法，但生纳地毯实际上是拴土耳其或吉奥狄斯扣。

约1900年的伊朗生纳地毯
供图：Neshan G. Hintlian, Washington, D.C.

Sennacherib　辛那赫里布（?～公元前681-01，尼尼微[今在伊朗]）　阿卡迪亚语拼作Sin-ahhe-eriba。《圣经》译西拿基立。亚述国王（公元前705或704～前681）。萨尔贡二世之子。他定都尼尼微，建立一座新王宫，扩建并美化该城；他建造的内外两道城墙至今犹存。他是《旧约全书》中的突出人物。他从父亲手中继承一个从巴比伦尼亚到巴勒斯坦南部，包括小亚细亚的帝国。由于迦勒底和阿拉米部族的崛起破坏了古老的商业城市，加之埃兰人的干预，导致政治不稳，迫使他于公元前703～前689年在巴比伦尼亚地区进行了大小6次战役。公元前703年迦勒底人米罗达巴拉丹发动一场部族大起义，打破巴比伦尼亚北部的和平局面。辛那赫里布依靠灵活的战略战术收复这一地区，立巴比伦人拜尔伊布尼为藩王。米罗达巴拉丹不甘心失败，继续谋反，迫使亚述人发动新的战争。公元前700年，亚述大军攻入迦勒底人的土地，米罗达巴拉丹逃亡到埃兰，不久客死异邦。辛那赫里布以其子亚述纳丁舒姆代替拜尔伊布尼为巴比伦王，从而开始亚述人的直接统治。巴比伦尼亚暂时安定以后，辛那赫里布在西利西亚和北方地区进行一系列战役。但是，埃兰人继续支持迦勒底部族，因此，公元前694年他又进攻巴比伦尼亚南部，同时横渡波斯湾从海上侵入埃兰。埃兰作出反击，攻打巴比伦尼亚北部地区，俘获亚述纳丁舒姆，并扶植一个亲埃兰的统治者。后来，另一个迦勒底族首领木什吉布-马尔杜克夺取了巴比伦城。公元前691年，亚述与埃兰的大军在迪亚拉河上的哈卢勒会战，虽然辛那赫里布自称取得胜利，但实际上他受到严重的损失。公元前689年他长期围困巴比伦城，9个月后终于攻克该城。辛那赫里布自诩“头脑灵活”，曾建造一种新式航船。他亲自出去勘查雪花石膏矿和建筑用的石材，并发现几处出产巨木的山林。他研究出青铜浇铸的新方法，并创造一种更为方便的提汲井水的工具。公元前681年1月，辛那赫里布被儿子谋杀，大概死于尼尼微。

约公元前690年的尼尼微浮雕，上刻带兵上阵的辛那赫里布像
不列颠博物馆供图

Senneterre　森特尔　加拿大魁北克省西南部城镇。临帕朗湖南面的贝尔河。在瓦勒多

东北 48 千米，为横贯北美大陆铁路的枢纽站，又是几条省属公路的终点站。地处广阔荒原边缘，是为猎人、渔夫、林业工人和印第安人提供装备的一个服务站。有铁路修理场、锯木厂和哈得孙湾公司货栈。人口 3 563 (1991)。

Sennett, Mack 塞纳特(1880-01-17，加拿大魁北克里士满～1960-11-05，好莱坞) 原名迈克尔·辛诺特。启斯东笑剧中警察的创造者，美国滑稽喜剧片之父。他以善于穿插笑

供图：Museum of Modern Art Film Stills Archive, New York

料以及剪辑出色而成为好莱坞默片时代的主要人物，是第一位使喜剧片具有独特风格的导演。1909 年加入比沃格拉夫影片公司当演员之前，他演过马戏、滑稽剧、轻歌舞剧、正剧。不久转为编剧和导演，师从 D.W.格里菲思。3 年后，他辞职去洛杉矶创建自己的启斯东影片公司。1914 年，他的公司拍出第一部美国足本喜剧片《蒂丽情史》，但他还是以拍出 1 000 多部仅有一两本长的喜剧短片而最为知名。起初，他自导自演，许多游行、火灾以及诸如此类用搬演方式耗资甚巨的场面，都是现场拍摄的。他的影片中通常总有出浴的美女和那一队有名的启斯东警察。他的精彩影片，如《他的苦药丸》(1916)、《小城偶像》(1921)和《阿拉伯异趣》(1923)，往往无情地揶揄或辛辣地讽刺社会日益机械化所带来的种种弊端。那些影片的特点是特技摄影、高速与慢动作摄影，使人想起 1907 年后在美国风行的法国式"追逐"喜剧。他训练出的大批男女喜剧演员使启斯东影片公司誉满全球，其中有 C.卓别麟等；而像 F.卡普拉、M.圣·克莱尔和 G.史蒂文斯等著名导演也是在他的指导下取得经验的。1937 年，电影艺术和科学学会颁给他一项"表彰他对电影喜剧技巧的不朽贡献"的特别金像奖。

Sennusiya (Muslim brotherhood) 参阅 **Sanūsīyah** 赛努西教团。

Šenoa, August 谢诺阿(1838-11-14，奥地利帝国克罗地亚萨格勒布～1881-12-13，萨格勒布) 克罗地亚小说家、评论家、编辑、诗人和剧作家。他极力主张改进克罗地亚文学，使之步入现代，并引导它从浪漫主义转向现实主义。他把历史小说带进克罗地亚文学，为提高克罗地亚人民的民族意识作出贡献。他还写了以当代社会生活为主题的作品，主张文学应该在群众中起教育作用。1869 年以后，他担任过文艺评论杂志《花环》的编辑，并在该杂志上发表作品，写过许多短篇小说、诗歌和随笔。他的小说有《农民暴动》(1877)和《迪奥盖内斯》(1878)等。

Senoi 塞诺伊人 马来半岛的类维达民族，分为小群，散居在印度尼西亚苏门答腊东部的沿海平原。20 世纪末期估计有 18 000 人。印度尼西亚东部各岛屿也有塞诺伊人存在。他们有时被称为萨凯人，是马来人对他们的一种贬称。住在马来半岛上的塞诺伊人，使用一种孟-高棉语族的语言，但住在苏门答腊的塞诺伊人却采用了米南卡保人的语言及其母系制度。有迹象表明，塞诺伊人曾把发展完善的旱地农业带到这一地区；他们居住公社共有房屋，还有某种程度的政治组织。塞诺伊人种植木薯和水稻，也积极从事渔猎和采集。他们长于编筐但无纺织及金属加工业。

Senoic languages 塞诺伊诸语言 又称萨凯诸语言，属澳斯特罗亚细亚语系孟-高棉语族阿斯里语支，主要语言有塞迈语及特米亚尔语，通行于马来半岛中央山脉地区；操塞诺伊诸语言的总人数约 32 000 人。过去把塞诺伊诸语言划为澳斯特罗亚细亚语的一个独立语族，叫做马六甲语族，现已不适用。

Senones 塞农人 凯尔特史上两部落，或为一民族之两支——一支在高卢，另一支在意大利。高卢塞农人居住在现代法国塞纳-马恩、卢瓦雷和荣纳等省，后来他们被并入罗马的一个省卢格杜南西斯高卢。其主要城市为阿根迪库姆(后来称塞农努斯，因此而有桑这一地名)。另一支约在公元前 400 年越过阿尔卑斯山进入意大利，定居在阿里米努姆(里米尼)和安科纳之间的东部沿海地区。他们与罗马人的战争长达一世纪之久，最后以失败而告终。公元前 283 年被多拉贝拉赶出意大利。

Senoufo(people) 参阅 **Senufo** 塞努福人。

senryū 川柳诗 日本一种不押韵的三行诗，结构类似俳句，但通常以冷嘲热讽的方式探讨人的本性。与俳句的不同处在于：川柳诗通常无"季题"。它源自俳句，约 18 世纪时在普通大众中间特别盛行。柄井八卫门是这种诗体最受欢迎的诗人之一，故以其笔名川柳命名。

Sens 桑斯 法国中北部勃艮第大区约讷省城镇。位于巴黎东南。旧城位于约讷河右岸，火车站和工业区位于左岸。城镇在成为罗马人主要居住地之前，是强大的塞农高卢部族的首府。中世纪时有 5 座隐修院建于该地。1140 年曾在此召开会议，克莱尔沃的圣伯尔纳第二次对哲学家和教师 P.阿伯拉尔的学说进行谴责。T.贝克特于 1166～1170 年住在城北的圣科隆布隐修院。1234 年法王路易九世在大教堂结婚。圣艾蒂安教堂(12 世纪中叶～16 世纪初)是最早的著名哥特式教堂之一，其珍藏品有大量的古代编织物和祭服，包括 12 世纪英国殉教者 T.贝克特所用的遗物。13 世纪的市政厅现被辟为博物馆，内有重要的高卢-罗马雕刻。主要工业有金属加工、电器、制药以及奶制品生产。人口 27 755(1990)。

sensation 感觉 神经学和心理学中任何因特定感觉器官、感觉神经或大脑感觉区受到刺激而造成的具体的、意识的体验。该词的一般的意义是指这些经验的全部类别。在俗话中感觉一词往往意义不明确，听者常弄不明白说话人指的是感觉过程还是被感觉到的什么事物(如明显的疼痛、铃声或火的红光)。这种一词双义现象也造成认识上的混乱，使人弄不清感觉是否为纯心理现象(与生理现象相对)。尽管某些人认为感觉过程是纯心理现象，但有些心理学家和哲学家认为被感觉到的通常都是不依赖精神而存在的物理特性：如不管有人到场看见与否，草确实是绿色的。为了避免这种模棱两可的意义，B.罗素用感觉资料一词表明被感觉到的事物，而将感觉一词专用于心理过程或心理活动。更倾向于经验主义的心理学家和生理学家喜欢把感觉视作一种概念，而不是物质，用机体的辨别性反应与物理刺激的性质之间的依赖关系加以解释。要搞清感觉功能的特征，可以训练实验动物或要求人类对刺激的不同方面作出不同的反应。在这种方法中感觉犹如现代自动化装置中的"敏感"。在自动化系统中，敏感元素(灵敏元件)标示出作用于其上的某种能量形式的特征(存在、不存在、强度或程度)。这些灵敏元件被称为传感器，可将输入的能量转换成为电流信号。用生物体的辨别反应给感觉下的定义亦与此类似。若刺激作用于感觉器官，而机体又作出适当的反应，就可以说刺激已被感觉到了。但许多人认为心灵主义的感觉定义是感觉心理学的基础。

sensationalism 感觉论 在认识论(知识论)和心理学中，完全或大部分依靠感官的功能解释知识的学说。这个学说是视心灵如同一块白板的结果。在古希腊哲学中，鼓吹享乐伦理学的昔兰尼派无条件地赞成感觉论。中世纪经院哲学的格言"凡心灵所有者，无不源于感觉"，也必须根据感觉资料转换成概念的亚里士多德主义加以理解。17 世纪的经验主义者，例如法国的新伊壁鸠鲁派学者伽桑狄、英国人霍布斯和洛克都比较强调感官的作用，用以反对那些强调人心的推理能力的笛卡儿信徒。洛克对 18 世纪法国哲学的影响产生了孔狄亚克的极端感觉主义。孔狄亚克主张："我们的一切能力都来自感官，或者说得更确切些，来自感觉。"

sense 感觉 又称感官知觉(sensory reception 或 sense perception)。通过将各种理、化能量转化为生物能的器官，动物对体内、外环境变

化作出反应的机制或能力。所有高等动物都能通过感觉感知到体内、外的各种刺激，并将其转化为神经冲动，传导至中枢和大脑。各种感觉信息在此被整合、分析，并指导机体的各种反射活动。动物有视、听、嗅、味、触五种源于各种感官的基本感觉；实际感觉远不止于此，还有动觉、热觉、冷觉、压力觉、痛觉、平衡觉等。

分类 最为实用的方法是根据刺激类型对感觉进行分类。一种感觉细胞负责转化一种形式的能量，可在神经阈值内引起一种感觉。人类的感觉神经可作如下分类：光感受器（司视觉）、机械性刺激感受器（司触觉、听觉、平衡觉）、化学感受器（司嗅觉和味觉）、温度觉感受器（司热觉）、伤害感受器（司痛觉）。其他动物还各有与生存环境相适应的、感受特殊刺激的感觉受体。所有的人类感觉过程有四点共性：每种感觉器官所含感觉神经细胞只对一种刺激敏感，没有例外；感觉神经细胞所在位置多在机体接受刺激部位的表层，如视网膜；感觉细胞都和（第二级）传入神经元有直接联系，传入神经冲动通过二级神经元轴索向中枢传导；第二级传入神经所联系的神经通路不止一条，故传入神经冲动可引发大脑皮层多种功能区的复杂的神经活动。

皮肤感觉 包括温度觉、压力觉和痛觉，皮肤的某些区域是特殊的感觉通道。见于皮肤的神经末梢有六种形式：鲁菲尼氏小体、囊状神经末梢、迈斯纳氏触觉小体、克劳泽氏终球、帕奇尼氏环层小体、游离神经末梢感受器。它们或专司、或兼司各种皮肤感觉。末梢所系神经轴索的直径介于十至几十微米不等，有髓纤维多较粗。这些轴索均汇聚成束（即所谓神经），并通向脊髓。神经冲动的传导速度常随轴索直径增大而增加，但和所感受的刺激种类无关。

动觉 对肢体的位置、主动或被动运动的知觉能力。有四种感觉神经末梢结构：神经肌梭、高尔基氏器、关节感受器和游离神经末梢感受器，分别位于肌肉、肌腱和关节中。它们协同地发挥作用，主司肌肉的主动收缩、被动拉伸、主动和被动性张力。当肌肉处于被动拉伸状态时，感受器冲动就沿传入神经传入；在主动收缩时，神经肌梭停止发送神经信号，而肌腱感受器继续传送信号。绝大部分感觉冲动沿脊髓传至小脑。作为神经反射活动的传入部分，感觉系统的重要功能有：调节内脏和躯体运动，调节反射弧效应器的功能活动，控制条件反射和维持正常肌张力等。

前庭感觉 即平衡觉。前庭感受器可感受机体的旋转运动、重力运动时的定向知觉和空间加速运动。旋转运动主要由内耳半规管中的内淋巴液流动时的惯性迟滞而来感受的。左右两套半规管作用互补。人对重力加速运动所致静压力的感觉是由内耳前庭的球囊和椭圆囊中的毛细胞（司定向知觉）感受的。

味觉 口腔中味蕾的主要功能。味蕾呈杯状，有味毛突出口腔。分布于整个舌黏膜乳头和上腭、喉周黏膜。每个味蕾上有大约50～75个味觉细胞，这些味觉细胞分期、分批地每隔7～10天更新一遍。舌的味蕾对甜和咸特别敏感，而腭和喉部的味蕾则对酸和苦特别敏感。味觉细胞主要由舌咽神经、迷走神经和面神经控制。除味觉外，还总司触觉、温度觉和痛觉。面神经（Ⅶ）、舌咽神经（Ⅸ）和迷走神经（Ⅹ）是相邻的三对脑神经。味觉神经纤维随之自延髓入脑干，换元后向上至丘脑，再换元后到达大脑味区。

嗅觉 哺乳动物的嗅觉神经细胞主要分布于鼻腔深部。嗅觉细胞发出轴突，经颅底筛板，接嗅球（第一对脑神经嗅神经之一部）。在这里，和小球中的僧帽细胞相连，再由僧帽细胞将嗅觉信号传至中枢嗅区。

sensitive plant 含羞草 豆科两种植物的统称，受触碰或其他刺激后，其小叶即对折闭合，叶柄下垂。含羞草一词常专指含羞草属的 *Mimosa pudica*。该种在英语中又称为 humble plant，为具刺的小灌木，高约30厘米。二回羽状复叶，形似蕨叶。头状花序，形小，球状。花紫红色。在热带地区是分布广泛的野生植物，在温带地区已归化，又作为珍奇植物栽种于温室。小叶及叶柄基部有特化的细胞，植物受触碰等刺激后水分迅速从这些细胞流出，因此小叶和叶柄作出异常迅速的应答。野含羞草（*Cassia nictitans*）为决明属（山扁豆属）植物，高可达50厘米，受触碰后亦能作出反应，但速度较上述植物稍慢，原产美国东部及西印度群岛。

sensitivity training 感受性训练 一种心理治疗技术。采用深入细致的小组讨论和互相交流，以增加对自己及对别人的认识。有训练组、交朋友组、人际关系及集体动力训练等形式。通常组里的人数不多，组织不严并各有自己的目的。通常有一位受过训练的组长，其任务为使组里保持一种在心理上感到安全的气氛，让参加者们自由地表现自己并试着用新的方法与人相处。活动的题目由参加者自己选定，通过互相作用激起各种各样情感。组长尽量不参加讨论，而是鼓励参加者发言，检查他们的反应。由于建立了相互间的信任，相互交往增加了，最终导致态度的改变，并用此态度处理组外的关系。然而，这种改变往往不持久。如果连续多日不间断地进行活动，则效果似能较佳。此种方法源于集体心理治疗，风行于20世纪60年代，尤其是美国，被广泛地用于社会问题（如商业、工业），以增加相互间的信任和交往。

sensorimotor skill 感觉运动技能 又作 perceptual-motor skill 或 psychomotor skill。借肌肉活动对感觉刺激物作出的反应，并充分完成任务的习得能力。"技能"指一种相当复杂的运动，而作出这种运动至少需要最低量的练习。"感觉运动技能"意味着在习得复杂动作中运动与感觉之间的密切关系。一种技能的作出可以分解为若干时间间距。最初操作者必须集中注意并对接受某种感觉信息有充分警觉，意识到某种强烈的与其他感觉信息不同的刺激物的存在，然后决定要不要动作。决定要动作后，他必须从他所习得的运动应答总汇中选取适当的动作。刺激物呈现与操作者应答出现之间的时间间隔即反应时间。一个人反应的速度取决于许多变量，包括刺激的强度。运动的质量还依赖动作要求的精确度、操作者过去的经验、运动的速度、动作的力量、被运动的躯体部分等因素。极为简单的运动技能的操作效率受神经系统天赋应答能力的限制。实验表明，一种熟练技能的习得过程中要完成一个颇为一致的应答模式，在一定限度内，这种模式每次尝试之间都有所不同。

20世纪50～60年代对数千个年轻成人的研究表明：粗的和细的动作技能的完成均与许多基本能力有关。人手的灵巧性包括细致的手指灵巧度、臂腕速度及瞄准能力等5种成分。肌肉伸缩性与平衡能力也可以分解为好几种成分。运动技能可分为"细致的"和"粗大的"两类。有人提出运动技能的三分法，将其分为身体移动、肢体运动及手的活动3类。一般说来，大多数技能都将大肌群与小肌群的精细运动和谐地结合起来，打篮球及坐在书桌旁写字都是这样。人的多数技能并非简单技能，而是由若干整合部分所组成的复杂整合性技能，有时是有节奏的。运动技能学习分为3个阶段：①认识阶段。要了解任务的要求。②中间阶段。学会新的应答模式，识别旧的与新的动作的异同并逐渐消除不适当的动作。③最后阶段。熟练的动作愈益成为自动的动作，在此阶段，操作继续改进，但改进速度往往降低。人们用"反馈"一词说明一个高度复杂运动技能的操作方式。人被假设为一种自动调整机制，人可借助外界刺激（如视觉信息）以矫正手和臂的动作（如写字），这称为外反馈。可借助体内肌肉运动觉等信息矫正肢体的动作（如闭目取杯），这称为内反馈。进行操作前的正规指令，尤其在早期，对技能的习得也起重要作用。研究表明：在有些操作任务中，知觉成分、对力学原理的知识以及对空间关系的注意等在技能学习初期阶段最为重要，而各种运动特性、反应时间、运动速度等在运动技能学习晚期有较大的重要性。设计学习时间表时，在知觉性、知识性和运动性因素出现之前适当安排指令，便能增进最后操作。大量研究发现，相当短的一段练习时间继之以至少与练习期相等的较长的休息时间便能促成最佳的终点操作。兴趣较小、易致疲劳的技术操作，其实践时间应短于兴趣较大、不易疲劳的操作。时间上紧密安排的实践时间会促进操作。将连贯性的操作成绩绘成学习曲线时，则在某些时间内进展停滞不前，这称为高原期，原因是操作者把较小应答单元组成较大单元要花费时间。运动技能较语词材料更易保持。一种运动技能学习得愈好则保持得愈为牢固。若学习者预先知道他必须经受该技能的重复测试，则其技能保持得更好。现已有许多测验运动技能的方法和手段。

Sensuntepeque 森孙特佩克 萨尔瓦多中北部卡瓦尼亚斯省省会。地处丘陵地带，海拔900米。为农业中心，出产谷类、赫纳昆剑麻、甘蔗和咖啡。工业有陶器和酿酒。人口约10 565（1983）。

sentence 判决 在法律上,指在刑事案件中对已定罪的被告人确定科处刑罚的正式裁判。在民事案件中使用决定、裁决、裁判等词语。判决可以有各种形式。在合并处刑时,要对犯有几条罪状的被告人,分别就每条罪状作出单独的判决;这些判决可以合并执行或连续执行。有些判决可以不固定刑期,让罪犯以表现良好争取提前释放。有的判决也可以规定罪犯在服刑期满后的释放条件;例如,他可以被缓刑释放或无条件释放或有条件释放。

sentential calculus(logic) **句子演算** 参阅 **propositional calculus** 命题演算。

sentimental comedy 感伤喜剧 18世纪的一种戏剧体裁。剧本表现中产阶级的主人公如何战胜一系列道德考验。这类喜剧旨在使人落泪,而非让人发笑。当时的哲学家认为,人的天性是善良的,但都会被邪恶的事例引入歧途,通过对其高贵感情的呼唤,能够使人得到改造,回到德善的轨道上来。虽然此类剧中人物的天性似乎过于善良,考验也太容易,但观众还是把它们看成是真实生活的再现而加以接受。感伤喜剧的作家有C. 西伯和 G. 法夸尔,他们的剧本有《爱情的最后一着》(1696)和《恩爱夫妻》(1699)。感伤喜剧最出名的作品是 R. 斯梯尔的《自觉的情人》(1722),它叙述身无分文的女主人公印第安娜所经受的种种考验和苦难;最后发现她是财产继承人,使全剧有了必要的圆满结局。

sentimental novel 感伤小说 广义地说,指对所写主题作隐晦或不切实际的表述,以激起读者脆弱的感情、怜悯或同情心到不相称地步的任何小说。严格地说,这个名词是指18世纪欧洲小说的普遍倾向,它的出现在一定程度上是对新古典主义时期的严峻和理性主义的反动。感伤小说把情感放在理性之上,把对情感的分析提高到一种艺术境界。法国的一个早期例子是 A-F. 普雷沃的《曼侬·莱斯科》(1731)。引起感伤小说构想的是卢梭关于人天性善良的学说,以及他关于道德的培养是靠体验强烈的同情心的信念。在英格兰,S. 理查森的感伤小说《帕美勒》(1740)被教士推荐为感情教育的一本教科书。18世纪60年代感伤小说发展成为"情感小说",描绘对细腻的感觉十分敏感的人物。这样的人物不仅为对自己同类的同情心所深深感动,而且对自然环境、艺术品和音乐内在的美作出动情的反应。L.斯特恩的《项狄传》(1759～1767)便是这类小说的典范,书中用了好几页篇幅来描绘托比叔叔杀死一只苍蝇时的恐怖心理。

Senufo 塞努福人 又拼Senoufo。几个血缘极相近的民族组成的群体,分布在科特迪瓦(象牙海岸)北部和马里东南部,至少操4种不同语言(在科特迪瓦用帕拉卡语、迪米尼语和塞纳里语,在马里用苏比尔语),这些语言均属尼日尔-刚果语系古尔语支。每一部族之中再分为许多亚族,各有其族名及语言名称;塞努福一名来源于外部而非自称。帕拉卡人在14世纪之前即已从主要的塞努福族中分出;约在同时,其余各族也随在孔城建成班巴拉商路上的驿站而开始向南、西、北各方迁徙,造成今日的分散局面。塞努福各民族从事农业,主要作物是玉米和黍类。农田在村庄周围,村内有泥砖结构的小型房舍,南方房舍为草顶,北方为平顶。以大家庭为单位,由家长、子、媳及子、媳之子女组成。婚姻由父母包办,一夫多妻相当普遍。按母系血统继承遗产和传宗。塞努福人擅长音乐,还是世界闻名的木雕刻家,其作品主要是面具和人物。

Seoni 塞奥尼 印度中部中央邦塞奥尼县首府和城镇,是公路铁路交叉点和索特普尔高原的主要商业中心。主要行业有织布、锯木、榨油、虫胶加工以及手镯和脚镯制造等。始建于1774年,设有一所医院和索加尔大学的两所附属学院。塞奥尼县面积 8 752 平方千米。地处索特普尔岭的狭长地带,北连讷尔默达河河谷,南接那格浦尔平原,属韦恩根格河流域。主要农作物有谷物、棉花和油籽。县内有大片森林,出产柚木、竹、虫胶和诃子。人口:城镇约 64 302(1991)。

Seoul 首尔 朝鲜语拉丁字母转写作 Sŏul。2005 年以前称汉城,除很短一段间隔(1399～1405)外,从 1394 年起一直为朝鲜的首都,直至 1948 年国家正式分裂后,它成为韩国(南朝鲜)首都。Seoul 一词本身在朝鲜语中就意为"京城"。在李朝时代(1392～1910),它的正式名称为"汉城";在日本统治时代(1910～1945),它的正式名称为"京城"。但在这两个时期朝鲜老百姓则通称其为Seoul。该市又俗称"汉阳",而且在 14 世纪的大部分时期以"汉阳"为正式名称。仅在韩国成立后,Seoul 才成为该市的正式名称。

自然地理和人文地理

景观 城市位置 现代的首尔是 1394 年由李成桂将军创立的,他是朝鲜李朝的开国者,以此作为统一国家的首都。从军事上说,这里是极易防守的天然屏障,同时,由于位居整体朝鲜的中心,滨临半岛注入黄海的大河之一、水运便利的汉江,又特别适宜于作首都城市。这一河边位置一连内陆水系,二连沿海航路,对于李朝特别重要,因为谷物、税赋和货品全靠这些途径运输。除了实际的便利而外,根据传统的泥土占卜信仰"风水地理说",此地的风水极为吉利。李朝选定的区域在600年后依然是今首尔的中心;它紧靠汉江北岸,在一盆状低地中,周围环有海拔约 1 000英尺的丘陵。为了加强盆地的天然防御优势,建城两年之后修筑了沿周围低山山脊长达 11 英里(18 千米)的城墙。

现在,防御工事的遗迹是游人众多的名胜。旧城中心有汉江一小支流穿过,布满街道和高速公路。主要大街和主要商业区坐落在盆地的较低部分。直至 20 世纪初期,城市的发展大部分不超出原来城区的范围;因为,虽然根据 1429 年的调查,人口已经接近 10 万,而到差不多 500 年以后,即 1910 年日本人吞并时,只增加到约 25 万人。20 世纪期间,日本人所进行的现代化为第一个发展周期的开端。经过几个发展周期,城市的边界逐步外展,因而当前包括汉江两岸平原以及几条支流的沙洲。现在,该市的界线形成一个不规整的椭圆形,距原址约 8～12 英里,只有西北角除外,那里大致为此数的一半。现在首尔的边界大部分是 1963 年划定的,面积约 234 平方英里,比 1948 年的城市面积增加一倍以上。朝鲜战争(1950～1953)以后,首尔迅速发展起来。城市周围的农业地区纷纷建起住宅;城南、水原和仁川等卫星城市均随着首都的发展而扩大很多。

气候 首尔气候的特征是年温差大。最冷的月份是 1 月,平均气温 -3 °C;8 月最热,平均气温 25 °C。市内年降水量约 54 英寸,大部集中在夏季。盆地和工业区永登浦的空气污染已经成为一个严重问题,主要是因汽车和工厂数目的不断增加而造成的。多年以来,汉江受到高度污染,但自 20 世纪 80 年代初期开始,由于采取控制河水水位和大规模修下水道等措施,污染程度已大大降低。

城市布局 市中心的街道格式基本上是直角的。街道和房屋从旧城墙现在依然屹立的 4 座城门向各方伸展:北指弥阿洞和水踰洞,东达清凉里,南向龙山和永登浦,西到麻浦和弘济洞。主要大街,如乙支路和钟路,是东西向,但到城周围小山脚下,地形的不规则对格局有些影响。然而,在市中心所在盆地以外,有许多放射形的街道,一系列的环形路与之交叉。市政厅和其他政府机关集中在世宗路上,但国民议会的楼房在汝矣岛上;银行、百货店和其他商店沿南大门路和太平路两旁。钟路、明洞、以及乙支路一带构成中心商业区。这一地区原为木造瓦顶房屋的区域,现已变成高楼大厦林立的区域。城市的扩展主要是向汉江以南,结果在汝矣-永登浦、永同和蚕室创立了 3 个新的城市中心。

住房 缺少住房是一个长期性的问题。现已建造了许多大型公寓式楼房,特别是在汉江两岸。另外,在城市近郊区兴建了许多住宅。在旧城区和靠近城墙遗迹的地方仍可见到带有应付寒冬的传统火炕的旧式房屋。

人民 1950 年以后,首尔人口增加极为迅速,现为全世界人口密度最高城市之一。老城内外和汉江两岸公寓楼房地带人口最稠密,四郊住宅区的人口密度较低。几乎全部居民为朝鲜人,外国住户为数甚少。人口约 9 853 972(2000)。

经济 工业和商业 制造业、商业和服务业是主要雇主。纺织、机械和化工是制造业的主要部门,但食品饮料加工、印刷和出版也很重要。

两个最主要的传统购物区域是巨大的东大门市场和较小的南大门市场,分别在两个城门附近。这两个市场包括许多私人拥有的商店,不仅供应首尔,而且服务全国。在公寓式大楼区域,也有几所商业区大百货店和现代化购物中心。

首尔是全国的金融中心。一些国内大型的证券交易所和银行的总部都设在这里,该市每年举办多次贸易展览会。

从德寿宫远眺首尔商业区

供图：Woon Gu Kang

运输 首尔虽然是一座古老的城市，但是道路系统良好；朝鲜战争后又有巨大的改进，特别是建造了10多座横跨汉江的大桥。但是由于交通设施赶不上日益增多的人口需要，街道十分拥挤。巨大的地铁系统已经取代了旧式电车；它缓解了交通拥挤状况，与公共汽车和铁路一道，变成公共交通的主要形式之一。首都是全国铁路线的枢纽，各条铁路把它与大部分地区性城市和港口连接起来，包括仁川和釜山在内。朝鲜战争前，小船沿汉江上溯37英里可到达首尔，但现在将朝鲜分为南北两部分的非军事区有一段穿过河口，使首尔失去河港的作用。因此，绝大多数货物经铁路和公路运入和运出本市。金浦国际机场在首尔西部，为韩国航空网络的中心。

行政与社会状况 虽经百般努力，但上下水道设施仍显不足，赶不上由城市迅速扩大而产生的需要。医疗设施较好，并有许多小诊所及大夫。冬春两季干冷，常发生火灾，迫切需要城市消防服务。

义务教育只限于6年小学，但小学毕业后升中学的人数比例很大。由于人口迅速增多，小学设施不足。韩国的大专院校和研究机构大多设在首尔。

文化生活 首尔是韩国的文化中心。国家美术院、国家科学院，以及几乎所有国家学术团体和图书馆均设于此。国立古典音乐研究所负责保持朝鲜传统的宫廷音乐和培训音乐家，还附设两个西洋式的交响乐团。此外，有一座国家剧院，一所歌剧院，一些公立和私立博物馆，包括国立景福宫博物院在内。景福宫南的世宗文化中心有举办音乐会、戏剧和展览的设施。

首尔四面环山，有许多公园，距城均不甚远。历史名胜有昌庆宫、昌德宫、景福宫、德寿宫和宗庙等，每年都吸引了大批市民和旅游者。该市还有极佳的体育和娱乐设施，其中著名的有首尔综合体育场，这是为1986年亚洲运动会和1988年奥林匹克运动会建造的。

历史 历史上最早提到汉城(今首尔)及其周围地区是公元前1世纪。在新罗、高句丽和百济的三国时代(公元前57～公元668)，这一地区形成三国之间的交界地，不过在三国时代前期，它与百济王国的关系最为密切。历史记载和考古报告全都表明百济都城慰礼城的原址在今日首尔的东北部，不久以后，这一都城迁至汉江之南；在那里已经有若干遗存出土，其中包括土城墙、住宅和坟墓。不过，直到1068年高丽国王文宗在今首尔地区建造一座夏宫时，这里才是一个相当大的居民点。

1394年正式定汉城为统一的李朝国家的首都以后，建设和发展极为迅速。1392年开始营造景福宫，这是1395～1592年间李朝历代国王们的居所。甚至在皇宫建成之前，就已经修好防御的城墙，不过由于施工草率，1422年不得不进行改筑。15世纪末开始兴修的德寿宫，是1593～1611年间李朝历代国王们的居所。1405年始建昌德宫，这是1611年直至1872年的王宫。景福宫于1592年被日本人焚毁，1867年才得以重建，当时在位的国王于1872年迁回这一重建后的宫殿。在整个李朝时代，汉城始终是“隐士王国”的中心，与外部世界很少接触。1876年朝鲜开始与西方建立外交关系，但这时候李朝已经衰弱到无力控制西方的影响，导至1905年王国开始接受日本的保护。

1910年日本吞并朝鲜。一年之后，将汉城地区改名京城，地界略有变动。汉城成为日本人统治的中心，输入了现代技术。道路铺面，旧城门和城墙部分拆除，建起西式房屋，并引进了电车。

1945年日本统治结束后，汉城成为中央政府直辖市，1962年规定由总理直辖。朝鲜战争使该市变为废墟。战后，一座大厦林立和道路宽阔的现代化城市从瓦砾中拔地而起，现已成为世界大都会之一，2005年中文译名改作首尔。

Sęp Szarzyński, Mikołaj 森普-沙任斯基 (约1550，波兰王国利沃夫附近日姆纳-沃达～1581，普热梅希尔附近的沃利察) 波兰诗人、玄学家。出身于基督教新教贵族家庭。曾就学于维滕贝格和莱比锡，后转到意大利的帕多瓦大学。1567年重返波兰，成为虔诚的天主教徒和多明我会会士。他英年早逝，但留下不少爱国诗歌、十四行诗和赞歌，均由他的兄弟代为出版，书名《韵诗，波兰诗歌》(1601)。他还创立了一种玄学语言。

separation 分居 在法律上，指夫妻双方协议不再生活在一起。法律上的分居并不解除婚约，只是根据双方分居的愿望调整配偶对婚姻的义务。但实际上，分居往往是离婚的前奏。这种协议通常包括照顾和供养子女的条款。如果对协议的解释发生争讼时，法院在传统上是偏向妻子。其理论根据是她所处的从属地位要求她受到保护。双方用不着通过法院终止一项分居协议。只要双方同意就可以终止，如果他们重新生活在一起，法律就认为他们已经终止分居协议。提出离婚诉讼甚至获准离婚都不是终止一项分居协议，后者是一项单独的契约。但是，要求生活费通常被解释为同意放弃以前的协议。如果配偶中的一方遗弃对方或者行为残忍或恶毒，对方可以通过法院获得相当于分居的待遇。这被称为关于分居赡养费的命令。它规定遗弃者一方对另一方应尽的义务。获得分居赡养费及规定其数额的程序基本上与生活费涉及的程序相同。要求分居赡养费通常必须有重大的理由，涉及到子女问题时尤其是这样。在某些司法制度下，这些理由必须是达到了不可能完成正常的婚姻义务的程度。在另外一些司法制度下，这些理由必须是可以离婚的理由。配偶要求分居赡养费的权利，随婚姻关系的解除或配偶中一方死亡而终止。如果双方重新生活在一起，或者如果受赡养的一方获得了意外的财富，也可以终止分居赡养费。受赡养的一方作风不良也可以使对方的义务终止。

Sephardi 西班牙系犹太人 又拼 Sefardi。自中世纪起即生活在西班牙和葡萄牙至 15 世纪晚期遭受迫害并被大批驱逐出境的一些犹太人及其后裔。他们起初逃往北非及奥斯曼帝国其他地区，其中许多人最后定居在法国、荷兰、英国、意大利及巴尔干地区。马其顿的萨洛尼卡以及阿姆斯特丹城成了逃亡的西班牙系犹太人的聚居之地。这些人大部还保持了他们原来的犹太-西班牙语言（拉迪诺语）、文学和风俗习惯。他们在地中海及北欧各犹太人居民区内，以其文化及学术成就而声名卓著。西班牙系犹太人与法系犹太人不同之处，就在于他们奉行巴比伦犹太教祭祀传统而摒弃巴勒斯坦犹太教祭祀仪式。现在世界各地约 70 万西班牙系犹太人（大大少于德系犹太人）中，许多人已在以色列定居。以色列的拉比院设有西班牙系犹太教大拉比与德系犹太教大拉比。东方犹太人这一名称，大概用于指北非及中东地区的犹太人更为合适，他们与西班牙及德国毫无关系，他们使用阿拉伯语、波斯语或古阿拉米语的一种变体。然而，西班牙系犹太人这个称呼，往往也包括全部北非犹太人及其他的犹太人，因为他们在“西班牙犹太人”的影响下已经采用了西班牙系犹太教的仪式。

sepia 乌贼颜料 一种取自乌贼分泌液的颜料，棕褐略带紫色。乌贼颜料取自这种无脊椎动物的墨汁液囊。将液囊迅速从体内取出以防止腐败，然后溶解于碱性稀溶液中，过

莱奥纳多·达·芬奇用乌贼颜料试画《裸体男子》
供图：Biblioteca Ambrosiana, Milan

滤后，用稀盐酸将颜料沉淀出来，再经清洗过滤和干燥。这种惰性颜料经久不变，可用作绘图墨水，特别是可用作单色水彩画的颜料。至少自古罗马时代起便作为墨水使用，但直到文艺复兴时期以后才流行起来。18 和 19 世纪后期通常取代取自木煤烟的深褐色颜料来绘制水彩画。到 20 世纪，它已被工业生产的水彩颜料所取代。

Sepik River 塞皮克河 原称凯瑟琳奥古斯塔河。新几内亚岛最长河之一。源出巴布亚新几内亚特莱福明附近的中部高地的维克托·伊曼纽尔山，流向西北，转向东，贯穿中部洼原，接纳贝瓦尼山、托里塞利山和中部山脉的许多支流后，经三角洲注入俾斯麦海。全长约 700 英里。下游大部分流经由生长西谷椥与聂帕椥的沼泽和潟湖形成的原野，河道上漂浮着大片水生植物，泥沙含量大，使河口以外 20 英里的海水变色。河口宽 1 英里以上。300 英里长的河道通航吃水不足 13 英尺的船只。沿岸无大居民区，最大者为安戈拉姆。下游人烟稀少。由于沿河一些小部落处于与世隔绝的状态，这些部落的人民创造出一些内容古朴、形式多样的大洋洲传统工艺。

sepiolite 海泡石 又作 meerschaum。一种纤维状的含水硅酸镁，不透明，呈白色、灰色或奶油色。它与墨斗鱼骨相似，由此而得名。在黑海地区，有大量的重量轻的多孔黏土矿物，与海泡石相似。化学式和物理性质参阅 **clay mineral**（表）。像在坡缕石中那样，海泡石的结构中也含有延展的硅氧层，所以这种矿物属于层状硅酸盐族，但是形成这些层的硅氧 SiO_4 四面体群的排列方向却是长条形

土耳其出产的海泡石
供图：B. M. Shaub

板晶的发育方向，从而造成这种矿物的纤维状性质。海泡石主要用来制烟斗。最重要的商业矿床在土耳其的埃斯基谢希尔，在那里的河流冲积物中找到了这种矿物的不规则结核，它是蛇纹石的蚀变产物。刚开采出来时，海泡石是软的，但干后就变硬了。海泡石还产于法国、希腊、捷克共和国和美国。

seppuku 切腹 又作 hara-kiri。又称腹切（belly-cutting）。日本封建社会武士阶级男子结束自己生命的光荣体面方式。腹切这个词虽然在外国已广为人知，现在日本人却很少用；他们喜欢用切腹。作为一种极度痛苦而缓慢的自杀，切腹曾被认为是表现武士的勇气、自制力和决心以及证明目的真诚的有效方法。切腹自杀有两种：自愿的和被迫的。自愿的切腹自杀，在 12 世纪战争时期发展成为勇士们经常用的一种方法。这样他们在战争失败后，可以避免被敌人俘虏的耻辱。间或也有这样一些情况：武士的切腹自杀是用死来表示对主人的忠诚，或是对上司或政府的某项政策的反抗，或是表示抵偿失职之罪。近代日本已有无数自愿剖腹自杀事件。被迫切腹自杀，是指为了使武士免受被普通的刽子手砍头之辱的一种极刑；从 15 世纪到 1873 年废除为止，一直很盛行。切腹自杀的仪式要有一定的过程，这一点极受重视。

Sept-Îles 七岛市 英语作 Seven Islands。加拿大魁北克省东部城市。在圣劳伦斯河口湾北岸。湾口有 6 座岩石陡峭的岛，第 7 座岛实为大陆的一部分。1983 年矿山关闭以

七岛市附近穆瓦西河上的渔船
供图：Winston Fraser

前，七岛市为铁矿石的重要输出港，矿石从谢弗维尔和拉布拉多（在市北 580 千米）由铁路运来。1950 年以来，铁矿石装运量激增，城市随之发展。1954 年建成大型矿石装运码头和一座水电站。有轮渡通往加斯佩半岛。1951 年设镇，1959 年设市。人口 23 791（2001）。

September 九月 格雷果里历第九个月份。参阅 **month**。

September Eighteenth Incident “九一八”事变 又称满洲事变。1931年9月18日日本军队突然袭击沈阳，以武力侵占中国东北三省的事件。20世纪初日本就在中国东北取

“九一八”事变后，日军占领沈阳
中国大百科全书出版社供图

得很多特权，并确立以满蒙为侵略扩张基地的战略。1931 年 9 月 18 日晚驻中国东北的日本关东军自行炸毁沈阳北郊南满铁路一段路轨，反诬是中国军队所为，以此为借口进攻东北四省的政治、经济和文化中心沈阳城。驻朝鲜日军也越界支援关东军。国民党政府命令东北军“绝对不得抵抗”，致使日军在 19 日晨占领沈阳，接着分兵侵占吉林、黑龙江等

省。至1932年1月占领东北全境以及热河省,该地区从此沦为日本帝国主义殖民地长达14年之久。

September 11 attacks 9·11事件 与伊斯兰极端主义者的基地组织有联系的19名武装人员对美国国内目标展开的一系列劫机活动和自杀性攻击。此次袭击事件造成大量人员死亡和严重破坏,促使了美国全力打击恐怖主义。劫机者大多来自沙特阿拉伯,他们在美国定居,许多人在此次袭击之前已久居美国。他们分组行动,有些人还受过商业飞行训练。2001年9月11日,劫机人员小组分别登上3个美国东海岸机场的4架国内班机(第20名有嫌疑的武装人员被美国当局拘留)。起飞后不久他们就使机组人员无力还手,从而控制了飞机。这些飞机都是大型客机,目的地是美国西海岸,所以装满了燃料。上午8时46分(当地时间),恐怖分子驾驶第一架从波士顿起飞的飞机,撞入纽约市世界贸易中心的北塔楼。约15分钟后,第二架也是从波士顿起飞的飞机撞击了南塔楼。每座楼都被撞得十分严重,升起了熊熊烈火。第三架飞机从华盛顿起飞,9时40分时撞到了市郊的五角大楼西南侧,引起部分建筑物起火。在后一个小时里,第四架飞机(从新泽西州纽瓦克机场起飞)上的乘客试图制伏袭击者(有乘客通过手机告知事件真相),之后飞机坠落在宾夕法尼亚州乡间。9时59分,世界贸易大楼中心严重受损的南塔楼坍塌;约半个小时后,北塔楼同样坍塌。双子塔楼邻近的其他一些建筑物也遭受重创,若干座建筑物相继倒塌。世贸中心位置的火闷烧了3个多月。救援工作几乎是立即展开的。纽约市约有2 750人遇难,五角大楼死亡184人,宾夕法尼亚州40人;19名恐怖分子全部死亡。纽约市的警察和消防部门损失尤为严重:数百人冲向现场,400多名警官和消防队员因而丧命。这次袭击事件造成的情感悲痛是巨大的,人们尤其痛惜这座纽约市最醒目的地标建筑双子塔的倒塌。几十万人亲眼目睹了这场袭击事件(许多旁观者拍下了这幕画面,或用摄像机摄制下来),几百万人通过电视直播看到这场悲剧。世界市场也受到重创,纽约市场关闭了4个交易日。后来,市场遭受了创纪录的损失。与美国结盟的国家开始前来支持。美国收集到的证据很快让大多数政府相信,伊斯兰武装集团基地组织应对此次事件负责。基地组织的总部设在阿富汗,与该国的统治集团塔利班有着密切的关系。其后,塔利班拒绝美国引渡本·拉登和终止基地组织在那里活动的要求。10月初,美国和多国部队向阿富汗发动攻击,他们在几个月内击毙或捕获了数以千计的武装人员,逼使塔利班和基地组织的首领们不得不躲藏起来。9·11事件后,美国政府努力在全世界追踪其他基地组织成员和同情者,反恐成为美国对外政策的焦点。同时在国内机场、政府大楼及运动场所等地都加强了安全防范措施。

September Massacres 九月大屠杀 1792年9月2～6日,在巴黎成批屠杀囚犯的重大事件。有时被称为法国大革命的"第一次恐怖"。这次屠杀反映了巴黎人民在推翻君主政体(1792-08-10)之后的群众情绪。他们认为政治犯正计划在狱中起事,参与反革命的阴谋。屠杀实际开始于9月2日,当一批囚犯正押往阿贝义监狱途中时,受到武装群众的袭击。在以后4天中,屠杀扩大到城内其他监狱,民政当局无力加以阻止。总计约有1 200名囚犯甚至未经过即决审判便被杀。其中有220余人是拒不接受革命政权对教会的改组的教士,但大部分受害者为触犯普通法而被捕的罪犯。九月大屠杀在国外造成深刻的印象,被渲染为革命恐怖的明证。屠杀的责任问题成为执政的国民公会中党派斗争的一个政治问题,温和的吉伦特派将其归罪于激进的政敌,尤其是J.-P.马拉和G.丹东。

September Third Society 九三学社 中国民主党派之一。由中国科学技术和文化教育、医药卫生界的高中级知识分子组成。前身是民主科学座谈会。1944年下半年,重庆科技界、文化界、教育界一批进步人士许德珩、梁希、潘菽、褚辅成、涂长望、税西恒等为争取抗日战争的胜利和政治民主,继承和发扬五四运动的民主、科学精神,组成民主科学座谈会,讨论时局,发表政见。后为纪念1945年9月3日抗日战争和国际反法西斯战争的胜利,于1946年5月4日在座谈会的基础上正式成立九三学社。它支持中国共产党的各项政治主张。1949年1月发表宣言,拥护中国共产党提出的召开新的政治协商会议、成立民主联合政府的号召。同年9月派代表参加了中国人民政治协商会议第一届全体会议。中华人民共和国建立后,九三学社团结和推动其成员及所联系的人士,投身于经济、科技、教育等各项建设事业。文化大革命期间,被迫停止活动。1978年恢复活动后,协助中国共产党和人民政府落实知识分子政策,还就教育、科技、知识分子问题、经济建设等方面的重要课题进行调查研究,向有关主管部门提出意见和建议;开展智力开发、科技咨询活动等。九三学社的机关刊物是《民主与科学》(双月刊)。

septic arthritis 脓毒性关节炎 感染引起的一个或多个关节的急性炎症。其症状和治疗方法根据感染的类型而异。化脓性关节炎可继发于溶血性链球菌、金黄色葡萄球菌、肺炎球菌或脑膜炎球菌性感染。症状为关节肿胀、发热、疼痛、积脓;脓液可腐蚀、破坏关节软骨。由于关节软骨几无再生能力,因此若治疗不及时,可致永久性损害。治疗方法包括抗菌药物、切开引流和固定关节。非化脓性关节炎可并发于许多疾病,如结核病、先天性梅毒、淋病、伤寒、风疹、霉菌感染或风湿热;症状为关节活动时疼痛、发僵、肿胀。治疗方法有休息、药物治疗等。对结核病引起者可用矫形外科方法以预防骨骼畸形。参阅**osteoarthritis;rheumatoid arthritis**。

septic tank 化粪池 与城市污水管道不连接的独立住宅的污水处理装置。一般为建于地下的单舱式或双舱式混凝土或钢质水池,可使废水在流过水池时与沉淀的污泥充分接触,然后通过一个瓦管排入荒地。水中的固体即被污泥中的厌氧细菌分解。若干年后污泥的积累会干扰细菌作用,须用除垢装置将污泥从化粪池中泵出,易地处理。

septicemia 败血症 又作blood poisoning。全身性感染,表现为细菌在血液中繁殖并产生毒素。败血症的主要症状有:高热、寒战、虚弱、大汗、血压不稳等。典型致病菌多是格兰氏阴性细菌,此类细菌之毒素可激发机体的免疫反应,并刺激凝血。弥漫性毛细血管内凝血(DIC)是败血症常见的合并症。此合并症源于细菌毒素的作用;结果导致败血性休克。败血症常为多种细菌的混合感染,如:金黄色葡萄球菌、链球菌、肺炎球菌,故在治疗上应选用广谱抗生素。如用药不当或治疗措施不及时,就会出现败血性休克,这种合并症的死亡率超过50%。脓血症是败血症的一种类型,此时化脓菌进入血流并造成多发性脓肿。在住院环境下发生的败血症更为凶险,因为医院内的致病菌以具抗药菌株居多。

Septimania 塞蒂马尼亚 位于今法国西南部的古领土。介于加龙河和罗讷河之间,以及比利牛斯山脉和塞文山脉之间。罗马皇帝奥古斯都在位期间,第七军团(Septimani)的退伍战士在此定居,该地大概因此而得名。在克洛维将西班牙的西哥特人从法兰克王国的大部国土上赶走以后,此地就是西哥特人在高卢的最后一块领地。当时拥有7个城市或教区。这一地区的大部分后来属朗格多克省。在加洛林王朝治下,此地成为阿基坦王国的一部分,但于817年成为一个独立公国。9世纪时,该领地转入图卢兹伯爵手中,它作为一个单独的政治实体便从历史中消失。

Septuagint 《七十子希腊文本圣经》 缩写LXX。《圣经·旧约》现存最古老的希腊文译本,是根据希伯来文本译成的,据说是供埃及的犹太人阅读的。分析此译本所用语言可知,其中律法书即《托拉》(《五经》)译成时间接近公元前3世纪中叶,其余各卷译成于公元前2世纪。据传,从以色列十二支派中各选6人共72人参加翻译,各人独居一室翻译整本《圣经》,最后各人译本竟彼此一字不差,故名七十子本。其实,此本中律法书与其后各卷译文体例和用词法彼此大异。相传耶路撒冷祭司长以利亚撒根据赞助文学事业的埃及国王托勒密二世(公元前285～前246在位)的要求把译者集中到亚历山大。此说始见于《阿里斯提亚斯书信》,并不可靠。许多早期基督教会都使用希腊语,许多早期基督教人士就是通过七十子本找到据他们说由基督应验了的预言的出处的。犹太人认为这是糟蹋圣书,于是不再使用此本。因此此本以后的历史是在基督教会范围之内辗转发生的历史。经过辗转转抄,此本讹误甚多,到了公元3世纪,各抄本相互差异甚大,神学家奥利金试图予以校正。其他学者也为了使此本文字更加贴切而查阅希伯来文本。但是,《旧约》的古拉丁文本、科普特文本、埃塞俄比亚文本、亚美尼亚文本、格鲁吉亚文本、古教会斯拉夫文本和部分阿拉伯文本都是主要根据七十子本而不是希伯来原文本译出的。七十子本一直是希腊正教会的标准《旧约》版本，哲罗姆在译通俗拉丁文本《旧约》时最初也是根据它。七十子本在基督教会的影响下，一方面收进了希伯来正典所有各卷，另一方面把“小先知书”和其他几卷书分订，还另外收进几卷，这几卷在新教和犹太教叫做外典，在天主教叫做次经。希伯来文本正典分3部分：托拉（律法书）、奈维印（先知书）、克图温（圣录）。七十子本有4部分：律法书、历史书、诗歌、先知书，把外典各卷插在适当位置。西方教会近代各种《圣经》译本保留这种分类法，只是新教版本不是删除外典就是把它们另行编订成集。少数早期未必可靠的手抄本中包含七十子本的译文。其中最著名的有《梵蒂冈古卷》(B)和《西奈古卷》(S)，两者都抄写于公元4世纪。另外还有5世纪的《亚历山大古卷》(A)。此外还有许多古老的纸草残篇和较晚近的手稿。七十子本的最早印刷版本包含在希伯来文、希腊文和拉丁文合参的《康普鲁顿圣经》中。

Seqenenre 塞格嫩拉（活动时期公元前16世纪） 埃及国王（约公元前1545）。据传说，公元前17世纪，西闪米特征服者喜克索人践踏了埃及大部分地区，曾向塞格嫩拉提出无理的要求。正如后来的纸莎草纸文稿所示，塞格嫩拉和最后一个伟大的喜克索国王是同时代人，同时还可能像诸侯那样向其纳贡。据文稿所述，这最后一位喜克索统治者曾掀起一场舌战，声称底比斯的河马搅得他无法在644千米外的三角洲都城中安睡。不幸的是文稿以塞格嫩拉及其朝臣正在考虑草拟出一则适当的答复结束，而未道出其他结局。塞格嫩拉惨遭横死：其木乃伊显露出头部有5处严重伤痕，1处系致命棒击，3处系用斧子砍伤，1处系用矛或剑刺伤。由于他是躺在地上遭到斧子砍伤，所以有些学者认为：他是在熟睡时被暗杀的，同时四肢未能进行妥善处理。这说明：塞格嫩拉是在极特殊的情况下去世的。

Sequani 塞卡尼人 高卢凯尔特民族。公元前1世纪占据索恩河、罗讷河和莱茵河之间的地区，其主要城市在韦松蒂奥（现代的贝桑松），曾被日耳曼人占领。在罗马帝国统治下，塞卡尼人属于比利时高卢区；于戴克里先在位时重新建制（3世纪末到4世纪初），将塞卡尼人、劳拉奇人和赫尔维蒂人的领土合并，划为塞卡尼亚省。

sequence 模进（继叙咏） ①模进。在音乐中，指旋律或和弦的音型在新的音高上重复出现，使音乐素材获得统一与发展。“真正的”模进是按原音型作严格的模仿。以符合作品调性作必要的音程调整称为守调模进。②继叙咏。在中世纪的音乐与文学作品中，继叙咏指在哈利路亚与福音之间用拉丁语歌词演唱的音乐。约于8世纪前后从哈利路亚花唱（哈利路亚最后一个音节的花俏结束）的附加句发展而得。继叙咏在整个欧洲非常流行，传世作品极多，供各宗教节日应用。受继叙咏影响的世俗音乐包括埃斯唐皮（一种舞蹈）和莱（中世纪法国行吟诗人的一种歌曲体裁）。16世纪特伦托会议决定在礼拜仪式中只保留4段继叙咏，即《复活节牺牲者赞歌》、《圣灵降临》、《末日经》和《锡安颂》。1727年《圣母悼歌》得到恢复。

sequestration 强制管理 在最广泛的法律意义上，指把某人占有的财产从该人处取走。在国际法中，指政府扣押个人的财产作为己用。司法方面的强制管理（假扣押）则指法院下达命令给执行员，在某种场合下对未判决归谁所有的财产予以扣押。在罗马法中，争讼某项财产的双方常常将该项财产的管理权交给第三者（强制管理人），一直到争议解决时为止。后来，法院指定管理人占有该财产，并在不执行法院命令的一方服从命令之前一直保留该项财产。指定管理人现在已很少采用，不过强制管理本身已经成为民法法系和普通法法系的一部分。在大多数情况下，强制管理的目的主要是保存该项财产，即在确定财产的归属以前将该财产置于法院的监管之下。后来按照某些法律规定，如能提交保证金，保证合法的所有人可以得到该项财产，或得到补偿，法院就可以发还被强制管理的财产。参阅 **receivership**。

Sequoia 红杉属 杉科的属，为纪念切罗基印第安人塞阔雅（Sequoyah 或 Sequoya）而得名。含常绿红杉（*S. sempervirens*）一种（见红杉[**redwood**]）。巨杉（**big tree**）又称巨红杉（*Sequoiadendron giganteum*），有时划归本属。红杉原产于美国加利福尼亚蒙特雷县南部至俄勒冈南部海岸岭的雾带。巨杉于普雷塞至加利福尼亚图莱里县一带内华达山脉西坡有零散的树林。红杉属的化石在北半球广泛分布，最早发现于侏罗纪（2.08亿年前至1.44亿年前）。落羽杉（*Taxodium distichum*）及水杉（*Metasequoia glyptostroboides*）与红杉近缘。

Sequoia National Park 红杉国家公园 美国加利福尼亚州内华达山脉的林区。面积

红杉国家公园内的巨大红杉树
供图：David Muench—美国不列颠百科全书公司

1 629平方千米。1890年设立。北接金斯河谷国家公园。东连惠特尼山（4 418米），该山为美国本土48州的最高山。园内最大红杉树“谢尔曼将军树”已有3 000～4 000年树龄。园内动物有黑熊、鹿、狐狸和松鼠等。植物有灌木、小树及野花。公园管理处设在三河镇。

Sequoyah 塞阔雅（约1760或1770，北卡罗来纳殖民地塔斯基吉［美国］～1843-08，墨西哥圣费尔南多附近） 切罗基语拼作 Sikwayi。又名乔治·吉斯特或乔治·格斯。美国切罗基族书写体系创始人。其父 N.吉斯特可能为英国商人。由母亲（切罗基人）抚育成人，不习英语，职业银匠、漆工，技艺娴熟，惯征战，1813～1814年克里克战争中在美军服役。为帮助切罗基人维护自身的独立，自1809年开始创造切罗基族书写文字，始用象形字，继则采用英语、希腊语及希伯来字母作为口语的音节符号。至1821年创造86音符体系。简单易学，历时未久即被全国切罗基人普遍用于教学和出版。

Seraband rug 沙拉班地毯 Seraband又拼Saraband。伊朗中西部阿拉克西南的沙拉班地区手工制作的铺地用品。这种19世纪及20世纪初生产的地毯以其结实及朴素著称。

19世纪的沙拉班地毯
供图：Textile Museum Collection, Washington, D.C.

图案为交织的小叶片，或对角梨形花饰，梨尖相对相间排列。大边主要条子中为几何形蔓藤，叶形和上述相似。有的图案四角为几何形花饰，或中间是一个几何形小奎心。底色为深蓝、牙白和常用的沙拉班红。棉底，拴土耳其吉奥狄斯扣。大尺码沙拉班地毯多为窄长形。

Seraing 瑟兰 比利时东部列日省自治市。濒临默兹河，在列日上游10千米。为比利时钢铁和机械工业中心。欧洲大陆上第一台蒸汽机车1835年诞生于该市的科克里尔工厂；该厂第一个使用贝塞麦炼钢法炼钢（1863）。城市边缘一座古老的西多会隐修院现在是瓦

勒圣朗贝尔玻璃厂，它是欧洲最大的玻璃厂之一。人口约 61 225(1993)。

Serao, Matilde 塞劳（1856-03-07，希腊帕特拉斯[今在帕特雷]～1927-07-25，意大利那不勒斯） 希腊出生的意大利小说家和新闻记者，那不勒斯《今日报》的创办人和主编。父为那不勒斯人，母为希腊人，随同家人回到那不勒斯就学，先在电报局工作，嗣后加入那不勒斯的《信使早报》。1882 年移居罗马，两年后与 E.斯卡尔福利奥结婚，共同创办《罗马信使报》及另外两份期刊。回到那不勒斯后，与丈夫分手，1904 年创办颇具影响力的《今日报》，担任主编直至去世。从事新闻事业的同时，写了大约 40 部非常受欢迎的小说和一些关于那不勒斯中下层人士生活的短篇故事。最好的小说是《想象中的乐土》(1890)，这是有关那不勒斯人热衷于抽奖的生动故事。其他著名小说有《一个姑娘的浪漫故事》(1886)和《克罗切的修女乔万娜》(1901)。

seraph 撒拉弗 犹太教、基督教和伊斯兰教经籍中所载的一种天使。有两对翅膀，另说有三对翅膀，在上帝的宝座旁侍立。据基督教传说，撒拉弗是级别最高的天使。在艺术作品中，四翼撒拉弗为蓝色，象征天；六翼撒拉弗为红色，象征火。中国伊斯兰教将其译作“萨拉握”。

Seraphim of Sarov, Saint 塞拉芬（萨罗夫的），圣（1759-07-19，俄罗斯库尔斯克～1833-01-02，坦波夫萨罗夫隐修院） 俄罗斯正教修士、奥秘修行家。他刻苦修行，诲人不倦，号称“灵性导师”。隐居 25 年后，自称亲得圣母马利亚指示，乃于 1815 年积极从事传教活动。指引信徒灵修，主持当地信徒和慕名而来者的告解。据说他能行神迹，能感知他人心思，洞悉善恶。

Serapion, Saint 参阅 **Serapion, Saint 萨拉皮翁，圣**。

Serapion Brothers 谢拉皮翁兄弟 1921年成立的俄罗斯青年作家团体。他们虽然没有明确的纲领，但却具有共同的信念，即艺术作品一定要立足于自己本身内在的价值；生活或幻想的任何方面都可以成为艺术的主题；应该对各种不同风格进行尝试。他们尊崇德国浪漫主义小说家霍夫曼。后者写了许多异国情调的故事，假托是一个名叫谢拉皮翁的隐士以及聚集在他周围的一些人互相之间讲述的。“谢拉皮翁兄弟”就用谢拉皮翁的名字来表达他们对讲故事艺术的兴趣。他们虽然不能完全摆脱社会主题，但他们的作品却具有如下特点：即独到地运用曲折的情节、意外的结局以及制造神秘气氛和悬念的技巧。他们高度评价西方逃避现实的文学，如大仲马、斯蒂文森、R.哈格德的浪漫主义冒险故事，认为它在艺术技巧方面高于传统的俄国现实主义。他们在扎米亚京创办的文学训练班学习文学写作技巧。其成员（大部分为 20 多岁）有左琴科、伊万诺夫、卡维林、尼基京、吉洪诺夫、费定、隆茨、斯洛尼姆斯基和什克洛夫斯基。“谢拉皮翁兄弟”的影响超出了他们核心成员的范围，对大部分其他不问政治并主宰苏联早期文坛的作家也有影响。

Serapis（Egypto - Grecian deity） 参阅 **Sarapis 萨拉匹斯**。

Serapis and Bonhomme Richard, engagement between（naval battle） **“塞拉皮斯”号和“博诺姆·理查德”号海战** 参阅 **Bonhomme Richard and Serapis, engagement between “博诺姆·理查德”号和“塞拉皮斯”号海战**。

Serbia 塞尔维亚 塞尔维亚-克罗地亚语作 Srbija。欧洲国家，位于巴尔干半岛中西部。从前的两个自治省科索沃（自 1999 年起由联合国管理）和伏伊伏丁那在该国境内。

美国不列颠百科全书公司供图

首都贝尔格莱德。面积 88 361 平方千米，不含科索沃和伏伊伏丁那两个自治省为 55 968 平方千米。大部分为山区，西部有狄那里克阿尔卑斯山，南部有北阿尔巴尼亚山脉，东部有巴尔干和喀尔巴阡山脉。许多山峰海拔 1 800余米。多瑙河在北部与其两条主要支流萨瓦河与蒂萨河汇合，向东南流，构成与罗马尼亚的界河。大体为大陆性气候，冬季寒冷干燥，夏季炎热潮湿。约1/4的塞尔维亚人居住在境外，主要在波斯尼亚-黑塞哥维那和克罗地亚。在除伏伊伏丁那和科索沃两自治省以外的该国境内，塞尔维亚人占人口的 4/5 强。塞尔维亚人 6 ～ 7 世纪来到巴尔干半岛。1459 年土耳其完全征服了塞尔维亚。1699 年，土耳其人被奥地利哈布斯堡军队驱赶到多瑙河以南，但塞尔维亚南部仍由土耳其控制。塞尔维亚独立运动始自卡拉乔尔杰(1804 ～ 1813)和米洛什·奥布廉诺维奇(1815 ～1817)领导的几次起义。1828 ～ 1829 年俄土战争后，成为土耳其的宗主权之下和俄国保护下国际承认的自治公国。1875 年波斯尼亚和黑塞哥维那暴动后，塞尔维亚和黑山于 1876 ～ 1878 年同土耳其交战，声援波斯尼亚暴动者。在俄国人支持下，塞尔维亚领土有所扩大，并于 1878 年宣告独立。在 1912 ～ 1913 年的巴尔干战争中，塞尔维亚获得马其顿北部和中部。奥地利大公爵弗兰茨·费迪南 1914 年 6 月 28 日被波斯尼亚的塞尔维亚人加弗里洛·普林西普刺杀于萨拉热窝，引起第一次世界大战。1918 年塞尔维亚与黑山及哈布斯堡前南斯拉夫属地联合组成新的国家塞尔维亚-克罗地亚-斯洛文尼亚王国，王国于 1929 年正式定名南斯拉夫。第二次世界大战中，塞尔维亚被德国、匈牙利、保加利亚和意大利分割和占领。1944 年获得解放。战后在共产党领导下塞尔维亚由农业社会改造成了以工业为主的社会。20 世纪 80 年代科索沃的阿尔巴尼亚人煽动分裂，克罗地亚、斯洛文尼亚、马其顿、波斯尼亚和黑塞哥维那退出南斯拉夫。1992 年 4 月塞尔维亚和黑山组成新的南斯拉夫联盟共和国。2006 年南联盟解体，塞尔维亚和黑山被承认为 2 个独立国家。富饶的伏伊伏丁那平原为全国供应大部分谷物和甜菜。中部山区主要经营牛奶场、水果种植和畜牧业。采矿和制造业最为重要。生产金属制品、汽车与卡车、纺织品和食品。科索沃有煤、铅、锌矿，塞尔维亚中部有铁、铜矿，伏伊伏丁那有石油。铁路大多在塞尔维亚本区和伏伊伏丁那，连接贝尔格莱德和亚得里亚海岸巴尔的干线通过黑山共和国。人口：不包括科索沃和伏伊伏丁那约 9 342 000(2005)。

Serbian literature 塞尔维亚文学 巴尔干半岛讲塞尔维亚-克罗地亚语的塞尔维亚人的文学。塞尔维亚文学大体上在12世纪开始发展，产生了诸如《米罗斯拉夫福音书》的金泥写本、圣经故事和圣徒传记之类的宗教作品。1459年土耳其占领塞尔维亚之后，文学遂告衰落。启蒙时期的最重要的塞尔维亚作家为奥布拉多维奇，他的著作对塞尔维亚文学发展极有影响。1820～1870年间的文学带有欧洲浪漫主义的许多特征，尤其是对民间文学的崇拜和民族自尊心。这期间的中心人物为斯特凡诺维奇，他是文学语言改革家，著有塞尔维亚语文法，编纂了一部词典，搜集了许多塞尔维亚民间诗歌和故事。拉迪切维奇的抒情诗歌推动了同早年的劝善性诗歌的决裂。较有成就的浪漫主义作家有拉迪切维奇、约瓦诺维奇（人称兹玛伊）、亚克西奇和科斯蒂奇。1870～1900年间出现了走向现实主义的趋向，这一点可见之于拉扎列维奇、马塔武利以及讽刺幽默作家斯雷马茨诸人的小说。19世纪晚期和20世纪初期，塞尔维亚文学受到欧洲潮流特别是法国象征主义以及心理小说的影响。在两次世界大战之间的塞尔维亚作家继续追随欧洲的主要文学运动。贝尔格莱德的超现实主义作家们发出了激进的左翼政治的呼声，其中有些人后来转向社会主义现实主义。20世纪30年代文学集中在政治社会主题以及对早些时候作家的内省倾向的抨击上。这一时期的较重要作家为安德里奇，他在第二次世界大战期间创作了三部优秀小说：《特拉夫尼克故事》(1945)、《德里纳河上的桥》(1945)和《女人》(1945)，写的都是他的波斯尼亚家乡的历史。他获得1961年诺贝尔文学奖。战后时期初期仍是现实主义占主导地位，但到20世纪50年代，散文中开始出现更为新颖的表现形式，例如达维科的作品《一首诗》(1952)和布拉托维奇的《红色小公鸡》(1959)。这一时期的诗歌可以马克西莫维奇、波帕、拉伊科维奇、巴夫洛维奇和拉利奇为代表。以后的发展中值得注意的有对社会政治生活进行更尖锐的批评的小说，例如基什的《鲍里斯·达维多维奇的坟墓》(1976)；克洛可特里察姆群体则显然为了向艺术的规范和美学准则挑战而进行了文学形式的试验。

Serbian Orthodox Church 塞尔维亚正教会 东正教的自主教会之一，管辖范围在塞尔维亚、黑山、波斯尼亚和黑塞哥维那。1219年圣萨瓦成为塞尔维亚自主大主教，使塞尔维亚境内各公国在宗教上联合起来，一同归属正教君士坦丁堡牧首。自1331年起在位的塞尔维亚国王杜布香在1346～1355年间称沙皇，于是佩奇大主教也相应升格为牧首。1459年塞尔维亚沦为土耳其的一省，牧首衔被废，1557年重新恢复，1766年又被废。此后塞尔维亚教会就一直受君士坦丁堡普世牧首管辖，直到塞尔维亚独立以后塞尔维亚教会才于1879年成为自治教会。第一次世界大战后塞尔维亚正教会管辖范围扩大到塞尔维亚全境，1920年恢复牧首区。第二次世界大战后共产主义政府实行政教分离，禁止在教堂以外宣传教义。塞尔维亚正教会辖31个主教区，其中3个在北美洲，此外还设有神学院4处，教士培训所1处，办有《信使》月刊。

Serbo-Bulgarian War 塞尔维亚-保加利亚战争（1885-11-13～1886-03-03） 塞尔维亚和保加利亚之间的军事冲突。1885年9月18日，东鲁梅利亚（奥斯曼土耳其的一个自治行省）发生政变，宣布同保加利亚合并。政变发生后，塞尔维亚大公米兰要求保加利亚割让一些领土给塞尔维亚。列强召开一次国际会议，讨论如何处理保加利亚的扩张和塞尔维亚的要求。会议陷入僵局（1885-11），塞尔维亚遂宣战。保加利亚大公亚历山大一世在斯利夫尼察的决战（1885-11-17～19）中取得胜利，并于26日进入塞尔维亚。当奥匈帝国声称要参战保护塞尔维亚时，亚历山大才同意停战。结束塞尔维亚-保加利亚战争的《布加勒斯特条约》(1886-03-03)重新确定了塞尔维亚和保加利亚战前的边界，但是维持了保加利亚和东鲁梅利亚的合并。

Serbo-Croatian language 塞尔维亚-克罗地亚语 南部斯拉夫语，是塞尔维亚、黑山、波斯尼亚-黑塞哥维那和克罗地亚的民族语言，也是斯洛文尼亚和马其顿的重要第二语言。克罗地亚人信奉天主教，在威尼斯政权或奥匈帝国统治下数百年之久，塞尔维亚人信奉东正教，短期独立后，在土耳其统治下达500年。他们经常夸大语言中的微小地区性差异，以试图证明是两种语言，可是两者除了极少量词汇差别以及使用不同字母（克罗地亚语用拉丁字母，塞尔维亚语用西里尔字母）外，事实上是同一种语言。塞尔维亚-克罗地亚语残存的最早书面文献溯源至12世纪。塞尔维亚通用的书面语是教会斯拉夫语的地方变体，17世纪末开始采用俄罗斯教会斯拉夫语，以后斯拉夫-塞尔维亚语的折中书面形式才开始发展起来。现代文学语言以中部方言为基础，中部方言又称斯托卡维亚方言，其名源于方言中的疑问代词 shto 或 sto 的形式。V.S.卡拉季奇（1787～1864）曾用中部方言写作，他还是改革西里尔字母以适于塞尔维亚-克罗地亚语语音体系的主要人物。查卡维亚方言（疑问代词 cha[ča] = "什么?"）虽正在迅速消失中，但在达尔马提亚群岛上和伊斯特里亚大部地区仍可听到；而卡伊卡维亚方言（疑问代词 kaj = "什么?"），通行于克罗地亚北部（包括萨格勒布在内）的绝大部分地区。参阅 **Old Church Slavonic language**。

Serbo-Turkish War 塞尔维亚-土耳其战争（1876～1878） 塞尔维亚和黑山为支持波斯尼亚起义者而同奥斯曼土耳其人发生的军事冲突。它加剧了巴尔干危机，导致1877～1878年俄土战争的爆发，最终塞尔维亚和黑山获得独立并扩张了疆土。1875年7月，黑塞哥维那信奉基督教的农民起来反抗他们的穆斯林地主和奥斯曼土耳其的统治者。起义很快蔓延到波斯尼亚，并得到自治公国塞尔维亚人的热烈支持。塞尔维亚的米兰·奥布廉诺维奇四世和黑山的尼古拉大公迫于公众的压力，向土耳其人宣战(1876-06-30)。但塞尔维亚军力极为有限，俄国政府又没有立即提供军事援助。塞尔维亚人攻入波斯尼亚的努力失败了。在阿莱克西纳茨战役(1876-09-01)中败北以后，面临着土耳其人向贝尔格莱德的进军。这时，俄国才向土耳其人发出最后通牒，强迫双方缔结停战协定(1876-10-31)。1877年3月1日，塞尔维亚和土耳其缔结了一项维持现状的和约，但俄国坚持土耳其人必须改善国内信奉基督教的居民的处境，向奥斯曼帝国宣布新的战争(1877-04)。同年12月，塞尔维亚也重新向土耳其人开战。根据最后结束1877～1878年俄土战争的《柏林条约》，塞尔维亚在其东南边境上获得一块约10 360平方千米的土地，宣布脱离土耳其帝国而独立。

Serbs, Croats, and Slovenes, Kingdom of 塞尔维亚-克罗地亚-斯洛文尼亚王国 1918年12月1日成立的巴尔干国家。由塞尔维亚的卡拉乔尔杰王朝统治，包括先前独立的塞尔维亚、黑山两王国和原属奥匈帝国南部斯拉夫人的领土：达尔马提亚、克罗地亚、斯洛文尼亚、波斯尼亚-黑塞哥维那和伏伊伏丁那。1919年塞尔维亚又吞并保加利亚的东南部领土，包括斯特鲁米察在内。1925年圣瑙姆隐修院由阿尔巴尼亚转归塞尔维亚。1929年，国王亚历山大一世为对抗地方民族主义，实行王室独裁，把王国更名为**南斯拉夫（Yugoslavia）**。

Sercq（Channel Islands） 参阅 **Sark 萨克**。

Seremban 芙蓉 西马来西亚城镇。濒临宁宜河。地处内陆，距马六甲海峡波德申40千米。19世纪40年代创建。原为锡矿采掘地，现主要生产橡胶，仍有锡矿开采。东面的中央山脉谷地种植水稻。在新加坡-吉隆坡公路和铁路干线上。铁路支线通波德申。有公路通瓜拉比拉和马来亚东部。镇内有湖上公园、博物馆和一所典型马来房屋（不使用钉的传统苏门答腊结构）。设有师范学院。镇南19千米处有温泉，为度假胜地。人口约182 584(1991)。

serenade 小夜曲 原是一种在夜晚求爱的歌曲，18世纪后期该名词特指短小的器乐组曲，类似嬉游曲、室外嬉游曲和夜曲之类。在艺术音乐中，属于第一类型的例子有莫扎特所写《唐·乔凡尼》中的小夜曲《啊，来到窗前》。以后器乐小夜曲逐渐同求爱脱离关系，成为（约1770）主要适宜于户外演奏的，诸如舞曲和进行曲之类的轻音乐曲集。莫扎特作有几首不同乐器组合的合奏小夜曲。舒伯特、贝多芬、勃拉姆斯、柴可夫斯基和雷格尔也都有类似的创作。20世纪斯特拉文斯基利用这一体裁传统的轻快特色而把他的一首新古典主义键盘乐曲称为《小夜曲》。

serenata 夜乐 18世纪，一种包括康塔塔、清唱剧及歌剧的许多特点的声乐形式。有一定的戏剧性，但比歌剧短，演出时不需要那么刻意经营。按传统习惯，夜乐是作为一种晚间的娱乐项目在宫殿的接待厅中举行，用一个小乐队几位化装的演员以及少量很简单的布景。它在当时欧洲的各宫廷中十分流行，一般是为纪念某个特别日子(如王室成员的生日等)而作，其题材多从神话或古代历史中选取，其唱词也常有寓意特征。斯特拉代拉是最早的夜乐作曲家之一，在他之后还有斯卡拉蒂和韩德尔以及17世纪末及18世纪大多数的作曲家。韩德尔的田园夜乐《阿西斯与加拉蒂亚》是这一体裁的最著名而且盛演不衰的范例之一。

Serendib 锡伦狄布 又作Serendip。阿拉伯语拉丁字母转写作Sarandīb。即锡兰岛。这一地名源出阿拉伯语，据文献记载，至少早在361年即已使用，并且在西方一度相当流行。讲英语的人们之所以对它十分熟悉，是由于在18世纪英国文人H.沃波尔从一篇波斯童话《锡伦狄布三王子》得到启示，创造了serendipity(偶然发现珍宝的运气)一词，因为童话的主人公往往有不期而遇的发现。锡伦狄布一名为梵文复合词Siṃhaladvīpa(狮子居住的海岛)的讹误，现已作废。据推测，阿拉伯人是从与他们交易的印度人那里借用这一名称的。

Serengeti National Park 塞伦盖蒂国家公园 东非坦桑尼亚中北部的国家野生动物园。以大群平原动物(特别是非洲大羚羊、羚羊和斑马)著称，是非洲唯一仍有众多陆地动物栖息迁移的地区，也是吸引国际观光客之地。设于1941年，占地约14 800平方千米，内有非洲最佳的草原及广大的刺槐树草原。海拔900～1 800米，自维多利亚湖东南岸向东和东南方向伸展，长达160千米。其东部走廊地带宽40千米，长160千米，北接肯尼亚与坦桑尼亚两国的边界。沿着这个东部走廊地带有150万头非洲大羚羊、20万匹斑马、同样众多的羚羊及其他的动物每年经此迁徙。在12～5月的湿季里，兽群在公园的东南平原上栖息，随后向西移至公园的稀树草原，再向北进入肯尼亚和坦桑尼亚边界上的马拉草原。于11月干季末尾时又折回公园的东南平原。除了35种以上的平原动物外，还有许多狮子(约3 000头)、豹、大象、犀牛、河马、长颈鹿和狒狒，以及已记录到的200多种鸟类。30年前塞伦盖蒂尚没有大象的踪迹，后因园外人口越来越多，大象迁入园内。为获取象牙和黑犀牛角滥杀大象和濒临灭绝的黑犀牛，以及为获得野味偷猎动物的事件，是公园管理处面临的重大问题。公园管理处设在靠近公园中央的塞罗内拉。

塞伦盖蒂国家公园中的斑马和非洲大羚羊
供图：Comstock Inc./Boyd Norton

Serer 塞雷尔人 住在塞内加尔西部和冈比亚的民族。语言属尼日尔-刚果语系西大西洋语支，称为塞雷尔语。塞雷尔人是定居农民，种植黍类、稻谷和其他作物，还植树育林，饲养牛、绵羊和山羊；定期集市贸易比较活跃。当代塞雷尔人的典型村庄是屋顶覆盖芦苇和谷草的一簇方形或圆形小茅舍。在一夫多妻的家庭中，妻子各自有一间茅舍。一般以牲畜作聘礼。按母系血统继承遗产和传宗。塞雷尔人大多相信万物有灵，很少有人改信伊斯兰教或基督教。

serfdom 农奴制 中世纪欧洲佃农被束缚在承袭的一块土地上、对地主唯命是从的状况。中世纪欧洲绝大多数农奴靠耕种领主的土地过活，这是区分农奴与奴隶的基本特征，奴隶的买卖与土地无关。农奴靠自己努力生产自供衣食。农奴在租用的土地上种植的很大一部分粮食必须上缴给领主。领主还可以强迫农奴耕种其他佃户没有租用的土地(叫做领地)，农奴还必须使用其领主的磨坊，不得有其他选择。

农奴制另一基本标志是没有自由民的许多人身自由，其中主要的是农奴没有行动自由。他未获得领主准许便不能永远离开其租用地或村子；未获得领主准许，农奴也不能结婚、改变其工作，或处置其财产。他被束缚在指定的某块土地上，可随之转让给新的领主。农奴们往往遭到粗暴对待，对领主们所作所为几乎得不到法律上的补救。一个农奴只有通过解放、恢复自由和逃跑才能成为自由民。

早在公元2世纪，罗马帝国原来由一批批奴隶耕作的大片私有土地，其中有许多逐渐改为农民租用的分散的土地。罗马帝国末期的这些农民(有许多是奴隶后代)投靠大土地所有者和其他要人保护，免受国家收税员以及后来的野蛮侵略者和暴虐邻人之害。这些依附的农民称作“科洛尼”，有的可能租用领主准予的土地，他们也可能把自己的土地缴给领主以换取这种保护。总之，依附的农民宣誓效忠一位领主，因而受到该领主的约束，已成惯例。“科洛尼”的主要问题是防止他们离开已同意佃种的土地，解决办法是从法律上把他们束缚在租用地上。于是，罗马皇帝君士坦丁在332年定下法规，要“科洛尼”向领主服劳役。虽然“科洛尼”在法律上是自由的，根据效忠的条件，他们既要耕种租得的土地，又需耕种领主未佃出的土地。这不仅把他们束缚在租用地上，并且使他们处于必然受奴役的社会地位。因为榨取劳役需有地主代理人对“科洛尼”执行纪律，这种纪律的威胁或执行被认为是个人屈从地位最清楚的标志之一。

到公元6世纪，受奴役的农民已称为农奴，在社会上被当作下等人对待。农奴后来成为小的分散的社会群体中的主要阶级，这种社会群体是欧洲从5世纪罗马帝国衰亡到12世纪最初改组为封建君主国、公国和郡的期间大部分地方的特征。

到14世纪，西欧经济条件有利于自由农民取代农奴。中央和地区政府权力增强，使得实施农民与领主的契约已不需要农民受奴役，最后放弃在领地上劳役便更消除了对农民直接执行劳动纪律的必要了。由于黑死病流行，1350年后欧洲人口急剧下降，许多土地无人耕种而劳动力紧缺，两者对农民都是经济上有利的大事。最后，14和15世纪西欧农民风涌起义，也促使农民保持较有利的条件。虽然新农民在经济上不一定较其受奴役的祖先富裕，他们的人身自由增多，不再完全屈从于他们领主的意志。

东欧农民没有经过这番有利的演变。14世纪东欧农民的条件似乎不比西欧农民的条件差，在有些方面还较好；因为在德国东部、波兰、波希米亚、摩拉维亚和匈牙利，向林地殖民已使许多自由农民社区建立起来。但是，政治和经济情况扭转了这些发展。主要原因是，14和15世纪蹂躏东欧的多次战争往往损害中央政府而增加贵族的权力。在德国东部、普鲁士、波兰和俄罗斯，这一事态发展正值西欧要求得到更多的粮食。为从这项需求获利，贵族和地主收回农民租用地，扩大自己耕种的土地，并对农民的劳役提出苛刻要求。从德国东部到俄罗斯，农民的地位由此大为恶化。直到18世纪末叶，奥匈帝国的农民才从农奴制下获得解放，从而恢复行动自由和婚姻自由以及按个人选择学习一门职业的权利。俄罗斯的农奴直至1861年亚历山大二世颁布解放敕令才获得人身自由和自己的一份土地。

在中国历史上，束缚于土地的农民在法律上被认为是自由民，但完全依靠地主为生。在这种农奴制下，农民可以被交易，不经法律程序可以被惩罚，并可使其以劳动向领主进贡。但是，1949年中华人民共和国成立后，农奴全都获得了解放。

serge 哔叽 用于大量制作军服的织物。正反两面都有斜向织纹，通过光洁整理，将织物表面上的纤维端经剪毛或烧毛除去，使斜纹纹路显著。在织物正面形成从左下到右上的斜向凸条。哔叽早期用丝或毛制造，现在也用其他纤维制造或用毛与其他纤维混纺。

sergeant at arms 警卫官 立法机关、法院和其他组织维持秩序和执行命令的官员。在封建时代的英国，警卫官是君王的武装官员，并常常是随侍国王左右的为逮捕叛国者和其他罪犯的特殊机构的成员之一。由于这一职能，警卫官这一头衔最后用以指法院、议会和市政当局担任礼仪(显然包含纪律)职务的官员。英国议会两院各有一名警卫官，美国国会两院亦如此。英国下院的警卫官的职责有手持权杖侍奉议长和维持下院及其范围内的秩序。美国国会的警卫官具有相似的职责。

sergeant fish 参阅 **cobia** 军曹鱼。

sergeanty 服役土地占有权 又拼 serjeanty。在欧洲封建社会里,由于给国王或其他领主从事某项特定的服务而获得的一种土地占有形式。服役者包括在领主管辖范围内的工匠、管家、家庭仆役,有时还包括那些给领主服了某种形式兵役的人。当没有土地可占有时,服役者在领主家中生活。凡是占有土地的人必须缴纳多种封建费用,但不纳税并免除某些劳役。由于服役而占有的土地不能出卖或在继承人之间分配,但在实际上有很多转让和划分成小块的情况。英国在 13 世纪曾经竭力控制这些活动。结果,凡持有转让的土地者必须交纳地租或者从事规定限额的骑士服役,而未转让的部分所应尽的义务照旧不变。后来,如果服役者不经国王许可而转让他们的土地,则课以罚金。服役者与领主的正式家臣之间经常发生冲突和对抗。这主要是因为前者往往是下层阶级出身,绝大多数是农奴,而他们却享有自由家臣的许多权利和特殊待遇。许多服役者实际上是自由的,特别是在英国;也有的是到 13 世纪被解放的,如在法国。服役者本身往往分成两个泾渭分明的集团。英国有大小两种服役土地占有权。前一占有权十分高贵,社会地位居骑士服役之上;后一占有权则极为低劣,与农民占有权并列,称农役租佃。起初,服役土地占有权并没有高下之分,但是凡是使服役者能与君主直接接触的那些服役土地占有权,必不可免地要提高享有者的威望,因而被称为大服役土地占有权。

Sergeyev, Ivan Ilich 谢尔盖耶夫 参阅 **John of Kronshtadt** 约翰(喀琅施塔得的)。

Sergeyev, Nicholas 谢尔盖耶夫(1876-09-15,俄罗斯圣彼得堡～1951-06-23,法国尼斯) Sergeyev 又拼 Sergueeff。俄罗斯舞蹈演员,圣彼得堡帝国芭蕾舞团导演。他曾为几个西欧舞蹈团恢复上演了俄罗斯保留剧目中许多古典芭蕾舞剧。他在圣彼得堡帝国芭蕾舞学校接受训练后,1894 年参加了该团。1904 年被提升为独舞演员和舞台监督,1914 年又升为总导演。1918 年他携带用斯吉潘诺夫记谱法记录的 21 部芭蕾舞剧场记离开俄国。因为许多古典芭蕾舞剧未能在西欧的剧目中保留下来,谢尔盖耶夫为各种舞团重新排演了许多芭蕾舞剧,诸如《关不住的女儿》、《吉赛尔》、《葛蓓莉娅》、《天鹅湖》、《睡美人》和《胡桃夹子》。从 1921 年开始,谢尔盖耶夫一直在俄罗斯佳吉列夫等芭蕾舞团工作,但主要在萨德勒的韦尔斯芭蕾舞团(现为皇家芭蕾舞团)和国际芭蕾舞团工作。国际芭蕾舞团的导演 M.英格雷斯贝在谢尔盖耶夫逝世后继承了他的舞谱。

Sergipe 塞尔希培 巴西的一州。位于该国东北部伸入大西洋部分的南海岸。东濒大西洋,西和南与巴伊亚州相邻,北以圣弗朗西斯科河与阿拉戈斯州为界。面积 21 994 平方千米。首府阿拉卡茹。1820 年成为独立的管辖区。1824 年为帝国的省。1889 年为巴西共和国的州。全州在地理上分为两大区:东部为狭窄的滨海低地,森林茂密;西部为台地和山地。北部水系汇入圣弗朗西斯科河,南部河川直接注入大西洋。滨海地区炎热。降水充足。内地炎热干燥,经常发生水灾和旱灾。热带森林占全州植被的 34%,多刺落叶灌木林占 50%,海岸植被占 16%。沿海地带的天然森林破坏严重,但尚存一些棕榈林和槚如树林。

沿海地区和中部地区人口最稠密。半数人口为城市居民。约 3/4 的人为混血种。1967 年建立的塞尔希培联邦大学可提供高等教育。博物馆藏有殖民时期艺术品。经济以农业为主。主要农产品有棉花、稻米、甘蔗、椰子、豆类、烟草、木薯和玉米。高地发展牲畜饲养业,有牛、猪、羊等。石油工业发展较快,其他矿藏有岩盐和钾盐。传统工业有制糖、纺织和小型食品加工厂。有几千英里的公路网。有铁路。20 世纪 70 年代修建圣弗朗西斯科河铁路桥,可通阿拉戈斯州。人口约 1 416 600(1990)。

Sergius 塞尔吉乌斯 统治者的称号。按教皇或牧首系谱分列于后,并各以 ● 为标记。

罗马教廷

● **Sergius I, Saint 塞尔吉乌斯一世,圣**(?,西西里巴勒莫[意大利]～约 701-09-08,罗马) 教皇(687 ～ 701 在位)。7 世纪最重要的教皇之一。其父母为叙利亚人。前代教皇科农死后,大助祭帕斯加尔对帝国宗主教普拉廷提出贿赂,于是普拉廷进行斡旋,使帕斯加尔成为教皇候选人,与少数派所拥护的大司铎狄奥多尔竞争。后来更高级的神职人员提出塞尔吉乌斯为候选人,普拉廷表示同意,但强行要求塞尔吉乌斯付给他原由帕斯加尔承诺付给的黄金,塞尔吉乌斯勉强同意,在付给此项黄金后得以登位。692 年拜占廷帝国皇帝查士丁尼二世召开君士坦丁堡厅会议,其决议使东西方教会之间的分歧更加严重。塞尔吉乌斯一世宣布不承认其中一部分决议,为此查士丁尼二世下令将他逮捕并押送君士坦丁堡。但由于罗马市民和拉韦纳民兵反抗而作罢。不久查士丁尼二世被废黜。塞尔吉乌斯一世注意到盎格鲁-撒克逊人和法兰克人,于 689 年为韦塞克斯国王卡德沃拉施洗礼,约在 691 年下令恢复威尔夫里德的约克主教职务。起初,教皇贝拉基一世批准 553 年君士坦丁堡会议谴责聂斯脱利派的若干著作,从而引起"三章争论",于是从 556 年以后,意大利北部阿奎莱亚省教会就脱离罗马。塞尔吉乌斯一世得伦巴第国王库尼佩尔之助,结束这种局面,使争论获得解决,教会恢复统一。

● **Sergius II 塞尔吉乌斯二世**(?,罗马[意大利]～847-01-27) 教皇(844 ～ 847 在位)。由罗马贵族推选为教皇(民众另选助祭约翰为敌对教皇)。844 年未经法兰克皇帝洛泰尔二世批准即行登位。于是洛泰尔二世派太子路易二世率军膺惩教皇违反 824 年所颁行的《罗马宪章》。根据后来达成的和平协议,塞尔吉乌斯二世同意尔后教皇人选必须征得皇帝同意,路易二世保证不攻击罗马。同年塞尔吉乌斯二世为路易二世加冕,授伦巴第国王称号。他拒绝根据梅斯主教德罗戈的建议宣布罗马效忠于路易二世,但组织罗马市民宣誓忠于洛泰尔二世。他将教务委之于其弟阿尔巴诺主教本尼狄克,此人攫夺权力,大兴土木而乘机大饱私囊。萨拉森人攻击罗马,毁坏罗马城垣,塞尔吉乌斯二世由于未能事先防范而招致非议。

● **Sergius III 塞尔吉乌斯三世**(?,罗马[意大利]～911-04-14,罗马) 教皇(904 ～ 911 在位)。出身贵族。由教皇福尔摩苏斯任命为主教,后来却支持教皇司提反六世(七世)发掘福尔摩苏斯之墓而审其尸。自 896 年福尔摩苏斯死至 904 年塞尔吉乌斯三世登位以前,7 代教皇和 1 代敌对教皇分别自称福尔摩苏斯派和司提反派而互相残酷争夺。898 年司提反派选出塞尔吉乌斯三世为教皇,反对派则选出约翰九世。塞尔吉乌斯三世企图强行登位,结果被逐出罗马。903 年敌对教皇克里斯托弗驱逐教皇利奥五世,次年塞尔吉乌斯三世在出身托斯库拉尼家族的斯波莱托公爵阿尔贝里克一世的武装保护下重返罗马,废克里斯托弗。904 年塞尔吉乌斯三世正式登位,推翻约翰九世的政策,再次宣布撤销福尔摩苏斯各项教令,同时颂扬司提反六世。据说塞尔吉乌斯三世与托斯库拉尼家族之女马洛齐亚私通,所生之子即日后的教皇约翰十一世。

● **Sergius IV 塞尔吉乌斯四世**(?,托斯卡纳卢纳[意大利]～ 1012-05-12,罗马) 教皇(1009 ～ 1012 在位)。原名布加波西。他屈从罗马贵族和行政长官约翰二世(自 10 世纪中至 11 世纪初一直控制教廷的罗马豪门克雷申蒂家族族长)的权势,无所作为;但尚能周济贫寒并给予几处隐修院以优惠待遇。

牧 首

● **Sergius I 塞尔吉乌斯一世**(? ～638-12-09,君士坦丁堡[今土耳其伊斯坦布尔]) 希腊正教神学家。610 ～ 638 年任君士坦丁堡牧首。622 ～ 628 年拜占廷皇帝希拉克略发动多次战役,抗击西方罗马进犯和东方波斯及阿瓦尔人骚扰;塞尔吉乌斯一世一方面给予精神上的支援,同时动用教会财力予以资助。皇帝在边疆指挥作战时,塞尔吉乌斯一世摄理政务。在关于基督论的争论中,塞尔吉乌斯一世努力调和基督一性论和 451 年卡尔西顿会议的正统教义。约于 633 年希拉克略承认塞尔吉乌斯一世所提出的基督虽有神人二性却只有一种功能的理论,谕令在全国宣传。这种基督一能论受到以耶路撒冷牧首索福罗尼乌斯为首的一派的反对,最后在 680 或 681 年君士坦丁堡会议上受到罗马教会和希腊教会的驳斥。638 年提出基督一志论,受到基督一性论派和正统派抨击,在 649 年罗马会议上被西方教会宣布为异端。

● **Sergius II 塞尔吉乌斯二世**(?～1019-07) 君士坦丁堡牧首(1001 ～ 1019)。他不

顾西派教会教皇的反对自称为普世牧首。867年拜占廷教会内部一派人进行分裂活动，他曾一度出于政治动机予以支持。有人主张追谥10世纪的神秘主义神学家西米恩（斯都狄厄斯派修道士）为圣人，塞尔吉乌斯二世反对。拜占廷皇帝巴西尔二世强令地主补纳农民所欠税款，地主纷纷抗拒，受到塞尔吉乌斯二世的支持。

Sergius 塞尔吉乌斯（1867-01-23，俄罗斯诺夫哥罗德州阿尔扎马斯～1944-05-15，莫斯科） 原名伊万·尼古拉耶维奇·斯特拉戈罗茨基。又译谢尔盖。俄罗斯正教神学家、莫斯科和全俄罗斯正教会牧首。1941年领导信徒与苏联政府一道抗击德军，使教会在战后获益甚多。

他是东正教会司铎之子，神学院毕业后任修士。1905年任芬兰主教，后调往下诺夫哥罗德，1917年升任该地都主教，他在被选入主教公会后，在莫斯科牧首吉洪被监禁时期（1922～1923），支持亲政府的分裂主义“活教会”派。1923年6月吉洪获释，塞尔吉乌斯公开宣布与“活教会”断绝关系。1925年吉洪死，塞尔吉乌斯出走，两年后返回。经过短期监禁后当选主持牧首区事务。经过他说服，正教公会议发表宣言，表示支持苏联政府，号召信徒安分拥护政府，宣布神职人员应保证忠于政府，否则予以免职。列宁格勒都主教约瑟夫所领导的倾向保守的约瑟夫派抵制政治压力，不承认塞尔吉乌斯的权力。第二次世界大战期间，塞尔吉乌斯多次募款以装备俄国坦克部队，设置野战医院，并收容难民。1943年9月4日，他与列宁格勒大主教和基辅大主教同时受到斯大林接见，政教双方实现关系正常化，这种协议是自从1917年布尔什维克革命以来的创举。政府允许教会开办少数宗教学校。同年9月召开会议，塞尔吉乌斯在会上当选为莫斯科和全俄罗斯牧首。俄罗斯正教会既然获得合法地位，分裂主义的“活教会”派从此再无法自居为正统。

Sergius of Radonezh, Saint 塞尔吉乌斯（拉多涅日的），圣（1314-05-03，俄罗斯罗斯托夫～1392-09-25，莫斯科附近拉多涅日） 又译谢尔盖。俄罗斯正教修士。1337年开始隐修，后受神职为司铎。他所主持的拉多涅日林中教堂到1354年已成为灵修中心，通称塞尔吉乌斯圣三一堂。经过13世纪蒙古人侵破坏，俄罗斯经济与文化逐渐恢复，隐修院办学蔚然成风；这个教堂也在其中发挥积极作用，同时它也是向俄罗斯北部地区传教和移民活动的中心。塞尔吉乌斯还曾出使各地，设法团结莫斯科大公顿斯科伊管辖下的各公国，在他的激励下，顿斯科伊于1380年率军在莫斯科以南顿河附近平原地区库利科沃击退鞑靼人和蒙古人。后来，他被称为俄罗斯的护国圣人。

Sergius and Bacchus, Saints 塞尔吉乌斯和巴克乌斯，圣（？～约303，叙利亚鲁萨费） 基督教殉教士。据传他们在叙利亚境内罗马边防军中任军官，得罗马皇帝马克西米安的宠信。因是基督教徒而拒绝向朱庇特神献祭。马克西米安盛怒之下将两人降职，命令他们女装游街。以后被押解到鲁萨费受鞭打，巴克乌斯死于鞭下。塞尔吉乌斯双脚被人钉上木板行走，然后斩首示众。后来塞尔吉乌斯和巴克乌斯都被追谥为拜占廷军队的主保圣人。沙漠中的游牧民基督教徒也以塞尔吉乌斯为主保圣人。

Sergiyev Posad 谢尔吉耶夫波萨德 旧称Sergiyevsky Posad（迄1918年）、Sergiyev（至1930年）或扎戈尔斯克（Zagorsk，1930～1991）。俄罗斯西部莫斯科州城市。位于莫斯科东

谢尔吉耶夫波萨德市的圣母升天大教堂
供图：Shostal

北。该城是在三位一体圣塞尔吉乌斯隐修院设防围墙的周围发展起来的。该隐修院为拉多涅日的圣塞尔吉乌斯于1337～1340年所建。1742年建的神学院仍为俄国重要神学院。隐修院的建筑吸引着大量的游客前来参观，如三位一体大教堂（1422～1423），有圣塞尔吉乌斯坟墓和画像，这些画像一些学者认为是中世纪画家安德烈·鲁勃廖夫所作；圣灵会教堂（1476～1477）及其后建的楼塔；圣母升天大教堂（1559～1585），有1684年的壁画；还有17世纪末期的餐厅和18世纪的钟楼。隐修院还有玩具博物馆。现代的谢尔吉耶夫波萨德有机械工业和多种轻工业。至今还举行每年一度的国际商品交易会。人口约115 600（1991）。

Sergueeff, Nicholas 参阅 **Sergeyev, Nicholas** 谢尔盖耶夫。

Seria 诗里亚 文莱城镇。位于首都斯里巴加湾港西南，濒临婆罗洲的南海，为重要的产油区中心，有近海油井。输油管道西南37千米马来西亚沙捞越州的鲁通市。石油收入保证文莱的现代化发展。设有该国最大公司——文莱壳牌石油公司总部。人口23 511（1981）。

serial 连载作品 每隔一定时间分期发表（如在一杂志上）的长篇小说或其他作品。19世纪创作的长篇小说通常都是先在杂志上连载发表。C.狄更斯、G.艾略特、W.M.萨克雷和A.特罗洛普等作家的许多作品都是先在杂志（如狄更斯办的《家常话》、萨克雷办的《康希尔杂志》）上连载发表的。

serial bells 编钟 中国古代祭祀、宴享时用的成组乐钟。多为青铜质，亦有釉陶质的。钟按大小相次悬在钟架上，悬挂形式因钟的种类而异。纽钟与镈钟直悬，甬钟则倒悬在

湖北省博物馆陈列的曾侯乙编钟
中国大百科全书出版社供图

梁柱上。编钟从商代成组乐器铙演变而来。最早出现于西周中期，当时编钟均为3件。西周晚期至春秋的编钟已发展到8至9件，战国时的编钟为13至14件。商周时期对青铜钟的使用有严格规定。《周礼》规定天子宫悬（四面）、诸侯轩悬（三面）、大夫判悬（二面）、士特悬（一面）。近年出土的编钟，以1978年湖北随县曾侯乙墓出土的为上乘。编钟分3层8组，悬在曲尺形钟架上，总数65件，总重量达2 500千克。与编钟一起出土的还有敲钟和撞钟的彩绘木槌和木棒。对出土编钟测音证明每钟可以发出两个不同乐音。对曾侯乙墓编钟测音表明，战国时代已有完整的十二乐音体系。编钟音域宽广、音调准确，能演奏古今各种乐曲。

serialism 序列主义 在音乐中指大致从第一次世界大战后某些音乐作品中使用过的一种技术。严格地讲，音乐中的序列模式只不过是在很长一段作品中不断反复的一个模式。从这一意义来看，中世纪某些作曲家就写过序列音乐，因为他们使用“同一节奏法”，亦即多次重复一个特定的节奏模式，不论它属于哪个旋律。20世纪以前的另一种序列主义的例子是固定低音，一种不断反复的和声或旋律模式，最经常出现在声乐或器乐作品的低音部分。无数作曲家写过带固定低音的音乐。序列主义音乐这个术语往往和十二音音乐（**12-tone music**）混用。确切地说，后者只是前者的一种。正如奥地利出生的作曲家勋伯格和其他人以乐音的序列作为创作音乐的部分技巧一样，另外一些作曲家则用其他的音乐因素来编排序列。法国作曲家P.布莱兹为两架钢琴创作的《结构》（Ⅰ，1952；Ⅱ，1961）中，序列因素就有音高、节奏、力度和起音。在B.福斯写的《西蒙说》（1972）中，序列因素有专门设计的和声、旋律、节拍和调性中心。其他使用不只是音高因素的排列来创作的音乐家有：加泰罗尼亚中心的作曲家R.格

哈德、奥地利裔美国作曲家克申内克和德国的施托克豪森。任何一位序列作曲家的音乐往往都与另一位的音乐大不相同,因为序列主义是一种创作方法或技巧,其本身对音乐的整体音响和风格无大关系。

sericite 绢云母 硅酸盐矿物白云母(**muscovite**)或钠云母(**paragonite**)的细粒变种。

seriema 叫鹤 又作cariama。鹤形目叫鹤科的南美草原鸟类。有两个种,分布范围均限于南美洲中南部。红腿叫鹤(冠叫鹤,*Cariama cristata*)长颈、长腿,立高达60厘米。

冠叫鹤(*Cariama cristata*)
绘图:H. Douglas Pratt

嘴和腿红色,上体羽毛淡褐、下体污白,眼周皮肤浅蓝。栖息于草原,但营巢于灌丛和树上。出壳的幼雏长满灰色绒羽。吃昆虫、蜗牛、爬行动物和浆果。黑腿叫鹤(伯迈斯特氏叫鹤,*Chunga burmeisteri*)栖息于林地。羽色较深稍灰,冠与腿均较矮。

serine 丝氨酸 一种氨基酸,将大多数普通蛋白质水解均可制得(有时占其水解产物总重量的5%～10%)。1865年从丝胶蛋白中首次分离出。为哺乳动物的非必需氨基酸,可从葡萄糖合成而无从食物中获取。丝氨酸及其某些衍生物(如乙醇胺)也是生物膜中磷脂的重要成分。

Seringapatam 塞林伽巴丹 又称斯里伦格伯德讷姆。印度南部卡纳塔克邦中南部城镇。位于高韦里河塞林伽巴丹岛西端,迈索尔镇的东北偏北。现为旅游中心,周围多名胜古迹;附近几个岛屿为鸟类禁猎区。人口约21 902(1991)。

serjeanty(feudal tenure) 参阅 **sergeanty** 服役土地占有权。

Serkin, Rudolf 塞尔金(1903-03-28,奥匈帝国波希米亚埃格尔[今捷克共和国海布]～1991-05-08,美国佛蒙特吉尔福德) 奥地利出生的美国钢琴家和教师。主要演奏巴赫、莫扎特、贝多芬、舒伯特、勃拉姆斯的作品。R.罗伯特(钢琴)、J.马克斯和勋伯格(作曲)的学生,12岁同维也纳交响乐团合作首次登台演出。在柏林同布施室内管弦乐团作了重要演出以后,1926年定居巴塞尔。1933年在美国第一次演出,1939年移居美国。1939～1975年任教于费城柯蒂斯音乐学院钢琴系。1949年协助创办佛蒙特州的马尔伯勒音乐节。从20年代起与A.布希合作,以演奏室内乐闻名。演奏忠于原作,以古典风格的明晰为特征。

Serlio, Sebastiano 塞里奥(1475-09-06,博洛尼亚[意大利]～1554,法国枫丹白露) 意大利风格主义建筑师、画家和理论家,古罗马建筑原理经他传播到法国。早年随父学习绘画,1514年赴罗马,师从风格主义建筑创始人之一B.佩鲁齐学习建筑。1527年罗马被劫掠,他逃往威尼斯。1540年法国国王法兰西斯一世聘请他担任建造枫丹白露宫的顾问。但现存的建筑只有两座能确定为他的作品:枫丹白露宫的大门和安赛-勒-法朗斯别墅(1546年始建)。尽管塞里奥的建筑没有影响力,他的著作《建筑全书》(1537～1575)却对整个欧洲产生了巨大影响。1611年被译成英文,后译成其他欧洲语言。这是第一部注重建筑实践而非建筑理论的建筑手册,也是最早列举五种柱式的一部书。塞里奥也是第一个将插图结合在一本建筑手册中的人,他使用了佩鲁齐、布拉曼特以及他自己所绘制的插图。是一本古希腊、罗马风格的实用手册,并介绍了大量可供仿效的样板;基本上是一套由注释串连起来的插图,而不是一部美学或考古学的论文。著作的最后一册《建筑奇书》在他生前出版,载有50幅想象丰富的大门设计图,在北欧被大量抄袭,而且对风格主义建筑装饰的发展方向有着决定性的影响。

Sermon on the Mount 《登山宝训》 《马太福音》第5～7章所载拿撒勒人耶稣对门徒及许多人发表的伦理演说。耶稣教导大家处世为人以爱乃至对仇敌的爱为新律法,取代单讲果报的旧律法。基督教的许多伦理观点和文献(包括"耶稣八福"和《主祷文》)均出自《登山宝训》。

serological test 血清学试验 利用血清标本进行的实验室检查方法,目的是检测血清中与一定疾病相关的特异性抗体或类抗体物质。可分为以下类型:①絮凝试验。其中以补体结合试验为最常用,其原理是当抗体和专门制备的抗原混合时会有絮状沉淀发生。②中和试验。原理是抗体能中和传染性微生物的感染性。③血细胞凝集素抑制试验。原理是:某些病毒可使某些种动物的红细胞发生凝集,而抗体能阻止这种凝集。血清学试验对诊断落基山斑疹热、流感、麻疹、脊髓灰质炎、黄热病、传染性单核细胞增多症和类风湿性关节炎等立克次氏体病和病毒性疾病帮助尤大。又是一种实用的普查方法,对发现梅毒等疾病很有效益。参阅 **blood analysis**。

Serooskerken, Isabella Agneta Elisabeth van Tuyll van(Swiss novelist) **塞罗斯克肯** 参阅 **Charrière, Isabelle-Agnès-Élizabeth de** 沙里埃尔。

serosa(embryology) 参阅 **chorion** 绒毛膜。

serotine 大棕蝠 又称迟季棕蝠。数种蝙蝠的通称。参阅 **brown bat**。

serotonin 血清素 又称五羟色胺。由色氨酸转化而来的物质。存在于脑、肠道组织、血小板及肥大细胞中,也是多种毒液,如黄蜂和蟾蜍毒液中的成分。血清素系强力血管收缩剂,其生物功能是作为神经递质。它集中分布在脑内某些部分,特别是中脑和丘脑,而其浓度改变同几种情感障碍有关。有些抑郁症似乎因脑中血清素减少或其活性降低所致。有几种抗抑郁药发挥疗效就是因为它们能抑制体内的血清素灭活机制,造成这个神经递质在脑中积存(因此情绪也相应提高)。反过来讲,脑中血清素活性过大似乎可造成偏头痛和恶心等症状。致幻剂麦角酰二乙胺(LSD)的药效可能就是抑制了血清素的作用。

Serov 谢罗夫 俄罗斯西部叶卡捷琳堡州城市。1939年以前称纳杰日金斯克。位于索西瓦河支流卡瓦河畔。19世纪90年代至十月革命是乌拉尔最大的钢铁中心,为西伯利亚大铁路生产钢轨。现有一个完整的大型钢铁联合企业,是北乌拉尔采矿和冶金区的主要中心。人口约106 800(1991)。

Serowe 塞罗韦 博茨瓦纳中东部村庄。位于开普—津巴布韦铁路西北50千米处。全国大多数人习惯聚居于500～25 000人的村庄里,塞罗韦是这些村庄中最大的一个。是巴曼瓦托人的传统总部。1920年巴曼瓦托人首先迁居于此。现有医院和机场。人口约30 706(1991)。

Serpa Pinto(Angola) **塞尔帕平托** 参阅 **Menongue** 梅农盖。

Serpa Pinto, Alexandre Alberto da Rocha de 塞尔帕·平托(1846-04-20,葡萄牙～1900-12-28,里斯本) 葡萄牙探险家、殖民地行政长官。曾深入非洲中部和南部,进行艰巨的探险,绘制非洲内陆地图。1869年去东非探测赞比西河。8年后,率探险队由安哥拉的本格拉地方进入刚果河流域和赞比西河流域,对西海岸葡属安哥拉和东海岸葡属莫桑比克之间的地区进行调查。1879年完成这一使命后,他去安哥拉、今赞比亚部分地区、津巴布韦以及南非共和国旅行。其探险事业促使葡萄牙拟订了从东海岸到西海岸建立殖民地的计划。但这一计划在英国人的最后通牒下作罢。1887年任桑给巴尔总领事,1889年任莫桑比克总督。

serpent(zoology) 参阅 **snake** 蛇。

serpent 蛇形管 音乐中低音木管乐器。由唇顶住环形号嘴振动发音。可能为1590年由法国天主教教士E.纪尧姆发明，是科尔内管的低音变异乐器的一种改良形式。木

蛇形管

布鲁塞尔乐器博物馆供图

制，盘绕如蛇，长2～2.5米，圆锥形管体，有6个指孔。最初用于教堂为素歌伴奏。从18世纪起，直到19世纪被低音铜管乐器代替时止，它始终是军乐队中标准的低音管乐器。它有丰富的音色和宽广的力度变化，曾被19世纪初几位演奏大师使用，有时也用于管弦乐队。1800年左右在乐器上加用了键，扩大了演奏者的掌握范围并能发出较高的音。当出现大管式的变种时，还出现了金属制的蛇形管。直到1884年某些西班牙吹奏乐队还用蛇形管，少数法国农村教堂在20世纪初也还在继续使用这种乐器。

serpent star（invertebrate） 参阅 **brittle star 蛇尾**。

serpentine 蛇纹石 一种含水的富镁硅酸盐矿物。这些常见的造岩矿物的成分接近$Mg_3Si_2O_5(OH)_4$。蛇纹石具有3种多晶型物：①纤蛇纹石（**chrysotile**），是当做石棉用的纤维状变种；②叶蛇纹石，是呈皱纹状或纤维状出现的变种；③利蛇纹石，为非常细粒的板状变种。蛇纹石以它很像蛇皮而得名，通常为浅灰色、白色或绿色，但也可以是黄色（纤蛇纹石）或绿蓝色（叶蛇纹石），绿色是由于铁置换其中的镁产生的。蛇纹石是在温度500 °C以下在各种硅酸镁（例如镁橄榄石或顽火辉石）中加入水，有时还加入二氧化硅而形成的。它大多沿大褶皱的脊部和轴部形成，如在岛弧或阿尔卑斯山系。典型的产地是在蚀变的橄榄岩、纯橄榄岩或辉岩中。蛇纹岩是大部由蛇纹石组成的岩石。蛇纹石可以打磨得很光，用作装饰石料。

Serpotta, Giacomo 塞尔波塔（1656，巴勒莫［西西里］～1732，巴勒莫） 意大利一个雕刻师和粉饰工艺家家庭的杰出成员。他擅于创造逼真的透视效果，并将两个或两个以上的独立装饰成分作不对称的安排，后成为一种模式，被洛可可时期的德国艺术家奉为装饰纹样的基本原则。在巴勒莫他曾装饰圣洛伦佐教堂的若干祈祷室（1690或1698～1706），还装饰了圣齐塔教堂的祈祷室（1668～1718）、圣多明我教堂的玫瑰经堂（1710～1717）、巴勒莫救济院礼拜堂、圣基娅拉的大主教宫和阿尔科莫的新隐修院。他在圣方济各教堂的雕像（1723）状如悬空，尽管所有人物、丘比特（爱神）、花环和衣饰等均与墙壁处于同一平面。他把西西里的灰泥装饰工艺提高为一种艺术。

Serpukhov 谢尔普霍夫 俄罗斯西部莫斯科州城市。位于纳拉河与奥卡河汇流处。1374年建为防御鞑靼人进攻莫斯科的要塞。鞑靼人于1382和1408年曾占领此地。现为大型纺织（棉纺织和人造丝）城，机械制造业亦重要。人口约141 200（1991）。

Serra, Junípero, BLESSED 塞拉（1713-11-24，西班牙马霍卡佩特拉～1784-08-28，新西班牙加利福尼亚卡梅尔［今在美国］） 西班牙天主教方济各会司铎。1730年加入方济各会，1738年受神职，在马霍卡岛上帕尔马市卢利安大学讲授哲学。1750年到达墨西哥城，向印第安人传教。西班牙攻占上加利福尼亚地区时，塞拉随波尔塔拉所率领的远征军进入该地区。1769年建立圣迭戈传教所，是今美国加利福尼亚州境内第一个传教所。1770～1782年在加利福尼亚共建立传教所8处。塞拉的传教工作有助于加强西班牙对上加利福尼亚地区的统治。他爱护印第安人，帮助他们自墨西哥引进牛、羊、谷物和水果。

Sérrai 塞雷 又拼Serres。史称锡里斯（Siris）。希腊北部塞雷州首府。位于农业富庶的斯特鲁马河谷地东侧。1345～1371年被塞尔维亚人据有。1368年为土耳其人攻占。1913年沦入保加利亚手中。后归属希腊。20世纪末由于政府鼓励吸引外资，该地成为一个利用外资的劳动密集型制造业地区繁荣的服务中心。人口46 317（1981）。

Serrano 塞拉诺人 操犹他-阿兹特克语的若干印第安居民集团的通称。他们原住在加利福尼亚南部山区（塞拉诺一词源于西班牙语，意为"山地居民"），共分3部分：基塔内穆克人，住在克恩河及圣华金河流域；瓦纽梅人，住在莫哈韦河沿岸；正统塞拉诺人，据有圣贝纳迪诺山区和附近谷地以及莫哈韦沙漠的一部分。对于基塔内穆克人的情况，我们知之不多；对于土著时期的瓦纽梅人，我们只知他们居住在沙漠地区，往往生活十分贫苦。正统塞拉诺人虽在半干旱地区营狩猎及采集生活，但比较富裕。塞拉诺人的社会分为氏族或村落社区，各有酋长及其助手进行管理。正统塞拉诺人使用柳枝及薰草构筑圆形住房。多数乡村还有礼堂，专供酋长居住；另有蒸汽浴室作为发汗净身之所。20世纪晚期，正统塞拉诺人已不足400名。

Serrano y Domínguez, Francisco, DUQUE（duke）**DE LA TORRE 塞拉诺-多明格斯**（1810-12-17，西班牙加的斯～1885-11-26，马德里） 托雷公爵。西班牙19世纪的主要军人政治家之一，在废黜波旁王朝西班牙女王伊莎贝拉二世的1868年革命中起过重大作用。12岁加入军队，曾参加第一次卡洛斯战争（1833～1839）。战后一度成为女王伊莎贝拉二世的谋臣，但最终退出朝政。参加了奥唐奈将军1854年发动的革命。革命成功后出任古巴总督（1859～1862）。1867年奥唐奈死后，继任为自由联盟党领袖。1868年革命后成为行政首脑，但在政治上的威望不及当时的首相。萨伏依的阿马戴乌斯在1871年1月即位以前他一直摄政。第一共和国成立后，他流亡法国。1874年1月政变后再度任政府首脑。1874年12月阿方索十二世即位，他又被迫流亡。1881年他决定承认阿方索，遂被恢复政治生涯。

Serravalle 塞拉瓦莱 圣马力诺共和国东北部城镇，濒临奥萨河。海拔148米。为国内制造业中心，生产纺织品、陶瓷和金属制品。有公路通首都圣马力诺市和意大利的里米尼。人口：塞拉瓦莱/多加诺约4 626（1990）。

Serres（city, Greece） 参阅 **Sérrai 塞雷**。

Sert, José Luis 塞尔特（1902-07-01，巴塞罗那～1983-03-15，巴塞罗那） 西班牙出生的美国建筑师，以城市规划和建设上的成就而闻名。1929年毕业于巴塞罗那建筑学院后，

供图：Hans Namuth

曾在巴黎科比西埃和P.让内雷的事务所工作。1929～1937年在巴塞罗那自设事务所，这一时期的作品有巴塞罗那的公寓楼、加拉夫的周末别墅及巴塞罗那市的总体规划。他还和J.米罗、A.考尔德和P.毕加索共同设计了1937年巴黎世界博览会中的西班牙馆。1939年移居美国，1941～1956年在纽约市的一个城市规划联合事务所工作。这个事务所从事南美洲几个城市的规划与城市设计，其中包括波哥大和哥伦比亚的其他城市、秘鲁的钦博特、巴西的莫托雷斯城和哈瓦那。塞尔特为上述城市所作的总体规划，以能把自然景色与城市建设相结合而著称。1947～1956年任国际现代建筑会议主席，1953年起任哈佛大学设计研究院院长及建筑学教授，直至1969年退休。他在综合的多户型住宅设计方面的贡献，可与科比西埃媲美。他设计的高密度住宅以关心人的起居而见称。他在马萨诸塞州剑桥设计哈佛大学皮博迪已婚学生住宅（1963～1965），将高层与低层公寓建筑群和谐地组合在一起。他在博物馆设计方面的两个杰出作品是法国里维埃拉圣保罗-德旺斯的梅特基金会博物馆（1968）和收

藏米罗作品的巴塞罗那米罗当代艺术研究中心(1972～1975)。

sertão 内地荒漠 指巴西东北部干旱的内陆区。大部地区覆盖着灌木林。也泛指永久性居民区以外人烟稀少的荒野区。

Sertorius, Quintus 塞多留(约公元前123,萨比尼努尔锡亚～前72) 罗马政治家和军事将领。他违抗罗马元老院,独立统治西班牙达8年之久。公元前105和前102年两度在高卢作战,抗击入侵的辛布里人和条顿人,公元前97年在西班牙服役。公元前90年任山南高卢地区度支官,同盟者战争中的军队指挥官。公元前87～前86年内战时期,他支持马略,反对苏拉。公元前83年任行政长官,负责管辖西班牙各行省。当苏拉派兵向他进攻时,他退居非洲。公元前80年重返西班牙。经过几年战争以后,到公元前77年底终于成为整个近西班牙和大部分外西班牙的统治者。他在西班牙建立由300人组成的元老院,其成员主要是罗马移民,大概也包括少数西班牙人。他治军极严,但对当地居民却很宽厚。公元前77年他在西班牙举起叛旗,但可能不是为了反对罗马,而是反对苏拉强加给罗马的一套制度。同年庞培率领一支罗马军队到达西班牙。在两年血战中塞多留显示出他在战术和战略方面的高度才能。直到公元前74年,由于罗马军队的大力增援,他才连连败北。公元前72年被谋杀。

serum, blood 参阅 **blood serum** 血清。

serum albumin 血清白蛋白 占血浆总蛋白量55%的蛋白质。主要功能是帮助维持血管和组织间的渗透压。循环血液的压力往往迫使液体溢出血管,而白蛋白的胶体性质及一小部分球蛋白的胶体性质(在较小的程度上)使液体得以保留在血管内。血浆蛋白降低时,液体即漏入组织,导致水肿。白蛋白含有两种抗凝物质:①抗凝血酶,在正常情况下抑制凝血酶的作用。②肝素辅因子,为肝素的抗凝血作用所必需。在一些肝脏疾患如肝硬变、病毒性肝炎或肝癌中,白蛋白水平可降低和升高。白蛋白输注用于抗休克及消除水肿。植物、动物组织、蛋白和牛奶内亦含类似的白蛋白物质,功能各异。

serum sickness 血清病 注射异种血清后引起的全身性抗原-抗体反应。如破伤风、肉毒中毒及蛇毒的抗血清通常用马血清制备,给人注射后可引起血清病。血清病症状有皮疹、瘙痒、面部及四肢肿胀、发热、关节痛并有时肿胀、腹痛、恶心和呕吐;严重病例可有神经性症状。该病在注射血清后两周内发病,常持续数天,其严重程度取决于注射血清的量和机体过去的免疫状态,已致敏的患者较初次接触者症状出现快。具有过敏史的人较正常人易发生异体蛋白反应,因此易发生血清病。

Sérusier, (Louis-) Paul(-Henri) 塞律西埃(1863?,巴黎～1927-10-06,法国莫尔莱) 法国画家,后期印象派的重要画家和理论家。塞律西埃最初是哲学系学生,以后又进入巴黎朱利昂学院学习(1886)。在1889～1890年间他曾师事P.高庚学画。19世纪90年代,塞律西埃又加入纳比画派,成为这一画派的理论家。后期塞律西埃深受宗教象征主义和圣像艺术思想的影响,成为一位知名的神秘主义者。

serval(*Felis serval*) **薮猫** 猫科动物,肢长,栖息在非洲撒哈拉以南,多栖于水边草地和灌木覆盖地区。行动迅速敏捷,能爬善跳,夜出捕食鸟类、啮齿动物和野兔类等小动物。

薮猫(*Felis serval*)

供图:Christina Loke—Photo Researchers

体型细长,颈长,头小,耳大而略呈杯状。成体体长80～100厘米,尾长20～30厘米,肩高50厘米,体重约15千克。毛长,腹面灰白色,背面浅黄色至浅红褐色,全身份布黑色斑点和条纹。有些个体身上有较小的斑点,这些个体曾划为独立种,称短尾猫(*Felis brachyura* 或 *Felis servalina*)。有些种群,特别是肯尼亚高山地区的种群有全黑的个体。一窝2～4仔,妊娠期68～74天。

Servan-Schreiber, Jean-Jacques 塞尔旺-施赖伯(1924-02-13,巴黎～　　) 法国著名记者和政治家。曾志愿参加戴高乐的自由法国军团任战斗机驾驶员,获勇敢十字章。战后任巴黎《世界报》外交事务编辑(1948～1953),后创办并经营《快报》周刊(1953～1970)。1954年《快报》因发表一份绝密的政府报告而被暂时停刊。1956年塞尔旺-施赖伯转入军队任职,但因他的第一本著作《中尉在阿尔及利亚》(1957)的发表而受到军事法庭审判。该书揭露了法军在战争中的暴行,后来人们认为这本书促使法国公众舆论转而反对阿尔及利亚战争。他在《美国的挑战》(1967)一书中警告欧洲不要变成美国经济上的殖民地。曾任激进党总书记(1969～1971)和主席(1971～1975)。所著《天与地》(1970)是该党的宣言书。1970年当选为国民议会议员,曾在吉斯卡尔·德斯坦的政府中任改革部部长,因反对政府的核试验政策去职。1972年创立改革运动,1974年再度任改革部长。1976～1978年任洛林省议会主席。1979年创立巴黎小组,并为该组织发表《世界的挑战》(1980)。70年代他仍协助指导《快报》的工作。他的其他著作有:《法兰西的觉醒》(1968),是关于1968年法国学生运动的社论集;《制服厄运》(1970)、《地区权力》(1971)、《呼唤改革》(1971)、《信念的武器》和《宣言》(1977)。

Servandoni, Giovanni Nicolo 塞尔万多尼(1695-05-02,佛罗伦萨～1766-01-19,巴黎) 剧院设计师兼建筑师,以其巴罗克式舞台布景和巴黎圣叙尔皮斯教堂正面的原始新古典式设计(1732)而闻名。曾在罗马跟随画家帕尼尼和建筑师罗西学习,可能出身于法国-意大利人家庭,因此一直被认为是法国艺术家。先在里斯本设计戏剧布景,1724年定居巴黎,在那里担任建筑师和舞台设计师。由于职业关系,他到过欧洲许多国家的首都,如伦敦(1749)、维也纳(1760)等。

Servants of India Society 印度公仆社 1905年由G.K.戈卡莱创办,旨在团结和训练不同种族和不同宗教的印度人从事公共福利事业。它是印度第一个献身于贫困的农村和部落居民、紧急救助、扫除文盲和其他社会事业的非宗教组织。成员须经5年培训并同意提供服务而只取极菲薄的薪金。总部设在浦那,马德拉斯、孟买、阿拉哈巴德和那格浦尔设有分部。该组织虽成员甚少,但具有为社会服务的理想而颇具影响。

Servants of Mary, Order of the 圣母之仆会 参阅 **Servite** 圣仆会修士。

Servetus, Michael 塞尔维特(1511?,西班牙比亚努埃瓦或图德拉～1553-10-27,瑞士尚佩尔) 西班牙医学家、神学家。1531年发表《论三位一体论的谬误》攻击正统教义,并指

贝塞斯达国家医药图书馆供图

出,道是永恒的,道是上帝自我表现的形式;圣灵则是作用于人心的上帝的运动、上帝的力量;圣子是永恒的道与凡人耶稣的结合。1546年他把自己的观点加以充实,写成《恢复基督教义的本来面目》,将手稿送交法兰西宗教改革家加尔文。除了通几封信外,加尔文未采取什么行动。他对同事说,假如塞尔维特到日内瓦来的话,他将不会让他活着离开。该文经过改写于1553年在维埃纳秘密印行1 000份。在论述圣灵和再生两者之间的关系时,塞尔维特无意中发表了他对人体血液循环的发现。他还在这本书中指出,君士坦丁堡颁布《尼西亚信经》是玷辱圣父上帝和圣子基督,模糊基督的赎罪作用,使得教会崩溃。塞尔维特认为,只要实行政教分离并废除不合《圣经》和早期教父学说的神学命题,就可以重建教会。塞尔维特写给加尔文的一些信

件落入原里昂公民纪尧姆手中,纪尧姆向里昂异端裁判所检举他,塞尔维特和印刷他的著作的人都被捕。塞尔维特在审讯期间脱逃,天主教当局只得把他的模拟像焚毁。但不久他突然出现于日内瓦,随后被捕,自1553年8月14日至10月25日受审。加尔文在审讯中发挥主要作用,力主把他处死,但可用斩首代替火刑。审讯结果塞尔维特被认定犯有异端罪,主要定罪根据是他就三位一体论和洗礼提出谬误论点。10月27日他被烧死。由于他的处死,归正宗内部就应否处死异端分子问题发生争论,同时加尔文受到严厉指责。这一事件对近代一位论的先驱者索齐尼产生一定影响。

Service, Elman Rogers　塞维斯(1915-05-18,美国密歇根蒂卡姆西～1996-11-14,加利福尼亚圣巴巴拉)　美国人类学理论家,曾提出现代通用的原始社会划分术语诸如宗族、部落、酋长领地和国家。虽然这些术语被广泛采用,但塞维斯却抛弃了这个系统,因为他后来的研究使他对这些术语的精确性提出了疑问,尤其是"部落"一词。塞维斯于1950年获哥伦比亚大学哲学博士学位,1949～1953年在该大学人类学系任教,1953～1969年在密歇根大学任教,1969年始在圣巴巴拉加利福尼亚大学任教。著有《原始文化剖视》(1958),修订版题名《人种学概要》于1971年出版。其他著作有《原始社会组织》(1962)、《狩猎民族》(1966)、《文化进化论》(1971)、《国家与文化之起源》(1975)、《百年之辩:1860～1960年的人科学问题》(1985)。另外与M.D.萨林斯合编《进化与文化》(1960)。

Service, Robert W(illiam)　塞维斯(1874-01-16,英国兰开夏普雷斯顿～1958-09-11,法国朗雪)　深受人们欢迎的加拿大诗歌作者,因创作欢快的"冰封的北方"歌谣被称为"加拿大的吉卜林"。1894年移居加拿大。在为不列颠哥伦比亚维多利亚的加拿大商业银行工作时,曾在育空地区居住8年。1912～1913年巴尔干战争期间任多伦多《星报》记者。第一次世界大战期间当过救护车司机和记者。最初描述加拿大北方生活的两本诗集《一个拓荒者的歌》(1907)和《一个新来者的歌谣》(1909)极受欢迎。后期诗集有《一个红十字会会员的韵诗》(1916)和《酒吧歌谣》(1940)等。还写有两部自传性作品《月亮上的农夫》(1945)和《天国琴师》(1948)。1912年起住在欧洲,主要在法国的里维埃拉。

service club　服务性俱乐部　由商人和从事各种专门职业的男人或女人组成的团体,目的是加强成员之间的联系,增进友谊,信守自愿为公众服务的准则。最先在美国发起。虽然现在许多国家都有了服务性俱乐部,而且逐渐与国际性组织建立了联系,但美国仍然是这类俱乐部最流行的地方。所有服务性俱乐部都订立了具有高度原则的格言和信条,如"扶轮国际"提出的"服务至上"。服务性俱乐部大约有一半在半乡村地区,其成员不超过50名。多数每周举行一次午餐会或晚餐会。大型福利组织出版杂志,报道成员的活动,也刊载名作家撰写的一般人感兴趣的文章。许多福利组织都在两个以上的国家设立了俱乐部。1905年,芝加哥一名年轻律师P. P. 哈里斯提倡建立平民服务性俱乐部。他设想的组织形式已经具有现代福利俱乐部的基本特点,并提出按一定限额从各行业中吸收成员。由于要在各成员的办公室里轮流举行会议,他提议将这一组织命名为"扶轮社"。扶轮社发展很快。当马尼托巴省的温尼伯、都柏林和伦敦都成立了俱乐部时,扶轮社就易名为"国际扶轮协会",1922年又改为"扶轮国际"(**Rotary International**)。到20世纪70年代末,扶轮国际已经在152个国家设立了17 350多个俱乐部,其成员总数超过了81.1万人。其他大型服务性俱乐部有塞托玛俱乐部(国际性),成立于1912年;杰艾罗俱乐部(国际性),1912年;民族交流俱乐部,1917年;乐观者俱乐部(国际性),1919年;希维坦俱乐部(国际性),1920年;卢里坦俱乐部(全国性),1928年;世界俱乐部(国际性),1933年。主要的妇女服务性俱乐部有阿特鲁莎俱乐部(国际性),成立于1917年;限额分配俱乐部(国际性),1919年;女经理人福利俱乐部(国际性),1919年;职业妇女福利互助会(国际性),1921年;航员俱乐部,1921年。据估计,服务性俱乐部每年承担几十万宗地方公众服务项目,包括从主办廉价市场到为贫苦儿童筹建医院或夏令营。

service industry　服务行业　提供服务而不是创造实物的经济组成部分。经济学家把全部经济活动分成两大类:商品生产与提供服务。农业、采矿业、制造业和建筑业生产实物,属于商品生产的范畴;银行业、交通运输业、批发与零售商业、工程、医疗等专业性服务、非营利经济活动、所有消费服务和政府服务,都属于服务的范围。几百年来,服务业在世界经济中的比重日益增大,自20世纪初以来更加显著。服务业占优势的经济是发达国家的特征。不发达国家则趋向于把更多的人力投入像农业这样的初级生产活动中。以美国为例,1929年服务行业只占国民生产总值的54%,到1978年就增加到66%。这种迅速增长并非由于商品生产减少而是由于国民生产总值几乎增长5倍,其中大多数增长有赖于服务行业。商品生产日益机械化是服务业发达的最主要原因。政府雇佣人员的大量增长也促进了服务业的发展。

Service Master Company, The　服务大师公司　美国控股公司,专门从事草坪维护、景观美化、房间打扫、水暖设备维修、住家安全保卫及房屋检验等家庭和商业服务项目。其宗旨是将经济上取得成功的目标和"在每一笔业务上都尊重上帝"的指令相结合。创始人是前职业棒球小联盟球员M.E.韦德,他于1929年开设一家衣服防蛀店。1945年一次化学事故使他短期失明。治愈后受灵感启发,创建一家公司,"将每一位雇员和消费者都视为是按照上帝形象创造的——应该受到尊敬"。1947年合并成立韦德-温格及伙伴公司。1967年采用现名。1973年韦德去世,其继承人扩展了公司业务。到20世纪末,年销售额达77亿美元。20世纪90年代,公司首席执行官C.W.波拉德采用体现基督精神的管理方法来平衡公司生意上的成功。其《公司的灵魂》(1996)成为畅销书。但到1999年,投资者对公司利润递减的现象及无效的收购行为提出批评。公司董事会的构成也受到质疑,因为董事会大部分成员不是有亲属关系便是和惠顿学院有关联。2001年后期公司出售总部及一个分公司。在承认公司宗教渊源的同时,新聘任一位首席执行官,以图重振公司大业。公司已经在近40个国家建立起约5 000家自有公司和特许加盟店,以多个不同的品牌提供服务。

Servilia　塞尔维莉娅(约公元前100～?)　尤里乌斯·凯撒的情妇,刺死凯撒的凶手小布鲁图的母亲。昆都斯·塞维利乌斯·凯皮奥之女。先嫁给马库斯·朱尼乌斯·布鲁图,公元前85年生小布鲁图。公元前77～前61年再嫁保民官德西乌斯·尤尼乌斯·西兰努斯。她头脑聪明,为凯撒情妇20年。传言小布鲁图为她与凯撒之子,可能性不大。凯撒曾赐给她数处庄园。她在凯撒和小布鲁图丧生之后去世。

Servite　圣仆会修士　天主教托钵修会之一圣母之仆会(俗称圣仆会)的成员。1233年佛罗伦萨7名布商(通称"创业七圣"[Seven Holy Founders])相率弃家到佛罗伦萨郊外共同过清贫忏悔生活,即为该会的肇始。该会于1256年获教皇亚历山大四世批准,主要从事布道、教区事务、传教等活动,特别提倡崇奉圣母马利亚,尊她为痛苦圣母。该会附设女修会。

Servite Founders, Seven　参阅 **Seven Holy Founders** 创业七圣。

servitude　地役权　指财产法中为其他土地的利益而附加于某块土地上的义务或负担。这个概念来自罗马法,并相当于英国普通法中的"地役权"easement。不过servitude着重指欠下的负担,而easement则着重指从servitude得到的利益。因为有地役权而承受负担的土地称为供役地,对供役地享有地役权的土地则称为需役地。地役权有对人和对物之分。对人地役权是专为某人设定的负担或义务,一旦该人死亡,地役权即归于消灭。对物地役权是对另一块土地设定的义务,是为另一块土地的利益而设定的;由此该地役权是附属于需役地的一种财产权利,并可与需役地一并转让或遗赠。欧洲民法又将对物地役权分为乡村地役权和城市地役权。但这种划分的依据是义务的性质而非地役权的坐落位置。乡村地役权包括各种通行权;城市地役权包括各种建筑权,如支撑权、观望权和下水道铺设权等。地役权又可分为积极的地役权和消极的地役权。积极的地役权是让土地所有人承担义务,允许其土地供他人作某种使用;消极的地役权则是为了需役地所有人的利益,土地所有人负有不对其土地作某种使用的义务。参阅 **restrictive covenant**。

Servius 塞尔维乌斯(活动时期4世纪，罗马) 全名马里乌斯(或毛鲁斯)·塞尔维乌斯·洪诺拉图斯。拉丁语语法家、评注家、教师，一部极有价值的评注维吉尔的作品的作者。他是马克罗比乌斯的《农神节》中的演说者之一。一生大部分时间在罗马度过。他对维吉尔的评注现存版本有两种，一种较长，一种较短。较长的一种于1600年第一次付印，其中收有塞尔维乌斯本人的作品，他在这部作品中力求满足学校的需要，对文法及文体给予特别的注意。此外，书中还加进了一些珍贵的内容，主要可能是A.多纳图斯对维吉尔的部分评注。这些都是研究古罗马风土人情的宝贵资料。

Servius Tullius 塞尔维乌斯·图利乌斯(活动时期公元前578～前534) 传说中罗马的第6代国王，根据财产区分公民为5个等级的《塞尔维乌斯法》归功于他。引入银和青铜铸币也归功于他，但可能不是事实。有人说他是埃特鲁斯坎人，也有人说他是拉丁人。他第一个在亚芬丁山上建筑拉丁守护神狄安娜的神庙。罗马与拉丁同盟之间的极其重要的条约据说也是在他统治时期签订的。公元前534年被其女儿和女婿杀害。

servomechanism 伺服机构 利用误差传感反馈来修正机械装置性能(位置或速度)的一种自动装置。这种机构首先被用在机枪瞄准、火力控制和海上导航设备中。目前，它的应用包括用于自动机床、卫星跟踪天线、望远镜上的天体跟踪系统以及高射炮的控制系统。在很多伺服机构的应用中，都能由来自小功率设备的信号去控制大功率设备。大功率设备实际的即时位置与期望位置比较后产生的信号(叫作误差信号或差值信号)保证设备的正常运行。受控设备的功率与控制信号的功率之比可高达10亿比1的数量级。所有伺服机构至少要有以下几种部件：受控器件、命令器件、误差检测器、误差信号放大器以及执行任何必要误差修正的器件(伺服马达)。在受控器件里，一般需要调整的是位置。因此，此器件必须有办法产生一个代表其目前位置的反馈信号(例如电压)。该信号被送到误差检测器。命令器件一般接收来自系统以外、代表受控器件期望位置的信息。这一信息被转换成能为系统所用的信号(例如电压)，并被送到同一个误差检测器。该误差检查器将代表实际位置的反馈信号和代表期望位置的命令信号进行比较。两种信号只要有差异即形成一个能将受控器件带到期望位置上所需的校正信号。误差校正信号被送至放大器，用放大后的电压驱动伺服马达调整受控器件的位置。卫星地面站使用的通信卫星跟踪天线是应用伺服机构的一种典型系统。目的在于保持天线直接对准通信卫星，以接收和发送尽可能强的信号。达到此目的的一种办法是，在天线上放置靠近的两个或多个接收元件，将它们接收到来自卫星的信号加以比较。这些元件接收到的信号的任何强度差异就形成校正信号，被送到天线的伺服马达。用这种连续不断的反馈办法，可使30米、几吨重的天线系统对准距地面高达37 007千米的卫星，精确度达到百分之几厘米。

sesame(*Sesamumindicum*) **芝麻** 又作benne。又称脂麻、印度胡麻。胡麻科(Pedaliaceae)一年生草本植物。自古即栽培以取其种子用作食物和调味品，亦用以榨油。在中东和亚洲

芝麻(*Sesamum indicum*)
供图：Shunji Watari—美国不列颠百科全书公司

的烹调中广泛地使用整粒种子。种子磨碎加糖即制成芝麻酥糖。在欧洲和北美其种子常用作各种食物的调味品和装饰物，特别是面包和其他焙烤食品。香味适度而似胡桃。种子的主要成分是固定油，含量达44%～60%。芝麻油(麻油、香油)以稳定著称，能抗氧化酸败。常用作色拉油或烹调油，制糕饼起酥油和人造黄油；也用于制造肥皂、药品和润滑剂以及化妆品。榨油后的麻饼仍富有营养。芝麻可能起源于亚洲或东非，今见于世界热带、亚热带和南温带的大部分地区。摩西时代以前，埃及人就将芝麻种子磨碎，用作谷物粉。5 000年以前，中国人就已利用芝麻；很多世纪以来，就用燃烧芝麻油产生的烟灰制造优质墨。古罗马人将芝麻种子磨碎与欧莳萝一起制成酱，以涂面包。芝麻一度被认为具神秘的力量，《一千零一夜》的《阿里·巴巴和四十大盗》中的开门咒"芝麻开门"便反映出芝麻仍有一种魔力。根据生长条件，植株高0.5～2.5米，分枝或不分枝；每一叶腋生有1～3朵花。去壳的种子奶油色或珍珠白色，长约3毫米，扁梨形。蒴果干时开裂，种子散落。收获时为防止损失，多用手工操作。20世纪中期，随着不落籽品种的育成，使机械化收获成为可能。

Seshāchalam Hills 塞沙杰勒姆丘陵 印度东南部安得拉邦南部东高止山的丘陵。东北连拉雅拉西马高地，东南接嫩迪亚尔谷地，面积约8 000平方千米。呈东南偏东走向，海拔400～1 370米。雨水稀少，山坡林木稀疏。有克里希纳河一些支流。地形崎岖、土壤贫瘠、气候半干旱，农业发展有限。主要农作物有高粱和花生。开采石棉、重晶石和石灰石。其他重要经济活动只有手工织布、制造竹器和制砖。布利文德拉为唯一重要城镇。

Seshego 塞谢戈 南非德兰士瓦省北部莱博瓦非独立黑人邦的一城镇和前首府。在彼得斯堡西北。莱博瓦的最大城镇。工业产食品、饮料、烟草、纺织品、服装、革制品、木材及木制品、机械、设备等。很多居民在彼得斯堡工作。人口32 895(1985)。

Sesostris 塞索斯特里斯 古埃及语拉丁字母转写作Senusret，又拼Senusrit，Usertesen或Usirtesen。埃及国王之名，按年代顺序分列于后，并各以●为标记。

● **Sesostris I 塞索斯特里斯一世**(活动时期公元前20世纪) 埃及国王(公元前1918～前1875在位)，使埃及达到繁荣之顶峰。公元前1928年起与年迈的父王、第12王朝创建人阿门内姆哈特一世共同摄政，他承担处理政事中较难解决的问题。当其父完成内政改革后，他征服埃及以南的努比亚；在其父在位第30年时，他远征西部沙漠的利比亚人。塞索斯特里斯一世从利比亚胜利归来途中，听说其父遇刺。他迅速离开军队返回都城，并立即公布其父遗嘱《阿门内姆哈特圣谕》以巩固政治局势。他稳定政权后，继续征讨努比亚。其在位第18年时彻底征服努比亚，并在埃利潘蒂尼(今阿斯旺)建立要塞，驻扎军队。战后，即开发努比亚资源，并在多处开采了金、铜、紫晶和闪长岩等矿。远征队长和监察官留下的碑文证实了当时的很多情况。在

约公元前1930年的塞索斯特里斯一世石灰岩雕像
开罗埃及博物馆供图

埃及，他在阿斯旺开采花岗石矿，在上埃及科普图斯以东瓦迪哈马马特开采金矿和石料。与此同时，他还推行一项积极建筑计划。在位第3年时，他在开罗附近赫利奥波利斯重建一大寺院。他在底比斯建造凯尔奈克庙宇群，当地对阿蒙神崇拜开始活跃，阿蒙神庙开始兴旺。他和巴勒斯坦与叙利亚保持和睦关系。他在都城附近其父金字塔和祠庙旁修建自己的金字塔和祠庙。其建筑风格力图恢复古王国传统，仿效第6王朝佩皮二世国王的金字塔群。在位第42年前后，他提升其子阿门内姆哈特为共同摄政王。两年后去世。

● **Sesostris II 塞索斯特里斯二世**(活动时期公元前19世纪) 埃及第12王朝国王(公元前1844～前1837在位)，致力于和平开发努比亚，并首先开发尼罗河以西的大洼地法尤姆。他曾与其父共同摄政3年。摄政第1年，派遣一支商队到非洲东部沿海索马里朋特进行贸易。商队旅途见闻都铭刻在埃及红

海港口岩石上。他在单独执政初期,视察其祖父建造的下努比亚要塞。在位摄政第6年,又重建努比亚金矿区附近阿尼巴要塞。正如纪念碑和铭文所证实的,在努比亚多处曾开采过闪长岩、铜,可能还有紫晶等矿。西奈铭文证明,他的矿工在那里也很活跃。在位期间,埃及和巴勒斯坦以及叙利亚仍然保持着联系。他的最大成就是开发王室驻地附近的富饶地区法尤姆。从尼罗河一支流引来河水,注入法尤姆地区的一个湖,修建一座大坝和排洪闸以调节湖水水位,并部分开垦其四周沼泽地带。他还在附近为自己建造了金字塔,该金字塔表现出高超的手工技艺;金字塔附近的小城镇,有一部分一直保留至今,提供了有关该城镇发展规划的遗迹和反映埃及社会状况的文献。

● **Sesostris III　塞索斯特里斯三世**(活动时期公元前19世纪)　埃及第12王朝国王(公元前1836～前1818在位)。他全面改革埃及政府并扩大他在埃及以南的努比亚的统治。

塞索斯特里斯三世石雕像
开罗埃及博物馆供图

先王在位期间,中埃及各省显贵家族权势由于国王恩赐和通婚已经增大。在塞索斯特里斯三世在位中期,一度作为显贵权势标志的造价昂贵的省级坟墓突然停止修建。同时,在上埃及崇拜俄赛里斯神的圣地阿比多斯,中产阶级的纪念物有所增加。正如下一王朝文件所证实的:塞索斯特里斯三世加强中央政府,削弱了封建贵族的权势和影响。埃及分成4大地区,各地区都有一个由官员和法律学家组成的统治集团,向首相负责。首相掌管内阁,下设管辖全国财政、农业、战争及劳力资源的部门。这些部门行使政府职责,严格管理财政收支。这些改革收效很大,以致下一王朝尽管统治者较弱,中央政府仍能继续有效地治理达100多年之久。他的第二个伟大成就是详细检查,并不断增添埃及在努比亚的财产。可能是因为努比亚部族人的力量日益壮大,他发动4次战役,平息游牧民族的骚扰,并把边界扩展到尼罗河第二瀑布的南端。之后,他从尼罗河第二瀑布布汉要塞到新边界建立要塞网,相互之间可以发出信号。在那里,尼罗河水路交通情况和沙漠中游牧民情况都可了解到。各要塞还记录了尼罗河泛滥时的水位高度,为埃及本土提供很有价值的预报。在位第8年在埃利潘蒂尼开凿运河穿过尼罗河第一瀑布地区,从而便利军舰和商船的航行。他的官员碑文揭示,西奈和努比亚各处的矿工劳动十分紧张。塞索斯特里斯三世采用塞索斯特里斯二世修建陵墓的革新方法在靠近阿门内姆哈特二世金字塔处为自己建造一座金字塔。他名垂后世,因为他成了埃属努比亚的保护神。

Sessa Aurunca　塞萨奥伦卡　意大利南部坎帕尼亚区卡塞塔省城镇和主教区。在那不勒斯西北偏北的罗卡蒙菲讷死火山的熔岩沉积上。古罗马时代遗迹有剧院、温泉浴场、私人画廊和一座21孔桥。罗马式大教堂俯瞰全镇。还有中世纪城堡的遗迹。当地的火山土非常肥沃。有谷物、水果、葡萄酒贸易。人口:城市区约24 586(1987)。

Sesshū　雪舟(1420,日本备中～1506-08-26,益田附近岩美)　日本杰出的画家、禅僧。原姓小田,名等扬。以佛教禅宗传统的水墨画见长,学习吸取了中国14世纪的绘画风格,并融合日本民族的审美理想与情感,创立了具有日本特色的艺术风格。后世许多日本画家摹仿其风格,影响甚广。1431年雪舟10岁时入当地一所禅宗寺院出家,学习宗教及书画。1440年左右,到京都相国寺从当时名画僧周文学习绘画,并从禅宗宗师春林周藤学习佛教。在这期间,雪舟有机会研究中国宋代名画,在题材与风格方面受到很大影响。在京都生活了大约20年后,到本州西部的山口镇,想从这里去中国,该地由于一位与中国通商而致富的贵族世家大内氏的支持已成为一个重要的文化中心。其间,在地方豪强大内氏的庇护下,建立云谷庵,约于1466年始称"雪舟"。1468年来到中国宁波,一方面购买中国绘画,一方面到中国禅寺研习中国从宋到明的绘画艺术。雪舟曾与许多中国禅宗画家来往,并游历了北京等许多地方。这段经历对他的艺术发展有重要影响。1469年回日本后先到山口,约于1476年在大分开设画室称"天开图画楼",在这里创作了一些重要画作。雪舟一生作品很多,在东京国家博物馆收藏的四幅早期山水作品,据信是在中国画的,其中有两幅是描绘秋冬景色的轴卷。约于1486年画的《山水长卷》是其代表作,也

雪舟绘《秋冬山水图》(约1470～1490)
东京国家博物馆供图

是日本水墨画的巨作,描绘了从春到冬四季连续的景色,长达15米多。这件作品在主题与风格上虽源于中国绘画,但浓重的线条、强烈的明暗对比与空间效果等,与宋代绘画相比,他的画具有日本特色。现藏于京都国立博物馆的《天桥立图》(1502～1505),更为精细和写实。除山水画外,他还曾绘过许多佛教内容的画,其中最著名的是1496年绘制的《慧可断臂图》,描绘慧可如何断其臂以向达摩表志。雪舟也画装饰屏风,最著名的大约是一对描绘花鸟的六扇屏风,画风写实但富有装饰性,很接近中国明代的装饰性风格。

Sessions, Roger (Huntington)　塞欣斯(1896-12-28,美国纽约州布鲁克林～1985-03-16,新泽西普林斯顿)　美国交响曲和器乐曲作曲家,教育同时代人欣赏现代音乐的主要人物。

供图:Ulli Steltzer

曾在哈佛大学和耶鲁音乐学校学习,后从E.布洛克学习作曲。在欧洲居住了几年之后,于1933年返回美国。1928～1931年曾与A.科普兰合作,在纽约市举行演出一系列重要的现代作品的"科普兰-塞欣斯音乐会"。曾在普林斯顿大学(1935～1945)和伯克利加利福尼亚大学(1945～1952)教授作曲。1965年应聘去纽约市的朱利亚德音乐学院。第一部重要作品是为L.安德列耶夫的戏剧《黑假面人》(1923)所配的管弦乐组曲,至今仍是他最受欢迎的作品。他的8首交响曲(1927、1946、1957、1958、1964、1966、1967和1968)风格严肃,采用复调技巧和不对称的节奏。两首弦乐四重奏(1936和1951)、一首弦乐五重奏(1958)、三首钢琴奏鸣曲(1930、1946和1965)和管风琴众赞歌前奏曲(1925)均有类似的特点。自认为《小提琴协奏曲》(1935)是他最早的成熟作品之一。其独幕歌剧《卢库卢斯的审判》(1947)和为女高音和管弦乐队写的《忒奥克里托斯田园诗》(1954)与中欧的表现主义风格相似。歌剧《蒙提祖马》(1947)于1964年在西柏林上演。后期作品有康塔塔《当最后一朵丁香在门前庭院盛开时》(1970)、管弦乐《狂想曲》(1970)、《室内乐队小协奏曲》(1972)和《三个圣经合唱队》(1971;1975首演)。1981年在纽约举办他的作品回顾展。评论性著作有《作曲家、表演者和听众的音乐体验》(1950)、《和声应用》(1951)、《有关音乐的问题》(1970)和《塞欣斯论音乐》(1979)。1974年获普利策音乐特别表扬奖;1982年他的最后一部作品《管弦乐队协奏曲》(1981)再次获普利策奖。

Sesson Shūkei　雪村周继(1504,日本日立～约1589,岩代)　原名佐竹平藏。日本画家,

有时称第二雪舟。佛教僧侣,自学成才,是多产画家。初钻研天章周文绘画,从1533年起,又钻研雪舟,因而自称雪村。长于风景画,笔力苍劲有生气。现存风景画有《风与浪》,以及三幅《八景图》(1563、1564、1589)。其独特风格更明显表现于人物画(如《李白观瀑图》)和动物画(如《虎》)中。花鸟画亦佳,如水墨纸画《鹰景》。

雪村周继绘《鹰景》
东京国家博物馆供图

sestina 六六诗体 中世纪普罗旺斯和意大利诗人使用的一种精巧复杂的诗体,现代诗人偶然也用。在这种诗体的纯中世纪形式中,它由6个诗节的无韵诗构成,每节6行,诗体的名称即由此而来。第一诗节的最后几个词以不同的次序出现在其余5节之中,普罗旺斯人的次序是abcdef,faebdc,cfdabe,ecbfad,deacfb,bdfeca。在这些之后,是一个3行诗节,其中中间的一行要重复诗中的6个关键词,在这些诗句的结尾处要总结全诗,或把它献给某人。创造这种诗的是普罗旺斯行吟诗人达尼埃尔。在意大利,但丁和彼特拉克都使用过它。此后,它一度被弃置不用,直到16世纪法国的七星诗派才重新用这一诗体。19世纪,格拉蒙伯爵费迪南写了大量的六六诗体诗。斯温伯恩的《丽萨的抱怨》是一篇惊人的力作,为双六六诗体,由12个12行的诗节组成。20世纪,庞德、T.S.艾略特和奥登都写下值得注意的六六诗体诗。

Sesto San Giovanni 塞斯托-圣乔瓦尼 意大利北部伦巴第区米兰省城镇。米兰东北工业郊区。有炼钢、轧钢、铸造、玻璃制造、飞机装配和制造、铁路和电气设备等工业。是意大利最大的有组织的劳工集中地之一,是意大利共产主义的堡垒。人口:城市区约94 738(1981)。

Set (Egyptian god) 参阅 **Seth 塞特**。

set theory 集合论 现代数学中占有独特地位的一个分支。除少数例外,数学中所研究和分析的实体都可以认为是某些特殊的、由对象组成的集合或类。这意味着数学各分支都可以在集合论的范围内形式地加以定义,因之,关于数学本质的许多基本问题都可以化为集合论的问题。

历史 1870年前后,G.康托尔关于无穷序列以及有关课题的研究导致集合论的系统发展。康托尔常被认为是作为数学分支的集合论的奠基人。1874年他发表了关于实数集合不可能和自然数(非负整数)建立一一对应的有名的证明。1878年他引进了两个集合是均等的或具有相同的“势”这个基本概念:即如果两个集合之间能建立一一对应,则它们是等势的。显然,两个有穷集当且仅当它们有相同个数的元素时有相同的势。因此,势的概念在无穷集的情况下导致把自然数的概念推广而得到无穷基数的概念。**超限数**(**transfinite number**)理论的发展是康托尔的数学研究的伟大成就之一。从数学基础的观点看来,康托尔的工作在哲学上的革命方面是他对实无穷的大胆坚持,即坚持同数和有穷集合一样,作为数学对象的无穷集合是存在着的。在康托尔对集合论的最初发展中,他并没有明显地从公理出发,但是他确实隐含地用了集合的外延性公理和抽象公理。外延性公理说,如果两个集合有相同的元素,则这两个集合相同;而抽象公理说,给定任何性质,都存在一个正好由具有那个性质的实体组成的集合。

一旦明确的公理被系统地陈述出来,不加限制的抽象公理就被证明是一个产生麻烦的源泉。抽象公理的第一个明确的系统陈述好像是G.弗雷格作出的。1901年B.罗素发现,通过考虑那个由一切具有“非其自身元素”这一性质的东西所组成的集合S,就可以从抽象公理导出矛盾:一方面S是S的元素,因为它具有“非其自身元素”这一性质;另一方面,根据定义S又不能是它自己的元素;这就是说,S既属于S,而又不属于S。罗素的悖论说明了,直观集合论的明显的直接的公理化系统是不相容的。

集合论的现代公理化开始于1908年E.策梅洛所发表的一组公理,这组公理经受了时间的考验,从那时起还没有发现过不相容的东西,而且看来在将来也不大可能发现。后来A.弗伦克尔和T.斯考伦又对这组公理作了改进,世称ZF公理系统(策梅洛-弗伦克尔公理系统)。另一种公理系统是由J.冯·诺伊曼在一系列论文中发展起来的。他的构成方法和策梅洛很不相同,因为作为基本的东西是函数的概念而不是类或集合。P.伯奈斯为了保持与原来的策梅洛系统比较接近而修改了冯·诺伊曼的方法。伯奈斯引进了两种从属关系:集合之间的从属关系以及集合和类之间的从属关系(每个集合是一个类,但反之不真;不是集合的类称为真类)。K.哥德尔又进一步简化了这个理论;他的基本概念是集合、类和从属的概念(虽然只要从属的概念就够了)。因此这种系统也常称为NBG公理系统(诺伊曼-伯奈斯-哥德尔公理系统)。这种方法的一个重要特征是公理的个数为有穷。

集合论的公理系统 这里我们将只考虑策梅洛-弗伦克尔集合论的公理系统,仅叙述公理的直观内容而不给出明确的公式。基本的公理有7条:①外延性公理,它断言有相同元素的两个集合相同;②并集合公理,它假设任何一族集合的并集总是存在的;③幂集合公理,它断言任何集合的所有子集合的集合是存在的;④正则性公理,它说任何非空集合有一个元素,它和该集合之交为空集(这个公理和其他的公理一起能够证明无穷递减的集合序列是不存在的);⑤无穷公理,它假设存在一个无穷集,即有无穷多个元素的集合;⑥替换公理模式,这是前面提到过的弗伦克尔对策梅洛原来的分离性公理模式的改进,这个公理模式的直观意义是说,如果我们有一个公式$\varphi(x、y)$具有谓词性质,即对于集合A中的每个x至多有一个y,使得$\varphi(x,y)$成立,则可以断言那些y的集合是存在的并可用这个新集合来“替换”A;⑦选择公理,它断言对于每个集合A存在一个选择函数f,使得对于A的任何非空子集B,$f(B)$属于B。选择公理是由策梅洛在1904年为了证明任何集合都可以良序化而首先引进的。

连续统假设 这是一个猜想,说的是不存在一个集合其势大于可数集的势而又小于实数集的势。证明连续统假设是希尔伯特在1900年国际数学家大会上提出的一个著名的尚待解决的问题的表中的第一个问题。连续统假设可以扩充成为广义连续统假设,它是如下的猜想:给定任何无穷集A,不存在一个集合其势大于A的势而又小于A的所有子集的集合的势。K.哥德尔证明了下面的重要结果:广义连续统可以相容地加到集合论的其他公理中去,即如果上面列出的公理合在一起是相容的,那么把广义连续统假设作为一条新的公理加进去不会产生矛盾。更晚近些,P.J.科恩证明了几个重要的、独立的结果:首先,选择公理是独立于策梅洛-弗伦克尔集合论的其他公理的;其次,广义连续统假设是独立于包括选择公理在内的策梅洛-弗伦克尔集合论的。关于科恩的结果的一个很好的陈述,可以在他1966年的书中找到。连续统假设的独立性和许多有关的断言,说明了陈述在一阶逻辑里的集合论标准公理的直观的不完全性,其不完全的程度是没有料到的。在某种程度上,这种情况是可以和平行公设的独立性得到证明后在几何学中发生的情况相比较的。现在我们有许多种几何学,大概可以预期会有许多种集合论。然而,对于数学基础的直观的影响尚不能确定。将来会不会从作为标准的数学基础的集合论转向别的什么去呢?答案也许是肯定的,但是大概策梅洛-弗伦克尔的集合论发展的主线将会保留一个可以和欧几里得几何至今所保留的位置相比拟的持久的位置。

setback 收进 建筑中房屋(特别是摩天楼)外墙阶梯式的向内退缩。从美学角度看,一系列的收进会减弱摩天楼的垂直线条;在实用上则减少了上层楼层面积。因此,房屋的收进通常是由建筑法规或城市分区法规硬性规定的。20世纪初由于摩天楼的流行，需制订法规使低层房屋和街道能得到阳光。例如纽约市1916年的分区法规中规定某些地区的建筑物高度不得超过街道宽度的两倍。

纽约帝国大厦的系列收进
供图：Ewing Galloway

但如建筑物从街道收进30厘米，则允许增加高度1.2米。帝国大厦(1931年完工)的第一级收进在第五层，其高塔部分的平面面积只有底层平面的1/4。20世纪20年代的早期高层建筑中，建筑师着重于在收进部分进行各种装饰；如镶嵌细工，中国、马雅和希腊的装饰纹样，或立体式的方块等。此后，建筑师不强调收进而强调竖直线条、光墙面和窗。后来，采用玻璃幕墙的摩天楼完全不收进而在底层留出足够的空地以满足分区法规的要求。20世纪晚期，又开始对收进部分进行装饰了。

Sète 塞特 又拼Cette。法国地中海海岸重要商港和城镇。位于法国南部朗格多克-鲁西永大区埃罗省，蒙彼利埃西南。港口通过南运河与加龙河相连，还通过塞特运河与罗讷河相通，有管道与弗龙蒂尼昂的炼油厂和炼硫厂相连。港口建于1666年。第二次世界大战期间遭受破坏，重建后可容纳大吨位船舶，运送燃料、葡萄酒、矿石、水产品和一般货物。阿尔及利亚独立后，葡萄酒交易衰减，但石油和热带木材的贸易得以发展。该镇工业生产化工产品、磷酸盐和酒精。为著名旅游胜地，有海滨沙滩。有纪念诗人P.瓦莱里(1871～1945)的博物馆，他出生并葬于此地。人口39 542(1999)。

Sete Lagoas 塞蒂拉瓜斯 巴西米纳斯吉拉斯州中部城市。地处靠近埃斯皮尼亚苏山附近的高地。是一个为种植玉米、豆类、甘蔗、木薯、水稻和饲养牲畜的农业区服务的商业中心。有食品加工厂。在里约热内卢—巴西利亚公路上。人口约180 211(2000)。

Sete Quedas Falls(South America) **七瀑布**
参阅 **Guaíra Falls** *瓜伊拉瀑布*。

Seth 塞特 又作Setekh，Setesh或Set。古代埃及神祇，上埃及第11省的护佑神。塞特的崇拜中心原在尼罗河西岸今图赫附近的努卜特(希腊语称“翁博斯”)。努卜特是王朝时代以前上埃及的主要城市，附近有面积广大的墓地。约公元前3050年埃及统一，实现统一的列王以阿比多斯为都城，奉何露斯为护国神，于是努卜特不再受重视。关于何露斯与塞特争斗，两神成为永世仇敌的神话或许即因这种历史事件而起。塞特躯体似狗，斜眼，耳扇长方形而带尖，尾上有簇毛(较晚近的画法是尾尖分叉)，长鼻弯曲而鼻头尖细；关于此神的形象是从什么动物形状发展出来的，有许多说法(诸如土豚、羚羊、驴、骆驼、獗狐、灵猩、豺、跳鼠、长鼻鼠、霍加狓、大羚羊和猪)。塞特原来是苍天之神，主宰沙漠，执掌暴风雨，制造动乱，挑起刀兵，总而言之，诡计多端，变化莫测。他体现有秩序的世界必然存在的暴力和动乱的创造性因素。对此神的崇拜时起时落，这一方面表现埃及人对他的态度模棱两可，另一方面反映埃及政治局势的变化。在第二王朝(约公元前2775～前2650)，国王佩里布森率先把自己认同于塞特，一反国王加何露斯称号的传统，自加塞特称号。继其位的哈塞穆赫伊在给自己加称号时对何露斯和塞特等量齐观。在喜克索人侵入埃及而实行统治期间(约公元前1630～前1521)，喜克索人在尼罗河三角洲东北部他们的京城阿瓦里斯崇拜塞特，塞特遂与迦南的司掌暴风雨的神巴力融为一体。在新王国时代(约公元前1539～前1075)，塞特被奉为武神，能挑拨离间埃及的敌人。发祥于尼罗河三角洲东北部的拉美西斯王朝(公元前1292～约前1075)的历代法老把塞特列在埃及众大神之间，给自己加称号时使用他的名字，拔高塞特，说他站在太阳神瑞的船头担任护卫，杀死瑞的仇敌阿波皮。塞特还与阿蒙、瑞、卜塔等神并列，成为第四位宇宙主神。

塞特

在神话中，塞特与俄赛里斯是兄弟。他从母亲努特腹中迸出，背弃自己的妹妹兼妻子奈芙蒂丝而另有所欢，诱骗俄赛里斯进入箱中，封箱投入海中，将他溺死。俄赛里斯死后，他的妹妹兼妻子伊希斯奥妙地怀孕，生下何露斯。塞特不许何露斯继父位，两神争斗。拉美西斯王朝时代的《何露斯和塞特相争记》接近于讽喻，希腊传记作家普卢塔克有比较严肃的记叙，他把塞特写成希腊妖魔堤丰的化身。

新王国结束，埃及先丧失帝国，再丧失独立，对俄赛里斯的崇拜上升到主导地位，塞特逐渐被排斥在埃及众神之外。在公元前1千纪，他的名字和画像从许多纪念性建筑物上抹掉。当时埃及人认为他是自东方侵入埃及的异族(包括波斯人)的神，是邪恶，是恶魔阿波皮，或是希腊的堤丰。过去的消灭阿波皮的典礼，基本上为象征击败仇敌塞特的典礼所取代。

Seti 塞提 又拼Sethi或Sethos。埃及国王之名，按年代顺序分列于后，并各以●为标记。

● **Seti I 塞提一世**(？～公元前1279) 埃及第19王朝国王(公元前1290～前1279)。其父拉美西斯一世在位仅两年，他才是伟大的拉美西斯王朝的真正创建者。即位后曾率师北征，部分地重建了第18王朝动乱年代丧失的威信。与赫梯人进行过战争，也缔结过和约。他为埃及的繁荣昌盛做出许多贡献，如加强边防、开采矿藏、挖掘水井、重修庙宇，等等。他还继续完成其父在凯尔奈克开始修建的多柱大厅。他的最伟大的纪念物或许是他在阿比多斯的陵庙，上面有精致的浮雕，庙后有一个奇怪的建筑物，据说是他的衣冠冢。他的陵墓是西底比斯王陵谷中最好的一座。虽然他的儿子拉美西斯二世更为有名，但许多学者认为塞提是第19王朝最伟大的国王。

● **Seti II 塞提二世**(？～公元前1198) 埃及国王(公元前1204～前1198)。第19王朝最后几位统治者之一。他面临的最严重的威胁之一是企图篡夺王位并获得上埃及承认的阿孟梅西斯。塞提去世后由西皮塔继任，西皮塔由塞提二世的遗孀陶塞特继任(实际在位时间是公元前1193～前1190)。在这一时期的统治者和自封的统治者中，塞提二世是(第20王朝的)拉美西斯三世承认的唯一的一位合法国王。

Sétif 塞提夫 又作Stif。阿尔及利亚东北部城镇。在布萨拉姆河附近。古罗马时期便为地区首府。1838年由法国人驻防。1945年发生反对法国殖民统治的暴乱，100多个欧洲人被杀。在报复行动中，6 000～8 000名穆斯林被杀害。在法国殖民时期，周围地区成为谷物种植中心。塞提夫街道宽阔整齐，是阿尔及利亚地势最高的地方之一(1 096米)。1959年城镇中心附近发现罗马时代大墓地。1978年建立塞提夫大学。人口约170 182(1987)。

Seto 濑户 日本本州爱知县城市。在名古屋东北。约建于1230年。以陶瓷业闻名，自明治时代(1868～1912)以来，陶瓷工业发展迅速。现有工厂 900 余家,陶瓷窑1 000余座。也生产餐具、绝缘器材和玩具。设有国立陶瓷实验所。人口约 128 961(1994)。

Seto Great Bridge　瀬户大桥　日本本州与四国间跨越濑户内海的系列悬索桥。由本州的儿岛至四国的坂出镇,跨过 5 个小岛,全长 12.2 千米。有 3 座主要悬桥,中间的南备赞濑户桥最长(1 100 米)。濑户大桥建筑历时 10 年,于 1988 年 4 月 10 日通车。

Seto-guro ware　濑户黑陶器　1573～1596 年间在美浓烧造的日本陶器。这种黑陶器与同期的纯白的志野陶器形成鲜明的对照。制造方法是把涂有铁质釉的陶器在氧化性气氛的窑里烧成,然后从窑中迅速取出,使其很快冷却,所达到的黑色浓淡变化远比早期的黑天目釉更富于层次。

Seto-naikai(Japan)　参阅 **Inland Sea** 濑户内海。

Seto ware　濑户陶器　镰仓时代晚期(13世纪末期)濑户附近的一个窑场烧制的陶器。该窑场属日本六大古窑之一,坐落在今爱知县。据传濑户陶器的创始人是加藤景正。他

13 世纪下半叶日本镰仓时代的濑户陶罐

东京国家博物馆供图

曾到过中国南方学习陶瓷烧造,回国后即在濑户地区烧制陶器。这些陶器显然受中国南宋陶器和朝鲜高丽王朝陶器的影响,但所用陶土不同,窑型也有所不同(其结构不如同类中国窑炉那样复杂),并且部分受日本本国陶器传统的影响。

Seton, Saint Elizabeth Ann　塞顿,圣(1774-08-28,纽约市～1821-01-04,美国马里兰埃米茨堡)　第一位在美国出生的天主教圣人,美国第一个天主教修会仁爱姊妹会的创建者。1794 年她与威廉·塞顿结婚,1803 年威廉死在意大利。她返美后,于 1805 年脱离基督教圣公会改奉天主教。1809 年在巴尔的摩成立小学,几名青年妇女交由她领导。1813 年仁爱姊妹会成立,塞顿夫人任会长。在她去世时该会已有 20 个分会。

Seton, Ernest Thompson　塞顿(1860-08-14,英国达勒姆南希尔兹～1946-10-23,美国新墨西哥圣菲塞顿村)　博物学家、作家,动物小说作品当代流派的早期作家。全家于 1866 年移居加拿大。他迷恋大自然,不愿服从家人要他当画家的意愿。19 世纪末在马尼托巴大草原追猎,获得作为博物学家的经验。他的动物故事即根据这些知识写成。他把所写的故事收进他的一本极受欢迎的书《我所知道的野生动物》(1898)。他继续写这种书,直至 20 世纪 40 年代。塞顿深切关心大草原的前途,为建立印第安人保留地和为濒临绝灭的动物设立公园尽了很大力量。为使孩子们有机会研究自然,他在 1902 年创办了印第安森林知识学习小组,后来成为创建美国童子军的委员会的主席。

Seton, George Seton, 5th Lord　塞顿(1531～1586-01-08)　苏格兰女王玛丽最忠实的支持者和朋友之一。第 4 代塞顿勋爵之子,在法国受教育。1557 年参加玛丽与法国王储(后来为弗兰西斯二世)的婚礼。1561 年玛丽返回苏格兰后,他任枢密官和王室总管。4 年后又回到法国。玛丽和达恩利曾在他家里度蜜月。在里奇奥和达恩利被杀害后,玛丽也曾被迫在他家里躲避。1568 年 5 月玛丽逃出洛赫利文城堡后,他把她护送到汉密尔顿。1 周后被囚禁在兰塞德监狱。摄政者莫里伯爵被刺后,他获得自由。玛丽的支持者曾派他向阿尔瓦公爵求援,由西班牙资助两个团的苏格兰军队,未能如愿。1571 年回国。1581 年曾担任审判谋杀达恩利的莫顿伯爵的法官。1583 年任驻法国大使,极力为玛丽寻求法国的支援。1585 年回国,不久即死去。

Setouchi　濑户内　日本南部一工业区。包括濒临本州岛的中国区南部和四国岛北部,以及濑户内海诸岛上的许多邻近的工业区。既不是行政实体也不是政治实体。它包括本州岛上的冈山、广岛、山口,以及四国岛上的香川和爱媛等县各一部分。大多数工业集中在濑户内海沿岸城市。农业有稻田和更深入内地的种植葡萄、柿子和桃的果园。德川时代(1603～1867),濑户内的传统工业生产榻榻咪、棉纺织品、靛蓝类染料、木屐和船等,经濑户内海运至大阪。1690 年,在一个农业和渔业小村庄新居滨附近开始采铜矿。明治维新时期(1868～1912),住友财阀在新居滨建起炼铜厂。1905 年,因污染空气,炼铜厂迁至四阪岛。1926 年起,住友办起化学工业,从炼铜厂副产品二氧化硫提炼过磷酸钙和化肥。其他工厂随后生产硫酸、铵盐、甲醇和硝酸,该地成为化学工业中心。同时,濑户内受京阪神(京都-大阪-神户)工业区的新技术的影响,发展起纺织工业。第二次世界大战期间,引入该区更多的化工厂和大部分濑户内的重工业,包括钢铁、运输机械和石油化工产品。宇部发展化工生产,小野田发展成水泥生产中心,广岛集中建造轮船、火车头和货车,而姬路则成了钢铁生产中心。20 世纪 60 年代,随着京滨(东京-横滨)和京阪神工业区的扩展,该地区许多工业也得到了扩展。在濑户内海围海造田,以前的军事用地和盐田也改造为工业用地。岩国和德山的石油化工联合企业开始运行,福山建起炼钢厂。迅速工业化引起了船运问题,包括交通堵塞、交通事故以及既影响空气也影响濑户内海的污染问题。新技术缓和了空气污染问题,但濑户内海仍然受污染。在围海造田期间,鱼类产卵区受到破坏。有历史遗迹的岛屿已被定为保护区。该区铁路、公路和海上运输发达。

Settat　塞塔特　摩洛哥中部城市。沙维耶沿海平原的最大贸易中心。有一座 17 世纪末的城堡和 19 世纪建立的传统犹太人区。公路和铁路通向卡萨布兰卡和马拉喀什。周围地区农村人口稠密。是卡萨布兰卡蔬菜供应的主要地区之一。人口:城市区 65 203(1982)。

settee　长靠椅　又称长沙发(sofa)。椅座装有垫子的一种供两人或两人以上使用的坐具。装有靠背和扶手(有时装有垫子)。17 世纪的最早式样,把扶手放下后可作床。过去常把它同其他椅子一起组成一套家具,在装潢和形状上相互配合,这种作法在 20 世纪

英国 18 世纪的亚当式长靠椅

波士顿美术馆供图

继续沿用。各式长靠椅因其不同的用途、不同的形状或某种特点而有不同的名称,例如躺椅、大沙发、坐榻等。日间作靠椅,晚间作床的所谓坐榻起源于 16 世纪,上有雕刻或以垫子作装饰,一头倾斜,座部很长。

setter　蹲伏猎狗　用于猎鸟的猎狗,共3个品种。由中世纪的西班牙长毛猎狗培育而成。经训练用于猎鸟,当发现猎物时,即蹲伏

不动，等待猎人撒网将自己与猎物一齐罩住。英格兰蹲伏猎狗用于狩猎已有400多年的历史，1825年育成其当前的形态。体粗壮，但神态高贵。体高61～63.5厘米，体重23～32

爱尔兰蹲伏猎狗
供图：Sally Anne Thompson—美国不列颠百科全书公司

英格兰蹲伏猎狗
供图：Sally Anne Thompson—美国不列颠百科全书公司

千克。与其他蹲伏猎狗一样，头长，耳悬垂，胸高，尾尖。耳、胸、腿和尾被毛较长。全白色、黑白相间、棕褐色或白色带深色斑点。这品种是受珍视的狩猎用狗及伴侣狗。戈登蹲伏猎狗或称黑间黄褐色蹲伏猎狗，17世纪于苏格兰育成，以戈登公爵而得名，他养了这品种的狗，使这品种名声大振。该品种体高58～69厘米，体重20～32千克。被毛柔软，波状弯曲，黑色，头部、喉部、胸部及腿为黄褐色。以外形及忠诚著称。去野外活动时有条不紊。爱尔兰蹲伏猎狗以优雅的体格及桃花心木色发亮的被毛著名。至18世纪初在爱尔兰育成，用作跟随带枪猎人的猎狗。可能为英格兰蹲伏猎狗、戈登蹲伏猎狗、西班牙长毛猎狗及指示猎狗的后裔。体高64～69厘米，体重27～32千克。被毛直而扁平；原来为赤褐色及白色相间，现人们喜欢纯色者。性温驯，动作敏捷。

Setthathirat I　塞塔提腊一世（1534～1571，老挝南部）　老挝澜沧国王，在内政和外交上均有显著成就。国王波提萨腊之子。1546年登上清迈（在今泰国北部）王位。次年其父死，他回老挝继承王位。但迄1551年仍兼清迈王。1560年定都万象。他把清迈的圣物碧玉佛移到万象，并建雄伟的庙宇供奉。他继续执行其父提倡佛教的政策。他娶大城（泰国）公主为妻，与泰人结成反对缅甸的联盟。约1565年缅甸军队入侵时他的战略奏效，维护了王国的独立。直至今天寮人仍把他奉作民族英雄。他还是老挝南部某些山民精神崇拜的中心人物。

setting　背景　文学作品中故事发生的时间和地点。小说中人物的性格和行为常常同时取决于个人特点和所处环境。譬如在E.左拉的小说中背景就极为重要，因为他相信环境决定性格。在有些情况下，一部长篇小说的整个事件都由故事所处的地点来决定。G.福楼拜的《包法利夫人》（1857）中的故事就不可能发生在巴黎，因为女主人公悲惨的一生与死亡都与她外省背景的局限性有很大关系。对有些读者来说，背景可能是他们考虑的首要因素。读者能被J.康拉德的小说所吸引，就是因为他描绘了海边或东印度群岛的生活情况；他们对作者所呈现的人类关系的复杂性倒可能不那么感兴趣。小说的背景可能就是一个真实的城市或地区，只不过在作品中将其放大，如J.乔伊斯在《都柏林人》中的描绘。但是小说背景也可能完全是作者想象的产物，如V.纳巴科夫的《艾达》（1969）就有一个全新的时空。

settle　高背长椅　可供数人使用的一种有靠背和扶手的木制坐具。起源于10世纪的欧洲。显然从箱子演变而来，并保持着箱子的外形。用途很广，可作椅子、床和箱子，那

美国康涅狄格州莱巴嫩1710～1800年的高背长椅
供图：William L. Warren, Litchfield, Conn.

种装有活动椅背的长椅，还可把椅背放下，搁在扶手上，作桌子用。其他附件有脚凳和装在扶手或椅背上、放置蜡烛的烛台。各类椅背的高度差别很大，有的向下一直延伸到地面。椅背和扶手通常镶上嵌板或雕刻传统花纹作为装饰。15世纪成为旅馆和客栈内的标准家具，通常从扶手处伸出一个架子，以放置旅客的单柄大酒杯。17世纪末，家用高背长椅装上了用钉子钉牢的皮垫套，并将靠背倾斜，从而更加舒适。18和19世纪仅在乡村地区继续制造。20世纪初期，随着在设计方面开展运用史料的运动，这种椅子又时兴起来。

settlement　和解　在法律上，指诉讼当事人之间为处理和结束诉讼而达成的解决争议问题的妥协或协议。一般来说，和解的结果是撤回起诉或中止诉讼而无需判决（参阅 **nolle prosequi**）。在这种情况下，和解作为当事人之间有约束力的契约，可以防止重新提起诉讼。当事人双方也可以将和解的条款写入一个协议判决（consent judgement），由法院记录在卷，而且这种做法很常见。协议判决和法院在案件审理结束时所作的判决一样，可以防止就争议问题重新提起诉讼。和解通常规定或者被解释为允许任何一方当事人在对方当事人没有履行协议的条款和条件时，可以强制和解条款的执行，或者抛开和解条款，重新就争论提起诉讼。由于现代诉讼中，已提出的诉讼大部分不是撤诉，就是和解，因此，和解已成为诉讼程序的一项重要内容。settlement 一词也指财产的交付信托处理。

Settlement, Act of　《王位继承法》（1701-06-12）　英国议会规定1701年以后王位继承的立法。1700年末，威廉三世病重无嗣，王后安妮又刚刚失去独子。亡命在外的国王詹姆斯二世有不少拥护者，十分活跃。很明显，当时需要这样一个法案。《王位继承法》规定：威廉或安妮如死后无嗣，王位由汉诺威女选侯、詹姆斯一世的孙女索菲娅继承。以后再传给她的继承人，但必须是新教徒。汉诺威家族于1714年依此法继承了英国的王位。此外，《王位继承法》还包括一些重要的宪法条款：①今后国君均须参加英格兰圣公会；②如果国君不是英格兰人，英格兰没有义务为保卫非英格兰领土（例如汉诺威）而进行战争；③法官的任命主要看其公正廉洁，而不以国王的好恶为定，议会两院有弹劾权；④受下院弹劾者，不能由御玺（即国君）赦免。最初通过的《王位继承法》另有4项条款。第1条规定：凡经枢密院承办的事务均由该院处理，一切决议须经枢密院签字，提供意见和表示同意。第2条规定：所有在王国政府担任官职和领取薪俸的人一律不得担任下院议员。第3条规定：国君未经议会同意，不得离开英格兰、苏格兰或爱尔兰。第4条规定：在英格兰、苏格兰和爱尔兰诸王国及各自治领以外出生者，除非父母皆为英格兰人，不得进入枢密院，成为两院议员，担任任何文武官职或获得国王封给的土地财产。这4条先后被废除或修改。

settlement house　街坊文教馆　参阅 **social settlement** 社会服务所。

settling　沉降　在土壤力学中，指水中悬浮固体颗粒的沉积或沉淀。沉降速度与颗粒的大小、形状、密度及水的黏滞度有关。颗粒可按相对沉降速度大小进行分级。沉降也指坐落在深软土层上的建筑物的下沉，在建筑物完工后可持续数年。黏土中的矿物颗粒构成中间有空隙的可压缩结构，其空隙充满水分，因空隙之间的间隙很小，水不能流动。起初，负荷主要由相对不可压缩的水来承担。当负荷缓慢传递到黏土结构时，即产生沉降。

settling tank　参阅 **sedimentation tank** 沉淀池。

Setúbal　塞图巴尔　葡萄牙西南部塞图巴尔区城市、首府。位于里斯本东南，在萨杜、马拉特卡和圣马蒂纽三河所形成的三角洲北岸。在1755年的地震中，市内建筑几乎全部

被毁。港湾左岸的沙丘上有古罗马城镇塞托布里加(412年毁于海啸)的遗迹。输出商品有盐、柑橘、玫瑰香葡萄酒及葡萄等。并有造船厂、罐头厂。工业产品有玻璃制品、化学

塞图巴尔市附近的柑橘林

供图:Suend Allan—Shostal/美国不列颠百科全书公司

品、电气设备及药品等。塞图巴尔区面积5 064平方千米,以南部沿海的阿拉比迪山南坡上生长的茂盛草木而闻名,1979年开通里斯本与塞图巴尔间的公路。另有公路东通西班牙,南达法罗区。米特雷纳半岛上热电站离塞图巴尔约43千米。人口:市77 230;行政区97 762;区654 312(1981)。

Seurat, Georges 修拉(1859-12-02,巴黎~1891-03-29,巴黎) 19世纪法国新印象主义画派的主要画家和创始人。他从印象派对光色的分析开始,使点彩派的技法臻于完善,曾

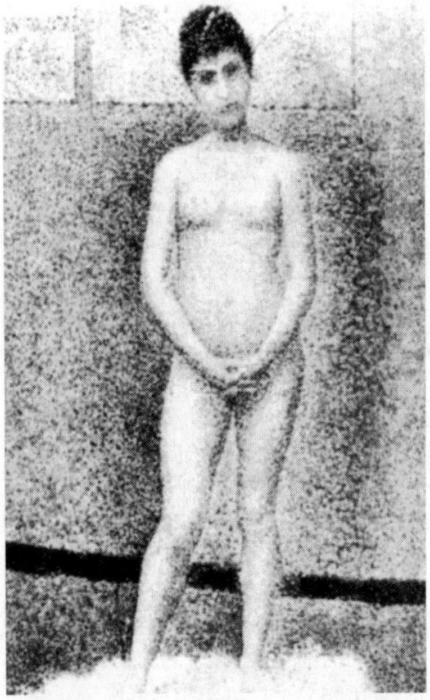

修拉绘《女人体》

中国大百科全书出版社供图

以纯色和纤细的笔触创作了7幅大构图。小时在巴黎入学时就开始画画,1875年起师从雕刻家J.勒魁安,1878年入美术学院,在安格尔的学生H.勒芒画室学习。1879年11月到布雷斯特服军役,在那里描绘大海、海滩和游艇。翌年秋回到巴黎,与É.-F.阿芒-让共用一画室,后来两人同时进勒芒画室学习。他们异常羡慕米勒的热情洋溢的风景画。1883年修拉第一次在官方沙龙展出他母亲和朋友阿芒-让的肖像画,同时开始为《阿涅尔的沐浴》一画作习作、速写和嵌板画。但此画被1884年沙龙拒绝,因此他决定参加独立艺术家小组,并于6月展出此画。这时期修拉还受象征主义画家夏瓦纳的影响,并对百岁老人化学家M.-E.谢夫勒尔的色彩光轮原理感兴趣,与西涅克一起做了研究和实验,还在小板上画了许多速写为《大碗岛上星期日的下午》一画作准备,此画于1886年在一次印象主义画展中展出,人们对它的技术产生了极大的兴趣,出奇的艺术和新颖的构思受到比利时诗人E.维尔哈伦和批评家F.费涅翁的赞扬。之后,画商迪朗-吕埃尔在巴黎和纽约展出了他的作品。1888和1889年他都有作品参加独立沙龙画展。修拉的最后一幅作品《马戏团》(未完成)参加了第8届独立沙龙画展。他在展中因劳累过度而去世。他生前为创作其7幅纪念碑性作品,曾画了40幅小油画习作,500幅素描,还有许多本速写。主要作品有:《阿涅尔的沐浴》(1883～1884,伦敦国家美术馆藏)、《大碗岛上星期日的下午》(1884～1886,芝加哥美术馆藏)、《滑稽表演》(1887～1888,纽约大都会艺术博物馆藏)、《马戏团》(1890～1891,巴黎罗浮宫博物馆藏)等。

Seuse, Heinrich (German mystic) 参阅 **Suso, Heinrich** 苏索。

Seuss, Doctor (U.S. writer) **索伊斯博士** 参阅 **Geisel, Theodor Seuss** 盖泽尔。

Seuthopolis (Bulgaria) **赛夫索波利斯** 参阅 **Kazanlŭk** 卡赞勒克。

Sevagram 塞瓦格拉姆 印度西部马哈拉施特拉邦东部城镇。原称塞冈,印度民族运动领袖圣雄甘地为之取名塞瓦格拉姆,意为"服务村"。1936年甘地在此定居,指导独立运动。镇内有甘地所建模范社区和教育中心。居民现仍过着简朴生活。

Sevan, Lake 塞凡湖 亚美尼亚境内湖泊。面积1 360平方千米。四面环山,海拔1 905米。湖水经拉兹丹河和阿拉斯河注入里海。湖域由小塞凡湖(西北方,最深达85米)和大塞凡湖(东南方,最深达39米)两部分组成。拉兹丹河上建有6座水电站,使该湖水位下降。为了稳定水位,20世纪70年代末建成阿尔帕河引水隧洞,长49千米。盛产鱼类,鳟鱼尤多。湖滨有数座古教堂。

Sevastopol 塞瓦斯托波尔 乌克兰南部克里米亚海港城市。位于克里米亚半岛西南部,地处窄长的阿赫蒂亚尔斯卡娅海湾南岸,为一天然良港。现城市西部为公元前421年建立的古希腊人的切尔松尼苏斯殖民地。切尔松尼苏斯原为一个共和国,曾沦为罗马帝国和拜占廷帝国的一部分。988年或989年,基辅弗拉基米尔大公占领了该城。1783年俄国人并吞克里米亚后,开始在此地建立海军基地与要塞,翌年命名为塞瓦斯托波尔。1808年辟为商埠。在克里米亚战争(1853～1856)期间,英法联军于1854年10月至1855年9月进行围攻,城市遭严重破坏。战后重建。1875年通火车后大有发展。费奥多西亚辟为商港后大受影响。此后一直主要为海军基地和要塞。第二次世界大战期间,1942年6月至7月,又被德国人困城达一个月之久,几乎沦为废墟。1944年5月解放后又进行重建。现有多座塞瓦斯托波尔保卫战纪念碑。有一幅巨大的克里米亚保卫战全景画,长115米。人口约366 200(1991)。

Sevastopol, Siege of 塞瓦斯托波尔之围 克里米亚战争(1853～1856)中的一次主要战斗。自1854年10月17日起至1855年9月11日止,英法联军5万人,由拉格伦及康罗贝尔将军指挥(1855年又有皮埃蒙特部队1万名支援),包围俄国黑海舰队重要基地塞瓦斯托波尔,最后攻取该地。塞瓦斯托波尔的防御工事是由军事工程师托特勒本设计构筑的,俄军则由缅施科夫指挥。包围延续11个月之久,因为联军缺乏重炮,无法有效地摧毁俄军防御工事,俄军力图突围,屡遭失败。1855年9月8日,法军攻下城东南端重要防御据点马拉霍夫阵地。9月11日,俄军将舰只自沉港内,炸毁碉堡,撤出塞瓦斯托波尔。联军进驻该城,但未追击俄军。1856年初,战争迅速结束。

Seven, Group of 七人画派 以多伦多为中心的加拿大画家团体,致力于风景画创作(特别是北安大略题材),并创立一种民族风格。这个团体由T.汤姆森和J.E.H.麦克唐纳于1913年发起并领导,在20世纪20年代和30年代极有影响。1933年改名为加拿大画家团体。

Seven Against Thebes 七将攻第比斯 在希腊神话中,指第比斯(又译忒拜)王俄狄浦斯死后,攻打第比斯的7名阵亡战士的故事。受到父亲俄狄浦斯咒诅的双生子厄忒俄克勒斯和波吕尼刻斯在应由谁继承王位的问题上没有达成协议,于是决定按年轮流担任国王。由于首先轮到厄忒俄克勒斯,波吕尼刻斯遂退居阿尔戈斯,在那里他娶国王阿德拉斯托斯的女儿阿尔盖娅为妻。另一个女儿得伊皮勒则同流亡的卡吕冬国王俄纽斯的儿子堤丢斯结了婚。当轮到波吕尼刻斯在第比斯执政时,厄忒俄克勒斯拒绝让位。于是阿德拉斯托斯动员了一支军队,据埃斯库罗斯悲剧中的说法,军队的7名将领是:堤丢斯、卡帕纽斯、厄忒俄克路斯、希波墨冬、帕耳忒诺派俄斯、安菲阿拉俄斯和波吕尼刻斯。其他作者把阿德拉斯托斯也算成七将之一,略去希波墨冬或波吕尼刻斯。波吕尼刻斯和厄忒俄克勒斯在厮杀中同归于尽,这正好应了俄狄浦斯的咒诅。阵亡七将的儿子们,即后辈英雄们,长大成人之后,阿德拉斯托斯再度攻打第比斯,在第比斯人夜间撤出该城之后占领该城。他在回家途中死在迈加拉。在古代,七将的故事是人们十分喜爱的题材。埃斯库罗斯的《七将攻第比斯》和欧里庇得斯的《腓尼

基少女》均以这一故事为主题。

Seven Days' Battles　七天战役(1862-06-25～07-01)　美国南北战争中的连续几次战斗。R.E.李将军指挥南部邦联军队击溃G.B.麦克莱伦将军的北部联邦军队,挫败了北部占领弗吉尼亚州里士满的企图。麦克莱伦被迫从距离南部邦联首都以东6千米的阵地撤往詹姆斯河畔哈里森斯兰丁刚筑成的作战基地。估计北军伤亡1.6万人,南军伤亡2万人。

Seven Gods of Luck(Japanese mythology)　参阅**Shichi-fuku-jin** 七福神。

Seven Golden Cities of Cibola　参阅**Cibola, Seven Golden Cities of** 锡沃拉的七座黄金城。

Seven Hills(Germany)　参阅**Siebengebirge** 七峰山。

Seven Hills of Rome　罗马七丘　古罗马城城址所在的七座小山。山名分别为帕拉蒂诺(罗马城原始部分建此)、卡皮托利尼、奎里纳尔、维米纳尔、埃斯奎利尼、卡埃利安和阿文蒂尼。

Seven Holy Founders　创业七圣(活动时期13世纪,意大利托斯卡纳区)　又作Seven Servite Founders。中世纪基督教托钵修会圣母之仆(俗称圣仆会)的7位创始人,即邦菲利乌斯、法尔科尼埃里、波纳琼塔、本尼狄克·德兰特拉、阿米德伊、索斯特尼和乌古特乔内。圣仆会从事传教工作。七圣事迹最早见于14世纪史书《传说溯源》。据该书载,7人都是佛罗伦萨的商人,他们共同过苦修生活,称为苦修兄弟,都是圣马利亚会会士。当时佛罗伦萨政局动荡,鼓吹善恶分别由两个造物主创造的异端清洁派猖獗。7人以邦菲利乌斯为首,向圣母马利亚献身。传说马利亚曾向他们显现,指示他们出世静修。经过阿尔丁古斯主教批准,7人于1233年迁到佛罗伦萨城外卡法吉奥,遵照福音书的词句,严守清贫、互助互勉,以现身说法传教。为了更为彻底地与世隔绝,他们迁往离市区约12英里的蒙特塞纳里奥(日期不详)建立独修院。根据15和16世纪的传说,马利亚曾再次向他们显现,指示他们穿黑袍,采用圣奥古斯丁戒规。从此他们被称为圣仆会,他们迁回佛罗伦萨,建成卡法吉奥圣马利亚教堂(后改名为圣母领报堂)。邦菲利乌斯当选为会长,该会获得阿尔丁古斯主教批准。

Seven Islands(Canada)　参阅**Sept-Îles** 七岛市。

seven-note scale(music)　参阅**heptatonic scale** 七声音阶。

Seven Oaks Massacre　七株橡树大屠杀(1816)　西北公司代理人对竞争对手哈得孙湾公司在今加拿大马尼托巴的**雷德河移民区(Red River Settlement)**所进行的破坏。1816年6月西北公司雇员C.格兰特率领一群混血人(约60名)劫掠了阿西尼博因河上的一些沿岸贸易站,然后在道格拉斯堡哈得孙湾公司贸易站附近一个叫做"七株橡树"的地方停留下来。雷德河殖民地和哈得孙湾公司所属北美地区总管R.森普尔带领约25名士兵和移民前去与混血人进行谈判。双方发生战斗。森普尔和他手下的人员19名被打死。格兰特仅损失1人。在这次战斗以后的几天中,混血人以大屠杀为威胁强迫移民撤离。雷德河殖民地被西北公司人员暂时摧毁,几年后又重建。

Seven Pagodas(India)　**七寺城**　参阅**Mahābalipuram** 默哈巴利布勒姆。

Seven Pines, Battle of　七棵松战役(1862-05-31～06-01)　又称费尔奥克斯战役。美国南北战争期间在弗吉尼亚南部邦联首府里士满东9千米地方发生的一次战斗。北部联邦军击败了南部邦联军队的进犯。南部邦联军司令J.E.约翰斯顿将军在战斗的第一天即负重伤。联邦军伤亡约5 000多人,南部邦联军队伤亡约6 000多人。

Seven Sages of the Bamboo Grove　竹林七贤　又拼Chu-lin ch'i hsien。中国魏末、西晋初期的7位名士的合称。他们是阮籍(210～263)、嵇康(223～262)、向秀(约227～272)、山涛(205～283)、王戎(234～305)、阮咸(生卒年不详)及刘伶(约221～300)。由于他们互有交往,而且曾集于山阳(今河南修武)竹林之下肆意酣畅,故世称竹林七贤。7人思想倾向略有不同。嵇康、阮籍、刘伶、阮咸服膺老庄,越名教而任自然,山涛、王戎好老庄而杂以儒术,向秀则主张名教与自然合一。竹林七贤因他们的行为违反习俗、自行其是而闻名。

Seven Sisters　七姐妹　正式名称为七院校联合会(Seven Colleges Conference)。美国东北部七所声誉卓著的私立高等学府的联盟。起初所有成员均为女校,包括巴纳德学院(附属于哥伦比亚大学)、布林莫尔学院、芒特霍利奥克学院、史密斯学院、瓦瑟学院(现男女生合校)和韦尔斯利学院。第七所学校为拉德克利夫学院,1999年已正式与哈佛大学合并。联盟源于1915年在瓦瑟学院召开的会议。与会学校包括瓦瑟、芒特霍利奥克、史密斯和韦尔斯利,会上讨论了如何改进筹资工作。1925年在布林莫尔召开第二次会议,此后于1926年又在巴纳德和拉德克利夫召开会议。至此,该团体已有七姐妹之称。除寻求捐款外,七姐妹还共同商讨入学条件、学术标准及共同目标。

Seven Sleepers of Ephesus　以弗所长眠七圣　著名传说中的主人公。这个传说的用意是证明死人复活的教义,因此在中世纪基督教和伊斯兰教世界曾广为流传。据说,250年罗马皇帝德西乌斯迫害基督徒之时,以弗所有7名(一说8名)信奉基督教的士兵躲避在附近一洞穴中。洞口后来封闭,他们竟在其中神奇地昏昏睡去。东罗马皇帝狄奥多西二世在位期间(408～450),洞穴又被打开,他们才醒来,介绍自己所历之事的深刻意义,然后死去。狄奥多西二世命令将他们的遗体厚葬,任人崇拜,并将因相信基督复活而受迫害的众主教一律赦免。

seven-tone scale(music)　参阅**heptatonic scale** 七声音阶。

Seven Weeks' War　七周战争(1866)　又称奥普战争。普鲁士为一方,奥地利、巴伐利亚、萨克森、汉诺威和一些德意志小邦为另一方的战争。战事决定于波希米亚。普鲁士主力在该地同奥地利主力和萨克森军队进行了决战。这次战役是普鲁士的霍亨索伦王朝为统一德国而精心策划的一幕。俾斯麦为该王朝的主要代理人。问题很明确:普鲁士为了争夺对德意志联邦的领导,蓄意向奥地利挑战。有了俾斯麦那样的政治家、毛奇伯爵那样的战略家和罗恩伯爵那样的军事组织者,普鲁士有条不紊地准备了这次挑战。1866年俾斯麦找到的借口是关于管理石勒苏益格和荷尔斯泰因的争执,两地是奥地利和普鲁士于1864年从丹麦抢来的,后来一直由两国共管。外交交涉在1月开始,稍后就着手军事上的准备,但战争直到6月中旬才爆发。俾斯麦利用同意大利的结盟,把奥地利部分军队吸引到南部。上述的优势和普鲁士现代化军队的严明纪律,使普鲁士取得胜利,把奥地利排斥于德国之外。8月23日签订《布拉格条约》,规定石勒苏益格和荷尔斯泰因划归普鲁士,普鲁士还吞并汉诺威、黑森-卡塞尔、拿骚和法兰克福全部,从而取得隔离普鲁士东西部的领土。根据《维也纳和约》(1866-10-03),奥地利将威尼斯转让给意大利。普鲁士的胜利使它得以建立北德意志联邦。

Seven Wise Masters　《七贤哲》　又称《七宰相》、《七贤哲故事》、《辛伯达纪事》。为一组连环故事,大概起源于印度,通过中古波斯语和阿拉伯语进入西方传说。故事结构为:一位东方国王请一位贤明太傅辛伯达(并非《一千零一夜》中的水手辛伯达)教育王子。太傅命王子在一星期内保持沉默,在此期间王子的继母曾试图引诱王子,因未能得逞,便在国王面前指控王子,并讲述7个故事,妄图置王子于死地。但她讲的每则故事都被7位贤哲驳倒,他们也轮流讲述有关女人的诡计的故事。王子最后终于开口,真相大白。这个故事现存最老的善本是用中古阿拉伯语写成,收入《一千零一夜》(理查德·伯顿爵士的译本[6卷,1886]578～606夜的故事)。

Seven Wonders of the World　世界七大奇观　公元前2世纪西顿的作家安提帕特所列举的古代杰出的世界奇观:①**吉萨金字塔(Giza, Pyramids of)**,七大奇观中最古的,也是唯一迄今大体上尚存的;②**巴比伦的空中花园(Hanging Gardens of Babylon)**,为一系列分层设园的平台,传为亚述王后萨穆拉玛特或新巴比伦国王尼布甲尼撒二世所建;③**奥林匹亚的宙斯神像(Zeus, Statue of)**,约公元前430年由雅典雕刻家菲迪亚斯所作巨大的华丽坐像;④以弗所的*阿耳忒弥斯神庙*(**Artemis, Temple of**),因规模宏大装饰富丽而著称;⑤*哈利卡纳苏斯的摩索拉斯陵墓*(**Halicarnassus, Mausoleum of**),为安纳托利亚国王摩索拉斯的陵墓,由其王后阿尔特米西亚建造;⑥*希腊罗得岛巨像*(**Rhodes, Colossus of**),为纪念罗得岛解围(公元前305～前304)而在该岛港口建造的青铜巨像;⑦*法罗斯岛灯塔*(**Pharos of Alexandria**),为古代最著名的灯塔,约公元前280年为埃及国王托勒密二世而建于亚历山大城港口外的法罗斯岛上。

Seven Writers of the Jian'an Period　建安七子　中国东汉末建安年间(196～220)7位文人的合称。指:孔融、陈琳、王粲、徐幹、阮瑀、应玚、刘桢。七子中孔融以散文气势豪迈见称。王粲等人都身经离乱,诗文大多慷慨悲凉,感叹身世。成就最大的是王粲。《七哀诗》、《登楼赋》为代表作。刘桢与王粲齐名,《赠从弟》三首,抒写个人志趣抱负,语言明快,气势雄健。陈琳、阮瑀散文都喜欢征引史事,多用排比对偶句法,体现了两汉散文向南北朝骈文过渡的倾向。陈琳《饮马长城窟行》也比较著名。徐幹《中论》一书,为曹丕所称,《室思》一诗一往情深,也很出色。七子中应玚作品传世较少。

Seven Years' War　七年战争(1756～1763)　法国大革命前欧洲所有主要大国都卷入的最后一次大冲突。一方为法国、奥地利、萨克森、瑞典、俄国结成的联盟,另一方为普鲁士、汉诺威和英国的联盟。战争主要是由于奥地利企图收回普鲁士所夺取的西里西亚而引起的。但也由于英法两国在北美和印度对殖民地的争夺。七年战争爆发前,欧洲各国间的联盟发生了违反常规的变化。奥地利同法国结盟,而英国则同普鲁士结盟,这标志着这些国家间的长期敌意发生了逆转。1756年8月,普鲁士的腓特烈大帝率军侵入萨克森,10月,萨克森投降。1757年春腓特烈南下,进入波希米亚,5月在布拉格战役中击溃奥军。但奥军6月在科林获得重大胜利,普军退出波希米亚。此时腓特烈面临多线作战。在西部,法国军队打垮汉诺威军队,向普鲁士推进。瑞典军队侵入了普属波美拉尼亚。俄军于7月进入东普鲁士,8月大败普军。奥军也进入西里西亚。腓特烈孤注一掷,于11月5日在罗斯巴赫战役中,以损失500人的代价使法军损失7 000人。在西里西亚,腓特烈在12月5日洛伊滕战役中大败奥军。瑞典人被赶回瑞属波美拉尼亚。1758年4月老庇特领导的英国政府与普鲁士签署新约,提供大量的财政支援。6月英国-汉诺威军队在克雷费尔德大败法军。与此同时,腓特烈在佐恩多尔夫(08-25)战役中击退俄军,但他企图从奥军手中拯救萨克森的目的只部分实现,他被迫退回西里西亚。1759年夏俄奥军终于在东线会师,8月库纳斯多尔夫战役中普军惨败,损失1.8万人。9月,奥军占领德累斯顿。1760年,西里西亚成为主要战场,腓特烈在利格尼茨和托尔高战役获得胜利,但因历次战役的消耗,已难以支撑。1762年1月俄国女皇叶利扎维塔去世,挽救了腓特烈的危局。彼得三世即位后,不仅与普鲁士媾和,并促成普鲁士与瑞典缔结和约,最后还与腓特烈一并努力把奥军赶出西里西亚。尽管彼得不久被暗杀,叶卡捷琳娜二世(大帝)未再仇视普鲁士。腓特烈最终得以把奥军逐出西里西亚,并打败萨克森,夺取格丁根。大陆战事结束后,海外战争又持续了一段时间。根据《巴黎条约》(1763-02-10),英国获得北美和印度,成为海外殖民的当然领袖。5天后的《胡贝图斯堡条约》使普鲁士保有西里西亚,从此跻身于欧洲主要大国之列。

Seveners　七伊玛目派　伊斯兰教什叶派中的*伊斯玛仪派*(**Ismāʻīlīte**)的一个少数派。

Sevenoaks　塞文欧克斯　英格兰肯特郡一区。面积368平方千米。位于伦敦东南。地势起伏,多林区。主要为一农业地区。塞文欧克斯和斯旺利是主要城镇,分别位于区的南北。人口约109 305(2001)。

Sevens(card game)　**憋七**　参阅**Fan-Tan** *番摊*。

Seventeen Article Constitution　《十七条宪法》　日本圣德太子在摄政时为统治阶级制定的道德规范,604年颁布。当时日本四分五裂,《十七条宪法》特别强调中国儒家天无二日的学说。宪法规定:百官任贤不任亲,一切臣民须忠君,从政和为贵,旧制要革新,信奉佛与"法",禁止地方官吏征税和徭役。但其中大部分条款直到很久以后才开始实行。有些历史学家认为该宪法是后人伪造的。

1763, Proclamation of　《1763年公告》　北美洲法国印第安人战争结束时英国政府宣布的旨在制止白人继续蚕食土地以安抚印第安人的公告。公告宣布在美洲建立的英属新领土(魁北克、东西佛罗里达和格林纳达)以及阿巴拉契亚山脉以西、南起哈得孙湾、北至佛罗里达的英辖印第安人居留地,禁止白人移居印第安人地区,并命令已定居者撤离。公告在欧洲国家的美洲殖民史上第一次提出了印第安人拥有地权的概念,在此项权利因购买或条约被取消前,禁止向任何部落颁发土地专利证。公告虽无意改变西方边界,却仍被各殖民地视为对内部事务的非法干预。公告也未能遏止拓荒者的西进,从而引起该地区长达几十年的连绵不断的印第安人战争。

1789, Revolution of　1789年革命　参阅**French Revolution** *法国大革命*。

seventeenth parallel　十七度线　根据1954年《日内瓦协议》在越南建立的临时军事分界线。此线实际在北纬17°线稍南,沿边海河到波胡素村,然后正西到老越边界。《日内瓦协议》还规定十七度线两侧各5千米以内为非军事区。虽然协议规定该线"不得以任何方式被解释为政治或领土的边界",但它实际上成了南北越的政治分界线。

Seventh-day Adventist　基督复临安息日会信徒　强调千禧年论的基督教派别基督复临安息日会的成员。该会于19世纪在美国创立。参阅**Adventist**。

Severance, Caroline Maria Seymour　塞弗伦斯(1820-01-12,美国纽约卡南代瓜～1914-11-10,加利福尼亚洛杉矶)　婚前名Caroline Maria Seymour。美国改革家、俱乐部活动家,特别热心于妇女选举权和当时其他妇女事务。1840年与C.塞弗伦斯结婚,定居克利夫兰。关心禁酒、废奴与女权,并和丈夫一起参与成立独立基督教会。1853年主持俄亥俄州妇女权利协会第一次大会。1855年迁往波士顿,经常发表废奴演说。1862年任新英格兰妇幼医院董事。1866年参与组织美国平等权利协会,1867年与他人共同成立自由宗教协会。1868年参与成立新英格兰妇女俱乐部,任主席至1871年,任内组建波士顿女童拉丁学校,并争取妇女参选地方教育董事会董事。1869年和L.斯通组织美国女权运动协会。1875年迁居洛杉矶,成立该市第一个上帝一位论圣会。翌年成立加利福尼亚模范幼儿园和太平洋模范幼儿园教师培训学校。1891年成立星期五早晨俱乐部,是许多改革运动的积极力量。1900～1904年任洛杉矶县女权运动联盟主席,并在91岁时成为根据加利福尼亚州新妇女选举权法登记投票的第一人。

美国不列颠百科全书公司供图

Severian OF GABALA　**塞维里安(加巴拉的)**(?～408后)　希腊正教教士、加巴拉(今叙利亚境内拉塔基亚)主教。约401年离加巴拉到拜占廷帝国首都君士坦丁堡,师事著名希腊教父克里索斯托(金口约翰),并在克里索斯托巡视亚洲教会时署理希腊正教会事务。君士坦丁堡大辅祭萨拉皮翁指责他破坏克里索斯托的权威,克里索斯托遂劝告他返回加巴拉。约403年奉召返回君士坦丁堡,在皇后欧多克西亚的坚持下,受到克里索斯托的接纳。塞维里安仗恃政界和宗教界反对克里索斯托厉行道德整顿的一派人，在403年栎林会议上担任牧首区检查官和审判官。有人诬告克里索斯托赞成奥利金学说并在教堂内吃糖，于是这次会议认定克里索斯托有罪，把他流放到小亚细亚边远地区。宣判后群情激昂，同时又发生地震，皇后恐惧，塞维里安一派人逃离君士坦丁堡。404年塞维里安纠合克里索斯托的敌人举行第二次审判，认定他非法返职并焚毁自己所在教堂，判处克里索斯托终身流放。克里索斯托不堪折磨而死。塞维里安自君士坦丁堡返回叙利亚。塞维里安著有保罗书信注释和关于《旧约》前6卷的讲稿。

Severing, Carl　泽韦林(1875-06-01，德国黑尔福德～1952-07-23，西德比勒费尔德)　德国政治家、魏玛共和国时期社会民主党领导成员，曾长期担任普鲁士内政部长(1920～1926;1930～1932)。激进的工会领袖，历任德意志帝国议会议员(1907～1912)、魏玛共和国立宪会议代表(1919)、魏玛国民议会及普鲁士邦议会议员。1919年任威斯特伐利亚州州长，指挥镇压鲁尔共产党起义。1928～1930年任共和国内政部长。在任普鲁士内政部长时，对邦警察部门进行民主改革。与总理奥托·布劳恩一起，在普鲁士极力推行社会主义。1932年7月被总理巴本撤职。其后离开国社党德国的政治。1945年纳粹垮台后，又恢复政治活动。

Severini, Gino　塞维里尼(1883-04-07，意大利科尔托纳～1966-02-27，法国巴黎)　意大利画家。作品综合未来主义和立体主义的风格。1900年跟G.巴拉(意大利点彩派画家，

塞维里尼及其作品
芝加哥美术学院供图

后来成为杰出的未来派艺术家)学画。1906年迁居巴黎，得识法国先锋派各主要人物，如立体派画家布拉克和毕加索，作家G.阿波里耐等。1910年在未来派宣言上签名。喜画夜总会的欢乐场面，让有节奏的形象和愉快的、闪烁的色彩充满画面，唤起人们对动作和音响的感觉。《塔巴兰舞厅的动态符号》(1912，纽约市现代艺术博物馆藏)一画，主题仍是夜生活，但融合了抽象派拼贴画的立体技巧。其战时作品如《伤兵列车》(1914，纽约市古根海姆博物馆藏)，却表现出正统未来派对战争和机械动力的歌颂。1921年他又接受了新古典主义的特有风格。

Severinus　塞维里努斯(?，罗马[意大利]～640-08-02，罗马)　教皇(638～640在位)。638年当选，准备继洪诺留一世之位，随即派遣使者赴君士坦丁堡呈请拜占廷皇帝希拉克略批准。希拉克略坚持首先由塞维里努斯承认他所颁发的鼓吹基督一志论的信纲，塞维里努斯拒绝。拉韦纳大主教以撒在罗马军人支持下企图迫使他服从皇帝，塞维里努斯依然坚持不变。希拉克略终于在塞维里努斯的使者敦促下批准他登位，于是迟至640年他才正式成为教皇，其后立即宣布基督有神、人二性和神、人二志的正统教义。继其位的几代教皇都谴责基督一志论，遂使数十年间罗马与君士坦丁堡关系紧张。

Severn, River　塞文河　威尔士语作Hafren。英国最长的河流(约290千米)。源出威尔士普林利蒙东北坡，注入大西洋布里斯托尔湾。流域面积11 266平方千米。在比尤德利平均

流经什罗普郡科尔布鲁克代尔附近铁桥的塞文河
供图：© Adam Woolfitt/罗伯特·哈丁图片图书馆

流量61.5立方米/秒。源头海拔600米，先向东南流，在拉尼德洛伊斯镇折向东北，在拉尼马内赫接纳韦尔努伊河，该支流源头有水坝形成韦尔努伊湖水库，为利物浦提供饮用水。扩大了的塞文河向东流经平原时绕着什鲁斯伯里旧镇流转向南后，在斯陶尔波特接纳斯陶尔河，经伍斯特，这里有一座大教堂矗立在左岸峭壁上。蒂姆河从西面、埃文河从东北面流入。河口湾在南威尔士和萨默塞特之间逐渐展宽，形成布里斯托尔湾。沿河有许多桥梁，其中较重要的有伯克利维阿达克特铁路桥、塞文大吊桥等。塞文河口湾有著名的潮涌。

Severn River　塞文河　加拿大安大略省西北部河流。源出安大略省西部的芬格湖区，流向东北，经塞文湖注入哈得孙湾。全长980千米。虽然水流湍急，仍被商人利用为温尼伯湖到哈得孙湾之间的运输水道。

Severnaya Dvina (Russia)　参阅 **Northern Dvina River** 北德维纳河。

Severnaya Golodnaya Steppe (Kazakhstan) **北饥饿草原**　参阅**Betpak-Dala**别特帕克达拉草原。

Severnaya Osetiya (Russia)　参阅 **North Ossetia** 北奥塞梯。

Severnaya Zemlya　北地群岛　俄罗斯北部克拉斯诺亚尔斯克边疆区所属群岛。位于北冰洋喀拉海(西)与拉普捷夫海(东)之间。隔维利基茨基海峡与西伯利亚最北端切柳斯金角相望。总面积36 712平方千米，包括4个大岛(十月革命岛、布尔什维克岛、共青团岛和少先队员岛)和许多小岛屿。最高点位于十月革命岛上，海拔965米。群岛上大约48%的土地被冰覆盖，其厚度达250米。气候严寒，冬季气温-22°F，夏季33～35°F，无雪期只有两个半月。植被主要是地衣和低矮灌木，动物稀少。该群岛1913年始被发现。

Severnye Uvaly　北弗瓦列山　俄罗斯西部俄罗斯平原上的山岭。是伏尔加河左岸支流与苏霍纳河、尤格河、维切格达河及伯朝拉河支流的分水岭。东西向延展600千米，最高点海拔294米。主要由冰碛沙土和黏土组成。有些地区多沼泽，还有零星针叶林地。

Severočeský　北捷克州　捷克共和国西北部的一个州。面积7 819平方千米，为全国最小的州。北邻德国和波兰。北部有克鲁什内山脉、捷克山地、卢日采山(卢萨蒂亚山)、伊泽拉山。主要河流拉贝河(即易北河)穿过山间峡谷北流入德国境内，其支流流经州内主要低地区。主要农作物有玉米(用作饲料)、甜菜、小麦、大麦、饲草、马铃薯。洛乌尼、利托梅日采、霍穆托夫各县所产蛇麻子占全国产量大部分。伊尔科夫、利托梅日采一带种植苹果、李子、梨、杏、樱桃，利托梅日采县还种植葡萄。南部低地区主要养猪；北部多养牛、羊、家禽。森林约占全州面积1/3，主要在山区，多为云杉、松树，也有些栎、落叶松、山毛榉。首府拉贝河畔乌斯季是最大的造纸中心。其他木材加工和造纸业中心有捷克卡梅尼采、米蒙、利贝雷茨等。奥赫热河谷和莫斯特盆地是全国褐煤藏量最丰富的地区。东北部的日塔瓦盆地也有褐煤开采业。其他矿产有锡、钨、氟石、铁矿砂、陶土等。该州是全国最老的工业区。传统的玻璃、陶瓷、珠宝、纺织等工业集中于山区。利贝雷茨、利特维诺夫、瓦恩斯多夫为主要纺织中心。现代重工业集中在奥赫热河沿岸的褐煤产区。莫斯特-扎卢日-利特维诺夫为最大工业中心，有炼油厂和多所钢铁厂、化工厂。拉贝河畔乌斯季地区是第二工业中心，有化工、冶金、机

械、运输车辆、玻璃、皮件等厂。其他工业中心包括杰钦、特普利采、利贝雷茨、尼斯河畔亚布洛内茨、霍穆托夫等地，有机械工程、冶金、电子、钢铁、炼锌、汽车装配和制造、地毯、丝绸、玻璃、火车车厢生产、珠宝和食品加工等工业。旅游业是全州重要的经济组成部分。山区有温矿泉疗养地。利贝雷茨是主要文化中心，有数所理工学院、数座博物馆、一座科学图书馆，还有歌剧、芭蕾与音乐剧院。拉贝河畔乌斯季有一所师范学院和一座科学图书馆。还有几座地区博物馆。除捷克人外，该州有人口不多的德意志少数民族，系第二次世界大战前居住在苏台德的大批德国人中的剩余部分。人口约 1 174 721(1992)。

Severodonetsk　北顿涅茨克　乌克兰东部卢汉斯克州城市。在顿涅茨河谷。1934 年建立时为新兴化工联合企业所在地。第二次世界大战期间部分企业东迁。1951 年和 1958 年增加以焦炭为原料的化学工业后不断扩大。现为乌克兰主要化工业中心之一。人口约 133 300(1991)。

Severodvinsk　北德文斯克　1938～1957年称莫洛托夫斯克。俄罗斯西北部阿尔汉格尔斯克州城市和海港。位于白海德维纳湾海滨，在北德维纳河三角洲西侧。十月革命(1917)后建为阿尔汉格尔斯克市外港。有造船、机械制造和木材加工业。为渔船队基地之一。人口约 247 700(1993)。

Severomoravský　北摩拉维亚州　捷克共和国东北的一个州。北邻波兰，东接斯洛伐克。面积 11 067 平方千米。北部有上耶塞尼克山，西北部有奥尔利采山。贝斯基德山构成与斯洛伐克的国界线。主要河流有奥得河和摩拉瓦-贝奇瓦河。沿河一带盛产甜菜、小麦、大麦、马铃薯、燕麦、饲料等。南部平原部分有蛇麻草种植业。牧业主要饲养牛、猪、家禽。俄斯特拉发、普热罗夫、奥洛莫乌茨和孙佩尔克周围小丘上种植苹果、梨、李之类果树。1767 年发现该国最大烟煤田，煤田从波兰边境沿奥得河谷往南延伸到什特兰贝尔克和弗伦什塔特。当地也有天然气矿床。首府俄斯特拉发以及卡尔维纳、哈维若夫、弗里代克-米斯泰克为主要矿业中心。西北的兹拉特山开采铜、铅、锌等矿。全州面积的 2/5 为森林，所产木材主要供应弗拉季莫夫等地的锯木厂和造纸厂。俄斯特拉发是全国第二大工业中心，有炼油厂和全国最大的钢铁厂。生产机器设备、化学品、电子设备、运输设备、水泥、皮革、服装、乳酪等，有肉类加工、谷物加工、酿酒等工业。其他工业城镇有科普日夫尼采、斯图登卡、奥德里、弗塞廷、普热罗夫等。耶塞尼克-雷伊维兹自然保护区以及贝斯基德和耶塞尼克山的冬季运动和徒步旅游活动吸引大批游客。矿泉疗养地以耶塞尼克矿泉村、下利波瓦等地最为著名。俄斯特拉发为全州文化中心。市内有管弦乐队、歌剧团、芭蕾舞团等，设有俄斯特拉发矿冶大学(1716)，还有一所师范学院、一座市博物馆和一座冬季体育馆。奥洛莫乌茨、利托韦尔、罗兹诺夫、瓦拉什斯凯梅济日奇和奥帕瓦各有地区博物馆。弗里代克-米斯泰克县内波兰人占 1/4。布伦塔尔和奥帕瓦县有德意志少数民族。该州还有斯洛伐克少数民族。人口约 1 964 288(1992)。

Severus OF ANTIOCH　塞维鲁(安条克的)(约465，小亚细亚皮西迪亚索佐波利斯[今土耳其科尼亚附近]～538，埃及索伊)　希腊基督教修士、神学家、安条克牧首、基督一性论派领导人物。在塞维鲁的倡导下，该派在罗马皇帝阿纳斯塔修斯在位期间(491～518)和查士丁尼一世在位期间(527～565)兴盛一时。塞维鲁后来受到教会谴责并被放逐，于是该派衰败，特别是在叙利亚和埃及。塞维鲁曾在亚历山大学神学，在巴勒斯坦过修士生活，由一位信奉基督一性论的主教祝圣授神职。基督一性论认为基督只有神性，这种神性与人性联合于一身而包容于人性之中。塞维鲁是这种学说的主要鼓吹者之一，他在 509 年前往君士坦丁堡，对有人指责他为异端一事进行答辩。他在君士坦丁堡成为皇帝阿纳斯塔修斯的亲信，皇帝于 512 年任命他为安条克牧首。他就此位后，基督一性论派遂完全控制了安条克。查士丁一世登位(518～527)，在帝国全境推行正统基督教教义，塞维鲁被迫逃往埃及，受信奉基督一性论的亚历山大牧首提摩太四世的庇护。塞维鲁成为埃及基督一性论派(科普特教会)和叙利亚基督一性论派(雅各派)的领袖。皇帝查士丁尼一世在位之初，塞维鲁重任牧首，535 年再度被迫逃往埃及，终于隐退于埃及。在神学上，塞维鲁是温和的基督一性论者，他一方面反对卡尔西顿会议(451)的正统提法，另一方面也反对基督一性论的极端派，该派认为基督纯粹只有神性。

Severus, Flavius Valerius　塞维鲁(?～307，上日耳曼特雷斯塔贝纳[今法国萨韦尔讷])　罗马皇帝(306～307)。初为潘诺尼亚(今匈牙利西部、克罗地亚北部和斯洛文尼亚)军官。305 年 5 月被任命为君士坦提乌斯一世的凯撒，管辖潘诺尼亚、意大利和阿非利加。306 年 7 月君士坦提乌斯死后，升为奥古斯都，统治西罗马帝国。但因向民众横征暴敛，很快失去民心。306 年 10 月上代逊帝之子马克森提在罗马造反。次年春塞维鲁从梅迪奥拉农向罗马进军，但他的部队纷纷开小差。他逃往拉韦纳，最后以保全生命为条件投降。但不久即被处死。

Severus, Septimius　塞维鲁(146，的黎波里塔尼亚大莱普提斯[今在利比亚]～211-02，不列颠埃邦拉卡姆[今英格兰约克郡])　全名卢西乌斯·塞普蒂默斯·塞维鲁·帕提纳克斯。罗马皇帝(193～211)，建立了一个个人王朝并将政府转变为军事君主制。他的统治标志着进入了一个成为晚期罗马帝国特征的绝对独裁主义发展过程中的转折阶段。来自罗马大莱普提斯殖民地的骑士之子。约于 173 年进入元老院，190 年成为执政官。192 年 12 月 31 日疯子皇帝康茂德被弑时，他任上潘诺尼亚(今在奥地利和匈牙利)总督并兼任驻多瑙河最大一支军队的司令官。在禁卫军杀害康茂德的继位者帕布利乌斯·赫尔维斯·佩提纳克斯(193-03)并把皇帝称号拍卖给马库斯·狄第乌斯·尤里安时，塞维鲁保持沉默，随后他的部队于4月13日拥立他为皇

不列颠博物馆供图

帝。他宣布为佩提纳克斯报仇进军罗马。尤里安于 6 月 1 日在罗马被杀害。塞维鲁几天后在没有遇到任何反抗的情况下进入了该城。他从自己的多瑙河军团中抽选出 1.5 万名士兵重新组建禁卫军。他任命其不列颠的对手德塞姆斯·克洛都斯·阿尔比努斯为“凯撒”(副皇帝)，从而安抚了这位对头。194 年他远征东方，决定性地击败了另一个对手叙利亚总督盖厄斯·佩塞尼斯·尼格尔。然后他挥师西向，征讨已经称帝的阿尔比努斯。197 年 3 月，阿尔比努斯在卢格度努姆(今法国里昂)附近惨败后自杀。塞维鲁返回罗马后，处决了 30 多名支持阿尔比努斯的元老。为证明其夺位是合法的，他宣称自己是马可·奥勒利乌斯(161～180 在位)的养子和内尔瓦皇帝(96～98 在位)的后裔。他还指定他那位叙利亚妻子朱莉亚·多姆娜生养的儿子卡拉卡拉为“同帝”，从而成为他的继承人。197 年底，他率军东征，击退帕提亚人对美索不达米亚(今伊拉克)的入侵，两年后把美索不达米亚并入帝国的版图。到 202 年塞维鲁已返回罗马，此后他花费 6 年时间对帝国政府的结构进行了许多重大改动。由于他的权力是以军事力量而不是以宪法依据为后盾，因而他使军队在国家政权中占有统治地位。他以不断提高军饷和允许军人结婚的办法赢得士兵们的支持。为防止出现强有力的军事对手，他减少了每一位将军所指挥的军团的士兵数量。与此同时，他故意冷落元老院，该机构的权力很快就大为削弱。他着重从骑士中而不是从元老阶层中补充选任官吏。许多外省平民和农民获得升迁，而意大利贵族阶层则失去了很大一部分原先的影响。他对司法机关也特别关注。罗马之外的意大利各级法院不再受元老院管辖，被置于禁卫军长官的控制之下。在他的宠臣禁卫军长官盖乌斯·富尔维斯倒台之后，出众的法官帕皮尼安成了禁卫军长官。塞维鲁还采纳著名法官乌尔比安的建议，进行了广泛的司法改革。尽管他对城市贫民的捐助和大兴土木营建宫室花费了不少钱财，却仍能成功地维持了一个充足的国库。208 年，他在卡拉卡拉及其幼子盖塔的伴随下，率兵征伐不列颠岛上尚未归属罗马统治的地区。塞维鲁在埃邦拉卡姆病故。除去马库斯·奥佩利斯·马克里努斯(217～218)的短暂统治以外，塞维鲁的后代一直当政到 235 年。

Severus, Sulpicius　塞维卢斯　参阅**Sulpicius Severus** 苏尔皮西乌斯·塞维卢斯。

Severus Alexander　塞维鲁·亚历山大(208,腓尼基[今在黎巴嫩]～235,高卢)　又称亚历山大·塞维鲁。原名格西乌斯·巴西亚努斯·亚历克西亚努斯。罗马皇帝(222～235),他的虚弱统治在内部倾轧中垮台,这种倾轧持续约半个世纪。218年罗马驻叙利亚军团拥立埃拉加巴卢斯为皇帝。221年埃拉加巴卢斯立塞维鲁·亚历山大为王储。222年禁卫军杀死埃拉加巴卢斯,由塞维鲁·亚历山大继承大统。他在位期间实权都操在祖母和母亲手中,但名义上由16位元老组成委员会进行摄政。此时罗马政府大失民心和军心,法统失控,禁卫军竟当着皇帝及太后的面杀死其统帅。230～231年波斯国王阿尔达希尔一世侵入罗马的美索不达米亚行省。232年塞维鲁·亚历山大进行反攻,但由于指挥无能,惨遭失败;但对方的损失也使波斯人撤出美索不达米亚。不久以后这位皇帝又出兵莱茵河,与入侵的日耳曼人作战。他听从母亲的意见把大量财物送给日耳曼人,换取停战的和约。因此部下大哗,235年初,他们母子二人都被士兵杀死。

Sevier, John　塞维尔(1745-09-23,弗吉尼亚纽马基特[美国]～1815-09-24,密西西比准州迪凯特堡)　美国边疆居民、军人、田纳西州第一任州长。1773年举家西迁今田纳西州

田纳西州立博物馆供图

东部,翌年参加邓莫尔伯爵之战(1773～1774),反对印第安人。独立战争期间(1775～1783)由于参加金斯山战役大胜效忠派的军队,被誉为英雄(1780)。1784年参加北卡罗来纳州居民叛乱,另行成立富兰克林州,自北卡罗来纳州分离出去,被选为第一任州长。但由于遭到许多居民反对,到1790年富兰克林州解体。他以扰乱治安罪被告发,逃往深山。次年得到赦免,被选入北卡罗来纳州参议会。1789～1791年担任美国众议员。1790年,北卡罗来纳州将其西部地区转给新成立的联邦政府,塞维尔是当地居民领袖,因此在1796年联邦将该地区置为田纳西州时,他于1796～1801及1803～1809年间两度出任州长。嗣后再度当选为州参议员,1811年再任美国众议员,迄于终老。

Sevier Lake　塞维尔湖　美国犹他州西部米勒德县内水体,约长40千米,宽11千米,海拔约1 370米,位于帕万特河谷,属科罗拉多高原与盆地及山脉地质区之间的生态过渡地带。塞维尔河从北面流入,无出水口,湖水盐分极高,当地因此开办石盐厂和硫酸钾厂。

Sevier River　塞维尔河　流域全部在美国犹他州境内的最长河流,流程约523千米。自犹他州中部凯恩县南下,河道呈马蹄形,在德尔塔向西转,然后向南流入米勒德县塞维尔湖。流域面积14 245平方千米。两岸现有很多市镇和村落。河道筑有多处水坝,主要用于农业灌溉。

Sévigné, Marie de Rabutin-Chantal, marquise de　塞维尼侯爵夫人(1626-02-05,巴黎～1696-04-17,格里尼昂)　法国女作家,其书信在法语和其他语言中均为书简类作品划时代的典范。生于勃艮第贵族世家。6岁时成为孤儿,由其舅父德·古朗日扶养成人,受教于著名的家庭教师,如让·夏普兰和吉尔·梅纳日。1644年与H.德·塞维尼结婚后,进入宫廷社会和朗布耶府邸的"女才子"界。她丈夫是贵族出身的布列塔尼绅士,一直挥霍她的钱财,1651年与人决斗身亡,留予她一女一子。1669年,其女与格里尼昂伯爵结婚,移居普罗旺斯。同女儿分处两地,使塞维尼夫人感到异常孤独,而她最重要的文学成就,即写给她女儿的信,也因此而产生。她在写这些信时并没有任何文学上的目的或抱负,1 700封信中描述了当时的新闻、上层社会的奇闻轶事和她自己日常生活中的细节:家务、熟人、应酬以及读书的感受。叙事风格使这些书简给读者留下难忘的印象。她的文笔节奏明快,暗示性的省略造成了惊人的效果。她长于辞令,行文和谈话也同样引人入胜,从不拘于任何文学模式。

Sevilla　塞维利亚　哥伦比亚西部城市。1903年建。1914年成为城市区。附近有金、银和白金矿。经销牛肉、咖啡、蔗糖、烟草、可可、香蕉、木薯和谷物等农产品。人口31 309(1985)。

Sevilla　塞维利亚　西班牙西南部安达卢西亚(地区)一省。地处瓜达尔基维尔河下游河谷。面积14 001平方千米。西北接莫雷纳山脉,东南界小巴埃蒂克山脉,中间是起伏低洼的瓜达尔基维尔河河槽。北部多农村小镇,人口分散,许多建在古罗马遗址上,大都远离交通要道。农民经营小片园艺。肥沃农田出产橄榄、谷物和棉花。有铜、铁和煤矿蕴藏。主要城市有省会塞维利亚、埃西哈、卡莫纳和马里埃纳等。人口约1 606 357(1991)。

Seville　塞维利亚　西班牙语作Sevilla,古称Hispalis。西班牙南部安达卢西亚(地区)塞维利亚省的城市和省会。位于瓜达尔几维河左(东)岸、大西洋以北约87千米、马德里西南约550千米处。该城为一内陆港口、安达卢西亚的主要城市和西班牙第四大城市。以其为古代文化中心、穆斯林统治西班牙时期的首府和西班牙人对开发新大陆进行探险的基地而占有重要地位。塞维利亚原为一伊比利亚城市,在罗马人统治下,于公元前2世纪开始繁荣,称为伊斯帕利斯,是当时巴埃蒂卡省的行政中心。公元5世纪初西林基汪达尔人将此地作为其王国的首都,但于461年转属西哥特人。711年,穆斯林侵占该城并使之繁荣发展。穆斯林当时称此城为伊克斯

塞维利亚市的大教堂及其钟楼(原为大清真寺的宣礼塔)

供图:Archive Mas, Barcelona

维利亚。在阿巴德王朝统治下,成为重要的文化与商业中心,其后在穆拉比人与穆瓦希德人联盟时代亦然。12世纪时,为穆瓦希德人首府,更为繁荣昌盛,城中大兴土木。1248年费迪南德三世结束了穆斯林对塞维利亚的统治,该城为信奉基督教的西班牙人所有;城内的摩尔人和犹太人基本上被逐出,经济暂告衰落。西班牙人发现南、北美洲使该城恢复繁荣。1503年,西班牙设置贸易所,专司西班牙和新大陆之间的通商事务,塞维利亚遂成为开发美洲的中心。该城在西班牙与新大陆之间的贸易上处于最重要的地位达两个世纪之久;该城设造币厂,从美洲运来的黄金、白银主要在此造币厂铸成金、银币。许多由西班牙往新大陆的移民从该城码头启航。16世纪时,此城是西班牙最富、人口最多的城市,1588年约有居民15万人。但其发达几乎完全以开发殖民地而不是以本地工业和贸易为基础,因此繁华难驻,于17世纪经济便趋衰落。然而在此期间文化高度发展,产生一批为塞维利亚与西班牙增添光彩的艺术家,如画家委拉斯开兹、苏巴朗和牟利罗,雕塑家蒙塔涅斯和诗人埃雷拉等。塞万提斯的名作《堂吉诃德》便是作者在塞维利亚监狱中构思成的。18世纪,波旁家族在西班牙的统治使该城经济得到一定恢复,但19世纪间法国的入侵、革命和内战使当地经济发展屡屡陷于停顿。1847年开始一年一度在复活节后举行"四月节"。1929年在此举行的"伊比利亚美洲博览会"使塞维利亚得到复兴。20世纪港口扩大,城市又成为工业和贸易的中心。1936～1939年西班牙内战时期,该城始终在民族主义阵线军队占领下,未成为两军争夺地点,因此城内大量名胜古迹得以保存完好。该城最古老的地区在瓜达尔几维河左岸,布局不规则,有许多狭窄弯曲的街道、有围墙的小广场和建筑结构和装潢属于摩尔风格的房屋。城内靠近圣马利亚大教堂和阿尔卡萨尔宫的中央区稍为开阔。塞维利亚的大教堂为该地区所有哥特式教堂中最大的一座,其大

部分于1402～1506年间筑造于城内最大的清真寺旧址上。清真寺又是穆瓦希德人1180～1200年在一更早的西哥特教堂旧址上建造的。该古清真寺现还有若干遗迹，寺旁宣礼塔名吉拉尔达，后用做大教堂的钟楼。宣礼塔表面几乎完全贴以美丽的黄砖和有摩尔式图形的石质饰板。圣马利亚大教堂的主体建筑是法国后期哥特式的风格，但其他部分则为摩尔式、哥特式、银匠式以至巴罗克式。大教堂内部有牟利罗、苏巴朗以及其他画家的绘画。摩尔人遗物中最精美的是大教堂附近的阿尔卡萨尔宫。穆瓦希德人于1181年始建此宫殿，基督教徒统治期间继续此工程，因此阿尔卡萨尔宫和大教堂一样，兼有摩尔式和哥特式的风格。金塔是一座十边形砖塔，原为阿尔卡萨尔宫外设防工事的一部分，现在河岸屹然耸立，颇为壮观。其他摩尔式的建筑物有圣马科斯教堂的塔楼（过去是一座清真寺的宣礼塔）和大教堂橘树院的两个侧面。塞维利亚还有许多哥特式的、文艺复兴式的、巴罗克式的和洛可可式的教堂。与天主教堂相邻的卡萨隆哈建成于1599年，现为"西印度群岛总档案馆"，藏有极珍贵的书籍、图表、手稿以及数百万份文件，记载西班牙帝国在南、北美洲的历史与政事。建于1502年的塞维利亚大学现以旧烟草工厂宏伟的巴罗克式及洛可可式厂房作校址，该厂建成于1757年。市博物馆藏有塞维利亚派画家的珍品，这些画家有委拉斯开兹、苏巴朗、牟利罗和巴尔德斯·莱亚尔。塞维利亚现仍为罗马天主教主教管辖区所在地。旧城中心城墙外的住宅区和工业区布局较为开阔整齐。城南的玛丽亚·路易莎公园非常美丽。塞维利亚西北8千米有古罗马大城镇意大利卡，此城镇为罗马皇帝图拉真和哈德良的出生地。其中的半圆形剧场遗址尤为壮观。现代的塞维利亚是西班牙最重要的内陆港，主要出口商品有葡萄酒、水果、橄榄、软木和矿石。该城有烟草、武器、瓷器和农业机械等制造业。第二次世界大战后，造船和以本地产棉所制纺织品为主要工业；城市主要经济来源是旅游业。人口约663 132（1988）。

Seville, University of　塞维利亚大学　西班牙塞维利亚的一所公立男女合校高等学府。在加的斯和韦尔瓦设有分校。该校起源不详，可能早在1245年卡斯蒂利亚和莱昂国王阿方索十世当政时期就已经成立。1502年，成为重点学院，1505年得到教皇诏书批准。1551年获得大学地位。这所大学是由塞维利亚省教育科学部管理的12所公立高等学校之一。设有社会科学、自然科学和生命科学等领域内范围广阔的一系列学院，以及为大学本科生开办的工程、教育和护理等学院。

Şevket Paşa, Mahmud　塞夫凯特帕夏（1858，巴格达［伊拉克］～1913-06-11，君士坦丁堡［今土耳其伊斯坦布尔］）　奥斯曼军人和政治家。曾镇压宗教暴动（1909），废黜阿卜杜勒－哈米德二世苏丹，后出任首席大臣（1913）。伊斯坦布尔军官学校毕业。最初在陆军总参谋部工作。1886年随代表团去德国，监造奥斯曼军用物资。回国后任监察和管理局局长，授将军衔。1908年青年土耳其党人革命以后任驻萨洛尼卡第3军团司令。1909年粉碎了反对青年土耳其政府的宗教暴动，废黜企图恢复帝制的苏丹。后任陆军部长，权势显赫。1913年1月军事政变推翻自由联盟党政府后，出任首席大臣，6个月后被暗杀。

Sèvres　塞夫尔　法国巴黎大区上塞纳省城市。位于塞纳河左岸，为巴黎西南郊住宅区。塞纳河在此绕过布洛涅树林向北流。城市以塞夫尔国家瓷器厂闻名，该厂是路易十五和蓬巴杜夫人于1756年建立的，厂内设有瓷器博物馆。人口20 184（1982）。

Sèvres, Treaty of　《塞夫尔条约》（1920-08-10）　第一次世界大战后协约国与奥斯曼土耳其政府代表签署的协定。其中规定：取消奥斯曼帝国；土耳其放弃对亚洲和北非阿拉伯地区的一切权利；承认亚美尼亚独立和库尔德斯坦自治；色雷斯东部和安纳托利亚西海岸归属希腊；希腊人控制达达尼尔海峡口上的爱琴海诸岛。由于土耳其民族主义新政权的反对，《塞夫尔条约》于1923年为《洛桑条约》所代替。

Sèvres porcelain　塞夫尔瓷器　法国的硬质瓷器和软质瓷器，从1756年至今皆产于凡尔赛附近的塞夫尔皇家瓷厂（现为国家瓷厂），工厂先前曾位于万塞讷附近。1756年之后，

1761年的塞夫尔瓷器——软质瓷大花盆托
伦敦维多利亚和艾伯特博物馆供图

德国的迈森瓷厂逐渐失去其主宰瓷器时尚的盟主地位，于是塞夫尔就变成了欧洲首屈一指的瓷厂。或许该厂获得成功主要是得益于路易十五的情妇蓬巴杜夫人的赞助。由于她的影响，使该厂得以从万塞讷迁至她的城堡府邸所在地塞夫尔，并使当时一些一流的艺术家到厂工作。塞夫尔瓷厂当时的一项当务之急就是探索硬质瓷的生产奥秘。自1745年，该厂就已在万塞讷生产软质瓷，但一直未得到生产硬质瓷的决窍，直至1761年才从皮埃尔-安托万·汉农处购得其工艺技术。后又于1769年在法国佩里戈尔大区的圣伊里耶找到了所需的原料，硬质瓷才得以生产。在使塞夫尔获得声誉的多种风格和技巧中，一些主要的项目有：白色人物像（多为素瓷，也有略施釉彩的），包括的题材主要是裸体的、披衣的或穿着当代服装的布歇风格的爱神丘比特，牧羊女或仙女；还有各种用花卉、裸童、异鸟以及海洋生物为纹样的陶瓷器皿，这些纹样是在粉红、翠绿、豆绿、淡黄和品蓝等色彩明亮的瓷胎上的预留空白处画上的；瓷胎上还常以各种微细的金色图形加以装饰，如鹧鸪的眼睛（圈中带点）、卵石花纹（汇集在一起的椭圆）以及鱼鳞纹等；有的装饰是在预留空白处镶上边，并镶以饰金的卷曲、漩涡及格子图形使之更为明显；还有的是取材于古典神话故事和当代田园生活的画面；宝石化的装饰则是在瓷胎表面涂以饰金和颜料，使之像镶嵌的宝石。有些餐具装饰着写实的飞鸟。塞夫尔瓷器经历了18世纪各种风格的全过程，也包括路易十六（1774～1792）统治时期。在法国大革命期间，该厂损失惨重，后又于19世纪初期重振。在拿破仑帝国时期的新古典主义和埃及风格之后，塞夫尔再未创出任何独特的风格。

Sewa River　塞瓦河　塞拉利昂商业重要性最大的一条河流。由发源于该国东北部靠近几内亚边界的巴贝河和巴菲河汇合而成，西南偏南流，与万杰河汇成基塔姆河，经歇尔布罗海峡注入大西洋。流程240千米，流域面积14 141平方千米。塞瓦河上游，金刚石开采业分布广泛。从松布亚向北穿过延盖马周围盆地这片地区也开采金刚石。松布亚以南，纤维榈和水稻种植业是重要商业活动。

sewage system　下水道系统　利用管道收集社区废水，加以集中处理，再将其排除的设施。早期文明人类常在城市中修建管沟，以排除雨水。罗马人建造的复杂排水系统，还能排除公共浴场的废水。在中世纪的欧洲，这些设施年久失修，随着城市居民的增加，由于未能严格地将饮用水与污水隔绝，导致霍乱与伤寒流行。19世纪中叶，人们开始采取措施以处理污水。产业革命以来居民的密集及污水量的增加，使人们感到更有必要对废水进行有效的处理。

现代下水道系统包括两个方面：生活、工业污水管道和雨水管道。有时则可把污水与雨水管道合并在一起，如此则只需修建一套下水道系统，虽然就局部地区而言，投资较省，但在现代化的大城市中，分别建造污水系统与雨水系统更为妥善。因为所有污水都必须在污水处理厂进行消毒，但如处理厂同时接纳雨水，则厂房规模势必扩大，这样就很不经济。此外，污水与雨水合用的管道须有较大的口径，晴天时在大口经管道中只有污水，其流速就会变慢而不能有效地排出。所以，较好的办法是修建单独的污水系统，以利于进行处理。

下水管道用缸瓦管或混凝土制作，截面通常为圆形。管道沿街道埋设，每隔一定距离修筑一个带铁盖的检查井，以便清扫管道及进行维修。在街道转角处及沿街的明沟处，则修建收集雨水的集水井，将雨水排入雨水管道。工程师要确定污水的数量，规划下水管系统的路线和管道的坡度，使污水能以均匀的流速排除出去，而不致把固体物质留在管道内。有时在平坦地区还须设置污水泵。在某些情况下则要添加通风装置以排出具有腐蚀性的气体。

污水处理旨在将有机物清除干净，一般分两个阶段进行。第一阶段的初步处理，是使污水流过一道网孔较大的筛子，以去除其中较大的杂物，如木片、碎布、铁丝等。然后污水以规定的速度在水槽中流过，使砂粒等沉淀在槽底。接着将污水引入约3米深的大沉淀池中，使污水中的悬浮物质沉入池底。上述初步处理还可以使用两种辅助的方法，一是应用德国工程师K.英霍夫发明的双层沉淀池（英霍夫沉淀池），上层池底的沉积物下滑至下层池内后，将由细菌加以分解；二是在污水中加入化学药品，使悬浮的细粒凝结成较大的颗粒，而迅速沉淀。第二阶段是使经过初步处理的废水达到一定的清洁程度，以便加以排放。在此项进一步的净化工作中，要利用充满微生物与细菌的污泥。最常见的方法是使用生物滴滤池和沙滤池，或使用活性污泥法。固体物质被清除后，废水中剩余的有机物主要处于溶解状态。滴滤池的池底铺有石子，石子表面为一薄层起净化作用的污泥，废水喷洒在石子上后，向下渗漏，从池底流出，再流到沙滤池，经过沙床后，成为清水。活性污泥法则利用具有微生物的污泥，先把污泥与废水混合，然后通入压缩空气的气流，进行数小时的通气，在此过程中，废水中的有机物就被微生物氧化了。第一和第二阶段处理污水后留在池底的物质和污泥，必须被清除干净，然后再倾倒在外海或埋入填埋场内，也可以用作液体或固体肥料。如果将它放在污泥消化池内，加热至35 °C，则可产生沼气，供污水处理厂发动机器之用。

Sewall, May Eliza Wright　休厄尔（1844-05-27，[美国]威斯康星格林菲尔德～1920-07-23，印第安纳州印第安纳波利斯）　婚前名May Eliza Wright。美国教育家和改革家，尤以在争取妇女选举权和建立世界范围内的妇女组织方面所做出的努力而为人们所铭记。西北女子学院文科硕士。在密西西比州科林斯

美国不列颠百科全书公司供图

教书数年，后任密歇根州一中学校长，1872～1880年到印第安纳波利斯中学执教。1882年和丈夫T.L.休厄尔创办印第安纳波利斯女子古典学校，1895年丈夫去世后继任校长至1907年。其间还以从事女权运动知名，1878年参与成立印第安纳波利斯平等选举权协会。1881～1883年领导争取妇女选举权运动，功败垂成。1882年参加女大学生协会，第二年组织西部女大学生协会，1886～1889年两度任主席（两团体后并入美国大学妇女联合会）。1888年主持塞尼卡福尔斯会议40周年纪念大会，从而成立全国妇女委员会，并于1897～1899年任主席。1889年成立国际妇女委员会，1899～1904年任主席。1889年参与组织妇女俱乐部总联合会，并当选第一任副主席。晚年主要致力于和平事业。

Sewall, Samuel　休厄尔（1652-03-28，英格兰汉普郡毕晓普斯托克～1730-01-01，波士顿）　英属美洲殖民地商人、法官。以其记述晚期新英格兰清教徒生活和思想的《日记》（马萨

波士顿美术博物馆供图

诸塞历史学会；3卷，1878～1882）闻名。1671年毕业于哈佛学院，1679年担任公职。1692年W.菲普斯总督任命他为审理塞勒姆巫觋案特别法庭的法官，该案有19人被判处死刑。他是后来唯一承认错判的法官。其著述包括早期反对蓄奴制的《约瑟被卖》和力主以人道主义对待印第安人的《关于肯纳贝克印第安人的回忆录》等。

Sewall Wright effect　赖特氏效应　参阅**genetic drift** 遗传漂变。

Seward　苏厄德　美国阿拉斯加州南部城市。位于基奈半岛。1903年创建。为通向育空河谷的铁路（1913年起称阿拉斯加铁路）的供应基地和终端站。1912年设建制。以美国国务卿W.H.西沃德（谈判从俄罗斯购入阿拉斯加）命名。其不冻港为阿拉斯加内地重要的货运码头。经济依赖旅游业。设有大型职业训练学校和阿拉斯加大学海洋研究所。1964年遭地震破坏。人口2 699（1990）。

Seward, Anna　西沃德（1747-12-12，英格兰德比埃亚姆～1809-03-25，斯塔福德利奇菲尔德）　英国女诗人，诗体伤感小说《路易莎》（1784）的作者。被称为"利奇菲尔德的天鹅"，成为当地文学圈子里的一员。这个圈子其他成员还有W.海利、E.达尔文、T.戴和R.L.埃奇沃斯。但她的诗较差，她指定W.司各特为她的遗著保管人而使后者感到为难。

Seward, William H(enry)　西沃德（1801-05-16，美国纽约奥兰治县～1872-10-10，纽约卡尤加县）　美国南北战争前辉格党和共和党内反对奴隶制的政治活动家、国务卿

美国陆军通讯兵供图

（1861～1869），还因1867年购买阿拉斯加（当时被称为"西沃德的蠢事"）而为人们所铭记。1822年进入纽约州律师界，渐对政治发生兴趣。1830～1834年为纽约州参议员，参加建立新辉格党，因出任纽约州州长（1839～1843），不久被公认为该党废奴派领袖。1849年选入美国参议院。在动乱的19世纪50年代，他日益反对辉格党在奴隶制问题上的妥协态度。辉格党解体后（1854～1855），他加入新成立的坚持废奴立场的共和党。虽被共和党公认为领袖，然两度（1856、1860）争取总统候选人提名的努力均告失败。A.林肯就任总统（1861）后，立即委任他为国务卿，在大多数问题上对他的谋划言听计从。西沃德担任国务卿职务的能力渐臻完善，在阻止外国政府承认南部邦联方面尤其成功。1865年4月14日（即因车祸受重伤后第9天）复遭当夜暗杀林肯的凶手共谋犯以匕首刺伤咽喉，但迅速康复，并在A.约翰逊总统内阁留任国务卿直至1869年。因支持约翰逊的不得人心的重建政策，与总统同受国会的谴责。西沃德受到公众称赞的最后一个政绩是1867年以720万美元从俄国买进阿拉斯加。

Seward Peninsula　苏厄德半岛　美国阿拉斯加州西部半岛。介于科策布海峡（北）和诺顿海峡（南）之间。长约290千米，宽208千米。平均海拔600米，最高点1 416米，位于基格卢艾克山中。其顶端的威尔士王子角为北美洲大陆的最西端。南岸有诺姆市。

Sewell, Anna　休厄尔（1820-03-30，英国诺福克雅茅斯～1878-04-25，诺福克旧卡顿）　英国女作家，儿童文学名著《黑美人》的作者。她对马仁慈的关注始于她早年每天驾车数小时接送父亲上下班时。年幼时成为残废，虽然行走不便，但可驾驶马车。青年时代就开始写作，当时她协助编撰她母亲的著作。后者是虔诚的教徒，深受青少年欢迎的畅销书的作者。休厄尔去世前卧病在家，花费了大约7～8年的时间创作《黑美人》。该书是虚构的一匹温顺的良种马的自传，带有强烈的道德意义，据说对取消使用勒马缰绳的残酷做法起了作用。

Sewell, Henry　休厄尔（1807-09-14，英国怀特岛纽波特～1879-05-05，剑桥郡剑桥）　英

国殖民者、政治家、新西兰获准建立责任制政府后的首任总理(1856)。原在伦敦当律师,曾任坎特伯雷新西兰殖民协会秘书和副主席,1852年去新西兰开律师业。1854年成为众议员。1856年5月7日任总理,5月13日因未获得众议院足够的支持而辞职。后任财政部长和海关专员(1856～1859)、总检察长(1861～1862),并两度担任司法部长(1864～1865,1869～1872)。

sewellel(*Aplodontia rufa*) **鼠獭** 又称 mountain beaver(山河狸)。北美西部的穴居啮齿动物。山河狸科仅有的现存种。栖息在水源充足的森林地区。夜行性,以植物为食。

鼠獭(*Aplodontia rufa*)
绘图:H. Douglas Pratt

挖掘四通八达的地道系统,并收集储存食物。身体粗壮,毛厚,为浅红或褐色,腹部浅灰。眼和耳都小,几乎无尾。体长约30～46厘米,重约1～1.5千克。妊娠期约1个月,春季产仔2～6只。

sewing machine **缝纫机** 缝纫布、皮等材料的机器,通常用针、线和梭连缀,通过踩踏板或用水力、电力驱动。它是最早广泛采用的家庭用器械,也是一种重要的工业用机器。初期的缝纫机由法国T.蒂莫尼耶在1841年设计和制造,将手工缝纫操作机械化。美国W.亨特和E.豪对缝纫机分别作了重大改进,他们的缝纫机中都有一弯曲的引线针在弧形槽中运动,带着缝线穿过织物,与织物另一边在轨道上往返运动的梭子所携带的底线相联锁。1860年,仅美国生产的缝纫机就超过11万台。虽然现代缝纫机的型号繁多,供各种专门工业生产应用,但基本原理并无改变。现在缝纫机最大的生产国是中国。日本最早生产了多用途锯齿形锁缝机。

sex **性** 借以区别物种诸成员在生殖能力上互补的两个群体(雄性和雌性)的各种形态和表征。性,并非为生殖活动所必需。许多低等生物,包括绝大部分细菌和原生动物,都是通过无性生殖繁衍后代的。甚至在具备有性生殖能力的高等植物中,无性生殖现象也很普遍(如经块茎、蔓藤和球茎繁殖)。经无性生殖产生的子代和它的亲代完全相同(除基因突变性状外);而有性生殖的子代会以不同的组合方式继承亲代双方的基因性状,每个子代都有它独特的基因组合。故后者的基因性状的多样性明显较前者大。基因性状多样性的优势在于有利于适应环境;多样性越明显,有环境适应能力的基因组合型也就越多,在自然选择过程中所占地位就更优越。有性生殖是生物进化的必然结果。从最初的对原始微生物体内偶发的适应性重组基因序列的保护机制开始,性的进化过程贯穿于地球生命发展史的始终。为了保证种属不仅能世代繁衍不息,而且更能适应环境,自然选择造就了各种精巧的性行为方式、复杂的性器官结构和微妙的性活动感受。各种生物,尤其是低级生物,雌雄两性的性器官结构未必有显著差异,但性功能差异却是十分明显的。在多数进化水平高于细菌、病毒的种属,子代都是雌、雄配子(生殖细胞)结合的产物,前者通称卵子,后者名精子。精子和卵子的结合过程即为受精;受精的结果是形成受精卵,即合子。合子的所有基因性状就是它日后的发展蓝图,是它的亲代双方的馈赠。雌雄两性未必总是分开的个体,雌雄同体现象普遍见于低级动物。真菌和原生动物常有不止两种性别(交配型)形式。在高级动、植物中,这种雌雄间体和雌雄嵌体的现象也不少见,它反映了在基因控制和激素作用下,性别分化可能产生的各种性别形式。在有性生殖中,每一个子代个体分别从雌、雄二个亲代配子中各取得一条染色体,世代如此。这样,每过一代,基因信息都会以一种新的形式重组。实际上的基因重组情况要复杂得多,因为在亲代双方的配子形成时发生的减数分裂过程,包括有成对染色体的交叉、换位,故配子所携的一条(半对)染色体实际上是亲代双方的基因混合物。基因数量之巨、组合序列之多,足以使在数以十亿计的种属群落中,难得找到两个完全相同的个体(同卵双胞胎可能例外)。如此惊人的多样性就是有性生殖的结果。性之重要还可从孤雌生殖中得到印证。所谓孤雌生殖是指卵子不经受精而发育成胚胎的生殖方式,单雌生殖的子代没有如此程度的多样性。性别是由一对性染色体控制的。多数动物的性染色体有两种组合形式:一种由两条相同形状的染色单体(XX)构成,另一种由两条不同形状的染色单体(XY)构成。它们所控制的性别形式因种属不同而异。在人类中,女性性染色体组型是XX,男性是XY;大部分动物亦然。性染色体主要是通过控制细胞代谢和激素功能,来激发胚胎的性腺发育。胚胎时期的促性腺激素功能紊乱可导致性别和性征之间的表现失衡。只有精子、卵子和生殖器官并不能保证受精。两性之间的性行为和性感受是能否受孕的重要条件。所有动物的性行为虽然方式各异,但有一共同的功能,就是保证卵子受精。

sex chromosome **性染色体** 决定个体性别的成对染色体。哺乳动物性染色体分为X和Y。人类共有23对染色体,其中一对为性染色体,其余22对称为常染色体。那些性染色体由两条X染色单体构成的个体(XX)是雌性,而XY个体则为雄性。X染色体形似较大的常染色体,具有一条长臂及一条短臂。Y染色体具有一条长臂及一条极短的第二臂。两条性染色体上的基因有许多是成对的,但X染色体上含有若干基因,在Y染色体上却没有其对应基因。由这些基因所决定的性状就称为性连锁的性状,多见于雄性,因为雌性的第二X染色体对于这些性状的表现具有节制作用,而雄性的Y染色体没有这种作用。正常女性也可表现出某些性连锁隐性性状,这是因为她们的两条X染色体中随机地有一条处于失活状态于其所在的细胞核中呈现为1个深染的团块,称为巴尔氏小体。在Y染色体上存在着一些与性分化有关的独特基因,对胎儿期睾丸的发育不可或缺。已知若干种疾病与性染色体数目异常有关,最常见者如特纳氏综合征(**Turner's syndrome**)及克兰费尔特氏综合征(**Klinefelter's syndrome**)。参阅 **X-trisomy**;**XYY-trisomy**。

sex hormone **性激素** 由性腺或其他器官产生的化学物质,可影响生物体的性征。跟其他许多激素一样,性激素亦可人工合成。参阅 **androgen**;**estrogen**。

Sex Pistols, the **性手枪乐队** 英国摇滚乐队,其成员倡导了20世纪70年代英国的朋克运动,以一曲《上帝拯救女王》体现了当时英国社会和政治的混乱局面。最初的成员是J.罗滕(原名莱登)、S.琼斯、P.库克和G.马特洛克。后来S.维舍斯也加入该乐队。1975年9月由Sex服装店经理M.麦克拉伦组建。他们将60年代流行乐和70年代的摇滚混合起来,以求彻底简化摇滚的复杂性。到1976年夏该乐队已吸引大批热衷歌迷,成功地使70年代弥漫着不满情绪的少年具有了60年代新潮派青年的活力。他们的第一个单曲为《英国的无政府主义》。乐队与EMI唱片公司和A&M唱片公司解约后很快和第三家维京唱片公司合作,发行单曲《上帝拯救女王》。时值英国伊丽莎白二世加冕25周年,该唱片被英国媒体禁放,但在排行榜上却名列第二。他们作为"头号人民公敌",受到暴力打击和骚扰。后来的单曲《美妙的茫然》和《明媚假日》,以及专辑《别管那些胡言,我是性手枪》同样遭到媒体和政府的抵制,不过仍然是排行榜的前十名,甚至名列榜首。1978年在美国旧金山进行了最得意的演出之后,乐队开始走下坡路。维舍斯被指控谋杀女友南希,保释期间于1979年2月在开庭前摄入大剂量的海洛因毙命。同月,罗滕控告麦克拉伦,乐队由于接受破产管理而销声匿迹,直到1986年诉讼结束后才恢复。1996年原来的四重奏组合终于重聚在一起进行了一次巡回演出。然而,这个虎头蛇尾的结局并没有使他们最初四首单曲的作用逊色,它们动摇了摇滚乐的根基,震动了整个英国社会。

Sex Research, Institute for **性研究所** 附属于布卢明顿城印第安纳大学的非营利组织,成立于1947年。创办人为美国动物学家A.C.金西(**Kinsey, Alfred Charles**),他对美国人的性行为进行了开拓性的研究。研究所对人类性行为进行了广泛的科学研究,并从20世纪50年代起,收集胶片、艺术品、日记、个人历史以及有关性欲、性行为的文字图片资料,试图建立权威性的图书馆。研究所发表的头两本书《男子性行为》和《女子性行为》,被普遍认为是研究美国人性行为规范、程度和变异的全面和重要的文献。

sex therapy 性治疗 一类行为矫正疗法或心理疗法,专门针对两性关系方面出现的一些困难。许多性治疗学家采用20世纪60年代美国W.马斯特斯和V.约翰逊创立的技术,给没有器质性病变但有性功能障碍(如早泄、阳萎等)从而影响性生活的夫妇以帮助。马斯特斯和约翰逊二人创立的方法是,首先了解性历史,检查夫妇二人的身体以排除器质性的疾病,然后治疗学家着重在给予和接受肉体的快感方面(但不一定是性快感)进行专门训练,以帮助男女双方克服关于性的焦虑。治疗时也针对具体的与性有关的问题,进行专门的治疗。治疗过程常在一个强化婚姻技术指导室内进行,可继续好几天。尽管马斯特斯和约翰逊的方法是对夫妇双方的,但性治疗也可采取其他方式。夫妻婚姻技巧治疗即马斯特斯和约翰逊模式,男女双方在一个由一位男性和一位女性治疗学家组成的小组内进行治疗。这种方法认为,性功能障碍发生在男女双方相互作用的情况下,而不是某一方所独有的问题。个体治疗用于那些没有可合作的性伙伴的人,可以用替代伙伴或着重一个人即能进行的训练,以改进他或她的性相互关系。小组治疗是在小组内进行治疗,小组成员可为同一个性别,亦可为男女性都有,让组员在组内讨论自己有关性的感受。

sextant 六分仪 测定天体(太阳、月球或星)与地平线夹角的仪器,在天文导航中用于测定纬度和经度。仪器包括一个圆弧形的角度刻度盘和一根铰接在圆心处的活动径向尺。一具望远镜固定在机架上,并与地平线对准。径向尺上装有一面反射镜,转动径向尺,使镜中星像反射到一个与望远镜对准的、半镀银的镜中,当望远镜中的星像与地平线重合时,就可从六分仪的刻度盘上读出星的高度角来。根据这个角度以及精密时计所记下一天中的确切时间,就可以从印制的表格中查出纬度(可精确到数百米以内)。六分仪之名源于拉丁文 sextus,意为六分之一,因为它的角度范围是60°,即圆的六分之一。最早是用45°圆弧的八分仪计算纬度。最初研制圆弧角度更大的六分仪是为了观测月球以计算经度。至18世纪后半期,六分仪代替了八分仪。

sexton 教堂司事 教会职员。负责看管教堂和教区集会场所,照料教会设备并承担有关的次要工作,如鸣钟、挖掘墓穴等。

Sexton, Anne 塞克斯顿(1928-11-09,美国马萨诸塞牛顿～1974-10-04,马萨诸塞韦斯顿) 美国女诗人,作品以深刻的自白著称。毕生住在新英格兰,曾在波士顿大学师从洛威尔学诗,还当过模特儿和图书管理员,在中学和波士顿大学(1970～1971)、科尔盖特大学(1971～1972)教过书。第一本书《欲去疯人院半途归》(1960),深入地分析了她的精神崩溃和后来的康复。《我一切美好的东西》(1962)也是自传性质。《生或死》(1966)进一步记述了她在情感上的不愉快。后来的诗集包括《情诗》(1969)、《变形》(1971)和《愚行集》(1972)。最后的诗作见于她死后出版的《划向上帝的可怕航程》(1975)、《仁慈街45号》(1976)和《未收诗及故事三篇》(1978)。《不是灾星:随笔、访谈录和散文选》出版于1985年。死于自杀。

Sextus Empiricus 塞克斯都·恩披里柯(活动时期3世纪初) 古希腊哲学家-历史学家。他在其《皮朗主义纲要》和《反对独断论者》两部著作中对希腊怀疑主义作了全面的记述。作为皮朗主义的"悬置判断"的主要解说者,他详尽阐述了埃奈西德穆的十项比喻,并且抨击了在每一理论知识领域中的三段论证明。人们对他一生的详情大都只能猜测,只能肯定他是一位医生,并在希腊怀疑论衰落时期曾领导过怀疑论学派。1562年他的《纲要》重新出版,此书对欧洲哲学思想影响深远。

sexual dysfunction 性功能障碍 丧失激发性感的能力或达不到完全性满足的病理状态。传统上分为性能力低下(不能激起性兴奋)及性感缺乏(不能达到性高潮)两种。这两个名词既可用于男性亦可用于女性,但性能力低下一词多用于男性(阳萎),而性感缺乏则多用于女性。不过这样的术语为性治疗学家所不取(参阅 **frigidity; impotence**)。性功能障碍的现代专业分类如下:性欲减退(经过努力才能达到性满足);性欲缺失(女性经常或持续不能对正常性刺激产生性高潮反应);阴道痉挛;精神性交媾困难(女性在性交时疼痛);勃起无能(男性勃起不坚);射精无能(虽能勃起,但在女性阴道中不能达到性高潮);早泄等。性功能障碍的原因甚多,最常见的原因是焦虑,焦虑不一定与性功能直接有关,但却可能反映出在性交过程中存在着某些问题或在男女双方关系的某些方面出现了一些什么困难,轻度焦虑状态的原因有时难以查明。导致性能力低下或性感缺乏的心理因素可以通过许多途径予以治疗:针对引起焦虑的原因进行具体的心理干预;如果问题与性生活本身有具体关系,则可进行性治疗;若根本原因在于生活的其他方面,则可进行心理治疗。如果性功能障碍是器质性疾病的结果,则须认真求助医生,治疗原发病。可致性功能障碍的病主要有内分泌和神经系统疾病;此外酗酒也可导致性功能障碍;精神病人也常伴有此症。

sexual intercourse 性交 又作 copulation 或 coitus。又称交媾或交合。一种生殖活动,此时(如人类及其他高等动物)雄性的生殖器官进入雌性的生殖道内。若生殖活动是完全的,则精细胞从雄性个体体内排出,进入雌性个体体内,使雌性体内的卵受精,从而形成新的生命。在某些脊椎动物,如鱼类,卵产出体外并在体外受精。为完成性交,身体及生殖器官都需要某些适应性的变化。人类男性的阴茎既是排泄器官又是生殖器官。性交时流入阴茎的血液暂时性极度增加,充满血窦,静脉血液回流受阻,阴茎体积增大并直立(称为勃起)。正常情况下阴茎柔软而松弛,勃起时涨大并变得坚硬,容易插入雌性的阴道。性高潮是性交活动的顶点和终结点,此时男性将精液射入女性的阴道。精液由精细胞和精浆构成。精子可与雌性体内的卵结合并使之受精;精浆内含细胞营养物、水、盐类及代谢产物。雄性产生并排出精液的能力以及进行性活动的能力,有赖于随着血液循环全身的雄激素。雌性个体的阴道口通入阴道,阴道又与子宫相连。子宫为厚壁的梨形器官,精子通过子宫腔进入输卵管而使卵受精,胚胎在子宫内发育。对于人类,性唤起及性交过程中有一个性应答周期,此周期可分4个阶段:兴奋期、平台期、高潮期及消退期。尽管具体的性刺激有所不同,男女两性的性应答周期模式是相同的。在兴奋期,身体为性活动作好准备,肌肉紧张,心率加快。在男性,血液流入阴茎,使之勃起;在女性,阴道壁变得潮湿,阴道内段膨胀,阴蒂增大。在平台期,呼吸加快,肌肉继续紧张。在男性,阴茎头涨大,睾丸亦增大;在女性,阴道外段扩张,阴蒂提升。到高潮期,在前两个阶段形成的神经肌肉紧张在几秒钟内得到缓解。在女性,阴道开始一系列规律的收缩;在男性,阴茎亦出现规律性的收缩,将精液排出体外(射精)。在随后出现的消退期,身体器官恢复到静止的状态。这一过程可能需要数小时。在男性,阴茎缩小到正常的大小;在女性,阴道及其他生殖器官也恢复到性兴奋前的状态。人类的消退期包含一个长数分钟至数小时的不应期,在不应期内男性不能发生进一步的性唤起。而女性没有此种不应期,在不应期的任何一个时刻都能迅速进入性唤起状态。对于某些动物,如绵羊和候鸟,交配仅能在一定季节进行。在生殖季节,雌体及雄体体内均产生相应的激素,使生殖系统为交配作好准备。在非生殖季节,这些动物体内的激素水平下降,动物不能进行能导致受精的生殖活动,也没有交配的欲望。

sexual-predator law 性罪犯特别法 授权对性犯罪惯犯和性心理变态者在其刑事判决之外处以长期预防性关押的法规。20世纪90年代,性罪犯特别法在美国各州颇为流行,而这些法律的通过,就较大社区中的犯罪人而言,也引起在一罪不受两次审理及权利平衡原则上是否违宪的问题。20世纪30、40年代,美国许多州对认定为性心理变态的性罪犯实行法定的关押程序;根据这些法律,犯罪人要关押到断定其不会再构成公众危害之时。其后,加拿大和其他国家,特别是斯堪的纳维亚诸国,都通过类似的法律。然而,美国的联邦法院在60年代却废除了此种法律。90年代初期美国发生一系列谋杀儿童的恐怖案件,使人们和立法者担心现行的法律是否足以保护儿童不受性虐待。自1990年起,各州都通过新法律,对严重的性罪犯,在他们所犯罪行仍构成危险的期间实行长期羁押。制定这些法律是因为人们普遍认为性罪犯是难以改好的,犯人刑满释放之后很可能再犯。这些法律通常规定,依据法庭裁定患有精神病、释放后可能重犯的罪犯要处以长期监禁。在这种情况下可以羁押罪犯给予治疗,直到断定其已经治愈。反对此法的人则认为此种法律违反法定的诉讼程序和美国宪法中关于溯及既往的条款,形成了对一次罪行进行两次审理。但是,美国最高法院于1997年支持堪萨斯州的性罪犯特别法,该法显然比其他此类法律更与宪法的立场不符,因为它只需证明精神异常——而不是精神病——就可以羁押犯罪人。90 年代,美国和欧洲的许多司法辖区开始采用基于《梅甘法》的法规,要求性罪犯在社区警察部门登记,由警察将该性罪犯的到来通知当地的学校、幼儿园和住户;《梅甘法》是在梅甘·坎卡被一名二次性罪犯奸杀之后通过的。

sexual reproduction　有性生殖　参阅 **reproduction** 生殖。

sexually transmitted disease(STD)　**性传播疾病**　通常或时常在人与人间经直接的性接触而传播的疾病(如梅毒、淋病、艾滋病或生殖器型单纯疱疹),也可在生产前或生产时由母亲传给子女,少见情况下也可经非性接触(如接吻、输入污染血或使用未消毒的皮下注射器)。性传播疾病通常先侵犯生殖器、生殖道、泌尿道、口腔、肛门或直肠,但也可在体内繁殖后再侵犯其他器官和系统:例如三期梅毒(即麻痹痴呆)可侵及皮肤、骨、中枢神经系统、心、肝或其他器官。人被艾滋病病毒感染后可多年保持健康外观,最后免疫系统才被病毒控制(本病常常根本未表现出来)。

性病(venereal disease,VD,或译花柳病)一词指经性交传染的疾病,至 20 世纪下半叶已不大使用而被更广义的性传播疾病一词所代替。

性传播疾病有很长的历史。最著名的梅毒(**syphilis**)是由苍白密螺旋体(*Treponema pallidum*)造成的。到 16 世纪在欧洲才有大量关于梅毒的报道;现有某些医学史家认为梅毒是由至美洲探险者带回欧洲的。其他权威则认为梅毒源自古代而一度曾被误当作麻疯。无论如何,梅毒是在 1500 年前后才被当作一个病并广泛报道,在当时的欧洲几乎出现一次大流行。

尿道炎是尿道(将尿由膀胱排至体外的通道)的感染。大多数尿道炎是性传播的。由淋球菌(淋病奈瑟氏球菌[*Neisseria gonorrhoeae*])造成的尿道炎称淋病(**gonorrhea**),是最为人知的性传播疾病。淋病是希腊医生加伦所命名,现认为古中国人和古埃及人都已知此病。梅毒和淋病在一段长时间内被当成是一个病。直到 20 世纪初才鉴定出它们的两种不同的病原体并研究出可靠的诊断实验。20 世纪 30 年代和 40 年代分别找到它们的有效治疗办法,即磺胺药和青霉素,而当时看来似乎短期内即可清除此二病。但至 50 年代末,发病率又上升。为解释上升曾提出各种原因,这包括:积极的"反性病运动"在衰退,致病微生物对治疗用的抗生素产生抗药性,还有各种社会因素影响人的性行为。口服避孕药的广泛使用以及其他节育方法之被口服药所替代,这两点可能通过各种方式而同性传疾病的散播有一定关系。在过去,不仅因当时没有口服避孕药而不敢乱交,而且传统的使用阴茎套和子宫帽的方法也提供一定的保护。只有爆发了艾滋病流行之后,人们才又推荐使用阴茎套和"安全性交"法。

自 60 年代和 70 年代开始,有一种病特别流行,就是生殖器疱疹(参阅 **herpes simplex**)。疱疹感染之重要不仅仅在于它带来不适,而且患生殖器疱疹的产妇可以给新生儿带来严重疾病。曾使用过各种疗法来治疗生殖器疱疹,但没有一种令人完全满意。

20 世纪末叶在群众中造成最大恐慌的性传播疾病也许就是获得性免疫缺陷综合征,或称艾滋病(**AIDS**)。从 1981 年第一次明确该病起,艾滋病传播极快,报道的病例数目快速增长,特别是在美国和西欧的同性恋者及静脉注射毒品者以及在热带非洲的异性恋者中。艾滋病的死亡率高而目前还没有特效药物或疫苗来防治该病,这都使性放任的社团开始有所节制。乱交受到更多人的反对,而采用"安全性交"(不如说是比较安全的性交)的措施则受到鼓励。

已知还有其他 20 来种性传播疾病。但都有相当有效的药物。非淋病性尿道炎中差不多一半是衣原体性尿道炎,是由砂眼衣原体(*Chlamydia trachomatis*)造成的。这个细菌还造成盆腔炎症(**pelvic inflammatory disease**)和另一种性传播疾病性病性淋巴肉芽肿(**lymphogranuloma venereum**)。剩下的另外 50%的非淋病性尿道炎的病因还不清楚,没有找到确切的病原体。

滴虫病是由一种原生动物阴道毛滴虫(*Trichomonas vaginalis*)造成的感染。男性患者通常无症状,而受染女性中也只有一部分有阴道分泌物。

念珠菌病(真菌病)是白色念珠菌(*Candida albicans*或称 *Monilia albicans*)造成的。在妇女可出现白色稠厚的阴道分泌物,伴有生殖器区的刺激和瘙痒感。男性则为龟头及阴茎皮肤的刺激症状。因为此类真菌在环境中到处都有,所以并不都是性传播的。

生长在生殖器的疣是由某口型乳头瘤病毒造成的,可通过性接触传给他人。最常见的生殖器疣常只是个小病变,但偶尔也可生长得极多或极大以致影响排尿、排便或阴道分娩。现有越来越多的证据表明,生殖道的病毒感染可能是子宫颈以及生殖器本身癌瘤的致病因子之一。

软下疳、腹股沟肉芽肿和性病性淋巴肉芽肿是在热带发病率最高的三个性传播疾病。软下疳是杜氏嗜血菌(*Haemophilus ducreyi*)感染所致,外观上很像一期梅毒的下疳。腹股沟肉芽肿被认为是由肉芽肿鞘杆菌(*Calymmatobacterium* [*Donovania*] *granulomatis*)造成的。开始时只是个小疮面,但可扩展到大片地区,通常在生殖器附近,造成破坏性溃疡性病变。性病性淋巴肉芽肿是砂眼衣原体所致。开始时可能只是生殖器的一个不受注意的小包块。随后,腹股沟淋巴结肿大,可破溃并排出脓性分泌物。很晚期可出现生殖器肿大。

所有上述疾病都主要靠性接触传播,但也有其他病只在少数病例中是通过性传播。其中主要包括巨细胞病毒,这是普遍存在于人类的一种病毒感染,可通过各种途径,包括性接触。还有乙型肝炎病毒,它主要通过静脉注射或输血传播,但也可通过性传播。

最后还有一个常见的侵染,即阴虱病。阴虱(*Phthirus pubis*)侵染阴毛,虱卵即黏附阴毛上。约一周后孵化出幼虫,再约二周后即发育为成虱。阴虱附生于阴毛基底处并吸食寄主的血。人们因为发现了虱子或虱卵才注意到虱病,或因(两三周后)出现了剧痒。

sexuality　性别　属于性(**sex**)的特征和状态。

seybertite(mineral)　参阅 **clintonite** 绿脆云母。

Seybouse, Wadi　塞布斯河　阿尔及利亚东北部河流。源自艾因贝达东部塞提夫平原东部边缘,称谢里夫河。蜿蜒向北到盖勒马,突然拐向东,急速流过泰勒阿特拉斯山脉在芒特纳多尔处的一个很窄的峡道,到布舍古夫与迈拉赫河的汇流处。然后向北急转,流经两岸树木成行的河谷,在安纳巴港口的南部注入地中海。河口湾有浅滩,水深变化不定,但可通行小船,除此以外,235 千米长的河流都不通航。塞布斯河流经密植农耕区,出产葡萄和谷物。水渠从主流直接通往田间进行灌溉。

Seychelles　塞舌尔　全称塞舌尔共和国。印度洋西部岛国,由大约 115 个岛屿组成。主要岛屿位于南纬 4°～ 11°,东经 46°～ 56°之间,西距肯尼亚约1 600千米。首都维多利亚。面积 453 平方千米。人口约 71 000(1993)。

土地　塞舌尔由两个主要岛群组成:一个是中部 40 个多山花岗岩岛组成的马埃岛群(马埃岛为最大岛),另一个是由周边 70 多个平坦的珊瑚岛组成的岛群。马埃岛群中的岛屿多岩石,有一条独特的狭长海岸带,中部有一系列山丘。繁茂的热带植物、银白色的海滩和清澈的潟湖以及高山陡坡上的花园构成该岛群的总体景观。珊瑚岛群海拔仅数英尺,地势低平,有在不同形成期出现的上升珊瑚礁;多数岛屿无水,几乎无人居住。

美国不列颠百科全书公司供图

为热带海洋性气候,气温几乎终年不变。白天下午气温升至约30 ℃,夜间降至约23 ℃。各岛的降雨量差异较大;在马埃岛,海面年降雨量为 2 300 毫米,而山坡上则为3 560毫米。有持续高湿度,但在东南信风盛行的迎风位置,情况略有好转。野生动物有巨龟和绿海龟。

人民　诸岛屿原为荒岛,最早的居民是法国殖民地开拓者及其黑奴,19 世纪时又有一些来自法国的流放者与他们为伴。后来,又有少数来自中国、印度和马来亚的亚洲人到达这里。岛上普遍的异族通婚使岛民大多为混血种人。约90%的人口居住在马埃岛上，其中很多人住在首都维多利亚。由于移民外流使年人口增长率一直停留在很低水平。1/3以上人口不足15岁，约9/10为天主教徒。从1981年7月起，大部分塞舌尔人的母语克里奥尔语（亦称塞塞尔瓦语）取代了英语和法语成为规定的国语，但这3种语言均被视为官方语言。

经济　塞舌尔的经济属混合的发展中经济，旅游业为岛上主要经济支柱。尽管贸易逆差明显，通货膨胀率很高，但经济仍稳步增长。国民生产总值的增长快于人口增长。人均国民生产总值大大高于大多数非洲大陆邻近国家。

农业约占国内生产总值的1/10，占用约1/10的劳动力。岛上可耕地有限，土地普遍贫瘠，生产的椰子、桂皮、香子兰和香精油均供出口。塞舌尔拥有现代化的渔业，产品可供应国内外市场。采集海鸟粪供出口亦成为一项常规的经济活动。制造业的规模较小，以食品加工为主。服务业在国内生产总值中所占比重最大，占用的劳动力亦最多。自1971年启用马埃国际机场以后，旅游业发展迅速，目前几乎提供外汇总额的3/4。进口商品以石油产品、机器和食油为主。出口商品以金枪鱼罐头、椰肉干、冻鱼和肉桂为主，另外，还有一些石油产品的再出口。

政体与社会状况　根据1993年宪法，塞舌尔是一个共和国，总统为国家和政府首脑，由普选产生，是军队的总司令，任期5年，连任不得超过3届。1996年宪法修正案设立了副总统职位，由总统任命。总统还指派部长会议为总统的咨询机构。立法机构是国民议会，为一院制；议会成员的任期5年。司法机构包括地方法院，级别低于最高法院；最高法院，该法院对民事和刑事案件均有裁判权并审理地方法院的上诉案件；上诉法院，该法院审理最高法院的上诉案件。学校系统的基础是免费的十年制义务教育。教育水平稳步增长，几乎所有的小学适龄儿童均可上学。塞舌尔唯一的无线电台、电视台和日报由政府经营。此外，还有数个独立的周刊和月刊。

历史　1609年，英属东印度公司探险队首次在荒芜的塞舌尔群岛登陆。法国人L.皮科曾于1742和1744年到群岛探险；1756年该群岛正式被法国兼并，取名（Séchelles塞谢勒），后被英国人改为Seychelles。该群岛在英法战争后被英国占领；1814年《巴黎条约》正式将其划归英国。19世纪30年代，随着奴隶制的废除，群岛上的欧洲殖民者失去了劳动力，迫使他们不得不种植一些劳动力密集程度较低的作物，如椰子、香子兰和肉桂，以取代需要大量劳动力的棉花和谷物。1903年，塞舌尔成为英国直辖殖民地。1948年岛上成立经选举产生的立法议会。1970年塞舌尔有了新宪法、成人普选权和执政委员会（其多数成员由选举产生）。1975年岛上实行内部自治，1976年宣布独立（但仍留在英联邦内）。1975年成立联合政府，J.R.曼卡姆任总统，F-A.勒内任总理。1977年发生政变，勒内任总统。1979年，勒内修改了宪法，在塞舌尔群岛建立起一党制社会主义国家。然而，在90年代，塞舌尔人民进步阵线开始转向较为民主的统治，制定了新宪法并恢复了多党政治。该国还逐渐抛弃社会主义经济，通过对大多数半国有的公司进行私有化，鼓励外国投资，努力把塞舌尔打造成一个近海岸的商业和金融中心，开始实行以市场为基础的经济战略。进入21世纪后，塞舌尔人民进步阵线继续主导政治舞台。恢复多党选举后，勒内担任了3届总统，2004年退休后副总统J.米歇尔继任。2004年晚些时候塞舌尔的一些岛屿受到海啸袭击，对该国的环境和经济造成严重影响。

Seychelles-Mauritius Plateau　塞舌尔-毛里求斯海底高原　又称马斯卡林海底高原（**Mascarene Plateau**）。印度洋海底很浅的大片海岭。此海岭通过塞舌尔群岛和阿米兰特群岛而成新月形。此海岭延伸从南纬4°～21°，从东经54°～63°。据认为是与马达加斯加类似的、与大陆分离的小型外露层。耸立于海岭上的塞舌尔群岛是由花岗岩构成的，被认为是洋盆中的反常现象，因为大多数海洋岩石是玄武岩。

Seydlitz, Friedrich Wilhelm, Baron (Freiherr) **von　赛德利茨**（1721-02-03，勃兰登堡克莱沃附近卡尔卡尔［德意志］～1773-11-08，下西里西亚奥劳［今在波兰奥瓦瓦］）　普鲁士骑兵指挥官，对腓特烈大帝在七年战争（1756～

供图：Bildarchiv Preussischer Kulturbesitz BPK, Berlin

1763）中获胜贡献很大，并使普鲁士骑兵优于各国骑兵。曾任勃兰登堡-施韦特的腓特烈·威廉侯爵的侍从，1740年加入普鲁士铁甲骑兵团，参加奥地利王位继承战争。1753年，腓特烈二世委派他整编骑兵团队。他出色地完成任务，但七年战争中才真正显示了他伟大的才能。1757年5月在布格拉战役中立功，1757年6月普鲁士在科林失利，但他的后卫部队战斗出色，因功擢升少将。在罗斯巴赫（1757）、祖恩道夫（1758）、霍赫基希（1758）、库纳尔斯道夫（1759）及弗赖贝格（1762）诸战役中指挥骑兵部队。胡贝图斯堡条约（1763）后，晋升骑兵上将，担任西里西亚骑兵总监。

Seyfeddin, Omer　赛斐丁（1884，奥斯曼帝国班德尔马戈赫恩［今在土耳其］～1920-03-06，君士坦丁堡［今在伊斯坦布尔］）　土耳其短篇小说家，被认为最伟大的现代土耳其作家之一。曾在埃迪尔内和君士坦丁堡的军校学习，后跻身军界，参加过巴尔干战争（1912～1913）。退伍后，从事写作和教育。他的写作风格独特，故事大都取材于个人经历、历史和民间传说。他的故事由于使用口头语言，表达生动活泼，富有魅力。他是一个传诵很广，深受欢迎的作家，超然于当时的文学运动以外，他的作品题材范围广泛，包括讽刺小品、辩论剧、滑稽剧和社会评论等。《春天与蝴蝶》（1927）描写守旧的外祖母同比较时髦的外孙女之间的代沟，后者一心模仿西方的风尚，但对自己的民族文化却一无所知。《炸弹》（1935）被认为是他最优秀的作品，描写一个年轻的保加利亚社会党人，拒绝同他的革命同胞合作，惨遭杀害。

Seyfert galaxy　赛弗特星系　又称塞佛特星系。一类具有活动星系核的星系。1944年，美国天文学家C.K.赛弗特首先注意到这些星系的核心光谱有宽发射线，显示核心处的热气体以高达几兆米/秒的速度向外膨胀，因而得名。在通常的照片上，赛弗特星系似乎不特殊，实质上它们是很强的红外辐射源，其中不少还是很强的射电源或X射线源。据认为，可能约有1%的旋涡星系具有赛弗特星系的特征，或可能所有的旋涡星系在1%的演化时间内是赛弗特星系。

Seyfried, Ignaz Xaver, Ritter von　赛弗里德（1776-08-15，奥地利维也纳～1841-08-27，维也纳）　奥地利音乐家，写有100多部戏剧作品以及大量器乐和宗教音乐作品，在当时均极为流行，但在现代保留曲目中几乎没有一首入选。与莫扎特相识，师承J.G.阿尔布雷希茨贝格（贝多芬的老师）和海顿等人。他是维也纳很有成就的歌剧指挥和演出人（1797～1828），也是颇有名望的音乐理论家。编辑了阿尔布雷希茨贝格有关和声的著作集（1826）和贝多芬关于技巧和作曲的练习集（1832）。

Şeyh Gâlib (Turkish poet)　**谢伊哈·加利布**　参阅**Gâlib Dede**加利普·德德。

Şeyhi, Sinan　赛希（？～1428，奥斯曼帝国屈塔希亚［今在土耳其］）　土耳其诗人，早期奥斯曼文坛最重要人物之一。生平事迹不详。他不仅是诗人，还可能是伟大的学者和著名的土耳其神秘主义者、安卡拉圣人哈吉·巴伊拉姆·韦利的信徒，后者建立了巴伊拉姆托钵僧团。赛希还有优秀内科医生的声誉。这位多产诗人，因为翻译了伊斯兰文学中一个民间爱情故事《霍斯陆和西林》而更有名气。这一诗作受启发于伟大的波斯诗人内扎米（1209卒），用对句韵诗写成，尽管由于作者暴卒，未能完篇，却被认为是优美流畅的杰作。其他作品包括他的《诗集》中的抒情诗和一部讽刺故事《驴之书》。赛希因为《霍斯陆和西林》而名扬四海。他被认为是第一个将古典波斯的对句韵诗引进奥斯曼文学的人。

Seylac 泽拉 又作Zeila,索马里西北端城镇和港口。濒临亚丁湾。从9世纪至19世纪末,是索马里海岸最重要的阿拉伯人居民区,是埃塞俄比亚基督教王国和穆斯林阿拉伯半岛间的贸易中心。当时贸易主要是从埃塞俄比亚及其内地运来象牙、奴隶、皮革和香料,以交换从阿拉伯半岛运来的布和金属制品。也曾是中世纪阿达尔王国的重要港口。在19世纪,欧洲殖民国家曾争夺该城镇,但自吉布提港至亚的斯亚贝巴的铁路修通后,通往内地的传统贸易之路就黯然失色。现为一小港口。人口1 226(最新统计)。

Seymour 西摩 澳大利亚维多利亚州中部城镇,临古尔本河。1837年创建,1841年设镇。原为渡口,现为公路、铁路枢纽,亦为墨尔本(南100千米)备用机场所在地。有饲养牛羊和种植谷物的农业,花岗岩开采及伐木业。工业有纺织厂、燃气厂、铁路修理厂及大型油库。镇西18千米帕卡尤亚尔是第二次世界大战时期军训基地,现仍使用,人口6 510(1986)。

Seymour 西摩 美国康涅狄格州西南部纽黑文县城镇。位于诺格塔克河畔,近纽黑文市。约1678年始建为德比的一部分,购自佩科特印第安人。曾数易其名。1850年设镇。自西班牙引入美利奴绵羊,并建立造纸厂和毛纺厂,成为"模范村"。1880年出产美国首批马海长毛绒。人口14 288(1990)。

Seymour, Charles 西摩 参阅 **Somerset, Charles Seymour, 6th Duke of 萨默塞特公爵(第六)**。

Seymour, David 西摩(1911-11-20,俄罗斯帝国波兰华沙[今在波兰]~1956-11-10,埃及苏伊士运河) 笔名Chim。波兰出生的美国新闻摄影记者,以富于人情味的人物照片、特

供图:Elliott Erwitt—Magnum

别是儿童照片而著名。曾在华沙学习印刷艺术。1931年到巴黎,开始从事摄影。20世纪30年代后期,他采访了许多重大的政治事件。他拍摄的关于西班牙内战的照片,特别是关于战争对巴塞罗纳老百姓的影响的照片,受到广泛的重视。1939年到美国,为美国陆军服役了3年,主要是当照片判读员。他是1947年"玛农"图片社的创始人。次年,他受联合国教育科学及文化组织(UNESCO)的委任,拍摄身心上遭受战争摧残的儿童。从那时起,他受各报刊杂志的委任,遍游欧洲和以色列。在采访阿以战争时遇难身亡。他出版的摄影画册有《欧洲的儿童》(UNESCO,1949),《梵蒂冈》(1950)和《戴维·西摩摄影集》(1966,法罗娃编)。他还有些照片被选登在卡帕编辑的《人们关心的摄影家》(1968)之中。

Seymour, Edward 西摩 参阅 **Hertford, Edward Seymour, Earl of 赫特福德伯爵; Somerset, Edward Seymour, 1st Duke of 萨默塞特公爵(第一)**。

Seymour, Horatio 西摩(1810-05-31,美国纽约奥农多加~1886-02-12,纽约尤蒂卡) 美国纽约州州长、1868年民主党总统候选人。1832年进入纽约律师界,1833~1839年为W.L.马西州长的军事秘书,1842~1846年为州议会议员,1842年当选为尤蒂卡市市长,1852年当选州长,1854年因反对禁售酒类法案而导致竞选连任失败。国家政策上持保守立场,主张以妥协维系联邦,避免战争。战争爆发后,他全力支持联邦事业,但反对A.林肯的解放黑奴、征兵和军事逮捕等政策。任纽约州州长时曾平息1863年7月的征兵骚乱,对暴乱者采取的和解态度削弱了他的政治影响。战后积极参加重建分裂的民主党。1868年作为民主党候选人与U.S.格兰特将军竞选总统。两人所得选票数颇相近,但西摩以80对214的票数败北。退隐后在纽约州政治生活中仍很活跃。

Seymour, Jane 西摩 参阅 **Jane Seymour 简**。

Seymour, Lynn 西摩(1939-03-08,加拿大艾伯塔韦恩赖特~) 加拿大主要的芭蕾舞女演员。1954年去英国,先在科文特加登歌剧院芭蕾舞团表演舞蹈(1956),后于1957年参加皇家芭蕾舞团,她为舞团创作了《仙女之吻》(由苏格兰舞蹈编导K.麦克米伦于1960年排演)和《两只鸽子》(1961)。虽然麦克米伦排演《罗密欧与朱丽叶》时,朱丽叶的角色是为她设计的,但1965年首演时却由M.芳廷扮演。1966年她在西柏林参加德国歌剧院芭蕾舞团,与麦克米伦合作。回到皇家芭蕾舞团之后,她在阿什顿爵士的《乡村一月》(1976)里饰演主要角色,又一次获得巨大成功。1978年她担任慕尼黑巴伐利亚国家歌剧院的艺术指导,但1981年初离开舞蹈界,开始从事流行音乐。

Seymour (of Sudeley), Thomas Seymour, Baron 西摩(约1508~1549-03-20) 英格兰海军大臣(1547~1549)。约翰·西摩爵士之子。因其妹简嫁给亨利八世国王,他得以在宫廷中任职并出使国外。1544年任英吉利海峡舰队司令,对法国作战。爱德华六世即位后他的哥哥任摄政,封他为男爵,并任海军大臣和枢密官。1547年与亨利八世的遗孀凯瑟琳·帕尔结婚。他施展各种阴谋夺取最高权力。1548年9月凯瑟林死后,他企图娶亨利八世的女儿伊丽莎白公主(后为女王伊丽莎白一世)为妻,大有成为王位继承人之势。在其兄默许下,他被捕并被斩首。

Seymour Island 西摩岛 南极州南极半岛格雷厄姆地以北威德尔海中的岛屿。西摩岛位于詹姆斯·罗斯岛东面。阿根廷、智利、英国各自宣称该岛属于其南极领地。西摩岛和詹姆斯·罗斯岛为南极洲最大无冰陆面,有大片干燥的谷地,多光秃裸露的岩石。1843年为英国探险家詹姆斯·C.罗斯所发现。1892年在岛上首次发现南极洲第三纪化石,1902年西摩岛上又发现可能属于中新世纪的鸟类骨骼。今该岛上设有阿根廷的考察站和简易机场。

Seymouria 蜥螈 进步的两栖动物的绝灭属。化石见于北美的下二叠统(二叠纪开始于2.8亿年前,延续0.55亿年)。因含化石的地层分布在得克萨斯州西摩(Seymour)附近

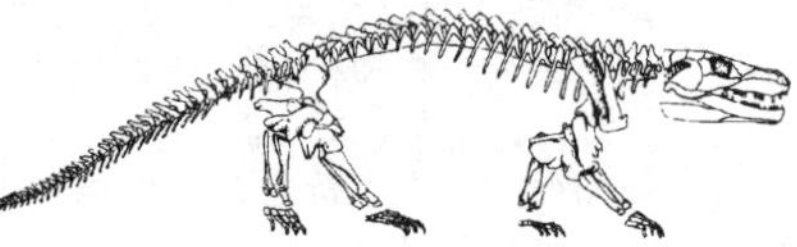

蜥螈(*Seymouria*)骨骼

而得名。蜥螈有许多介于两栖类和爬行类之间的骨骼特征。虽然出现在较晚地质记录中,以致不可能是进步爬行类的祖先类型,但可能代表曾产生过较原始两栖类的分支线。该属是两栖类蜥螈形类的代表,包括一些在习性及结构适应上非常特化的种。有些蜥螈形类几乎专门营水中生活;而另一些成为陆上吃植物的早期动物,如阔齿龙属(*Diadectes*)。

蜥螈属的头骨纵长,构造上是两栖动物。头顶有一个孔作为松果眼(原始脊椎动物的感光的器官)。围绕着颌部边缘长着许多齿,而腭骨上有几个牙齿具有在早期两栖类中出现复杂褶皱的内部构造。头后骨骼比头骨更像爬行动物。长约60厘米,身体能完全抬起离开地面,形成更像爬行类而不是两栖类的姿势。脊椎和腰带的构造是爬行动物的。

Seyne-sur-Mer, La 滨海拉塞讷 法国东南部普罗旺斯山-蓝岸大区瓦尔省城镇。位于土伦西南郊。为造船中心,生产专用船如集装箱船和液化天然气运输船等。滨海拉塞讷地处锡谢角,为土伦的地中海锚地,建有军用船坞。保存有17世纪巴拉吉要塞。每年举行夏季节庆活动和定期艺术展览。人口60 567(1990)。

Seysenegg, Erich Tschermak von 参阅 **Tschermak von Seysenegg, Erich 切尔马克·冯·赛塞内格**。

Seyss-Inquart, Arthur 赛斯-因克瓦特(1892-07-22,奥匈帝国波希米亚伊格劳附近施坦内尔~1946-10-16,纽伦堡) 奥地利纳粹首脑、奥地利总理。1937年6月任奥地利国务委员会委员。1938年2月在德国支持下任内政和公安部长。1938年3月11日取代舒施尼格任总理。他一直主张德奥统一。德军吞并奥地利后他公开表示欢迎。后任新奥地利省政

府总督。1939 年 4 月改任波兰副总督。第二次世界大战后定为战犯在纽伦堡处决。

Sfax (Tunisia) 参阅**Ṣafāqis** 斯法克斯。

Sfîntu Gheorghe **圣格奥尔基** 罗马尼亚中东部城镇,科瓦斯纳县首府。位于奥尔特河畔。中世纪由塞克勒移民聚居。博物馆收藏有中世纪建筑、木刻、手工艺品等文物以及罗马达契亚定居点和新石器时代定居点的考古和历史文物。该镇教堂为原特兰西瓦尼亚边境地区典型建筑。现有小规模轻工业。人口约 68 070(1992)。

SFIO (France) **工人国际法国支部** 参阅 **Socialist Party** 社会党。

Sfondrato, Niccolò (pope) **斯丰德拉托** 参阅 **Gregory XIV** 格列高利十四世。

Sforza FAMILY **斯福尔扎家族** 意大利家族,原称阿滕多里,曾产生两个著名的雇佣军人,并建立统治米兰将近百年的王朝。原为罗马涅的富裕农民。

从王朝的缔造者、雇佣兵队长穆齐奥·阿滕多洛(1369 ～ 1424)起,这一家族采取"斯福尔扎"(力量)的名称,其私生子弗朗切斯科也是雇佣兵队长,1450 年成为米兰公爵。弗朗切斯科的长子加莱亚佐·马里亚(1444 ～ 1476)于 1466 年继承父位,显然是一位能干的统治者,他关心农业,修筑运河,引种水稻,奖励商业、特别是丝和羊毛的加工。他是音乐家、美术家、诗人和学者的庇护人,写过关于狩猎的论文。加莱亚佐·马里亚被暗杀后,其子吉安·加莱亚佐(1469 ～ 1494)一度掌权,但不久即被叔父卢多维科篡位。1499 年卢多维科被法国的路易十二赶下台后,其子马西米利亚诺(1493 ～ 1530)和弗朗切斯科·马里亚(1495 ～ 1535)去德意志避难。1512 年马西米利亚诺返回米兰。三年后,法国的法兰西斯一世攻打米兰。结果,马西米利亚诺将公国让与法兰西斯,去巴黎领年金过退隐生活。弗朗切斯科北逃,1522 年由皇帝查理五世立为米兰公爵。他死后无嗣,公国转归查理五世和哈布斯堡王朝。

Sforza, Carlo, Conte **斯福尔扎**(1873-09-25,意大利卢尼贾纳蒙蒂尼奥索～ 1952-09-04,罗马) 意大利外交家和政治家,法西斯时期的流亡者,第二次世界大战后外交界的重要人物。1896 年斯福尔扎进入外交部门,在开罗、巴黎、君士坦丁堡、北京、布加勒斯特、马德里、伦敦和贝尔格莱德等地工作。1919 ～ 1920 年任副外交大臣。1922 年被任命为驻法大使,9 个月后辞职,拒绝在墨索里尼手下工作。他在国外生活将近 20 年(1939 年前在比利时,1940 年后在美国),成为讲演者和政治评论员。1943 年斯福尔扎回到意大利,任多种政府职务和其他职务,1946 年作为共和党员当选为议员。1947 年进入阿尔契德·加斯贝利的第三届内阁,任外交部长,直至 1951 年 7 月因病辞职。他的影响成为意大利批准和约、意大利加入欧洲经济合作组织和意大利参加北大西洋公约组织的一个决定性因素。

Sforza, Francesco **斯福尔扎**(1401-07-23,托斯卡纳圣米尼亚托[意大利]～ 1466-03-08,米兰) 雇佣兵队长,曾在 15 世纪意大利政治中起过关键性的作用,作为米兰公爵,建立了统治将近百年的一个王朝。1434 年受雇于科西莫·德·梅迪契,任佛罗伦萨雇佣兵队长。1438 年替佛罗伦萨-威尼斯联盟作战,攻打米兰。米兰成立共和国后,雇佣他统率军队。1450 年成为米兰公爵。翌年,威尼斯、那不勒斯、萨伏依和蒙费拉的联军反对斯福尔扎,斯福尔扎乞援于科西莫·德·梅迪契,缔结米兰-佛罗伦萨联盟,从而产生《洛迪和约》(1454),巩固他对米兰的统治。他的政府虽然是专制的,但显然很开明。他保护艺术,使米兰增添了许多建筑物。

Sforza, Ludovico **斯福尔扎**(1452-07-27,米兰公国帕维亚维杰瓦诺[意大利]～1508-05-27,法国图布莱纳洛什) 意大利文艺复兴时期摄政(1480 ～ 1494)、米兰公爵(1494 ～ 1498),生性残忍的王公和外交家,达·芬奇及

供图:Alinari—Art Resource/美国不列颠百科全书公司

其他艺术家的赞助人。是自立为米兰大公爵的弗朗切斯科·斯福尔扎的次子。在孩提时发肤皆黑,因而获得"摩尔人"的诨名。在父亲的宫廷中长大。1466 年父亲去世,长兄加莱亚佐·马里亚继任公爵,他仍留在宫廷中服务。1476 年马里亚被害,其 7 岁的儿子吉安·加莱亚佐承袭爵位。此时,卢多维科第一次暴露出政治野心,他图谋从马里亚的遗孀萨伏依的博纳手中夺取摄政权。事败后被赶出米兰。但是他使用威胁和谄媚两种手段,终于使博纳捐弃前嫌,并在 1480 年处决她的首席大臣奇科·西莫内塔。不久,卢多维科逼迫博纳离开米兰,他成为唯一的摄政。他极力庇护艺术家和科学家,使米兰宫廷成为欧洲最光辉灿烂的场所。艺术家、诗人、音乐家群贤毕集,其中包括达·芬奇和建筑家 D.布拉曼特。他开凿运河,修筑城防,建造许多民用和军事工程,并与罗马皇帝马克西米连一世和法王查理八世结成同盟。1494 年马克西米连封他为米兰公爵。1498 年查理八世去世,第一代米兰公爵的后代路易十二继承法国王位。路易十二要求米兰公爵的爵位,在威尼斯和米兰人民群众的支持下,轻而易举地征服了米兰。卢多维科去马克西米连处避难。他试图借助德意志和瑞士雇佣军重占米兰,但是在关键的一役,瑞士部队不肯效命。1500 年 4 月卢多维科化装成瑞士人准备逃跑时被法国人俘获,囚禁于图赖讷的洛什堡。他逃跑未遂,抑郁而死,但至死不肯放弃爵位。

Sforza, Muzio Attendolo **斯福尔扎**(1369-05-08,科蒂尼奥拉[意大利]～ 1424-01-04,佩斯卡拉) 雇佣兵队长,在其所处时代的战争中曾起重要作用,其子弗朗切斯科为米兰公爵。意大利北中部罗马涅富裕农民家庭出身。1384 年离家参加雇佣兵。升迁很快,为不同雇佣兵队长服务。1398 年他受雇于米兰统治者,不久离开,为佛罗伦萨和费拉拉而战。1412 年斯福尔扎奉国王拉迪斯拉斯之召,回到那不勒斯,任王室总管。1414 年拉迪斯拉斯去世,在女王乔瓦娜二世统治下,政局诡谲多变,他忽而得宠,被赐于官职土地,忽而被监禁,遭受酷刑。1424 年他被女王派去同一宿敌作战,在意大利东中部横渡佩斯卡拉河时溺死。

Sforzesco Castle **斯福尔扎城堡收藏馆** 位于意大利米兰。城堡于 15 世纪由 F.斯福尔扎所建,现为艺术收藏馆。该收藏馆包括古代艺术博物馆、乐器博物馆和绘画陈列馆。米开朗琪罗最后未完成的作品《圣母怜子雕像》就在那里陈列。绘画陈列馆收藏有文艺复兴时期和 17 世纪意大利大师们如 A.曼特尼亚、G.贝利尼、F.利比、柯勒乔和蓬托莫等人的作品。该陈列馆还藏有法国和荷兰的优秀作品。

sfumato **晕涂法** 绘画或素描术语,指在各种颜色和色调之间造成柔和、细微过渡(没有

莱奥纳多·达·芬奇的晕涂法绘画《岩下圣母》(1483)

供图:Giraudon—Art Resource/美国不列颠百科全书公司

线或边界)的细腻微妙的明暗画法。达·芬奇及其追随者常用此法在作品中处理人物脸部特征及制造气氛,有高度的逼真效果。参阅 **chiaroscuro**。

Sgambati, Giovanni 斯甘巴蒂(1841-05-28,罗马～1914-12-14,罗马) 钢琴家、作曲家和指挥家,19世纪后半叶推动了器乐和交响乐在意大利的复兴。李斯特的钢琴学生。1866

供图:Archiv B. Schott's Sohne, Mainz, W. Ger.

年在罗马成立管弦乐队并指挥了贝多芬的《英雄交响曲》和李斯特的《但丁交响曲》在意大利的首演。他还向听众介绍了贝多芬的《皇帝协奏曲》并亲自担任独奏。1867年他协助建立了罗马四重奏学会。后悉心教学,1876年他协助创立了罗马第一所公立音乐学校。除室内乐、歌曲及钢琴小品外,还写了一部《安魂弥撒曲》,两部交响曲及一部钢琴协奏曲。

SGI SGI公司 又译视算科技公司。原称 Silicon Graphics, Inc.。美国高性能计算机工作站、超级计算机和高级绘图软件的制造商。总部设在加利福尼亚州芒廷维尤。1982年由斯坦福大学电气工程教授J.克拉克创办。SGI工作站的第一个原型于1984年免费赠予G.卢卡斯,即星球大战系列电影的导演。从此逐渐发展成为好莱坞最受欢迎的计算机供货商。SGI的计算机为好莱坞一些耗资巨大的电影制造特效,也为音乐录像带和电视广告制造特效。1995年第一部由计算机制作的动画故事片《玩具总动员》就是由SGI的计算机制成。1986年为上市公司。20世纪90年代展开一连串并购,以强化其高性能计算机绘图系统主要供货商的地位。同时,公司也经历了高级管理人员流失的困境。克拉克和总裁先后离开,另创办其他公司。在高层人事变动之后,公司在快速成长的因特网市场中错失了最初欣欣向荣的服务器销售业务。1997年开始亏损。为此,管理层迅速转变公司的经营策略。1998年把芯片部门MIPS技术公司(以制造任天堂公司的N64处理器而闻名)重组为一个独立企业。

Sgor-gzhas 果谐 中国藏族农村流行的群众性歌舞。果谐原意是围成圆圈边舞边唱,所以也叫圆圈舞。歌舞在新年、庆丰收、逛林卡和群众性集会时表演,短则几十分钟,长则几个小时。果谐一般分为两段,第一段叫江谐,意为舒展的歌舞。采用缓慢轻松舞步和歌唱,有齐唱、男女部轮唱和领唱伴唱等方式。第二段叫交谐,意为快速的歌舞。舞步加快,歌声高昂,情绪更为热烈。果谐在藏区流传很广,各地有鲜明的地方特色,舞姿和歌调歌词也不尽相同。

sgraffito 刮除法 视觉艺术的一种技法,也是一种艺术形式。已应用于绘画、陶器和玻璃方面。此法系先作一层底色,再覆盖上另一层色面,然后剔除表层,显露底色呈现图案或图像。中世纪在画板油画和书稿的饰画上常常采用金箔作底。在壁画上则通常敷施

约1805年的宾州德式赤陶碟,上饰刮除法图案
纽约布鲁克林博物馆供图

两层不同颜色的灰泥层。在彩色玻璃方面则将有色的上层刻透,使之显露下层清澈的玻璃,而在陶器方面,系刻透上层白色或彩色的黏土泥浆使露出底色阴纹图案。

Sgrol-ma(Buddhist goddess) 参阅 **Tārā** 度母。

Sha Xi 沙溪 中国福建省闽江的南源。发源于宁化县与江西省交界的杉岭。上游称九龙溪。到沙溪口汇合富屯溪,在南平市和建溪汇合称闽江。

Shaaban, Robert(African writer) **沙班** 参阅 **Robert, Shaaban** 罗伯特。

Shaanxi 陕西 又拼 Shensi。中国西北部省份。简称"陕"或"秦"。西周初年,周公和召公以陕原(今河南省陕县西南)为界划地而治,陕原以西归召公治理,称为"陕西"。其地春秋时大部为秦国所有,故又简称为秦。该省介于北纬31°42′～39°35′,东经105°29′～111°15′,位于黄河中游,北邻内蒙古、宁夏两自治区,西接甘肃,南与四川、湖北、河南相连,东隔黄河与山西省交界。面积205 666平方千米。居民除汉族以外,少数民族以回族为主,还有满、蒙古、壮、藏等民族。设10个地级市、24个市辖区、3个县级市、80个县。省会西安市。

自然条件及资源 省境北部为黄土高原,属鄂尔多斯地台的东南部分,海拔900～1 500米,沉积有50～150米厚的黄土,最大厚度达200米。黄土组织疏松,经流水长期侵蚀,形成了塬、梁、峁等黄土地貌。高原北部水土流失严重,生态环境受到破坏,是黄河泥沙最主要的来源之一。长城沿线及其以北多风沙地形,是毛乌素沙漠的一部分。中部为关中盆地,又名渭河平原或关中平原,东西长360千米,号称"八百里秦川"。渭河横贯关中,土地肥沃,农耕历史悠久,农产丰饶。南部为陕南山地,又称秦巴山地。秦岭海拔一般为1 500～3 000米,主峰太白山3 767米,是陕西第一高峰,也是青藏高原以东的著名山峰。大巴山绵延于川陕之间,一般海拔1 500～2 000米。汉江横贯于秦岭、大巴山之间,峡谷盆地交替出现,以汉中盆地最大。全省春暖干燥,夏季炎热多雨,秋季凉爽湿润,冬季寒冷干燥,属大陆性气候。南北气候差异大,以秦岭为界,界北从大陆性半干旱的温带到半湿润的南温带;界南为北亚热带。年平均气温由北向南递增,从6 °C上升到16 °C;年平均降水量由陕北的350毫米向南递增到1 200毫米。除陕北长城沿线局部地域属内流区外,以秦岭为界,北部、南部分属黄河及长江两大流域。较大的河流有渭河、泾河、洛河、延河、无定河及嘉陵江、汉江、丹江等。省内有种子植物约3 000～3 500种,绝大多数分布在秦巴山地。森林面积近500万公顷。有狼、狐、豹、熊、水獭、黄鼬、松鼠等皮毛兽,还有金丝猴、羚羊、大熊猫、苏门羚等稀有珍贵动物。矿产资源品种繁多,灰岩、石棉、白云岩、石墨以及钼、汞等储量居全国前列。煤炭储量居中国第三位,达1 560亿吨以上。陕北石油、天然资源丰富,天然气储量在中国占有重要地位。

沿革 陕西是中华民族最早定居的地区之一。半坡遗址的发现证明渭河两岸早在6 700多年前已有原始氏族公社先民定居。周初出现黍、稷、稻、粱、麦、菽、麻等多种农产品。战国时修建了郑国渠,汉代又修筑了白渠等,形成以长安为中心的农田水利网。曾有周、秦、汉、隋、唐等十多个王朝在此建都,并是著名的"丝绸之路"的起点。自唐以后,地位逐渐下降,但一直是西北地区经济、政治、军事的中心。元设陕西行中书省,明置陕西布政使司,清朝设陕西省。1935年陇海铁路通达后,近代工业始有发展,主要是纺织、面粉、造纸、火柴等工业。1935年中国工农红军长征到达陕北,1937年中共中央机关迁驻延安,并成立陕甘宁边区政府。1936～1948年延安和陕甘宁边区一直是中共中央所在地。

经济及其他 陕西是中国西北部工业较发达的省,关中平原已成为内陆重要工业城市地带。以机械、电子、纺织工业为主,燃料动力、建材在全国也有一定地位。渭北的铜川、韩城,陕北的神府地区已成为中、大型煤炭工业基地。延长油矿是中国开采历史最早的油田。以西安为中心的电力机械、机床、矿山机械以及宝鸡的石油勘探机械等,在全国占有重要地位。关中地区盛产棉花,西安、咸阳等地建有大型纺织工业。农业以种植业为主,地区差异明显:陕北是农牧结合地区,广泛种植谷、糜、玉米、高粱、马铃薯,牧业以养羊为主;关中是种植业发达地区,集中了全省大部分灌溉面积,以小麦、棉花、玉米、油料作物为主;陕南汉中盆地盛产稻米,山地丘陵有多种果木、林产品。陕西地处中国东西部交

接之处,建有陇海、宝(鸡)成(都)、西(安)延(安)、西(安)韩(城)、咸(阳)铜(川)、阳(平关)安(康)、襄(樊)渝(重庆)等铁路,营运里程达3 462千米(2002)。公路以西安为中心,四通八达,通过西宝、西铜等高速公路和210、307、312、316等近10条国道、50多条省道连接全省各地、市、县,公路里程达109 000千米(2005)。水运以汉江最为重要。航空运输以西安为中心,联系国内外和陕北、陕南的重要城市,国际航线可达日本及韩国。西安是中国主要的科学研究机构和高等学校集中地之一,全省有西北大学等多所高等院校、数百个科学研究机构。陕西是中国文物古迹荟萃之地,有秦始皇兵马俑、轩辕黄帝陵、半坡遗址、法门寺遗址、乾陵等数十处中国重点文物保护单位,为举世闻名的旅游胜地。人口36 740 000(2005)。

Shaba 沙巴 1972年前称加丹加。扎伊尔(现刚果[金])东南部历史上著名地区。东临坦噶尼喀湖,南接赞比亚,西接安哥拉。"沙巴"一名来自斯瓦希里语,意为"铜"。全国铜、钴、铀、锌、镉、银、锗、煤、金、铁、锰、锡等矿产大多产于此地。19世纪欧洲人到达前,当地人就已利用这些矿产。1900年以来的经济发展已经产生了一些矿业和工业综合城镇和交通运输通讯网络,除首都金沙萨外,为扎伊尔工业化程度最高的地区。农业(棉花、烟草、玉米和蔬菜)、畜牧和家禽养殖等也很发达。主要城镇有卢本巴希、利卡西和科卢韦齐。乌彭巴国家公园和昆代隆古国家公园都在沙巴。1972年前一直叫加丹加。1885年以后由比利时殖民地政府管辖。独立后该地发生多次冲突。1960年,在当地政治家冲伯的领导下,在外国矿业界的支持下,加丹加退出刚独立的刚果(后来为扎伊尔),进入一段政治混乱和流血时期,刚果、比利时和联合国的军队都被卷入。1963年战斗结束后,这地区又逐渐重新并入扎伊尔,一些叛乱头子去安哥拉寻求避难。1977年,他们从安哥拉进犯扎伊尔,但以失败告终。动乱局面一直持续到20世纪晚期。

Shabaka 沙巴卡(活动时期公元前8世纪) 又作 Sabacon。库施国王。他曾征服埃及,创建第25王朝(埃塞俄比亚);在公元前719或前718～前703年,他统治埃及。他在库施(今苏丹)继其兄皮安希之后,继续向北挺进,俘获第24王朝第2个国王博科里斯;据传,最后把他活活烧死。沙巴卡可能以开罗附近孟斐斯为其都城,并采用传统埃及法老称号。在他的王朝保护神阿蒙-瑞神故乡底比斯建造很多宗教建筑。死后葬于尼罗河第3和第4瀑布之间的巴尔卡尔山金字塔内。

Shabani (town, Zimbabwe) **沙巴尼** 参阅 **Zvishavane** *兹维沙瓦内*。

Shabazz, Betty 沙巴兹(1936-05-28,美国密歇根底特律～1997-06-23,纽约布朗克斯) 婚前名 Betty Sanders。美国教育家和民权活动家,或以其为遇害的黑人民族主义领袖M.艾克斯之妻的身份而广为人知。在密歇根州底特律一中产阶级家庭中为养父母培育成人,成为卫理公会中的活跃分子。高中毕业后离开底特律去亚拉巴马州塔斯基吉学院(今塔斯基吉大学)攻读基础教育学。在那里,她有生以来第一次体验到种族主义。两年后去纽约成为注册护士。1956年在哈勒姆区一次伊斯兰民族组织演讲会上与M.艾克斯相识,1958年皈依伊斯兰教并与其结婚。1965年她亲眼目睹丈夫被暗杀(那时他们已改姓沙巴兹),当时她正怀有双胞胎,并且和4个女儿在一起。丈夫死后,她全力抚育儿女并继续求学,最终于1975年获得马萨诸塞大学教育管理学博士学位。1976年开始在布鲁克林迈德加·埃弗斯学院工作,先任教授,后任传播与公共关学系主任。有时也就民权和种族宽容等问题演讲。在其12岁的孙子引发的一场大火中烧成重伤后去世。

Shabbat (Judaism) 参阅 **Sabbath** *安息日*。

Shabbetai Tzevi 沙贝塔伊·泽维(1626-07-23,奥斯曼土耳其士每拿[今土耳其伊兹密尔]～1676,阿尔巴尼亚都尔齐尔诺) 又拼 Sabbatai Zebi。冒充的弥赛亚,他在欧洲和中东吸引大批徒众,威胁拉比的权威。他青年时钻研犹太教神秘主义卡巴拉派著作;长时间处于宗教感情升华状态,为人处世富于感染力,收徒甚多,遂在22岁自称弥赛亚。众拉比不堪其扰,把他逐出士每拿。他先到历史悠久的卡巴拉派中心萨洛尼卡(今塞萨洛尼基),再到君士坦丁堡(今伊斯坦布尔),遇见卡巴拉派人士亚伯拉罕·哈-雅基尼,此人藏有一份伪造的先知文献,谓沙贝塔伊即是弥赛亚。其后沙贝塔伊先到巴勒斯坦再到开罗,在该地土耳其总督手下任司库而享有权势的富豪哈列比同意支持他的事业。沙贝塔伊得意洋洋地回到耶路撒冷,在该地,有一位年仅20岁的学生名叫拿丹(加沙的),他自称是为弥赛亚作先驱的现代以利亚。他预言说,沙贝塔伊即将骑口衔七首龙的狮子取得不流血的胜利,恢复以色列,拯救世界。他根据千禧年论推算,这些事必将发生在1666年。耶路撒冷众拉比必欲绝罚沙贝塔伊而后快,沙贝塔伊遂于1665年秋返士每拿,受到热烈拥护。他的运动扩展到威尼斯、阿姆斯特丹、汉堡、伦敦乃至欧洲和北非其他许多城市。1666年初,沙贝塔伊到君士坦丁堡,一到即被投入狱中。几个月后转解到阿拜多斯城堡,徒众称其地为力量之塔。9月被押到阿德里安堡见苏丹,惮于受酷刑而改奉伊斯兰教。苏丹满意之余为他改名为穆罕默德·埃芬迪,用他为私人门卫,俸给甚丰。除了徒众中赤忠于他或另有私心者以外,犹太人对他的叛教无不大失所望。沙贝塔伊终于失宠而被逐,死于阿尔巴尼亚。沙贝塔伊死后,他的教派继续发展,18世纪又出了一位假弥赛亚弗兰克。

Shabbona (Potawatomi chief) 参阅 **Shabonee** *沙伯尼*。

Shabestarī, Saʿd od-Dīn Maḥmūd 沙贝斯塔里(约1250,伊朗大不里士附近的沙贝斯塔尔～约1320,大不里士) 波斯伊斯兰教神秘主义者,所著《蔷薇秘园》成为苏非派的古典文献。他一生大部分时间显然是在大不里士度过,该地是蒙古帝国的新首都,激烈的教义争论以及伊斯兰教和基督教争向蒙古统治者传教的情况,显然深深影响沙贝斯塔里。从他的作品中可以看出,他熟悉基督教教义。《蔷薇秘园》成书于1311年或1317年,以问答形式介绍神秘主义,以抒情笔调表达遁世退隐的心情。

Shabonee 沙伯尼(约1775,莫米河附近[美国俄亥俄]～1859-07-17,美国伊利诺伊莫利斯) 又拼 Shabbona。波塔瓦托米印第安人酋长、P.里维尔式的英雄,黑鹰战争期间于1832年飞马驰过伊利诺伊北部,向白人定居者报告印第安人即将发动袭击。原为奥塔瓦印第安人,因与波塔瓦托米族酋长之女结婚,遂继任部落首领。虽追随并协助特库姆塞建立印第安人部族同盟,然不愿以暴力凌虐白人。据信他曾在1812年8月印第安人大屠杀中救出许多伊利诺伊北部居民,使之免遭杀害;在1827年温内巴戈暴乱中也起到保护白人的作用。然而他的努力却得到相反的酬报,白人的法律剥夺了他的土地。伊利诺伊州拉萨尔县的州立公园(1906)即以沙伯尼命名以志纪念。

shabunder 港务官 波斯语拉丁字母转写作 Shāhbandar。马来亚各州监督商人、管辖港口、征收关税的官员。虽然该词源出波斯-阿拉伯语,但是这一职位在伊斯兰商人来到之前在马来半岛上即已存在。15世纪马六甲苏丹王国为管理急剧增加的商业往来,任命4位港务官监督来自于4个地区的商人:马来群岛、中国、西印度和东南印度。通常这些官员都是外国人,监督各自国家在马六甲的贸易活动。由于对外贸易是苏丹王国繁荣的基础,港务官成为重要的官员,列入仅在辅佐苏丹的强有力的四人内阁之下的8位大臣之内。他们从其所征收的关税中提取可观的佣金作为俸禄。马六甲苏丹王国衰亡后,港务官的工作在马来亚各州得到发展,他们继续行使其职权,直至19世纪后期为英国官员接管为止。

Shabuoth 七七节 希伯来语作 Shavuot。犹太教三个朝圣节期中的第二个,又称五旬节。原为农业节,标志麦收开始。在耶路撒冷圣殿时代,信徒把初收的果实带到圣殿,将用新麦做成的两个饼献上。至今每逢此节仍用花果装饰会堂,反映这种传统。到了拉比时代,人们把这个节期与上帝在西奈山传授律法之事相联系,后来形成在此节期中诵读《律法书》与《路得记》的习俗。此节在逾越节献禾捆50天即7星期以后故名。七七节为犹太教历息汪月初六,在以色列国外则为该月初七。

shacharit (Judaism) 参阅 **shaharith** *晨祷*。

Shache 莎车 又拼 Sha-ch'e。中国新疆维吾尔自治区喀什地区辖县。维吾尔语名叶尔羌(Yarkant)。县府驻莎车镇。位于塔里木盆地西缘叶尔羌河中游。西汉(公元前 206 ～ 公元 23)为莎车国，神爵二年(公元前 60)后属西域都护府。东汉建武三年(公元27)因

建于 1660 年的莎车清真寺
中国大百科全书出版社供图

抗御匈奴有功，莎车王康曾被任命为西域大都护。元为察合台汗国地，在此设鸦儿看水驿，为重要驿道。清光绪二十四年(1898)置莎车直隶州，光绪二十八年升为府，1913 年改莎车县。1950 ～ 1955 年曾为莎车专区行政公署驻地，行政公署撤销后归属喀什地区。面积9 037平方千米。绿洲土地肥沃，盛产小麦、玉米、稻、棉花、胡麻、水果等，并产地毯、皮货、丝绸等。市区有二城：回城建于清乾隆年间，汉城建于同治年间。有明代所建阿尼木麻扎(又称阿尼孔将军墓)及回城中的满洲涝地(现仍为饮水池)等古迹。为"丝绸之路"南道要冲，由此分道西至塔什库尔干，北至喀什等地，是西域通至南亚和中东的重要通道。清代的边境贸易中心。现对外交通主要为公路，可直通南疆各地及乌鲁木齐。新疆至西藏阿里地区公路经此。人口670 000(2005)，是新疆人口最多的县。

Shackleton, Sir Ernest Henry　沙克尔顿　(1874-02-15，爱尔兰基尔代尔基尔基～ 1922-01-05，南乔治亚格吕特维肯)　英国南极探

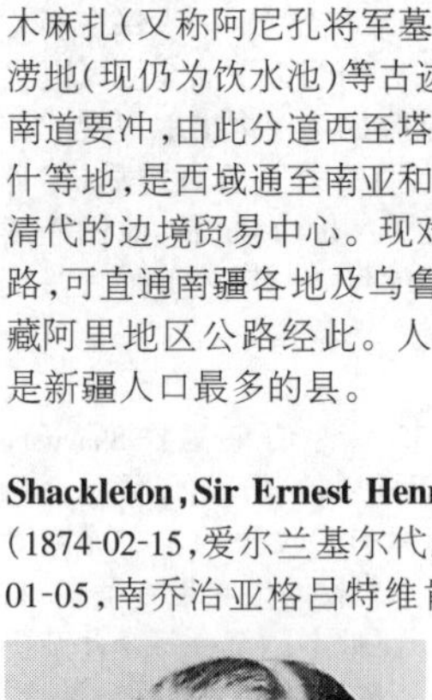

伦敦皇家地理学会供图

险家，想到达南极。1887 ～ 1890 年在达利奇学院受教育。1890 年参加商业性海上服务，1901 年成为皇家海军预备役中尉。曾参加斯科特的南极探险队(1901 ～ 1904)，乘雪橇穿过罗斯陆缘冰到达南纬 82°16′33″。1908 年 1 月任英国探险队长，乘"宁录"号再度去南极洲探险(1907 ～ 1909)，被冰所阻，探险队未能到达预定的目的地爱德华七世半岛，在麦克默多海峡中罗斯岛上过冬。沙克尔顿率领的雪橇队到达离南极不到 156 千米处，T. W. E. 戴维率领的另一支探险队到达南磁极地区。维多利亚地高原被宣布属于英国。沙克尔顿回国后被封为爵士。

1914 年 3 月沙克尔顿率领英帝国穿越南极洲探险队(1914 ～ 1916)离开英格兰，他计划从威德尔海经过南极横穿南极洲到麦克默多海峡。但是探险船"持久"号由于偏离航线而被困在凯德海岸外，飘流了 10 个月，然后被群冰挤破。探险队员们在大片浮冰上再飘流 5 个月后，乘小艇到达南设得兰群岛中的象岛。沙克尔顿及其他 5 人随后又乘捕鲸船航行了1 300千米，到达南乔治亚岛寻求援助。他曾 4 次率领援救队，最后才将滞留在象岛上的人员救出。沙克尔顿则在沙克尔顿-罗威特南极探险伊始时，死于南乔治亚岛格吕特维肯的"探索"号船上。沙克尔顿出版有《南极洲内地》(1909)及《南方》(1919)，后者记述穿越南极洲的探险。

shad　西鲱类　鲱科(Clupeidae)几种上溯江河产卵的食用海鱼的统称。西鲱属(*Alosa*)种类体高，上颌前端具一凹刻，用以容纳下颌尖端。幼体具小型的牙，但成体无牙。多刺，

美洲西鲱(*A. sapidissima*)
绘图：Karen Allan

但肉质鲜美，其卵在美国视为美味。美洲西鲱(最美味西鲱，*A. sapidissima*)以前仅产于从佛罗里达至纽芬兰的大西洋沿岸，1871 年被引入太平洋，现分布于从圣迭戈至不列颠哥伦比亚一带；为洄游性鱼，以浮游生物为食，秋季进入深海；是良好的游钓鱼；体长可达 75 厘米；幼鱼 6 ～ 15 天孵化，秋季入海，约 3 年成熟。欧洲的爱丽斯西鲱(*A. alosa*)长约 75 厘米，重达 3.6 千克。芬塔西鲱(*A. finta*)较小。

英语中其他名为 shad 且有相似生活史的鱼，有产于黑海和里海的里海西鲱属(*Caspialosa*)，以及分布于从东非到中国海域的鲥属(*Hilsa*)鱼类。真鰶属(*Dorosoma*)鱼俗称砂囊西鲱，海水、淡水均有，具肉质的胃，背鳍末端鳍条呈丝状而长。大西洋真鰶(*D. cepedianum*)亦称山核桃西鲱或秋鲱，也遍布美国南部。另一些种类则分布于印度洋-太平洋及澳大利亚水域。均无别的经济价值。

shaddock(*Citrus grandis*)　**柚子**　又作 pummelo。又称文旦。芸香科柑橘类植物。高 6 ～ 13 米，与柑和柠檬近缘。据推测原产于马来西亚和波利尼西亚。叶似柑橘，但叶柄具宽翅，叶下表面和幼枝被短茸毛。花大，白色。果大，球形或近于梨形而似葡萄柚，呈

柚子(*Citrus grandis*)
供图：Walter Dawn

柠檬黄色；果肉白或红色，隔分成瓣，瓣间易分离，味酸而可口。在东方备受珍视。柚的英文名得自将该植物带到西印度群岛的一位船长的姓氏。

Shādhilī, ash-　沙兹里(1196或1197，摩洛哥休达附近的古马拉～ 1258，红海之滨的胡迈斯拉)　伊斯兰教苏非派教义学家、沙兹里教团的创始人。据说是先知穆罕默德的嫡系后裔，因幼年勤奋读书而失明。1218 或 1219 年到突尼斯，宣讲禁欲神秘主义学说，引起正统派教义学家的反对，遂流亡埃及，成立沙兹里教团。赴阿拉伯各圣地朝觐，死于归途。沙兹里教团是中东和北非地区最流行的神秘主义兄弟会组织之一，由此教团又派生出 15 个其他教团。

Shādhilīyah　沙兹里教团　又拼 Shāzilīyah。伊斯兰教神秘主义苏非派教团。创立于亚历山大，分布甚广。以沙兹里(卒于 1258)的学说为理论基础，强调敬畏真主、遵循先知的逊奈、鄙视世人、相信宿命、祸福皆不忘真主等五点原则。沙兹里鼓励其信徒过正常的世俗生活，对禁欲主义持反对态度。该教团支派甚多，最著名的有摩洛哥的加苏里教团和德加维教团以及摩洛哥、阿尔及利亚和突尼斯的伊沙维教团。

shadkhan　沙德罕　希伯来语意为"媒人"，犹太教律法上所说的媒人。中世纪没有直接求婚的习俗，许多犹太家庭生活在人数不多的小社团中，半与外界隔绝，于是沙德罕(媒人)就必不可少。嫁娶双方依靠沙德罕(媒人)了解对方的人品身世，以保证婚姻美满。根据习俗对沙德罕(媒人)酬报相当于嫁妆价值的百分之一。

shadow play　皮影戏　一种用玩偶来演出的戏剧表演形式。大概发源于中国和印度尼西亚的爪哇岛与巴厘岛。平展的皮影由站在明亮的灯光和半透明的屏幕之间的玩偶戏演员加以操纵，观众则坐在屏幕的另一侧。在土耳其和希腊也有皮影戏演出。名为"中国

皮影”的这种表演形式在18和19世纪时观众有限。参阅 **Karagöz; ombres chinoises; wayang**。

Shadows, the 影子乐队 伦敦器乐摇滚乐队，其独特的音调对20世纪60年代英国年轻一代音乐家有着深远的影响。最初的成员是H.B.马文、B.韦尔奇、J.哈里斯和T.米汉。后加入的成员有B.贝内特和J.罗斯蒂尔。1958年成立时名为“漂流客”，给英国的猫王C.理查德伴奏。为避免与美国漂流客乐队的名字冲突，在发行第一个单曲时改名为影子乐队。乐队的标志性特征是主吉他手马文的流畅颤音和拨弦，既可以弹出抒情的，也可以弹出悲伤的音调。在噪音爵士乐时代过去后，影子乐队表明了新生的英国摇滚乐的发展方向。成千上万的人都学吉他，模仿他们的热门乐曲，包括《阿帕希》、《F.B.I.》和《奇妙的土地》。到甲壳虫乐队和滚石乐队当红的时代，影子乐队的音乐过时了，1968年在与理查德分手之后，该乐队又成为受人喜爱的音乐节目。

Shadrafa 沙德拉法 古代西闪米特人所崇奉的仁慈神灵。其名原意或许为“治病之灵”。其像多为无须青年男子，在群山之巅，立于狮子身上，长袍拖地，头戴尖盔，一手握小狮，有时另一手握鞭。巴尔米拉城的沙德拉法像则手握众多蛇蝎。

Shadrinsk 沙德林斯克 又拼Šadrinsk。俄罗斯中西部库尔干州沙德林斯克区中心和城市。位于伊谢季河畔。西伯利亚大铁路经此。建于1662年。1781年设市。现为制造业和农业中心，运输业发达。轻型机械制造、面粉加工和锯木工业占重要地位。有医学院和师范学院。人口约88 500(1991)。

shaduf 桔槔 又作shadoof。古代发明的人力提水装置。现仍在印度、埃及和其他一些国家的灌溉中使用。典型的桔槔像杠杆，是一根一头粗一头细的、水平支起的长杆，其长端悬挂吊桶，短端悬挂平衡重物，操作者用绳把长端吊桶向下拉，灌水后利用平衡重物使水桶升起。有时装有一连串桔槔，一根比一根高，以便把水提到更高处。

印度泰米尔纳德邦坦贾武尔附近的农民使用桔槔取水渠水浇灌稻田
联合国供图

Shadwell, Thomas 沙德韦尔(1642?，英格兰诺福克～1692-11-19，伦敦) 英国剧作家、桂冠诗人。因其粗俗的风尚喜剧和作为J.德莱顿的讽刺对象而知名。曾在剑桥大学和伦敦中殿律师学院求学，王政复辟(1660)以后成为宫廷才子，结识霍华德爵士及其兄弟爱德华，两人后来都被他在《愠怒的情人》(1668)中加以讽刺。他写了18部剧本，其中包括一部牧歌剧《皇家牧羊女》(1669)、一部歌剧《风暴》(1674)、一部悲剧《普绪喀》(1674～1675)和一部无韵诗悲剧《浪子》(1675)。他翻译了尤维纳利斯的《第十个萨梯》(1687)，还撰文对德莱顿进行挖苦、攻击。在成为桂冠诗人后，又首创新年和生日颂歌。在1678～1679年间的政治危机中，他跟德莱顿的友谊终结。其时，沙德韦尔拥护辉格党，创作《兰开夏郡的女巫》，进行反教皇极权主义的宣传和对国教僧侣的攻击，这些都触怒了德莱顿，长期不和使双方在1682年都写出三部讽刺作品，最闻名的是德莱顿的《押沙龙与阿奇托菲尔》和沙德韦尔的嘲弄性仿英雄讽刺诗《马克·傅莱克诺》。争论的问题，部分是政治性的，部分是在戏剧手法上的分歧，特别是德莱顿瞧不起本·琼森的才智和沙德韦尔对琼森的盲目尊崇。在1688年革命中，德莱顿被免去桂冠诗人称号和王家史官的职位，由沙德韦尔接替。其《幽默家》(1670)写得极不成功。后一部剧本《守财奴》(1671～1672)是用韵文改写的莫里哀的作品，表明他已逐渐向风尚喜剧转移。《埃普瑟姆矿泉》(1672)是他最大的成功，上演近半个世纪之久。在《阿尔萨斯乡绅》(1688)里，他描写了中产阶级人士、村夫、流氓和小偷。《伯里集市》(1689)表现出受到通俗笑剧的影响，使他晚年声誉遭到损害。最后一部剧本《斯考雷夫妇》(1690)是感伤喜剧的先驱。

Shafer, Helen Almira 沙弗(1839-09-23，美国新泽西纽瓦克～1894-01-20，马萨诸塞韦尔斯利) 美国教育家，以其在数学系教授和院长任上对韦尔斯利学院课程的改进而闻名。1863年毕业于俄亥俄州奥柏林学院。在新泽西任教两年后，去密苏里州圣路易斯高中任数学教师，她的工作引起圣路易斯督学、后来的国家教育专员W.T.哈里斯的好感。1877年她被任命为韦尔斯利学院数学系教授。为数学课制订的高标准得到广泛关注，而其学生的课业一般均认为高于附近哈佛大学的同类男生。1888年出任院长。在她的管理下，学院重新调整并大大拓宽课程，还采用了选课制度，这一制度长期延续。她还指导放开学院的社交生活。然而功业未竟即因结核病而去世。

Shaffer, (Levin) Peter 谢弗(1926-05-15，伦敦～) 英国剧作家，写作领域相当宽广，能运用自如地从闹剧转而描绘一个受苦受难的人的灵魂。曾在剑桥大学求学，写过书评。第一部作品《五指练习》(1960)是一部结构严谨的家庭剧，发表后几乎一夜之间就奠定了剧作家的声望。继而又发表了两部剧本。另一剧本《追赶太阳的国王》(1964)确立了他的成功，此剧描写西班牙人与印加人之间的冲突与矛盾——“希望与绝望，信仰与背信”。1965年他的《黑色喜剧》上演，这是一个技巧很高的闹剧。《马属》(1973)描写一精神错乱的养马孩子对马匹着迷的故事，受到公众和评论界的一致好评。1977年该剧拍成电影。《阿马戴乌斯》于1979年在伦敦国家剧院上演，获该演出季多种戏剧奖。

Shāfiʿī, Abū ʿAbd Allāh (Muḥammad ibn Idrīs) ash- 沙斐仪(767，阿拉比亚～820-01-20，埃及富斯塔特) 穆斯林法学家、沙斐仪教法学派的创始人。他对伊斯兰法学思想的形成起了重要作用，同时对关于圣训运用于宗教生活和律法的方法论的建立也作出了重要贡献。出身于穆罕默德所属的古来氏部族，母亲与穆罕默德有亲戚关系。幼年丧父，由母亲在麦加含辛茹苦抚养成人。约20岁前往麦地那，受业于教法学家马立克。795年马立克死，沙斐仪移居也门，因参与煽动骚乱而于803年入狱。不久获释，其后在巴格达受业于哈乃斐派教法学家谢巴尼，前往富斯塔特(今开罗)。810年返巴格达任教数年，又经过几次辗转迁移，于815或816年返回埃及，长住终身。沙斐仪的贡献在于重新总结伊斯兰教法学思想。他主要探讨伊斯兰教法的来源以及如何运用这种原始资料解决当代法律问题。临终前5年中写成《雷沙来》。此书使他获得伊斯兰教法之父的称号。

Shāfiʿīyah 沙斐仪学派 伊斯兰教逊尼派四大教法学派之一。信奉沙斐仪(767～820)的学说。此派强化伊斯兰教法的理论基础，认为真主的旨意和人的思辨都具有合法性。他们认为，各地不应一律根据现存逊奈断案，主张无条件地承认圣训，以之为法律和教义的根据；如在《古兰经》和圣训中无例可循，则可以运用类比。公议可以采用，但不应过分强调。此派现在东非、阿拉伯半岛部分地区以及印度尼西亚占支配地位。

Shafīq, Durriyyah 沙菲克(1919-12-14，埃及坦塔～1975-09，开罗) 又拼Doria Shafik。埃及教育家、新闻记者和改革家。致力于女权运动，1948年创建妇女组织“尼罗河之女”。曾在法国和意大利接受西方教育，获巴黎大学博士学位。1940年回到埃及，在校执教数年，并创办《尼罗河之女》杂志，宣传妇女问题。三年后成立同名组织。1951年组织成员阻挠议会，并在开罗游行示威。1954年为争取妇女权利和一些追随者绝食斗争一星期，对1956年立法给予妇女公民权有相当影响。后来参加游行抗议G.A.纳赛尔的独裁统治未获成功，甚至受到前追随者的谴责，沮丧失望而自杀身亡。

Shafshawan(Morocco) 参阅 **Chechaouene 舍沙文**。

shaft coupling 联轴器 机器中连接两相邻转轴的装置。联轴器有刚性或弹性连接之分。弹性联轴器能连接错位的两轴或用于有挠曲的连接,有缓冲作用。常见的刚性联轴器是两个对合法兰盘,并用螺栓穿过两法兰盘把它们紧固在一起,盘的毂部用键固定于两轴的端部。通常是由位于一个法兰盘面上的短圆柱形凸块嵌接在另一个法兰盘面上的圆形凹槽中的办法,来使两轴对中。链条联轴器有两个淬火钢链轮,每根轴上各装一个,用尼龙或金属滚子链环绕在准确校直的链轮上,而后把两头连接起来。链轮齿与链条之间的间隙,允许轴有小错位。连接比挠性联轴器所能适应的角度还大的两根相交轴时,可采用万向联轴节。最常见的是胡克万向联轴节,这种联轴器由装在两轴端部的两个叉形件和一个十字形连接件组成。参阅 **hydraulic transmission**。

shaft graves 竖穴墓 青铜器时代晚期(约公元前 1600 ～前 1450)希腊本土受克里特文化影响时期的墓葬遗址。这种希腊王室或显贵家族的坟墓,直到近世被考古学者在迈锡尼发现以前,未曾被盗或被毁。坟墓内的石壁墓室之上,有很深的长方形竖井,坟墓排列成环状。共有两处,1876 年发掘了一处,另一处为 1951 年发现。这种墓室内有大量随葬金银;战车的雕刻品,是希腊本土最早期的战车遗迹。

shaft seal 轴封 又称油封。在机器上用以防止流体沿转轴泄漏的装置。当一根轴从内中有油的机壳(如泵或变速箱)中伸出时,就需要密封。常见的一种轴封是一个黏合在金属环上的弹性(橡胶)圈,而金属环则压合在壳体上轴伸出处的孔内。靠螺旋箍簧使弹性圈上的唇紧贴在轴周围以实现密封。在正确设计和装配后,封唇可悬浮在约 0.002 5 毫米厚的润滑油膜上。如果油膜变得太厚,流体就会漏失;太薄时,封唇就会发热,使油封失效。密封圈用的材料有皮革、合成橡胶和硅有机树脂。

Shaftesbury, EARLS OF 沙夫茨伯里伯爵 英国封爵贵族,属库珀(Cooper)家族。按年代顺序分列于后,并各以● 为标记。

● Shaftesbury, Anthony Ashley Cooper, 1st Earl of 沙夫茨伯里伯爵(第一)(1621-07-22,英格兰多塞特郡温伯恩圣贾尔斯～ 1683-01-21,尼德兰阿姆斯特丹) 英国政治家,约翰·库珀爵士之子,从其父和外祖父处继承了大批产业。18 岁即被选入短期议会。1642 年英国内战爆发,他直到第 2 年夏才出师勤王。不久,由于对保王派不满,他又投向议会。1653 年被提名为贝尔朋议会议员,促使该议会让权给 O.克伦威尔。护国政体时期,他任国务委员会委员。同年末,因不满政权日益军事化而与克伦威尔分道扬镳。1660 年 5 月 8 日他与另外 11 名议员被派到荷兰迎接查理二世。查理二世复辟后,他进入枢密院。1661 年封阿什利勋爵,1672 年封沙夫茨伯里伯爵。在此期间,他充分发挥了自己的智慧和能力。他开始任财政大臣,进入国王的"内阁委员会",1672 年成为大法官。1670 ～ 1673 年间有 3 项政策与他的名字联系在一起:1672年的《停止偿债法》(暂停偿还债务

伦敦国立肖像画陈列馆供图

12 个月,以便查理将税收用于海军);同年的《免罪宣言》和第 3 次荷兰战争(1672 ～ 1674)。现在得知第 1 项应由 T.克利福德负责,后两项则是他参与决策的。1673 年他支持第 1 个宗教考查法,主张清洗担任公职的天主教徒。同年下半年,查理二世觉得沙夫茨伯里不可信任,将其解职。以后几年,沙夫茨伯里逐步成为反对党辉格党中最有实力的政治家。1678 年发生了所谓的"天主教阴谋案"。他利用这个机会,得到广泛的支持,在选举中施加影响,在议会中得到大批追随者。他的策略是首先通过《排除法案》,以排斥信奉天主教的詹姆斯继承王位,而以蒙茅斯公爵为查理二世的继承人,该法案虽经下院通过,但在上院由于国王强烈反对而遭否决。沙夫茨伯里于 1681 年 3 月 21 日武装闯入议会,企图强行通过该法案。查理二世断然解散议会,7 月 2 日将沙夫茨伯里逮捕关入伦敦塔。11 月宣告无罪。1682 年沙夫茨伯里逃亡荷兰,次年去世。沙夫茨伯里聪明而兴趣广泛。1663 年曾获准在北美卡罗来纳殖民,任贸易和外国殖民委员会主席。哲学家 J. 洛克曾协助他起草卡罗来纳基本宪法。

● Shaftesbury, Anthony Ashley Cooper, 3rd Earl of 沙夫茨伯里伯爵(第三)(1671-02-26,英格兰伦敦～ 1713-02-15,那不勒斯[意大利]) 阿什利勋爵。英国政治家和哲学家。著名的第一代沙夫茨伯里伯爵之孙,英国主要的自然神论者之一。J.洛克指导过他早期的教育;又曾在温切斯特学院学习。1695 年进入议会。1699 年承袭为第三代伯爵后,在威廉三世统治时期按时参加议会上院的会议。在议会中持独立立场,1702 年退出政治生活。他的哲学多多少少受了剑桥柏拉图主义者的影响,强调人有一种天然的道德意识,并发展了这一概念,既以之反对正统基督教关于亚当夏娃因偷吃禁果而堕落的学说,又以之反对自然状态是无可避免的战争状态这样一个假定。他认为人们所看到的美的或真的,不过是绝对的美或真的影子。他的这一新柏拉图主义的论点决定了他对宗教和艺术的态度。在其一生中,作为一位作家,他的声誉是比较小的,因为在 1711 年前他几乎没有发表什么著作。1711 年发表《人的特征、风习、见解和时代》,他的主要作品均收入其中。此书在英国及欧洲大陆立即发生影响。实际上,英国的自然神论几乎完全是通过他的著作的译本而传入德国的。A. 柏蒲、J.巴特勒、F.哈奇森、M.艾肯赛德、S.T.柯尔律治和 I. 康德都在一定程度上受过他的影响。

● Shaftesbury, Anthony Ashley Cooper, 7 th Earl of 沙夫茨伯里伯爵(第七)(1801-04-28,英格兰伦敦～ 1885-10-01,肯特福克斯通) 19世纪英国最有实际成就的社会与工业改革家之一,英国圣公会福音派领袖。第 5 代沙夫茨伯里伯爵之弟克罗普利·库珀的长子。1811年其父继承伯爵爵位,他成为阿什利勋

伦敦国立肖像画陈列馆供图

爵。曾在牛津大学基督堂学院受教育。1851 年继承其父为伯爵。1826 年起为下院议员。他攻击 1832 年的《改革法》,反对扩大选举权,但主张在政治上解放天主教徒并废除《谷物法》。1828 年任精神错乱者管理委员会委员,1834 年为该委员会主席,促使议会在 1845 年通过《精神错乱者管理法》。该法规定把疯人当作精神不健全者看待,而不是当作被社会遗弃者看待。他早年参加 R.奥斯特勒领导的工厂改革运动和 M.T.萨德勒在下院领导的工厂改革运动。1833 年萨德勒落选后,他成为"将纺织厂工作日缩短为 10 小时"运动的领袖。1847 年通过的《十小时工作制法》被人们称为《阿什利法》。根据他在 1842 年提出的《矿山法》,煤矿都不得雇用妇女和未满 10 岁的男童下井。他是 1848 ～ 1854 年存在的卫生总委员会的委员,在任职期间和以后,坚持政府制订为城市工人建筑廉价新住宅的计划,并仔细检查已建成的房屋。在他担任贫民免费学校联合会主席的 39 年间,约有 30 万名贫苦儿童得到免费受教育的机会。他还担任过英国国内外圣经协会主席。创办过许多基督教青年会和工人团体,资助国教和非国教传教组织。作为一个坚决的福音派信徒,他大力支持议会通过《公共礼拜法》(1874)。

shag(water bird) 参阅 **cormorant 鸬鹚**。

Shagamu 沙加穆 尼日利亚西南部奥贡州城镇。濒临伊布和埃鲁武鲁两河,位于拉各斯和伊巴丹之间。沙加穆镇于 19 世纪中叶

由伊杰布人创建,很快发展成伊杰布雷莫王国的商业重镇。1892 年英国人打破了伊杰布人对贸易的垄断,并决定修建经阿贝奥库塔至拉各斯的铁路,该镇的商业地位削弱。1953 年拉各斯—沙加穆—伊巴丹公路和 1964 年通贝宁城的公路修成后,当地的商业地位有所恢复。该城镇现为全国最大可乐果集散地,也是当地农产品(薯蓣、木薯、稻米、玉米、棕榈产品、柑橘和洋葱)销售中心。棉织、土法染布为该地的传统手工业,也有毡毯和水泥工业。镇内有行政大楼、王宫、清真寺、教堂和师范学院,还有一所医院。人口约 100 900(1990)。

Shagari, Alhaji Shehu (Usman Aliyu) 沙加里(约1924,尼日利亚沙加里～　　) 尼日利亚总统(1979 ～ 1983),民族党领导人。尼日利亚北部穆斯林富拉尼族人,是创建他的家乡——一座村庄的部落的后裔。在卡杜纳的一所中学读书,曾短期在学校教书,1954 年进入政界,并当选为联邦众议员。此后他担任过几个官职,1960 年尼日利亚独立后,为历届政府成员。1979 年军人统治结束后,他以微弱多数击败主要对手奥巴费米·阿沃洛沃酋长,当选为尼日利亚总统。尼日利亚受到了 80 年代初期世界经济危机的严重打击。为加强经济,沙加里采取了几个步骤——削减预算,向国际货币基金组织提出请求,并于 1983 年驱逐了 200 万名外国人。1983 年他虽赢得了竞争激烈的总统选举,但经济却每况愈下,他的政府的贪污腐败也愈演愈烈。12 月 31 日由布哈里少将领导的军事政变推翻了政府,沙加里被捕。1986 年沙加里被宣布个人无贪污罪行,准予释放,但被终身禁止参加尼日利亚政治活动。

shāh 沙 又译沙阿。伊朗(或波斯)国王使用的称号。巴列维王朝使用复合词"沙·沙"(*shāhanshāh*),意"万王之王",即皇帝。阿富汗、中亚和南亚其他国家的统治者也都使用过这一称号。

Shah Alam 沙阿兰 西马来西亚城市。位于首都吉隆坡西南 16 千米。有工业区,生产食品、电机、水泥、化学品、纺织品和烟草制品,设有马拉理工学院(1956)、阿卜杜尔·拉扎克图书馆和马来西亚标准和工业研究所。人口 19 041(1980)。

Shāh ʿĀlam II 沙·阿拉姆二世(1728-06-15,印度德里～ 1806-11-10,德里) 原名阿里·高哈尔。名义上的印度莫卧儿帝国皇帝(1759 ～ 1806)。阿拉姆吉尔二世之子。1758 年大臣伊马德-乌尔-穆尔格软禁皇帝,他被迫逃离德里。1759 年其父被暗杀,他即自立为帝。他为了夺取德里要求比哈尔和孟加拉纳贡,因而引起与东印度公司的冲突。1765 年他把收租权让给东印度公司。1771 年收复德里。1772 ～ 1782 年间他的大臣纳杰夫·汗在德里地区行使权力。1788 年罗希拉族酋长古兰·奎德占领德里,对他施以盲刑。余生在马拉塔酋长信希亚庇护下渡过,权力不出皇宫。被英国人称为"德里王"。

Shah diamond 波斯王钻石 约重89克拉的黄色色调的宝石。上面带有 3 种古代波斯刻文,说明它是 1591 年前为人们发现的,可能是在印度的戈尔孔达矿山发现的。现在它被陈列在莫斯科的俄罗斯钻石库中。

Shāh Jahān 沙·贾汗(1592-01-05,印度拉合尔～ 1666-01-22,阿格拉) 又称胡拉姆亲王(至 1628)。印度莫卧儿帝国皇帝(1628 ～ 1658),泰姬陵建造者。为莫卧儿皇帝贾汗季和拉杰普特公主门玛蒂之第 3 子。1612 年同贾汗季妻努尔·贾汗的侄女贝伽姆结婚,成为胡拉姆亲王,为贾汗季在位中期有影响的努尔·贾汗派系一员。1622 年企图夺位失败,在国内漫游,1625 年和其父重归于好。1627 年其父去世。由于努尔·贾汗之兄阿萨夫汗的支持,沙·贾汗得以在阿格拉称帝(1628-02)。在位期间以征服德干各国著称。1636 年吞并艾哈迈讷格尔,戈尔孔达和比贾布尔被迫称臣纳贡。在西北方面,帝国势力也一度得到扩张。1638 年波斯的坎大哈省长阿里·马尔丹汗弃守该要塞给莫卧儿人。沙·贾汗 1646 年占领巴达赫尚和巴尔赫,但 1647 年巴尔赫失守,1649、1652 和 1653 年,几次准备重新征服巴尔赫,均告失败。1649 年波斯人再度征服坎大哈。1648 年,沙·贾汗将首都从阿格拉迁至德里,在该地建沙贾汉纳巴德新城。1657 年 9 月沙·贾汗卧病。4 个儿子(达罗·悉乔、穆拉德·巴克什、沙·舒查和奥朗则布)为继承帝位而展开斗争。奥朗则布获胜,1658 年称帝,并把沙·贾汗严密禁闭在阿格拉城堡,直至死亡。沙·贾汗酷爱建筑。在第一个首都阿格拉,他兴建两座大清真寺即珍珠清真寺和贾米清真寺(即大清真寺),以及称作**泰姬陵**(**Tāj Mahal**)的宏伟的陵墓。泰姬陵是他在位时的杰作,为纪念他 3 位皇后中他最喜爱的皇后蒙泰吉·马哈尔(奥朗则布之母)而建。在德里,他兴建了巨大的堡垒-宫殿式建筑群,称作红色要塞,以及大清真寺(为印度最精美的清真寺之一)。沙·贾汗在位时期也是文学活动兴盛时期,绘画和书法艺术也受重视。他的宫殿富丽堂皇,他收藏的珠宝很可能是世界上最光彩夺目的。印度作家通常都把沙·贾汗写成穆斯林帝国的理想君主,虽然莫卧儿王朝的光辉在他统治时期达到了顶峰,但也启动了最终导致帝国衰退的那些影响。远征巴尔赫和巴达赫尚,以及几次出兵想收复坎大哈,使帝国到了国力枯竭的边缘。在宗教问题上,沙·贾汗是比贾汗季或阿克巴更正统的穆斯林,但不如奥朗则布正统,对信奉印度教的臣民比较宽容。

Shāh Jahān period architecture 沙·贾汗时期建筑 印度莫卧儿帝国沙·贾汗皇帝时期(1628 ～ 1658)的建筑风格,以在阿拉格的**泰姬陵**(**Tāj Mahal**)为顶峰。其他著名作品有建于第一首都阿格拉的几座清真寺,以及位于第二首都德里的另一座宏伟寺院和一座巨大的宫堡式建筑群。沙·贾汗时期的建筑师喜欢在房屋上添加两个穹顶,在长方形门楣内布置凹入拱门,在房屋周围安排公园般的庭院。这一时期的建筑物讲究对称、均衡,而精致的装饰细部更为世所罕见。白色大理石

印度北方邦阿格拉城堡中的沙·贾汗寝宫,约建于 1637 年

供图:P. Chandra

为当时建筑师们喜欢用的建筑材料。参阅 **Mughal architecture**。

Shāh-nāmeh 《王书》(1010) 波斯诗人菲尔多西的著名诗作,构成波斯民族史诗的不朽形式。《王书》长达近 6 万对句,专为伽色尼苏丹马哈茂德而作,主要根据用钵罗钵语(中古波斯语)写成的从神话时期至 7 世纪的波斯王朝历史《列王记》撰写。菲尔多西用诗歌把这个故事写到萨珊帝国灭亡(7 世纪中叶),该诗是波斯语世界流传近千年的最受欢迎的作品。

Shāh Rokh 沙阿·罗赫(1377-08-30,帖木儿帝国撒马尔罕[今在乌兹别克斯坦]～ 1447-03-12,帖木儿王朝伊朗费沙旺德) 中亚细亚帖木儿王朝的统治者,以艺术保护人著称。帖木儿的第 4 子。1405 年帖木儿死后,其后代展开夺权斗争。沙阿·罗赫取得绝大部分江山,包括伊朗和土耳其斯坦。他奖励艺术,首都赫拉特当时成为文化中心。宗族间持续的权力争夺迫使他进行一些军事行动,以保证其权力。但一切和解均极短暂,王朝终被断送。参阅 **Timurid dynasty**。

Shāh Shojāʿ 沙阿·苏查(1780～1842-04,阿富汗喀布尔) 原名苏查·米尔扎。Shojāʿ又拼 Shujāʿ。阿富汗沙阿(1803 ～ 1810,1839 ～ 1842),与英国结盟导致被杀。1803 年,他在经过长期兄弟间的自相残杀后即位。1809 年与英国缔盟,防止俄法两国对印度的侵略。第 2 年即被其兄沙阿·马哈茂德推翻,放逐到英属印度。最后他逃到拉合尔。1816 年沙阿·苏查又前往卢迪亚纳投靠英国。在第一次阿富汗战争期间,英国于 1839 年再次把他扶上王位。但当英国占领军从喀布尔撤退以后他被谋害。

Shāh Sulṭān Husayn (Iranian ruler) **沙·苏丹·侯赛因** 参阅**Ḥusayn I 侯赛因一世**。

shahādah 清真言 伊斯兰教的信仰声明,其文为:"除安拉外,再无神灵;穆罕默德是安拉的使者。"念清真言是伊斯兰教五功之首,穆斯林一生至少诵读一次。诵读时,要高声、正确、诚心、深体其含义而且衷心赞服。

Shahaptin (North American Indians) 参阅 **Sahaptin 萨哈普廷人**。

shaharith 晨祷 又拼 shacharit。犹太教每日3次祷告中的第一次，而且是内容最为详尽复杂的一次，一般包含以下6个部分：①晨颂，连同《圣经》章句和众拉比语录，即当日必学的"律法书"最低限度内容；②《圣经》选段，主要是《诗篇》段落，称为"吟咏段落"；③舍玛，即关于上帝独一无二，单一不分的中心教义声明；④阿米达，即一组颂词；⑤《诗篇》第145篇和第20篇连同主要摘辑经文而成的祷词，其开端是"但愿救赎者降临锡安"；⑥阿勒努，其中赞美上帝选中以色列人为他服务，以及上帝对宇宙万物的统治。

shāhbandar（Malay official） 参阅 **shabunder** 港务官。

Shahdol 沙赫多尔 又拼 Sahdol。印度中部中央邦东北部城镇。位于比拉斯布尔西北约177千米。为公路铁路交叉点和农产品交易中心。设有一个国立学院和阿瓦德希·普拉塔普·辛格大学附属法律学院。12世纪印度废墟就在城镇的东南。周围地区的主要农作物有稻米、粟、小麦和芝麻。人口：城镇44 342；都会区49 631（1981）。

Shāhi FAMILY **沙希家族** 贵霜大帝国于3世纪衰亡之后统治喀布尔流域和犍陀罗故地的王朝。有约60位君主。君主称"沙希"，这与古贵霜语 *shao*（国王）一词有关。沙希家族可能是贵霜人或突厥人的后裔。除最后一代国王勒格杜尔曼外，沙希王朝没有留下任何文字的记载。勒格杜尔曼于9世纪末在位。他后来被大臣格勒尔投进监狱。格勒尔篡夺王位后又开创了一个新王朝——印度教沙希。印度教沙希对这一地区的统治直到1001年马哈茂德从伽色尼（今阿富汗加兹尼）入侵。沙希对马哈茂德的军队进行了无望的抵抗，1021年失败后被彻底消灭，以至30年后的评论家卡尔哈纳竟称无人知晓他们是否曾经存在过。

Shāhjahānpur 沙贾汉布尔 印度北部北方邦中北部城镇。位于巴雷利东南，濒临距勒克瑙西北160千米的代奥哈河。为公路和铁路交叉点，农产品贸易中心。工业有织毯、制酒、制糖、化工等。沙贾汉布尔地处恒河冲积平原。产稻米、小麦、甘蔗和大麦。人口：城镇185 396；都会区205 095（1981）。

Shāhjāpur（India） 参阅 **Shājāpur** 沙贾布尔。

Shahn, Ben 沙恩（1898-09-12，俄罗斯考纳斯[今在立陶宛]～1969-03-14，美国纽约州纽约市） 美国油画家和书画刻印艺术家。在作品中将写实主义与抽象主义相结合，为支持社会和政治改革事业作了很多画。1906年随家移居纽约市。后在纽约大学、纽约市立学院和纽约全国设计学会等处学习。他的第一件重要作品（1931～1932）是描写审判无政府主义者萨科和万泽蒂的组画。1932～1933年又画了一套描写审判工人领袖T.穆尼的作品。1933年他参加纽约市公共艺术事业计划，作了些与禁酒年代有关的画。1935～

供图：© Karsh from Rapho/Photo Rescarchers—美国不列颠百科全书公司

1938年间在农业社会保险局任美术师和摄影师。1938～1939年间和其妻B.布赖森为纽约市布朗克斯邮局的门廊画了一组画，描绘美国各地的生活方式。1939年画了3幅最有名的画：《修拉的午餐》、《手球》和《空地》。

Shāhpura 沙赫布尔 印度西北部拉贾斯坦邦中南部城镇。始建于1629年，1949年成为拉贾斯坦邦的一部分。为重要公路交叉点和农产品市场。工业有轧棉、手工布匹织染与漆器制作等。设有拉贾斯坦大学附属学院。人口19 329（1981）。

Shahr-e Sokhta 沙赫尔索赫塔 伊朗东部古代遗址，在俾路支斯坦省的扎博勒以南。1967年由意大利中远东学院考古研究与发掘中心发掘，业已揭明：有巨大的建筑物，有比较进步的石工技术，人们广泛使用印鉴，有复杂的商业网，文化发达，技术高度专业化，对外交往频繁。时期为公元前第3千纪的铜石并用时代。

Shahr Kord 沙赫尔库尔德 伊朗西部城市。为一发展中的城市中心。拥有生产砖、马赛克、米粉、纺织品、牲畜饲料、糖果、袜子、手套、粗地毯、小地毯、果汁等各种工业，与博鲁真有公路相通。市内有一个电报局，一个微波转播站和一个热电厂，人口75 080（1986）。

shaikh（title） 参阅 **sheikh** 舍赫。

Shailendra DYNASTY **夏连特拉王朝** 印度尼西亚语作Śailendra或Sjailendra，意为"山之主"。东南亚大陆的扶南国崩溃后，约750～850年间兴盛于爪哇的一个王朝。由于引进大乘佛教而使文化振兴，并且该时期的许多庙宇和纪念物中显示出高度的艺术技巧。夏连特拉王朝的一位国王在位时期，修建了著名的婆罗浮屠（**Borobuḍur**）。除了遗留一些纪念物外，这一王朝的情况已鲜为人知。它显然崛起于爪哇内地的农业地区，后扩展到该岛的西北海岸，它从那里派人与马来半岛和印度支那通商并进行侵略。高棉人传说，夏连特拉曾于8世纪后半叶成为他们的太上皇。9世纪中叶，夏连特拉王朝被逐到苏门答腊（巨港）。

shāʿir 诗人 阿拉伯文学中的诗人，是伊斯兰以前时期部族中的显贵，他的吟咏被认为是受精灵和魔鬼等神灵的超自然感悟产生的。因此，人们需要借用他的语言确保某些部族活动的成功，尤其是战争、放牧和求神。在部落之间相互争夺的时代，讽刺文是诗人最有力的魔法形式，相当于战争本身。当诗人这种超自然的联系减退之后，他就成为本部族的诗歌代言人，其职责是赞扬本部族的成就，辱骂敌人。诗人的诗艺得到高度发展，且受到尊重，比较著名的诗人周围总有一些记诵他们诗歌的歌人簇拥着。穆罕默德曾以怀疑的眼光看待这些伊斯兰以前时期的诗人，但是，公元8世纪随着阿拉伯语语法学和语言学的发展，这些一度受到《古兰经》影响的沙漠诗人的语言却成为古典阿拉伯文学的典范。

shaitan 晒依陀乃 又拼 sheitan。阿拉伯语作 shayṭān。伊斯兰神话中的一批不信道的精灵。易卜劣厮进行邪恶活动时，也称晒依陀乃。阿拉伯著作家贾希兹认为晒依陀乃是不信道的镇尼。民间传说他们异常丑陋，无论雌雄都能以人形出现，但两蹄不变。它们食粪充饥，以疾病伤人，生活在光明与黑暗之间。印度和叙利亚民间传说以晒依陀乃为镇尼中的最强者。参阅 **jinni** 和 **Iblīs**。

Shaivism（Hinduism） 参阅 **Śaivism** 湿婆教。

Shājāpur 沙贾布尔 又拼 Shāhjāpur。印度中部中央邦沙贾布尔县首府、城镇。位于拉孔达河西岸。为重要公路交叉点与农产品市场。主要工业为轧棉。设有维克拉姆大学的附属学院。附近设有水果研究试验场。沙贾布尔县面积6 201平方千米。位于肥沃的马尔瓦高原，有加利信德河与内威河排灌。主要农作物有棉花、粟、小麦、花生和烟草。人口：城镇33 969；县840 247（1981）。

Shajing culture 沙井文化 又作 Sha-ch'ing culture。中国西北地区青铜器时代文化，分布于甘肃一带，年代约为公元前800～前600年。最初是由瑞典地质学家安特生于1923年在甘肃省民勤县沙井村发现的。出土器物主要为墓葬随葬品，种类有夹砂红陶器皿及三足灰陶器、石器用具及铜器。青铜工艺多见于小型器物，如：铜刀、铜扣、铜簇及各种铜饰物。当时已有较大的聚居村落，并有简陋的泥土房舍，还有挖掘整齐的洞穴用来贮藏物品。居民的经济生活以农业为主，兼营畜牧业。在甘肃永昌发现一处沙井文化的城址，保存基本完好。

Shaka 恰卡（约1787～1828-09-22） 又拼 Chaka 或 Tshaka。非洲南部祖鲁帝国的缔造者。祖鲁酋长（1816～1828），他建立了一支战斗部队，蹂躏了整个地区。祖鲁酋长森赞加科纳之子。23岁时被姆泰特瓦部族的最高酋长丁吉斯瓦约征召入伍，从军6年获得赫赫威名。1816年森赞加科纳去世，丁吉斯瓦约免除了恰卡的兵役，派他去统治祖鲁部落。当时祖鲁部落不足1 500人，居住在白乌姆福洛济河畔，是800多个东恩古尼-班图部落中最小的部落。自从他就任之日起，这个

W.巴格 1836 年画的恰卡像
不列颠博物馆供图

小小部落便开始发展壮大。恰卡实行铁腕统治，别人稍有反抗立即被处死。他首先重建军队，采用长刃短柄的标枪，逼迫士兵与敌人肉搏。他按照士兵的年龄组编团队，驻在不同的村庄。在战斗时采取斩尽杀绝的方针，将敌方残存者并入祖鲁部落。不到一年祖鲁部落的人口扩大了3倍。1817年丁吉斯瓦约遇害身亡，这就解除了祖鲁部落向外扩张的最后一道障碍。在两年内他打败了足以对他构成威胁的恩德万德韦部族和夸卜部族。然后接连攻打和消灭祖鲁领地以南的氏族组织，到 1823 年，今纳塔尔地区已成为一片废墟，当地的残存者远遁至开普殖民地。虽然恰卡只在沿海地带杀掠，但却导致了 19 世纪 20 年代初期使内陆高地受到破坏的姆菲卡尼(Mfecane)。逃避祖鲁人暴行的部族之间彼此争夺地盘，相互残杀，丧生者达 200 万人。30 年代布尔人的大迁徙也经过这一地区。第一批欧洲人 1824 年到达纳塔尔港(今德班)。他们建立贸易站之后很快便与恰卡发生联系。尽管恰卡对殖民者的生活方式和工艺品赞叹不已，但是他相信自己的文明更为优越。1827 年，恰卡因母亲去世而精神完全失常，一下子就屠杀本族群众 7 000 人。他的部落有一年没有播种谷物，连基本食品牛奶也告匮乏。妇女怀孕则连同丈夫一起被恰卡处死。甚至成千头乳牛也被杀光，连牛犊也尝到丧母的悲痛。1828 年年初，他派兵南侵，一直杀到开普殖民地的边界。这支军队刚要班师回乡，他又命令向北方更远的地方进攻。这样一来部下终于忍无可忍。1828 年，恰卡被他的两个异母兄弟丁冈和姆汉贾纳杀死。

Shaker 震颤派信徒 美国基督复临归一会信徒的俗称。该派着重宣传千禧年教义，信徒一律独身。18 世纪在美国建立社会主义性质的社团，从事生产劳动，严于修身，力求纯全。震颤派的前身是英格兰公谊会中的一小部分激进派，他们采纳法国卡米撒派的崇拜仪式，震颤、喊叫、舞蹈、旋转、唱方言诗。至于美国通称的震颤派，其教义是由曼彻斯特的文盲纺织女工安·李所制订。她 1758 年改宗加入“震颤公谊会”，1774 年她率领 8 名信徒到达美洲。1784 年去世后，该派由长老米查姆和女长老赖特领导。两人共同规划出独特的社团组织。他们所办的农场，足以为其他农场的表率，他们的社团秩序井然而繁荣昌盛，因而有人称赞他们是“世界人民”。他们勤劳智慧，有许多创造发明而不据之以为专利，其中有螺旋桨、巴氏合金、旋转式耙、自动弹簧、涡轮式水车、脱粒机、轮锯和晒衣夹。他们首创销售包装种子，并曾为药用植物的最大供应者。19 世纪 40 年代是该派发展的鼎盛时期，约有成员 6 000 人。1905 年该派信徒仅余 1 000 名，20 世纪末尚有信徒数人，都是妇女。

Shaker furniture 夏克式家具 为18世纪最后25年在美国建立的基督教震颤派信徒定居点设计的家具(“夏克”即震颤派之意)。具有装饰朴素无华和部件安装准确的特点。此派信徒一心献身于公社生活的理想和奉行苦行主义，他们设计和制造的家具反映他们的信仰，即把一件东西制造好，其本身就是一种祈祷的行为；同时反映他们的这一信念，即形式必须服从实用。每一物件制造成形只供在原定意义上使用，一切多余的装饰如镶嵌和线脚都去掉。例如简朴的夏克式椅就制造得既结实又轻便，以便在打扫屋子时，为举行宗教仪式提供宽大的室内空场地时，可以把椅子挂在墙上的横条板上。此派工匠们用松木和其他廉价的木材制造家具，采取纯粹的

19 世纪的夏克式家具，产自马萨诸塞州的汉考克和纽约州的新黎巴嫩
纽约大都会艺术博物馆供图

美国风格而不受欧洲的影响，其设计独创性与外观朴素同样表现突出。19 世纪下半叶，震颤派消失了。但到 20 世纪初期，对夏克式家具又产生了浓厚的兴趣。著名的制品现陈列于马萨诸塞哈佛大学的弗鲁特兰兹博物馆和肯塔基奥本的震颤派博物馆。

Shaker Heights 谢克海茨 美国俄亥俄州东北部凯霍加县城市，克利夫兰东南郊住宅区。1900 年后在北尤尼恩殖民点原址上建设起来，1912 年设村。1931 年建市。1920 年起与克利夫兰商业区通铁路运输。现为豪华住宅和庄园社区，有优美的园林和湖泊。人口 30 831(1990)。

Shakespeare, William 莎士比亚(1564-04-26 受洗，英格兰沃里克郡埃文河畔斯特拉特福～1616-04-23，埃文河畔斯特拉特福) 莎士比亚在世界文学中占有独特的地位，他被广泛认为是古往今来最伟大的作家。像荷马和但丁这样的诗人，托尔斯泰和狄更斯这样的小说家，他们都超越了民族的界限；但在当今世界上，没有哪个作家的声誉能真正同莎士比亚相比，他在 16 世纪末和 17 世纪初为一个小剧团写的剧本，至今在众多的国家上演，并为人们所普遍阅读，这是前所未有的。他的伟大的同时代人、诗人和剧作家本·琼森曾预言，莎士比亚“不属于一个时代，而是属于所有的世纪”。这一预言已经完全应验，试图给莎士比亚的伟大下一个定义，或许有些鲁莽，但是要形容他的多才多艺并不困难，他创造的富于想象力的喜、怒、哀、乐场面，无论是读剧本还是去剧院，都会给你留下深刻印象，历久难忘。他是一位才思敏捷、洞察力强并富于诗情的作家。其他作家也有这些素质，但是莎士比亚不是将敏锐的头脑用于深奥或遥远的对象，而是专注于人及其全部复杂多样的感情和冲突。其他作家也是这样运用自己的敏锐心智，但莎士比亚运用语言和形象之巧妙令人惊叹，他的智力在处理人的可理解的境况时，总是找到完整的令人难忘的表现，令人信服，并激发想象。如果说这还不够，那么他的创作才能投入于其中的艺术形式，不是抽象的和沉闷乏味的，而是通过舞台生动地表现人，能博得同情并引起共鸣。因此，莎士比亚作品翻译成其他语言和移植到同伊丽莎白时代英国文化关系很少的其他文化后，它的许多重要优点仍能保留下来。

莎士比亚其人

生平 威廉·莎士比亚的真实情况大部分是从一些具有官方性质的材料中发现的：洗礼、结婚、死亡和安葬的日期；遗嘱，产权转让证书，各种法律材料，以及从宫廷得到酬劳的材料。然而，不少当时的材料也提到他是作家，从而给他的传记框架增加了一定数量的真实内容。

斯特拉特福的早年生活 沃里克郡埃文河畔斯特拉特福镇圣三一教堂的教区记事录上记载，他是 1564 年 4 月 26 日在那里接受洗礼；他的生日传统上按 4 月 23 日来纪念。父亲约翰·莎士比亚是镇议员，1565 年被选任长老议员，1568 年任民政官(这个职务在 1664 年授予斯特拉特福镇另一特许状之前相当于镇长)。他从事过多种商业活动，好像在成功的道路上经受了几番波折。他的妻子玛丽·阿登是沃里克郡威姆考特镇人，出身望族，并继承了若干田产(按照 16 世纪当时僵硬的社会等级，这一婚姻对于约翰·莎士比亚必定是在社会阶梯上又上升了一个台阶)。

斯特拉特福镇有一所良好的文法学校，进校读书不收学费。莎士比亚所受教育主要

美国不列颠百科全书公司供图

是学习拉丁文，读、写、说都要学好，还学习一些古典历史学家、伦理学家、诗人的著作。他没有继续进大学。相反，他在18岁那年结了婚。结婚的地点和准确时间不详，但在伍斯特市教会登记处保存着一份日期是1582年11月28日的契约，这是为发放莎士比亚和“斯特拉特福镇安妮·哈瑟维”的结婚证书向主教提供的一份担保。第2个值得注意的日期是在斯特拉特福镇教堂的案卷中发现的，是莎士比亚的女儿苏珊娜受洗的日子：1583年5月26日。1585年2月2日，是双胞胎哈姆内特和朱迪丝受洗的日子（莎士比亚的唯一儿子哈姆内特死于11年后）。此后8年左右时间，直到他的名字开始出现在伦敦剧团案卷中以前，他到底在做什么，没有人知道。有些说法是他死后很久才传播开来的，但这些关于莎士比亚生活的猜测往往是根据他作品中的内在“证据”。这种方法是不能使人满意的：譬如，不能因为莎士比亚引用过法律，就断定他是律师。很明显，他是个作家。为了写剧本，他能很容易地获得自己需要的任何知识。

剧团生涯 伦敦文艺界首次提到莎士比亚是在1592年，当时和他一起写剧本的同事R. 格林在临终前写的小册子中说：

> 一只暴发户乌鸦，靠我们的羽毛装饰自己，“用演员的皮，包藏起虎狼之心”；自以为装腔作势地写几句无韵诗，就可以与你们中的佼佼者媲美；他是个十足的“打杂的”，却自命为举国唯一“震撼剧坛”的人物。

要断定这些话的确切含义是困难的；但很清楚这是侮辱性的语言，而挖苦的对象就是莎士比亚。格林死后，当载有上文的书《百万分忏悔买得一分智慧》（1592）出版时，他们共同的一位熟人写了序言，向莎士比亚表示道歉，并证明他是位值得尊敬的人。这篇序言还说，莎士比亚那时交了一些重要朋友。莎士比亚似乎引起了南安普敦伯爵（第三）、年轻的亨利·赖奥思利的注意，他将自己首次出版的两篇长诗《维纳斯与阿多尼斯》和《露克利斯受辱记》献给了这位伯爵。

一个吸引人的证据表明莎士比亚很早就开始取得成功，并且努力重振家业和再图显贵，那就是1596年授予约翰·莎士比亚的一幅家徽。家徽的草图现仍保存在伦敦的纹章院，想必已经交给莎士比亚家族的正式家徽没有保存下来。几乎可以肯定，这件事是威廉带的头，并由他付了费用。斯特拉特福镇教堂内的莎士比亚墓碑上（建于1623年之前）刻有这枚家徽。证明他在功名利禄方面取得成功的另一值得注意的证据是他在1597年买下的“新居”，斯特拉特福镇的一幢大房子。

现在不清楚他在剧团的职业始于何时，但是大约自1594年起，他已是宫内大臣剧团的重要成员，1603年詹姆斯一世即位后，该剧团改为国王供奉剧团。该团拥有当时英国最佳演员R. 伯比奇；最佳剧场环球剧场；最佳剧作家莎士比亚。毫不奇怪，剧团的事业兴旺昌盛。莎士比亚入股这个合作性质的团体，成了自己剧团的专职专业人员，并且密切关注自己所写剧本在经济上的成功。

私人生活 莎士比亚除去1604年那次出席詹姆斯一世的加冕典礼外（他作为国王供奉剧团成员，身穿王室制服），同官场很少来往。他继续关心自己的经济利益，在伦敦和斯特拉特福两地购置财产。1605年他买下了斯特拉特福镇什一税的一个份额（约占1/5），这可以解释为什么他最后安葬在教区教堂的圣坛下。有一段时间，他居住在离伦敦圣奥勒甫教堂不远的跛子门街一个名叫蒙乔伊的法国胡格诺派教徒家中。

莎士比亚写的信件没有保存下来，但是在斯特拉特福镇的一些官方事务记录中碰巧发现一封写给他的私人信件，由于夹在镇的档案中，所以才保存至今。这是个叫R. 昆尼的人写的，寄自伦敦卡特巷钟声旅店，他从斯特拉特福来这里做生意。信纸的一面写着：“此信请交我的亲爱的好友和同乡威廉·莎士比亚先生。”很明显，昆尼认为他的这位斯特拉特福同乡是可以借给自己30英镑的人。在伊丽莎白时代，这是个很大的数目。此事的进一步情况如何，没有更多的材料，但是由于能够表明莎士比亚私人生活情况的材料太少，这封借钱的信就成了一份生动的文件。更为有趣的是，18年后，昆尼的儿子托马斯成了莎士比亚次女朱迪丝的丈夫。

莎士比亚的遗嘱（写于1616年3月25日）是一份冗长而琐细的文件。它限定他的全部财产只能由大女儿苏珊娜的男性继承人继承（当时他的两个女儿均已出嫁，一个嫁给上面提到的托马斯·昆尼；另一个嫁给约翰·霍尔，斯特拉特福镇受人尊敬的医生）。作为写完遗嘱后的补充说明，他将自己那张“仅次于最好的床”留给自己的妻子，但是没有人能断定这件众人皆知的遗产意味着什么。立遗嘱人在遗嘱上签名时手显然在发颤，或许莎士比亚当时已经病了。他死于1616年4月23日。埋葬在埃文河畔斯特拉特福镇教区教堂的圣坛下，他的墓碑上没有刻上名字，只有下面几行可能是他自己写的诗句：

> 好朋友，看在耶稣份上，
> 莫要挖掘这里的遗骸。
> 容此碑石者老天保佑，
> 移我尸骨者要受诅咒。

死后早期的文献 可是莎士比亚的家庭或朋友对这个简单的墓碑不满意，没过几年，在圣坛的墙上立了个纪念碑。它似乎是1623年立的。墓志铭是用拉丁文写的，直接刻在半身像下面，称赞莎士比亚有涅斯托尔的处世智慧，有苏格拉底的天才，有维吉尔的诗艺。

同事们的称赞 在戏剧界，对莎士比亚的怀念经久不衰，因为在1642年剧场关闭之前，他的剧本一直是国王供奉剧团保留剧目中的主要部分。莎士比亚在戏剧界的著名同时代人中最著名的人物本·琼森曾对莎士比亚有过广泛的评论。他在1619年对霍索恩登的W. 德拉蒙德说：“莎士比亚缺少艺术。”但是当他在1623年为对开本的莎士比亚戏剧集献诗作序时，他很得体地讲了以下这些激动人心的话：

> 非凡的成就啊，我的不列颠，你有一个值得夸耀的臣民，
> 全欧洲的舞台都应向他表示尊敬。
> 他不属于一个时代，而是属于所有的世纪。

他提供的证明是，莎士比亚的个性在其诗歌中是可以感觉到的，可据此了解他，文如其人啊！琼森还提醒他的读者，这些戏在宫廷演出时给伊丽莎白女王和詹姆斯一世国王留下了强烈的印象：

> 埃文河的可爱天鹅，看到你
> 出现在我们的水面是多美的景象。
> 你多次飞翔在泰晤士河岸上，
> 深深地打动了伊丽莎和我们詹姆斯的心房！

莎士比亚同自己剧团同事似乎有着深厚的感情。剧团演员J. 赫明和H. 康德尔（莎士比亚在遗嘱中提到他们和伯比奇）在将1623年第一个对开本献给彭布罗克伯爵和蒙哥马利伯爵时，解释说他们之所以编辑这个戏剧集“……既不为名，也不为利；只是为了使我们的莎士比亚这位如此杰出的朋友和同事能为人们所牢记……”。

轶事和文件 17世纪的古物研究家开始搜集有关莎士比亚的轶事。大约在1661年，斯特拉特福镇的教区牧师在日记中写道：“莎士比亚、德雷顿和本·琼森有一次高兴地聚在一起，他们似乎喝了许多酒；此后莎士比亚在该地因高烧而病故。”另外，古物研究家J. 奥布里关于莎士比亚曾写道：“他是个不善于交友的人，住在肖尔迪奇；也不纵情声色，如接到邀请，他会显得痛苦。”利奇菲尔德的副主教R. 戴维斯报告说“他死时是个天主教徒”。18世纪初，传说伊丽莎白女王曾责成莎士比亚“写一出关于约翰·法尔斯塔夫爵士堕入情网的戏”，于是他用两个星期完成了任务（《温莎的风流娘儿们》）。还有其他一些传说，但所有这些说法的真实性都靠不住，而且有的纯粹是捏造。

到了18世纪，开始了严肃的学术研究，但是要从种种口头传说中获得有意义的材料已为时过晚。不过，一些文件陆续被发现。1747年发现了莎士比亚的遗嘱，1836年发现了他的结婚证书。有关蒙乔伊的家庭纠纷的诉讼案文件是1910年发现并刊印的。以后具有法律性质的文件，还有可能发现一些，但是随着时间的推移，这种希望愈来愈渺茫。现代的学术成就更多地是研究莎士比亚同他周围社会环境的关系，包括斯特拉特福时期和伦敦时期。这可是不容易，因为剧作者和演员的生活在某种程度上是各自独立的：他

在斯特拉特福是位受人尊敬的收捐税的乡绅，到了伦敦也许不过是个没有根基的艺人。

肖像　关于莎士比亚的面貌到底如何，迄今尚未得到足够满意的解答。两幅像都有无可争辩的权利声称自己是真实的：一个是他死后那几年竖立在埃文河畔斯特拉特福镇教区教堂内的半身胸像，另一个是作为1623年版对开本戏剧集的卷首插图的版画像。半身像的莎士比亚手中拿着一枝笔；圆圆的脸，高大的前额引人注目。版画像为M. 德罗肖特所作，他是侨居伦敦的一个佛兰芒画家家庭的成员，它提供了现在最为人熟知的莎士比亚的形象。

诗人和剧作家

才智的背景　莎士比亚生活的时代是一个中世纪形成的思想和社会结构仍在影响着人的思考方式和行为方式的时代。伊丽莎白女王一世是上帝在地上的代表，而她下面的那些贵族和议员在社会中各有自己的位置，往上通过她向上帝负责，往下，是对更低的社会阶层负责。可是，事情的规律并非毫无问题地在运转。无神论仍然被认为是对伊丽莎白时代大多数人的信仰和生活方式的挑战，但是基督教已不再是单一的了——罗马的权威受到了M. 路德、J. 加尔文、许多小教派甚至英国教会本身的挑战。王室特权在议会受到挑战；经济和社会秩序也因资本主义的兴起、亨利八世时修道院土地的再分配、教育的发展以及重新发现的领土上的财富的注入而发生混乱。

在《哈姆雷特》中，那些关于人类、信仰、“糟糕的”国家、“混乱的”时代的种种议论，明显反映着一种不断增长的焦虑和怀疑态度。1603年蒙田的《随笔集》的译本出版后，使这些思想进一步播散开来，并扩大了范围，而且在方式上有了提高。莎士比亚是读过它的许多人中的一位，在《暴风雨》中曾直接和巧妙地引用过。在哲学的探讨中，已不是亚里士多德的传统问句“为什么？”，而是问句“怎么样？”成了前进的动力。莎士比亚写于1603～1606年间的戏剧，明白无误地反映了詹姆斯时代一种新的怀疑情绪。詹姆斯一世同伊丽莎白一样，宣称王权神授，但他远不如伊丽莎白善于保持帝王的权力。所谓“火药阴谋案”（1605）显示国家的一个小小少数派决心进行挑战，而詹姆斯在议会中连续同下议院的斗争，除了表明“新人”的实力外，也暴露了行政当局的无能。

诗歌常规和戏剧传统　普劳图斯和泰伦提乌斯的拉丁喜剧在伊丽莎白时代的学校中是十分熟悉的，这些喜剧的英文译本或改编本有时也由学生们演出。塞内加词藻华丽、内容耸人听闻的悲剧也被翻译，并且常常在结构和语言方面被模仿。不过，另外还有一种强大的本土戏剧传统，它来自中世纪神秘剧，曾流行于各大小城镇，直至伊丽莎白时期被禁止。这种本土戏剧吸收了法国通俗滑稽戏、由牧师授意表现抽象主题的道德剧以及以个别丑角和演员“表演”的各种幕间短小节目。虽然莎士比亚几位最直接的先躯者是所谓的“大学才子”，但他们运用和发展的是更加通俗的叙事形式。例如，他们剧本的次要情节是以相似于中世纪的而不是古典的等级划分来自由补充主要情节和主题的。

语言的变化　这时的英语正在变化，并且范围也扩大了。诗人E. 斯宾塞率先恢复使用古字，而教师、诗人、老于世故的朝臣以及旅行者，他们从法国、意大利、罗马的古典著作以及从更远的过去，进一步做出了贡献。由于书籍的印刷更便宜了，语言在语法和词汇上开始有了统一的标准，而在拼写方面则慢一些。

莎士比亚的文学借鉴　在莎士比亚早期著作中，这一点十分明显：《错误的喜剧》的结构借自普劳图斯；《泰特斯·安德洛尼克斯》中的语言技巧和插曲借自诗人奥维德和塞内加；《亨利六世》中那场一个父亲哀悼自己死去的儿子和一个儿子哀悼自己父亲的场面借自道德剧；《理查三世》和《威尼斯商人》中的情感色彩和性格描写借自C. 马洛；《驯悍记》中的性格描写和戏剧风格则借自意大利的通俗喜剧传统；等等。在《暴风雨》中（这个剧或许是他所写的全部戏剧中在形式、主题、语言及布景方面最具独创性的），也可以看出存在着民间传说影响，同时显然还有采自当时由本·琼森等人在詹姆斯国王宫廷中所发展起来的宫廷娱乐——假面剧中的许多新东西。

剧场的条件　环球剧场及其前身“剧场”是公共剧场，由宫内大臣剧团（后来的国王供奉剧团）经营，该剧团是当时的主要剧团，莎士比亚是它的成员。除清教徒外，几乎所有的市民阶层都前往剧场观看下午的演出。演员也被传唤进宫，为国王和贵族们演出。到了夏季，他们去外地巡回演出，有时还在伦敦的那几个律师学院（学法律的大学生协会）、大学以及大宅中演出。剧团的声望使得上演的剧目无法满足观众的要求：保留剧目不时调整，到1613年初，国王供奉剧团能上演“14个不同的剧目”。剧团也很快受到上流社会人士的欢迎，在1608～1609年间，国王供奉剧团开始定期在黑衣修士剧场演出，这是一个“私人”室内剧场，它的昂贵的入场费确保前来的观众都是些更有欣赏水平的人士。

莎士比亚同宫内大臣剧团最初的交往似乎只是担任演员。人们不再知道1603年以后他演出过什么，通常的安排是只让他演二流角色，如《哈姆雷特》中的鬼魂和《皆大欢喜》中的亚当，但是继续参预必然使他有机会直接了解剧团各个方面。莎士比亚得以参加自己剧本的排练和演出，并且了解演员和观众以及剧院及其设备的一切不同潜力。

当时集体排练的时间很少，演员所得到的只是他自己的那部分台词。因此，莎士比亚剧中的关键性场面只有两个或三个角色，而不是由一个角色主宰挤满群众演员的舞台。女性角色是为年轻男演员或男孩子写的，所以莎士比亚往往不给他们写大角色和在舞台上活动时间较长的角色。为剧团的丑角写戏（在任何剧中，丑角对观众都十分有吸引力）要解决的问题是，既要让他们发挥自己的喜剧个性和技巧，又要让他们立即鼓动起观众对剧的主题和场景的兴趣。

莎士比亚戏剧年表　尽管有很多研究论据，但要精确地判定一个剧的演出时间，往往是不可能的。不过这里有一个大体上都承认的时间，特别是对1585～1601年，1605～1607年以及1609年以后的那些戏剧。下面这张首次演出的时间表是根据各种外在和内在证据，根据一般风格和主题考虑，并注意到在上述这些时期一年写出的剧本似乎一般不超过两个，而且这些日期较为清楚。

1589～1592	《亨利六世》三部曲
1592～1593	《理查三世》，《错误的喜剧》
1593～1594	《泰特斯·安德洛尼克斯》，《驯悍记》
1594～1595	《维洛那二绅士》，《爱的徒劳》，《罗密欧与朱丽叶》
1595～1596	《理查二世》，《仲夏夜之梦》
1596～1597	《约翰王》，《威尼斯商人》
1597～1598	《亨利四世》二部曲
1598～1599	《无事生非》，《亨利五世》
1599～1600	《尤利乌斯·凯撒》，《皆大欢喜》
1600～1601	《哈姆雷特》，《温莎的风流娘儿们》
1601～1602	《第十二夜》，《特洛伊罗斯与克瑞西达》
1602～1603	《终成眷属》
1604～1605	《一报还一报》，《奥瑟罗》
1605～1606	《李尔王》，《麦克白》
1606～1607	《安东尼和克娄巴特拉》
1607～1608	《科里奥拉努斯》，《雅典的泰门》
1608～1609	《佩里克利斯》
1609～1610	《辛白林》
1610～1611	《冬天的故事》
1611～1612	《暴风雨》
1612～1613	《亨利八世》，《两个贵族亲戚》

莎士比亚的两部长篇叙事诗《维纳斯与阿多尼斯》和《鲁克丽斯受辱记》的出版时间，可以断定是在鼠疫使伦敦的戏剧演出中断的那几年，即分别为1592年和1593～1594年之后。但是十四行诗的写作时间则存在种种问题，它们不可能全部在同时写成，大多数学者认定它们写于1593～1600年间。《凤凰和斑鸠》的时间可以定在1600～1601年。

出版　在莎士比亚从事戏剧开始阶段，剧作家一律都是将自己的剧本卖给一个演员剧团，然后剧本就由该剧团掌管，工作用的舞台演出本也由剧团负责准备，剧团还尽量不让其他剧团或出版商染指自己买下的剧本，这样，只要这些剧还能吸引观众，他们就一直使用下去。不过有些剧本也有出版机会，通常是以称作四开本的小册子形式出版。剧本偶尔也有被“盗印”的情形，一种是由演出该剧的剧团中一两个心怀不满的演员口述台词，一种是在演出时偷偷地把台词速记下来，然后再在其他演出时加以修订。《亨利六世》第二部、第三部（1594和1595）及《哈姆雷特》（1603）的四开本就是盗印本，或称“坏”版本。有时，一位作者的第一份完整的初稿或誊清稿，或上述二者的抄本，落到一位出版商手中，于是据此出版“好四开本”，如《泰特斯·安德洛尼克斯》（1594）、《爱的徒劳》（1598）和《理查二世》（1597）。在“坏”四开本的《哈姆雷特》和《罗密欧与朱丽叶》（1597）出版后，宫内大臣剧团可能曾安排出版完整的初稿，以便使第二种，即“好”四开本能取代已上市的经过篡改的版本。这个剧团在宫廷内有权力很大的朋友，书商公会登记处在1600年接到一份特别命令，指示停止出版《皆大欢喜》、《无事生非》和《亨利五世》，这可能是为了确保人们能得到好版本。随后,《亨利五世》(1600)被盗印;《无事生非》根据完整的初稿印行;《皆大欢喜》未出版,直到1623年才收入当时出版的对开本(指书页的大小)《威廉·莎士比亚先生喜剧、历史剧和悲剧集》(1632和1663年再版)中。莎士比亚著作的对开本包括36个剧本,其中22个首次作为好版本出版。(因为1664年第三个对开本中收入的《佩里克利斯》,是根据一个1609年的四开本,同时收入的还有6个作者不详的剧本。)第一个对开本是由赫明和康德尔编辑的,他们二人是他的同事与合股人,先是在宫内大臣剧团,此时在国王供奉剧团,他们尽一切努力使这个集子成为一部有价值的书。据了解,第一个对开本现在大约只有230部保存下来。

诗歌和戏剧的影响力 *早期的长诗* 莎士比亚将叙事诗《维纳斯与阿多尼斯》献给他的恩主南安普敦伯爵(第三)亨利·赖奥思利,他许诺还要奉献"几篇更为严肃的作品",或许一年后写成的《鲁克利斯受辱记》就是,它也献给了南安普敦伯爵。由于莎士比亚打算以这两篇长诗确立自己在公众中的名声以及同恩主的关系,它们展示了他的精湛技巧,成了证明其资格的证书。这两篇长诗在他的作品中无疑是最受读者欢迎的,他的诗歌天才给读者留下了深刻印象。《维纳斯与阿多尼斯》到1602年印了7版,到1640年印了16版;《鲁克利斯》这篇较严肃的长诗到1640年印了8版;当时的文章中提到它们的次数更是无法统计。但是此后,直到19世纪,它们很少受到注意。甚至在那时,评论家们也不知道该怎样看待它们,他们觉得,《维纳斯与阿多尼斯》是放肆的色情(虽然其色情描写往往颇带喜剧色彩);而《鲁克利斯》似乎又太富悲剧色彩,诗歌对待事件显得有点冷漠。二者表明诗人似乎是在卖弄自己的聪明才智,而非出于"真诚"。但是,莎士比亚对其描写对象所表现的超然态度,只是在近代的评论中才受到称赞。1609年《十四行诗集》印行时,一篇329行的诗歌《一个情人的抱怨》附在这本书的末尾,出版者明白表示这是莎士比亚自己的作品。关于这篇诗的作者是谁,有过许多争论。可是,仅就文体而言,就足以对出版者的声明表示质疑,而这正是争论的焦点。长诗的某些部分和若干诗行十分精彩,但其他部分则显得有些平庸,不像莎士比亚的作品。现在一般认为它是莎士比亚的手笔,可能是一篇早期诗作,他在自己诗歌风格更成熟的阶段对其进行了修改。只是不能肯定这篇诗目前的这个形式,是早于还是晚于《维纳斯与阿多尼斯》和《鲁克利斯受辱记》。没有人怀疑《凤凰和斑鸠》的真实性,这篇67行的诗是同其他一些诗作随笔(作者为J.马斯顿、G.查普曼和本·琼森)附在R.切斯特的长诗《爱情殉道者》(1601)后面的。诗是有吸引力和令人难忘的,但却非常晦涩,部分是由于它的风格,部分是由于它影射了一些真人真事,而究竟何指,现在只能凭猜测。

十四行诗 1609年出版了《莎士比亚十四行诗集》(*SHAKESPEARES SONNETS*),上面还印着"以前从未出版过"的字样。莎士比亚这时候已是一位有成就的作者,一位乡绅,伦敦最重要的戏剧界有钱的成员。不清楚这些十四行诗写于1609年以前什么时候。"以前从未出版过"这句话暗示它们已结稿若干时间,只是现在才终于付印。其中两首(第138首和第144首)事实上已经在一本文集《热情的朝圣者》(1599)中收入过,只是形式上略有不同。1598年以前,莎士比亚无疑写过一些十四行诗,因为那一年梅尔斯在一篇文学"概述"中提到"流传于他的知心朋友中间的甜蜜的十四行诗",但这些"甜蜜的十四行诗"是否就是1609年终于出版的那些诗,却无法肯定——莎士比亚或许还写过另一些十四行诗,只是现在失传了。

①诗的程式。伊丽莎白时代的十四行组诗(模仿意大利和法国十四行组诗的形式)一般都有某种叙事的程式。P.锡德尼的《爱星者和星星》,还有E.斯宾塞的《爱情小诗》都是讲述一个合情合理的真实故事。

但是,莎士比亚的十四行诗却让人感觉不到锡德尼、斯宾塞以及其他诗人作品中的那种程式次序。只是有时可以感到是在进行故事叙述,但它往往会突然中断,后来又接着叙述,或者回到"故事"的更早阶段。因此,常常有人争论说,有一个独特的程式,只是后来失传了,为了发现莎士比亚"有意设计的"程式曾作过许多努力,进行了细致的分析研究。大多数评论家感到,要想将1609年版的十四行诗重新排列得令人信服地更合理些,是没有希望的。他们的论点是,这些十四行诗本身就不是准备写成完整的故事,或者够不上是一个故事。它们在基调、性质和特点上都是混杂的。有些诗似乎是公开的,面向一切人的。有些诗似乎又太隐晦和隐私,别人难以理解。

同样不能肯定的是,1609年的编排同这些十四行诗实际的写作顺序有无关系。可以合理推定,印制人或多或少是依照十四行诗手稿(或一些手稿)出现的顺序。不过,手稿的个别篇页出现颠倒也是十分可能的(因为印制人在每首诗前加上数字并不困难),果真如此的话,那就可以解释为什么有几组或几对十四行诗似乎是奇怪地不相联接。

十四行诗1～17首是同一主题的不同变化。一个美貌的青年人受到劝说,要他结婚并生儿育女。这样,虽然他本人到老年时将失去美貌,但他的美貌将在后代身上保存下来。这个主题渐渐地让位于另一种思想,即:所爱的人将通过诗人的诗句长期存在下来。这里无疑表现了两种不朽的优点的互比。

十四行诗18～126首的主题是多种多样的,但都同一个美貌的青年人有关(他大概是1～17首的那个青年人,但也未必就是)。诗人分享着他的友谊,并充满仰慕之情,还向这位青年人许诺,通过为他写诗,使他流芳百世。但是,这个青年人有时显得冷淡,有时则因受到另一位诗人的赞美而招来妒意。这个系列的高潮是这个青年人勾引上诗人的女人。但到最后,诗人屈服于这种局面,并认识到他对朋友的爱大于自己占有女人的欲望。

第126首十四行诗似乎属于结束语一类的诗(形式上也不是十四行诗)。随后便开始了一个新的系列,主要写一个黑皮肤女人,诗人被她迷住了,尽管很了解她的缺点。她一度被他的好友从他这里巧妙地抢走。朋友和女人的背叛深深地伤害了诗人。但他仍在努力超越自己的失望。(两个结尾的十四行诗写的是丘比特,这是常见的文艺复兴主题的非人格化)。

②是艺术家的创造还是真实经历。诗中提到了各种人物,但不完全清楚的是,他们是实有其人,还是莎士比亚的戏剧想象力的虚构。但如果十四行诗的"故事"是创造,那就是拙劣的创造,在讲故事方面丝毫没有显示出莎士比亚在别处所显示的技巧。

有的评论家试图断言,青年人和黑皮肤女人是谁无关紧要,重要的是诗的本身。从整体上讲,这些十四行诗仍顽强地保住自己的隐私,完全没有"创造一个世界",让别人可以从中了解它们。倒是让人觉得,作品中所写的经历和关系的实际情况并没有诗的神秘性,只是无法了解(或无法确定)罢了。

③诗中的人的经验。19世纪初以来,对莎士比亚个性的探索一直是通过研究十四行诗进行的。W.华兹华斯声称,"莎士比亚用这把钥匙打开自己的心扉"。但是许多读者觉得,莎士比亚这个人在十四行诗中也同在剧中一样,是难以捉摸的。为了了解作者的"个人细节",在他的诗中寻找也是正常的。你会发现,他曾暗示自己患失眠症,他不赞成戴假发和涂脂抹粉,他喜欢音乐,以及根据某些诗行,暗示他是个性欲错乱的人。但这并不很多。

在十四行诗中爱情和友谊的经历必定被写成失去信心和希望。在个人经历的层面上,爱情与友谊的经历充满了失望、分离、忧虑、疏远、自责和失败。令人深深感到,胜利和几乎胜利的只有死亡和时间。只有站在超乎寻常的层面并且坚信诗的永恒性,积极或肯定的态度才显示出来,从而补偿诗人的被遗忘处境和死亡的无穷尽的黑夜。总的来说,它们比戏剧更温和、更接近正常的人的经历。没有激情的风暴。取而代之的是对感情的细微分析。在戏剧中,有许多表现类似严格道德准则的时刻,但这些都是偶然来到的,而且有时有些离题,或有些笨拙。在十四行诗中,莎士比亚巧妙地控制着词语神韵的转换,使之符合语气和声调的变化。一般说来,对语词进行仔细分析会找出朗读十四行诗的声调,虽然应该承认这可能会带来多种解释。

近些年来,人们对莎士比亚的十四行诗作了比对他的任何戏剧都多得多的评注,或许只有《哈姆雷特》和《李尔王》应该除外。这并非必然地证明了它们的价值,因为十四行诗一直就有着刺激人们继续评论的挑逗特性。但是,如果不将对十四行诗的强烈兴趣同它的诗歌力量、同它对亲密的人际关系的冷静探索、同它对人类的种种渴望的悲剧以及时间的胜利所显示的敏感联系起来,那将是不公正的。

早期戏剧 ①《亨利六世》三部曲。在《争夺》这个二部历史剧(第一对开本中叫《亨利六世》第二部和第三部)中,莎士比亚似乎发现在舞台上表现近代历史也能产生激动人心的戏剧效果,这些事在世的人刚刚忘却,但这是在这几代人生活中的重要时刻发生的。这些内战(通常称玫瑰战争)是由于两个家族

(约克家族和兰开斯特家族)为争夺英国王位引起的。战争于1485年以理查三世在博斯沃思战役中失败而结束,那时,作为亨利七世的亨利·都铎建立了一个稳固的王朝。伊丽莎白女王一世是亨利七世的孙女,所以约克家族和兰开斯特家族的历史是莎士比亚的同时代人非常感兴趣的事。在《亨利六世》第二部中,权力斗争围绕着无能的亨利六世国王展开,直到约克公爵逐渐作为王位的争夺者出现。《亨利六世》第三部的几个高潮,包括有约克公爵被兰开斯特家族的人谋杀以及最后一场亨利国王被理查(约克的儿子,未来的理查三世)谋杀。莎士比亚已经显示自己是悲剧诗歌的大师,著名的有约克被俘后的一段话(身上负伤,为嘲弄他,给他戴上一顶纸糊的王冠,在玛格丽特王后刻薄的辱骂声中等待死亡)和国王对内战带来的灾难的沉思。描写叛乱领袖杰克·凯德及其追随者的生动喜剧场面预示了莎士比亚在处理《尤利乌斯·凯撒》和《科里奥拉努斯》中平民暴动场面时更加巧妙地掌握的那种政治评论性质。

第三个剧,即《亨利六世》第一部描写亨利六世王朝的早期阶段,涉及《争夺》的第一部分开始前的一些事情。这部剧不太成功,而且不清楚,它是在《争夺》之前为写历史剧而作的第一次尝试,还是随后没有什么激情写的、加在《争夺》之前作为开场补遗。它收在1623年的对开本中,作为《亨利六世》的第一部;《争夺》则成为《亨利六世》的第二部和第三部,但其理由何在,无法知道。

②《错误的喜剧》。莎士比亚这个最短的剧的名字就是自身的说明(虽然在开场中意外地充满了悲怆气氛)。该剧是根据普劳图斯的《孪生兄弟》的故事内容写成的。普劳图斯的剧本是写两个彼此并不认识的孪生兄弟出现在同一城市,因此发生了一连串阴差阳错的可笑事情。但莎士比亚加进了两个孪生仆人,并让这两对人相互交叉误解,使剧中充满不安、意外、期望和兴奋。这个剧显示了莎士比亚控制结构的本领。

③《泰特斯·安德洛尼克斯》。这个剧很受观众欢迎,曾占领舞台多年。它的粗俗的故事、许多粗野的插曲以及它的诗歌风格,使一些评论家认为它不是莎士比亚的作品。但是近代的评论倾向于承认这个剧本完全是或基本上是他的。的确,如果把它看做一部"罗马悲剧",它作为古老世界没落画面显示了情调的一致性,并再现了戏剧结构的连贯性(虽然,按照莎士比亚后来写的罗马戏剧的标准,这个画面太模糊不清了)。

④《维洛那二绅士》。这个剧的剧情是从西班牙长篇传奇故事《狄安娜》取来的,原作者为蒙特马约。莎士比亚加进了一些新的人物,包括"二绅士"之一的凡伦丁,这个人物同普洛丢斯的"理想"友谊的发展,使剧情超出了爱情故事的范围。的确,这个剧对友谊的颂扬,按照现在的一般看法,是十分荒唐的。这意外的最后一场显示这个剧的文本想必出了什么差错,莎士比亚在自己所爱人物的行为动机上肯定无疑地没有再次如此轻易地抛弃常识。但是有一点也十分清楚:莎士比亚此时感到自己正在迈向一种新的高雅喜剧,随后通过《威尼斯商人》和《第十二夜》表现了出来。

⑤《驯悍记》。这个剧往往被演成吵吵闹闹的滑稽剧,实际上它属于喜剧一类,除了求爱、结婚以及由彼得鲁乔这个意志更坚强的男人对"悍妇"凯瑟丽娜进行驯服外,还有其他一些含意。这个描写驯悍的意大利风格戏剧中还安排了另外一场戏(捉弄醉汉补锅匠克利斯朵夫·斯赖),这给莎士比亚提供了表现美丽的英国乡间景色的机会。原来的设计是让斯赖作为驯悍剧中的"观众",这个设计不久(在1623年的对开本的正文中)就被取消了。可能是剧团取消了斯赖这个设计,因为凯瑟丽娜和彼得鲁乔的故事太有吸引力了,能对剧场中的真正观众产生直接影响。

⑥《爱的徒劳》。这个剧一度被认为是过时的,因为它过多地依靠即兴的、无法收回的高谈阔论,只是在最近50年间,它才开始重新出现在舞台上。人们发现这个剧充满了人道精神,它在探索作为血肉之躯的人的重要意义。这个喜剧的基本设计是写4个年轻男人,他们发誓要潜心研究学问并不接近女人,结果是他们偏偏遇上了4个女人,而且最终不可避免地抛弃了自己的那些荒诞原则。为了使生活不显得单调,也为了躲开那些沉溺于酒色的漂亮的年轻王族和廷臣,有一个由一批古怪人组成的娱乐班子被允许演出他们的"杂耍",这些人是:教区牧师纳森聂尔、塾师霍罗福尼斯、巡丁德尔、乡人考斯塔德和村女杰奎妮妲,联系这两组人的中间人是唐·阿德里安诺·德·亚马多,一个不可言喻的人物(他开始时令人讨厌,但当他变得可怜时,倒显得有趣了)。快结束时,通过扣人心弦的情节急转,剧情呈现出新的动人的活力:马凯德作为带来死亡信息和责任感的使者突然抵达。剧本有意避开一般喜剧的通常结尾形式,而用了一句引人注目的话:"有情人未成眷属",但他将在12个月后完成了她要求他做的一件事情时得到她。剧的这个结局是充满希望的。

⑦《罗密欧与朱丽叶》。在莎士比亚这些早期剧作中,《罗密欧与朱丽叶》是最复杂的一部,它远远超过"一出年轻恋人的戏"或"世界典型爱情悲剧"。如果将大量的有关印象和意见收集在一起,就会看出恨和爱是同样的多。剧本讲的是一个家族和他们的家园以及世仇和悲剧性婚姻。维洛那的社会生活和维洛那人的私人生活构成了朱丽叶与罗密欧恋爱的环境,并提供了可以对他们的爱情作出评价的背景。不是这对恋人的死,而是所发生事情的公开暴露以及亲王的告诫和最终两个家族的和解才是这个剧的结局。

历史剧 莎士比亚为了写以英国历史为题材的戏剧,起初是从1587年出版的霍林希德的《编年史》和霍尔更早些时候写的《兰开斯特和约克两个高贵和显赫家族的联盟》(1548)中汲取素材。

①《理查三世王的悲剧》。这是莎士比亚第一个剧情完整的历史剧,突出了作为良心危机的死亡时刻,一个人本着良心对自己进行裁判,并能作出真实预言。他将戏剧冲突集中在一个人物身上,这个人物承认自己犯有谋杀罪、叛逆罪,并且编造借口进行掩饰,正是这些必须加以谴责的行为对观众颇有吸引力,而理查在失败时所显露出的那种勇猛的狂暴,使他早已对夜间梦魇的恐惧和有罪感弃之不顾,一心一意去进行顽固而疯狂的挑战。

②《理查二世王的悲剧》。《理查二世》一剧的剧情集中于国王的生与死,但他的对手波林勃洛克比起理查三世的对手里士满有着更为突出的位置。合法的国王在第三幕中被孤立,被击败,他在狱中苦心地悟出了自己生命的意义,并在长时间的自言自语中承认了自己的罪愆和责任。从他道出实情的这一时刻起,他重新发现了自豪感、信心和勇气,结果他在显示自己力量和灵魂的升华中死去。理查死后,有一场戏表现波林勃洛克(此时是亨利四世)面对躺在棺材中的对手的尸体,在他的沉默不语的大臣中间也承认了自己的罪责。

③《亨利四世》二部曲。在这两部冠以亨利四世名字的剧中,亨利四世常常处于背景地位。舞台主要为他的儿子亨利王子(后来的亨利五世)、年轻的反叛者霍茨波以及约翰·福斯塔夫爵士所占有。次要人物有很多,从妓女和农夫到大法官和乡绅。

④《约翰王》。莎士比亚在《约翰王》中发展了作为国王和王子陪衬的次要角色。本剧中的庶子就是这种角色,他是罗伯特·福康勃立琪爵士的儿子,国王的支持者,然而却在自言自语中、在独白中、在谈话中嘲笑政治和道德的虚荣。约翰王是这个剧的焦点,随着他的死亡而剧终,但莎士比亚将他放在一个变化迅速的进程中,他的周围是许多截然不同的人物——每个都能影响他,每个都向剧的焦点带来无法解决的个人问题——以致国王那不稳定的心灵在这几乎乱成一团的可笑环境中,显得只是个小小因素而已。

⑤《亨利五世》。《亨利五世》是这组历史剧中的最后一部,也是莎士比亚在自己戏剧创作末期写《亨利八世》以前的最后一部英国历史剧。从结构上讲,国王再次成了处于主宰地位的中心人物,但一些次要人物远比前几部剧在数量上居多。前两幕,亨利正面临和平与战争的抉择,他精明,易怒,自信,好挖苦人,接着他声明自己正在为一次叛逆行为而流泪。剧中提到了福斯塔夫的死,并且在几个胜利场面之后,出现了阿金库尔战役前夕紧张不安的警戒场面,国王这时乔装成一名军人,穿行在他的充满恐惧的兵士中间,他为胜利进行祈祷,还承认了自己为父亲谋王篡位的罪孽所做的忏悔是无用的。国王在克里斯宾节这天的战斗开始前对自己部队讲的那番话很有名,因为他讲到了战争中的兄弟情谊,但莎士比亚将它放在充满讽刺意味和具有挑战性对比的背景下。就在全剧结束前,国王向法国公主求爱了。毫无疑问,凯瑟琳嫁给亨利是因为他是战胜者,而和平又是必要的,但莎士比亚发展了他们求爱的喜剧性质,并表示求爱是真诚的,这明显是为了让人们相信并接受它。这个剧在演出时伴以开场白和收场白,使用的尽是英雄主义、骄傲、激动人心、恐惧以及国家荣誉等字眼。但是在结尾,当国王为联姻与和平的誓言将会"很好地遵守并将一切顺遂"而祈祷时,收场白最后一次向观众点出,英国将在亨利五世的儿

子当朝时陷入内战。这一历史剧大系列的最后一部在收场白中告诫人们,没有哪个人物的故事是永远成功的故事。

罗马戏剧 ①《尤利乌斯·凯撒》。莎士比亚写完最后一批英国历史剧后,选择写伊丽莎白时代人们最喜爱的历史人物尤利乌斯·凯撒。凯撒是一个军人、学者、政治家,他是被他最要好的朋友谋杀的(莎士比亚在《亨利六世》第二部中曾提到布鲁图的“卑鄙的手”);他被认为是第一个认识到君主制国家好处并部分地实现了它的罗马人。莎士比亚对这一切的反应是令人吃惊的:凯撒只在3场戏中出现过,随后就被刺死了,全剧这时只演了一半。但是,这个伟大人物的死反应在各种各样人物的行动和思想上。事实上,凯撒影响着全剧,他死之后,曾两次在战斗开始前显灵,一次是血迹斑斑的尸体,一次是鬼魂。布鲁图和凯歇斯的死是感到自己对凯撒有罪,他们对他说的那些话仿佛他就在跟前。随后他的继承人下令“分享”他应得的“荣誉”,过一个“欢乐的日子”。

大约有六七年时间,莎士比亚没有再写罗马题材的戏剧,不过,他写完《麦克白》和《李尔王》之后,重又以普卢塔克的《列传》为素材,写了两个罗马戏剧,两个都是悲剧,它们对广阔历史画面的描写似乎同对悲剧人物的描写一样多。

②《安东尼和克娄巴特拉》。《安东尼和克娄巴特拉》的语言是明快、充满想象和生动有力的。差不多每个人物都在谈论国家和展望英雄的业绩。然而,这些问题尽管被大大地扩展(或夸张)了,剧中的主要角色并没有像在《哈姆雷特》、《奥瑟罗》、《李尔王》或《麦克白》中那样,给观众留下鲜明的形象。安东尼只是在失败后才有一段独白,他说到了太阳或命运,说到了那邪恶的人或他的女王,然而他却没有整理自己的思想或寻找答案。在最后一场中,剧情的焦点完全集中在一个人物身上,克娄巴特拉身穿罩袍、头戴王冠准备死去,她相信这样可以永生,在听到死去的安东尼嘲笑“凯撒的幸运”时,她似乎真的变形了:

……我的丈夫,我来了:
但愿我的勇气为我证明做你的妻子而无愧!
我是火,我是风;我身上其余的部分
让它们归于腐朽……

(第5幕第2场)

③《科里奥拉努斯》。《科里奥拉努斯》主角的独白更少,一次是他作为逃亡者抵达安息城时的一段诗句,另一次只有几句话,是他独自一人站在市场上等候市民表示愿选他为执政官。观众通过许多伪装,看到是同一个人:和平时期是个年轻贵族,战争时期是个军人,是个满身血污的战士和战胜者,是“身穿旧衣服表情谦恭的”执政官候选人,是被放逐的叛逆,此后则是伏尔斯人的领袖,罗马的敌人。科里奥拉努斯在最后一场中被指控犯有背叛罪,并在一场暴力行为中被刺杀,而在以前他是抵挡过这类暴力的。《科里奥拉努斯》的结尾让观众看到一个英雄无力防止自己被害的情形,也是在没有变化的希望时反复出现的政治的、社会的以及个人的行为模式。莎士比亚在任何一部作品中都没有像在这个罗马悲剧中的沉默时刻那样让人物的神态表现得如此严肃,这时连演员都一时找不到话说了。

“大”或“中”喜剧 写于1596～1602年间的喜剧有很多共同点,但放在一起看,它们又各有特点。除了《温莎的风流娘儿们》,其他剧的背景都是在几个“想象中的”国家。或者叫伊利里亚、墨西拿、威尼斯和贝尔蒙特、雅典,或者叫亚登森林,只要剧作者愿意,太阳就得照射。一头母狮子,蛇,魔盒,神仙的咒语,完全相同的孪生子、性别伪装,专横的公爵的突然转变或奸诈的兄弟在幕后的失败全都可以改变剧情发展,使各种人物走向剧终。在结尾,几乎所有人都是幸福的,或得到应有的奖赏。恋人们个个年轻、聪明,差不多都很富有。剧中描写了求爱,其结局就是结婚,超出这个范围观众简直不关心。

①《无事生非》。这是一个在许多方面颇有特色的喜剧,里面没有明显的魔法或男扮女装(及女扮男装)。不过在一次假面舞会上发生了许多误会,剧的结尾是一个假装死,另一个卸下面具冒充复活;而且,两位主角贝特丽丝和培尼狄克被“唯一的媒人丘比特”改变了身份。

在某些方面,这些剧可以说是智能剧。每个喜剧都有一个复杂的情节,从一组人物转到另一组人物,莎士比亚让观众找出他们之间的联系并作出解释。尽管人物(或神仙)的类型不同,叙述的情节不同,这些剧因莎士比亚的理想主义观点和对人际关系的含蓄评价而联成一体,它们的所有人物,除了一些明显的例外,都在结尾时或接近结尾时被安排到一起。

②“局外之人”。这些剧均表示拥护真理、良好的秩序和慷慨大度,但不作任何直接说明。然而在最后冲突的解决中,整体上并不是和谐的:有些人物从全面的参预中被撤了回去。

在《威尼斯商人》中,多数悬而未决的问题都集中在夏洛克这个人物身上,他是犹太人,打算运用审判手段对基督徒商人安东尼奥强迫实施可怕的具有谋杀性质的报复,但是他的企图被乔装成律师的鲍西娅所挫败,她使用合法的诡辩使夏洛克完全陷于被动并完全受制于法庭。这个奇异的故事以其非常可信的细节而显得十分真实:夏洛克是个放债人,莎士比亚时的伦敦有许多这样的人,他还是个骄傲自大的犹太人,有强烈的宗教本能,基督徒蔑视他,不信任他,当一个基督徒促成他的女儿出逃并偷走了他的钱和珠宝时,他的痛苦是那么强烈,恨不得杀死所有的基督徒。在用散文写的一场中,同时表现了戏剧的力量和敏感的个人感情,夏洛克认为他提出诉讼的理由就是出于基本人权:

我是一个犹太人……难道犹太人没有眼睛吗?难道犹太人没有手臂,没有四肢五官,没有型体,没有知觉,没有感情,没有血气吗?他不是吃着同样的食物,受到同样武器的伤害,患同样的病,用同样的方法治疗,冬天同样会感到冷,夏天同样会感到热,就像基督徒一样吗?你们要是用刀剑刺我们,我们不是也会出血吗?你们要是搔我们的痒,我们不是也会笑起来吗?你们要是用毒药谋害我们,我们不是也会死吗?那么要是你们欺侮了我们,我们难道不会复仇吗?

(第3幕第1场)

可是,随着他复仇受挫而产生的幸福感是不能齐声庆祝的,因为有些情况在提醒,他尚未到达“美丽的山峰”贝尔蒙特。

在《皆大欢喜》中,忧郁的杰奎斯在剧终时的跳舞之前离开了这个剧。他看见并说出了每对恋人的弱点,并决定从如此神秘地皈依“宗教生活”的专横的公爵那里听取和学习更多的东西。在《第十二夜》里,管家马伏里奥受到一场恶作剧的捉弄是由于他的自尊心被利用。他是最后一场中最后上台的一个人物,他拒绝了和解,他在值得注意的沉默之后离开时仅仅说了这几个字:“我一定要出这口气,你们这批东西一个都不放过。”这个喜剧也还有其他的“局外之人”,小丑费斯特在结尾时唱了一支奇怪的歌,在歌中整个人生被概括成一个由有见识的白痴唱出的令人伤感的故事。《第十二夜》或许是“大”喜剧中的最后一部,而它则是最令人伤悲的。

③妙语和模棱两可的话。伴随出现的形象也能让观众深深地回忆痛苦、恐惧和苦难。在《第十二夜》里,荒山、咸海,以及战争的烟火、风暴、监禁、死亡和疯狂全都出现过。当《仲夏夜之梦》中的仙王和仙后争吵时,提泰妮娅的一段话引出了一个混沌的世界:

因此牛儿白白牵着轭,
农夫枉费了他的血汗,
青青的嫩禾还没有长上芒须便腐烂了,
空了的羊栏露出在一片汪洋的田中,
乌鸦饱啖着瘟死了的羊群的尸体……

(第2幕第1场)

不过,诗歌也用明白的语调和思想的迅速交替赞美幸福和欢乐。在《第十二夜》中,奥西诺说:

那么选一个比你年轻一点的姑娘做你的爱人吧,
否则你的爱情便不能常青:
女人正像是娇艳的蔷薇,
花开才不久便转眼枯萎。

奥丽维娅说:

西萨里奥,凭着春日蔷薇、
贞操、忠信与一切,我爱你
这样真诚,不顾你的骄傲,
理智拦不住热情的宣告。

薇奥拉说:

那一切的话我愿意再发誓证明,
那一切的誓言我都坚守在心中,
就像分隔昼夜的天球中
蕴藏着的烈火一样。

通过用妙语和模棱两可的话以进一步暗示爱情、思慕、性欲、不安和幸福的话在人物的对白中连续不断地闪现以加强已经明显的意思,或许在《无事生非》中表现得尤其突出。对身份或性别进行伪装,或制造其他误会,或故意冒充,往往是为了强调所表现的意识的不同水平,在即将暴露或被认出时,总是有强烈的吸引力。

这些喜剧的结构可以解释,舞台设计和语言可以分析;但是它们基本上是在艺术和情趣的“幻想”中翱翔。《仲夏夜之梦》里迫克的收场白往往被引述为对该剧的评注：

要是我们这辈影子
有拂了诸位的尊意，
就请你们这样思量，
一切便可得到补偿，
这种种幻景的显现，
不过是梦中的妄念……

《皆大欢喜》中罗瑟琳的收场白也是恰当的：

……我并不穿着得像个叫化子一样；
因此我不能向你们求乞：我的唯一的法子
是恳请……

大悲剧　通常而合理的看法是，莎士比亚的伟大最明显地表现在他的一系列悲剧中，它们是：《哈姆雷特》、《奥瑟罗》、《李尔王》和《麦克白》。在此以前写的《尤利乌斯·凯撒》和以后写的《安东尼和克莉奥佩特拉》及《科里奥拉努斯》同这4部悲剧有许多联系。但是由于它们是相当严格地按照历史材料写成的，因此最好是将它们单独作为一组。《雅典的泰门》可能写于上述7部剧之后，有迹象表明它没有写完或者为莎士比亚所放弃。它有自己出色的地方，但一般很少认为其成就能同莎士比亚成熟时期的其他悲剧相提并论。

①《哈姆雷特》。《哈姆雷特》中的复仇情节除引起有关道德问题的兴趣外，还有刺激人们情绪的地方。简而言之，好人（哈姆雷特）是弱的，坏人（克劳狄斯）是强的。好人受到坏人的极大伤害，却得不到公正待遇，因为公正掌握在强大的坏人手中。哈姆雷特面对的是一个令人生畏的对手：克劳狄斯是个伪君子，但却是一个成功的人。他在每个人身上都能获取所期待的结果。他的伪善属于一个老练政客的伪善。他没有在任何方面明显做出与自己身份不相称的举动——他维护着自己的高贵地位。他是个“满脸堆笑的恶棍”，并且在彻底毁灭前是不会暴露自己的。好妒忌的哈姆雷特肆意辱骂他，但莎士比亚却使克劳狄斯这个杀人凶手保持自我克制。这样一来，剧情更显得激动人心。

同这个强大敌手对抗的是值得同情的哈姆雷特，他是个有头脑的人，谈吐诙谐。他让观众（以及几个为观众喜爱的人物，如霍拉旭）分享他的诙谐，这样他们就感到他优于剧中的大多数人物。他最先的话是对观众说的一句有双关意思的旁白，而他最先对国王的回答是一句含义隐晦的反驳。哈姆雷特在剧中许多地方都是一个演员。他伪装的角色的语言范围表明，他很有模仿本领。他同波洛涅斯谈话时，巧妙地作出“装疯卖傻”的样子，这是一场十分有趣的表演。他屈尊附和了罗森格兰兹和吉尔登斯登讲的那些无聊的下流话。他能完美地模仿奥斯里克的风格。他在奥菲利娅墓穴旁边同雷欧提斯的争吵是那样冗长噜嗦，超出了他的谦逊的天性，也超出了雷欧提斯的本性。

除克劳狄斯外，哈姆雷特的另一个对立面是波洛涅斯。他的判断是错误的，而且接二连三地出错，这使得观众对他的政治才能和人格价值持否定态度。他在所有场合都显得有些可笑，他对克劳狄斯也同对哈姆雷特一样，只是一个陪衬的角色。他的狡猾同国王的狡猾相比要逊色许多。他的人生哲学的观点同哈姆雷特的相比是空洞的。哈姆雷特像波洛涅斯一样，经常说许多格言，但他的格言似乎是来自更加高尚的感情和对生活经验作出真实结论的能力。在哈姆雷特这个谜一般的人物身上这些品质为他在全世界赢得了令人羡慕的赞美。

②《奥瑟罗》。轻信虚伪的表面现象，让感情左右理智，是莎士比亚许多喜剧的主题。在《奥瑟罗》里，他表明这样做的结果只能是悲剧，而不会是喜剧。莎士比亚改编的这个故事是根据意大利的原型。他的主要改动是发展了伊阿古这个恶棍的性格，他的动机被描写成复杂和模棱两可。很明显，莎士比亚的兴趣集中于塑造一个能够成功地保持诚实外表的恶棍；好人和坏人一样，都是“他们面容的主人”（十四行诗第94首）。伊阿古就是在这种兴趣驱使下创造的一个貌似诚实的反面人物。他是个演员，很欣赏自己扮演的“诚实的”角色。莎士比亚使他在玩弄诡计的每一步都将观众当做自己的知心人，结果，他们都稍稍地、而且是与道德无关地参预了他的恶行。

苔丝狄蒙娜和奥瑟罗之间的纯真、诚挚的爱情从一开始就受到了压力。莎士比亚一次一次地提高奥瑟罗的道德境界和智力境界。他只用几句话就平息了街头的一次骚动，他面对威尼斯元老院，举止高贵庄重，对勃拉班修的猛烈指控的辩白令人心悦诚服，并且满怀信心地从容地接受了军事重任。甚至伊阿古也在本剧的第一场中勉强地承认威尼斯仰仗他的英勇。苔丝狄蒙娜被他残忍地杀害后，奥瑟罗的极度痛苦的后悔表示也使观众对他产生了同情。

③《李尔王》。对于莎士比亚的同时代人来说，不列颠国王李尔是历史上的一个君主。可是对于莎士比亚，他虽然在这个剧的结构上加了某些历史内容，但他的兴趣不在政治事件上，而是在国王这个人物的性格上。剧的主题是由邪恶的里根对可怜的葛罗斯特讲的一席话中表示出来的：

啊！伯爵，对于刚愎自用的人
只好让他们自己招致的灾祸
教训他们。

（第2幕第4场）

李尔的精神转变（一种“态度的改变”）的不同阶段在剧中被细心地标示出来。他知道了忍耐的价值和“无处食宿的人”的长处。他开始认识到自己作为国王的错误，也差不多明白了自己作父亲的失败。他开始同情“衣不遮体的可怜人”并承认“我太少关心这些事”。他的不稳定的情绪几乎从一开始就预示他将发疯。他那起初对着考狄利娅、后来对着高纳里尔和里根的可怕的忿怒和诅咒以及他那专横的狂言，全都预兆了他的精神崩溃。他痛苦地意识到自己正走向疯狂，但是他那些神志正常的大话逐渐地为一种非凡流畅的雄辩所取代，而且从未显得支离破碎。他的“胡言乱语”，观众听起来是可以理解的，可是却令舞台上的其他人物感到有点不安。他们的观点是，如果明白得早一些，他就可以免除许多判断错误。疯国王的讲话方式，同他的弄臣和那装疯卖傻的爱德伽（“可怜的汤姆”）的十足不合逻辑的话，形成强烈的对比。

《李尔王》有一个独特的次要情节，一个关于葛罗斯特命运的单独的故事：另一位父亲因“庶子的忘恩负义”和自己对两个儿子性格的错误判断而遭到厄运。这个次要情节在本剧的第一场就较详细地插了进来，似乎同主要情节是一样的重要。葛罗斯特从自己所遭受的痛苦中同样接受了教训，这一过程的每个阶段也都清楚地表示出来。他开始时是一个快活的罪人，但逐渐地他的怜悯和责任感变得越来越强烈，于是向爱德蒙表示了自己的心迹：“大不了一个死（他们的确拿死来威吓），王上是我的老主人，我不能坐视不救。”他将自己的善良打算向出卖他的爱德蒙表白后，直接导致他的垮台以及被挖去眼睛。

两个“好”人爱德伽和奥本尼，在剧情的发展过程中也在道德境界和力量上有了增长。起初，爱德伽对他那同父异母兄弟爱德蒙的邪恶行为似乎显得毫无作为，完全不能对付，但到了最后，他所遭受的苦难以及他的同情心使他成为一个坚强的人，能够在决定命运的决斗中迎战爱德蒙并战胜他；并且在最后，作为一个幸存者，同奥本尼一起肩负起了王国的未来。奥本尼也是如此，他是逐渐成熟的，从高纳里尔的胆小的丈夫成长为美德和正义的代言人，并掌握了能同爱德蒙的邪恶力量进行较量的权威。

④《麦克白》。《麦克白》在很大程度上是莎士比亚唯一一部似乎同当时的历史情况有关的戏剧。因为它的主题是杀君，这通常被认为是最大罪行。而且公众已经被1605年11月的企图杀君事件——著名的“火药阴谋案”——所深深震动。麦克白君主是苏格兰国王，对于莎士比亚和他的观众来说，是属于许多世纪以前的苏格兰历史。但是《麦克白》这个剧无论在对所描述事件的处理上还是细节上，莎士比亚在设计时十分明显地意识到他自己那个时代的气氛。

文艺评论的首要任务是说明《麦克白》的成功，解释莎士比亚如何将一个出于野心进行谋杀的令人毛骨悚然的粗糙故事改编成令观众满意的关于善恶对比的幻想景象。他运用了两个主要艺术手法使这个改编获得成功。首先，他使他的剧本高度诗化。那富于想象力的语言气势是如此宏大，以致有些对诗歌敏感而对戏剧冷漠的评论家几乎忘记《麦克白》是一个剧本，他们鼓励读者将它视为一篇长诗。其次，莎士比亚始终如一地使两个凶手具有人性，以致他们几乎成了有同情心的人，而且由于他们是一对夫妻，他们的人性关系正如他们的种种作恶动机一样引起人们的关注。这一人性化过程是莎士比亚这个剧本取得成功之关键所在。他善于掌握观众的反应，这是戏剧艺术的一大成就，而不是在智能上或道德上有什么奥秘。

⑤《雅典的泰门》。《雅典的泰门》是莎士比亚的另一次试验——探索一种新的悲剧形式。莎士比亚悲剧的某些通常因素在这里变得不重要或者从剧的结构中被排除，这个剧的故事（或“情节”）简单而缺少发展。这里没有人物的成长——唯一的变化只有泰门一个人，他由一个对一切人都慷慨大方的固执的人变成对一切人都仇恨的人。在该剧的前半部，作者极力围绕泰门建起一个从中可以判

断他的行为的世界。他对周围的人和环境的看法是不切实际的,他对他们的反应是不相称的,于是事情变得很清楚,他的世界不过是个梦幻的世界。现实硬是闯了进来。可是,该剧的后半部只是泰门和访问者之间的一连串对话,这似乎是单为他们接受他的诅咒而安排的,泰门对他的同胞的疯狂咒骂几乎成了持续的独白。泰门终于在盛怒之下死去,只好留待艾西巴第斯来哀悼他,并对他的敌人进行惩罚。

对于《雅典的泰门》的写作水平的不平衡,后来出现不同的解释(与他人合写;未修改的稿本;某个水平不高的剧作家的作品),最大的可能是它是莎士比亚一个剧本的草稿。它同这几年的几部大剧十分类似,因为它的结构就属于这一类(重复的词和重复的意象,冷嘲热讽的语言,旁观者的"开场白和收场白",主要情节和次要情节的并行发展,互补和对比)。如果它是一部草稿,那么它提供了了解莎士比亚写作方法的独一无二的机会。它证明他是将结构放在写作之前。他先起草剧的结构,使主题、意象和冷嘲热讽的语言成为统一整体,而很少注意散文和诗的形式,也很少注意次要人物的塑造。这也表明他在下笔写人物台词时非常快,首先不在诗体的形式上浪费许多时间,只写下人物必须说的话的要点,有时凭一时冲动加进一些比喻,加进一行或半行无韵诗,甚至偶尔是押韵的两行诗——这一切都是为了以后"进行加工"。如果判定这个剧是"未完成的",那么它的价值和重要性就不应贬低:某些部分或许粗糙,但这个富于想象力的构想是完整的,作品本身有缺陷,但并非它不著名。

"阴暗"喜剧 在伊丽莎白女王于1603年去世前一段时间,国家处于不安状态:下议院对各种专卖权和王室特权变得越来越直率;王位继承权的不确定性也使未来变得捉摸不定。1603年鼠疫再次侵袭伦敦,使剧院关门。1601年莎士比亚的保护人南安普敦伯爵以谋反罪被捕,他后来获释,但发生这类事情后,并不表示在新王朝会得到信任。至于莎士比亚本人对这些事有何反应,只能是推测,但通常认为是这几年写的5个剧本中,有3个被称为"阴暗喜剧",因为它对世界采取了病态的观点。

①《特洛伊罗斯与克瑞西达》。这个剧在莎士比亚生前也许从未上演过,而且也不属于某一种类型。它所根据的,一个是荷马史诗(G. 查普曼翻译),一个是J. 利德盖特和W. 卡克斯顿于15世纪写的关于特洛伊战争的描述,它探讨希腊军队和特洛伊军队之间以及军队内部冲突的原因,本可以成为一部新的问题型和讽刺型的历史剧。但是莎士比亚也受到G. 乔叟的爱情诗《特洛伊罗斯与克瑞西达》的影响,并且首次描写了婚姻之外的性接触。克瑞西达在肉体上和精神上都渴望得到特洛伊罗斯(和后来的狄俄墨得斯);她坦率承认爱就是追求,她的行动原则是:

要是女人以为得到的爱情仍像未得到时一样甜蜜,
她一定从来不曾有过恋爱的经历。

正像在莎士比亚早期喜剧中那样,这些恋人同其他人形成了对照,但是有一点不同,他们与海伦同帕里斯及许多特洛伊人的老一套的生活无关,与阿喀琉斯和帕特洛克罗斯懒洋洋地待在营帐内讲的那些心怀妒忌的俏皮话无关。在克瑞西达出现的最后一场,她请求狄俄墨得斯到她的营帐里来时,莎士比亚加进了3个旁观者,他们在现场直接进行评论:这3个人是被征服的特洛伊罗斯和政治上狡猾的俄底修斯以及在舞台另一角落的忒耳西忒斯。观众不能只简单地辨认这5个人物,而是要注意他们的每一点不同。

潘达洛斯在收场白中也说了话,这个剧所讥讽的某些方面或许可以由他最后那几句话的软弱、沮丧表现同他开场白中的话的鲜明对比来判定,宣读开场白时他身披甲胄,宣布这场戏的地点在特洛伊,有"一群心性高傲的王子",有战争所需要的威武和大量坚甲利兵。莎士比亚的历史剧没有一部有如此广阔的范围,从歌颂英雄到描写琐碎的男女关系。虽然早期喜剧有时开始时是专横和失败,但在结尾时则伴有一场舞蹈,或起码是在台后进行一场充满希望的活动,并在日后某个"吉利时辰"实现它。这个剧也不能算悲剧,因为尽管赫克托死了,特洛伊罗斯除了憎恨和复仇外失去了一切希望,在最后一场混乱和不光彩的战斗中,没有为悲剧那种紧张气氛留下余地。每个人物的境界都是逐渐减弱的。

②《终成眷属》和《一报还一报》。1601～1604年间写的这两个喜剧并不完全是独特的。《终成眷属》和《一报还一报》都集中写结局是结婚的爱情故事,而且两者都由于有一个仁慈的国王或公爵的监督而使结局复杂化。

也许这两个剧中最重要的因素是一种新的浓缩。在《终成眷属》中,海伦娜关于受挫的爱情的独白以及有时是简短的话语,暴露了她内心的斗争,而她那不知情理的丈夫说的少许话,则表明他又失去了自信。在《一报还一报》中,依莎贝拉为自己弟弟的生命辩护及保卫自己的贞洁,公爵伪装成教士说服克劳狄奥蔑视生命,两者都使自己的论据显得有力而完美;还有安哲鲁在两次自白时的心境,他为依莎贝拉所吸引,明知依莎贝拉是善良的,却要逼她去干自己也认为是罪恶的勾当:

我每次要祈祷沉思的时候,
我的心思总是纷乱无主……

(第2幕第4场)

在这个喜剧中,大部分对话的紧凑,明显的宗教和法律关注以及莎士比亚早期风格中情节和次要情节的转换都结合到一起,构成了一部寻根究底、变幻莫测并且为多数行家视为是前提有问题的喜剧,一部只是由于困难、机智、和解或剧情需要而发展到最后结局的喜剧。

虽然这样的问题也出现在《终成眷属》里,但它们大部分发生在幕后,而且莎士比亚表面上也承认其他的主题——继承下来的美德同经过自己努力取得的美德的对立,成年人的智慧同易受影响的年龄的年轻人的智慧的对抗,以及每个人都要有自己的选择,即使是错误的选择。

这3个"阴暗"喜剧只有在20世纪才常常得以按莎士比亚原著的形式演出,这表示这些剧的疑问和讽刺态度,那种紧张的气氛和随机应变的喜剧手法,不为早期的观众所喜欢。

晚期戏剧 《佩里克利斯》、《辛白林》、《冬天的故事》、《暴风雨》和《亨利八世》写于1608～1612年间,通常被视为莎士比亚的"晚期戏剧"或"最后的戏剧",有时还根据其悲喜剧形式,称它们为"传奇剧"。

这些剧的一个共同特点是,虽然描写了范围广泛的悲伤感情,但事情的发展是困难得到解决,突出表现为和解和团圆。它们与过去的喜剧不同,在结构上强调通过忏悔和宽恕恢复希望,同时对年轻一代寄予信心,由他们用爱心医治或抹去过去的创伤。

这些故事往往过分夸张,动因是不真实的,"传奇剧"这个标签就是这样贴上的。莎士比亚从他的悲剧中最严酷的《科里奥拉努斯》立刻转到《佩里克利斯》,这是个荒诞情节剧,故事发生在基督教以前的世界。他观察古人不再通过像普卢塔克这样的历史学家的眼睛,而是通过希腊晚期传奇剧的模仿者赫利奥多罗斯和阿基琉斯·塔提奥斯的明快的小说。例如,在《冬天的故事》中,事情的发展是由阿波罗神从他在得尔福岛上的神殿中决定的,然而波希米亚和西西里两王国容纳了沃里克郡的乡村节日和骗子;而赫米温妮王后竟大胆地断言:"俄国皇帝是我的父亲。"

有的评论家认为,莎士比亚戏剧风格的这种改变,是由于他此时除了诗以外对其他均已厌倦;有的则认为,他对于富有浪漫色彩的悲喜剧发生了兴趣。此后,1608年国王供奉剧团租下了黑衣修士剧场。这是一个更高级的剧场,有理由推测,剧场的良好设备促使莎士比亚为更关心在戏剧创作方面进行富有想象力试验的老练的观众写出新型的剧本。

①《佩里克利斯》。《佩里克利斯》前几场的表现力较弱,台词常常不合句法,有时几乎看不懂。后一半写得十分漂亮,是莎士比亚老练的风格。现在一般认为,那些不合格的部分是根据演员不完整的回忆重新整理而成。至于剧的后半部,一种可能是印制人得到了高质量的手稿,另一种可能是演员的回忆更为准确。本·琼森称《佩里克利斯》是一个"陈腐的故事"。它当然非常古老。这是个散文体的希腊故事,流传下来的是拉丁文译本。根据它又翻译成许多欧洲文字。乔叟的朋友和同时代人J. 高尔曾将这个故事写进自己的长诗《一个情人的忏悔》中,莎士比亚时期还出现了两个单独的散文译本。

②《辛白林》。《辛白林》的主题是波塞摩斯以自己妻子伊摩琴的贞洁作赌注,是莎士比亚从薄伽丘《十日谈》中的一个故事那里借来的。但是他将这个意大利风格的故事情节放在一个对观众来说是可信的环境里。辛白林是英国国王,他有两个儿子,叫古德律斯和阿维拉古斯,他们继承了他。对莎士比亚的观众来说,他们都是历史上的帝王。这个剧的时间谨慎地安排在基督教以前的罗马世界。罗马人入侵英国这个题目明显地是对古代世界的一种探索,它同创作《尤利乌斯·凯撒》、《安东尼和克莉奥佩特拉》及《科里奥拉努斯》的活动同出一类。

莎士比亚表现了巨大的戏剧才能,他将

情节、时间、地点诸方面的许多不同因素编排在一起。在威尔士野外的那几场，阿埃基摩隐藏在伊摩琴卧室箱子中的一场，波塞摩斯和装扮成斐苔尔的伊摩琴的假死场面，英国人和罗马人之间的战斗场面，骑鹰的朱庇特的显灵——所有这些都是为该剧最后一场的令人惊异的错综复杂情景设置的，据统计，该剧455句台词中共有24处不同的"启示"。

③《冬天的故事》。在《冬天的故事》中莎士比亚更大胆了。他采用了将不同的异族文明进行类似的相结合的方式。他还放弃了故事发展的统一性。他在剧的中间让其中断16年，并让一个名叫时间的人物出场，劝说观众接受剧中时间的快速变化。莎士比亚同样还以小王子迈密勒斯之死以及他的母亲赫米温妮表面上的死引起的怜悯和随后她的妒忌心重的丈夫里昂提斯的忏悔向观众的信任提出挑战。他还让安提哥纳斯这个最吸引观众的人物被一只熊吃掉。莎士比亚显然只打算借助强化特定的片断让观众在一定时间参与其中，而不让其在感情上投入整个故事情节。他的人物有3次使用同一句话"像一个古老的故事"，似乎他们自己也对其可信性产生怀疑。至于或许是最动人场面或者是最动人场面之一的潘狄塔的真正身世的暴露，只是间接地同几个无名绅士有关系。莎士比亚大概不希望在最后一场的戏剧效果发生之前有所表示，也不打算降低它的作用，在这一场中赫米温妮的"塑像"变活了。或许，他在《佩里克利斯》中已经表现了父亲和失去多年的女儿相认的一个类似场面，不希望这次又重复它。

④《暴风雨》。这个剧在故事情节的多样化上表现了更大的优势。剧中有一群变化很快的人物；有精心设计的歌舞；有一场由女神伊里斯、刻瑞斯和朱诺表演的结婚假面剧；有一个专为演出而设计的"特别机关装置"，抬进了一桌酒席，后又顿时消失；有温柔的爱情；有出色的滑稽表演。然而，一种严肃的基调贯穿全剧；关于自由的问题，关于报复的本能的问题以及冲突双方要求宽宏大度的问题都提了出来；当普洛斯彼罗在他那含义隐晦的收场白中像一个演员要求观众给予良好的祝愿时，存在着一种微妙的严肃感。

这个故事的情节大部分发生在过去，只有和解的高潮和发展到高潮的有关事件在剧中表演。虽然"时间的统一"几乎保持下来，但心灵上的进展的总效果以及心灵感应事件的次数都是巨大的。刚来到普洛斯彼罗的岛上的人们，摸索自己通向忏悔的路：王子在经过一段没有把握的摸索后，找到了自己通向真正爱情的道路；米兰达的处女心也唤醒了。凯列班这个类似人的怪物想造反，但随后知道自己错了；爱丽儿这个超自然的小精灵找到了重新获得自由的方法。普洛斯彼罗恢复了公爵的政治权威，并宽恕了一切人。

从地理上说，这个剧有一个非常有趣的双焦点。明白地说，这是关于那不勒斯和米兰的故事，一个充满篡位、纳贡、效忠及政治婚姻的世界，观众在詹姆斯一世时期的悲剧中，对此是熟悉的。与此同时，发现新大陆这一当代激动人心的事件也渗进这个剧中。这是一个印第安人的和殖民地的世界，一个充满奇迹、恐怖和对新发现土地的轻信的世界。

⑤《亨利八世》。《亨利八世》这个剧给评论界带来许多困难。它有一段长而有趣的舞台演出历史，但是从19世纪中期开始，看法出现了混乱，因为对该剧是否为莎士比亚一人所作产生了怀疑，原因是该剧有许多场和一些出色的对话，其写作风格非常接近弗莱彻(见本段下面"合作写的和被认为是他写的剧本")。可是近代评论主要倾向于只认可这个剧的原状。虽然这是一个英国历史故事，但它不同于莎士比亚先前在伊丽莎白时代写的那些"历史剧"。它结构较为松散像一系列历史场面和一系列关系松散的危机时刻表演，而非一个精心安排情节的戏剧。它有着另一类的统一性：由包括勃金汉、伍尔习和凯瑟琳王后之死的3个悲剧片断发展到预言一个新的时代即将来临。该剧以给安·波琳的婴儿举行洗礼仪式而告终，它使坎特伯雷大主教克兰默受到上帝的启示，发表了一席赞颂她这位未来国君伊丽莎白一世荣耀昌盛的奇异谈话。因此，《亨利八世》尽管有许多不同之处，但它也像莎士比亚其他晚期戏剧一样，其重点接近于让过去的悲剧事件引向和解，并寄希望于新的一代。

合作写的和被认为是他写的剧本 伊丽莎白时代戏剧界的紧张竞争刺激剧作者进行合作，这在一些剧团几乎成了定规。但评论界的意见认为，1623年出版的对开本中的每个剧本基本上都是莎士比亚的。只有早期写的剧本的某些部分，特别是《亨利六世》第一部和《驯悍记》或许是取自别人以前写的剧本。然而，还有一些更有力的论据说，《亨利八世》中的若干部分是弗莱彻写的，弗莱彻自1608年起时常为国王供奉剧团写戏。他的名字在别处同莎士比亚的名字连在一起，最有名的是《两个贵族亲戚》，该剧本于1634年作为他们的合著出版。

莎士比亚在世时以及后来一些年中，人们认为当时的几个剧本是他写的(往往完全没有根据)。可是一部由5个剧作家(可能包括T. 德克、A. 芒戴、H. 切特尔组成的小组大约在1595年写的《托马斯·莫尔爵士的小册子》一剧中，有一场的147句台词是出自他的手笔，但该剧后来遭到检查官的扣压。托马斯爵士企图镇压排外的暴乱在情绪上同《威尼斯商人》中有关夏洛克的片断有联系，并在意象和诗体化方面回应着16世纪90年代的戏剧。在出版的剧本中，《爱德华三世》(1596)的匿名作者被认为是莎士比亚；其中国王向索茨伯里伯爵夫人求爱的片断在风格上很像是莎士比亚的手笔，但这也可能是一个模仿者的作品。另外在第三版对开本(1664)中也收进了几个被认为是他的剧本：《洛克林》(1595)、《约翰·奥德卡瑟爵士》(1600)、《克伦威尔勋爵托马斯》(1602)、《伦敦浪子》(1605)、《清教徒》(1607)及《约克郡的悲剧》(1608)。现在没有一部可以算作是莎士比亚的。当作莎士比亚的作品而印制的其他剧本也是这种情况，这表明他的声望是如何巨大——一个商标甚至能将臭鱼卖掉。他那个时代的剧作家没有一个受到如此的滥用。

莎士比亚的阅读范围 除了少数例外，莎士比亚没有为自己的剧本杜撰情节。他有的时候利用古老的故事(《哈姆雷特》、《佩里克利斯》)。有的时候则采用近代意大利作家的作品，例如薄伽丘的，他用了两个广为人知的故事(《罗密欧与朱丽叶》、《无事生非》)和一个鲜为人知的故事(《奥瑟罗》)。他将他的同时代人写的通俗散文故事用在《皆大欢喜》和《冬天的故事》中。历史剧中罗马题材大部分取自普卢塔克的《希腊、罗马名人列传》，以英国历史为基础的题材则取自霍尔和霍林希德的编年史。有的剧写的则是带有传说色彩的相当久远的历史(《李尔王》、《辛白林》、《麦克白》)——虽然莎士比亚的同时代人似乎比今天的人更感觉它们是真实历史。以前的剧作家有时也用同样的材料(例如，以前有的剧就叫《亨利五世的著名胜利》和《李尔王》)。但是，由于莎士比亚时期的许多剧本已经失传，现在已不可能断定一部失传的早期剧本同莎士比亚幸存下来的剧本之间的关系。至于《哈姆雷特》，可以有根据地说，有过一个"旧剧本"，但它仅仅是莎士比亚自己剧本的一个早期版本。

莎士比亚的剧本有"原始材料"，这在他在世时已经很明显了。现在人们从中殿律师学院的年轻律师J. 曼宁汉的日记中发现了一段关于当时一场演出的有趣描写，他记录了1602年和1603年亲身经历的事。1602年2月2日这一天他写道：

> 过节时，我们看了一场戏，名叫《第十二夜》(又名：《各遂所愿》)，它很像《错误的喜剧》或普劳图斯的《孪生兄弟》，但更像也更接近意大利文的Inganni……

第一本关于伊丽莎白时代戏剧原始材料的资料集出版于17世纪，书名为《英国戏剧诗人记事》(1691)，作者是杰勒德·朗贝恩，这本书简要地介绍了莎士比亚是从何处为他的几个剧本找到材料的。但是在整个17世纪，一般认为莎士比亚是个"天生"的杰出作家，而对他的智力背景比较不怎么注意："他天生是个有学问的人；他不需要戴上书籍的眼镜去阅读自然。"这是J. 德莱顿在1668年说的。然而很明显，莎士比亚作品的才智水平是很高的，显示了他有异常敏锐的头脑。尤其是他的那几部罗马剧，是关于古代世界的精确、逼真的重现。

将原始材料收在一起并编成能同莎士比亚的剧本进行比较阅读的第一本原始资料汇编，是由夏洛蒂·伦诺克斯夫人于18世纪完成的。更为完整的汇编出现时间更晚，著名的有J.P. 科利尔编的《莎士比亚文库》(1843)，由W.C. 哈兹里特修订的版本出版于1875年。这些早期的汇编本现在已由G. 布洛编辑的《莎士比亚叙事作品及戏剧作品的原始资料》(7卷，1957～1972)所构成。

对莎士比亚的了解

对剧本的赞同性研究 读者打开莎士比亚的作品，立刻就会被几行诗或一句话或一个不易捉摸、充满感情和光彩的字眼所吸引。的确，莎士比亚运用词和意象的高超本领，掌握音调、节奏、韵律和结构的非凡能力，以及他的诗行的准确、简洁和抒情风格，征服了无数的人。

对于大多数读者来说，了解莎士比亚的第二步便是欣赏他写的一个个人物。许多论述莎士比亚的早期著作都是关于他的"人物"的，而对人物的争论现在仍继续着。对剧本内容的鉴赏通常没有多少意义，因为莎士比亚不是一个喜欢说教的剧作家。但是大多数执着的读者越来越感到，无论在莎士比亚的一个剧本中还是在他的全部著作中，存在着灵感、道德裁判和理想主义观点的一致性。

当这些剧本上演时，它们进一步以新的、立体的、有血有肉的真实感将自己展示出来，并能够在那些熟知剧本的许多提示因而变得颇有见识的戏迷或读者心中留下十分深刻的印象。

尽管更深一步理解莎士比亚的作品需要多方面的才能和学术性指导，但正如第一对开本编者当时推荐这些剧本时说的，对于任何人，"无论你的才思或你的智慧如何异乎寻常"，莎士比亚作品的直接的感染力依然保持不变。或许最根本的是，这些剧本将继续只让自己的奥秘展示给那些富于想象力的人。

困难的原因 *原作是谁的问题* 一种认为莎士比亚剧本和诗的实际作者不是他本人的观点，多年来成为许多书的研究课题，而且广泛认为这种有趣的可能性起码是存在的。对剧本作者产生种种怀疑的根源是莎士比亚文学上的伟大成就同他相对卑微的出身、可能没有受过充分教育以及个人生活的默默无闻之间的悬殊差异。人们声称，他们发现莎士比亚的作品对语言和文学，对诸如法律、历史、政治和地理，以及宫廷礼仪和言词都十分通晓，他们认为这一切对于一个普通演员、一个外省商人的儿子是不可想象的。这是说，在那个时代有这样知识面的人只能是受过广泛教育、而且十分熟悉莎士比亚剧本大量描写的那些王族和显贵的人。缺乏当时的资料记录也被认为同莎士比亚的显赫名声不相符，因此就引起一些神秘的联想。他的手稿一点没有保存下来也成了证据，证明原先为了不暴露作者的真正身份而将手稿焚毁了。

①"培根"说。最早提出莎士比亚剧本的作者可能是培根，是19世纪中叶的事，这方面的研究首先集中于对培根的知名著作同剧本进行文字上的比较，发现两个人的著作中在涉及《圣经》、法律和古典作品时，其论述是相似的。19世纪晚期，一种研究是在剧本的文字中寻找密码信息。例如，在《爱的徒劳》中发现拉丁文"honorificabilitudinitatibus"("在充满了荣誉的情况中")这个词是由 Hiludi F. Baconis nati tuiti orbi("这些剧本，即弗·培根的产物，是为世界保留的")变换字母顺序构成的。可是20世纪的密码专家们查验了培根的所有密码后，认为这些论据站不住脚，于是关于莎士比亚-培根的争论的兴趣减弱了。

②其他人选。一种理论认为，剧本的作者是牛津伯爵(第十七)爱德华·德·维尔，这种说法由于牛津的有名诗歌恰巧在莎士比亚的作品出现之前明显减少这种巧合而受到有限的支持。它的论点是，牛津采用假名写诗，是为了保护他的家庭以免因他热爱戏剧而遭到社会上闲言碎语的伤害，也还因为他的奢侈生活已经在朝廷有了不好的名声。另一位人选是威廉·斯坦利德比伯爵(第六)，他对戏剧入了迷，并且是他自己的剧团的保护人。他在16世纪80年代写的一些诗以及所显示的不成熟的莎士比亚风格，不会是莎士比亚的手笔。这些诗中一首是德比的手迹，另有3首签上"W.S."字样。一些人认为这些大写字母是为了掩饰德比的身份(认为牛津也有类似动机)，以后就可以扩大成"威廉·莎士比亚"。

有人还认为莎士比亚就是克利斯托弗·马洛，其说法更加离奇，说马洛并没有于1593年在小酒店的一次吵架中被杀(尸体是用另一个人来代替)，而是偷渡进入法国，并从那里去了意大利，他在流亡期间继续写作，他的作品由莎士比亚署名，并付钱替他保密。

③有利于莎士比亚的证据。尽管他在世时有约50个人提到他的正式作品中有许多剧本的作者就是莎士比亚，但在当时他的伟大并没有如人期望的那样明显得到承认，这一点却是值得讨论的。但在另一方面，困难也并不像许多怀疑论者认为的那么大，而且他们的建议往往是提出大量问题，而很少解决这些问题。毕竟莎士比亚的同时代人在写到他时明确地将他视为剧本的作者。本·琼森十分了解他，为1623年出版的第一对开本献诗作序，他在这里(像在其他地方一样)对作者莎士比亚既进行了批评又作了颂扬。赫明和康德尔同莎士比亚是同一剧团的演员，又是该剧场的股东，他们为第一对开本写了献词和一篇前言，并解释说他们做的是编辑的工作。因此，在当时，他被认可是剧本的作者。在他整个在世期间以及去世后的很长一个时期，没有发现有谁对他的作者身份提出怀疑。认为剧本的作者是一个学识非凡的人，而斯特拉特福镇的莎士比亚不过是未受过教育的乡下人，这类得不到支持的说法并未受到重视，只是后来当一个认为是培根、是牛津、是马洛的人提出有力的论据，学者们那时才对这些论据及他本人密切注意。

语言问题和历史问题 自莎士比亚时期以来，英语已经发生了变化，观众、剧院、演员以及思想和感情的习惯模式也发生了变化。时间已经在他那面观察生活的镜子上蒙上了一层日益加厚的云雾。现在这方面只有靠学术研究了。

单词的问题最明显。例如在20世纪，presently没有 immediately 的意思，但在莎士比亚那个时候却是常用的，又如 will 的意思是 lust，rage 的意思是 folly，silly 则表示 innocence 和 purity。在莎士比亚时期，词的发音也不同，ably 与 eye 同韵，tomb 与 dumb 同韵。句法也往往不同，解释也困难得多，这还反映在韵律和短语上。在现代人听起来是一句正式、刻板的话，伊丽莎白时代的人听起来则是新鲜和明快的。

观念也改变了，最明显的是政治。莎士比亚那个时代的人几乎一致信仰君主专制政体，并承认上天对历史的介入。绝大多数人会同意，一个人如信仰极端的异教邪说，应处以火刑。这是说，语言研究和历史研究的职责是帮助了解那些有效影响莎士比亚戏剧效果的众多因素。

文本问题和编辑问题 莎士比亚剧本的手稿没有一部保存下来，有些剧的印刷文本，主要如《李尔王》和《理查三世》，有的段落出现明显错误，莎士比亚当时是如何写的，如今没有一点线索。即使印刷商收到一部好的手稿，小的错误仍会发生。排字工人也不十分理想，他们因缺少必要的铅字，常常将自己手中的原稿的文字加以"规则化"，改动标点符号，或者由于加快工作速度而造成错误。甚至印刷所修改校样会进一步造成正文的错误，因为这样的改动通常不问作者、也不查阅手稿。当经过印刷所修改和未经过修改这两种情况并存时，未经过修改的稿本往往是更可取的。毫无疑问，校样的修改人应对目前不可能纠正的许多错误负责。

文学评论 *文学评论家与戏剧* 对莎士比亚进行评论，必须考虑到的事实是，莎士比亚本人是打算让自己的剧本上演的，因为他是一个定期轮换剧目的剧团中的专业剧作者，一个剧演出的成功决定着他的收入，而在他有生之年，他显然没有努力以自己的剧本获取"文学"声誉(或许是太忙的缘故)。

莎士比亚评论史和他的剧本的舞台史是并行发展但又是分开的，这个事实使情况变得复杂起来。公平地说，大约自18世纪中叶以来，评论家和戏剧界在对待莎士比亚的问题上，一直存在着长期的紧张关系。评论家和演员之间没有明显牢固的联系。喜欢去剧场的人通常是被名演员扮演的角色所感动，而读者则因对剧本的特殊艺术形式的了解和赞赏，产生愈来愈深刻的印象。莎士比亚评论与其说是受舞台演出的影响，不如说是受每个时代占统治地位的文学形式的影响：如，受到浪漫主义时期自我揭露性诗歌的影响，受到维多利亚时期心理和伦理小说的影响，受到20世纪诗歌中对人类状况的片断揭露的影响。说每个时代都在从莎士比亚作品中寻找它想寻找的东西，这是一种陈词滥调。它只是在发现它能发现的东西。但是，如果要使文学评论处于健康状态的话，莎士比亚的评论家就应该更多地做些实事，而不只是停留在口头上。然而，良好的文学评论尽管深深地陷在目前的困境中，但也像一切智力活动一样，正在努力从这一处境中脱身。

莎士比亚评论的发展 为获取评论一个作者作品的基础，合理的做法是首先了解他的同时代人对他的成就如何评价。有关莎士比亚这方面的材料后来到17世纪时才有人收集，这些材料表明，许多重要作家不怎么注意他。由于种种原因，本·琼森的声望在那个世纪上半叶大概是比较高的。而且他是17世纪初最畅言无忌的评论家，他认为莎士比亚是个天赋很高的作家，但自律不够。从他的评论引申出"自然"和"艺术"之间的差别，结果长期成为莎士比亚评论的一个顽固的、没有结果的题目。这个观点进一步受到约翰·弥尔顿的鼓励，他将琼森的"有学问的喜剧"同莎士比亚"充满乡土粗犷气息的野性音调"(它本来指的是喜剧，但结果却当成了总的评价，特别是"野性"这个形容词)加以对比。是本·琼森的过分吹毛求疵态度，而不是他在1623年对开本的献诗中的动人赞扬，被17世纪末和18世纪的评论家继承下来，他们指责莎士比亚粗心，挑剔他艺术上的"错误"。

J. 德莱顿(1700年卒)是第一位杰出的

莎士比亚评论家。他以实事求是的态度评论莎士比亚，十分注意他作为剧作家的艺术成就。在莎士比亚之后100年，关于他的最好的文学评论便是对德莱顿的见解进行阐述和澄清。德莱顿有时用最高的措辞赞扬莎士比亚，并勇敢地保卫了英国的戏剧传统，他强调说，如果这同亚里士多德神圣的古典规律相背，那仅仅是因为亚里士多德没有看过英国戏剧；如果他看了，他的那些规律就会是另一种样子。不过德莱顿有时也根据来自法国并随后盛行于整个欧洲的新古典主义审美原则，指出莎士比亚艺术上的"缺点"。莎士比亚戏剧艺术同当时受到赞赏的悲剧（高乃依和拉辛）的艺术是那么不同，一个评论家用适当的措词来解释它并为之辩护是颇为不易的。最严厉的指责是莎士比亚戏剧没有表现"善有善报、恶有恶报"的思想。虽然几位18世纪的优秀评论家，如约瑟夫·艾迪生和约翰逊博士，看出了"善有善报、恶有恶报"作为一种艺术理论的局限性，然而他们总的感觉是《李尔王》的结尾是特别无法容忍的，考狄利娅之死触犯了一切合乎常情的正义感。于是这个剧本就由诗人兼剧作家塔特按照符合"善有善报、恶有恶报"理论的原则，加上了一个"幸福的结尾"，改写后的剧情是：李尔王恢复了他的权威，考狄利娅和爱德伽结了婚，并预示着不列颠联合王国将有一个繁荣昌盛的统治时期。这一修改得到了约翰逊博士的赞许，改写的剧本在几代人的时间里一直在舞台上演出，而且在19世纪中叶以前一直是《李尔王》这个剧在舞台上的唯一演出形式。

18世纪初，笨重的对开本为对读者更加方便的版本所替代。尼古拉斯·罗在对剧本的文字进行整理后出版的1709年版6卷集中，加上了每一幕的场次、出场人物名单、故事发生的地点等等。罗本人是个有成就的职业剧作家，从整体来说，他对这些剧本所作的评论起了好的带头作用。可是A. 蒲柏编的1725年版文集前言，却对评论起了不良影响。他认为，莎士比亚的天赋才能由于他为剧团工作而受到束缚。蒲柏完全接受了莎士比亚作品作为舞台剧本的艺术形式。但是他认为这是一个重大的不利条件，并且是造成剧本出现艺术缺陷的根源。相反地，约翰逊博士认识到创作舞台剧本的方法影响着所创造的幻象的性质。他在自己编的那版（1765）的出色序言中，彻底抛弃了英国文学评论中新古典主义的种种理论：如"规范性"、"三一律"以及悲剧和喜剧互不相容等；这些理论在他看起来同莎士比亚的艺术不相干，而且会给它的讨论造成混乱。约翰逊在许多方面都是莎士比亚是现实主义剧作家这一观点的首倡者，他说莎士比亚将悲剧和喜剧的场景交织在一起是有道理的，这是在"展示人间的真实情况"，其中笑与泪、喜与悲并存。

约翰逊指责莎士比亚作为一个戏剧艺术家缺少应有的道德感。他写道，莎士比亚"为了实利而牺牲美德，过于注意取悦观众，而不是进行指导，他写剧本似乎没有任何道德目的"。后来的评论家们觉得自己被迫要对这样的评论进行反驳和回避。但是约翰逊的序言，如果说它未能使莎士比亚艺术技巧的讨论有一个新的开始，却也清除掉一些没有生命的、不相关的教条。

在英国，约翰逊以后的18世纪下余年代里，有了进一步发展的是学术成就，而非评论。那时文学评论的最大成绩是在莎士比亚的作品中发现了新的微妙意义，特别是在人物性格的塑造方面。其实，承认莎士比亚是戏剧艺术家，主要是由于他那明显的塑造人物性格的本领（18世纪现实主义小说的发展使读者对此更加敏感），而对他的戏剧才能的其他方面并未给予足够的注意。在英国，没有可与德国莱辛、歌德、施莱格尔对莎士比亚的精彩评论相媲美的东西。后者在1797年写的一篇评论《罗密欧与朱丽叶》的文章中说，撇开个别诙谐用语，这个剧本没有可拿掉的，没有可增加的，没有可重新安排的，除非使这部艺术作品变得支离破碎，使作者的本意变得混乱不清。从此开始了近代莎士比亚评论。实际上，自18世纪莱辛开始直到19世纪中叶，德国的评论家和学者在解释和翻译莎士比亚方面做出了巨大的有独到见解的贡献，指出了莎士比亚超群卓绝的艺术才能，而当时在英国，他受到的赞誉更多是称他为杰出的诗人、出色的人类观察者，而非严谨的艺术家。

英国最伟大的莎士比亚评论家柯尔律治强烈否认自己受到施莱格尔的影响（虽然他承认莱辛的影响），但在他们两人之间确有许多类似之点。他的评论（他没有写成一本系统论述莎士比亚的书，因此必须将讲演稿、笔记以及对他的谈话的回忆中有关这方面的见解放在一起来看）首先批评莎士比亚缺乏艺术技巧，但他在1810年以后的讲演中，以及在他的《文学传记》（1817）中表示，莎士比亚的"不合规则"事实上是精微智力的表现。文学评论的目的是揭示剧本为什么是那样写的原因。莎士比亚是目光敏锐的心理学家和思想深刻的哲学家，但柯尔律治声称，他甚至是个更伟大的艺术家，他的艺术技巧看来是"无意识的"或"有机的"，不是有意设计的。柯尔律治时期占主导地位的文学形式，即那类自我暴露的诗歌，就这样影响了当时的文学评论：哈姆雷特被认为是用莎士比亚的声音和感情说话，至于十四行诗，威廉·华兹华斯（他的最大成就是写了一篇关于自己心灵成长的长诗）解释说，莎士比亚在自己的十四行诗里"打开了他的心扉"。

在19世纪里，这些评论意见在平庸文人的笔下退化了：对莎士比亚多方面艺术才能的信仰导致过于细致的阐释；因热衷于人物分析，结果出现了过多的超出严格剧本范围的传记作品；因公认莎士比亚有敏锐的智力，结果将他本人同宗教、政治、伦理、心理和玄学等领域的几乎每个思想流派都联系在了一起。然而，浪漫派作家们的伟大成就是将评论从专注于莎士比亚作品的"美"和"错误"中解放出来，而致力于解释读者或戏迷在剧中一直感觉到的那种愉快欢乐。莎士比亚的"错误"于是成为"问题"，文学评论的成就之一就是对剧本中某些迄今是困难的或不相容的细节找到了解释。欧洲许多最杰出的作家都是莎士比亚的评论者，他们的言论（它们对莎士比亚的解释正确与否暂且不管）是重要的，因为这是他对那些伟大心灵产生影响的记录。

莎士比亚的影响 今天，莎士比亚的戏剧在世界各国上演，各种各样新的试验性工作从这些剧中获得灵感，革新剧院导演P. 布鲁克写道："在20世纪下半叶的英国，我们面临一个令人生气的事实，即莎士比亚依然是我们的楷模。"

莎士比亚对英国戏剧的影响从一开始就很显著。J. 韦伯斯特、P. 马辛杰和J. 福特是公开借助他的作品知名的剧作家。他的影响对王政复辟时期剧作家也很明显，特别是T. 奥特韦、J. 德莱顿和W. 康格里夫。在20世纪作家中，J. 奥斯本、H. 品特、S. 贝克特和萧伯纳的作品里都可以发现有仿效莎士比亚的地方。许多作家接过了莎士比亚的情节和人物，如萧伯纳改写了《辛白林》的最后一幕，T. 斯托帕特在《罗森克兰茨和吉尔登斯特恩都已死去》（1968）中创造了几个人物，以便同《哈姆雷特》中一些部分相对比，而E. 邦德用《李尔王》作为他自己的《李尔》（1971）的起点。

莎士比亚也影响了国外的剧作家和导演。早在17世纪初，英国一些巡回剧团在德国很受欢迎，而《哈姆雷特》的德文译本《杀兄者受到惩罚》的出现表明该剧的影响多么迅速。他对后来欧洲剧作家的影响，从A. 契诃夫的《海鸥》中连续提及哈姆雷特，发展到B. 布莱希特在《阿图罗·魏的有限发迹》中模仿《理查三世》，M. 弗里施对《约翰王》的改编，以及A. 纪德对《哈姆雷特》的翻译和简化。

莎士比亚对演员的影响，自他那时以来几乎同样广泛。许多欧美演员都靠演莎士比亚的人物取得最大成就。在英国，很少有不演他的戏而取得杰出成就的演员。每个演员都有机会扮演适合自己的角色。这不是因为莎士比亚只写了一个轮廓，其余的让演员去补充，而是因为他为演员留下了许多各种各样的发挥余地，让他们去召唤他们内心深处最有个人特色的才能。

莎士比亚时代以后的剧院导演和舞台演出设计师，可以运用各种各样舞台技术条件，他们一再地上演他的戏剧，因为这些戏剧提供了表现壮观场面和技巧、表现仪式和现实、表现音乐和可控制的寂静的机会。它们固有的戏剧性也促使改编成各种不同的传播媒介：有歌剧（如威尔地的《奥瑟罗》）和芭蕾舞（如好几个国家各自改编的《罗密欧与朱丽叶》）；有录音带、电视节目和电影。喜剧改编成音乐喜剧（如将《驯悍记》改为《吻我，凯特》）；甚至悲剧《奥瑟罗》也成为1971年出现的名叫《抓住我的灵魂》的摇滚音乐剧的灵感，从《麦克白》产生了一个名叫《麦克博！》（1967）的政治讽刺剧。

莎士比亚通过哈姆雷特的口说，戏剧演出的目的是"举起镜子反映自然"，他的剧作的历史，从它们最初上演直到现在，证明他卓越地实现了这一目的。

Shakhlin, Boris Anfiyanovich **沙赫林**（1932-01-27，苏联俄罗斯伊希姆～2008-05-30，乌克兰基辅） 苏联体操运动员。他在整个体操生涯中创造了在世界锦标赛上赢得10块个人项目金牌的纪录，并在连续3届奥运会上夺得金牌。1955年毕业于基辅体育学院。

1954 年首次参加世界体操锦标赛，获单杠银牌。在 1956 年墨尔本奥运会上获鞍马金牌，并与其他人同获团体赛金牌。在 1960 年罗马奥运会上蝉联鞍马冠军并取得双杠和跳马冠军以及吊环亚军。在 1964 年东京奥运会上获单杠冠军，并获个人全能和团体银牌以及吊环银牌。从 1968 年起任国际体操裁判，并任国际体操联合会技术委员会副主席。他曾被授予列宁勋章。

Shakhty　沙赫特　又拼Šachty。1920年以前称亚历山德罗夫斯克-格鲁舍夫斯基。俄罗斯西部罗斯托夫州城市。位于格鲁舍夫卡河上游河畔，在顿河畔罗斯托夫市东北 75 千米。19 世纪初发展为采煤中心，1881 年设市。现为顿涅茨煤田东端的主要城市，周围有许多矿井及其闷烧着的废碴堆，该城名俄语意为“矿井”。所产煤炭质量好，多为无烟煤，亦开采炼焦煤。南部卡缅诺洛姆尼有采石场。其他工业有铸铁、食品罐头、酿酒、鞋靴和服装业。设有一所综合性工业学院。人口约 220 400(2002)。

Shakhtyorsk　沙赫乔尔斯克　又拼Šacht'orsk。1953 年前称卡特克。乌克兰东部顿涅茨克州城市。为顿涅茨煤田的一个采煤镇，产优质无烟煤。有选矿厂和建筑材料工厂。1953 年建市。人口约 59 589(2001)。

Shaki　沙基　旧作Saki。尼日利亚奥约州城镇。地近奥菲基河源头，距贝宁边界约 60 千米。沙基原为奥约帝国的一部分。1835 年古奥约城被穆斯林富拉尼征服者破坏后，成为约鲁巴难民居住点。19 世纪 60 年代初约鲁巴传教团在此建圣公会教堂。沙基镇现为棉花、沼泽稻、柚木、烟草的出口地和当地农产品(薯蓣、木薯、玉米、高粱、豆类、牛油果和秋葵)销售市场。该地也是传统的织布中心。镇内养牛业日益重要。镇内高 488 米的岛山耸立在周围的热带草原之上。人口约 161 500(1993)。

Shakū (Buddhist reformer)　**绰空**　参阅 **Shinran 亲鸾**。

Shaktism　性力教　又拼Śāktism。与毗湿奴教和湿婆教同为印度三大派，此派崇奉至尊女神舍支，盛行于孟加拉和阿萨姆。该派认为舍支是众女神之主或某一男神(如湿婆)的配偶；灵智臻善的人以此女神为必须绝对听从的神母。虔修者认为此女神为蛰伏于人体内的性力，必须激发这种性力才能达到解脱。

shakuhachi　尺八　从底端吹的日本竹笛，由中国箫演变而成。它的吹口削成向外倾斜的角，并有一小片象牙或兽骨嵌在边缘上，以便产生微妙的音色变化。为了美观，在靠近喇叭口的上方，笛身自然地或人工地略有弯曲。“尺八”一称来源于乐器原来的长度(一尺八寸)，但它实际上有多种长度。通常有 4 个指孔和一个拇指孔。曲目有独奏曲和室内乐曲。

shale　页岩　由粉砂级和黏土级颗粒组成的细粒纹层状的沉积岩类之任一种。它是沉积岩中最丰富的，在地壳中，它占了沉积岩的大约 70%。页岩常与砂岩和石灰岩层一起产出。典型情况下，页岩的形成环境是泥质、粉砂质和其他沉积物在微弱的搬运水流中沉积并被压实，例如，在深洋底、浅海底、河流河漫滩和干盐湖。大多数页岩呈几米厚的广阔岩席产出，虽然有些页岩也发育成透镜状建造。

就具特征的情况而言，页岩由至少 30% 的黏土矿物和大量的石英组成。页岩也含有少量的碳酸盐、长石、氧化铁、化石和有机质。有些富含有机质的页岩，叫做油页岩，含有大量的干酪根(由植物和动物体质析出的固态烃的化学成分很复杂之混合物)，当遭到强热作用时，就足可产生石油。

页岩在典型情况下具有纹层构造，并且是易裂的，也就是说，它呈现出一种分裂为薄层的倾向，这薄层通常与层理面平行。这种物理性质，像渗透性和可塑性一样，极大地依赖于组成矿物的颗粒大小。页岩的颜色主要决定于成分。一般说来，页岩含有机质越高，则颜色越暗。赤铁矿和褐铁矿(三氧化二铁的水化物)的存在会产生浅红和紫色色调，而富含二价铁的矿物成分会形成蓝色、绿色和黑色色调。另一方面，钙质页岩(含方解石百分比较高)则是浅灰色或浅黄色的。

页岩在商业上有很重要的意义，它特别是在陶瓷工业上有很多用途。页岩是制砖瓦、陶器的有价值的原料，并且是生产波特兰水泥中矾土的主要来源。此外，回收法的改进，有朝一日可以使油页岩成为液态石油的实际来源。

shale oil　页岩油　用热解法或分解蒸馏法从油页岩中获得的人工原油。这个过程中油页岩所含名为油母的蜡状有机物分解，并产出油、气、水和残余碳。但是，从油页岩提取的油不能用天然石油炼制的方法加工，因为页岩油含氢不足，含氮和硫的化合物过量，必须加氢及化学除杂质氮和硫才能适用。页岩油的提炼方法于 1694 年首先在英国取得专利权，但直到 1838 年在法国、1862 年在苏格兰才建厂。页岩油的采收工作于 19 世纪在澳大利亚、巴西和美国以及 20 世纪早期在中国、爱沙尼亚、新西兰、南非、西班牙、瑞典和瑞士才小规模进行。虽然页岩油由于加工成本高和大量易采天然石油的发现，20 世纪中叶产量猛降，但是在 70 年代天然石油日益减少，重新激起对页岩油的兴趣。努力研究改进采收方法，使页岩油在价格上能与天然石油竞争。

现在的页岩油的采收工艺有两种：一种是开采并将油页岩矿石破碎，运至加工厂，在特种干馏炉中加热到 500 °C左右，使矿石放出油蒸气，然后在一系列的冷凝器中液化；另一种方法是就地提取，先将油页岩矿床用炸药炸裂，然后将煤气和空气的混合物送入矿床内，并点燃，以加热矿石，油页岩热解，产生油蒸气，冷疑后像天然石油那样抽出。

Shalik (king of Egypt)　**沙利克**　参阅 **Salitis 萨利提斯**。

shallot (*Allium ascalonicum*)　**青葱**　又译火葱。又称亚实基隆葱。百合科多年生微带芳香的多年生草本植物，其鳞茎亦称青葱。与洋葱及蒜近缘，可能原产于亚洲。耐寒。

青葱(*Allium ascalonicum*)
供图：Walter Chandoha

叶短小，圆筒形，中空。花淡紫色或红色，聚生成密集的伞形花序。鳞茎小，长形，有棱角，聚生似蒜；长度不足 5 厘米，直径约 2.5 厘米；味不甚强烈；常当作洋葱用于食品调味，特别用于肉类和酱汁。有时亦食其绿叶。早春种植，需要良好的菜园土壤，鳞茎于秋天收获。

Shalmaneser　撒缦以色　亚述语作Shulmanuasharidu(“撒缦为首领”)。亚述国王名。按年代顺序分列于后，并各以 ● 为标记。

● **Shalmaneser I　撒缦以色一世**(活动时期公元前 13 世纪)　亚述国王(约公元前 1263 ～约前 1234)，曾大力强化亚述的霸业。他侵占卡帕多西亚，在卢哈开辟殖民地，袭击卡尔基米什、伊里迪和卡什阿里山区，重新打通西北部的主要商路。他在都城亚述营建宫殿，修复一所神庙。他在尼尼微和卡拉的建筑物已部分发掘。

● **Shalmaneser III　撒缦以色三世**(活动时期公元前 9 世纪)　亚述国王(公元前 858 ～前 824)，曾极力推行军事扩张政策。他虽然也在南部和东部边境用兵，却倾主力进攻北叙利亚，但进展迟缓。公元前 853 年曾展开一场大战，亦未分胜负。直至敌方联盟自行瓦解，才得向西方长驱直入。公元前 841 年击败哈萨艾勒。但未待攻陷大马士革，他就向地中海岸进军，迫使提尔、西顿和撒马利亚称臣纳贡。公元前 832 年侵入西利西亚，攻占塔尔苏斯，使该地区臣属亚述。他曾在尼姆鲁德重建宫殿和神塔。宫殿的浮雕和伯拉瓦特的庙门上都有纪念他御驾亲征的图像。

● **Shalmaneser V　撒缦以色五世**(活动时期公元前 8 世纪)　亚述国王(公元前 726 ～前 721 在位)，曾征服古以色列，平定以色列王何细亚的叛乱。生平事迹不详。巴比伦的王家系谱把他列在提革拉·帕拉萨三世下边，因此他可能是提革拉·帕拉萨三世之子。当何细亚叛乱时，他领兵包围了撒马利亚，3 年后始攻克。但于城陷前去世。

Sha-lom Aleichem 参阅 **Sholem Aleichem** 肖洛姆·阿莱赫姆。

Shalosh Regelim (Judaism) 参阅 **Pilgrim Festivals** 朝圣节期。

shama 印度鹊鸲 几种鹊鸲的俗称。参阅 **magpie-robin**。

shamal 夏马风 又称热尘风。伊拉克、伊朗和阿拉伯半岛上从北面或西北刮来的干热的尘风。6、7两月几乎刮个不停,但风速通常在50千米/小时以下,热尘风会引起大尘暴,特别是在7月,巴格达可能曾遭受大尘暴5次或5次以上。它是移向巴基斯坦上空的一个低压系统的广阔气流的一部分。

Shamāl Sīnāʾ 北西奈省 前称西奈北方省。埃及西奈半岛北部省份,面积27 574平方千米(10 646平方英里)。1978年以色列开始撤出半岛后,从西奈省划出建立该省。省会阿里什。西奈半岛北半部主要是宽阔的提赫高原,高原从本省南部边界往北下降直抵地中海海滨平原。在省的北边,地中海海滨平原向西展宽直达苏伊士运河,平原在此让位于大片沙丘。阿里什涸河是季节性河流,长250千米(155英里),流贯省东北部分,于阿里什城附近注入地中海。沿着北部海岸是大咸水湖巴尔达维湖,水域面积690平方千米,湖的北边有一条狭长沙洲横亘,有两条运河切断沙洲,把湖泊与海贯通起来。本省地表下面有一片广大的含水层,由冬季降雨汇集而成,形成许多水井和泉眼的地下水源。

阿里什平原及沿海的农业已日趋重要,垦殖与灌溉工作使许多可耕地得以耕作,大麦、水果、商品蔬菜、油橄榄及椰枣等作物生长起来了。另一处大的垦殖工作沿着巴尔达维湖的西南边缘进行,栽培了蔬菜、果树及树木。

省内大部分定居人口生活在沿海地带,该省最大城镇是阿里什,它也是一座港口。其他城镇有福德港、坎塔拉,两者都是苏伊士运河城镇;还有鲁马纳(在海滨公路上)及纳赫勒。省内地中海海滨公路自古以来即为埃及和巴勒斯坦之间军事和商业上的交通运输大动脉。人口约196 000(1990)。

shaman 萨满 西伯利亚和乌拉尔-阿尔泰各民族的宗教体系以及全世界其他许多民族的类似宗教体系中据说能治病并与世外世界相通的人。萨满教的最完整的表现形态见于北冰洋和中亚地区,但萨满教作为一种现象并不限于这些地区。例如,它也见于东南亚和大洋洲的文化形态以及北美洲许多土著群体。有些宗教以萨满式思想和技巧为主(如西伯利亚和印度尼西亚宗教),另一些宗教则以萨满教内容为辅助现象(如非洲宗教),两者应当加以区分。萨满为人治病,主持社团祭祀,护送死者灵魂到世外世界。他作这些事靠感情升华术,也就是说,他能够在类似昏迷的状态下灵魂离开躯体。在西伯利亚和东北亚,萨满或是世传,或是"蒙选"。偶尔也有人由本人决定或由氏族请求而成为萨满的,但是,人们认为,自任的萨满在能力上逊于世袭的和超自然力所选定的萨满。另一方面,在北美洲,自愿"请求"萨满能力却是主要的遴选方式。不论以哪种方式产生,萨满必须经过一系列考验和拜师求教才能获得正式承认。治病是萨满在一种文化形态中的最重要功能。人们认为,患病是失掉了灵魂,因此,萨满必须判断,病人的灵魂是离开躯体而走失还是被恶魔偷去监禁在世外世界。假如是第一种情况,萨满就捉拿病人灵魂,把它重新置入病人体内。假如是第二种情况,萨满必须下到黄泉,甘冒艰险。护送死者灵魂到世外世界新的居所的活动同样惊心动魄;萨满在进行这种旅行时随时向在场者报告一路的变化。萨满活动是原始宗教特有的奥秘经验。萨满在受戒礼上或献祭时"飞升"上天,可以说是人类所知的奥秘经验中最古老者。但是萨满还不仅是奥秘修行家。他同样是一个部落的传统传说的护卫者(基本上也是创造者)。关于萨满上穷碧落下至黄泉的叙述,构成许多群体的民间叙事诗的素材。

Shamash (Akkadian) **沙玛什** 阿卡得语,苏美尔语称乌图(Utu)。美索不达米亚宗教所崇拜的太阳神。与月神辛和金星女神伊什塔尔共为联立三神。沙玛什为辛之子,他是

伊拉克西巴尔出土的约公元前870年的浅浮雕,上刻神庙内的沙玛什面对太阳光轮与崇拜者的坐像
不列颠博物馆供图

正义之神,宇宙的主宰。其像坐在宝座上,手持象征公理与正义的杖和环。沙玛什或乌图之像往往配以象征太阳的光轮。

shamash (Judaism) 参阅**shammash**沙玛什。

Shamash-shum-ukin 沙马什·舒姆乌金(活动时期公元前7世纪) 巴比伦王储。以撒哈顿之子,亚述末代国王亚述巴尼拔之弟。曾纠合阿拉伯各部族攻打亚述巴尼拔。公元前684年亚述巴尼拔包围巴比伦城后,他粮尽投降。据传纵火自尽,连宫殿、财宝和姬妾一起付之一炬。

Shāmil 沙米尔(1797?,达吉斯坦吉姆里[今在俄罗斯]~1871-03,阿拉伯麦地那?) 又拼 Shāmyl 或 Schāmil。达吉斯坦和车臣的穆斯林山民领袖,顽强抵抗俄罗斯对高加索的征服长达25年之久。地主之子。曾学习文法、逻辑、修辞和阿拉伯文,享有学者的声誉。1830年参加伊斯兰教苏非派兄弟会。自从1813年俄国占领达吉斯坦以后,该会即在加季·穆罕默德领导下,开始对俄国人进行圣战。1834年沙米尔当选为达吉斯坦第三代伊玛目。他为了建立一个独立国家,改组和扩大车臣和达吉斯坦部队,对高加索地区的俄

供图:Novosti Press Agency

军阵地展开大规模的进攻。1838年俄国人对沙米尔进行围剿,虽然攻下山民的主要据点,但沙米尔得以脱逃。尽管俄国人一再侵入他的领地,攻下他的堡垒和城镇,但未能消灭沙米尔的反俄运动。沙米尔名扬西欧,在自己人民中成为传奇式的英雄。1857年叶夫多基莫夫和巴里亚京斯基两将军率领大批俄军进行围剿。1859年4月入侵俄军攻下维德诺堡,沙米尔撤至古尼布山。1859年9月投降。他被流放到卡卢加,到1870年获准去麦加朝觐。

Shamir, Yitzḥak 沙米尔(1915-10-15,俄罗斯帝国波兰鲁金诺伊~2012-06-30,特拉维夫-雅法) 波兰出生的犹太复国主义领导人,以色列总理(1983~1984、1986~1990[与工党佩雷斯的联合政府]及1990~1992)。年轻时加入贝塔犹太复国主义青年运动,并在华沙研读法律。1935年移居巴勒斯坦,进耶路撒冷希伯来大学求学。在此参加国民军组织(IZL)的地下活动,1940年国民军组织因政策问题而分裂,他加入了恐怖主义集团以色列自由战斗者(IFF),即后来为人所知的斯特恩帮(以创建者亚伯拉罕·斯特恩的名字命名)。斯特恩去世后,沙米尔在重组斯特恩中央委员会时扮演了重要的角色。1941年和1946年沙米尔遭英国委任统治当局逮捕。当他第2次由监禁地逃脱后,前往法国,得到当地的庇护。1948年5月回以色列,其后担任摩萨德的驻欧洲秘密工作人员直至1965年。曾短期从事私人商务活动,后于1970年参加贝京领导的赫鲁特运动,1973年赫鲁特联合其他小党派组成利库德集团,1975年3月沙米尔当选为其中的赫鲁特执行主席。1973年首次被选入议会,1977年利库德集团在选举中获胜后,他成为议会议长。

1980年3月,总理贝京任命沙米尔为外交部长。1983年9月,利库德集团选举沙米尔为新领袖,以接替引退的贝京。但在1984年7月胜负未分的选举中他失去总理之职。同年9月,身为利库德集团强硬派的沙米尔与工党领袖佩雷斯组成权宜性的联合政府,50个月任期的前半期由佩雷斯担任总理,沙米尔任副总理兼外交部长,后25个月两人互换职位,这样,沙米尔遂于1986年10月出任总理。1988年同样胜负未分的选举后,利库

德集团与工党共同组成了另一个联合政府，由沙米尔任总理。1990年，这届政府倒台后，沙米尔终得组成自己的联合政府（没有工党参加），其中包括几个极端保守集团的代表。1992年大选中利库德集团失败，沙米尔的政府也随之倒台。

shamisen（musical instrument） 参阅 **samisen** 三味线。

Shammai HA-ZAKEN **沙马伊（长老）**（约公元前50～约公元30） 巴勒斯坦犹太教贤哲。与希勒尔齐名并共同主持犹太教公会。他创立沙马伊派，该派主张严格照词义解释律法，同主张灵活解释律法的希勒尔派对立，反对后者所倡根据人的动机判断其行为的"动机原则"。两派一直到2世纪才衰落。沙马伊派鼓励犹太教奋锐党反抗罗马统治。

shammash **沙玛什** 又拼shamash。希伯来语原意为"役者"；犹太教会堂工作人员，现在一般司理文书并襄助领唱员掌握公共礼拜。在中世纪，沙玛什通常担任司仪。再献圣殿节庆典上多连灯烛台上的第九枝也称沙玛什，因为用它引燃其他各枝。

Shamokin **沙莫金** 美国宾夕法尼亚州中东部诺森伯兰县城市。位于沙莫金溪畔。1835年由煤炭投机商人J.C.博伊德和Z.伯德开辟，初期人称博伊德石煤开采场、博伊德镇或新镇。现名为博伊德选用，由印第安语"犄角的地方"派生而来。沙莫金作为无烟煤开采中心发展起来，19世纪40年代以后达到顶峰。1872年遭火灾。随着煤炭工业的衰落，该市经济趋向多样化，包括制造纺织品、靴鞋、厨房内的餐具柜和纤维素产品。人口约8 985(1994)。

shamrock **三叶草** 多种具有三片小叶的植物的俗称。包括酢浆草科的白花酢浆草（微酸酢浆草，*Oxalis acetosella*）或豆科的一些种，如白车轴草（匍匐车轴草，*Trifolium repens*），忽布花车轴草（*T. dubium*），以及黑苜蓿（天蓝苜蓿，*Medicago lupulina*）等。按照爱尔兰的传说，爱尔兰的主保圣人圣巴特里克最先选择三叶草为基督教三位一体的象征，因为三叶草的一个叶柄上着生三片小叶。每年有大量三叶草从爱尔兰运到其他国家供圣巴特里克日之用。三叶草豆（普通紫雀花，*Parochetus communis*）为匍匐植物，花朵蓝色与粉红两色，可栽于花盆或吊篮中。

Shams-ud-Dīn Iltutmish **沙姆斯-乌德-丁·伊尔杜德米什** 参阅 **Iltutmish** 伊尔杜德米什。

Shamva **沙姆瓦** 津巴布韦东北部城镇。曾生产大量黄金，如今沙姆瓦山几乎整个山体布满大片被切割的伤痕，十分引人注目，山脚下堆满巨堆采矿废石，使沙姆瓦镇很不显眼。该镇可能是当时的罗得西亚非洲工人第一次罢工(1927)的发生地。现为当地商业中心。发现镍的巨大矿床后，采矿业又成为重要行业。人口28 002(1982)。

Shāmyl（Caucasian leader） 参阅 **Shāmil** 沙米尔。

Shan **掸族** 泰族（**Tai**）的一支。大部分居住在缅甸东部，少部分居住在北部。为缅甸第二大的少数民族，占全国人口的将近1/10，20世纪后期约达300万人。其语言为掸语，属傣语系，因而在语言上与泰国的泰族和老挝的佬族有同一渊源。尽管如此，除居住在较偏僻的缅甸东疆的掸族人之外，大部分掸族人在文化上与缅族人更为接近。掸族人为小乘佛教徒。他们有自己的书面语言和文学。大部分掸族人居住的地区——掸邦高原——为连绵的低山和凹凸不平、森林覆盖的丘陵。掸族人的许多地区虽由高地组成，但他们却主要居住在山谷中和高地之间的平原上。周围山区为土著部落所占据，他们在经济上与掸族息息相关。在有灌溉的地方，掸族经济几乎全部以种植水稻为主。在别的地方，则采取刀耕火种的耕作法，其结果造成森林的大量毁灭。掸族人世代与居住在伊洛瓦底江流域以西的缅族人和以北的云南省中国人进行大量贸易。传统上掸族社会阶级分为农民和世袭土司，由土司们担任地方头领和掸邦首领。掸族人的民族意识非常强烈。13～16世纪，掸族人统治了缅甸的大部分地区。在他们的势力衰落后，掸族形成了30多个小掸邦，其中大部分向缅甸国王纳贡。在英国占领下，这些掸邦由臣服于英王的世袭首领统治。1922年大部分掸邦加入联合掸邦。联合掸邦拥有很大的地方自治权，但1974年宪法颁布后，掸邦与缅甸其他邦一样，失去了许多自治权。从此掸族常与缅甸政府就地方自治问题发生争执。虽然20世纪后期掸族人的主要兴趣显然在于在被叫做"金三角"的缅泰边境地区非法种植和输出鸦片，但60年代仍成立了几个掸族分裂主义武装集团。

Shan language **掸语** 通行于缅甸北部诸邦的语言，属东南亚傣语系西南语族。掸语的词大多数为单音节，用声调区别词义。掸语虽然与泰语（暹罗语）、老挝语（寮语）关系密切，但是具有更严格的单音节性，并有许多缅甸语借词。字母源于缅甸字母，没有元音和声调符号，即使对操掸语的人来说，也难于阅读，1955年正字法改革工作达于高潮，这些缺陷才得以纠正。

Shan Plateau **掸高原** 缅甸东部结晶岩山地，属印度-马来亚山脉。东临萨尔温江深谷，西处伊洛瓦底江上游。平均高度750～1 200米。以盛产宝石闻名。有铅、锌和银矿藏和柚木森林区。

Shan-t'ou（China） 参阅 **Shantou** 汕头。

Sha'nabi, Mount ash- **舍阿奈比山** 阿拉伯语拉丁字母转写作Jabal Ash-sha'nabī，又拼Djebel Chambi。突尼斯最高峰，海拔1 544米。是撒哈拉阿特拉斯山脉特贝萨山山嘴的一部分。靠近阿尔及利亚边界。在卡塞林西北偏西10千米。

Shandao **善导**（613～681） 又拼Shan-tao。中国唐代僧人，净土宗主要创始者。俗姓朱。临淄（今山东淄博）人。幼年出家研习《法华经》和《维摩经》，后读《观无量寿经》，乃专心念佛。贞观十五年(641)赴西河玄中寺拜道绰为师，听讲《观无量寿经》，更加笃信净土。后入长安光明寺传"净土法门"，倡导专心念佛。复遁迹终南山蓝田悟真寺。一生用所得施财写《弥陀经》10万卷，画净土变相300壁。弟子不可胜数。著有《观无量寿佛经疏》4卷、《转经行道愿往生净土法事赞》2卷和《观念阿弥陀佛相海三昧功德法门》、《往生礼赞偈》、《依观经等明般舟三昧行道往生赞》各1卷，组成净土宗完整宗义行仪。12世纪日本僧人源空据善导《观无量寿佛经疏》创立日本净土宗，源空弟子又创净土真宗。

Shandong **山东** 又拼Shantung。中国东部沿海省份。简称"鲁"。介于北纬34°30′～38°15′，东经114°50′～122°50′。位于黄河下游。东临黄海，北濒渤海，与辽东半岛隔海相望；西为黄淮平原的一部分，由北而南分别与河北、河南、安徽、江苏4省接壤。京沪铁路和京杭运河纵贯省境，面积157 168平方千米。除汉族外，有回、满、蒙古、壮等民族。现设17个地级市、49个市辖区、31个县级市、60个县。省会济南市。

自然条件和资源 省境中南部和东部为低山丘陵，约占全省面积的35%，基底主要由古老的变质岩和花岗岩组成，经长期风化剥蚀，山体低矮浑圆。鲁中南山地丘陵海拔500米左右。泰山海拔1 532.8米，屹立于群峰之上，气势雄伟，自古有"五岳独尊"之誉。东部胶东丘陵地势和缓，为海拔200～300米的波状丘陵，宜农宜果。平原约占全省面积的65%。历史上黄河曾多次泛滥、改道，冲积成全省最大的鲁西北平原，平均海拔50米，由西南向东北缓缓倾斜。黄河斜穿其上，河床高于两侧地面，是有名的地上河，最后经垦利注入渤海，在省境长571千米。在西部平原上还有京杭运河纵贯，省境内长630千米。胶莱平原位于胶东丘陵与鲁中南山地丘陵之间，由胶莱河等冲积而成，高度一般在50米以下。汶、泗、沂、沭等重要河流都发源于鲁中山地，呈辐射状分流。山东属暖温带季风气候，春季干旱多风、夏季炎热多雨、秋季天高气爽、冬季干燥寒冷。受海陆位置影响，东南沿海的气候有明显的海洋性特征，往西北推进，大陆性气候逐渐明显。全省年平均气温11～14 °C，由南向北递减。7月份气温24～27 °C，1月份气温-4～1 °C。西南平原地区比东北沿海高2 °C左右。年平均降水量由东南沿海的1 000毫米，向内陆递减到500毫米。属暖温带落叶阔叶林带，但林地面积不广，约占全省面积的16.9%。煤、铁、石油和有色金属资源丰富，黄金、铝矾土、菱镁矿在全国占重要地位。近年还发现有石墨、金刚石以及稀土元素。

沿革 5 000多年前就有人类在此活动。春秋时境内建有齐、鲁等国，经济、文化发达。

农业已用牛耕，铁制农具的使用也很早。纺织(丝麻)、炼铁、制盐三业兴盛，商品交换的发展使临淄、陶、薛等逐渐成为繁荣的商业城市。战国属齐、楚、赵，秦置临淄、胶东、琅琊、济北、薛、东诸郡；汉设青州、兖州、徐州三刺史部。农业中逐渐推广风车和水碓，耕作精细，产量进一步提高。沿海的登州、莱州开始成为重要的对外贸易港口，沿海各地造船业规模也不断扩大。唐属河南道，宋为京东路、河北路，金改京东东、西二路。元属中书省，明正式置山东布政司，清始称山东省。

经济 山东的早期发展很大程度上同京杭运河山东段的开凿和漕粮的集散、转口有关，在运河沿岸出现了一批新的城市。19世纪后半期，德国、日本势力相继侵入，兴办了一些采矿工业，通过胶济铁路大量输出煤、铁和农产品。民族资本虽然也在青岛、济南等地建立一些工厂，使经济作物产区进一步专门化、商品化，但是投资范围小，设备和技术落后，在竞争中处于不利地位。广大破产农民渡海"闯关东"，去东北各地谋生和垦荒。1949年以后工农业均有较大发展。粮食生产是农业的主体，主要为旱作。作物有小麦、玉米、薯类、大豆、高粱、谷子等。山东是中国重要的经济作物产区，花生、棉花、烤烟产量均居全国前列。温暖湿润的气候和低山丘陵为发展温带水果提供了良好条件，坐果率高。20世纪60年代后胜利油田的开发及机械、化工等工业的兴起，改变了以往轻纺工业占绝对优势的工业结构，轻、重工业产值已各居一半。胜利油田是仅次于黑龙江省大庆油田的中国第二大石油基地，大部分原油通过油管和青岛港输往华东各省市，并送淄博齐鲁石油化工厂精炼。煤炭主要分布在鲁中山地北麓和西麓的平原，以兖州为中心的大型煤炭基地正在建设中。钢铁工业主要分布在济南、青岛、莱芜、张店。轻工业以棉纺为主，主要集中于青岛、济南等地。此外，食品、酿酒、陶瓷等工业也很发达。著名的工艺美术品有麻布绣花、网扣、草辫、贝雕、羽毛画、工艺陶瓷、玻璃料器等。

山东省主要铁路干线有京沪铁路和京九铁路，还建有蓝烟、辛太、济荷、张东、张八等支线，已建成为输出兖州煤炭的兖州至石臼港的新铁路干线，全省铁路营运里程达3 351千米(2004)。公路深入全省各地，有104、105、204、205、220、308、309、327等国道交叉贯穿全境，济青、青烟、济德、济临等高速公路也建成通车，公路里程达78 000千米(2004)。河流通航主要有黄河、小清河、京杭运河四湖段、卫运河等航道，内河航运里程达1 891千米。海运也占重要地位，主要港口有青岛、烟台、日照、龙口、石臼港、威海等。济南有航空线通往北京和国内其他重要城市，并有省内航空线达青岛、临沂、东营，国际航线可通往日本、韩国、新加坡等国家。省内有山东大学等高等院校及海洋研究所等多所科研机构。人口91 630 000(2005)。

Shandong Bandao 山东半岛 又作 Shantung Peninsula。中国山东省东部伸入黄海、渤海间的半岛。面积3.9万平方千米。主要由花岗岩组成。丘陵、低山占总面积的70%。丘陵海拔大多在200米左右。有数列东北-西南走向的山岭。海拔500～1 000米，以崂山(1 130米)最高。沿海有海积平原，面积不足30%。半岛海岸线曲折，多海湾、岬角和岛屿。是花生和温带水果的重要产区。烟台苹果、莱阳梨、大泽山葡萄都很闻名。烟台一带受海洋影响春季回暖较迟，苹果开花推迟到立夏以后，因而少受寒流侵袭，果树坐果率高。沿海盛产鱼、盐。著名港口有胶州湾的青岛、芝罘湾的烟台、威海湾的威海、石岛湾的石岛和龙口。夏季气候凉爽，又为旅游避暑疗养胜地。

Shane THE PROUD **沙恩(自豪者)** 参阅 **O'Neill, Shane** 奥尼尔。

Shang DYNASTY **商**(约公元前1600～前1046) 中国历史上继夏之后存在时间较长的一个王朝。商汤灭夏后建立的奴隶制国家。建都亳(今山东曹县南)，曾多次迁移，后第20位商王盘庚迁都殷(今河南安阳小屯村)。整顿政治，发展生产，为商代后期的经济社会发展打开了局面。后代商王均都于殷，因而商也称为殷。商纣王即位后专横暴虐，周武王会合西南各族伐商。在牧野(今河南淇县南)决战中商兵阵前倒戈，纣王兵败，自焚于朝歌(今河南淇县)，商亡。共传17代，31王。

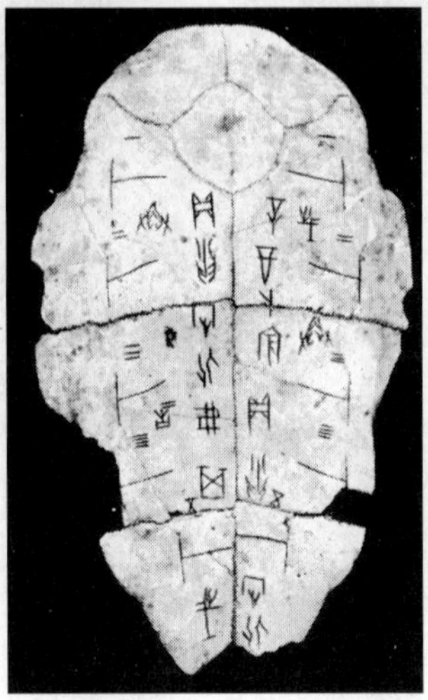

商代甲骨文

台北中国科学院供图

商是农业和手工业发达的国家，中国文字发展到商朝已基本成熟，在甲骨、铜器上遗留有当时通行的文字。活动中心在今黄河流域中心地区。

Shang-ch'iu (China) 参阅 **Shangqiu** 商丘。

Shang Kexi 尚可喜(1604～1676) 又拼 Shang K'o-hsi。中国明代将领。辽东(今辽宁辽阳)人。崇祯时为副总兵。1634年降清，封智顺王。从清兵入关，镇压农民起义军。顺治六年(1649)改封平南王。击破广东地区明军后驻守广州，为清初三藩之一。尚可喜矢志效忠清廷，1673年疏请归老辽东，留其子尚之信镇守广东。清廷认为尚之信跋扈难制，决定尽撤全藩。尚可喜因未能约束其子参加吴三桂叛乱，忧急而死。

Shang Tomb in Xin'gan 新干商墓 中国商代后期墓葬。位于江西省新干县大洋洲乡。1989年发掘。是目前所知中国南方地区最大的一座商墓。年代约公元前13～前12世纪。随葬475件青铜器大部分置于棺室与椁室之间，356件陶器和原始瓷器主要放在椁室东部，大批玉器集中出土于棺床范围内。其中所出青铜器数量之多、品类之全、造型之奇、纹饰之美、铸工之精，为中国南方地区所仅见。所出青铜器特别是礼器的造型、装饰风格明显受到商文化的影响，但兵器和工具富有浓郁的南方地区特色，尤其是酒器较少，和中原地区青铜礼器的组合不尽相同。青铜纹饰及附饰上普遍使用虎的形象及带状燕尾纹等，表现出强烈的地方色彩。墓主可能是当时赣江流域与商王朝既有联系又相对独立的另一个方国的最高统治者或其亲属。

Shang Xiaoyun 尚小云(1900-12-07，中国北京～1976-04-19，陕西西安) 中国京剧演员。名德泉，字绮霞，艺名三锡。祖隶汉军旗籍，河北南宫人。幼年入北京三乐(后改名正

中国大百科全书出版社供图

乐科班)，初习武生，后改正旦，专攻青衣，与荀慧生、赵桐珊并称"正乐三杰"。出科后，曾与孙菊仙、杨小楼、王瑶卿、余叔岩、马连良等合作演出并自己挑班。尚小云的唱腔，远承时小福，近师陈德霖，满宫满调，字正腔圆，善用颤音，拖长板眼，以刚劲著称。尤得益于王瑶卿为他设计峭拔、亮亢的唱腔，汰除了传统旦角唱法中口紧字拙的缺点，使之爽朗明快，流丽大方。念白字清音朗、富有感情。做工身段寓刚健于婀娜，如《失子惊疯》中的舞水袖、疯步，《昭君出塞》中的趟马、圆场等。由于武功根底深厚，更擅演刀马旦戏，《梁红玉》、《秦良玉》、《湘江会》中的靠功、把子，干净利落，勇猛俏丽。尚小云在艺术上既潜心继承，又致力于革新，一生排演了大量新戏，如《林四娘》、《五龙祚》、《谢小娥》、《珍珠扇》、《云辫娘》、《龙女牧羊》、《文君当垆》、《花蕊夫人》、《青城十九侠》、《虎乳飞仙传》等。他以在舞台上塑造了一批巾帼英雄、侠女烈妇类型的艺术形象而名重一时，独树一帜，世称"尚派"。尚小云在从事演剧的同时，还致力于戏曲人材的培养。1937年开办了荣春社科班，亲自执教，培养学生200余人，以"春、荣、长、喜"排名，如尚长春、杨荣环、景荣庆、马长礼等。弟子有雪艳琴、黄玉华、梁秀娟等；李世芳、毛世来、张君秋、谢锐青以及秦腔演员马兰鱼等，均受过他的教益。1949年后，尚小云曾任陕西京剧院院长、中国戏曲学校艺术

顾问等职。

Shangdu 上都 中国元朝的夏都。遗址在今内蒙古自治区正蓝旗东20千米闪电河北岸。金代(1115～1234)皇帝避暑之地。元世祖忽必烈1256年命僧子聪(刘秉忠)在此建新城,1258年建成,称开平府。1260年忽必烈在开平即皇帝位。1263年定名为上都,作

元上都遗址内的柱础
中国大百科全书出版社供图

为首都。上都城呈正方形,每边长2 200米。皇城在城东南角,有宏伟的宫殿群,《马可·波罗游记》中曾有记载。1267年忽必烈又命刘秉忠营建大都(今北京),上都成为陪都。元代皇帝每年春末夏初由大都出发,往上都避暑,至八九月再回大都。两都轮回制度维持到1358年农民军焚毁上都宫阙为止。

Shanghai 上海 中国四大直辖市之一,全国第一大城市,简称"沪",别称"申"。世界特大城市和十大港口之一。介于北纬30°23′～31°27′,东经120°52′～121°45′。位于东海之滨、黄浦江汇入长江处,扼长江流域出海门户,沪宁铁路和沪杭铁路在此交接。北、西与江苏为邻,西南与浙江毗连。辖黄浦、长宁、杨浦、闸北、普陀、卢湾、静安、宝山、徐汇、虹口、闵行、嘉定、南汇、青浦、奉贤、松江、金山、浦东新区18区及崇明县。面积6 340平方千米。

自然条件和物产 地处长江三角洲前缘。西南部有上侏罗系斑岩、凝灰岩构成的孤立残丘,一般海拔数十米,佘山最高为98米。三角洲地势低平,海拔都在5米以下。东部、南部、北部略高,西部最低,构成一个碟形洼地。平原上河道密布,是太湖低平原河网的一部分。黄浦江源出太湖东岸太浦口,称太浦河,是太湖主要泄水河道,水量充沛。下游江阔水深,入长江处宽达800米。受长江口正规半日潮影响,每日潮汐两次,万吨级海轮可以自由进出,2万吨级海轮可乘潮直驶上海港区。吴淞江是黄浦江最大支流,源出太湖东岸瓜泾口,穿越江南运河与太湖诸入江水道相通,经昆山市境后进入上海市。下游改称苏州河,在白渡桥下汇入黄浦江。青浦区西境的淀山湖是上海市最大的淡水湖,面积62平方千米,与黄浦江、吴淞江共同组成上海市水网的主干。属北亚热带季风气候,四季分明,温和湿润。年平均气温15.5°C,1月平均气温3.3°C,7月平均气温27.5°C,全年无霜期240～250天。年降水量1 100～1 200毫米,季节分配比较均匀。但盛夏的伏旱和夏秋季台风不利于农作物生长。平原土壤主要是浅色草甸土,是以河流冲积物为母质而发育成的轻沙壤土和轻壤土,经辟为农田后,已培育为肥沃的水稻土和旱作土壤。拥有耕地面积33.72万公顷,农副产品丰富,素称鱼米之乡。现已建立珍珠、香菇、蘑菇、水貂、长毛兔等农副产品、畜产品出口基地。

上海外滩
供图:Peter Carmichael—Aspect Picture Library

沿革 古代原为吴淞江下游的渔村。吴淞江下游段古称沪渎,因此上海简称"沪"。春秋属吴,战国属楚,相传为楚公子春申君黄歇封地,所以又别称"申"、"申江"或"春申"。北宋熙宁年间(1068～1077)聚落初成。南宋绍兴十九年(1149,一说北宋熙宁七年)这里设有市舶提举司和榷货场,成为贸易口岸。咸淳年间(1265～1274)以吴淞江下游支流上海浦名置上海镇,隶华亭县(今松江县)。元至元二十九年(1292)置上海县,属松江府。当时上海除作为贸易口岸外,境内的手工棉纺织业和沿海的盐业均已兴起,与华亭县同为中国手工棉纺织业的重要中心。此后因为日本侵扰,在1553年9月修筑上海城(城墙于1912～1914年拆除,改筑马路)。清康熙二十四年(1685)设立海关,逐渐成为江海联运的要津,中国东南的重要都会。鸦片战争后,1842年上海被辟为五个通商口岸之一。1845年起英、法、日、美等国先后在市区圈划"租界",成为"国中之国"。外国资本和中国买办资本在"租界"开工厂,设银行。缫丝、纺织、日用轻工、印刷等近代工业兴起,导致原有的手工棉纺织业等的衰落。船舶修造和打包业也开始建立,以适应外国资本从这里大量输出原料和初级产品的需要。上海从此逐步沦为半殖民地性质的城市。上海人民在20世纪初期曾奋起抗争,血染南京路,并举行过三次武装起义。1945年收回"租界",但仍然处在外国资本和官僚资本的双重控制下,城市性质并未改变,民族工商业发展艰难。

1927年析江苏省的上海、宝山、嘉定诸县地,置上海市,直属行政院管辖。1928年定为特别市。1930年改为直辖市。1949年以后,上海直隶中央人民政府。1958年原属江苏省的上海、嘉定、松江、川沙、南汇、奉贤、金山、青浦、崇明9县划归上海市。1988年撤销宝山县和吴淞区,设宝山区。1992年撤销上海县和闵行区,设新的闵行区;撤销川沙县设浦东新区;撤销嘉定县设嘉定区;后除崇明县外相继撤县设区。

经济 上海市是中国发展最早、规模最大的综合性工业城市。近代工业发展已有140多年的历史。1949年以前,工业基础薄弱,以轻纺工业为主。1949年后,在原有工业基础上进行大规模的更新改造和布局调整,形成了以钢铁、汽车制造、石油化工、新型金属材料、电子计算机、精密仪表和机床等为主体的大中小型企业相结合的综合性工业基地。轻纺工业品种多、规格全、质量高。钢铁工业产量居中国第二位,能生产各种规格的

黄浦江两岸的上海市容
中国大百科全书出版社供图

钢材，并能制造洲际导弹、通信卫星等尖端产品。化学工业已形成综合加工原油、煤焦的生产体系，成为重要的化工原料基地。可自行设计和制造100多种大型精密机床、轿车和重型机械。造船工业生产能力约占中国的一半。核电工业、大规模集成电路和新型材料的研究生产体系正在兴起。上海工业门类较齐全，初步形成以轻纺、服装、手工艺品、家用电器为主体的综合性出口商品生产基地。1982年经国务院批准，建立上海经济区，范围已扩人为上海、江苏、浙江、安徽、江西、福建1市5省。以金融、商贸、交通通信等为重点的第三产业发展迅速。1992年设立的浦东新区，开发开放已取得重大进展，陆家嘴金融贸易区、金桥出口加工区、外高桥保税区和张江高科技园区开发建设已初具规模。特别是金融、保险业得到了较快发展。基本形成了商业银行和非银行金融机构、本国金融机构与外国金融机构并存的金融体系，这里除四大国有商业银行外，还有总部设在上海的交通银行、中信实业银行、招商银行、浦东发展银行，以及美国的美洲银行、花旗银行，日本的三和银行、东京银行等，此外一些信托投资公司、证券公司、保险公司也集中在这里。对外贸易迅速扩大，进出口总额平均每年增长20%以上。利用外资规模大，领域宽，项目多，成功率高，外商直接投资协议金额已逾300亿美元。浦东的开发开放，不仅促进了上海市开放型经济新格局的形成，而且将带动长江三角洲和整个长江流域的经济发展。

交通和通信 上海是中国最大的陆海空交通枢纽。京沪、沪杭铁路在此交会，成为华东地区最大的铁路枢纽。上海港是中国最大的港口，年吞吐量2亿吨以上。拥有码头泊位1 145个，与200多个国家和地区有贸易往来。有国内航线60多条，可直达各大中城市；有国际航线多条，通往20多个国家和地区。1994年建成亚洲第一高塔东方明珠电视塔(468米)。地铁有1号、2号、3号(明珠)线。南浦大桥、卢浦大桥和杨浦大桥构成市内环线越江的重要枢纽；1994年底内环高架路通车，1995年南北高架路通车，初步构成市区高架高速道路网络。上海是中国国际通信出口与国内长途通信的枢纽，拥有电缆载波、微波通信、卫星通信、海底电缆通信等通信手段。

文教科研和景观 文化教育、科技研究等事业发达。有上海交通大学、复旦大学、同济大学等多所高等院校，中国科学院上海分院所属和市属研究所、室200多个。上海是中国历史文化名城。纪念地有中国共产党第一次全国代表大会会址、孙中山故居、周公馆、宋庆龄墓、鲁迅墓与鲁迅纪念馆、鲁迅故居等；风景名胜有龙华塔与龙华寺、玉佛寺、豫园、文庙、嘉定孔庙、古漪园、松江方塔、上海动物园等。人口：全市13 520 000(2005)。

上海南浦大桥
中国大百科全书出版社供图

Shanghai Jiaotong University 上海交通大学 简称上海交大。校址设在上海。前身为1896年创办的南洋公学。学校奉行"中学为体，西学为用"的教学思想，创立了"起点高，基础厚，要求严，重实践"的办学特色。1911年辛亥革命后，改为南洋大学堂。1921年政府以南洋大学堂为基础，将上海、唐山、北平三地共4所学校合并，改称交通大学。30年代，学校发展成为一所以工为重点，理为基础，兼学管理的多科性大学，设有机械、电机、交通管理、土木和科学5个学院，并参照美国麻省理工学院的办学经验进行教学改革。著名教育家唐文治、蔡元培、吴有训、叶公绰、彭康等曾先后主持交大的工作。1956年交通大学部分系科、师资、图书和设备迁至西安，分为上海和西安两部分，并于1959年分别独立建校。上海部分定名为上海交通大学，西安部分定名**西安交通大学**(**Xi'an Jiaotong University**)。设有船舶海洋与建筑工程、机械与动力工程、电子信息与电气工程、信息安全工程、软件、材料科学与工程、理学、生命科学技术、人文、化学化工、管理、国际与公共事务、外国语、农业与生物、环境科学与工程、药学、医学、法学、媒体与设计、微电子等20个学院、2个直属系和1个研究生院以及其他教育机构。有本科专业60个，一级学科博士学位授权点22个，二级学科博士学位授权点143个，硕士授权点179个，专业硕士学位授权点6个，博士后流动站23个，国家重点学科22个。学校拥有物理、数学、生物技术、大学生文化素质等7个国家级教学基地，6个国家重点实验室和10个部门开放实验室，4个国家工程研究中心，1个国家技术转移中心，2个世界卫生组织中心。学校有专任教师2 800余人，其中有中国科学院院士15人，中国工程院院士20人，教授635人，副教授891人。有全日制在校学生38 000人，其中本科生18 000余人，高职生720名，硕士、博士研究生18 000多人，外国留学生2 000多人。学校有徐汇老校区、闵行新校区、法华镇路校区、上中校区、七宝校区等。校园面积约355万平方米。图书馆藏书271万册。出版物有《上海交通大学学报》。

上海交通大学校景
中国大百科全书出版社供图

Shanghai Museum 上海博物馆 中国国家级艺术博物馆。创建于1952年。原址在上海南京西路原跑马总会。1959年迁至河南南路原中汇银行大厦。初为综合性历史类博物馆，70年代改建成为有中国古代青铜器、陶瓷器、书画和雕刻四大专题陈列的艺术类博物馆。1995年底，位于市中心人民广场的新馆落成，建筑面积3.8万平方米，绿地面积7 200平方米。按器类辟有青铜器、石木雕刻、陶瓷器、玉器、绘画、书法、玺印篆刻、家具、钱币、少数民族工艺等10个基本陈列馆，另有现代艺术、捐赠、文物等3个专馆。馆藏艺术珍品约12万件。有甲骨刻辞5 000余片，古钱币2万余枚；青铜器主要为流传有绪的名品和20世纪80年代以后出土的精品，体现出夏、商、周各阶段各地区完整的发展体系；陶瓷器为历代名窑珍品；上万件书画藏品中，有唐宋诸杰的稀世墨宝和元明清各代上品；战国以降的玺印近于万数，明清流派印的收藏居全国博物馆之首。博物馆设有青铜器、陶瓷器、工艺、书画和考古5个专业研究部，以及文物修复研究室和文物保护科学实验室。在各类文物的鉴定辨伪、分期断代及铜瓷器修复、书画装裱、热释光年代测定等方面的研究均居领先地位。图书资料室为文博考古的专业书库，藏有丰富的古籍善本、碑帖和专业书籍。馆出学术刊物有《上海博物馆集刊》、《文物保护和考古科学》等。

Shanghanlun 《伤寒论》 参阅 **Zhang Zhongjing** 张仲景。

Shangqiu 商丘 又拼 Shang-ch'iu。中国河南省辖地级市。全国历史文化名城。旧称朱集。位于省境东部豫东平原上。北邻黄河故道，南连商丘古城，陇海铁路横穿市区。辖梁园、睢阳2区和虞城、民权、宁陵、睢县、夏邑、柘城6县，并代管永城县级市。面积10 658平方千米。商丘历史悠久。商代为商丘邑。春秋为宋国都，后改名为睢阳。秦置睢阳县。隋开皇十八年(598)改为宋城县。明嘉靖二十四年(1545)始称商丘县。1948年析商丘县朱集镇设朱集市。朱集镇约有500多年历史，

京九铁路商丘市的宋木林特大桥
中国大百科全书出版社供图

原是小村落，1916年陇海铁路通过后，逐渐发展成为附近20多个县的物资集散中心。1950年又析商丘县城关镇设商丘市，1951年朱集、商丘两市合并定名为商丘市。1997年撤销商丘地区和县级商丘市、商丘县，设立地级商丘市。矿产有无烟煤、石油、天然气等。工业有机械、冶金、电力、化工、卷烟、造纸、玻璃、医药、食品等工业部门，以轻纺和农机工业为主。因商丘地处河南、山东、江苏、安徽4省接合部，是物资重要集散地。京九、陇海铁路以及105、310国道在此交汇。境内有中原文化遗址300多处，其中著名的有归德古城、应天书院、文雅台、清凉寺等。人口：8 380 000(2005)；市区1 540 000(2004)。

Shangrao 上饶 又拼 Shang-jao。中国江西省辖地级市。位于省东北部，信江上游，浙赣铁路沿线，是赣、浙、闽三省间交通要冲，赣东北部物资重要集散地。辖信州区和上饶、广丰、玉山、铅山、横峰、弋阳、余干、鄱阳、万年、婺源10县，并代管德兴县级市。面积22 784平方千米。三国吴(222～280)分余汗县置上饶县，初属豫章郡，后属鄱阳郡。唐代武德四年(621)复名上饶县，属饶州。乾元元年(758)设信州，为州治。元至元十四年(1277)升为信州路，至正二十年(1360)朱元璋置为信州府。明、清为广信府治。1912年废府存上饶县。1949年5月将上饶县城广平镇设市。2000年撤上饶地区和县级上饶市，设地级上饶市。市境南部为武夷山，北部为黄山余脉及丘陵，中部为怀玉山，西部为鄱阳湖平原。有金、锌、稀土、矾、煤、铁、磷、铜、瓷土等

信江江畔的上饶市
中国大百科全书出版社供图

资源，有亚洲第一大铜矿——德兴铜矿。工业以冶金、电力、机械、化工、建材等为主。农业生产稻米、油茶、茶叶、烟叶等。上饶市原是赣东北交通要冲，自1957年鹰潭—厦门铁路建成后，闽、赣交通重心逐步移至鹰潭。有婺源古坦国家森林公园和三清山、圭峰国家级风景名胜区，以及鄱阳湖侯鸟保护区。茅家岭为“上饶集中营”旧址，建有上饶烈士陵园。人口6 690 000(2005)。

Shangri-La 世外桃源 美国总统的休养地，1942年由罗斯福总统在马里兰州的乡村建立。1953年改名为戴维营(**Camp David**)。

Shangshu 《尚书》 参阅 **Shujing**《书经》。

Shangyang 商鞅(约公元前390～前338)又称公孙鞅、卫鞅。中国战国时期秦国政治家。姓公孙。卫国贵族。初为魏相公叔座家臣，被荐于魏惠王，不用。后应秦孝公求贤令入秦进说，得信任。公元前359年(一说前356年)任左庶长，后升大良造。以军功封于商(今陕西商县东南)，故以商鞅知名。前后主持秦国变法20年。主要方面有：重农抑商，推行农战，奖励耕织，生产多者免徭役；按军功授爵，废除贵族世袭特权；严密户籍编制，推行连坐法；并乡邑为县，长官由国君任免；废井田制，承认土地私有，准许买卖；创立按丁男征赋办法；统一度量衡制等。这些改革奠定了秦国富强的基础。秦孝公死后商鞅为秦贵族诬害，被车裂死，并灭其族。

Shangyang's measure 商鞅量 中国战国时秦国标准量器。也称商鞅方升。最早著录于《秦金石刻辞》等书。现藏上海博物馆，是商鞅统一量制的重要物证。长方形，青铜制。一端有柄，三边及底皆有刻辞。与柄相对的一端刻有“重泉”二字，右侧刻一“临”字，左侧铭文32字为：“十八年，齐遣(率)卿大夫众来聘。冬十二月乙酉，大良造鞅爰积十六尊

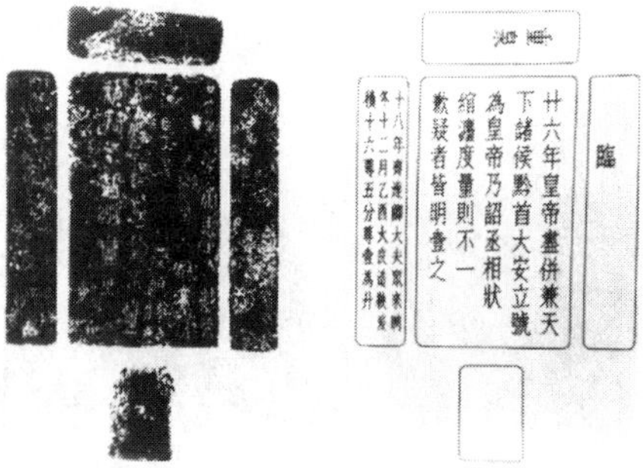

商鞅量铭文拓片
中国大百科全书出版社供图

(寸)五分尊(寸)壹为升。”升底刻秦始皇二十六年诏。《史记·秦本纪》：“孝公十八年卫鞅为大良造”，此升当即秦孝公十八年(前344)商君颁布的标准量器。“重泉”为秦县名，汉

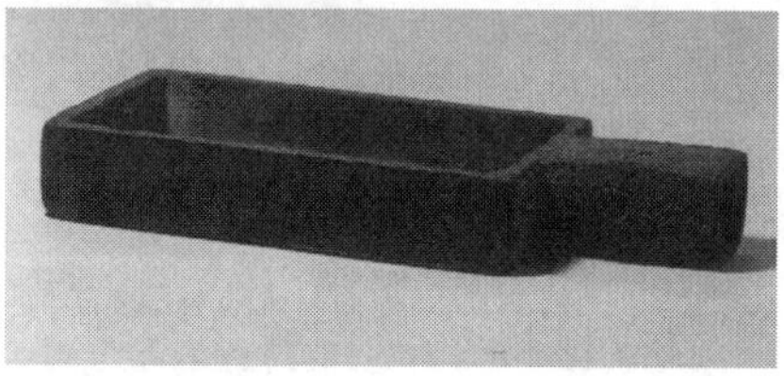

商鞅量
中国大百科全书出版社供图

时属左冯翊。大概量初置于重泉，始皇时复移至临。郭沫若疑临下泐去一晋字，临晋即今陕西大荔县，汉时与重泉同属左冯翊。

Shangyu 上虞 中国浙江省县级市。位于省境东北部，曹娥江下游。秦置上虞县，旧传舜与诸侯会事讫，因相娱乐，故曰上虞。实为越语地名，其义不详。汉后屡废屡置，至唐长庆二年(822)复置始告稳定。历属会稽郡、越州、绍兴府。1992年撤县改置上虞市，绍兴市代管。面积1 427平方千米。地处宁绍平原中部，浙东丘陵北部，曹娥江自南而北纵贯全境，北濒钱塘江。农产品有稻谷、小麦、油菜籽、棉花、络麻、茶叶、蚕茧等，并产优质杨梅及板栗、葡萄。工业有棉纺、缫丝、化纤、服装、化工、食品、陶瓷、机械、建材等。草编、柳编为传统手工艺。萧甬铁路、杭甬高速公路、104和329国道过境。浙东运河横贯东西，曹娥江水运便利。名胜古迹有曹娥江风景区、小仙坛、东汉王充墓及东晋谢安隐居地——东山等。人口770 000(2005)。

Shangzhou 商州 又拼 Shang-chou。中国陕西省商洛市辖区。位于省境东南部，秦岭东段南侧，汉江支流丹江上游，西安市东南90千米处。面积2 672平方千米。历史上曾是西安通向中国东南地区必经之地。秦置商县，因境内商山而得名。西汉改为上洛县，西晋泰始二年(266)置上洛郡。北周宣政元年(578)定名为商州。明改州为县，后又升为州。1913年废州称商县，1988年改县设商州市，2001年撤市改为商洛市商州区。地处秦岭山区，西北高东南低，山地、丘陵、盆地相间分布。富林矿资源，盛产核桃、柿、中药材等。农产品有玉米、稻谷和小麦。工业有煤炭、建材、食品和制药。境内有西安至河南西坪和红门河至箭杆岭两公路干线。名胜有静泉

山、仙峨湖等。人口550 000(2005)。

Shanhaiguan 山海关 又拼Shan-hai-kuan。中国万里长城的东端起点,位于河北省秦皇岛市东部。地处辽西走廊南部隘口,背山面海,雄关耸峙,自古为华北与东北地区间交通

山海关城楼
中国大百科全书出版社供图

要冲、军事重镇,隋开皇三年(583)筑,称渝关、榆关。唐代为北方军事重镇,后渐废。明洪武(1368～1398)初徐达修复后改今名。洪武十四年(1381)于此置山海卫。清乾隆二年(1737)为临榆县治。1954年撤销临榆县时划归秦皇岛市,现为秦皇岛市主要的工业区。山海关城楼高15米,宽20米,楼上悬挂巨匾,上书遒劲的"天下第一关"五个大字,为明代进士萧显于1472年手书。

Shankar, Ravi 申卡尔(1920-04-07,印度贝拿勒斯[今瓦拉纳西]～2012-12-11,美国加利福尼亚圣迭戈) 印度音乐家、锡塔尔琴演奏家、作曲家及印度国家管弦乐团创始人。

中国大百科全书出版社供图

在促进西方欣赏印度音乐方面具有影响。曾学习音乐和舞蹈,并在印度各地和欧洲巡回演出。18岁放弃舞蹈,其后7年中在著名音乐家乌斯达德·阿劳丁·汗的指导下学习锡塔尔琴。1948～1956年任全印广播电台音乐总监。此后,连续赴欧美巡回演出。1962年在孟买、1967年在洛杉矶创立金纳拉音乐学校。他与小提琴家Y.梅纽因合作的音乐会演出,以及与甲壳虫乐队的G.哈里森的联系推动了印度音乐向西方传播。1969年自传《我的生活,我的音乐》出版。

Shankar, Uday 香卡(1900-12-08,印度乌代布尔～1977-09-26,加尔各答) 又译申克尔,印度的主要舞蹈家和编导。他把西方的戏剧技艺运用到传统的印度舞蹈上,从而在印度、欧洲以及美国推广了这种古代艺术形式。1917年香卡在孟买开始正规的艺术训练,两年后在伦敦皇家艺术学院学习。20世纪20年代他和芭蕾舞女演员A.巴甫洛娃一起跳舞,并且创作了两个舞蹈《印度婚礼》和双人舞《拉达和克里希纳》,把它们列入自己的《东方印象》晚会之中。1929年香卡回到印度,创办了自己的舞蹈团。1930年他的舞蹈团在欧洲巡回演出。从1932年到60年代经常访问美国。1938年他在印度北方邦阿尔莫拉建立乌黛·香卡印度文化中心(一所学习舞蹈、戏剧和音乐的学校,第二次世界大战期间一度关闭,1965年又在加尔各答重新开办)。他和他的兄弟锡塔琴演奏者拉维·香卡一起研究古典和民间舞蹈,并创作了含有社会评论成分在内的舞剧。香卡的作品虽曾受到印度传统舞蹈信徒们的批评,但支持者很多,包括像诗人泰戈尔那样的印度知名人士在内。

Shaṅkara (Hindu philosopher) 参阅**Śaṅkara** *商羯罗*。

Shannon, Claude 香农(1916-04-30,美国密歇根佩托斯基～2001-02-24,马萨诸塞麦德福特) 全名Claude Elwood Shannon。美国数学家和电气工程师,为数字电路和信息论奠定了理论基础。1936年毕业于密歇根大学,获得数学和电气工程学学士学位,得到麻省理工学院(MIT)研究助理的职位。1940年获得麻省理工学院电气工程硕士学位和数学博士学位。1941年加入贝尔实验室的数学部门。1972年前一直与贝尔实验室保持关系。1956年担任麻省理工学院客座教授,1958年接受麻省理工学院的终身教职,1978年成为荣誉教授。硕士论文《中继和交换电路的符号分析》(1940)使用布尔代数建立数字电路的理论基础。此篇论文被称为20世纪最重要的硕士论文之一。相反,博士论文《理论遗传学的代数学》(1940)却影响不大。1948年发表的《通信的数学理论》建立了信息论的完整基本形式,框架和术语至今仍在使用。他的信息论在通信工程师中立即取得成功,并继续证明十分有用。还激发起将信息论应用于其他领域的许多努力,如认知学、生物学、语言学、心理学、经济学和物理学等。香农以兴趣广泛和能力卓越著称。他在信息论、密码学和计算机下棋等方面写了许多富有启发性和具有影响力的文章,还设计出各种机械装置。

Shannon, Del 香农(1934-12-30,美国密歇根库珀斯维尔～1990-02-08,加利福尼亚圣克拉丽塔) 原名Charles Weedon Westover。美国歌手、歌曲作家、吉他手,第一位白人摇滚乐歌曲作者。十几岁就在密歇根州大急流城各乐队演奏。1961年发行首张单曲《逃跑》。这首以假声呼喊为特点的爱情颂歌登上了排行榜榜首。接着很快又推出一系列热门歌曲:《向拉里致敬》(1961)、《再见,宝贝》(1961)、《嘿!小姑娘》(1961)、《小镇卖俏》(1963)、《坚持探索(追赶太阳)》(1964)和《镇上的陌生人》(1965)。这些歌曲全都以朴素响亮的和弦变化与香农的沙哑振颤男中音为特色,充分表现深刻的渴望和伤痛。他为英国二重唱歌手彼得和戈登谱写的《齐心就事成》成为1965年的热门歌曲。20世纪70年代与电光管弦乐队和埃德蒙兹合作录制唱片。1988年R.奥尔比松去世后,曾传闻威尔伯里斯旅行乐队会邀请他代替奥尔比松。然而,香农于1990年自杀。1999年入选摇滚乐名人堂。

Shannon, River 香农河 爱尔兰最长河流。发源于卡文郡西北部。南流约259千米至利默里克市后经113千米长河口湾注入大西洋。流域面积15 695平方千米。为流经爱尔兰中央低地的主要河流,沿河多水草地和沼泽,多处河道展宽成河心有岛屿的湖泊。19世纪早期,香农河是爱尔兰最重要的水道。从1755年起开挖的大运河横穿中央低地,1804年与香农河沟通。1789～1817年开通的皇家军用运河从都柏林北侧穿过马林加接通香农河。19世纪中叶,香农河的基拉卢和里士满港之间已经通汽船;运河在基拉卢和利默里克之间通马拉的船。1780年起各运河开始经营客运,19世纪50年代由于铁路公司的竞争而停办。香农河汽船遂转作为旅游用,一直保留到第一次世界大战。20世纪50年代以来,汽船旅行成为度假娱乐活动。

Shantiniketan (India) 参阅**Śantiniketan** *森蒂尼盖登*。

Shantou 汕头 又拼Shan-t'ou, Swatow。中国广东省辖地级市。经济特区,粤东经济中心。位于省境东部,濒临南海。辖龙湖、金平、濠江、潮阳、潮南、澄海6区和南澳县。面积2 065平方千米。宋乾道三年(1167)设鮀浦水寨。明成化十四年(1478)划入饶平县,嘉靖十四年(1535)划入澄海县。清康熙八年(1669)改鮀浦水寨为汕头汛。因民舍初建于沙堤上,常设栅薄捕鱼,当地古称栅薄为汕,故名沙汕头。后简称为汕头。1921年与澄海分治,置汕头市政厅。1930年正式建市。1949年为地级市,1958年改为县级市。1975年潮阳县达濠岛并入,升地级市。1981年建经济特区。1991年12月潮州市、揭阳市升为省辖地级市,汕头市原辖县分别划归3市。为广东省著名侨乡。处莲花山东南麓,属粤东沿海丘陵区。平原主要为韩江三角洲平原和练江下游平原。农业发达,为中国著名粮食高产区,南澳为中国第一个粮食亩产千斤岛。主种水稻,兼种甘蔗、甘薯、花生等。蔬菜、水果种类繁多。芥菜、椰菜、菜花、甜玉米、萝卜籽、大蒜为出口产品。樟木林檎、碧沙乌梅、三楼橄榄、狮头油柑、元霄柿、潮州柑、红岭无核黄皮、西浦番石榴等著名。海产以乌耳鳗、膏蟹、石斑、江瑶、鱿鱼、对虾、紫菜、牡蛎、蚶为闻名。畜牧业以饲养猪、牛、家禽为主,狮头鹅、白沙眉鸭驰名中外。有钛

汕头市海滨风光
中国大百科全书出版社供图

铁、磁铁、石英砂、稀土等矿藏。工业有电子、纺织、食品、机械、塑料、服装、建材、工艺美术、渔网加工等部门。感光材料、电子仪器、音像材料、地毯、服装、绣衣、工艺制品等在国内外享有较高声誉。高等院校有汕头大学等。名胜古迹有樟林古港口遗址、莱芜古堡、莲花古寺、棉城文光塔、峡山祥符塔等。灵山护国禅寺是广东省重点文物保护单位。棉城东山、海门莲花峰、达濠岛岩石、妈屿岛为著名旅游区。汕头为粤东门户和交通枢纽。广(州)梅(州)汕(头)铁路以及206、324国道和厦门—汕头高速公路等过境。韩江、榕江、练江可通航。汕头港为沿海对外开放港口,海运可直达广州、海口、香港、日本、马来西亚、泰国等。汕头海湾大桥全长2 439米,是目前中国规模最大的跨海大桥。汕头机场与广州、北京、上海、厦门、昆明、香港、曼谷、新加坡等城市通航,拥有40多条国内、国际航线。南澳县建有台湾渔船补给基地。人口:全市4 880 000(2005)。

Shantung(Chinese province)　参阅**Shandong 山东**。

Shantung question　山东问题　1919年巴黎和会上关于将德国在中国山东的权益转让与日本的交涉。1897年11月德国占领中国山东胶州湾,次年与清政府签订条约将胶州湾租与德国。还规定德国可以修筑胶济铁路和在铁路沿线15千米内有采矿的权利。从此山东成为德国的势力范围。1914年8月,日本对德国宣战后派兵占领胶州湾和胶济铁路。1919年在巴黎和会上日本要求将原德国在山东的权益完全转让与日本。中国作为战胜国则要求和会将德国侵占的山东主权归还中国。英、意等国与日本早有密约,支持日本的要求,中国的要求则被拒绝。消息传到国内后举国震惊,广大青年学生更奋起反抗,从而爆发了五四爱国运动。

shanty　水手号子　又拼 chantey 或 chanty,源自法语 chanter 一词,意为"歌唱"。操英语的水手们的劳动歌曲。从开始有帆船起就有水手号子。水手们的很大一部分工作是在甲板上用绳索来操纵沉重的帆。领头的人,也就是号子歌手(他的被选是由于他的航海术,而不是音乐才能)站在绳索的主要位置,水手们则沿着绳子低头弯腰地站在他后面。号子歌手先唱一句歌词,水手们则用合唱作答,同时,在旋律的规定之处用力地拽拉绳索。号子歌手是全体船员中最关键的人物之一。因此有人说:"一个好的号子歌手抵过4个拽绳手。"他根据工作来选择合适的歌曲与速度,而且还要即兴编唱歌词,按照需要把歌曲拖长。歌词反映水手的现实生活,从糟不可言的伙食一直到船长的美德与缺点,以及有关放荡不羁的女人的故事。曲调则来自民谣或其他流行的旋律。这种号子主要可分为3类:短拉或短拽的水手号子,这是在只需要稍拉几下时唱的简单歌曲;升降索水手号子,这是在升帆开船工作时所唱的,需要一种拉紧-放松的节奏;还有一种是绞盘或起锚水手号子,这种歌使起锚工作的步伐一致。19世纪以前的大多数水手号子来自英国,以后则多来自美国。19世纪末及20世纪初,在用汽轮代替帆船以后,水手号子就消失了。

Shanwei　汕尾　中国广东省辖地级市。位于省境东南部沿海。辖城区和海丰、陆河2县,并代管陆丰县级市。面积4 838平方千米,其中市区面积421平方千米。当地称沙堤为汕,宋代在沙堤尾部建村,故名。原为海丰县地。清雍正七年(1729)设汕尾巡检司。乾隆二十一年(1756)为海丰县县丞驻地。鸦片战争后,汕尾渐成进出口岸,1927年曾设汕尾市。1950年设汕尾镇。1988年改为省辖市。地势西北高东南低,西北为莲花山地,东南为丘陵、广谷和狭窄海滨平原。市区在市境中南部,红海湾东岸,品清湖出口处。农业主种水稻、甘薯,次为小麦、甘蔗、花生、木薯、烟草、茶叶、水果。广东省的菠萝主要产地之一,蕉柑销往香港等地。局部地区种植橡胶、胡椒等热带作物。水产资源丰富,渔业居重要地位,产带鱼、黄花鱼、墨鱼、马鲛。汕尾港为中国六大渔港之一。沿海多盐田,海盐大量出口香港。特产明热草鸡、柏树草席、鱿鱼、海马等。有锡、硫铁、钨、稀土等矿藏。工业有制糖、化工、建材、机械、冶金、服装、罐头、食品加工、塑料及手工艺等部门。名胜古迹有水月宫、定光寺、黎明洞、金厢滩、玄武山、遮浪岩等。有红宫、红场、彭湃烈士故居等纪念地。广州—汕头高速公路贯通全境。汕尾、甲子设口岸,通航广州、汕头、香港等地。内河可通航。人口:全市3 120 000(2005);市区460 000(2004)。

Shanxi　山西　又拼 Shan-hsi、Shansi。中国北部省份。位于太行山以西,故名"山西"。又因春秋时为晋国之地,简称"晋"。介于北纬34°35′～40°43′,东经110°15′～114°33′。北倚长城与内蒙古自治区相邻,西以黄河中游峡谷与陕西省为界,南以黄河、王屋山等与河南省相连。面积157 022平方千米。除汉族外,有回、满、蒙古、朝鲜、壮、苗、彝、藏、维吾尔、瑶、布依、土家等34个民族,其中回族较多。设11个地级市、23个市辖区、11个县级市、85个县。省会太原市。

自然条件及资源　全境在高原上,称山西高原,为黄土高原东部。山西高原强烈隆起在河北平原西部,地势自东北向西南倾斜,大部分海拔约1 000米。高原中部为东北-西南向的断陷带,分布着一列著名的大盆地:大同、忻定、太原、临汾、运城等盆地。沿断陷带有桑乾河、滹沱河、汾河和各河上游支流流贯。断陷带为山地夹峙,东有恒山、五台山、太行山、太岳山、中条山,西有管涔山、吕梁山等,海拔大都在1 500米以上。五台山最高点叶斗峰海拔3 058米,是华北第一高峰。各山之间多小型盆地,以晋东南长治盆地最为重要。管涔山、吕梁山以西为典型的黄土高原区,大部地区受流水强烈切割,水土流失严重,沟壑纵横,地面相当破碎。只在北部仍保持着较完整的高原面。西部和南部各河属黄河水系,北部和东部属海河水系。各河年内水量很不均匀,有的在无雨期甚至断流。属大陆性季风气候。大致以五台山和内长城一线为界,北部属温带,南部为暖温带,最南部的运城盆地和黄河谷地已接近于北亚热带。年平均气温5～15 °C,1月平均气温-12～-2 °C,7月平均气温22～26 °C。年降水量400～650毫米,自东南向西北递减,但五台山年降水884毫米,是全省降水量最多的地方。原始植被已经破坏,在主要山区有次生的落叶阔叶林、针阔叶混交林或针叶林,北部和西北部已为半干旱草原。矿产资源丰富,尤其是煤。全省煤炭储量占全国的1/4。铝、铜、铁、钼、石膏、盐等储量也居全国前列,还有硫、铅、锌、金、钴、云母等矿。

沿革　山西是中国开发最早的省区之一。1954年在该省南部襄汾县丁村发现的人类化石,表明约在10万年前的旧石器时代,这里已有人类生活。传说中的尧都平阳、舜都蒲坂、禹都安邑都在该省境内(临汾、永济、夏县)。春秋时周成王封弟叔虞于山西南部翼城,为唐国,后改晋。战国分属赵及魏、韩,所以山西又有"三晋"之称。当时南部的盆地和河谷平原农垦发达,全境森林茂密,湖泉众多。有记载的湖泊有10多个,最大的湖泊方圆数百里,烟波浩渺,风光十分秀丽。秦代分置河东、太原、上党、代、云中、雁门6郡。汉代大部属并州刺史部,农业开始向晋北推进,建立了北部重镇平城(今大同)。开凿了番系渠等引汾、引黄灌溉数十万亩农田,农产富饶,成为粮食、木材、丝麻等的重要产地,每年有大量粮食由汾河漕运京都(长安)。冶铁业也很发达,曾设铁官4处。东汉末至南北朝由于长期混战,民不聊生,田园荒芜,逐渐成为游牧和北魏徙牧军马的地方。隋属冀州刺史。唐为河东道,兴水利,劝农桑,经济得以复苏。但唐末至元末又遭混乱,山西再度衰落。宋为河东路,元属中书省。明置山西布政使司。元末明初这里较少战事,平原居民纷纷徙居山西,人口剧增。明代推广植棉,发展蚕桑,渐成为中国北方最大的丝织中心,产有驰名的潞绸。但唐、宋对森林的大量采伐,历经元、明、清三代终至伐毁过度,森林面积逐步缩小,导致湖泊干涸,一些河水断流,众

多泉眼无水,自然生态遭到严重破坏,极大地影响了农业生产,清代山西经济一蹶不振。又因僻居内陆,交通不便,近代经济的发展较沿海各省更晚几十年。直到1907年石太铁路修通,太原、阳泉等地才陆续建立起一些采煤、炼铁、军火、纺织等近代工业,并带动粮棉生产缓慢发展。

经济 1949年以来经济发展较快。农业方面,在汾河(及其支流)、滹沱河、桑干河、漳河等流域先后修建了1 000多个大小水库,扩大了灌溉面积70多万公顷,占耕地面积1/4。生产条件大为改善,提高了农业的抗旱能力和生产水平。农业中粮食作物的种植占居首位,小麦、玉米、谷子、高粱为四大粮食作物,晋南盆地各县为最重要的商品小麦产区。棉花和油料为主要经济作物,棉花主要产在运城地区和临汾盆地各县。畜牧业以饲养大牲畜和猪、羊为主。林产主要有核桃、枣、花椒、柿子等。造林种草已日益受到重视,规模逐渐扩大。除各大盆地和河谷平原外,又在广大山地、丘陵和高原恢复天然植被,加强水土保持。关帝山、管涔山、太行山、太岳山、五台山等山地已出现大片森林,因地制宜地发展了林牧副业。工业以重工业为主,形成了以煤炭、冶金、机械、化工为主体的重工业基地。山西是中国最大的煤炭产地,已探明煤炭储量达2 350多亿吨,占全国30%,主要有大同、阳泉、太原西山、潞安、晋城、汾西、霍县、轩岗8大矿区。电力工业也较发达,以火力发电为主,朔州市神头是最大的电力中心。太原是该省主要钢铁基地,为中国主要优质钢产地之一。铝矿储量8.2亿吨居全国首位,铜矿储量居全国第三位。太原有铜铝精炼和加工企业。机器制造业以重型机械、矿山机械、纺织机械、机车、机床制造为主,太原是中国最大的重型机械与矿山机械的生产中心之一,大同是中国最大的机车制造中心之一。化学工业主要在太原,大同、运城、阳泉、长治、临汾也有一定生产规模。纺织工业以棉纺织为主,太原、榆次、临汾是主要棉纺织中心。著名的轻工业产品有汾阳杏花村产的汾酒和竹叶青酒。

交通及其他 境内有石太、同蒲、京新、太新、邯长、侯日、大秦等铁路干线和多条支线,铁路营运里程达2 512千米(2005),为中国铁路密集的省份之一。为了加速煤炭外运,主要铁路干线多已铺成复线,石太线已全线电气化,其他干线正在实现电气化。全省公路形成以108、208、209、309等国道为骨架的公路网,大同—运城的高速公路西抵西安,东与京张、京石高速公路相接,会入京津塘、京珠高速公路网,公路里程达69 563千米(2005)。民航以太原为中心,有通往北京、上海、广州、深圳、大连、成都、西安、兰州等国内主要城市的班机,太原—郑州—南京—杭州的航线也已通航并辟有至长治等地的省内短程航线。设有山西大学、太原理工大学等多所高等院校。人口32 940 000(2005)。

Shao-hsing (China) 参阅 **Shaoxing 绍兴**。

Shao K'ang-chieh 邵康节 参阅 **Shao Yong 邵雍**。

Shao Yong 邵雍(1011～1077) 又拼Shao Yung。中国北宋哲学家。字尧夫,卒谥康节,世称康节先生。其祖先为范阳(今河北涿州)人,幼随父迁共城(今河南辉县)。后隐居苏

中国大百科全书出版社供图

门山百源之上,又称百源先生。邵与周敦颐、张载、程颢、程颐并称北宋五子,是理学的重要人物。他从《周易》中演绎出宇宙构造图式的"象数学"(先天学),即运用一分为二,二分为四,四分为八的等比级数说明现实世界,并用以推测未来。以往象数学家喜用二或三这两个数字,邵则以四为理解世界的钥匙,如天体分为日月星辰,大地分为火水土石,身体分为耳目口鼻,历史分为皇帝王霸等,即一切事物、思想、行为都可分为四类。他按照象数,把天地从始至终的过程分为元、会、运、世,以此为宇宙历史的周期,一元十二会,一会三十运,一运十二世,一世三十年。邵断定,世界的历史以此为周期,由兴盛到衰亡,周而复始,循环不已。邵雍思想对宋代新儒学形成起了重大作用。18世纪欧洲哲学家莱布尼兹在创立二进制时曾受到邵雍象数学启迪。著作有《皇极经世》、《渔樵问对》、《伊川击壤集》等。

Shaoguan 韶关 又拼 Shao-kuan。中国广东省辖地级市。旧称曲江、韶州。位于省境北部,北江中上游。辖曲江、浈江、武江3区

韶关市的风采楼

中国大百科全书出版社供图

和仁化、始兴、翁源、新丰4县和乳源瑶族自治县,并代管乐昌、南雄2县级市。面积18 380平方千米,其中市区面积2 856平方千米。市区在市境中部,浈水、武水汇合处。韶关向为岭南军事重镇。西汉元鼎六年(公元前111)置曲江县。隋开皇九年(589)于此设韶州,名出州北之韶石。明清之际又在此设税关,故称韶关。1949年析曲江县置韶关市。地处粤北山地,北高南低,由三列弧形山地和二列弧形谷地自北向南相间排列。西界石坑崆,海拔1 902米,是广东省最高峰。农作物有稻谷、玉米、甘薯、花生、黄烟等。是新兴蚕桑、甘蔗、柑橘、苎麻产区。特产有南雄黄烟、仁化白毛茶、马坝油粘以及三华李、南华李、冬菇等。木材积蓄量和产量居广东省首位,是中国重点林区之一。矿产以煤储量最大,铅、银储量居中国第二,锌居第三位;钨、锑、铜、铋等储量居广东省首位,有"有色金属之乡"美誉。有冶金、煤炭、机械、电力、电子、化学、建材、纺织、森工、食品等工业部门。为粤、湘、赣3省交通枢纽。京广铁路及106、323国道和京珠公路纵贯市境。韶关至赣州、郴州、贺县、广州等干线公路汇集于此。水路通广州。市内的风采楼、南华寺为重要古迹。走马岗新石器时期遗址及张九龄墓是广东省重点文物保护单位。有丹霞山、九泷十八滩、金鸡岭、石峡文化遗址等著名旅游地。人口:全市3 170 000(2005);市区890 000(2004)。

Shaolin Temple 少林寺 中国佛教禅宗祖庭,位于河南登封城嵩山西脉西少室山。496年北魏孝文帝为天竺僧人佛陀立寺,寺处少室山林中,故名少林。禅宗初祖菩提达摩(Bodhidharma)曾在此寺面壁修行。北周武帝废佛时,寺宇被毁。重建后改名陟岵寺。隋代大兴佛教,敕令复少林之名。唐初寺僧曾助李世民作战,少林寺遂名闻遐迩。明代寺院规模有所扩大。1928年遭兵燹,天王殿、大雄殿等建筑和佛像、法器被毁。现存有山门、客堂、达摩亭、白衣殿、地藏殿及千佛殿等。千佛殿内有明代五百罗汉朝毗卢壁画。寺旁有始建于唐贞元七年(791)的塔林,有塔220余座,还有初祖庵、二祖庵。寺内保存唐以来碑碣石刻甚多,如《唐太宗赐少林教碑》、《武则天诗书碑》、《戒坛铭》、《少林寺碑》、《灵运禅师塔碑铭》、《裕公和尚碑》等。

Shaolinquan 少林拳 英语作 Shaolin boxing。中国武术拳种之一。因出于河南省嵩山少林寺得名,是在中国古代健身术的基础上,吸收各种武艺之长而形成的拳术流派。特点是着眼于实用,注重技击,套路结构短小精悍,攻防严密紧凑,动作朴实健壮而敏捷,招势巧妙多变,力量的运用灵活而有弹性。主要拳种有小洪拳、大洪拳、罗汉拳、梅花拳、朝阳拳、长护心意门、七星拳、关东拳等。少林拳在国外特别是在日本已经盛行。

Shaoshan 韶山 中国湖南省县级市。地处省境中部偏东。地形以低山、丘陵为主,自西北向东南逐渐倾斜。西部韶山的韶峰为南岳七十二峰之一,海拔518.5米。东部低丘绵

延。境内有全省最大的人工灌溉渠——韶山灌渠北干渠。矿产资源主要有煤、锰、石灰石等。相传在唐虞时期（约前21世纪前）舜帝南巡至韶峰，命随从奏韶乐九成，引“凤凰来

韶山冲的毛泽东故居
中国大百科全书出版社供图

仪”，故名韶山。1968年12月建韶山特区，由省直辖。1981年1月韶山特区划归湘潭县辖，1984年5月归湘潭市辖，1990年12月撤区设县级市，由湘潭市代管。面积210平方千米。工业有纺织、建材、食品、冶金等部门。公路交通便利，并有铁路经过向韶与湘黔线相连。韶山是毛泽东的故乡，韶山冲上屋场的毛泽东故居，为中国重点文物保护单位。毛氏宗祠、毛震公祠、毛鉴公祠均为省级重点文物保护单位。还有毛泽东纪念馆，及距毛泽东故居4千米的滴水洞，因山泉流水久滴穿石而成，为旅游胜地。人口100 000（2005）。

Shaoshan Irrigation Project　韶山灌区　中国湖南省最大引水灌溉区。贯穿湘中的双峰、湘乡、湘潭、宁乡、望城等县、市。灌区工程包括引水坝、总干渠、南干渠、北干渠以及

韶山灌区
中国大百科全书出版社供图

200多条支渠。渠首洋潭引水坝是灌区的关键工程，它把水府庙水库发电站流量为45立方米/秒的尾水引入灌渠。坝在水库下游18千米处，高25米，长430米，建有泄洪闸和升船机。整个干渠总长度为240千米，支渠总长1 600千米，共劈开110座山头，填平90多条沟谷，凿通9处隧洞，架设26座渡槽。还修建了电灌站等小型工程2 000多处。大小渠道将5万多个山塘和120多座小型水库相连接，灌溉韶山市、湘潭市、湘乡、湘潭、宁乡、长沙、双峰7县市5.7万多公顷农田。建成后灌区内新建许多茶园、果园，扩大种植油茶、油桐、药材等。水面还栽培湘莲，养殖珍珠贝和鱼类。农机、水泥、化肥、农药等地方工业也有了发展。总干渠和一些支渠已可通航10～20吨船只。

Shaowu　邵武　又拼Shao-wu。中国福建省县级市。西距江西省边界50千米。西、北大部为武夷山主脉杉岭盘踞，千米以上山峰达100多座，向东南逐渐降低为低山、丘陵。富屯溪斜贯中部，河谷地带峡谷、盆地相间，是主要乡镇和农业区域。城区位于富屯溪干流谷地，地形开阔平坦。面积2 851平方千米。三国吴永安三年（260）置昭武县，西晋太康三年（282）改邵武县。宋为邵武军，元为邵武路，明、清为邵武府。1913年废府存县。1983年改市，1994年起由南平市代管。向为闽北军事重镇。鹰厦铁路东西横贯市境，有公路

邵武市的沧浪阁
中国大百科全书出版社供图

干线东通武夷山风景区，西南通泰宁、金湖风景区。交通便捷，是国家级武夷山风景区的旅游中转服务中心。农业盛产稻谷、油菜籽、茶叶、花生、柑橘。森林资源较丰富，木材蓄积量达800万立方米。工业发展迅速，以造纸（含竹浆）、纺织、木材加工、无烟煤和萤石开采为主。市区有汉代越王台遗址。人口300 000（2005）。

Shaoxing　绍兴　又拼Shao-hsing。中国浙江省辖地级市。中国历史文化名城。位于省境中北部，钱塘江南岸。公元前490年，越王勾践建都城于此，称大越。因城由范蠡主持修筑，故又称蠡城。秦置山阴县，东汉永建四年（129）为会稽郡治。隋开皇九年（589）分山

江南水乡——绍兴
供图：Andrew J. Watson

阴县置会稽县，大业元年（605）为越州治所。南宋绍兴元年（1131）以“绍祚中兴”之义升越州为绍兴府。1912年废府，并山阴、会稽两县为绍兴县。1950年析城区置市。1962年撤市并入县。1979年复分置市、县，1981年绍兴县并入绍兴市。1983年升省辖市。辖越城区和绍兴、新昌2县，并代管诸暨、上虞、嵊州3县级市。全市陆地面积8 256平方千米，其中市区面积338平方千米。地处浙东丘陵北部和宁绍平原西部，南部有会稽山、四明山，北部滨海平原水网密布。主要河流有浦阳江、曹娥江及浙东运河。主要湖泊有鉴湖、贺家池等。是著名的江南水乡。农业主产稻谷、油菜籽、蔗糖、络麻、蚕茧、淡水鱼等。山区、丘陵产茶叶、竹、木，所产“平水珠茶”、“越毛红”是茶中佳品。酿酒已有2 000多年的历史，利用鉴湖水酿造的绍兴酒驰名中外。瓷器、腐乳、毡帽等久负盛名。主要工业有冶金、机械、纺织、食品、电子、建材等。工业总产值仅次于杭州、宁波，居全省第3位。水路交通发达，有20多条内河航线。杭甬、浙赣铁路斜贯境内，公路有杭甬高速公路、104和329国道等过境。地方戏绍剧、越剧风行全国。有中国近代名人秋瑾、鲁迅、周恩来等的故居，有越王殿、越王台、兰亭、大禹陵、古纤道等古迹。东湖、鉴湖、新昌大佛寺、诸暨五泄是绍兴著名的风景名胜区。人口：全市4 330 000（2005）；市区640 000（2004）。

Shaoyang　邵阳　又拼Shao-yang。中国湖南省辖地级市。旧称宝庆。位于省境中南部，资水与邵水汇合处，湘中通往湘西南的咽喉之地。西南为越城岭等南岭山地，地势高。

邵阳风光
中国大百科全书出版社供图

东北较低，多低矮山丘。资水蜿蜒于西北，邵水环流于东南，至市中心注入资水。春秋战国属楚，汉置昭陵县。西晋太康元年（280）为避司马昭讳改邵陵县，改昭阳县（今邵东县）为邵阳县。隋初邵陵县并入邵阳县，县治迁今市区。唐置邵州，宋升为宝庆府。1913年废府改宝庆县，1926年复名邵阳县。1950年由县析置市，1977年升为省辖市。辖双清、大祥、北塔3区和邵东、新邵、邵阳、隆回、洞口、新宁、绥宁7县和城步苗族自治县，并代管武冈县级市。面积20 829平方千米，其中市区面积436平方千米。

邵阳为综合性工业和区域性中心城市。工业有食品、纺织、化工、汽车四大支柱产业。较大的企业有邵阳第一和第二纺织机械厂、邵阳水泥厂、邵阳液压件厂、湖南省汽车制造

厂等。农产有稻谷、生猪、柑橘、甘蔗、烤烟、茶叶、油料、棉花、水产等。已初步形成水果、烤烟、茶叶、黄花、蚕桑、三辣(辣椒、生姜、大蒜)、用材林、经济林、畜牧(奶牛、绵羊、瘦肉型猪)、水产品等农业商品生产基地。邵东黄花、宝庆辣椒、龙牙百合、雪峰蜜橘为著名特产。湘黔铁路支线娄底—邵阳铁路经此。公路四通八达。资水和邵水可通 30 ～ 50 吨客货轮,港口货物年吞吐量达 113 万多吨,是湘中南的重要物资集散地。名胜古迹有双清亭、水府庙、东塔、桃花洞等。蒋家桥乡蒋家冲是辛亥革命著名将领蔡锷的故乡。人口:全市7 300 000(2005);市区630 000(2004)。

shape-note hymnal **图形音符记谱赞美诗集** 又作 patent - note hymnal 或 buckwheat - note hymnal。美国赞美诗集,其中收编了许多民间赞美诗,并使用特殊的记谱法。音阶的 7 个音不是唱成 do-re-mi-fa-sol-la-ti 这 7 个音节,而是用早期英国殖民者带来的 4 音节体系来唱的:fa-sol-la-fa-sol-la-mi。其记谱法与正常的一样,只是用不同形状的符头取代惯用的符头:mi(♢),la(◻),fa(▷)和 sol(P)。歌唱者们按照符头的形状来读谱,虽然有些人对此体系并不熟悉,但他们可根据音符在五线谱上的位置来识别。这种赞美诗在一般情况下都配以三声部和声,四声部和声则比较少见。欧洲和声的传统规则一贯不受重视,代之以一种简单而富有活力的风格,其中一个个旋律线条的进行最为重要。旋律一般都出现在男高音声部,取自民间赞美诗、宗教性民谣、奋兴灵歌(参阅 **spiritual**)、18 世纪与 19 世纪初的美国作曲家写的赞美诗以及少量的欧洲作曲家谱写的流行赞美诗与赞美歌。这种图形音符记谱法在城市音乐趋向欧化的压力下,于 1815 年前后在新英格兰逐渐衰落,但在中西部与南部一直流行到 19 世纪 80 年代。

shaped poetry 参阅 **pattern poetry 拟形诗**。

shaper **牛头刨床** 一种金属切削机床。通常利用装在往复移动的滑枕一端的一把单刃刀具,对夹持于工作台上的虎钳或类似夹具中的工件进行加工,可用手动或机动方式使工件在与刀具运动相垂直的方向移动。在刀具每一行程终了时,工作台使工件作小量间歇进给,在工件上可刨出粗糙但实质上是平的表面。可调整的刀架能使刨床刨削出彼此差不多可成任意角度的沟槽和平面。大多数牛头刨床的滑枕都作水平往复运动。带立滑枕的刨床常被称作插床,而且常常配备有回转工作台。所有牛头刨床上都装有可改变滑枕行程长度和速度的装置。

Shapiro, Karl (Jay) **夏皮罗**(1913-11-10,美国马里兰巴尔的摩～ 2000-05) 美国诗人、评论家,他的诗题材广泛,包括描写强烈的肉欲爱的抒情诗到尖锐的社会讽刺诗等。曾就读于弗吉尼亚大学和约翰斯·霍普金斯大学,1942 年发表赞美自己身世经历的诗《人、地、事》,引起评论界注意。他的《通报胜利的信及其他诗》(1944)赢得 1945 年普利策奖。夏皮罗还发表过几本诗集,其中以《一个犹太人的诗》(1958)和《白发情人》(1968)最为著名;另外发表过几本文学评论集,如《不仅是批评》(1953)、《为无知辩护》(1960)和《诗歌的毁灭》(1975)。担任过国会图书馆诗歌顾问(1946 ～1947)和《诗刊》编辑(1950 ～ 1956)。1956 年起,他先后任教于内布拉斯加、伊利诺伊和加利福尼亚大学。《诗选:1948 ～ 1978》出版于 1978 年。

Shapley, Harlow **沙普利**(1885-11-02,美国密苏里纳什维尔～ 1972-10-20,科罗拉多博尔德) 美国天文学家。他推断太阳位于银面附近且距银心约为3万光年。1911 年,他利

供图:Niels Bohr Library

用 H.N.罗素的结果并通过测定互相交食的双星的光度变化求出双星系统成员星的大小,这种方法被作为标准方法沿用了 30 多年。他还论证了造父变星不是食双星,从而成为提出造父变星是脉动变星的第一人。1914 年他在加利福尼亚州帕萨迪纳的威尔逊山天文台任职。他用威尔逊山的 1.5 米反射望远镜研究了银河系中球状星团的分布。这些星团都是很庞大和密集的恒星群,其中有些包含多达 100 万颗成员星。他发现当时已知的100个球状星团中有1/3在人马座内。利用当时新提出的概念,即利用变星的变光周期和视亮度可以精确求出它们的距离,他发现星团的分布基本上是以人马座为中心的球形。既然球状星团的分布呈球对称,把它们看成是环绕银心就是合乎逻辑的。根据这一结论和他得到的其他距离的资料,他断定太阳距银心 5 万光年,后来改为 3 万光年。在沙普利之前,人们认为太阳位于银心附近。沙普利这项对银河系的实际大小作出比较合乎实际的估计是银河系天文学的一个里程碑。除研究银河系外,他还研究了银河系邻近的星系,特别是麦哲伦云,并由此发现星系有成团的趋势,他称之为总星系。他曾任哈佛大学天文学教授,后又任哈佛学院天文台台长(1921 ～ 1952),1952 年任哈佛大学天文学功勋教授和名誉台长。他的著作有《星团》(1930)、《开天辟地以来》(1930)、《星系》(1943)、《内总星系》(1957)和《论恒星和人》(1958)。

Shāpūr **沙普尔** 拉丁语作Sapor,钵罗钵语作 Shah-Puhr,希腊语作 Sapores。波斯萨珊国王之名。按年代顺序列于后,并各以 ● 为标记。

● **Shāpūr I** **沙普尔一世**(?～272) 波斯萨珊王朝国王,他巩固和扩大了其父阿尔达希尔一世创立的帝国。他继续与罗马作战,曾占领努赛宾和卡雷(今均在土耳其),并长驱直入叙利亚,尽管 243 年在雷珊纳败北,次年仍缔结了一项于己有利的和约。256年他

公元 3 世纪钱币上的沙普尔一世像
不列颠博物馆供图

趁罗马帝国内乱机会侵入叙利亚、安纳托利亚和亚美尼亚。260 年在埃德萨打败罗马皇帝瓦莱里安,并将其活捉,囚禁终生。活捉瓦莱里安是萨珊岩雕的常用的主题。他曾利用俘虏建造贡德沙布尔城和舒什特尔河上的水坝。沙普尔一世不满足"伊朗万王之王"称号,自称"伊朗与非伊朗的万王之王"。他企图寻找一个适合整个帝国的宗教,显然赞赏摩尼教。同时也要扩大新复兴的琐罗亚斯德教的基本内容。

● **Shāpūr II** **沙普尔二世**(309～379) 波斯萨珊王朝第 10 代国王。他能征善战,具有卓越的军事和外交才能。在他统治下,波斯帝国臻于权力的顶峰。据说他是遗腹子,一出

公元 4 世纪金币上的沙普尔二世像
不列颠博物馆供图

生就被波斯贵族奉为国王。325 年(16 岁)亲政。337 年派遣大军渡过底格里斯河,试图收复祖先的失地——罗马人占据的亚美尼亚和美索不达米亚。这场战争持续到 350 年,双方在美索不达米亚北部陷于胶着状态,胜负难分。战争开始后不久,他作出一项重大决策。原来在波斯境内有许多基督教徒,他恐怕这些人成为罗马帝国的内应,就下令强制基督教徒改宗琐罗亚斯德教。358 年准备再次与罗马帝国开战。他派遣使臣致书君士坦丁二世,重申对上述两地的主权要求。遭到拒绝之后,他就率军进入美索不达米亚北部,取得辉煌的胜利。然而 363 年罗马帝国皇帝尤里安进行反攻,一直到达底格里斯河畔的波斯重镇泰西封。正在此时,尤里安阵亡,他的继位者只好接受屈辱的 30 年停战协

定，把5个罗马行省割让波斯，沙普尔随后进攻亚美尼亚，打败当地亲罗马的统治者，并强制推行琐罗亚斯德教。此后罗马人又进入亚美尼亚，双方势力互有消长。直到374年，亚美尼亚终于落入波斯之手，沙普尔379年去世时，波斯国势鼎盛，版图大展，但因与罗马帝国不断打仗，终于耗尽了萨珊王朝的力量。

Sharaf ad-Dīn ʿAlī Yazdī　谢拉夫丁·阿里·耶兹迪（?，伊朗亚兹德～1454，亚兹德）　波斯历史学家，15世纪伊朗最伟大的人物之一。早期生活情况不详。1442或1443年成为伊拉克总督米尔扎·苏丹·穆罕默德的心腹。后米尔扎企图背叛当时在位的沙阿·罗赫，谢拉夫丁幸而免于卷入，获准返回故乡居住至死。最出名的著作是《胜利记》（1424或1425），此书叙述世界征服者帖木儿（1370～1405）的历史。

Shaʿrānī, ash-　沙拉尼（1492，开罗～1565，开罗）　埃及学者、神秘主义者。创立伊斯兰教苏非主义沙拉尼教团。自幼所受正式教育以"天赋秘识"为主要内容，与强调认真研究伊斯兰教学术的传统教育方针相悖。教义学家拘泥于传统学术以及教法，而神秘主义派则讲泛神论和灵性追求，各走极端。沙拉尼企图予以折衷，这种立场遭到正统派学者和苏非派两方面的反对，历经迫害，不得不靠织布为生。他批评乌里玛在律法方面的刻板僵化和在处理埃及社会问题上表现出来的无能。同时，他指责苏非派许多教团的腐败，并认为这些教团的宗教功修违反伊斯兰法的主体——沙里亚。后另立沙拉尼教团。该教团不同于苏非派其他各教团，讲求实际，不提倡秘法修炼和伪装得道。沙拉尼的思想漫无系统，他的著作主要讨论传统学术，既包含独到之见，也有有失庞杂之疵。

Sharavati River　舍拉沃蒂河　印度南部卡纳塔克邦西部河流。发源于西高止山，向西北流经95千米，在霍纳沃尔注入阿拉伯海。在河口上游29千米处宽仅70米，形成落差250米的瀑布4处，统称*焦格瀑布*（**Jog Falls**）。瀑布下游数千米有两座水电站，可满足本邦大部分电力需要。

sharecropping　谷物分成制　参阅 **tenant farming** *租佃制*。

Sharett, Moshe　沙雷特（1894-10-15，乌克兰克尔松～1965-07-07，以色列耶路撒冷）　原名Moshe Shertok。犹太复国运动领袖、政治人物，以色列总理（1953～1955）。1906年随家人自乌克兰移居巴勒斯坦（时为奥斯曼帝国的一部分）。曾在君士坦丁堡（今伊斯坦布尔）学习法律。第一次世界大战期间在奥斯曼军队中担任翻译。1922～1924年入伦敦经济学院，其间参与犹太复国运动。返回巴勒斯坦后，1933年任犹太代办处政治部部长。1946年因从事犹太复国活动被英国人囚禁数月。1947年成功发起促使联合国通过巴勒斯坦分治方案的运动。翌年以色列建国，任首任外长。1953年总理本-古里安临时离职，沙雷特被提名担任总理。继续迅速发展经济及移民政策，但其稳定与阿拉伯世界关系的努力常遭批评。有人认为他对侵犯边界及攻击平民的反应过于宽厚。1955年本-古里安重新出任总理。由于两人不和，沙雷特辞去外长一职。1960年出任世界犹太复国组织主席。

Shari River（Africa）　参阅 **Chari River** *沙里河*。

Sharīʿah　伊斯兰教法　又称沙里亚。伊斯兰教2～3世纪（公元8～9世纪）形成体系的伊斯兰教最基本的宗教概念，即伊斯兰教法。伊斯兰教法的形成是以四大法理依据（又称四大基础）为基础的：①*《古兰经》*（**Qur'ān**）。②*圣训*（**Ḥadīth**）中所记载的先知的逊奈。③伊智马尔（公议），实际上已成为解释《古兰经》及逊奈的含义（即规定穆斯林社会的理论和实践）中也许是最重要的因素，且已奇特地成为该教几乎未经过明确规定的宗教制度。中世纪的伊斯兰教或近代学者均未就其全部性质与含义作出适当的分析。必须记住两个要点：第一，虽然公议在概念本身上并非世代相传，但它在近代以前的习惯总是就古代而言，近古或远古，而不援引当代人的公议。可是在近代穆斯林对这个词的运用中，公议已意识为民主制度，与传统的权威相对立。第二，公议远非一种绝对标准化的铁板一块的原则，而是伊斯兰教内对不同的传统实行宽容的原则。④教法规定的第四原则，通称类比或格亚斯，是伊斯兰教中解释和思考（伊智提哈德）的真正基础，使进步的"公议"成为可能。其最初形式是个人的思想和意见，被优秀的圣训权威斥为"专断"。

有4门科学被认为是伊斯兰教法的科学：先知的圣训、《古兰经》注释（太甫绥鲁）、教义学（凯拉姆）和教法学。前二者是教义学和教法学的材料。早在伊斯兰教历最初两世纪就已形成的四大教法学派——哈乃斐派、马立克派、沙斐仪派和罕百里派认为，教义学与教法学是一个整体，并未分开，不过那时教义学只是教义的说明。由于受其他宗教制度日益增长之影响，结果教法学与教义学发生分裂，而在观念上以后者为基础和先决条件的教法学，却变成了一个独立的学科，并自称为研究教法的卓越科学，甚至与教法本身等同起来。这样，教法学原意为对信仰的全部领域的了解，后来变成只应用于教法学本身。伊斯兰教法与西方法律的基本区别在于：它在理论上不是人为的，而是根据真主的启示。在近代穆斯林国家中，沙特阿拉伯还保持着伊斯兰教法作为本国的世俗和宗教的法律，但在大多数其他穆斯林国家中，西方化的民事法规已脱离了伊斯兰教法的戒律。

Shariat-Madari, Mohammad Kazem　沙里亚特-马达里（1905，波斯大不里士[今属伊朗]～1986-04-03，伊朗德黑兰）　伊朗神职人员，五位什叶派大阿亚图拉之一。先后在伊拉克纳杰夫及伊朗库姆学习，其间结识霍梅尼。两人开始积极筹建宗教学校并支持慈善事业。与霍梅尼共同反对巴列维于20世纪60年代实行的土地改革。在霍梅尼被控卷入反政府骚乱后支持霍梅尼。在霍梅尼被巴列维政府放逐国外期间当选大阿亚图拉，成为伊朗什叶派宗教领袖。1979年霍梅尼回国后不久两人即发生争执。长久以来他对神职人员参与政治一直持怀疑态度，与霍梅尼相比赞成更为民主的共和政体，而且反对1979年根据霍梅尼"律法治国"观点制定的宪法。在伊斯兰共和国初期，受到穆斯林人民共和党支持。1979年穆斯林人民共和党在大不里士举行起义，遭霍梅尼支持者野蛮镇压。不久，霍梅尼命令解散该党。他的政治影响力日渐衰落，无力继续与霍梅尼势力抗争。1982年被控共同谋害霍梅尼。虽对此指控予以否认，但仍遭软禁并被剥夺神职头衔。

sharif　谢里夫　阿拉伯语尊称。自伊斯兰教兴起后，这个称呼限于穆罕默德所属哈希姆家族，特别是他的叔父阿巴斯和艾布·塔里布的后人以及艾布·塔里布的儿子阿里与穆罕默德之女法蒂玛的后裔。据说，在阿拉伯半岛西部滨海汉志（希贾兹）地区，谢里夫的称呼仅限于阿里和法蒂玛所生长子哈桑的后裔。名称原指显赫家族首脑，后指麦加和麦地那的地方半自主的统治者。

Sharif-Emami, Jafar　谢里夫-埃马米（1910-09-08，伊朗德黑兰～1998-06-16，美国纽约州纽约）　伊朗政治人物，伊朗国王巴列维的亲信，两次担任伊朗首相（1960～1961，1978）。曾在德国及瑞典学习铁路工程。1931年返回伊朗后进入国家铁路局。1950年任公路和交通部副部长，其后任工业矿业部部长。1960年任首相，接替埃格巴尔。时值伊朗经济不振，动荡日增，虽试图进行经济改革，但终因威信不足，第二年被具有改革思想的阿米尼取代。1978年8月再度任首相，平息日益蔓延的民众动乱，并着手国家现代化，结束政府腐败；同时努力安抚穆斯林情感，实行政党合法化，举办新选举和释放多名政治犯。但因伊朗国内局势继续恶化，1978年11月辞职。伊朗革命爆发后霍梅尼控制国家，谢里夫-埃马米逃往美国。后担任巴列维基金会主席。

Shāriqah, ash-　沙迦　阿拉伯联合酋长国的成员国。部分国界尚未划定，国土主要部分为一形状不规则的地带，从西北的波斯湾延伸至东南的阿曼岬内地的中央约100千米。在阿曼岬东侧有三处飞地，即迪巴（为沙迦与富查伊拉酋长国、阿曼苏丹国所共有）、豪尔法坎和凯勒巴。由于该地区政治区划零碎，沙迦及其飞地与联合酋长国中其他6个成员国以及阿曼苏丹国都接壤。全国面积约2 600平方千米。首都沙迦城濒临波斯湾，是主要居民点。其港口一向为海湾重要战略与商业中心。曾为英国保护国。1971年12月英军撤离波斯湾，阿联酋宣告独立。现代化限于首都沙迦城。该城有新建的房屋、深水港及国际机场，轻工业在发展中，有公路可通哈伊马角和阿布扎比。飞地豪尔费坎商业活跃，尤以向印度走私黄金为甚；设有联合酋长国渔业研究站。1964～1972年沙迦的很大一部分财政收入来自印刷专为集邮用的纪念邮票。人口约314 000(1991)。

shark 鲨鱼 多种具有掠食习性的软骨鱼。鲨鱼构成软骨鱼纲鲨目,与魟和鳐共同构成软骨鱼纲板鳃亚纲。鲨鱼与其他板鳃类不同之处在于体形呈纺锤状、鳃裂位于头部两侧,

大白鲨(*Carcharodon carcharias*)
供图:Al Giddings/Ocean Images, Inc.

而与平常鱼相似。典型的鲨鱼(虽有例外)均有暗灰色的坚固皮,牙齿状鳞片使皮粗糙;尾部不对称,通常向上翘,肌肉强壮有力;各鳍有尖端;吻部尖,突向前方,吻下有新月形嘴和尖锐的三角形牙齿。鲨鱼无鳔,为了不沉到水底就必须不停地游动。现存的鲨鱼300多种,分为13至22个科,依各权威的分类系统而定。有几个人型种类可能对人类有危险,体型较小的一些种类,如角翅鲨类、角鲨类、狗鲨等,为商业捕捞对象。

外形和习性 各种鲨鱼的体色难以归类,从灰至奶油色、棕、黄、蓝灰或蓝色,并且皮上常有斑点、条纹、大理石花纹或突起。许多鲨鱼的俗名表明它们的体色:蓝鲨(大青鲨属[*Prionace*])、白鲨(噬人鲨属[*Carcharodon*])及柠檬鲨(柠檬鲨属[*Negaprion*])。鲸鲨(鲸鲨属[*Rhincodon*])及晒暖鲨(姥鲨属[*Cetorhinus*])体长可达15米,重数吨,体巨大但对人类无害,用鳃耙滤食海水中的浮游生物。所有其他鲨类食较小的鲨鱼、鱼类、乌贼、章鱼、贝类,有些鲨类还食垃圾。其中最大的是贪食的体长6米的大白鲨(或食人鲨,捕食海豹、海龟、大型鱼类,偶亦食人)。格陵兰鲨(睡鲨属[*Somniosus*])分布于寒冷的深水水域,行动较为缓慢;体型仅为白鲨的一半,以海豹类、大的鱼类、鲸类甚至游泳中的驯鹿为食。鲨类通常以鱼为食,常常成群捕食。生活于开阔海洋的种类,如鲭鲨、马科鲨、长尾鲨等,通常在近水面处捕食,且受用螺旋轮钓竿钓鱼者的欢迎。生活于开阔海洋的鲨鱼身体呈流线形,轮廓美观,善游泳,善于捕食游泳迅速的金枪鱼、枪鱼之类。于海底觅食的鲨类身材结实,吻部较钝,行动往往较为缓慢。其中以贝类为食的鲨鱼,牙齿粗糙,形似铺路石,适于咬碎食物。外形最古怪的鲨鱼是锤头鲨(双髻鲨属[*Sphyrna*]),其头部形似有两个头的锤子,两眼分别生于两个侧叶的末端。

鲨鱼为体内受精,雄体腹鳍上附有一对特别的器官——攫握器,借此将精液注入雌体体内。大多数种类的受精卵在雌体体内孵化出幼鱼,幼鱼再离开母体。

鲨类的起源不详,但其地质学记录可追溯到泥盆纪(4.08亿年前至3.6亿年前)。鲨鱼化石于中泥盆世出现,在石碳纪(3.6亿年前至2.86亿年前)鲨鱼成为占优势的脊椎动物种类。现代的鲨类出现于早侏罗世,到白垩纪发展成现存的各科种类。总的说,鲨鱼的外形在进化过程中改变甚微,仅取食机制及游泳机制得到改进。无论对化石鲨类及现代鲨类来说,牙齿在鉴别鲨鱼种类方面起极为重要的作用。

鲨类的地理分布范围尚未完全了解。鲨类的活动范围很大,这与其生殖活动、取食活动或季节性的环境改变有关。在美国东海岸给大型鲨类带上标志并放回大海,从捕获的带标志的鲨鱼可以看出它们有规律地在新泽西与佛罗里达之间游动。曾发现一条带标志的棘狗鲨(角鲨属[*Squalus*])于129天内游了约1 600千米;而一条豹鲨(皱唇鲨属[*Triakis*])47天内仅游约3千米。某些真鲨属(*Carcharhinus*)的种类可进入淡水。河流里的鲨鱼虽体型为小型或中型,却特别贪食,特别大胆。

鲨鱼的行为 20世纪后半叶人们对鲨鱼的生态学和鲨鱼个体及群体的活动进行了研究,收集了许多信息,这使人们对鲨鱼的行为有更多的了解。因为大型鲨类以体型较小的鲨类为食,按体型大小来隔离的习性似乎对它们的生存是必不可少的;在体型大小一致的集群中,有些种类的鲨鱼在取食竞争中处于优势地位,表明存在一个明确的啮食顺序。所有鲨鱼都避开锤头鲨,它活动灵活,加上头部有如方向舵,这使它的游泳能力强于其他鲨类。鲨鱼先绕着猎物转,然后神出鬼没地出现使猎物惊慌失措,并经常从下面接近猎物。在猎物前出现3条以上的鲨鱼时,数量和迅速游动会刺激起取食行为;鲨鱼先紧紧围绕猎物游动然后迅速在猎物中间交叉穿插游动。在强烈的取食刺激的影响下,鲨鱼会受激发产生同类相残的取食行为,这称为"鲨疯",此时受了伤的鲨鱼,无论体型大小都会被吞食。鲨类会在很长一段时间内不进食,在被人捕获的情况下鲨鱼会拒绝进食。雄鲨于求偶期间,妊娠的雌鲨在养育场时,都不取食。选择生育的场所通常没有大型鲨类。鲨鱼主要借助于化学感觉尤其是嗅觉来确定其食物的位置。视觉敏锐度适应于近距离及远距离定位,辨认移动物体时更多地依靠反射而非颜色,无论在暗淡的光线中还是明亮的光线中都是如此。身上的窝器官用作远距离触觉感受器,能对声波造成的介质分子位移作出应答。某既定点发出不规则的低于800赫的脉冲信号后鲨鱼能迅速游向该处,这表明鲨鱼具有在相当距离外进行听觉定位的能力。

鲨鱼的取食方法和牙式各异,咬噬习性也不同。其牙齿适于切和锯的鲨类于咬噬时还借助于身体的动作,包括身体转动,头和躯体扭动,或头部迅速颤动。来到适当位置后鲨鱼将颚突出,将牙直立起来并咬定。

对人类的危险 在澳大利亚、新西兰、南非及任何其他地方都会有鲨鱼游近的海岸,公共海滩上常设有观望楼、警示钟及警报器或防护网。从1937年以来,澳大利亚的海滩外一直用捕鲨网来捕捉鲨鱼:在碎浪线以外,与海滩平行,于浮标与支柱之间张挂一些刺网。这些网能从各个方向将鲨鱼缠住,即使它们既不接触水面又不接触水底,而且各网之间距离甚大,这些网也确实提供了有效的保护。

最可怕的鲨类是大白鲨,它们在美洲沿岸水域行踪不定地突然出没,曾在马萨诸塞州巴泽兹湾、新泽西州海岸外出没,沿加利福尼亚海岸出现的次数更多,它们在这些地方攻击人类,造成可悲的结果。其他可能攻击人类的鲨鱼包括虎鲨、牛鲨、海洋白尖鲨、蓝鲨及锤头鲨。当然,鲨鱼的体型越大,其攻击越可怕,但一些小型鲨类也可能有同样的危险,这点为战争时期落海生还者的经历所证实。

鲨鱼饥饿时,受骚扰时,或在某些情况下保卫领域时会攻击人。人在水中踢腿挥臂摆动(在鲨鱼看来,这与受伤的鱼的不规则运动相似),或者水中有被刺伤的鱼或鱼饵,或者有伤口流出的血或月经血流出时,鲨鱼就会被激惹起来。大部分伤害发生于下肢及臀部。据估计,鲨鱼攻击人的事件每年约发生100起,其中约25%是致命的,致死原因主要是出血和休克(但这些问题通过急救通常可得到控制)。尚未设计出一个保卫游泳者安全的有效措施。但应注意到鲨鱼攻击人的事件较其他水上事故少见得多。

Shark Bay 沙克湾 澳大利亚西澳大利亚州的印度洋海湾。伯尼尔岛以北的乔格拉菲水道为其人海口。主要港口为加斯科因河河口的卡那封。珍珠采集业一度重要,现已让位于渔业。制盐业占重要地位,海滨亦养羊。

Sharkey, Jack 夏基(1902-10-26,美国纽约宾厄姆顿～1994-08-17,马萨诸塞贝弗利)美国职业拳击运动员。1932年6月21日在长岛城以15个回合击败施梅林获最重量级世界冠军,1933年6月29日在纽约市经6个回合被卡内拉击倒,丧失冠军称号。1927年7月曾在纽约市败于登普西,这场比赛有争议,实际上夏基当时的竞技状态可能是最佳的。登普西在第7回合将夏基击倒,夏基则指出对手犯规。原来,1930年夏基初次争夺最重量级冠军称号时因犯规败于施梅林。后来1932年夏基对施梅林的胜利颇招人非议。1933年夏基丢掉冠军称号的那场比赛也是有争议的。有人认为卡内拉背后有流氓团伙支持,疑有人操纵比赛。夏基于1936年退出拳坛。1924～1936年共参加55场比赛,胜38场,其中15场靠直接击倒对方取胜。

Sharkia (Egypt) 参阅 **Sharqīyah, Ash-** 东部省。

sharksucker (fish) 参阅 **remora** 印鱼。

Sharm ash-Shaykh 沙姆沙伊赫 参阅 **Ra's Naşrānī** 纳斯拉尼角。

Sharma, Shankar Dayal 夏尔马(1918-08-19,印度中央邦博帕尔～1999-12-26,新德里)印度律师、政治人物,印度总统(1992～1997)。曾在阿格拉大学和勒克瑙大学接受高等教育。在剑桥大学获得法学博士学位后,进入伦敦林肯律师学院和哈佛大学。1940年在勒克瑙执律师业,不久参加印度国民大会党。因参加国家独立运动曾遭逮捕,

监禁8个月。1947年后积极投入印度独立后的政治建设,并担任邦和国家级的各种政治职务。1950～1952年任博帕尔省议会委员会主席,1952～1956年担任博帕尔省首席部长。1956～1971年为中央邦立法会议议员。1971年开始参与国家政治,选入议会人民院。1972年当选国大党主席,在任两年。1974～1977年在英吉拉·甘地领导的国大党政府内担任交通部长。1984年任安得拉邦邦长,1985年任旁遮普邦邦长,1986年任马哈拉施特拉邦邦长。1987年任印度副总统,1992年任总统至1997年。

Sharman, Bill　夏曼(1926-05-25,美国得克萨斯阿比林～　　) 美国职业篮球运动员,篮球运动史上最优秀的罚球投篮手,善于远距离投篮。他毕业于南加利福尼亚大学(1950),在开始篮球生涯之前,他先参加小联盟棒球赛。1951-1952年到1960-1961年连续10个赛季中,他是全国篮球协会波士顿凯尔特人队队员,在正式比赛中平均每场得17.8分(710场,12 665分),在评分决赛中平均每场得18.5分(78场,1 446分)。他在正式比赛中共罚球投篮3 557次,得分3 143次,平均得分率为0.883,这是全国篮球协会的空前纪录;在评分决赛中共罚球投篮406次,得分370次,平均得分率0.911。在1958～1959年度他罚球投篮367次,得分342次,得分率0.932,创全国篮球协会赛季纪录。其后在评分决联赛中他又连续56次罚球投篮得分。在连续3个赛季,被提名参加全国篮球协会全明星一队(1956～1959),于1953、1955和1960年参加二队。作为队员退休后,他成为职业篮球的一名教练员。1972年被提名为全国篮球协会最佳教练员。1976年不当教练,成为湖人队总领队。1975年夏曼入选篮球名人堂。

Sharon　沙伦　美国宾夕法尼亚州西部默瑟县城市。在俄亥俄州界处的谢南戈河畔。为一工业区的组成部分。约1802年始有居民。1815年兴建。1841年设为自治镇,1918年设市。1844年宾州伊利湖运河延长段竣工后建造的沙伦高炉钢厂成为重要的炼钢中心。主要制造业产变压器和钢制品。1965年建立宾夕法尼亚州立大学谢南戈河谷分校。附近有比尔公园、谢南戈大坝、水库及游乐区。人口:市约16 154(1999);都会统计区121 458(1999)。

Sharon　沙伦　美国佛蒙特州东部温莎县城镇。濒临怀特河。位于拉特兰东北47千米处。三面环山。建于18世纪30年代。1761年获准设镇。现为一林、农业小社区。作为摩门教创立者J.史密斯的出生地而闻名。有公路与北面约3千米的罗亚尔顿相通。人口约1 403(1999)。

Sharon, Ariel　沙龙(1928-02-26,巴勒斯坦马拉勒村[今在以色列]～　　) 别名阿里克·沙龙。以色列将军和政治家,其早期的军事成就因政治争论和1982年以色列入侵黎巴嫩等事件而黯然失色。沙龙早年接受军事训练,参加了保卫基布兹(集体农庄)不受贝督因人和邻近阿拉伯村庄袭击的犹太人自卫队。在1948年以色列独立战争中,他指挥过一支突击队;战后,他参与情报和侦察工作,1953年指挥了一次对一个约旦村庄发起的颇有争议的进攻。1956年苏伊士战争期间,沙龙占领了西奈半岛的米特拉山口,既因其军事才能而受到赞扬,也因其刚愎自用的领导作风而遭致批评。战后,他在英国坎伯利参谋学院学习军事理论,后又在特拉维夫大学学习法律,1966年毕业时获得法学学位。在1967年6月的六日战争爆发前几个月,被授予少将军衔。在这场战争中,他以一次闪电般的快速突击再次占领具有战略意义的米特拉山口。1973年7月他从以色列陆军辞职,但又因1973年10月的战争再次征召服役。他率领以军先头部队跨过苏伊士运河向西实施反击,直捣埃及境内。沙龙树敌过多,人们指责他容易冲动,缺乏控制能力以及独断专行,这使他未能担任就其军事才能来说本应担任的陆军最高职务。1973年9月他帮助建立了利库德集团,同年担任议会议员。他担任Y.拉宾总理的顾问(1975～1977),后于1977年在M.贝京总理的利库德集团政府中担任农业部长,负责新拓居地事务。担任这一职务时,他极力鼓吹在占领的阿拉伯土地上建立犹太人定居地。1981年6月,贝京任命他担任国防部长,他是1982年以色列入侵黎巴嫩的主要策划者,这场战争使以色列遭到全世界的指责。黎巴嫩基督教民兵在以色列占领的贝鲁特地区的2个巴勒斯坦难民营进行了大规模屠杀,此后以色列建立一个调查委员会确定谁应承担责任。委员会调查发现沙龙对屠杀行为并没有直接责任,但他未能采取行动制止惨案发生而有间接责任。1983年沙龙辞去国防部长职务,不过他在以后的10年中仍然是内阁成员并且继续坚持在被占领地区建居民点的政策。1996年总理内塔尼亚胡为沙龙设了一个国家基础设施部的内阁职务。两年后他被任命为外交部长,1999年他接替内塔尼亚胡成为利库德集团领袖。但是,沙龙依然不断引起争议。2000年末他造访圣殿山,强调以色列对这个犹太人和穆斯林都视为圣地的地方拥有主权,此举激怒了巴勒斯坦人并引起大规模暴力活动,严重破坏了巴以和平谈判。2000年12月总理巴拉克辞职,新的选举在2001年2月举行。沙龙宣布参加竞选,以色列人对巴拉克制止战争的能力失去了信心,以以色列历史上最多票数选举沙龙为总理。然而,暴力活动依然继续,2003年末沙龙开始执行从加沙地带和西岸部分地方撤出以色利居民和军队的计划。尽管利库德集团内部有人反对,但以色列还是在2005年9月完成了撤出计划。两个月之后沙龙宣布脱离利库德集团,另组成一个温和路线的新党"前进党"。2005年突发中风,术后一直昏迷,总理职务由原副总理奥尔默特代行(2006年正式就任)。

Sharon, Plain of　沙龙平原　希伯来语作ha-Sharon。以色列地中海沿岸平原之一段,人口最稠密的地区。大体呈三角形,东界卡尔迈勒山脉和撒马利亚丘陵带,从北端的卡尔迈勒山海滨延伸至南端的亚尔孔河,长约89千米。历史久远,古时为埃及至新月带通道的要冲。最早见于埃及法老图特摩斯三世的铭文,尔后又见于《圣经》和拉比文献(汉文《圣经》译作"沙仑")。19世纪末,平原森林消失,仅有稀疏的贝都因部落居民和阿拉伯村庄。由于地势低下,该区域的大量小溪与间歇河在冬天多雨季节形成许多沼泽,疟疾流行。现代该地的移民定居是犹太复国主义向巴勒斯坦农业地带移民运动的一部分。1890年在哈代拉开拓了第一个定居点,1894年开始栽植果树。当地红色沙土特别适于种植柑橘,现今1/3的农地已用于栽植柑橘,其他用于种植饲料、棉花、蔬菜。北部栽培葡萄,南部饲养家禽,坦尼尼姆河流域遍布葡萄园。1948年以色列独立后,加快了该地的工业化和都市化步伐。主要城市有*内坦亚*(**Netanya**)、*赫茨尔利亚*(**Herzliyya**)、*哈代拉*(**Hadera**)及*萨瓦村*(**Kefar Sava**)。旅游业占重要地位。凯撒里亚和多尔的古代遗址颇为著名。

Sharp, Cecil (James)　夏普(1859-11-22,英格兰伦敦～1924-06-23,伦敦)　英格兰音乐家,以收集英格兰民间歌曲和舞蹈的工作著称。曾就读于剑桥大学。1882年移居澳大利

英格兰民间舞蹈和歌曲学会供图

亚从事法律工作,成为南澳大利亚首席法官的副手。1889年弃法律而从事音乐,任阿德莱德大教堂助理管风琴师和阿德莱德音乐学院院长之一。1892年回到英格兰任拉德格罗夫预备学校音乐教师(1893～1910)和汉普斯特德音乐学院院长(1896～1905)。1903年他发现英格兰有大量当地民歌。虽然这一领域的工作早已开始,但夏普收集的5套《来自萨默塞特的民歌》(1904～1909)和他的专著《英格兰民歌:某些结论》(1907,第3版于1954年由M.卡珀利斯修订)引起人们对英格兰民间音乐产生新的、广泛的兴趣。1905年他又开始收集英格兰民间舞蹈。1911年创办英格兰民间舞蹈学会,并首创在英格兰中小学中教民歌与民间舞蹈。1916～1918年3次到美国的阿巴拉契亚山区收集渊源于英格兰的歌曲。其他出版作品有《南阿巴拉契亚山区的英格兰民歌》(1917);《英格兰民歌》(1921,1959再版);《乡村舞蹈集》(共6部,1909～1922)等。

Sharp, Granville　夏普(1735-11-21,英格兰达勒姆郡达勒姆～1813-07-06,伦敦富勒姆)英国学者和慈善家,以提倡废奴出名。原在伦敦一家布店学徒,1758年入兵工署工作。他刻苦攻读希腊语和希伯来语,曾发表几篇

关于圣经考证方面的论文。他为废除奴隶制进行了不懈的努力。1767年与一个奴隶主发生诉讼,据判词说:一个奴隶即使在英国的领土上,依法仍为主人的动产。夏普一方面写文章,一方面在法院坚决反对这一判决。最后终于确定:奴隶一旦进入英国领土,他就成了自由人。夏普支持美洲殖民地的事业。在国内支持议会改革和爱尔兰立法独立。1787年夏普创建一个为废除奴隶制而斗争的团体并与他人共同创建了英国国内外圣经协会和犹太人皈依会。

sharpbill(*Oxyruncus cristatus*) **尖喙鸟** 又称冠尖喙鸟。见于哥斯达黎加向南到巴拉圭一些分散地点的雨林中的鸟。常视作雀形目尖喙鸟科(与霸鹟科近缘)唯一的一种。体长16厘米,腿短,翅和尾稍长,嘴尖。体背素绿褐色,腹面淡黄到白色,身上有深色点斑和条纹;头顶中央有低矮红色羽冠。鼻孔像窜鸟一样,长而有瓣。嘴尖锐,可探寻树皮下的食物。灶鸟科的尖嘴树猎雀(*Heliobletus contaminatus*),俗称尖喙鸟,栖息南美洲中东部,攀缘树干觅食昆虫。

尖喙鸟(*Oxyruncus cristatus*)
供图:J.S.Dunning ARDEA LONDON

Sharpe, Sir Alfred **夏普**(1853-05-19,英格兰兰开夏兰开斯特~1935-12-10,伦敦) 英国冒险家和殖民行政官员。他协助建立了英属尼亚萨兰保护国(今马拉维),并为英帝国取得东非中部部分地区(在今赞比亚)。1887年赴尼亚萨湖以南希雷高原猎象,做象牙生意,不久卷入与阿拉伯奴隶贩子的战争。1889年尼亚萨兰成为英国保护国后,夏普使西面的今赞比亚全部地区成为英国殖民地,并且几乎使加丹加(在今刚果[民])也成为英国殖民地。1889~1895年间,夏普探测姆韦鲁湖(赞比亚境内)、赞比亚北部地区和加丹加并绘成地图。1891年被任命为尼亚萨兰保护国副领事,1897年为总督。1910年引退。

Sharpe, William F(orsyth) **夏普**(1934-06-16,美国马萨诸塞剑桥~) 美国经济学家,1990年与H.M.马科维茨和M.H.米勒共同获得诺贝尔经济学奖。夏普在洛杉矶加利福尼亚大学求学,1961年在该校获得经济学博士学位。在兰德公司工作期间(1957~1961)认识马科维茨,受到后者学说的影响。随后,夏普在西雅图华盛顿大学讲授经济学(1961~1968),自1970起又在斯坦福大学讲授经济学,直到他从教学工作中退休去领导他自己开业的投资咨询公司时为止。夏普以他的"资本资产作价模型"获得诺贝尔奖,这一模型能够解释有价证券的价格如何反映出风险和潜在的收益。夏普的学说强调说明,通过风险资产的市场作价如何使这些资产成为投资者有价证券投资组合的组成部分,因为风险资产是能够与风险较小的投资资产混合在一起的。夏普的学说导致产生出"乙级"的概念,"乙级"是投资组合的风险在其未被巧妙的投资多样化彻底改变之前的一种测量的等级。投资分析家常常利用"乙级"来对手头一组股票的风险同一般性股票的风险进行比较。

Sharpeville **沙佩维尔** 南非德兰士瓦省中南部黑人居住的城镇。1960年种族骚乱事件的发生地。当时泛非大会发起非暴力运动,要求废除南非《通行证法》。3月21日约2万名非洲人聚集在沙佩维尔的一个警察分局附近示威,反对《通行证法》。警察用冲锋枪向群众射击,造成人员重大伤亡。据官方统计,死67人,伤186人,伤亡中有48名妇女和儿童。这次重大事件是20世纪60年代南非种族冲突中第一个和使用暴力最严重的事件,引起国际社会猛烈抨击南非的种族隔离政策。

Sharpey-Schafer, Sir Edward Albert **沙比-谢弗**(1850-06-02,伦敦附近霍恩西~1935-03-29,苏格兰东洛锡安北贝里克) 原名爱德华·艾伯特·谢弗。英国生理学家、皇家救生学会所采用的人工呼吸俯压法(谢弗氏法)的发明者。是第一个伦敦大学学院沙比奖学金获得者(1871),在该校师从W.沙比,获医学博士学位,1918年为永远纪念其恩师,便将老

伦敦国立肖像画陈列馆供图

师的姓加于自己的姓前。毕业后留校从事教学和研究,1899~1933年任爱丁堡大学生理学教授。1894年与G.奥利弗证明肾上腺素的存在,激起了人们研究激素的兴趣。

Sharpless, K. Barry **夏普莱斯**(1941-04-28,美国宾夕法尼亚费城~) 美国科学家,因首先研制手性催化剂,与W.S.诺尔斯和野依良治共获2001年诺贝尔化学奖。1968年获斯坦福大学博士学位。完成博士后研究后,1970年到麻省理工学院工作。1990年在加利福尼亚拉霍亚的斯克里普斯研究所任化学教授。他的研究主要是氧化反应(一大类化学反应)的手性催化剂。1980年在麻省理工学院工作时,完成了利用不对称催化氧化反应制造环氧化物的关键性实验。环氧化物可用于合成β阻断剂等心脏病药物。

Sharpsburg, Battle of (American Civil War) **夏普斯堡战役** 参阅 **Antietam, Battle of** 安蒂特姆战役。

Sharpton, Al **夏普顿**(1954-10-03,美国纽约布鲁克林~) 全名 Alfred Charles Sharpton, Jr.。美国民权活动积极分子、牧师。4岁时开始讲道,10岁时成为授以圣职的五旬节派牧师,1971年成立全国青年组织,为非洲裔美国人争取社会与经济公平。1972年毕业于布鲁克林蒂尔登中学,并短期进入布鲁克林学院学习。因举行有争议的抗议活动被全国媒体广泛报道,且不时与警察发生对峙。1991年组建民权组织"全国行动网络",倡导进步政策,包括对非洲裔美国人采取反歧视行动和赔偿。20世纪90年代进入政坛,争取民主党纽约市长和纽约州参议员提名未获成功。2004年争取民主党总统提名也未获成功。

Sharqīyah, Ash- **东部省** 又作Sharkia。下埃及尼罗河三角洲东部省份。面积4 180平方千米。东北部包括部分曼宰莱潟湖。主要港口为曼宰莱。东部省人口稠密。冲积土地平坦。种植各种灌溉作物,包括棉花、玉米、水稻、小麦、大豆、花生、芝麻和柑橘类水果。曼宰莱湖产鱼。工业有粮食加工、啤酒和电器制造。有几条灌溉运河横贯境内。主要的东西向运河为伊斯梅利亚运河。人口约4 287 848(1996)。

Sharqīyah, Ash- **东部地区** 在沙特阿拉伯东部。范围包括鲁卜哈利沙漠的大部分。向南经和科威特共管中立区延伸到与也门和阿曼未定国界上,北与科威特接壤,东临波斯湾。西接利雅得地区。北部有多岩石苏曼平原,向东渐成平坦低地,有众多肥沃的绿洲。波斯湾沿岸水浅,多珊瑚礁。从1818年到第一次世界大战前,处在奥斯曼帝国松散统治下。东部地区是该国四大地理区之一,包括有沙特阿拉伯主要石油产区。20世纪30年代发现的大量石油矿所带来的财富,使该地区成为沙特阿拉伯最发达地区之一。包括盖瓦尔油田(世界最大油田之一)在内的许多油田由阿拉伯-美国石油公司经营。所产石油经过横贯阿拉伯的输油管道从拉斯坦努拉运往黎巴嫩的西顿。主要城镇有达曼(该国最大石油中心和波斯湾主要港口)、哈萨(该国最大绿洲),胡富夫(前行政中心)、穆拜赖兹(农业中心),以及宰赫兰和盖提夫(石油中心)。20世纪50年代通铁路。宰赫兰建有国际机场。

Sharshal(Algeria) **舍尔沙勒** 参阅 **Iol** 约尔。

Shas **沙斯党** 全称 Sephardi Torah Guardians。以色列极端正统的宗教政党。由以德裔犹太人为主的以色列正教党内持不同政见的成员于1984年组建,代表虔诚教徒的西班牙系(中东)犹太人利益。20世纪90年代,包括许多非虔诚教徒在内的西班牙系犹太人也加入该党。1984年沙斯党在有120个席位的议会中占有4席,1988年议会席位增至6席。在政府中掌管内政部,因此能够为虔诚的西班牙系犹太人公益事业提供资金。1996年赢得10个席位,至90年代末成为议会中第三大党,能够左右政局,既和工党组建联合政府,也和利库德集团组建联合政府。沙斯党

的政策由贤人委员会制定，着重关注社会服务和教育，反对以色列进一步世俗化，尤其反对实行世俗婚姻的提议。对90年代以巴签署的和平协定态度暧昧。除东耶路撒冷外，坚决反对在1967年以色列占领的领土上建立犹太定居点。该政党虽然支持巴勒斯坦人自治，但反对巴勒斯坦建国。

Shashi 沙市 又拼 Sha-shih。中国湖北省荆州市辖区。位于省境中南部，长江中游荆江段北岸，江汉平原西部，地势低下，地面海拔28～36米，低于长江高水位8米，全赖荆江大堤保护。市区紧依荆江大堤，呈带状分

沙津湖畔的沙市
中国大百科全书出版社供图

布。面积469平方千米。早年是交通中心，北通襄樊，东连汉口，西接宜昌，南达岳阳。原为江陵县的镇。春秋（公元前770～前476）为郢城（今江陵城北8千米纪南城）外港。周惠王二年（公元前675）名江津。汉至三国名津乡，东晋复名江津。隋属江陵总管府。唐名沙津、沙头、沙市。唐元稹有“江馆连沙市，泷船泊水滨”的诗句，“沙市”名始此，意为沙洲顶端的集市。宋属江陵县，民族英雄岳飞曾率部在此驻防。南宋末设盐镇。元为江陵县治。明末已极盛，舟车辐辏，繁盛甲宇内。清设镇，光绪二十三年（1895）辟为通商口岸，始建新式码头，是川东、湘北、鄂南棉花、粮食、豆类、油菜籽集散地。1949年设沙市市。1994年撤市设区，划归荆沙市管辖，1996年荆沙市改为荆州市。沙市地处江汉平原，纺织工业发达，包括化纤、棉纺、毛纺、棉织、针织、丝织、毛织和印染等。纺织产品花色精美，质量优良，是全省出口商品生产基地之一。此外还有化工、机械、电子、食品等部门。市郊农业以种植蔬菜和特种水产养殖为主。境内有长江大学等。历史上曾经溃堤百余次，现已兴建荆江分洪工程，确保荆江大堤和沙市的安全。沙市是长江中游重要河港，荆州地区门户。港口岸线长12千米，有码头75座，3 000吨级江轮终年可泊，涨水期可泊5 000吨级大轮，上通宜昌、重庆，下至武汉、南京、上海。汉鱼、襄东、沙洪、沙浓、沙常等公路干线在此交会，可通汉口、宜昌、襄樊和湖南常德、岳阳等地。省内的第一条地方铁路——荆沙铁路以此为终点。有民航通武昌、长沙、上海、广州等城市。名胜古迹有万寿宝塔、江渎宫（又名渚宫）、章华台旧址、章华寺、孙叔敖墓、张居正墓等，以及荆江分洪纪念碑。人口540 000（2005）。

Shasta, Mount 沙斯塔山 喀斯喀特山脉的山峰。在美国加利福尼亚州北部的沙斯塔-特里尼蒂国家森林境内。海拔4 317米。为高耸的双峰死火山。是威士忌敦-沙斯塔-特里尼蒂国家游览区的主要景观。有风口和冰川。山坡为著名滑雪场和登山区。盘山公路通达2 400米处的山坡。沙斯塔山市在西南山麓。

Shastan 沙斯塔人 印第安民族集团。操霍卡语系沙斯塔语族关系较近的诸语言；住在北加利福尼亚的内陆高地以及上克拉马思河、斯科特河、沙斯塔河各流域。该集团中主要民族有：沙斯塔人、新河沙斯塔人、科诺米胡人、奥夸努丘人。原来划入沙斯塔民族集团但现在又常常划为独立集团的是：阿丘马维人和阿楚格维人。沙斯塔人的文化与尤罗克人文化相同，不过贫困程度较深，这是因他们所住山村通常坐落于峡谷脊部，地势狭窄，食物资源并不丰富。沙斯塔人大体上以橡实及鲑鱼为生，并以齿贝及猩红色啄木鸟头皮为货币与其他北加利福尼亚印第安人进行交易。这些都和尤罗克人、卡罗克人相似。他们的村庄和居所也相似。在社会组织方面，沙斯塔人也与其邻近诸民族相似，习于村居，但乡村的管理职能颇为松弛。沙斯塔人一般相信保护精灵，相信萨满教僧或巫医能通过仪式治愈疾病。

Shastri, Lal Bahadur 夏斯特里（1904-10-02，印度莫卧儿瑟赖～1966-01-11，苏联乌兹别克塔什干） 印度政治家，继尼赫鲁之后任总理（1964～1966）。早年参加甘地不合作运

供图：Camera Press

动，1921年被捕入狱。获释后入民族大学读书，毕业时得“夏斯特里”（精通圣典者）称号。后重返政界，追随甘地，曾数次入狱。在联合省（今北方邦）国大党内取得重要地位。1937和1946年任联合省立法议会议员。印度独立后在北方邦任内政和运输部部长。1952年当选联邦院议员，并任铁道与运输部部长。1961年任内政部部长，以善于调停出名。3年后在尼赫鲁病时任不管部部长。尼赫鲁死后于1964年6月任总理。因未能解决经济问题而遭到批评。又因在有争议的查谟和克什米尔问题上与邻国巴基斯坦发生战争时（1965）立场坚定而获很高声望。1965年在同巴基斯坦总统阿尤布汗签订“非战”协定后，因心脏病突发而死。

shaṭḥ 沙提赫 伊斯兰教神秘主义苏非派用语，指该派信徒在归真状态下受真主启示所发的言语。据该派理论，当真主临在之时，修行者达到狂喜，一瞬间完全超脱现实世界，口吐似乎不合伦次或亵渎神明的话语，但曾有同样经验的信徒却可以理解，这就是沙提赫，必须按照隐喻法去理解。伊斯兰教法学家视沙提赫之说为左道邪说，不符合伊斯兰教义，许多苏非派人因此而遭迫害。

Shāṭi', Wādī ash- 沙提干河 利比亚中南部的河谷。东起乌姆阿比德，西至万宰里克，长约140千米。1943年发现有铁矿床，为世界最大铁矿床之一。该矿虽适于露天剥采，但矿石品位不高。谷地中还发现有锰矿藏。种植有黍类。

Shaṭṭārīyah 沙塔里教团 又译舍塔利教团。伊斯兰教神秘主义苏非派教团。教团或因15世纪印度一个名为沙塔里的神秘主义者或由阿拉伯语“沙特尔”（决裂者）一词而得名。大多数伊斯兰神秘主义者强调人是真主的仆人，主张争取归真，鼓吹真主的位格。沙塔里教团却相反，它强调自我和个人行为，强调个人超尘拔俗的品性以及个人与真主的合一。此派认为所谓归真之中必然有两个自我，一个是应抛弃的自我，另一个是准备好觐见真主的自我。而这种二元理论与苏非派的根本理论（即认主独一）互相矛盾。

Shaughnessy (of Montreal and Ashford), Thomas George Shaughnessy, 1st Baron 肖内西男爵（第一）（1853-10-06，密尔沃基～1923-12-10，蒙特利尔） 加拿大铁路大亨。父母为爱尔兰移民。他16岁时离开密尔沃基，开始服务于铁路。1882年参加加拿大太平洋铁路公司，任总采购员。1891年被任命为该铁路副总经理，1899～1923年任总经理或董事长，并任全部联营铁路线的总裁。他的任职期是该铁路有史以来最大的扩展时期，公司还经营航运及其他工业。1901年被封为爵士，1916年被封为男爵。

Sha'ul (Israeli king) 参阅 **Saul 扫罗**。

Shauqi, Aḥmad (Arab author) 参阅 **Shawqī, Aḥmad 绍基**。

Shavante 沙万特人 又作Xavante。巴西印第安民族，所操沙万特语属大格语系。现在沙万特人约有3 000人，住在莫尔蒂斯河和阿拉瓜亚河之间的马托格罗索州东南角。这是热带草原高地，有若干的沿河狭窄森林地带交织其间。沙万特人与族源相近的**谢伦特人**（**Sherente**）一度曾在戈亚斯州托坎廷斯河流域居住，19世纪40年代受巴西移民压力迫使沙万特人迁到现在的住地。以前，沙万特人抗击外人、保卫领土卓有成效，处于相对孤立状态。到20世纪30年代，他们曾激烈抵抗移民新潮，抵抗政府官员企图把巴西中部纳入巴西文化经济主流的措施，因而很快为世人所知。沙万特人原以游猎和采集为主，住在热带草原马蹄形的临时村庄中，按季节耕作小块园地，种植玉米、豆类和南瓜。

Shavuot (Jewish festival) 参阅 **Shabuoth 七七节**。

Shaw, Anna Howard 肖(1847-02-14,英格兰诺森伯兰泰恩河畔纽卡斯尔～1919-07-02,美国宾夕法尼亚莫伊兰) 美国牧师、演讲家,与S.B.安东尼同为1890年成立的全美妇女选举权协会的主要领导人。4岁时由祖籍苏格兰的双亲带至美国,在马萨诸塞州的劳伦斯和密歇根州大瀑布城附近的一个农场里长大。她是个早熟的孩子,15岁时即在一所边境小学教书;1870年第一次布道,1871年被特许成为卫理公会布道士。1873～1875年在密歇根州阿尔比恩学院学习,1878年毕业于波士顿大学神学院,是班里唯一的女生。接着她谋求向会众布道的长期任命,但卫理公会主教派教会新英格会议不仅因性别关系拒绝任命她担任神职,而且撤销她布道的特许证。为此她转入卫理公会新教教会,于1880年被任命为该教会的第一个女牧师。此后数年,她进行布道,并就戒酒和妇女选举权问题发表演讲,1886年获波士顿大学神学硕士学位。1885年她辞去牧师职务,为选举权和戒酒的理想而专心一致地奋斗。1892年安东尼任新成立的全美妇女选举权运动(由以前的两个协会合并而成)主席;肖任副主席(1892～1904),后任主席(1904～1915)。整个期间,在示威集会、各种会议、国会听证会上和巡回演讲中,她都是常见的人物,在联邦所有各州发表演说。她并致力于战时(1917～1918)的后方工作,荣获铜十字英勇勋章。

Shaw, Artie 肖(1910-05-23,纽约市～2004-12-30,加利福尼亚纽伯里帕克) 美国单簧管演奏家,20世纪30～40年代很受欢迎的管乐队领导人。他是少数几位对爵士乐的奉献动摇不定的杰出爵士音乐家之一。在中学时代即开始演奏,1925年成为专业演奏员。最早的动摇迹象在30年代初即已显然可见,他脱离音乐整整一年。1935年在纽约市的一次摇摆乐音乐会上,肖演奏了一首由他自己创作的由弦乐四重奏伴奏的作品,接着便组织了一个带有弦乐组的爵士乐与伴舞乐队。但在1937年他又按比较传统的路线重建他的乐队,一年后通过录制C.波特的《跳起贝金舞》的唱片而名扬四海。1939年起来往于墨西哥和美国之间,偶尔试验一些小型爵士乐队。虽然他曾几次重操旧业,包括领导过美国海军乐队,但在50年代初以后,他彻底与爵士乐分手。著有自传《灰姑娘的烦恼》(1952)。

Shaw, Bernard 肖(1940-05-22,美国伊利诺伊芝加哥～) 美国电视记者,有线电视新闻网(CNN)的首席主持人。新闻记者E.R.默罗是肖童年时代心目中的英雄,他的电视广播节目使肖萌生了从事新闻事业的想法。肖在家乡芝加哥成为报纸的痴迷读者,向他所在的中学报刊投稿,并在校园广播系统负责公告播送。1959～1963年在美国海军陆战队服役时,他向哥伦比亚广播公司的新闻记者W.克朗凯特自荐,希望将来能与他一起在哥伦比亚广播公司共事。在伊利诺伊大学学习时,开始从事广播电台新闻记者和电视新闻撰稿人的工作(1964～1968),而威斯汀豪斯广播公司则派他采访报道白宫新闻。1971年,他已是哥伦比亚广播公司的记者,1974年升任通讯员,但最终于1977年到美国广播公司担任拉美通讯员。期间他报道了琼斯敦惨案并采访了古巴总统F.卡斯特罗。1979年回到华盛顿,一年中报道了国会山新闻和伊朗的人质危机。1980年6月1日,作为首席主持人,肖参与创建有线电视新闻网。并实施一系列举措,打开新局面。2001年退休。获得的众多奖项中有乔治·福斯特·皮博迪奖(1990)、密苏里大学卓越新闻工作荣誉奖(1992)和种族平等大会的马丁·路德·金杰出成就奖(1993)。

Shaw, George Bernard 萧伯纳(1856-07-26,都柏林～1950-11-02,英国赫特福德阿约特圣劳伦斯) 爱尔兰喜剧作家、文学评论家和社会主义宣传家,1925年诺贝尔文学奖获得者。

供图:Karsh—Woodfin Camp and Associates

早期生活和事业 萧伯纳是家庭3个孩子中最年幼者,也是唯一的儿子。起初由当牧师的叔父辅导学习,后曾进入教会学校读书。但他基本上抵制学校教育,16岁时即到一家地产商处工作。

由于受其母影响和经常去爱尔兰国立美术馆参观,从而增长了广泛的音乐、艺术和文学知识。萧伯纳立志要成为作家,1876年去伦敦,在不列颠博物馆的阅览室读书和写小说,弥补他理应在学校里得到的知识。晚上则到处去听讲和参加辩论会,以增加自修的内容,这些都是当时伦敦中产阶级知识分子的典型活动。

他写的小说完全失败。他的半自传体小说恰当地题名为《未成年时期》(1879;1930年出版)遭到伦敦出版商的拒绝。接下来的4部小说同样遭到拒绝,以后10年里他投向报刊的大部分文章都是同样下场。他最初的文学作品为他挣的钱一年还不足10个先令。1958年作为他遗著出版的《一部未完成的小说》(但写于1887～1888年)的片断,最后说明他写小说有个错误开端。

尽管19世纪80年代里他作为小说家是失败的,但在这10年里他开始成熟,成为素食主义者、社会主义者、迷人的演说家、善言的辩论家和尝试性的剧作家。1884年他参加发起主张以"渐进"的方式代替革命在英国实现社会主义的费边社,参与这个中产阶级社会主义团体的一切活动,特别是编辑《费边社会主义论文集》(1889),并写作其中的两个部分。

1885年戏剧批评家W.阿切尔终于发现了萧伯纳稳健的报章杂志作品。他早期这类作品内容十分广泛,有书评、艺术评论以及对瓦格纳的音乐和易卜生戏剧的评论,尤其是批评维多利亚时代舞台的做作和虚伪。1895～1898年间他担任《星期六评论》的戏剧评论员,以他的智慧和力量开创了戏剧的新风。他还开始创作自己的剧本。

第一批剧本 当萧伯纳开始为英国舞台写剧本时,此时最突出的剧作家是A.W.平内罗爵士和H.A.琼斯。这两人都在尝试发展一种现代写实主义戏剧,但却都无力摆脱戏迷们所期待的那种虚构情节类型和传统人物类型。随着1890年易卜生的几部戏剧如《玩偶之家》等被引入伦敦舞台,这类戏剧的贫乏性已变得十分明显。1891年又上演了他的《群鬼》,从而有可能给英国舞台带来一种新的自由和严肃气氛。萧伯纳这时发表《易卜生主义的精华》(1891)一文,并且很快推出令人耳目一新的喜剧《鳏夫的房产》,这是一部被看做是"易卜生式"的剧本,成为抨击伦敦贫民窟房租剥削的戏剧。1892年此剧上演嘲弄了陈腐的浪漫主义因袭手法,这些手法甚至连最大胆的新潮剧作家们也依然在使用。在这出戏里有一种潜在的悲剧情景,但萧伯纳似乎总是决心避免悲剧,把情节发展很好地限制在讽刺喜剧的基调之中。同样的戏剧倾向也支配着《华伦夫人的职业》,此剧写于1893年,但直到1902年才得以上演,因为剧本审查官宫内大臣不批准此剧演出。与萧伯纳的许多其他作品一样,这是一部思想剧,基本上属于一种高雅喜剧。

萧伯纳将其首批剧本称之为"不愉快的",因为"它们的戏剧力量用于迫使观众面对不愉快的事实"。随之他又写了4部"愉快的"戏剧,想努力去召回被他辛辣的喜剧所惹恼的戏剧演出人和观众。这两组剧本经过修改于1898年结集出版,名为《愉快的和不愉快的戏剧集》。"愉快的戏剧"中的第1部剧本《武器与人》(1894年上演)以巴尔干为背景,令人心情轻松愉快,尽管有时也对爱情和战争的虚伪浪漫进行辛辣而有趣的讽刺。第2部戏《康蒂妲》(1897年上演)在英国戏剧史上是重要的,因为它于1904年在皇宫剧院的成功演出促使格兰维尔-巴克和J.E.维德列纳携手合作,从而在该剧院进行了一系列光辉的演出。对萧伯纳来说,一个有重要意义的主题就是作为精神创造者的男人和作为人类生存延续保护者的女人之间的冲突,而这也正是剧本《人与超人》的基础。这类纯理论的问题在《康蒂妲》里只是稍加触及,而在《难以逆料》(1899年上演)中也同样如此。

1898年萧伯纳与其私人护士夏洛特·佩恩-汤森德结婚,这桩婚姻延续终生,萧伯纳满足于和艾伦·特里、坎贝尔夫人及其他女性充满激情的书面通信。他的下一部剧本集名为《3部为清教徒写的戏剧》(1901)。《魔鬼的门徒》(1897演出)以美国革命时期的新罕布什尔州为背景,是一出与传统情节剧相反的戏剧。《凯撒和克娄巴特拉》(1901年上演)是萧伯纳的第一部杰作。此剧中的克娄巴特拉是一个被宠坏的堕落的16岁女孩子，而不是像莎士比亚同名戏剧中那个38岁的诱人女性。这出戏把凯撒描写成一个孤单而严肃的男子，既是个士兵也是位哲学家。剧本的突出成就在于将凯撒处理成一个在宽宏大量和“原始道德”方面可信任的典范，而不是一个舞台座上的超人英雄。第3部剧本《布拉斯邦上尉的改变信仰》(1900年上演)则是一出说教剧。

国际上的重要地位 萧伯纳在《人与超人》(1905年上演)一剧中陈述了他的哲学。由于他的剧本在欧洲大陆上演，他已在那里确立了主要剧作家的地位，但奇怪的是，他在英格兰的威望却稍逊。只有当1904年在伦敦为爱德华七世特别演出《英国佬的另一个岛》之后，萧伯纳的舞台剧威望才最终在英格兰建立起来。

萧伯纳继续通过高雅喜剧探索宗教意识问题，并指出社会实际上是其自身罪恶的同谋。在《巴巴拉少校》(1905年上演)中，作者让其女主人公，一位救世军少校，发现其疏远的父亲是位军用品制造商，可能是制造死亡的人。在《医生的窘境》(1906年上演)中他对医学职业进行了讽刺。《安德罗克勒斯与狮子》(1912年上演)的主题是一个人应该做一些值得去为之牺牲的事情，以便使生命更有价值。

1913年上演的《皮格马利翁》可能是萧伯纳的喜剧杰作，但肯定是他最有趣和最受欢迎的剧本。作家本人称这是一出关于语音学的教育戏剧，实际上是一出有关爱情和英国阶级制度的富有人情味的喜剧。此剧于1938年被拍成电影，为作者赢得奥斯卡奖，后又被改编为极受欢迎的音乐剧，名为《窈窕淑女》(1956，1964年电影版)。

第一次世界大战后的作品 对萧伯纳来说，第一次世界大战是个分水岭。首先他停止写剧本，转而发表引起争议的小册子。《关于这次世界大战的常识》认为大不列颠及其盟国与德国人一样应该同受谴责，并赞成协商与和平。他的反战言论使他成为批评的靶子。反战戏剧《伤心之家》1920年上演。萧伯纳以《回到玛士撒拉时代》(1922)为作品集名称写了5部互相关联的剧本，以一种延伸的戏剧寓言详述了他创造性的进化哲学，时间跨度从伊甸园一直到公元31920年。

1920年贞德被追谥为圣女一事重新唤醒萧伯纳要为她写编年剧的想法。这促使他创作出杰作《圣女贞德》(1923年上演)一剧，女主人公被塑造成一位天主教圣女、殉教者和悲剧女英雄。此剧为萧伯纳赢得了1925年诺贝尔文学奖(他拒绝接受这笔奖金)。

在晚期剧本中，萧伯纳加强对悲喜剧和非写实的象征主义的探索。接下来的5年中他没有写作剧本，而是编辑他1930～1938年的作品集，1928年写作百科全书式的政治短文《智慧妇女的社会主义和资本主义指南》。接着，他创作剧本《苹果车》(1929年上演)，一部未来主义的高雅喜剧，反映出他的内心冲突，他一生在政治上比较激进，但内心深处不信任普通人能治理自己的事。萧伯纳后期次要剧本还有《真相毕露》(1932年上演)、《触礁》(1933年上演)、《意外岛上的蠢人》(1935年上演)、《日内瓦》(1938年上演)和《在好国王查理的黄金时代》(1939)。经过战时的一段间隙之后，萧伯纳这时已90多岁，又创作了几部剧本，包括《牵强附会的寓言》(1950年上演)、《莎氏和萧氏》(1949年上演)和《她为什么不愿意》(1950)。后者是一部幻想剧，闪现般地表现萧氏的早期时代。

萧伯纳享年94岁。他妻子夏洛特死于第二次世界大战期间的1943年，从而使萧伯纳永远离开伦敦的住所，回到他在赫特福德郡阿约特圣劳伦斯的乡间住宅，1906年起他就在那里安家，1950年逝于该地。

萧伯纳是17世纪以来英国最重要的剧作家。他不仅是当时的最佳喜剧作家，而且他的一些最杰出的舞台剧如《凯撒和克娄巴特拉》、《人与超人》中“唐璜在地狱”的一场、《巴巴拉少校》、《伤心之家》和《圣女贞德》，均具有他同时代舞台剧所无法匹敌的高度严肃的内容和散文美感。他发展了戏剧中的道德激情和智力冲突及论辩，恢复和发展了社会风尚喜剧，试验了象征性闹剧和怀疑主义剧，对同时代和后世剧作家产生了深远影响。他还是斯威夫特以后最尖锐的小册子作家，拥有广泛读者的音乐评论家以及当时的最佳戏剧评论家，有关政治、经济、社会问题的出色演说家和论文作家，最多产的文学书简作家。他在多种领域里的批评勇气有助于形成3代人的政治、经济和社会学思想。

Shaw, Henry Wheeler(humorist) **肖** 参阅 **Billings, Josh 比林斯**。

Shaw, Lemuel **肖**(1781-01-09，美国马萨诸塞巴恩斯特布尔～1861-03-30，马萨诸塞波士顿) 美国马萨诸塞州最高法院首席法官(1830～1860)，他给该州的法律留下了不可磨灭的影响，并对美国法律的构成做出了巨大的贡献。在哈佛大学受教育，1804年在新罕布什尔获得律师资格，然后私人开业当律师。1822年他在实际上没有先例可循的情况下为波士顿起草了第一个市宪章，1830年他被任命为马萨诸塞州首席法官。他在任职期间所作的一些判决，成了马萨诸塞州以至全国法学发展中的一个组成部分。人们特别记得他的两条意见是：在“马萨诸塞州诉亨特”一案(1842)中，他所作的有利于罢工工会的裁决，为工会摆脱惩治阴谋法的限制提供了第一个重要的判例；在“罗伯茨诉波士顿市”一案(1849)中，他所作的关于维护该市实行种族隔离的学校的裁决，后来反映在美国最高法院在“普莱西诉弗格森”一案(1896)提出的“分开但是平等”的原则中，可是这项裁决在当时引起的更直接的反响是促使马萨诸塞州通过了19世纪的唯一的消除种族隔离的法律。

Shaw, Sir (William) Napier **肖**(1854-03-04，英国沃里克郡伯明翰～1945-03-23，伦敦) 英国气象学家。在气象学中采用气压测量单位毫巴和温熵图(表示温度随高度变化的图解)，对现代气象学的发展作出了贡献。1877～1906年在剑桥大学教物理学。1891年被选入皇家学会。1900年成为气象局管理机构气象理事会秘书。他发起改组气象局，并于1905～1920年任气象局局长。1920～1924年任伦敦帝国理工学院的皇家理科学院首席气象学教授。著名著作之一是《气象学指南》(1926～1931)。

Shaw, Richard Norman **肖**(1831-05-07，苏格兰爱丁堡郡爱丁堡～1912-11-17，英格兰伦敦) 英国建筑师、城市规划设计师，英国居住建筑复兴运动中的重要人物之一。先随W.伯恩学习建筑，后入伦敦皇家学院建筑系学习。曾在G.E.斯特里特的事务所工作，1862年独自开业。1877年成为皇家学院的正式成员。作为一位折衷主义建筑师，他的作品有仿哥特式的约克郡宾利的教堂(1864～1868)，也有新巴罗克式的伦敦皮卡迪利饭店(1905～1908)。后者在20世纪20～30年代成为英国政府建筑流行的风格。他设计的优美城市住宅汲取了18世纪的建筑风格而又具有独创性，他称之为“安妮女王式”建筑。而富有诗情画意的乡村住宅是从16世纪英国庄园式建筑发展而来，并注意利用当地建筑材料的不同性质。其中具有特色的作品有苏塞克斯郡的安德烈住宅(1866～1867)、威士波住宅(1876)、什罗普郡的阿德科特住宅(1877)。他设计的城市住宅，位于伦敦者最有代表性，其中最著名的有肯辛顿的洛奇住宅(1873)和他自己在汉普斯特德的住宅(1875)等。他的住宅建筑设计汇集出版后，影响及于国外，并对美国木板式房屋的形成起了一定的作用。在城市规划方面，他于1876年所作的伦敦西郊贝德福德公园的城郊住宅区规划，对后来的城郊住宅区建设有一定的影响。

肖1876年设计的伦敦切尔西老天鹅住宅
供图：National Monuments Record, London

Shaw, Robert (Lawson) **肖**(1916-04-30，美国加利福尼亚雷德布拉夫～1999-01-25，康涅狄格纽黑文) 美国合唱和管弦乐队指挥家。1938年毕业于加利福尼亚州克莱尔蒙特市波莫纳学院。1941年在纽约创办大学合唱团，领导该团直至1954年。1942～1945年在马萨诸塞州伯克希尔音乐中心、1946～1950年在纽约市朱利亚德学院任合唱系主任。从1948年创立罗伯特·肖合唱团起到1966年，他常率该团赴世界各地巡回演出。40年代成为美国著名合唱指挥。他录制了从韩德尔到斯特拉文斯基，以及包括黑人灵歌和流行乐曲在内的唱片。作为一个合唱指挥，他开创了美国空前的演唱高标准。1953年起，指挥圣迭戈交响乐团夏季音乐会，任期4年，此后致力于管弦乐指挥，曾任克利夫兰管弦乐团副指挥（1956～1967）和亚特兰大交响乐团指挥（1967～1988）。

Shaw, Robert　肖（1927-08-09，英国兰开夏西霍顿～1978-08-28，爱尔兰图尔麦基迪）极受欢迎的英国演员，此外还作为小说家和剧作家知名于世。在莎士比亚故乡埃文河畔斯特拉特福莎士比亚纪念剧院开始其舞台生涯，曾在《麦克白》、《辛白林》、《亨利八世》和其他莎剧中扮演角色。1949～1950年随该剧院剧团赴澳大利亚巡回演出。后加入"老维克剧团"（1951～1952），以演出莎士比亚剧作为主。1955年开始转向表演当代戏剧角色，其中有他自己的剧作《离开大陆》（1956）和《长、高、矮》（1959）。1961年首次在美国舞台上主演品特的《看房者》。在詹姆斯·邦德制片厂拍的《寄自俄国的情书》（1964）一片上映后声名大振。他在电影方面的声誉由于下列影片而继增：由舞台剧《看房者》改编成的同名影片（1963）、《金格·科菲的运气》（1964）和《四季适宜的人》（1966）。在他所写的作品中，最有名要算他的小说《玻璃间里的男人》（1967），该书后由他改编成一部才华横溢、新意盎然的舞台剧，继而又拍成电影。

Shaw, T. E.（British Arabist）　参阅 **Lawrence, T(homas) E(dward)劳伦斯**。

Shaw, (Warren) Wilbur　肖（1902-10-31，美国印第安纳州印第安纳波利斯附近～1954-10-30，印第安纳彼得森附近）　美国赛车运动员，3次赢得印第安纳波利斯五百英里赛冠军（1937、1939，1940）。首次参加比赛为1927年阵亡将士纪念日传统汽车大赛，名列第四。1933、1935和1938年3次获第二名。1941年退出比赛。死于飞机失事。

Shawia　沙维亚人　又拼Chaouïa。柏柏尔民族与语言集团，住在阿尔及利亚东北部阿特拉斯山奥雷斯高原地区，操一种柏柏尔方言。沙维亚人的村庄由氏族组成，他们在高地上种植谷物，在沙漠边沿的许多绿洲上从事游牧和园艺，并在这两种地区间往来迁移。他们是名义上的逊尼派穆斯林教徒，大都只具中东伊斯兰教教规的粗浅知识。沙维亚人同都市化的操阿拉伯语的阿尔及利亚居民交往不多，他们只被看做一个少数民族部落集团。沙维亚人虽因孤立于阿尔及利亚政治中心之外而不能发挥较大作用，但是在20世纪50年代的阿尔及利亚革命中，他们曾顽强抵抗法国。这反映了他们对国家大事的认识，表明他们使自己在阿尔及利亚成为重要石油输出国之际，继续同阿尔及利亚的主流文化结成一体。

Shawinigan　沙威尼根　加拿大魁北克省南部城市。临圣莫里斯河，在沙威尼根瀑布附近。约1900年创建，同时建成铝冶炼厂和纸浆、造纸厂。为魁北克省重要的工业城市之一，有化学制品、炼铝、纸浆与造纸、纺织品、服装、研磨料、塑料制品等厂。交通线有加拿大太平洋铁路、国家铁路和数条公路，又有一座飞机场。1943年拉瓦尔大学在此设分校。1920年设镇，1921年设市。人口19 931(1991)。

圣莫里斯河畔的沙威尼根市，前景为发电厂
供图：George Hunter

Shawinigan Falls　沙威尼根瀑布　加拿大魁北克省中南部圣莫里斯河上的瀑布。在三河城上游约30千米处，落差50米，为省内水力最大的瀑布，1903年建成水电站，后又扩建以供应本地工业及蒙特利尔市和魁北克市用电。

shawl　披巾　正方、长方或三角形的作防护或装饰用的物品。通常为妇女所用，披在肩、颈或头上。自古以来，披肩在世界大部分地区普遍流行。19世纪直至70年代还被称为"披巾时期"。拿破仑于1798年从埃及班师回国后，东方的披巾首次出现于欧洲。印度克什米尔河谷地区用西藏山羊绒毛制成的开司米披巾当时最受欢迎。为迎合19世纪妇女的要求，在苏格兰用机器纺织生产了佩斯利披巾，这是东方披巾的改制品而不是仿制品。

C. 莫奈绘《戈迪贝尔夫人》(1866)中披佩斯利披巾的夫人
供图：Giraudon—Art Rosource/美国不列颠百科全书公司

shawm　肖姆管　源于中东的双簧片木管乐器，双簧管的前身。和双簧管一样，它的管身亦呈圆锥形，但较大，喇叭口和指孔也都较大，它有一个木制的盘，在欧洲型上用以支承双唇，在亚洲型上则使双唇离开簧片。因在露天演奏，其发音较响。它在公元开始时出现，由于伊斯兰教的影响而广泛传播。有许

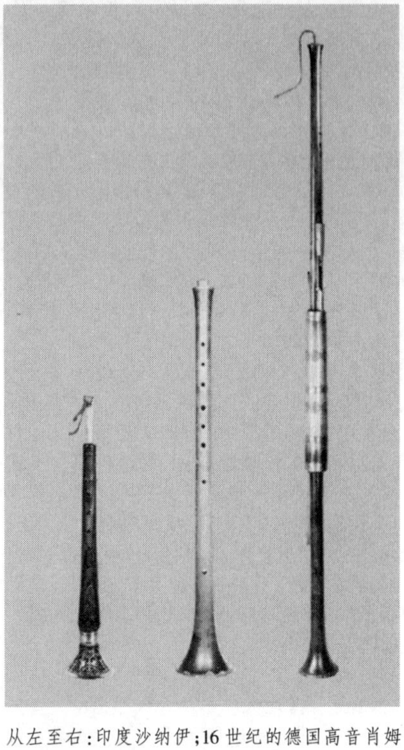

从左至右：印度沙纳伊；16世纪的德国高音肖姆管；约1600年的大低音肖姆管
供图：(左)Heras Institute, St. Xavier's College, Bombay；(中)布鲁塞尔乐器博物馆；(右)柏林乐器博物馆

多变种乐器(包括印度的沙纳伊和纳加苏拉姆管、中国的唢呐、巴尔干和中东的祖尔纳)仍继续在从摩洛哥以东及西非的伊斯兰教地区使用。此管在十字军东侵时传入欧洲,广泛用于舞蹈和仪式音乐中。16 世纪制造出从最高音到最低音的各种调的肖姆管。虽 17 世纪以后不再在欧洲流行,但在西班牙仍继续使用,其键装置作了现代化的改革。音域约为两个 8 度。

Shawn, Ted　肖恩(1891-10-21,美国密苏里堪萨斯城～1972-01-09,佛罗里达奥兰多)　美国现代舞革新家,丹尼斯肖恩舞蹈学校和舞蹈团的共同创办人。他以前是一位神学院

肖恩在《弗罗辛》中的舞姿

供图:Pictorial Parade—美国不列颠百科全书公司

学生,一次病后,为了治病,开始学习舞蹈。1914 年他开始舞蹈生涯不久,便和圣·丹尼斯结婚,并一起创建丹尼斯肖恩学校和舞蹈团。肖恩提倡不同民族和戏剧性的舞蹈风格,同圣·丹尼斯一起为丹尼斯肖恩舞蹈团设计了全部剧目。1933 ～ 1940 年他创立了一个男演员的舞蹈团体,他为这个舞团设计了许多舞蹈,包括《劳工交响乐》、《奥林匹克的竞技场》等。他从劳动者姿态、美国印第安人的舞蹈以及美国的民间舞蹈和流行舞蹈中汲取源泉,创作出一种生气勃勃的男性舞蹈技艺,增加了男子从事舞蹈职业的兴趣。1933 年他在马萨诸塞州创立雅各布斯皮洛舞蹈节剧场,作为他的舞蹈演员的夏季根据地和剧场。这个团体解散后,肖恩把雅各布斯皮洛剧场发展成为一个重要的国际舞蹈中心。尽管他的编舞手法是非芭蕾的,但他认为舞蹈是由许多恰当可取的风格组成的,因此他既上演芭蕾舞,也上演现代舞和民族舞蹈。肖恩作为一个舞蹈家偶尔也演出,重演他的独舞,设计新的舞蹈,并且表演了 M.金奇为他专门编排的舞蹈《和陛下分离》(1954 年,根据莎士比亚的《李尔王》改编)。此外肖恩还作过大量讲演,写过几部著作。

Shawnee　肖尼人　操阿尔冈昆语的北美印第安部落,已知其最早居住地是俄亥俄河流域中部。肖尼人在语言上和文化上同索克人、福克斯人(**Fox**)及基卡普人(**Kickapoo**)有密切关系,并长期受到塞内卡人和特拉华人的影响。肖尼人夏季居住树皮覆盖的房子,聚成村落,临近农田,便于妇女耕作;作物以玉米为主。男子主要从事狩猎。每逢冬季,肖尼人的村落便分散成小型的家庭集团,移往围猎营地。各村都有大型的会所,除开会外,还用于诸如武士洗罪礼等宗教仪式。其他重要仪式还有:春季作物初播时之“春饼舞”;谷物成熟时期之“嫩玉米舞”以及收获季节的“秋饼舞”。肖尼人有 5 个部落分支,其中各氏族均按父系命名。文职首领的职位多为世袭,战争领袖则根据其勇武、战术及经验选出。

17 世纪肖尼人被易洛魁人驱出其家园,分散于各地。1725 年之后,这个部落又集结在俄亥俄地区,成为抵抗白人移民的重要屏障。在被 A.韦恩将军所率领的部队击败和在特库姆塞(**Tecumseh**)重新联合俄亥俄河流域的印第安人的计划失败之后,肖尼人分成为 3 个独立的支系,最后定居于俄克拉何马的不同地区。20 世纪晚期,肖尼人约有2 000多人。

Shawnee　肖尼　美国堪萨斯州东北部约翰逊县城市,位于堪萨斯城西南郊。1828 年肖尼印第安人在此设总部。附近肖尼卫理公会布道会馆(1839),1854 ～ 1856 年曾两次为堪萨斯准州临时首府。1835 年刊行堪萨斯州首份报纸。1855 ～ 1858 年肖尼曾为本县县城。现主要为住宅区,也是周围地区农产品和乳品的转运点。1922 年设市。人口 37 993(1990)。

Shawnee　肖尼　美国俄克拉何马州中部城市,波塔瓦托米县县城。位于俄克拉何马城东南偏东,濒临北卡内丁河。1891 年初建,1894 年设市。1895 年铁路通车,20 世纪 20 年代随石油开发而繁荣。经济以农牧业、石油产品和小型多样工业为主。设有俄克拉何马浸礼会大学(1910)、圣格雷戈里学院(1915)。印第安裔运动员索普在附近出生。人口26 017(1990)。

Shawneetown　肖尼敦　美国伊利诺伊州南部城市,加拉廷县县城(1812)。位于沃巴什河和俄亥俄河汇合处下游 10 英里。19 世纪初始有人定居。曾为移居者从东部进入伊利诺伊州的门户和贸易及金融中心。1812 年开办全州第一家银行。1818 年发行全州第二家报纸《伊利诺伊移民》。1937 年遭水灾后,市区西移 4 英里。原址称旧肖尼敦,现辟为州立历史纪念地。市西、南两面为肖尼国家森林。人口 1 410(2000)。

Shawqī, Aḥmad　绍基(1868,开罗～1932-10-13,开罗)　Shawqī 又拼 Shauqi。阿拉伯现代诗坛上的“诗王”,阿拉伯诗剧的先锋。作为一个隶属埃及王族家庭的成员,被送往蒙彼利埃和巴黎大学学习。回国后在文学界地位迅速上升,1914 年已是埃及文坛的首要人物。1914 ～ 1919 年流亡西班牙,回国后继续主宰埃及文坛。1927 年被宣布为“诗王”。绍基是个多产诗人,精通诗韵和词令,诗歌主题既有阿拉伯传统颂诗,又师承莎士比亚、高乃依和拉辛等西方作家的诗剧。他模仿阿拉伯古诗未见成效,遂在几部诗剧中将传统的诗歌韵律改用于戏剧对话,例如《克娄巴特拉之死》。

Shaw's Garden(St. Louis, Mo., U.S.)　**肖园**　参阅**Missouri Botanical Garden**密苏里植物园。

Shay, Ephraim　谢伊(1839-07-17,美国俄亥俄休伦县～ 1916-04-19,密歇根哈伯斯普林斯)　美国发明家,发明谢伊型齿轮蒸汽机车。这是一种在美洲、澳大利亚和东亚各地广泛用作森林和矿山等铁路上的小型机车,在崎岖地带低速牵引重载列车。第一台谢伊型机车是 1877 年前后在密歇根州卡迪拉克制造的,最后一台是 1945 年在俄亥俄州的莱马制造的。莱马机车厂后来成为世界上最重要的蒸汽机车制造厂之一。

shaykh (Arabic title)　参阅 **sheikh** 舍赫。

Shaykh al-Akbar, Ash- (Muslim mystic)　**艾什·谢赫·阿克巴**　参阅**Ibn al-'Arabī**伊本·阿拉比。

Shaykh Bahā'ī　谢赫·巴哈依　参阅**'Āmilī, Bahā' ad-Dīn Muḥammad ibn Ḥusayn, al-**阿米利。

Shays, Daniel　谢斯(约1747,马萨诸塞霍普金顿?[美国]～ 1825-09-29,纽约斯巴达)　美国独立战争时期的美军军官(1775 ～ 1780),后为谢斯起义(**Shays's Rebellion**)的首领。谢斯父母皆爱尔兰裔,他在贫寒中长大。美国独立战争爆发后,他在列克星敦应召入伍(1775-04)。1775 年 5 ～ 12 月在马萨诸塞团任少尉,1777 年 1 月成为马萨诸塞五团的上尉。他曾参加邦克山战役和征伐泰孔德罗加,参与对斯托尼波因特的猛攻和在萨拉托加作战。1780 年辞去军职,定居马萨诸塞的佩勒姆,在那里担任过几届镇长。在签订和约时(1783),美洲一片繁荣,但为时不久,经济即转入极度不振。有产者(显然包括谢斯在内)开始失去他们的产业,由于债务过期和拖欠税款而被没收充公,并且往往要被投入债务人的监牢。于是发生了示威游行,威胁要用暴力对付负责执行和起诉的法院。这一事件竟被偶然地称为谢斯起义(1786 ～ 1787),而谢斯为其中的几位领袖之一。事件平息后,他和另外十几个人被马萨诸塞最高法院判处死刑。1788 年他申请赦免,不久即被批准。在起义结束时,谢斯曾逃往佛蒙特。随后转移到纽约州斯科哈里县,几年后更往西移,至纽约州的斯巴达。在他年老时,联邦政府以其在美国独立战争中服过军役为由发给他养老金。

Shays's Rebellion　谢斯起义(1786-08～1787-02)　美国马萨诸塞州西部反抗重税和经济压迫的起义。武装的起义者迫使法院休庭以阻止取消抵押品赎回权和债务诉讼。1786 年 9 月,参加过独立战争的军人 D.谢斯率数百人强迫斯普灵菲尔德最高法院休庭,1787 年 1 月率约 1 200 人攻击斯普灵菲尔德联邦军火库时被击败,2 月 4 日在彼得斯哈姆败后谢斯逃往佛蒙特州。起义结束后,马萨诸塞州议会制定法律,改善债务人的经济处境。

shayṭān (Islāmic myth)　参阅 **shaitan** 晒依陀乃。

Shazar, Zalman　夏扎尔(1889-10-06,俄国白俄罗斯[今白俄罗斯]米尔～1974-10-05,耶路撒冷)　原名 Shneur Zalman Rubashev。以色列新闻记者、学者、政治人物,以色列第三任总统(1963～1973)。青年时代在白俄罗斯即投身于犹太复国主义运动。1905年加入犹太复国主义工人党,曾被沙俄当局短期监禁。1907年移居维尔纳(今立陶宛维尔纽斯)从事新闻工作,为俄国和美国的意第绪语报纸撰稿。1912年定居德国,在弗赖堡大学、斯特拉斯堡大学和柏林大学攻读历史和哲学。1924年在特拉维夫-雅法定居,翌年帮助创建由劳工犹太复国主义运动出版的日报《话报》。1938～1948年任该报编辑。1949年任以色列建国后首届政府的教育部长,1950年辞职后加入犹太代办处执委会。1963年5月21日被以色列议会选为总统,接替本-兹维。1968年再次当选,1973年5月辞职。夏扎尔是一位多产作家,出版的著作包括诗歌、传记和自传体小说。

Shāzilīyah (Islām)　参阅 **Shādhilīyah** 沙兹里教团。

Shcharansky, Anatoly　夏兰斯基(1948-01-20,苏联乌克兰斯大林诺[今乌克兰顿涅茨克]～　)　1986年起又名 Natan Sharansky。苏联持不同政见者、人权拥护者,1977～1986年被苏联政府监禁,后被准许前往以色列。其父为乌克兰的共产党员,一度曾为党报工作。夏兰斯基本人在青年时亦是一名共青团员。他在莫斯科理工学院学习数学和电脑程序设计(1966～1972),后作为计算机专家在莫斯科石油和天然气研究所工作。身为一名犹太人,他于1973年申请移居以色列,但遭到拒绝,还受到克格勃(KGB)的侵扰,1975年被解职。由于他精通英语,成为持不同政见者和抗拒者的发言人,与西方记者接触,宣传他们的主张。克格勃指控他叛国和进行间谍活动,于1977年3月15日将他逮捕,进行秘密审问,并判处13年监禁与劳役。1986年2月11日苏联与西方互换犯人时,他获释,并去以色列定居(数月后,其母和兄弟以及兄弟的家属亦被准许移居以色列)。其妻(婚前名为纳塔莉亚·斯蒂格利茨)与他同时申请移居以色列的签证,1974年他们婚后的第2天,获准移居国外。她采用希伯来语名字阿维塔尔,曾在耶路撒冷和国外旅行中为他的案件奔走直到他被释。夏兰斯基的关于他被捕和监禁的回忆录《不怕邪恶》1988年首次用英文出版。

Shchedrin, N.　谢德林　参阅 **Saltykov, Mikhail Yevgrafovich, Graf** 萨尔蒂科夫。

Shchekino (Russia)　参阅 **Shchyokino** 希奥基诺。

Shchelkovo (Russia)　参阅 **Shchyolkovo** 希奥尔科沃。

Shchepkin, Mikhail Semenovich　谢普金(1788-11-17,俄国库尔斯克别尔哥罗德附近～1863-08-23,俄国雅尔塔)　19世纪俄国最有影响的演员。以其微妙而现实主义的演技而知名于世。谢普金农奴出身。小时就开始参加农庄的业余演出。公立学校毕业后,于1805年加入库尔斯克剧团,1808年成为该剧团永久性成员,主要饰喜剧角色。经过多年坚持不懈的研究和练习,终于使演技更加精湛。1821年在其支持者们的协同努力下赎买到自由。1823年加入莫斯科小剧院。尔后40年,他在此处各演员和戏剧家中居首要地位。与A.普希金和I.屠格涅夫等人友好交往。他的最大成功是创造莎士比亚剧作中的各种角色以及诸如果戈理《钦差大臣》中的市长等角色。

Shcherbakov (Russia)　**谢尔巴科夫**　参阅 **Rybinsk** 雷宾斯克。

Shcherbatov, Mikhayl Mikhaylovich　谢尔巴托夫(1733-07-22,俄罗斯莫斯科～1790-12-12,米哈伊洛夫斯科耶)　又译什切尔巴托夫。俄国思想家和历史学家,18世纪俄罗斯政治、社会发展的贵族评论家。出身古老贵族世家。早年受过良好教育。早期发表在罗蒙诺索夫创办的俄国第一份科学与文学杂志上的7篇译著表达出他的矛盾思想:启蒙思想与对人性和社会进步悲观估计相结合,从而使他支持强大甚至绝对的国家权力。1767年作为雅罗斯拉夫尔区贵族代表进入新法典起草委员会。谢尔巴托夫的主要提案是要求废除彼得一世重视官阶忽视出身的改革,由此受到旧贵族的支持,但因彼得登基后受封的新贵反对而失败。他终生为世袭的统治阶级的垄断权力辩护,并捍卫农奴制度。1768年担任皇室史官,著有《俄罗斯远古史》7卷(1770～1791)。1784年著《奥菲尔地区旅行记》(1784)一书,这部书体现出他心目中的理想国。1797年出版《论俄国道德的败坏》。

Shcherbatskoy, Fyodor Ippolitovich　谢尔巴茨柯伊(1866-09-11,俄属波兰凯尔采～1942-03-18,苏联哈萨克斯坦阿克莫林斯克州博罗沃耶)　西方研究佛教哲学的先驱,著有《佛教逻辑学》(2卷,1930～1932)。他精通6种欧洲语文和梵文。1900年左右在蒙古和印度研究佛教和形而上学,特别是哲学家法称的逻辑,1903年写成《晚期佛学者论因明与逻辑学》。该书第二部分论知觉与推理,于1909年问世。1904年任圣彼得堡大学教授,1927年出版《佛教涅槃概念》,1923年发表《佛教中心概念和"达摩"词义》。

Shchuchinsk　休钦斯克　又拼Ščučinsk。哈萨克斯坦北部科克切塔夫州城市。濒临休奇耶湖。1828年始建为哥萨克居民点。现为大农业区中心和疗养地,也是哈萨克最主要的疗养胜地博罗沃耶(距该市25千米)的铁路车站。附近有哈萨克森林研究所和著名植物园。人口约56 000(1991)。

Shchukin, Boris Vasilevich　史楚金(1894-04-17,俄国莫斯科～1939-10-07,莫斯科)　俄国舞台剧和电影演员。主要以饰列宁著称于世。曾就学于莫斯科工学院。1920年加入莫斯科瓦赫坦戈夫剧团。演过的角色有《杜兰朵公主》(1922)中的主角、果戈理《婚事》中的斯蒂潘、莎士比亚《哈姆雷特》中的波洛涅斯、高尔基《耶戈尔·布雷乔夫等人》中的同名角色,均获得重大成功。他所饰最伟大的角色是波戈廷《带枪的人》(1937)中的列宁,接着他又在电影《列宁在十月》(1937)和《列宁在1918》(1939)中饰同一角色。1936年荣获"苏联人民艺术家"称号。

Shchyokino　希奥基诺　又拼Ščokino或shchekino。俄罗斯西部图拉州城市和区中心。1870年开始开采莫斯科煤田的褐煤,不久就建立了外国厂投资的化工企业。现在仍有采煤业,并有一个由斯塔夫罗波尔经管道输入的天然气为基础的化工联合企业。人口约68 800(1991)。

Shchyolkovo　希奥尔科沃　又拼Ščolkovo或 Shchelkovo。俄罗斯西部莫斯科州城市和区中心。位于莫斯科东北的克利亚济马河畔。从18世纪起以手工丝织业中心而著称。现仍为多种纺织工业中心。化工、冶金、机械制造等亦占重要地位。人口约109 600(1991)。

She　畲族　中国少数民族。主要分布在福建、浙江、江西、广西、广东、贵州、安徽等省区的部分地区。人口709 592(2000)。语言属汉藏语系苗瑶语族。多数人操接近客家方言的

畲族姑娘
中国大百科全书出版社供图

语言,少数人使用接近于瑶族"布努"炯奈话的语言。无文字,通用汉文。"畲"作为族名约始于12世纪。传说原住在广东潮州,属于古代"山越"分布地区。自称"山哈"、"山达"(客人),反映其先世并非闽、浙、赣土著居民。民间流传祖先为"盘瓠"的传说。某些畲族族谱中又自称为"瑶人"。主要从事农业,除粮食作物外擅种茶树,以产茶著称。手工编织的细篾斗笠为精细的工艺品和装饰品。聚居村寨有祠堂。族长主持族中事务和大祭祀。重视祖先崇拜,大家族有雕龙头的祖杖。所

祀奉的盘瓠画像是图腾信仰的标志。一夫一妻小家庭是社会生产单位。一般同姓不婚。行土葬,有拾骨重葬的习俗。节日有乌饭节(3 月 3 日)、牛歇节(4 月 8 日)等。崇拜祖先,民间还有多神崇拜。也有信仰道教、佛教、天主教和基督教的。1984 年成立了浙江景宁畲族自治县,1953 ～ 1993 年先后成立了 36 个民族乡。

She Chi (in Chinese mythology)　参阅 **Sheji 社稷**。

She-hsien (China)　参阅 **She Xian 歙县**。

She language　畲语　中国畲族语言。属汉藏语系苗瑶语族畲语支。中国畲族人大部分已使用汉语,只有极少一部分人使用畲语。畲语(惠东)语音特点:有 34 个声母(其中包括双唇、舌尖中、舌根塞音分清、清送气两套共 6 个;舌尖前塞擦音分清、清送气 2 个;唇齿、舌尖前擦音各分清、浊及喉门清擦音共 5 个;双唇、舌尖中、舌根鼻音各 1 个,有清化舌根鼻音;此外还有腭化声为 14 个,圆唇化声母为 2 个)。有 28 个韵母(6 个单元音韵母,7 个复元音韵母,15 个带塞音韵尾和鼻音韵尾的韵母,双唇部位的韵尾已经消失)。有 8 个声调(6 个舒声调,2 个促声调)。以虚词、词序表示句子成分的语法关系。量词重叠表示"每"的意思;形容词重叠表示程度加深;句子主语在前,谓语在后;宾语在谓语之后;补语一般在动词之后;定语、状语位于中心词之前。

She Xian　歙县　又拼 She-hsien。中国安徽省黄山市辖县。位于省境东南部,新安江上游,黄山东南麓,东邻浙江省。辖 13 个镇、28 个乡,县政府驻徽城镇。旧称徽州。秦(公元前221 ～前 206)置歙县,汉属丹阳郡。西晋改新安郡,唐置歙州。宋宣和三年(1121)改徽州,以徽岭、徽溪得名。元为徽州路治。明、清为徽州府治。1912 年废府为歙县。1987 年划属黄山市。面积 2 236 平方千米。境内山岳连绵,山区面积约占 90%。旧时因山多田少、人口稠密,居民多外出经商,称为徽帮。当时两淮盐务专卖,国内的典当业、钱庄业以及对日本、暹罗(今泰国)等国的海外贸易多为徽帮经营。19 世纪后徽帮在商业上的地位逐渐下降。境内河谷盆地生产稻米、小麦、玉米、油菜籽;山区产茶叶、木材、竹子。茶叶产量居中国各县之首,所产名茶"黄山毛峰"、"老竹大方"远销国内外。雪梨、枇杷、蜜枣等产品也很著名。工业有茶叶加工、发电设备、机械、化工等。有名扬中外的"徽墨"、"歙砚"。芜屯公路穿过县境。新安江下航木船的起点。皖赣铁路经此。历史上歙县为英才辈出、文物古迹荟萃之地,曾有"东南邹鲁"之称。著名的新安学派、新安画派、新安医学、徽剧及徽派版画、徽派印章、竹木砖石雕刻和徽派盆景系,在中国均有影响,形成独特的徽州文化。名胜古迹众多,有长庆寺塔、新州石塔、许国石坊、棠樾石牌坊群等。人口490 000(2005)。

歙县长庆寺塔
中国大百科全书出版社供图

Shea, Jack　谢伊(1910-09-10,美国纽约普莱西德湖城～ 2002-01-22,普莱西德湖城)　原名 John Amos Shea。美国速度滑冰运动员。1932 年普莱西德湖冬奥会 500 米和1 500米速滑金牌得主。此前曾获 1929 年北美全能速滑锦标赛冠军,1930 年美国全能冠军。他从未到海外参赛。在 1932 年冬奥会的速滑比赛中,他和其他美国选手得益于比赛规则的改变,由欧洲规则的二人一组改为北美规则的多人一组。500 米速滑击败 1928 年金牌得主 B.埃文森。在1 500米速滑中,滑在前面的 H.泰勒跌倒,他领先 7 秒获胜。1932 年奥运会之后未再参赛,是 1980 年普莱西德湖冬奥会组委会成员。他的儿子和孙子也都是速滑运动员。

shear modulus　剪切模量　描述固体受到由扭转引起的横向内力时(例如金属管在纵长轴上受到扭转时)的弹性性状的常数。在这类材料内部,任何一个小的立方体都按照

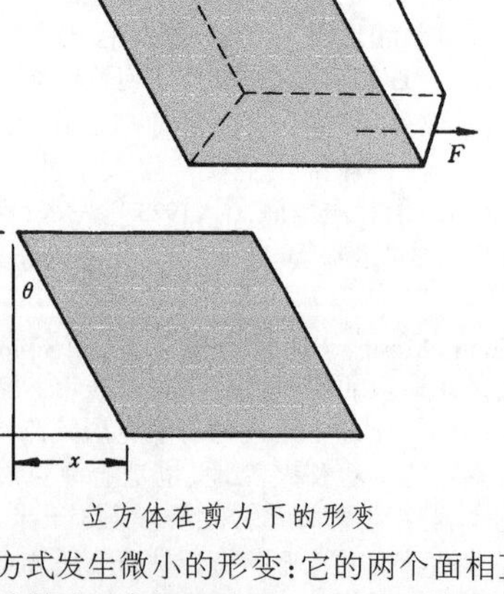

立方体在剪力下的形变

下列方式发生微小的形变:它的两个面相互平行地滑移一个很小的量,而另外两个面由方形变成菱形。剪切模量是材料对抗横向形变能力的量度,并且只是在材料发生微小形变仍能恢复其原有位形时,它才是弹性性状的正确度量。大的剪力会引起流变和永久形变,甚至断裂。剪切模量也可视为一种刚度。剪切模量的量值等于应力除以应变的商,而剪应力则等于剪力 F 除以与受力面平行的面积 A,即 F/A。剪应变或相对形变是几何形状变化的量度,用三角函数 $\mathrm{tg}\theta$ 表述,θ 角指上述微小立方体在直角内的角变化量。数学上,剪应变以 $\mathrm{tg}\theta$(即 x/y)表示。剪切模量可在数学上表述为:

$$剪切模量 = \frac{剪应力}{剪应变} = \frac{F/A}{x/y}$$

这一方程是关于弹性的胡克定律的一个特殊形式。由于分母是个无量纲的比值,剪切模量的量纲就是力除以面积,以 N/m^2 作单位。铝的剪切模量值约为 $2.4 \times 10^{10}\ N/m^2$。钢受到剪应力时的刚度为铝的三倍以上。

shear stress　剪切应力　引起材料沿平行于作用力的平面产生滑移而变形的力。由于剪切应力与土地滑坡运动及地震有密切关系,因而它在自然界中具有重要意义。剪切应力可发生在固体或液体内,在液体中它与流体的黏性有关。

shear wave　剪切波　弹性介质受到周期性剪切时,在这介质中所产生的横波。用大小相等、方向相反的一对力作用于物体层的两面,使该层的形状发生变化而体积不变,这就是剪切。如果介质是弹性体,则在剪切后该层会恢复原状,邻近层就会承受剪切,这种移动就像波一样传播出去。剪切波的速度 v 等于剪切模量 G 与介质密度 ρ 的比的平方根,即 $v = \sqrt{G/\rho}$,其中 G 为介质的常数。剪切波(横波)和压缩波(纵波)都在大块物质中传播。剪切波传播的速度约为压缩波的一半(对于铁,剪切波为 3 200 米/秒,压缩波为 5 200米/秒)。剪切波比起介质的截面积来,一定要小,因此,细棒或细条不能维持剪切波,这是由于在它们中的横向运动太大了。剪切波在晶体中的速度,随传播方向和偏振面而变化,因为在晶体中剪切模量随方向而变。

Shearer, Moira　希勒(1926-01-17,苏格兰法夫丹弗姆林～ 2006-01-31,英格兰牛津)　苏格兰芭蕾舞女演员和话剧演员,由于在芭蕾舞影片《红菱艳》(1948)中的表演而非常出名。她在萨德勒韦尔斯舞蹈学校(后来的皇家芭蕾舞团)学习;并在伦敦师从 N.列加特;1941 年随国际芭蕾舞团表演舞蹈;1942 年参加萨德勒韦尔斯剧院芭蕾舞团。1944 年她被提升为芭蕾舞女主角演员,并在诸如《睡美人》、《葛蓓莉娅》、《天鹅湖》和《吉赛尔》等古典芭蕾舞剧中担任主要角色。她还在 F.阿什顿的几个芭蕾舞剧中创作了重要的角色,特别著名的是《灰姑娘》中的灰姑娘(1948)。希勒从扮演《红菱艳》中的芭蕾舞女主角开始了她的电影生涯。她还在《霍夫曼的故事》(1951)、《爱红头发的人》(1955)和《黑色紧身衣》(1962)等影片中演出。在 1954 年爱丁堡国际音乐戏剧节演出的《仲夏夜之梦》中她扮演泰坦尼娅,并在原伦敦和布里斯托尔老维克剧院演出,1955年加入该剧院,扮演萧伯纳

希勒演出《睡美人》(1953)的剧照

供图:Houston Rogers

的《梅杰·巴巴拉》中的巴巴拉。70 年代和 80 年代,她在世界各地巡回讲学,并举办独舞表演会,包括 1974 年和 1975 年在爱丁堡联欢节上朗诵诗歌和散文。

Shearer, Norma　希勒(1900-08-10,加拿大蒙特利尔～1983-06-12,美国加利福尼亚伍德兰希尔斯)　全名 Edith Norma Shearer。美国电影女演员,以其娇艳、教养和多才多艺而闻名。因与好莱坞制片人 I.G.撒尔伯格结婚,被米高梅公司誉为“银幕第一夫人”。曾担任儿童模特,14 岁时参加选美比赛夺冠。第一次世界大战期间家境破败,随母亲来到纽约,希望能在演艺界出人头地。开始担任模特并在几部纽约影片中出演一些小角色。1920 年首次在《窃贼》中出演重要角色,吸引了星探、后来的米高梅副总裁 I.G.撒尔伯格的注意力。在他的敦促下,1923 年与米高梅公司签订五年合约。两人于 1927 年结婚,之后她可以挑选影片、角色、搭档和导演,从而避免扮演固定类型的角色。她了解包装和宣传的重要性,因此在服装、化装和场景方面力求完美。她的表演不仅端庄大方,而且性感迷人。她善于饰演各类舞台剧、喜剧、言情剧角色。最受欢迎的影片之一是《挨打的人》(1924),在片中饰演一位马戏演员。她拍摄的第一部有声影片是《玛丽·杜根的审判》(1929)。1931 年,她与 C.盖博共同主演了《自由魂》,还主演了根据 N.考沃德的《私生活》改编的电影。在《红楼春怨》(1934)中饰演伊丽莎白·巴雷特,在《绝代艳后》(1938)中饰演法国王后玛丽·安托瓦内特。36 岁时,在莎士比亚的名剧《罗密欧与朱丽叶》(1936)中饰演 13 岁的朱丽叶。她最著名的角色也许是 G·库克导演的《女人》(1939)。一生获得过 6 次奥斯卡奖,在《弃妇怨》(1930)中的表演获得奥斯卡最佳女主角奖,该片以坦率描写性和婚姻而著名。1936 年丈夫去世,事业开始走下坡路。她拒绝在《飘》和《忠勇之家》担任主角,1942 年退休。此后便很少公开露面,直到 1983 年去世。

shears　大剪刀　专为剪断特殊材料而设计的各种大型或大刀片的剪刀。参阅 **scissors**。

shearwater　剪水鹱　鹱形目鹱科十几种长翅海鸟。典型的剪水鹱是剪水鹱属(*Puffinus*)的 12～17 种。体呈黄褐色,嘴较细,体长约 35～36 厘米。因习惯于两翅挺直沿海浪的波谷滑翔而得名。掠水鸥属剪嘴鸥科,亦俗称剪水鸥(参阅 **skimmer**)。剪水鹱营巢于北大西洋、南大西洋东部、地中海和几乎整个太平洋海滨山上和近岸岛屿上。群体可能多达几十万对。夜间,鸣叫的成鸟出入洞穴时,发出震耳欲聋的喧噪声。每窝产卵一枚。双亲轮流抱卵和养育幼雏。几种分布最广的剪水鹱属种类有乌黑剪水鹱(灰剪水鹱,*P. griseus*)体长约 50 厘米,翼展约 85 厘米。繁殖于澳大利亚、新西兰、南美洲南部一带;于大西洋和太平洋近岸的水域越冬。普通剪水鹱(*P. puffinus*)体长 30～37 厘米;有几个亚种,指名亚种曼克斯剪水鹱(*P. p. puffinus*)繁殖于北大西洋东部;夏威夷亚种(*P. p. newelli*)繁殖于夏威夷;其他亚种繁殖于地中海和新西兰周围海域。细嘴或短尾剪水鹱(*P. tenuirostris*)体长 40 厘米;繁殖于澳大利亚巴斯海峡中的岛屿和塔斯马尼亚;非繁殖期漂泊在太平洋上。被人大量捕杀以取其肉和脂肪。在澳大利亚俗称羊肉鹱;在阿拉斯加俗称为鲸鸟。

sheath-tailed bat　鞘尾蝠　又作 sac-winged bat。又称囊翼蝠。小蝙蝠亚目鞘尾蝠科动物的统称,全世界热带和亚热带地区均有分布。其尾从附在后腿上的皮膜鞘里伸出,故名。又称囊翼蝠,因为有几个属的翼膜上有腺囊。鞘尾蝠尾长 0.6～3 厘米,体长约4～10 厘米,重约 5～30 克。通常为黑色、褐色或灰色,有些具条纹或斑点。隐匿于浅的洞穴等较为开阔的场所。鞘尾蝠科有 12 属,50 种。囊翼蝠属(*Saccopteryx*)分布于中美和南美,具白色条纹。鬼蝠属(*Diclidurus*)分布于美洲,毛色白或白带灰。飞行疾速的墓蝠属(*Taphozous*)分布于从非洲经南亚至澳大利亚一带。

sheathbill　鞘嘴鸥　鞘嘴鸥科鞘嘴鸥属(*Chionis*)两种海滨鸟类。该科是仅分布于南极地区的鸟科。因嘴基周围的粗糙角质鞘遮盖着鼻孔而得名。是富进攻性的掠食鸟,以企鹅、燕鸥、圆尾鹱类的幼雏和卵为食;此外还拾取海豹的胎衣、粪便以及捕鲸站周围的

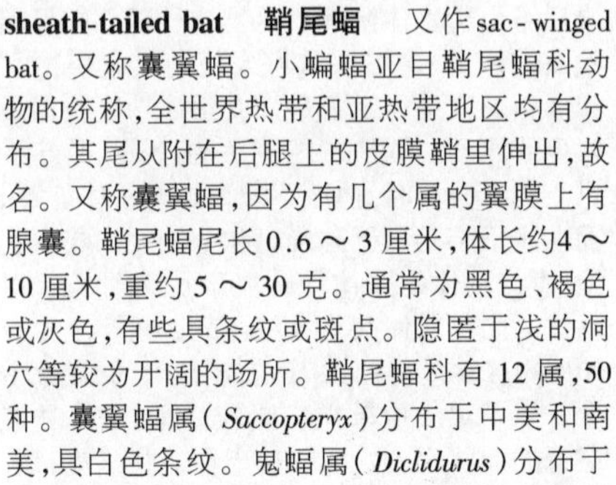

雪白鞘嘴鸥(*C. alba*)

供图:Niall Rankin—Eric Hosking

残渣为食。嘴短粗,基部有具小疣状突起的皮肤。两眼具绯红色边。翅具尖锐的距。腿短粗,脚不具蹼,均呈蓝灰色。雪白鞘嘴鸥(白鞘嘴鸥,*C. alba*)体长约 40 厘米,嘴黄色。小鞘嘴鸥(*C. minor*)嘴黑色,体稍小。在离陆地几百英里的海上可见到鞘嘴鸥,但在海岸边常可见成小群栖居。不怕人。常用翅距互相格斗。每窝产卵 2 或 3 枚,卵产于岩缝中。通常只有一只幼雏成活。

sheathed bacteria　生鞘细菌　广泛存在于自然界缓慢流水中的一类微生物,许多种附着在被水淹没的物体表面上。特征为细胞裹在鞘中,排列成丝状体。纤发菌属(*Leptothrix*)、泉发菌属(*Crenothrix*)及细枝发菌属(*Clonothrix*)的鞘由于所处水体不同而包含铁或锰的氧化物。浮游球衣菌(*Sphaerotilus natans*)是一种常见的了解最多的生鞘细菌,在污水中形成薄而无色的鞘,在未被污染的含铁质的水中形成有铁沉积的黄褐色鞘,并常常长成黏滑的长流苏状。

Sheba (ancient state)　参阅 **Saba'** 赛伯伊。

Sheba, Queen of　示巴女王(活动时期公元前 10 世纪)　阿拉伯语作 Bilqis。据犹太教和伊斯兰教的传说,示巴女王指位于阿拉伯半岛西南部的赛伯伊(Saba',或示巴)王国的

1552 年手抄本插图画中的所罗门与示巴女王

牛津博德利图书馆供图

统治者。《旧约》记载,所罗门王在位期间,示巴女王亲自率领驼队,满载金银珠宝和香料前来拜见。这个故事证明在古以色列和阿拉伯半岛之间存在着重要的商业关系。她访问的目的是请所罗门王解谜,以试他的智慧。伊斯兰教传说中的赛伯伊国女王的故事见于《古兰经》,未提其名,故事又经过该教评注《古兰经》的人士加以润色。阿拉伯人也说她

出生阿拉伯半岛南部，关于她的传奇故事甚多。根据一种传说，所罗门听他所养的一只戴胜鸟说，示巴女王和她的王国崇拜太阳，所罗门写信给她，建议她崇拜上帝。她复之以礼物，得知所罗门不接受礼物，她亲临所罗门王宫。所罗门的众精灵唯恐所罗门受她的诱惑而娶她，向他耳语，说她腿上长毛，脚是驴蹄。所罗门感到很好奇，命人把他宝座前的地面铺上玻璃，女王到时误以为水，撩起长裙，露出两腿，果然是毛茸茸的。所罗门命他的精灵为女王配制脱毛剂。其后，一说所罗门娶她为妻，又一说把她嫁给哈姆丹国部落民；总之她成为一名信徒。示巴女王的故事或许源出于犹太传说，也流传于波斯，波斯人说她是中国某王与仙女所生。据埃塞俄比亚传说，示巴女王（名玛凯达）嫁所罗门，生子曼涅里克一世，即统治埃塞俄比亚的曼涅里克王朝的创立者。

Shebeli River 谢贝利河 阿姆哈拉语作 Wabē Shebelē，意大语作 Uebi Scebeli。东非河流。源出埃塞俄比亚高原，向东南流经干旱的欧加登高原，在贝莱德文北面进入索马里，向南流到距印度洋约 32 千米的巴勒阿德，转向西南，在埃塞俄比亚大雨期，汇入朱巴河，注入印度洋。在干旱年份，谢贝利河消失在与朱巴河汇流处东北面的一系列沼泽和沙滩中。总长 1 820 千米。该地区居住着讲班图语的索马里人和奥罗莫人。游牧业已大部分为农业耕作所代替。谢贝利河和朱巴河南段沿岸地区所产香蕉占索马里出口贸易的一大部分。

Sheberghān 希比尔甘 阿富汗北部城镇。位于马扎里沙里夫西面 130 千米。1873 年英俄边界协定划归阿富汗。有灌溉农田围绕，在重要公路线上。人口约 22 000(1988)。

Shebin el-Kom（Egypt） 参阅 **Shibīn al-Kawm** *希宾库姆*。

Sheboygan 希博伊根 美国威斯康星州东部城市，希博伊根县县城(1836)，南距密尔沃基 92 千米，濒临密歇根湖。1818 年建毛皮贸易站，1835 年始有伐木人定居，制桶业逐渐兴旺。1839 年设村，1853 年建市。德国移民对当地的文化和经济发展起过重大作用。该市为大湖区的重要港口。工业生产多样化，产品有搪瓷制品、家具、塑料、服装、运输设备、机械等，尤以生产鲜猪肉香肠和乳酪而闻名。希博伊根市有莱克兰学院(1862)和威斯康星大学中心(1933)。希博伊根印第安土冢公园是该州的历史名胜。人口：市约 50 318；都会统计区约 105 219(1991)。

Shebshi Mountains 谢布希山 尼日利亚东部山岭。位于贝努埃河及塔拉巴河之间，自北向南延伸，长约 160 千米。最高点福格尔峰海拔 2 042 米，是尼日利亚最高峰。该山为贝努埃河许多支流的发源地。地处人烟稀少的热带稀树草原。当地居民以昌巴、达卡、穆穆耶和卡姆人为主，种植高粱和黍类，并饲养羊和家禽。

Shechem（Israeli - occupied West Bank） **示剑** 参阅 **Nābulus** *纳布卢斯*。

Shechina（Judaism） 参阅 **Shekhina** *舍金纳*。

Shedal 谢达勒 参阅 **Luzzatto, Samuel David** *卢扎托*。

Shedd Aquarium 谢德水族馆 全称约翰·格雷夫斯·谢德水族馆。世界上最大的室内水族馆之一，位于芝加哥，由当地大商人 J.G.谢德捐款建立。1929 年开馆，展出的水箱 200 多个，容纳 5 000 多个生物个体，代表 560 种淡水和海水鱼类，还有来自世界各地的其他水生动物。全部水容量超过 1 080 万公升。馆内有一个特殊的展览，称为珊瑚礁展览：一个极大的水箱，每小时有 34 万公升海水在循环，水箱中有 300 多种加勒比海海洋动物，包括铰口鲨、海龟、海鳝和大量稀有的色彩斑斓的鱼类。1991 年增建的谢德大型海洋水族馆为世界上最大的室内海洋哺乳动物馆，并可在一个可容纳 800 万公升水的池中进行鲸和海豚表演。

sheefish 北鲑 又作 inconnu。又称未名鲑。*白鲑*(**whitefish**)的一种。

Sheehan's syndrome 希恩氏综合征 又称产后垂体坏死。因分娩时缺氧，垂体前叶细胞遭到破坏所致的垂体功能减退。怀孕和分娩后可引起垂体激素不足。这种现象亦可因败血性休克、烧伤性休克或任何大量出血引起。希恩氏综合征曾是妇女垂体功能减退最常见的原因，由于产科技术的改进，现已少见。妇女分娩时，血压下降可损伤垂体前叶，而血压下降乃由于分娩时和分娩后的失血所致；供应垂体的垂体动脉痉挛可暂时切断对垂体的血供并使某些组织坏死。只要至少有 30％的腺体继续行使其功能，垂体激素就不会分泌不足。如果损伤比较广泛，垂体功能减退的症状于分娩后很快出现。临床症状包括不能泌乳；失去腋下和耻骨的体毛，不能恢复月经。补充垂体激素可纠正这种情况，恢复排卵并刺激雌激素的分泌。

Sheeler, Charles 希勒（1883-07-16，美国宾夕法尼亚费城～1965-05-07，纽约州多布斯费里） 美国画家。曾在费城工艺美术学校和宾夕法尼亚美术学院学习。1913 年的纽约军械库展览会有其 6 幅作品，主要是静物。1919 年迁居纽约。翌年和摄影师 P.斯特兰德合作拍了名为《马纳哈塔》的电影，这是一部研究该市建筑物的片子。1927 年为福特汽车公司在密歇根州鲁日河的一个工厂拍了一套照片。1929 年所画名画有《上层甲板》（马萨诸塞州剑桥福格艺术博物馆藏）和《滚滚动力》（1939，马萨诸塞州北安普敦史密斯学院艺术博物馆藏）。

She'elot u-Teshubot（Jewish literature） 参阅 **responsa**《答问》。

sheep 绵羊 绵羊属（*Ovis*）哺乳动物。身体通常较与之有亲缘关系的山羊粗壮；若有角则两角更向外叉开；面部和后足有臭腺；雄体无须，此点与山羊不同。尾通常短。在所有野生的绵羊属种类，被毛的外层为较直的毛，下层绒毛细而卷曲，此种绒毛经育种变成家养绵羊的羊毛。成年绵羊体重 35～180 千克。绵羊的胃分四部分，瘤胃和网胃中的食物可返回口中咀嚼（反刍），这样，食下的草或其他饲料便得到充分消化。绵羊喜啃食田野中短而细的禾草和豆科植物，但也能食高大粗糙丛生的植物。与牛相比，绵羊在田野牧食时将植物啃食得更多，更接近根部，因此需注意勿过度放牧，以免损伤牧场的植被。绵羊性胆怯，喜成群于田野食草，几乎完全缺乏保护自己抵抗掠食者的能力。绵羊于一岁时性成熟，约于一岁半时开始生殖。每产多为一仔，但亦有二仔者。四或五个月时断奶。绵羊至少在公元前 5000 年开始驯化，在中东、欧洲和中亚许多早期人类住所曾发现过绵羊的骨骸。人们驯化绵羊为取其毛、奶和肉。成年绵羊的肉称为羊肉；幼年绵羊的肉称为羔肉。估计在 20 世纪末全世界有 10 亿多头绵羊。主要的绵羊生产国是澳大利亚、新西兰、中国、印度、美国、南非、阿根廷和土耳其。具有大面积草原的国家是主要生产国。在外形、羊毛的数量和质量、颜色、大小、奶产量以及其他特征方面，绵羊与其野生祖先之间、绵羊各品种之间均有不同。家养绵羊的大部分品种产下层绒毛，少数品种只产外层直毛；而野生的绵羊既产外层直毛亦产下层绒毛。已育成数百个绵羊品种以适应因纬度和海拔高度造成的环境条件和满足人类对衣着和肉食的不同需求。具有纤细卷曲绒毛的品种一般仅供毛用，而绒毛中等或长的品种以及只有外层直毛的品种，一般供肉用。但也育成若干既能提供高质量羊毛也能提供高质量羊肉的品种。世界上 200 多个绵羊品种中，大多数只在当地饲养。下表列出重要的绵羊品种。参阅 **Cheviot**；**Hampshire**；**Karakul**；**Merino**；**Rambouillet**；**Shropshire**。

附表：家养绵羊的品种，见 293 页。

sheep rock 羊石 formation） 参阅 **roche moutonnée** *羊背石*。

sheep's bit（*Jasione montana*） **菊头桔梗** 桔梗科一年生或二年生草本植物。散生于沙质或酸性土壤的田野或草甸，亦见于崖边。原产于欧洲，已引入北美东部。头状花序球

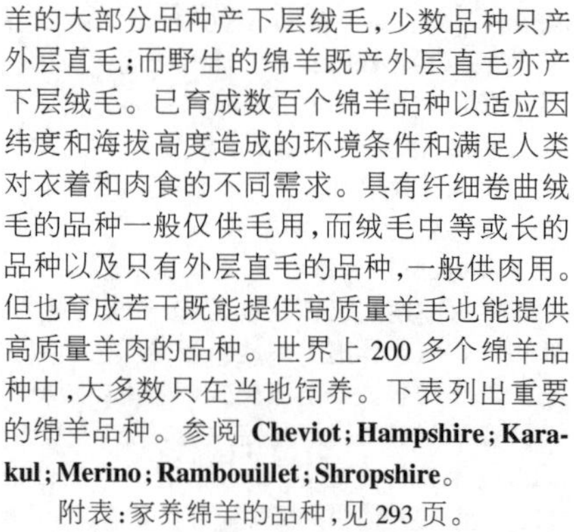

菊头桔梗（*Jasione montana*）
供图：C. Food

家养绵羊的品种			
名称和类型	分　布	外　观	特　征
切维厄特羊(毛用)	起源于英格兰、苏格兰	形小,无角,头及四肢无毛	中毛种
哥伦比亚羊(毛用及肉用)	1912年在美国育成	形大,面白,无角	产毛量多,肉可食
科里戴尔羊(毛用及肉用)	在新西兰育成,今亦分布于美国	面白,无角	毛软,色泽鲜艳;羔羊肉味佳
科茨沃尔德羊(毛用及肉用)	在英格兰育成,今亦分布于美国	形大,面白,无角	毛粗,卷曲,肉可食
德布依埃羊(毛用及肉用)	在美国育成	面部无绒毛,有角或无角	毛纤细,肉可食
多塞特羊或多塞特有角羊(毛用及肉用)	在英格兰育成,今分布于英国、美国及澳大利亚	中等大小,面白,有角	羊毛产量不大;其羔羊肉从前供食用
汉普郡羊(主要供肉用)	在英格兰育成,今广布于美国	形大,无角,腿及面黑色	肉质优良;羊毛产量有限
卡拉库尔羊(毛用)	亚洲、非洲、欧洲、美国	中等大小,尾肥	幼羔皮称波斯羔皮
莱斯特羊(毛用)	在英格兰育成,今分布英国及北美	体硕大,面白,背宽	毛多
林肯羊(毛用)	澳大利亚、新西兰、北美、南美	世界上最大的绵羊,无角	毛粗而长,主要用以织地毯
美利奴羊(毛用)	西班牙、澳大利亚、北美	有角或无角,头部多毛	毛细,软,质优
蒙塔戴尔羊(毛用及肉用)	20世纪30年代在美国育成	无角,毛白,有时有斑点	肉可食,毛亦多
牛津羊(毛用)	在英格兰育成,今分布北美	无角,耳、鼻灰色,腿短	优秀的毛用品种
巴拿马羊(毛用)	约1912年在美国育成	形大,面白,无角	强壮;毛色白而量多
朗布依埃羊(主要毛用)	18世纪后在法国育成	体光滑,有角或无角	幼羔成熟较快
罗梅尔戴尔羊(毛用及肉用)	1915年后在美国育成	中等大小,无角,面白	毛多,幼羔成熟较快
罗姆尼羊(主要肉用)	在英格兰育成,今分布于新西兰、北美及澳大利亚	无角,面部及腿白色	主要肉用;毛粗
什罗普郡羊(毛用及肉用)	在英格兰育成,今亦分布于北美	耳及鼻口部深褐色	肉质优良;毛细度中等
南丘羊(肉用及毛用)	在英格兰育成,今分布新西兰、澳大利亚及北美	无角,体小而圆	饲以供肉用;毛短
萨福克羊(肉用及毛用)	在英格兰育成,今亦见于美国	形大,面黑,无角	肉质优良;毛可用
塔吉羊(肉用及毛用)	1926年后在美国育成	中等大小,无角,面白	肉质佳;毛纤维长

形,直径2.5厘米,蓝色,花星状,裂片狭窄,外轮花先开;花药短粗,基部连合。与之近缘的多年生种宿根菊头桔梗(*J. perennis*)头状花序直径5厘米,叶较宽,分布仅限于欧洲南部。

sheepshead(*Archosargus probatocephalus*) **羊头鲷** 鲈形目鲷科受欢迎的可食用游钓鱼。常见于北美南部的大西洋沿岸和墨西哥湾。曾一度盛产于新英格兰至切萨皮克湾,但今已稀少,原因不明。体型大,体侧扁,额部高。体银色,有宽阔的暗色垂直带,幼时带纹最明显。牙大而扁,用以咬碎与研磨甲壳动物和蛤、牡蛎等软体动物。成鱼一般长60～75厘米,有的超过1米,重11千克以上。

sheet(geology) **岩床** 参阅**sill** 岩床。

sheet erosion **片蚀** 指土粒受雨滴冲击而脱离并由片状水流(非固定沟槽里流动的水)将其顺坡向下移去。从整个土壤表面上移去大致均匀的一层细土,有时造成肥沃表土的极大流失。片蚀通常发生在近现代耕作区或其他土质固结程度差及植被稀少的地区。片蚀有两个阶段:①雨水溅泼,此时土粒受雨滴冲击而溅入空中。一场暴雨中每英亩就可能有将近100吨土粒脱离原位置。②松散土粒常常被片流顺坡向下搬运。充满沉积物的快速流动的大片浊水是有很大潜力的侵蚀因素。一般由大暴雨造成,持续时间很短,常常只能流动很短的距离。在比较粗糙的地面,片流可以产生细沟侵蚀,其中水在网状微形沟系统里流动,这些微形沟最终越来越大并发育成冲沟。

sheet moss **片藓** 即柏状夹藓。地毯藓(**carpet moss**)的种类。

sheet-web weaver **皿网蛛** 又称华盖蛛。蜘蛛目皿网蛛科(华盖蛛科,Linyphiidae)动物。较常见。约2 000种。世界性分布。体长多不及6毫米。网扁,片状或圆顶形。蜘

蒙大拿皿网蛛(*Linyphia montana*)
供图:John Markham—Bruce Coleman Inc.

蛛常在网的下面。吊床蛛(弗里吉亚皿网蛛,*Linyphia phrygiana*)为北美种,有时网形似吊床。

Sheffield **设菲尔德** 英格兰南约克都会区的一个区(城市),在伦敦西北约257千米,奔宁高地边缘下。面积368平方千米。该处为谢伊夫、波特、里夫林和洛克斯利四小河流经深河谷后汇合成当河的汇合点。

在《末日审判书》成书的时代,设菲尔德被称为埃斯卡弗尔德。这是一个盎格鲁-撒克逊村落,12世纪初诺曼贵族W.德·洛维托特在此地筑一城堡和一堂区教堂。中世纪时期,当地的铁矿与附近大面积林区所产的木炭合炼成铁,铁匠与刀具匠使用当地优质砂岩作磨石。15世纪中,汇合于该地的小河水力开始用作磨压与锻造的动力。17世纪刀具制造业开始兴起,设菲尔德成为大教区制刀具的主要城镇,与伦敦不分伯仲。到1700年,设菲尔德超过伦敦,一跃而居英国刀具贸易的垄断地位。设菲尔德创造发明了多种冶金技术,极大地促进了该城经济的发展。18世纪40年代初,B.亨茨曼发明了坩埚制钢法,制成优质钢用以造工具;到了1830年,设菲尔德被公认为生产高质量钢的世界性中心。约1742年,设菲尔德刀具匠T.布尔索弗发明用熔合法把白银熔镀于黄铜之上,该城于是成为生产设菲尔德镀银器皿(**Sheffield plate**)的中心。1856年,H.贝塞麦试验用新法以廉价大批量炼钢并在设菲尔德一家工厂投产,从而使设菲尔德的重钢铁工业得到了极大的发展。不锈钢也是1912年前后开始在设菲尔德生产的。1911年的人口普查报告表明该市人口已超过利兹而成为约克郡的最大城市。

20世纪后期该市工业基数有所缩减,但仍是英国粗钢刀具和机械的主要产地。食品加工和服装制造也很发达。设菲尔德周围有小山幽谷,风景极为秀丽。奔宁高地上的沼泽地和德比郡林木葱郁的峡谷一直伸展到城市边缘的住宅区。该地有现代化公路,是约克郡南部的主要购物与文化中心。设菲尔德大学建于1897年,1905年注册为大学,以冶炼技术的系科闻名。1897年所建市政厅是城市的重要建筑物,市博物馆和格雷夫斯画廊都藏有珍品。人口:市431 607(1991);区约531 100(1998)。

Sheffield 设菲尔德 美国亚拉巴马州西北部科尔伯特县城市。在田纳西河南岸。与弗洛伦斯、塔斯坎比亚和马斯尔肖尔斯组成四市都会区。1815年始建为贸易点。1885年设建制。1933年后，因得威尔逊坝站供电而进一步发展。经济以多样化工业为基础。人口9 652(2000)。

Sheffield, John 设菲尔德 参阅 **Buckingham and Normanby, John Sheffield, 1st Duke of** 白金汉和诺曼比公爵(第一)。

Sheffield plate 设菲尔德镀银器皿 金属制品中，用熔合的方法将银包在铜上制成的物品。这种技术是由设菲尔德(英国约克郡)的一位刀剪匠T.布尔索弗大约在1742年发明的。他发现银和铜经熔化结合完全保留了这两种金属所具有的延展性，而且在制造中可当成一种金属。制造时在含少量锌、铅的铸铜的顶部和底部各包上一层银片，当银片在炉火中开始熔化时，将铸件取出，冷却并压延。将制成的工件做成卷边，使因裁剪而显露出来的铜隐蔽起来。开始布尔索弗只制造纽扣，但他早先的学徒J.汉考克后来把该工艺用于其他制品。1762年M.博尔顿开始在伯明翰的索霍制作设菲尔德镀银器皿，而且伦敦、诺丁汉和都柏林的许多作坊，若干欧洲国家以及北美的一些工厂也用布尔索弗的方法制成物件。1830年以后，“德国银”——镍铜锌合金——常代替铜而作为基体合金。随着19世纪40年代电镀法的发明，设菲尔德镀银器皿的生产下降，到70年代完全停止生产。这类金属制品由于它的柔软、灿烂和灰色的光泽而受到赞赏，主要用以制作烹调、盛装食物和进餐的用具和容器。其图案和技艺早已达到了很高的水平。大约在它作为商品消失了30年后，设菲尔德镀银器皿成为收藏品。由于使用过度而磨损露铜后又经过电镀的设菲尔德镀银器皿常被认为是真品而收藏。

M.博尔顿在大约1820年制作的设菲尔德镀银器皿——寝室蜡烛架
设菲尔德市立博物馆供图

Shehnai 印度唢呐 印度北部的圆锥形双簧管乐器。除底部的喇叭为金属外，其他部分均为木质。长度30～50厘米不等，根据不同的长度，管径上的无键指孔有6到8个，可以演奏两个八度的音域。演奏难度很高，吹奏者必须掌握精确的口型和纯熟的指法。印度唢呐和印度南部的纳加苏拉姆管都源于波斯的瑣奈，通常在婚礼和庙宇庆典中吹奏。比斯米拉汗最先在音乐会上使用这种印度唢呐，是这种乐器最著名的演奏家之一。

Shehu Ahmadu Lobbo 谢胡·艾哈迈都·洛博(1775～1844) Shehu又拼Seku或Cheikou。又名艾哈迈都·哈马迪·布布，原名艾哈迈德·伊本·穆罕默德·伊本·艾卜伯克尔·伊本·赛义德。西非富拉尼族穆斯林领袖。他在今马里的马西纳地区建立一个神权国家。他受伊斯兰教改革家奥斯曼·丹·弗迪奥的影响，在1818年或者可能早在1810年发动一场圣战，打败信奉异教的富拉尼族和班巴拉族的酋长们的部队，定都哈姆达拉西。他进而统治杰内和廷巴克图两城。他摧毁了那里的大清真寺，因为它违反他的原教旨主义伊斯兰观点。继任者艾哈迈都二世和三世继续统治，直到1862年艾哈迈都三世为欧麦尔所败为止。

sheikh 舍赫 又拼shaikh或shaykh。古代阿拉伯人的尊称，指年高德劭的长者。特别是宗教首领、大学校长、部落酋长、乡村村长和城镇区长等皆具有这一头衔。在奥斯曼帝国时，这一名称仅限于伊斯坦布尔的伊斯兰教法典说明官。他们地位与首席大臣相同，是控制法律、司法、宗教、教育的宗教首脑。1924年，土耳其共和国废除这一体制。

Sheikh Abade(Egypt) **谢赫阿巴德** 参阅 **Antinoöpolis** 安蒂诺波利斯。

Sheikhupura(Pakistan) 参阅 **Shekhupūra** 谢胡布尔。

sheitan(Islāmic myth) 参阅 **shaitan** 晒依陀乃。

sheji 社稷 又拼She Chi。中国古代帝王祭祀的土神和谷神。社代表大地。传说巨人首领共工的儿子勾龙治平九州水土，故社神以勾龙配享。社神在民间又称土地神，设土地庙祭祀，求禾谷丰熟。稷是五谷之首，以稷代表谷神，传说周氏族的祖先后稷教民耕植，故谷神以后稷配享。社稷成为古代国家的象征，由天子、诸侯奉祀。汉以后历代皇帝都祭社稷，社稷也就成为国家政权的标志。位于北京紫禁城午门西侧中山公园内的社稷坛建于1421年，为明、清两代帝王祭坛。坛按东、南、西、北、中分别由青、红、白、黑、黄五色土壤填筑。每年仲春、仲秋皇帝亲临致祭。

Shekhar, Chandra(Indian politician) **谢卡尔** 参阅 **Chandra Shekkar** 钱德拉·谢卡尔。

Shekhina 舍金纳 又拼Shechina或Schechina。犹太教神学名词，表明上帝为永在之神。此词始见于《塔古姆》(《希伯来圣经》阿拉米文译述本)；在《塔木德》、《米德拉西》及后圣经的犹太教经籍中也常使用它。在《塔古姆》中，舍金纳是上帝的同义词，用于因希伯来原文的拟人提法可能引起误解之处。在拉比著作中，舍金纳常与其他宗教名词或神学名词相联系。一说舍金纳降临在会幕及所罗门圣殿之上，另说它是第二圣殿所缺乏五种事物之一。舍金纳与圣灵有近似之处，但并非圣灵。中世纪某些神学家完全把舍金纳与上帝区别开来，认为它无非是被造的实体，与上帝(“神光”或“神的荣耀”)有所区别。喀巴拉神秘主义认为舍金纳是上帝的女性成分。

Shekhupūra 谢胡布尔 又拼Sheikhupura。巴基斯坦东部旁遮普省城市。有公路和铁路与拉合尔及其他城市相通。为工业中心，有肥料厂。历史遗址有莫卧儿皇帝贾汗季的一个堡垒(1619)，它19世纪曾用作兰季特辛格嫔妃们的住所。谢胡布尔地处狭窄平坦地带，靠杰纳布灌渠系统灌溉。人口141 168(1981)。

Sheki 舍基 又拼Šeki。1968年前称努哈。阿塞拜疆城市，位于大高加索山脉南坡。为阿塞拜疆最古老的城市之一，曾是通往达吉斯坦商道的贸易中心，18～19世纪为舍基汗国首府。1805年归属俄国；有许多有历史意义的建筑，如宫殿、清真寺和温泉浴场等。有丝织等轻工业。人口约63 200(1991)。

Shelburne, William Petty-Fitzmaurice, 2nd Earl of 谢尔本伯爵(第二) 参阅 **Lansdowne, William Petty-Fitzmaurice, 1st Marquess of** 兰斯多恩侯爵(第一)。

Shelby 谢尔比 美国北卡罗来纳州西南部皮德蒙特区城市和克利夫兰县县城(1842)。1760年后始有居民，1843年设建制，以独立战争时金斯山战役(东南16千米处)中的英雄伊萨克·谢尔比上校之姓氏命名。该地现为国家军事公园。19世纪70年代铁路通车，促进发展。1929年设市。以纺织工业为主，后来增加了多种制造业。建有县立克利夫兰工学院(1965)。人口14 669(1990)。

Shelbyville 谢尔比维尔 美国印第安纳州中部谢尔比县城市。位于印第安纳波利斯东南48千米处。1822年规划。以独立战争英雄肯塔基第一任州长I.谢尔比之姓氏命名。1855年设建制。1834年在该城建成该州第一条铁路，铺以木质轨道供马车行驶。地处该州玉米产区的腹地，为农产品贸易中心。有少量轻型制造业，生产电器、供暖设备、玻璃纤维和塑料布等。人口约17 445(1994)。

Shelbyville 谢尔比维尔 美国田纳西州中南部城市和贝德福德县县城(1809)。临达克河，位于纳什维尔东南85千米处。1810年创建。以独立战争中金斯山战役(1780)指挥I.谢尔比之姓氏命名。1819年设建制。为达克河流域农产品贸易中心。地处早熟禾草原，为养马和驯马中心。每年8月举办全国田纳西走马竞赛。有服装、铅笔、塑料和卡车变速器制造业。人口约15 680(1994)。

sheldgoose 草雁 雁形目鸭科麻鸭族(Tadornini)体形较大的大型鸭类。麻鸭族体形较小的种类称为翘鼻麻鸭(参阅 **shelduck**)。草雁栖息于全世界的热带和亚热带地区。喙小，腿长；具直立姿态。有些种类的翅膀弯曲处有骨质距，为有力的武器。有典型的白色翅斑，腹部有较纤细的黑横斑。解剖特征虽

安第斯雁（*C. melanoptera*）

绘图：John P. O'Neil

与雁相似，但不是真正的雁。南美洲种类包括草雁属（*Chloëphaga*）的白草雁（*C. hybrida*）、麦哲伦雁（斑胁草雁，*C. picta*）、安第斯雁（黑翅草雁，*C. melanoptera*）以及奥里诺科雁（绿翅雁，*Neochen jubatus*）。非洲的草雁包括距翅雁（冈比亚距翅草雁，*Plectropterus gambensis*）和埃及雁（*Alopochen aegyptiacus*）。

Sheldon, Charles Monroe　谢尔登（1857-02-26，美国纽约州韦尔斯维尔～1946-02-24，堪萨斯托皮卡）　布道家、灵感作家。曾就读于布朗大学、安多弗神学院。1889年在堪萨斯州托皮卡创建中央公理会教堂。晚上向听道的会众读故事，付印后很受欢迎。最成功的一本是《踏着他的足迹》，描写某小镇的居民保证要像耶稣那样生活一年。该书最初以连环画形式发表，1897年汇编成书，成为美国除《圣经》以外销售量最大的书达60年。

Sheldon, William　谢尔顿（1898-11-19，美国罗得岛沃威克～1977-09-16，马萨诸塞剑桥）　美国心理学家和医生，以其有关体格、人格和少年犯罪的理论而闻名。曾就读于芝加哥大学并取得心理学和医学博士学位。在多所大学工作之后，1951年加盟俄勒冈大学医学院，成为著名的医学教授，并出任体质咨询门诊主任；这个专业主要是研究体格特征与疾病之间的关系。他在这里一直工作到1970年退休。1951年还在马萨诸塞州剑桥的生物人类学基金会担任研究室主任。由于深受美国哲学家和心理学家W.詹姆斯的实用主义影响，而且他本人又有博物学家的学术背景，因此，他最终确信人类的心理结构具有生物学基础。他构建了一个以心理学和生理学为基础的分级系统，这在他的《人类体型特征类型》（1940）和《气质特征类型》（1942）两书中有详细论述。他将人类体型和气质都各自分为三种类型，而且相互对应，图示如下：

人类体型特征类型		气质特征类型	
体型类型	体型特点	气质类型	性格特点
内胚层体型	以内胚层衍生组织为主，体型圆、软	内脏紧张型	好交际、随和、重感情、喜安逸
中胚层体型	以中胚层组织为主，身体方正、肌肉发达	身体紧张型	精力旺盛、过分自信、争强好胜、攻击性强
外胚层体型	外胚层组织占优者，骨架纤细、体格瘦弱	大脑紧张型	内向、拘谨、敏感、善于思考

后来，他试图用这个理论解释犯罪行为。他发现罪犯大都是中胚层体型，很少是外胚层体型。这表明中胚层体型者大都脾气暴躁，即进攻、好斗有余，而体谅他人和自控力不足，很容易出现行为不轨，甚至引发犯罪。他的这项研究虽然很有创意，但有人认为他调查取样的人群并不具代表性，没有典型意义。也有人认为他颠倒了事情的因果关系。

shelduck　翘鼻麻鸭　又作sheldrake。雁形目鸭科（**Anatidae**）麻鸭族（Tadornini）体形较小的种类。麻鸭族体形较大的种类称草雁。翘鼻麻鸭嘴短，体形略似雁，但腿稍长，呈直立姿态。仅见于旧大陆。欧、亚的普通翘鼻麻鸭（*Tadornatadorna*）体羽黑白相间，有浅红

赤翘鼻麻鸭（*Casarca ferruginea*）

绘图：Alan P. Nielsen

色条纹。雄体嘴为红色，嘴上有疣。赤翘鼻麻鸭（*Casarca ferruginea*）分布自非洲北部、西班牙至蒙古，全身浅橙色，头色浅，翼有白斑。翘鼻麻鸭多数种的雄体鸣声悦耳，终年均富进攻性。欧洲种类的雌体独居巢穴（一般于野兔洞穴），卵光滑。在北美，秋沙鸭（**merganser**）有时英语也称sheldrake。

Shelepin, Aleksandr Nikolayevich　谢列平（1918-08-18，俄罗斯沃罗涅日～1994-10-24）　苏联政府官员。曾任共青团领导人（1952～1958）、国家安全委员会（克格勃）首脑（1958～1961）、苏共中央政治局委员（1964～1975），在1964年赫鲁晓夫被赶下台时起过作用。1940年加入共产党，在党内和苏联政府中升迁很快。1952年任共青团中央委员会第一书记，曾动员千百万青年去实现赫鲁晓夫开发中亚处女地的宏伟计划。1958年任克格勃主席。一般认为，此举是赫鲁晓夫试图加强他对警察机构的控制，使其更牢固地掌握在党的手中。在1959年党的第21次代表大会上，谢列平慷慨陈词，谴责20世纪50年代中期反对赫鲁晓夫的"反党集团"；1962年，他被任命为党和国家监察委员会主席。赫鲁晓夫垮台后，谢列平作为强硬路线的代表被选入党的主席团（1964）。但勃列日涅夫时代他的地位不断下降，终于在1975年被开除出政治局（原主席团）。在党的第25次代表大会上未再选入中央委员会。

Shelford, Victor Ernest　谢尔福德（1877-09-22，美国纽约州希芒～1968-12-27）　美国动物学家、动物生态学家。对动物群落进行了开创性的研究，这有助于生态学建立为独立的学科。所著《温带美洲的动物群落》（1913）是最早把生态学作为独立学科对待的著作之一。他还以研究昆虫闻名。1933年在伊利诺伊大学开始研究动物种群数量变化与环境变化的关系。多次提出关于动物种群数量周期性变化的报告。1939年与F.E.克莱门茨合作发表《生物生态学》，提出生物群落的概念，用以指在一个大地理区内占优势的植被和栖居于此的动物。他的名著《北美生态学》（1963）概述了苔原、针叶林、落叶林、草原和荒漠等主要生物群落。他是美国生态学会的首任会长（1916）。曾在芝加哥大学求学（1907年获哲学博士学位）。一生主要在伊利诺伊大学工作。

Sheliff River（Algeria）　参阅 **Chelif, Wadi 谢利夫河**。

Shelikhov, Gulf of　舍列霍夫湾　又拼Šelichov。俄罗斯远东地区海湾。位于西伯利亚（西）和堪察加半岛（东）之间的鄂霍茨克海北端。南北长670千米，东西最宽处300千米，平均深度100～150米，最深495米。海岸除东南部外，大部分崎岖多岩。12月至翌年5月封冻。泰戈诺斯半岛将海湾北部海域分为吉日加湾和品仁纳湾。这些海湾的潮汐变化幅度属世界上最大的潮汐之列，已有在此尤其是在品仁纳湾发展潮汐电站的动议。海湾因俄国商人探险家G.I.舍列霍夫而得名。

shell　炮弹　15世纪开始有炮弹，起先是内装金属弹丸或石弹的简单容器，离开炮口后炸裂散开。以后很快就加上发射药。18世纪以前这种炮弹只用于曲射火力，例如迫击炮，几乎只限于陆战。19世纪，炮弹也用于直接瞄准射击，著名的是榴霰弹。现代的高爆炮弹由弹壳、发射药和炸药组成。发射药由底火点燃，炸药由弹头部的引信点燃。穿甲弹有空心的尖头、钝头的穿甲被帽及钢弹芯，炸药位于弹底。某些高速弹采用碳化钨弹芯。一般都用钢弹壳来代替铜弹壳。shell这个词用在手枪和机枪上，指的是弹壳；用在猎枪上，指的是猎枪弹。

shell atomic model　壳层原子模型　原子结构的一种简化描述，认为原子中的电子分布在围绕着带正电的密实原子核的一些壳层上。第一壳层离原子核最近，其他壳层，一层包在一层外。壳层常用大写字母来标志，K表示第一壳层，L表示第二壳层，M表示第三壳层，等等。从第一壳层至第七壳层，每一壳层可容纳的最多电子数，顺次为：2、8、18、32、50、72、98。最轻的元素氢只有第一壳层的一个电子。一些重的元素在正常状态下，只有头4个壳层占满电子，以下的3个壳层只是部分地占据（参阅 **electronic configuration**）。

壳层被电子填充的情况可以用来解释原子的化学性质。例如氦(原子序数为 2)的最外层(第一壳层)被 2 个电子满充;氖(原子序数为 10)的最外层有 8 个电子,它的一、二两层都被电子满充。最外层有 8 个电子(参阅 **octet**)的其他原子,其最外层即使未被电子满充,在化学上却类似于氦和氖,是相对稳定且不活跃的。

shell collecting　贝壳采集　搜寻并鉴别软体动物外壳的活动。作为个人副业或爱好,流行于世界许多地方。贝壳颜色美丽,形状、花纹千姿百态,大量存在于各地海滩,很早以来就用于做装饰品、工具和钱币。

就人们现在所理解的能与钱币、邮票和瓷器收集相提并论的贝壳采集历史并不久,至 18 世纪晚期和 19 世纪早、中期,贝壳采集活动才在英国盛行。这一时期正值对太平洋地区和对华贸易开始发展的时期,新岛屿不断被发现,在那里发现的贝壳作为新奇物品被带回英国,后来成为新兴豪商采集的标本。19 世纪 50 和 60 年代采集之风达到高峰,当时贝壳拍卖已司空见惯,人们对稀有的、精良的标本往往愿出高价。接着是一个比较衰落的时期,其原因也许是过去许多稀有的贝壳因其聚集地被发现并开发而突然变得平淡无奇;但是贝壳确实美观而引人入胜,于是很快重新获得人们的喜爱。

贝壳是软体动物分泌成的外骨骼,借以保护并支持其各种器官。贝类安全地封闭在贝壳内,离开贝壳通常便无法存活。当它死去后,其他海生动物如寄居蟹也可能偶尔栖息在贝壳内,以贝壳为临时住处。大多数海贝在发现有危险时可通过关闭角质或石灰质的螺厣将缝隙完全闭合。细心的采集者总是注意保持螺厣和贝壳完好无损。

最珍稀、最宝贵、最美丽的贝壳采自海中,但大量品种多栖息在陆地或淡水中。最名贵的贝壳有:宝贝科、鸡心螺科、涡螺科和骨螺科等贝类的壳。最珍稀、最令人向往的是一种称为“海的荣耀”的美丽的圆锥形贝壳,在市场上售价极高,它也是已知唯一曾从大博物馆被盗窃的贝壳。

贝壳的保存方法简单,经适当清洗后贴上内容完备的标签,收藏在抽屉或橱柜内,经过许多年仍可光彩如新。

贝壳采集者倾向于专业化,因为已知的贝壳约有 10 万种;有些贝壳有固定的产地。专业化的贝壳收集者常常提供多种贝类的确切产地、生活习性等有价值的科学资料。有些收集者只收集代表一个特定属的一种贝壳标本,这种收集方法对贝壳的分类和演变,以及对整个贝类学的深入研究都具有重要的价值。

收集贝壳时使用的设备有:某种用于刨沙或清除树叶的工具,将岩石依附物从其栖息处剥离的小刀,将岩石钻蛀虫从其巢穴中清除的槌和凿,从浅水中滤出贝类的筛,一本记录采集地点和生态资料的笔记本,以及帮助鉴别贝壳的书籍等。

shell flower　贝壳花　参阅 **tiger-flower** 老虎花。

shell flower(*Molucella laevis*)　**贝壳花**　又称爱尔兰铃铛花(bells of Ireland)。唇形目唇形科植物。茎高近 1 米。穗状花序,生于茎顶。花序中生叶片。花小,芳香,花瓣白

贝壳花(*Molucella laevis*)
供图:Walter Dawn

色,花冠管状,呈本科典型的二唇形,花萼杯状,绿色。原产亚洲西部,广泛栽培于庭园。

shell game　果壳游戏　又称杯球戏法(cups and balls trick)。由魔术师表演的最古老和极受欢迎的戏法,用在平桌面上 3 个倒扣的杯子和一只球来表演。这只球在周围观众看不

H.博斯绘《变戏法者》中的果壳游戏法画面
供图:Giraudon—Art Resource/美国不列颠百科全书公司

见的情况下,从一只杯移入另一只杯。这个秘密的关键是将准备好的一个球用熟练手法放入另一只杯中,而将那个已知小球秘密地从原来那只杯中移出。这个戏法要准备的附加物常常是带细绳的袋子,它系在魔术师腰部,好像一个围裙。这不仅是携带道具的有效方法,而且也是魔术师秘密地隐藏和取出小球的方便之处。中东、南亚、东南亚和东亚的魔术师表演这种戏法和欧洲魔术师表演的一样吸引人,只是服装不同。东方魔术师不需要有袋的围裙,他们能在宽大的袖子里或长袍的折层里隐藏小球。这种戏法在美国仍存在于手法熟练的骗人赌博游戏中,由于在坚果硬壳下面盖着豌豆叫人猜,故称之为果壳游戏。

shell ginger(plant)　参阅 **shellflower** 良姜。

shell inlaying　螺钿　中国漆器的一种。将贝壳打磨成各种形状镶嵌在漆器上,成为色

清代嵌螺钿紫檀匣
中国大百科全书出版社供图

彩斑斓的工艺品。用夜光螺制作的能在夜间看到花纹光彩,是螺钿中佳品。以江苏扬州产品最著名。多制成器皿、文具及家具。中国古代还用螺钿作为铜镜的装饰。

shell mound　贝丘　又作 kitchen midden。人类学上指史前时期的废物堆,主要由可食用的软体动物壳与人类栖息的遗址组成。世界各地发现的贝丘生活方式,最初都是在冰川消退以及史前人类猎取的更新世大型动物消失以后发展起来的。实行狩猎-采集经济生活的原始部落都是比较定型化的,因此北欧、北美东部及中美最早的陶器大都出土于贝丘。人们曾考察了许多贝丘,尤其是丹麦东部沿海的贝丘遗址。调查表明,这些贝丘可能是终年占用的地方,属于中石器时代晚期的埃特博莱文化(约公元前 4000 ～前 2500),包含有四足动物、禽类和鱼类,这显然都是史前人类的食物。贝丘中还有大量燧石工具以及粗陶碎片。英国、法国、意大利、西班牙、葡萄牙和北非的贝丘年代一般也是从中石器晚期到新石器时代早期(约公元前 4000 ～前 2000)。在南非和日本北部,新石器时代文化持续时间较长,贝丘堆积延续到铁器出现。在太平洋岛屿上,贝丘一直到近年仍在堆积着。在美洲,以巴拿马和北美东部的贝丘为代表,放射性碳同位素年代测定为公元前 5000 ～前 2000 年。南美和加利福尼亚的贝丘可能早于公元前 2000 年。美洲的情况和旧大陆一样,贝丘生活都是高级文明之外的模式,一直延续到欧洲人征服之前。

shell nuclear model　核壳层模型　通过模拟玻尔的电子能级原子模型对原子核结构的描述。在这种模型中,构成核的各个核子,在满充(或封闭)的核能级里,中子与中子结成对,质子与质子结成对;当中子或质子数为 2、8、20、28、50、82 或 126 即所谓幻数时,成为特别稳定的核。不成对的中子和质子确定核的性质,正如价电子确定化学元素的性质一样。核壳层模型精确地预言了正常核的某些性质,例如角动量;但是对于处在高度不稳态的核,核壳层模型就不适用了,必须用另一种模型来修正或代替,如液滴模型、集体模型、复合核模型或光学模型等。

Shell Oil Company　壳牌石油公司　美国大石油公司。它是英国和荷兰大石油垄断组织英荷壳牌石油公司(**Royal Dutch/Shell Group**)在美国的庞大的子公司。

shell parakeet 虎皮鹦鹉 又作 budgerigar。一种受人喜爱的长尾鹦鹉(parakeet)。

shell shock 弹震症 参阅 combat fatigue 战斗疲劳症。

shellac 虫胶 由一种微小的蚧紫胶虫的分泌物制得的琥珀色片状商品树脂(参阅 lac)。是一种天然热塑性塑料,室温下为固体,加热软化且受压流动。上述性质使虫胶可单独或填充以云母粉和石棉填料用于生产钮扣等模塑制品。虫胶是多种产品如磨料、封蜡、发胶和糕点上光剂的成分。曾使用虫胶和细黏土或其他填料一起模制留声机唱片。但从 20 世纪 30 年代初开始,合成热塑性塑料特别是乙烯基树脂逐渐取代了虫胶。虫胶的酒精溶液亦简称虫胶,用作家具、地板和各种木器的底漆及罩光漆,并作为硝基纤维素漆的过渡漆。虫胶的碱性乳液用于制造自抛光蜡、毡帽上浆剂、黏结剂、密封剂。

Shelley, Mary Wollstonecraft 雪莱(夫人) (1797-08-30 英格兰伦敦～1851-02-01 伦敦) 母家姓戈德温。英国浪漫派女小说家,以其所著小说《弗兰肯施泰因》知名。她是威

伦敦国立肖像画陈列馆供图

廉和玛丽·戈德温夫妇的独生女儿。1814 年春,她得识青年诗人珀西·雪莱,便于同年 7 月与之私奔法国。1816 年,在珀西的第一位妻子自杀之后,两人正式结婚。玛丽·雪莱显然比较起来最接近于珀西对终身伴侣的要求:"一个能用感觉欣赏诗和用头脑理解哲学的人。"1822 年,她的丈夫死后,她回到英国,致力于传播珀西的作品,并教育他们两人唯一存活的儿子珀西·佛罗伦萨。她出版了她丈夫的《遗诗集》(1824),并编订了他的《诗集》(1839),加了极有价值的长注;她也编订了他的散文作品。她的《日记》为珀西传记作者提供了丰富的资料,她的书信也是不可或缺的资料补充。她的最有名的小说是《弗兰肯施泰因》,又名《现代普罗米修斯》(1818),写一位科学家人工造出了一个人,从而引起可怕的后果。小说中这个人造怪物启发了美国电影制作人在 20 世纪 30 年代以它为原型创作了好几部著名恐怖影片。她还写作了《瓦尔珀加》(1823)、《珀金·瓦贝克的命运》(1830)、《洛多阿》(1835)和《法克纳》(1837)。但《最后这个人》(1826)仍被认为是她的最佳小说,它描叙未来一场瘟疫如何毁灭了人类的情景。她的《六周旅行记》(1817)追记了她和珀西私奔之后 1814 年欧洲大陆之游以及 1816 年他们在日内瓦附近所过的夏天。琼斯编辑了她的书信集(1944)和她的日记(1947)。

Shelley, Percy Bysshe 雪莱(1792-08-04,英格兰苏塞克斯霍舍姆附近菲尔德普拉斯～1822-07-08,[意大利]托斯卡纳里窝那外海上) 英国浪漫派诗人。一生热烈追求个人

伦敦国立肖像画陈列馆供图

爱情与社会正义,由公开行动逐渐转入诗歌创作,成为英语文学中最伟大的诗人之一。

雪莱是他祖父比希·雪莱所置大量田产的合法继承人。其父蒂莫西软弱守旧,在专横骄纵的父亲和叛逆成性的儿子之间左右为难。青年雪莱先入赛翁·豪斯学校(1802～1804)、后入伊顿学院(1804～1810)求学。在校时,为了逃避肉体精神的压力,便纵情于想象世界,写一些游戏之作。1810 年春至 1811 年春,他发表了两本哥特式小说和两卷少年诗作。1810 年秋,雪莱入牛津大学学院,与同学 T.J.霍格结为知己。1811 年 3 月,大学学院因雪莱与霍格拒绝承认《无神论的必要性》这本小册子为雪莱所写而开除他们的学籍。霍格终向自己的家人屈服,但雪莱拒绝向家人表示歉意。

1811 年 8 月末,雪莱与伦敦一家酒馆老板的小女儿海里霭·威斯特布鲁克私奔。雪莱的祖父和父亲企图以断绝资助的办法迫其就范,结果反而促使刚愎不屈的儿子起而反抗传统礼法,与海里霭结婚,挫败了祖父与父亲的计划。1812 年初,雪莱、海里霭和其姊艾莉莎同赴都柏林。雪莱在该地散发小册子,主张罗马天主教徒应享有政治权利,爱尔兰应自治,并宣传自由思想的理想。此后雪莱夫妇又去德文的林茅斯。雪莱又在那里出版了一些政治性的小册子,然后去北威尔士,逗留近 6 个月(1812～1813)。

由于经济拮据,雪莱终于不得不向伦敦高利贷者告贷。1813 年,他在伦敦出版了力作长诗《仙后麦布》,全诗凡 9 篇,有时是无韵体,有时则有抒情韵律,对当时和过去种种邪恶(经商、战争、肉食、教会、王朝和婚姻)加以抨击,但全诗结局认为人类在摆脱了这些邪恶后大有希望。1813 年 6 月,海里霭生下一女艾恩斯。但一年后,雪莱爱上了威廉·戈德温的女儿玛丽。雪莱和玛丽不顾戈德温的反对,于 1814 年 7 月 27 日私奔法国,并携玛丽的同父异母妹妹简(后名克莱尔)同行。他们的行踪遍及法国、瑞士、德国,然后返回伦敦。但戈德温一家及其他许多朋友均避之不与相见。1815 年 1 月,他的祖父比希爵士逝世,其父蒂莫西爵士不敢违背祖父遗嘱,才付清了雪莱的债务,并开始每年付给他一笔年金。

1815 年,雪莱定居温莎大公园附近,与霍格及另一位朋友 T.L.皮科克一起研读古典名著。同时,他创作了无韵长诗《阿拉斯特》(或称《孤独的精神》),并于 1816 年将其与其他一些短诗合成一集出版。长诗告诫像雪莱这样的理想主义者不可为了徒劳无益地追求实现一些犹如过眼烟云的梦想而放弃"美妙的人类的爱"和改善社会的目标。1816 年 5 月中,雪莱、玛丽和克莱尔匆匆赶往日内瓦,截留了已和克莱尔有私情的拜伦爵士。这一年值得纪念的夏天,雪莱写下了《赞心智之美》和《勃朗峰》两诗;玛丽则着手写她的小说《弗兰肯施泰因》。雪莱一行于 9 月回到英国,定居巴斯。同年后期,海里霭于伦敦投水自尽。1816 年 12 月 30 日,雪莱在戈德温一家人表示赞同后,与玛丽结婚。然而大法院作出决定,认定海里霭所生的艾恩斯和查尔斯不宜交雪莱抚养,应由雪莱出资由他人领养。

1817 年 3 月,雪莱一家移居皮科克家附近的马洛,创作共 12 篇的传奇史诗《莱昂和西丝娜》(又名《黄金城的革命》)。玛丽则写完了《弗兰肯施泰因》。他们又根据在瑞士旅游的书信日记编写了《六周旅行记》,以《勃朗峰》结束。11 月,《莱昂和西丝娜》被印刷所和出版人扣住不发,原因是他们害怕被雪莱理想化了的一次和平的全国革命惨遭勾结起来的国王和教士们血腥镇压这一故事会被认为触犯禁止渎神毁谤的法律。后经修改,诗作终于在 1818 年重新发行,更名为《伊斯兰的反叛》。

由于雪莱的健康受气候影响,也由于他入不敷出,雪莱夫妇与克莱尔离英去拜伦寓居的意大利。1818 年 4 月,他们到达米兰,前往比萨和来航(里窝那)。同年夏,雪莱将柏拉图的《会饮篇》译成英文,并写了他自己的论文《情爱论》。他还完成了《罗赛琳和海伦》。在这篇平常的诗作中,他在诗人-改革家"里昂纳尔"身上设想了自己的命运;由于激进活动而遭监禁,释放后英年早逝。

至此,雪莱的文学生涯带有鲜明的政治倾向。《仙后麦布》1964 年才出版,题为《艾斯戴尔手记》的早年诗作、《莱昂和西丝娜》以及他的大部分散文作品都以改革社会为主题,甚至《阿拉斯特》、《罗赛琳和海伦》以及抒发个人感情的诗作无不表达了一个为社会所不容而感到失望或受迫害的理想主义改革家的忧烦。但在意大利,摆脱了英国政治带来的日常烦恼,雪莱加深了对文学艺术的理解。既然无力改变世界使之符合自己的设想,他便集中心力使自己的理想体现在诗歌中。他的目标如他在《西风颂》中所写的,是要使他的诗句成为从"一座未熄灭的火炉"中飞出的"灰烬与火花",以此来改造未来一代的人,并通过他们来改造世界。以后他逐渐与玛丽疏远,这时甚至他笔下的爱情也不过是一种愿望,而不是愿望的实现:"那是飞蛾追逐星

星/夜晚追逐明天/从我们悲苦的疆土上/向往着远方的某种东西。"

1818年8月,雪莱与拜伦在威尼斯再次会晤。雪莱一家在威尼斯或埃斯特逗留至1818年10月。《在欧洲群山之中感赋》(与《罗赛琳和海伦》合集出版)中,雪莱描写了从埃斯特附近一山上所见的美丽景色中引出的幻象使他从绝望中复生,对意大利的政治复兴充满了希望,使现场化为"在深不可测的无边苦海中/一座苍翠的小岛……"他还开始写《尤利安和马达洛》,诗中拜伦(即马达洛)和雪莱展开了一场关于人类天性和命运的辩论,并写了《解放了的普罗米修斯》第一幕初稿。1818年11月,雪莱一家经罗马到那不勒斯,并在那里逗留至1819年2月底。

嗣后雪莱移居罗马,继续写作《解放了的普罗米修斯》,并写下了《钦契一家》提纲。后者为根据16世纪罗马发生的一件乱伦的强奸和杀父案,按伊丽莎白时代模式加以改写的悲剧。1819年6月,幼子威廉死于疟疾,雪莱夫妇逃至来航附近。同年夏,他写完了《钦契一家》。他本人称之为"可悲的现实",并将其与他"心目中美和正义的幻象"作对比。令人难忘的人物,5幕的古典剧结构,遒劲有力、引人入胜的语言以及道德观的含混不清使《钦契一家》至今仍富有戏剧性。然而即令如此,与《解放了的普罗米修斯:一本抒情诗剧》相比,它仍然稍逊一筹。后者于1819年秋在佛罗伦萨写成,其时玛丽又生了他们唯一存活的孩子珀西·佛罗伦萨。两部诗剧约在1820年左右出版。

在《解放了的普罗米修斯》一剧中,雪莱将埃斯库罗斯的一个现已失传的剧本的情节颠倒过来。这部诗剧杰作用吸收了种种复杂的抒情韵律和灵活的无韵诗写成。在第一幕中,朱庇特因普罗米修斯赋予人类以道义自由而下令处以酷刑,普罗米修斯因而想起他早先对朱庇特的诅咒而原谅了他("我但愿凡有生命的都不致忍受痛苦")。象征道德意志的普罗米修斯由于避免了报复,终得以与他所爱的阿西亚——一个超越人性的精神上的理想——重新团聚;而在朱庇特被称为"冥王"的神秘人物所推翻以后,阿西亚的爱使普罗米修斯避免成为又一个暴君。第二幕回叙了阿西亚的觉醒和走上与普罗米修斯相会的旅途。旅程开始,她到下界的底层找到了冥君并质问他。第三幕描写了朱庇特被推翻和阿西亚与普罗米修斯的结合,普罗米修斯让朱庇特的王位空着,与阿西亚退隐在一座洞府,从那里通过文学艺术所体现的理想来影响世界。这一幕结尾描写了人类社会和自然界经变革而面目一新。第四幕以精灵们纵情歌唱所发生的人类意识趋于仁慈的变化。然后其他精灵赞颂在这一新的太平盛世人类与自然的福祉,最后冥王回来告知所有生灵:万一他们失去了这脆弱的欢乐境界,他们可以用那些"签条"(温和、德行、智慧、忍耐)来恢复他们的精神自由:

忍受一切"希望"觉得是无穷的痛苦;
宽恕一切像"死"和"夜"一样黑暗的罪过;
打倒那种俨然是无所不能的"权威";
要爱,要忍耐,要保持希望,直至
"希望"在自身废墟上实现它的企想……

《解放了的普罗米修斯》是雪莱诗歌成就的基石,它是在雪莱受尽"可悲的现实"折磨之后,在他开始担心为他未必能争取到读者之前写就的。和诗剧同集发表的还有作者的一些最出色的、充满希望的较短的诗篇如《自由颂》、《西风颂》、《云》和《致云雀》。

在他完成《解放了的普罗米修斯》和《钦契一家》时,传来了英国发生彼得卢大屠杀的消息。雪莱为此写下了《无政府假面剧》和好几首激进的谣曲,指望它们能唤起英国人民从事积极的非暴力政治抗议。同年稍晚,他向英国寄去了《彼得·贝尔第三》,诗作将讽刺威廉·华兹华斯的《彼得·贝尔》一诗和抨击英国社会的腐败结合起来。他还草拟了他的最长的但未完成的散文作品《改革的哲学观》。文中敦促进行温和的改革以避免一场可能会导致新的暴政的流血革命。《无政府假面剧》因过于激进,雪莱生前未能出版,在1832年改革派得胜的选举之后才得问世;《彼得·贝尔第三》和那些政治谣曲在1839～1840年间问世,《改革的哲学观》直至1920年才出版。

1820年雪莱移居比萨,那些敌视他的评论刺痛了他,他开始在表达自己的希望时更为审慎。他的英雄史诗两行体的《致玛丽亚·吉斯庞的信》和八行体的《阿特拉斯的女巫》均写成于1820年,出版于1824年。它们融合了《解放了的普罗米修斯》的神话时代体例和初见于《彼得·贝尔第三》的高雅的自嘲,表明雪莱已觉察到他的理想可能在别人看来失之于天真幼稚。《俄狄浦斯·提拉努斯》(又名《暴君斯威尔福特》)是一部讥讽英王乔治四世失宠的妻子卡洛琳因有奸情而遭审判的讽刺剧;该剧于1820年下半年出版,未署作者真名,旋遭禁止。然而在1821年,雪莱在诗作中重申了他的不妥协的理想主义。两行体诗《埃皮普锡乞狄翁》将他对一个将人修道院的爱慕他的姑娘特雷萨("爱米莉亚")·维维亚尼的恋情神话化,使之成为一篇但丁式的寓言,说明人的欲望如何可以通过艺术来实现。他的论文《诗之辩护》(1840)雄辩地声称诗人创造人类的价值观,也可以想象出社会制度采取的形式,因而每人的心智可以重新创造自己个人的宇宙,而"诗人乃是世界的不被承认的立法者"。《阿多尼斯》则是按斯宾塞诗节写的悼念诗人J.济慈之死的田园哀歌。诗中有云:当我们"腐烂犹如藏骸所中的尸体",阿多尼斯的创造精神却"已在夜的阴影之上翱翔",尽管他的肉体已经死去。

这一个存留着,许多人则变化,
　逝去;
上天之光永远辉耀,大地的
　阴影消散;
生命犹如五彩缤纷的玻璃圆顶,
将永恒的白光染上色彩;
直到死亡将它踩得粉碎。

诗剧《海腊斯》(1822)欢呼希腊反对土耳其统治的革命,重复了《莱昂和西丝娜》中传播的政治信息,即:为人的自由的斗争既不可能被彻底击败,也不可能完全实现,因为这一理想要比世俗所能体现的更伟大。

1821年末,拜伦来到比萨,他的出现影响了雪莱的创作,在1822年最初几个月,他只完成了一组优雅的然而充满了渴求的抒情诗,大多是写给J.威廉斯的。他开始写剧本《查理一世》,旋即放弃。雪莱在全家与爱德华和J.威廉斯迁居莱里奇后,着手写《生命的凯旋》中一个情调阴暗的片断,直到他乘船去来航欢迎他的朋友L.亨特来到意大利主编一份名为《自由派人》。在回莱里奇途中船遇风暴沉没,雪莱与爱德华遇难。

玛丽忠诚地搜集她的去世的丈夫的未出版的遗作。及至1840年,她终于在亨特和他人帮助下,扩大了他的声誉,传播了他的绝大部分作品。后人对雪莱成书的作品和手稿的细微研究,深感他学识深邃,思想明确,艺术精妙。他是一位热情磅礴的理想主义者,一位完美的艺术家。他在传统诗体范围内发扬理性的主题,同时在表达个人欲求与泽被社会的愿望方面将语言的力量发挥到了极致。

shellfish　水生有壳动物　软体动物门,节肢动物门甲壳纲以及棘皮动物门的有壳水生无脊椎动物。尤指这些类群中的可食种类,特别是有商业性捕捞或养殖者。在全世界,牡蛎、蚌、扇贝和蛤都属于最具商业重要性的水生有壳动物。某些腹足类软体动物,如鲍鱼、蛾螺、前鳃类海螺等亦供市售。捕捞以供食用的甲壳动物主要有欧洲沿岸的褐虾属(*Crangon*)和长臂虾属(*Palaemon*)以及从北卡罗来纳到墨西哥沿岸的对虾属(*Penaeus*)种类。美洲龙虾、挪威龙虾(都柏林湾匙指虾)、南非岩龙虾以及王蟹和邓杰内斯蟹及其近缘种极受珍视。棘皮动物中,海胆和海参在产地极受欢迎。水生有壳动物的命名相当混乱,餐馆老板又喜欢按大小而不按物种来给他们的菜肴起名,这使问题更复杂化,所有水生有壳动物被捕捞上来后均极易腐败。许多水生有壳动物烹调前应当是鲜活的,以免消费者吃到变质的食品。大部分水生有壳动物的烹调时间应当较短,火不宜太猛,这样的烹调效果最好,因为高热会使之碎裂分解,或变得咬不动,味道也变差。但凤螺和鲍鱼必须加以捣捶以使其坚韧的肉质变嫩。水生有壳动物食用时必须浇上味浓的或加许多佐料的调味汁。

shellfish poisoning　贝类中毒　由于食用某些贝类所致的疾病。现已查明毒物的来源是贝类在一定季节赖以为食的浮游生物。症状常在食用贝类后10分钟内出现。开始时口唇有刺痛感或麻木,指端针刺感,常有喉咙发干及言语不连贯,亦可有步履蹒跚、眩晕、肌肉共济失调。严重病例可迅速出现呼吸麻痹甚至死亡。人工呼吸和气管切开可挽救患者生命。若患者于12小时内未死亡,则有痊愈可能。参阅 **fish poisoning**。

shellflower　良姜　又作shell ginger。又称山姜。姜科山姜属(良姜属,*Alpinia*)植物。约250种。原产于亚洲温暖地区和波利尼西亚。地下茎似姜。株高达6米。叶片长,革质。花冠管短,有三个齿状裂片和一枚大的唇瓣,雄蕊2或3枚着生于唇瓣上,故花形

良姜(*Alpinia speciosa*)
供图:E. R. Degginger

似兰花;芳香,粉红色,黄色或白色,密生成长簇。

Shelton 谢尔顿 美国康涅狄格州西南部费尔菲尔德县城市。位于胡萨托尼克河畔,隔河与德比相望。约1697年创建,1789年设镇,称亨廷顿。1870年建德比水电站后,工业迅速发展。现工业多样化,出产海绵橡胶和金属制品、电子设备等。1915年设市,1919年改称现名。人口约36 905(1994)。

Shema 舍玛 希伯来语意为"你要听"。犹太教名词,是《圣经·申命记》第6章第4节的开头语,犹太教徒以之为信仰的精义,崇拜的主题。此词指《申命记》第6章第4～9节、第11章第13～21节和《民数记》第15章第37～41节等三处经文,配以相应的祷词。因经文上有"躺下起来都要谈论"之语,因此暮祷和晨祷中都要诵舍玛;在其他礼拜仪式中也要诵读。礼仪用品上也书写舍玛。这几段经文要求犹太人学习、研究并遵守律法。公元2世纪博学的拉比阿吉巴殉教时背诵舍玛,后世犹太人殉教时也效法他的榜样,背诵舍玛以最后声称自己坚信并热爱全人类的唯一上帝。虔诚的犹太教徒希望在弥留之际尚能念诵舍玛。

Shemakha 舍马哈 又拼Šemacha。阿塞拜疆城市和区中心,位于巴库以西122千米处,共和国最古老城市之一。6世纪始见记载。1824年设市。9～16世纪曾是希尔凡-沙的居住地。多历史建筑,有清真寺和陵墓等古迹,但多次遭地震损坏。现为食品工业中心,尤以酿酒业著名。人口约25 300(1991)。

Shemini Atzeret 圣会节 犹太教节日,即住棚节期中的第8天,有人认为它是一个单独节日。在《旧约》时代,住棚节期内的祭献有区别:前7天献70祭,代表全人类"七十族";第8天献一公羊和一公牛犊,象征以色列人同上帝的特殊关系。在以色列国内,住棚节第8天也是庆法节,在以色列国外犹太人以第9天为庆法节。

shen 神 英语作spirit。中国宗教观念之一。指具有人格意志而不受自然规律支配、神通广大、变化莫测、长存不灭的超自然体。一般由于迷信或追求内心慰藉,引起对自然物及圣哲人物的崇敬。如图腾崇拜、自然神论、拜物教、拜神教等社会现象,以及释迦牟尼、耶稣基督、太上老君等人物。一般由多神、主神、一神的顺序演变而为至高无上尊神及其下属构成单一的神系。中国道教不仅认为宇宙间有神,人的本身也有神。即人体五脏六腑、百节四肢无不有神,故有存神的各种修炼方法。《黄庭外景经》解说身体各部的神,《黄庭内景经》还列叙面部七神、六腑真人等神的名字、形状、功能及其相互关系。

Shen Bao 《申报》 中国近代的历史悠久的报纸。1872年4月30日创刊于上海,1949年5月停刊,历时78年。创办人是英国商人美查(E. Major)。1909年转归中国人席子佩。1912年史量才等从席手中买下报馆,悉心经营,保持"商办"传统,使《申报》得到发展。在美查经营时期,报纸的文字、内容和形式都注意适应中国读者的需要。如大量刊登国内外新闻,经常介绍各国建设经验,发表旧诗词等。辛亥革命前,该报拥护君主立宪,反对孙中山领导的革命。报纸主要对象是官绅。史量才主持《申报》后,报纸长时期"重新闻,轻言论",政治上仍比较保守。但1931年"九一八"事变后,在国内进步力量推动下《申报》开始宣传抗日,抨击蒋介石的不抵抗政策,还致力于报纸改革,约请进步人士黄炎培、陶行知、戈公振、胡仲持、李公朴等参加《申报》工作。《自由谈》副刊由黎烈文主编后经常发表鲁迅、茅盾、陈望道、巴金、叶圣陶等进步作家的文章,报纸发行量猛增。1934年史量才被蒋介石集团暗杀后,报纸又趋保守。1938～1949年间,《申报》相继沦为日伪及国民党的宣传工具。

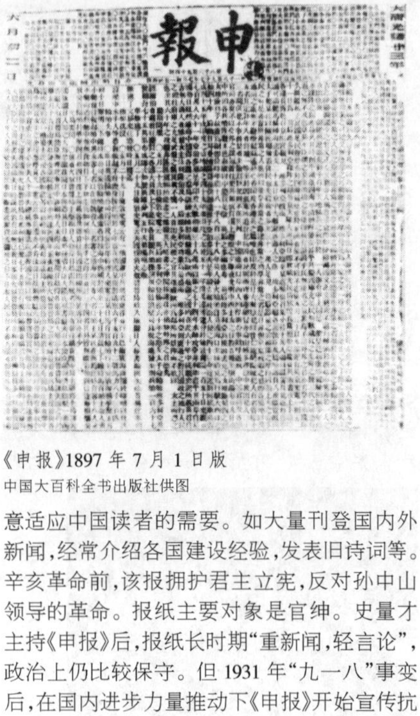

申報

《申报》1897年7月1日版
中国大百科全书出版社供图

Shen-chen(China) 参阅 **Shenzhen** 深圳。

Shen Chou 参阅 **Shen Zhou** 沈周。

Shen Congwen 沈从文(1902-12-28,中国湖南凤凰～1988-05-10,北京) 又拼Shen Ts'ung-wen。中国作家、学者。原名沈岳焕。苗族。早年当兵,来往于川、湘、鄂、黔等边区。除军职外,曾任警局文书、报馆校对等工作,经历过多种生活。受五四运动余波影响,1922年到北京。求学未成遂练习写作。1924年起陆续在《晨报副刊》、《现代评论》和《小说月报》上刊载作品,并与胡也频共同编辑《京报》副刊、《民众文艺》周刊。1928年到上海,先后在中国公学、武汉大学、青岛大学教授写作课程。此时参加了"新月社",在《新月》、《现代》和《文学》等刊物上发表作品。1934～1935年先后在北京和天津编辑《大公报》副刊。由于与朱光潜等一批作家的创作倾向、美学趣味相近而有"京派"作家之称。抗日战争爆发后在西南联大任教,后回北京,任教于北京大学。20年代到40年代,沈从文曾用不同手法写出大量小说,出版作品集达70余种。如《蜜柑》(1927)、《好管闲事的人》(1928)、《老实人》(1928)、《篁君日记》(1928)、《山鬼》(1928)、《旧梦》(1930)、《石子船》(1931)、《边城》(1934)、《八骏图》(1935)、《新与旧》、《月下小景》(1937)、《主妇集》(1939)、《春灯集》(1943)、《黑凤集》(1943)、《长河》(1948)等。作品多写少数民族和旧军队生活,也常写青年男女的恋爱故事。代表作《边城》通过一个悱恻动人的爱情故事描绘湘西风土人情,富有牧歌情调。不少作品在自然美和人性美中描绘了一幅幅流动着原始活力的乡村生活小景。他的散文集有《湘行散记》(1936)、《湘西》(1939)、《在昆明的时候》、《从文自传》(1943)等,抒情写景,似诗如画,明丽凝重。论文集有《泡沫集》、《废邮存底》、《云南看云集》等。1949年后,在北京中国历史博物馆、故宫博物院作文物研究工作。1978年后任中国社会科学院历史研究所研究员。著有《唐宋铜镜》、《中国丝绸图案》、《中国古代服饰研究》、《龙凤艺术》等。有12卷本《沈从文文集》。

中国大百科全书出版社供图

Shen Kuo 沈括(1031～1095) 中国北宋政治家、科学家。字存中,钱塘(今杭州)人。1063年进士。历任馆阁校勘、提举司天监、翰林学士,政绩卓著。曾参与王安石变法运动。出使辽国,驳斥契丹的争地要求。主持修订《奉元历》,改制浑仪、浮漏、影表。1080年任鄜延路经略安抚使时,整顿军备,防御西夏人侵。一生勤奋好学,于天文、方志、律历、音乐、医药、卜算,无所不通。著述达35种,大多散佚。《梦溪笔谈》集其一生研究和见闻的精华,涉及天文、数学、历法、地理、地质、水利、物理、生物、医药、军事、文学、史学、考古及音乐。在天文方面，指出极星不在天极，而是离天极3°多。得出冬至日短，夏至日长等结论；利用半面涂白粉弹丸演示月亮盈亏；历法上大胆创新，提出《十二气历》，以立春为

中国大百科全书出版社供图

岁首，大尽31日，小尽30日，大月小月相间，每年两个小月相并，比现行格列高利历更合理。数学方面创“隙积术”（高阶等差级数求和法）和“会圆术”（已知弓形的圆径和矢高求弧长法）。在物理学方面，作凹面镜成像实验和声音共振实验。在地理地质学方面，以流水侵袭作用解释奇异地貌成因，从化石推测水陆变迁情况，制成辽北立体地形模型。编制北宋疆域地图集。还记述当时一些重大科技成就，如早期的指南针装置，地球磁偏角的发现，活字印刷术，炼钢、炼铜法等。沈括还精研药用植物与医学，著有《灵苑方》（已佚）和《良方》（传本附入苏轼医药杂说，称《苏沈良方》）。

Shen Quan　沈铨（1682～约1760）　又拼Shen Ch'üan。中国清代画家。字衡斋，号南蘋，吴兴（今浙江湖州）人。少时贫苦，从父学扎纸花谋生。后工画花鸟、畜兽。雍正元年（1731）携弟子郑培东渡日本，居长崎，历时2年。在日本继中国东渡画家僧逸然、尹孚九

沈铨绘《松鹤图》

中国大百科全书出版社供图

等所建立的“北宋画派”与“文人画派”之后，又建立了“花鸟写生画派”。从学者甚多，以圆山应举最为著名。回国后其作品仍常向日本输出，离去百年之久，日本长崎还有如木下逸云等私淑其画法。传世作品甚多，如《双鹤图》，乃其78岁所作，构图饱满，笔力劲健，设色烘染得宜，造境甚高。

Shen Shih-t'ien　沈石田　参阅 **Shen Zhou** 沈周。

Shen Te-hung　沈德鸿　参阅 **Mao Dun** 茅盾。

Shen Ts'ung-wen（Chinese author）　参阅 **Shen Congwen** 沈从文。

沈周绘《碧山吟影》

纳尔逊-阿特金斯艺术博物馆供图

Shen Yen-ping　沈雁冰　参阅 **Mao Dun** 茅盾。

Shen Yue　沈约（441～513）　中国南朝文学家。字休文。吴兴武康（今浙江德清）人。历仕宋齐梁三代，官至尚书令。死后谥隐，后人

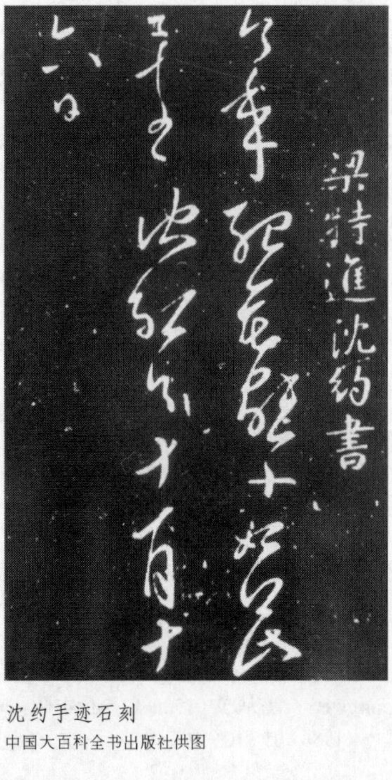

沈约手迹石刻

中国大百科全书出版社供图

又称其为隐侯。学识渊博，长于史学。著有《晋书》110卷、《宋书》100卷、《齐纪》20卷等，其中《宋书》流传至今，为《二十四史》之一。沈约诗风华靡，着意雕饰，讲求音韵和谐，对偶工整。倡诗歌声律论，提出“四声八病”说，并与谢朓等开创强调诗歌声律的“永明体”，对后代律诗的形成和骈体文的发展都有重要影响。有《沈隐侯集》。

Shen Zhou　沈周（1427～1509）　又拼Shen Chou。中国明代画家、诗人。字启南，号石田，晚号白石翁，长洲（今江苏苏州）人。不应科举，不入仕，长期从事绘画与诗文创作。其祖上又与黄公望、王蒙等有交谊。擅画山水、花鸟。其山水初得家传，更师杜琼、赵同鲁，大抵远法董源、巨然，近师王蒙，其后又学黄公望。晚年专学吴镇，深得三家神髓，创造出自己坚实、沉着、浑厚的独特艺术风格。论者称其“苍润”兼得，最为难能。所绘多江南山水，尤爱写故乡景色。有时纵笔绘“乾坤四大”奇景，益见其胸怀博大。其人品德范、生活理想与艺术成就深得敬重，成为吴门派的创始人。著名画家文徵明、唐寅均系其弟子。其水墨浅色写意花鸟“气韵深厚，笔力沉着”，用笔虽简，却能表达出花鸟的特性，又经过唐寅、陈淳、徐渭的继承和发展，更加汇成明清以来的巨流。后人将他和文徵明、唐寅、仇英合称“明四家”。为人忠厚，喜推奖人才，求画者极多，且喜济人贫困，故他的不经心之作与托名不真之作甚多。他还工书能诗。书法晚学黄庭坚，苍劲真率，力求摆脱赵孟頫和“台阁体”的影响，为明代文徵明、丰坊以至祝枝山等学黄者开了先路。其诗歌、书法尚多见于其画幅之上，亦多有代表作。著作有《石田集》等传世。绘画作品传世甚多，著名的有《庐山高》、《东庄》、《卧游》、《沧洲趣》、《夜坐》、《三桧》、《碧山吟影》等图。

Shenandoah National Park　谢南多厄国家公园　美国弗吉尼亚州北部的自然保护区。位于阿巴拉契亚山脉蓝岭山区。1935年开辟，占地78 322公顷。公园景色闻名，有东部诸州最开阔的景色。山景公路盘旋于山峰之间，穿过峡谷和隘口，贯穿整个公园。除沿山脊有几处草地外，园内林木稠密，有硬木树和

针叶树。从春到秋，园内野花盛开。野生动物有鹿、狐、松鼠和其他哺乳动物，以及各种鸟类。

Shenandoah Valley 谢南多厄河谷 美国大阿巴拉契亚山谷的一部分，大部分在弗吉尼亚州境内。从波托马克河畔西弗吉尼亚州的哈帕斯渡口附近向西南延伸，东连蓝岭山，西接阿勒格尼山。有谢南多厄河流经，流域范围广，涉及9个县。常被认为可延至詹姆斯河。长约241千米，宽约40千米。马萨纳滕山（海拔914米）从哈里森堡以东向东北延伸80千米，将谢南多厄河分为南北两汊。穿过蓝岭山的一些历史上有名的山口包括斯威夫特朗山口和罗克菲什山口。著名的谷地公路是美国的一条州际公路。白人定居始于1730年。南北战争中南部邦联"石壁"将军T.J.杰克逊在"河谷战役"中获胜。名胜有乔治·华盛顿国家森林、谢南多厄国家公园、列克星顿附近的天然桥，还有许多石灰岩山洞。蜿蜒于蓝岭山脊的山景公路与蓝岭园道是谷地的东部边界。

Shenandoah Valley Campaigns 谢南多厄河谷战役（1861-07～1865-03） 美国南北战争期间为控制弗吉尼亚州战略要地谢南多厄河谷而持续了4年之久的重要战役。战争初期，谢南多厄河谷一直由南军控制，不断给北部首都造成威胁。1864年5月，U.S.格兰特将军派遣P.H.谢里登去扫荡河谷，以绝后患。1865年3月2日，南军被彻底击败。

sheng 笙 中国自由簧管气鸣乐器。殷（约公元前16～前11世纪）、周（约公元前11世纪～前770）时已流行，春秋（公元前770～前476）、战国（公元前475～前221）时成为重要乐器。笙与竽为同一乐器，区别在于音位排列及簧片数目不同，36簧为竽，13～19簧为笙。宋代（960～1279）以后竽逐渐消逝，笙则广泛用于民族管弦乐队。笙由簧片、笙管、斗子组成。古时簧片用竹制，后改为铜制。嵌在笙管下端"笙角"上。笙管为长短不一的竹管，近上端处开音孔，近下端处开按孔。斗子开有吹孔，有匏制、木制、铜制的区别。将笙管下端插入斗子固定后即成为笙。笙除合奏、伴奏外也用于独奏。吹奏时用指按笙管下孔，使簧片与管中气柱发生共鸣而发音。除偶用单音外，大多用二音、三音、四音配成和音演奏。笙在东南亚地区也极为流行。

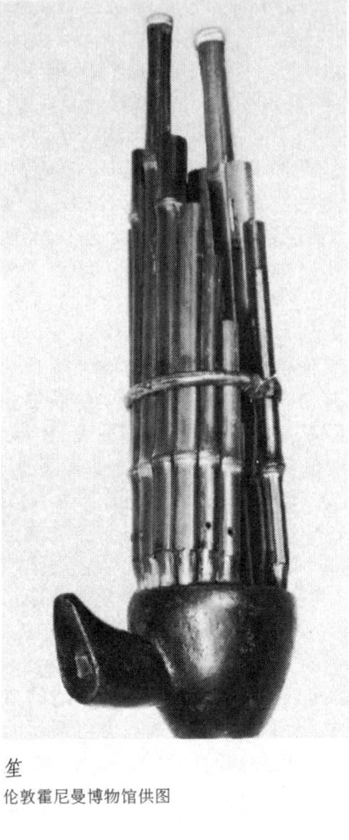

笙
伦敦霍尼曼博物馆供图

Sheng Hsüan-huai（Chinese official） 参阅 **Sheng Xuanhuai** 盛宣怀。

Sheng-li Feng（Kyrgyzstan） 参阅 **Victory Peak** 胜利峰。

Sheng Xuanhuai 盛宣怀（1844-11-04～1916-04-27） 又拼Sheng Hsüan-huai。中国清末办理洋务的大臣，企业家。字杏荪，号愚斋、止叟。江苏武进人。秀才出身。1870年入李鸿章幕。1873年任轮船招商局会办。此后20余年间为李鸿章经办洋务。李鸿章创办的轮船、电报、纺织等企业全归盛掌管。

中国大百科全书出版社供图

1900年义和团运动期间，参与英、美策划的东南互保活动。1901年任工部左侍郎，被派为办理商税事务大臣。1908年汉冶萍煤铁厂矿公司成立，任总理。1911年1月任邮传部尚书，后为大臣。5月，用铁路国有名义出卖川汉、粤汉铁路路权，激起铁路风潮。武昌起义后被革职，在外国公使保护下逃亡日本。后回国任汉冶萍公司董事长及轮船招商局副董事长。1916年病死于上海。有《愚斋存稿》、《盛宣怀未刊信稿》。

Sheng-li Oil field 胜利油田 位于中国山东省东营市。1964年成立胜利油田指挥部，负责山东省内济阳等坳陷（中国油气资源最丰富的坳陷之一）的石油勘探开发工作。油藏类型多种多样，大部分储层为第三纪的砂岩，物性好，渗透率高，原油属石蜡基，原油物性中等，有一部分重质稠油。已开发的主要油田是胜坨、孤岛、东辛等油田。胜坨油田位于山东省垦利县境内，1964年6月发现，是一个由东、西两个高点组成的，被断层复杂化的背斜构造油田，是中国储层岩石物理性质最好的油田之一。但油层非均质性严重，原油物理性质的差异也较大。1965年注水开发以来，保持了旺盛的生产能力，1965年出现了中国第一口日产千吨的油井（坨11井），1975年后油田采油速度提高到2%以上，连续高速

胜利油田
中国大百科全书出版社供图

开采达5年之久。截至2005年底，共发现73个油田，投入开发的有69个，年产原油3 300多万吨。到2005年，累计生产原油8.53亿吨，天然气375.78亿立方米。

Shenjiamen 沈家门 中国浙江省舟山市普陀区辖镇，区政府驻地。位于舟山群岛舟山岛东南端，为著名渔港。1932年置沈家门镇，面积27.55平方千米。北依岭舵山，可阻蔽北来寒风；南临沈家门港，有鲁家峙、马峙、小干岛形成天然屏障，可御外海险风恶浪。港阔水深，可停泊各类渔船近万艘。渔汛旺季

沈家门镇的渔港
中国大百科全书出版社供图

中国大陆沿海渔船云集舟山渔场，以沈家门为补给、寄碇避风的中心，港泊渔船与鱼货吞吐量居全国首位。沈家门也是中国大陆东部海上渔产的主要集散地。建有造船厂、柴油机厂、水产食品厂、渔业机械厂、海洋渔业公司等。新建有大型水产冷藏库，是目前中国大陆最大的冷藏库。有浙江水产学院和浙江海洋研究所。客轮通宁波、上海，海运达日本、朝鲜，公路通定海、杭州。人口146 788(2000)。

Shennong　神农　又拼 Shen Nung，英语作 Divine Husbandman。中国神话传说中司农业、医药的神。又称炎帝。传说他牛首人身，善凿井，作耒、耜、锄、耨等农具，教民耕稼。又

香港大学供图

将禾种植在田间。获得丰收，成为农神。曾尝百草，辨明平、毒、寒、温种种赋性，用为药品治病。民间又称药王菩萨。

Shennong Bencao Jing　《神农本草经》　英文作 Shennong's Materia Medica。中国现存最早的中药经典著作。又称《神农本草》，简称《本草经》、《本经》。撰者托名神农（中国远古传说中尝百草鉴定药物的人物）。最先著录于梁代阮孝绪《七录》。成书年代一般认为其主体约形成于西汉，又经东汉医药学家修润增补。梁代陶弘景曾予整理。原书唐初已散失，现存者多为明末以后的辑佚本。全书载药 365 种(植物药 252 种，动物药 67 种、矿物药 46 种)。按上品、中品、下品分别记述药物的名称、性味、有毒无毒、功效主治、别名、生长环境或产地等。书中有 200 多味药至今常用。《本草经》是中国早期临床用药经验的第一次大总结，被奉为中药学经典。

Shennongjia Nature Reserve　神农架自然保护区　中国亚热带森林生态系统自然保护区。位于湖北省西部大巴山与武当山之间，面积约 800 平方千米。保护区 1980 年建立，1982 年经国务院批准为国家级自然保护区。1991 年列入世界生物圈保护网。主要保护对象是森林生态系统及珍稀动物金丝猴。神农架的名称，传说来源于中国远古时代的神农氏，他为了遍尝百草，医治百病，曾不顾个人安危，搭架子攀登险山峻岭采集草药。神农架主体(大神农架)海拔 3 052 米，处于保护区的核心地带。保护区地理位置属于中国东部丘陵平原到西部高山和青藏高原的过渡区，也是中国中亚热带和南温带的过渡区，是中国东西与南北植被的过渡地带和不同植物区系成分的汇合点。常年湿润的气候，生长着

神农架自然保护区风光
中国大百科全书出版社供图

高等植物 162 科 693 属近 2 000 种，如木质细硬的紫荆、青檀，木质优良的楠木，气味芬芳的樟树，可供雕刻的黄杨等。有濒于绝灭的被称为“活化石”的古老树种水青树、领春木、连香树、大血藤等。还有连片美丽奇特的“中国鸽子树”——珙桐。神农架的药用植物最著名。据不完全统计有中草药 1 000 多种，既有田七、天麻、贝母、银耳、金钗、灵芝等名贵药材，也有治疗肿瘤的三尖杉、粗榧、猕猴桃等特殊药材。神农架生活着丰富的野生动物，保护区有 500 种脊椎动物，其中受到国家保护的珍贵动物有 20 多种，如金丝猴、红面猴、苏门羚、云豹、毛冠鹿、红腹锦鸡等。20 世纪 80 年代以来，多次发现有白熊、白金丝猴、白獐、白麂、白苏门羚、白蛇等白化动物，引起中外科学界的重视。“野人”之谜是神农架轰动世界的奇闻，不少探索“野人”之谜的人士，常来这里寻觅踪迹。保护区不仅动植物资源丰富，而且自然景观十分优美，奇妙神秘的“峰、垭、云、洞、树”，被称为神农“五奇”，每年吸引众多的观光客。

Shenoud　参阅 **Shenute 谢努特**。

Shensi (China)　参阅 **Shaanxi 陕西**。

Shenstone, William　申斯通(1714-11-18，英格兰什罗普黑尔斯欧文利索斯～1763-02-11，利索斯)　英国 18 世纪有代表性的“鉴赏者”。他又是诗人、业余园艺家、收藏家。1745年他顺应当时“观赏农场”的时兴风尚，以主要精力从事“风景园艺”，美化他的利索

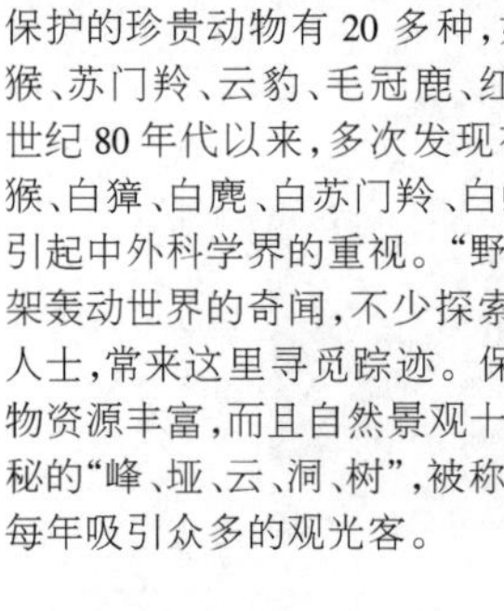

伦敦国立肖像画陈列馆供图

斯田庄。“风景园艺”一词即由他创造。他在《园艺杂论》(1764)中，陈述了他的理论，其中包括修造蜿蜒的水渠和小径，以及布置许多美丽的景致。他在诗中歌颂乡村的优越和质朴。他最有名的诗《女教师》，是为纪念他在乡村时的第一位教师 S.劳埃德而写。他在复兴民谣方面曾发挥作用，他建议和帮助珀西大主教搜集、编辑《英诗辑古》(1765)，该书确认了民谣的文学地位。

Shenute　谢努特(约360～约450)　又拼 Shenoud 或 Schenoudi。基督教隐修体制改革家和上埃及阿特里佩城附近白楼隐修院院长。青年时入隐修院，383 年继其叔任院长。他恢复 4 世纪集体隐修制创始人帕科米乌斯制订的隐修戒规。此戒规强调体力劳动、按照礼仪祈祷和严格服从命令。修士向隐修院院长上呈服从保证书的作法始于谢努特。431 年谢努特出席以弗所会议，参与谴责聂斯脱利和他就基督性质问题所提出的学说。谢努特著作很多，科普特教会尊他为圣人。

Shenyang　沈阳　中国辽宁省辖地级市，省会。中国东北地区最大的工业城市，为中国重要的工业基地和经济中心城市之一。位于辽河平原中部浑河北岸，地势由东北向西南微倾，海拔约 45 米。属温带半湿润大陆性季风气候。年平均气温 7.8°C，年降水量 734 毫米，无霜期 150 天。战国时期沈阳是燕国重镇，名“候城”。西汉曾置候城县。辽置沈州。元元贞二年(1296)改置沈阳路，初创城廓，设立官署。明洪武二十年(1387)置沈阳中卫。1625 年后金自东京辽阳迁都于此，天聪八年(1634)尊为盛京，并设承德县为奉天府治。顺治入关定都京师顺天府(今北京市)后，以此为留都。1914 年改沈阳县。1931 年日本在沈阳发动“九一八”事变，强占东北三省，1934 年改名奉天市，1945 年恢复沈阳市名。1949 年曾为中央直辖市，东北行政委员会所在地。1954 年为辽宁省会。辖沈河、和平、大东、皇姑、铁西、苏家屯、东陵、沈北新区、于洪 9 区和辽中、康平、法库 3 县，并代管新民县级市。面积12 942平方千米，其中市区面积3 464平方千米。在元、明时期沈阳是商品集散地，19 世纪末叶成为手工业生产和贸易中心。20 世纪初由于通往各地的铁路建成通车，发展了机械、纺织、榨油、面粉等工业。30 年代许多企业由日资控制。50 年代后沈阳是国家重点建设城市，利用抚顺、鞍山、本溪等地的原料和燃料，使机械工业为主的重工业有了迅速发展，成为东北地区最大的综合性工业城市。有机械、航空、电机、电力、冶金、化学、建材、纺织、造纸、电子、搪瓷、食品等工业。交通发达，是中国主要铁路枢纽之一。沈阳北站已于 1991 年 4 月开通使用。它是中国“七·五”期间，继上海、天津新客站之后建成的又一座大型客运站。沈阳处于全省公路运输网中心，有 102、202、304 等国道贯穿境内，京沈、沈大、沈丹、沈哈、沈抚等干线高速公路均已建成通车，还有至抚顺、阜新等地的支线，其中沈丹线可通达朝鲜。航班可通达北京、上海、南京、杭州、长春、哈尔滨、大连等大城市。有辽宁大学、东北大学、鲁迅美术学院

沈阳市文化路立交桥
中国大百科全书出版社供图

等20多所高等院校和近百所科研机构。名胜古迹有清故宫、东陵(福陵)和北陵(昭陵)等。人口:全市6 930 000(2005);市区4 890 000(2004)。

Shenzhen 深圳 又拼Shen-chen。中国广东省辖地级市。位于省中南部,珠江口东岸,东临大亚湾,南邻香港新界。清康熙《新安县志》已有深圳墟的记载。因深圳河流经,河沟深浚得名。原为宝安县地。1979年撤县设深圳市。1980年于南部地建经济特区。1982年经济特区以北复置宝安县。1992年再撤宝安县,改置深圳市宝安、龙岗区。辖福田、罗湖、南山、宝安、龙岗、盐田6区。面积2 050平方千米。地势南高北低,莲花山余脉海岸山近东西向横贯南部,直逼海岸,山地渐降为低丘和台地。农业以稻、蔬菜为主,兼种花生、

深圳市罗湖区的新建筑群
中国大百科全书出版社供图

木薯和甘蔗。养殖业兴旺,有大量畜禽、鱼虾养殖场。海水养殖尤其突出,以蚝为主,虾蟹、贝及名贵鱼类次之。土特产沙井蚝,驰名中外。矿产有铁、铅锌、钨、铋、石灰石等。工业发展迅速,有电子、纺织、机械、食品、化工、建材、皮革、服装、医药等部门。商业贸易活跃,网点遍布。旅游业发达,设备齐全。旅游区有西丽湖、香密湖、石岩湖、银湖度假村、东湖公园、五湖、"锦绣中华"微缩景区及民俗村等。高等院校有深圳大学。名胜古迹有南头古城、鹏城等。中国重要对外口岸之一。交通以铁路、公路为主。京九、广汕铁路纵贯全境。深圳—广州—珠海、深汕、深香高速公路已全面通车,并有广州—深圳、汕头—深圳等多条干线公路通此,车辆往来频繁。20世纪80年代中期发展了海运和空运。蛇口和赤湾港辟有近海和远洋航线。人口1 650 000(2005)。

Shenzhen He 深圳河 中国广东省河流。位于九龙半岛上。为深圳与香港特别行政区的分界线。深圳市在河北岸。有广九、京九铁路通过。

Shenzhou spacecraft "神舟"号飞船 中国研制的载人飞船系列。飞船由轨道舱、返回舱和推进舱等组成。轨道舱是航天员在空间生活和进行科学与技术试验的场所。在返回舱返回后,轨道舱仍留在轨道上继续执行各项空间任务。返回舱是飞船上升和返回过程中航天员的座舱,也是飞船的指挥控制中心。推进舱又称动力舱,为飞船提供能源和动力。飞船用"长征"2号F运载火箭从酒泉卫星发射中心发射。运行轨道为近地低轨道,轨道周期约90分钟。完成载人飞行任务后,依次将轨道舱、推进舱与返回舱分离。当返回舱再入稠密大气层下降到距地面约10千米高度时,降落伞系统开始工作。临近地面时,由缓冲火箭发动机使其着陆速度接近零值。1999年11月20～21日,"神舟"1号飞船进行了首次无人状态的飞行试验。"神舟"2号于2001年1月10日发射,1月17日返回,进行了空间生命、空间材料、空间力学、空间天文等方面的研究。"神舟"3号于2002年3月25日发射,4月1日返回,进行了地球环境探测、空间环境探测等科学实验。"神舟"4号于2002年12月30日发射,2003年1月5日返回,进行了多项生命科学试验。"神舟"5号飞船于2003年10月15日9时发射,16日6时25分返回地面,将中国第一位航天员杨利伟送入太空。"神舟"6号飞船于2005年10月12日发射,10月17日返回地面,将航天员费俊龙、聂海胜入太空,进行了微重力和育种等多项科学试验。

Sheopur 谢奥布尔 印度中部中央邦西北部城镇。为公路交叉点与铁路终点,也是重要市场,以漆器著称,并制造纸牌。设有医院一所和吉瓦吉大学的一所附属学院。人口27 097(1981)。

Shepard, Alan B(artlett), Jr. 谢泼德(小) (1923-11-18,美国新罕布什尔东德里～1998-07-21,美国加利福尼亚) 美国第一位作航天飞行的航天员。1961年5月5日他乘"自由

美国国家航空和航天局供图

7号"进行了15分钟的亚轨道飞行,达到185千米的高度。这次飞行是在苏联加加林完成第一次绕地球飞行后的23天进行的。1944年毕业于海军军官学校。第二次世界大战中在太平洋战区服役。曾任美国海军试飞员,1958年毕业于海军军事学院。1959年成为最早的7名航天员之一。1971年1月31日至2月9日他指挥"阿波罗14号"飞船(S.A.鲁萨和E.D.米切尔参加),第一次在月球高地着陆。1975年他从海军和航天计划退役,在得克萨斯州的一些私营企业任职。

Shepard, Francis P(arker) 谢泼德(1897-05-10,美国马萨诸塞布鲁克莱恩～1985-04-25,加利福尼亚拉霍亚) 美国海洋地质学家。他对加利福尼亚州海岸外海底峡谷的开拓性考察标志着太平洋海洋地质研究的开端。他早年在哈佛大学R.A.戴利领导下学习地质,于1922年在芝加哥大学获哲学博士学位。其专业生活大部分是在斯克里普斯海洋研究所度过的,1948年任该所海底地质学教授。其研究重点在探索海底峡谷的成因。50年代初,他对海底峡谷源头深度变化的一系列观测,初步证明海底峡谷的形成是由于浊流(海底泥质悬浮物流)和沉积物的滑塌作用。主要著作有《海底地质学》(1948)和《海底峡谷及其他海洋谷地》(1966,与R.F.迪尔合著)。

Shepard, Sam 谢泼德(1943-11-05,美国伊利诺伊谢里登堡～　　) 美国剧作家、演员。其剧作集民间传说、科学幻想和通俗文化于一体,曾获普利策奖和多项其他奖。出身军人家庭。在大学攻读了一年农业专业后,参加一个巡回演出剧团。1963年移居纽约,最初尝试创作独幕剧,立即在"外外百老

汇"赢得观众好评。在1965～1966年的演出季节里，他的剧作《芝加哥》、《伊卡洛斯之母》和《红十字》获奥比奖。1971～1974年客居英国，这一时期的两部名作《罪恶的腐蚀》及《臆想地理》在伦敦首演。1974年末成为旧金山魔力剧院的常任剧作家，他后来的许多剧作都在该剧院首演。70年代中期的剧作表明他在技巧与题材选择方面有很大提高，诸如《杀人犯的头》(1975)、《天使城》(1976)等。70年代后期开始，他创作了一系列不落俗套的家庭悲剧，其中《被埋葬的孩子》(1978)获普利策奖。同时，他在电影《天国的日子》(1978)、《复活》(1980)中的表演也获得评论界的赞誉。他的作品还有《情痴》(1985)等。

Shepherd, William Robert 谢泼德(1871-06-12，美国南卡罗来纳查尔斯顿～1934-06-07，德国柏林) 美国历史学家，研究拉丁美洲问题和欧洲海外扩张的权威。1896年在哥伦比亚大学获哲学博士学位，又去柏林深造。回国后，一直到逝世为止在哥伦比亚大学任历史教授。1908年出席在智利举行的首届泛美科学会议，1909年出席第四次美洲国家国际会议，为美国代表团秘书。此后多次出席泛美会议，并在国外各地讲演拉丁美洲问题。他关于拉丁美洲的主要著作有：《中美洲和南美洲》(1914)、《拉丁美洲》(1914)和《新大陆的西属国家》(1919)。《历史地图集》(1911)使他更加闻名。此外，他还是《西裔美国人杂志》编辑顾问和许多学会的成员。他对美国与拉美关系中的帝国主义态度的一贯批评有助于更广的泛美团结的实现。

Shepherd of Hermas 《赫马牧人书》 2世纪基督教使徒后期教父著作之一。作者自述名赫马，原为信奉基督教的奴隶，后获得自由，经商致富，但最终倾家荡产，乃反省悔罪。赫马自称与罗马的克雷芒生活在同一时代，克雷芒可能是教皇克雷芒一世(约95卒)。但是，据现存最古老的《新约》各卷目录《穆拉托里经目》(约180)说，该书作者是教皇庇护一世(155卒)的一位兄弟，由此可见，此人生活的年代要稍晚些。《赫马牧人书》记叙赫马所见的5次异象，他在第5次异象中见到的悔罪天使装束如牧人，书名由此而来。此外，书中还有12条道德训诲和10条比喻。基本的论点是：人受洗后犯罪至少可获得一次赦免，悔罪日即将到来，此日一过，犯罪再不会获得赦免。此书主要讲道德，很少讲神学。2世纪罗马流行犹太派基督教，坚持摩西律法，此书就是这一派的珍贵代表作。神学家伊里奈乌斯、克雷芒(亚历山大的)、奥利金和德尔图良都认为此书是圣书，但是《穆拉托里经目》不承认它是上帝所启示。哲罗姆说，此书在西派教会知之者甚少。此书在东派教会较为流行，曾收进《圣经》希腊文的西奈古卷。现存有希腊文、拉丁文和埃塞俄比亚文手稿以及科普特文和波斯文残篇。

shepherds, adoration of the 牧羊人朝拜圣婴 基督教艺术题材。描写一批牧羊人向降生的耶稣基督致敬，故事据《路加福音》。与较为古老但不甚流行的另一题材即"牧人得佳音"相关，这另一题材描写天使在旷野向这批牧羊人报告耶稣诞生的消息。在东方，"牧羊人朝拜圣婴"从来不曾作为独立的题材，在西方也只是在15世纪才成为独立题材。起初，4世纪的早期基督教艺术是在东方三博士朝拜圣婴的画面中加上一位或更多的牧羊人。把他们收进画面是因为：作为礼拜基督的第一批当地人，他们象征基督教在犹太人中间传播，而作为觐见和礼拜圣婴的第一批外邦人，三博士则象征基督教传遍异教世界。牧人来拜象征朴实虔诚。因此，在文艺复兴和巴罗克时期成为北欧和意大利各画派祭坛画以及其他宗教绘画常用的题材。在许多这类绘画中，牧羊人还携带简单的礼物，与东方博士所献贵重礼物形成寓意深远的对照。牧羊人的礼物往往画成一只缚腿的羊羔，可能象征基督未来的牺牲。16世纪末，"牧羊人朝拜圣婴"这一题材使许多风俗画作家获得了灵感，由于它适合田园画风格，因而在16和17世纪十分流行。

乔尔乔涅绘《牧羊人朝拜圣婴》(约1508)
美国国家美术陈列馆供图

shepherd's purse (*Capsella bursa-pastoris*) **荠菜** 十字花科杂草，原产于地中海地区，现分布世界各地，生长于草场和路边。花小，白色，簇生于茎顶端。角果扁，绿色，心形，下方有箭簇状抱茎叶。花茎从蒲公英状的基生叶丛中长出，有分枝。基生叶深裂或近于全缘。株高可达45厘米。

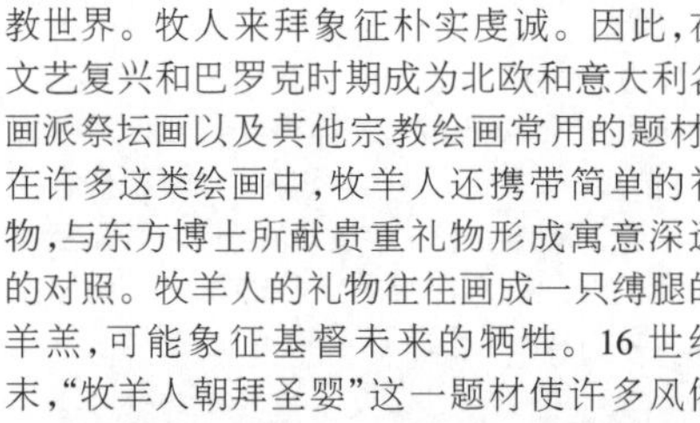

荠菜(*Capsella bursa-pastoris*)
供图：G. H. Hyde—美国不列颠百科全书公司

Shepherdstown 谢泼兹敦 美国西弗吉尼亚州东北部杰斐逊县城镇。位于马丁斯堡东南，波托马克河附近。该州最古老的移民定居点之一。约1730年来自宾夕法尼亚州的德国移民首先在此定居，后由T.谢泼德规划，1762年设镇，名为梅克伦堡。1790年出版该州首家报纸《波托马克卫报》。1798年为纪念谢泼德改为现名。现为农业贸易中心，设有谢泼德学院(1871)。人口1 287(1990)。

Sheppard, Jack 谢泼德(1702-12，英格兰斯泰普尼～1724-11-16，伦敦) 18世纪英国著名窃贼。曾有4次设法在伦敦越狱，轰动一时，成为诗歌、民间戏剧、传奇小说和滑稽剧的中心人物。谢泼德幼年丧父，被送入济贫院。他学会了读和写，却陷入了德鲁里街的偷窃和卖淫集团，从此终身为贼。1724年4月24日，谢泼德被捕，囚于圣贾尔斯拘留所。旋即逃脱，仍屡次行窃。第二次被捕，囚于纽普里森监狱，但5月25日再次逃跑。他继续行窃、抢劫和夜盗，直到伦敦大告密者和贼首J.怀尔德(**Wild, Jonathan**)将他出卖，于7月23日再次被捕。经过审判，判处死刑。其女友P.马戈特偷送一把锉刀给他，他又从老贝利监狱逃跑。9月10日他第四次被捕，囚于新门监狱最牢固的单间监房内，但他仍然挣脱锁链，越墙出逃，重获自由。后来发现他依然进行扒窃和夜盗。最后在一次赌酒后被拿获，送回监狱。11月16日他被绞死于泰伯恩，围观者达20余万人。

Sheppard, Kate 谢泼德(1847-03-10?，英国利物浦～1934-07-13，新西兰克赖斯特彻奇) 婚前名Catherine Wilson Malcolm。生于英国的活动家，新西兰争取妇女选举权运动的领袖。新西兰能够成为世界上第一个授予妇女选举权(1893)的国家,她在其中起了作用。在苏格兰长大和受教育。19 世纪 60 年代后期迁居新西兰。1871 年嫁给店主 W. A. 谢泼德。她是早期的女权主义者,认为妇女应充分参与社会各方面(包括政治)的工作。最初从事的几项工作中有一项就是女装改革,主要是改革紧身胸衣及其他压迫胸部的服装。那时还处在鼓励妇女的举止要像"贵夫人似的"时代,但她还提倡妇女骑自行车和从事其他体育活动。1885 年加入妇女基督教禁酒联盟。两年后成为主席。她精力过人,撰写宣传小册子、组织会议和讲座,还多次向议会递交请愿书。她递交的关于妇女选举权的法案大都未获通过,直到 1873 年议会才最终通过法令,授予妇女选举权。后来她还去其他国家,包括英国和美国,积极参与争取妇女选举权的运动。1896 年参与建立全国妇女联合会,并担任第一任主席。争取妇女在婚姻问题上有更大的平等权和争取妇女有权竞选议员等都是她支持的重要问题。1903 年因健康原因不再担任主席,但在争取妇女权利的运动中一直是一位杰出的人物。新西兰 10 元纸币上印有其头像。

Sheppard, Mel **谢泼德**(1884-09-05,美国新泽西阿尔蒙纳松～1942-01-04,纽约市昆斯)在奥运会个人项目中第一个获 2 块金牌的美国中距离赛跑运动员。1906 和 1907 年创 880 码和 1 000 码赛跑纪录。1908 年在伦敦奥运会上获 800 米和 1 500 米金牌,他参加的4×400 米接力队获金牌。他在中距离赛跑史上是个重要人物,因为他是在比赛中最先提早加速的选手之一。1912 年在斯德哥尔摩奥运会上获 800 米银牌,所参加的 4×400 米接力队获金牌,以 3 分 16.6 秒的成绩创世界纪录。谢泼德所参加的 4×440 码接力队和 4×880 码接力队分别以 3 分 18.2 秒和 7 分 53 秒的成绩创世界纪录。两次为业余田径协会 800 码赛跑冠军(1906～1908;1911～1912)。

Shepparton **谢珀顿** 澳大利亚维多利亚州中北部城市。位于墨尔本东北,古尔本河和布罗肯河汇合处。1879 年设郡,随农业发展而繁荣。1949 年建市。现是古尔本河流域灌溉区的中心。灌溉区生产水果、蔬菜、饲料、谷物、乳品,饲养家畜。有木材加工、毛毡、酿酒、小型机械等工业,也生产水果罐头、石膏和砖瓦。设有塔图拉园艺研究站和州立杜基农学院。人口(包括穆鲁普纳)28 373(1981)。

Sheppey, Isle of **谢佩岛** 英格兰肯特行政、历史郡斯韦尔自治市岛屿。位于泰晤士河口,面积 91 平方千米。土壤肥沃,种植谷物和蔬菜,有养羊业。在希尔内斯和谢佩岛上昆伯勒有港口设施。有莱斯当和明斯特等度假地。

Shepstone, Sir Theophilus **谢普斯通**(1817-01-08,英格兰格洛斯特特里姆河畔韦斯特泊里～1893-06-23,纳塔尔彼得马里茨堡) 英籍南非政治家,卓越的当地行政官员,策划兼并了德兰士瓦。1820 年随家迁居开普殖民地南非,熟悉土著方言和文化。1834～1835 年卡菲尔战争时任职总督府,1839 年任英国在卡弗拉里亚(今特兰斯凯境内)驻扎官。因对各部落处置得当擢升为新建的纳塔尔殖民地土著事务部长、行政及立法会议成员(1856～

供图:BBC Hulton Picture Library

1877),坚决执行保持部落土地占有惯例的政策。谢普斯通安排塞奇瓦约继承祖鲁王位,加冕时让他宣誓效忠英国并保证维持和平。英国殖民大臣卡那封勋爵极欲将南非各领地组成联邦,于 1876 年召他为顾问出席南非事务伦敦会议。他在英格兰被封为爵士,并授权兼并德兰士瓦。1877 年 4 月他虽完成使命并任该地行政长官(1877～1879),但非议甚多,批评他使用欺诈和威逼手段来接管德兰士瓦国土;并认为他的高压专制统治促使布尔人反叛成功(1880～1881)。谢普斯通 1880 年引退,但后来又短期出任祖鲁兰行政官(1884)。

Shepway **谢普韦** 英格兰肯特行政、历史郡南部一区。从福克斯通以北,沿英吉利海峡延伸到邓杰内斯角南面。景色多姿,有称北唐斯的白垩山丘和低洼的罗姆尼沼泽地。首府福克斯通也是购物和服务业中心 。沿岸多海滨胜地。在邓杰内斯角有核电站。在利德有专运汽车过海峡的飞机场。罗姆尼沼泽地是极佳的天然草地,以其绵羊闻名。面积 357 平方千米。人口约 99 800(1998)。

sheqel **谢克尔** 又拼 shekel;复数为 sheqalim。以色列货币单位。1 谢克尔等于 100 阿高络。以色列现在的货币制度始于 1985 年,当时用以取代旧谢克尔,1 000旧谢克尔兑 1 新谢克尔。以色列曾有过若干货币制度(有些是在 1948 年独立以前的),包括使用皮阿斯特(奥斯曼帝国时期)、埃及镑(1918～1927)、巴勒斯坦镑(1927～1948)、以色列镑(1948～1980)和以色列谢克尔(1980～1985)。以色列银行是唯一有权在该国发行纸币和硬币的银行。纸币面值由 20 至 200 新谢克尔不等。纸币正面图案是以色列重要历史人物肖像,背景绘有与该人物相关的事件。反面图案的例子有第二次世界大战时期犹太军团的图像(20 新谢克尔)和犹太教神秘哲学宗教中心萨费德的一条小巷。

Shēr Shāh of Sūr **舍尔沙(苏尔的)**(1486?,印度瑟瑟拉姆～1545-05-22,加林杰尔) 北印度伊斯兰苏尔(阿富汗人)王朝(1540～1557)的皇帝(1540～1545)。养马人哈桑汗之子。本名法里特汗。早年在江布尔的统治者贾迈勒汗手下当兵。后来投靠比哈尔的莫卧儿君主,因作战勇敢获得舍尔沙称号。在击败一支孟加拉军队之后,夺得对比哈尔的控制权。1539 年初征服孟加拉及其西南的罗赫达斯堡。1539 年击败莫卧儿皇帝胡马雍称王。1540 年在根瑙杰城再次击败胡马雍,囊括了孟加拉、比哈尔、印度斯坦和旁遮普。并制服了西北边境俾支路的酋长们。后为向德里扩张,又攻占瓜廖尔和马尔瓦,但在围攻加林杰尔时阵亡。舍尔沙出身寒微,贵至皇帝,成为印度穆斯林的伟大统治者之一。他善于治军、征税,曾为臣民修筑许多道路、长亭和水井。除了在赖森投降后对印度教徒的屠杀外,他一般能容忍非穆斯林。他在瑟瑟拉姆的墓是印度最宏伟的陵墓之一。

sherardizing **粉末镀锌** 在铁和钢的物体表面形成均匀、耐腐蚀锌层的方法。此法大约在 1900 年开始使用,以其发明者英国人 Sherard O. 考珀-科尔斯命名。把被镀的物件放在装有细锌粉的密闭容器中,加热到低于锌熔点的温度。锌和铁混合形成合金,并与纯锌的外层组成黏附牢固的镀层,此镀层耐腐蚀且成为涂料的良好底基。参阅 **galvanizing**。

Sheraton, Thomas **谢拉顿**(1751,英国达勒姆蒂斯河畔斯托克顿～1806-10-22,伦敦索霍区) 英国家具制造家和新古典主义家具设计的主要代表,为 18 世纪后期家具领域内最有影响的权威。他的设计刚柔相济,带有一种乔治时代后期女性的妩媚;后这种式样就以他的姓氏命名。他所著的《家具制造和装潢画册》对英美两国的设计发生影响。自幼学做家具,同时也是发明家、艺术家、机械师,但主要以写作为生。1791 年著《画册》一书,第一部分为关于透视、建筑学和几何的论述。第二部分中的图版制作精美,形式和比例无懈可击,是他的成名之作。1803 年出版附有图片的《橱柜词汇》,可惜的是词条为他任意选定,过于庞杂。他还计划写《木器、软垫家具工匠和艺术家大全》,至 1805 年仅出了第一集(A-C)。他制作的家具,现在能够确定的只有一件装有玻璃门的书橱,在一只抽屉内印有 T. S.字样。他的早期著作中大部分的图版都是他所设计的家具。他的设计优点是善于运用木料,赋予新古典主义的柔媚以刚和力的气质;但有时设计不甚合理。

sherbet **果汁冰糕** 用水、糖、调味品和牛奶或奶油制成的冰冻甜点心。加蛋白或明胶则可使其质地细腻。常用水果调味,也可用葡萄酒及其他甜酒调味。美国食品规则规定,果汁冰糕必须含有最少 1%、最多 2% 的乳脂。"水冰"(water ice)在法国称果汁冰,与果汁冰糕相似,但不含任何牛奶成分。近来,往往在丰盛的膳食中配以加有果酒的冰水来调剂口味。

Sherbro Island **歇尔布罗岛** 塞拉利昂西南沿海岛屿。北面的歇尔布罗河和东面的歇尔布罗海峡将该岛与大陆隔开。岛长 51 千米,宽 24 千米。水稻种植和渔业是主要经济活动。19 世纪初曾是英国人反对奴隶贸易的据点。现在行政上隶属于南部省。

Sherbrooke 舍布鲁克 加拿大魁北克省南部城市。在梅戈格河与圣弗兰西斯河汇合处。为工商业、文化和行政中心，也是主要公路和铁路交通枢纽。有水电站一座。附近地区有石棉、铜和石灰岩矿，毗邻林区产白桦、杉、榆、枫。工业以纺织品、重型机器、纸浆与纸张、乳制品、橡胶与皮革品、服装等为主。为天主教主教管区所在地。有一所创建于1954年用法语教学的天主教舍布鲁克大学。市周围湖泊众多，地形丘陵起伏，因而也是旅游中心。1852年设镇，1875年设市。人口76 786(1996)。

Sherbrooke (of Sherbrooke), Robert Lowe, Viscount 舍布鲁克子爵(1811-12-04，英格兰诺丁汉宾厄姆～1892-07-27，萨里沃灵厄姆) 即R.洛。英国自由党政治家，该党的反叛者"阿达拉姆集团"的领袖。曾在第一届

伦敦国立肖像画陈列馆供图

格莱斯顿政府中任财政大臣(1868～1873)和内政大臣(1873～1874)。他在牛津大学任教后，1842年取得律师资格，后移居悉尼，在那里成为杰出的律师和州立法议会议员(1843～1850)。后返回伦敦，开始为《泰晤士报》写社论并任下院议员(1852～1880)。历任印度事务部次官(1852～1855)、贸易部次官(1855～1858)和教育委员会副主席(1859～1864)。他不信仰民主制度，认为选举权应该由教育水平来决定。他击败1866年自由党提出的改革法案，促使罗素勋爵的自由党政府下台。结果使保守党在1867年提出改革法案并获得通过。他在格莱斯顿政府中任职时，管理财政非常干练并支持首相的改革措施。1880年封子爵。

Sherente 谢伦特人 又拼Xerente。巴西印第安民族集团，操大格语系的谢伦特语，住戈伊亚斯州北部丘陵起伏的高地，其间有一些沿各河流形成的森林地带。20世纪70年代中期，人口约500。谢伦特人和近族沙万特人(Shavante)曾在戈伊亚斯州沿托坎廷斯河比邻而居。19世纪40年代，到托坎廷斯河定居的新移民把他们挤走。谢伦特人向东北移至托坎廷斯河和索诺河间的现居住地。谢伦特人跟沙万特人不同，他们与传教士及早期移民交往；有人学葡萄牙语，有人成了基督教徒，大多对巴西文化主流有了认识。20世纪后期，谢伦特人已"融入"巴西社会与经济而失去其显著的部落特征。

Sheridan 谢里登 美国怀俄明州北部城市，谢里登县县城(1888)。位于蒙大拿州州界附近比格霍恩山的东坡，大、小古斯河汇合处。1882年始建。1884年设市。1892年铁路的修通及煤矿的发现促进了城市的发展。为铁路路段分界点，有多种制造业。当地经营有畜牧、蔬菜种植、磨面、锯木及石油和煤炭开采等业。1948年建立谢里登学院。比格霍恩国家森林管理局设此，旅游业重要。每年7月举行竞技会演，8月庆祝全美印第安人节。人口约15 804(2000)。

Sheridan, Philip H(enry) 谢里登(1831-03-06，美国纽约奥尔巴尼？～1888-08-05，马萨诸塞农魁特) 颇有建树的美国骑兵军官，在美国南北战争最后一年指挥作战，骁悍多谋，对打败南部联军有重要贡献。1853年毕业于美国西点军校，曾长期在边防服役。1862年春被任命为密歇根第2骑兵团上校。同年7月于密西西比州布恩维尔用分兵计以少胜多，击溃南部联军。10月晋升准将，指挥俄亥俄军第11师。在1862年12月至1863年1月的田纳西州斯通河战役中，谢里登因坚守联邦军右翼中心有功，擢升志愿兵少将。1863年11月进攻田纳西州米申纳里山的辉煌胜利结束了西线战事。1864年春奉U.S.格兰特将军命调任东线波托马克方面军骑兵部队司令。于莽原战役(1864-05)中猛袭弗吉尼亚州里士满，摧毁南部联军大批辎重及车辆，使南方卓越的骑兵将领J. E. B.斯图尔特阵亡。8月4日受命指挥谢南多厄方面军，胜利地将南部联军逐出谢南多厄流域，从而断绝了南方保卫其首都所需要的生活资料来源。他被晋升少将，受到国会明令表扬。1865年3月率骑兵及步兵第5军自西、南两面抄袭彼得斯堡，切断南方联盟军R.E.李将

美国国会图书馆供图

军的铁路运输线。继3月底两次突破南部联军右翼及后卫，迫使李将军自里士满彼得斯堡线向西退却，复自南翼施加压力，终于在阿波马托克斯附近断绝李军逃路。战后被任命为路易斯安那和得克萨斯州军事指挥官(1867)，因执行重建措施过严，不久被A.约翰逊总统免职。1868～1869年指挥征讨印第安人战役获胜后晋升中将。1883年晋升陆军上将，5年后领五星上将衔。于去世前数月撰写回忆录。

Sheridan, Richard Brinsley (Butler) 谢里丹(1751-11-04受洗，都柏林～1816-07-07，伦敦) 爱尔兰出生的剧作家、剧院经理、演说家、辉格党政治家，连接17世纪晚期与19世纪王尔德之间风尚喜剧史上的纽带，以其剧作《造谣学校》(1777)而著称于世。

成长年代 他是托马斯·谢里丹和弗朗西斯·谢里丹的第3子。其父曾编过发音词

供图：Lord Plunket

典，其母是位有声望的剧作家。全家移居伦敦后他就再也不曾回到爱尔兰。1762～1768年在哈罗公学受教育，1770年全家迁居巴斯。1771年前后曾与朋友合作写过一些文学习作和一些诗歌。在巴斯他爱上音乐家T.林利的女儿伊丽莎白·安(1754～1792)。伊丽莎白具有美妙的女高音，在其父的音乐会上曾吸引观众。为追求她，谢里丹曾与人决斗并受伤，后回到埃塞克斯继续学业。1773年他放弃法律专业，在伦敦与伊丽莎白结婚。

戏剧生涯 婚后谢里丹转向以戏剧谋生。他的喜剧《情敌》于1775年1月在伦敦科文特加登剧院开始上演，因剧本和演员的原因未获成功。剧本作了彻底修改并更换演员，11天后再次演出时立即受到欢迎。戏剧情景和人物并非全新，但谢里丹以其超人的智慧赋予它们以新鲜感，整出戏均反映出他对戏剧效果的惊人意识。一些人物表现出来的对矫饰行为的温和嘲讽，使演出具有一种新的特征。

这部戏的成功在某些方面归功于扮演留西斯爵士的L.克林奇的表演技巧。1775年5月在克林奇举行义演时，谢里丹为他写了一出小闹剧《圣帕特里克的日子》(或称《富于心计的中尉》)以表达他的感谢之情。次年11月上演的《少女的监护人》再次显示了谢里丹的编剧才能，他利用旧材料加工成吸引人的情节，曲折有趣，抒情迷人，其中歌曲配以其岳父的音乐，委婉动听，很受观众的欢迎，连续上演75场，超过当时《乞丐的歌剧》(1728)演出62场的票房纪录，至今仍为保留剧目。

这样，在不到一年的时间里谢里丹就成为当时重要的剧作家，得到名演员兼伦敦特鲁里街剧院经理D.加里克的赏识。加里克正在为剧院物色接班人，他看到谢里丹年轻有为，精力充沛，办事干练，并且具有真实的剧场意识，他和其他股东相信特鲁里街剧院只有在谢里丹领导下才会走向繁荣。

事实上，谢里丹对其剧院的兴趣很快就开始显得不够稳定。尽管如此，他的努力重新唤起人们对王政复辟时期喜剧的兴趣，剧院重演W.康格里夫的剧本之后尤其如此。1777年2月他将范布勒的《故态复萌》(1696)改写为《斯卡伯勒之行》，再次表现出他的改编才能。他使原本散漫的情节更为简练，删

去对话中的粗俗部分，但结果却令人失望，因为原剧中许多津津有味之处也丧失殆尽。

1777年5月特鲁里街剧院上演谢里丹的《造谣学校》，这个剧本突出表现了谢里丹学习王政复辟时期戏剧家的成果，使他赢得"现代康格里夫"的称号。他虽与康格里夫有些相似，但剧本妙趣横生，对矫揉造作和虚荣作了极其生动有力的嘲笑，创造了蒂热尔（逗乐娘）和萨菲斯（假面郎）两个成功的角色。其他角色写得也很仔细以适合剧团演员的情况。整部作品是智慧和富于想象力精巧安排的胜利，常被看作是英国最杰出的社会风尚喜剧。他在《造谣学校》中表现出的创造舞台效果的才能，在下一部轻松讽刺剧《批评家》中再次表现出来。此剧于1779年10月首次演出，被认为比其改编蓝本G.维利耶的《排演》（1671）更为有趣。谢里丹本人也认为此剧的第1幕是他的最佳作品。

政治生涯 谢里丹继续改编剧本，在特鲁里街剧院创造舞台壮观场面；但作为一个演出经理的继承者，接任了指导演出的重担，他却日益多地将时间投入政治。他后期的唯一多幕剧是《皮萨罗》（1799），以一个征服秘鲁的德国剧本为基础，毫无艺术上价值，但却是一部受人欢迎的爱国主义情节剧。1780年9月他成为斯塔福德郡的议员，并先后担任外交（1782）和财政（1783）官员。后来又担任海军的财务官员（1806～1807）和枢密院官员。他在议会的32年中是少数派辉格党议员，与控制议会的托利党相对立。他在议会中持独立见解，能言善辩，被认为是雄辩的演说家。有些人支持法国革命遭到歧视，谢里丹是少数站出来为他们辩护的议员之一。他力主法国人有权选择自己的政府，但又反对法国好战和威胁英国的安全。

最后年代 由于1809年2月特鲁里街剧院遭受火灾及他本人生活挥霍，谢里丹经济发生困难。随着丢掉议员席位和失去剧院收入，他成为债权人催讨的对象。他的最后岁月被债务及其他忧虑所困扰，在苦恼中度过余生。1816年诗人拜伦写过一首追悼谢里丹的抒情诗，此诗曾在特鲁里街剧院重建时朗诵。

Sheridan, Thomas 谢里丹（1719，都柏林～1788-08-14，英格兰肯特马盖特） 爱尔兰出生的演员和剧院经理。剧作家R.B.谢里丹之父。在都柏林三一学院读书时曾写过一出闹剧《勇敢的爱尔兰人》。1743年在都柏林的斯莫克街剧院成功地扮演理查三世之后，决定终生从事戏剧。1744年第一次在伦敦的科文特加登剧院登台，后在那里扮演了不少主要角色，其中包括哈姆雷特。1747年成为都柏林斯莫克街剧院经理。人们认为，他作为一个演员来说，其技巧不及他对剧情的理解，但偶尔也能达到高水平的表演。比特勋爵对谢里丹拟编写一本发音词典的计划很感兴趣，为他提供一年200英镑的津贴。他出版了《年轻贵族和绅士的教育计划》（1769）和《普通英语词典》（1780）。他还曾协助特鲁里街剧院的管理工作。

sheriff 郡长 在英国的县或更小地区执行各种行政和司法职能的最高执行长官。在英王威廉一世统治下，宗教法庭从非宗教法庭分离出来，郡长就成为县的最高长官和法院院长。他召集和领导县的军队，执行所有的令状，审判刑事与民事案件。但从亨利二世（1154～1189在位）时起，郡长的司法审判权被大大限制。在都铎王朝时，郡长的职位主要是礼仪上的。1877年英国的《郡长法》又加强了郡长的地位，规定所有地区的郡长负有统一的职责。现在郡长担任巡回审判和选举申诉的法官，以及负责执行令状，为巡回审判制定陪审员名单，对安全监禁罪犯负责，在议会选举中担任某地区负责选举的官员。1965年《谋杀法》（《死刑废止法》）通过以前，郡长还负责死刑判决的执行。sheriff在美国指县长，一般是由所在县选举的官员，既是首席执政长官又是法庭长官。任期通常为2～4年。副县长由县长任命，受权代理职责。县长和副县长是治安官，具有警察长官的权力，他们也可承担当地警察部门的某些职责，而且受权征召地方武装部队。

Sherlock Holmes（fictional character） **夏洛克·福尔摩斯** 参阅 **Holmes, Sherlock** 福尔摩斯。

Sherman 谢尔曼 美国得克萨斯州北部城市，格雷逊县县城（1846）。邻近特克索湖和丹尼森湖。建于19世纪40年代。以骑兵军官S.谢尔曼将军之姓氏命名。1858年设镇，1895年设市。19世纪70年代通火车。1876年奥斯汀学院由亨茨维尔迁此。发展了以农业为基础的工业。20世纪30年代当地石油和天然气得到开发。第二次世界大战以后，工业发展很快，生产电子装备、办公用品、卡车车体、外科医疗器械和铝、钢铁及线材产品。附近有县立格雷逊学院（1965）。人口：市约35 082；谢尔曼-丹尼森都会统计区约110 595（2000）。

Sherman, Cindy 谢尔曼（1954-01-19，美国新泽西格伦里奇～ ） 全名Cynthia Morris Sherman。美国摄影师，以其评判社会角色扮演和性别刻板模式的影像、尤其是以她那精心"伪装的"自拍照著称。成长于纽约长岛。1972年进入布法罗纽约州立大学主修绘画，后改学摄影。1976年毕业，1977年开始制作《无题电影剧照》（1977～1980），这是她最著名的系列照之一。这组表现谢尔曼扮演不同角色的8×10英寸黑白照片令人联想起黑色影片，使人看到模糊的性感女人肖像。谢尔曼声称这个系列"表现的是角色扮演的假象，以及对居统治地位的'男性'观看者的轻蔑，那些人会错误地将这些影像看作是性感的"。她继续在照片中充当模特，戴上假发、穿上服装，再现广告、电视、电影和时装领域的形象，并以此挑战这些媒体所支持的文化上的俗套。20世纪80年代开始使用彩色胶卷，展出非常大的照片，更加注意光照和面部表情。她使用假体附属物和大量的化装进入怪诞和罪恶领域，照片表现的是残缺不全的肢体，反映对饮食失调、精神错乱和死亡的担忧。她的作品逐渐不那么含糊，或许更集中表现社会接受古板女性角色的结果，而不是她们的角色本身。90年代，又以嘲讽方式评论老一套的女性，将时装模特引入她的一些照片。1997年导演了晦涩的滑稽影片《办公室凶手》。两年后展出了令人不安的影像，那是一些撕裂的玩偶及其肢体，用以探索她将暴力与虚假做作并置的兴趣。在2000年的一系列照片中，她继续运用这种对比，自己浓妆艳抹、硅胶隆胸，摆出一副好莱坞女人的姿态，又一次起到引起人们同情的神秘效果。同年，芝加哥现代艺术博物馆和洛杉矶现代艺术博物馆都举办了她的主要作品回顾展。

Sherman, James (Schoolcraft) 谢尔曼（1855-10-24，美国纽约尤蒂卡～1912-10-30，尤蒂卡） 美国众议员（1887～1891，1893～1909），在W.H.塔夫脱总统的政府中任副总统（1909～1912）。1880年在纽约取得律师资格。后在尤蒂卡开业，并积极参加共和党活动。1884年当选为尤蒂卡市市长。1887～1909年间任10届美国众议员。在众议院中任印第安事务委员会主席。为人和蔼可亲，博得一个"笑脸吉姆"的雅号。1908年当选为副总统。1912年与塔夫脱一道被再次提名，但因患布赖特氏病不能参加竞选活动。他死于大选投票前数日，没有看到竞选失败。

Sherman, John 谢尔曼（1823-05-10，美国俄亥俄兰开斯特～1900-10-22，华盛顿［哥伦比亚特区］） 美国政治家、财政专家、有关货币和金融管理的重要立法的起草人。W.T.谢尔曼将军之弟。早年在俄亥俄州当律师。1855～1861年为美国众议员，1861～1877和1881～1897年为美国参议员。R.B.海斯总统的财政部部长。他在国会中以财政专家著称，曾任众议院税务委员会主席（1859～1861）、参议院财政委员会主席（1867～1877），一贯主张采取保守政策，在建立全国银行制度（1863）、通过停止铸造银币的法规（1873）和《恢复硬币支付法》（1875）中起过主导作用。美国恢复金本位制，主要是他努力的结果。在B.哈里森总统时代，1890年的《反托拉斯法》和《收购白银法》都冠以他的姓氏。1897年W.麦金利总统任命他为国务卿，翌年辞职。

美国国会图书馆供图

Sherman, Roger 谢尔曼（1721-04-19，马萨诸塞牛顿～1793-07-23，美国康涅狄格纽黑文） 美国政治家，在1787年美国制宪会议上提出大、小州代表制方案，使会议免于陷入僵局。他熟悉贸易和法律事务，曾担任多种公职：1755和1756年任康涅狄格众议员，

1766～1785年任高级法院法官，1784～1793年任纽黑文市市长。政治上极端保守，然而一直支持美国独立。为费城第二次大陆会议代表，曾签署《独立宣言》(1776)，并协助起草

耶鲁大学美术陈列馆供图

《邦联条例》。在为修订《邦联条例》而召开的制宪会议上，一些州主张按州人口数选举国会议员，另一些州则主张实行均等代表制，不拘州之大小。双方尖锐对立，相持不下。谢尔曼提出采用双重代表制的两院议会的《康涅狄格妥协案》，避免会议陷于分裂，并为今日的联邦政体奠定基础。这是谢尔曼生平最光辉的业绩。在根据新宪法召集的国会中，他历任众议员(1789～1791)和参议员(1791～1793)。

Sherman, William Tecumseh 谢尔曼(1820-02-08，美国俄亥俄兰开斯特～1891-02-14，纽约市) 美国南北战争时期的将领、现代战争的主要设计师，曾率领联邦军队横扫南方，进

美国国会图书馆供图

军佐治亚和南、北卡罗来纳。谢尔曼9岁丧父，16岁时由养父送进西点军校学习。在校期间，谢尔曼的工程学、地理学、修辞学和哲学成绩均名列前茅。毕业后，他被派往佛罗里达州讨伐印第安人。1853年脱离军队，曾先后办银行，当律师，但都不顺遂。1861年5月利用其当参议员的弟弟的影响重回军队，领上校衔。第一次布尔溪战役(1861-07-21)之后晋升为将军。他和U.S.格兰特一起攻下维克斯堡，使密西西比河重新通航，沟通了与北方的商业来往。1864年格兰特东征R.E.李时，谢尔曼率领3个军攻进佐治亚州，占领了亚特兰大，给南军以粉碎性打击。1869年格兰特当总统后，他出任陆军总司令，直至1884年。

Sherman Antitrust Act 《谢尔曼反托拉斯法》 美国国会为了抑制那些妨碍贸易和削弱经济竞争的势力的聚集而于1890年通过的第一个立法。该法是以一位美国商业管理专家、美国参议院议员J.谢尔曼的姓氏命名。其中有一个主要条款是：宣布一切限制州际贸易或对外贸易的企业合并为非法。该禁令不仅适用于合法的卡特尔，也适用于决定价格、限制工业输出、分配市场或排除竞争等任何协议。另一个主要条款是：宣布一切垄断美国任何部分贸易或商业的企图为非法。这两条构成了谢尔曼法的核心，通过联邦法院争辩由司法部强制实行。法院可勒令解散那些违反该法而组建的公司，也可以发布制止非法活动的禁令。违法者要处以罚款和监禁。此外，违法行为的私人受害者可要求给予3倍于其损失的赔偿。谢尔曼法通过10余年后，被援用来反对工业垄断的次数很少，收效并不显著，主要因为对州际贸易或州际商业所作的司法解释范围较窄。它唯一有效的用途是反对工会，因为法院认为工会是非法合并组织。首次有力执行谢尔曼法是在T.罗斯福总统执政时期(1901～1909)。1914年国会通过2项支持谢尔曼法的法令，一项是《克莱顿反托拉斯法》(Clayton Antitrust Act)，该法详细说明谢尔曼法的一般条款，对许多垄断造成的或导致垄断的非法活动作出具体规定。另一项法令是成立了联邦贸易委员会，为政府提供了调查可能违反托拉斯立法的权力机构，并发布命令禁止不正当竞争的活动。1920年，最高法院运用谢尔曼法的“推论法则”解释，该解释认为并非每件限制贸易的合约或合并都是非法的，只有通过收购、兼并和掠夺性定价所造成“不合理的”贸易抑制才构成违反谢尔曼法。这一解释允许大厂商有更大的活动余地。但1945年涉及美国铝业公司的案件中，法院一反其开始时的态度而宣布说：一个公司的大小和结构可作为反托拉斯行动的充足理由。由于这一裁决，禁止垄断已定期地得到加强，包括在某些案件中解散违法厂商，引人注目的例子是20世纪末期根据谢尔曼法的条款解散美国电话电报公司(1984)。此外，该法的加强也制止了使用消除竞争的独占策略。

Sherman tank 谢尔曼坦克 正式名称为M4谢尔曼将军(M4 General Sherman)。美国为第二次世界大战作战而设计制造的主战坦克，使用极为广泛。1942～1946年共生产49 324辆。1939年第二次世界大战爆发时，美国的坦克研制技术和装甲作战理论远远落后于欧洲国家。德国陆军基于快速推进和空军支援下大规模装甲编队的新作战原则，在数周内打败法国。于是美国领导人确信美国陆军需要新型主战坦克，而且必须采用德国的作战原则。1940年7月陆军部授权研制新式中型坦克并组建首批装甲师。盟军在第二次世界大战中使用的第一种主战坦克是以美国南北战争时期的格兰特将军命名的M3格兰特将军。早在1941年初英军即在北非使用这种坦克作战。M3是有史以来从研制到生产周期最短的坦克。其主要缺点是安装75毫米火炮的炮座位于右前侧，只能旋转15度。M4以谢尔曼将军命名，1941年首次露面，同年10月验收投产。M4的主要火力为低速短管75毫米火炮，最大装甲厚度75毫米，最小厚度12毫米，最高时速38～46千米，行程160～240千米，乘员5人。坦克总重量约33吨，一般由425马力汽油发动机驱动。1942年10月英军在北非将该型坦克投入实战。M4大致相当于德国早期的Pz.IV(装甲车)型坦克。至1944年6月诺曼底登陆时德国坦克Pz.V(豹式)和Pz. VI(虎式)已超过M4。美国所偏爱的大生产妨碍了技术创新，而其教条思维尚墨守于战前成规，认为坦克主要是步兵的支援武器，致使英、美、加拿大的坦克部队一直面对更为精良的德国坦克。M4在射速和车速方面胜过豹式和虎式坦克，而在行程、精确度和生存能力方面落后一筹。因而，英美部队是以数量优势击败德国装甲编队。打破德国坦克质量优势的最引人注目的一种型号是装有76.2毫米长管火炮的萤火虫式谢尔曼坦克。为登陆诺曼底及其后在欧洲大陆作战，M4大多经专门改装。最著名的改装型为双驱动的DD登陆坦克。此外，M4还被改为M32坦克救援车和M4机动突击桥运输车。谢尔曼坦克的底盘通用、可靠，可在上面加装各种装备，是第二次世界大战中英美军队的一种运载工具。

Sherpa 夏尔巴人 尼泊尔和印度锡金的山居民族，与菩提亚人有族缘关系。夏尔巴人具有中国西藏地区文化和藏族血统，操藏语方言，人数约9万，以喜马拉雅高山上的搬运工著称。一位夏尔巴人的登山者登京格·诺尔盖和埃德蒙·希拉里爵士是首次登上珠穆朗玛峰的人(1953)。夏尔巴商人翻山越岭把稻米运到西藏，换取食盐。夏尔巴人除农牧之外，还纺织羊毛制品以补充其生计。

Sherriff, R(obert) C(edric) 谢里夫(1896-06-06，英国萨里汉普顿威克～1975-11-13，伦敦) 英国剧作家、电影剧本作家，所写关于第一次世界大战的著名剧本《旅程的终点》得到评论界的广泛赞扬。第一次世界大战爆发后从军，战后任申诉调解人，并开始写作。他在《旅程的终点》(1929)中凝聚了自己在战争中的经验，生动地描绘了1918年西线战场上一个掩蔽壕中的生活。该剧在伦敦上演后立即获得成功，连续上演595场。后在世界各地上演都受到同样欢迎。1972年该剧再次在伦敦上演，证实了这一作品在戏剧上的坚实基础。谢里夫的其他剧本均较之逊色，虽然《七点钟时的家》(1950)一剧仍时有上演。他还曾写过一些成功的电影剧本，其中有《隐身人》(1933)、《奇普斯先生，再见!》(1936，旧译《万世师表》)、《格格不入的人》(1945)、《毁坏水坝的炸弹》(1955)。他的自传《没有女主角》于1968年出版。

Sherrington, Sir Charles Scott 谢灵顿(1857-11-27，伦敦～1952-03-04，萨塞克斯伊斯特本) 英国生理学家。他50年的实验工作，为了解高等动物整合的神经系统的功能奠定了基础，因而于1932年与E.艾德里安共获诺贝尔生理学或医学奖。1881～1885年于剑桥大学师从M.福斯特，1886年于柏林大学师从R.菲尔绍和R.科赫，并先后于伦敦大

学(1891～1895)、利物浦大学(1895～1913)及牛津大学(1931～1935)等处任教。他以去掉大脑半球的猫、狗、猴和类人猿做实验,发现必须把各种反射看作是整个机体的综合活动,而不是像当时认为的那样是孤立的"反射弧"的个别活动。支持他的"整体统一性"概念的第一个重要证据,是1895～1898年他用实验证明的肌肉的"交互神经支配"(亦称谢灵顿定律):当一组肌肉受到刺激时,其拮抗肌组则同时受到抑制。在其经典著作《神经系统的整合作用》(1906)一书中,他将主要的感觉器官分为3组:外感觉器官(司视、听、味和触觉)、内感觉器官(以嗅觉感受器为代表)及本体感觉器官(感知机体内部发生的变化)。他发现,即使去掉动物的大脑并切断皮肤触觉神经后,肌肉的本体感受器及其神经干,在反射活动中仍起重要作用,以保持动物的直立姿势,对抗地心重力。他对哺乳动物神经功能的几乎每个方面都有所研究,这直接影响了脑外科的发展及神经系统疾病(如瘫痪和神经萎缩)的治疗。他还创造了神经元和突触等名词。另著有《脊髓的反射活动》(1932)。

sherry 雪利酒 西班牙赫雷斯-德拉弗龙特拉省出产的一种有坚果香味的加度葡萄酒,是以赫雷斯地区特殊品种的葡萄为原料,用特殊的酿造方法酿制的老牌名酒。其独特风味主要是由于它的酿造方法:在发酵一段时间以后,稍微透点空气,促使酒液发生近似发霉的现象,从而带有特殊的坚果味。另一个独特之处是采用掺底酒法即用陈年雪利酒勾兑的方法,增加新酒的成熟度,以保持雪利酒的传统风味。这种方法是将陈酿时间不同的雪利酒分别装入3～8层酒桶内,陈酿时间长的装在下层。当汲出底层陈酿时间最长的酒勾兑时,将上面紧靠底层的酒桶内的陈酿时间次长的酒注入底层酒桶,空桶由上面陈酿时间更短的酒补充,其余以此类推。酒瓶上标明开始用这种方法陈酿的日期。所有的雪利酒在发酵后,视酒的品种不同,用度数高的白兰地来增加酒精含量,一般为16%～18%。作为开胃酒的雪利酒分四大类:曼萨尼亚、菲诺、阿蒙蒂亚多和比诺德巴斯托,均为干白酒。另外注明"非干酒"的雪利酒呈金黄色。味道甘甜醇厚的雪利酒常作为餐后甜葡萄酒。塞浦路斯、南非、澳大利亚、美国都生产雪利型的酒。

Sherwood, Robert E(mmet) 舍伍德(1896-04-04,美国纽约新罗谢尔～1955-11-14,纽约市) 美国剧作家,其作品反映了对社会和政治问题的关切。在米尔顿学院和哈佛大学上学时,成绩不佳,但在表演上却表现出色。1917年未毕业就应征入伍,到法国服役,曾被毒气熏倒,1919年退役。1919～1920年任《名利场》杂志戏剧编辑,并与同事D.帕克、R.本奇利一起加入纽约文学界一个小团体阿尔贡金圆桌午餐会。1920～1924年任幽默杂志《生活》副主编,1924～1928年任主编。所写第一个剧本《通往罗马之路》(1927)批评战争的无聊,这一主题后来贯串在他的许多剧本中。《石化林》(1935)、《白痴的欢乐》(1936)中描写的主人公都是自命清高的青年,最后认识到他们自己是失败者,而为同胞作出自我牺牲。《亚伯·林肯在伊利诺伊》(1939)、《不会有夜晚》(1941)中的和平主义主人公决定起来进行战斗,作者的论点是一个人只有为他人牺牲自己,才能使自己的生命有意义。他写的《林肯》一剧使他被介绍给E.罗斯福并最终成为F.罗斯福总统的讲稿起草人和顾问。由于他

供图:© Karsh from Rapho/Photo Researchers—美国不列颠百科全书公司

的努力使受雇为政界名流代写文章的工作成为受人尊敬的职业。1940年任陆军部长特别助理,1941～1944年任陆军部情报局海外分局局长,1945年任海军部长特别助理。他战时在F.罗斯福身边工作,掌握了大量材料,写出《罗斯福与霍普金斯》。除《我们生活中的黄金岁月》(1946)获得学院奖外,第二次世界大战后没有写出什么精彩剧本。

Sherwood Forest 舍伍德森林 英格兰诺丁汉郡林地和原皇家猎场。因与中世纪侠盗罗宾汉有关而闻名。以前森林几乎覆盖整个诺丁汉郡西部并延伸到德比郡,现面积已缩小,分布于诺丁汉和沃克索普之间,多种植松树。因沙质土壤瘦瘠,农业不发达。19世纪中叶开始广泛开发煤矿。

Shes-rab rgya-mtsho 喜饶嘉措(1884～1968-11-11) 中国佛教学者。青海循化人。藏族。第十三世达赖喇嘛经典侍讲。主持重刻藏文大藏经《甘珠尔》。认为佛教教义与中国新民主主义并不抵触,因而引导僧侣积极参加民主改革。曾任第二、三届中国佛教协会会长,中华人民共和国第一、二届全国人民代表大会代表,中国人民政治协商会议第二、三、四届全国委员会委员,第二、三届全国政协常委。

Sheshonk I 示撒一世(活动时期公元前10世纪) 又拼Shoshenq或Shishak。埃及第22王朝第一个国王(约公元前945～前924在位)。他是利比亚部族王公或酋长后裔,称号是"梅什韦什人的伟大领袖"。示撒一世可能未经斗争就登上王位,定居在布巴斯提斯。根据《旧约全书》记载:"埃及王示撒上来攻取耶路撒冷"(《列王记上》14:25～26)以支持耶罗波安,时间大约在公元前930年。耶罗波安系一觊觎王位者,否认所罗门之子罗波安继承以色列王位之权。凯尔奈克现存雕塑和碑文就是当年用以庆祝示撒一世在巴勒斯坦取得的胜利。虽然《圣经》中提到劫掠皇宫和圣殿情况,但耶路撒冷的名字并未见于埃

凯尔奈克出土的示撒一世石雕像
不列颠博物馆供图

及文献记载。载有示撒一世名字的文献片断已在美吉多发现。

Shetland Islands 设得兰群岛 又作Zetland Islands或Shetland Isles。苏格兰约100个岛屿的群岛(其上有居民的岛不到20个),位于英国本土苏格兰以北210千米,划为设得兰群岛地区。最大的岛是梅恩兰,其上有斯卡洛韦渔港。勒威克镇亦在该岛上,为群岛地区议会所在地,行使行政区和地区的双重权力。梅恩兰岛之北是耶尔岛和英国最北的岛屿安斯特岛。安斯特岛以北1.6千米海面上的马克尔弗拉加灯塔为英国的最北点。费尔岛在梅恩兰岛之南39千米,属于苏格兰国立托拉斯管辖,上设有一重要的鸟类观察站。设得兰群岛的景色原始而美丽,岛四周有深锯齿状的峡湾,沿岸是陡峭的山岩。岛上风强树少,但受湾流系统的支流北大西洋暖流的影响,在北极圈以南仅640千米的高纬度上,气候相当温和。

农业耕作方式以小片农场为主。每个农场有几英亩可耕地并有权在公共牧场牧羊。土产的绵羊毛质优良,当地妇女用以纺织图案新颖的毛织品,名为设得兰和费尔岛花式。许多小农场的农户无力养家糊口,男子到海外谋生,或到北海石油工业部门工作,或在皇家海军服役。捕鱼业一直很重要,农户靠捕鱼补充食品不足和增加收入。集中在勒威克的鲱鱼捕捞业20世纪中叶以来开始衰落,现捕捞白鲑更为重要。设得兰群岛东北的北海布伦特和尼尼安油田发现以后,该群岛人口持续减少的现象才缓和下来。20世纪70年代,在梅恩兰岛北部的萨洛姆湾建立储油站后,最先进的技术进入了设得兰群岛居民的传统生活方式中。输油管从北海油田通到此储油站,油轮则利用耶尔湾水深背风的条件在此装运石油。石油业的发展提高了梅恩兰岛南端萨姆堡机场的重要地位。该群岛居民从7、8世纪开始改信基督教。8、9世纪,古斯堪的纳维亚人入侵群岛,统治该地直至15世纪。现在当地还有许多古斯堪的纳维亚人的习俗。1472年,该群岛与奥克尼群岛同时划归苏格兰王室。但是设得兰群岛始终在苏格兰的历史传统主流之外。人口约22 170(1989)。

Shetland pony　设得兰小型马　一个小型马品种，普遍用作儿童玩赏马。原产苏格兰的设得兰群岛。能适应该处恶劣的气候及贫乏的食物。初用作驮马，1850年左右引入英格

设得兰小型马的母马和小马驹
供图：Walter Chandoha

兰充作煤矿的役马。约于同时引入美国，被培育成适于儿童骑乘的体型更优美的品种。除某些因遗传变异而形成的侏儒小型马外，设得兰小型马是马中最矮小者。平均体高约102厘米，最高117厘米（与其他马品种不同，设得兰小型马的身高不用手宽来测量）。体色及斑点颜色多样。寿命长，容易饲养。只要训练得法便表现得性情温和驯服。

Shetland sheepdog　设得兰牧羊狗　又作sheltie。一个小型使役狗品种，为放牧设得兰群岛上的小型绵羊而培育。被毛粗糙，似科利牧羊狗，但体型较小，它与科利牧羊狗都是

设得兰牧羊狗
供图：Sally Anne Thompson

一个苏格兰使役狗品种的后代。体壮，敏捷，善于牧羊。美国养狗俱乐部仅承认肩高33～41厘米者可用于展览。被毛长而直，黑色、棕色或蓝灰带黑色斑点，也有带棕褐色和白色斑点者。

Shevardnadze, Eduard　谢瓦尔德纳泽（1928-01-25，苏联格鲁吉亚马马蒂～　　）全名Eduard Amvrosiyevich Shevardnadze。苏联政治家，1985～1990年任苏联外交部长，1992年3月起为格鲁吉亚国家元首。格鲁吉亚的一位教师之子。作为共青团员，他在团的统治机构里青云直上，1957～1961年任格鲁吉亚共青团中央委员会第一书记。后在格鲁吉亚首府第比利斯党的各级组织中得到晋升，1972年任格鲁吉亚共产党中央委员会第一书记。他并于1965～1972年掌管格鲁吉亚的公安工作。1976年任苏联共产党中央委员会委员，1978年任政治局候补委员。1985年苏联新领导人M.S.戈尔巴乔夫提升他为掌权的政治局正式委员，并任命他为外交部长，以接替A.葛罗米柯，虽然他到那时为止并无外交工作经验。作为外交部长，谢瓦尔德纳泽熟练地促进执行戈尔巴乔夫的外交政策倡议，包括1988年苏军撤离阿富汗、与美国谈判新的武器条约，以及苏联默认1989～1990年间东欧各共产党政府的垮台。他是戈尔巴乔夫最亲密的同僚之一，也是戈尔巴乔夫"开放"与"改革"的改革政策的最得力的支持者。1990年12月谢瓦尔德纳泽突然辞职，以抗议他所谓的"独裁的开始"和抗议戈尔巴乔夫政府内保守分子影响的日益增长。1991年保守派发动的政变失败后，他短期复任外交部长（11-19～12-25），只能目睹苏联垮台。1992年3月，谢瓦尔德纳泽返回格鲁吉亚，接任格鲁吉亚国务委员会主席（国家元首）；是年10月，当选为议会议长（相当于总统的新设职位）。他试图解决南奥塞梯和阿布哈兹诸省出现的分裂主义者的暴力活动。

Shevchenko, Taras Hryhorovych　谢甫琴科（1814-03-09[旧历02-25]，俄罗斯帝国乌克兰莫林采～1861-03-10[旧历02-26]，圣彼得堡）19世纪乌克兰大诗人，乌克兰民族复兴运动

供图：Sovfoto

的重要人物。农奴出身，1838年在圣彼得堡艺术学院求学时获得自由。第一部诗集《科布扎歌手》（1840）反映出乌克兰浪漫派对历史和民间文学的兴趣。但不久以后，他就不再吟咏对哥萨克生活的怀恋，而是深入探讨乌克兰的历史，写出像《海达马克》（1841）那样壮丽的诗篇。1847年沙俄镇压乌克兰的秘密团体"圣西里尔与美多迪乌斯兄弟会"，他因写《梦境》、《高加索》和《遗嘱》等诗抨击沙俄政府对乌克兰的压迫和预言革命的到来，被流放和强制服兵役。尽管沙俄政府禁止他写诗作画，他在流放的最初几年仍然偷偷写了几首抒情诗。1857年获释后，重又积极写诗，后期诗作写历史和道德题材，包括乌克兰的命运和全人类的命运。

Shewa　绍阿　又作Showa或Shoa。埃塞俄比亚中部的历史王国。大部分是高原，阿伯耶梅达山海拔4 000米。亚的斯亚贝巴是现代首都和主要商业中心。西北临青尼罗河，西南濒奥莫河，东部和东南边界沿大裂谷中阿瓦什河而行。绍阿是10世纪中期至14世纪末的埃塞俄比亚国王的住处。在1528年，东面阿达尔国的穆斯林入侵绍阿，摧毁其古城。在以后的100多年，来自南面的奥罗莫人进入了绍阿，并建立了农耕村庄，一直向北扩展到青尼罗河。1856年，特沃德罗斯二世皇帝把绍阿并入埃塞俄比亚帝国，但曼涅里克二世收复了他的绍阿王国，在1886年选址兴建未来国都亚的斯亚贝巴，并立即动工。1889年曼涅里克成为全国的皇帝，亚的斯亚贝巴成为埃塞俄比亚首都。

shewbread　陈设饼　又作showbread或bread of the presence。犹太教用语。指陈设在耶路撒冷圣殿中上帝面前的饼。共12枚，分别代表以色列人12支派。以色列人献陈设饼，表示承认并感谢上帝养育之恩。基督教的圣餐礼的许多内容，都含有以色列人供陈设饼习俗的痕迹。

shi　石　又称担。中国古代基本重量单位。由始皇帝（秦始皇）创设，他于公元前221年成为中国的第一位皇帝，并以统一度量衡制而闻名。他规定1石或1担约为60千克（132磅）。中国现行的石（音dàn）为容量单位，等于10斗或100升。

Shi Dakai　石达开（1831～1863-06-25）又拼Shih Ta-k'ai。中国清代太平天国领袖之一。广西贵县人。客家地主出身。1847年参加洪秀全所创拜上帝会，与洪秀全、冯云山等结为异姓兄弟。1851年1月金田起义时任左军主将，12月封翼王。太平军自广西北上时指挥先锋部队。太平天国定都天京（南京）后，率大军西征。1855年1月至2月在湖口、九江大败湘军水师，攻克武昌。9月率军自湖北入江西，连克8府50余州县。次年6月又与秦日纲等部攻破清军江南大营。9月闻

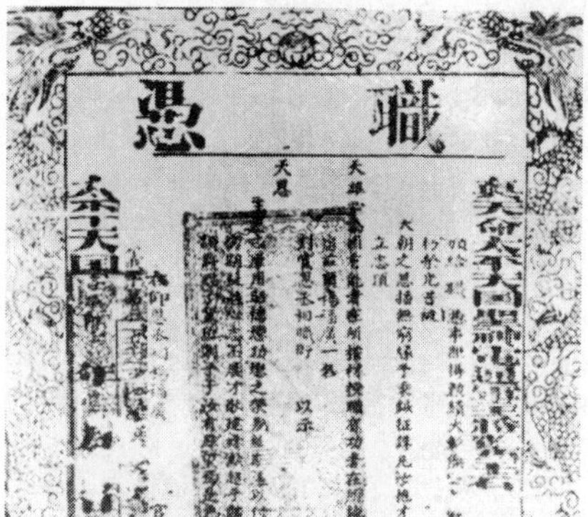

1862年石达开发给部下杨福广的职凭
中国大百科全书出版社供图

韦昌辉杀杨秀清讯赶回天京。后全家被韦杀害，被迫缒城出走，至安庆起兵讨韦。11月洪秀全杀韦后，召回京辅政。因受洪秀全疑忌，于1857年5月率10多万精锐部队出走，转战于安徽、江西、浙江、福建、湖南、广西、贵

州、云南、四川等省。1863 年 5 月在四川紫打地(今安顺场)大渡河附近为清军围困,面临绝境。6 月 13 日自投清营欲求赦免残部,解往成都后被杀害,所遗部属 2 000 余人均被袭杀。

Shi ji 《史记》 参阅 **Sima Qian** 司马迁。

Shi Lang 施琅(1621～1696) 中国清代水师统帅。字尊侯,号琢公。福建晋江人。原为明郑芝龙部将,后追随郑成功,1651 年降清。1681 年任福建水师提督。康熙二十二年六月(1683)率军攻入澎湖,并派人招抚郑克塽。八月率领清军抵达台湾。郑克塽带领文武官员缴册印降清,台湾归入清版图,因功封靖海侯。曾建议在台湾驻兵屯守,防御西方殖民者侵略,为康熙帝采纳。

Shi Naian 施耐庵(活动时期为元末明初) 中国明代小说《水浒传》的作者。钱塘或武林(今浙江杭州)人。生平不详。参阅 **Shuihuzhuan**。

Shīʿah 什叶派 单数拼Shīʿ。伊斯兰教两大派别中与逊尼派对立的少数派的穆斯林。在阿拉伯语中,Shīʿah 一词又指这部分穆斯林的理论体系或学说。参阅 **Shīʿite**。

Shiba Kōkan 司马江汉(1738或1747,日本江户[今东京]～ 1818,江户) 又名江汉,原名司马峻,字君岳,别名安藤吉次郎或安藤胜三郎。日本江户时代后期画家和学者,将西

司马江汉绘《不忍池图》
东京国家博物馆供图

方文化的许多方面介绍到日本,是用西方油画绘画的先驱和第一位引进铜版画的日本人。初师狩野派,学中国画的意境和画法,后师浮世绘画家铃木春信。不久接受西方写实主义绘画影响,学习运用明暗法和透视法,研读荷兰典籍,学习铜版画和油画。经多次试验和失败,最终制作铜版画获得成功,在日本成为首创。这一艰辛尝试的样板作品是《三围景图》铜版画(1783)。1788 年,游历当时唯一商港长崎,访问荷兰殖民地出岛,力图吸收西方文化;此行详见他的游记《西游旅谭》。后来他出版论述荷兰天文学的丛书,试图用铜版画说明哥白尼太阳系的地动学说。他以油画作品《镰仓七里个滨》和《异国人物图》而知名。1799 年他撰写《西洋画论》,综述西方绘画现实主义的基本原则。晚年研究中国老子和孔子,并成为禅宗信徒。

shibah (Judaism) 参阅 **shivah** 七日丧期。

Shibīn Al-Kawm 希宾库姆 又作 Shebin el-Kom。下埃及米努夫省省会。位于尼罗河三角洲南部,开罗西北 60 千米。地处有灌溉之利的富足冲积平原,生产棉花、亚麻和粮食。制造业包括纺织和卷烟等部门。是高级农学院和开罗爱资哈尔大学所属的希宾库姆学院的所在地。有铁路通开罗和坦塔。人口约 135 900(1986)。

Shibusawa Eiichi, SHISHAKU 涩泽荣一(1840-03-16,日本旧武藏国～ 1931-11-11,东京) 日本政府官员,在明治时代(1868 ～ 1912)曾帮助实行把日本置于坚实金融基础上的改革。他的涩泽公司成为日本最大的金融卡特尔之一,有助于建立政府与商业之间的密切联系。农民出身。早年参加尊王攘夷运动。由于精明能干,被德川庆喜重用。1867 年随庆喜之弟访问欧洲。回国时幕府已经倒台。1868 年创建日本第一家银行和贸易公司。1869 年到大藏省任职,积极参加货币和税收改革及修改度量衡制度等工作。1873 年因政见不和辞职,任日本第一国立银行总裁。同年创办王子造纸公司。10 年后建立大阪纺织公司,确立了他在日本实业界的霸主地位。此后,他的资本渗入铁路、轮船、渔业、印刷、钢铁、煤气、电气、炼油、采矿等重要经济部门。1916 年退休后致力于社会福利事业,直到 91 岁逝世。

Shichi-fuku-jin 七福神 英语作Seven Gods of Luck。指日本民间的七位吉祥幸福神祇。七神来源不一,但至迟在 16 世纪初即列在一起。他们是毗沙门(**Bishamon**)、大黑

七福神乘宝船牙雕
伦敦维尔利亚和艾伯特博物馆供图

(**Daikoku**)、惠比寿(**Ebisu**)、福禄寿(**Fukurokuju**)、寿老人(**Jurōjin**)、布袋(**Hotei**)和弁天(**Benten**)(七神中唯一女性)。七福神常见于日本民歌,在绘画和戏剧中往往起喜剧效应,或单独出现,或一同出现。在画上,七福神一般乘"宝船",携带多种法器,如隐身帽、锦帛、不尽钱囊、宝库钥匙、丁香、经卷、吉祥笠和羽衣。

Shichi-go-san 七五三 日本民俗中幼儿成长期的重要仪礼。每年 11 月 15 日,3 岁的女童、5 岁的男孩和 7 岁的女孩由父母带领参拜神社,谢恩祈福。

Shidehara Kijūrō, DANSHAKU 币原喜重郎(1872-09-13,日本大阪～1951-03-10,东京) 日本外交家、政治家,第二次世界大战后曾短期任首相(1945～1946)。他在20世纪20年

美国不列颠百科全书公司供图

代推行和平外交政策,即所谓的"币原外交"。币原喜重郎 1899 年进入外交界,历任日本驻朝鲜、英国、美国和荷兰的使节。1919 年任驻美大使时曾对美国歧视日本人的移民法持有异议。1921 ～1922 年出席华盛顿会议,为日本国的全权代表。1924 ～ 1927 年和 1929 ～1931 年两度任外务大臣,极力主张对中国和解,采取经济扩张而不是军事扩张的政策。1931 年被军国主义分子赶下台,但在国外继续受到尊重。1945 年 10 月,当他 73 岁时,再次出现于日本的政治舞台,经美国军事占领当局同意出任首相,1946 年 5 月军事管制结束时去职。接着任众议院议长直到逝世。币原喜重郎在外交政策上虽是自由主义者,但对国内事务却是保守的。这可能与他长期和三菱财团交往有关。

Shiel, Loch 希尔湖 苏格兰西北高地一狭窄的湖,长约 28 千米,像缎带一般从格伦芬南向西南延伸,流入希尔河(长 50 千米),此河注入一狭长海湾——莫伊达特湖。希尔湖上段靠近格伦芬南,四周是荒野和粗犷的景色,山势陡峭,陡壁拔地而起约 900 米。矗立于希尔湖一端的格伦芬南纪念碑,标志着"青年谋篡者"C.爱德华举起其军旗之处,这是他 1745 年 8 月 19 日造反的暗号。希尔湖和湖区在历史上同麦克唐纳氏族有关;圣芬南岛上有一所古老小教堂和麦克唐纳家族的传统墓地。

shield (geology) **地盾** 参阅 **continental shield** 大陆地盾。

shield, tunneling 参阅 **tunneling shield** 隧道盾构。

shield-backed katydid 盾背螽斯 螽斯科蝈蝈儿亚科(Decticinae)昆虫。外表似蟋蟀,体长在 2.5 厘米以上,褐色或黑色。前胸背板向后扩展至腹部,呈盾状。多数种类翅短,有几种无翅。摩门螽斯(*Anabrus simplex*)在北美大平原危害严重。1848 年德瑟雷特(后称犹他)州的盐湖城摩门螽斯成灾,这时飞来一群海鸥捕食昆虫,摩门人的庄稼才免全部毁灭之灾。涸谷螽斯(*Peranabrus scabricollis*)数量够大时是西北太平洋的毁灭性的害虫。这两种均无翅。金属或木质栅栏与毒饵一样都

盾背螽斯

供图：*E. R. Degginer*

能够有效地控制其害。

shield fern 鳞毛蕨 又称林蕨(wood fern)。铁角蕨科(某些系统划归三叉蕨科[Aspidiaceae])鳞毛蕨属(*Dryopteris*)植物，约150种，广泛分布于世界各地。为中等大小的林地

鳞毛蕨(*Dryopteris dilatata*)

供图：Ingmar Holmasen

植物。叶革质，亮绿色，叶柄分枝数回。有多数圆形孢子囊群，在叶的下面沿叶脉生长，上有囊群盖。

shield money(feudal law) **盾牌钱** 参阅 **scutage 免兵役税**。

Shields, Carol 希尔兹(1935-06-02，美国伊利诺伊奥克帕克～2003-07-16，加拿大不列颠哥伦比亚维多利亚) 婚前名Carol Warner。美国出生的加拿大作家，作品探索普通人的生活。1995年其杰作《斯通日记》(1993)获普利策奖。1957年毕业于印第安纳州汉诺威大学。同年结婚并迁居加拿大。1975年获渥太华大学英国文学硕士学位，两年后硕士论文出版，是为19世纪渥太华开拓者S. 穆迪写的评传。迁居温尼伯后在马尼托巴大学教英语。在小说和诗歌中她一直坚持家庭生活的主题。她描绘中产阶级的小心谨慎、心满意足的生活状态，精细地再现他们的感情和感兴趣的事。最初写的《无关紧要的繁文缛节》(1976)和《箱形花园》(1977)两部小说是互相关联的，关系到姐妹两人所做的选择。在《巧合》(1980)和《一个相当因循守旧的女人》(1982)两部小说中，她使用部分重叠的手法避免了从单一视角直截了当地叙述所带来的约束。她用拟传记方式写成的《斯通日记》描写了一生跨越了20世纪大部分岁月的一个普通妇女。这部小说除获普利策奖外，还获得了加拿大总督文学奖(1993)和国家图书评论界奖(1994)。其他作品包括2部短篇小说集、3本诗集、2部长篇小说和J. 奥斯汀的传记。

shieldtail snake 盾尾蛇 盾尾蛇科的穴栖蛇类，40余种，产于南亚。无毒，体短(一般不足30厘米)，眼小，吻尖。许多种类尾的末端扁平，似盘状盾。体色多鲜艳，有的黑色，有明显的虹彩光泽。多以蚯蚓为食。管蛇属(*Cylindrophis*)和异唇蛇属(*Anomochilus*)均具残存的腰带，或与南美的筒蛇属(*Anilius*)合为筒蛇科(Aniliidae)。管蛇属种类常见于稻田，受惊时将头藏在盘绕的身体下面，抬起形似毒蛇头部的尾部。

Shiels, Robert 希尔斯(1700前，苏格兰罗克斯堡郡～1753-12-27，伦敦) 苏格兰诗人、编辑。移居伦敦后以印刷为业，被S. 约翰逊雇为《英语词典》的抄写员。词典完成后，希尔斯与其他同事开始编辑《斯威夫特之前的英国和爱尔兰诗人传记》(1753，5卷)，于他去世之前不久出版。虽然该书署名为剧作家和演员T. 西伯(1703～1758)，但书中出现的原著大部分由希尔斯搜集。他还写有无韵诗《婚姻》、哀悼苏格兰诗人J. 汤姆森的挽歌《穆西多拉斯》及其他几首诗。

shifting agriculture 轮垦农业 实行小区轮作以维持土壤肥力的耕作制度，不同于作物轮作制。其法先将一小块土地清理干净，种植一个短时期，然后撂荒，使恢复自然植被，而耕种者转到另一块土地上种植。当土壤出现肥力耗竭的迹象时，而更通常是杂草丛生时，就应停止耕作。土地的耕作期限通常较处于休闲状态以恢复地力的期限要短。轮垦农业的一种清理土地的方法是**刀耕火种农业**(**slash-and-burn agriculture**)，将直立的植被割倒，焚烧，其灰用以肥田，在田间只留下残株和大树。清理后常用锄或掘土棒进行耕作，而不用犁。轮垦农业经常遭到非难，主要因为它使热带地区林地的肥力减退，而热带地区有广阔的土地可供利用，轮垦农业多数即产生在这些地区。尽管如此，由于在一些热带地区，人们长期在同一块土地上连续耕作，没有保护土壤的先进技术，又不施用化学肥料，这对土地的肥力极为不利，而轮垦农业是对这些地区热带土壤条件的一种适应。在这种环境里，最好是在一块地上耕作一个短时期，然后在养分完全耗尽前撂荒。

Shiga 滋贺 日本本州南部内陆县份。面积4 016平方千米。境内有日本最大湖泊琵琶湖，该湖与其四周山地构成琵琶湖准国立公园。当地广种水稻，稻田所占比例为全国最高者之一。所产近江牛肉驰名全国。首府大津以及彦根、长滨等市有纺织业。人口约1 246 000(1992)。

Shiga Kiyoshi 志贺潔(1871-02-07，日本仙台～1957-01-25，东京) 日本细菌学家。主要以在1897年发现痢疾杆菌(以其姓氏命名为志贺氏菌)而闻名。1896年毕业于东京大学，毕业前2年已随北里柴三郎工作。1899年在东京任传染病研究所实验室主任，旋即赴欧洲与埃尔利希合作，发明了锥虫病的化学治疗法。1900年研制成痢疾抗血清。1903年回东京后继续与北里合作。1920年任汉城大学细菌学教授，1929年任校长。两年后回东京。1936年被任命为帝国皇室官员。还研究过麻风、脚气病和结核病。

Shiga Naoya 志贺直哉(1883-02-20，日本石卷～1971-10-21，东京) 日本小说家、文体家，由于观察入微、文字简洁，其文体被称为"志贺体"。志贺直哉出身于贵族武士之家，

东京国际教育情报学社供图

1885年即随双亲去东京与祖父母一起生活。他年轻时受基督教教育家内村鑑三的影响，但基督教本身并没有给他留下什么持久的印象。1906年他从学习院毕业后，入东京帝国大学英国文学系，两年后辍学。1910年与武者小路实笃、有岛武郎、里见弴和他在学习院时期的其他友人创办杂志《白桦》，从而产生了一次强调个人主义和托尔斯泰人道主义的日本文学运动，运动持续到20世纪20年代初。但志贺发现自己对文学所抱的更加现实主义的态度与该杂志的理想主义倾向格格不入，于是脱离了这一团体。他年复一年地磨练自己客观的风格，以精致的淳朴自觉地描述他笔下人物最敏感的反应。他不喜以事抽象的思考，而是把全部精力集中于一种具体的、冷静的描绘。志贺的大部分小说涉及的都是难处的家庭关系，他在某些小说中对第一人称的主人公进行心理分析，使他的某些短篇小说被列入"私小说"(自传小说)的范畴。无论是短篇小说《和解》(1917)还是他的长篇巨著《暗夜行路》(分前后篇，于1921～1937年间写成)都是描写主人公怎样在家庭纠纷与个人矛盾之间寻求心灵的安宁。短篇小说《在城崎》(1917)是个很好的范例，说明作者怎样敏感而超然地对待自己的心境。他的写作事业实际上随着《暗夜行路》的完成而终止。

Shigaraki 信乐 日本滋贺县南部城市。位于京都之东、奈良东北，为日本古代六大陶都之一。1278年开始烧制多种釉面的陶器，产品有水壶、瓶、坛子等日用品；1520年后，信乐碗、坛为茶道所乐用而知名于世。现代新工厂，善能仿制中国广东蓝斑粗陶器。当地农产品有大米、柑橘、茶、木材等。市内有自然科学研究所。有铁路、公路通奈良。人口14 215(1990)。

Shigatse(China) 参阅 **Xigazê** *日喀则*。

Shigella 志贺氏菌 肠杆菌科(Enterobacteriaceae)的一属细菌,常寄居于人类肠道中,能引起痢疾。志贺氏菌为革兰氏阴性,不形成芽孢,不能运动。该菌宽0.4～0.6微米,长1.0～3.0微米。痢疾志贺氏菌(*S. dysenteriae*)借污水和食物散布,具有外毒素,能引起极严重的症状。索氏志贺氏菌(*S. sonnei*)、弗氏志贺氏菌(*S. flexneri*)也被认为是痢疾的病原。

shigellosis 志贺氏杆菌痢疾 *细菌性痢疾*(dysentery)的一种类型。感染致病菌是志贺氏杆菌属中的多种细菌。

Shigemitsu Mamoru 重光葵(1887-07-29,日本大分～1957-01-26,汤河原) 日本外交家,曾任数届内阁外务大臣,第二次世界大战结束时,为日本向同盟国投降的签字人之一。东京大学毕业。1911年进入外务省。1918年在驻波兰大使馆工作,参加巴黎和会。后在驻德国大使馆工作。曾任驻上海总领事。1931年任驻中国公使。1933年任外务次官。此后任驻苏联大使和驻英国大使。1943年起,在东条英机内阁和小矶国昭内阁任外务大臣。1945年9月2日代表日本签署无条件投降书。后作为战犯判刑7年,1950年获释。1952年任进步党总裁,后又任民主党副总裁。1954年在鸠山一郎内阁中任外务大臣。

Shigu 石鼓 中国云南省丽江纳西族自治县辖镇。位于省境西北部,自治县中部。金沙江沿横断山地南流,到石鼓镇急转往北,形成奇异绝伦的"长江第一湾"。江水在石鼓以下35千米处切断玉龙雪山和中甸哈巴雪山,劈出举世闻名的虎跳峡。峡口江面宽30～60米,海拔1 900米,而两岸雪山高达5 000米以上,相对高差达3 000米。气势磅礴,景色万千,被科学家称为"世界上绝无仅有的峡谷"。石鼓原是小镇,位于金沙江河曲冲积台地上。镇前山上有青石碑碣,圆厚形如巨鼓,称为"石鼓",镇由此得名。石鼓是金沙江上古渡口。传诸葛亮"五月渡泸"、忽必烈"革囊渡江"都以此为渡口。1936年5月贺龙率领的中国工农红军二方面军也在此渡江北上,现渡口南建有中国工农红军渡江纪念碑。镇南有宽广的干河谷,地理学上推论为古金沙江南流河道的遗迹。

Shih-che 诗哲 参阅 **Xu Zhimo** *徐志摩*。

Shih-chia-chuang(China) 参阅 **Shijiazhuang** *石家庄*。

Shih-shih(sculpture) **石狮** 参阅 **Lion of Fo** *佛狮*。

Shih Ta-k'ai(Chinese rebel leader) 参阅 **Shi Dakai** *石达开*。

Shih-t'ao 参阅 **Shitao** *石涛*。

Shih tzu 狮子狗 由北京狮子狗和拉萨狗繁殖成的一个西藏狗品种。美国养狗俱乐部将其列入玩赏狗一类。被毛长,体小。高约26厘米,体重最多约8千克。活泼,机警。体长大于体高,健壮。腿短,嘴短,耳悬垂,多毛的尾巴高举于背上。被毛厚,毛色多样。被毛垂在眼上,在脸上形成须。

Shihāb ad-Dīn Aḥmad IBN FAḌL ALLĀH AL-ʿUMARĪ **希哈卜丁·艾哈迈德·伊本·法德勒·安拉·欧麦里** 参阅 **ʿUmarī, al-** *欧麦里*。

Shihāb-ud-Dīn Muḥammad Ghūrī 什哈巴丁·穆罕默德·古里 参阅 **Muʿizz-ud-Dīn Muḥammad ibn Sām** *穆伊兹-乌德-丁·穆罕默德·伊本·萨曼*。

Shihezi 石河子 又拼 Shih-ho-tzu。中国新疆维吾尔自治区直辖县级市。位于天山北麓中段,准噶尔盆地南缘,玛纳斯河西岸。原为玛纳斯河冲积平原上的苇湖沼泽,是乌鲁木齐至伊宁等西部城镇公路上的小镇。1950年起成为新疆生产建设兵团农八师垦区中心。1976年析沙湾县石河子镇等地设市,并为石河子地区行政公署驻地。1978年石河子地区撤消后为自治区直辖县级市。面积457平方千米。城市街区整齐,林木成荫,建筑群与果园相间,绿化覆盖率25%,为新型园林式工业城市。灌溉水源来自玛纳斯河,渠系成网,农场连片。农产品以小麦、玉米、棉花、油料及甜菜为主,农场为工业提供了充足的原料和季节劳动力(糖厂的季节工等)。工业有棉毛纺织、制糖、造纸、电力、水泥、化工及食品等。有石河子大学、新疆农垦科学院、新疆兵团勘测设计院等高等院校及科研机构。对外交通方便,北疆铁路经此,是欧亚大陆桥的中途站。312国道、乌奎高等级公路过境。人口:全市640 000(2005)。

Shīʿī 参阅 **Shīʿite** *什叶派教徒*。

Shīʿī, Abū ʿAbd Allāh ash- 西伊(?,也门萨那～911) 伊斯玛仪派鼓动家和指挥员,法蒂玛王朝穆斯林在北非统治地位的奠基者。9世纪末在北非柏柏尔部族中出现,自称是救世主的先驱者,并鼓动人民起义。经几年准备,他领导柏柏尔人从艾格莱卜王朝(巴格达哈里发的附庸)夺得今突尼斯和阿尔及利亚东部的部分领土,并于909年3月进入艾格莱卜王朝首都凯鲁万。909年8月救出伊斯玛仪派领袖欧拜杜拉·马赫迪,后者于翌年1月胜利进入凯鲁万,并自立为哈里发。这标志着法蒂玛人在北非统治的开始。西伊后因谋反罪名被哈里发处死。

Shīʿite 什叶派教徒 阿拉伯语作Shīʿī。伊斯兰教两大派别中与逊尼派对立的少数派的成员。在早期伊斯兰教历史上,什叶派人原是拥护穆罕默德的女婿、穆斯林社会第四代哈里发(世俗与精神统治者)阿里政权的一个政治派别(shīʿat ʿAli,即阿里党之意)。当阿里试图维护其作为哈里发的权威时被人杀害,而什叶派人逐渐发展成为一个主张阿里直系后裔(即阿里派)合法权力的宗教运动。这一立场与更多的讲求实际的逊尼派大多数穆斯林大不相同,后者普遍愿意接受任何一个哈里发的领导,或接受那些其统治能提供合乎体统的宗教礼仪和能够维持穆斯林世界秩序的哈里发王朝的领导。

许多世纪以来,什叶派运动对所有逊尼派伊斯兰教徒有深刻的影响,20世纪后期,其信徒人数约有6 000万～8 000万,约占伊斯兰教徒总数的1/10。什叶派教义在伊朗、伊拉克可能还包括也门(萨那)为多数派信仰,在叙利亚、黎巴嫩、东非、印度和巴基斯坦也有其信徒。656年,阿里在第三代哈里发奥斯曼的谋害者拥立下,成为第四代哈里发。然而,阿里从未真正获得所有穆斯林的支持,只得不断发动没有结果的战争以保持他的权力。661年阿里被谋杀后,他的头号对手穆阿威叶继任为哈里发。阿里之子侯赛因后来拒绝承认穆阿威叶的儿子和继任者耶齐德担任哈里发的合法性。在阿里原来的首都,即什叶派人控制的伊拉克库费城的穆斯林恳请侯赛因就任哈里发。然而,侯赛因未能获得伊拉克境内穆斯林的普遍支持,在*卡尔巴拉战役*(**Karbalāʾ, Battle of**)中,他和他的一小撮人马在库费附近被伊拉克总督的军队歼灭,该地现成为什叶派人的一个朝圣地。库费的穆斯林发誓要向获胜的伍麦叶政府报复。不久他们就得到来自其他一些对现状不满的团体的支持,这些团体包括麦地那的穆斯林贵族家庭,抗议过于世俗化地理解伊斯兰教的虔诚教徒,以及要求与统治阶级的阿拉伯人享有平等地位但被拒绝的非阿拉伯人穆斯林,尤其是在伊拉克地区。随着时间的推移,什叶派成为一个特殊的集许多宗派于其内的集团,这些宗派在承认阿里及其后裔为穆斯林社会合法领袖的观点上是相同的。什叶派人的阿里派应为伊斯兰世界领袖的信念,多少个世纪过去了都未能实现。但是,虽然阿里派从未能执政,阿里本人仍被重新尊为逊尼派伊斯兰教的大英雄,他和穆罕默德之女法蒂玛所生的子孙后裔,皆被尊以"赛义德"和"谢里夫"之衔。什叶派中最大的支派是*十二伊玛目派*(**Ithnā ʿAsharīyah**),该派承认要求继承哈里发职位的12个阿里派(从阿里本人开始算起)的合法性,后者被称为伊玛目。其他较小的什叶派支派包括*伊斯玛仪派*(**Ismāʿīlīte**)和*栽德派*(**Zaydīyah**)。虽然在什叶派人中偶尔也有统治者出现,但一直到16世纪初伊朗萨非王朝宣布什叶派为该帝国唯一合法信仰之前,该派在各地几乎均为伊斯兰教中的少数派。当时萨非王朝的统治范围包括伊朗境内的波斯人、阿塞拜疆境内的土耳其人以及伊拉克本土的许多阿拉伯人。他们绝大多数都属十二伊玛目派,该派因此声势大振。20世纪后期,尤其在伊朗,什叶派人已成为好战的伊斯兰教原教旨主义的主要代言人。

Shijiazhuang 石家庄 又拼 Shih-chia-chuang。中国河北省辖地级市,省会,省政治、经济、文化中心。位于省境西南部,西倚太行山,东、南、北三面为广阔的河北平原。原是获鹿县(今鹿泉市)一小村庄,京汉、石太铁路相继兴建并在此交会后,逐渐发展为大城市。

1925年与休门镇合设石门市政公所，1939年建石门市，1947年改石家庄市。1968年河北省会迁此。辖桥东、桥西、新华、长安、裕华、井陉矿区6区，及平山、井陉、栾城、正定、行唐、灵寿、高邑、赞皇、深泽、无极、元氏、赵县12县，并代管辛集、藁城、晋州、新乐、鹿泉5县级市。面积15 722平方千米，其中市区面积455平方千米。石家庄地处太行山麓滹沱河冲积扇上，地势平坦，土壤肥沃，地下水丰富。年平均气温12.9°C，年均降水量566毫米，无霜期194天，盛产棉花和小麦，是华北产棉区中心。煤、铁资源丰富。1949年以来纺织、机械、化工、煤炭等工业发展迅速，工业总产值居全省首位。纺织工业设备能力和纱、布产量均居全省第一位，是中国棉纺织工业基地之一。化学工业发达，具有基本化学、化肥、医药、塑料等行业，其中医药工业在全国占有重要地位，华北制药厂是综合性医药联合企业，规模居全国之首，抗菌素产量也居全国第一。煤炭工业也占重要地位，井陉煤矿所产优质炼焦煤供应省内外。已建成有炼铁、炼钢、轧钢等设备的中型钢铁联合企业。机械工业中已拥有一批农业机械、煤矿机械、动力机械等重要工厂。交通发达，京广铁路纵贯南北，石太、石德铁路横贯东西，是华北重要铁路枢纽和华北平原公路网的中心，有107、307、308国道和京珠、石太、石黄、石济等高速公路纵横交错。石家庄正定机场开通了北京、上海、广州等20多条国内航线。市内有师范大学、医学院等多所高等院校和60多所科研机构，及白求恩国际和平医院。华北烈士陵园在该市西部，园内有白求恩、柯棣华墓，爱德华纪念碑等。名胜古迹有毗卢寺、莲花山、抱犊宫、白鹿泉等。正定隆兴寺和井陉县的苍岩山也是重要游览地。人口：全市9 180 000(2005)；市区2 120 000(2004)。

石家庄街景
中国大百科全书出版社供图

Shijing 《诗经》 又拼Shih-ching，英语作Classic of Poetry。中国最早的诗歌总集。收录周初(公元前11世纪)至春秋中期(前6世纪)大约500年间的诗歌305篇。诗分“风”、“雅”、“颂”三大类，都可歌唱。“风”采自民间乐曲。“雅”是王畿地区的雅乐。“颂”是祀神祭祖乐曲。诗篇内容广泛。对统治者征战田猎、贵族集团腐朽荒淫到人民的婚姻爱情和劳动生活都有所反映。形式以四言为主，采用赋、比、兴手法。赋是铺陈描写；比是比喻；兴是借一事物引出主题而成篇。这些手法后来为历代诗人继承，成为绵延几千年的传统艺术技巧。历代对《诗》学十分重视。汉代列入儒家经典，称为《诗经》。传《诗》的有鲁、齐、韩、毛四家。今存《毛诗》有郑玄笺、孔颖达疏。南宋朱熹的《诗集传》也是影响很大的注本。清代学者对《诗经》词义考释和诗义阐发更为周密，为今天研究者提供了有价值的资料。

中国明代周臣绘《毛诗图》
中国大百科全书出版社供图

Shijiu Port(China) **石臼港** 参阅 **Rizhao** 日照。

Shijō school 四条画派 又称圆山派。日本的自然主义画派，由圆山政高(即应举)创立于18世纪末，他的弟子们使该画派深为群众所喜爱。其弟子松村月溪，原名吴春，定居于京都四条，该画派也就以此地命名。该派中最有名的画家是松村景文和冈本丰彦。江户时代该画派的作品在京都影响很大。明治时期，四条画派经幸野楳岭得到复兴。

Shikārpur 希卡布尔 巴基斯坦南部信德省北部城市。东距印度河29千米。有公路和铁路与苏库尔(东南方32千米)、雅各布阿巴德、拉尔卡纳相通。历史上为贸易中心。制造业产品有铜器与金属制品、挂毯、棉布、刺绣。1855年设市。其大商场(由于夏季酷热而加顶盖)闻名整个突厥斯坦和南亚。设有信德大学的一个学院。希卡布尔周围为印度河西北的冲积平原，为大米和饲养羊的重要产区，其他农作物有小麦、鹰嘴豆、油菜籽、甘蔗和棉花。居民主要为普什图人。人口：城市88 138(1981)。

Shikoku 四国 日本4个主岛中最小的岛。与本州隔濑户内海，与九州隔丰后水道。面积18 806平方千米，大部为山地。人口集中在沿海城市区。行政上分为爱媛、香川、高知、德岛4县。北部多农业，主要生产稻米、大麦、小麦和柑橘。渔业发达。盐产自蒸发海水。工业产品有石油、有色金属、纺织品、纸浆和纸张。重要城市和工业中心有松山、高松、高知和德岛。人口4 195 106(1990)。

四国岛上的梯田
供图：FPG

Shilka River 石勒喀河 又拼Šilka。俄罗斯东南部赤塔州河流，由鄂嫩河及音果达河汇合而成。向东北流经560千米，与额尔古纳河相汇，形成中苏界河黑龙江。流域面积20.6万平方千米。全程均可通航。

shilling 先令 英国(和英联邦)的硬币，原面值为1/12英镑或12便士。名叫泰斯通的12便士银币，最早于1504年铸造，上有亨利七世的侧面像；此银币在亨利八世时期仍继续使用，到其继位的爱德华六世统治期间更名为先令(该词的直接起源不详)。到1921年这种硬币的含银量已微不足道，英联邦的先令仅有象征性的价值；1947年先令便完全改由铜镍合金铸造。1971年2月15日英国采用1英镑等于100新便士的十进制后，先令逐步从英联邦币制中废除。先令从前也在澳大利亚、新西兰和爱尔兰等国使用。先令现为肯尼亚、索马里、坦桑尼亚、乌干达等国的基本货币单位(等于100分)。

shilling shocker 廉价惊险小说 犯罪或暴力小说，在英国维多利亚后期尤为盛行，原价每本1先令，内容通常耸人听闻，写作手法多为大肆渲染。

Shillong 西隆 印度东北部梅加拉亚邦城市和首府。位于西隆高原，海拔1 520米。1897年被地震摧毁，后重建。为印度东北部最大城市之一，重要的农产品贸易中心。设有几个农业实验站，并有巴斯德研究所和医学研究所及两所医院。附近有巴尔帕尼水电站。人口：城市约130 691；都会区约222 273(1991)。

Shilluk 希卢克人 尼罗河西岸的尼罗民族，其住区在苏丹南部诺湖与北纬12°之间。讲东苏丹语，属尼罗-撒哈拉语系查里-尼罗语支。希卢克人为定居农民，极喜畜牧(牛、绵羊、山羊)。其村社由村庄组成，村庄头人议事会从占统治地位的家族中选出村社头人。希卢克人在历史上曾组成一个部落国家，国王世袭。除王族外，尚有平民、王室侍从及奴隶等阶级。

Shiloh 示罗 迦南城镇，士师时代(公元前12～前11世纪)以色列人的主要圣地。以色列人进占迦南后,将会幕与约柜安放于该地。约公元前1050年非利士人与以色列人战于埃比尼泽,约柜为非利士人缴获,其后不久示罗城被毁。

Shiloh, Battle of 夏洛战役(1862-04-06～07) 又称匹兹堡登陆战役。美国南北战争中在田纳西州西南部进行的第二场大战役,结果北军获胜。1862年2月,U.S.格兰特将军攻下田纳西河畔的亨利堡和坎伯兰河畔的唐奈尔森堡。他的下一目标是进攻孟菲斯一查尔斯顿铁路,因此把部队驻扎在田纳西河上的匹兹堡兰丁。南部邦联军司令A.S.约翰斯顿将军于4月6日率部突然进击。战斗在森林中打响。第一天下午约翰斯顿身受重伤,生命垂危。4月7日,南部邦联军有所增援,联邦军也重整旗鼓,但战斗很快停止。尽管双方均自称获得胜利,但实际上邦联军遭到失败,退往科林斯。因两军死伤各约1万人,其后3周间双方均无动作。

Shimabara 岛原 日本九州长崎县的港口城市。在岛原半岛东岸,西距长崎约65千米。松平氏旧城下町,现存森岳城废墟。该市为岛原暴动的所在地,以此著名。这次暴动为天主教徒起义,结果约3.7万人被屠杀。岛原靠近云仙岳(1 360米),此岳为活火山,最近一次喷发是在1991年。1792年大喷发时创造出风景如画的九十九小岛,也造成约1.5万人丧生。云仙地区主要出产柑橘、烟草和茶叶,并以温泉闻名。人口44 828(1990)。

Shimabara Rebellion 岛原暴动(1637～1638) 日本的天主教徒起义,其失败实质上结束了17世纪日本的基督教运动,并促使政府决心让日本脱离外国影响。起义因岛原半岛和天草群岛地方官吏的横征暴敛引起。由于当地大部分农民信奉天主教,所以暴动很快就具有宗教色彩。起义者在大批浪人支持下,英勇善战,虽然政府派出10万大军,但也未能把他们镇压下去,后来利用荷兰炮舰,才摧毁农民的阵地。这一事件发生后,日本政府坚决取缔基督教的一切活动。

Shimada 岛田 日本本州静冈县城市。在大井川下游。德川时代(1603～1867)为东海道重要驿镇。从20世纪初起即为赤石山区木材贸易中心。有大型造纸厂及木材加工和木工厂。市北丘陵地区产茶叶、柑橘。人口73 809(1990)。

Shimane 岛根 日本本州西南部的县。濒临日本海。面积6 627平方千米,包括隐岐群岛。内地有一系列火山,沿海多温泉。北部由岛根半岛环抱的肉道湖为游览区。由于远离本州中心和自然条件不良,岛根的文化(主要是古代)和工业发展缓慢。但林、牧业发达,稻田遍布全县。首府松江(**Matsue**)设有岛根大学(1949)。出云市附近有最古老的神社出云大社(藏有古代艺术品)。岛根地区在日本神话中颇为著名,传说每年10月神道教的所有神灵都聚集于出云。人口781 005(1990)。

Shimazaki Tōson 岛崎藤村(1872-03-25,日本长野县马込～1943-08-22,神奈川县大矶) 日本诗人和小说家,他的小说阐明了明治维新时期(1868～1912)热衷于自身现代化的日本新旧价值之间的冲突。藤村在东京明治学院学习时受基督教洗礼,但这一宗教无论对他的一生还是对他的思想都没有发生持久的影响。19世纪90年代初,他开始写诗并参加了年轻诗人和作家的浪漫主义运动,后来

东京国际教育情报学社供图

他在长篇小说《春》(1908)里描写过这场寿命短促的运动。《破戒》(1906)则是他的主要小说中的第一部,写一个贱民出身的教师为自我实现而奋斗的故事。被认为是当时在日本流行的自然主义文学流派的代表作,尽管显而易见,它更多地反映了卢梭而不是左拉的影响。《家》(1910～1911)所描述的是日本的现代化带给他自己的家庭的压力。《新生》(1918～1919)描述的是一个作家同他的侄女间的暧昧关系,而叙述的方式把忏悔的原则发挥得过了头,到了使人难堪的地步。《黎明之前》(1935)是他最伟大的作品,也是现代日本文学的杰作之一。这是通过一个村镇反映19世纪60年代争取帝国维新的斗争的故事。以作者本人父亲为原型的悲惨的主人公最后痛苦地死去,因为他深信,纯粹爱国主义的事业已经被维新后的日本轻佻的现代化者出卖了。在他去世时尚未写完的《东方之门》似乎是要向中世纪日本的佛教智慧求助以摆脱当前的困境。

Shimazu FAMILY 岛津氏 日本武士家族。12～19世纪控制九州岛最南部的地区。这一家族从岛津忠久开始,他曾任九州南部的守护。岛津家族利用和朝鲜、琉球群岛的贸易,逐渐兴旺起来。到16世纪,岛津氏已成为日本西南部的主要力量,并控制着大部分九州岛。丰臣秀吉统一日本时,在1587年打败岛津氏,但仍允许他们据有原来的领地。此后岛津氏成为丰臣秀吉的最忠诚盟友之一。1600年岛津氏参加西部大名反对德川家康的斗争。战争结束后,与德川家康言和,仍能保持其难为他人进入的领地。1609年岛津氏征服琉球群岛,迫使琉球群岛向萨摩纳贡。由于琉球群岛继续和中国进行传统的纳贡贸易,萨摩间接得到中国的奢华产品。此后20年虽然德川幕府强行隔绝与外国的一切贸易和交往,但萨摩仍能继续他们与琉球群岛的贸易。在德川时代,萨摩一直是个独立王国。1867年萨摩藩带头进行倒幕运动。日本废藩置县后,萨摩改为鹿儿岛县。明治天皇赐给岛津氏公爵爵位。

Shimazu Hisamitsu KOSHAKU **岛津久光**(1817-11-28,日本旧萨摩藩鹿儿岛～1887-12-06,鹿儿岛) 日本著名藩主,1868年领导本族推翻德川幕府,并帮助建立新的维新帝国政府。1858年继任萨摩藩主时,日本正处于危急存亡之秋。西方国家要求日本取消锁国政策,开放贸易港口。危机振奋了还政天皇的情绪,他乘机要求德川幕府授予天皇及重要藩主更多权力。一桥家族领袖德川庆喜被任命为将军,表明接受了他的建议。1862年9月,他的部属袭击英国人(一死二伤),萨摩藩又拒绝幕府同意的10万镑赔偿,致使英军袭击鹿儿岛。1864年初他与一些大藩主共同参加参政会议,但不久就同德川庆喜发生争吵,使政治的和平解决化为泡影。他在同年3月返回萨摩。1868年萨摩藩士西乡隆盛和大久保利通打着他的旗号,发动推翻幕府的政变。后来,岛津久光也参加组建新政府的工作。但他的职位仅为象征性的,不久便退休。

Shimazu Nariakira 岛津齐彬(1809-11-05,日本江户[今东京]～1858-08-24,旧萨摩藩 鹿儿岛) 日本萨摩藩主,他西方军事技术和装备的采用,有助于该藩在推翻德川幕府和建立新的帝国中央政府中发挥重要作用。1851年继任。他运用从外国学来的知识,采用西式的练兵方法,生产新式武器。在很短的时期内,就建成了船坞和轮船。他成立了法国式的骑兵,开创了海军,还创办了一些民用工业。他大力提拔青年任官,为明治维新培养了不少人才。1853年美国海军准将M. C. 佩里率舰队到达日本要求开埠通商时,他成为德川政府的主要顾问,在确定国家政策上起了重要作用。他主张暂时接受佩里要求,争取时间加强国防力量。可是统治当时日本的将军走得太远,答应了佩里全部开放日本的要求,因而引起人们对岛津齐彬的指责。岛津齐彬还和其他藩主一道,极力主张选举德川庆喜为将军继承人,为此被迫辞去官职。此后,岛津氏和德川氏的磨擦日增,终于在他死后10年之后导致了明治维新。

Shimazu Shigehide 岛津重豪(1745-11,日本旧萨摩藩鹿儿岛～1833-03-22,江户[东京]) 日本萨摩藩主,其坚强领导及对西方学的兴趣,使本藩在19世纪中期后的100年间在日本发挥了重要作用。1755年继任。他对西方国家的事情发生了强烈的兴趣,因而开始学习荷兰语,并保护通晓西学的专家。1774年创办医学校,后又建立研究天文和数学的学校,使萨摩藩成为当时日本在技术方面最先进的地区之一。他把女儿嫁给将军,因而能对幕府施加巨大的影响。但追求权力的花费,使萨摩藩的财政濒临崩溃。他下令进行包括取消对商人的全部债务和加强中央权威在内的改革。这些措施加强了萨摩藩的经济,使它能在1868年的明治维新中起主导作用。

Shimen Reservoir 石门水库 中国台湾省多种用途水库之一,亦为台湾光复后所建首

座大型水库。位于桃园县中南部龙潭乡大嵙崁溪的中游。因该溪出口处有石门与溪州两山峰对峙而形成峡谷，状如石门，石坝主体即筑于该处，故名。坝高约135米，长约360

龙潭石门水库
台湾中华书局供图

米，截阻大汉溪中上游的丰沛水源，构成长达16千米，蓄水面积约8平方千米，横跨龙潭、大溪及复兴三乡镇的狭长人工湖。1955年始建，1973年竣工，包括拦水坝、溢洪道、发电厂及石门大圳等主要工程，并连带筑成环湖公路。其后沿水库周围地区由民间陆续兴建亚洲乐园、阿姆坪乐园、金岛乐园（童话世界）及芝麻城等游憩设施，遂成为闻名遐迩的石门水库环湖风景区。该水库北部不远处有慈湖，为蒋介石生前所命名。1975年蒋氏逝世后，其灵柩即厝于湖畔。

Shimizu　清水　日本本州静冈县城市。位于骏河湾西北岸。德川时代（1603～1867）为东海道驿镇。该市商业港口也是主要工业区和日本最大深海渔业中心之一。生产罐头、摩托车、船舶、乐器和合成纺织品，有炼油和炼铝业。周围农业区域种植柑橘、茶叶、黄瓜和草莓。名胜古迹有三保松林、龙华寺（内有千年棕叶、苏铁）等。人口241 524（1990）。

Shimjon（Korean painter）　**心田**　参阅 **An Chung-sik** 安中植。

shimmy　希米舞　爵士舞的一种。至少早在1900年即流行于美国黑人中。主要动作是抖动双肩或全身颤动。1919和1922年在百老汇音乐喜剧中出现后，在美国舞厅广为流行，但形式稍趋文雅。加勒比海地区和西非有极相似的舞蹈，例如特立尼达的“班达舞”。

Shimodate　下馆　日本本州茨城县城市。德川时代（1603～1867）为棉纺织业中心。现为商业、运输中心。生产电器。有铁路与水户（东）及宇都宫（西北）连接。人口66 030（1990）。

Shimoga　希莫加　印度南部卡纳塔克邦西部城镇。傍栋格珀德拉河上游栋格河。为公路和铁路交会点，也是槟榔、稻米、咖啡和胡椒的集中输出地。工业有碾米、榨油和轧棉等部门。家庭工业有土布织造业。设有迈索尔大学的几个学院。人口151 783（1981）。

Shimomura Kanzan　下村观山（1873-04-10，日本和歌山～1930-05-10，东京）　原名下村晴三郎。日本画家，对促进日本传统绘画的现代化有贡献。1881年前往东京学画，是狩野芳崖和桥本雅邦的学生，1889年成立的东京美术学校首届学生。以精通传统日本画与中国画和擅长着色而闻名。代表作有《大原御幸》（1908）和《弱法师》（1915）。

Shimonoseki　下关　日本本州山口县最大城市。地处本州岛与九州岛之间，扼下关海峡。1905年与北九州通火车轮渡后，向现代城市发展。1940年其港口与门司港及小仓港合并为关门港。1942年与北九州之间修

下关市的赤间神宫
供图：Photos Pack—美国不列颠百科全书公司

通海底铁路隧道后，成为重工业中心。1958年修通海底汽车、人行隧道。1970年与南朝鲜釜山港之间开辟国际轮渡。70年代连接东京和大阪的新干线铁路延长至下关，并穿过海底隧道通往北九州。名胜有下关水族馆（日本最大水族馆）和赤间神宫等。人口约261 388（1991）。

Shimonoseki，Treaty of　《马关条约》（1895-04-17）　参阅 **Sino-Japanese War** 中日甲午战争。

Shimshelevich，Isaac　希姆谢列维奇　参阅 **Ben-Zvi，Itzhak** 本-兹维。

Shin　真宗　全名净土真宗（Jōdo Shinshū）。日本净土宗中最大的支派。参阅 **Pure Land Buddhism**。

shin（anatomy）　参阅 **tibia** 胫骨。

Shinano River　信浓川　日本最长河流。流经长野、新潟两县大部地区。源出本州日本阿尔卑斯山甲武信岳山麓。向东北偏北流，至新潟市注入日本海，全长367千米。上游多支流，包括犀川与鱼野川，二者均流经小而丰饶、人口稠密的山间盆地。下游流经新潟平原形成三角洲和沼泽。由于下游河道春季解冻泛滥，1923年修建溢洪道。信浓川长期以来为内陆航道，河口的新潟为其众多港口之一。

Shinbutsu shūgō　神佛习合　指佛教与日本固有宗教神道教的融合。公元6世纪中佛教传入日本，不久就出现了两教融合的先例，两教融合的过程至今仍主宰着日本民族的宗教生活。目前日本人家中往往既有“神棚”，又有“佛坛”，婚礼从神道教，丧礼从佛教。两教共存始于奈良时代（710～784）。741年奈良东大寺塑造大佛像，事先向伊势神宫所供奉的天照大神祷祝，并在该寺内建九州宇佐八幡神宫的分宫以取得八幡神的保佑。从那时起，在佛寺内建神社，神社附近建佛堂和浮图，以及神社内诵佛经就成了惯例。神道教的各位神祇都在佛教教义中找到了相应的同一体，其理论基础是平安时代（9～12世纪）的本地垂迹论。这种学说认为，天竺本地之佛为了普救日本众生而化身为日本之神。神道教和佛教各派（间或兼及道教）的混合过程持续几个世纪。神道教祀官一度受僧人支配，镰仓时代（1192～1333）宗教兴旺，神道教力图摆脱佛教控制；伊势神道（**Ise Shintō**）提出，神道教的神祇并不是佛陀化身，佛陀和菩萨却都是神道教神祇的体现。明治政府于明治元年（1868）发布敕令，规定凡在神社供职的佛僧必须改宗神道教而任祀官，否则还俗；没收佛寺田产，皇室废止佛事；宣布神道教为国教，后来又重新解释，谓神道是超宗教的民族信仰（参阅 **State Shintō**）。

shinden-zukuri　寝殿造　日本平安时代（794～1185）封建贵族邸宅的建筑式样。正中是寝殿（主殿），用走廊与附属建筑相连。平安时代宫廷贵族们在皇宫周围受封的小块长方形土地上，像皇宫一样按照中国方式建起住宅，而后发展成这种建筑风格。这种建筑群以寝殿为中心，坐北朝南，殿前为开旷的庭院。东西的对屋（厢房），用宽阔的走廊与主殿相连。另有狭窄的走廊，自厢房向南延伸，两端有钓殿（小亭），在庭院周围，形成U字形。豪富的贵族在寝殿和对屋之后，另建有附属建筑。寝宫（寝殿的主要房间）周围有带顶的辅助游廊。寝宫与外界之间没有隔墙，常用轻便的矮屏遮挡。地面铺设草席，席地而坐。从寝宫穿过庭院有花园，南边以池塘为界；假山、树木和山石交相辉映，俨如佛门西天乐土。东侧为正门，周围是警官和卫士的住地。随着时代变迁，上述宅邸建筑群的规模逐渐缩小，走廊也逐步变短和消失，分散的附属小屋就同中间的正房连接在一起。居室之间的分隔不再依靠距离，而是利用推拉滑动的隔板。

shiner　闪光鱼　北美多种小型淡水鱼米诺鱼（**minnow**）的通称。

Shingaku　心学　日本石田梅岩（1685～1744）创始的宗教和伦理运动。特别敬奉神道太阳女神天照大神和神道的守护神“氏神”，但在其普遍流行的伦理学中也应用佛教禅宗和新儒学的教导。道德训练在于培育心

灵最初的纯洁性。认为人类的天性与自然的道德法则是一致的,而且十分尊重现存的各种社会传统。至德川幕府(1603 ～ 1867)政权结束,心学一直在日本全国盛行。

Shingei 真艺(?～1485,日本) 又称艺阿弥。日本美术家。出身艺术家庭,承袭其父真能继任足利幕府美术馆长。在美术上承袭日本水墨画祖师天章周文(15 世纪初叶至中叶),其名作《瀑布》(1480)藏东京根津艺术博物馆。

shingle 屋面板 又称大瓦、木瓦。片状建筑材料,通常一边厚一边薄,多用作住宅的屋面材料,有时也作外墙材料。可用木材、沥青或石板等不同材料制作。铺设时逐层搭接,重叠的程度依屋面坡度或墙面的美观需要而定。用木材时有各种制作方法,如古老的手工劈裂,以及沿两直径成 90°锯开或平锯。湿材锯开后,在窑中烘干。如用四开木板,一边较厚,则可免翘曲。在美国常用柏木、红杉或西部红杉。有时全用心材或心材与边材混用。表面或光平或留有粗糙的劈痕。须用抗风化的涂料或油漆加以处理以免晒成灰色。美国 19 世纪 70、80 年代流行一种"木板式"住宅,最典型的例子是 H.H.理查森设计的罗得岛纽波特的谢尔曼住宅(1874 ～ 1875)和马萨诸塞州剑桥的斯托顿住宅(1882 ～ 1883)。

Shingle style 木板式 美国独有的一种建筑风格,流行于 1879 ～ 1890 年,整个建筑包括屋面和墙面均用木板覆盖。在历史风格的复兴在建筑设计中占优势的时期里,木板式摆脱了学术上的折衷主义,从而在思想上有助于 20 世纪初功能主义的发展。木板式系由早期的木构式和安妮女王式发展而来,其兴起与当时对 17 世纪美国殖民时代建筑重新发生的兴趣有关。木板式建筑均用于私人住宅或旅馆,因为大型的工商业建筑不可能全部用木料建成。木板式房屋的特点为平面布局,流畅开朗,内外空间相互穿插,敞廊以及不规则的屋顶轮廓线产生如画的或乡村的情趣。建筑物不规则的立面则显示出一种开

H.H.理查森设计的木板式建筑物——马萨诸塞州剑桥市的斯托顿宅邸

供图:Wayne Andrews

敞的感觉。木板式风格的主要理论家为 J.C.史蒂文斯(1855 ～ 1940),他是《美国居住建筑实例》(1889)一书的作者。采用木板式建筑风格的著名建筑师包括 W.R.埃默森、H.H.理查森以及 B.普赖斯,普赖斯所设计的木板式房屋曾对 F.L.赖特的早期作品产生影响。

shingles(disease) 参阅 **herpes zoster** 带状疱疹。

Shingon 真言宗 英语作 True Word。佛教密宗派别,自 9 世纪由中国传入日本后颇有势力。该宗主张修成佛陀的永恒智慧,而这种智慧不可言传,不见于佛陀教诲;人可以用身、口、意的特殊形式如手印、咒语和观想而取得这种智慧。本宗以《大日经》为正典,该经现仅存汉文译本。据该经说,宇宙是大日如来的身躯,分为"金刚界"和"胎藏界"两个方面。真言宗初由印度僧人善无畏、金刚智和不空金刚传入中国,在长安宫廷中盛行一时。唐亡(907)以后,就不再流传。日本僧人空海(弘法大师)在中国研习此宗教义,回国后于 819 年在京都以南的高野山建金刚峰寺。真言宗对神道教采取和解态度,并提出理论,赞成融合神、佛两教而成的"两部神道"。

Shingon Shintō 真言神道 参阅 **Ryōbu Shintō** 两部神道。

shining leaf chafer 丽金龟 鞘翅目金龟科丽金龟亚科(Rutelinae)昆虫,包括一些色彩最鲜艳及为害最烈的甲虫。多数种类的体被内含色素,故呈虹彩样金属光泽。大多为

普通葡萄灰斑丽金龟(*Pelidnota punctata*)

供图:Stephen Collins

热带、亚热带种。北美艳丽的金匠花金龟(蹦丽金龟,*Cotalpa lanigera*)宽卵圆形,长约 20 ～ 26 毫米,头和胸金黄色,体下面铜色。普通葡萄灰斑丽金龟(斑金龟,*Pelidnota punctata*)是遍布北美的常见种;呈鲜艳的橙褐色,每个鞘翅上有 3 个黑点;幼虫以葡萄藤的根为食,成虫吃叶,都能造成大害。日本丽金龟(**Japanese beetle**,*Popillia japonica*)已成为北美洲的大害虫。

Shining Path 光辉道路派 西班牙语作 Sendero Luminoso。秘鲁共产党的别称。秘鲁革命组织,从事游击战和暴力恐怖行动。1970 年当 20 世纪 20 年代建立的秘鲁共产党发生分裂时成立,名称来自秘鲁早期革命家 J.C.马里亚特吉的一句名言:"马克思列宁主义将为革命开辟光辉的道路。"主要创建人为古兹曼,化名冈萨洛同志(1934 年生)。该党以斯大林时期的俄国、中国"文化大革命"和柬埔寨红色高棉为榜样,认为革命就是实行持久的军事进攻,主要依靠农民,无情地使用恐怖和暴力手段。他们从交通不便的安第斯山区开始革命活动,控制了秘鲁中南部贫困的农村和城市地区。古兹曼于 1992 年 9 月 12 日在利马被捕,被判处终身监禁。

Shinkansen 新干线 原由日本国营铁路公司建筑和经营的高速铁路线,连接本州岛的东京市和九州岛的福冈市。1987 年该公司解体,改组为私营企业。该线的头一段路线在东京、大阪间,长 515 千米,称为新东海道铁路,于 1964 年通车。它采用了许多新技术,如预应力混凝土轨枕,每节长达 1 609 米的焊接轨道等。1972 年完成从大阪到冈山的 160 千米延长线,该线在冈山和福冈的博多车站间的最后一段 393 千米路线,于 1975 年通车;从东京向北通往新潟(270 千米)和盛冈(465 千米)的线路于 1982 年建成。冈山—博多延长线 50% 以上的轨道穿过隧道,包括从下关到九州的海底隧道。新干线上每天开行约 250 趟列车,早晚高峰时刻每隔 7.5分钟开一次。"闪电"号特快列车能在 7 小时内行驶东京到博多的 1 068 千米旅程,它是电力多机牵引的列车,挂有 16 节车厢,可供 1 000 余人乘坐,电源取自高架电线系统,最大时速在原东京—大阪路段上为 210 千米,在新路段上则高达 260 千米。如此高速的列车就必须有完善的安全装置,例如每辆车装设的制动器,都有经过特别设计能在紧急制动下不会变形的金属闸衬和铸铁圆盘闸;而且,列车的全部活动均受设在东京的中央电子计算机的监控。

shinny(game) 参阅 **shinty** 简化曲棍球。

Shino ware 志野陶器 在美浓藩(今属岐阜县)制造的日本釉陶,或许是安土桃山时代(1574 ～ 1600)最典型的陶器种类。"志野"这一名称可能来自志野宗信,他是茶和香的大师,在室町时代末大永年间(1521 ～ 1527)享有盛名。也可能"志野"(Shino)是日文"白(shiro)"的讹误。志野陶器通常施以厚厚一层白色长石釉。釉层下有时略带玫瑰色。在某些陶器上,白釉下用铁质釉画有植物和其他自然物的图案。志野陶器产于土岐西北部

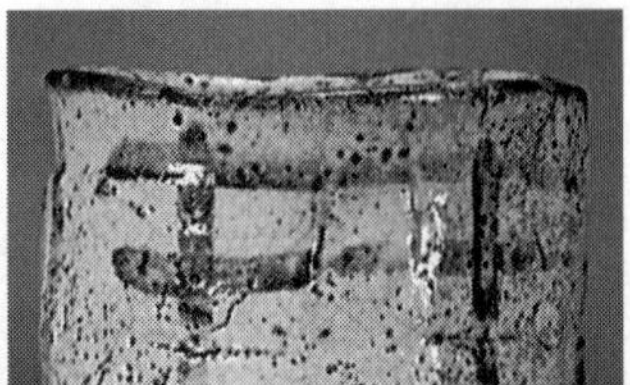

16 世纪下半叶的志野陶茶碗

供图:Mitsui Collection

的冈谷、小名田、五斗莳和久尻等处;遍布于日本南部的很多窑也制造这种陶器。每个窑都有不同的风格,但其陶器都是用细腻的白陶土制成的,施以很厚的长石釉。除白色以

外，还有红色、玫瑰色、混合色和灰色的志野陶器。后者是先在坯上涂上一层铁质泥釉，在泥釉上刻画出图案，另加一层长石釉后在还原焰中烧成，使铁质泥釉呈现出微红的灰色色调。

Shinran　亲鸾(1173，京都附近～1263-01-09，京都)　原名松若丸，又名范宴、绰空、善信，自号愚秃亲鸾，谥号见真大师。日本重要的哲学家和宗教改革家。早年即成孤儿，9

东京国际教育情报学社供图

岁出家，入天台宗，在比睿山研究佛学20年。坚持要不分贫富贵贱普渡众生，并为此目的而创立净土真宗(1224)。他的信条是，只要口念"南无阿弥陀佛"，阿弥陀佛就会和所有受苦受难的人完全相通，众生就会因此而得救。在天台宗时曾为探求解脱之道而经历长期的内心斗争。后来，到京都的六角堂，遇到净土宗的创始人法然。在29岁那年不再实行禁欲。33岁时得到法然的许可，抄录法然的主要著作《选择本愿念佛集》。这部书对他起了很大的启发作用。1207年，日本政府下令禁止法然的念佛运动，亲鸾被流放到越后国。他到那里后不久，破戒与惠信尼结为夫妻。1212～1235(或1236)年移居关东，从事传教和著述，编辑巨著《教行信证》。在这部书中，他在"行"和"证"之间插入"信仰"，这是他对佛教哲学的一个独创性贡献。他的传教活动也获得很大成功。20年后回到京都，编辑了一些通俗的推论性著作，以便普通群众易于理解他的学说。他关于一切信徒都可以当精神上的和尚的学说蕴含平民性。他的宗教——净土真宗现已成为日本最大的佛教教派。

shinsen　神馔　日本神道教奉神食品。一般包括米饭、米酒、米糕、鱼、禽、肉、海带、蔬菜、水果等。祭日神馔要用首批采摘的水果和收割的第一束稻谷制做。神馔奉神之后供祀官和信徒宴会食用。

Shinshō(Japanese potter)　**深省**　参阅**Ogata Kenzan** 尾形乾山。

shinshoku　神职　指日本神道教的神职人员。他们的主要任务是主持神社的拜神仪礼，不讲经说教。最高神职为"宫司"。大神社宫司之下设"权宫司"、"祢宜"和"权祢宜"等职。伊势神宫的最高神职为"祭主"(女)，级别在大宫司之上。过去这个职位由未婚公主充任。神职人员必须出身于在神社本厅立案的东京国学院大学等学校，否则必须经过考试。宫司一度为世袭职。神道教神职人员可以结婚，可以有家庭。妇女也可以充任神职，寡妇可以继承亡夫的神职。神职人员靠信徒捐献维持生活。现代日本神道教神职又称"神主"。

Shinsō(Japanese artist)　**真相**　参阅**Sōami** 相阿弥。

shintai　神体　日本神道教名词，指神的表现形式、神的象征或神所寄寓的圣物，又称"御灵代"。神体可以是天然物，如石、山或泉；也可以是专门为神制作的物品，如剑、梳或镜。在伊势神宫，天照大神(太阳女神)的神体是镜、玉、剑，是日本的国宝。在佛教的影响下，神社间或也有供奉神像的(参阅**shinzō**)。

shinten　神典　日本神道教经典的总称。没有任何一部经籍由神道教各派公认为权威，但是，有些书却被认为古代信仰和礼仪的珍贵记录，这些书统称神典；其中有《古事记》、《日本书纪》(又称《日本纪》)、《古语拾遗》和《延喜式》(延喜时代的法令章则)。有些注释家扩大神典的范围，包括《万叶集》(日本最古老的诗集，编纂于公元8世纪)、《风土记》(8世纪撰)和《大宝律令》(日本最古老的法典，702年颁行)。神典的内容有关于世界起源的神话和史实，诸神、陆地和宇宙万物的出现，日本的建国，神与政府之间的正当关系，拜神礼仪，风俗习惯等。

Shintō　神道教　日本固有的宗教，区别于6世纪传入日本的佛教。该教大略分为神社神道、教派神道和民俗神道三大派。神社神道自日本有史以来存在至今，为神道教的主流派，原来奉行政教一致原则而与天皇家族紧密相关的国家神道(现已废除)即属于神社神道。教派神道由19世纪兴起的13个教派为主要成分；每一教派自立门户，推奉自己的创始人。民俗神道是与其他两派密切相关的民间信仰，无教团组织，无系统教义，主要是奉祀路边神像和举行农事祀礼。神道教以712年成书的《古事记》与722年成书的《日本书纪》为经典。与日本神话相似的故事可在东南亚发现，从日本神话的叙事方式中也可以见到中国的影响。神话的中心是有关天照大神以及她的后裔各代天皇统一日本的传说。据说伊弉诺尊和伊弉冉尊男女两神生日本列岛和诸神(即各氏族祖先)。其中最主要的有高天原之主天照大神(即太阳女神)、月夜见尊以及下界之主素戋呜尊。据说天照大神的后裔神武天皇是日本第一代天皇。天照大神以三种神器(八尺镜、天丛云剑和八坂琼曲玉)赐予其孙，这三种神器至今犹为皇权标记。奉祀天照大神的伊势神宫是神道教最神圣的处所。

神道教教义的中心是神的"产灵"(即生成天地万物之灵)和神的"真"。神的本性非人所能认识，但是信徒可以凭着信心了解并分辨神。神社的"氏子"认为他们所供奉的神是人生和万物的本源。每一尊神自有位格，虔信者有求必应。神并将真昭示于人，指引人按真行事为人。神道教提倡以真为基本人生态度。神道教并非不重视忠、孝、仁、信等美德，但以真为产生这些美德的根源。神道教认为人为神子，因此，人性神圣，人的人格和生活应受尊重。人如果尊重自己的权利，就必须尊重他人的基本权利，不分种族、民族及其他畛域。神道教号称承续宗教，认为人是不同社会集团中的负责的成员，有承先启后的天职。神道教没有每周礼拜，信徒可以随时参拜神社，也可以在每月一日和十五日或祭日参拜神社，虔诚信徒每晨拜神。新生儿出生后30～100天内首次参拜保护神，3岁、5岁和7岁的儿童于11月15日七五三节参拜神社，谢保佑之恩，祈祝健康成长。元月十五日是成人节。日本人婚礼多从神道教习

日本日光市5月17～18日的神道教节日游行

日本国家旅游局供图

日本出云市供奉大国主神的大神社
供图：Izumo-taisha

俗，新人向神发誓。但神道丧礼并不普遍。日本人多信神、佛两教，葬礼仪式多从佛教。传统日本住宅兼有神道神龛和佛教祀位，前者奉保护神和天照大神，后者奉祖先。

神道教主要节日有春祭（又称祈年祭）、秋祭（又称新尝祭）、例祭（即年祭）以及神幸式。神幸式一般在年祭举行，届时信徒肩抬神舆游行。

神社入口处有牌坊名鸟居，沿正道而进，到达净盆，参拜者到此洗手漱口。拜殿正殿称本殿，供奉神体（又称御灵代）即神的象征物，通常是神镜、木偶、丛云剑或其他物件，均经精心包裹，置入容器，禁止启视。该殿最深处只有大祀官可达。

在第二次世界大战结束前，神道教与政治紧密结合。政府和皇室每年对神有供奉。战后，盟军总司令命令日本政府废除国家神道，政府不再资助神道教，政府官员一律不得与神道或神社有政治联系。天皇举行的祭礼为皇室的私人宗教活动。这些规定已写入1947年的日本新宪法。

Shintōhō Motion Picture Company　新东宝影片公司　日本主要影片公司之一，以生产吸引广大观众的战争片和动作片著称。该公司建于1947年，资金来源最初是由东宝影片公司提供。在影片《365夜》取得巨额票房收入之后，新东宝开始创建自己的发行网络并逐渐脱离东宝公司。1951年，由于缺乏相应的发行渠道和与东宝公司竞争而发生的资金困难，迫使该公司关闭了一个月。1955年，小型联线影院的老板大藏贡出任公司经理。他把全部力量押在战争史诗片《明治天皇与日俄大战》上。该片的巨大成功挽救了新东宝，此后不断推出吸引极端保守主义观众的战争片和针对城市观众的色情片与暴力片。

shinty　简化曲棍球　又作shinny或shinney，盖尔语作camanachd。用曲棍和硬质小球进行的户外球类运动，两队争取将球击入对方球门。其前身可能是17世纪流行于苏格兰高地部族之间而今日在苏格兰仍有所见的一种不拘形式的游戏。现代简化曲棍球场长146米，宽73米；两端各设一球门，高3米、宽3.7米，上有横木。曲棍的击球端呈曲形，

简化曲棍球比赛
供图：Aberdeen Journals Ltd.

可通过直径6.3厘米的小环，全棍略短于普通曲棍球棍。球周长为17.7～20.32厘米，重70～85克。在球尚未进入对方球门前9.1米的半圆区以前，攻方队员不得进入。每队12人。类似运动在世界其他地区也已展开，但不十分正规，有时选手还穿冰鞋在冰上比赛。

shinzō　神像　指日本神道教的神像。神道教原没有供奉神像的传统，但在佛教的影响下，平安时代（794～1185）出现拟人神像，著名的是成于9世纪末叶的京都松尾神社木雕

东京国际教育情报学社供图

神像。镰仓时代（1192～1333）两部神道（Ryōbu Shintō）兴起，神像有所增加。

Shiogama　盐釜　日本本州宫城县城市。面对松岛湾。素以产盐闻名。德川时代（1603～1867）为以寺庙为中心的城镇。1887年通铁路后，当地港口成为主要渔业中心。工

盐釜市的“海节”活动
供图：Orion Press—FPG/美国不列颠百科全书公司

业以造船和水产加工为主。松岛湾为旅游地。每年7月以市内盐釜神社为中心举行“海节”活动。人口61 825（1985）。

ship　船舶　任何能够驶过开阔水域的大型浮动体。与此相反，艇则一般是指较小的船。这个词原先是用来指具有3根以上船桅的帆船；在现代，它一般是指排水量大于500吨的船。潜水的船只则不论大小，通称为艇。

关于船舶最早的知识始于公元前6000年的埃及岩画。这些岩画所描画的新月形苇杆船没有龙骨，用一根从头捆到尾的缆索来保持其形状。它们最初是划桨行驶的，后来加了横帆，在船尾来风时可以靠帆行驶。

大约至公元前2000年，克里特岛上的米诺斯人建造了具有圆木龙骨的船，两舷有加强肋和侧板在船头和船尾处相连。龙骨在船的两舷接头处向前上方弯曲，形成双面或叉形船头。米诺斯人和继之而起的腓尼基人开始对战船和商船加以区分。狭长的桨帆船成了他们的战船。至希腊和罗马时代，划动桨帆船的有多达3层的桨手。为了减少桨手们所占的空间，商船的设计者越来越依赖于张

帆驶船。罗马式船上的帆能够借与船尾正后方偏离45°的风行驶,使得船更易于操纵。在中世纪期间,地中海的船上采用了光滑的侧板,从而使表面摩擦力大为降低。这就为建造一种称为内夫船(nef)的大得多的商船创造了条件;内夫船装有斜挂大三角帆,帆呈三角形,按纵帆方式张挂,它可以迎风驶船。

在内夫船发展的同时,北欧海盗也在改进他们双头的作战桨帆船。为了应付狂暴的北部海域,这种船被设计得船头和船尾高耸,具有建造得结实而又灵活的叠接式结构的船身和一面加固的大横帆。13世纪的考格船(cog)是这种船的一种经过改进的商用变型,其水手曾冒险进入地中海,与装备斜挂大三角帆的内夫船进行联系。

在过后的几年内,上述两类船的特性在大型横帆船的先驱卡拉克船(carrack)中得到了融合。成套的较小而更为有效的帆被研制出来,从而开创了合并使用横帆和斜挂大三角帆的全帆装古典船舶的时代。商船和战船都开始使用相同的基本船身设计。截至15世纪末,船舶已经能够航行到世界任何地方。在19世纪中叶,帆船以豪华而迅捷的快帆船而达于巅峰,但到19世纪末,蒸汽动力几乎已完全取代了帆的地位。

现代船舶的历史始于1801年,当时英国工程师W.赛明顿建造了一艘实用的蒸汽机船,用来在苏格兰的福斯-克莱德运河上拖运驳船。6年之后,美国发明家R.富尔顿成功地表演了他的蒸汽机船;他从纽约市驶往哈得孙河上的奥尔巴尼,一趟行程只用了帆船所需时间的1/4。其后不久他就开创了世界上第一家定期蒸汽机船服务公司。

以蒸汽推动的船只要想能与帆船互争短长,还需要若干年的技术进步。但是到1850年,蒸汽机船在速度上已堪与帆船竞争,而且越洋航行也已成为常事。早期的蒸汽机船是用低压蒸汽机驱动的,要提高功率只能靠建造更大的蒸汽机。截至1870年,蒸汽机尺寸已达到极限。人们作了各种努力来提高蒸汽压力:制造了效率更高的锅炉和能把同一股蒸汽利用两次甚至三次的蒸汽机。这种所谓二次膨胀或三次膨胀的蒸汽机能把蒸汽送给一级比一级大的汽缸。在20世纪的开头几年,其功率已超过2万马力。同时,螺旋桨也得到完善并代替了明轮,后者易于损坏,并且在船只左右翻滚时往往离水而出。

1884年,英国工程师C.帕森斯演示了第一台成功的汽轮机,这是船舶推动的一次重大革命。与往复式的蒸汽机相比,汽轮机的效率要高得多,制造也容易得多。然而它们旋转过快,使得螺旋桨不能以有效的速度转动。1910年前后出现的减速齿轮传动装置使这一难题得到解决。利用这种效率高而重量较轻的汽轮机,在20世纪前几十年建造出了高速的大型船舶。推进系统的其他重要进步包括比汽轮机效率更高的船用柴油机和核动力汽轮机,后者用于潜水艇时可使潜水艇能长时间在水下潜伏。

贯穿整个帆船时代,木材始终是主要的造船材料。木肋条装在木龙骨上,侧板又钉在肋条上。至18世纪,开始用金属蒙皮(后来用铁蒙皮)以保护木质船身。第一艘全铁制的船建造于1818年,其船身是用铁板彼此铆接,由铁肋条支撑起来的。1880年,钢开始取代铁。截至1950年前后,建造全焊接的船已切实可行。

始于19世纪中叶的更大、更快和更安全的船舶的建造,导致了大规模的具有高度竞争性的客运业的兴起,特别是横渡北大西洋的客运。大型远洋定期航船的时代约始于1900年,持续到第二次世界大战爆发。虽然战后恢复了客运而且在20世纪50年代还十分兴旺,但是在20世纪60年代出现的可靠的远程喷气式飞机却使乘船旅行迅速衰退。

但是,战后国际贸易的发展又为货运交通带来一片繁荣。用于谷物和石油等散装货物的特殊运载船最早出现于19世纪晚期。第二次世界大战之后,散装货船特别是油轮的尺寸变得十分庞大。至20世纪70年代中期已造出总载重量为50万吨的油轮。还研制了一些专用船,用以运输装在标准化容器中的一般货物,这些标准化容器易装易卸,易于运进、运出码头。其他类型的现代专业船包括车装车卸船(roll-on-roll-off[ro-ro]ship),它可以利用在船与码头之间的坡道,由卡车装卸货物,还有载驳母船(LASH或lighter-aboard-ship),它可以在专门设计的船舱中装载许多驳船。

ship money　造船费　英格兰历史上未经议会通过的一项税收。最初在中世纪,国王曾向沿海城市和郡征收此税,供战时海防的需要,但规定其用途为装备一定数目的战舰,或支付这些舰艇所需的等值的钱。查理一世竟把它当作普通税来征收,因此引起人民的普遍反对,直至发展为国内战争。1629年查理一世悍然解散议会,实行11年个人统治。在此期间,他失去议会提供的收入来源,不得不以征收造船费作为紧急财政措施。1634年10月下令开始征收6年的造船费;翌年增加税额,并把征收范围扩大到内陆城镇;1636年再度下令征收;这表明查理决心把它当作永久性的赋税。著名的议员汉普登拒绝交纳税款。1637年由税务法庭审讯汉普登达6个月之久。当法官表决时,国王以7:5票胜诉。但是,不公正的判决激起更多的人拒缴造船费。1638和1639年的两次征收远远没有达到预期目标。1641年长期议会通过法令,宣布造船费为非法。

ship of the line　一线大型战舰　一种扬帆的战舰。从17世纪中叶到19世纪中叶,它是西方世界大型海军中的支柱,19世纪中叶为以蒸汽为动力的战舰所取代。帆船时代的大型战舰是从西班牙大帆船演变而来的,西班牙大帆船是一种三桅或四桅的船只,船尾装有一个很高的船舶上层结构,通常在两层甲板的边沿装有重炮。当这种战舰组成的舰队参加战斗时,采用的队形称作战列,在此队形中,两个船只纵队遥遥相对,舷炮齐发(装在船只一侧的所有大炮同时开炮),轰击对方。使用这种队形的战斗称作战列战斗。在这种战斗中,装有体积最大、威力最强的大炮的最重的船只往往战胜。因而很自然地向大型"战列舰",或大型战舰的舰队方向发展。在17世纪中,帆船时代的大型战舰已经定型,装有3个桅杆,船尾部笨重的船舶上层结构已去掉。这种战舰长度通常为60米,排水量1 200～2 000吨,船员600～800人。帆船时代的大型战舰的军械装在三层甲板的边沿上;底层甲板的炮台有30门大炮,发射的炮弹重32至48磅;中层甲板的炮台装有同样数目的大炮,发射的炮弹重24磅左右;高层甲板装有30门或30门以上的发射12磅重炮弹的大炮。大英帝国的皇家海军将它的帆船依其装有的大炮的数目而定级,共分3级:装有60门大炮、70至100门大炮和110门大炮的船只,后者为大型战舰。最有名的大型战舰是皇家海军舰艇"胜利"号,这是一只装有100门大炮的一级舰只,在1805年的特拉法尔加战役中是纳尔逊海军上将的旗舰(参阅**Victory**)。英国人在17世纪后期发展了典型的纵阵队形的战斗队形战术,此后大多数海军将这种队形作为标准队形。在这种战术中,舰队中每只船都紧跟前面的船。船只一只接一只排成队形,规律的间隔为100码左右或100码以上,队形长度可长达19千米。这种队形可以最大限度地利用舷侧的新火力,完全抛弃了单层甲板木帆船战争的战术,在这种战术中个别船只以相撞、强行登船等方法单独作战。舰队由于在整个战斗中排成一条直线,尽管烟雾弥漫,但在海军将领的指挥下仍能作为一支部队采取行动。一旦打了败仗,可以在最小限度风险的情况下脱身。

Ship Rock　希普罗克　美国新墨西哥州西北角一呈放射状岩脉的火山颈。高出四周地区420米,为纳瓦霍人传说之源。在古火山口内凝固,经侵蚀形成。

美国新墨西哥州的希普罗克
供图:Josef Muench

Shipibo　希皮博人　又作Xipibo,操帕诺语的印第安民族集团,原住在秘鲁安第斯山东坡,地当亚马孙河河源附近的乌卡亚利河上游。在前西班牙时期,希皮博人微受印加帝国影响。16世纪中叶西班牙传教士、士兵及探险家接踵而至,遭到希皮博人的坚决抵制及抵抗。17世纪中及18世纪初,西班牙传教士对希皮博人施加了巨大影响。在20世纪,希皮博人只有10 000人左右,居住在偏僻的秘鲁山村。

Shipka Pass 希普卡山口 保加利亚巴尔干山脉的山口。位于从多瑙河畔的鲁塞、经旧扎戈拉到达土耳其埃迪尔内的主要通道上，为战略要地，1877～1878年俄土战争中两军激战的战场。

Shipley, Jennifer 希普利（1952-02-04，新西兰戈尔～ ） 婚前名Jennifer Mary Robson，别名Jenny Shipley。新西兰政治人物，为新西兰第一位女总理（1997～1999）。1972年从克赖斯特彻奇师范学院毕业后，与农场主B.希普利结婚，开始在一所小学教书。她在社区里十分活跃，1975年加入国民党。担任过国民党的许多职务，并于1987年当选议员。1990年10月国民党领袖J.博尔格成为总理，同年晚些时候任命希普利为社会福利部长（1990～1993）和妇女事务部长（1990～1996）。她因顺利削减福利救济金而招致批评，但不断增长的反政府情绪没能阻止国民党赢得1993年选举。那一年希普利被任命为卫生部长；在任期期间进行了多项改革，包括要求医院和诊所盈利以及降低该国流产率。在1996年选举（该国第一次按照混合成员比例代表制进行的选举）中，国民党未能赢得多数席位，被迫与新西兰第一党组建联合政府。1997年不得人心的政策和滥用职权导致社会对博尔格政府日益不满，希普利发起了一场赶他下台的运动。博尔格不愿面对信任投票，1997年11月辞去总理和党领袖职务。希普利作为新党首于12月8日宣誓就任该国第一位女总理。任职后立即着手削减国债，简化税制，降低福利救济金。1998年8月联合政府垮台，希普利要求进行信任投票以表明她的政府仍然得到议会支持。投票在同年9月举行，这是新西兰首次举行此类投票，希普利险胜。第二年她又一次面对信任投票，但再次避免了下台。然而，在1999年选举中，被工党的H.克拉克击败。她继续担任国民党领袖，直到2001年被B.英格利希取代。

Shippard, Sir Sidney Godolphin Alexander 希帕德（1837-05-29，比利时布鲁塞尔～1902-03-29，英格兰伦敦） 英国驻南非殖民官员、贝专纳兰保护国（今博茨瓦纳）行政长官（1885～1895），为C.罗得斯的密切合作者。出身于海军家庭，曾学习法律，后来他在开普殖民地当律师，1873年任西格里夸兰的总检察长，4年后任高等法院法官。1880～1885年希帕德任开普高等法院法官。英国建立贝专纳兰保护国后，他担任首席法官兼行政长官。1887年封为爵士。他支持罗得斯的扩大英国在中非势力以阻止德国人和布尔人进入该地区的计划，说服马塔贝莱兰-马绍纳兰（在今津巴布韦）的统治者罗本古拉将矿产开采权出让，使罗得斯得以在1889年获准成立英国南非公司。1895年回国，任英国南非公司董事。

Shippen, William, Jr. 希彭（小）（1736-10-21，宾夕法尼亚费城～1808-07-11，费城） 美国医学教育家。最早在美国公开讲授解剖学及助产科学的人，又是最早在解剖学教学中采用人体解剖标本的教师之一。1754年从普林斯顿新泽西学院毕业，后到伦敦学习，1761年在爱丁堡获医学博士学位。回费城后开办解剖学校，用图表、人体模型以及解剖标本为教具，讲授解剖学及助产科学。但采用人体解剖标本之举在社区内招致非议，有人认为他从教堂墓地盗取尸体，因此他的办公室为愤怒的暴民所攻击。1762年他在费城建立美国第一所产院；1765年与J.摩根合作组建费城医学院，自任解剖学及外科学教授；1777年摩根被免去军医署署长的职务，该职务由希彭代替，摩根因此指责希彭暗中损害其威信。之后希彭被控犯经济渎职罪而于军事法庭受审，但最终无罪开释。1781年辞职，任新建的宾夕法尼亚大学解剖学、外科学及产科学教授。

shipping fever 参阅**pasteurellosis**巴斯德氏杆菌病。

shipping route 商船航线 海上商船航行的路线。早期的航线通常都要使岸上陆标保持在视线之内；后来航海者学会了根据天体来确定纬度，商船在外海上航行就比较自由了。当测出精确位置后，在确定航线时开始要考虑盛行风和海流的影响。使用蒸汽机后，风不再作为航行中考虑的要素，就逐渐采用了现代的商船航线。划定这些航线的主要根据是地球表面的大圆是两点间最短的距离，只有当需要避开陆地、冰决和恶劣天气时，航线才偏离大圆。各国航道测量局出版了多种航海指南，就航线问题提出建议。在美国与欧洲之间的大西洋中已找到了明确的航线。早在1855年，美国海军上尉M.F.莫里就认识到由于雾、交通密度大以及冰块每年侵入，在北大西洋上船只有互撞的危险。他建议向东航行的和向西航行的轮船各走不同的航路。1898年在美国海军航道测量局的倡议下，5家横渡大西洋的主要轮船公司商定了一项北大西洋航路协定，规定了轮船的正常航线。这些航线一直沿用到1924年，其后才采用了直至20世纪末仍在继续使用的季节航线。由于英国轮船"泰坦尼克"号的沉没，1913年在伦敦召开了第一次国际海上人命安全会议。会上要求轮船公司必须预先公布轮船的航线，其他轮船则必须按照几家主要轮船公司的航线航行。会议还建立了国际冰情巡逻队，对船舶提出有危险冰块的警告，并提供安全的航线。从此以后，在美国到欧洲的航线上，再也没有因为冰山而沉船和丧生的事情发生。

Shiprock 希普罗克 美国新墨西哥州西北部圣胡安县城镇。原名尼德尔斯，位于广阔的纳瓦霍人保留地。1903年建为部落行政中心，1938年纳瓦霍人将其首府改定于亚利桑那州温多罗克。该镇因位于其西南方16千米处的火山岩希普罗克而得名。从沙漠中拔地而起的火山岩高420米，纳瓦霍人称为"翼岩"，在纳瓦霍神话中赫赫有名。人口8 156（2000）。

ship's bell 船钟 从15世纪起船上采用的报时钟，每隔半小时敲一次。海员值班一天分成6个班次，每班4小时，但下午4～8点的班可能例外，即这段时间分为第1和第2二时班，每班各两小时，以便让值班水手吃晚饭。在18世纪，船上通用30分钟的沙漏来计时。每当沙子漏光，舵工或船员把沙漏颠倒一次，同时习惯地敲一次钟。每个班次，沙漏颠倒8次，每次敲钟的数目正好表示船员在甲板上经历了多少个半小时。敲钟的方式是每下两声，每两声之后有一个间歇。这种航海习惯的出处已不可考，但到18世纪，它在欧洲人和地中海水域的海员中却几乎是通用的。在诺雷叛乱（1797）后，英国船在值二时班时采用特殊的报时法。在下午4～8点中，6:30那一次不是敲5下，而是敲一下钟，7:00敲两下，7:30敲3下，8:00敲8下。这样第2个二时班敲5下钟的叛乱信号就再也不会出现了。雾天连续快速敲钟用于表示警告，在其他时候，则表示火警。

shipworm 船蛆 又作pileworm。又称桩蛆。船蛆科（Teredidae或Teredinidae）双壳类海产软体动物，近65种。常见于各海洋中。多数凿木居住，会破坏木制船体、码头及其他沉水木质建筑。壳白色，生长线排列紧密，只遮住身体前端一小部分，用以凿木；身体其余部分细长，管状，有的可长达180厘米。贝壳每分钟锉动约8～12次，利用壳面上的锉状嵴，将木材锉下。一定数量的木屑又可作为食料。动物的管状部分伸回洞口，从水中摄取食物微粒和氧，并排出废物和生殖细胞。船蛆身体分泌石灰质衬于穴道内壁。船蛆属（*Teredo*）约有15种，危害最烈。欧洲沿岸的挪威船蛆（*T. norvegica*）管部长约30厘米。普通船蛆（*T. navalis*）长20～45厘米，世界性分布，但在波罗的海危害最严重。船蛆科还有节铠船蛆属（*Bankia*）、穿木船蛆属（*Xylotrya*）和食木船蛆属（*Xylephaga*）等属。

shipyard 造船厂 制造和修理船舶的岸上设施。古代和中世纪的造船设施中，以威尼斯兵工厂最为完善，它在高度组织化生产中形成了装配线技术。造好的船体在水上顺次经过一座座码头，人们往上加装各种配件和装置。在18世纪英国的造船厂中，把船拖到名叫吊杆起重船的浮动平台，安装船桅和索具。现代的船也不等全部完工才下水。船厂一般都有少数呈坡形通向水面的船台，并具有较大的附属工作场地。各种板材和零件被送到一个远离船台的地点，在它们被组装成部件和组件的过程中向船台集中，组件最后被焊接在一起。大型船通常在很深的干船坞中制造，因为这样对下放大的部件较为方便。船体造好后，放水进入船坞使船体浮向外围的装配水坞。

Shiqubaoji 《石渠宝笈》 中国清代宫廷收藏书画著录的专书。清初出现了一些私家著名的书画著录，如《式古堂书画汇考》、《江村消夏录》、《大观录》等。乾隆帝热爱书画，又长于鉴定，数十年来大事搜集，所藏既多且精，特命儒臣、书画名家张照、梁诗正、董邦达

《石渠宝笈》书影
中国大百科全书出版社供图

等编纂此书。其后又命阮元、王杰等续编。后嗣皇帝继续搜集,命英和、胡敬等继有编纂。前后共成三编。初编在乾隆九年(1744),成于次年;二编成于乾隆五十六年;三编成于嘉庆二十年(1815)。朱丝栏抄本,计:初编45卷,续编88卷,三编108卷(三编现存日本)。将宫廷所藏依次分类,对其艺术水平之高下,以及款识、题咏、跋尾、印记、纸绢、尺寸等一一详加著录,略无遗漏。此外又有《秘殿珠林》初编、续编,专录乾隆宫廷所藏有关佛、道经典的书画。二书所载极为丰富,现存海内外之书画名作多见于著录,为研究中国书画史与从事书画鉴定工作的重要参考书。

Shīr ʿAlī Khān　希尔·阿里汗(1825,阿富汗喀布尔?～1879-02-21,马扎里沙里夫)　阿富汗国王(1863～1879)。多斯特·穆罕默德汗之子,父亲死后即位。他企图使阿富汗在英俄两国的角逐中成为缓冲国。但英国认为他倒向俄国一边,遂制造局势,导致第二次阿富汗战争(1878～1881)。英军对阿富汗进行三面夹击。他呼吁各部落前来支援,但应者不多。他遂使其子耶古卜汗登上王位,只身外逃,死于赴突厥斯坦的途中。

Shirakawa　白河天皇(1053-07-08,日本京都～1129-07-24,京都)　日本第72代天皇。他开创了逊位、建立院政以控制权力的先例。1072年即位。由于藤原氏势力的削弱,他有了掌握实权的机会。他在1086年让位后,作为太上皇继续掌握权力以对抗藤原摄政。他建立起一个具有司法功能和军队守卫的行政中心,这就是寺院政府(院政)。直到1185年,所有后来的天皇都是通过院政行使权力。然而白河天皇对改革兴趣不大,尽管最初他曾企图削减私人领地,但不久便放弃这种努力,而把大片公有土地转为皇家庄园。他利用这些财源慷慨地资助佛教,可是没有加强天皇政府,也未能阻止各藩武士阶级的兴起。

Shirakawa, Go-　后白河天皇(1127-10-18,日本京都～1192-04-26,京都)　日本第77代天皇。在位期间,政治权力从天皇宫廷转移到地方武士阶级手中。1155年即位。一年后其兄崇德发动宫廷政变,演成保元之乱(1156)。结果,支持他的军队获胜。他于1158年退位,企图像其他太上皇一样继续听政,但大权已落入武将平清盛手中。平清盛在平治之乱(1159～1160)中战胜源氏集团,权势更为浩大。后白河天皇为扩大自己权力,常常卷入各种阴谋,因此遭到平氏家族猜忌。1179年由于他企图没收平清盛死去孩子的领地,被平清盛软禁。尽管有武将源赖朝起兵反叛平氏(1180)和随后的平氏集团被消灭(1185),但他始终未能重新享有充分的皇权。

Shirakawa Hideki　白川英树(1936-08-20,日本东京～　)　日本化学家,因发明有机聚合导体技术而与A.G.麦克迪尔米德、A.J.黑格共获2000年诺贝尔化学奖。1966年获东京理工学院博士学位,同年在日本筑波大学材料科学研究院任教,1982年成为化学教授。1974年百川英树和同事偶然合成出了膜状聚乙炔。1977年开始与黑格、麦克迪尔米德合作进行聚乙炔的实验。研究证明有些塑料可以通过化学变质来导电,电导率几乎和金属一样。后来又发现其他的导电聚合物,一般认为这些发现会在新兴的分子电子学中起到重要作用。

Shiras, George, Jr.　希拉斯(1832-01-26,美国宾夕法尼亚匹兹堡～1924-08-02,匹兹堡)　美国最高法院大法官(1892～1903)。1855年获得律师资格,开业25年后在公司法方面树立起广泛的声誉。1892年被哈里森总统任命为最高法院大法官。作为一个有才干的大法官,他代表最高法院在一些涉及公司法和商法的案件上发表意见,包括"布拉斯诉北达科他州"案(1894),该案坚持各州对谷物升降机(活动粮仓)有管理权。使人们记住他的主要是因为一个涉及1895年所得税案件——波洛克诉农家贷款和信托公司案的事件。在第一次审理时,最高法院的大法官在所得税的问题上,赞成和反对的票数相等。在第二次审理时,有一位原来赞成所得税的法官改变了主意,于是所得税就被裁决为违反宪法。人们普遍认为是希拉斯改变了主意,他一时成了赞成和反对这项税收措施的双方攻击或赞扬的对象。无论是他或他的同事都从来没有透露过究竟是谁改变了主意,尽管首席大法官休斯于1928年曾暗示过,改变投票的是另外一位大法官。

Shīrāz　设拉子　伊朗中南部法尔斯省省会。位于扎格罗斯山区低地农业区,海拔1 486米。以产酒著名。为历史名城和具有园林、圣殿和清真寺的著名现代城市。设拉子

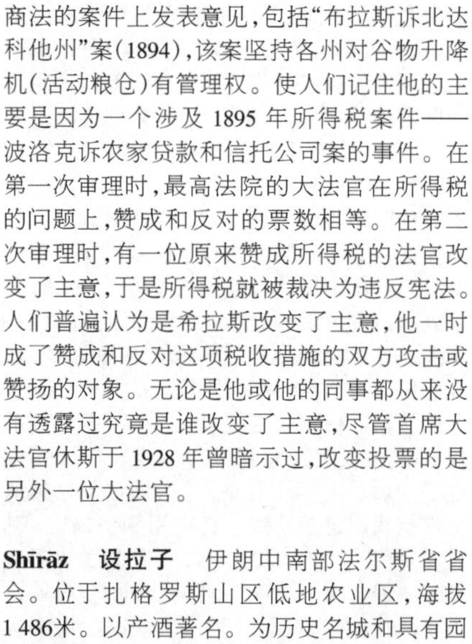

设拉子市的波斯诗人哈菲兹墓前花园
供图:Paolo Koch—Photo Researchers

是波斯诗人萨阿迪和哈菲兹的诞生地。在塞琉西(公元前312～前175)、安息(公元前247～公元224)和萨珊王朝(约224～651)时期,该地均占有重要地位。13世纪初期,蒙古人在该地建立了新清真寺和塔赫特城堡。1387和1393年,突厥人帖木儿两次占领该城。城内清真寺(建于894年)、谢拉格王殿堂(1344～1349)和大图书馆(以后改为经学院,1615年)为与巴格达地位相似的伊斯兰教中心。1724年,设拉子遭到阿富汗侵略者洗劫。后成为桑德王朝(1750～1794)首都。旧城建筑中有赞德陵墓(现为博物馆)、一座城堡(现为监狱)、一处市场和清真寺。新城中的建筑有波斯圣西门教堂和一所大学(1945)。该城是扎格罗斯山地中部贸易和公路中心,公路通波斯湾布什尔港。有水泥、制糖和化肥等工厂,还有纺织及传统的镶嵌工艺品。人口1 053 025(1996)。

Shīrāz rug　设拉子地毯　伊朗南部设拉子城附近地区的手织铺地用品。最著名的品种是游牧部落所产的卡什加地毯。设拉子地毯通常为多边形或菱形奎心,由一个"支柱"联

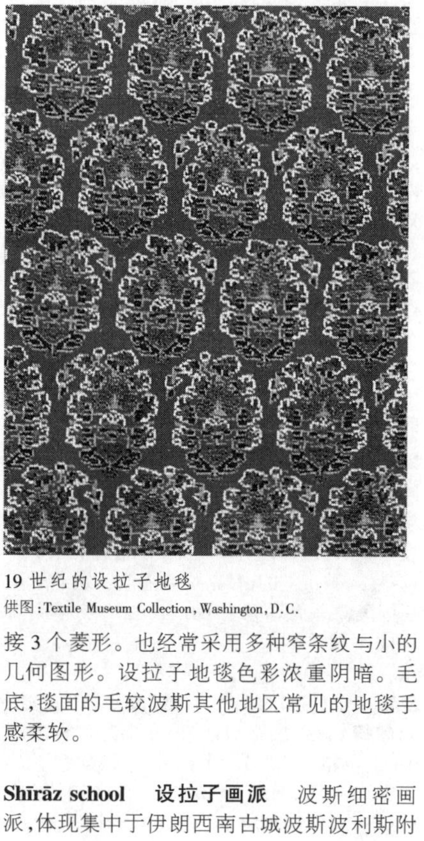

19世纪的设拉子地毯
供图:Textile Museum Collection, Washington, D.C.

接3个菱形。也经常采用多种窄条纹与小的几何图形。设拉子地毯色彩浓重阴暗。毛底,毯面的毛较波斯其他地区常见的地毯手感柔软。

Shīrāz school　设拉子画派　波斯细密画派,体现集中于伊朗西南古城波斯波利斯附近的设拉子的艺术家团体的风格。由蒙古伊儿汗国(1256～1353)于14世纪中叶建立,一直活跃到16世纪初。它共有三种不同的风格。早期绘画,如史诗《国王之书》中描绘塞亚弗什王子在进行马球赛的一张插图(1341),既重素描,又重着色。人物众多,置于同一水平面,既显得身材高大又占满了画面。该画派在帖木儿王朝统治下,于1410～1420年达到成熟阶段。其特色是,富有人情味,画面人物较少,形象伸长且千姿百态,采用了透视法,以风景代替了色彩浓厚的背景,富于幻想。于15世纪中叶该画派进入第三阶段。当时土耳其部落占领了设拉子,土耳其统治者很欣赏波斯的文化。其风格又经历了重大变化,色彩浓厚、大量使用黑色、景致

《五卷诗》(1445)中的设拉子画派插图画《霍斯罗夫的筵席》
曼彻斯特约翰·赖兰德大学图书馆供图

富丽。人物富于表情,但不再是写实主义的风格。

shire　郡　英国的行政单位,盎格鲁-撒克逊时代,郡是“*百户*”(**hundred**)以上的行政单位。阿尔弗烈德大王时代(871 ～ 899),英国南部已设郡,到埃德加统治时期(959 ～ 975)普遍建立。由一个郡守(国王代表)和一个行政司法长官治理,后者主持郡法庭。“诺曼征服”后,法语 county 一词传入英国,通常由官方使用,而民间仍用 shire。许多郡名保留旧称,如柴郡(Cheshire)、汉普郡(Hampshire)和沃里克郡(Warwickshire)等。有些较小的社区的地名也缀有 shire 的词根,如赫克瑟姆行政管区(Hexhamshire)。

Shire　中部大挽马　原产英格兰中部诸郡的挽马,由能驮动全身披挂、重达 400 磅的骑士的英格兰“大马”繁育而成。18世纪后半期将英格兰公马与原产荷兰的母马杂交,育成

中部大挽马
供图:Sally Anne Thompson—美国不列颠百科全书公司

适于拉车及农耕的品种。1853 年该品种引入美国,但始终未普及,主要用作种畜以改良矮小的农耕役马。公马体高约 173 厘米,体重约达 900 千克。一般外观结实,稍嫌粗笨。特征为腿上有丛毛。多为栗色、棕色、黑色、灰色或红棕色。1878 年英格兰中部大挽马协会成立。1885 年美国中部大挽马协会成立。

Shire Highlands　希雷高原　马拉维南部高地。面积约 7 300 平方千米。西北、西南为希雷河谷,东南接鲁奥河谷,东北连奇尔瓦湖-帕隆贝平原。平均海拔 610 ～ 1 220 米,姆蓝杰山地海拔在 2 750 米以上。为希雷河和奇尔瓦湖之间分水岭。苏格兰探险家利文斯敦 1861 年在希雷高原建立一个传教站,该地区成为早期欧洲人定居区。现在是全国人口最稠密的地区。农业精耕细作,种植茶树、桐树、烟草、花生等。公路和铁路交通便利。主要城镇有布兰太尔等。

Shire River　希雷河　马拉维最重要河流。全长 402 千米。源出尼亚萨湖南岸,为该湖唯一排水道。南流 8 千米,进入*马隆贝湖*(**Malombe, Lake**)后,穿过多沼泽的河岸,进入狭窄的中游河谷。在马托佩至奇夸瓦之

流经马拉维姆帕塔芒加峡的希雷河
供图:R. Eith—Keystone

间,经过 80 千米峡谷区,大小瀑布连续不断。先后经科洛姆比佐瀑布、恩库拉瀑布、泰扎尼瀑布、汉密尔顿瀑布和卡皮奇拉(前称利文斯敦)瀑布,总落差达 384 米。在奇夸瓦下游进入全国唯一海拔 150 米以下的地区——莫桑比克沿海平原。下游有主要支流鲁奥河汇入。经过象沼泽地(414 平方千米)和恩迪沼泽,在莫桑比克汇入赞比西河。流量原取决于尼亚萨湖水位和鲁奥河流量,自利翁代建拦河大坝后,可调节流量。

Shirer, William L(awrence)　夏勒(1904-02-23,美国伊利诺伊芝加哥～ 1993-12-28,马萨诸塞波士顿)　美国新闻记者、历史家和小说家。以其巨著《第三帝国的兴亡:纳粹德国史》(1960)而为人所称道。20 世纪 20、30、40 年代,夏勒在欧洲和印度任《芝加哥论坛报》和《环球新闻社》驻外记者。1937 ～ 1941 年间,他任哥伦比亚广播公司新闻广播员,将欧洲危机及其后的第二次世界大战的新闻传至美国。他的激情洋溢的言辞使美国开始对纳粹所代表的危险保持警惕,从而使他赢得好几项新闻奖。夏勒将他对欧洲政治事件的印象编成一集,名《柏林日记:一个驻外记者的笔记,1934 ～ 1941》(1941),它朴实无华地记录了在恐怖中求生存的种种情景,为他赢得了国际声誉。20 世纪 50 年代,他开始为《第三帝国的兴亡》进行研究,此书获 1961 年全国图书奖。它是一部全面考察纳粹党在希特勒领导下如何掌握政权及在其统治下所犯罪行,以及它最后如何败亡的力著。夏勒另一部重要的历史著作为《第三共和的崩溃:1940 年法国败降原因之探究》(1960)。这一著作被有些人推崇为研究两次世界大战之间的法国的一卷本著作中之最佳者。1980 年,夏勒出版了《甘地:我的回忆》,回顾 20 世纪 30 年代前期他在印度任驻外记者时数次采访甘地的情形。夏勒的 3 卷本回忆录总名《20 世纪的旅行》(1976,1984,1990)。

shirk　舍真主而拜他神　伊斯兰教名词,指崇拜偶像、崇拜多神或将真主混同于他神。《古兰经》多处强调真主与他神不能并立,并警告说,那些相信他神会为他们代求的人将与他们所拜之神一道在最后审判日成为火狱的燃料(第 21 章第 98 节)。根据伊斯兰法理学,舍真主而拜他神与不信神的人同样邪恶。宣传崇拜他神的穆斯林是不法分子,应逐出穆斯林社会;如不改悔,应中止其全部合法权利。随着伊斯兰教义的发展,崇拜他神这一概念逐步延伸,不仅指信奉非伊斯兰教的偶像,而且成为认主独一一词的反义词。在教义争论中,各教派也以此称呼敌对派别。

Shirley, James　雪利(1596-09,英格兰伦敦～ 1666-10-29 入葬,伦敦)　英国诗人、戏剧家。1642 年议会关闭剧院前 10 年中主要的剧作家之一。雪利曾在剑桥大学受教育,受圣职后任圣奥尔本斯文法学校教师。1624 年前后,他迁居伦敦,从事剧作。第一个剧本《补习学校》于 1625 年在特鲁里街的凤凰剧院首演。1636 年为预防瘟疫,剧院全部关闭,于是雪利去了都柏林任圣沃尔伯格剧院编剧。1640 年返回伦敦,接替 P. 马辛杰担任黑衣修士剧院国王供奉剧团编剧。内战结束后,重返教育工作,并出版两本拉丁文文法和一些非戏剧诗文及假面剧剧本。他的作品现

牛津博德利图书馆供图

存有剧本 31 部、假面剧 5 部和一部道德寓言剧。假面剧《和平的胜利》(1634)是他的精心之作。此外,最优秀的作品有描写伦敦上流社会生活的温和讽刺喜剧《风趣的美人》和《行乐夫人》,以及悲剧《叛徒》(1631)和《枢机主教》(1641)。

Shirley, William　谢利(1694-12-02,英格兰萨塞克斯普雷斯顿～ 1771-03-24,马萨诸塞罗克斯伯里)　马萨诸塞殖民地总督,在英国同法国争夺控制北美洲的斗争中曾起重要作用。原为英国律师,1731 年移居波士顿。

1733年被任命为海事法庭法官，翌年成为皇家法律总顾问。1741年任总督，建立马萨诸塞防御工事，并在乔治王之战期间（1740～1748）策划攻克法国在布雷顿角岛上的路易斯要塞（1745）。1755年E.布雷多克将军在宾夕法尼亚西部战败身亡，谢利成为北美英军总司令，但未得到尊重和合作。在对尼亚

纽约大都会艺术博物馆供图

加拉要塞的远征失败后，被撤销总司令和总督职务。有关渎职的指控引起了对他的怀疑。他被召回英格兰，以叛国罪受起诉，后证明无罪。1761年任巴哈马总督。1770年重返马萨诸塞。

shirt 衬衫 各种有袖的，穿在身体上部、外衣里面的衣服。早在古埃及的第18王朝，就出现了衬衫。14世纪诺曼人穿的衬衫加上了领子和袖口。15世纪末，衬衫用毛料、亚麻布等多种面料制成，王族的衬衫有时用丝绸制成。在衬衫上绣花、装上花边和褶边，始于16世纪。16世纪末，衬衫的褶边发展成一种标志贵族身份的皱褶领。17世纪初，道布莱特上衣变得很短，有褶边的衬衫就显露于上衣与裤子之间。1666年男装有了新款式，英国查理二世曾采用一种能盖住大部分衬衫的长背心。18世纪末及19世纪初，领饰考究

佚名画家（约1810）肖像画中的绅士所穿带领饰有褶边的衬衫
供图：John G. Johnson Collection, Philadelphia

而宽大。维多利亚女王时，男式服装流行暗色，高领饰被淘汰，代之以普通衣领，领带则基本和20世纪的相似。20世纪60年代，男式衬衫开始用各种花卉、条格图案的面料缝制，款式颜色繁多，为前所未有。20世纪女式衬衫亦按男式衬衫款式缝制；供运动休闲时穿着的衬衫的图案、花样、色彩、式样和面料，则尤为丰富多彩。

Shirvan rug 希尔凡地毯 高加索（阿塞拜疆）东南部希尔凡地区制作的手工铺地用品。较粗，毯面毛绺较长。大地图案为一竖行奎心，一列棕叶饰或一系列仿库尔德哈山毯花

19世纪的希尔凡地毯
纽约大都会艺术博物馆供图

饰。有的图案为几何形孔雀或雉鸡，相对而立，或是许多几何形小羊、小鹿或小狗。一种特别受称赞的大边图案为许多两片锯齿形叶子中间夹着一个形似音叉的小“酒杯”花饰组成。另一种是仿阿拉伯交织花饰式波斯条纹图案。希尔凡地毯多为纯毛织制，但有的也用棉纬。赛切尔地毯是希尔凡地毯的一个著名品种。

Shirwa, Lake（Malaŵi） 参阅 **Chilwa, Lake** 奇尔瓦湖。

shish kebab 羊肉串 用若干小块羔羊肉串在肉串钎上放在明火上烤熟的食品。在巴尔干、中东、高加索都有这种食品。制作方法一般是将羔羊肉片浸渍在柠檬汁、橄榄油和香料中，然后同洋葱、月桂叶、青胡椒用钎串在一起烤成肉串，通常是和米饭、青菜一起吃。在这些地区羊肝、舌和其他内脏以及小牛肉、野味、猪肉、鸡肉也常用同样的方法烹调。

Shisha Pangma（mountain, Tibet） 参阅 **Gosainthan** 希夏邦马峰。

Shishak I（king of Egypt） 参阅 **Sheshonk I** 示撒一世。

Shishakli, Adib ash- 施舍克里（1909，叙利亚哈马～1964-09-27，巴西） 叙利亚陆军军官，1949年12月发动政变后上台，左右叙利亚政局直至1954年他被推翻。他是民族主义者，第二次世界大战后反对叙利亚与伊拉克合并的运动。他上台之初不担任公开职务，只把一名军官塞进政府充当国防部长，而对议会则原封不动。有些政客为了削弱他对政府的影响，想使警察部队脱离国防部长的指挥，但没有成功。他在1951年11月发动第二次政变，下令逮捕总理。他受到军队的一致拥护。1951年政变不久他取缔了大多数政党。他曾推行土改政策，并且拒绝美国的援助。1952年8月创立了由他领导的阿拉伯解放运动，但主要的政治家都没有参加，大多数政治家联合起来反对他的统治。1954年2月他被军事政变推翻，流亡国外。

Shishi 石狮 中国福建省县级市。地处福建东南沿海泉州湾南岸，为三面环海的半岛，向台湾海峡突出。半岛多由红土组成，为海拔30～50米以下的红土台地。北部和滨海地区有冲积、海积、风积平原。农产有稻谷、花生、红薯等。沿泉州湾和东部沿海，滩涂面积较大，利于水产养殖。清顺治年间（1644～1661），集镇以凤里庵前石狮子得名。向为晋江县属镇。1987年析晋江县石狮、蚶江、永宁三镇及祥芝乡建市，由泉州市代管。面积189

石狮市新貌
中国大百科全书出版社供图

平方千米。是著名侨乡，以个体经济为主体，向为周围地区的商业中心。已形成闻名中国的小商品专业市场，乡镇工业蓬勃发展，以服装、鞋帽、电子装配产品为主。20世纪80年代末以来，房地产业发展迅速，外资企业不断增加，市区不断扩大，每天流动人口达3万人以上。名胜有宝盖山、灵秀山风景区等。人口310 000（2005）。

Shishkov, Aleksandr Semyonovich 希什科夫（1754-03-20～1841-04-21，俄罗斯圣彼得堡） 俄国作家和政治家。强烈的民族主义和宗教感情，使他成为俄罗斯19世纪30～40年代斯拉夫文化运动的先驱。原为海军军官，曾晋升海军中将。他是一个独树一帜的语言学家，主张清除俄罗斯语言中的外国语（特别是法语）的成分，并为此创立“俄罗斯语言爱好者恳谈会”。1811年曾写《谈对祖国的爱》。面临拿破仑入侵的亚历山大一世对这篇论文产生深刻的印象，任命他为国务秘书。1813年为俄罗斯科学院院长，1814年为国务会议成员，1824年为教育大臣和非正教宗教事务局局长。他反对平民教育、实行严格的书报检查制度、迫害传播革命书刊的各读经会。

Shishuo Xinyu 《世说新语》 英语作 New Collection of Anecdotes of Famous Personages。中国南朝轶事小说。宋临川王刘义庆（403～444）撰。此书记录自汉迄东晋一些人物（主要是汉末及魏晋清谈名士）的言行。全书6卷36篇。作者对所收名士基本上采取欣赏态度，亦间有贬讥。所载故事或出传闻，不尽

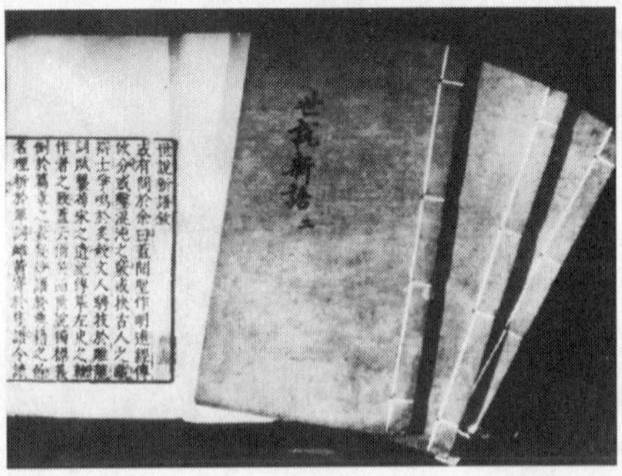

明代万历二十四年吴瑞徵刻本《世说新语》书影
中国大百科全书出版社供图

合事实。但能通过简短的文字勾画出人物性格。文笔清丽，以隽永见长。书中《新亭对泣》、《管宁割席》、《桓温欲诛谢安王坦之》、《雪夜访戴》等许多著名片段颇为后人所称道，并已成为著名的典故。

Shitao　石涛（1642～1707）　又拼Shih-t'ao。中国清代画家。俗姓朱，名若极，明宗室靖江王朱赞仪的十世孙。世居广西桂林。明亡后，父朱亨嘉于南明隆武时在广西自称“监国”，被清代官方擒杀。石涛为内官隐匿潜出，落发为僧。法名原济，号石涛，又号苦瓜和尚、大涤子、清湘老人、零丁老人、济山僧、瞎尊者等。早年屡游安徽敬亭山、黄山等地，中年居南京，晚年定居扬州。康熙二十三年

石涛绘《游华阳山图》
中国大百科全书出版社供图

（1684）在南京、康熙二十八年（1689）在扬州两次受到皇帝玄烨的接见。又北上过天津游北京，与辅国将军博尔都等交往，和王原祁合作《兰竹图》。擅画山水，笔墨纵横活泼而具姿致，布局新颖，险中求奇，意境平淡天真，富有诗意。亦善画兰、竹，随意挥洒而法度谨严。王原祁曾评论说：“海内丹青家不能尽识，而大江以南当推石涛为第一，予与石谷（王翚）皆有所未逮。”对近代山水画发展有很大影响。所著《画语录》18章，论述山水画创作的方法和规律，见解独到，议论宏博。惜文字古奥虚玄，不易理解。后人辑其题跋成《大涤子题画诗跋》1卷和《清湘老人题记》1卷。

Shiv Narayan Agnihotri（Hindu religious leader）　**希夫·纳拉扬·阿格尼霍特利**　参阅 **Agnihotri, Shiv Narayan** 阿格尼霍特利。

Shiva（Hindu god）　参阅 **Śiva** 湿婆。

shivah　七日丧期　又拼shibah。犹太教名词，指人丧父、母、夫、妻、子、女、兄、弟、姐或妹时居丧的期限，自埋葬之日起共7天，截止于第七日日没。丧期内安息日不守丧，逢重大宗教节日丧期即终止。根据传统，人在居丧期间要守在死者家中，坐在矮凳或地面上，将镜面一律遮盖，脱下新衣和皮鞋，不得理发刮脸，不得从事常业，不得嫁娶。亲友前来吊唁，男子如满10名即可在死者家中举行正式祈祷。

Shivājī（Indian king）　参阅 **Śivājī** 西瓦吉。

Shivpuri　希沃布里　又称锡布里。印度中部中央邦北部城市。1904年设市，为重要农林产品市场。有公路和铁路与瓜廖尔相通。周围为野生动物保护地。设有医院、森林学

希沃布里市的旧王宫
供图：Baldev—Shostal Assoc.

校和吉瓦吉大学的一所附属学院。全境大部分为山林。文迪亚山支脉以西土地相当平坦肥沃，种植高粱、小麦、豆类、玉米、油籽和大麦。开采铁矿和铝矾土。人口约108 271（1991）。

Shivpuri National Park　希沃布里国家公园　印度中部的国家公园。在中央邦北部面积158平方千米。原为瓜廖尔王公私人的动物保护地，1955年改为国家公园，1959年定今名。地处有丘陵和谷地的温迪亚山区，有婆罗双树、柚木、刺槐林与草地。动物有老虎、豹、兰古尔猴、胡狼、鬣鹿、野猪、四角羚羊、莽鸡、鹑和鸨。园内的萨基亚人工湖可以泛舟。

Shiwang　十王　又拼Shih Wang，英语作Ten Kings of the Underworld。十殿阎王的总称，指中国佛教中10个主管地狱的阎王。阎王为佛、菩萨的变现，也称十三佛的前十佛。十王即秦广王、初江王、宋帝王、伍官王、阎罗王、变成王、泰山王（一作泰山府君）、平等王、都市王、五道转轮王。十王各有本地，分居地狱十殿。此说始自唐末，后来也被道教采用，长期以来一直在民间广泛流传。

Shiwei　室韦　中国古代民族。也称失韦。据《魏书》、《旧唐书》，室韦与契丹（**Khitan**）皆源出于东胡。分北室韦、南室韦、钵室韦、深末怛室韦、大室韦五部。分布在黑龙江、嫩江流域和大兴安岭两麓、额尔古纳河沿岸。各部发展水平不一：林区以狩猎为业，善射貂鼠及青鼠；草原以游牧为主，兼事射猎和粗放农业。唐时分20余部。6～8世纪西部室韦先后归属突厥、回纥。突厥和回纥汗国均于其地置“吐屯”、“监使”，以督贡赋。额尔古纳河的蒙兀室韦唐代中叶以后大部西迁至克鲁伦河、鄂嫩河、土拉河上游和肯特山麓，是蒙古部的先世。每部千户、数千户不等。无君长、臣下之分，首领称“莫贺咄”，其号世袭。语言与库莫奚、契丹、豆莫娄相近。以狩猎为主，初事牧业、农业。其俗食肉、衣皮、屈木覆皮为室，乘牛车。10世纪初契丹兴起，首先进攻邻近的室韦。阿保机建立辽朝后，大部分合并于辽。

Shiwu Guan　《十五贯》　中国清初朱㿥的昆曲作品。朱㿥，字素臣，号笙庵，江苏吴县人。生卒年不详。出身清寒，毕生主要从事戏曲创作与研究。有传奇19种，现存《锦衣归》、《未央天》、《聚宝盆》、《十五贯》、《文星歌》、《朝阳凤》、《万手觞》、《翡翠园》、《秦楼月》等9种，并与扬州李书云合编《音韵须知》，协助李玉编纂《北词广正谱》。《十五贯》传奇又名《双熊梦》，据《醒世恒言》中《十五贯戏言成巧祸》改编。为其代表作。故事写明代无锡县无赖娄阿鼠因盗15贯钱，杀死肉店主人尤葫芦，熊友兰、熊友蕙兄弟遭冤狱，被判处死刑。苏州知府况钟监斩前夕，梦见两只熊向他乞哀，况钟为民请命复审后，使冤案终得平反。此剧长期流传于昆曲舞台。1956年，浙江昆苏剧团演出浙江省《十五贯》整理小组改编、陈静执笔的改编本，深受欢迎。

Shixi　石谿（1612～约1674）　中国明末清初画家。本姓刘，武陵（今湖南常德）人。早年参加抗清斗争，明亡后，愤而出家为僧，法名髡残。字石谿，一字介丘，号白秃、石道人、电住道人等。43岁后定居南京，先在大报国寺，后迁至牛首山幽栖寺。性格倔强，刚毅不阿，慎交寡语，人称“如狮子独行，不求伴侣”，对佛学很有研究。他游历众多名山胜景，阅读大量书籍，而且理解力很强，所请益与结识者都是品高学富、身怀绝技之人，如浪杖人、张瑶星、龚半千、程青溪等。擅画山水，长于干笔皴擦。于古人，他向董源、巨然、米芾、黄公望、王蒙、沈周、董其昌等学习，尤得力于王蒙。更重要的是他能师法造化，努力创造。他画山水纵横开阖，大气蓬勃，深沉茂密，力

避境趣闲冷，笔墨枯淡。笔墨貌似荒率，实则苍劲浑厚。晚年作品更是酣畅淋漓，一派生机。作品传世不多，今所知者甫近百幅，尚不及石涛十分之一，但幅幅均系精心之作，画上

石谿绘《雨洗山根图》
中国大百科全书出版社供图

自题诗文，无一不严肃认真，独抒己见。画史将他与石涛并称二石，又将他和弘仁、朱耷、石涛并称四大高僧。

Shixia Site　石峡遗址　中国珠江流域新石器时代文化遗址。位于广东曲江马坝镇西南。1973 ～ 1976 年发掘。有 3 个文化层：上层属周代，以夔纹陶为特征；中层属夏商时期，以曲尺纹陶为特征；下层为新石器时代晚期。发掘墓葬 64 座。一般将下层文化称为石峡文化，年代约为公元前 2900 ～前 2700 年。下层墓葬为长方形竖穴，每墓葬 1 人，大部分是二次葬。二次葬墓中除原墓中陶器迁入外，又新随葬一套陶器，这种葬俗在其他文化中是罕见的。随葬物品有生产工具、陶器皿、装饰品和食物（水稻、桃、枣）等。石器有镢、铲、锛、钺、凿和箭头等。陶器以灰陶为主，红褐陶和黑陶次之，少数有纹饰，器形以带子母口的三足盘和圈足盘最具特色。

Shiyan　十堰　中国湖北省辖地级市，新兴的汽车工业城市。位于省境西北部汉江南岸，武当山北麓。河流以流经西部的汉江支流堵河为最大，次为神定河。清置十堰堡，因居民在百二河上筑堰拦水灌溉，共有十堰，故名。1967 年为适应汽车厂的建设，划郧县十堰和黄龙两区，成立十堰工区办事处，1970 年置十堰市，1973 年升省辖市。1994 年郧阳地区撤销，将郧县、郧西、竹山、竹溪、房县 5 县划归十堰市，并辖张湾、茅箭 2 区，代管丹江

十堰市容
中国大百科全书出版社供图

口市。面积23 698平方千米，其中市区面积1 230平方千米。工业以拥有 27 个专业工厂的第二汽车制造厂为主，还建有轮胎厂和汽车方向盘厂，其他工业有汽车附件、电力、建材、轻纺、食品等。汽车制造总装配厂和指挥系统设在市中心，专业厂分 4 组分布，产各种载重、半越野、自卸、起重、加油、牵引、邮政、消防等汽车，出口欧、美、亚洲各国。在堵河建有黄龙滩水电站，年发电量 7.6 亿千瓦时，已与华中电网联网。市区沿神定河干、支流两侧河谷坪坝和沟谷分布。建筑群依山就势，各自独立，具有“城镇群”布局特色。农业主产小麦、玉米、水稻、红薯和油菜籽，盛产木耳、桐油、生漆、茶叶等特产。有湖北汽车工业学院、郧阳医学院、湖北汽车工业学院等。东靠襄樊，西近巴陕，南望荆沙，北接商洛，交通位置重要。有襄樊—重庆电气化铁路经过。公路有老河口—白河、十堰—兴山、南化等干线以及 209、316 国道和银武高速公路等在此交会，并有旅游车至武当山风景区。水路沿堵河上行可至竹山、竹溪，下行经丹江口水库直抵丹江口市。有赛武当山、白马山和回龙寺等名胜古迹。市境以南约 20 千米处有原始森林保护区。人口：全市 3 420 000（2005）；市区500 000（2004）。

Shiyang He　石羊河　中国河西走廊三大内陆河流之一，古名谷水。在甘肃省西北部。源于祁连山东端，由大小数十条支流组成，其中主要支流有大景（靖）河、古浪河、黄羊河、金塔河、西营河、东大河和西大河等。上游祁连山区山势陡峻，高山冰雪融水是河水的主

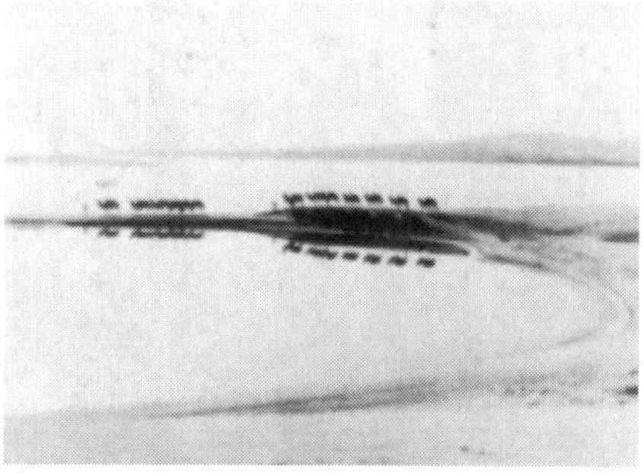

石羊河上红崖山水库
中国大百科全书出版社供图

要来源。中游流经河西走廊，河水大部分被引用灌溉。下游进入沙漠后河流消失在民勤绿洲中。全长 250 千米。

Shizuishan　石嘴山　中国宁夏回族自治区辖地级市。位于自治区最北端，东濒黄河，紧邻内蒙古，包兰铁路纵贯市境内。辖平罗县和大武口、惠农2区。面积4 703平方千米。

石嘴山市一角
中国大百科全书出版社供图

市东石嘴山镇为黄河航运重要码头，水陆交通便利，向为宁夏、内蒙古间农牧产品的集散地。50 年代中期发现丰富煤藏后，1955 年起大规模建矿开采，年采煤能力达 1 000 万吨。1958 年以后工业和城市人口迅速增长，1960 年析惠农县设市。现已建成包括煤炭机械在内的较完整煤炭工业体系，并拥有电力、钢铁、化工、水泥、机械、建材、有色金属、陶瓷等部门的新兴工业城市。煤藏以焦煤、无烟煤为主。汝箕沟矿的“太西煤”是世界罕见的无烟煤。该矿也是中国重要的无烟煤出口基地。农业主产稻谷、小麦、玉米、甜菜等。包兰铁路和 109、110 国道及石中高速公路等过

境。宁夏石嘴山黄河公路桥已建成通车。名胜古迹有玉皇阁、贺兰山岩画岩刻、古长城遗址以及被誉为塞上明珠的沙湖国家级风景区。人口:全市730 000(2005)。

Shizuoka 静冈 日本本州中部城市和县。濒临太平洋。全县面积7 773平方千米。东部地貌以火山和温泉为特征,西部为河谷地带。气候适合发展农业,生产柑橘、茶叶。主要港口清水渔业发达。滨松、清水制造摩托车、船舶、纺织品、罐头和乐器。连接静冈与名古屋、福冈的新干线铁路大部沿海岸敷设,该县主要城市在铁路沿线。首府静冈市位于安倍川三角洲,为绿茶加工和贸易中心。设有静冈大学、女子药学院和农业实验站。境内伊豆半岛为旅游中心,热海、伊东、修善寺为著名矿泉疗养地。下田港为日本最早与美国通商的港口之一。静冈市附近曾发掘出一个约2 000年前的村庄登吕。人口:市472 199;县3 670 891(1990)。

Shklovsky, Viktor Borisovich 什克洛夫斯基(1893-01-24,俄罗斯圣彼得堡~1984-12-08,莫斯科) 俄国文学评论家和小说家。他是20世纪20年代在俄国有很大影响的文学批评流派形式主义的一个主要代言人。曾在圣彼得堡大学受的教育,1914年参加建立"诗歌语言研究会"(简称OPOYAZ)。他与1921年在彼得格勒(圣彼得堡)开始聚会的一群作家——谢拉皮翁兄弟——也有联系。两个团体都认为:文学的重要意义首先不在于它的社会内容,而在于它对语言的独立创造。什克洛夫斯基在《关于散文理论》(1925)和《作家写作的技巧》(1928)中论证说:文学集风格与形式手段之大成,它以不寻常的新方法反映旧思想或世俗的经验,而迫使读者重新观察世界。他的"务求新奇"的概念是他对俄国形式主义理论的主要贡献。什克洛夫斯基还写过一些自传式的长篇小说,主要有《感伤的旅行:回忆录,1917～1922》,回忆他在布尔什维克统治下最初几年的生活,博得广泛的称赞;还有《动物园,又名并非情书,或名第三埃罗伊兹》。这两部书皆出版于1923年,当时他住在柏林(1922～1923)。次年永久返回苏联,苏联当局当时解散诗歌语言研究会,迫使什克洛夫斯基参加其他由国家批准的文学机构。他写了一篇题为《一个学究的错误纪念碑》(1930)的文章,终于为斯大林主义者当局对形式主义的恼火低头认罪,此后,他试图适应得到认可的社会主义现实主义的理论。他继续大量写作,发表历史小说、电影评论,以及受到高度评价的对托尔斯泰、陀思妥耶夫斯基和马雅可夫斯基的研究文章。

Shkodër 斯库台 拉丁语作Scodra。意大利语称斯库塔里(Scutari)。阿尔巴尼亚西北部城镇。位于斯库台湖东南端,布埃纳河自该湖泻出流向亚得里亚海的所在。高山环绕的宽阔平地的边缘。为阿尔巴尼亚历史重镇。城堡最古老的城墙建自公元前1000年。15世纪曾为阿尔巴尼亚民族英雄斯坎德培的根据地。1881年阿尔巴尼亚同盟被镇压后成为阿文化运动的中心。1916～1918年被奥地利占领,以后被协约国接收,1921年重归阿尔巴尼亚。第二次世界大战前是天主教在阿尔巴尼亚的主要活动中心,有大教堂、公教学院、方济各会、隐修院、图书馆和出版社。是诗人米洛什·基尔吉·尼古拉(1911～1938)的故乡。约一半人口信天主教,穆斯林的势力也较强,有少数人信东正教。也是阿尔巴尼亚北部山区传统的商业中心,当地产谷类、烟草、马铃薯、水果和葡萄酒。城东南德林河上有防洪大坝,有全国主要的水电站之一。工业制品有棉织品、丝织品、铜丝制品和食品。有机场,在市南亚得里亚海岸有圣吉尼港。人口约81 800(1990)。

Shlomo(king of Israel) 参阅 **Solomon** *所罗门*。

Shlomo Yitzhaqi(Jewish scholar) **什洛莫·伊扎基** 参阅 **Rashi** *拉希*。

Shlonsky, Abraham 什隆斯基(1900-03-06,俄罗斯波尔塔瓦州～1973-05-18,以色列特拉维夫-雅法) 以色列诗人,创立了以色列的象征主义诗派。最先用口语体写希伯来诗。20世纪20年代初移居巴勒斯坦,当过一些杂志的文学编辑。曾把B.布莱希特、N.果戈理、A.普希金、P.W.莎士比亚和G.萧伯纳等作家的作品译成希伯来文。他的许多诗篇都描写以色列开拓者如何摒弃西方市民的价值准则,以及以色列如何振兴成为一个现代化国家。诗集中包括《挫折和调和主义之歌》(1938)和《正在浇注》(1947)。

Shmidt, Otto Yulyevich 什米特(1891-09-30,俄罗斯莫吉廖夫～1956-09-07,莫斯科) 苏联科学家和探险家。是苏联关于北极资源调查和开发计划的负责人,他的许多活动对苏联生活和思想产生广泛和多方面影响。自1926年直到逝世,是莫斯科大学的数学教授。曾任北极研究所所长(1930)和负责北极发展工作的政府部门、北方海上航路总局局长。在后一职务的6年中,他每年夏季乘破冰船在西伯利亚北部海岸外航行。在一个季节内完成了首次经由东北航路、从巴伦支海去太平洋的航行(1932)。在北极附近的浮冰上建立了一个对海洋学研究很有价值的科学观测站(1937)。在他的促成下,科学院建立了理论地球物理研究所(1938),由他任所长直到1948年。40年代末,提出了地球由旋转的云尘和云气形成的理论。他曾任《苏联大百科全书》和科普杂志《自然》的主编(1924～1941)。

Shmu'el(Jewish prophet) 参阅 **Samuel** *撒母耳*。

Shoa(Ethiopia) 参阅 **Shewa** *绍阿*。

Sho'ah(Jewish persecution) 参阅 **Holocaust** *大屠杀*。

shoal 浅滩 河道中或大陆架上的堆积体,对航行具有潜在的危险。在大陆架浅海,习惯上认为低潮水位下深不足10米为浅滩。其形成原因与近海沙洲基本相同。参阅 **sandbar**。

Shoalhaven River 肖尔黑文河 澳大利亚新南威尔士州东南部河流。源出古罗克山脉,向北流,经峡谷后进入一宽广盆地,继续北流,在古尔本以东32千米处折向东,再穿过第二个峡谷,流经莫顿国家公园北部,在悉尼西南121千米处注入太平洋肖尔黑文湾,全长332千米。

Shōchiku Co., Ltd. 松竹影片公司 日本主要影片公司之一,它的影片往往是针对妇女观众的家庭题材故事片。该公司建于1902年,原是歌舞伎的演出公司,1920年开始制作影片。不久后,建立了训练演员和技师的松竹电影公司,1937年改用现名。在第二次世界大战以前的日本影片公司中,该公司在经济上最为殷实可靠,并且稳步发展制片和发行设施。1931年推出了第一部大获成功的有声片——五所平之助导演的《太太和妻子》(1931)。松竹在经济上的稳定性在第二次世界大战后受到劳工问题的影响。但它依然生产了像《请教芳名》(1953～1954)这部战后日本赢利最高的影片。所获利润用以更新制片厂设备,并建立松竹电影科学研究所,专门研究电影制作中的技术问题。1955年,松竹献映日本的第一部宽银幕影片。除电影制作和发行以外,该公司仍继续经营舞台演出,并向电视方面发展。

shock 休克 临床、生理学概念。因循环衰竭,全身外周器官和组织的血液灌注不良导致的一组病理综合征。组织得以维持基本代谢活动所必需的氧气和养分得不到供应,代谢废物也不能排出体外。休克的常见原因是大量失血和严重感染;基本的临床症状有血压下降、四肢冰凉、神志不清、脉搏细速、虚汗等,其他症状因人而异。导致休克的病理生理机制有多种。血容量急剧减少、严重心力衰竭、心肌梗死、大量失血、各种原因的心输出量下降、外周血管高度扩张(血管床增容)导致的有效循环血量减少(见于感染)等都是可能的机制。休克的基本病变是毛细血管床的有效血液灌注量不足。临床上常根据病因分类,但病因常常不明。一次大量失血时,动脉血压的下降会刺激主动脉和颈总动脉壁上的压力感受器,进而激发机体的保护性生理反射:加快心率以增加心输出量、选择性地收缩小动脉以保证重要脏器的血液供应等。如继续失血,保护性反射衰竭,则会迅速出现休克症状。严重脱水和烧伤时的血浆大量渗出也可导致休克。冠状动脉硬化性心脏病(冠心病)、冠状动脉栓塞、心肌梗死、肺动脉栓塞、心包填塞(因积液或积血)也可导致休克。此时虽无失血,但心肌功能损伤可明显减少心输出量,导致休克。感染性休克的发生机制是:细菌毒素刺激全身外周小血管和毛细血管高度扩张、淤血,致使有效循环血量急剧减少(全身毛细血管床开放后的容量极大);感染性脱水无疑会进一步加重这一病理过程。过敏性休克实际上是机体对外来抗原产生以全身毛细血管扩张为主的过敏反应所致。药源性休克也属此类,最常引起休克的药物有麻醉药和巴比妥类镇静剂。治疗休克首先要弄清病因，有时急诊病人会有多种病因并存的情况。如果不澄清该患者是心源性、失血性、过敏性或是别的什么休克，治疗就会出现混乱。心源性休克和失血性休克的治疗原则显然不同；如果给心源性休克患者大量、快速补液，无疑会造成灾难性的后果。明确休克性质的方法很多，如测中心静脉压等。各种类型的休克都有各自必须坚持的治疗原则。

shock, electrical 参阅 **electrical shock** 电击。

shock absorber 减振器 又称缓冲器。控制用弹簧悬架的车辆有害运动的装置。例如，在汽车上弹簧是在车轴和车身之间起缓冲作用，减少不平路面对车身冲击。对应于某些路面的不同车速会使车身产生极剧烈的上下运动。减振器可衰减这些振动的振幅。现代的减振器是液压装置，对弹簧的压缩和拉伸都起阻抗作用。直接作用或支柱式减振器，是用两个吊环连接车架和车轴。一个吊环连在油缸中滑动的活塞上，另一个连在油缸上。车架与车轴间的任何相对运动，都使活塞对缸体中的油加压，因而油必须通过小口或经弹簧加压阀泄出。这样就产生了对抗弹簧压缩和拉伸的力，从而缓和车身的振动。

shock therapy 休克疗法 又称电休克疗法或电惊厥疗法。用药物或电流诱发休克从而治疗某些精神疾病的方法。此法起源于当时认为癫痫性惊厥与精神分裂症症状不能共存(以后证明这个看法是不成立的)。1933 年维也纳精神病学家 M.札克尔首先报道胰岛素休克疗法。在发现安定药之前，各种形式的胰岛素休克疗法(或称胰岛素昏迷疗法)普遍地用于治疗精神分裂症及其他精神病状态。给患者注射剂量逐渐增加的大剂量胰岛素，使血糖含量降低而出现昏迷。通常可使昏迷状态维持约一小时，然后通过胃管喂饲温糖水或静脉注射葡萄糖以终止治疗。胰岛素休克对病程不足 2 年的精神分裂症患者疗效最佳，对精神分裂病偏执型及紧张型的疗效亦较青春型好。电惊厥疗法系 U.塞莱蒂及 L.比尼于 1938 年在罗马所倡用，用于治疗以严重抑郁为主要症状的疾病，对躁狂抑郁性精神病和各种抑郁症疗效尤佳。方法是在双颞部各放置一块电极板，通以交流电，使意识立即丧失并引起抽搐发作。一般每周进行 3 次，2～6 周为一疗程；某些急性患者可每天进行 2～3 次。一个疗程之后，会出现记忆障碍，轻者表现为叫不上别人的名字(数月后逐渐恢复)，重者呈精神错乱状态。自安定药出现后，胰岛素休克治疗及电惊厥疗法已较少使用。

shock wave 冲击波 在空气、水或固体物质一类弹性介质中产生的强压力波，由超声速飞机、爆炸、闪电或其他现象产生的压强急剧变化引起。冲击波的波阵面不同于声波，它的压缩发生于应力、密度和温度都突然急剧变化的区域。因此冲击波传播的方式也不同于寻常声波。特别是冲击波传播得比声波快，并且速率随着波幅的增大而增大。不过冲击波强度的衰减也比声波快，因为它的一部分能量消耗于加热它穿行的介质中。爆炸在空气中产生的强冲击波，其振幅几乎与离震源距离的平方成反比而减弱，直至减弱到遵循声波的规律为止。冲击波会改变固体的力学、电学和热学性质，因而可以用来研究任何材料的状态方程。

Shockley, William B(radford) 肖克莱(1910-02-13，伦敦～1989-08-12，美国加利福尼亚帕洛阿尔托) 美国工程师和教师，因和 J.巴丁、W.H.布拉顿一起研制成晶体管而共

供图：Fabian Bachrach

获 1956 年诺贝尔物理学奖。晶体管已经大量代替了体积大、效率低的真空管，开创了微电子学时代。他曾在加利福尼亚理工学院物理系学习，1932 年获理学士学位，1936 年在哈佛大学获哲学博士学位。1936 年他参加贝尔电话实验室工作，开始进行实验，结果发明并发展了结型晶体管。第二次世界大战期间，任美国海军反潜战运筹学组研究主任。战后回到贝尔电话实验室任晶体管物理学研究主任，1954 年在加利福尼亚理工学院任客座物理学教授，1954～1955 年任国防部武器系统鉴定组副主任，1955 年参加贝克曼仪器公司并建立肖克莱半导体实验室。1958 年成为加利福尼亚斯坦福大学讲师。1963 年在斯坦福大学成为第一位波尼托夫工程科学教授(1974 年退休)。他著有《半导体中的电子和空穴》一书(1950)。60 年代末期因为他在人种之间存在智力差别的一些有广泛争议的论点而成为一位毁誉参半的人物，他认为标准化智力测验反映出智能上的遗传因子，而且 IQ(智商)测验示出黑种人劣于白种人。他还进一步推断，黑种人的高繁殖率妨碍了种族的进化。

shoe 鞋 人脚的保护性外套。常用皮革制作，有硬或厚的底和后跟，与靴有区别，一般高度不超过髁部。在埃及发现的一只用纸莎草编织的鞋子，时间约在公元前 2 000 年左右。中世纪以前，鹿皮鞋、草鞋、轻便靴等是较为流行的式样，许多地区的贫民则穿木鞋。

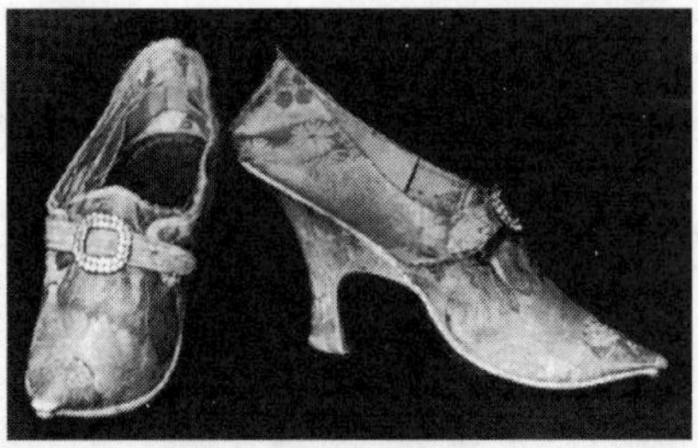

18 世纪法国妇女穿的带宝石扣饰锦缎高跟鞋

选自：20000 *Years of fashion* by Francois Boucher

中世纪时，西班牙的阿拉伯人引进精制皮革，科多瓦城便成为著名的皮货产地(由此而有科多瓦皮鞋及皮货之名)。有很大一部分鞋类是由能工巧匠制做的，许多鞋业行会纷纷在欧洲城镇成立。但现代以前，许多鞋靴只是家庭制品。成批生产鞋类的工厂是在制鞋机器发明之后才出现的。鞋楦分左、右两脚是 1818 年的创举。19 世纪中叶发明缝纫机，很快就用于制鞋。在此以前，大多数鞋靴的鞋底和鞋帮都用平头钉或木钉连接在一起；缝合完全靠手工。到 20 世纪初，其他新机器完成了这些工序。自远古以来，鞋靴都用皮革制成。现在虽仍主要采用皮革制鞋，但正在逐渐为橡胶及人造纤维或人工合成材料所代替。鞋里和鞋帮可用天然纤维或加有化学涂料的纤维制成，鞋底和鞋面接缝贴边，鞋跟、鞋帮后部及鞋后加固部分，可用塑料制品代替。大多数的内、外鞋底现在都已不用皮革材料。一种表面涂以化学漆的纤维材料，可以制成多种质地不同、花样翻新的鞋面，一如皮革的天然粒面。人造黑漆皮和人造麂皮，都用于制鞋。这些现代材料价格低廉，合乎要求。某些材料，如亚麻布、缎子、丝织品等，也日益为制鞋业所采用。

shoebill (*Balaeniceps rex*) **靴嘴鹳** 又作 shoe-billed stork 或 whale-headed stork。又称鲸头鹳。鹳形目鲸头鹳科的唯一种，大型的非洲涉禽。立高约115厘米。体羽全灰色，翅

靴嘴鹳(*Balaeniceps rex*)

供图：Tierbilder Okapia, Frankfurt am Main

宽，腿长。头相对较大，嘴宽而厚，形如靴。与鹈鹕类和鹭类一样，飞行时头后缩靠近身体。以小鱼和其他水生动物为食。在地面营巢，每窝产卵 1～2 枚。栖息于非洲东北部白尼罗河附近沼泽地带。

Shoemaker, Bill 休梅克(1931-08-19，美国得克萨斯法本斯附近～) 又名 Willie Shoemaker，原名 William Lee Shoemaker。20 世纪下半叶最伟大的美国骑手。10 岁随家人迁往加利福尼亚州，从此加州一直是他进行赛马活动的基地。休梅克 6 岁开始骑马，1949 年开始他的赛马生涯。先后参加 24 场

肯塔基大赛,赢 4 场(1955、1959、1965、1986)。他赢得最后一场胜利时已是 54 岁。他 5 次在贝尔蒙特大奖赛上夺魁(1957、1959、1962、1967、1975),两次夺得普利克内斯有奖赛冠军(1963、1967)。1950、1953、1954、1958、1959 年他是北美洲骑手中的佼佼者,10 次被列为年度奖金收入最高的骑手。自 1957 年起,他年收入超过 200 万美元;到 1989 年退休时,经他骑过的马共计赢得了 1.2 亿美元。他退出赛马生涯后成了一名教练员,即使在 1991 年由于车祸而四肢瘫痪后,他仍继续工作。在他 41 年的赛马生涯中,他所骑过的马一共有 8 800 匹得了冠军。1981 年他驾驭约翰·亨利,这是一匹在首次奖金高达百万美元的纯种马比赛(阿灵顿百万美元赛)中获胜的马。他与 D.史密斯合著的《铁蹄:威利·休梅克的赛马解说》一书于 1976 年出版。

Shoemaker-Levy 9, Comet　舒梅克-列维 9 号彗星　1994 年 7 月撞上木星的彗星,由舒梅克夫妇与 D.列维在 16 个月之前发现。这颗彗星在1992年接近木星时分裂成20多

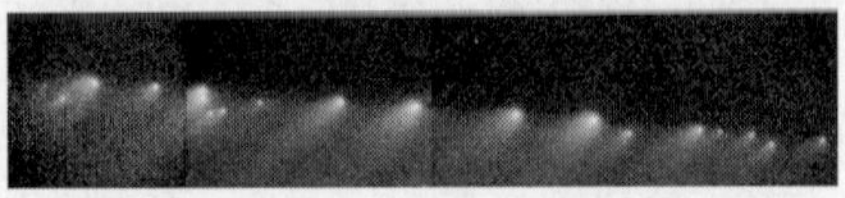

1994 年哈勃太空望远镜拍摄下的舒梅克-列维 9 号彗星呈现“珍珠项链”的景象
美国不列颠百科全书公司供图

个碎片,两年后就像一串断线的珍珠项链相继撞上木星,为期一个星期,在撞击点的木星大气留下比地球还要大的暗斑。

shōen　庄园　日本从约8世纪至15世纪后期的任何私有的、不纳税的、自治的领地或庄园。它的出现削弱了天皇的政治与经济权力,并有助于地方集团的权势发展。这些私人庄园是由神社、寺庙领有的土地和天皇赐给亲族、友人或官员的土地发展起来,民政机关无权管辖,从而导致地方武士阶级的兴起。1192 年镰仓幕府成立后,曾经削弱庄园领主的势力。至 15 世纪中叶,大名各霸一方,征收田赋地税,庄园制度遂亡。

Shoenberg, Sir Isaac　休恩伯格(1880-03-01,俄罗斯平斯克[今在白俄罗斯]～1963-01-25,英国伦敦)　最早的高清晰度电视系统的主要发明者,1936 年英国广播公司用它在伦敦最先公开播送高清晰度电视节目。1914 年去英国定居之前,他在俄国安装了第一座无线电台。在英国电气和音乐工业公司工作时他领导一个研究组,于 1931 ～ 1935 年研制出一种先进的摄像管(光电摄像管)和一种用于电视接收机的高效率的高真空阴极射线管。直到 1964 年,英国广播公司一直采用他提出的技术标准:405 行扫描线和每秒 25 帧无闪烁图像。休恩伯格 1962 年被封为爵士。他最小的儿子 D.休恩伯格后来成为著名的物理学家。

shofar　绍法　又拼shophar。犹太教仪礼用乐器。以山羊角制成,用于重要的公共和宗教活动。在《圣经》时代,绍法声宣布安息日

岁首节仪式上吹奏的绍法
供图:纽约犹太博物馆—Art Resource

和新月节到来以及新国王受膏,今日以色列国总统宣誓就职时仍吹奏绍法。目前绍法主要用在岁首节宗教仪式中。

Shoghi Effendi Rabbānī　邵吉·埃芬迪·拉巴尼(1897-03-01,巴勒斯坦阿卡[今以色列阿卡]～1957-11-04,英国伦敦)　国际巴哈教派领袖。1918 年在黎巴嫩首都贝鲁特美国大学获文学士学位,继而在英国牛津大学巴利奥尔学院深造,1921 年返回海法,由于祖父突然死亡而继任巴哈教派监守。撰写许多著作,阐述巴哈派教义。监守之职原为世袭,但邵吉·埃芬迪死时即不再下传。他所任命的助手(号称真主事业之手)在“普世法庭”的节制下主持巴哈教派的工作,普世法庭于 1963 年成为该教派全世界领导机构。

shogi　将棋　日本象棋。来源不明,相传兴起于印度,自中国经朝鲜传入日本。将棋同象棋一样是在一方棋盘上下棋,目的是将死对方的王。与国际象棋相比,有两点不同:

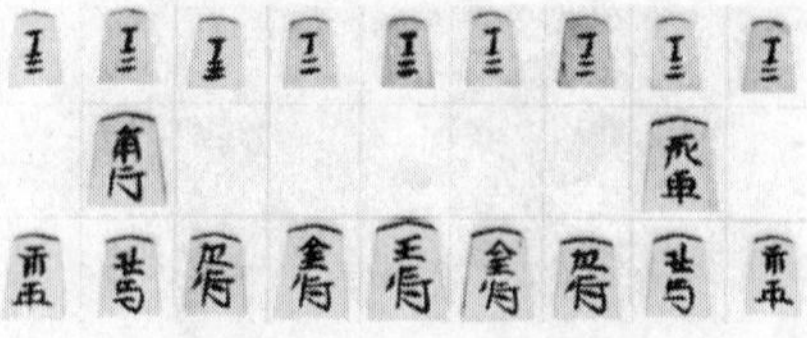

20 世纪的日本将棋木质棋子
纽约大都会艺术博物馆供图

①被吃的子不死,变为敌方的子,向反方向行进;②卒按正常走法即向前直走一格吃子。双方各 20 子,棋盘纵横各 9 格。每方有步兵 9、飞车 1、角行 1、王将 1、金将 2、银将 2、桂马 2、香车 2。角行和飞车置于与对方相应之子斜对,其他各子与对方之子同在直行相对。各子名称用汉字标出。除王将和金将外,,其他各子在进入敌方最后 3 横行时均可晋升。晋升等级标在子的背面,大多晋升为金将。被吃掉的子置于后备基地,需要时随时可用于局内,原等级不变,可进入任何空格。这种重新入局的子一旦进入敌方即晋升。

shogunate　幕府　日语拉丁字母转写作bakufu 或 shōgunshoku。1192 ～ 1867 年日本幕府或世袭军事独裁者的政府。幕府将军一词(是“征夷大将军”的略语)最初是用来表示指挥帝国政府 8 世纪对日本北部的阿伊努部落进行作战的指挥官。从法律上讲,幕府由天皇控制,幕府将军的权力只限于控制本国军队。但是由于日本社会日益封建化,便产生这样一种形势,即控制了军队也就是控制了国家,天皇则仍旧留在京都皇宫里主要作为幕府将军背后君权的象征。

日本的幕府将军

	时期
镰仓幕府	
源頼朝	1192 ～ 1199
源頼家	1202 ～ 1203
源实朝	1203 ～ 1219
藤原頼径	1226 ～ 1244
藤原頼嗣	1244 ～ 1252
宗尊亲王	1252 ～ 1266
惟康亲王	1266 ～ 1289
久明亲王	1289 ～ 1308
守邦亲王	1308 ～ 1333
足利(或室町)幕府	
足利尊氏	1338 ～ 1358
足利义诠	1358 ～ 1367
足利义满	1368 ～ 1394
足利义持	1394 ～ 1423
足利义量	1423 ～ 1425
足利义教	1429 ～ 1441
足利义胜	1442 ～ 1443
足利义政	1449 ～ 1473
足利义尚	1473 ～ 1489
足利义植	1490 ～ 1493
足利义澄	1494 ～ 1508
足利义植(第二次)	1508 ～ 1521
足利义晴	1521 ～ 1546
足利义辉	1546 ～ 1565
足利义荣	1568
足利义昭	1568 ～ 1573
德川幕府	
德川家康	1603 ～ 1605
德川秀忠	1605 ～ 1623
德川家光	1623 ～ 1651
德川家纲	1651 ～ 1680
德川纲吉	1680 ～ 1709
德川家宣	1709 ～ 1712
德川家继	1713 ～ 1716
德川吉宗	1716 ～ 1745
德川家重	1745 ～ 1760
德川家治	1760 ～ 1786
德川家齐	1787 ～ 1837
德川家庆	1837 ～ 1853
德川家祥	1853 ～ 1858
德川家茂	1858 ～ 1866
德川庆喜	1866 ～ 1867

1185 年,武士首领源赖朝(Minamoto Yoritomo)取得了全日本的军事统治权,7 年后,他自封为将军,在镰仓创建第一个幕府(意为“帐篷政府”)。虽然帝国政府保留着公认的法律地位,但镰仓幕府实际上拥有军事、行政和司法权。幕府任命其军事长官或“守护”作为各大地区的首领,并委派地头管理各大区下属庄园,因而建立了一套有效的全国统治网。

1333 年,镰仓幕府垮台后,足利尊氏建立了日本第二个幕府,从 1338 年至 1573 年统治了日本大部分地区。足利幕府的首府就设在帝都——京都。守护,实际上就是军阀,他们到 16 世纪被称为守护大名(daimyo),由于他们独立性愈来愈强,最终导致足利幕府政权的覆亡。

1600 年,德川家康(Tokugawa Ieyasu)取得了对守护大名的军事统治权,于 1603 年建立

了第三个幕府，首府设在江户（今东京）。江户幕府是日本历史上最强大的中央集权政府，它控制了天皇、守护大名和宗教组织，管理着德川领地，处理日本的外交事务。

1862年以后，德川幕府为了维持其统治进行了重大变革，但是在1867年，最后一位幕府将军德川庆喜被迫将军政大权交还天皇。不过，德川幕府在江户建立起来的中央集权管理体系为19世纪后期新的日本天皇统治奠定了基础。

Shōhaku　肖柏（1443，日本～1527-05-04，日本）　日本室町战国时代（1338～1573）后期的学者、和歌与连歌诗人。别号梦庵。他与另外两位连歌大师共著《水无濑三吟百韵》（1488）。早年生活不详，只知他在某个时候成为和尚兼诗人饭尾宗祇的弟子。1488年初，肖柏、宗祇和宗祇的另一门生宗长在京都与大阪之间的水无濑村相会，写出《水无濑三吟百韵》。这首诗是在连歌极盛时所作，被认为是这种体裁的最佳范例之一。肖柏曾协助宗祇编纂《新撰菟玖波集》（1495），这部歌集中包括经过修改的连歌写作程式。肖柏本人的主要著作有评注《伊势物语》的《伊势物语肖闻抄》和关于连歌的学术论文《肖柏口传》。

shoin　书院　日本住宅中带书桌的凹室，建于回廊上，具有木制的格子窗，糊着坚韧的透光白纸。日本居住建筑的书院风格即由此得名。原属中国特色，日本佛教徒（尤其是禅宗派的佛教徒）住所吸收了这种风格。镰仓时代（1192～1333）末期的僧侣住所中常能见到此种凹室，后变为世俗建筑的主要风格的一部分，成为社会地位的标记，使接待宾客的主房具有一种学者的优雅风度。

shoin-zukuri　书院造　即书院（shoin）建筑。日本居住建筑的一种风格，其名称来自书院。书院、床之间（**toko-no-ma**，壁龛）和违棚（**chigai-dana**，壁内书架）三者都是这种建筑风格的组成部分，出现在镰仓时代（1192～1333），源于禅宗派的僧侣住所。室町时代（1338～1573），随着寝殿造风格的消失（参阅**shinden-zukuri**），这种风格逐渐发展起来。其特点是房屋的尺度较小（贵族收入减少）、布局不对称、分散的体积合并成较紧凑的住宅，以及采用牢固的墙壁结构和可以滑动的隔板（参阅**shoji**）。

日本东京15世纪晚期书院造的内景
供图：Oguro Planning Co.—FPG/美国不列颠百科全书公司

Shojā' Mirza　苏查·米尔扎　参阅**Shah Shojā'**沙阿·苏查。

shoji　障子　在日本的建筑物里，起到和外部隔离作用的滑动门窗，在木制的格子框架上面糊着坚韧半透明的白纸。关闭后能透进柔和的光线。夏天完全取下，使屋内与外界相通。由于日本的湿度很大，这是一种合乎需要的措施。纸糊格子窗是书院建筑风格的一个特点，最早出现在镰仓时代（1192～1333）。

Shōjirō（Japanese painter）　**庄二郎**　参阅**Torii Kiyomasu**鸟居清倍。

shōka　生花　在古典日本花道中，一种三枝不对称的样式，是古代庙寺定型花道立花的简化样式。宁静平衡的生花插法，以三条主要线条组成的三角形结构为基底，“芯”是中央正枝；“添”是辅枝；“体”是布置在基底左近用作平衡结构的枝条。三枝象征天、人、地，这种安插代表整个宇宙。生花设计的基本要求是保持自然规则，例如：山地生长的植物要放置在低地植物之上；各种花色品种要与季节协调；植物或悬挂或安放均要直立，宛如在自然生长。

用松枝和山茶花插成的生花
东京国际教育情报学社供图

Shōkadō Shōjō　松花堂昭乘（1584，日本大和藩～1639-11-03，日本）　原名中沼式部。日本书法家兼画家，为宽永时代“三笔”之一。他是一名佛教高僧和真言宗法师，曾谢绝高官显爵，寄迹于京都以南男山泷本坊，致力于书法、绘画、诗歌及茶道。1637年移居另一小山中的松花堂，其名及画派名称由此而来。他的主要成就在于复兴传统的来自中国并为9世纪日本真言宗高僧弘法大师所习用的草书，使书法艺术恢复生气。他用草书在六扇金叶折叠屏风上书写了16首爱情诗（现藏美国君子和约翰·鲍尔斯收藏馆）。他既从事大和绘，又效仿13世纪中国名僧兼画家（牧溪）法常、因陀罗，创作水墨画。

松花堂昭乘绘《布袋和尚》
东京国际教育情报学社供图

Sholāpur　绍拉布尔　印度西部马哈拉施特拉邦绍拉布尔县县城、城镇，濒临锡纳河。位于公路与铁路干线交叉点，为棉花等农产品的贸易中心。也是工业中心和仅次于孟买的棉纺织业中心。绍拉布尔县面积15 021平方千米。地势低而起伏，无大丘陵。属皮马河流域。居民大多从事农业。雨量不稳定，多灾荒。主要农作物有小麦、粟和棉花，水浇地产甘蔗。主要工业有卷烟、榨油饼和手工纺织。县内本特尔布尔为重要宗教中心。人口：城镇511 103；都会区514 860；县2 610 144（1981）。

Sholem Aleichem　肖洛姆·阿莱赫姆（1859-02-18，俄罗斯佩列亚斯拉夫～1916-05-13，纽约市）　Sholem又拼Sha-lom或Sholom。俄国犹太人，为人喜爱的意第绪语典范作家。年轻时即喜爱写作，17岁任俄语家庭教师，后来在卢宾任政府所设拉比。起初用俄文和希伯来文写作，但从1883年起，即从第一篇意第绪语小说问世到他去世时止，写了40多本意第绪语长、短篇小说和剧本。由于婚姻，他成为富翁，把部分家财用来帮助意第绪语作家和编辑出版年刊《意第绪语人民文库》（1888～1889），其余的家财则因经商亏损而丧失。他的作品被广泛翻译，在美国以“犹太人的马克·吐温”闻名。1906年起度过一段时间的漫游生活，后在瑞士定居，在欧洲和美国讲学。他是第一个用意第绪语为儿童写作的作家。

Sholes, Christopher Latham　肖尔斯（1819-02-14，美国宾夕法尼亚穆尔斯堡附近～1890-02-17，密尔沃基）　美国发明家。研制出打字机。曾任麦迪逊市《威斯康星探索者报》的编辑。一年后，他去绍斯波特主持一家报馆，不久进入政界，在州议会工作。从1860年起先后任《密尔沃基新闻》和《密尔沃基前哨报》的编辑。后接受林肯总统的任命，担任密尔沃基港的税务官员。1864年他和S.W.苏莱获得页码编号机的专利。他的同事C.格利登建议他在编号机的基础上进一步研制印字机，并向他推荐可参考伦敦J.普拉特发明打字机的有关资料，这个建议引起了肖尔斯的极大兴趣，他以毕生精力从事这项计划。1868年6月23日，他和格利登、苏莱共同获得打字机的专利，但他在筹措研制资金时遇到了困难，1873年他以1.2万美元将专利权卖给雷明顿军械公司。这家公司拥有良好的设备和熟练的技术来进行研制工作，终于造出了能销售的雷明顿牌打字机。肖尔斯虽然在晚年健康欠佳，仍继续对打字机的改进做出了贡献。

Sholokhov, Mikhail Aleksandrovich 肖洛霍夫（1905-05-24，俄罗斯维奥申斯卡亚～1984-02-21，苏联维奥申斯卡亚） 俄罗斯小说家。1965年，以"有力的艺术和真诚的创造

供图：Novosti Press Agency

性描绘了俄罗斯人民生活中的一个历史阶段"而获诺贝尔文学奖。1920年参加红军后，在莫斯科停留两年，1924年返回故乡顿河地区的哥萨克村庄。曾几度访问西欧，1959年陪同赫鲁晓夫访美。1932年加入共产党，1961年被选为中央委员。他17岁时开始写作，出版的第一本书是短篇小说集《顿河的故事》(1926)。1925年开始写著名长篇小说《静静的顿河》(4卷，1928～1940)。肖洛霍夫的作品发展过程缓慢，值得注意的是，《静静的顿河》用了12年时间才完成。另一部长篇小说《被开垦的处女地》(1932～1960)，用了28年时间写作。他的最有争议的《静静的顿河》客观描写顿河哥萨克人为争取独立而进行的反布尔什维克的英勇和失败的斗争，在苏联拥有广大读者，被视为社会主义现实主义的有力典型。1941年获斯大林奖。苏联一些作家（如A.索尔仁尼琴、R.麦德维杰夫等）认为《静静的顿河》的大部分内容抄袭哥萨克作家F.克留科夫(1920年卒)的作品，理由是该书第一卷问世时，肖洛霍夫年纪尚轻，并无生活经验；另外，他以后也未能写出具有同样文学价值的作品。

Sholom Aleichem (Yiddish author) 参阅 **Sholem Aleichem** 肖洛姆·阿莱赫姆。

Shomolu 绍莫卢 又作Somolu。尼日利亚西南部拉各斯州城镇。在首都拉各斯市正北，为该市住宅郊区。面临人口拥挤、住房紧、卫生差等问题。有皮革手工艺和印刷业。居民以约鲁巴人为主。人口约130 300(1991)。

Shomron(region, ancient Palestine) **舒姆龙** 参阅 **Samaria** 撒马利亚。

Shōmu 圣武天皇（701，日本大和～756-06-21，奈良） 日本第45代天皇，耗巨资兴建佛寺，在位期间佛教实际上已成为正式国教。715年即位。天皇夫妇笃信佛教。741年下诏各国建造国分寺和国分尼寺。在奈良建东大寺，其大佛殿为世界上最大木结构建筑物之一，殿内供奉53英尺高的巨大毗卢遮那铜佛。他在东大寺落成典礼上(752)发表了著名的演说，自称是"三宝"（佛、佛法、佛寺）的仆人。凡在举行典礼时使用的物品都收存于正仓院，现为了解8世纪日本情况的宝贵资料。尽管圣武天皇大兴土木使国库空虚，奈良时代仍被认为是日本历史上文化鼎盛的时期之一。

shomyo 声明 日本佛教经典歌曲。真言宗等教派都保持这一传统歌曲形式，并将其理论书籍和谱写法用作佛教其他歌曲形式的基础。声明虽由中国传入日本，但其所用术语和演出实践却来自后来的日本音乐。

Shona 绍纳人 文化传统相似的班图语系民族群体，主要住在津巴布韦东半部伦迪河以北地区。主要部落划分有泽祖鲁人、卡兰加人、曼尼卡人、通加-科列科列人及恩道人等。绍纳人种植黍稷、高粱、玉米、水稻、豆类、花生、甘薯等。玉米是主食。大部分部族养牛。牛虽用以提供牛奶，但主要是作为产业以昭信誉并作聘礼。村庄由一些泥土、枝条造成的住屋、谷仓和公共畜圈所组成；典型的村庄可容一个或更多有亲缘关系的家庭居住。人际关系及政治联系由族外婚氏族及地方家系加以制约。传代、继位和遗产继承除北部少数部落按母系外，均以父系为主。绍纳人的传统文化曾以其精美的铁制品、陶器和技艺高超的乐师著称，但目前正迅速衰落。他们信仰创世神——姆瓦里。初等教育的推行、基督教的传播以及某些城市化倾向，几乎未曾动摇他们对魔法、巫术及妖术的信奉。

shonkinite 等色岩 以普通辉石和正长石为主要组分的少见的深色侵入岩。其他矿物有橄榄石、黑云母和霞石，还有很少量的斜长石，不含有石英。在美国蒙大拿州海伍德山的尚金-萨格，等色岩形成层状岩盖（插入沉积岩层之间）之较大部分。它还产于加拿大的安大略省和不列颠哥伦比亚省以及印度尼西亚（西里伯斯、帝汶）。

shooting 射击 使用步枪、猎枪或手枪向各类靶标射准的体育运动或技艺。射击比赛开始于火器出现（约1300年）之前。使用枪支射击比赛的历史基本上就是步枪射击的历史。1477年在艾希施泰特举行射击比赛，可能使用药捻式火枪，这是有史料可查的最早的打靶。至16世纪，步枪打靶已成为欧洲大部分国家，特别是日耳曼系各国的流行娱乐活动。今日德国许多博物馆仍存有许多木靶，其最古老者为1540年前所制。1737年，俄国女皇安娜命令在宫内设置靶场，但当时所谓靶子却是飞行中的活鸟。1806年军官们于圣彼得堡成立业余射手协会，他们主要用燧发枪进行射击 。1834年用步枪或手枪射击的第一座射击场或俱乐部在圣彼得堡建成，公众可花很少的钱去参加射击。19世纪50年代出现了许多类似公共射击场所，90年代成立了若干射击组织。1913年在基辅举行了第一届全俄射击锦标赛。俄罗斯选手在奥运会和世界锦标赛上取得的成功反映了他们对这项运动持久的兴趣。在北美的英国殖民地和大西洋沿岸步枪射击是一种生活方式，用来自卫、狩猎和打靶。那里几乎每个村庄在周末和节假日都举行射击比赛，常吸引上百名射手来参加。至1830年，美国人口密集的东部和中西部的城镇和城市都成立了射击俱乐部。1840年前已建立了有依托的对靶射击。1871年国家卫队军官为提高射击水平成立了全国步枪协会。1800年前英国流行对靶步枪射击。英国军方从1800年起对各种步枪进行了研究，特别强调550米以外的远距离对靶射击。19世纪50年代成立了这种射击的志愿者步枪大队，吸引了全国精英前来参加。远距离射击变得十分普及，以至在1860年全国步枪协会举行的首次有奖活动中，维多利亚女王打了第一枪。进入20世纪时所有英语国家对此也风靡一时。20世纪30年代，澳大利亚、新西兰射手远涉重洋经常到英国去参加国际比赛。欧洲中部多少世纪以来一直练习起源于德国和瑞士的射击，到19世纪80年代变得非常流行。在户外，有90米或180米立姿或无依托立姿对靶射击，室内靶则设在23米远处。20世纪20年代这一运动在欧洲和美国开始衰落。第一次世界大战之后，随着成千上万个射击俱乐部和协会相继成立，对靶步枪射击兴趣快速增长。大部分人对小口径边缘发火射击感兴趣。用手枪对靶射击从未被广泛地采用，可能它比步枪更难瞄准，精确度差。1896年开始举办的现代奥运会中把手枪射击包括在比赛项目内。用猎枪对靶射击源于练习射杀禽鸟。20世纪下半叶，法国、西班牙和意大利一直盛行用活鸽当靶进行射击。先是用玻璃球，最后用"泥鸽"代替活鸟。约于1830年飞碟射击传入美国。19世纪在欧洲得到普及，每年在摩纳哥等地举办国际比赛。1925年正式称作美国双向飞碟射击运动。在1896年射击成为奥运会比赛项目之前，运动会上用军用步枪和公务手枪射跑鹿、野猪和活鸽。后来奥运会项目中有：自选手枪射击（1936年起）；手枪速射（1948年起）；俯卧和立、跪、卧三种姿势的小口径步枪（分别从1900年和1952年起）；气步枪（1984年起）；多向飞碟（泥鸽）射击（1900～1924，从1952年起）；双向飞碟射击（1968年起）；移动靶——跑猪（仅1900年，后于1976年恢复）。早先奥运会只有男子射击项目，但并未禁止女子参加。1984年，为女子新辟了三个项目——运动手枪、气步枪和小口径标准步枪（三种姿势）。多向飞碟和双向飞碟射击，男女均可参加。国际射击联盟(ISU)成立于1907年，于1919和1946年重组。

shooting star (astronomy) 参阅 **meteor** 流星。

shooting star 流星花 报春花科流星花属(*Dodecatheon*)植物。约14种，多年生草本，主

流星花(*D. meadia*)
供图:John H. Gerard—美国不列颠百科全书公司

要原产于北美西部。植株低矮。叶基生,叶缘波状。花淡红色、紫色、淡紫色、粉红色或白色,聚生成小花簇,位于无叶的花葶末端。花冠5裂,反卷。有些种花艳丽,常栽培于岩石花园。

shophar (musical instrument) 参阅 **shofar** 绍法。

shopping centre 购物中心 又称购物大街。传统市场在20世纪为适应汽车时代而出现的革新形式。购物中心将许多独立的零售商店和服务门市部以及停车场集合在一起,由一家经营机构统一加以规划、建设与管理。其中还可包括餐馆、银行、剧院、诊所、加油站和其他设施。在筹建购物中心时,规划师要考虑所选的地点是否适合居住区购物的需要,汽车交通的条件,该地区的大小、出入口与地形,以及紧邻地段的公用设施、分区法规和土地使用情况。该地区的经济条件、社会状况、当地商业竞争及经营方式将决定购物中心的规模及其中商店的类型。

购物中心的服务规模,一般分居民点、社区或地区三种不同的范围。最小的规模为居民点购物中心,它通常以一家超级市场为核心,配以一些日常服务的商店,如杂货店、修鞋铺、干洗店等,一般能满足6分钟汽车行驶路程范围内的0.25万～4万人的需要。社区购物中心除包括上述所有商店外,还有一家中等规模的百货公司或杂货商场;还可以增加服装店、机械供应门市和修理商店等,一般能为4万～15万人服务。地区购物中心所包含的内容与小型商业中心相似,至少拥有一家大型百货商店,往往这样的百货店还有好几家,还拥有许多特色商店,通常有几家餐馆,也许还有电影院,日常服务的商店则减少至最低限度,能为15万～40万人甚或更多的人服务。如果占地面积较大,则还可能包括汽车旅馆、医疗中心或办公楼等设施。

安排好停车场地是设计购物中心时需要考虑的一个重要问题。虽然中心的规模及服务半径、租户的类型与当地经济状况对停车需求具有一定影响,但一般认为每1 000平方英尺的商店出租面积可配置5.5辆停车场地。停车场的出入口必须宽阔和畅通,避免交通堵塞。在丘陵地区,把停车层和后勤服务层同顾客主要的出入层错开,往往是有利的。

在购物中心内部妥善安排人行路线与车行路线是设计的首要问题,两者应尽可能分开。唯一例外的是分散设置在中心外围的坐在汽车上购物的商店、观看电影的露天电影场和存取款项的银行。

第一家露天的联合购物商业大街,为1922年在密苏里州堪萨斯城附近由J.C.尼科尔斯公司开设的乡村俱乐部购物大街。第一座室内的购物大街于1956年在明尼苏达州的明尼阿波利斯附近开业。80年代出现了"巨型购物大街",例如加拿大艾伯塔省的西埃德蒙顿购物中心(1981年开业),它不仅拥有800多家商店,出售从鞋类至汽车等所有物品,而且包括餐馆、旅馆、露天游乐场、小型高尔夫球场、教堂、供日光浴及冲浪的"水上公园"、动物园、一片长438英尺的湖面,以及分散在各处的500余种树木。

shoran 肖兰导航系统 英文 short-range navigation(近距导航系统)的缩写。由船舶或飞机发出雷达信标脉冲信号,触发两个位于不同地点的地面台产生应答信号,以确定船舶或飞机位置的系统。根据发出脉冲到接收两个地面台应答信号的时间间隔,可确定船舶或飞机与这两个地面台的距离,根据距离即可求出精确的位置。这种系统的精度在160千米距离上误差在几米以内。虽然它在导航上现已不再使用,但仍广泛用于航空地磁测量、海洋测量和水文测量。它的改进型海兰导航系统有更高的精度。

Shore, Jane 肖尔(?～1527) 英格兰国王爱德华四世的情妇。美貌、娇媚而机智。据认为对爱德华产生了有益的影响。伦敦一富商之女。很早就与金银首饰商W.肖尔结婚。爱德华喜欢与伦敦民众交往,约1470年与她相识,养为情妇。1483年爱德华死后,她又成为第一代多塞特侯爵托马斯·格雷的情妇。后来被权贵黑斯廷斯勋爵威廉纳为妾室。她可能促使黑斯廷斯派和伍德维尔派联合起来反对摄政格洛斯特的理查。1483年6月理查夺取王位之前不久,下令将她逮捕,后来强迫她当娼妓以公开赎罪。她的命运一直没有好转,沦为乞丐死去。

shore bug 跳蝽 异翅目跳蝽科昆虫,200多种。形小。色深,具黄或白色斑纹。取食其他昆虫,常见于淡水或咸水附近,故英文名意为岸蝽。受惊时,可作短距离飞行,再藏在石缝中或植物下。全球性分布。根据某些翅室的形状可被辨认。

shore fly 水蝇 双翅目水蝇科昆虫。体小,常大量出现于池塘、溪流和海边。原油水蝇(*Psilopa petrolei*)在原油池中生活并繁殖,吃落入池中的昆虫。美国西部的印第安人曾收集水蝇类的水栖幼虫为食。少数种幼虫潜叶生活。

shore lichen 水滨地衣 参阅 **yellow scales** 黄鳞。

Shorea 娑罗双属 龙脑香科的一属。约180种南亚常绿高大乔木,产贵重木材。粗壮娑罗双(*S. robusta*)和印南娑罗双(*S. talura*)也栽培作为放养紫胶虫的寄主树。大叶娑罗双(*S. macrophylla*)的坚果含脂肪,用为可可脂的代用品。长椭圆形叶娑罗双(*S. oblongifolia*)是一高大乔木,产达马树脂。

粗壮娑罗双(*S. robusta*)
供图:E.S.Ross

shorebird 滨鸟 常见于海滨或内陆泥滩上的鸻形目鸻亚目鸟类;在英国称为涉禽或涉水鸟。包括反嘴鹬(**avocet**)、走鸻(**courser**)、麦鸡(**lapwing**)、蛎鹬(**oystercatcher**)、瓣蹼鹬(**phalarope**)、鸻(**plover**)、燕鸻(**pratincole**)、鹬(**sandpiper**)和沙锥(**snipe**)等。

Shoreham-by-Sea 滨海肖勒姆 英格兰西萨塞克斯郡埃德区港口。临英吉利海峡。位于埃德河口。城镇在霍夫海滨胜地(东)和沃辛(西)之间。埃德河是沿海运输的港口,运输木材、水泥以及肖勒姆煤气公司和电力公司所需用的材料。人口约20 966(1981)。

Shorey, Paul 肖里(1857-08-03,美国艾奥瓦达文波特～1934-04-24,芝加哥) 美国学者和人文主义者,因有关古典希腊艺术和思想的作品而知名。1878年毕业于哈佛大学,1880年取得律师资格,后来又去德国和希腊进行研究。他曾任教于布林莫尔学院及芝加哥和柏林各大学。肖里是一位极为渊博的学者,特别在希腊诗歌与哲学方面。他的著作有:《柏拉图〈理想国〉中关于善的概念》(1895);《贺拉斯:颂诗和抒情诗》(1898);《柏拉图思想的统一》(1903),是他的有关柏拉图的总结性著作;《对人本主义的攻击》(1917);还有《柏拉图嘉言集》(1933)。洛布古典丛书(1930～1935)中有他编订的柏拉图的《理想国》(附英译文)。他经常为《古典语文学》杂志撰稿,1908年任这个刊物的主编。

shoring 临时支撑 通常供建筑施工、维修及开挖土方时临时使用的支柱和支架。在修理或加固墙壁时,有时需用临时支撑以减轻墙的负荷。木斜撑的倾角约为 65°～75°,撑木下端固定在垫木上把荷载传递给地面,并可用楔子楔紧,保证接触严密。多层楼房的高墙,则需用几组支撑。撑木在钢筋混凝土框架施工中也用来支撑现场浇注混凝土楼板、梁和大梁的模板。

Short, James **肖特**(1710-06-10,爱丁堡～1768-06-14,伦敦) 英国光学仪器制作者和天文学家,他制作了最早用于反射望远镜的真正抛物线和椭圆的镜面(几乎没有畸变)。为投考牧师而进入爱丁堡大学,但受了数学家 C.马克劳林讲课的影响而改学光学。当马克劳林了解到肖特的数学天才时,他就鼓励他对数学和光学发生兴趣,甚至为他配置了一个光学车间。1738 年肖特定居伦敦,并由于他的出色工作,赢得了声誉和财富。他给 1 000 多台反射望远镜制造了当时可以得到的最好金属镜面。他对自己的手艺守口如瓶,不想传给他人,所以在他死前不久,他就嘱咐把他的工具毁掉。

short-eared owl (*Asio flammeus*) **短耳鸮** 鸮形目鸱鸮科猛禽。体矮,体长约 40 厘米。面盘明显。是分布最广的鸮类之一,分布自北极的周围到北温带,见于夏威夷和南美洲

短耳鸮(*Asio flammeus*)
供图:Eric Hosking

的大部分地区,可迁徙到更南的地方。耳羽束退化不明显。上体褐色,缀以白斑;下体浅色,具胸纹。栖息于开阔田野,白天亦常见。成群营巢于地面。以小鼠、鸟类、昆虫和蛙类为食。

short-horned grasshopper **蝗虫** 直翅目蝗科昆虫,有 1 500 属,8 000 多种,特征为触角短而粗,产卵器分 4 瓣,跗节分 3 节。草食性,包括一些已知为害最烈的农业害虫。为害剧烈(或迁徙性)的种类称为飞蝗(参阅 **locust**)。蝗虫的体型大小不等,体长从 5 毫米至 11 厘米。体形可细长,可短粗。许多种为绿色或稻草色,因此能与环境混为一体。后肢的股节极为粗大,故适应于跳跃。一些种具翅,而另一些种无翅。在有翅的种类,雄体能将两片前翅摩擦而发声,或将后肢从翅缘划过而发声。多数种的腹基部有一对鼓室(听觉器官)。雌性蝗虫可往土壤中产卵约 100 枚。经过一段休眠期后卵孵出体型微小的若虫,其外观与成虫相似。若虫蜕皮数次发育为成虫。在温暖地区每年可为一化至多化性。蝗科(Acrididae)含3个亚科。黑角蝗

殊种蝗(异黑蝗,*Melanoplus differentialis*)
供图:Lilyan Simmons—美国不列颠百科全书公司

亚科(檬翅蝗亚科,Cyrtacanthacridinae)包括几个为害最烈的蝗种。在北美,东笨蝗(小翅笨蝗,*Romalea microptera*)体长5～7厘米;翅大,红色,边缘黑色;西笨蝗(大呆蝗,*Brachystola magna*)体型大,故又称水牛蝗;但翅却小得多,粉红色。瘦蝗(*Leptysma marginicollis*)见于美国南部,翅透明。黑蝗属(*Melanoplus*)是蝗虫类中最大的属,包括许多在北美最常见、为害最烈的蝗虫,如落基山飞蝗(鄙视黑蝗,*M. spretus*)、迁徙蝗(血足黑蝗,*M. sanguinipes*)、双带蝗(二带黑蝗,*M. bivittatus*)及赤腿蝗(红足黑蝗,*M. femurrubrum*)。蝗亚科(Acridinae)的种类俗称斜面蝗,特征为额倾斜,后翅透明。常成小群栖于沼泽及潮湿的草甸周围,对植被为害不大。飞蝗亚科(斑翅蝗亚科,Oedipodinae)的种类俗称带翅蝗,飞行时发出劈劈啪啪的声音。后翅具明显的鲜艳色彩,不飞行时后翅为前翅所覆盖,前翅的颜色与周围环境融合为一体。带翅蝗是唯一能在飞行时发出声音的蝗类。卡罗来纳蝗(*Dissosteira carolina*)是常见的种之一,后翅黑色,边缘色浅。透翅土蝗(*Camnula pellucida*)是北美一种重要的作物害虫。

short metre **短韵律** 又作 short measure,缩写为 S.M.。为四行诗,第 1、2、4 行为抑扬格三音步,第 3 行为抑扬格四音步。该词也指写成四行诗的禽蛋商格律(12 音节与 14 音节诗行相间排列的诗歌格律)。

Short Parliament **短期议会**(1640-04-13～05-05) 英王查理一世从 1629 年后历时 11 年方才召开的一次议会。查理在第一次主教战争中派兵北征,想把圣公会礼拜仪式强加给苏格兰人,但是没有成功。他召开新的议会,要求批准进行第二次主教战争所需用的军费。可是,以皮姆为首的一派议员在议会中大胆揭发了过去 10 年的种种弊政,包括征收造船费。另外还预定在 5 月 7 日讨论苏格兰问题,这很可能会掀起反对战争的浪潮。因此,查理在 5 月 5 日解散议会。此举进一步削弱了查理的地位,同时也鼓舞了苏格兰人的斗志,使他们在第二次主教战争中进犯英格兰,其结果是召开了长期议会(**Long Parlia-ment**)。

short-range navigation **近距导航系统** 参阅 **shoran** 肖兰导航系统。

short story **短篇小说** 篇幅短小的虚构性散文故事,较长篇小说短,一般只有几个人物。短篇小说通常是通过一个或几个重要片断或场景来表达单一的意思。它的形式使得所描写的背景要简明,叙述要简洁;人物性格通过行动和戏剧性冲突显示出来,但却难得充分展开。

古希腊的寓言和短小传奇开短篇小说之先河,《天方夜谭》中的故事及 G.乔叟和 G.薄伽丘描写真实的世俗中产阶级生活的作品中,都插入了较长的故事。但是,短篇小说作为一个独特的文学体裁,直到 19 世纪初才真正出现。它的发展似乎受了文学中的浪漫主义和现实主义两者的共同推动。

在 19 世纪的第 2 个和第 3 个 10 年中,第一批真正的短篇小说集几乎同时在德国、美国、俄国和法国出现。在德国,H.冯·克莱斯特和 E.T.A.霍夫曼的故事是运用寓言手法作为探索心理学和玄学问题的手段。W.欧文的《见闻札记》(1819～1820)标志着美国短篇小说的开端。在他之后的 30 年代,则有 E.A.坡和 N.霍桑,他们是 19 世纪上半叶美国最杰出的短篇小说作家。坡写了许多一流的恐怖故事,实际上是他发明了侦探小说。霍桑在其《故事新编》(1837)中,展示了对所接受的清教徒信仰的迷恋以及个人所亲身经历的种种苦难,尤其是罪恶行径。

几乎在同一时期,俄国的 A.普希金和 N.果戈理转写短篇小说,他们将注意力集中于日常生活中的细节上,同他们之前的德国和美国同行所采用的荒诞和传奇题材形成鲜明对照。P.梅里美、H.德·巴尔扎克、T.戈蒂埃是第一批杰出的法国短篇小说家。他们的小说是现实主义的,并强调清晰和冷静的观察、鲜明的细节描写和准确的语言运用。

继霍桑之后,H.梅尔维尔在《广场故事》(1856)中使美国短篇小说触及到以前从未涉及的道德范畴。与此同时,俄罗斯传统在 I.屠格涅夫的作品中臻于成熟,他的第一部同时也是最出色的短篇小说集《猎人笔记》(1852)则以农民生活的普通状况作为描写的主题。他的每个短篇都是通过偶然的观察,在一件发人深省的事情上再现一个人物,并以此说明其全部生活。

19 世纪 80 年代,G.德·莫泊桑的短篇小说有着法国文学所特有的简练的细节描写和鲜明严谨的风格。他那巧妙的情节安排和惹人注目的高潮为大西洋两岸作家所模仿。相反,俄罗斯作家 A.契诃夫像他的前辈屠格涅夫一样,不是通过激动人心的事件,而是用不引人注目的、几乎是新闻报道的方式,通过仔细观察他们的境遇,来展示人物的性格。L.托尔斯泰也写过几篇表述自己独特道德观点的长的短篇小说。美国作家 B.哈特、马克·吐温、H.加兰、S.O.朱厄特和 J.C.哈里斯的短篇小说往往是先在杂志和报纸上发表,这使他们作品中增加了报刊特有的“地方色彩”因素。然而,19 世纪下半叶美国最重要的短篇小说作家则是 H.詹姆斯,他的细微的心理观察和驾驭文学样式的能力影响了第一次世界大战后的美国和英国作家。

差不多在世纪之交,R.吉卜林以英国第一位重要的短篇小说作家出现了。他的丰富多彩、情节巧妙的短篇小说充满了英国殖民地生活的华丽外表和激动人心的事件。但是英国短篇小说的真正繁荣是在第一次世界大战之后。这个时期的主要长篇小说作家 J.

康拉德、J.乔伊斯、E.M.福斯特、D.H.劳伦斯、V.吴尔夫等表现了对短篇小说形式的了解,而这是他们的19世纪同行所缺少的。乔伊斯的《都柏林人》(1914)是一本有特殊影响的短篇小说集,而新西兰作家K.曼斯菲尔德也是个很有影响的人。然而,W.S.毛姆却是在20世纪的大部分时间里拥有最广泛读者群的英国短篇小说作家。圆滑的客观和对人性弱点所作的深入剖析是他的短篇小说的特点。此后的英国短篇小说作家有V.S.普里切特、G.格林、H.E.贝茨和E.鲍思。

美国的短篇小说在20世纪显示了类似的丰富多彩。S.克莱恩、杰克·伦敦、O.亨利和S.安德森是本世纪初期主要的短篇小说作家。正如在英国一样,主要的长篇小说作家,如E.海明威、F.S.菲茨杰拉德、W.福克纳、J.斯坦贝克、R.P.华伦等,也是写短篇小说的能手。美国短篇小说常常表现出对地区生活特色的专注,这在一些南方作家的作品中十分明显。他们是福克纳、K.A.波特、E.韦尔蒂和F.奥康纳。

短篇小说的吸引力在整个20世纪不停地增长着,在那些先前对文学形式没有多大影响的国家,也出现了一些富有创新精神的引人注目的作家。他们中有捷克斯洛伐克的F.卡夫卡、阿根廷的J.L.博尔赫斯和日本的芥川龙之介。德国长篇小说作家T.曼显示出自己是20世纪最伟大的短篇小说作家之一。

short-tailed shrew (*Blarina brevicauda*) **短尾鼩鼱** 又作American mole shrew。又称美洲鼩鼹、北美短尾鼩鼱。食虫目鼩鼱科的中型北美动物。体茁壮。浅灰褐色。体长约10厘米,尾长约3厘米,眼小似念珠,耳极小,几乎难以觉察。栖于北美东部的森林和草原。全年活动,是最贪吃的动物之一。捕食无脊椎动物和各种小型脊椎动物,也吃植物。唾腺能分泌毒素,动物如果被它咬伤,即丧失活动能力。

short takeoff and landing airplane 参阅 **STOL airplane 短距起降飞机**。

short-track speed skating 短道速滑 全称短滑道速度滑冰。一种参赛者较量速度、滑冰技能和爆发力的运动。与传统的长滑道速度滑冰不同,参赛者彼此争先,而不是比用时少。20世纪70年代从传统的速滑运动发展而来。每组4～8人,选手在室内滑道比赛,滑道大小与一个冰球场相似,一圈长111米。每组每个赛次的前两名晋级下一轮比赛。比赛常会发生跌倒情况,所以选手在手肘和膝部都包有护垫,并戴头盔及手套,滑道边的墙上也加衬垫。男子和女子短道速滑项目包括500米、1 000米、1 500米和3 000米比赛。四人接力的距离为女子3 000米,男子5 000米。在被国际滑冰联合会承认之前,1978～1980年每年都举办世界锦标赛。1992年短道速滑首次成为法国阿尔贝维尔冬奥会比赛项目。参阅 **Olympic Games**。

shortening 起酥油 添加到面团或面糊中可使焙烤食品松脆,并使面团的可塑性增加,便于加工的动、植物油脂。主要有黄油、猪油、植物油、加工起酥油和人造奶油。对用于制作焙烤食品的起酥油,要求口味柔和鲜美,无不良气味,色浅,可塑性强,保存期长,有良好的起酥力并使产品质地柔软。硬脂肪适于制油酥糕点,使用植物油的糕点则比较紧密。起酥油与面团或面糊的比例,因产品而异:面包与馅卷含1%～2%,糕点10%～20%,脆壳馅饼30%以上。起酥油比例增加,柔软度亦增加,但太多会使糕点失去膨胀性。黄油含脂肪约80%,口味好,香气甜美,可使焙烤食品质地柔软,用于特制面包、曲奇饼、发面糕点,特别是油酥糕点等。但由于价格昂贵,主要用在高级焙烤食品中。黄油易变质,须低温保存,且不易乳化,所制糕点的体积比用易于乳化的起酥油小,颗粒粗。猪油来自猪的脂肪组织,白色固状,含脂肪约98%,香味温和适中,适于制面包、脆饼干、曲奇饼及馅饼壳。植物油来自各种油料种子,如玉米、棉籽、花生、椰子和大豆,含脂肪100%,低温时保持液态,经加工颜色从无色到黄色,并去味或产生柔和的香味。主要用于制面包、馅卷和其他较硬的焙烤食品。在制薄饼和其他糕点时,其液体性质很有用处。加工起酥油适于多种焙烤用途,用普通植物油脱臭脱色制成,含脂肪100%,平滑固状,可塑性好,可添加抗酸败剂与保湿剂。氢化起酥油是在热油中加氢,使之硬化。人造奶油用约80%的动物或植物脂肪加水、盐、乳化剂或有时加乳固形物制成,白至黄色,具中性或类似黄油的口味,熔点较高,制成的产品柔软,常用于制膨化糕点。

Shorthand 速记 又作stenography。用各种符号和缩写代替字母、词或短语以迅速记录语言的一种方法。通用最广泛的现代速记系统有皮特曼系统、格雷格系统、速写系统。

速记是一种利用符号、短点迅速替代字母、词或短语的快捷书写系统。速记法曾有几种不同名称:紧密式速记术(stenography)、草写式速记术(tachygraphy)或省略式速记术(brachygraphy)。现代速记广泛用于记录立法机关的议事程序、法庭审讯案件以及口授的商务通信等。

虽然历史学家色诺芬(公元前5～前4世纪)曾用过古希腊速记形式,但最早的关于速记系统的记录却溯自公元前63年。当时一名获释奴隶和西塞罗的朋友提罗(Marcus Tullius Tiro)发明了一套速记符号,用以记录罗马共和国元老院贵族西塞罗、塞内加和其他人物的言论。后来提罗发明的系统在罗马帝国学校里讲授,各位皇帝也学习它,并广为使用。罗马帝国衰亡后,提罗速记系统还继续使用了数百年。

英国是现代速记术的诞生地。T.布赖特的著作《符号速记术》(1588)标记着速记在英国发展的肇始。其后50多年已知出版的有13个速记系统,有几种曾数次再版。早期的系统中最为著名的一种是T.谢尔顿的《速记术》(1626),他的系统曾被S.佩皮斯用来写他的著名的日记。将近200年以后,另一位著名英国作家C.狄更斯曾学过速记,并且有一个时期曾以做法庭和国会的书记员来维持自己的生活。

虽然英国绝大多数早期的速记系统都是文字的和字母的,但是按照语音来速记的思想一直占优势。R.吉布斯(1736)成为第一个脱离字母基础转向语音基础的人。

1837年I.皮特曼《速记音符》的出版标志着语音速记系统的新时代。他不仅科学地对语言语音进行分类,并按照他的材料进行速记,而且还引入了简易的缩略方法以加快速度。皮特曼速记系统是语音的系统,一切的词语按照其语音来记录。因之,lain,deal,may,knife这些词可拼成lān,dēl,mā,nīf。辅音是由简单的几何图形、直线和短曲线组成。一切辅音都尽可能成对:例如轻笔划代表辅音“f”,同样的笔画稍为写重些就代表“v”这个音。皮特曼速记系统出版后没有几年就被引进到美国。在包括澳大利亚、新几内亚和印度在内的东半球,皮特曼速记系统最为流行。

1888年R.格雷格在英国出版了他的《细线表音速记法》,此后不久,便把他的系统传到美国,许多学校都讲授这个系统,许多速记工作者也用它作速记,而不用其他的系统,世界上大多数国家都出版并教授格雷格速记系统。格雷格系统依据以下几个原则:①语音系统;一切词语都按语音记写。②笔划无粗细之分;一切符号均用细线写。③字词符号都按照普通书法的要素书写;笔画是人们都熟习的,写法是一致的。④用圈或钩来表示元音;不采用皮特曼那种把单词贴近、超越或穿过书写线以示省略某些元音的办法。⑤元音插入自然顺序状态下的单词轮廓之中而无需提笔另行书写。⑥大量使用曲线目的是加快书写速度。格雷格速记系统对一些最常见的词,混合的辅音,各种后缀和前缀,都使用其简化形式,从而使用缩略原则以图增快书写速度。速记系统在20世纪的发展倾向是,利用正规书法的符号来书写字母,即使不一定全部字母表中的字母都这样处理,但绝大多数字母是这样书写的。这些系统展示如下:《简字举隅》(Abbreviatrix,1945),《贝恩打字速记法》(Baine's Typed Shorthand,1917),《卡特速记法》(Carter Briethand,1957),《福克纳速记字母》(Forkner Alphabet,1952),《格斯顿字母速记法》(Gersten's Alphabet Shorthand,1949),《高速正规书法》(Hy-Speed Longhand 1932),《速记术》(Quickhand,1953),《速记法》(Speedhand,1952),《速记系统》(Speedwriting,1923和1951),《速记文字》(Stenoscript,1955),《速记法》(Stenospeed,1950),《金曼速记法》(Zinman,1950)。

事实上,将正规符号用于速记的概念可追溯到S.G.博德利的《不列颠造字者》(Cadmus Britannicus,1787)这一著作。此书采用3种方法:一是使用字母表全部字母,称作“慢速速记术”;二是一种文字速记方式,称为“快速速记术”;三是“乐谱速记术”。博德利所说的“慢速速记术”与现代同样类型的速记系统之间的不同点在于:博德利所用字母是“印刷”正规书体,不能速写。

利用字母的速记系统的优点在于容易学会,因为学习者都熟习这种形式,而且易于由速记符号译写为正常文字。它的主要缺点是速度受限制。

Shorthorn 短角牛 又作Durham。又称达勒姆牛。肉用牛品种。于18世纪后期在英格兰北部达勒姆郡蒂斯沃特区以本地牛通过选择育种育成。角短,体短而粗,毛色有红、红间白色斑纹、白或红白相间的沙毛色,是唯一有沙毛色的现代牛品种。短角牛饲育于全世界。北美、南美(特别是阿根廷)和欧洲都甚多,是不列颠群岛最普遍的牛品种之一。在澳大利亚长期以来就受欢迎。在南非广泛地饲育。在美国玉米产区各州数量最多,也用于级进育种以改良当地的或未改良的牛品种。本品种中又已育成许多特殊品系,著名的如乳肉兼用的奶用短角牛(或短角奶牛)及无角的短角牛。

Shorthouse, Joseph Henry 肖特豪斯(1834-09-09,英格兰沃里克伯明翰～1903-03-04,伯明翰附近的埃奇巴斯顿) 英国小说家,所写哲理小说《约翰·英格尔桑特》是英国文学中

不列颠博物馆供图

为数很少的理念小说之一。该小说以17世纪的英国和意大利为背景,叙述教会与政府、英国圣公会与罗马天主教会、墨守与简化宗教仪式之间的冲突,以及对圣礼的不同看法和其他问题。1866年开始写作该小说,1880年自费印刷100册。1881年正式出版,受到科学家、神学家和政治家的高度赞扬,一年之内销售9 000本。他的其他小说(包括《珀西瓦尔爵士》,1886)较为逊色。

Shortland Islands 肖特兰群岛 太平洋西南部所罗门群岛西北部火山岛群。面积414平方千米。以肖特兰和法乌罗两岛为主。有椰树种植业和小规模木材工业。人口3 143(1986)。

shortwave radio 短波无线电通信 使用波长约10～80米,频率约29.7～3.5兆赫的电磁波发射和接收信息。早在20世纪20年代就进行了通过地球电离层内带电粒子对无线电波的反射向远距离发射无线电信号的实验,这些实验的成功,促进了短波通信于30年代后期在世界范围内建立。除西欧、北美和日本等发达地区的政府和商业节目在其他波段发射外,短波无线电广播是向世界许多地区提供消息和娱乐节目的主要手段。现在世界上功率最大的短波广播电台是北京电台、莫斯科电台、英国广播公司和美国之音。短波无线电频率和技术除了用于国际广播外,还用来转播长途电话和电报。业余无线电台和便携式无线电收发机也使用短波无线电频率。

Shoshenq I (ancient Egyptian king) 参阅 **Sheshonk I** 示撒一世。

Shoshone River 肖肖尼河 美国怀俄明州境内河流。在黄石国家公园阿布萨拉卡山间,由南北两支流汇合而成。向东北流经科迪和

怀俄明州科迪附近的肖肖尼河河谷
供图:D.F.Ritter

洛韦尔,在蒙大拿州界附近的凯恩注入比格霍恩河,全长161千米。科迪附近有水坝和水库,为肖肖尼峡谷东端电力和灌溉工程一部分。河流以印第安肖肖尼部落命名。

Shoshonean languages, Plateau 高原肖肖尼诸语言 参阅 **Numic languages** 努米克诸语言。

Shoshoni 肖肖尼人 北美印第安居民集团。在有史时期,其占据范围是:自加利福尼亚州东南部起,跨越内华达州中部和东部及犹他州西北部,进入爱达荷州南部及怀俄明州西部。怀俄明肖肖尼人的一支较晚近的后裔是科曼切人(**Comanche**)。肖肖尼语属于犹他-阿兹特克语系努米语族(参阅 **Numic languages**,原高原肖肖尼语)。肖肖尼诸方言彼此十分相近,来自加利福尼亚州死谷的印第安人,可以毫不困难地同科曼切人交谈。历史时期的肖肖尼人大体上可分成4个居民集团:西肖肖尼人(无马肖肖尼人),集中居住在内华达州;北肖肖尼人(有马肖肖尼人),居住在犹他州北部及爱达荷州;风河肖肖尼人,居住在怀俄明州西部;科曼切人,居住在得克萨斯州西部。西肖肖尼人分为若干关系松散的家庭群组,以野生植物种籽、小哺乳动物、鱼及昆虫为生。一年的大部分时间内,各个家庭独立游动,只在猎捕野兔及羚羊或舞蹈时,才同其他家庭联合。敌对行动只限于家族间世仇。在白人定居内华达州及犹他州以后,少数西肖肖尼人曾得到马匹。风河肖肖尼人和北肖肖尼人可能早在1680年即已得到马匹,当时白人尚未占据这块土地,他们组成松散的骑马猎捕野牛的小组和武装马队,并采用平原印第安人的帐篷、皮衣及奇袭敌人的军功制度。科曼切人在获得马匹之后,就从风河肖肖尼人中间分离出来,南向迁往得克萨斯州。科曼切人组成掠夺性的群组,以抢掠和猎捕野牛为生,使占据北美西南部的西班牙人望而生畏。19世纪初,估计有风河肖肖尼人2 500名,科曼切人7 000名;北肖肖尼人和西肖肖尼人共约不足1万名。20世纪末期,各居民集团总计尚余9 600人;大多数居住在居留地。

Shoshoni-Bannock 肖肖尼-班诺克人 肖肖尼人(**Shoshoni**)和班诺克人(**Bannock**)两部分印第安人作为一个民族而生活在一起时人们对他们的称呼。

Shostakovich, Dmitry (Dmitriyevich) 肖斯塔科维奇(1906-09-25,俄国圣彼得堡～1975-08-09,莫斯科) 俄罗斯作曲家,以其15部交响曲、大量室内乐曲和协奏曲而特别闻名。

美国不列颠百科全书公司供图

早期生活与作品 出身工程师家庭。1919年入彼得格勒音乐学院,从L.尼古拉耶夫学钢琴(至1923年),从A.格拉祖诺夫和M.斯坦伯格学作曲(至1925年)。1927年在华沙参加国际肖邦钢琴比赛获荣誉奖,但后来就不再追求演奏大师的生涯,作为钢琴家公开露面时只演奏他自己的作品。甚至早在华沙取得钢琴演奏的成就以前,他即以《第一交响曲》(1924～1925)而在作曲领域一鸣惊人,作品很快驰誉全世界。这部交响曲的风格由多种根源形成;风格迥异的柴可夫斯基和P.兴德米特(以及肖斯塔科维奇同时代人S.普罗科菲耶夫)等作曲家的影响都彰然可见。在肖斯塔科维奇此后几年写作的音乐中,他所受的影响甚至更为广泛。他公开试验先锋派手法;取材于果戈理故事的讽刺歌剧《鼻子》表现出他对西方音乐新潮流的充分理解。他的第二部歌剧、精美无比的《姆钦斯

克县的麦克白夫人》标志着风格上的倒退。但即使是这一比较容易接受的音乐语言对当时的苏联政府来说也已过于激进。

自1928年起，苏联文化受到严格控制，在音乐上要求采用直接通俗的风格。先锋派音乐和爵士乐被取缔。有一度甚至连不成问题的柴可夫斯基也失宠。肖斯塔科维奇并未立即引起官方的不满，但一旦有了，便是毁灭性的。1936年《麦克白夫人》的一次公演招致官方对这部歌剧及其作者的批判。于是这部歌剧以及直至那时尚未公演的《第四交响曲》(1935～1936)被禁演，作曲家的下一部重大作品是他的《第五交响曲》(1937)，他将此曲描绘为“一位苏联艺术家对正确批评的答复”。这是一部主要由严肃的、甚至是阴郁而忧伤的音乐组成的作品，演出后一举获得群众甚至当权者的赏识。从《第五交响曲》开始，肖斯塔科维奇摆脱了早期作品在风格上的不稳定性，最后锤炼成他的具有个性的风格。《第四》和《第五》显然都是师法 G.马勒的，但是《第五》在技巧上作了重大的变换。如果说《第四》是一部枝条蔓生的作品，建立在旋律构思的任意繁衍扩散上，那么《第五》的第一乐章则以旋律的集中为标志。

1937年肖斯塔科维奇成为列宁格勒音乐学院作曲教师，1941年德军侵犯苏联时他仍在该市。这一年的下半年他在围困中的列宁格勒写成《第七交响曲》，作品很快获得声誉，虽然更多的是由于它的颇有浪漫色彩的创作环境，而不是由于它的音乐质量。事实上肖斯塔科维奇是一位不稳定的作曲家。当某种音乐以外的力量影响所写的音乐时，结果往往产生空洞的华丽词藻和没有创造性的出新。1943年他在莫斯科安顿下来，担任音乐学院作曲教师，1945年起又在列宁格勒音乐学院兼课。

后期生活与作品 肖斯塔科维奇作于40年代中期的作品包括他的几首最优秀的音乐，特别是《第八交响曲》(1943)、《钢琴三重奏》(1944)和《第一小提琴协奏曲》(1947～1948)。这些作品严肃的甚至是阴森森的特点导致了肖斯塔科维奇第二次失宠于官方。冷战开始后苏联当局在意识形态方面加紧控制，要求作曲家们采用比当时流行的音乐语言更容易接受的语言。1948年在莫斯科由苏联著名理论家 A.日丹诺夫主持的一次会议上，包括肖斯塔科维奇在内的一些苏联音乐名家受到抨击和贬谪。他个人的影响由于终止了在两所音乐学院的教学活动而所有缩小。

1953年创作的《第十交响曲》，像16年前《第五》一样，以其纯正的特性和率真而获得人们承认。此后肖斯塔科维奇的传记基本上就是一本他的作品目录。他可以放手从事创作活动，基本上不再受到官方的限制。1949年出访美国；1958年作长时间的西欧巡回演出，到过意大利(在那里他已被遴选为罗马圣塞西利亚民族学会名誉会员)和英国(在那里接受了牛津大学名誉音乐博士学位)。1966年被授予皇家爱乐学会金奖。尽管他的很多音乐都表现出典型的沉思冥想特点，可能会使人觉得他的性格很内向，但是他却以善于交友闻名。1953年普罗科菲耶夫去世后他成为俄罗斯音乐无可争议的领袖。

Shostka　绍斯特卡　又拼Šostka。乌克兰北部苏梅州城市。在绍斯特卡河畔。1730年设火药厂。十月革命后成为较大居民点。1924年建市。现有食品加工、照相器材、胶合板、建筑材料和化工等多种工业。有工学院和音乐学校。人口约95 200(1991)。

shot put　推铅球　从肩上将一圆形重物投出或推出而比赛远度的田径项目。起源于古代推掷石头的游戏。英国军队的体育组织首次用炮弹代替石头进行比赛。早期比赛所用铅球重量自3.63至10.9公斤不等。1896年第一届现代奥运会规定国际比赛中所使用的铅球，男子用者重7.26公斤，女子用者重4公斤，学生所用者更轻。球一般用实心铁或铜制成，也可用硬度不低于铜的其他金属。

1965年推铅球比赛中的 R.马特森
供图：AP/Wide World Photos

运动员自直径2.13米的推掷圈中推球，从圆心量出的约65度角的扇形区为推掷区。推掷圈前设10厘米高的抵趾板，运动员如脚踏或越过抵趾板，该次试掷即为无效。推掷时，用一手握球，使球靠近下颚，不得低于肩部或放在肩后。

shotcrete　喷射混凝土　又作Gunite(商品名，喷浆混凝土)。喷射施工的混凝土。喷射混凝土是一种骨料与普通水泥的混合物，它由压缩空气输送到喷枪喷嘴处，在此加水，然后再喷射到作业面上，几乎马上可以进行雕刻或者涂抹。在建筑施工中，喷射混凝土常常喷于钢筋以及钢丝网骨架之上。由于喷射混凝土可以施工成任意形状，易于着色，并且在喷射后可以进行雕塑，因此适用于制作各种异样的混凝土构筑物，这些构筑物包括人造的石块墙面、动物园中的围栏、天篷屋顶、耐火衬里、游泳池、水坝等。有时在隧道施工中也采用喷射混凝土来黏合隧道内壁，以防渗漏和断裂。

shotgun　猎枪　射出的多颗弹丸或铅沙弹离开枪口后向四外散开的肩荷滑膛武器。猎枪主要用于射击小型移动目标，特别是鸟类。最早的装铅沙弹的滑膛火枪是16世纪时出现于欧洲的鸟枪，17世纪初枪管长达1.8米，以设法取得最大的精确度。19世纪时对猎

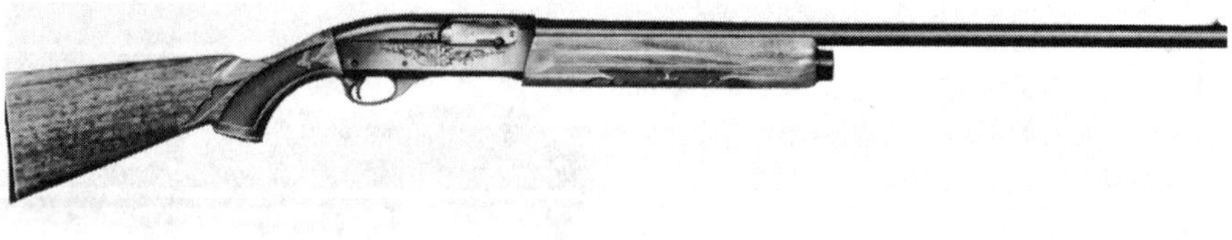

12号5发猎枪
雷明顿武器公司供图

枪在火药、枪弹和枪方面作了一系列改进，现代猎枪主要由此演变而成；枪管较短而轻，可能制成双管枪。两个枪管在正常射程内向同一个目标射击。半自动猎枪射击后能自动将子弹上膛。现代猎枪的有效射程约为45米。猎枪的型号表示枪管直径，而枪管直径以1磅铅所造出的子弹数目表示。因此，12号猎枪比20号猎枪的枪膛大。与枪管直径相等的单发子弹现已罕见。猎枪也用于多向飞碟射击和双向飞碟射击，很多国家还用作警察的武器。

Shōtoku, Taishi　圣德太子(574，日本大和～622-04-08，大和)　日本有影响的摄政，曾对日本的史书编修、立宪政制和伦理道德做出巨大贡献。血统属苏我氏，为用明天皇次子。592年推古天皇即位，他于次年任皇太子、摄政，直到去世为止。他派出遣隋使节，从中国聘来许多艺术家和手工艺者，为两国文化交流开辟了道路。他采用中国历法，建设道路网，兴修许多佛寺，其中的法隆寺坐落奈良附近，是世界上最古老的木结构建筑物。他提倡佛教和儒教，建立新的政府以及宗教和文化机构。他尽力仿效中国，不断扩大皇室的权力。他仿照中国模式编修了第一部日本史书，定官职为十二阶，以不同颜色的冠标志官位的高低。这个体制是日本政府最重要的变化之一，因为它意味着打破旧的世袭官职制度，按照中国模式建立任人唯贤的吏治系统。604年制定《*十七条宪法*》(**Seventeen Article Constitution**)，以儒家道德观念和中国官僚制度教导日本统治阶级。另外还兴修水利，创办社会福利设施。

Shōtoku Tennō (empress of Japan)　**称德天皇**　参阅 **Kōken** *孝谦天皇*。

Shotwell, James Thomson　肖特韦尔(1874-08-06，加拿大安大略斯特拉斯罗伊～1965-07-15，美国纽约州纽约)　加拿大出生的美国历史学家和外交家、研究20世纪国际关系的杰出学者。1898年在多伦多大学获文学士学位，1903年在哥伦比亚大学获哲学博士学位。曾在哥伦比亚大学讲授历史和国际关

系，直至1942年退休。1917年任美国总统W.威尔逊的顾问，后为美国参加凡尔赛和会代表。1919年开始主编《世界大战时期的经济和社会史》(150卷，1919～1929)。同时，他参加拟定《洛迦诺公约》(1925)和《凯洛格-白里安公约》(1928)条款的工作。1927～1930年任太平洋关系研究所所长，1931～1933年任社会科学研究会会长。他还主编多卷本的《加拿大和美国的关系》(1936)。1943年协助F.D.罗斯福总统规划组织联合国，1945年任出席旧金山会议的美国代表团的首席顾问。他的著作还有《历史的历史导论》(1922)、《安全和裁军的教训》(1947)等。

shoulder 肩 上臂和躯干之间的关节及其邻近组织，尤其是肩胛骨上的组织。肩带包括锁骨和肩胛骨。人的锁骨在前面与胸骨相接，侧面与肩胛骨相接，但肩胛骨与躯干借肌肉相连。许多疾走型(奔跑型)哺乳动物的锁骨退化或消失，这使肱骨能不受限制地向前运动。肱骨头纳入肩胛骨的关节盂中，形成肩关节(为球窝关节)。肩关节非常灵活，使动物能适应各种运动，例如鼹鼠掘洞、羚羊奔跑、长臂猿的臂行以及鸟的飞行。

shoulder blade (anatomy) 参阅 **scapula** *肩胛骨*。

Shouxihu 瘦西湖 中国著名的湖泊风景旅游区。位于江苏省扬州市西北。湖身狭长，故名。原名保障河、炮山河，又称长春湖。原为一条通向古运河的水道。自唐以来，特别是清乾隆时，经园林巧匠精心修建，随形得景，将疏浚河道的泥沙因地堆山、置岛，利用桥、岛、堤岸的划分，给狭长的水面安排了一座座园林，构成了一个山水环抱的湖山胜景，兼有中国南、北方的园林特色。清初钱塘(今杭州)诗人汪沆曾有"垂杨不断接残芜，雁齿红桥俨画图，也是销金一锅子，故应唤作瘦西湖"的诗句，遂得湖名。

Shouxing 寿星 又拼Shou Hsing，英语作Star of Longevity。福禄寿三星之一，又称南极老人星。中国神话中的长寿之神。秦始皇统一天下(公元前221)后，在长安附近的杜县建寿星祠。后寿星演变成为仙人的名称。《西游记》写寿星"手捧灵芝"，"长头大耳短身躯"。《警世通言》有"福禄寿三星度世"的神话故事。画像中寿星为白须老翁，持杖，头部隆起。常衬以鹿、鹤、仙桃，象征长寿。参阅**Fu-Lu-Shou**。

寿星木雕像
巴黎吉梅博物馆供图

shovelboard (game) 参阅 **shuffleboard** *推移板游戏*。

shoveler 琵嘴鸭 鸭科鸭属(*Anas*)4种喙大而长呈匙状的水禽。北方琵嘴鸭(*A. clypeata*)营巢于北美、欧洲及北亚，冬季迁徙到南美、北非及南亚。雄体头部绿色，胸部白色，腹部及体侧栗色，前翅有蓝斑。琵嘴鸭在飞行时稍呈驼背姿势，飞行迅速；栖息于浅水沼泽和潟湖。用覆有板层结构的大喙从泥浆表层过滤出种子和小生物为食；在较深的水中，从水面撇取浮游生物。肉味不佳，并非人们爱猎的野禽，猎人戏称之为"邻人的绿头鸭"(最好送给不那么精明的人)。其他3种是南美的赤琵嘴鸭(*A. platalea*)、南非的黑顶琵嘴鸭(好望角琵嘴鸭、史密斯氏琵嘴鸭，*A. smithii*)、新西兰和澳大利亚的褐头琵嘴鸭(澳大拉西亚琵嘴鸭、蓝翅琵嘴鸭，*A. rhynchotis*)。

show jumping 超越障碍赛 竞技性马术项目。要求骑手在规定时间内驱马越过一系列特设障碍。进入赛场前，至少要让马做半小时的准备活动。骑手驱马奔向每个障碍的中央位置，速度视每个障碍物的厚度而定。障碍物高度不超过1.7米，间隔常不少于12米。比赛中，在一定时限内测验超越障碍能力的办法有把失误次数转换成秒(按C表计分)或把额外的秒转换成失误次数(按A表计分)。在有些比赛中，只有当失误次数相等时，时间才是重要的。单纯以跳跃能力为基础的比赛称做越障比赛，要求马在各轮次中奔跑超越一定数量难度越来越大的障碍物；超越次数限为4次。所有国际性的超越障碍比赛由国际马术联合会管辖。多国杯赛有由不同国家4名骑手报名组成的队伍参加，以两轮为基础，各轮中每个队最低的分不予计算。在每年若干次多国杯赛成绩的基础上，于1965年设立了主席杯赛。此赛被认为是世界团体锦标赛。6次获得最佳分数的队得奖。从20世纪60年代起奖金额大幅度增加，参赛队也大大增加，反映出超越障碍赛深得人心。关于超越障碍马术比赛的奥林匹克冠军参阅**Olympic Games**。

Shōwa period 昭和时代(1926～1990) 在日本历史中，指裕仁天皇在位的时期。这一时期的前半段，即从1926年裕仁登基至1945年第二次世界大战结束，称为昭和时代早期。在日语中，昭和意味着"光辉的和平"。昭和之前为大正时代(1912～1926)，之后为平成时代(1990～　)，但人们很少用这些时代名指称20世纪的日本历史。"昭和文学"一词指从1924年左右起至1939年第二次世界大战爆发止日本文学中的一个独立阶段。20世纪30年代的大萧条在日本特别严重，日本人则称为"昭和萧条"。

showboat 演艺船 水上浮动剧场。停泊在美国中西部和南部沿航道的城镇，特别是沿密西西比河和俄亥俄河，给河边新开垦地区的居民带来了文化娱乐。最初的这些娱乐船是某些家庭在没有剧场地区所作的大胆尝试。英国出生的演员W.查普曼于1831年在匹兹堡建成第一艘演艺船，即水上浮动剧场(4米×32米)。他和全家从一个码头航行到另一个码头，并演出戏剧，如科策布的《陌生人》和莎士比亚的《驯悍记》，并伴有音乐和舞蹈。19世纪中期，演艺船开始衰退。以后，由于美国南北战争，演艺船消失。1878年演艺船重新演出，专演歌舞杂耍和情节剧。用轮船拖动演艺船和轮船的汽笛风琴大大扩展了它的活动区域，并增加了观众人数。20世纪，随着沿河垦区道路、汽车和电影状况的不断改善，演艺船的表演逐渐衰落。为了同岸上的表演竞争，演艺船造得更大，演出也更精心，全部都用来演情节剧。30年代，由于这些节目用滑稽来取笑，以便吸引老于世故的观众，因此演艺船便不再起原有作用了。

19世纪密西西比河上的众多演艺船之一——E.鲁宾逊的"浮动宫殿"号
新奥尔良图兰大学霍华德-蒂尔顿纪念图书馆供图

showbread (Judaism) 参阅 **shewbread** *陈设饼*。

Shōyuken 逍遥轩 参阅**Matsunaga Teitoku 松永貞德**。

shōzoku 装束 指日本神道教祀官主持拜神仪式时所穿的服装，其中大部分出现于平安时代(794～1185)。基本的装束称为袴，实际上是肥大开口、垂到脚面的长裙，一般为白

着传统装束的日本神道教祀官

供图：Paolo Koch from Rapho/Photo Researchers—美国不列颠百科全书公司

色、天蓝色，高级祀官用紫色；外穿两件以上肥大外衣，其中最庄重的称作祭服，是白色绸质罩。祭服外穿黑色、红色或天蓝色袍。在不太隆重的场合穿净衣即白绸袍，加杂色狩衣，一般信徒也可以穿。祀官头上所戴有乌帽子和冠两种，后者较为隆重。祀官手中执笏。

shraddha (Hinduism) 参阅 **śrāddha 祖灵祭**。

shrapnel 榴霰弹 最初以其发明者英国炮兵军官H.施拉普内尔(1761～1842)姓氏命名的一种用于杀伤人员的射弹。榴霰弹由通常为铅质的霰弹或球形弹丸，以及使霰弹和弹壳碎片飞散的炸药组成。在弹头飞行的后段，当其接近敌方军队时，用延时引信引爆炸药。高速飞散的弹片雨点般落下，通常能造成致命的伤害。第一次世界大战中，炮弹致伤的伤员大部分都是由榴霰弹引起的。第二次世界大战中，人们发现高爆炸药可以有效地将炮弹铁壳炸成碎片，因而不需要再使用霰弹，遂淘汰榴霰弹。shrapnel一词继续用来表示弹壳碎片。采用爆炸射弹以前，霰弹丸多为小铁球，称为葡萄弹(**grapeshot**)，或链条状，装入臼炮内发射。

Shreve, Henry Miller 施里夫(1785-10-21，美国新泽西伯明顿县～1851-03-06，密苏里圣路易斯) 美国船长，河运轮船建造的先驱，对开发密西西比河水系的航运潜力做出了重大贡献。1799年开始在莫农加希拉河和俄亥俄河上从事航运，成为密西西比河上第二艘轮船"企业"号的股东和船长。于1814年为A.杰克逊的军队运送补给品，并亲自参加新奥尔良战役。1815年5月，他驾驶的"企业"号成了沿密西西比河和俄亥俄河溯流而上到达路易斯维尔的第一艘轮船。此后，建造了全新的"华盛顿"号内河轮船，这艘轮船按照他提出的性能要求建成，船壳平而浅，高压蒸汽机装在主甲板上，而不装在底舱里，它有两层甲板。1816年他驾驶"华盛顿"号从匹兹堡到新奥尔良，再回到路易斯维尔，这次往返航行确定了密西西比河上的船型。1827年，他设计了第一艘清除水下障碍的船，19世纪30年代负责雷德河的疏浚工作，并因此打开了开发路易斯安那北部的通路。他的工作营地成了永久性居民点，被命名为施里夫港。

Shreveport 什里夫波特 美国路易斯安那州西北角的一城市，卡多县县城(1838)，隔雷德河与博西尔城相望。1835年H.M.施里夫(轮船船长)疏浚257千米，使雷德河得以通航，并从卡多印第安人手中购得土地，于1837年建城。1839年设镇，1878年设市。经济原以植棉和内河航运为基础。1900年通铁路，而内河商业由于河道阻塞业已衰落。1906年发现石油，市面繁荣。现为生产石油、天然气、棉花和木材的阿肯色-路易斯安那-得克萨斯三州地区的工商业中心。20世纪70年代，雷德河再度恢复从墨西哥湾到什里夫波特的驳船航运。市东南有巴克斯代尔空军基地。设有路易斯安那百年纪念学院(1825)、什里夫波特路易斯安那州立大学(1965)和浸礼会基督教学院(1961)。每年举办路易斯安那州博览会(10月)、"迪克西节"及"雷德河狂欢"手工艺博览会等活动。人口：市198 525；都会统计区334 341(1990)。

shrew 鼩鼱 食虫目鼩鼱科290种哺乳动物的统称。分布于整个北半球和南美西北部山区，少数见于海洋诸岛(主要由人类带去)。形似鼠，眼和外耳均小，颅骨窄，吻部突出于下唇之前。出生时即具26～32枚恒牙，切

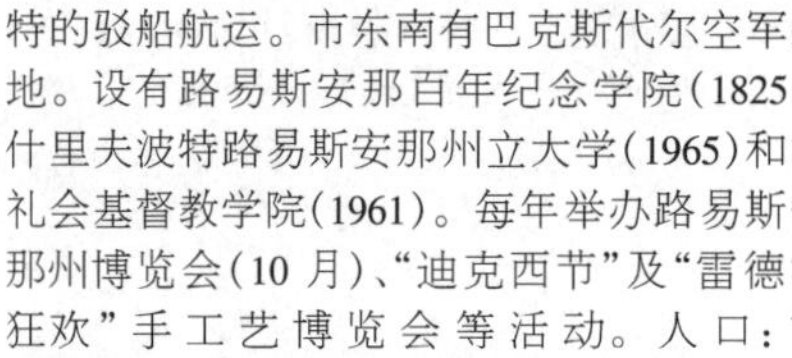

普通鼩鼱(*S. araneus*)

供图：Jane Burton—Bruce Coleman Inc.

牙长，尖端呈钩状。体型均小，地中海沿岸及非洲至马来亚一带的萨维氏倭鼩鼱(厄特鲁里亚臭鼩，*Suncus etruscus*)可能是世界上最小的哺乳动物，意大利种群的雄体，体长最小者长3.5厘米，尾长2.5厘米，体重仅2克(轻于一角钱的美国银币)。美洲倭鼩鼱(霍伊氏鼩鼱，*Microsorex hoyi*)和欧洲倭鼩鼱(*Sorex minuta*)稍大。鼩鼱主要地栖，生活在地面的枯枝落叶层中，有的穴居，极少数半水栖或树栖，昼夜活动，定时休息。主要以无脊椎动物为食，有助于控制害虫的数量，亦食植物或腐肉。有些种分泌有毒唾液用于捕食，人被咬后亦感疼痛。鼩鼱代谢率高，每日消耗的食物量超过其本身的体重，连续数小时不进食即不能生存，若无正常的捕食对象，就自相残杀。寿命短，仅约18个月。雌体在短暂的生命结束之前，能产仔一窝或多窝，每产2～10仔，幼仔目盲，无毛。几乎没有什么哺乳动物喜食鼩鼱，因为多数鼩鼱胁部有腺体，发出一种难闻的气味，但猛禽和蛇类不畏此种气味。粗暴的触动或巨大的声响都会使之死亡。鼩鼱属(*Sorex*)40个种，主要见于北美，亦见于欧洲大陆。代表种为欧亚大陆的普通鼩鼱(*S. araneus*)、北美洲北部的花脸鼩鼱(普通鼩鼱、灰鼩鼱，*S. cinereus*)和北方水鼩鼱(沼泽鼩鼱，*S. palustris*)。南美小鼩鼱属(*Crypto-tis*)25个种，分布于美国东部到安第斯山一带。最大的属是麝鼩属(*Crocidura*)，160种，具强烈的气味；幼体受惊时，就会一只衔着一只的尾巴，排成一圈或一串，趋向母体。非洲最大的种是歌利亚鼩鼱(利亚麝鼩、巨麝鼩，*Crocidura goliath* 或 *Praesorex goliath*)总长达37厘米(包括10厘米尾长)。麝鼩从欧洲和非洲分布至菲律宾。臭鼩属(*Suncus*)20种(厚尾鼩鼱)，分布范围与麝鼩相似，幼体受惊时表现亦似麝鼩。非洲中部伊图里森林的两种披甲麝鼩(梁背鼩鼱)属于盔鼩鼱属(*Scutisorex*)，腰椎粗大且数目较多，从腰椎上伸出的棘相互交叉，因此，可承受一个人的重量。参阅**elephant shrew; otter shrew; tree shrew; gymnure**。

shrew rat 鼩鼠 24种地栖食肉啮齿动物的统称，仅见于苏拉威西岛(旧称西里伯斯岛)、菲律宾和新几内亚。其中18种专栖于高海拔区、湿地苔藓林；6种栖于低地和丘陵雨林。外形似鼩鼱，眼小，有长须，前爪宽，后爪窄，脚底无毛。夜行性种毛灰色，昼行性种则为红棕色到黑色。菲律宾纹鼠(吕宋纹鼠属)和吕宋鼩鼠背部有连续条纹。毛短、致密并柔软。苏拉威西棘鼠(*Echiothrix leucura*)例外，其被毛刺状，是最大的鼩鼠，长20～23厘米(不包括尾巴)，尾略长；重220～310克。新几内亚的鼩鼠均很小，如小水鼠仅9～12克重，体长8～9厘米，尾与体等长。在苏拉威西和菲律宾，大型鼩鼠与小型麝鼩共栖；鼩鼠主要吃蚯蚓，麝鼩吃昆虫。新几内亚无麝鼩，代以鼩鼠吃昆虫和其他无脊椎动物。苏拉威西的大型鼩鼠(塔特鼠属)夜间觅食蚯蚓，小型的(长吻小鼩鼠)则日间觅食。鼩鼠属于啮齿目鼠科旧大陆鼠亚科。其中吕宋纹鼠属(*Chrotomys*)4种、井鼠属(*Crunomys*)4种、塔特鼠属(*Tateomys*)2种、西里伯斯刚毛鼠属(*Echiothrix*)2种、长吻鼩形鼠属(*Rhynchomys*)2种、伊山鼠属(*Archboldomys*)2种、小水鼠属(*Microhydromys*)2种、伪水鼠属(*Pseudohydromys*)2种、鼩形水鼠属(*Celaenomys*)1种、单齿鼩形鼠属(*Mayermys*)1种、小鼩鼠属(*Melasmothrix*)1种和短尾水鼠属(*Neohydromys*)1种。

Shrewsbury　什鲁斯伯里　英格兰什罗普行政、历史郡的什鲁斯伯里-阿查姆城镇、自治市。为什罗普郡首府。地处英格兰-威尔士边界,地理位置十分重要。5～6世纪为波伊斯的威尔士王公领地首府。8世纪末,逐渐被盎格鲁-撒克逊人的麦西亚王国吞并。在《末日审判书》(1086)中定为城市。诺曼封建主R.德蒙哥马利曾以此为行政中心并建隐修院。1403年亨利四世在什鲁斯伯里战役中巩固了王位。中世纪末以及都铎和伊丽莎白时代,因边界地区秩序正常,以及与威尔士进行羊毛和亚麻贸易,该镇十分繁荣。城内现存有许多著名建筑,有15～16世纪的木框架房屋、旧市场(约1596)和一些乔治风格和摄政时期风格的建筑。该镇还有相当长的旧城墙和城楼、多种风格的圣马利亚教堂等。什鲁斯伯里学校(建于1552年,现为图书馆和博物馆)前面矗立着C.达尔文的雕像,他于1809年在该城诞生。工业主要有麦芽酿酒业及车辆、机床、保险箱、电器设备制造业等。有大型活牛市场。人口约64 219(1991)。

Shrewsbury, EARLS OF　施鲁斯伯里伯爵　英格兰封爵贵族,属于罗杰·德·蒙哥马利家族和塔尔博特家族。按年代顺序分列于后,并各以●为标记。

● Shrewsbury, Roger de Montgomery, 1st earl of　施鲁斯伯里伯爵(第一)(约1030～1094)　诺曼底贵族,英格兰国王威廉一世(征服者)的支持者。大罗杰·德·蒙哥马利之子。诺曼底公爵威廉入侵英格兰之前,他是威廉的顾问,威廉于1066年远征期间,大概授权他代摄诺曼底政务。他于1067年来到英格兰,受赐王国许多地区的大量土地。1074年12月受封什罗普郡伯爵,这一爵位使他成为该郡的享有王权的封建领主和边境地区最大的贵族之一。但是,他和他的后继者都被统称为施鲁斯伯里伯爵。他非常赞助修道生活。1094年行将去世之前,成为自己新建的施鲁斯伯里隐修院的一名修士。他在诺曼底的世袭权传给他的长子罗伯特(贝列斯梅的)(**Robert of Bellême**),爵位称号与在英国的领地则传给罗伯特的弟弟休。1098年休死,爵位称号归罗伯特。

● Shrewsbury, Robert of Belesme, 3rd earl of　施鲁斯伯里伯爵(第三)　参阅**Robert of Bellême** 罗伯特(贝列斯梅的)。

● Shrewsbury, John Talbot, 1st earl of　施鲁斯伯里伯爵(第一)(约1384～1453-07-17,法国卡斯蒂永)　即J.塔尔博特。百年战争最后阶段对法作战的英军主要指挥官。第四代塔尔博特男爵理查德之子。曾参加1404～1413年间在威尔士的几场战役。1414～1419年任爱尔兰总督,这时参加在法国的英格兰军队。1424年在韦尔讷伊作战,1429年参加对奥尔良的包围战,同年6月在帕泰被俘。1433年获释。次年攻占克莱蒙。1436年镇压科地区的叛乱,防止诺曼底落入法国人手中。作为奖赏,亨利六世任命他为在法国的英军统帅。1437年他在勒克罗图瓦附近击败勃艮第人,1440年占领阿夫勒尔。1442年受封萨洛普伯爵(他自己采用施鲁斯伯里的称号)。1445～1447年再次出任两年爱尔兰总督。此后又去法国。1449～1450年曾被俘并被法国人扣作人质。1453年7月前去解救被围困的卡斯蒂永要塞时阵亡。不久英国即失去在法国的几乎全部领地。

● Shrewsbury, Charles Talbot, duke and 12th earl of, MARQUESS OF ALCTON　施鲁斯伯里公爵和伯爵(第十二)(1660-07-24～1718-02-01,伦敦)　即C.塔尔博特。奥尔顿侯爵,英格兰政治家,1688～1689年革命中的重要人物。在1714年汉诺威王室的乔治一世平稳继

伦敦国立肖像画陈列馆供图

承王位中起了主要作用。第11代施鲁斯伯里伯爵弗朗西斯之子。其母安娜·玛丽亚是第二代白金汉公爵的情妇。1668年白金汉在决斗中杀死弗朗西斯,施鲁斯伯里遂继承伯爵位。1679年由天主教改宗圣公会。1688年6月30日与其他六个人共同签名敦促荷兰执政、信奉新教的奥兰治亲王威廉夺取信奉天主教的英格兰国王詹姆斯二世的王位。9月前往荷兰会见威廉。11月与入侵军一起回到英格兰,迅速占领布里斯托尔和格洛斯特。1689～1690和1694～1699年两次担任威廉(已为英格兰国王威廉三世)的国务大臣。1694年受封公爵。安妮女王在位期间,他从辉格党转而支持托利党,促使在西班牙王位继承战争中与法国作战的辉格党政府倒台。托利党政府谈判缔和。在此期间曾出任爱尔兰总督。1714年7月30日安妮在病榻上任命他为财政大臣。他立詹姆斯一世的曾外孙为合法王嗣,即乔治一世。此后不久他即退出政坛。

Shrewsbury and Atcham　什鲁斯伯里-阿查姆　英格兰中西部什罗普(前称萨洛普)行政、历史郡的一区。位于郡的中西部。西邻威尔士。地处塞文河流域,为起伏的平原。西、南两面以一系列东北-西南走向的山峦为边缘。什鲁斯伯里城为区和郡的首府,是北部奶牛放牧区的集市中心,有许多专业化的行业。面积603平方千米。人口约97 400(1998)。

Shrewsbury School　什鲁斯伯里学校　设在英国什罗普郡什鲁斯伯里的主要公学(由私人捐款资助)之一。1552年由爱德华六世创立。首任校长T.艾什顿赋予该校以一种古典和人文主义色彩,保持迄今,不过科学及其他学科今天在该校课程中也占有显著地位。出身该校的名人中有军事家、政治家兼作家菲利普·锡德尼爵士、诗人和人文学家F.G.布鲁克以及博物学家达尔文。

Shridhara　什里塔拉(活动时期约750左右,印度)　印度极受推崇的数学家,在印度数学的两个主要领域"算法"(pati-ganita)和"方程式"(bija-ganita)方面著有若干篇论文。生平不详。现存的三部作品(部分保存的《算法》、《数学基础》和《25行诗中的数学》)都属"算法",但根据婆什迦罗第二(1114～1185?)所说,他至少写过一部关于方程式的书。《算法》中包含了各种各样的数学规则,没有证明,在两个标题下列出了一些例子。他论述的题目包括味觉的组合(苦、酸、甜、咸、涩和辣6种味觉的组合学)、几何级数、算术级数的几何表达式、"百鸡"问题和"蓄水池问题"。在印度他是提出计算球形和斜截锥体积正确公式的第一人。他使用 π 的两个近似值:传统的耆那教数值10(即 $\sqrt{10}$)和227(即22/7)。

shrike　伯劳　雀形目伯劳科(Laniidae)中型掠食性鸟类,约64种;尤指伯劳亚科(Laniinae)唯一的属——伯劳属(*Lanius*)的各种,共25种。伯劳用其喙杀死大型昆虫、蜥蜴、鼠类和小型鸟类,伯劳会将猎物挂在棘刺上,有如挂在肉钩上,故俗名屠夫鸟。真伯劳独栖,鸣声刺耳,灰色或浅褐色,常带黑色或白色条纹。分布最广的种为体型大的灰伯劳(*L. excubitor*),在加拿大和美国又称北方伯劳,体长24厘米,有黑色面罩状斑。新大陆唯一的另一个种是呆头伯劳(卢多维克氏伯劳,*L. ludovicianus*),与灰伯劳相似而较小。数个欧亚大陆种具微红色或褐色条纹。丛林伯劳亚科

红背伯劳(*Lanius collurio*)

供图:Frank Blackburn from the Natural History Photographic Agency—美国不列颠百科全书公司

(Malaconotinae)的种类(丛林伯劳)产于非洲,约40种;体长约16～20厘米;羽衣色较鲜艳;其喙的攫捕能力不如真伯劳;腰部具柔软的长羽毛;以昆虫为食,躲躲闪闪地在灌丛中觅食;鸣声欢快,如吹口哨。多色丛林伯劳(*Chlorophoneus multicolor*)以下体颜色的多形性著名,可为红色或黄色,有时为黑色或白色。华丽伯劳(四色伯劳,*Telophorus quadricolor*)身体上部绿色,下部金色;喉部红色,有黑边。有的作者

认为 *Chlorophoneus* 属等同于 *Telophorus* 属。黑伯劳属(*Laniarius*)亦属丛林伯劳类,其种类俗称铃声伯劳或钟声鸟;体长约 20 厘米,颜色朴素,翅上有白色条纹;一些种的俗名为雄体鸣声的拟声词;如白嘴黑伯劳(*L. leucorhynchus*)色黑,英文俗名 sooty boubou(乌黑布布鸟);埃塞俄比亚黑伯劳(*L. aethiopicus*)为黑白两色,体下部带红色调,英文俗称 tropical boubou(热带布布鸟);红腹黑伯劳(*L. erythrogaster*)英文俗称 black-headed gonolek(黑头戈诺列克鸟)或 Abyssinian gonolek(阿比西尼亚戈诺列克鸟);该种与柏柏尔伯劳(柏柏尔黑伯劳,*L. barbarus*)上体均为黑色,下体为红色。盔伯劳或称林伯劳,为林鵙亚科(Prionopinae)种类,产于非洲;约 10 种。该亚科有时被视为一个独立的科——林鵙科(参阅 **helmet-shrike**)。

shrike-vireo　绿伯劳　美洲三种热带鸣禽,特点为嘴坚实,稍钩曲,似伯劳科的真伯劳;但某些解剖学特征与绿鹃科的绿鹃相近,常认为应归入一个单独的绿伯劳科,但有人将

绿伯劳(*Smaragdolanius pulchellus*)
绘图:John P. O'Neill

其归入绿鹃科内。翡翠绿伯劳和贝尔德氏绿伯劳上体淡绿色,下面黄色,通过眼有一条绿色或黄色条纹。栗胁绿伯劳色调更为柔和,上体淡绿褐色,下面白色,头灰色,通过眼有黑色和黄色两种条纹。绿伯劳体长 13 ~17.5厘米,栖居于墨西哥南部到巴西中部和秘鲁的森林中。

shrimp　虾　甲壳纲十足目游泳亚目动物。近 2 000 种。与蟹、螯虾和龙虾近缘。特征为体半透明,侧扁,腹部可弯曲,末端有尾扇。第二触角长,鞭状。腹肢是游泳肢。浅海、深海及淡水湖泊、溪流中都有分布。许多种为人类的重要食物。大小从数毫米到20多厘

刚毛对虾(*Peneus setiferus*),一种食用虾
供图:Marinelard of Florida

米,平均约 4 ~ 8 厘米。体型大者称为匙指虾。借腹部和尾的弯曲可迅速倒游。以微小生物为食,有的种类食腐肉。雌虾可产卵 1 500 ~14 000粒,附在游泳肢上。在成体前要经过 5 个发育期。北大西洋的普通欧洲虾(普通褐虾,*Crangon vulgaris* [*Crago septemspinosus*])约 8 厘米长,灰或暗褐色,有褐色或淡红斑点。刚毛对虾(*Peneus setiferus*)分布于北卡罗来纳至墨西哥一带沿海;长 18 厘米;幼体生活于浅湾,后入深海,食小型动植物。以上两种与褐沟虾(阿兹特克对虾,*P. aztecus*)和粉红沟虾(*P. duorarum*)均有重要经济价值。*Crangon franciscorum* 在美国西北部太平洋沿岸作为受欢迎的匙指虾出售。淡水匙指虾如匙指虾科(Atyidae),主要在温暖地区,有的在半咸水中;有的长达 20 厘米。*Ataephyra desmarestii* 长 1.6 ~ 2.7 厘米,分布于欧洲、北非及近东的淡水水域,成群生活于水生植物中。加利福尼亚的合虾属(*Syncaris*,长 2 ~ 5 厘米)及 *Palaemonias ganteri*(长度为前者之半,仅见于肯塔基州马默斯洞穴)为北美著名的淡水匙指虾。*Xiphocaris* 属分布于西印度群岛的淡水。沼虾属(*Macrobrachium*,又作长臂虾属[*Palaemon*])可食,分布于大部分热带国家。鼓虾属(*Alpheus*)可长到 3.5 厘米,用大螯把猎物夹昏。红海的鼓虾与鰕虎鱼生活在同一穴内,鱼借身体运动给虾发危险来临的信号。热带的硬毛蝟虾(*Stenopus hispidus*)长 3.5 厘米,珊瑚鱼从它的螯倒游过去,虾为之清除鳞片上的污物。神仙虾体形似虾,但属无甲目(Anostraca)。

shrimp plant(*Justicia brandegeana*)　**虾衣草**　学名有时又作 *Beloperone guttata*。又称麒麟吐珠。爵床科(**Acanthaceae**)植物。原产于南北美洲温暖地区至西印度群岛,是常见

虾衣草(*Beloperone guttata*)
供图:Sven Samelius

的沿边花卉和温室观赏植物。有数茎,高约 45 厘米。花白色,有紫斑,花冠筒状,裂片二唇形,簇生;外包多数叶状苞片,淡红褐色,颜色和形状均似小虾。有的品种称为假葎草、虾树或墨西哥虾草等。

shrimpfish　虾鱼　又称剃刀鱼(razor fish),即玻甲鱼。刺鱼目玻甲鱼科四种小型热带海产鱼类的俗称。分布于印度洋和太平洋。其腹缘锐似剃刀,故又称剃刀鱼。体近透明,吻长,形似虾。侧扁,包以透明甲片愈合而成的

虾鱼(*Aeoliscus strigatus*)
供图:Douglas Faulkner

护甲,体甲后端为一长棘(背鳍棘之一),其下方为背鳍及尾鳍。以头朝下而直立游泳,十分特殊,但在洞穴中或相似的环境里,也头朝上游泳。体长约 14 ~约 30 厘米。

Shrine Island(Japan)　**宫岛**(日本)　参阅 **Itsuku-shima** 严岛。

Shrine Shintō　神社神道　以神社拜神为主的日本神道教形式。原为国家神道,第二次世界大战结束后国家神道被禁,继起形式称为神社神道,不再受政府资助。全国共有 8 万多神社,归神社本厅管辖。

Shripati　什里帕提　(活动时期约 1045 左右,印度罗希尼汗达)　印度天文学-占星学家和数学家,其占星学作品特别有影响。在古印度星学的三个分支——数学(包括天文学)、星座占星学和自然占星学(占卜)方面,他曾就前两个方面著有许多作品。对于第一个分支,他撰有《数学的美化》以及天文学著作《已确立学说的顶峰》、《让知识达到颠峰的过程》和《永久的思想》。《已确立学说的顶峰》对婆罗门笈多和婆什迦罗第二(1114 ~1185?)之间的印度代数学作了重要阐述。在星座占星学方面,著有《天宫图算法》、《星学的珠宝项链》,可能还有《算命先生的情人》一书。前两部肯定为他所著,对印度占星学的发展有重大影响,后人对这两部书有许多评述。

Shrīrāmpur　什里兰布尔　又称塞兰布尔。印度东北部西孟加拉邦胡格利县城镇。位于胡格利河西岸。为加尔各答市区的一部分。浸礼会于 1793 年开始在该地传教。1818 年三位浸礼会教士创立了塞兰布尔学院,是他们最早浇铸出印度字母的铅字。最早的孟加拉语报纸也是 1818 年在什里兰布尔发行的。印度的第一座纸厂于 19 世纪 70 年代在该处建成。1865 年设市。重要工业有碾米、棉麻纺织、化工、织绳、珠宝加工、手织机制造、金属抛光剂制造等。设有公立纺织学院和纺织工艺学校,有一所医院和一座图书馆。每年举行大欢宴会。人口 127 304(1981)。

Shriver, R(obert) Sargent, (Jr.)　施赖弗(小)　(1915-11-09,美国马里兰威斯敏斯特～2011-

01-18,马里兰贝塞斯达） 美国行政官员、外交官、美国和平队首任队长,1972 年被提名为民主党副总统候选人。耶鲁法学院毕业(1940),第二次世界大战期间为美国海军军官。一度参与华尔街某法律事务所,1946 年任《新闻周刊》杂志助理主编。同年结识富豪 J. P. 肯尼迪,两年后受肯尼迪委托经营大型芝加哥商品市场。1953 年与肯尼迪的女儿尤妮斯结婚。1960 年支持内兄 J. F. 肯尼迪竞选总统,在联络全国各地少数民族工作方面显示出卓越才干。选举后任肯尼迪政府新边疆计划中海外和平队队长,在国内开始享有声望。肯尼迪被刺后,于 1964 年成为经济机会局中推行 L. B. 约翰逊总统消灭贫穷之战的负责人。R. M. 尼克松任总统时为驻法大使(1968 ～ 1970)。1972 年以民主党副总统候选人身份与 G. 麦戈文(总统候选人)联合参加竞选,但归于失败。

Shropshire　什罗普郡　又称萨洛普(Salop)。英格兰西部的行政、地理和历史郡,与威尔士相邻。这三种郡的面积多少有些出入。行政郡包括 5 个区:布里奇诺斯、北什罗普、南什罗普、奥斯沃斯特里、什鲁斯伯里-阿查姆。地理郡包括整个行政郡和特尔福德-里金区。历史郡的范围几乎与地理郡相同,但地理郡有两小片地方位于历史郡的地界之外。什罗普历史郡还包括上阿利以南塞文河沿岸的一小块地方。地理郡被塞文河分为两部分。西南多山,东北部是平原,大部分地区原为沼泽、泥炭沼和池塘。河流向东,把平原切割成大致南北向的谷地和低丘。气候较湿润。曾发现大量新石器晚期和青铜器早期的文物。霍普塞巴罗坎普、里金山和旧奥斯沃斯特里等地保留有铁器时代的山堡。佛罗科尼厄姆的公元一世纪的罗马军团要塞曾是罗马不列颠最大的城镇之一。其中世纪历史与其地处英格兰和威尔士交界处有关。撒克逊人统治时期修建了瓦特土堤和奥法土堤。东为麦西亚的撒克逊人居住地,西是本地凯尔特人居住地。1066 年由诺曼人统治后,大部地区留作林地和猎场,又建一条双线城堡防线以防范威尔士。后遭威尔士人入侵并发生男爵起义。13 世纪,当地产的高质量羊毛促进了拉德洛、什鲁斯伯里等地的经济繁荣。现代工业起自 18 世纪初。什罗普郡迅速成为英格兰最大产铁区。1779 年架设的铁桥是世界第一座铸铁大桥。1787 年第一艘铁甲船在塞文河下水。1801 年造出最早的实验性铁路机车之一。有运河把塞文河与迪河、默西、斯陶尔等河相连。工业基础好,但农业仍占很大比重。低地牧羊,高地养牛,北部平原以乳品业为主。主要作物有谷物、甜菜和马铃薯。有农产品加工业。铸铁和机械工业仍很重要。矿产有黏土、农用石灰石和煤。面积:行政郡3 297平方千米;地理郡3 487平方千米。人口:行政郡 280 400;地理郡430 200(1998)。

Shropshire　什罗普郡绵羊　中细毛、黑面、无角的绵羊品种,起源于英格兰唐斯地区。是美国中西部最普遍的畜牧场饲养的绵羊品种之一。毛肉均优,在牧草稀疏的草场上维持生活的能力比汉普郡绵羊和萨福克绵羊强。面部多毛。就杂交育种而言,在畜牧场饲养的效果优于天然草场。

Shroud, Holy　参阅 **Turin, Shroud of** *都灵尸衣*。

Shrove Tuesday　忏悔节　圣灰星期三的前一日——西派教会以圣灰星期三为大斋首日。该节日期视复活节而定,在 2 月 2 日与 3 月 9 日之间。Shrove 一词源于"Shrive"(忏悔),原指欧洲中世纪在大斋之前预先认罪告解之俗。后来,此节在欧洲国家具有狂欢节的性质,在开始大斋禁食之前兴起了许多与之有关的习俗。如在此节日食薄煎饼的习俗就具有实用意义,因为作薄煎饼需用蛋和油脂,而这两种东西在大斋期间是禁戒。

shrub　灌木　有几个茎而没有主茎的,通常低于 3 米的木本植物。若灌木有许多枝条且很稠密,则称为灌丛。介于灌木和乔木之间的是乔木状灌木,高 3 ～ 6 米。乔木一般指高 6 米以上,具有主茎或树干并有一定冠形的木本植物。但这些区别不完全确切,因为有许多灌木,例如紫丁香和忍冬,在特别有利的条件下可长成乔木状灌木,甚至长成像小乔木一般。有些物种和个体可长成乔木型,另一些在不同条件下可能长成灌木形或乔木状灌木型,例如盐肤木属种类、柳树和云杉。

Shu　舒　埃及宗教的神,代表光明与空气而承托苍天。是太阳神瑞不借助女人而单独创造的。舒通常作人形,头戴鸵鸟羽,高举双臂

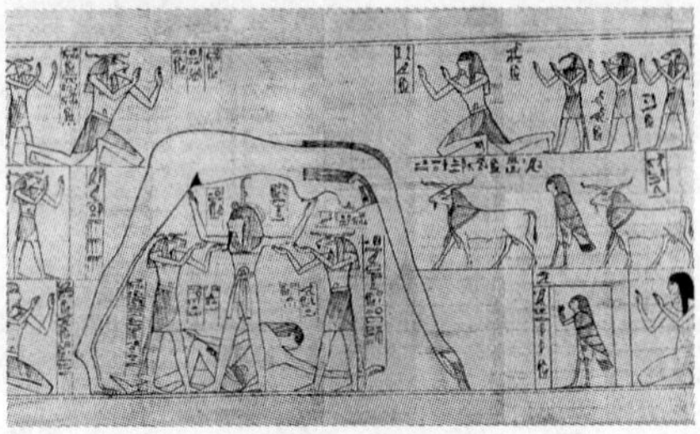

公元前 10 世纪《格林菲尔德纸莎草书》上的舒神像(中立者),手托头顶上曲卧的苍天女神努特躯体,大地之神盖布躺在其脚下
不列颠博物馆供图

支撑苍天女神努特的躯体,使它与大地之神盖布分离。后来舒被认为是神圣智慧的化身,象征阿图姆神的最高权能。

Shu She-yü　舒舍予　参阅 **Lao She** *老舍*。

Shuangyashan　双鸭山　中国黑龙江省辖地级市,重要煤城。位于省东北部、完达山北麓山地和丘陵地带,因有一对山形似卧鸭故名。1928 年发现煤矿后,先后建起富安、富桦、兴安三矿。1943 年三矿合为富锦矿业所。1947 年建双鸭山矿务局,1954 年设双鸭山矿区。1956 年改设双鸭山市,为省辖县级市。1958 年属合江专区,1966 年升为省辖地级市。辖尖山、岭东、四方台、宝山 4 区和集贤、宝清、友谊、饶河 4 县。面积26 483平方千米,其中市区面积 1 767 平方千米。境内有丰富的煤、铁、石灰石、石英砂、白云石、金、钨、铜、石墨、大理石及森林资源,尤以煤储量大,质量好,分布集中。全矿区有双阳、宝山、岭西竖井、岭东、四方台、新安、集贤、七星等煤矿,是国家重点建设矿区。已探明储量 32 亿吨,其中保有储量23 亿吨。有洗精煤、大块煤、末煤、粉煤等品种,供炼钢、发电、化工、出口和民用等。采煤和掘进机械化程度为 95.20% 和 66.63%。机械、电子、冶金、化工、森工、纺织等工业已具规模。为佳富(佳木斯—双鸭山)铁路终点,还有福(利屯)前(进)铁路及矿区铁路。有黑峰国家级自然保护区。人口:全市 1 510 000(2005);市区500 000(2004)。

Shu'aybah, Ash-　舒艾拜　科威特南部城镇与港口。濒临波斯湾。为全国第二大港。有炼油厂、海味食品加工厂、生产化肥的石油化工厂。还有大型发电站和海水淡化厂,分别为全国最大的发电站之一和全世界最大的海水淡化厂之一。1990 ～ 1991 年伊拉克侵占科威特时期,该城遭到破坏。人口 2 141(1980)。

Shubat Enlil　舒巴恩利　今名道尔莱兰或代尔内朗,叙利亚东北部古城。1979 年耶鲁大学的 H. 魏斯开始在此地小丘上进行发掘,发现了从公元前约 5000 年到前 1726 年的古代遗存,是年巴比仑把这座繁荣城市摧毁掉。舒巴恩利是一个强大帝国的都城,该帝国由闪舍·阿达德一世建于公元前 19 世纪末。遗址表明至迟在公元前 5000 年当地就有了居民,到公元前 2500 年已发展成一座主要城市,公元前 19 世纪末成为闪舍·阿达德帝国的都城,约在公元前 1726 年被巴比仑国王山绥努纳摧毁。魏斯发掘出闪舍·阿达德王宫殿部分遗址,其中最重要的发现是记载着王室信函的一部档案,保存在 1 000 多块楔形文字铭刻的书板上。这些档案的年代为公元前 1739 ～前 1726 年,正是舒巴恩利被巴比仑人毁灭的前夕,它们是用阿卡德语的一种方言书写的。档案大部分内容是财经和行政记录,也有部分舒巴恩利的统治者和邻邦国王们的外交函件。它们补充了在古城*马里*(**Mari**)遗址发现的档案。

Shubert BROTHERS　**舒伯特三兄弟**(李 1872-03-15,俄国～1953-12-25,纽约州纽约;萨姆 1875,俄国～1905-05-12,宾夕法尼亚哈里斯堡;雅各 1880-08-15,俄国～1963-12-26,纽约州纽约)　20 世纪上半期美国合法剧院经理和演出人。兄弟三人作为俄国移民于 1882 年随父母一起到达美国。19 世纪 90 年代,李和萨姆在纽约州锡拉丘兹租借了剧院,并在该地和附近的罗切斯特演戏。1900 年雅各也加入哥哥们的剧团。舒伯特兄弟有几个富豪作后台,因而在美国每个主要城市均能租借到剧院。萨姆 1905 年去世后,李和雅各开始在美国各地建立剧院,除了在纽约市拥有大量财产外,逐渐拥有 60 多座合法剧院。他们还开设并经营许多歌舞杂耍剧场和电影院,他们生前有过 1 000 多场演出,有舞台剧、时事讽刺剧和音乐剧 600 多部。这时开始出现演员协会和其他几个戏剧技艺行会,这是当时舒伯特兄弟和其他剧院经理经营手法的直接反应。1950 年美国政府曾控告他们垄断美国剧院产业。1956年舒伯特的组织放弃了一

些剧院。但在美国许多著名城市，这个家族仍然掌握很多享有盛名的剧院。

Shubrā al-Khaymah 舒卜拉海迈 埃及开罗北部郊区。位于盖勒尤卜省境内，位于尼罗河东岸。原为一贸易城镇，向开罗供应三角洲地区的农产品。在19世纪20年代，驻埃及的奥斯曼总督穆罕默德·阿里在舒卜拉海迈建造了该国第一批欧洲式的工厂和学校，使之发展成一个工业中心。现今工业有轧棉和纺织品、特殊工业玻璃和陶瓷制品。有开罗工学院(1961)和师范学院。地处开罗一亚历山大的超级公路上，并在连接苏伊士运河和尼罗河的伊斯梅利亚运河南端的西侧。人口约486 400(1983)。

Shūbun 周文(14世纪末?，日本旧麻绩国～1444至1448?，京都) 又名天章周文，日本画僧，发展日本水墨画的关键人物。曾为相国寺(位于今京都)禅僧都管，其师如拙及杰出

周文绘《竹斋读书图》
东京国家博物馆供图

弟子雪舟等曾居于此。1404年他任幕府御用画师。周文凭此身份，运用其影响，促进了水墨画的发展，使它成为官方画院风格。

shuffleboard 推移板游戏 又作shovelboard。用手或推杆将圆盘推至推移板上的不同得分区的游戏。推移板或在案上，或在地面，户外推移板也可以用混凝土或其他硬质材料铺成。这种游戏早在15世纪已流行于英格兰，特别在贵族中流行。现代远洋货轮也有一种经过改进的推移板，供游客娱乐；这种推移板就是在甲板上标出不同得分区，从1～10分不等，最近的一区为负10分区，如将圆盘推入此区则扣10分。1913年左右推移板游戏作为陆上游戏介绍到美国佛罗里达州代托纳比奇，受到欢迎，迅速传遍全美国，特别在退休人团体中盛行。各团体自定游戏规则。现代推移板游戏在1924年定型于美国佛罗里达州圣彼得斯堡。根据全国推移板协会(1931年成立于圣彼得斯堡)所制订的规则，场地面积为6英尺×52英尺；推杆长度以6英尺3英寸为限；圆盘为木质或合成材料，厚1英寸，径长6英寸，四红四黑。推移板游戏可由2人(单打)或4人(双打)参加，轮流推红盘与黑盘。

Shugen-dō 修验道 日本教派，是融合民间宗教、神道和佛教又吸收中国道教内容而成。此派曾盛行于平安时代(794～1185)，与佛教密宗天台、真言两派互相配合。修验道号称“山岳信仰”，强调朝山和隐居山中修行。修验道的修持者称为“山伏”，为参拜吉野、熊野两圣山的香客担任向导，这两圣山是神灵之力所在之处。佛教密宗僧人定期入山，习演修验道。在明治时代以前，修验道士往往担任神社祀官。1945年以后日本实现充分宗教信仰自由，佛教内的修验道派别曾设法重建组织，但修验道现在信徒减少，势力衰微。

shugo 守护 日本镰仓时代(1192～1333)和足利时代(1338～1573)的世袭军职。最初是镰仓幕府第一代将军源赖朝从其随身武士中任命。他们掌握各国(地区)军政大权。其职责是维持治安，监督防务，在战争中指挥领主的家臣，并被授予调查和审判从叛逆到抢劫案件的权力。他们自立门户，包揽一切，使天皇的行政机构逐渐失去作用。结果，源赖朝不用废黜天皇，就能君临天下。到足利时代，守护地位更加牢固，其中有的成为大封建主，独霸相当于10个国的地区。但至该时代末，守护的权力被更直接控制地方军事和民政事务的武士夺取。参阅 **daimyo**。

shuhūd(Islām) **苏胡德** 参阅 **mushāhadah** 瞻仰。

Shui 水族 中国少数民族。主要分布在贵州、广西、云南的部分地区。人口406 902(2000)。语言属汉藏语系壮侗语族壮语支。曾有过一种古老的象形文字，称“水书”。通用汉文。源于古代“百越”族系，由秦汉时西瓯中的一支演变而来。唐宋时与壮侗语族诸民族统称“僚”，明清时称“水家”、“水”等。主要从事农业。农业生产以水稻为主。农历九月为岁首，年节称为“端”。从八月下旬至十月上旬逢卯日各村轮流“过端(年)”，男女盛装敲铜鼓、吹芦笙举行赛马、歌舞等娱乐活动。唱歌以和声伴唱用器乐。衣服多为青、蓝两色。丧俗繁杂，人死后，要给死者“开控”(设祭堂开吊)，现已逐渐简化。曾信仰多神，

水族姑娘
中国大百科全书出版社供图

相信万物有灵。1957年在贵州建立三都水族自治县，在贵州和云南两省先后建立了18个民族乡。

Shuihuzhan 《水浒传》 英语作Story of the Water Margin。中国明初长篇小说。又名《忠义水浒传》。施耐庵作。在民间传说、话本、杂剧中的水浒英雄故事的基础上再创作而成。以封建社会的农民起义和农民战争为题

杨柳青年画《水浒传》故事
中国大百科全书出版社供图

材，真实地反映了它的产生、发展和失败的过程。暴露了封建统治阶级对人民的压迫和剥削，揭示了“官逼民反”、“逼上梁山”的社会现实。塑造出许多个性鲜明的典型人物，其中以林冲、鲁智深、李逵和武松尤为突出。结构谨严，情节曲折，语言生动，有很高的艺术成就。通行100回本和120回本。又有金圣叹删改的71回本，删去招安及招安后事，以卢俊义一梦作结。此外还有许多简本。英文版本又名All Men Are Brothers。

Shuisky, Vasily Ivanovich, Knyaz (Prince) **舒伊斯基** 参阅 **Vasily(IV) Shuysky** 瓦西里(四世)。

shuiyun yixiangtai 水运仪象台 英语作Water-driven Astronomical Clock Tower。中国古代天文仪器。将浑仪、浑象、圭表和报时装置集于一体。1092年北宋苏颂、韩公廉等人创制。仪高约12米，长、宽各约7米。分三层：下层有报时装置和动力机构，中层置浑象，上层是安置浑仪和圭表的板屋。以漏壶水为原动力，通过复杂的机械传动，把浑仪、浑象、报时器联系起来，使之自动运转。有杠杆装置

调节仪器均匀运行。具有近代机械钟表的擒纵器的雏形。李约瑟等人认为水运仪象台“可能是欧洲中世纪天文钟的直接祖先”。浑仪可自动跟踪天体,是后世转仪钟的先声。上层顶板可摘除,为近代望远镜室活动屋顶的先驱。中国历史博物馆曾根据苏颂《新仪象法要》制成水运仪象台的模型。

Shujā' Mirza 苏查·米尔扎 参阅 **Shah Shojā'** 沙阿·苏查。

Shujin 蜀锦 英语作 Szechwan brocade。中国成都产的织锦。四川古称蜀,故名。蜀锦历史悠久。朱启钤《丝绣笔记》:“魏晋以来蜀锦勃兴,几欲夺襄邑之席。于是襄邑乃一变而营织成,遂使锦绫专为蜀有。”《诸葛亮集》:“今民贫国虚,决战之资唯仰锦耳。”可见蜀锦在魏晋(220～420)时即发达,是蜀汉的重要经济产品。元费著《蜀锦谱》是论述蜀锦的专著,详载宋代蜀锦生产情况及花色品种。中华人民共和国建立后蜀锦得到新的发展。主要品种有“方方锦”、“雨丝锦”、“条花锦”等。它保持唐以前织锦的传统特点,是现今唯一用多色经丝与纬线交织起来的织锦。

Shujing 《书经》 又拼 Shu Ching,英语作 Classic of History。原名《尚书》,亦称《书》。中国儒家经典之一。传由孔子编订。“尚”即“上”,《尚书》即上古历史文书和后人追记的古代史实。全书约 2.6 万字,分《虞夏书》、《商书》、《周书》。传原有百余篇,有些篇如《尧典》、《皋陶谟》、《禹贡》、《洪范》等实为后来儒家学者所补。秦始皇焚书后,汉初伏生出所藏《尚书》28 篇,称《今文尚书》(本为古文,晁错用汉时通行文字隶书抄录,故称今文)。后又在民间发现《太誓》篇,共为 29 篇。另有传说汉武帝时在孔子住宅壁中发现《古文尚书》(用籀书,即蝌蚪文字,汉时已不通行,故称古文),已亡佚。另有东晋梅赜献伪《古文尚书》25 篇。现通行《十三经注疏》本即《今文尚书》与伪《古文尚书》合编。《尚书》保存夏商和西周早期重要史料,其中《洪范》篇是哲理性著作。注本有唐孔颖达《尚书正义》、清孙星衍《尚书今古文注疏》等。

Shukulumbwe(people) 参阅 **Ila** 伊拉人。

Shula, Don 舒拉(1930-01-04,美国俄亥俄格兰德里弗～) 美国职业橄榄球运动员、教练员。中学时代是一个全面的运动员,既打棒球、篮球又玩橄榄球。1951 年获克利夫兰市约翰·卡罗尔大学理学士学位,1953 年获西部保留地大学(后更名为凯斯西部保留地大学)体育硕士学位。1958 年任弗吉尼亚大学橄榄球副教练,1959 年调肯塔基大学任同职。1953～1956 年为巴尔的摩马驹队队员,1957 年为华盛顿印第安人队队员。1960～1962 年在底特律狮子队任后场防守教练。1963 年任巴尔的摩马驹队主教练。1970 年到迈阿密海豚队任教练,该队在他的指导下 10 赛季共胜 100 场,创全国橄榄球联盟的空前纪录。1972、1973 两年间,在赛季内外各种比赛中,该队常胜不败,最后取得超级橄榄球赛的全胜,又创全国联盟中的先例。1993 年 11 月 14 日,舒拉夺得了他体育生涯中第 325 次胜利,打破了 G.哈拉斯在全国橄榄球联盟中的教练纪录。

Shule He 疏勒河 中国河西走廊三大内陆河流之一。古名籍端水。全长 550 千米,流域面积 3.9 万平方千米。发源于青海省祁连山脉西段疏勒南山和托来南山之间,西北流经玉门、安西等绿洲,注入哈拉湖。

Shulḥan'arukh 《布就筵席》 16 世纪犹太教律法和习俗汇编,至今仍为正统派奉为范本。此书由卡洛(1488～1575)将本人所著《约瑟之家》缩编而成,兼收前辈学者的观点和他本人对某些有争议问题的见解。

Shuli(people) **舒立人** 参阅 **Acholi** 阿乔利人。

Shull, Clifford G. 沙尔(1915-09-23,美国宾夕法尼亚匹兹堡～) 美国物理学家,因发展了中子散射(特别是中子衍射)技术而获 1994 年诺贝尔物理学奖。该项技术使科学家们得以更好地探索物质的原子结构。加拿大物理学家 B.N.布罗克豪斯因独立地在该领域同时取得成果而分享该项奖。沙尔毕业于卡内基理工学院(1937 年获理学士)和纽约大学(1941 年获博士)并开始其研究物理学家的生涯。他的获奖工作是 1946～1955 年间在田纳西州橡树岭国家实验室完成的,领导人是中子散射研究的先驱 E.O.沃兰。在中子衍射技术中,使一束单一波长的中子穿过被研究的材料,打在标靶材料原子上的中子被散射形成一定的图案。用摄影软片将图案记录下来,即可获得材料中原子相对位置的信息。沙尔还率先演示了磁衍射,并参与研制了供中子的常规结晶学分析用的仪器设备。1955 年后一直在麻省理工学院任教授,1986 年退休。

Shull, George Harrison 沙尔(1874-04-15,美国俄亥俄克拉克县～1954-09-28,新泽西普林斯顿) 美国植物学家、遗传学家,被称为杂交玉米之父。借助他的研究,玉米每英亩产量提高 25%～50%。他创造培育玉米的新方法,使结出的种子在不同的土壤和气候条件下都能茁壮成长。1904 年获博士学位后,开始在纽约州科尔德斯普林港的卡内基学会的进化实验站工作。1915 年到普林斯顿大学任教 27 年直至退休。在 1910 年以前他已培育出杂种玉米,但至 1922 年才开始商业性生产。从那时起,世界上所有发达国家都种植杂交玉米。1916 年他创办《遗传学》杂志,先任 9 年总编辑,继任多年副总编。1940 年获迪卡尔布农业协会奖章,1949 年获全国科学院马塞勒斯·哈特利奖章。

Shumen 舒门 又拼 Šumen。1950～1964 年称科拉罗夫格勒。保加利亚东北部城镇。位于舒门石灰石质高地东麓谷地。公路和铁路交通枢纽。工业有烟草、罐头、酿酒、家具、搪瓷等。建于 1958 年的农机部件厂,是全国第一家此类工厂。手工业和农业也很发达。所产啤酒名闻遐迩。保加利亚第一帝国时期为一城堡(建于 927),土耳其统治期间(15～19 世纪)为土耳其四个重点炮台之一。著名建筑物有汤布尔清真寺、历史博物馆和保加利亚革命家科拉罗夫故居博物馆。城东北、西南分别有旧都普利斯卡和普雷斯拉夫遗址。城东十英里处的马达拉,有高 80 英尺的“马达拉骑兵”石雕。人口约 93 292(1993)。

Shumway, Norman E(dward) 沙姆韦(1923-02-09,美国密歇根卡拉马祖～2006-02-10,加利福尼亚帕洛阿尔托) 美国外科医师,心脏移植的先驱。1968 年 1 月 6 日他在加利福尼亚州斯坦福医学中心做了美国第一例成人心脏移植术。患者 54 岁,患病毒性心肌炎,术后存活 15 天。到 1970 年末沙姆韦的小组已做了 26 例心脏移植手术。除移植整个心脏外,还作了瓣膜移植之类的心内直视手术。沙姆韦在范德比尔特大学和明尼苏达大学取得二个博士学位。现任斯坦福大学医学中心心外科主任。

Shun 舜(约公元前2179～前2079) 中国传说中的古代帝王之一。原为黄河下游东夷部落联盟领袖。姚姓,号有虞氏,名重华,字都君,史称虞舜。建都蒲坂(今山西永济)。

中国大百科全书出版社供图

舜经四岳推荐辅佐尧理政 20 年,摄政 8 年。尧以二女娥皇、女英妻于舜。尧死后舜继位,选任贤人治理民事。舜年老后仍行“禅让”,选治水有功的禹为其继承人。即位 39 年时南巡,病死苍梧(今湖南境内)之野,葬于江南九疑山。

Shunde 顺德 中国广东省佛山市辖区。位于市境东南部,珠江三角洲中部。辖大良、容桂等 4 个街道,陈村、均安等 6 个镇。面积 806 平方千米。秦为番禺县地。隋属南海县。明景泰三年(1452)析南海县东涌、马宁、鼎安、西淋四都三十七堡和新会县白藤堡,置顺德县,取“顺天之德”之意命名。1959 年与番禺县南部合并置番顺县。1960 年恢复顺德县。1983 年归属佛山市。1992 年撤县设市。

2002年改为佛山市辖区。广东省著名侨乡。广东经济“四小虎”之一。农业以经济作物和养殖业为主,形成“桑基鱼塘”、“蔗(果)基鱼塘”、“花基鱼塘”的基塘农业。农业主产有

顺德市龙江地区的淡水养殖
中国大百科全书出版社供图

稻、甘蔗、花卉、水果等。已建立有现代化大型水产养殖基地、畜牧养殖场和农副产品加工基地。工业发展迅猛,原仅有制糖和缫丝工业,现已形成以轻纺工业为主体、门类较齐全的工业体系。主要行业有家用电器、机械、燃器用具、纺织、饲料、塑料制品、食品、饮料、电子、建材、服装等。群众性体育活动活跃,顺德男女龙舟队和均安女子篮球队屡创佳绩。105、325国道及京珠高速公路等贯穿市境。水路四通八达,可通广州、江门、珠海、梧州、香港、澳门等地。容奇港是广东省第三大内河港。名胜古迹有广东四大名园之一的清晖园和群体古建筑西山庙等。顺峰山为新开辟的旅游区。人口1 150 000(2005)。

Shunyi　顺义　中国北京市辖区。位于市东北部。地处华北平原北缘,一般海拔30～40米,仅东北部和东部有小片丘陵。有潮白河、温榆河、小中河、蔡家河、箭杆河、金鸡河等。属暖温带季风气候,年均温度11.4 °C,年均降水量622毫米。地势低平,土壤肥沃,为京郊主要农业区。面积1 021平方千米。区府驻仁和镇,镇面积7.5平方千米,为北京市卫星城镇之一。唐贞观六年(632)置顺州,不久改顺义郡,“顺义”之名始此。明洪武二年(1369)改顺义县。1928年隶河北省。1958年划入北京市时撤县设顺义区,1960年复为县。1998年又改为顺义区。全区辖3个街道、7个地区、12个镇。顺义拥有耕地约5.8万公顷。农业主产小麦、玉米、水稻、谷子等,是北京市主要商品粮基地,被誉为“北京粮仓”。生猪和禽蛋生产居全市之首。有服装、汽车制造、机械、橡胶、纺织、建材、制鞋、印刷、食品等工业。首都机场在区境西南,是北京通向国内外的最大航空港。北京—承德铁路和公路经过区境。有焦庄户地道战遗址、汉狐奴县遗址及北京高尔夫球场等。人口550 000(2005)。

Shunzhi　顺治　又拼Shun-chih,参阅**Qing——**:*清朝帝王序列下* **Qing shizu Fulin** *清世祖福临*。

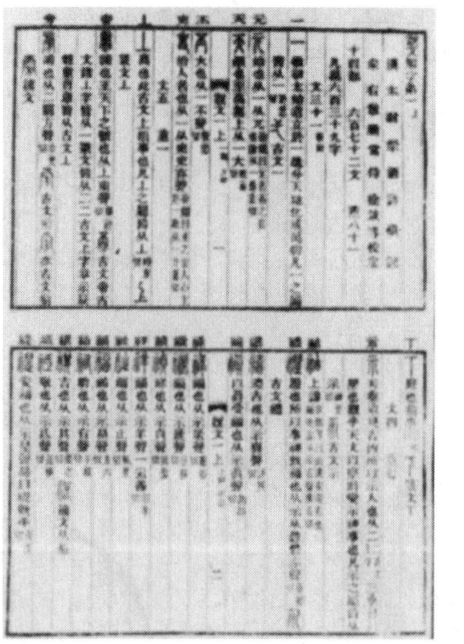

中华书局影印清刻本《说文解字》书影
中国大百科全书出版社供图

Shuowen Jiezi　《说文解字》　英语作Origin of Chinese Characters。中国最早的文字学书。东汉许慎(约58～约147)撰。本文14卷,加叙目1卷。收字9 353个,又重文(古文、籀文异体字)1 163个,解说133 441字。首创部首编排法,按汉字形体偏旁结构分为540部。以通行篆书(小篆)为主体,列古文、籀文等异体字为重文。每字均按“六书”(指事、象形、形声、会意、转注、假借)分析字形,解说字义,辨识声读。书中保存大量古文字资料,对阅读中国古籍,特别是研究甲骨、金石等古文字有参考价值。《说文》原本失传,今存宋徐铉校定本。后人研究《说文》著作很多,以清段玉裁《说文解字注》最为精审。

Shuozhou　朔州　中国山西省辖地级市。位于省北部大同盆地西南端,桑乾河上游,雁门关外,同蒲铁路线上。辖朔城、平鲁2区和山阴、右玉、怀仁、应县4县。面积10 662平方千米,其中市区面积4 107平方千米。地处古代中国中原的农业文化和北方草原游牧部族文化的接合地带,是游牧部族贵族与中原王朝激烈争夺的战略重地。战国(公元前475～前221)为赵国的新城邑,秦代(公元前221～前206)置马邑县。北齐天保六年(555)置朔州于此,并置招远县,隋大业元年(605)改为善阳县。明洪武二年(1369)废县入朔州。1912年废州为朔县。1988年撤销朔县、平鲁县,设地级朔州市。市境北、西、南三面为管涔山环抱,中东部为盆地。气候温和,农业盛产玉米、谷子、高粱、莜麦、马铃薯、蓖麻等。矿藏资源有煤、铁、石灰石、铝矾土等。烟煤储藏量达245亿吨。平朔露天煤矿是中国5大露天无烟煤生产基地之一。市区东北的神头镇有第一、第二两大火力发电厂,总容量达255万千瓦,是华北电力巨擘。此外,机械、建材、化工等工业初具规模。同蒲、神朔、朔港铁路交会于此。市内有崇福寺,创建于唐麟德二年(655),为省级文物保护单位。市南有战国赵长城。阳方口是宋辽古战场,北宋名将杨业(?～986)即战死于此。人口:全市1 440 000(2005);市区570 000(2004)。

Shupashkar(western Russia)　**舒帕什卡尔**　参阅**Cheboksary** *切博克萨雷*。

Shuppiluliumash I　参阅**Suppiluliumas I** *苏皮卢利乌马斯一世*。

Shuqayrī, Ahmad　舒凯里(1908,黎巴嫩塔布宁～1980-02-26,约旦安曼)　巴勒斯坦民族主义者。著名宗教学者之子,出生于黎巴嫩,8岁时返回巴勒斯坦的家乡艾可。从黎巴嫩贝鲁特的美利坚大学和耶路撒冷法学院毕业后,从事律师业数年,并投入巴勒斯坦民族主义运动。巴勒斯坦的阿拉伯人起义(1936～1939)夭折后离开巴勒斯坦。20世纪40年代末返回,在巴勒斯坦民政管理部门担任若干职务。1948年巴以战争中为躲避战火离开巴勒斯坦,后在阿盟任职,担任叙利亚和沙特阿拉驻联合国代表。20世纪60年代中期担任巴解组织首任主席,成为巴勒斯坦事业最主要的发言人,并在阿拉伯各国政府和国际组织中积极进行宣传与协商。1967年6月第三次中东战争中阿拉伯人被以色列击败后,巴勒斯坦各组织之间发生武装冲突,有人指责其未能协调好巴勒斯坦各游击队组织的活动。舒凯里因此辞去巴解组织最高职务,让位给年轻的阿拉法特。

shūrā　舒拉　伊斯兰教《古兰经》第42章的标题,意为“协商”。此章训诲信徒“由协商而决定”他们的事物。在伊斯兰早期历史上,第二代哈里发欧麦尔一世曾任命一批人推选他的后继人,这批人也称为舒拉。其后,舒拉或指穆斯林国家的国务会议或统治者的顾问团,有时也指现代的国会;在有些阿拉伯国家又指受理公民和官员控告政府案件的法庭。

Shurugwi　舒鲁圭　前称塞卢奎或塞班加波特。津巴布韦中部城镇。1899年由英国南非公司与威洛比联合公司建立。是来自圭洛的铁路支线的终点站和全国最大的铬矿产地,也采掘贱金属。也是牲畜、玉米和烟草的销售中心。景色秀丽,气候宜人,对游客和退休人员很有吸引力。人口约6 029(1992)。

Shuruppak　舒鲁帕克　今名法拉赫丘。苏美尔古城,在今伊拉克中南部的尼普尔之南,原位于幼发拉底河畔。20世纪前半叶的考古发掘证明遗址的年代为史前期后期到乌尔第3王朝(约公元前2112～前2004),在公元前4000年末期已有一个高度发达的社会存在。舒鲁帕克在苏美尔神话中又为摧毁人类的大洪水的发生地。

Shush(Iran)　**舒什**　参阅**Susa** *苏萨*。

Shushigaku　朱熹学派　日本德川幕府时代(1603～1867)最具影响力的新儒学派别。参阅**Neo-Confucianism**。

Shūshtar　舒什特尔　伊朗中西部城镇。位于卡伦河分汊处的小高原。夏季酷热,气温可达53 °C,城内许多砖石房屋都有避暑的地窖。曾为重要贸易中心并控制着广阔的灌溉农业区域,但现已衰落。该镇以古代卡伦河水利工程闻名。建于萨珊王朝时代(公元224～651)的3座水闸控制了河水及运河,其

中最大者为凯沙尔闸，河床上部铺砌巨石板，用铁具固定，防止河道侵蚀。巨大的水闸被后来的阿拉伯征服者认为是世界奇迹之一。但仅存35个闸拱，已成废墟。19世纪水闸体系的最终崩溃，导致该城灌溉网失效，不再繁荣。现在部分水轮用于驱动磨面机和发电。人口65 840(1986)。

Shute, Nevil 舒特(1899-01-17，英格兰米德尔塞克斯伊灵～1960-01-12，澳大利亚维多利亚墨尔本) 英国出生的澳大利亚小说家。原名N.舒特·诺威。善于把工程技术知识与小说叙述结构融为一体，其最著名作品《在沙滩上》(1957)反映了他对原子时代人类命运的悲观情绪。曾就读于什鲁斯伯里学校，第一次世界大战末期参加英国军队，战后在牛津大学毕业，成为航空工程师。他将他的工作与小说家的生涯结合在一起。第二次世界大战后定居澳大利亚。《马拉赞》(1926)是他在30年写作生涯中所写25部书中的第一部。主要著作有《如此受人蔑视》(1928)、《科贝特家发生的事》(1939)等。后期作品都以澳大利亚为背景，反映了作者对人类前途的日益绝望。《像艾丽斯一样的城市》(1950)描写第二次世界大战时的远东战场。《在沙滩上》描绘了原子战争的后果，生动地描写了人类的彻底毁灭。

shutter 快门 在摄影中，打开摄影机镜头使胶片得以感光的装置。可调节的快门能控制光线通过的时间即胶片曝光时间的长短。最佳曝光时间随光线强度、物体运动和其他因素而异，可由摄影者事先选定；而自动摄影机，则由摄影机本身根据来自内装曝光计系统的信号自动调定。机械快门通常只按标明的速度范围调定曝光时间；有些电子快门是无级调速的。现代快门主要有两类：一类是置于镜头组件之间或紧在其后的叶片式快门，由数块相互重叠的金属片构成，并利用弹簧或电子装置使之启闭。另一类是焦面快门，直接装在胶片前面，由可调隙缝的一对重叠帘幕构成，由弹簧或电子装置推动，使隙缝在胶片前单向移动，并在移动过程中使整幅胶片曝光。隙缝宽度决定曝光时间。焦面快门的最短曝光时间可达1/8 000秒。

Shuvalov, Pyotr Andreyevich, Count (Graf) **舒瓦洛夫**(1827-06-27[旧历06-15]，俄罗斯圣彼得堡～1889-03-22[旧历03-10]，圣彼得堡) 俄国伯爵、外交家和警察首脑。亚历山大二世的顾问之一，运用其巨大的权力反对改革法令。1845年进入军队。1853～1856年参加克里米亚战争。1856年出席巴黎和会，开始外交生涯。翌年任圣彼得堡警察局长。1860～1861年任内务部政治警察司司长。以反对农奴解放闻名。1866年任宪兵总参谋长和第三厅(政治警察)厅长，成为亚历山大二世的亲密顾问。他运用影响阻滞已开始的改革，并举荐反动观点的人任要职。1873年去伦敦执行特殊外交使命，1874～1879年任驻伦敦大使。因涉及俄土战争(1877～1878)之后的俄国外交失败，被召回退休。

Shuwaykh, ash- 舒韦赫 科威特东部城镇和港口。位于科威特湾科威特城西面。为该国主要港口。有现代化深水泊位和集装箱设施，可停泊远洋轮。有发电厂，为全国最大的发电厂之一，还有为科威特城供水的海水淡化厂。人口2 898(1985)。

Shuya 舒亚 又拼Šuja。俄罗斯西部伊万诺沃州城市和区中心。位于捷扎河畔。自16世纪起为贸易中心。现有棉纺织、合成纺织品加工和机器制造，以及多种轻工业。有一所师范学院和一所医学院。人口约70 200(1993)。

Shuysky, Vasily Ivanovich, Prince (Knyaz) **舒伊斯基** 参阅**Vasily (IV) Shuysky**瓦西里(四世)。

shuyuan 书院 英文作academy of classical learning。中国古代特有的教育组织和学术研究、出版机构。名称始于唐代，初为官方修书、校书和藏书的场所。唐宋期间多为名士文人创建主持，宋初益盛。著名的有白鹿洞、岳麓、睢阳(应天府)、嵩阳、茅山、石鼓等书院。元明时官方加强了控制，到了清代完全官学化。

Shwebo 瑞保 缅甸中北部城镇。为曼德勒西北偏北80千米处的铁路线上稻米集散地。雍笈牙王朝(1752～1885)创建人雍笈牙在此出生，曾一度为其王都，其陵墓也建此。位于伊洛瓦底江西岸干旱区的北部边缘。该区灌溉部分广泛种植水稻，旱地种植粟、芝麻、花生、豌豆和棉花。人口52 185(1983)。

Shyok River 什约克河 印度次大陆北部查谟和克什米尔邦的河流。发源于喀拉昆仑山脉。流向西北，经喀拉昆仑山脉途中接纳许多冰川。有时被忠空姆丹冰川堵塞河道，造成泛滥。在巴基斯坦控制区格伯卢附近汇入印度河。全长550千米。主要支流努布拉河位于该河右岸。

印度克什米尔邦列城附近的什约克河河段
美国不列颠百科全书公司供图

Si Kiang (river, China) 参阅**Xi Jiang**西江。

Si Suriyawong, Somdet Chao Phraya 西·素里亚旺(1808-12-23～1883-01-19，暹罗拉德布里) 原名C.汶那格。暹罗国王蒙库时代的主要大臣，在朱拉隆功国王幼年时摄政。在国王们为国家现代化和维护独立的关键时刻发挥了非凡的作用。为暹罗宫廷中占有重要地位的汶那格家族成员。19世纪40年代他奉仕宫廷，与蒙库亲王友善。1851年与其父一起拥立蒙库当国王，主管军事和南方省份。暹罗对西方开放(始自1855年)的条约大多由素里亚旺敲定。依靠身居要职的亲戚们组成关系网，是蒙库时代最有权力的官员。蒙库死后，他任幼王朱拉隆功的摄政王。朱拉隆功成年后，素里亚旺变得日益保守，去世前一直阻碍国内改革。

SI system (in measurement) 参阅**International System of Units**国际单位制。

Si Votha 西伏塔(1841，柬埔寨～1892-02-02，老挝-柬埔寨边境) 柬埔寨亲王和王位争夺者。法国开始霸占印度支那期间，他为祖国的独立而战，未获成功。国王东之子。1860年东去世后，异母兄诺罗敦登上王位。1860～1861年西伏塔从边远的磅同省发兵，直扣京城乌栋，并向西追击诺罗敦至马德望。但是，这次起事没有成功，西伏塔被迫撤退。诺罗敦在法国人的支持下重返京城。到1863年，柬埔寨已成为法国的保护国。1876年西伏塔的部队几乎攻至新都金边城下，但被300余名法军击退。此后，西伏塔隐居老挝。1885年，他利用柬埔寨人对法国的不满情绪，再次发动起义，持续一年又失败了。因部下离去，资金有限，遂退至边境山区。1888年法国学者J.托平会见他，劝他同法国人妥协，以改善自己的生活。四年后西伏塔死去，此事遂不了了之。

Sia (Egyptian religion) **夏** 参阅**Hu, Sia, and Heh**胡、夏、赫。

Siachen Glacier 锡阿琴冰川 世界最长的高山冰川之一。位于印度-巴基斯坦边境附近克什米尔喀喇昆仑山系中。北西北-南东南走向，伸延44英里(70千米)。有数条流动迅速的表面冰流和至少12条中碛。努布拉河(印度河水系什约克河的支流，长50英里)发源于此。

Siālkot 锡亚尔科特 巴基斯坦旁遮普省拉合尔专区城市和县。该城市为县城，有铁路与沃济拉巴德、查谟相通，有公路通拉合尔和古杰兰瓦拉。一度以纹饰器皿和纸张生产中心著称。现代工业有面粉厂、棉纺织厂,还生产运动用品。1867 年设市。有两个图书馆、几所医院和旁遮普大学的几所附属学院。该城是诗人哲学家穆罕默德·伊克巴尔的诞生地,有几座圣寺。全县面积 5 354 平方千米,从东南面的拉维河河谷伸展到西北部的杰纳布河。主要农作物有小麦、大麦、稻米、玉米、粟和甘蔗。人口:市约 296 000;县约 2 706 000(1981)。

Siam (Southeast Asia) **暹罗** 参阅 **Thailand** 泰国。

Siam, Gulf of (South China Sea) **暹罗湾** (南海) 参阅 **Thailand, Gulf of** 泰国湾。

siamang (*Symphalangus syndactylus*) **合趾猿** 长臂猿科一种树栖类人猿,栖息在苏门答腊和马来亚森林。与亲缘动物长臂猿酷似,但更茁壮。在第二和第三趾之间有蹼,咽喉有一无毛的可膨胀的气囊,可用来发出共鸣的隆隆叫声。头与体长约50~55厘米。

合趾猿(*Symphalangus syndactylus*)
供图:Anthony Mercieca—Shostal/美国不列颠百科全书公司

毛蓬松,完全黑色。与长臂猿同为昼行性。以臂行方式活动,用手臂在树间荡来荡去。主要以果实为食。或单独生活,或结成小群。妊娠期约 230 天,通常一胎一仔。

Siamese **暹罗猫** 一个常见的短毛家猫品种,原产暹罗(泰国)。谱系不明。体长且柔软。腿和尾细长。头长,呈楔形。眼角稍上斜,为蓝色,带一种"东方"色彩。有些个体眼内斜视状,尾折角状,但这些特征为展评品种培育者所不欢迎。本品种为部分白化;初生时为白色或奶油色,以后耳、面、腿及尾出现本品种特有的深色斑点,斑点可为深棕色(海

暹罗猫
供图:John Gajda—美国不列颠百科全书公司

豹斑)、蓝灰色(蓝点)、牛奶巧克力棕色(巧克力斑)、浅红灰色(紫丁香斑)或橙红色(红点)。毛色及花纹均为隐性性状。暹罗猫形小,体型优美,但肌肉发达,动作灵活。对主人亲切,忠诚,但有时具破坏性,喜欢暹罗猫的人认为此品种是最聪明的家猫。叫声高,能发出多种叫声,包括刺耳的交配叫声。

Siamese fighting fish (*Betta splendens*) **暹罗斗鱼** 又称搏鱼。鲈形目格斗鱼科(Belontiidae)的热带淡水鱼,以雄鱼好斗而闻名。或归入攀鲈科(Anabantidae)。原产于泰国,

暹罗斗鱼(*Betta splendens*)
供图:Douglas Faulkner

并被家养用于比赛。搏斗时主要咬鳍,同时张鳃,展鳍,体色变深。体细长,长约 6.5 厘米。野生者淡绿或褐色,具不很长的红鳍。家养者则具飘垂的长鳍,体色红、绿、蓝或淡紫。参阅 **labyrinth fish**。

Siamese language **暹罗语** 参阅 **Thai language** 泰语。

Siamese twin **暹罗孪生子** 又称联体双胎。彼此联接的同卵双胎儿之一,常共有某些器官。典型的连接部位系躯干或头颅的前、后或侧面。对称性联体双胎儿除融合部分外,每一患儿身体的其余部位基本正常,一些病例可望手术分离成功。1811 年在暹罗诞生了一对中国血统的联体儿章与炎(**Chang and Eng**),自胸骨至脐部以系带相连,他们以展示自己谋生,并各娶妻生儿育女,最后在美国北卡罗来纳州度过晚年。暹罗双胎由此得名。非对称性联体双胎儿其中之一发育良好(宿主或联胎自养体);而另一个严重发育不良(寄生胎),需从宿主那里获得营养,应行手术切除。

Sian (China) 参阅 **Xi'an** 西安。

Šiauliai **希奥利艾** 德语作Schaulen(绍伦)。立陶宛城市。该城历史可追溯到 13 世纪。可能就是"少勒",1236 年在此发生立陶宛人与宝剑骑士团之间的军事对抗,致使后者与条顿骑士团合并。18 世纪曾是纺织中心。19 世纪引进皮革工业。第一次和第二次世界大战期间受到严重破坏,后重建为工业中心。除皮革、靴鞋工业外还有金属加工、精密机械、食品、家具等工业。有师范学院、工学院和医校。人口约 145 000(1989)。

sib **血统氏族** 由两个或两个以上的家系组成的群体,他们宣称有共同的祖先,而不管这个祖先能否查考出来。欧洲人习惯于用氏族这个词来代替血统氏族,但美国人使用氏族这个词有特殊含义。参阅 **gens; phratry**。

Sibasa **锡瓦萨** 南非德兰士瓦省东北部村庄。位于路易-特里哈特东北 72 千米处。德兰士瓦北部前非洲黑人事务行政中心和前文达非独立黑人邦(现为没有得到国际承认的文达共和国)首府。1872 年柏林传教团的博伊斯特尔曾在此建立传教站。现是共和国首都托霍扬多(自 1979)东北的工业发展中心。海拔 740 米,并以文达酋长锡瓦萨的名字命名,路易-特里哈特至克鲁格国家公园公路干线经此。当地有一些小工业。设有非洲职业介绍所分所和技术学院。附近还有文达王族的葬地。

Sībawayh **西拜韦**(760?,伊朗阿尔拜依达~793?,设拉子) 原名 Abū Bishr ʿAmr ibn ʿUthmān。著名的阿拉伯语语法学家,曾在伊拉克巴士拉就学于一语法名家,后来本人也成为语法学家。据说,西拜韦因辩论贝都因阿拉伯语惯用法失败而离开伊拉克,退隐于设拉子。其不朽之作是《语法之书》,或简称《书》,为后世学者所推重。

Sibelius, Jean **西贝柳斯**(1865-12-08,芬兰海门林纳~1957-09-20,耶文派) 芬兰作曲家,斯堪的纳维亚最著名交响乐作曲家。曾就学于芬兰师范学校,开始接触芬兰文学,特

供图:© Karsh from Rapho/Photo Researchers

别是芬兰神话史诗《卡勒瓦拉》,后者始终是他灵感的取之不尽的源泉。原学法律,不久即弃而悉心学习音乐,起初打算成为小提琴家,后在 M.韦格柳斯指导下创作许多室内乐和器乐。20 余岁时离开芬兰去柏林和维也纳深造,师从作曲家 R.富克斯和 K.戈尔德马克。返回芬兰后演出他的第一首大型管弦乐曲《库勒沃交响曲》(1892),轰动一时。这首作品以及其后相继发表的《英雄传奇》(1892)、《卡累利阿》音乐,以及四首交响诗《四传奇》(其中第三首是著名的《图奥内拉的天鹅》)奠定了他作为芬兰杰出作曲家的地位。1897 年,《E 小调第一交响曲》尚未问世,芬兰参议院即决定发给他终身小额津贴以表彰他的才华。音诗《芬兰颂》作于 1899 年,翌年修改。西贝柳斯在19世纪90年代的作品

均为浪漫主义传统的民族主义风格。20世纪第一个10年中西贝柳斯的声誉渗透欧洲大陆。从《C大调第三交响曲》(1907)开始，他弃绝《第二交响曲》和《D小调小提琴协奏曲》(1903)的民族主义浪漫主义风格而倾向于《英雄传奇》和《A小调第四交响曲》(1911)的更锐利、更坚定的表达方式。第一次世界大战后他出版了他的三部最后的交响曲(《降E大调第五》、《D小调第六》和《C大调第七》)以及《塔皮奥拉》(1925)等巨作，此后即陷入晚年的长期沉默。30年代中西贝柳斯的音乐风靡一时；虽然接着的一代人对这种状态持反对态度，西贝柳斯仍然牢牢地控制着音乐听众。他的灵感与斯堪的纳维亚的自然景色密切联系，但他得以名垂青史，主要却不是作为一位自然诗人。他在交响诗和7部交响曲中的成就主要在于他对曲式的出神入化的掌握。

Šibenik 希贝尼克 意大利语称塞贝尼科(Sebenico)。克罗地亚港口。位于克尔卡河流入亚得里亚海的河口湾处。有铁路通萨格勒布，出口以铝矾土、木材、建筑石料、葡萄酒及烈酒为大宗。有造船厂、铁合金厂及铝厂。克尔卡瀑布生产电力供电化工厂之用。旅游事业集中于海滩和外围岛屿。1066年首见记载，但该城可能在此之前为斯拉夫移民所建。1412年被威尼斯占领。1797～1815年成为拿破仑伊利里亚省份的一部分，此后归属奥匈帝国。1918～1921年归意大利，而后归南斯拉夫。历史上以文化和学术成就著称。天主教圣雅各大教堂(1431～1536)兼备哥特式和文艺复兴时期建筑风格。城门、凉廊及若干文艺复兴时期房屋保存完好。城北圣安娜要塞(12～13世纪)可自北俯瞰全镇。人口36 952(1981)。

Siberia 西伯利亚 俄语拉丁字母转写作Sibir。俄罗斯和哈萨克斯坦北部的辽阔地区。包括北亚全部，西起乌拉尔山，东迄太平洋，北临北冰洋，南抵哈萨克斯坦中北部山区以及中国和蒙古的边界。

除西南端外，西伯利亚全位于**俄罗斯(Russia)**境内。按俄罗斯惯例，乌拉尔山东侧、太平洋沿岸地带和哈萨克斯坦境内等行政区不属西伯利亚。西伯利亚总面积，就广义说约13 488 500平方千米；就狭义的俄国政府规定为6 550 000平方千米，包括东西伯利亚和西西伯利亚两大经济计划区。西伯利亚还包括俄罗斯的雅库特、布里亚特和图瓦三个共和国。

西伯利亚(鞑靼语，意为"沉睡土地")分为四个主要地理区域，均幅员辽阔。毗邻乌拉尔山的西部地区为辽阔的西西伯利亚平原，有鄂毕河和叶尼塞河流经，地势起伏小，沼泽宽广。叶尼塞河以东为中西伯利亚，为主要由平原和中西伯利亚高原组成的一片广阔地区。更东部的勒拿河流域将中西伯利亚与西伯利亚东北部(即俄国远东区)分开，西伯利亚东北部为一连绵的山脉、高地及介于其间的盆地构成的复杂地区。四个地区中最小的是贝加尔区，它集中在西伯利亚中南部的贝加尔湖区。

西伯利亚冬季漫长，酷寒，几乎无雪。在雅库特，最低气温曾低至－68 °C。越往东气候越恶劣，雨量也越少。主要植被区由东向西跨越整个地区——北部为冻土带，沼泽森林即北方针叶林，遍布西伯利亚的大部分地区；西伯利亚西南部和南部山间盆地为森林草原和大草原。

西伯利亚矿藏丰富，最显要的有煤、石油、天然气、钻石、铁矿石和黄金。20世纪后50年，西伯利亚的采矿业和制造业发展迅速，现在主要产品还有钢、铝和机械。农业只限于靠南的地区，生产小麦、黑麦、燕麦以及向日葵。

现在尚不能断定人类首先是从欧洲还是从中亚和东亚来到西伯利亚的。西伯利亚南部有旧石器时代人类在此活动的大量证据。在经历了青铜器时代后，先后受到中国人的影响(始自公元前1000年)和突厥-蒙古人的影响(公元前3世纪)。10世纪到15世纪中期，西伯利亚南部属蒙古的金帐汗国。

俄国于16世纪后期开始向西伯利亚殖民。以前，这里居住着许多规模并不大的种族群体。他们过着狩猎或饲养驯鹿的游牧生活。但是其中最大的部族雅库特人则饲养牛和马。各种族群体分属不同的语系，其中有突厥语(雅库特人、西伯利亚的鞑靼人)、满洲-通古斯语(埃文克人、埃文人)、芬兰-乌戈尔语(汉特人、曼西人)和蒙古语(布里亚特人)。

俄国人占领西伯利亚始于1581年，一支哥萨克远征军推翻了小小的西伯利亚汗国(这整个地区便是以此命名的)。在16世纪末和17世纪，俄罗斯猎兽皮者和皮毛商以及哥萨克探险者深入西伯利亚，直达白令海。他们在战略要地建起城堡式城镇，包括秋明(1585)、托木斯克(1604)、克拉斯诺亚尔斯克(1628)和伊尔库茨克(1652)。从17世纪初到18世纪中期，西伯利亚大部分地区逐渐都归到俄国统治之下。然而，1689年与中国签署的《尼布楚条约》却阻止了俄国人向阿穆尔河(黑龙江)流域推进，这一直维持到19世纪60年代。俄国对本地民族的扩张有双重影响：较小、较原始的部族屈从于他们的剥削、死于传入的疾病，而雅库特和布里亚特等较大的部族则较好地适应了，并开始从拓殖的物质利益中获得好处。俄国人一般不干涉他们内部的体制和生活方式，大部分当地居民最终都成了名义上的基督教徒。

最初，这地区的俄国统治者收集贡物，当地居民进贡皮毛，过去他们向蒙古人也是进贡皮毛。后来，俄国农业殖民地居民向当地俄国官员提供食物。随着皮毛贸易的衰退，到了18世纪，西伯利亚主要的经济活动是开采白银和其他金属。

虽然西伯利亚曾是流放罪犯和政治囚犯之地，俄国农夫和逃跑的农奴移在此地的居民点，但在**西伯利亚大铁路(Trans-Siberian Railroad**，1891～1905)建成之前，人烟依然稀少，只是在铁路建成之后，才出现了大规模的外来移民。现代农业耕作方法传入西伯利亚南部，种谷物、生产乳制品，并有几处开始采煤。俄国内战(1917～1920)期间，海军上将高尔察克为首的反布尔什维克政府控制了西伯利亚大片土地，一直到1920年。可是实际上到1922年，整个西伯利亚已重新并入新生的苏维埃国家。

从第一个苏维埃五年计划(1928～1932)起，工业得到相当大的发展，在库斯内茨煤田和西伯利亚大铁路沿线开始采煤和建设钢铁联合企业，部分使用了强迫劳动。20世纪30年代，劳改营遍布西伯利亚，最重要的营地在东北端和叶尼塞河下游一带，营内的人主要从事采矿。第二次世界大战期间，由于许多工厂从苏联西部撤退，西伯利亚(连同乌拉尔地区)有几年成为苏联战争中的工业支柱。对比之下，农业受到1930～1933年期间的集体化的很大损害，直到1954～1956年的开垦处女地运动之前一直不受重视。当时西伯利亚西南部(包括哈萨克斯坦北部)是待开垦的主要地区。

20世纪50年代末和60年代，出现了重要的工业发展，著名的有西伯利亚西部开发的大型油气田，以及沿安加拉河、叶尼塞河和鄂毕河地区修建的水电站。新油气田和乌拉尔地区间修建了输油和输气的管道网络，也兴建了精炼铝和纤维素纸浆制造等新工业。在勒拿河畔的乌斯季库特与阿穆尔河畔共青城之间长达3 200千米的贝加尔—阿穆尔铁路干线于1980年竣工。

尽管西伯利亚已工业化，但20世纪后期还是有相当数量的居民离开了西伯利亚。人口增长缓慢。部分原因是该地区气候实在太恶劣。西伯利亚的人口依然稀少，主要集中在西部和南部，半数以上为城市人口，俄罗斯人占压倒多数。最大的城市有新西伯利亚、鄂木斯克和克拉斯诺亚尔斯克。

Siberian anticyclone 西伯利亚反气旋 又称西伯利亚高压或亚洲高压。冷半年中心在西伯利亚东北部的半永久性高气压系统。这种反气旋是由于冷半年大陆近地面层空气急剧冷却而形成的。在垂直方向上，这类系统常常很薄，很少伸展到3 000米的高度。西伯利亚反气旋是极地气团的主要发源地之一。在这个气压系统内部，一些地方1月份平均温度是北半球最低的：许多台站的平均温度低于－46 °C。极地空气从这个高压区向西爆发，有时使欧洲大陆部分地区受到强寒潮的侵袭。夏季，亚洲大陆大面积的增温使反气旋消散。

Siberian Chronicles 西伯利亚编年史 记载16世纪后期至18世纪西伯利亚历史的一套编年史丛书，分别称叶西波夫、昆古尔、列梅佐夫和斯特罗加诺夫等编年史(共约40部)，合在一起成为研究早期西伯利亚历史的基本史料。这套编年史确实复杂和矛盾，关于它的起源、可靠性和相互关系，长期以来成为史学家们辩论的中心。由史学家S.V.巴赫鲁申(1882～1950)提出的传统上(但并未被大家所接受)的假设是，这套编年史基本上源出现已失传的著作《西伯利亚抵达记》。该书为由16世纪哥萨克英雄**叶尔马克·齐莫菲叶维奇(Yermak Timofeyevich)**率领的西伯利亚远征队的幸存者们于1621年所写。后来的著作疑为抄袭该书并加以发挥，从而成为西伯利亚编年史援引的材料来源。但不管其起源如何，这套编年史记载了关于叶尔马克出征及有关情况，并成为流行的民间传说的基础。

Siberian husky　西伯利亚爱斯基摩狗　楚克奇人在西伯利亚培育的使役狗。用于拉雪橇和守卫或作伴侣狗。1909年引入阿拉斯加用于雪橇狗比赛，很快因常胜而被承认。体

西伯利亚爱斯基摩狗
供图：Russ Kinne—Photo Researchers

形优美，耳直立，被毛厚而软。体高51～60厘米，体重16～27千克。毛色为灰色、棕褐色或黑白相间。头部可能有帽状、面罩状或眼镜状斑纹。以聪明、驯顺闻名。纯种在西伯利亚养育数百年。

Siberut Island　西比路岛　印度尼西亚西苏门答腊省明打威群岛中最大的岛屿。位于苏门答腊岛西岸外，在巴东市西南约145千米处，两地隔明打威海峡相望。岛宽40千米，长110千米。大部分地势低洼，西部海拔约384米。雨量充沛，气候温暖潮湿。海岸低洼多沼泽，分布红树林。内地热带大草原生长棕榈树丛林。居民从事农业，产西米、糖、烟叶、木薯、甘薯、胡椒、豆类、杧果和凤梨，沿海有椰子种植园，也从事深海捕鱼并饲养牛。家庭手工业有木雕、纺织、椰干与椰壳粗硬纤维制品和编篮筐。大部分居民是穆斯林，属门塔瓦伊民族，也有一些是基督教徒。麻拉西贝鲁路是主要的居民区和港口，有公路连接锡盖普、锡曼西和泰莱莱奥。与大陆联系主要通过苏门答腊省西海岸巴东市附近的直落巴由港。

sibilant　咝音　语音学术语，指一种擦辅音，发音时舌尖或舌面靠近上腭，空气通过舌部逸出并发出嘶嘶声。英语中的*s*，*z*，*sh*和*zh*（pleasure中的*s*音）都是咝音。有时塞擦音*ch*和*j*音也被看成是咝音。参阅**fricative**。

Sibir（Russia）　参阅**Siberia**西伯利亚。

Sibiryakov, Aleksandr Mikhaylovich　西比利亚可夫（1849-10-08，俄罗斯帝国西伯利亚伊尔库茨克～1893）　Sibiryakov又拼Sibiriakov。俄国金矿主，以在西伯利亚对探险队提供经费并自身在该区从事探险而闻名。毕业于苏黎世一家工艺学校。他是个富有的人，曾资助瑞典探险家诺登舍尔德（1878～1879）和俄国探险家格利戈里耶夫（1879～1880）在极地区进行科学探险工作，并促成了有关西伯利亚历史书籍的出版。1880年组成第一支前往喀拉海的探险队伍。在1884年他最著名的旅行中，乘汽船到达伯朝拉河口，利用驯鹿朝东进越过乌拉尔山脉，顺托博尔河抵达西伯利亚传统上的终点托博尔斯克。后来人们经常往来这条路径后，便以"到北方的西比利亚可夫路线"知名。喀拉海上的一个岛屿以其为名。1909年在格拉斯哥所建造的一艘著名破冰船，经俄国收购（1916）后亦冠之以西比利亚可夫的名字。两次世界大战中都曾出现它的踪迹（1942年遭德国巡洋舰击沉），也是第一艘从白海出发，经北方直达白令海（1932）的船只。

Sibituane（African king）　参阅**Sebetwane**塞贝特瓦内。

Sibiu　锡比乌　罗马尼亚中部一县，面积5 422平方千米。特兰西瓦尼亚山脉（南喀尔巴阡山脉）盘亘在本区南部，其中包括塞贝什山、洛特鲁山和弗格拉什山。居民区都位于山间河谷内。锡比乌（**Sibiu**）城为本县县城，为文化和工业中心。制造金属制品、化学产品和机器的城镇有锡比乌、梅迪亚什、阿夫里格、小科普沙和锡比乌卢伊盐矿镇。本县还生产建筑材料、木材、纺织品和皮革制品。萨杜镇有一水电站。农业活动有家畜饲养和谷物、果园、葡萄园种植等。奇斯纳迪耶镇和奇斯纳迪奥拉镇有具历史意义的教堂。勒希纳里公社是民间工艺品生产中心，并有一所人种学博物馆。珀尔蒂尼什和锡比乌卢伊盐矿镇是游乐胜地。有几条公路和铁路穿过锡比乌城和梅迪亚什市，通往几个方向。锡比乌城附近有机场。人口约508 800（1990）。

Sibiu　锡比乌　德语作Hermannstadt（黑尔曼施塔特）。匈牙利语作Nagyszeben（大塞本）。罗马尼亚中部锡比乌县城市和县城。濒临奇宾河。初为罗马城市。12世纪由撒

锡比乌市旧城区的狭窄石巷
供图：William Gelman—《黑星》杂志社

克逊殖民者重建。古老的中世纪城镇现分为两部分。上城区位于坡顶，下城区位于奇宾河岸，二者以一条通过旧城区的狭窄石巷相连。15世纪数次驱逐土耳其人，该城当时为德国特兰西瓦尼亚社区重要手工艺和文化中心。1541年特兰西瓦尼亚隶属土耳其，1699年改属奥地利，该城成为特兰西瓦尼亚军事中心，并两度为其首府。1918年归罗马尼亚。中世纪修建的部分防御工事依然存在。城内许多古建筑物也成为历史名胜。有博物馆、了望台、路德教派大教堂等。为大型工业基地。工业产品有机床、纺织机械、食品、皮革制品、纺织品和服装。为交通枢纽，有公路和铁路通往西北的克卢日-纳波卡、东面的布拉索夫和东南面的布加勒斯特。人口约168 949（1997）。

Sibley Provincial Park　锡布利省立公园　加拿大安大略省西南部公园。位于苏必利尔湖北岸锡布利半岛，在桑德湾以东32千米处。1950年建。面积243平方千米。有多种加拿大地盾景观。有一称为睡巨人的岩石，在印第安人传说中占重要地位。园内有娱乐设备；有多种野生动物和一些稀有植物。

sibling rivalry　同胞竞争　兄弟姐妹间为了博取父母的注意和疼爱而进行的激烈竞争。最常见的同胞竞争发生在弟弟（或妹妹）出生时，其兄姐生怕新出生的婴儿会取代他们在父母感情中的地位。哥哥姐姐会变得极为妒忌，对弟弟妹妹表现粗暴，或表现出尿床、学婴儿腔说话等退化行为。这种退化行为是试图重建对父母的依赖。弟妹们稍大一点，哥哥姐姐便可能在行动上和语言上欺负他们，发展下去，他们也会在人生的其他经历方面（例如事业）采取这种方式。同胞竞争决非普遍的或不可避免的。这部分地取决于父母在处理儿女竞争问题时，能否一碗水端平。

Sibolga　实武牙　又译锡博尔加。印度尼西亚苏门答腊岛北苏门答腊省城市。位于省会棉兰南209千米处。为濒临印度洋实武牙（锡博尔加）湾的港口，西南有穆萨拉岛作屏障。有公路，北通打鹿洞和先达，东南连帕当西登普安。居民有亚齐人、米南卡保人和沿海马来人以及少数印度人、阿拉伯人和华人，后者多为商人。为贸易和转船运输中心。出口橡胶、咖啡、木材、松香、樟脑和椰干。工业有锯木、纺织、木雕、编织席筐等。深海捕鱼也很重要。人口71 559（1990）。

Sibsāgar　锡布萨格尔　印度东北部阿萨姆邦东部城镇。濒临布拉马普特拉河支流迪胡河。为茶叶加工中心，也产稻米、丝和油菜。该地区阿霍姆族居民属泰语族，13世纪来自中国云南，18世纪成立朗普尔国，即以锡布萨格尔为其都城。现仍保留有当时的庙

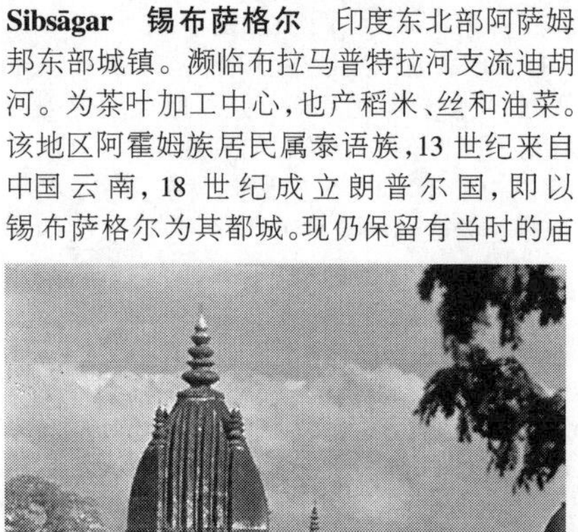

锡布萨格尔镇的湿婆神庙
供图：Foto Features

字数处。

Sibu 诗巫 东马来西亚城镇。在拉让和伊甘两河汇流处,距南海海岸约 80 千米。为一河港,通小海轮。出口木材、橡胶和胡椒。设有机场和航海技术学校。人口 85 231(1980)。

Sibyl 西比尔 又称西比拉。希腊传说和文学中的女预言家。传说她是寿命极长的妇女,能在狂乱恍惚的状态中占卜未来,但她始终是一位其来历不为人所知的人物;她的预言记述于希腊的六音步诗句之中并流传下来。公元前 5 世纪至公元前 4 世纪初,她的名字一直用单数;西比拉一词被当作她专有的名字。她显然居住在小亚细亚。从公元前 4 世纪晚期起,西比尔的数目有所增加。传统认为,她们遍布于所有著名的神示所中心和其他地方,特别是与阿波罗神有关。她们各自有着自己的名字,而"西比尔"就被视为一个头衔。传说库迈的西比尔曾建议罗马七国王中的最后一位塔奎尼乌斯(高傲者),买下著名的西比尔预言集,即《西卜林书》。他不肯按价付款,于是她烧掉了 9 卷书中的 6 卷,后仍以原来要求的 9 卷书的原价,把剩下的 3 卷卖给了他。此后这些书就保存在卡皮托利尼山的朱庇特神殿里,只在紧急时刻才去查阅。人们认为有一位犹太的或巴比伦的西比尔写过一部犹太-基督教的《西卜林神谕集》。这样,某些基督教徒便把西比尔看成是可以同《旧约》相比的预言方面的权威。

Sibyl 西比尔(1160~1190秋) 耶路撒冷十字军国家的女王(1186～1190)。阿马里克一世之女。在兄弟鲍德温四世死后即位。鲍德温打算直接传位给西比尔的儿子鲍德温五世,但她和她丈夫吕西尼昂的盖伊却密谋自己掌握王位,使王国卷入同萨拉丁的灾难性战争。

Sibylline Oracles 《西卜林神谕集》 据说某西比尔(传说中的希腊女先知)证实犹太教或基督教教义的神预集。这些预言实际是约公元前 150 ～约公元 180 年间由某些犹太教和基督教作家写出,不可与一个早得多的神谕集,即《西卜林书》相混(参阅 **Sibyl**)。在神谕中,西比尔为证明自己的话可信,首先"预言"实际不久前才发生的事件,然后预言未来的事件,并提出只有希腊化的犹太教或基督教才会有的教义。犹太教护教士约瑟夫斯和某些基督教护教士认为,这些作品的确是众西比尔的预言。

Sicani 西坎人 根据古希腊著作,西坎人是西西里西部的土著居民,与西西里东部的西库尔人不是一个民族。尽管考古发掘显示西坎人与西库尔人在有史时期并无很大的差别,然而古代史学权威认为西坎人原是西班牙的伊比利亚人,因西库尔人入侵而迁至西西里西部和南部地区。

Sicard, Roch-Ambroise Cucurron, Abbé 西卡尔(1742,法国上加隆图卢兹附近福瑟莱～1822-09-20,巴黎) 法国教育家,聋哑人教育先驱。他原是隐修院长,1786 ～ 1789 任波尔多的一所聋哑学校校长。他长期赞成用手势语教聋哑人,但晚年改用口语法。他的著作对美国教育家加拉德特和聋哑人教育影响很大。著有《先天聋哑儿童教育艺术回忆录》(1780)及《对聋哑人手势教育的理论》(1808 ～1814)。

sicca syndrome 干燥综合征 参阅 **Sjögren's syndrome** 舍格伦氏综合征。

Sicco 西科 参阅 **John XVII (or XVIII)** 约翰十七世(或十八世)。

Sicel language 西库尔语 即古西西里语。居住在意大利和西西里的古代西库尔人所操语言,见于公元前 3 世纪的 4 块碑铭及公元前 6 和前 5 世纪的几枚铸币的铭文。希腊人迁至西西里后,西库尔人逐渐希腊化,于是以希腊语代替了其本族语。学者们认为西库尔语是一种印欧语言,主要根据有二:一是西库尔语的动词"是"的形式为 *esti*,与拉丁语 *est*、希腊语 *esti* 形成对应;二是某些词词尾语法变化相似。

Sicels (people of ancient Sicily) 参阅 **Siculi** 西库尔人。

Sichote-Alin (Russia) 参阅 **Sikhote - Alin** 锡霍特山脉(老爷岭)。

Sichuan 四川 又拼 Szechwan, Ssu-ch'uan。中国西南部省份。简称"川"或"蜀"。位于长江上游。介于东经 97°21′ ～ 110°12′,北纬 26°03′～34°19′。西为青藏高原所扼控,东有长江三峡之险,北有秦岭巴山屏障,南为云贵高原拱卫。与云南、贵州、湖南、湖北、陕西、甘肃、青海、西藏 8 个省区毗连。面积491 147 平方千米,为中国的第五大省区。省内除汉族以外,有彝、藏、羌、土家、苗、回、蒙古、满、傈僳等 25 个少数民族。设 3 个自治州、18 个地级市、43 个市辖区、14 个县级市、120 个县和 4 个自治县。省会成都市。

沿革 殷周时,为巴、蜀之地。巴人在今川东一带以重庆为中心建立了巴国,蜀人在今川西一带以成都为中心建立了蜀国。战国周慎靓王五年(公元前 316),秦灭巴蜀,改置巴郡和蜀郡,由"秦民万家"大举迁入,促进了巴蜀地区农业生产的发展。秦孝文王元年(公元前 250),蜀守李冰兴修举世闻名的都江堰水利工程,使成都平原沃野千里,号称"天府之国"。汉为益州,盐、铁开采,织锦和漆器等手工业得到发展。北宋咸平四年(1001),在东部地区分设益州、梓州、利州和夔州四路,总称川峡四路,为四川得名之始。元代置四川行中书省。明为四川布政使司。清代起称四川省。抗日战争时期,国民政府迁都重庆,四川为战时"后方"的政治、经济中心。1950 年,四川东部划分为川东、川南、川西、川北 4 个行署区,西部为西康省。1953 年恢复四川省建制。1955 年撤销西康省,将西康省金沙江以东部分划归四川省。

自然条件及资源 四川地跨中国地势的第一、二级阶梯,全省 60% 以上面积海拔超过 1 000 米,山地和高原面积共占 80%,丘陵和平原各占 12.0% 与 8.0%。省境东部为构造完整的四川盆地,地表为大面积的紫红色砂页岩所覆盖,占全省面积近 2/5。盆地内部地形分异明显:西部为成都平原,中部属于方山丘陵,东部为平行岭谷山地。省境西北部为海拔 3 000 米以上的高原,西南部为横断山地一部分,大雪山主峰贡嘎山海拔 7 556 米,是四川第一高峰。河流分属于长江、黄河两大水系,而长江水系的流域面积占全省面积的 97%。流域面积 100 平方千米以上的河流计 1 419 条。东部的岷江、沱江、嘉陵江和乌江等河流,均由盆地边缘山地汇聚到盆底的长江干流,呈向心状水系。最后东出长江三峡。西部的金沙江、雅砻江、大渡河等,均南北走向,平行排列。全省水资源总量 3 480 亿立方米,其中河川径流 3 131 亿立方米,占中国的 16.1%。水能资源蕴藏量为 1.5 亿千瓦,居中国首位。川西北边境的若尔盖沼泽为中国最大的泥炭沼泽。川东地区属温暖湿润的东南季风气候,具有冬暖、春早、年均温高、无霜期长的特点,农作物每年可 2 ～ 3 熟。川西南地区为冬干夏湿的西南季风气候,其中金沙江谷底全年长夏无冬,盛产南亚热带作物。川西北高原属于长冬无夏的高寒气候,为四川主要牧业区。全省高等植物逾 1 万种,仅次于云南。有水杉、银杉、珙桐、树蕨等一类保护的珍稀植物。脊椎动物 1 130 种,占中国的 2/5,有大熊猫、金丝猴、扭角羚、梅花鹿、白唇鹿等 100 多种珍稀保护动物。

经济及其他 四川是中国重要农业区,耕地面积 628 万公顷,占中国第五位。粮食以水稻、小麦、玉米、薯类为主,总产量占全国 1/10,居首位。森林面积逾 1 086 万公顷,蓄积量 14.10 亿立方米,森林覆盖率 19.17%,为中国南方最大的林区。草原面积 1 637.6 万公顷,是中国五大牧区之一。生猪、黄牛饲养量及肉类产量为全国之冠。是中国最大的油菜籽、柑橘、桐油、白蜡、中药材产区及甘蔗、苎麻、茶叶、生漆的重要产区。主要矿藏有钒、钛、芒硝、天然气、光学萤石、熔炼水晶、铁、石棉、云母、岩盐、汞、铍、锂、镉等。工业门类齐全,其中以食品、机械、冶金、化学、纺织、电子等工业为主。宜宾的五粮液、泸州老窖特曲、成都全兴大曲、绵竹剑南春、古蔺郎酒和射洪沱牌大曲均为中国名酒。铁矿石、生铁、钢、钢材、天然气、化肥、硫磺,以及彩电、家用电冰箱等产量,均居中国前列。铁路有成渝、宝成、川黔、成昆、襄渝和内昆、成达、万达等铁路干线,营运里程达 2 974 千米(2004),成都是中国西南地区最大的枢纽站。公路以成都、南充分中心呈辐射状分布,主要有川藏、川青、川陇、川陕、川渝等公路干线,以渝、成广、成雅、内宜等高速公路已建成通车,公路里程达 115 000 千米。内河通航里程达 7 904 千米。成都机场是中国四大航空港之一,开辟航线 140 多条,可直飞国内外众多城市。

省内有四川大学等 60 余所高等院校,还有中国科学院成都分院、四川省社会科学院等 472 个县级以上科研机构。有四川省博物馆、自贡恐龙博物馆等40多个博物馆，省级重点文物保护单位274处。有10个国家级风景名胜区和19个省级风景名胜区，其中峨眉山—乐山、青城山—都江堰、九寨沟和黄龙寺均已被列为世界遗产。人口85 950 000(2005)。

Sichuan Pendi 四川盆地 又作Szechwan-Basin。中国第四大盆地，海拔最低，纬度最低的盆地。位于四川省东部。又称"红色盆地"或"红层盆地"。四周山地环绕，西为龙门山、邛崃山，北为大巴山，东为巫山，南为大娄山，面积逾26万平方千米。盆地西部为成都平原，地势低平，由岷江、沱江挟带的泥沙冲积而成，土质肥沃，西北部灌县建有举世闻名的都江堰水利工程，农业发达，是四川盆地的重要粮仓。盆地东部有许多东北、西南走向的低山丘陵，华蓥山最高海拔1 800米，为盆地的最高点。盆地中部为方山丘陵，占总面积的62%，主要由紫红色砂岩、页岩组成。岩性疏松，其风化物富含磷钾，自然肥力较高，适宜种植多种农作物和经济林木。四川盆地位于亚热带，北有秦岭、大巴山阻挡寒潮侵袭，冬季温和，少见冰雪，春季亦早来一个月，利于越冬作物和亚热带多年生植物生长，年降水量1 000～1 300毫米，是中国水稻、油菜最大产区，蚕桑、柑橘、油桐、白蜡、五倍子、银耳、黄连等产量均居全国之冠。盆地历来以农产丰饶著称，被誉为"天府之国"。盆地中植物近万种，动物种类多而全，已设立7处大熊猫、金丝猴等自然保护区。盆地内还蕴藏煤、铁、石油、天然气以及盐、磷灰石、硫磺等矿产，已发展为中国西南部重要工业基地。旧时对外交通不便，有"蜀道难，难于上青天"之说。1949年以来已修建成渝、宝成、成昆、川黔、襄渝等铁路，整治长江航道，开辟成都、重庆飞往全国各主要城市的航空线，交通形势有了根本的改变。成都、重庆是重要经济和交通中心。

Sicilian school 西西里诗派 指一群聚集在皇帝腓特烈二世(1194～1250)宫廷及其子曼弗雷迪(卒于1266)周围的意大利南部西西里和托斯卡纳诗人。他们采用方言，而不用普罗旺斯语，作为意大利爱情诗的标准媒介，他们还在普罗旺斯、法国北部也可能在阿拉伯诗歌传统的影响下，开创了两种主要的意大利诗歌体裁，即十四行诗体和短歌体。西西里诗派中的著名诗人有雅科波·达·伦蒂诺、贾科米诺·普列塞、里纳尔多·达奎诺。才华横溢的腓特烈二世本人也是一位作家，他精通六种语言，是那不勒斯大学的创办人，并对文学艺术鼎力相助，因此吸引了一部分他那一时代的精英在其宫中，其中大多来自西西里，也有一些来自托斯卡纳和意大利南部。这些诗人由于熟悉普罗旺斯行吟诗人的诗歌以及法国北部和德国歌手的诗歌，创作出许多作品，其中大约有125首留传至今，全部用西西里方言写成。这些诗中约有85首是短歌，其余大部分是十四行诗。雅科波·达·伦蒂诺是大部分十四行诗的作者，通常被认为是这种诗体的开创者。作品除了一些描写悲伤、苦恼和爱情的以外，大都运用繁难复杂的格律，缺乏真实感情。西西里诗派流传下来的诗歌形式的重要性是不容忽视的。几个世纪以来短歌一直是意大利诗人写作的标准形式。西西里诗派的十四行诗及其变体，不仅是意大利文艺复兴时期的主要诗歌形式——由奎多·卡瓦尔坎蒂、但丁、彼特拉克加以完善——而且也是欧洲各地的主要诗歌形式。十四行诗在16世纪被引进英国后，经过修改，成为英国十四行诗，亦即莎士比亚十四行诗。

Sicilian Vespers 西西里晚祷 1282年西西里人屠杀法国人事件。从此开始了西西里人对那不勒斯-西西里安茹国王查理一世的叛变，该事件导致法国与阿拉贡之间争夺这个王国的斗争。它是3月30日复活节后的星期一在巴勒莫城外教堂中晚祷(晚课)时发生的一次暴动。愤怒的西西里人把一些污辱他们的法国士兵杀死，当夜又屠杀了该城的2 000名法国居民。很快整个西西里全境皆叛，并向阿拉贡人求援。阿拉贡人于8月30日在特拉帕尼登陆。接着即爆发了西西里晚祷战争。安茹军队得到教廷、意大利教皇派以及法王腓力三世的支持，阿拉贡人则得到意大利吉伯林派(皇帝派)的援助。彼得三世之子继承了阿拉贡的王位，称詹姆斯二世。他签订了《阿纳尼条约》(1295-06)，与教廷、法兰西和安茹人言和，但西西里人迎立詹姆斯的兄弟腓特烈三世为国王。腓特烈后来通过《卡塔贝洛塔和约》(1302-08-31)取得了这个王国，从此开始了岛上长期的西班牙统治。

Sicily 西西里 意大利语作Sicilia。地中海最大和人口最稠密的岛屿。属意大利。西西里与埃加迪群岛、利帕里群岛、佩拉杰群岛和潘泰莱里亚群岛一起组成意大利的一个自治区。距突尼斯(北非)东北160千米。隔墨西拿海峡(宽16千米)与意大利半岛相望。首府巴勒摩 。

历史 距今1万年前，西西里已有人居住。该岛处于地中海中心，其战略位置使其成为历史的交汇点、征服和建霸权的工具以及来岛上冒险的武士和商人所属十几个民族的大熔炉。希腊人来到岛上时，有三个民族占据着西西里：东部为西库尔人，虽然他们的名称用来为该岛命名，但却被认为是来自意大利的迟到者；杰拉斯河以西为西坎人；最西部为伊利米人，他们被认为具有特洛伊人血统，其主要中心在塞杰斯塔和埃里切。西库尔人说一种印欧语言，另外两个民族的语言没有留下遗迹。岛上还有腓尼基人居住。公元前8～前6世纪，希腊人来西西里岛上的城镇定居。多山的中心地区仍为西库尔人和西坎人所据，其观念和物质文化日趋希腊化。

公元前3世纪，西西里成为罗马的第一个行省。公元535年，在与意大利的东哥特人开始敌对行动时，拜占廷将军贝利萨留占领了西西里。不久之后西西里被拜占廷统治。965年，该岛被来自北非的阿拉伯人征服。1060年，落入诺曼人之手，后逐渐被拉丁化。12～13世纪，该岛成为两西西里(或那不勒斯)王国一部分。18世纪西西里被波旁家族统治。19世纪，成为革命运动的主要中心。1860年，加里波第的起义使该岛从波旁家族手中解放出来。次年并入意大利联合王国。1947年，西西里获地区自治权。

自然地理和人文地理 西西里大部分为山地，地震和火山活动相当强烈。埃特讷火山(3 261米)是欧洲最高的活火山。唯一的宽阔谷地是东部卡塔尼亚平原，土地肥沃。具亚热带和地中海气候特征。平原地区年降水量为400～600毫米，山地为1 200～1 400毫米。有丰富的地下水和泉水。由于人的影响，自然植被大大减少，森林覆盖率仅为4%。

由于许多世纪以来与不同血统和不同体型的种族相接触，西西里人成了一个多样化的民族。尽管处于地中海多种文明的交汇点，但西西里仍旧保留着许多远离意大利本土的、孤立的农村化地区的特点。西西里生活与世隔绝的一个特点是它仍然有黑手党存在。这是一种起源于欧洲中世纪的组织，逐渐演变成为一种超越法律的帮会犯罪组织。它使该岛的某些部分实际上有两个政府、两套行为准则和执法系统——一个是合法政府；另一个是影子政府，一个无所不在的社会、经济和政治网，通过暴力维持其权力。

意大利抒情诗的发展和现代作家G. 维尔加、L. 皮兰德娄和L. 莎沙的作品以及大量据传始于西西里的流行歌曲可以反映出西西里强烈的文化传统。其他民间艺术的例子——如刺绣、绘画和傀儡戏——和流行的宗教节日，反映出西西里对意大利文化的贡献。

西西里的经济相对来说仍然不发达，但是20世纪后期以炼油和化工工业为基础的重工业发展很快。生产大量的天然气和硫磺，但后者产量已在下降。其他工业包括食品加工、制盐、酿酒、纺织和造船。这一地区主要为农业区，出产小麦、大麦、玉米、橄榄、柑橘、杏仁、葡萄和一些棉花。饲养牛、骡、驴和绵羊。面积25 460平方千米。人口约5 172 785(1990)。

Sickel, Theodor von 西克尔(1826-12-18，普鲁士萨克森阿肯[今德国亚琛]～1908-04-21，奥地利梅拉诺) 德国历史学家，长于早期中古欧洲史，为现代古文书学之奠基人。早年就学于巴黎文献学院(1850～1852)，后在柏林攻读，由法国政府资助，曾在米兰、威尼斯及维也纳的档案馆进行研究工作。先后担任维也纳大学历史学教授(1867)、奥地利史研究所所长(1869)及罗马城奥地利史研究所所长(1883～1901)等职务。著有《加洛林王朝实录》(2卷，1867)及《古文书学通论》(8卷，1861～1862)等。

Sickert, Walter Richard 西克尔特(1860-05-31，慕尼黑～1942-01-22，英格兰萨默塞特郡巴斯) 英国印象派最重要的油画家和版画家。丹麦出生的德国手工艺者的儿子，1868年定居英格兰。1881年在伦敦斯莱德学院学习，1882年成为惠司勒的学生。1883年在巴黎与德加相识。这些艺术家对其作品和为人影响很大。早期作品描绘伦敦音乐厅内景(后来成为他最典型的题材之一)。1886

西克尔特绘《厌倦》(约 1913)
伦敦塔特美术馆供图

年在“英国新艺术俱乐部”展出。1905 年回到伦敦，成为一个画家团体的核心人物。西克尔特的作品带有新印象派的影响。他是卡姆登镇(1911)和伦敦(1913)两个画家团体的创办人。20 和 30 年代在布赖顿和巴斯作画，有时也写评论文章，支持德加的素描原理。

Sickingen, Franz von　济金根(1481-03-02，莱茵兰巴拉丁领地埃伯恩堡～1523-05-07，兰施图尔)　德意志宗教改革运动早期知名人物。他是自由骑士团成员，在莱茵兰拥有财产和地位。1519 年神圣罗马帝国皇帝马克西米连一世死，他发挥影响支持查理五世继位。他利用自己的城堡庇护路德以及许多人文学者和宗教改革家。1522 年率领德国众骑士向宿敌特利尔大主教理查德宣战，作战不利，众叛亲离，被剥夺公民权。最后在兰施图尔境内据守最后要塞，失败后被俘，次日死去。

sickle　镰刀　一种极古老的收割农具，通常是将弯曲的金属刀片装在一短木柄上。短木柄迫使操用者弯腰或蹲下进行收割。由镰刀逐渐发展而来的长柄大镰刀，使操作者保持

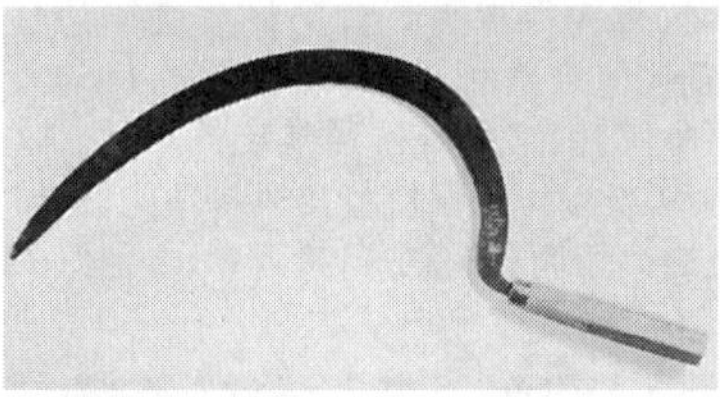

镰刀
美国史密森学会供图

直立姿态。用镰刀的收割速度很慢，但它们制造简单，价格便宜，故至今仍在全世界广泛使用，特别是适用于小麦、稻子等谷物的收割，也用作园艺工具。

sickle-cell anemia　镰状细胞性贫血　主要见于黑人的一种遗传性异常血红蛋白病。可引起严重的病症。患者的血红蛋白为血红蛋白 S(Hb S，参阅 **hemoglobin**)，对缺氧敏感；当氧浓度减低时，Hb S 在红细胞内堆积成大分子丝状物并卷曲成螺旋状，然后排列成平行的束，使红细胞变形，呈镰刀状，并且脆性增加。若氧供应充分，在一定程度上镰变为可逆，但反复镰变则最终导致红细胞不可逆的变形，造成微循环阻塞，红细胞破碎。镰状细胞特征指患者的 Hb S 基因仅由父母一方遗传，为杂合体；而镰状细胞性贫血的基因来自父母双方，为纯合体。镰状细胞特征者的红细胞既含 Hb S 又含正常血红蛋白，对缺氧的耐受力强于镰状细胞性贫血患者。多数镰状细胞特征者无症状，但在低氧或高原地区时则可见某些临床表现，其寿命亦与正常人相同。而镰状细胞性贫血患者因红细胞破坏过多可有慢性贫血，可有骨髓和肾脏改变及小血管阻塞症状。因此具有镰状细胞特征的男女不应结婚。Hb S 基因广泛分布于非洲赤道一带，少数分布于非洲其他地区及美洲。Hb S能持续存在的原因是 Hb S 杂合体对疟疾有抵抗力：当镰状细胞特征者的红细胞为疟原虫寄生时，便黏附于血管壁，因缺氧而镰变；红细胞遭破坏时寄生虫亦被破坏。有时父母一方传递 Hb S 基因而另一方传递其他血红蛋白病(**hemoglobinopathy**)基因，通常这种双重杂合性患者的临床症状较镰状细胞性贫血轻。镰状细胞性贫血的治疗是综合性的，在血管阻塞、疼痛发作期间及红细胞破坏过多时需用止痛药和支持疗法。各种防止镰变药物的效果尚不肯定。

sicklebill (bird)　**弯嘴鸟**　参阅 **scythebill 镰嘴鸟**。

Sickles, Daniel Edgar　西克尔斯(1825-10-20，纽约市～1914-05-03，纽约市)　美国议员、将军和外交官，曾为纽约市中央公园购置土地，以此为人所铭记。曾就读于纽约市立大学，后学习法律，1846 年获律师资格，不久参加民主党活动。1847 年当选纽约州众议员。1853 年设法使纽约的中央公园获得大片土地。同年任驻英国公使馆秘书。1855 年回纽约。1856 和 1857 年连任两届州参议员。1857～1861 年以民主党员身份任联邦众议员。1859 年枪杀了 P.B.基，辩护的理由是基调戏他的妻子，他一时神经错乱以致开枪，因而获无罪释放。这是美国司法史上第一个用神经错乱作辩护的案例。南北战争时期，由上校晋升到少将。1865～1867 年担任南、北卡罗来纳的军事长官，2 年后退役。1869～1873 年任驻西班牙公使。1893～1895 年任美国众议员，1896 年争取连任失败后退出政坛。

Siculi　西库尔人　英语作 Sicels，希腊语作 Sikeloi。古西西里人部落，古时占据西西里东部地区。古代传说谓西库尔人一度居住在意大利中部地区，被逐出境后，越海至西西里，在意大利留有部分族人，例如在洛克里便有该部落遗民。西库尔人最尊奉的神是农业和水手守护神帕利奇、阿德雷努斯以及女神希布拉。参阅 **Sicani**。

Siculus, Diodorus　西西里　参阅 **Diodorus Siculus 狄奥多罗斯(西西里的)**。

Sicyon　西锡安　又拼 Secyon(塞锡安)。今名 Sikión(西基翁)。伯罗奔尼撒北部古希腊城市，在科林斯西北约 18 千米处。西锡安在迈锡尼时期就有人居住，后被多里安人侵占，一连几个世纪都臣属于阿尔戈斯。公元前 7 世纪时，非多里安的奥达哥利特僭主使西锡安取得了独立。公元前 6 世纪，在奥达哥利特僭主克里斯提尼(雅典政治家克里斯提尼的同名祖父)统治下，该城市达到了最强盛的时代。僭主政治被推翻后，西锡安参加伯罗奔尼撒同盟，成为斯巴达的忠实盟邦达 1 个半世纪之久；大量的铸币可以证明它当时的繁荣。公元前 369 或前 368 年底比斯的干涉使这个城市断断续续地发生内乱，新旧僭主兴衰隆替。公元前 4 世纪，西锡安以它的画家和雕刻家学派享有盛名，其中有利西波斯大师。西锡安最杰出的政治家阿拉托斯把西锡安从僭主手下解放出来(公元前 251)，使它加入亚该亚同盟，西锡安在他逝世(公元前 213)以前一直在同盟中起领导作用。

Sidamo　锡达莫人　埃塞俄比亚西南部加拉人以外所有库施特语的民族，大部分聚居奥莫河和裂谷地区。他们的族源兼有高加索(库施特)及尼格罗(可能是苏丹)两种血统，曾在 1400 年前后建立科法王国。后来他们受到“阿比西尼亚”人(安哈拉人及提格雷人)和加拉人的控制，这些人的入侵迫使他们迁到现在的居住地。埃塞俄比亚国家已对锡达莫人进行政治统治，还劝诱他们改宗伊斯兰教。但是除了四个群体外，大多数仍信奉原始宗教，一如加拉人，崇拜天神。锡达莫人的主要农作物是埃塞俄比亚芭蕉，也种植谷物、蔬菜、果类和香料，还饲养牛、马和绵羊，食用牛奶和干酪。

Siddha　悉达　耆那教名词，谓圆满成就者，即通过正信、正知和正行使自己脱离生死轮回，居住在宇宙之巅永久乐境悉达尸罗的人。圆满成就者和其他苦修者共为耆那教的五神。他们的形象雕刻在悉达轮(圣轮)上，悉达轮是银质或铜质盘，据说具有法力。

Siddhānta school (Hindu philosophy)　参阅 **Śaiva-siddhānta 湿婆悉檀多**。

Siddhārtha Gautama　悉达多·乔答摩　参阅 **Buddha 佛陀**。

Siddons, Sarah　西登斯　(1755-07-05，威尔士布雷克诺克郡布雷肯～1831-06-08，伦敦)　母家姓 Kemble(肯布尔)。英国最伟大的悲剧女演员之一。她是罗杰和萨拉·肯布尔夫妇 12 个孩子中的最长者。其父母曾领导一个流浪艺人戏班，是著名演员家族创始人。这个家族延续到第3代，包括孙女，著名演员范妮·肯布尔。她在母亲的特别照料下，被送至剧团演出地城镇念书，从而接受良好的教育，而且孩提时即经常登台表演。1773 年 11 月在考文垂与演员威廉·西登斯结婚。

18 岁的西登斯太太于是加入一家新的表演剧团。1774 年在切尔滕纳姆演出时，她的魅力得到最初的有决定意义的承认。她在

T.奥特韦《被救的威尼斯》中塑造的贝尔维黛拉一角，赢得了一群原本是来嘲笑她的“有素养的人”的赞赏。戏剧演出人D.加里克得知她的杰出表演技巧后，派代表去看望她，她正

伦敦国立肖像画陈列馆供图

在伍斯特郡-谷仓演出的《皆大欢喜》中扮演罗瑟琳一角。加里克向她提供演出合同，但1775年当她在伦敦特鲁里街剧院与加里克合作时却遭到失败。接着她又回到巡回剧团去乡村演出，很受观众欢迎，逐步登上了英国舞台悲剧皇后的宝座。1782年在加里克的继承人R.B.谢里丹的邀请下，她勉强同意在特鲁里街剧院再次登台扮演T.萨瑟恩《致命的婚姻》中的伊莎贝拉，一举成功。从那时起，她就在特鲁里街剧院独占鳌头，直到1803年和其兄弟J.P.肯布尔去科文特加登歌剧院为止。1783年她被任命教授皇室子弟朗诵课程。1812年6月29日她以《麦克白》中麦克白夫人一角作为告别演出，当演到梦游一场时，由于她的演技高超，观众情绪极为高涨，希望她永远演这场戏，不再续演下面的场次。

她扮演过许多著名的悲剧角色，但从不演喜剧。麦克白夫人、伊莎贝拉、《被救的威尼斯》里的贝尔维黛拉、肖尔、《亨利八世》中的凯瑟琳、《约翰王》中的康斯丹丝、《居丧的新娘》中的扎拉和《科利奥兰纳斯》中的沃伦妮娅，都是她扮演的著名角色，但最杰出的还是麦克白夫人。她的成功是由于她对所扮角色的全身心投入，与所扮角色融为一体，她似乎被人物所掌握，忘记了周围所有的一切。T.庚斯博罗、托马斯·劳伦斯爵士和乔舒亚·雷诺兹爵士都为她画过肖像。雷诺兹把他画的像命名为“悲剧女神——西登斯夫人”。W.哈兹里特曾经写道：“她胸中发出的激情宛如来自神龛。她是悲剧的化身。”

siddur 《西都尔》 犹太教祈祷书，收有家庭礼拜和会堂礼仪的全部祈祷文，其体裁或为祷词，或为颂词，表达赞美上帝、感恩、申告、代求、认罪、乞求恩赦等《旧约》时代的虔敬感情，另收表达宗教感情的许多《诗篇》章节。由于增收祷词和礼拜诗歌以适应当时需要并反映当时愿望的传统由来已久，《西都尔》实际上反映犹太民族的宗教史。因此，《出埃及记》仍然是逾越节的主题，该节日是希望和对上帝的信仰的一个标志。在公元70年第二圣殿被毁以前早已有礼拜祈祷文，但迟至9世纪才由巴比伦的阿姆兰（巴尔·谢什纳）应西班牙境内犹太教徒之邀编成第一部《西都尔》。

Side 锡德 今塞利米耶。古潘菲利亚的主要城市与港口。原位于土耳其西南的马纳夫加特河河口，濒临地中海（今已成为一个岛屿）。这座城市虽然是由希腊人所建，但通用的却是一种非希腊语。公元前333年被亚历

锡德罗马剧场废墟上的戏剧面具雕饰（公元2世纪）

供图：© Greorge Holton—Photo Researchers，Inc.

山大大帝占领。公元前1世纪西利西亚的海盗曾在锡德开设奴隶市场。1947～1966年土耳其人发掘出的主要遗址为建有许多拱门的大剧场。

side drum 参阅 **snare drum** 小鼓。

side horse 鞍马 又称横跳马。又作pom-

苏联运动员M.伏罗宁的鞍马动作

供图：Tass—Sovfoto

mel horse。一种体操器械。马身皮面，长1.6米，宽34～36厘米，距地面高110厘米，底部中央有支架撑起。马背装有两个12厘米高的弯曲木质鞍环，两环内侧距离40～45厘米。比赛时运动员用两手支撑在鞍环上，连续完成躯体和腿部动作，如单腿或双腿全旋，两腿交叉（剪绞动作），转体，换握至马颈、马背中央和马臀部。动作要多样化，要向左和右作两种方向的旋转。这种器械起源于罗马人用来教人上、下马用的木马。基本的现代动作是19世纪初由德国体操协会奠基人扬发展起来的，仅为男子体操项目。

side-necked turtle 侧颈龟 侧颈龟科水栖龟类。不像其他多数龟类那样将头和颈缩进壳内，而是将头和颈弯向一侧，因而得名（髭龟科［Chelyidae］的蛇颈龟亦有此种习惯）。仅分布于南半球，主要在非洲、马达加斯加、南美洲和一些印度洋岛屿。有3属，约10～15种。侧颈龟属（*Pelomedusa*）仅存一种略淡红侧颈龟（*P. subrufa*），灰色，长达30厘米，产于马达加斯加和非洲撒哈拉沙漠以南。非洲侧颈龟属（*Pelusios*），亦产于非洲和马达加斯加。该属还包括几种栖居湖泊与江河的龟。特征是在腹甲的前端有甲桥部分，能使龟甲紧紧闭合，类似北方的箱龟。南美侧颈龟属（*Podocnemis*）有约7种大型南美江河龟和1种马达加斯加的淡水龟。最大的一种为膨胀南美侧颈龟（*P. expansa*），产于南美，龟甲长约80厘米，其卵很久以来即为人类食用。

sideboard 餐具柜 存放盘碟、酒瓶、小菜和其他小吃的一种家具。通常包括食橱和抽屉。当餐具柜这个名词最初于中世纪作为“边桌”的替换词出现时，它指一种用来陈列引人注目的贵重餐具的阶梯状家具。18世纪以前，一直保持着桌子的基本形状。最初的革新是以基座代替腿，基座内部可存放东西。在柜面下和基座间加装抽屉，存放餐巾、刀叉等。18世纪后半期，正面常做成蛇形曲面状，装有大理石柜面，背部装有黄铜栏杆，用以保护墙壁和支持大的盘子等物件。有的在主体部分装有冷酒器。进入19世纪以后，它已成为整套餐厅家具中的一个组成部分，同时形状也变得很大。它的整个底部为食橱，一直延伸到地面。背部的金属栏杆为大的嵌板所代替，这种嵌板通常装饰华丽。这种家具到20世纪仍保持着其原有功能，但恢复了过去比较简单的款式，接近于18世纪的设计。

约1790年的桃花心木餐具柜

芝加哥美术学院供图

sidecar(carriage) 参阅**jaunting car**短途游览两轮马车。

sidereal period 恒星周期 太阳系天体相对于固定的恒星完成公转一周的时间。如果知道行星的会合周期(相对于太阳和地球而言,行星回到同一位置所需的时间),就可以算出行星的恒星周期。月球或人造地球卫星的恒星周期是它回到恒星背景上同一位置所需的时间。参阅**synodic period**。

sidereal time 恒星时 测量遥远星体(即所谓恒星)绕地球的视运动而得的时间。它与太阳时不同,太阳时是相对于太阳视运动的。恒星时的基本单位是恒星日,一恒星日分为24个恒星时、1 440个恒星分、86 400个恒星秒。天文学家使用恒星钟,因为一年中任何一颗恒星都将在同一恒星时通过同一子午圈。一恒星日比一般钟表所示的24小时为一天的平太阳日大约短4分钟。恒星时可由地球上任何一个地方确定,但天文学家采用的国际系统却规定以春分点经过本初子午圈的瞬间作为每个恒星日的开始,春分点是天球上的一个点,太阳从赤道南到赤道北就穿经这一点。

siderite 菱铁矿 又称球菱铁矿(chalybite)。一种分布广泛的矿物,成分是碳酸铁($FeCO_3$),是一种铁矿石。菱铁矿通常呈薄层与页岩、黏土或煤系一同产出(作为沉积矿床),也产于热液型金属矿脉中(作为脉石或废石)。锰、镁及钙往往部分取代铁;菱铁矿

产自格陵兰伊维赫图特的菱铁矿
供图:B.M.Shaub

同菱镁矿($MgCO_3$)形成一套完整的固溶体系列;同菱锰矿($MnCO_3$)形成另一套完整的固溶体系列;并同铁方解石形成一套不完整的固溶体系列。

siderophilin(biochemistry) 参阅**transferrin**转铁蛋白。

siderostat 定星镜 一种天文仪器。它有一个用马达缓慢驱动的平面镜,将某一给定的天空区域连续不断地反射到一个固定不动的望远镜中。在传统的定星镜上,平面镜用一杠杆臂与马达连接,马达的转速要能使平面镜每24小时转一圈。这种称为傅科定星镜的装置能提供一个固定但转动的图像。近年来,傅科定星镜已大多为定日镜(**heliostat**)(即极式装置定星镜)或定天镜(**coelostat**)所取代。

sidewinder(*Crotalus cerastes*) **侧进蛇** 又作horned rattlesnake。又称角响尾蛇。蝰蛇科(Viperidae)小型夜出性蛇。产于墨西哥和美国西南部的沙质荒漠。体长约45～75厘

侧进蛇(*Crotalus cerastes*)
供图:Anthony Mercieca from Root Resources—美国不列颠百科全书公司

米,两眼上方各有一角状鳞。淡黄、粉红或灰色,背部和身体两侧呈不显眼的斑点。在沙漠上将身体弯曲,侧向前进,留下特有的j形痕迹。有毒,但一般不会使人致命。

Sidgwick, Henry 西奇威克(1838-05-31,英国约克郡斯基普顿～1900-08-29,剑桥郡剑桥) 英国哲学家和作家。以其基于功利主义的、直率的道德理论和他的《伦理学方法》

供图:BBC Hulton Picture Library

(1874)而知名。有些评论家认为该书是19世纪最重要的英语伦理学著作。1859年被选入剑桥三一学院任研究员,后任古典作品的讲师。1869年改任道德哲学讲师。1883年任奈特布里奇讲座伦理哲学教授。1871年创建剑桥的纽纳姆学院,从而积极促进妇女高等教育的发展。在哲学方面,他同意J.S.穆勒(1806～1873)的功利主义,并且接受I.康德(1724～1804)的"绝对命令"这一伦理学原则。他吸收了上述两人的观点,写成第一部主要著作《伦理学方法》。所谓方法,他指的是取得作出伦理抉择手段的一种合理过程。他认为一切想求得方法的企图可概括为三种态度:利己主义、功利主义和直觉主义。利己主义认为,一个行动只要能产生快乐即被认为是正当的;功利主义则设法使所有受到行动影响的人都得到快乐;直觉主义则指出,快乐之外的目的也是可以接受的,促进快乐的主导思想以外的主导思想也可能是达到目的的适当手段。但他又认为,无论第一种还是第三种态度本身都不能为合理的行动提供一个适当的基础。因此他提出了一个"普天快乐主义"的体系,在某种意义上这个体系与康德的绝对命令相类似,它试图调和个人的快乐和别人的快乐之间的明显冲突。其他著作有:《政治经济学原理》(1883)、《经济科学的范围和方法》(1885)、《政治学原理》(1891)和《欧洲政体的发展》(1903)。

Sidgwick, Nevil Vincent 西奇威克(1873-05-08,牛津～1952-03-15,牛津) 英国化学家,对认识化学键尤其是配位化合物中的化学键做出了贡献。他关于有机氮化合物的著作《氮的有机化学》(1910)是不朽之作。与E.卢瑟福一起研究分子聚集在一起的力。第一次世界大战后他提出用氢键来解释某些有机分子的行为。20年代他扩充了路易斯的共价键中共享电子的概念,并阐明一个原子能把一对电子提供给另一原子从而形成"配位键"。著有两卷本《化学元素及其化合物》(1950)。

sídh 小山丘 又拼 síthe。在爱尔兰民间传说中指下面住着精灵的小山丘。短语 aos sídhe 或复数 sídhe 本身(有时英语化为 shee)可指精灵的总称。

Sidi bel Abbès 西迪贝勒阿巴斯 阿尔及利亚西北部城镇。在泰勒阿特拉斯山区,迈凯拉河畔。1843年建立时为法国军事据点。1849年成为农业城镇。曾是外籍军团总部所在地。1962年阿尔及利亚独立后,所有法国军队和外籍军团均撤走。30年代拆除旧墙,代之以宽阔林荫道和广场。生产农业机械。四周地区产谷物和葡萄。人口:城市区180 260(1998)。

Sidi Muḥammad Ben Yusuf 西迪·穆罕默德·本·优素福 参阅**Muḥammad V**穆罕默德五世。

Siding Spring Observatory 赛丁斯普林天文台 参阅**Mount Stromlo and Siding Spring Observatory**斯特罗姆洛山和赛丁斯普林天文台。

Sidmouth 锡德茅斯 英格兰德文行政、历史郡东德文区城镇和海滨胜地。位于英吉利海峡莱姆湾。在摄政时期(1811～1820)成为游览胜地。维多利亚女王婴儿时期曾居住在伍尔布鲁克村舍(现为皇家格伦旅馆),其父肯特公爵1820年逝于此。域内有高尔夫球场和其他娱乐场。索尔科姆山上的诺曼·洛

濒临莱姆湾的海滨胜地锡德茅斯
供图:A.F.Kersting

克耶天文台属于埃克塞特大学。人口10 767(1991)。

Sidmouth (of Sidmouth), Henry Addington, 1st Viscount **西德默斯子爵(第一)**(1757-05-30,伦敦～1844-02-15,英格兰萨里里士满) 即H.阿丁顿。英国首相(1801-03～1804-05)。他未能妥善应付拿破仑战争带来的各种问题。后任内政大臣10年亦不得人心。名医之子。自幼与W.皮特(小)为友。1784年起任下院议员,1789年成为议长。小皮特主张解放天主教,遭国王乔治三世反对,于1801年3月14日去职,乔治三世挑选他继皮特任首相。新政府因英国在哥本哈根、开罗和亚历山大取得胜利而受到称赞。1802年与拿破仑的法国签订《亚眠条约》而更孚众望。但1803年5月再启战端,他暴露出明显无能,次年将首相职位让给小皮特。1805年受封西德默斯子爵。后历任枢密大臣(1805,1806～1807,1812)、掌玺大臣(1806)和内政大臣(1812～1822)。任内政大臣期间,面对物价高涨、商业萧条、普遍失业局面,他压制制造商和卢德派的示威游行,1817年停止实行《人身保护法》,并实施1819年的6项法令中的4项,禁止公众集会。

伦敦国立肖像画陈列馆供图

Sidney, Algernon **西德尼**(1622,英格兰肯特彭斯赫斯特普莱斯～1683-12-07,伦敦) 英国辉格党政治家。以阴谋推翻查理二世政府的莫须有罪名被处死,辉格党历来奉之为伟大的共和主义烈士。他是16世纪诗人P.西德尼的后代。在英国内战中为议会派的骑兵军官。1644年7月在约克郡马斯顿荒原战役中负重伤。因拒绝担任审判查理一世的专门委员而引起克伦威尔不满。1652年虽任共和国国务会议委员,但实行护国公制后退出政坛。1660年因查理二世复辟而长期流亡大陆。1677年回国。不久参加反对查理二世和约克公爵詹姆斯的辉格党。他是否参与麦酒店密谋案并无证据可信,但1683年6月26日作为计划杀害查理和詹姆斯的同谋犯被捕后斩首。他的《论政府》(1698出版)的手稿中的一段话被作为他的罪证,说他主张革命的权利。此书在北美各殖民地被奉为"革命教科书"。其实他主张的是限制君权而并非真正的共和制。

伦敦国立肖像画陈列馆供图

Sidney, Henry **西德尼** 参阅**Romney, Henry Sidney, earl of** *罗姆尼伯爵*。

Sidney, Sir Henry **西德尼**(1529-07-20,可能是生于伦敦～1586-05-05,英格兰什罗普郡拉德洛) 英格兰驻爱尔兰总督(1565～1571,1575～1578),谨慎地执行伊丽莎白女王在爱尔兰推行英格兰法律和习俗的政策。亨利八世朝臣W.西德尼之子。他也成为爱德华六世的宠臣。1550年受封爵士。1556～1559年任爱尔兰副财政大臣。1565年被伊丽莎白女王任命为爱尔兰总督。面对S.奥尼尔领导的北爱尔兰叛乱,武力镇压无效。他挑拨奥尼尔的敌人奥唐奈家族和麦克唐奈尔家族与之争斗。最后奥尼尔于1567年被杀害。他说服一些部族首领臣服伊丽莎白,从而控制了芒斯特和康诺特。1571年,因对女王未能给他提供足够的兵力不满,愤而辞职。4年后又被任命为爱尔兰总督。由于横征暴敛,引起普遍的不满,于1578年被召回。此后仅任威尔士及其边界地区委员会主席。

伦敦国立肖像画陈列馆供图

Sidney, Sir Philip **西德尼**(1554-11-30,英格兰肯特彭斯赫斯特～1586-10-17,荷兰阿纳姆) 英国伊丽莎白女王时代廷臣、政治家、军人、诗人和学者及诗人的赞助人,被认为是当时的模范绅士。他模仿莎士比亚十四行诗所写《爱星者和星星》被认为是伊丽莎白时代最优秀的十四行诗组诗,《诗辩》将文艺复兴理论家的批评思想介绍到英格兰。他在社交活动中举止优雅,是理想主义的政治家、勇敢的军事领袖,他还熟悉当时的艺术和科学。他是当时英国最佳散文作家,又是仅次于E.斯宾塞的诗人。1568～1571年就读于牛津大学基督学院。1572～1575年游历欧洲,提高了他的拉丁语、法语和意大利语水平,并获取有关欧洲政治的第一手知识,还结识了欧洲许多重要的政治家。1576年任女王斟酒官,这是一个礼仪职位。1577年2月,当他年仅22岁时,作为英国特使被派赴德国吊唁国丧并试探德、英结盟反对天主教西班牙的可能性。回国后因未获女王重要任命逐渐转向文学创作。1578年为女王写牧歌短剧《五月女郎》。1580年完成了长篇散文传奇故事《阿卡迪亚》的初稿,约18万字。1581年他爱上了里奇勋爵的夫人佩内洛普·德弗罗,次年夏天为此写了十四行诗组诗《爱星者和星星》,叙述他初恋时的激情以及如何经过斗争,克制自己,献身于公职。差不多与此同时,他写了《诗辩》,这是伊丽莎白时代文学批评的最佳之作。1583年1月他受封爵士,9月与伊丽莎白女王的国务大臣F.沃尔辛厄姆之女弗朗西丝结婚。1584年他对《阿卡迪亚》进行彻底改写,改单线情节为错综复杂的结构。此稿在他死时仅完成一半,但仍可称为英国16世纪最重要的散文体小说。他的所有作品都是自娱之作,只供友人阅读,生前全未发表。《阿卡迪亚》未完成的修订稿直至1590年才付印;1593年加上他的3篇原稿一起出版(原稿全文1926年始印出)。1585年7月西德尼终于得到公职,任军需副大臣。同年11月英国女王决定支持荷兰反对西班牙统治的战争,西德尼任弗拉辛城总督,有一支骑兵归他指挥。次年他参战负伤,不久去世。遗体于1587年2月16日葬于伦敦圣保罗大教堂。

供图:Warwick Castle Resettlement

Sidney, Robert **西德尼** 参阅**Leicester, Robert Sidney, 1st earl of** *莱斯特伯爵(第一)*。

Sidon **西顿** 阿拉伯语拉丁字母转写作Ṣaydā。又拼Saida或Sayida。黎巴嫩地中海沿岸古城,南黎巴嫩省行政中心。为最古老的腓尼基城市之一。建于公元前第3千纪,繁盛于公元前第2千纪。在古希腊诗人荷马的著作和《圣经》中常被提及。先后处在亚述、巴比伦、波斯、亚历山大大帝、叙利亚塞琉西王朝、埃及托勒密王朝、罗马帝国和奥斯曼帝国统治下。曾以生产紫色染料和玻璃器皿闻名。1837年毁于地震,后重建。现为渔业和贸易中心以及内地农业区的集市中心。1 720千米长、贯穿阿拉伯的输油管线以此为终端。建有大型油库。当地古墓地出土有众多石棺,包括腓尼基时代两位西顿国王的石棺和著名的亚历山大石棺(后者现存伊斯坦布尔)。其他古迹有腓尼基神庙和十字军城堡。与北面的贝鲁特通公路和铁路。该城有大规模的基督教社区。许多居民为巴勒斯坦难民。人口约 80 000(1982)。

Ṣidqī, ʿAzīz　西德基(1920-07-01,埃及开罗～2008-01-26,法国巴黎)　埃及政治人物,埃及总理(1972～1973)。开罗大学工科毕业,哈佛大学经济计划学博士,曾在大学执教。推翻埃及君主的革命结束后不久,担任总理府技术顾问,后任公用事业委员会全职委员。1956 年任工业部长,监督苏联援助的工业化项目。1957 年发起工业化五年计划,后并入全面发展五年规划(1961～1965)。1964 年升为主管工业和矿产资源的副总理兼矿产和石油部长,赢得全力发展经济的美誉。总理法齐辞职后,1972 年 1 月 16 日出任埃及总理。新政府被视为与以色列对峙的内阁,但强调加强后方战线。西德基与苏联关系良好,认为共产主义援助条件优于西方国家援助条件。1972 年 7 月出访莫斯科,谋求获得苏联先进武器供应,但未能成功。之后萨达特总统将苏联顾问逐出埃及。数月后他再次出访莫斯科,苏埃两国恢复友好关系。

Ṣidqī, Bakr　西德基(1890,伊拉克基尔库克～1937-08-12,摩苏尔)　伊拉克将领。18 岁参加土耳其部队,但他已是一个拥护阿拉伯反抗土耳其事业的民族主义者。他被费萨尔一世任命为将领后,于 1933、1935、1936 年先后镇压部族叛乱。1936 年 10 月 29 日发动政变推翻文官内阁。西德基虽是希克梅特·苏莱曼新政府的主要支持者,并受到"有独裁野心"的指责,但他对实际政治并不感兴趣,愿意献身于重组一支土耳其凯末尔式的军队。最后,被反政府士兵暗杀。

sidra　周诵段　又拼 sidrah 或 sedra。犹太教名词,指每周安息日礼拜时诵念的一段经文。每次在会堂朗诵"五经"一段,即《旧约》中的《创世记》、《出埃及记》、《利未记》、《民数记》及《申命记》(通常称作《托拉》)。顺序而读,一年读完。每一周诵段又分成 7 小段,分别专论一个问题。

Sidra, Gulf of　锡德拉湾　阿拉伯语作 Khalīj Surt(苏尔特湾),历史上作 Syrtis Major。北非地中海海湾。位于利比亚海岸,从米苏拉塔向东延伸至班加西,长 443 千米。沿岸主要是沙漠,有砂盐沼。一条公路将零星散布的绿洲连接起来。8 月份,海湾水温达到31°C,是地中海水温最高的海域。为产金枪鱼和海绵的重要渔场。主要港口苏尔特是许多撒哈拉商路的起点。沿海岸散布着盐滩。在第二次世界大战期间,曾是苏尔特战役(1942 年 3 月)的战场,在这次战役中,一支英国护航舰队挫败了意大利战舰和德国轰炸机的进攻。

SIDS　参阅 **sudden infant death syndrome** 婴儿猝死综合征。

Siebenbürger rug　参阅 **Transylvanian rug** 特兰西瓦尼亚地毯。

Siebengebirge　七峰山　英语作 Seven Hills。德国波恩东南面的一群山丘。实际上是大约 40 座火山丘。隆起在柯尼希斯温特和科隆—美因河畔法兰克福高速公路之间,莱茵河右岸。为著名的旅游胜地和自然保护区。从波恩可看到其 7 座主要山峰,地名由此而来。德拉亨山(321 米)山顶有城堡废墟;彼得斯贝格山(331 米)顶部的旅馆曾是盟国三方高级委员会所在地(1945～1952);大奥尔伯格山海拔最高(460 米)。柯尼希斯温特后面较低山坡上有欧洲最靠北的葡萄园。

Siebert, Muriel　西伯特(1932-09-12,美国俄亥俄克利夫兰～　)　美国企业经理,其在巨额风险投资领域的成功为妇女在该领域扩大了机会。1949～1952 年就读于家乡的西部保留地大学,但未获得学位。1954 年移居纽约市,此后 6 年在三家金融服务公司任分析师。又在其他三家公司做合伙人后,于 1967 年成为在纽约股票交易所获得会员资格的第一位女性。其后不久即于 1969 年成立自己的贴现票据经纪公司。1977 年成为纽约州第一位女性银行监管。同时她还是纽约市城市发展局和就业发展局局长(均自 1977～1982 年)。1982 年辞职竞选美国参议员,落选后回到自己的公司任董事长和总裁(1983 年起)。1994 年入选全国妇女名人堂。

Siebold, Carl Theodor Ernst von　西博尔德(1804-02-16,德国维尔茨堡～1885-04-07,慕尼黑)　德国无脊椎动物学家。对寄生虫学的发展有重大贡献。出身生物学者家庭。早年在柏林和格丁根上大学。曾短时间开业行医。主要由于他的科学论文,被任命为埃尔兰根大学解剖学及生理学教授。后在弗赖堡、布雷斯劳和慕尼黑等大学任教授。他创办的《科学动物学杂志》是杰出的生物学研究刊物之一。他与 F. H. 斯坦尼乌斯合著的《比较解剖学教程》(1846;他写无脊椎动物部分,后者写脊椎动物部分)是比较解剖学的早期重要教科书之一。该书以实际观察为坚实基础,一反 19 世纪初流行的纯理论阐述方法。西博尔德在寄生虫学方面也做了重要的工作,是最早把寄生虫生活史各阶段变换寄主这一新理论应用于实际的人之一。

Siedlce　谢德尔采　波兰中东部马佐夫舍省省会。为该省东南部经济中心,有食品加工、纺织、玩具制造工业。位于华沙—莫斯科公路和铁路线上。1448 年始见记载。18 世纪中叶开始兴旺。当时镇主、巨富奥金斯家族在此建成一座新古典式宫殿。1795 年划归奥地利,1918 年归还波兰。第二次世界大战期间设有 5 个纳粹集中营。人口约 76 656(2002)。

Siegbahn, Kai Manne Börje　西格班(1918-04-20,瑞典隆德～　)　瑞典物理学家。与美国的 N. 布洛姆伯根和 A. L. 肖洛共获 1981 年诺贝尔物理学奖。这是由于他们在光谱学上,尤其是在电磁波与物质的相互作用的光谱分析上做了革命性的工作。西格班是卡尔·曼·西格班的儿子。卡尔由于在 X 射线谱学上的发现曾获 1924 年诺贝尔物理学奖。西格班本人于 1944 年在斯德哥尔摩大学取得哲学博士学位。1951 年在斯德哥尔摩皇家工学院被任命为教授。1954 年转入乌普萨拉大学。在他的获奖著作中,西格班详细阐明了被称为 ESCA(化学分析电子能谱学)的技术的基本原理并改进了有关的仪器。ESCA 与光电效应的基本现象即电磁波在撞击材料时能发射出电子的现象有关。在 20 世纪 70 年代期间,ESCA 技术在世界上普遍被用于材料分析上,包括空气污染中的粒子的分析以及石油精炼中的固体催化剂的表面分析等。

Siegbahn, (Karl) Manne (Georg)　西格班(1886-12-03,瑞典厄勒布鲁～1978-09-26,斯德哥尔摩)　瑞典物理学家,因 X 射线谱学方面的研究与发现,获 1924 年诺贝尔物理学奖。1916 年他发现 X 射线发射谱中一组新的波长,即 M 线系。于是研制了设备,发展了技术,使自己和后来的研究者得以精确测定 X 射线的波长。在成为乌普萨拉大学物理学教授 1 年之后,他和他的同事们提出证据(1924),证明 X 射线通过棱镜时像光线一样地被折射,但由于 X 射线被吸收而模糊,效应较弱。后来,他又研究了位于邻近光谱紫外区的弱 X 射线。1937 年任斯德哥尔摩大学物理学教授。同年瑞典皇家科学院在斯德哥尔摩设立诺贝尔物理学研究所,任命他为所长,1975 年由此职位退休。1939～1964 年任国际计量委员会委员。

Siegel, Bugsy　西格尔(1906-02-28,美国纽约布鲁克林～1947-06-20,加利福尼亚贝弗利希尔斯)　本杰明·西格尔的别名。美国纽约州和加利福尼亚州黑帮匪徒。西格尔从小就诈骗纽约市东低坡犹太推车小贩。1918 年前后与 M. 兰斯基合伙,开始偷小汽车,后来在纽约、新泽西州和费城贩运私酒和开设赌场诈欺取财。他们还经营受雇杀人的生意,是"暗杀公司"的前身。1931 年,西格尔是暗杀"老板"乔·马塞里亚的 4 名凶手之一。1937 年,西格尔受犯罪辛迪加首脑的派遣,到西部海岸地区开展其非法活动。这位漂亮的黑帮匪徒,在加利福尼亚州顺利地开设了赌场和海上赌博船(离海岸 12 英里之内),进行毒品走私、敲诈勒索和其他犯罪活动。同时,他还顺利地发展了同好莱坞电影明星和著名人士的关系,并发展了全国电话登记赛马赌注业务。1945 年,他实现了自己的夙愿,在洛杉矶东北部的沙漠地区中开辟赌博绿洲。同年,他在内华达州的拉斯韦加斯建造弗拉明戈饭店和娱乐场。预算原为 150 万美元,但实际耗资 600 万美元。其中大部分出自东部犯罪辛迪加的经费。因从中贪污激怒了兰斯基及其他东部犯罪集团的头子们,1947 年 6 月 20 日午夜,西格尔在贝弗利希尔斯自己豪华的住宅内被杀。就在同一时间,兰斯基的 3 名亲信进入弗拉明戈饭店,宣布将饭店接管。

Siegen　锡根　德国西北部北莱茵-威斯特伐利亚州城市。濒临锡格河。城中的两个城堡是从前拿骚-锡根宫的一部分。下城堡有王家地下室。上城堡现辟为地方博物馆,内设鲁本斯画廊。是储量丰富的锡格尔兰铁矿开采区的中心,有冶金和机械制造业。1972年建立锡根工业大学。佛兰德斯画家P.P.鲁本斯1577年出生于此。人口约107 768(2003)。

Siegen, Ludwig von　西根(1609,尼德兰乌得勒支～约1680,沃尔芬比特尔[德国]) Siegen又拼Sechten。德国画家、雕版画家和美柔汀法发明人。早年大部分时间在伯爵夫人A.伊丽莎白和伯爵黑森-卡塞尔的威廉处服役。1641～1644年左右曾居阿姆斯特丹,可能受到伦勃朗的影响。其日期最早的美柔汀法铜版画(1642)是A.伊丽莎白的肖像。他在献题中涉及发明美柔汀法的过程:雕版时用点而不是用线,使用的是一只小滚刀,即带有尖齿轮的刀具。他有7幅著名的作品是用滚刀美柔汀法刻制的。

Siegenian Stage　锡根阶　泥盆纪(4.08亿年前至3.6亿年前)海相地层的主要年代地层单元。以德国锡根地区研究过的露头命名。该阶位于热迪讷阶之上,以含菊石类头足动物的属 *Mimosphinctes* 化石的岩层为特征。典型地层由厚约9 000米的砂岩、杂砂岩和富含化石的页岩组成。在中欧和俄罗斯有该阶的重要剖面;乌拉尔地区的页岩和灰岩所含动物化石同捷克共和国发现的化石类似。该阶地层其他重要的露头见于澳大利亚和日本的部分地区。

Siegfried　齐格弗里德　即古挪威语的西古尔德,古日耳曼英雄文学中的人物,但各种传说叙述的故事有时不尽相同。在*布伦希尔特*(**Brunhild**)故事里,他最后死去,但是在其他故事里,他却是个主要角色,并取得胜利。一个共同点是,他力大过人,勇猛无比。有一则故事叙述他如何与龙搏斗,另一则故事则描绘他如何从两兄弟的遗产争执中获得一笔财富。古北欧的"诗体埃达"里把这两则故事结合起来,予以详述。在德文里,这两则故事分开叙述,材料贫乏,且大多以隐喻出之。齐格弗里德在《*尼贝龙根之歌*》(**Nibelungenlied**)里扮演重要角色。这部古老史诗过多地搀杂后来的材料。一部大约在公元1500年之前未曾提到过的作品《遍身鳞甲的齐格弗里德之歌》,尽管其中心主题是从龙的魔掌下解救一个少女的故事,它还是保留了旧情节;"埃达"里的一首诗叙述西古尔德如何把一个受魔法催眠的瓦尔基里仙女唤醒。在原来的故事中,齐格弗里德被描写成一个贵族出身的少年,在没有父母照料的情况下长大成人。

Siegfried Line　齐格菲防线　20世纪30年代沿德国西部边界修筑的碉堡和据点网体系。1944年德军从法国撤退时,发现这条防线能有效地挡住美军的追击,使他们得以喘息。这条防线到1945年春才被美军突破。

Siegwart-Müller, Constantin　西格瓦尔特-米勒(1801-10-10,瑞士洛德里诺～1869-01-13,阿尔特多夫)　瑞士政治家、卢塞恩教皇权力至上派领袖,分离主义者联盟领袖。原为乌里州律师,1832年定居卢塞恩,1834年任州政务秘书。1839年加入教皇权力至上派。1841年选入卢塞恩州议会,1844年任州长,同时任议会议长。他强烈要求实现教权主义目标:准许耶稣会会士重新进入卢塞恩州,在阿尔高州恢复8个被解散的隐修院。在他领导下7个信奉天主教的邦组成秘密联盟——分离主义者联盟(1845)。联盟在阋墙战争(1847-10～11)中失败后,他一度逃亡国外,1857年回国。

siemens　西门子　电导的单位。在直流电路中,以西门子为单位的电导值是以欧姆为单位的电阻值的倒数;在交流电路中则是以欧姆为单位的阻抗值的倒数。西门子的旧名是姆欧(mho),它由欧姆(ohm)按字母顺序颠倒过来而构成。西门子这一单位究竟是为纪念德国出生的电机工程师和理论家W.西门子(1823～1883),还是为纪念他的哥哥、工程师和发明家W.冯·西门子(1816～1892)而命名,仍有争议。

Siemens, Werner von　西门子(1816-12-13,普鲁士隆德[今在德国]～1892-12-06,德国柏林夏洛滕堡)　德国电气工程师,在发展电报工业中起了重要作用。就读于吕贝克文法学

供图:Interfoto-Friedrich Rauch, Munich

校后,17岁参加普鲁士炮兵接受工程训练。因在军官决斗中作帮手,曾短期入狱。狱中他坚持化学试验;这些试验导致他取得1842年第一次发明——电镀工艺。约在1841年,他有机会在柏林炮兵工厂做研究工作,为他毕生奠定了方向。1847年作为电报专家,为普鲁士军队铺设地下电缆并与另一年轻机械师J.G.哈尔斯克在柏林开设一电报机工厂。1848年普鲁士与丹麦在基尔敌对行动时,西门子给政府从柏林至法兰克福国民议会铺设电报线路并监督德国其他线路的铺设。1849年他辞职而专门生产电报机,业务兴隆。他与其弟卡尔(1829～1906)在伦敦、圣彼得斯堡、维也纳、巴黎设立子工厂。在其指导下,西门子和哈尔斯克公司铺设了横过地中海和从欧洲至印度的海底电缆。由于他持续的努力,在电气工程上发明很多的新产品,包括1866年发明的自动发电机。

Siemens, Sir William　西门子(1823-04-04,普鲁士隆德[今在德国]～1883-11-19,英国伦敦)　德国出生的英国工程师和发明家,炼钢业和电报业发展中的重要人物。在马格德堡技术学校学习3年后入格丁根大学学了1年化学、物理学和数学。曾出售过其兄维尔纳的电镀技术,但成就不大。后在英国定居,曾

不列颠博物馆供图

一度生活困顿,直到1851年发明水表后才赚得大量专利费。1859年取得英国国籍。从1847年开始,他和其弟弗里德里希一起试图将再生原理应用到工业过程中,利用回收的废气热来加热供给熔炼炉的空气,从而提高效率。1861年,威廉将这一原理应用在他申请专利的在炉外用劣质煤产生气体加热的平炉中,这一发明先应用在玻璃制造业,不久就广泛地应用在炼钢业中,并且最后取代了早先1856年的酸性转炉法。1860年他因成就卓著加入了土木工程师协会,1862年被选为英国皇家学会会员。在利润和专利费的诱惑下,1869年他在南威尔士的兰多创办炼钢厂,前几年生意兴隆,到80年代工厂亏损。但另一方面他在电报事业上也已成功立业,并且素著声望。从1850年起,他是其兄维尔纳开办的柏林西门子和哈尔斯克公司在英国的代理人,直到1858年成为伦敦独立的西门子和哈尔斯克公司的任事股东。这家公司的业务是为电缆制造厂进行电气试验并生产电气设备。公司于1874年敷设从里约热内卢至蒙特维的亚的电缆,1875年敷设从英国到美国的第一条直达通信线路。此后他转向电照明和电牵引方面的工作,改进了弧光灯并将其安装在大英博物馆及其他地方。去世前几个月,他负责北爱尔兰波特拉什(Portrush)电气铁路。他对专业工作尽职尽责,担任过一些专业团体(包括英国科学促进协会)的会长,获得过各种大学的学位和许多国家的勋章。身后留下一大笔财产,但没有子女。

Siemens AG　西门子公司　德国电气设备公司,1966年由西门子和哈尔斯克公司(1847)、西门子-舒克特公司(1903)、西门子-赖尼格公司(1932)合并而成,在190多个国家设有销售机构。它所经营的业务范围很广,有电器部件、数据系统、电力工程设备、电报和信号系统、电气装置、医疗工程设备和电信设备。公司注重研发,是世界上专利最多的公司之一。总公司设在慕尼黑。前述的三家西门子公司统称为西门子家族。它们在第三帝国时期大为发展,所属各厂在战争期间全力生产,在1943～1944年间,各厂分散在全国各地,以避空袭。第二次世界大战结束时,西门子帝国的首领H.冯·西门子曾在

1946～1948年间被短期拘留，西门子各公司的官员被控从被占领国家招募雇用奴隶劳工并参加集中营的建筑和暴行。西门子家族在苏军占领区内的工厂有90%均被没收。西方国家也拆毁了若干工厂设施；直到冷战发生而需要西德的经济重建与合作时，才告停止。20世纪50年代，西门子家族逐渐扩大了在欧洲和世界电器市场上的销售份额；到60年代，又跻身于世界最大电器公司之列。1966年所属各公司合并为新成立的西门子公司。21世纪初公司产品包括诊断成像系统、移动电话、助听器、公共交通系统、机场使用的地面移动雷达，以及发电设备。该公司还设计、建造和经营电信网。

Siemens- Martin process　西门子-马丁法　参阅 open-hearth process 平炉炼钢法。

Siemianowice Śląskie　希隆斯克地区谢米亚诺维采　波兰中南部卡托维兹省城镇，卡托维兹市北部郊区。地处上西里西亚煤田和工业区内。该城镇有采煤、炼铁、锅炉与五金器具制造、酿酒等工业，第二次世界大战德军占领期间镇名为劳拉许特。人口约80 400（1990）。

Siĕmréab　暹粒　柬埔寨西北部城镇。位于暹粒河畔，有公路连接首都金边及邻近地区。有国家制药中心、育猪场、农机厂、鳄鱼饲养场和一国际机场。暹粒北部有占地105平方千米的前高棉首都吴哥城及吴哥窟古迹。人口约13 000（1987）。

Siena　锡耶纳　意大利中部托斯卡纳区锡耶纳省省会、城市。在佛罗伦萨南约48千米处，历史上一直是重要的商业和银行业城市。早为埃特鲁斯坎人的居留地，其后成为罗马

锡耶纳市的公共宫和曼贾塔楼
供图：Foto Grassi

城市塞纳朱利亚。居留地消失后，旧址附近出现新城锡耶纳。伦巴第王国统治时期出现繁荣。12世纪成为自治镇，时因经济和领土问题与邻镇佛罗伦萨争斗，后者为反帝王的，属归尔甫派，锡耶纳则成为托斯卡纳地区亲皇帝的吉伯林派的中心。13世纪成为银行业中心，但仍无法与佛罗伦萨匹敌。1260年9月4日击败佛罗伦萨人，政治势力空前强盛。后因战争、饥馑、瘟疫和经济停滞，终无法使内部稳定下来。尽管如此，锡耶纳总的说来还是十分繁荣昌盛，并有能力大兴土木建筑教堂、宫殿、城楼和喷泉来美化城市。锡耶纳于1555年投降西班牙人，两年后，西班牙国王腓力二世将锡耶纳割让给佛罗伦萨，1861年连同托斯卡纳其他地区并入新建立的意大利王国。锡耶纳在13、14世纪出了几位意大利最杰出的画家，在锡耶纳美术馆里藏有杜乔·第·博尼塞纳、S.马尔蒂尼和A.洛伦采蒂以及萨塞塔等画家的名画，在公共宫和多莫作品博物馆内亦有他们的作品。锡耶纳有幸逃脱第二次世界大战的肆虐，现代的锡耶纳是富有魅力的省会和教区城市。锡耶纳大学建于1240年。经营一些轻工业。不与重要的公路和铁路线连接，但与佛罗伦萨之间通公路。该城以其艺术财富、中世纪名胜古迹和欧洲城市的优美景色吸引着游客。该城还是为周围农业区服务的集市，农业区出产牛、谷类、橄榄和葡萄酒，当地出产的红葡萄酒也许是意大利葡萄酒中最著名的一种。人口：城市区约59 225；省约252 715（1987）。

Siena, University of　锡耶纳大学　意大利中部锡耶纳的一所自治公立的男女合校的高等学府。同许多其他意大利大学一样，锡耶纳大学的建成（1240）是13世纪博洛尼亚大学的学生向外迁移的结果。该大学把博洛尼亚看作综合学术研究机构，极力仿效。它接受欧洲各地的学者，颁发的学位受到普遍承认。然而，锡耶纳大学并不像博洛尼亚大学及其分校那样完全由学生控制。大学各学院的院长组成考查委员会，向准备从事艺术或医学教学工作的学生颁发许可证。1248年，该大学的办校许可证得到神圣罗马帝国皇帝腓特烈二世的确认；1252年，又得到教皇英诺森四世的认可。1859年，该校成为国立大学。现设有法学、医学和外科学、数学、物理、自然科学、药学、经济学、教育、文学和哲学等学院。

Sienkiewicz, Henryk (Adam Alexander Pius)　显克维奇（1846-05-05，波兰沃拉-奥克热斯卡～1916-11-15，瑞士沃韦）　又译显克微支。笔名李特沃斯（Litwos）。波兰小说家。他的作品极受欢迎，1905年获诺贝尔文学奖。

华沙纳罗多维博物馆供图

显克维奇曾在华沙大学攻读文学、历史和语言学。1869年开始发表评论文章，显示出他曾受实证主义的影响。实证主义是当时在波兰和其他地方流行的哲学体系，特别注重科学成果。第一部长篇小说《徒劳无益》于1872年问世。作为《波兰报》特派记者，1876～1878年他曾到美国游历，途经意大利和法国返回波兰后，发表了许多大获成功的短篇小说，其中包括《音乐迷扬科》（1879）、《灯塔看守人》（1882）、《胜利者巴尔泰克》（1882）。1882～1887年为《言论报》撰稿。第一次世界大战期间，曾为波兰的独立事业效力，并组织援救波兰的战争罹难者。显克维奇的伟大的历史三部曲于1883年开始在《言论报》上发表。第一部是《火与剑》（1884），第二部是《洪流》（1886），第三部是《伏沃迪约夫斯基先生》（1887～1888）。三部曲以17世纪为背景，描写了波兰反抗哥萨克人、鞑靼人、瑞典人和土耳其人的斗争，突出波兰人的英勇精神，风格活泼，具有史诗般的明晰和简朴。《你往何处去》（1896）是一部描写尼禄统治下的罗马的历史小说，被译成多种文字，为作者赢得了国际声誉。

Sieradz　谢拉兹　波兰中部城市，罗兹省省会。全国最古老的城市之一（1025）。14世纪作强化建设，但城堡为瑞典人侵者摧毁。经济以编织机械、农机制造、食品加工业为主。市内有14世纪历史建筑，其中包括多明我会隐修院、集市广场和皇宫。建有地区博物馆。人口约44 636（2002）。

Sierra, Gregorio Martínez (Spanish playwright)　**西埃拉**　参阅 **Martínez Sierra, Gregorio** 马丁内斯·西埃拉。

Sierra Club　峰峦俱乐部　美国保护自然资源的组织。总部设在旧金山。1892年由一群加利福尼亚人创办，旨在提倡"在太平洋沿岸山区"进行野外远足。美国博物学家J.缪尔曾任俱乐部第一任总干事（1892～1914），不久俱乐部就介入政治活动以促进自然保护工作。20世纪末，峰峦俱乐部在全美50个州内都设有分部，对公众进行环境保护教育并在地方、州及联邦各级立法机构对环境保护立法的通过及实施进行游说活动。

Sierra de Soconusco (Mexico)　**索科努斯科山脉**　参阅 **Sierra Madre de Chiapas** 恰帕斯州马德雷山脉。

Sierra Leone　塞拉利昂　全称塞拉利昂共和国。位于非洲西部，西濒大西洋，海岸线长达340千米；东、北与几内亚接壤，东南与利比里亚交界。首都弗里敦。面积71 740平方千米。人口约5 233 000（2000）。

土地　全境分4个地理区：沿海沼泽地区为经常受淹的低洼平原，宽32～64千米；塞拉利昂半岛是弗里敦的所在地，为林木茂密的山区，从海岸沼泽地升至皮克特山（888米）；内陆平原，包括景观单一的草原、林木茂密起伏不平的丘陵以及有热带稀树草原覆盖的低平原、岩石陡崖与山丘等多种地形；高原地区，大致位于东半部，包括数条山脉，如洛马山（其巅峰洛马·曼萨山，即宾蒂马尼山，海拔1 948米，为全国最高峰），廷吉山脉（其桑坎比里瓦峰，海拔1 853米）。众多河流一般自东北向西南流经塞拉利昂，最后注入大

西洋。

气候属热带型。气温和湿度均较高;正常降雨多为暴雨。沿海地区月平均气温为25～28 °C,内陆地区则为23～28 °C。沿海降雨量最多,尤其是半岛山区的年降雨量可达5 080毫米。11～4月为干季,其余月份为湿季,7～9月雨量最大。森林占土地总面积的1/4以上。岛上长有许多珍贵的树种,如非洲红木和非洲柚木。境内野生动物有猴子、黑猩猩、虎猫、豪猪、羚羊、鳄鱼以及多种鸟类。大象、豹、狮子、狼和水牛则很少见。

塞拉利昂有3 000平方千米的森林保留

美国不列颠百科全书公司供图

地和130平方千米左右的保护林。木材自给。可耕地约占土地总面积的1/10。长年牧草地约占土地总面积的30%。矿产资源分布较广泛。冲积钻石矿主要分布在塞瓦河上游,20世纪30年代以来一直进行商业性开采。其他重要矿藏有铁矿石、铝矾土、铬铁矿和金红石(二氧化钛)。

人民 塞拉利昂约有18个族群;其中以门德人和滕内人最多。东部和南部的门德人是最大的族群,连同同源的科诺人、库兰科人、苏苏人和雅隆卡人一起约占全国总人口的一半。人口数量仅次于门德人的是北方的滕内人,该族群连同林巴人约占总人口的2/5。较小的各部族群和滕内人有相似的文化特征。克里奥尔人(约占总人口的2%)是19世纪拓殖该国沿海地区的自由黑人的后代,在该国的政治和行政管理工作中起着重要作用。

英语为官方语言。从英语和多种非洲语言衍生出的克里奥尔语为克里奥尔人的母语和该国的混合语。除了传统的泛灵论宗教外,两个主要宗教集团是基督徒和穆斯林。其中大部分从前的泛灵论者均改为穆斯林。

中东部为人口稠密地区,但西部首都地区的人口密度最高,这主要是由于移民迁入弗里敦所致。城市人口占全国总人口的1/3,城市化进程日渐加快。

人口出生率约为西非的平均水平,但因死亡率较高,该国仍为非洲人口增长率最低的国家之一。该国人口结构年轻,2/5以上人口的年龄不足15岁。

经济 塞拉利昂属发展中的混合型经济,主要以农业和采矿业为基础。进口费用的上涨、采矿业的衰退和行政管理的低效率,都是导致经济增长率低的原因。国民生产总值的增长慢于人口增长;人均国民生产总值属世界最低之列。

农业几乎占国内生产总值的2/5,占用约2/3的劳动力,大部分为刀耕火种的自给农业。主要农作物有水稻、木薯、粟和花生。咖啡、可可和油棕榈的种植主要供出口。20世纪80年代,政府对出口作物实行固定价格和高税率,农业产量一直很低。

工业约占国内生产总值的1/7,以矿产品为主。矿物的出口为国家提供了大部分外汇收入。自1970年以来,钻石工业一直减产,主要原因是税率高、燃料价格上涨和走私。铝矾土生产、石油精炼和金红石生产的重要性日益增加。

制造业主要局限于一些进口品替代行业以及棕榈油、家具和纺织品的生产。电力靠热电厂供应。服务业占国内生产总值的2/5以上。公路网主要由从弗里敦向内陆城市辐射的各条公路组成。弗里敦为该国主要港口。隆吉附近建有国际机场。

政体与社会状况 自1961年塞拉利昂脱离英国获得独立以来,该国在实行多党制民主政体和一党制之间一直举棋不定。全国人民大会党于1968执政,1978年实行一党制;1992年文官政府被一些对日趋衰退的经济形势不满的年轻军官推翻;新的军人政府中止宪法,解散众议院,并禁止各政党活动,但却结束了前政权的贪污腐化和管理不善的局面。

自从政府推行综合医疗保健计划之后,过去一些对健康危害较大的疾病逐渐得到治疗;这项计划包括扩建医院设施,增加医务人员,增设各酋长领地的医疗中心。但婴儿死亡率仍高于世界和非洲标准;平均预期寿命男性仅约41岁,女性约45岁。

公立学校的小学教育实行免费,私立学校也只收取很低的学费,但在20世纪末,5～11岁的儿童中仅有约1/2注册入学,其中仅约有1/5继续上中学。塞拉利昂大学(1967年创办)由富拉湾学院(1827年创办,为西非第一所高等学府)和恩贾拉大学学院(1963年创办)合并而成。政府正试图将初等教育系统推广到全国。大多数成年人未受过正规学校教育;成人识字率仅为1/5,属西非较低之列。

《弗里敦日报》为政府所有,但有许多期刊属私营。政府通过强制性注册和颁发执照的方式控制新闻媒体。政府拥有的广播电台和电视台从弗里敦广播。

文化生活 自15世纪以来,当地的精木、象牙和皂石等雕刻头像、小人像一直很闻名,至今仍是一种充满活力的艺术形式。与部族的宗教仪式相结合的音乐和舞蹈,通过塞拉利昂舞蹈团的巡回演出而驰名世界。传统的加拉布(由门德人和科诺人织成,并染以天然颜色)、皮革制造、篮筐编织、陶瓷和地毯手工艺等都很发达。

历史 沿海地区的布隆人可能是塞拉利昂最早的居民。15世纪期间,门德人和滕内人大批涌入塞拉利昂。原籍塞内加尔的富拉尼人则移居到该国北部。葡萄牙人来到沿海地区,至1495年,在今弗里敦的所在地已有一个葡萄牙要塞。自15世纪后期起,欧洲船只定期停泊在当地沿海,用制成品换取奴隶和象牙。虽然17世纪英国人在邦德和约克两岛建立了贸易站,但欧洲列强并未对塞拉利昂实行控制。1787年,英国的废奴主义者和博爱主义者以个人资产建立了弗里敦(意为"自由城"),作为获得自由和逃亡奴隶的立身之地。1807年,英国议会宣布贩奴活动为非法之后,政府接管了该地区,将其作为一个打击贩奴活动的海军基地。1808年,沿海地区成为英国殖民地。探险活动逐渐深入腹地,1896年整个地区成为英国保护地。1961年,塞拉利昂获得独立,但仍留在英联邦内。1967年,文官政府被军队推翻。1年后,军人政府垮台,文官统治重新建立。1971年塞拉利昂成立共和国,史蒂文斯任总统,后来为平定学生抗议1978年实行一党统治。1985年史蒂文斯退休,挑选军队首领J.S.莫莫为继任者。国内腐败成风,经济进一步恶化。1992年莫莫在一场军事政变中被废黜,全国临时执政委员会接管政府,组建内阁并任命委员会主席斯特拉瑟为国家元首。此次政变引起恐慌,认为该国不会维持相对的稳定。1996年A.T.卡巴当选总统,2002年连任。

Sierra Leone River 塞拉利昂河 塞拉利昂西部大西洋岸的河口湾,由洛科港河和罗克尔河形成。宽6～16千米,长40千米。塞拉利昂两个主要港口弗里敦港和佩佩尔港位于此河口上。为弗里敦市场运送蔬菜的小船也在此河航行。弗里敦附近的河口越来越窄,形成有力的潮水冲刷,因此深水航道不会积存淤泥。

Sierra Madre 马德雷山脉 墨西哥的主要山系,分东、西、南3支,3支山脉环绕着中央墨西哥高原。西马德雷山脉为墨西哥高原的西部边界。从西北至东南长1 100千米,与加利福尼亚湾和太平洋平行,宽度从160～480千米不等。山峰一般超过1 800米,有些山峰海拔达3 000米以上。西马德雷山脉为一干旱地区,主要覆盖青草和灌木,高山坡上雨量多,有松树和栎树林。为一些重要河流发源地,如西面的亚基、富埃尔特河和东面的孔乔斯、纳萨斯河。从哥伦布到达美洲以前时期起,印第安人一直在该山中避难,现仍有人住在该山北部。1962年修通一条铁路,现有两条公路干线穿过山脉。东马德雷山脉是墨西哥高原的东部边界,从北面的格兰德河起,延伸1 120千米,大致与墨西哥湾平行。平均海拔2 150米左右。维多利亚城西的佩尼亚内瓦达峰高达3 660米。山谷狭窄而陡峭。蒙特雷市以东和以南种有玉米、小麦和甘蔗。该山有铜、铅、锌矿。1888年铁路修通至美国内华达州拉雷多市后,蒙特雷城发展为该地区最大和最重要的城镇。南马德雷山脉在墨西哥南部的格雷罗州和瓦哈卡州,海拔达2 000米,一些山峰高3 000米以上。向南几乎延伸至太平洋。人烟稀少,交通不便,因而当地印第安人能够保留他们的传统文化。农业为自给型,也为贸易而生产一些咖啡、稻米、菠萝。矿藏有铁、铅、银和金。在阿卡普尔科和曼萨尼约等地,多岩而陡峭的海岸形成头等天然港。墨西哥城—阿卡普尔科高速公路从北至南穿过山脉。泛美公路从墨西哥城穿过山脉通往危地马拉城。

Sierra Madre de Chiapas 恰帕斯州马德雷山脉 又称索科努斯科山脉。墨西哥南部恰帕斯州的山脉。从特万特佩克地峡沿太平洋海岸延伸至危地马拉边界。山势从西部沿海地区陡然升至海拔 2 700 米，向东缓缓倾斜至恰帕斯中央谷地，形成恰帕斯高地最西端的部分。位于墨西哥与危地马拉交界处的塔卡纳火山锥海拔达 4 050 米。15 世纪末期居民主要是阿兹特克人。1524 年首批西班牙探险者来到此地。可可是恰帕斯州的主要经济作物。海拔较高的地方种植咖啡。山脉西坡通中美铁路和公路，东坡通泛美公路，并有几条公路穿越山脉与两条公路相连。

Sierra Nevada 内华达山 西班牙东南部地中海岸附近山脉。山顶浑圆，东西绵亘 42 千米。为佩尼贝蒂科山系最高段。主峰有伊比利亚半岛最高点穆拉森山（海拔 3 481 米）。其他数座山峰海拔均在 3 000 米以上。在不同海拔地带，有从亚热带到高山的不同植物区系。

Sierra Nevada 内华达山 北美洲西部的主要山脉，绵亘于加利福尼亚州东部，全长 400 多千米，宽约 80 千米。有一系列海拔 3 500～4 270 米的高峰，其中惠特尼峰海拔 4 418米，为美国本土的最高峰。东部为盆地和山脉区的高原及山地，西部为加利福尼亚州中央谷地之大片低地。为美国风景最壮丽的山区之一。冰期从 160 万年前开始，终于 1 万年前，其间有 5 次冰川进退。河川经冰川磨蚀，演变为“U”形谷。平缓的西坡有一系列小溪分别注入萨克拉门托河（北）及圣华金河（南），最终注入太平洋。受太平洋湿润气流的影响，山地雨雪丰沛，河川多灌溉之利，使著名的大谷地成为十分富饶的农业地区。1849 年在科洛马河畔萨特斯堡发现金矿，掀起“淘金热”。绵亘 240 千米的马瑟洛德金矿脉（内华达山西缘）现仍在开采之中。

Sierra Nevada National Park 内华达山国家公园 在委内瑞拉西北部梅里达、巴里纳斯二州境内。建于 1952 年。占地 2 764 平方千米。内有委内瑞拉最高峰玻利瓦尔峰（5 007米）。较低的山坡上森林茂密；树木线以上有冰川湖和高山植物。野生动物有鹿、熊和各种鸟类。可供滑雪、爬山等娱乐活动。游客可从梅里达乘 4 阶缆车去埃斯佩霍峰（约 4 750 米），据说这是世界上海拔最高的缆车。

Sierra redwood 参阅 **big tree** *巨杉*。

Sierra San Pedro Mártir 圣佩德罗马蒂尔山脉 墨西哥下加利福尼亚半岛中部山脉。从恩塞纳达向南延伸 145 千米至塞瓦斯蒂安·比斯卡伊诺湾。为加利福尼亚湾和太平洋的分水岭。拉恩坎塔达峰海拔达 3 069 米。有些谷地土壤肥沃。矿藏有铜、银、金和铅。居民稀少。

sieve of Eratosthenes 参阅 **Eratosthenes, sieve of** *厄拉多塞筛法*。

sieve tube 筛管 显花植物*韧皮部*(**phloem**)中输导营养物质（主要是糖分）的组织。由长管状活细胞（筛管分子）上下相连而成，其细胞核已破裂消失，末端横隔壁上有多数小孔密集成筛状（筛板）。每一筛管分子都紧靠一个含细胞核的伴胞（伴胞与筛管分子均由同一母细胞产生，与筛管分子分开后不能生存，其功能似为使筛管分子失去细胞核）。裸子植物及蕨类等较低等的维管植物有较原始的筛胞而无真正的伴胞（虽然其他邻近细胞可行使同样的功能）。筛胞末端亦有孔，但小于筛管分子，筛胞和筛管分子的孔均为成束的称为 P-蛋白质的原生质丝所贯穿。P-蛋白质的功能不详，可能在运输中起作用，或仅于植株受损伤时用以封闭防漏。

sievert 希沃特 国际单位制中的辐射剂量当量单位。简称希（Sv）。它受国际辐射单位及计量委员会（ICRU）的推荐，取代单位雷姆（rem），后者是长期使用的电离辐射的生物学剂量专用单位。和雷姆一样，希沃特考虑了电离辐射的相对的生物学效果，因为这种辐射的每一形式——例如 X 射线、γ 射线和中子射线——对活组织的效应略有不同。所以 1 希沃特定义为其生物学效果大致相当于 1 戈瑞（或 100 拉德）的 γ 射线的辐射剂量。在许多应用中，希沃特单位太大了，因此常用它的千分之一即毫希（mSv）。1 毫希相当于 1 克活组织经受 10 尔格的 γ 射线辐射能。参阅 **gray**。

Sieyès, Emmanuel-Joseph 西哀士（1748-05-03，法国弗雷瑞斯～1836-06-20，巴黎） 法国教士和宪法理论家。他的关于人民主权的概念指导法国资产阶级在法国大革命的最初几

供图：H. Roger-Viollet

个月里反对国王和贵族的斗争。他后来在组织使拿破仑上台（1799）的政变中起了重要的作用。父为公证人。他曾在巴黎大学接受神职教育，后为沙特尔教区代理主教（1780）和执法官（1788）。在关于三级会议的组织结构的公开辩论中，他发表小册子《第三等级是什么？》（1789-01）。他把没有特权的第三等级同法国国民等同起来，断言只有它才有权起草一部新宪法。由此他赢得很大名声，并得以当选为出席于 1789 年 5 月 5 日召开的三级会议的第三等级代表。根据他的动议，第三等级代表宣布他们就是受权为法国人民立法的国民议会（06-17），并通过废除封建主义和限制国王特权的法令。他长于理论而短于演说，其政治才干未能充分发挥。他曾和大多数代表一起投票要求处决国王（1793-01），但当雅各宾俱乐部的激进民主派于 1793 年 6 月控制革命、实行恐怖统治时，他退出政界。1795 年在公共安全委员会中任职 6 个月，鼓吹扩张主义的外交政策。同年 10 月被选入根据 1795 年共和宪法成立的五百人院，1799 年 5 月为五人督政府中成员。这时他已得出结论认为必须以缩小立法机构的权力为代价来加强行政机构。他又同拿破仑、富歇和塔列朗一起密谋，帮助组织推翻督政府的雾月 18 日政变（1799-11-09）。次日，西哀士、拿破仑和迪科任临时执政。他起草了一部新宪法，拟保持执政机构内的权力平衡，但拿破仑改变宪法而成为第一执政和法国最高统治者。从此，他的政治势力衰退，仅任元老院议员，被提名为二级荣誉勋位获得者（1804）和帝国伯爵（1808）。1815 年国王路易十八复辟，他作为弑君者被放逐，定居布鲁塞尔。1830 年 7 月，国王查理十世被推翻时才返回巴黎。

sifaka 马达加斯加狐猴 大狐猴科冕狐猴属（*Propithecus*）9 种树栖灵长类的统称，栖息于马达加斯加的海岸森林。体长和尾长均为50厘米。头小；眼大；耳大，部分隐于长而

科克雷尔氏马达加斯加狐猴（*P. verreauxi coquereli*）
供图：Gerald Cubitt

柔滑的毛中。种内和种间颜色都有差异，通常白色，带深色斑点。昼行性，以植物为食，组成家族群而活动。在树间可以跃过 9～10 米远。妊娠期约 5 个月，通常一胎一仔。韦罗氏马达加斯加狐猴（韦罗氏冕狐猴，*P. verreauxi*）在《红皮书》中已列为濒危动物。

Siffin, Battle of 绥芬战役 指第一次穆斯林内战期间（656～661）的一系列谈判和小规模冲突，艾兹鲁哈仲裁结束了阿里作为第四代哈里发的地位，为伍麦叶王朝的建立作了准备。第三代哈里发死后，由先知的堂弟阿里继任。但叙利亚总督穆阿威叶不服，要求为被谋杀的第三代哈里发奥斯曼报仇。阿里即入侵叙利亚。两军相会于幼发拉底河畔的绥芬，自 657 年 5 月至 7 月，他们在那里打打停停，最后出现一个传奇式场面：穆阿威叶的部队用长矛挑起一本本的《古兰经》，表示不用武力而用《古兰经》来解决双方的纠

纷。于是，阿里委派艾布·穆萨·艾什阿里，穆阿威叶委派阿慕尔·伊本·阿绥为公断人，负责裁决第三代哈里发奥斯曼是否犯了滥用神圣法律的滔天大罪。如果证明奥斯曼确实有罪，则阿里继续当哈里发；如果证明奥斯曼无罪，就要将阿里赶下台。658年2月在艾兹鲁哈开会。结果公断人裁定奥斯曼无罪。但阿里立即宣布这项裁决无效。穆阿威叶则被其信徒拥立为哈里发。659年1月公断人在艾兹鲁哈会面，正式废黜阿里和穆阿威叶两人。他们讨论在阿卜杜拉·伊本·欧麦尔和穆阿威叶两人中间挑选一个哈里发的问题，但未达成任何决议。661年阿里被人刺死，穆阿威叶便自立为伍麦叶王朝的第一任哈里发。

Sífnos（Greece） 参阅 **Siphnus 锡弗诺斯**。

Sig 锡格 旧称圣但尼迪锡格。阿尔及利亚西北部城镇。濒临锡格河。北面的锡格平原延伸32千米至阿尔泽湾。东南面的图阿卡斯山高349米。街道宽阔，广场树木成荫，沿河有公园。四周土地肥沃，橄榄林环城生长。经营粮食、棉花、亚麻、烟叶和葡萄酒的贸易。有磨粉、轧棉业，生产并输出橄榄油。人口：城市区约46 989(1987)。

Sigebert 西吉伯特；西日贝尔 盎格鲁-撒克逊语作 Sigeberht。统治者的名字，按国别和王朝分列于后，并各以●为标记。

东英吉利亚

● **Sigebert 西吉伯特**（?～637?） 东英吉利国王。即位前在高卢过着流亡生涯。博学，且信奉基督教。回到陷于混乱与异教纠葛的东英吉利，于630年或631年成为国王。为了隐修曾暂时退位，后被请回以抵抗麦西亚国王彭达的入侵，最后被杀，军队亦被消灭。

埃塞克斯

● **Sigebert I 西吉伯特一世**（?～约653以前） 东撒克逊(或埃塞克斯)国王，在其父与几位叔父同西撒克逊人作战(约617)中被杀后即位。他可能依附西撒克逊国王**西内吉尔斯**(**Cynegils**)统治该国。

● **Sigebert II 西吉伯特二世**（?～653至664年间） 东撒克逊(或埃塞克斯)国王(约653年起)。继承其亲戚西吉伯特一世的王位。他是基督教徒，约653年受洗。曾请传教士圣塞德等到该国传教，他的死期与死因不详。

塞洛温王朝

● **Sigebert I 西日贝尔一世**（535～575-11?，法国阿拉斯附近维特里） 墨洛温王朝法兰克国王。克洛塔尔一世之子。他同其异母兄弟希尔佩里克一世进行内战，最终获胜。561年克洛塔尔一世去世，王国按法兰克人惯例分给四个儿子，西日贝尔成为东北部的奥斯特拉西亚国王。他的兄弟卡里贝尔特一世去世后，他的领土又有所增加。阿瓦尔人的入侵迫使他把首府从兰斯迁往梅斯，其后他曾两次击退其进攻(562，约568)。约567年，他娶西哥特人国王阿塔纳吉尔德之女布隆希尔德为后。阿塔纳吉尔德的另一女儿加尔斯温特则嫁给他的异母兄弟希尔佩里克一世。后希尔佩里克杀害了加尔斯温特，以便娶弗蕾德贡德为妻。西日贝尔与希尔佩里克本已不和，彼此征战，为进行报复，战争更加激烈。后西日贝尔击败希尔佩里克，征服其王国大部，迫使其藏身于图尔奈。但正当在维特里被希尔佩里克的臣民拥立为国王时，他被弗蕾德贡德的两个刺客杀害。

● **Sigebert II 西日贝尔二世**（601～613末） 法兰克人在位甚短的国王。曾继承其父提奥多里克二世为奥斯特拉西亚和勃艮第国王。由于以梅斯的阿努尔夫和丕平一世为首的奥斯特拉西亚贵族对其曾祖母布隆希尔德有仇，他即位后仅数周即被推翻，法兰克版图重新统一于克洛塔尔二世治下。他和布隆希尔德均被克洛塔尔杀死。

● **Sigebert III 西日贝尔三世**（630或631～656-02-01，法国梅斯） 墨洛温王朝所谓"懒王"之一，本人并无实权，由宫相进行统治。634年，其父达戈贝尔特一世立他为奥斯特拉西亚王。初受科隆主教朱尼贝尔特和阿达尔吉西尔公爵的控制；达戈贝尔特死后，又受朱尼贝尔特和宫相丕平一世的控制；最后则受丕平之子、宫相格里莫阿尔德的控制。7世纪40年代，曾有图林根人奥托为宫相，使图林根人实际上获得自治。他死后，其幼子达戈贝尔特二世被格里莫阿尔德赶往爱尔兰某寺院，而立自己的儿子为王。

韦塞克斯

● **Sigebert 西吉伯特**（?～757?） 756年起为西撒克逊(或韦塞克斯)国王。继其亲戚丘思雷德即位。以腐败残酷出名，登位不久便面临贵族叛乱，后被咨议院废黜，西内伍尔夫被选继位。他谋杀一位首要的郡长坎布兰后外逃，被追踪到汉普郡一森林中遭杀害。大约30年后，西内伍尔夫被西吉伯特的兄弟西内哈德所杀。

Sigebert OF GEMBLOUX **西日贝尔(让布卢的)**（约1030下洛林布拉班特～1112-10-05，让布卢） 法国本笃会僧侣、编年史家，所著《381～1113年编年史》为中世纪晚期历史学家广为应用的史料。

Siger DE BRABANT **西格尔(布拉班特的)**（约1240，布拉班特公国～1281至1284，托斯卡纳奥尔维耶托） 巴黎大学哲学教授和激进的亚里士多德主义学派的主要代表。该学派在巴黎大学形成之时，正值希腊的哲学著作和阿拉伯的哲学著作均有拉丁文译本。这些译本为文学院的大师们提供了新资料。约从1260年起，西格尔和一些同事不顾教会确定的教义(此教义将正统的亚里士多德主义和基督教信条混成一体)，开始进行纯理性的讲学，重新解释亚里士多德的著作。除亚里士多德外，他的学说根源还来自普罗克洛斯(410～485)、阿维森纳(980～1037)、阿威罗伊(1126～1198)和T.阿奎那(1225?～1274)等哲学家。从1266年初露头角到1276年，他一直在巴黎举行的关于亚里士多德主义的论战中居突出地位。1270年巴黎主教É.唐皮耶宣称西格尔及其同党的学说犯有13处错误。6年后，法国天主教会宗教法庭法官以异端嫌疑传讯西格尔和另外二人。他们逃往意大利，在那里他们可能上诉于教廷法庭。据说教廷曾指派一名教士对西格尔实行监护，后来他在奥尔维耶托被这位患了精神错乱症的教士刺伤。他的著作逐渐为人们所发现，到20世纪中叶，他有14种著作已被确定，还有6部对亚里士多德著作的评注也大致可靠。在《理智灵魂论》中，他论述了一项基本信念，即人类只有一个"理智的"灵魂，因而也只有一个意志。尽管灵魂是永恒的，但个体的人却是会死的。这个观点尽管表述得并不清楚，却说明他不重视教会的教条。不过他却致力于保持哲学作为一门自足学科的独立性。由于他在哲学研究工作中的诚实，意大利诗人但丁对他评价甚高，置之于天堂，与其他11位因忠于职守而备受尊崇的光辉灵魂并列。

Sighișoara 锡吉什瓦拉 罗马尼亚中部穆列什县城镇。位于锡比乌城东北65千米、布加勒斯特西北175千米的特兰西瓦尼亚老区。该镇环山而建，山顶有古城堡，堡外有3道围墙、9个现存古塔(包括钟塔)以及一些中世纪教堂。此地早在铜器时代与以后的罗马达契亚时代即有人居住，而该镇则起源于12世纪，13世纪沦为撒克逊人的殖民地，14世纪获得自由，16世纪后半叶成为重要贸易中心。镇中许多地势低洼的房舍于地震(1668)及火灾(1676)之后重建。人口约35 258(1985)。

sight 视力 神经生理学概念。一种感官知觉。即用眼睛辨别物体的形状、色泽等属性的生理过程。参阅 **eye；photoreception；perception**。

Sigillaria 封印木属 已绝灭的树状石松类的一个属。属石松纲(Lycopsida)鳞木目(Lepidodendrales)。始于石炭纪(3.60亿年前至

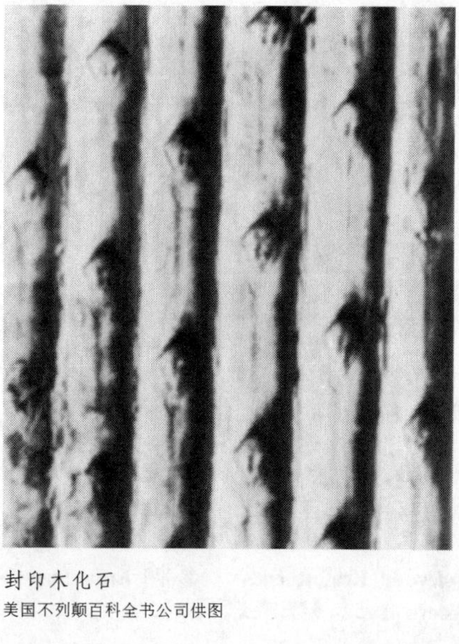

封印木化石

美国不列颠百科全书公司供图

2.86亿年前），形似鳞木属，但叶痕的形状和类型以及孢子叶球的构造有区别。具单一树干（或稀分枝），叶禾草状，成簇顶生，叶基呈显著的螺旋状排列。虽然遗体化石较少，但茎的印痕却各处均有发现。

sigillography 印记学 研究各种印记的学科。盖印就是将雕刻的硬面压在软材料上以做出印痕。印记一词既指印模，也指印痕。印记学有助于历史研究，因为文件所附的印记可以证明文件的真实可信。印记学既研究压出印痕的工具（印模），也研究蜡上或其他软材料上的印痕。印章的用途犹如现在的签名：证明文件真实可靠。中古时代常以青铜或银为印模材料，17世纪开始用钢。印痕材料通常是用蜂蜡和树脂做的封蜡，颜色或红或绿。现在用的虫胶是16世纪开始使用的。中古时代的契约以其所附的官印来显示其真实可靠。至12世纪时，文件常折迭起来加封蜡印以保密。如此加封的信件则可以证明14世纪英格兰人的身份和出身。文件所附印记具有历史意义，尤其有助于断代和验证。保存至今的遗存中，封蜡多于印模，这些压印的图画常为了解当时的服式、纹章、工具、船只和建筑提供线索。印章作圆柱式或戳记式。埃及使用刻有圣甲虫的宝石，罗马则使用图章戒指。国王和行政官员以及有身份的男子和妇女都有私人印章，其用途一如现代人的签名。封蜡还用来封住捆绑包裹、陶罐和箱子的绳结。古代美索不达米亚的早期文件一般刻写在泥板上。印记也是趁湿泥干硬之前压上去的。这种泥板主要是契约、账目和信件，外面套以泥"信封"，并盖上印章。埃及文书用纸草纸书写后卷成筒，捆上绳，绳结上盖以封蜡。这种文书的使用流传到埃及境外，可据以追溯印章乃至民族文化的发展状况。带有铭文的印记能提供有关国王、贸易谈判和世系等信息。欧洲中古时代的印章像古代罗马那样，用于法庭。11～14世纪，印章使用极广，至1400年，甚至小土地所有者也有现成的金属印模。13世纪，治印艺术达于顶峰，单个物件的制造匠也能留名至今。中古时代的印记有单、双两种，分别压在封蜡的一面和两面，双封印更为严密保险。在英国，政府的发展状况可以根据其所用印章来追溯。11世纪首先使用大印（上有端坐的君主和王室徽号），后来增加小印，最后又增加了由国家的一个大臣掌管的国王私章。宗教印章也像王室印章那样，有相应的图案，如主教、圣徒或宗教场面。修道院印章、城市印章、商业印章、私人印章等等，表现了中古时代生活的各种情景。随着更多的人学会书写，签名取代了印章，但迟至19世纪，男人的表袋里还揣着小印章，以备写信盖章之需。中国和日本印章的作用不像世界其他地区那样。它们用于确认签名，而不是视为证明身份的合法证据。那些红色的图案印记常用以表示箱子和书画的所有权。

Sīgiriya 锡吉里耶 斯里兰卡中部一古代要塞的废墟。该要塞约建于6世纪，号称狮子山，建在一个奇特的石柱上。石柱十分陡峭，顶部形成悬岩，海拔349米，高出周围平原180米。顶部有数英亩平地，迦叶波一世于477年在此建一宫殿，以防御敌人。游人观光从最后一段坡道开始，通过巨狮（sinha）张开的大口和喉咙（giriya），故名。

Sigismund 西吉斯蒙德；西格蒙德 又拼Siegmund。统治者的名字，按国别分列于后，并各以●为标记。

与此字相等的外语：

捷克语	Zikmund
德语	Sigismund 或 Sigmund
匈牙利语	Zsigmond
波兰语	Zygmunt
瑞典语	Sigismund

德意志/神圣罗马帝国

● **Sigismund 西吉斯蒙德**（1368-02-15，大概于纽伦堡～1437-12-09，波希米亚兹诺伊莫）神圣罗马帝国皇帝（1433年起）、匈牙利国王（1387年起）、德意志国王（1411年起）、波希米亚国王（1419年起）和伦巴第国王（1431年起）。他是卢森堡王朝末代皇帝，参与解决西方教会分裂和与波希米亚胡斯信徒的战争。查理四世皇帝幼子，受封勃兰登堡侯爵。1378年其父去世，他与匈牙利国王路易一世之女玛丽成婚，遂加冕为匈牙利国王。1388年，为筹集资金，抵御侵扰匈牙利国土的那不勒斯军队，将勃兰登堡抵押给表兄弟摩拉维亚侯爵约布斯特。他的扩张主义政策导致他干预同父异母兄弟德意志国王文策斯劳斯（兼波希米亚国王）与波希米亚贵族之间的斗争。1396年，成为德意志摄政王，同年率欧洲军与土耳其军交战，被击败。1410年，文策斯劳斯的德意志王位继承人鲁佩特去世，不同派别分别推选西吉斯蒙德和约布斯特为国王，1411年约布斯特死去，他成为德意志国王。1412～1413年，他出征意大利，讨伐威尼斯，在意时劝说鼎立的三个教皇之一约翰廿三世在康斯坦茨召开教会会议以解决西方教会分裂问题。1414年11月在亚琛加冕为德意志国王之后，赴康斯坦茨参加会议。他邀请捷克宗教改革家胡斯赴会维护其观点，致胡斯被处火刑。1417年西方基督教世界恢复团结后，1428年他率师东征土耳其，结果以失败告终。1419年文策斯劳斯去世，西吉斯蒙德又继承波希米亚王位，但因10年间与胡斯信徒的战争大多遭惨败，迟迟未能加冕。1431年他返回意大利，接受伦巴第的王位。两年后加冕为皇帝，1436年终于在布拉格加冕为波希米亚国王。

供图：Kunsthistorisches Museum, Vienna

波 兰

● **Sigismund I 西格蒙德一世**（1467-01-01～1548-04-01，波兰克拉科夫） 波兰国王，曾建立波兰对普鲁士公爵领地的宗主权，并把马佐维亚公国并入波兰。卡齐米日四世的第五子。从1499年起统治西里西亚的格沃古夫，1504年为卢萨蒂亚侯爵和整个西里西亚的总督。他进行的司法与行政改革于短期内使该地改变为模范地区。1506年继其兄为立陶宛大公和波兰国王。在扩大王权问题上常与波兰议会发生冲突。1512年，他应议会要求与匈牙利斯特凡·佐波尧亲王之女巴尔巴拉结婚，三年后巴尔巴拉去世无子嗣。1518年与神圣罗马帝国皇帝马克西米连之侄女意大利米兰的B.斯福尔扎结婚，生一子四女；儿子就是西格蒙德二世奥古斯特（1530年被选为同朝国王），有一女嫁给瑞典国王约翰三世。1521年他派主要顾问和司令官扬·塔尔诺夫斯基率军征服统治东普鲁士的条顿骑士团（**Teutonic Order**）。1525年条顿骑士团大团长阿尔贝特成为路德教徒，为取得世俗公爵称号公开表示对他效忠，解散骑士团。普鲁士公国承认波兰为宗主国。1529年皮亚斯特王朝最后一个统治者去世，他把马佐维亚公国（今华沙省）并入波兰版图。1531年他的军队在奥贝尔丁打败摩尔多瓦的人侵军，1535年又击退莫斯科大公国的进犯，从此保卫了波兰东部边界。他喜爱美术，尤其深爱建筑和雕刻，召请意大利艺术家来克拉科夫，以意大利文艺复兴的风格来推动波兰艺术的发展。他是虔诚的天主教徒，但容忍希腊正教徒，并保护犹太教徒。初时他严厉地反对路德宗，以后便听任它在波兰日益发展。

波兰克拉科夫市瓦韦尔国家艺术馆供图

● **Sigismund II Augustus 西格蒙德二世**（1520-08-01，波兰克拉科夫～1572-07-07，克内申） 最后一位亚盖沃家族的波兰国王，曾把利沃尼亚、立陶宛公国并入波兰，建立幅员广大的统一王国。西格蒙德一世的独子，1530年选为其父的同朝国王。1544年起统治立陶宛公国，1548年4月父王去世后为波兰国王。三次结婚，但均无子女，亚盖沃直系后裔遂绝。1559年条顿骑士团利沃尼亚分团衰落，无力抵御俄国、瑞典和丹麦的威胁，他遂与利沃尼亚骑士团于1561年缔结维尔诺联盟：德维纳河以北的利沃尼亚土地直接并入立陶宛；德维纳河以南的库尔兰成为世俗的公爵领地和波兰封地。随后因利沃尼亚问题与沙皇伊凡四世发生的战争（参阅 **Livonia War**），使他不得不按宪法统一所有归属波兰王室的地方，以强化其统治领域。1564 年他放弃立陶宛由波兰管辖的世袭权，以使两国处于宪法上的平等地位，但又非完全合并。1569 年他正式把波德拉谢、沃利尼亚和基辅等省并入波兰王国，并在议会中给予其各自的代表席位；此扩大议会遂于 1569 年通过条约，确立卢布林联合（**Lublin, Union of**），合法地统一了波兰、立陶宛和它们的附属国。

● **Sigismund III Vasa　西格蒙德三世**（1566-06-20，瑞典格里普斯霍尔姆～1632-04-30，波兰华沙）　波兰国王（1587～1632）和瑞典国王（1592～1599），谋求实现波兰和瑞典的永久联盟，却造成两国间延续到1660年的敌视

供图：Bayerische Staatsgemaldesammlungen, Munich

和战争。瑞典国王约翰三世的长子，父系属于瓦萨王朝，母系属于亚盖沃王朝。遵母教，自幼即为天主教徒。1587 年 8 月继舅父国王斯特凡·巴托里被选为波兰国王，为取得王位不得不削减王权从而增加议会权力。1592 年娶奥地利女大公爵安娜为妻。同年父死，他经议会同意接受瑞典王位。1594 年于允诺支持瑞典基督教路德宗后，加冕为瑞典国王。他于 1594 年 7 月回波兰，留叔父查理为瑞典摄政。后查理背叛，他率军回瑞典，但在斯坦盖布罗被查理打败（1598），瑞典王位被剥夺。此后其对外政策以恢复瑞典王位为目标。1600 年后，波兰与瑞典的战争时断时续。他希望保持与奥地利哈布斯堡家族的同盟，而于 1605 年娶亡妻之妹康斯坦蒂娅。为此而惹怒其反对者，于是爆发了内战（1606～1608）。他在打败内部敌人后，便利用莫斯科大公国的国内骚动（即"混乱时期"），入侵俄罗斯，占领莫斯科（1610～1612）和斯摩棱斯克。1617 年波兰与瑞典的冲突（1611 年签停战协定，曾一度停止）重新爆发。当他与奥斯曼帝国在摩尔多瓦作战时（1617～1621），瑞典国王古斯塔夫二世乘机入侵，占领里加（1621），几乎据有波兰的全部利沃尼亚。1629 年与瑞典缔结《阿尔特马克休战协定》，从此再也不能恢复瑞典王位。波瑞战争还使波兰丧失利沃尼亚北部领土。

瑞　典

● **Sigismund**　参阅 **Sigismund III Vasa** (Poland) 西格蒙德三世。

Sigismund, John　西吉斯蒙德　参阅 **John Sigismund** 约翰·西吉斯蒙德。

Siglo de Oro (Spanish literature)　参阅 **Golden Age** 黄金世纪。

Siglufjördhur　锡格吕菲厄泽　冰岛北部城镇。濒临格陵兰海一小海湾，与冰岛其他地区隔离。曾为重要渔港和冰岛鲱鱼捕捞业中心，有几家冷冻、腌制厂和罐头厂，出口鲱鱼肉、鲱鱼油。1970 年后因鲱鱼渔业不振兴，当地的工业规模和重要性下降。人口约 1 915 (1983)。

sigma bond　σ 键　化学术语。两个原子靠它们之间的作用力和两个原子所共用的一对电子而结合在一起的一种键合方式。在 σ 键中，电子对占据一个主要位于两个原子之间并围绕两个原子核连线成对称分布的轨道，这里的轨道是指一个和该体系特定能值相关的空间区域。

sign　标牌　在销售和广告业中，建筑物上（前）用以识别该处的营业性质及其名称或设在远处为商家或其产品作广告的标记或招牌。古埃及、希腊和罗马都曾用标记作广告。古代商人与众多不识字的顾客做交易，便用容易识别的图案代表他们的行业。著名的如罗马人用长春藤作酒店的标记，此外还有典当业用三个金色的球作标记，理发业用红条和白条作标记（分别代表血和绷带，因为过去理发师也兼营放血）等。14 世纪 90 年代和 16 世纪后期，英国和法国的商人先后为其商店设置自己的标记。一个世纪后巴黎和伦敦规定除旅店为了方便旅客投宿外，一律禁止在店外的支柱上悬挂摇摆不定的标记，而必须将标记平直地固定在建筑物的正面，以免影响公共交通。这些限制使风行一时、比比皆是的商店招牌有所减少。欧洲在发明活字印刷后，不久便有大量印制的招贴、传单和广告张贴在墙壁上。到 19 世纪抢占张贴广告位置，以及在许多墙上标明"禁止张贴"的警告与日俱增，于是由广告承包商在租用的私人建筑物上建造广告牌。19 世纪后期发明了发电机，商店可采用照明招牌和广告牌。1910 年法国科学家 G.克劳德进行霓虹灯和其他充气照明装置的实验，不到 10 年招牌便改用可弯曲成字符或图案的玻璃管制成，通电时管内气体发出红、绿或蓝色的光。随着照明技术的迅速发展，政府制定有关规定，禁止除旅店外的其他招牌。20 世纪中期，世界大多数城市不许在住宅区附近设置照明或其他广告牌。广告设计商开始转向公路和航空港，并向工人传授制作新颖生动的广告牌的技术。在城市商业区道路两侧的建筑物顶布满了商业广告或销售信息的电子广告牌，在夜间电灯光招牌笼罩着世界每一座城市的主要商业街道。

sign language　手势语　当人们不能或不愿以口语交际时，用身体动作，特别是用手和手臂来传达意思的交际手段。这种实践可能早于口语。手势语可以粗略地表现为做怪样、耸肩或指指画画。它也可使用各种复杂的有细微差别的有规则的手势，辅之以脸部表情，或兼用手语字母拼出的词来作补充。凡无法用口语交谈，例如双方语言不通，或交谈的对方是聋哑人时，手势语就可用来克服这种困难。

语言障碍　中国人和日本人的语言同样都使用汉字，但其读音完全不同，两国人都可用一种手势语，即通过观察对方在手掌心描画双方都认识的汉字以进行交谈。在非洲、澳洲、北美洲，语言不通的人们之间，很久以来就是用手势语通话的。最为人们所熟知的例子是 19 世纪的北美洲的平原印第安人。他们语言不同，但生活方式和各部落的居住环境有许多是相似的，因而找到共同理解的象征符号也是很容易的。例如，以手作杯状，跳跃并迅速离开"讲话者"，是大家熟悉的表示一只窜跑的鹿的臀部。对着天划个圆圈，表示月亮或像月色般的苍白。两手指岔开，置于另一只手的食指上，表示人骑在马背上。两指张开，从嘴边往外像蛇芯子般伸出去，表示说谎话和背信弃义。用手势表示梳长发至颈部和肩膀是指女人。这种手势语已为人们所熟知，即使长篇复杂的叙述——独白或对话——也可用手势语来表达，并为许多无法口头交际的印第安人所理解。

言语不能　印第安人的手势语由于长期使用，可以整理或有明确意义的手势语词汇，代表或说明各种客体、行为或思想，但未曾设法把这些手势语"拼出来"或以另外方式去表示那些无法用手势传达的词语。不过，有几种手势语得以发展，目的在使聋哑人能拼出词语和语音。大多数这样的手势语都像口语那样复杂而灵活。在各种文化中，很久以来都认为对聋哑人无法进行教育。少数愿意施教的教师们只有富人可以雇用。18 世纪中叶第一位献身于贫苦聋哑儿童教育事业的欧洲人是修道院长埃佩创制出一套拼出法语单词的方法，采用手语字母，以简单手势表达完整概念。从埃佩的体系演化成法国手势语 (FSL)，一直沿用至今。FSL 也是美国手势语 (ASL) 以及许多其他国家的手势语的前驱。FSL 在 1816 年由 T.加拉德特引入美国；他是康涅狄格州哈特福德美国聋哑学校创办人。这种新手势语与各种已通用于美国的系统相结合而形成 ASL，至今在美国和加拿大仍有 50 万以上的聋哑人在使用。在美国它是第四种通行最广的语言。像 ASL 这样的各国手势语，彼此之间的共同点多于所在国家的口语，因为其手势代表的既不是英语词、也不是法语词、又不是日语词，而是各种概念。1966 年，美国物理学家 R.科尔内特又提出一种新的"提示语"的系统，它很有成效地利用手势仅只代表语音（不是概念），辅之以唇读。这种做法已有 40 多种语言采用。

言语禁戒　立誓保持沉默的宗教界人士，或其他出于虔诚或谦卑的原因而发誓不说话的人，需要用手势语。例如通常，在寂静的寺院内，像传递食物或指点想要的东西等自然手势，常能有效地达到交际目的，很少需要特定的手势。印度宗教界人物梅赫尔·巴巴晚年沉默不语，然而却能向弟子们"口授"多卷巨著，起初以指着英语字母表上的字母进行口授，待演化成一种适用的手势语之后，

便仅以此布道。中古时期英国尊者比德曾以手势代表数字编出一套手势语,其方法是用逐个数字按顺序代表拉丁字母,例如用 1 代表 A,7 代表 G 等等。然而人们并不知道他用这套手势语是为了与聋哑人交际呢,还是仅为了保持沉默。

sign of the cross 参阅 **cross, sign of the** 划十字。

Signac, Paul 西涅克(1863-11-11,巴黎～1935-08-15,巴黎) 法国画家,曾和修拉发明点彩法技术。早年曾研究印象派的色彩原则。1884年与修拉相识,开始研究印象派的分割色彩技法,把自己采用的方法称为点彩法,后被称为新印象主义。他们和印象派画家一样,用湿润、柔和的原色轻轻地揉擦,但补以精细的、几何形的小色点。他在水彩画中十分自由地运用这些原则。主要画风景、海景和装饰画。晚年画巴黎景色、鱼塘的风景以及其他法国城市的风光。曾写过许多评论著作,如《从德拉克洛瓦到新印象主义》(1899),内容是解释由修拉和他本人创造的点彩法。

西涅克绘《马赛港景观》(1905)
纽约大都会艺术博物馆供图

Signal Companies, Inc., The 西格纳尔公司 美国公司集团,大部从事于汽车、航空航天、能源及环境改进工程的生产和服务。1928 年 6 月成立,原名西格纳尔油气公司。1964 年兼并加勒特公司,从而进入航空航天领域。加勒特公司制造发动机,控制系统及导弹部件。产品几乎均用于美国商用及军用飞机上。1968 年改现名。1975 年购得环球石油产品公司(向炼油工业和化学工业提供技术)的控制股权,另外在建筑业,冷冻设备制造业等方面也有投资。总部设在加利福尼亚州拉霍亚。

signal generator 信号发生器 一种能发出经精确校准的信号的电子测试设备,信号的频率范围从声频至微波。它对电子硬件的发展和测试都很有价值。信号发生器提供的信号可以按照频率、输出电压、阻抗、波形以及调制的不同要求予以调整。信号发生器有 5 种主要类型:①振荡器,产生正弦波,用于测量扬声器、放大器、传声器、换能器和声学系统的响应;②标准信号发生器,产生输出功率和调制范围宽广的正弦波,用于测试无线电接收机,测量增益、带宽和信噪比;③频率合成器,产生宽广范围的高精度输出频率;④脉冲发生器,按精确的时间间隔并以精确的频率发出脉冲信号;⑤随机噪声发生器,产生宽频带噪声,用于不同类型的电子、机械和心理测试。

signinum, opus 参阅 **opus signinum** 原始马赛克工艺。

Signorelli, Luca 西纽雷利(1445或1450,佛罗伦萨共和国科尔托纳～1523-10-16,科尔托纳) 又名 L.达·科尔托纳。文艺复兴时期画家,以其所画的裸体及构图上的创新而知名。很可能是皮耶罗·德拉·弗朗切斯卡的学生(15 世纪 60 年代)。在肯定是他的现在作品中,最早的是一幅残破的壁画(1474,现藏卡斯泰洛城博物馆)。最早署名的作品是一幅列队行进的大旗,一面画"圣母",另一面画"鞭笞"。约 1483 年到罗马时风格已经形成,对戏剧性动作的兴趣,以及对肌肉的有力表现,标志着他成为佛罗伦萨的自然主义者。壁画杰作《世界末日》和《末日审判》(1499～1502)受米开朗琪罗的极大影响,有大量各种姿势的强壮裸体,突出了肌肉的描绘。

西纽雷利的湿壁画《地狱中的被判罪者》(1500～1502),意大利奥尔维耶托市圣布里齐奥小礼拜堂
供图:SCALA—Art Resource/美国不列颠百科全书公司

Signoret, Simone 西尼奥雷(1921-03-25,德国威斯巴登～1985-09-30,法国厄尔) 原名西蒙娜·卡明克。法国戏剧和电影女演员。以善于扮演热情勇敢的女性而闻名。曾就读于巴黎大学,参加左翼活动并演出一些戏剧,后在影片《金盔》(1952)中担任主角。她在影片《上流社会》(1958)中的表演使她在英国和美国以及戛纳电影节均得到最佳女演员奖;又因在影片《愚人船》中的演出于 1965 年获奥斯卡最佳女演员奖的提名。1951 年与第一个丈夫、导演 Y.阿莱格雷离婚后,与歌唱家兼演员 Y.蒙唐结婚,两人共同参加反对杀害罗森堡夫妇、反对越南战争和阿尔及利亚战争的运动。1956 年匈牙利事件后对共产主义感到失望。西尼奥雷还出演了一些成功的电视连续剧,并撰写了一些畅销书。

signoria 执政团 意大利语,意为"统治权"。中世纪和文艺复兴时期意大利城邦中,由一个贵族(诸侯或专制君王)主持的政府,它通过暴力或协议取代共和体制。它是从 13 世纪中叶到 16 世纪初意大利的典型政权形式。执政团的出现标志着意大利城邦演变的最后阶段。常常是一个人开始担任地方职务,以后逐渐扩大其权势,把它作为终身职位,并把它定为他的家族的世袭职位,他再寻求教廷或帝国的官职以使之合法化。14 世纪初,北意大利的一些城市已归执政团统治。维斯孔蒂家族统治米兰直至 1447 年,就集权和巩固政权方面而言,在各执政团中最为出色。执政团在掌握行政、司法和军事方面其成效如此之大,以致历史学家认为他们是现代国家体制的肇基人。许多执政团还以赞助文学艺术而闻名,对文艺复兴的文化成就做过贡献。在摆脱了一个诸侯统治的地区,执政团这个名称常指地方行政官的统治集体。例如,在佛罗伦萨城,执政团是各区行会遴选成员组成的最高行政委员会,任期两个月。

Sigourney, L(ydia) H(oward) 西格尼(夫人)(1791-09-01,美国康涅狄格诺威奇～1865-06-10,康涅狄格哈特福德) 母家姓 Huntley。美国受人欢迎的作家,以"哈特福德甜蜜歌手"闻名,是第一批在文学事业上获得成功的美国妇女之一。她曾任教师,其第一部作品《德育诗文集》于 1815 年出版。1819 年结婚后专事写作。一生写有 67 本书及1 000多篇文章,其中有不少在欧洲及美国广为传诵。她的写作主题多涉及道德和宗教,具有传统的感伤情调。她最喜欢的题目是死亡和虔诚,最著名的散文作品是《致青年妇女的信》(1833)。

Siguiri 锡吉里 几内亚东北部城镇。位于来自巴马科(马里)、康康和丁吉拉伊的 3 条公路的交点,在廷基索河与尼日尔河汇流处以北 8 千米。为尼日尔河岸港口。是牛、玉米、栗和可乐果的主要集散地。也是河谷地区生产的稻米的主要出口地。有医院、清真寺和天主教传教机构。大部是热带稀树草原,主要居民为马林克、迪尤拉和迪亚隆卡 3 族。13 世纪起开采黄金。人口约 37 361(1983)。

Sigurd(literary hero) **西古尔德** 参阅 **Siegfried** 齐格弗里德。

Sigurd I MAGNUSSON **西居尔一世**（约1090，挪威～1130，奥斯陆）挪威国王（1103～1130），参加十字军的第一位斯堪的纳维亚国王。他通过建立大教堂和隐修院以加强挪威教会，并开征什一税，给教士以可靠的收入来源。西居尔为挪威赤脚王马格努斯三世的私生子。1103年与其兄埃斯泰因及其弟奥拉夫共同继承王位。奥拉夫于1115年死去时年尚幼，从未实际参与政事，由西居尔及埃斯泰因执政，直至1122年埃斯泰因去世为止。在挪威历史上，这是最长的共同统治时期。1107年西居尔率领60只船开往巴勒斯坦。当1110年到达巴勒斯坦时，受到耶路撒冷国王鲍德温一世的热烈欢迎，并且协助法兰克人夺取了西顿（在黎巴嫩，现名赛达），此后将人员及所有船只留在君士坦丁堡（现名伊斯坦布尔）作为给拜占廷皇帝阿历克塞一世的赠礼。1111年西居尔取道陆路返回挪威。埃斯泰因死后，西居尔成为唯一的统治者。他建造了几所大教堂，包括在斯塔万格的一所在内，并在该地建立了大主教区，对这个城市的发展起了很大作用。晚年患有精神失常病。

Sigurdsson（king of Norway）**西居尔松** 参阅 **Sverrir Sigurdsson** 斯韦雷（西居尔松）。

Sigurdsson, Jón **西于尔兹松**（1811-06-17，冰岛西部～1879-12-07，丹麦哥本哈根）冰岛学者和政治家，搜集并编辑了许多古代斯堪的纳维亚民间传说故事和文献资料。他还是19世纪争取冰岛自治斗争的领袖。在哥本哈根大学学习古典哲学、古代史、政治理论和经济学。毕生精力多半用于搜集和编辑古代冰岛语的手稿，并成为阿尔纳马格内基金会成员，后任秘书。独自或与人合作，编有《冰岛传说集》一、二卷（1843～1847）及《冰岛法律大全》（1855～1857）。1845年当选为第一届咨询议会议员，后为议长。以爱国党领袖身份鼓吹冰岛贸易自由（1854），获得成功。他又领导了冰岛的农业和渔业的技术现代化。他无时不在迫使丹麦承认冰岛自治。1874年经丹麦批准的宪法，允许冰岛自理财政并与丹麦国王共同享有立法权。

Sigurjónsson, Jóhann **西于尔永松**（1880-06-19，冰岛拉赫萨米里～1919-08-31，丹麦哥本哈根）冰岛剧作家，因剧作《山地的埃温迪尔》（1911）而国际闻名，并在斯堪的纳维亚和德国引起轰动。该剧后又在英国和美国上演。有些当代评论家称赞他可与易卜生、比昂松和斯特林堡相媲美，但他的其他剧作则相形见绌。曾求学于哥本哈根大学，他意识到对一个有雄心的剧作家来说，冰岛语听众太少，便用冰岛和丹麦两种文字写作。《山地的埃温迪尔》根据一则众所喜爱的冰岛民间故事改编，写一个有钱的年轻女人放弃一切，到山区和她的情人（一个偷羊贼和逃犯）相结合。该剧最后一幕使全剧达到不朽悲剧的水平。另一剧本《巫士洛夫图尔》（1915）也是根据民间故事改编。

Sihanouk, Prince Norodom **西哈努克** 参阅 **Norodom Sihanouk, Samdech** 诺罗敦·西哈努克。

Sihanoukville（Cambodia）**西哈努克城** 参阅 **Kâmpóng Saôm** 磅逊。

Sihor（India）参阅 **Sehore** 塞霍尔。

Siirt **锡尔特** 土耳其东南部城市。临比赫坦河，位于托罗斯山脉东南山麓。奥斯曼帝国时代为包括叙利亚和伊拉克北部广大地区的主要商业中心，现为当地家畜和农产品集市。生产全国闻名的山羊毛毯。古迹有13世纪塞尔柱人建造的大清真寺等。公路西通迪亚巴克尔，北抵比特利斯，并经吉兹雷至伊拉克北部。底格里斯河几条支流流经境内。东北部多山，森林密茂，南部为一广阔高原，生长草原植被。经济有饲养牲口和种植谷物。为全国石油生产中心，加尔赞山、库尔塔兰和拉曼等大油田在开采中。原油经输油管运至附近巴特曼炼油厂和515千米外的伊斯肯德伦港。居民除土耳其人外，还有大量库尔德人。人口524 741（1985）。

sika（species *Cervus nippon*）**梅花鹿** 偶蹄目鹿科一种群居林栖动物，原产于亚洲东部。在日本被视为圣兽，中国人用其茸入药。体小型到中型，臀部白色，周身有白色斑点。

日本梅花鹿（*C. n. nippon*）

供图：Kirtley-Perkins from the National Audubon Society Collection/Photo Researchers—美国不列颠百科全书公司

雄鹿具四叉角。有几个大小和毛色不同的亚种，在《红皮书》中已列为濒危动物。日本梅花鹿（*C. n. nippon*）多饲养在动物园，已引进英国和欧洲；为梅花鹿中最小者，肩高80～86厘米；夏天浅褐红色，带白色斑点；冬季褐色，无斑点。最大的亚种是乌苏里梅花鹿（迪博夫斯基氏梅花鹿，*C. n. hortulorum*），肩高约110厘米，夏天淡褐色，有斑点；冬季深褐色，斑点或有或无。

Sikanese **西卡人** 住在印度尼西亚小巽他群岛中弗洛勒斯岛中东部的部落，其居住区在布洛河与纳朋河之间的山区及沿海地带，20世纪末期人口约18万，讲帝汶-安汶语族语言，与索洛尔语相近。西卡人从事刀耕火种农业，种植水稻、玉米和木薯，沿海岸种椰子。村庄围着献祭石建立。献祭石是传统宗教的遗迹，这种宗教仪式已为天主教仪式所代替。大多数西卡人居住在本地区的西部，他们与东部的西卡人有不同的亲属制度。西部西卡人以一名共同祖先为基础，实行非地方化和非族外婚制，婚姻由许多乱伦忌禁所限制。东部西卡人奉行地方化及族内婚制。此外，东部不存在阶级区分，西部有与王族相关的贵族阶级。

Sīkar **锡格尔** 印度西北部拉贾斯坦邦，锡格尔县县城和城镇。城镇为公路和铁路交叉点和农产品贸易中心。手工业有织布、制陶、珐琅、漆器等部门。设有拉贾斯坦大学的两所附属学院。全县面积7 732平方千米。位于阿拉瓦利岭西面平原。居民主要从事农业，黍、豆类、大麦、棉花为主要农作物。有水泥厂和轧棉厂。开采绿柱石、云母、大理石和萤石。人口：城镇184 904；县2 287 229（2001）。

Sikasso **锡卡索** 马里南部锡卡索区的城镇和首府。在19世纪末成为凯内杜古王国首邑之前，只是一个小村庄。城镇现为轧棉和纺织工业中心，有公路通首都巴马科。锡卡索区东邻布基纳法索，南连科特迪瓦，西接几内亚。海拔从中部低地河谷的300米至东部和西部砂岩高原的500米不等。面积198 080平方千米。经济以自给农业为主。主要作物为高粱、玉米，最近也产稻米，经济作物有棉花和茶树，向科特迪瓦出口大量的牛只。自1980年起，在锡卡索西南开采金矿。区内主要居民为班巴拉人和塞努福人。人口：镇113 803；区1 839 747（1998）。

Sikelianós, Angelos **西凯里阿诺斯**（1884-03-28，希腊莱夫卡斯岛～1951-06-19，雅典）20世纪希腊主要抒情诗人之一。西凯里阿诺斯的第一部重要作品《轻口遮住》发表于1909年，此书显示了他的抒情才华。这之后又发表了一批出色的抒情诗。他的下一个阶段以哲理诗《生活的序曲》（1917）为开始，还包括长篇作品《上帝的母亲》和《希腊复活节》，而以《德尔斐的话》（1927）为最高峰。在上面这部作品里，希腊传统和民族历史与宗教的象征被赋予一种神秘的色彩和一种普遍的意义。在20世纪30和40年代他发表了第二批抒情诗，这些诗显示了西凯里阿诺斯的艺术的巨大感染力。它们以丰富多彩的和犀利的语言以及有力的想象表达了诗人对世界的美与和谐的信念。西凯里阿诺斯的悲剧（《西比拉》、《克里特的代达罗斯》、《罗马的基督》、《狄格尼斯之死》和《阿斯克莱皮乌斯》是以长篇戏剧诗《玫瑰颂歌》作为序曲）以抒情而不是以戏剧性著称。在他的成熟作品中，西凯里阿诺斯试图通过诗歌表达19世纪80年代的希腊普通话运动的愿望，而这一运动的意图就是要把希腊传统同西方思想结合起来并且把人民常用的语言有意识地变成一种文学语言。虽然西凯里阿诺斯的空洞的大话也偶有损害他的作品的诗意效果的时候，但他的较好的抒情诗仍应属于西方文学的最好的作品之列。

Sikeloi (ancient people)　参阅 **Siculi** 西库尔人。

Sikh Wars　锡克战争(1845～1846;1848～1849)　印度锡克教徒与英国人之间的两次战争,结果英国兼并了旁遮普。第一次锡克战争起于双方的相互猜疑和锡克教军队中的骚乱。旁遮普锡克邦邦主兰季特·辛格死后(1839),宫廷政变和谋杀不断,政权分崩离析,实权落入军人手中。早在第一次英阿战争(1838～1842)中,英军企图通过锡克人的领地,遭到锡克人的拒绝,双方关系即十分紧张。锡克教徒借口预先制止英军进攻,于1845年12月渡过萨特莱杰河,展开第一次锡克战争。经过4次血战,锡克军终于败北。英国乘机兼并萨特莱杰河以东和该河与比亚斯河之间的锡克土地;同时克什米尔与查谟脱离锡克;锡克军队被限制为步兵2万名和骑兵1.2万名;英国总督代表率军队驻在拉合尔。第二次锡克战争1848年4月由木尔坦长官穆尔拉杰的反英起事开始,同年9月锡克军参加。他们与英军展开激烈战斗。翌年3月锡克军投降。旁遮普被英国吞并。

śikhara　希诃罗　又拼 sikar(梵语,意为山峰)。北印度寺庙建筑中的顶层结构。耸立在神殿和有曼拿波(夜叉)的柱廊(门廊或厅堂)顶上,是北印度寺庙建筑的特殊格式。

印度中央邦乌德耶布尔乌德耶希瓦尔寺庙内的布米迦式希诃罗,1059～1082年

供图:P. Chandra

北印度希诃罗基本上有两种形式:一是拉提那式,外部轮廓是曲线形的,大都耸立在神殿的顶端;另一是波姆萨那式,外部轮廓是长方形的,上覆以钟形顶,常在曼拿波顶端看到这种形式。拉提那希诃罗的构筑形式是由一层层的屋顶镶板向顶部逐渐收缩,形成从寺庙底部和墙壁伸展出来的凸出部。希诃罗的表面,覆盖着一个以小型葱形拱构成的藤状装饰线条。在截平的顶上,伸出一个柱颈。柱头上装有一个巨大的有构槽的圆盘,盘上置尖顶宝瓶。每一层由四个角落上的小圆盘表示出来,并以重复的方式一直堆向顶端。拉提那希诃罗还有两种变体,即色诃里式和布米迦式。色诃里的组成是拉提那尖塔在中央,两边加上一排或多排半尖塔。还有小型希诃罗,沿着底座和四角丛集。希诃里10世纪以后非常普遍,在中印度许多寺庙顶上都可见到。布米迦变体四条边的每一边中央都有一个扁平的垂直凸出物,在1/4的扇形体之间,充塞着一排排小型神龛,一直重叠到塔顶。在中央邦西部的马尔瓦和德干等地区。布米迦式寺庙尤其普遍。如在中央邦的乌德耶布尔,一个建于11世纪的乌德耶希瓦尔寺庙内就有优美的布米迦变体的实例。在南印度建筑教程上,希诃罗这个名称是指圆盖形的屋顶。但艺术史家大都用以指南北所有寺庙的尖顶。南印度寺庙所谓库替那式的尖顶,形状完全不同于北印度寺庙的希诃罗,而是像金字塔般每层向上堆叠,成阶梯状。

Sikhism　锡克教　印度的一种宗教,15世纪末由那纳克在旁遮普融合伊斯兰教和印度教成分而成。锡克教徒自称那纳克和他的9代后继人(共称"十祖")的门徒。最初几代祖师(古鲁)的著作由第五代祖阿尔琼(1563～1606)编纂成为《阿底·格兰特》(**Ādi Granth**),是为该教的圣书。阿尔琼被莫卧儿帝国皇帝处决后,锡克教开始由和平宗教转化为尚武的宗教,终于到第十代祖哥宾德·拉伊(1666～1708)时代完成这种转化。他建立**卡尔沙教团**(**Khālsā**),该教团至今仍是锡克教内的主要教团。卡尔沙教团团员在名字之后加"辛格"(雄狮)或"考尔"(雌狮)称号,遵守严格戒律。哥宾德·辛格(原名哥宾德·拉伊)生前四子皆丧,宣布古鲁传承制结束。他规定《本初经》为该教不朽的古鲁,并把他自己的著作编成《达萨姆·格兰特》(**Dasam Granth**)。

哥宾德·辛格的几代后继人基本上消灭了旁遮普南部的穆斯林地主阶级,不服统治约8年之久,然后遭受该地区穆斯林统治者残暴迫害。18世纪中叶波斯人和阿富汗人屡次入侵,迫害有所缓和。锡克教徒避开入侵者的锋芒,组成12个民兵队,各据有自己的地盘。民兵队建立碉堡体系,向城镇农村征收保护费。19世纪初,在兰季特·辛格(1780～1839)主持下,各民兵队联合起来成为锡克教政权。兰季特·辛格一死,锡克教政权四分五裂,群龙无首,一片混乱。英国人担心发生战事,派部队到旁遮普边境,于是发生了英国历史上所谓1845～1846年和1848～1849年的**锡克战争**(**Sikh Wars**)。锡克教徒失败,旁遮普并入英属印度。

在英国统治下,锡克教分成几派,其中有的派别具有强烈的政治性而好用暴力。辛格大会受英国行政官员保护,它激起了欧洲学术界对锡克教的注意,它基本上是教育和文学组织。英国-锡克关系在第一次世界大战期间最为密切,许多锡克教徒在英军内服役,武功卓著。1919年英军在阿姆利则残杀平民,双方的合作每况愈下。

英国放弃在印度的权利,印度实行分治,旁遮普西部归巴基斯坦,东部归印度。划归巴基斯坦辖区内的锡克教徒(约250万人)迁入印度,将旁遮普邦东部的穆斯林挤走。伴随这种大规模人口迁徙的是极端的教派间暴力冲突,死人甚多。大多数锡克教徒定居在旁遮普邦东部,在靠近巴基斯坦边境的不少地区,锡克教徒成为人口中的多数。其后几十年,锡克教徒把旁遮普邦变成富饶的农业地区,号称印度的"面包篮",锡克教徒在印度实业界和军界也占有突出地位。有些锡克教人士自恃有势力,要求在印度联邦内实行自治,甚至鼓吹在旁遮普另建锡克教国家。于是在锡克教极端派与印度政府之间爆发了暴力冲突,事态愈益恶化,印度军队攻击阿姆利则锡克教至圣地金寺(1984-06),锡克教徒暗杀印度总理英迪拉·甘地(1984-10)。其后,锡克教极端派进行恐怖主义活动,锡克教社会发展受挫,印度政府继续镇压这些极端派。

锡克教义融合伊斯兰教义和印度教义,简单明快地用旁遮普语弘传。该教信奉一神,不为神塑或画像。人应当事奉神,事奉之道是遵守神的诫命修身持德,祈祷,反复念诵神名,经过几度轮回转世,最终与神融为一体。

锡克教不设专业神职人员,凡成年人,不分男女,都可以主持礼拜,礼拜内容主要是诵《本初经》。谒师所是礼拜处所,最著名者为金寺,它最初由阿尔琼建造,几经破坏,最后由兰季特·辛格重建。锡克教徒每逢印度教节日在谒师所举行典礼,他们自己也另有圣日(如有些古鲁的诞辰),届时抬出《本初经》列队在街道行进。男女少年到青春期即受戒加入卡尔沙教团。

Sikhote-Alin　锡霍特山脉　又译老爷岭。又拼 Sichote-Alin。俄罗斯远东区山系。临鞑靼海峡和日本海,由东北向西南延伸1 200千米。地形复杂,四周有重大地质断层,西北部地槽结构即为乌苏里江谷地。主要山岭有8座,最高峰托尔多基亚尼山海拔2 077米。大部山地森林茂密(最高处无草木),较高处为白桦和针叶林,低处为落叶林,是俄罗斯远东主要伐木区之一。开采铅、锌和锡等多种矿藏。人烟稀少。

Sikión (Greece)　**西基翁**　参阅 **Sicyon** 西锡安。

Sikkim　锡金　印度最小的一个邦。位于喜马拉雅山脉东麓。西与独立的喜马拉雅山尼泊尔王国交界,东与不丹接壤,北和东北与中国西藏自治区为邻,南和印度西孟加拉邦相连。由于地处敏感地带,锡金在战略和政治上的重要性与其面积不成比例。据信史前龙(Naong)、藏(Chang)和蒙(Mon)三个部族居住锡金。那时其他部族也可能从喜马拉雅山的另一边进入锡金。在各历史时期还有许多部族来到这里。人数最多的移民是18世纪中期和19世纪来自尼泊尔东部和北部的部族。锡金当时是一个独立的小国,为了维持领土完整它必须战斗。18、19世纪时,它与不丹、尼泊尔均有过长期战争。1817年锡金第一次受到英国影响。虽然后来英国占领这一地区并进行政治控制,锡金仍保持英属印度与西藏之间独立的缓冲地位。印度独立后锡金政局动荡。根据1950年缔结的条约,锡金被视为印度的保护国。1975年97%以上的选民赞成并入印度。一个月之后,锡金成为印度的一个邦。锡金南北长113千米,东西宽64千米。马蹄形的山区几无大的平坦地区。约2/3的土地是终年积雪、无人全年定居的山脉。主要山峰干城章嘉峰海拔8 586米,是印度最高峰和世界第三高峰。山区东部和西部是深谷,以蒂斯塔河谷最大。虽然有一些通道使锡金与邻近地区相连接,但只有在南部与邻邦之间无山脉阻隔。全境大部分地区属蒂斯塔河流域。该河从源头(中国边境附近)至龙普约105千米长,河段落差4 800米。

气候差异很大,从低谷的热带气候到高地常年积冰雪似北极的气候都有。随地形和方位的不同,年降雨量从1 270毫米到5 080毫米不等。山顶的积雪常厚达30米。锡金是喜马拉雅山区最潮湿的地区,降雨量以5～10月较多。

大多数锡金人民——主要是印度教徒和佛教徒——居住在境内中部、西部和南部地区的村落,北部不适居住。村庄散布在山坡上。1951年以前境内无都会地区,首都甘托克在当时刚成为都市。虽然此后有许多城镇设计为都市中心,但都市人口仍集中在甘托克。农业是锡金的经济基础。农民利用梯田种植玉米、水稻、荞麦、小麦和大麦。锡金是世界主要小豆蔻产地和重要的柑橘、苹果、马铃薯出口国,也生产大豆、甘蓝、姜花椰菜、豌豆和番茄。很多人民以粗放饲养犁牛、牦牛、绵羊、山羊、猪、骡、驹和家禽的混合农业为生。

锡金矿藏丰富,产铜、铅、锌、煤、铁矿、石榴石、石墨、黄铁矿、大理石和滑石。森林占全境面积的1/3,是木材和纸浆的来源,极富经济价值。轻工业和消费品工业零散分布。

锡金人以棉织品、毛织品、地毯及竹器闻名。家庭工业学校除教授这些手工业外,还教授玩偶制造、刺绣、制陶、卷轴画、人工造纸及其他技艺。

虽然交通运输以公路为主,但锡金只有1 600千米公路。甘托克离最近的巴吉多格拉西孟加拉邦)的机场约120千米,离最近的铁路站西里古里约110千米。锡金的文化生活与西藏的宗教和审美传统有关。每年两天的潘格哈普索节是文化活动的高潮,为对干城嘉峰主神表示敬意而举行面具舞。世俗的民间舞蹈亦很盛行。研究藏学的南佳尔学院所收藏的藏语书籍,仅次于圣彼得堡图书馆和北京图书馆。许多寺院有艺术珍藏,包括壁画、织锦宗教画和青铜雕像。

虽然小学和中学教育免费,但锡金人识字率很低。唯一的大学学院是设于甘托克的大吉岭北孟加拉大学分校。锡金面积7 096平方千米。人口540 493(2001)。

Siklós, Albert　西克洛斯(1878-06-26,匈牙利布达佩斯～1942-04-03,布达佩斯)　原名Albert Schönwald。匈牙利大提琴家、作曲家、音乐学家。6岁开始作曲,7岁起学习钢琴和音乐理论。1891年开始学习大提琴。1895年在匈牙利音乐学校学习时即开始讲学。1905年成为布达佩斯福多尔音乐学院的教员,1910年又进入音乐学院任教。从1918年起直至他去世,负责该院两个作曲教程之一。早期作品反映了勃拉姆斯派浪漫主义传统的熏陶,但后期作品则显示20世纪德彪西和R.施特劳斯的影响。他的大部分作品是为大型管弦乐团、室内乐组或钢琴而写的,但是他的曲目所涉范围甚广,从其他独奏器乐小品、声乐小品直到大合唱、芭蕾舞剧和歌剧等一应俱全。

Sikorski, Władysław (Eugeniusz)　西科尔斯基(1881-05-20,奥匈帝国波兰图佐夫纳罗达维～1943-07-04,直布罗陀)　波兰军人和政治家,在第二次世界大战中领导波兰流亡政府。他在奥地利统治下的波兰出生并受教育,且在奥军中服役。1908年建立一个波兰民族主义者的秘密军事组织,J.毕苏斯基也是该组织中的著名人物。在第一次世界大战期间,任波兰军团作战委员,与奥军一起与俄国作战。后在波兰-苏联战争中(1920～1921)以战绩著称,1921年提名为波军参谋长。1922～1923年曾短期任波兰总理。1924～1925年任军事部部长,指导部队的现代化。1926年毕苏斯基攫取政权时他保持中立;但在1928年他被撤销军队指挥职务后,

伦敦波兰学院和西科尔斯基博物馆供图

加入反对毕苏斯基的一派。1939年德军大举侵入波兰,他成为流亡政府的总理,与同盟国领导人曾建立良好关系。但在第二次世界大战后期,斯大林借口西科尔斯基要求国际红十字会调查以前在俄国人手中的几千名波兰军官在卡廷被屠杀的事件(参阅**Katyn Massacre**),而于1943年4月中止苏波外交关系。他在直布罗陀一次飞机失事中丧生。

Sikorsky, Igor (Ivan)　西科尔斯基(1889-05-25,基辅～1972-10-26,美国康涅狄格伊斯顿)　俄国出生的美国飞机设计的卓越先驱者,因研制成功直升飞机而著称。他的父亲为内科医生和心理学教授。他在母亲的影响下,12岁时就制成能飞的橡筋模型直升机。1903年入圣彼得堡海军学院,但因专注于工程而于1906年退役。后入基辅工业学院。虽在学术上取得一定成就,但他认为当时所学的抽象科学和高深的数学无助于解决实际问题,遂退学,在自己的作坊和实验室里工作。1908年去欧洲游历,了解到莱特兄弟和欧洲发明家们的成就,返俄后得出飞行的途径应该是"直升"的结论。1909年5月在基辅开始制造直升机。经过多次失败,认识到根据当时的技术水平和本人的经济条件,不

美国西科尔斯基飞机公司供图

可能造出直升机,因此决定先研究固定翼飞机。1910年制成S-1型双翼机,因马力太小而试飞失败。后改用更大马力的发动机,重新设计机体,造出S-2型飞机,能作短时飞行。以后又造了S-3、S-4型飞机,每次都有改进。1911年夏制造的50马力S-5型飞机,能留空1小时以上,高度达450米,并能作短距越野飞行,他因此获得第64号国际飞行员证书。后来又制造第一架四发动机的飞机,于1913年试飞成功,这是现代重型轰炸机和运输机的前身。1919年3月去美国,先任教数年,后与前俄国军官组建西科尔斯基航空工程公司。1928年入美国籍。到1929年,该公司成为联合飞机公司的分公司。大量生产S-38双发动机水陆两栖飞机。1931年第一架S-40型"美国飞剪"号飞机被用作加勒比海与南美洲之间的民航班机。1937年第一架4发动机S-42型"飞剪"号首次进行越洋民航飞行。30年代后期,他重新开始研制直升机,从事开拓性工作。1939年制造VS-300型直升机,9月14日首次试飞成功,他亲自驾驶该机。经改进后,于1941年5月6日创造了1小时32.4秒的国际续航时间纪录。他的事业实际上贯穿了人类实际飞行的全部进程,在航空上很少有人能在这么广大的范围作出贡献。他一生得过许多荣誉博士学位、美国和欧洲许多第一流的科学和技术学会的名誉会员称号,以及航空方面的各种最高奖。

Siku Quanshu　《四库全书》　英语作Complete Library in the Four Branches of Literature。中国大型综合性丛书。清乾隆三十八年(1773)开馆编修,乾隆四十六年(1782)完成。《四库全书》共收书3 503种,79 337卷(文津阁数)。按经、史、子、集分四部、44类。全书共缮写七部,分藏于北京紫禁城内文渊阁、圆明园文源阁、奉天(今辽宁沈阳)故宫文溯阁、热河(今河北承德)文津阁,以上四种称内廷四阁;镇江金山寺文宗阁、扬州大观堂文汇阁、杭州圣因寺行宫文澜阁,以上三种称江浙三阁。《四库全书》从征书至抄成历时16年。参加编修、誊录的文臣、学者和书手达4 000人。文汇、文宗两阁1853年毁于战火;文源阁1860年英法联军入侵北京时焚毁;文澜阁本现藏杭州浙江省图书馆;文渊阁本现藏台湾省;文溯阁本现藏兰州甘肃省图书馆;文

北京故宫文渊阁
中国大百科全书出版社供图

津阁本现藏北京图书馆，是七部中保存最完整的一部。

Sikwayi（Cherokee Indian） 参阅 **Sequoyah** 塞阔雅。

Sikyatki　西基亚特基　霍皮语，意即黄屋。美国亚利桑那州东北部纳瓦霍县内印第安人村庄的遗址。村庄的面积为4～6公顷。在阿纳萨齐文化的普韦布洛衰退阶段（约1300～1700），这里居住着霍皮人中的科科普氏族。19世纪90年代考古学家挖掘到陶制的碗、罐和长柄勺子，上面有独特的多彩图案，如鸟的头、嘴、翅膀和羽毛，用黑色、红色或白色的矿物颜料涂绘而成。黄色或橘色的底色是含铁的陶土经烧制后形成的。彩纹优美，引起20世纪工匠模仿。

sīla　尸罗　巴利语；梵语作śīla；佛教用语，指德行或清正，即八正道（**Eightfold Path**）中的正语、正业与正志。根据佛教教义，烦恼生恶行，恶行可以道德心和注意避免，但恶行的根源只有靠运用智慧才能铲除。佛教徒可以许愿，表示愿在一定时期内约束自己行为，遵守戒条。戒条通常列为十戒，即①不杀生、②不偷盗、③不淫欲、④不妄语、⑤不饮酒、⑥不食非时之时、⑦不视听歌舞、⑧不装饰和打扮、⑨不卧坐高广豪华之床、⑩不蓄金银财宝。居士平时守前五戒，斋期守八戒（即前九戒，七、八两戒合并为一），一般只有僧尼守十戒。

silage　青贮饲料　又作ensilage。收割后贮存于青贮塔、地窖或壕沟内，以供家畜食用的玉米、豆科植物和青草等饲料植物。成熟的谷物和饲草，其蛋白质含量会减低而纤维质含量会增高，故应在成熟前期收割。青饲料应剁碎，以便于包装，并排除碎饲料中的空气。青贮原料含水量高，故易于压缩和排掉空气。虽然过量的水分流失（超过70%），会带走宝贵的养分，但青贮窖中如水分过多，会妨碍生产优质青贮饲料的发酵过程。在适宜贮存条件下，青贮饲料稍有发酵，能保藏数月。

silane　硅烷　又称硅氢化物。一系列只含硅和氢元素的共价化合物的总称。其通式为Si_nH_{2n+2}，式中n为1、2、3……硅烷结构与饱和烃相似，但稳定性差得多。硅烷一词的含义已扩大到包括那些其中一个或全部氢原子已被其他原子或基团取代的化合物，如四氯硅烷（$SiCl_4$）。硅烷可由硅化镁（Mg_2Si）与酸反应，或用氢化铝锂还原氯化硅而制得。所有硅烷在接触空气时，会燃烧或爆炸。在碱溶液作用下，分解成氢和水合二氧化硅。加热时分解为氢气和硅。它们与卤素或卤化氢反应，形成卤化硅烷；与烯烃反应，形成烷基硅烷。甲硅烷（SiH_4）是最简单的硅烷，也是最稳定的硅烷。甲硅烷是无色气体，-112 °C时液化，-185 °C时凝固；250 °C时缓慢分解，500 °C时迅速分解。硅-氢键的不稳定性造成了硅烷的不稳定性。硅烷中全部氢原子被有机基团取代而形成的衍生物如四甲基硅烷[$Si(CH_3)_4$]等与饱和烃相似。二甲基二氯硅烷[$(CH_3)_2SiCl_2$]是制取硅酮类聚合物如二甲基聚硅氧烷的重要原料。一氯三甲基硅烷和乙烯基三氯硅烷用作布、纸和玻璃等许多材料的防水剂。

Silao　锡劳　墨西哥中北部瓜纳华托州中西部城市。1537年建城。濒临锡劳河。海拔1 777米。地处"墨西哥谷仓"巴希奥地区，气候温和，为重要农业中心，盛产玉米、鹰嘴豆、小麦、鳄梨、桃和草莓。附近也饲养牲畜。编织披肩毛毯为主要工业。通公路和铁路。人口60 000（2000）。

Silas, Saint　西拉，圣（活动时期50，罗马？～马其顿？）　又称圣西尔瓦努斯。早期基督教会的先知、传教士，曾同使徒保罗一起工作。耶路撒冷基督教会差他去安提阿，在那里传教，被尊为先知。后来跟随保罗走遍今土耳其各地，并到过叙利亚和西利西亚，巩固这些地方的教会。他们渡海到马其顿，在腓兰比被殴打和监禁。被释放后，他们前往帖撒罗尼迦。西拉最后在科林斯传教。传说他是该地第一任主教。一些学者认为他是《新约》的重要作者之一。

Silay　锡莱　菲律宾内格罗斯岛北部城市。位于巴科洛德北面，吉马拉斯海峡。为繁忙的商业和渔业港口，有大规模的制糖厂，有海滨公路干线通达各居民中心。人口约122 748（1995）。

Silbermann, Gottfried　西尔伯曼（1683-01-14，萨克森克莱恩包布里茨什[今在德国]～1753-08-04，德累斯顿）　德国杰出的键盘乐器制造家，著名乐器制造家族的一员。原在其兄、也是著名乐器制造家安德烈亚斯在斯特拉斯堡的作坊工作，1710年移居弗赖贝格，在该地制造斯平纳琴、击弦键琴和拨弦键琴，并试制钢琴。J.S.巴赫曾弹奏过他的钢琴，对其构造提出意见，西尔伯曼努力改进。最后，巴赫认为满意，甚至替他推销了一架钢琴。1736年他成为宫廷管风琴制造师，遐迩闻名。终身未娶，去世后其产业遗留给其侄J.D.西尔伯曼。

Silchar　锡尔杰尔　印度东北部阿萨姆邦南部城镇。傍苏尔马河，靠近孟加拉国边境。为茶叶、稻米和其他农产品的贸易与加工中心。工业有限，主要有造纸与茶箱制造。有飞机场，城市位于半佐拉姆邦艾藻尔和梅加拉亚邦首府西隆的铁路和公路线上。人口约115 045（1991）。

Silchester　锡尔切斯特　英格兰汉普郡北部贝辛斯托克-迪恩区的堂区。位于雷丁的西南面。附近有罗马不列颠重要城镇和交通枢纽卡累伐阿特雷巴特姆的遗迹，遗址中出土的文物多保存在雷丁博物馆。人口1 072（1981）。

silcrete　硅质壳　为富含硅的硬壳，是在土壤内部或上面的硬化层。通常出现在干热气候带中，有的地方偶然积水使氧化硅溶解，并再次沉淀，而将土壤颗粒胶结在一起。极为坚硬，耐风化和侵蚀，但最终发生球状风化而形成巨砾和有棱角的碎块。岛山或其他残丘顶上往往盖着一层硅质壳，在西澳大利亚的半荒漠地区，在花岗片麻岩母质上，发育了大面积几乎厚达10米的硅质壳堆积物。

silencer（automotive engineering）　参阅 **muffler** 消声器。

silent trade　无声交易　也称哑巴交换或库藏交换，是物物交换的一种特殊方式，交易双方交换货物时，不发生任何直接接触。一般是，甲群体到一个惯去的地点，将准备交换的货物存于该处，然后退出，有时喊叫一声或敲一声锣，作为信号，提醒对方。然后，乙群体的人们过来留下自己的货物，又退回去。甲群体的人们再过来，如果满意，就将乙群体的货物拿走；如不满意就再离开，直至对方另加货物使自己满意为止。最后乙群体的人们拿去甲群体的货物，结束交易过程。关于无声交换的古代描述，见于希罗多德的著作，他提到迦太基人和非洲西海岸诸民族之间的货物交换。据说，这种交易风俗也广泛流行于西伯利亚、拉普兰、西非、帝汶、苏门答腊、印度、斯里兰卡和新几内亚等地。无声交易常是相邻民族之间语言障碍或文化进展不同难于沟通的一种反映。

Silenus（Greek mythology）　**西勒诺斯**　参阅 **Satyr and Silenus** 萨堤尔和西勒诺斯。

Sileru River　锡莱鲁河　又称默杰贡德河。印度南部安得拉邦河流。源出东高止山，上游称为默杰贡德河。出默杰贡德水库后称为锡莱鲁河，从西北向南流，与一些海拔600～900米的山岭平行。在中央邦康塔对岸汇入萨巴里河。全长305千米。该河在贾拉普特筑有小水电站和水坝。

Silesia　西里西亚　波兰语作Śląsk。位于今波兰西南部的历史地区。1335年划为波希米亚王室领地，1526年与波希米亚王位同归奥地利哈布斯堡家族，1742年为普鲁士占领，1945年回归波兰。该地区主要由上、中奥得河盆地构成，西南至苏台德山，南抵贝斯基德山脉，东北界克拉科夫-维隆高地。现有波兰9个省，省会分别为卡托维兹、别尔斯克-比亚瓦、奥波莱、弗罗茨瓦夫、瓦乌布日赫、莱格尼察、耶莱尼亚古拉、绿山和卡利什；其余部分为德国勃兰登堡、萨克森州和捷克北摩拉维亚州的一部分。9世纪前，西里西亚主要由斯拉夫诸民族定居，北部为贾多尚人和巴布让人，南部为希莱赞人（西里西亚一名源于此族）、奥波莱人和戈伦西科人。10世纪时，捷克普热美斯王朝与波兰皮亚斯特王朝曾就西里西亚归属问题发生争执。波兰亲王梅什科一世于989～992年获取此地。1000年，波兰国王博莱斯瓦夫为加强其统治，将西里西亚建成主教区，首府初在斯莫戈尔佐弗，后迁往弗罗茨瓦夫。1163年因王室争权，西里西亚分为下（西北）西里西亚和上（东南）西里西亚，各归一皮亚斯特亲王统治。不久，又出现第3个公国。1241年，下西里西亚的亨利二世率波兰军队与日耳曼骑士团抵抗蒙古人的入侵，不幸在莱格尼察的战斗中阵亡。皮亚斯特诸亲王鼓励日耳曼人移居西里西亚，以提高农业生产力，发展采矿与纺织工业，扩充新城镇，因而该地区日益显出德意志特征。1335年，西里西亚附属于波希米亚王室，因此成为神圣罗马帝国的领土。1425～1435年胡斯战争期间，由于支持皇帝西吉斯蒙德反对波希米亚胡斯派，西里西亚遭受严重创伤。至15世纪末，西里西亚分裂为16个小国。1469～1490年接受匈牙利统治，其后再次并入波希米亚版图。1526年奥地利大公斐迪南（后为神圣罗马帝国皇帝斐迪南一世）即位波希米亚国王，西里西亚成为哈布斯堡家族领地。宗教改革使西里西亚接受新教。在三十年战争中，与波希米亚、萨克森一起反对哈布斯堡家族。在奥地利皇位继承战争（1740～1748）中，普鲁士腓特烈大帝曾占领西里西亚；奥地利只保留克尔诺夫、奥帕瓦及切申三个地区，1849年以前，这三个地区并入摩拉维亚，其后改为皇室领地。西里西亚的德意志人和基督教新教徒欢迎普鲁士的统治；它带来一体化的行政制度，更加关注地区的经济发展。由于铅、锌、铁、煤等矿产的开采与制造业及时得到发展，这一地区成为德国第二大工业区。第一次世界大战末，各方纷纷提出西里西亚主权要求。波兰与捷克平分了切申和奥帕瓦区。经过几次公民投票及一次波兰人起义，1921年波兰获得上西里西亚大部分煤铁产区；德国保留居民全是日耳曼人的下西里西亚。1939年，德军征服波兰，上西里西亚归属德国。1945年盟国同意把全部西里西亚划归波兰，把该区德国人迁至盟军管制的德国，共有300多万德国人西迁。大量波兰人从东部、北部迁来，到20世纪末，西里西亚拥有全波兰1/4以上的人口。

Silesian Wars　西里西亚诸战争　18世纪时，奥地利与普鲁士两国争夺西里西亚的历次战争。第一次西里西亚战争（1740～1742）及第二次西里西亚战争（1744～1745）为奥地利王位继承战争的一部分。第三次西里西亚战争（1756～1762）为七年战争（**Seven Years' War**）的一部分。普鲁士腓特烈二世重新提出勃兰登堡遗嘱中对西里西亚的主权要求，于1740年12月出兵进攻奥地利这个行省。1741年12月至1742年6月，双方鏖战之后，奥地利女皇玛丽亚·特蕾西亚决定与腓特烈讲和。1742年6月11日签订《布雷斯劳条约》，将西里西亚割让与普鲁士，仅留下特罗保、泰申及耶根多夫三地区。第二次西里西亚战争以普鲁士的一系列胜利为高潮，1745年12月25日签订《德累斯顿条约》，再次确认了腓特烈对西里西亚的占领。10年以后，玛丽亚·特蕾西亚收复失地的顽强意志再度以失败告终。1762年11月实现停战，结束了这场旷日持久的战争。次年2月16日订立《胡贝图斯堡条约》，承认维持原状，普鲁士仍据有西里西亚。

Silhak　实学　英语作Practical Learning。18世纪朝鲜的一个思想流派。提倡经世致用，而不盲目地和不加批判地遵从儒学教条。实学派反对新儒学，尤其是反对它的形式主义和繁文缛礼。实学派中有不少人提出改革社会尤其是土地改革和发展农业，并发表有关的著作。这些著作介绍了17和18世纪的耕作实践。该学派的杰出人物有李瀷（1681～1763）和朴趾源（1737～1805）。李瀷主要论述土地改革、经营农业以及消除阶级的隔阂和奴役。朴趾源则提倡发展商业和技术。自19世纪晚期输入西方文化以来，实学派和**西学（Sŏhak）**派都极力传播他们的思想，以促进朝鲜逐步走向维新的道路。

silhouette　剪影　又译西卢埃特。流行于18、19世纪的一种剪出或印成白底黑面或黑底白面的单色人物侧面影像和图像；也可为物体的轮廓或阴影。"西卢埃特"系嘲讽地以

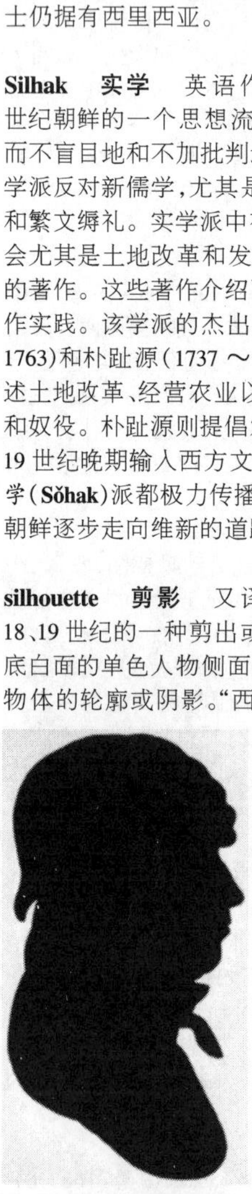

C.W. 皮尔制作的肖像剪影
美国国会图书馆供图

18世纪中叶吝啬的法国财政部长的姓氏命名，他的业余爱好是用纸剪影（此词后即演变为"便宜货"之意）。18世纪下半叶和19世纪初为这种艺术的黄金时代，其中最主要的剪影艺术家有托龙、夏尔、迈尔斯、罗森堡、布朗夫人、爱德华、哈姆雷特和比瑟姆夫人等。剪影的发展与轮廓画及影画的发展是相互联系的，影画可能起源于石器时代的洞穴壁画，在法国、西班牙洞穴的岩壁上发现了最早的描绘物体影子轮廓的画。侧面轮廓画在古埃及、美索不达米亚、克里特岛、希腊以及伊特鲁里亚的墓画、浮雕和陶器装饰方面得到进一步发展。古希腊和罗马的画家用日光及烛光或灯光投射人影以描绘其轮廓。后两种技法在17世纪的欧洲颇为流行，人们将影像绘在各种材料上，如熟石膏、蜡、犊皮纸和纸等，并常加以精细的装帧和衬托，镶以框架。在文艺复兴初期，发明影像绘图仪等器械，可以使轮廓画更趋准确。18世纪在欧洲和美洲将剪影作为私人纪念品的风气十分盛行。19世纪中期以后，由于达盖尔照相法及摄影术的发展，影画和剪影便成为一种民间艺术。它们大都由一些活动在街头巷尾、咖啡室和集市上的艺人所作。20世纪，迪斯尼和赖尼格的动画片，继承了剪影艺术的原理；偶尔有的漫画家也用这种技巧。

Silhouette Island　锡卢埃特岛　印度洋西部塞舌尔共和国塞舌尔群岛中第三大岛。位于马埃岛西北19千米处，面积20平方千米。最高点海拔751米。人迹罕到的山地仍为原始森林覆盖。全岛为国家公园受到保护。主要产品为椰干和鱼。人口约255（1982）。

silica　二氧化硅　又作silicon dioxide。地壳中两种含量最丰富的元素硅和氧的化合物，化学式 SiO_2。占地壳物质的59%，占已知岩石主要成分的95%以上。3种主要结晶变种是：石英（最富产的）、鳞石英和方石英，其他变种包括柯石英、热液石英和焦石英。石英砂制成波特兰水泥、混凝土和灰浆以及砂石，用于建筑和修路。还用来磨光玻璃、宝石；也用在铸造业中；以及制造玻璃、陶器、碳化硅（金刚砂）、硅铁、硅酮；并作为耐火材料和宝石。

silica gel　硅胶　非晶型多孔二氧化硅。用于除去气体或液体中的湿气和水分，浓缩液体，给涂料或合成薄膜覆盖一层无光泽表面，以及其他用途。早在17世纪40年代，硅胶就已为人所知，但直到第一次世界大战中发现其吸附性可用于防毒面具之前，一直被看作是一种稀奇的物质。通常酸化水玻璃等硅酸盐溶液可制得硅胶。制得的硅酸或形成硬块或变成胶状沉淀。用水洗涤除去其中的可溶性物质，最后加热除去水分，留下玻璃状固体硅胶颗粒。作为干燥剂的硅胶，为了使活性最高，它的水分没有完全除掉，而是留下少量的结合水。二氧化硅的真实密度为2.20克/毫升，但由于硅胶多孔，其整体密度要低得多。普通商品硅胶的整体密度约为0.7克/毫升，比表面积约为750米²/克。

silica mineral　硅氧矿物　二氧化硅（SiO_2）组成的一族矿物，包括石英、鳞石英、方石英、柯石英、斯石英、黑方石英、焦石英和玉髓。有许多种硅氧矿物已由人工合成，如热液石英和硅质岩。除斯石英外，所有硅氧矿物都由四面体群组成，四面体的中心是硅，四个角顶是氧。每个四面体都与另一个四面体共用一个氧原子，形成三维结构。各种硅氧矿物

表 1　硅氧矿物的同质多象变体

名称	结晶系	空间群	稳定范围	备　　注
低温石英（α-石英）	六方	$C3_12$ 和 $C3_22$	573℃以下	硅氧最常见的形态
高温石英（β-石英）	六方	$C6_2$ 和 $C6_42$	573～870℃	870℃以上为准稳态
低温鳞石英（α-鳞石英）	斜方			117℃以下为准稳态
中温鳞石英（$β_1$-鳞石英）	六方			117～163℃为准稳态
高温鳞石英（$β_2$-鳞石英）	六方	$C\frac{6}{m}mc$	870～1470℃	163～870℃为准稳态，1 470℃以上为非稳态，1 670℃则熔化
低温方石英（α-方石英）	正方	$P4_12_1$		在 200～250℃以下为准稳态
高温方石英（β-方石英）	等轴	$P2_13$	1 470～1 713℃	从 200～250℃到 1 470℃为准稳态，1 713℃则熔化
热液石英（K 硅氧）	正方	$P4_12_1$ 和 $P4_32_1$		在自然界中尚未发现，高压相
柯石英（C 硅氧）	单斜	$C\frac{2}{c}$ 或 Cc		陨石撞击下的特有矿物，高压相
O 硅氧				人工合成产品中室温下常见的形态，生成从 SiO_2 到 $LiAlO_2$ 的固溶体系列
焦石英（玻璃硅氧）				1 713℃以下为非稳定玻璃

的主要区别是四面体排列的具体几何特征，这引起了不同的晶体结构及其物理性质。石英的四面体堆集比鳞石英和方石英要密实一些，鳞石英和方石英都有比较大的空腔。这种堆集的差异在它们的密度上反映了出来。石英、方石英和鳞石英的密度分别是：2.65、2.32、2.26 克/厘米^3。在平衡条件下，这 3 种硅氧矿物同质多象变体中，每一种都有一个稳定场，但由于从一种结构到另一种结构的转变是缓慢的，所以在石英的稳定场内会找到鳞石英和方石英（见表 1）。每一种同质多象变体中又有高温型和低温型变体之分，这些只在结构上有细微差别。因此，在低压条件下，低温石英在 573 ℃以下是稳定的，这个温度以上高温石英是稳定的，高到 867 ℃时，高温石英转变为鳞石英。高低温型的转变只需要四面体群作微小的位移，所以转变很迅速。在成分上，石英通常是相当纯的，只有痕量的其他元素。相反，鳞石英和方石英则由于晶架具有空腔，很容易接纳其他原子，特别是铝、钠、钾和锂的原子，所以能含有占重量大约 1%的杂质。石英是地壳中第二位最丰富的矿物，存在于许多火成岩（如花岗岩和正长岩）中，以及热液矿脉中。因为石英在低温下化学性质和机械性质稳定，所以继续存在于各种碎屑沉积岩中。鳞石英和方石英产于火山岩（如流纹岩）中，并慢慢转变为石英。其他硅氧矿物当中，柯石英和斯石英是高压型，见于石英受到陨石冲击的地方。柯石英还产在某些来自上地幔的榴辉岩捕虏体里。斯石英和其他硅氧矿物的不同之处在于硅是四面体配位，而不是八面体配位，因而具有 4.3 克/厘米^{3}的高密度。热液石英是高压型，但在自然界没有发现。玉髓是隐晶质硅氧矿物，由细粒石英晶体和亚微观的孔隙组成。黑方石英结构中有空隙，空隙大到能包容硫原子。焦石英，即玻璃硅氧，是非晶质的，在自然界只偶尔能见到。

表 2：若干硅氧化物的性能，见 370 页。

silicate mineral　硅酸盐矿物　广泛分布于几乎整个太阳系里的一大类硅氧化合物矿物。硅酸盐类约占地壳和上地幔的 95%，是大多数火成岩的主要组分，在沉积岩和变质岩中，含量也相当多。在月岩样品、陨石和大多数小行星中，硅酸盐类也是重要组分。此外，行星探测结果查明水星、金星和火星的表面上也有硅酸盐类。在已知的将近 600 种硅酸盐矿物中，只有长石、闪石、辉石、云母、橄榄石、似长石和沸石有重要造岩意义。所有硅酸盐矿物的基本结构单位都是硅氧四面体，其中心的一个硅原子与周围的 4 个氧原子相连（即相配），每个氧原子各占有这个规则四面体的一个角顶。这些硅氧四面体单位可以共用氧原子而以种种方式接起来，造成不同的结构。这些结构的布局就是硅酸盐分类的根据。例如，孤立双四面体硅酸盐是由两个四面体共用一个氧原子的双四面体群。链状硅酸盐是单键结构，其中每个四面体各有两个氧原子共用。层状硅酸盐具有层状结构，其中每个四面体与另外 3 个四面体各共用一个氧原子。架状硅酸盐是四面体的三维格架，每个四面体中的所有氧原子全都是共用的。20 世纪初，使用 X 射线衍射法测定晶体结构，发现了硅氧四面体连接的详细情况。在此之前，硅酸盐的分类是以化学和物理的相似性为基础的，这种分类往往不明确。虽然，一组硅酸盐矿物的许多性质取决于四面体的连接方式，但结构中其他原子的类型和位置也是同等重要的因素。硅酸盐矿物可以被认为是氧原子的三维空间排列，其中含有各种阳离子可以进入的空隙（即点阵位置），除四面体（4 次配位）位置外，6 次、8 次和 12 次配位位置都是常见的。离子的大小与其可能占有的位置的类型之间存在着一种关系：阳离子越大，配位数就越大，因为大的阳离子具有氧原子可与之接触的更大的表面积。四面体配位位置通常为硅和铝所占据；6 次配位位置为铝、铁、钛、镁、锂、锰和钠所占据；8 次配位位置为钠、钙和钾所占据；12 次配位位置为钾所占据。离子大小相似的元素常常相互替代，例如，铝离子只比硅离子稍大一些，在 4 次和 6 次配位中都可以代替硅。

siliceous rock　硅质岩　大部或几乎全部由二氧化硅（SiO_2）组成的沉积岩，二氧化硅呈石英或非晶质二氧化硅和方石英存在，包括由化学沉淀形成的、不包括碎屑成因的岩石。最常见的硅质岩是燧石，这是一种致密的微晶质岩石，由玉髓和石英组成，是丰富程度仅次于石灰岩的化学沉积岩。呈层或结核状产出。层状燧石由硅藻和放射虫一类硅质化石组成，这些硅藻和放射虫在海底形成硅质软泥。当这些生物体下沉时，它们的壳在海底附近溶解，又再次沉淀在贝壳碎屑间的空隙中，形成坚硬的层状岩石。层状燧石在富含硅质生物的地区常见，如火山附近。在这里火山玻璃很快发生蚀变，产生高浓度的二氧化硅。类似的过程也发生在伴有火山的淡水湖泊中。结核状燧石似乎是由早先存在的沉积岩蚀变而成。在此过程中，分布于岩石中的二氧化硅溶解，再沉淀形成结核。硅质页岩和硅质灰岩一类混合沉积似乎也是硅质有机物成岩作用再分配的结果。

siliceous sponge　硅质海绵　骨骼主要成分为硅质的一类海绵，这仅是与骨骼成分为碳酸钙或有机纤维质的海绵相对而言。已知的海绵种类中 95%以上有硅质骨骼，属于多孔动物门寻常海绵纲。硅质骨骼通常由游离的骨针组成，不同种类的骨针大小和形状极不相同，因而有助于鉴定种类。主要为海产，少数淡水产。硅质玻璃海绵属于六放海绵纲，分布于深水中，包括拂子介属（*Hyalonema*）和偕老同穴属（*Euplectella*），其骨骼呈斜条结构状，俗称"维纳斯花篮"，在维多利亚时代为收藏家所珍视。参阅 **calcareous sponge**；**horny sponge**。

silicic acid　硅酸　含有硅、氧和氢的化合物。被看作是能衍生出一大类硅酸盐（矿物、盐和酯）的母体物质。化学式为 $Si(OH)_4$ 的硅酸，只能制成不稳定水溶液。硅酸分子容易相互缩合，形成水和聚合链、环、片，或构成硅胶和许多在水中溶解度很低的矿物的三维网络结构单元。由乙醇和四氯化硅制备的几种硅酸酯都是对热稳定的液体，用作润滑剂和液压用流体。

silicon　硅（Si）　周期表Ⅳa族碳族中非金属的化学元素。占地壳组成的 27.7%，丰度仅次于氧居第二位。1824 年瑞典化学家 J.J. 贝采利乌斯首先分离出硅，并认为它是一种元素。自然界虽不存在非化合态的硅，但实际上在所有岩石以及砂、黏土和土壤中，都存在硅的化合物：或者与氧化合成二氧化硅（SiO_2），或者与氧和铝、镁、钙、钠、钾、铁等其他元素化合形成硅酸盐。在各种天然水中、大气（作为含硅尘埃）中、很多植物中和某些动物骨骼及其组织和体液中，也都有硅的化合物。纯硅是一种质硬的深灰色固体，具有金属光泽。其晶体结构和金刚石相同，很多

表 2 若干硅氧矿物的性能

名称	颜色	光泽	莫氏硬度	比重	习性和形态	断口或解理面	折射率	备注
柯石英	无色	玻璃光泽	≈8	2.9～3.0	透明、细粒基质材料		$\alpha=1.593$ $\gamma=1.597$	和硅氧的其他同质多象变体不同，室温下在5%的氢氟酸中不会溶解，是陨石撞击下的特有矿物
方石英（低温形态）	白色或乳白色	玻璃光泽	6½	2.2～2.3	小的八面体晶体	没有明显的解理面	$\omega=1.484$ $\varepsilon=1.487$	具有高温形态
正绿方石英（纤维状低温方石英）	白色、灰色、淡蓝色、浅黄色			2.0～2.1	半透明到不透明，纤维状皮壳和葡萄状集合体			
蛋白石（亚细晶粒的低温方石英）	白色到无色，乳白色到淡蓝白色；有多变的淡色色调	玻璃到亚玻璃光泽，松脂光泽或珍珠光泽	5½～6½	2.0～2.3	亚细结晶集合体；球状或腰子状皮壳；不规则状结核	贝壳状断口	$n=1.435$ ~1.455	化学式为$SiO_2 \cdot nH_2O$
石英（低温形态）	各种颜色	玻璃到油脂光泽（粗晶粒的）蜡状到乌光（细粒的）	7(硬度标准)	2.65	柱状和菱形晶体；块体	贝壳状断口	$\omega=1.544$ $\varepsilon=1.553$	压电性；热电性，左右形；具有高温形态
鳞石英（低温形态）	无色到白色	玻璃光泽	7	2.26	薄的透明板晶（鳞石英的假晶）	贝壳状断口	$\alpha=1.468$ ~1.479 $\beta=1.469$ ~1.480 $\gamma=1.473$ ~1.483	具有高温形态

物理性质和化学性质与金刚石相似。除棕色粉末状硅以外，还存在一种微晶结构。工业上，在电炉中用焦炭还原硅的氧化物（从氧化物中除去氧）制备元素硅。少量硅可用铝还原硅的氧化物制备。硅和碳相似，常温下不很活泼，受热时与卤素（氟、氯、溴和碘）猛烈反应生成卤化物，并与某些金属反应形成硅化物。除氢氟酸外不与其他酸反应。在灼热情况下，与水蒸气或氧反应，形成二氧化硅的表面层。硅和碳在电炉温度（2 000～2 600 °C）下化合时，形成一种重要的磨料碳化硅（人造金刚砂 SiC）。硅与氢化合，形成一系列氢化物，即硅烷。常温下，硅烷是气体。硅与烃类基团结合形成一系列有机硅化合物。硅的原子结构使它成为极重要的半导体；掺有硼、磷和砷等元素的高纯硅是用于计算机芯片、晶体管、硅二极管和各种其他电子电路和开关装置中的基本材料。纯度较低的硅在冶金中用作还原剂，还在钢、黄铜和青铜中用作合金元素。硅的最重要化合物有二氧化硅（硅石）和各种硅酸盐。以砂和黏土形式存在的二氧化硅用来制造水泥、砖和高温耐火材料。作为矿物石英的二氧化硅加热时变软，并可加工成石英玻璃制品。硅酸盐大多不溶于水，均可用来制造玻璃、搪瓷、陶器、瓷器和其他陶瓷材料。硅酸钠俗名水玻璃，用于制皂、木材防腐处理和蛋类保鲜涂料及染色。硅酮是由硅、氧、碳和氢四种元素组成的合成有机硅氧化物。这类化合物化学上不活泼，高温下非常稳定，已用于润滑剂、液压流体、防水化合物、清漆和搪瓷中。已知硅有3种稳定同位素：在自然界的硅中，硅 28 占 92.21%，硅 29 占 4.70%，硅 30 占 3.09%。硅有 4 种放射性同位素。硅的原子序数 14。原子量 28.086。熔点 1 410 °C。沸点 2 355 °C。密度 2.33 克/厘米^3。氧化态 -4、(+2)、+4。电子组态 2,8,4 或 $1s^2 2s^2 2p^6 3s^2 3p^2$。

silicon carbide　碳化硅　商品名金刚砂。硅与碳的晶态化合物，质地非常硬，透明而带绿色色泽。化学式为 SiC。自 1891 年发现碳化硅（美国发明家 E.G.艾奇孙发现）时起，至 1929 年发现碳化硼时止，碳化硅现当时已知的硬度最高的人造材料。为试图制造人造金刚石，艾奇孙把黏土和焦炭的混合物置于铁皿中，用普通弧光碳棒进行加热。他发现有晶莹的六方晶体附着在碳电极上，遂认为制得了一种由碳和黏土中的氧化铝化合而成的新化合物。艾奇孙将此新化合物称之为金刚砂，因为自然矿物形态的熔凝氧化铝称为刚玉。由于艾奇孙发现这些晶体的硬度接近金刚石，他立即认识到他的这项发现的意义，便申请了美国专利。他制造的早期产品出售供宝石的抛光之用，售价与天然金刚石粉不相上下。这一新化合物可得自廉价原料，并且产率高，不久便由于广泛用作磨料而在工业上具有重要价值。约在艾奇孙发现这一化合物的同时，法国 H.穆瓦桑从石英和碳二者的混合物制得了类似的化合物。但是，穆瓦桑在一份 1903 年出版物中，把最早的发现归功于艾奇孙。有一种天然碳化硅见于亚利桑那州代阿布洛峡谷的陨石中，其矿物学名为碳硅石。碳化硅晶体除硬度很高之外，机械强度也高，并具有断裂特性，这些使得它在砂轮、砂纸和砂布制品中极其有用。碳化硅导热性优良，并具抗熔融或抗氧化作用，因此，在制造耐高温砖和其他耐火材料中很有价值。碳化硅在冷态时是优良的电绝缘体，但是随着温度升高其导电性增强，到 2 000 °C时其导电性与石墨相同，因而，碳化硅被划归半导体类，它的这种性质有许多用途。碳化硅现由纯石英砂与焦炭形式的碳混合，在电炉中加热制成。

silicon dioxide（chemistry）　参阅 **silica 二氧化硅**。

silicon hydride（chemistry）　**硅氢化物**　参阅 **silane 硅烷**。

Silicon Valley　硅谷　美国加利福尼亚州中西部工业集合城市。自东南的圣何塞到西北的帕洛阿尔托绵延约 40 千米。硅谷范围包括圣何塞谷和圣克拉拉谷，并包括森尼韦尔、圣克拉拉、洛斯阿尔托斯及芒廷维尤等 6 个社区。硅谷因 20 世纪 70 年代和 80 年代在那里兴起的电子仪器和电脑公司及所属工厂的密集而得名（硅是电脑电路中半导体元件的基本材料）。至迟到 90 年代初，硅谷的经济重点已经部分地从电脑制造转向电脑产品和软件的研究、开发和市场销售。

silicone　硅酮　又称聚硅氧烷。可制成液体、树脂和弹性体多种形态的聚合物。其部分组成虽是有机化合物，但硅酮分子和大多数聚合物不同，在它的结构主链中没有有机化合物的特征元素碳，而是硅原子和氧原子交替的聚硅氧烷链。这类聚合物中大多数有两个有机基团与每一个硅原子相连，通常为甲基($—CH_3$)或苯基($—C_6H_5$)。硅酮液体非常稳定，受热、遇水或氧化剂不会分解，且是良好的电绝缘体。用作液压液组分和乳液分层剂并可使纺织品、纸张及许多其他物质具有防水性。硅酮橡胶的价值在于它具有绝缘性、化学稳定性及在很宽温度范围内的回弹性。硅酮树脂用作保护涂层、电绝缘清漆及层压玻璃布。

silicosis　硅肺　因长期吸入二氧化硅而造成的肺部慢性疾病。(二氧化硅是砂子和多种岩石的主要矿质成分)。硅肺是尘肺的一种。此病最常见于矿工、采石工、石匠、隧道工，以及包括研磨、喷砂、打光等工序的任何工作。硅肺是最古老的工业病之一，18 世纪就在磨刀匠和陶工中发现，现在仍是发达国家中最常见的粉尘引起的呼吸道疾病。大多数病例需要一二十年职业性接触二氧化硅才能发展为硅肺。接触的二氧化硅浓度小于每升 21 万颗粒时很少发生本病。只有极小的二氧化硅颗粒(直径小于 10 微米时)才能进入小气道，而以直径在 1～3 微米的颗粒造成的危害最大。硅肺的症状是气短，继而是咳嗽、呼吸困难和无力。这些症状都是由于肺组织纤维化降低了肺的弹性。在发病过程中，细小的二氧化硅颗粒被肺内的巨噬细胞吞噬；巨噬细胞在肺内起清除作用，使机体免受细菌侵袭。但巨噬细胞不能消化二氧化硅颗粒，反而被它们杀死。死亡细胞聚集起来形成纤维组织小结，小结再逐步增大形成纤维块。这一圈圈纤维组织可扩展至心脏周围、肺门及腹淋巴结，使肺容积减少，气体交换受阻。硅肺使人易得结核病、肺气肿和肺炎。在过去，大部分硅肺患者死于结核病，不过随着抗痨药的出现，现局面已有改变。硅肺无有效疗法，所以控制本病主要在预防。使用保护性面罩、工地通风，以及定期 X 射线检查工人肺部，这些措施已帮助减少了本病的发病率。

Silifke　锡利夫凯　又称塞琉西亚(Seleucia)。土耳其中南部城镇。位于戈斯库河下游右岸，远眺塔乌拉斯山脉。锡利夫凯灌溉工程向肥沃的戈斯库三角洲低地提供水源。该镇是周围地区农产品的市场中心，盛产棉花、烟叶、葡萄、橄榄、大豆和小扁豆。工业产品有饮料、纺织品、鞋类、服装、化学制品、电气装置、运输设备、塑料、玻璃、陶器、罐头水果和蔬菜。城南 5 千米有公元前 3 世纪初塞琉古一世所建塞琉西亚特拉琪亚古城的遗迹。山顶有拜占廷堡垒的遗址。人口46 858(1990)。

Silīguri　西里古里　印度东北部西孟加拉邦北部城市。位于默哈嫩达河西岸。是来自噶伦堡和锡金的马车道的终点，有铁路和公路通大吉岭和杰尔拜古里。为与大吉岭、锡金和中国西藏之间的贸易中心。锯木与黄麻纺织业为主要工业。设有北孟加拉大学的一个附属学院。1947 年南亚次大陆印巴分治以及 1971 年孟加拉国建立后，该城成为难民集中地。由于国际边界纠纷，该镇战略地位重要。人口216 950(1991)。

Silistra　锡利斯特拉　保加利亚东北边缘城镇。濒临多瑙河，与罗马尼亚隔岸相望。城南与东南有古城堡遗址。2 世纪初叶罗马人在杜罗斯托鲁姆建军营。15 世纪初叶为贸易中心、土耳其要塞。1878 年划归保加利亚。第二次巴尔干战争(1913)后，归罗马尼亚。1940 年复归保加利亚。现为现代化城镇。工业制品有纺织、家具、砖瓦、草席、包装材料、蒲制板等。河港粮食运输量大，有铁路通鲁塞—瓦尔纳铁路，公路通罗马尼亚。所在地为肥沃的农业区，以出产牲畜、粮食、豆类、甜菜和葡萄闻名。人口约55 617(1992)。

Silius Italicus　西利乌斯·伊塔利库斯(25 或 26，意大利帕塔维乌姆～101)　拉丁史诗诗人，他的12 000行的《布匿战记》，描写第二次布匿战争，是拉丁文学中最长的史诗。早年即为著名律师。后从事公共事业。68 年，即尼禄去世之年，出任执政官。他与尼禄的瓜葛使他的名誉受损，后来他任亚细亚总督，成绩斐然，才除去这一不光彩的污点。后归隐乡里。他颇富有，故能奖励文学艺术，以满足自己的情趣。他十分崇拜维吉尔和西塞罗，竟致买下并修葺了维吉尔在那不勒斯的墓地，又买下西塞罗在塔斯库卢姆的庄园。他显然是因患不治之症，自己断食而死。他曾大量利用李维的史料，详述了第二次布匿战争中的全部 6 次战役，在形式和神话方面模仿了维吉尔的《埃涅阿斯纪》。他笔下的汉尼拔写得颇见戏剧技巧。史诗曾受到苛评，从 18 世纪以来很少再版。

Siljan　锡利扬　瑞典中部科帕尔贝里省(即旧达拉纳省)湖泊。面积 290 平方千米；若包括乌沙湖和因湖在内，面积共达 354 平方千米。为瑞典第六大湖。在莫拉接纳厄斯特达尔河后，该湖向东南延伸成两个湾。东北赖特湾较宽，南边奥斯特湾较窄。湖宽 1.6～11 千米。湖岸犬牙交错，树木茂密，间有草地，村镇恬静优美，为瑞典最佳名胜之一，是著名旅游中心。

silk　丝　由某些昆虫分泌的动物纤维。商业用丝几乎全是从桑蚕属蛾类的幼虫所结蚕茧上得到的。在传说中，丝和丝织物的起源古老而幽渺，但中国无疑是最早生产丝的国家。据记载，在公元前 3 千纪中期前中国就有了丝，公元前 1 千纪开始用丝与外国进行贸易，不到几个世纪，商队定期将丝绸运往印度、突厥斯坦和波斯。传说约公元前 140 年养蚕业和丝从中国经陆上传入印度，公元 2 世纪印度生丝和丝绸经海上输往波斯(几个世纪后日本也建立并发展了养蚕业)。安息帝国时期(公元前 247～公元 224)波斯成为东、西方之间的丝绸贸易中心，织丝和染丝在叙利亚、埃及、希腊和罗马成为专门手艺，工人生产时使用东方的生丝，养蚕法仍然是亚洲的秘密。地中海沿岸地区终于产生了使用本地生丝的强烈要求，拜占廷皇帝查士丁尼一世(527～565)暗嘱两名在中国居住过的僧侣返回中国，用竹筒将蚕偷偷带到君士坦丁堡(约 550)。此后养蚕业在欧洲蓬勃发展，特别是在意大利的城邦和 1480 年以后的法国。后来日本采用现代化的养蚕方法，向世界提供大部分生丝。蚕吐出连续长丝绕自身成茧。蚕体内有两个腺体分泌丝液，从头部的吐丝口吐出，遇到空气后凝固，形成由天然蛋白质丝心蛋白组成的两根单丝。蚕体内的另一对腺体分泌丝胶，把两根单丝黏着在一起。羽化的蛾子要咬破蚕茧，所以用蒸汽或热空气将茧中成蛹的幼虫杀死。一个蚕茧上可用丝的长度为 600～900 米。缫丝时，软化丝胶使茧层松散，找出丝头，同时从几个茧子上抽出丝缕，加捻成单股生丝。单股生丝常嫌太细，将几根生丝捻合在一起，成为较粗、强度较大的长丝，这种工艺称为捻丝。由于加捻的程度和方向不同，可产生各种不同的丝线。含有丝胶的丝称为生丝，在加工过程中丝胶起保护作用，常保留到纺织阶段，然后在肥皂水中煮沸，去掉丝胶，使丝缕柔软并富有光泽。丝胶的含量可达茧丝重量的 30%。绢丝是由破茧或加工过程中形成的短丝经加捻而成的丝线。长丝的粗细用旦尼尔(每9 000米重 1 克为 1 旦尼尔)表示，简称旦。有时用金属盐等处理蚕丝，以提高密度，改善悬垂性能，这种加工过程称为增重。去胶后的丝富有光泽、半透明、表面光滑、不易变脏。蚕丝的强度约 4 克/旦，润湿使强度降低约 15%～25%。蚕丝拉伸至断裂前能伸长 20%，伸长超过 2% 之后不能立即恢复到原来的长度。蚕丝的密度比棉、毛、人造丝等纤维低，吸湿性能良好，可吸收为自身重量 1/3 的水分而不感到潮湿，并具有良好的染色性能。蚕丝的耐热性能比羊毛好，大约在170°C时分解。长期在条件较差的情况下贮藏会使蚕丝的强度降低，日光暴晒会导致分解，但很少受霉菌侵蚀。弱碱和普通干洗剂对蚕丝无损坏作用。蚕丝在摩擦时会产生静电，相对湿度较低时尤为明显。第二次世界大战后虽在制袜业和服装业中大部分被尼龙丝所代替，蚕丝仍然是重要的高级纤维材料。当今主要的生丝生产国有日本、韩国和泰国。

silk painting　帛画　中国古代画在丝织物——帛上的图画。现存属于晚周，约在战国(公元前 475～前 221)中期者 3 幅；属于西汉(公元前206～公元8)初期者6幅。晚周3幅，发现于湖南长沙战国楚墓。一幅为《人物

楚帛书《缯书》，湖南长沙子弹库楚墓出土
中国大百科全书出版社供图

夔凤帛画》，绘一长袖细腰女子，侧身合掌而立，夔腾凤舞引她升天；一幅为《人物御龙帛画》，绘一危冠长袍男子，带剑、携鹤，御龙升天。二图男女均系墓主，表达了墓主卒后登

西汉彩绘帛画，湖南长沙马王堆出土
中国大百科全书出版社供图

天国的希望与祈求。与当时战国流行的神仙思想相合，从屈原《楚辞》等有关作品中即可找到证明。此二图人物形象塑造甚为成功，人体部位比例处理相当准确，龙凤刻画甚为生动，技巧已相当成熟。比较起来，后者更高。第三幅为帛书，亦称《缯书》，现藏美国纽约大都会博物馆。帛书计900余字，四周有彩绘图像，文字分别记载伏羲、女娲经营天地，驱除毒虫，生日月，定四时等事。西汉初期6幅，有5幅发现于湖南长沙马王堆汉墓，1幅发现于山东临沂银雀山汉墓。其中3幅从内容到构图以至于绘画风格，都呈现出惊人的相似。上方描绘天上景象；中间描绘墓主生前及其侍从形象和一些生活场面；下层描绘地下景象，有鱼龙龟蛇之属，当象征黄泉或沧海。上下两层所绘，在古代神话传说中，均可找到根据；中层所绘提供出很多汉初上层贵族大官现实生活中的形象资料。三图均重彩傅色，幻想与现实交织在一起，更觉奇幻瑰丽，动人心目。这3幅名曰“非衣”。未葬时张于灵堂，出殡时作为前导，入墓时覆于棺上。寓有导引死者灵魂升天之意，反映出汉初流行的神仙思想与富贵之家崇祖厚葬之风。另外3幅均表现现实生活，没有幻想成分。其一表现耕祠（农耕、祭典）；其二内容略同（残损过甚，不易判定）；其三为气功强身图解，有助于对古代医学的了解。这些帛画是目前存世最古的中国画，皆系1949年以后所得，显示出两千多年前中国绘画艺术的水平。尤以战国2幅人物和汉初3幅“非衣”，形象生动，线条劲利，色彩明丽，正能填补中国古代绘画史上一段重要时期的空白。

Silk Road　丝绸之路　又作 Silk Route。古时连接中国与西方的通商路线，通过此路沟通了罗马和中国两大文明古国之间货物运输和文化。丝绸运往西方，呢绒和金银运往东方。中国经由这一路线又输入了景教和佛教（从印度）。这条路实际上是一个商队小路，起自西安，全长6 400千米，先沿中国的长城西北行，绕过塔克拉玛干沙漠，登上帕米尔高原，穿越阿富汗，继续前进至黎凡特，商品由这里装船横渡地中海。旅行全程的人寥寥无几，货物是经掮客们辗转交运的。随着罗马帝国在亚洲的领土逐渐丧失和阿拉伯势力在黎凡特的抬头，丝绸之路日益失去安全，直至行人绝迹。13和14两个世纪里，在蒙古人的统治下，这条道路又恢复了活力；当时，马可·波罗沿着这条道路去中国旅行。这条道路现在通行的部分是巴基斯坦与中国新疆维吾尔自治区之间的公路。联合国在旧丝绸之路启示下，有一个修筑横贯亚洲的公路的计划。

silk spider　络新妇　又称 golden silk spider（金丝蛛）。节肢动物门蛛形纲络新妇属（*Nephila*）动物。其丝拉力甚大，结大型金黄色圆网，网的直径通常在1米或1米以上，以拉丝悬在树间。生活在温暖地区，约60种。雌性成体形大，体长25～50毫米。雄蛛甚小，只有4～6毫米，不结网，住在雌蛛网上，企图与雌蛛交配时，有时会被雌蛛捉住吃掉。幼体结成完整的网，而成蛛只结网的下部，常进行修补，而不像其他多数**圆蛛**（**orb weaver**）一样每天重新结网。

Šilka River（southeastern Russia）　参阅 **Shilka River 石勒喀河**。

Silkeborg　锡尔克堡　丹麦日德兰东部奥胡斯州城市。位于奥胡斯市西面，濒临古曾河和朗索湖。在中世纪为主教城镇，地位较重要。在宗教改革运动后，它的城堡成为王室渔猎基地。今日城市建于1900年，系在原来一造纸厂周围发展起来。现为铁路交叉点，产品除纸张外，还有农机、纺织品和啤酒。该市也是著名的疗养胜地和锡尔克堡-朗索湖区的中心，周围有树木成林的乡村，石南属植物丛生的地区和丘陵地，包括希默尔山（147米）和于丁山（丹麦最高点，173米），因而成为丹麦风景最佳和最受人欢迎的游览区之一。该城西面几千米处有丹麦杰出戏剧家K.蒙克的纪念碑，1944年他在此被纳粹杀害。人口：市约34 049（1988）；城市区约48 280（1990）。

silken fungus beetle　丝蕈甲　又称 cryptophagid beetle（隐食甲）。鞘翅目隐食甲科昆虫，约800种。成体长1～5毫米，密布细丝状毛；体卵圆形，黄褐色；常取食真菌和腐败植物。有的种生活在黄蜂和蜜蜂窝内。

silkworm moth　蚕蛾　鳞翅目蚕蛾科蚕属（*Bombyx*）昆虫，喂养以取其丝。养蚕业历史悠久，原产中国的家蚕已引到世界各地，并已驯化。成蛾翅展40～50毫米，体粗壮多毛，寿命只2～3天，不取食，也很少飞行。产卵

桑叶上的蚕幼虫（*Bombyx*）
合众图际社供图

约300～500粒。幼虫（蚕）白色，无毛，具特征性的尾棘；主要以桑叶为食，有时亦食桑橙或莴苣的叶；生长45天后可长达75毫米。幼虫成熟后吐出一条连续的长约915米的丝，结成一茧，在其中化蛹。为取用其丝，人们用热空气或蒸汽杀死其蛹，并保持其丝的完整性。英语 giant silkworm moth 指**天蚕蛾**（**saturniid moth**），属于天蚕蛾科。

silky flycatcher　丝鹟　又称丝羽翔食雀。太平鸟科丝鹟亚科（Ptilogonatina）四个种的统称。分布于从内华达南至巴拿马的干旱灌丛地带。羽毛柔软，嘴阔，具羽冠，体长约19厘米，全部为树栖。主要以槲寄生浆果为食，亦食昆虫，在捕食昆虫时，像真正的鹟一样从栖木上猛扑下去。最著名的是亮丝鹟（*Phainopepla nitens*），其雄性为黑色，雌性为灰色；卵灰白色，具深色斑，二亲鸟共同孵卵，并一起照管幼雏。丝鹟属（*Ptilogonys*）种类为灰色，胁黄色。黑黄丝鹟（*Phainoptila melanoxantha*）与之相似，但雄性背部有淡紫黑色斑片，雌鸟背部为深绿色。

silky oak　丝栎　又称 silk oak（银桦）。即粗壮银桦（*Grevillea robusta*）。原产澳大利亚的山龙眼科（Proteaceae）高大乔木，在温暖地区常栽作行道树，幼龄树作为室内盆栽植物。可观赏其羽状叶和生于无叶的枝梢上的橙红色花簇，在澳大利亚又用作材用树。

silky terrier　丝光㹴狗　一个澳大利亚玩赏狗品种。在悉尼育成，一度称为悉尼丝光狗，体矮，高23～25厘米，重3.5～4.5千克。被毛细而发亮，蓝灰色和棕褐色相间，头部有银灰色或棕褐色毛。培育以用作伴侣狗，性温顺，机敏如㹴狗。

sill　岩床　又称岩席（sheet）。指与围岩层面平行的板状侵入体。虽然岩床可以具有从直立到水平的各种方位，但以近似水平的岩床最常见。岩床的厚度可从几分之一英寸到数

百英尺，长可达数百英里。岩床具有各种类型的岩石成分；著名的基性岩床受到很大注意，因为基性岩床提供了有关这类岩浆结晶习性的知识。岩床可以根据形成岩床的侵入次数和岩石类型多样性进一步分类：①单式岩床，由一次侵入造成；②复式岩床，由二次或更多次侵入造成；③复合岩床，由一次以上的侵入期内侵入的一种以上的岩石类型组成。

Sill, Anna Peck　西尔(1816-08-09，美国纽约伯灵顿～1889-06-18，伊利诺伊罗克福德)　美国教育家，开办并管理一所女子学校(后来发展成为罗克福德学院)。20岁时开始在校任教，1843年在纽约州沃索开办书院。1846～1849年任纽约州奥克菲尔德的卡里特别中学女生部主任。1849年应邀在罗克福德开办女子学校。罗克福德人希望该校能发展成为女子书院，西部大学与神学教育促进会已取得开办的特许状。学校开学时有学生60人。1850年确定即以其为书院的基础。1852年批准西尔任罗克福德女子书院院长。她对学生纪律严明，一向主要以教育作为宗教的工具。虽然如此，她还是保持了学术上的高标准，使该校位于中西部女子教育的前列。19世纪70年代，她开始要求把学校的地位升至大学。尽管1882年已经可以授予学位，但直到1892年才改名为罗克福德学院。1884年退休后仍住在书院，直至去世。

Silla　新罗　古代朝鲜的三个王国之一，668年统一朝鲜，为**统一的新罗王朝(Unified Silla Dynasty**, 668～935)。据传公元前57年为赫居世所建。2世纪时，朝鲜半岛东南部已经存在一个独特的地方部族联盟。奈勿王时代(356～402)，金氏家族建立起世袭君主制度，颁布国家法律和法令。法兴王时代(514～540)吞并半岛东端伽倻国的东半部，新罗遂成为强大的王国。新罗贵族享有各种特权，垄断所有重要官职。出土的金冠和金带表明他们生活的豪华。雕刻和装饰品有抽象倾向。古老的新罗陶器为无釉的灰色粗陶器，有纹理和几何图形饰纹，器皿轮廓分明，线条实用。在国家的鼓励下，佛教盛行，建立许多庙宇，主要有皇龙寺、佛国寺和石窟庵。真兴王时代(540～576)成立特殊的军人组织花郎徒。660年联合唐朝征服百济，668年又征服高句丽。随后进行10年战争，赶走唐朝军队，在朝鲜半岛建立起统一的王国。

Sillanpää, Frans Eemil　西伦佩(1888-09-16，俄罗斯帝国芬兰海门屈勒～1964-06-03，赫尔辛基)　芬兰第一个获得诺贝尔文学奖(1939)的作家。1924～1927年在波尔沃一家出版公司工作。30年代初从事写作，发表不少佳作。第一部长篇小说《生活与太阳》(1916)是他颇有代表性的作品，其中人被描写成大自然的一部分。1918年写成长篇小说《赤贫》(1919)，描写一个参加了赤卫队的佃农(他并不明白这在意识形态上意味着什么)的故事。他的中篇小说有《海尔杜和拉纳尔》(1923)，是一个悲剧性的恋爱故事。20年代后期出版了几本短篇小说集之后，又发表了他最著名但并非最完美的作品《少女西丽亚》

供图：Kustannusosakeyhtio Otava

(1931)，描写一个古老农民家庭的故事。在《一个人的道路》(1932)里，他把现实主义因素和抒情因素糅合在一起，写一个青年农民成长的过程。《夏夜的人们》(1934)是他在文体上最为完美和最富诗意的小说。他的回忆录有《讲述与描写》(1953)和《一天的高潮》(1956)。

Sillein (Slovakia)　**锡莱恩**　参阅 **Žilina** 日利纳。

Sillery　锡耶里　加拿大魁北克省南部城市。在圣劳伦斯河北岸。过去是重要的木材输出港，现在主要为魁北克市郊住宅区。1947年设市。人口12 519(1991)。

Silliman, Benjamin　西利曼(1779-08-08，美国康涅狄克北斯特拉特福～1864-11-24，康涅狄克纽黑文)　美国地质学家和化学家，曾创办《美国科学杂志》并对美国科学的发展施以强烈影响。1796年耶鲁大学毕业，任该校化学与博物学教授。他在通过大规模收集矿物标本以扩大学院教育经费方面及建立设菲尔德科学学院、特朗布尔画廊及医学院等方面起了很大作用。他常常应邀去作科学讲座报告，他还是一位知名教师。1818年他创办了《美国科学与艺术杂志》(后简化为《美国科学杂志》)，多年间此杂志简称为《西利曼杂志》。这杂志作为美国科学论文之重要窗口，成了世界上最大的科学杂志之一。这杂志一直存在着，但仅仅奉献于地质学。1853年他以名誉教授的身份退休。著有《英格兰、荷兰与苏格兰游记》(1810)和《化学原理》(1830)。夕线石(sillimanite)即为纪念西利曼而命名的。

Silliman, Benjamin　西利曼(1816-12-04，美国康涅狄格纽黑文～1885-01-14，纽黑文)　美国化学家。其关于原油产品潜在用途的报告，促进了宾夕法尼亚州泰特斯维尔附近第一口生产油井的钻探规划。他是美国著名地质学家兼化学家老西利曼(1779～1864)之子，曾协助他父亲在1842年建立了一个化学试验室，由此发展成为耶鲁大学的设菲尔德理学院。1849～1854年，他在肯塔基州的路易斯维尔大学教医用化学和毒理学。后接替他父亲在耶鲁大学任化学教授。他写出许多关于矿山和大量生产的工艺流程方面的论文，进行了关于陨石、摄影术以及气体方面的基础研究。其《西利曼报告》(1855)列出了他对原油以及可以从原油中提炼出来的具有潜在价值的产品的分析。著作有《化学基本原理》(1847)和《物理学基本原理》(1858)。1838～1845年协助他父亲编辑《美国科学杂志》，后任总编辑终生。

sillimanite　夕线石　又作fibrolite。又称矽线石、硅线石。褐色、浅绿色或白色玻璃状硅酸盐矿物，通常为长的，纤细的针状晶体，呈纤维状的集合体。是一种硅酸铝(Al_2OSiO_4)，产于受过热力变质或区域变质的富含黏土的岩石(片岩和片麻岩)中。夕线石产于法国、马达加斯加和美国东部。一种浅蔚蓝色的夕线石变种产于斯里兰卡的砾石中。

Sillitoe, Alan　西利托(1928-03-04，英格兰诺丁汉郡诺丁汉～2010-04-25，伦敦)　英国作家，以愤慨尖刻的笔调描写工人阶级生活，为第二次世界大战后的英国小说注入了新的

供图：Horst Tappe from Camera Press

活力。西利托为制革工人之子，14岁开始到工厂当工人。1946年他参加空军，曾在马来亚任无线电报务员2年。回英国后，在诺丁汉(1950)和肯特(1951)居住，并开始写关于诺丁汉的第一部长篇小说《星期六晚上和星期日早上》(1958)，发表后立即获得成功。小说叙述一个粗憨、是非不分的青年工人，对他来说周末的酗酒和纵欲是摆脱劳动生活压迫的唯一消遣。他还把该书改写成电影剧本(1960)，影片在国际上获得好评。短篇小说集《长跑运动员的孤独》1959年出版，1962年他帮助将该故事改编成电影。后期长篇小说，如《威廉·波斯特斯之死》(1965)和《鳏夫之子》(1977)，写较有理性的工人阶级人物。西利托的著名短篇小说集有《收破烂的人的女儿》(1963)、《男人们、女人们、孩子们》(1974)和《第二次机会》(1980)。

Sills, Beverly　西尔斯(1929-05-25，美国纽约布鲁克林～2007-07-02，纽约)　美国女高音歌剧歌唱家。46岁登上大都会歌剧院舞台之前早已赢得国际声誉。4岁时在商业电台广播演唱。幼年即从E.利布林学习声乐。1945随"吉尔伯特与沙利文歌剧团"巡回演出，1947年首次在费城市歌剧院演出歌剧。后又随一些巡回歌剧团演出，并在美国各歌剧中心作特邀演员。1955年成为纽约市歌剧团的一员。1956年结婚后由于两个孩子的不幸遭遇(一个天生失聪，另一个为弱智)，她不得不于1961年离开舞台。1963年又重返舞台演唱了《唐·乔凡尼》等剧。1966年在纽约市歌剧团扮演G. F.韩德尔《尤里乌斯·凯撒》中的克娄巴特拉，赢得国际声誉，从此登上欧洲各大歌剧院舞台，

诸如米兰拉斯卡拉歌剧院(1969)和伦敦科文特加登剧院(1970)。1975 年首次演出于大都会歌剧院,饰演 G. 罗西尼《科林斯之围》中的帕米拉,成绩斐然。自传《泡影:自我画像》于 1976 年出版。1979 ～ 1989 年任纽约市歌剧院院长。

Sills, David L(awrence)　西尔斯(1920-08-24,纽约市～　) 美国社会学家,以研究自发联盟中的组织目的而闻名。西尔斯于 1956 年获哥伦比亚大学哲学博士学位。1947 ～1950 年盟军占领日本期间,他在公共舆论和社会学研究部里担任分析研究员。他还在孟买的联合国技术援助组织、纽约市人口委员会人口统计局和哥伦比亚大学应用社会学研究所等机构中担任过领导工作。1962 ～1967 年受雇于科利尔-麦克米伦出版公司,主编 17 卷本《世界社会科学百科全书》(1968 年版,以后刊有补遗)。

silo　青贮窖　农业上用来封存青贮饲料(silage)的密闭结构物。可保持青贮饲料多汁并微带酸味,适于家畜食用。青贮窖有多种不同的结构形式。普通的青贮窖为直径

青贮窖
供图:Grant Heilman

3 ～5 米、高 9 ～ 15 米的立式圆柱塔,由钢板制成,内贴熔融玻璃或陶瓷以防腐蚀。青贮窖也可以是其他金属、砖石或木结构;还可能是水平的坑、壕沟(青贮壕),或地面之上和地面之下的堆垛,可用泥土、粗帆布、厚纸板或塑料密封,以防止空气进入。青贮饲料可用动力卸料机从底部卸出,而且必须每天按规定次数移动,以免腐烂。

Siloé, Diego de　德西洛埃(约1495,西班牙布尔戈斯～ 1563-10-22,格拉纳达)　西班牙雕刻家及建筑师,西班牙文艺复兴时期成就杰出者之一。其雕刻被认为是布尔戈斯银匠式建筑风格的顶点。格拉纳达大教堂被认为是其最杰出的银匠式建筑风格的建筑,也是最宏伟教堂之一。他是雕刻家吉尔·德西洛埃之子,可能曾在佛罗伦萨学过雕刻。第一件有记载的作品是《卡拉乔里祭坛》雕刻(1514 ～ 1515,那不勒斯卡尔博纳拉圣乔凡尼教堂),系与奥多涅斯合作。1519 年回到布尔戈斯,为圣马利亚教堂的祭坛雕刻和塔楼做了许多设计。1528 年 4 月前往格拉纳达,设计了大教堂(1528～1543)。曾以顾问和设计

德西洛埃设计雕饰的西班牙布尔戈斯大教堂内的《金梯》(1519 ～ 1523)
供图:A. Gutierrez—Ostman Agency

师身份到塞维利亚、托莱多及萨拉曼卡旅行。其雕刻风格是意大利文艺复兴、哥特式和西班牙穆斯林式的三种风格最优秀的综合。受米开朗琪罗和多那太罗影响,因此人物显得生气勃勃,创作了强有力的构图。布尔戈斯大教堂有其早期杰作《金梯》(1519 ～ 1523),显示了其在雕刻和建筑两方面的才能。后来的乌比达萨尔瓦多教堂(1536)、瓜迪克斯大教堂(1549)和洛哈圣加布里埃尔教堂,都体现了他在格拉纳达的设计要素。

Siloé, Gil de　德西洛埃(?～约1501)　又称 G. de 恩贝里斯、G. de 安贝里斯。被公认为 15 世纪西班牙最伟大的雕刻家。从其肖像技法可以看出受过法国影响,但人物雕刻则类似佛兰德斯和下莱茵的艺术。有文件记载的作品所存极少。现存作品有:葡萄牙国王约翰及王后伊莎贝拉的墓葬雕像(1489 ～ 1493;拉卡尔图察,米拉弗洛雷斯隐修院);米拉弗洛雷斯隐修院的祭坛雕刻(1496 ～ 1499);阿方索王子和裘安·德·帕迪利亚的陵墓。全部作品显示出丰富的想象力,以精细入微、变化丰富而著称。人物雕刻具有高度的自然主义情调,装饰琳琅满目。作为布尔戈斯哥特式雕刻学派的中心人物,代表了这一风格在西班牙的高峰。

Silone, Ignazio　西洛内(1900-05-01,意大利佩斯西纳德玛西～ 1978-08-22,日内瓦)　意大利小说家、政治领袖。第二次世界大战期间以他的反法西斯小说而闻名世界。出身于农民家庭,从小孤苦贫困。中学毕业后,于 1917 年开始参加社会党小组工作,成为反战运动的领导人和罗马社会党机关报《先锋报》编辑。1921年参与意大利共产党的建立,

供图:Horst Tappe—美国不列颠百科全书公司

1922 年成为的里雅斯特党报《工人报》编辑。法西斯分子将他流放之前,他以全部时间从事党的国外任务及地下组织工作。1930 年在瑞士定居时,对共产主义丧失信心,脱离意大利共产党,开始写作生涯。第一部小说《丰塔玛拉》(1930)描写意大利南部一个村庄的农民受剥削,在争取权利时遭到残酷镇压的故事。这部作品成为轰动世界的名著,并被译成 14 种文字。后来写的两部小说《饼和酒》(1937)和《雪地下面的种子》(1940),描写社会党英雄们如何以基督精神帮助农民,分担他们的痛苦。他还写了一部反法西斯的讽刺小说《独裁者的学校》(1938)。第二次世界大战后返回意大利,进入政坛,担任民主社会党领袖。1950 年退休后专门从事写作。其他作品有小说《一把黑莓》(1952)、《路加的秘密》(1956)、《可靠的出路》(1965)以及剧作《一个可怜的基督徒的命运》(1968)等。

Silphium　指南菊属　菊科的一属,含约12种,多年生高大草本植物,开黄色花。习称松香草,原产北美。多数种叶不平滑,对生、互生或轮生。穿叶指南菊(杯菊,*S. perfoliatum*)基部叶广椭圆形,抱茎,可贮水;茎方形。撕裂叶指南菊(罗盘草,向导草,*S. laciniatum*)为北美大草原植物;叶大,深裂,裂片被针形;

撕裂叶指南菊(*S. laciniatum*)
供图:Kitty Kohout from Root Resources—美国不列颠百科全书公司

株高达3.5米；花柄长，花大而多，单生。

silt 粉砂 直径为0.004～0.06毫米的沉积物颗粒，不考虑矿物类型。易受水流搬运，但在静水中便沉淀下来。在密西西比河三角洲中，它约占沉积物的60%。未固结的粉砂粒集合体也称粉砂，而固结的集合体则称为粉砂岩。风成的粉砂沉积通称黄土，是一种黄色的未固结的岩石。沉积物很少完全由粉砂组成，更常见的是黏土、粉砂和砂的混合物。富含黏土的粉砂在硬结成岩时，往往沿层面发育裂理，称为页岩。若裂理不发育则这种块状岩石就称为泥岩。

siltstone 粉砂岩 主要由有棱角的粉砂级颗粒(直径为0.0039～0.063毫米)组成的硬化沉积岩；不具纹层，也不易裂成薄层；坚硬耐磨，呈薄层产出，少有厚到足以划分成岩层建造者。是介于砂岩与页岩之间的过渡岩石，不像砂岩和页岩那样常见。含氧化铝、钾和水比页岩少，但含二氧化硅比页岩多；除云母外，含大量绿泥石和其他云母类黏土矿物。虽然许多页岩含有50%以上的粉砂，但不都是粉砂岩；不同之处在于粉砂岩常常是化学胶结的，并显示出交错层(即相对于主要层面而言是倾斜的层理)、流水形成的构造和岩层内部的流变构造。参阅 **lutite；mudstone**。

Silures 西卢尔人 古不列颠的强悍民族，大致居住在威尔士中部和东南部的今格温特郡、波伊斯郡南部和西、中、南格拉摩根三郡。他们在特里诺文特人部落首领卡拉塔库斯的鼓动下，自公元48年起，曾顽强抵抗罗马人的入侵。罗马人先后在格列夫姆和伊斯卡修筑军事堡垒。公元78年，西卢尔人终于被征服。他们的首府原为一山地堡垒兰梅林，但罗马人强制把居民迁至其南约1.6千米的一座按罗马长方形式样建筑的新城。这座新城在罗马人统治时期为文特希卢勒姆(即今格温特郡切普斯托西南的凯尔文特)。雄伟的罗马城墙至今犹存，教堂、浴池和圆形剧场现已被发掘出来。

Silurian Period 志留纪 距今4.38亿年前至4.08亿年前的地质时期，常被划分成早志留世(4.38亿年前至4.21亿年前)和晚志留世(4.21亿年前至4.08亿年前)。志留纪作为古生代的第3个纪，在奥陶纪之后，泥盆纪之前。在志留纪期间所形成的岩层构成志留系。

志留系的原名是R.I.麦奇生于1835年依据占有威尔士中部和东南部的很大部分的古不列颠部落志留人的名称定的，那里上述年代的岩层发育得很好。志留纪岩层在世界到处都有发现。志留纪以陆生植物和有颌鱼类的最早出现而标志着早古生代时期末地球历史上的重要一段。笔石类(尤其是单枝的单笔石类，其化石对于相隔很远的志留纪地层的年代的对比很有用)和其他许多海生无脊椎动物族类，如三叶虫、腕足类、牙形石类、珊瑚类、层孔虫类、海百合类以及软件动物类等，也都是重要的。

志留系的上界，根据国际协议，是在捷克境内一个叫做克朗克的地点确定的；下界则是在苏格兰南部高原上的莫弗特附近的多布斯林的一段地层剖面上确定的。

在地层学方面，志留系被分成下列几统(自老至新)：①兰多弗里统，②文洛克统，③拉德洛统，④普里多利统(相当于英国的当顿统)。虽然这些被当作是标准划分，但在世界不同的地方还有很多可供选择的方案。

在北美洲，志留系被分成(自下而上)：①亚历山大统，②尼亚加拉统，③卡尤加统。志留纪地层广泛地出露在阿巴拉契山脉中，并穿过整个中西部，尤其是在大湖区附近。在志留系中间阶段时期内，珊瑚-层孔虫-藻类礁石的大规模发育常常形成储油层。这些在更宏伟得多的规模上大致相当于瑞典哥得兰岛上礁石的发育，在较小的规模上则大致相当于英国威尔士边境中的什罗普郡内文洛克边缘上礁石的发育。

尼亚加拉石灰岩最著名处大概在形成伊利湖和安大略湖之间的尼亚加拉大瀑布的悬崖中。随在尼亚加拉石灰岩之后的——特别是在密歇根盆地里——为厚度惊人的盐矿层，这就是大海在志留纪末的一次范围广大的撤退的证据。这次海退也在欧洲见到，其形式为产生出像称为板足鲎的大型节肢动物之类化石的过渡层。这些盐矿层逐渐(向上)变化成为称作老红砂岩的大陆性岩相，其时代属于泥盆纪，而且，从爱尔兰到俄罗斯穿过整个欧洲北部，以及在更遥远的地方像加拿大东部和克什米尔，到处可以见到。

志留纪期间各大洲的分布和今天的情况全然不同。像加拿大的北极圈内地区、斯堪的纳维亚以及澳大利亚这样一些地方当时大概都在热带范围；日本和菲律宾或许已经在北极圈以内；南美洲和非洲则很可能处在南极地区，而以不是今天的巴西，就是今天的非洲西部作为南极点的位置。不论属哪种情况，陆地表面都可能曾经是被一层大得大约像今天覆盖着南极洲的冰盖一般的冰盖所掩埋了的。

在志留纪期间，火山活动比较微弱，但是有一些重要的地壳运动，特别是北美洲的塔康造山运动，它是奥陶纪和志留纪之间的界线的标志；还有欧洲西北部的加里东造山运动，它大概在接近志留纪终了时达到了最高潮。加里东运动的后果在斯堪的纳维亚和不列颠群岛西北部格外明显，运动的起源大概出于大西洋早期的古生代前身的闭合。

Silva, Antônio José da 席尔瓦(1705-05-08，巴西里约热内卢～1739-10-18，葡萄牙里斯本) 别名O Judeu(葡萄牙语，意为“犹太人”)。葡萄牙剧作家。他的喜剧、闹剧和轻歌剧使陷于衰微的葡萄牙戏剧一度恢复了生气。父母为犹太人。虽然他双亲均皈依基督教，但其母仍被指责为又信仰犹太教而受到审讯。1712年他7岁时，由于受宗教裁判所迫害，全家离开巴西去葡萄牙居住。席尔瓦在科英布拉攻读教会法，21岁时他与母亲和兄弟同遭监禁，在严刑拷打下被迫发誓放弃犹太教信仰。被释放后于1728年完成学业，加入其父在里斯本的法律业务，并与一位同样受到宗教迫害的表妹结婚。1729～1737年间他未受到当局迫害，这个短时期内他写有8个剧本，均为木偶剧，在里斯本的拜罗·阿尔托剧院上演。剧中的散文对白穿插着唱段、小步舞和轻松流行歌曲。这些戏的喜剧气氛中隐含着同情和怜悯。他最好的剧本一般认为是《堂吉诃德的一生》(1733)，以及《迷迭香和墨角兰之间的战争》(1737)，对一个以等级和特权为基础的社会的虚荣作了巧妙而机智的讽刺。

1739年席尔瓦及其妻子均以犹太教异端罪受到宗教裁判所指控，同年10月5日被监禁。13天之后，席尔瓦被处以火刑，并在其妻子亲眼目睹下被当众焚烧，其后不久其妻也死去。

Silva, José Asunción 席尔瓦(1865-11-27，哥伦比亚波哥大～1896-05-23，波哥大) 哥伦比亚诗人，他的韵律实验及浪漫的回忆把一种忧郁的抒情情调引入西班牙美洲诗歌。他的高度个性化的诗歌受到普遍的模仿，极大地影响了西班牙美洲现代主义诗歌的发展。席尔瓦一生极为痛苦，一方面由于他病态的多愁善感，另一方面由于一系列不幸灾祸的结果——他有名望的家庭的经济破产，唯一亲近的姐妹埃尔维拉的去世，船难时他最好的诗稿遗失。为逃避他在生活中遭受的种种苦难，席尔瓦开始其短暂但却辉煌的诗歌创作，并于30岁时自杀。全部作品，包括《黄昏》和最著名的《夜曲》，收集在《何塞·亚森松·席尔瓦作品全集》，1956年出版。

Silva Guimarães, Bernardo da 席尔瓦·吉马朗埃斯 参阅 **Guimarães, Bernardo (Joaquim da Silva)吉马朗埃斯**。

Silva Porto (Angola) **席尔瓦波尔图** 参阅 **Kuito 奎托**。

Silva Xavier, Joaquim José da 席尔瓦·沙维尔(1748，巴西米纳斯吉拉斯蓬巴尔～1792-04-21，里约热内卢) 绰号“拔牙者”，巴西爱国者和烈士。组织并领导了巴西第一次反抗葡萄牙统治的大起义，失败后受到审讯并被处死。他大义凛然的辩护词使他成为巴西的民族英雄，并被视作拉丁美洲独立运动的先驱。席尔瓦做过内科医生、商人、士兵和牙医(从而有了“拔牙者”的绰号)，广泛地阅读了法国哲学家的著作，身边总带着美国最初13个州的宪法。他在米纳斯吉拉斯的密谋中，与其他知识分子一致，他主张废除奴隶制和彻底摆脱葡萄牙而独立。葡官员征收欠税的企图促使他发动起义。起义不幸失败，1789年4月被捕。在长达两年的审讯中，他庄严有力地为共和事业进行辩护，后被当众斩首。

Silvanus 西尔瓦诺斯 古罗马宗教所信奉的神灵，司掌农村，其特点与司牲畜之神法乌诺斯相似，人们常认为他们为一体。其像常为农人状。在拉丁典籍中，他常与希腊的丛林神灵西勒诺斯或司掌森林、草原与牧人的神灵潘相混。

Silvanus, SAINT 西尔瓦努斯，圣 参阅 **Silas, Saint** 西拉，圣。

Silvassa 锡尔瓦萨 又拼 Silvasa。印度西部达德拉-纳加尔哈维利直辖区的城市、首府。位于达曼刚河畔的达曼东南约 21 千米处，从阿拉伯海向内陆约 25 千米。为地区经济中心，以农业为主，生产稻米、豆类和水果。人口约11 720(1991)。

silver 银(Ag) 化学元素，一种白色有光泽金属，因它可用于美观的装饰和具导电性而受到重视。银位于周期表 Ib 族第五周期，介于铜(第四周期)和金(第六周期)之间，其物理和化学性质也介于这两种金属之间。它与金和铂族金属一起被称作贵金属。因为它比较稀少，亮白色，有延展性，而且耐大气氧化的腐蚀，长期以来用于制造硬币、装饰品和珍宝。

在所有金属中，银的导电性和导热性最好，可用来制作印刷电路和电子导体的气相沉积涂层，也可与镍或铂等元素制成合金用于电触点中。银还可用作唯一能使乙烯变成环氧乙烷的催化剂，环氧乙烷是生产许多有机化合物的原料。

现已发现，早在公元前 4000 年以前的王室墓葬中就有银的饰物。至公元前 800 年，在印度河与尼罗河之间的所有国家可能已将金和银用作货币。银广泛分布于自然界，但其总量比其他金属小得多，占地壳的 5×10^{-8}。实际上所有铅、铜和锌的硫化物中都含有一些银。银矿石含银量从痕量至约 10%不等。

银和金不同，存在于许多天然矿物中。最丰富的矿物为辉银矿(Ag_2S)和黝铜矿。天然银(游离银或未化合的银)的矿床在工业上也很重要。

大多数含银矿石还含有重要的金属铅、铜或锌，或者同时含有这三种金属，这些矿的含银部分常常作为铜和铅生产的副产品。这种粗制副产品经冶炼和火法精炼或电解精炼回收纯银。

历史上银的主要用途是作成银锭和硬币形式的储备货币。到 20 世纪 60 年代，工业上特别是摄影工业对银的需求已超过世界年总产量。

纯银和镀银器具、装饰品、珠宝及类似的产品仍是银的重要用途。银与铜的合金比纯银更硬、更坚韧和更易熔，可用于制作珠宝饰物和硬币。合金中银的比例以纯度(即每千份合金含银的份数)来表示。英国货币银中含 92.5%的银和 7.5%其他金属(通常为铜)，银的纯度为 925。珠宝饰物用的银是一种含 80%的银和 20%的铜的合金(纯度为 800)。金牙合金约含 75%的金和 10%的银。珠宝饰物用的黄金含 53%的金、25%的银和 22%的铜。

自然界的银是两种稳定同位素的混合物：银 107 和银 109。金属银不与潮湿空气或干燥空气发生反应，但潮湿的臭氧能使银表面氧化。室温下硫或硫化氢能使银迅速失去光泽。银在熔融状态能溶解其体积 22 倍的氧气，当银凝固时会将大部分的氧气排出。将脱氧剂(如木炭)加入熔融的银中可抑制这种现象。银易溶于硝酸和浓热的硫酸。

在大多数化合物中，银的化合价为 1。这些化合物包括如氯化银($AgCl$)、溴化银($AgBr$)和碘化银(AgI)一类的熟悉物质。这些盐在照相术中都有广泛的应用。氯化银在印相纸中用作感光材料，并与溴化银一起用在某些胶片和底板中。碘化银也用于制造照相胶片和印相纸，而且还用于人造雨的播云和用作某些防腐剂。所有这三种卤化物都可由最重要的无机银盐硝酸银($AgNO_3$)来制备。硝酸银除了用作制备其他银盐的原料外，还可作为生产镀银用的氰化银的原料。银的原子序数为 47，原子量为 107.868，熔点为 960.8°C，沸点为 2 212°C，比重为 10.5(20°C)，化合价为 1、2，电子组态 2,8,18,18,1 或 $(Kr)4d^{10}5s^1$。

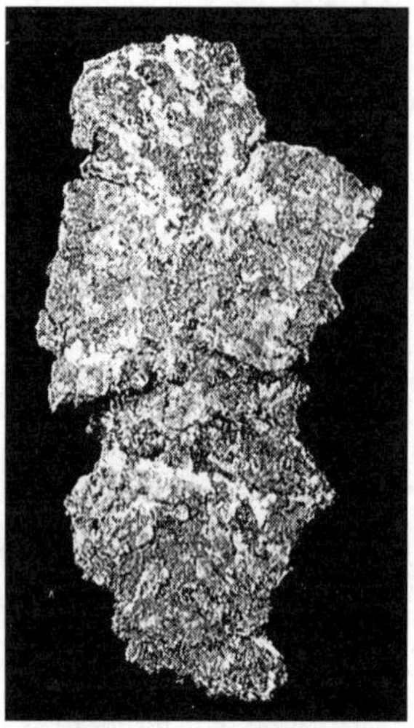

产自加拿大安大略省的分枝状银矿

供图：Joseph and Helen Gutterman Collection

Silver, Horace 西尔弗(1928-09-02，美国康涅狄格诺沃克～) 美国爵士乐钢琴家、作曲家及乐队领队。20 世纪 50 和 60 年代"硬派比博普"风格的示范演奏者。这种音乐是比博普的延伸，含有"节奏与布鲁斯"因素以及福音音乐和拉丁美洲音乐的成分。其特点是更加着力于创作具有不寻常结构的新曲调，用以代替根据几首流行歌曲的和弦进行即兴演奏的比博普手法。50 年代中叶，同 S. 盖茨、M. 戴维斯和 A. 布莱基合作灌制唱片，并与后者一起创建了 50 年代最典型的硬派比博普小组"爵士乐信使"。其后又组织自己的一系列优秀五重奏小组。他改变了一个作品只在开头和结尾有合奏陈述、中间完全留给即兴独奏的做法；创作一些合奏的片段，安置在即兴独奏之中或之间。还写一些低音线条来配合他的左手钢琴音型。他为萨克斯管和小号所写的和声通常是四度和五度音程，使五重奏的音响大大超过大多数比博普五重奏。他的钢琴独奏极其清纯而富于旋律性。其最著名和演出时间最长的五重奏小组(1958～1964)中，有小号手 B. 米切尔和次中音萨克斯管演奏家 J. 库克。最著名的作品有《传教士》、《布鲁斯先生》、《献给父亲的歌》、《萨迪姐妹》、《尼卡之梦》和《肮脏的麦克下流坯》等。西尔弗以其渊源于布鲁斯的演奏风格影响了许多钢琴家和爵士乐管风琴家。

Silver Age 白银时代 拉丁文学中所指约公元 18～133 年这段时期。这一时代具有突出的文学成就，仅次于在它之前的黄金时代(公元前 70～公元 18)。到了公元 1 世纪，始于奥古斯都时代(公元前 43～公元 18)的政治监护艺术的做法，和对于黄金时代文学，特别是对于维吉尔的诗歌的过分崇拜的风尚，使具有独特风格的作品的产量普遍下降。在卡里古拉和尼禄这样的暴君统治下，发表演说是一个危险的行当，修辞学家于是转向文学，从而促成作为白银时代散文特征的那种精心推敲和富于诗意的文体的发展。在白银时代，文学体裁显然是多种多样的。在这些体裁当中，讽刺诗最富有生命力，尤维纳利斯那些尖刻地讽刺富豪和权贵的诗可以为例。此外还有马尔提阿利斯有关当时社会的优美的警句诗、佩特罗尼乌斯的流浪汉小说《萨蒂利孔》(公元 1 世纪)、佩尔西乌斯宣扬斯多葛哲学的讽刺诗。历史则是塔西佗和苏埃托尼乌斯独领风骚。老普林尼和小普林尼写了有关传记、科学、博物学、语法、历史和时事的书简。昆提利安擅长文学批评，卢卡擅长史诗体，斯塔提乌斯擅长作诗，塞内加擅长修辞学，而他的同名儿子则擅长悲剧。

silver bells(*Halesia carolina*) **银钟花** 又作 snowdrop tree 或 fringe tree。野茉莉科落叶乔木。原产于美国东南部及南部，栽培供观赏。树高 12～24 米。叶鲜绿色，互生，长 5～10 厘米，有柄，叶缘有齿。花白色，钟状，长约 2 厘米，2～5 朵簇生。

银钟花(*Halesia carolina*)

供图：Louise K. Broman—Root Resources

Silver City 银城 美国爱达荷州西南部奥怀希县的无人城镇。位于博伊西西南 60 千米处。1863 年建立，作为奥怀希矿区中心；1866～1935 年为县城。银城附近的战鹰山和佛罗里达山区藏有丰富的银矿，引起人们竞相争夺。其中一个矿场挖出一块225克重的银结晶体，获得巴黎博览会（1867）金质奖章。1875年加利福尼亚银行倒闭，白银市场崩溃，而银城因采矿技术先进，加之有英国的大量投资，铁路运输方便，尚可维持一时。银城人口最多时有5 000人。此后采矿业衰落，居民完全离去。

Silver City　银城　美国新墨西哥州西南部城镇，格兰特县县城（1874）。位于大陆分水岭东侧，皮诺斯阿尔托斯山麓，希拉国家森林边缘。海拔1 808米。建于1870年。地处银、金、铜、铅、锌矿产区。附近为采铜中心。是周围农牧场区的服务中心，亦经营伐木和旅游业。市内有西新墨西哥大学（1893），附近有州立贝厄德堡医院和希拉洞窟国家保护区。人口10 545（2000）。

silver-eared mesia（bird）　参阅 **mesia** 银耳相思鸟。

silver fir（*Abies alba*）　**银枞**　即白冷杉。高可达46米的乔木，盛产于中、南欧山区。参阅 **fir**。

silver fox（*Vulpes fulva*）　**银狐**　北美的赤狐的一个色型，毛为黑色间布有银色毛梢。参阅 **fox**。

silver king　大西洋大海鲢　产于大西洋热带近岸的大海鲢。参阅 **tarpon**。

silver maple（*Acer saccharinum*）　**银槭**　又称 soft maple（软槭）或 white maple（白槭）、含糖槭。槭树科高大而枝条开展的乔木。普遍用作生长迅速的林荫树。原产北美东部，其他地方也广泛栽培。在有利条件下，可长到18米高。树干粗矮，树冠宽而不规则；细而下垂的枝条顶端朝上弯。幼树皮嫩而光滑，呈灰色，随着树龄的增长变成片状。叶深裂为5个小裂片，叶面淡绿，背部银色。花绿色，不显眼，春季在长叶之前在枝条上开放。翅果成对，是槭树中最大者。种子是松鼠和鸟的食物；幼枝和幼叶是鹿的食物。木质软，用以制造板条箱和便宜家具。从树汁中可获得糖汁，但产量低。银槭以前曾是常见的风景树，现多不种在公园里，因其树枝脆弱，容易折断，飘落满地，另外大量籽苗经常在花园或草坪上到处乱长。可用作风景树的品种有裂叶银槭（*A. saccharinum* 'Laciniatum'，叶呈带状，有深锯齿）和金字塔银槭（*A. saccharinum* 'Pyramidale'）；两者株高比常见的品种矮，故都不易受风袭击。

silver nitrate　硝酸银　腐蚀性的化学试剂，重要的防腐药和分析试剂，工业上用以制备其他银盐。化学式为 $AgNO_3$。以硝酸银棒（或腐蚀性笔）或0.01%～10%的水溶液用于皮肤及黏膜。硝酸银棒用以除去疣及肉芽组织，烧灼伤口及溃疡。其很稀的溶液用作收敛药及温和的防腐药，1%或2%溶液对淋菌有效，用作新生儿的滴眼剂以预防淋菌性结膜炎。纯硝酸银是一种中间体，用于制备其他银盐（如药用胶体银化合物及摄影乳剂中的卤化银）。分析化学上硝酸银水溶液用于卤化物、氰化物、硫氰化物的容量分析测定，亦用于检定还原剂及可形成不溶性银盐的各种酸根。将银溶解在硝酸中可大量制备硝酸银。它为透明的片状结晶，在212°C时熔化。在20 °C时每100克水中能溶解222克硝酸银。在甲醇、乙醇中的溶解度为中等，难溶于其他有机溶剂中。加热到约320 °C时，即脱氧生成亚硝酸银，加热到红热则析出金属银。硝酸银口服可引起剧烈腹痛、呕吐、腹泻乃至肠胃炎。治疗方法为口服普通盐水、牛奶（或鸡蛋白加水）、肥皂水等，以保护食管及胃黏膜，使有毒的游离的银离子生成氯化银而沉淀下来。

Silver Springs　银泉　美国佛罗里达州中北部马里恩县城镇和世界最大的石灰岩矿泉群之一，西距奥卡拉10千米，平均日流量200万立方米，含矿物质480吨以上。水温恒定在22°C。水源为一长20米、高3.6米的洞穴。佛罗里达中北部丰富的降雨渗入多隙的石灰岩地表，然后又涌出地面形成100多个成群的泉。泉中水生生物种类繁多。泉水清澈，常用于拍摄电影水下镜头。游人可乘玻璃底船观赏。1539年发现。银泉镇为旅游中心，有汽车旅馆和饭店业。人口：镇1 082（1980）。

silver standard　银本位制　一种货币本位制。在此制度下，通货的基本单位限定为一固定量的白银。特征是常有银铸币及银的流通，其他货币可自由兑换为白银，结算国际债务可自由输出、输入白银。现无任何国家实行银本位制。19世纪70年代，多数欧洲国家采取金本位制。到20世纪初，只有中国、墨西哥及少数小国仍用银本位制。1873年美国停止铸银币。

silverbill　银嘴雀　因嘴色而得名的几种不同鸟类，包括文鸟属（*Lonchura*；参阅 **munia**）的数种雀类以及南美洲中部的眼斑霸鹟（*Lichenops*［或 *Hymenops*］*perspicillata*）。

silvering　镀银　用银涂布玻璃的制镜法，由德国化学家 J. von 李比希于1835年发明。在此法中，银氨化合物被还原为金属银，沉积在所需形状的玻璃表面上。现代方法是应用银溶液和还原剂溶液（由转化糖、罗谢耳盐或甲醛组成）在传送带送来的清洁玻璃上喷雾；当雾滴落在玻璃表面上时，金属银就沉积下来。对于光学与物理学研究用的部分反射镜，必须采用足够慢的方法镀银，以便能够控制反射率的数值。部分反射镜只能部分透过、部分反射入射光。对于诸如反射望远镜之类仪器中的特殊反光镜，通常采用加热高真空中的电热丝的办法把银蒸发到玻璃表面上去。

Silverius, Saint　西尔维留斯，圣（？，坎帕尼亚弗罗西诺内［意大利］～537-12-02，那不勒斯附近帕尔马里亚岛）　教皇（536～537在位）。原为副助祭，由东哥特国王西奥达哈德推举为教皇，继阿加佩图斯一世之位。起初，阿加佩图斯一世曾谴责君士坦丁堡牧首安提姆斯一世，使拜占廷皇后狄奥多拉未能顺利恢复基督一志论的统治。西尔维留斯登位后拒绝为安提姆斯一世平复，狄奥多拉遂派大将贝利萨留率军到罗马将他废黜，令教廷驻君士坦丁堡大使维吉里继位。东哥特国王维蒂吉斯包围罗马，使贝利萨留陷于困境。537年贝利萨留诬告西尔维留斯勾结东哥特。最后维吉里以暴力把西尔维留斯放逐到那不勒斯对面海上帕尔马里亚岛，西尔维留斯死于该地，可能是被杀害，也可能是饿死。

silversides　银边鱼　又作 sand smelt，smelt 或 whitebait。又称沙银白鱼、银白鱼、白饵鱼。银汉鱼目银汉鱼科多种集群性小型细长鱼类的统称，分布于暖水和温带地区淡水水域和沿海水区。形似鲻鱼，因体侧有宽银色纵带而得名。两个背鳍。体可长约70厘米。有时供食用。加利福尼亚沿岸的滑皮银汉鱼（*Leuresthes tenuis*）是一个小型种（长15厘米），以其产卵洄游而著称：产卵在夜间沿海滩进行，大潮时可冲到岸上，卵被埋于沙中，下一个大潮时孵化，新生仔鱼即游入海。

滑皮银汉鱼（*Leuresthes tenuis*）
供图：Cy La Tour

Silverstein, Shel　西尔弗斯坦（1932-09-25，美国伊利诺伊芝加哥～1999-05-10，佛罗里达基韦斯特岛）　全名 Shelby Silverstein。美国漫画家、儿童读物作家、诗人、歌曲作家和剧作家，以轻松的诗和变化多端的漫画著称。20世纪50年代，在韩国和日本服役期间为军队杂志《星条旗》作画。同时还向《花花公子》杂志投稿。最早的一批作品都署名"谢尔比大叔"，包括《谢尔比大叔幼儿启蒙读物》（1961）和《谁要一头便宜的犀牛》（1964）。他笔下令人难忘的角色有《谢尔比大叔讲的狮子拉夫卡迪欧的故事》（1963）中的主人公和《爱心树》（1964，他最著名的散文作品）中的男孩和树。他最后一部带插图的集子《来访》于1996年出版。他的画不只是起辅助文字的作用。《阁楼上的光》（1981）的封面上画着一个男孩，男孩头顶上有一个带窗的阁楼。另一首诗的文字则组成了长颈鹿的脖子。人们认为他培养了青年读者对诗歌的喜爱，他那些严肃的诗篇显示出他对儿童普遍的焦虑和愿望的理解。他还写有独幕剧和歌曲。

silvertip **银尖熊** 参阅 **grizzly bear** 灰熊。

Silverton **锡尔弗顿** 美国科罗拉多州西南部城镇,圣胡安县县城(1876),海拔2 840千米。由19世纪70年代初淘金热中搭建的工棚区发展成一个漂亮的维多利亚式社区。当年的建筑现今大部分仍在,整个城镇被列为国家历史遗址。19世纪80年代开采金矿让位于提炼白银。1893年世界白银市场崩溃后生产仍未停止,最后一处矿山于1991年关闭。现在完全依赖旅游业。其景色优美的公路在当地被称为"百万美元大道",系圣胡安高架公路的一段,将锡尔弗顿与杜兰戈和乌雷连接起来。夏季运行的杜兰戈和锡尔弗顿窄轨铁路是一大旅游看点。北美最长的河流之一格兰德河的源头位于东北部格兰德国家森林中。人口531(2000)。

silverware **银器** 餐桌上用的银制刀、叉和汤匙,参阅 **cutlery**; **flatware**。

silverwork **银制品** 用银制成的容器、器皿、首饰、钱币和装饰品。银有时以金属形态自然生成,但通常须从矿石中熔炼。最古老的银器始于公元前4000年左右的古苏美尔。银便于加工,几乎所有的金属加工技术都可用,如铸造、雕刻、浮雕、镌版、锻造、镶嵌和彩饰等。在古代,尤其在罗马,银制的餐具、家用器皿和装饰品极为珍贵。后来银的地位被金所取代。但在中世纪的欧洲,银又成为金属艺术品的主要材料。来自美洲的大量白银,也在欧洲造成购买热。银制品艺术,在文艺复兴时代很繁荣,出现了意想所及的各种形式的制品。银往往被镀上金或其他装饰材料。18世纪出现了把银箔熔合在铜上的技术,制成设菲尔德镀银器皿,从而使银器为大多数人能买得起。参阅 **metalwork**。

Sima Chengzhen **司马承祯**(647~735) 又拼 Ssu-ma Ch'eng-chen。中国唐代道士、道教学者。字子微,法号道隐,又称天台白云子。河内温县(今属河南)人。21岁从潘师

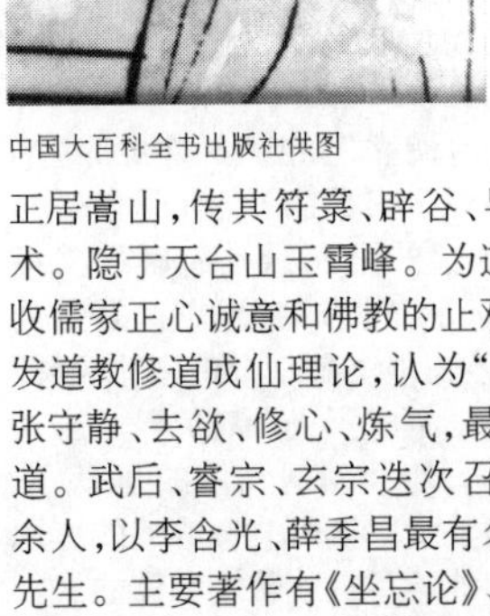

中国大百科全书出版社供图

正居嵩山,传其符箓、辟谷、导引、服饵等方术。隐于天台山玉霄峰。为道祖述老、庄,吸收儒家正心诚意和佛教的止观、禅定学说,阐发道教修道成仙理论,认为"神仙亦人"。主张守静、去欲、修心、炼气,最后达到坐忘得道。武后、睿宗、玄宗迭次召见。有弟子70余人,以李含光、薛季昌最有名。死后谥贞一先生。主要著作有《坐忘论》、《服气精义论》、《太上昇玄消灾护命妙经颂》、《天宫地府图经》等。

Sima Guang **司马光**(1019~1086) 又拼 Ssu-ma Kuang。中国北宋(960~1127)大臣、政治家、史学家。字君实。陕州夏县(今属山西)涑水乡人。后世称涑水先生。宝元(1038~1039)进士,历任天章阁待制兼侍讲、知谏院。1066年,撰《通志》8卷奏呈,宋英宗

中国大百科全书出版社供图

命设局续修。神宗(1068~1084)继位后,擢翰林学士,以其书"鉴于往事,有资于治道",命名《资治通鉴》,并亲自作序。1070年,因反对王安石新政未成乃求外任,出知永兴军(今陕西西安)。第二年退居洛阳,继续编撰《资治通鉴》,1084年书成。元丰八年(1085)哲宗即位,高太后听政,奉诏入京主持国政。元祐元年(1086)任尚书左仆射兼门下侍郎(宰相),全面废除王安石的新政,史称"元祐更化"。卒后追封温国公。编年体通史《资治通鉴》记述从周威烈王二十三年(公元前403)到后周显德六年(959)计1 362年的历史。取材广博,除正史外征引书籍222种;下笔审慎,附《考异》以明取材的不同;设局修书时精选人员,协助编著的刘攽、刘恕、范祖禹等各就所长,分工排比史料,由"丛目"而"长编",最后由司马光总其成,删订定稿。《资治通鉴》意在以历史为镜子,从历代治乱兴亡中取得鉴戒,故详于政治、军事而略于经济、文化。诗文著作编为《司马文正公集》。

Sima Qian **司马迁**(公元前145或前135~?) 又拼 Ssu-ma Ch'ien。中国西汉史学家、文学家。字子长。夏阳(今陕西韩城西南)人。早年游踪遍长江、黄河流域。初仕郎中。曾出使巴、蜀、邛、笮、昆明。公元前108年继承父司马谈任太史令,得读国家藏书。公元前104年与唐都等人共同制定太初历。后承父志续写《史记》。其间因替降匈奴的李陵申辩得罪汉武帝下狱,受腐刑。出狱后任中书令,发愤完成《史记》。初称《太史公书》,后称《史记》,是中国第一部纪传体通史和传记文学巨著。全书共130篇,记述黄帝至汉武帝天汉年间3 000多年历史。作者利用史官典籍,博采《左传》、《国语》、《世本》、《战国策》、《楚汉春秋》及诸子百家等书和实地采访写成。书中缺佚的《武帝纪》、《三王世家》、《龟策列传》、《日者列传》等篇及武帝天汉以后史事均为褚

台北故宫博物馆供图

少孙所补。全书分本纪、世家、列传、书、表五部分。本纪、世家、列传主要是人物传记,也包括少数民族和邻国历史;书记典章制度、天文历法及社会经济生活;表则通络史事。《史记》写历史人物语言生动,形象鲜明,在文学史及史学上都有很高地位。历代考订《史记》的著作繁多。1957年中华书局出版顾颉刚等人的标点校注本。

Sima Xiangru **司马相如**(公元前179~前118) 又拼 Ssu-ma Hsiang-ju。中国西汉辞赋家。字长卿,蜀郡成都(今属四川)人。早年任武骑常侍,又曾在梁孝王处任职。结识商人卓王孙寡女卓文君,卓文君慕其才,私奔相如,同至成都,以卖酒为生。二人故事成为后

四川邛崃的司马相如琴台
中国大百科全书出版社供图

世文学、故事创作题材。相如工辞赋。因《子虚赋》得武帝赏识。拜中郎将,奉使西南,对沟通汉与西南少数民族关系起过积极作用。词赋另有《上林赋》,写帝王游猎及苑囿盛况,篇末寓讽谏之意。全篇气势宏伟壮阔,文辞富丽,为汉赋代表作。还有骚体《大人赋》、《长门赋》,散文《喻巴蜀檄》、《难蜀中父老》都为传世佳作。有《司马文园集》。

Sima Yan **司马炎** 参阅 **Jinwudi Sima Yan** 晋武帝司马炎。

simakobu **豚尾叶猴** 又称猪尾叶猴或巴吉岛叶猴,叶猴属的一种,仅见于苏门答腊岛西部的明打威群岛。平均体长约半米,叶猴中唯一一种尾(长15厘米)较身体短得多的种。雌性平均体重7千克,雄性略重。除尾似猪尾外,还有一突出特征是朝天鼻。大多数豚尾叶猴为黑色,但有部分(1/4或1/3)为乳白色。与大多数叶猴相比,豚尾叶猴较多

地栖。有些地区以雌雄配对生活；其他地区则为群居，由一只雄性和几只雌性组成。随着明打威群岛森林日益砍伐，它们常从岛上土著居民处掠食。豚尾叶猴与长鼻猴和其他叶猴有亲缘关系；均属灵长目旧大陆猴科。

Simancas 锡曼卡斯 西班牙中北部卡斯蒂莱昂自治区巴利阿多利德省城镇。位于巴利阿多利德市西南，皮苏埃尼亚河东岸。为农产品贸易中心。当地9世纪时摩尔人占领期间所建古堡现收藏有重要的私人信件和国家档案文件。人口约3 105(1999)。

Simansky, Sergei Vladimirovich (Russian Orthodox leader) **西曼斯基** 参阅 **Alexis I** *阿列克谢一世*。

Simao 思茅 又拼 Ssu-mao。中国云南省辖地级市。自古为云南与缅甸、老挝商道上的重要贸易中心。辖翠云区和普洱哈尼族彝族自治县、江城哈尼族彝族自治县、景谷傣族彝族自治县、镇沅彝族哈尼族拉祜族自治县、孟连傣族拉祜族佤族自治县、墨江哈尼族自治县、景东彝族自治县、澜沧拉祜族自治县、西盟佤族自治县。面积45 385平方千米，其中市区面积4 093平方千米。清雍正七年(1729)置普洱府，设思茅通判。雍正十三年设思茅厅。1913年置思茅县。1958年并入普洱县，1981年5月复置思茅县。1993年撤县设市。2003年撤销思茅地区和县级思茅市设立地级思茅市。1895～1896年辟为商埠后，一度为茶叶、锡、铅、樟脑等物资的集散地。1910年滇越铁路筑成后，思茅地位下降，人口锐减。50年代昆(明)允(景洪)公路通车后，思茅再次成为商业中心。昆明运来的物资和当地土特产多由此转运。兴建有小发电厂和碾米厂。农业主产稻谷、玉米，经济作物有茶叶、花生、油菜、甘蔗、棉花等。并产紫胶及多种药材。现有班机通省会昆明。人口：全市2 360 000(2005)；市区200 000(2004)。

Simaroubaceae 苦木科 无患子目的一科。25属，遍布热带地区。乔木。叶互生，复叶，

臭椿(*Ailanthus altissima*)
美国不列颠百科全书公司供图

小叶片多枚。多数花小。树皮味苦。果肉质，有时有翅。*臭椿*(**tree of heaven**, *Ailanthus altissima*)能抗烟熏以及虫害，常栽培作城市行道树；因雄花气味难闻，故多植雌株；有几个变种果实色鲜艳，形扭曲，叶柄具色。*Quassia* 属及苦木属(*Picrasma*)植物的树皮产一种苦味物质(苦木素)，可供药用。耶稣刺(*Castela emoryi*)原产于美国西南部的荒漠地区。

Simbirsk 辛比尔斯克 俄罗斯西部一州。在伏尔加河中游。伏尔加河因下游有萨马拉拦河坝而在该区变为宽阔的湖泊。西部地区大部分为沟谷纵横的伏尔加高地，小部分为外伏尔加低地平原。西部橡树林分布广泛，森林草原植被区土地肥沃，大多已垦为农田，实行集约耕作。主要农作物是谷物(尤其是小麦)、向日葵和甜菜。除州首府辛比尔斯克市外，其他社区规模较小，主要从事农产品加工业。面积37 300平方千米。人口约1 429 600(1991)。

Simbirsk 辛比尔斯克 1780年前称Sinbirsk，1924～1991年称乌里扬诺夫斯克(Ulyanovsk)。俄罗斯西部辛比尔斯克州城市和行政中心。位于斯维亚加河与伏尔加河汇流处。1648年建辛比尔斯克要塞，1924年以出生于此地的弗·伊·乌里扬诺夫(列宁)的名字重新命名。有列宁故居陈列馆。1991年恢复原名辛比尔斯克。有机械制造业，生产公共汽车、轻型卡车、机床和内燃机。有食品加工和日用品工业。设有工业、农业和师范学院。人口约667 700(1991)。

Simcoe, John Graves 西姆科(1752-02-25，英国北安普敦郡科特斯托克～1806-10-26，德文郡埃克塞特) 英国军人和政治家，第一任上加拿大(现安大略)代理总督。1771年参加英国陆军，任掌旗官。美国独立战争时期服役，1778年升为中校。1790年选入议会。1791年《宪法法案》允许加拿大成立代议制政府，他被任命为上加拿大代理总督。他鼓励移民，发展农业，修筑国防工事和道路。1794年成为少将。1796年离开加拿大。1797年在圣多明各任总督和英国驻军总司令，升中将。1806年任驻印度英军总司令，但在赴任途中病倒，返英后死去。

Simcoe, Lake 锡姆科湖 加拿大安大略省东南部湖泊。位于休伦湖的乔治亚湾和安大略湖之间，多伦多北65千米处。水源来自很多溪流，与特伦特运河相通。水域面积743平方千米。湖水北流，经库契钦湖和塞文河注入乔治亚湾。湖长48千米，湖中有几个岛屿，最大岛乔治娜岛为印第安人居留地。该湖现为多伦多都市区的著名避暑胜地。周围是富饶农业区。南岸原为沼泽地，湖滨主要居民点有巴里和奥里利亚。

Simenon, Georges (Joseph Christian) 西默农(1903-02-13，比利时列日～1989-09-04，瑞士洛桑) 比利时法语小说家，所写作品在数量上超过同时代的任何小说家。16岁时开始在一家地方报社工作，19岁时前往巴黎。他每天可打出约80页手稿，这样从1923至1933年，他一共写了约200多部廉价小说，用了16个不同的笔名。他的全部作品约425

供图：© Jerry Bauer

部。被译成50多种文字，在全世界销售了6亿多册。1967年，法国和意大利开始出版他的作品全集。他作品的中心主题是神经过敏的、不正常的个人生活的孤独。文体严谨简洁，着墨不多便可渲染出一种令人神经紧张的气氛。从1945年起，西默农在美国住了十几年，然后移居法国和瑞士。

Simeon 西缅支派 今日犹太人的祖先、《圣经》时代以色列人的12支派之一。以色列人离开埃及，于摩西死后，由约书亚率领进入迦南，约书亚为12支派划分领地，西缅支派所领之地无史料可查，估计在强大的犹大支派领地以南即巴勒斯坦南部地区。西缅支派的一部分显然逐渐为犹大支派所同化，其余则可能迁往北方。所罗门王死(公元前922)后，原以色列国分裂，北朝称以色列王国，南朝称犹大王国。假如把西缅支派也算在北朝各支派之中，那么该支派也已在公元前721年亚述灭以色列王国以后被其他民族所同化。不管怎么说，西缅支派不知所终，因而被列在失踪的*以色列*(**Israel**)十个支派之中。

Simeon 西门 参阅**Peter the Apostle, Saint** *彼得(使徒)，圣*。

Simeon 西美昂 又拼Symeon。保加利亚统治者之名，按年代顺序分列于后，并各以●为标记。

● **Simeon I 西美昂一世**(864或865～927-05-27) 又拼Symeon。第一个保加利亚帝国的沙皇，尚武而又好文。在君士坦丁堡受教育。893年即位。他怀有当拜占廷皇帝的野心，因而多次向拜占廷帝国发动战争。925年自晋"一切保加利亚人的沙皇"称号。把保加利亚大主教提升为牧首。他把保加利亚的势力范围扩展到马其顿南部、阿尔巴尼亚南部和塞尔维亚，但可能丢失了多瑙河北岸的土地。

● **Simeon II　西美昂二世**(1937-06-16,保加利亚索非亚～　　)　保加利亚末代国王(1943～1946)。1943年8月28日继承父位时仅6岁,由兄长西里尔亲王、N.米乔夫中将和前首相B.菲洛夫3人摄政。保加利亚脱离轴心国、被苏军占领后,3位摄政以叛国通敌罪被处决。1946年9月8日经公民投票,保加利亚废除君主政体。他随母后流亡国外,最后定居马德里。

Simeon OF DURHAM　西米恩(达勒姆的)(?～1130或1138-10-14)　又拼Symeon。中世纪英格兰编年史家。约1071年入达勒姆郡的本笃会隐修院。1104～1108年之间编写《达勒姆教会史》(达勒姆教会从635年建立起到1096年间的历史)。《诸王史》(包括两部英格兰史,其起迄年代分别为731～957和848～1129)原认为也是出自他的手,但现在认为他只是后一部的作者。

Simeon STYLITES, SAINT　西门(柱头修士),圣(约390,西利西亚锡桑[今叙利亚阿勒颇附近]～459,叙利亚特拉尼苏斯)　又称长者西门。基督教修士。传说他开创住在高柱顶端冥想苦修的先例。420年前后,他为了躲开纷扰的人群,登上阿勒颇西北一柱顶。最初所在柱高2米,后来逐步去到高15米的柱顶。他坚持住在柱顶,日以继夜,栉风沐雨。柱端窄小,围以栏杆,只能坐立,有长梯与众人联系,接受门徒所献些许食物。偶尔下到地面,接见访问者。许多男女苦修士,纷纷效法他,甚至青出于蓝。直到19世纪俄罗斯仍有柱头修士出现。

Simeon THE NEW THEOLOGIAN, SAINT　参阅 **Symeon the New Theologian, Saint**　西面(新神学家),圣。

Simeon, Charles　西米恩(1759-09-24,英格兰伯克郡雷丁～1836-11-13,剑桥郡剑桥)　基督教安立甘宗神职人员,圣经评注家。在剑桥领导低教会派,反对强调仪式和主教制的高教会派。他曾在剑桥大学国王学院受教育,后任该院副院长(1790～1792)。1782年在剑桥大学三一学院领受教士俸金,在该院任职终生。他善于讲道,1797年参与创立圣公会国外传教会。

Simeon, Song of(hymn)　参阅 **Nunc Dimittis**《西面颂》。

Simeon ben Yoḥai　西缅·本·约哈伊(活动时期2世纪)　巴勒斯坦加利利地区犹太教坦拿,殉教拉比阿吉巴·本·约瑟的门生。据许多学者说,《光辉之书》是由西缅所著(参阅 **Sefer ha-zohar**)。在阿吉巴的学院中,西缅所受器重仅次于梅伊尔拉比。阿吉巴因反对罗马统治而被折磨致死,西缅被迫隐匿。据传他和儿子以利亚撒隐居洞穴13年之久,靠食椰枣和角豆维持生命。离开洞穴后,西缅创办犹太教义院,培育出犹大(哈-纳西)等人才。西缅深受犹太人尊敬,乃得代表他们前往罗马交涉,结果使限制犹太宗教礼仪的许多条令撤销。西缅主张禁欲苦修,潜心钻研律法书。在制订犹太教有关崇拜礼仪和社会生活的律法方面,他强调制订律法所根据的精神实质,只要坚持这种精神,执行时不妨变通。

Simeon Metaphrastes　西门(改编者)(约900,或许在君士坦丁堡～984以后)　拜占廷圣徒传作者,所著10卷《逐月分列圣人传略》流传甚广,依照希腊正教教历编排,叙早期东派教会圣人生平与殉教经过。西门曾供职于拜占廷帝国,后为修士。

Simeulue Island　锡默卢岛　又拼Simulue。印度洋上印度尼西亚亚齐特区的岛屿。位于苏门答腊西北海岸外,在棉兰市西南约274千米。岛长104千米,宽32千米,面积1 844平方千米。丘陵海拔约567米,坡地覆盖着硬木森林。为珊瑚礁所环绕的多岩石海岸被短而湍急的河川所分割。丘陵四周是居民区,人们在梯田上种植水稻、茶和咖啡,饲养水牛等家畜。有椰子种植园,主要出口椰干和木材。手工业有纺织、木雕、编绳和金属制品。主要城镇和港口是东南海岸的锡纳邦,有公路与岛东北端的塞比戈相通。与大陆的联系主要通过苏门答腊西北岸附近的港口米拉务。

Simferopol　辛菲罗波尔　乌克兰南部克里米亚城市和行政中心。濒临萨尔吉尔河。位于该河出山口(克里米亚山)。俄罗斯人兼并克里米亚后,1784年在此建新城。与鞑靼居民点阿克梅切特毗邻。有食品加工、酿酒、烟草等多种工业。也有轻型机械制造和消费品制造工业,生产机床、电机、电视机、服装与鞋。有师范学院、医学院、农学院和几个研究所。人口约341 000(1998)。

Simhath Torah　庆法节　犹太教节日。住棚节的最后一天,一年为周期的诵经活动自此日开始。会众从约柜里取出经卷,捧经卷在会堂中欢乐巡行,有时儿童摇旗随行于后。人们载歌载舞,儿童分享糖果。该节表达犹太人为拥有和遵守《托拉》(律法)的欢乐。

庆法节中的捧经欢乐巡行场面
美国不列颠百科全书公司供图

Simi Valley　锡米瓦利　美国加利福尼亚州南部本图拉县城市,位于洛杉矶西北65千米,邻近圣费尔南多谷西北部边界。建于丘马什印第安人村庄原址,1795年成为西班牙牧场,后发展为大农业区(柑橘和蔬菜)的供应与运输中心。随着洛杉矶都会区的扩展及其后农业的衰落,基本成了居住区,也有一些制造业(制衣、电子设备和家具)。景点有锡米瓦利文化艺术中心与里根总统图书馆和博物馆。北部有洛斯帕德雷斯和安赫莱斯国家森林。人口111 351(2000)。

simile　明喻　辞格之一。是两种不同实体的比较,与隐喻不同。使用明喻时,相似之点是用"好像"、"仿佛"等词明白表示出来的。明喻的一般传统在日常用语中通常反映着以自然界或熟悉的家庭事物为基础的简单比较。例如,"He eats like a bird"(他吃得极少),"He is as smart as a whip"(他动如脱兔),"He is slow as molasses"(他行动慢如蜗牛)。在某些情况下,原来比喻的贴切性早已失去,例如"dead as a doornail"(死得僵硬了),这句谚语便是如此。文学上的明喻,可以明确而直接,也可以比较冗长而复杂。荷马式的明喻亦即史诗式的明喻,是一种描写性的对比,字数较多,通常还包含若干题外之言。

Simitis, Konstantinos　西米蒂斯(1936-06-23,希腊雅典～　　)　全名Konstantinos Georgiou Simitis,别名Kostas Simitis。希腊法学学者、政治人物、总理(1996～2004)。律师和杰出左翼政治人物G.西米蒂斯之子。曾获联邦德国菲利普斯大学学士学位、法学博士学位,并在伦敦经济政治学院学习(1961～1963)。1967年希腊军人集团夺取政权后,参加反对军人统治的秘密政治活动。1969年流亡联邦德国,任李比希大学商法和民法教授。在此期间通过演讲、发表文章及其他活动继续反对希腊的军人统治。1974年军人政权垮台后返回希腊,创建全希腊社会主义运动。1977年任雅典潘蒂奥斯社会政治大学商法教授。1981年全希腊社会主义运动执政后先后任农业部长(1981～1985),国民经济部长(1985～1987),教育与宗教事务部长(1989～1990)和能源、工业、技术和商业部长(1993～1995);还担任比雷埃夫斯地区议会议员。1996年1月18日全希腊社会主义运动议会代表推选西米蒂斯接替患病的帕潘德里欧任总理。他出任总理后努力使希腊的社会主义政府融入欧洲主流。主张温和的外交政策、公用事业逐步私有化、按照欧盟政策推行经济稳定计划。1996年8月宣布提前选举,9月22日赢得4年任期。在2000年4月举行的大选中,全希腊社会主义运动获胜,他再度出任总理。2004年大选后退位。

Sīmjūrid DYNASTY　西姆朱尔王朝(约940～1000)　伊朗人小王朝,统治呼罗珊。创建者艾哈迈德原为萨曼国王伊斯梅尔的奴隶,约912年任锡斯坦总督。他的后裔易卜拉欣·西姆朱里任呼罗珊总督。易卜拉欣的儿子艾布·哈桑·西姆朱里则建立一个实际上独立的公国,以呼罗珊南部的古希斯坦为中心。后来，这一王朝在伽色尼人、喀喇汗人和萨曼人之间的角逐中灭亡。

Simla 西姆拉 印度西北部喜马偕尔邦首府、西姆拉县县城、城市。城市位于旁遮普邦昌迪加尔东北，喜马拉雅山麓一山脊上，海拔2 200米。由于气候凉爽、风景优美而成为避

西姆拉市的基督教堂

供图：Carl Purcell—Photo Researchers

暑胜地。1865 ～ 1939 年为印度的夏都。1947～1953 年为旁遮普邦首府，1953 年首府迁昌迪加尔。现为农产品贸易中心，有一些工业如轻型制造业、酿酒和手工织布业等。设有喜马偕尔大学的 5 所附属学院。全县面积5 000平方千米，位于喜马拉雅山与印度北部平原之间。人口142 161(2001)。

Simmel, Georg 西梅尔(1858-03-01，柏林～1918-09-26，德国斯特拉斯堡) 德国社会学家、新康德派哲学家，主要以关于社会学方法论的著作而闻名。为了使社会学在德国成为一门基础社会科学，西梅尔做出了很大贡献。他曾在柏林大学(1885 ～ 1914)和斯特拉斯堡大学(1914 ～ 1918)讲授哲学。西梅尔试图把社会相互作用的一般形式或普通规律同某种活动(例如政治、经济、美学的活动)的特殊内容分离开来。他特别注意权威和服从的问题。在《货币哲学》(1900；第 6 版 1958)中，西梅尔把自己的一般原则应用到一个特殊课题——经济上，他强调货币经济在社会活动的专业化方面以及个人和社会关系的冰冷化方面所起的作用。他在生命的最后 10 年致力于形而上学和美学。西梅尔的社会学最初在美国引起重视，系因美国早期重要社会学者 A. W. 斯莫尔(1854 ～ 1926)的翻译和介绍。由 K.H.沃尔夫编辑出版的《西梅尔社会学》(1950)一书，收有译自西梅尔《社会学》(1908)及其他著作的若干文章。西梅尔的概念，也体现于 N.J.斯皮克曼的《西梅尔的社会学说》(1925)及 R.H.韦恩加特纳的《经验与文化：论西梅尔的哲学思想》(1962)等著作中。

Simmonds' disease 西蒙兹氏病 又称全垂体功能减退。因垂体前、后叶的激素分泌均不足而引起的内分泌疾病。临床表现为侏儒症、性腺萎缩、乳房萎缩和泌乳抑制、甲状腺和肾上腺皮质萎缩、基础代谢率降低、血糖偏低、对感染和休克的抵抗力减低等。情绪低落的少年儿童可表现与该病相仿的症状，环境条件改善后，即明显恢复。德国医生 M. 西蒙兹于 1914 年首先描述此症，故名。

Simms, Ruth Hanna McCormick 西姆斯(1880-03-27，美国俄亥俄克利夫兰～ 1944-12-31，伊利诺伊芝加哥) 婚前名 Ruth Hanna。美国公职人员、妇女参政运动积极分子、共和党众议员。实业家和影响美国政界的人物 M.汉纳之女。1903 年与芝加哥报系的 J.M. 麦考密克结婚。夫妻都有进步的社会思想，她积极参加若干全国性福利与改革组织活动。1913 年为促使《妇女公民权法案》通过，到伊利诺伊州议会游说。1913 ～ 1915 年领导全美妇女选举权协会国会委员会。此外，还为童工及最低工资立法游说。1912 年与丈夫共同支持 T.罗斯福脱离进步党，但她后来转向共和党。她支持第一次世界大战之前的备战，反对《凡尔赛条约》及其后的国联。1918 年被任命为新成立的共和党全国委员会妇女执委会主席。1920 年任总执行委员会委员。1924 年丈夫竞选参议员失败，1925 年去世。后在全州范围内成立几十个地方的共和党妇女俱乐部，1928 年成功赢得代表全州的议会席位，获选票 170 万张。1930 年在共和党参议员初选中获胜，但后被参议员 J.H.刘易斯击败。其后转而经商，成立一家广播电台和一个拥有三份报纸的集团公司。1932 年与新墨西哥州前众议员 A.G.西姆斯结婚。1939 年重返政界。

Simms, William Gilmore 西姆斯(1806-04-17，美国南卡罗来纳查尔斯顿～ 1870-06-11，查尔斯顿) 杰出的美国南方小说家。两岁时丧母，由祖母抚养，10岁进查尔斯顿学院。

美国国会图书馆供图

12 岁学完药物学离校，当药剂师学徒。16 岁开始在查尔斯顿各报上发表诗歌。不久到密西西比边地与父亲团聚，熟悉了那里的风土人情。19 岁时编杂志，发表了一本诗集，20 岁结婚，21 岁成为律师。他是一个令人惊异的工作者，不论在伍德兰兹种植园的冬天，在查尔斯顿的夏天，还是每年在为出版事宜的北方之行中，都是这样。作为州议员和报刊编辑，他卷入了政治和文学上的争论。他在查尔斯顿和南方始终受人赞扬，在北方也享有广大读者，尽管他极力为奴隶制辩护。内战时期南部邦联的失败，他第二个妻子的不幸去世，贫穷，谢尔曼军队过境时他的家和藏书遭到毁坏，给他的生活蒙上一层阴影。然而，他的书信证明，文学史作家们长期以来对他估计过低。评论家批评西姆斯写得太多，太轻率，对一些陈旧的手法用得过于频繁；他其实是一个精力极其充沛、富有男子气概的英语散文大师，善于幽默地描写那些粗野的开拓边地的人物。他具有按口头传说讲故事的天赋，能像文物收藏家那样悉心收集历史材料，所有这些形成了他的一些小说的显著特点，例如以 8 世纪为背景的《佩拉约》(1838)、16世纪为背景的《巴斯孔塞洛斯》(1853)、殖民地时期的《耶马西人》(1835，他最吸引读者的作品)、革命系列小说——《游击队员》(1835)、《梅利钱普》(1836)、《亲戚》(1841)、《凯瑟琳·沃尔顿》(1851)、《木雕》(1854)、《袭击者》(1855)、《尤陶》(1856)、《乔斯林》(1867)等；他最好的边地传奇故事《理查德·赫迪斯》(1838)、《边境小猎犬》(1840)；短篇小说集《棚房和小屋》(1845)；以及《南卡罗来纳史》(1840)。他发表过 19 本诗集，其中值得一提的是 1853 年出版的《诗集》。所写传记中，最受欢迎的是《弗朗西斯·马里恩传》(1844)和《骑士巴雅尔传》(1847)。他的文学评论代表作是《美国文学观点与评论》(1845)。

Simms, Willie 西姆斯(1870-01-16，美国佐治亚奥古斯塔附近～ 1927-02-26，阿斯伯里) 非洲裔美国赛马骑师，为最早入选纽约州萨拉托加斯普林斯赛马名人堂国家博物馆的骑师之一。1887 年开始在美国的北部赛马，也是早期采用短马镫并且获得最大成功的骑师之一。这种如今到处可见的短马镫，会将骑师抬到马的鬐甲(马肩胛骨之间的隆起部分)上，马因而可以有更佳的平衡感。1895 年成为第一位在英国获胜的美国骑师，英国的体育新闻记者很快地就将短马镫和下弯的姿势称为“美式座椅”。西姆斯赢得了 1893 及 1894 年的贝尔蒙特大奖赛，以及 1896 和 1898 年的肯塔基大赛，还有 1898 年的普利克内斯大奖赛；他也是唯一获得赛马三冠王的非洲裔美国人。1893 及 1894 年名列美国骑师的榜首(以胜场数为准)。1901 年退役，职业生涯胜率纪录 24.8 是有史以来的最佳成绩之一。

Simnel, Lambert 西姆内尔(约 1475 ～ 1535?) Simnel 又拼 Symnell。英格兰王位觊觎者，骗子手。1485 年亨利七世取胜后，成为妄图复辟约克家族王位的阴谋者的爪牙。原为牛津一个细木工之子。牧师 R. 西蒙兹见他相貌英俊，长得很像爱德华四世，决定利用他。1486 年到处谣传爱德华四世的两个孩子仍然活着，西姆内尔便是其中的一个。西蒙兹将他带到爱尔兰，在都柏林冒充王子登上王位，称爱德华六世。1487 年 6 月他在爱德华四世之妹勃艮第公爵夫人玛格丽特提供的2 000德意志雇佣军的支持下，与要求继承王位的真正的约克家族成员林肯伯爵在兰开夏登陆，进行斯托克战役；林肯被杀死，西姆内

尔和西蒙兹被俘。亨利七世认为西姆内尔只不过是个骗子手,就放在御厨房里当差。

Simōn 西门 参阅**Peter the Apostle, Saint 彼得(使徒),圣**。

Simon LE COUSTELLIER (the Cutler) **西蒙** 参阅 **Caboche, Simon 卡博什**。

Simon MAGUS **西门(术士)**(活动时期公元1世纪) 英语作 Simon the Magician 或 the Sorcerer。《圣经》汉译本称他为"行邪术的西门"。或许出身于《圣经》时代撒马利亚地区基达村的术士。据《新约》(《使徒行传》8:9～24)载,西门在成为基督徒后,向使徒彼得和使徒约翰表示愿出钱购买传输圣灵的超自然能力。**买卖圣物神职(simony)**一词,源此。此后,某些早期基督教著作指出他是后于基督教产生的诺斯替教的创始人,并以他为基督教会内异端分子的典型。起先,巴勒斯坦北部的人们崇敬西门,相信他具有超自然的大能。后来,据《新约》载,西门佩服基督教弘传福音的能力,向执事腓利请求受洗礼。《圣经》的这段叙述最后说,虽然西门过去曾受彼得谴责,后终于悔改,显然与基督教取得了和解。2世纪神学家查斯丁(殉教士)记述,西门在罗马皇帝克劳狄一世在位期间(41～54)到罗马,许多人醉心于他所行的神迹,纷纷追随他。3世纪的其他基督教文献说,术士西门冒充弥赛亚,曾在罗马再一次同彼得相对。相传,西门当着皇帝尼禄(54～68在位)的面向彼得叫阵,为了表现他有飞翔的神奇能力,他登上罗马广场高处然后跳下,结果跌死。也有的史料说,斯多葛主义与诺斯替教达成折衷统一,即所谓"伟大的声明",就是西门促成的。西门提出类三位一体论的诺斯替教教义,称他本人为"上帝的大能"。根据这种教义,犹太人认为他是为人代求、为人受苦的"上帝之子";撒马利亚人称他为"父";异教信徒称他为"圣灵"。这些材料见于早期基督教内的所谓"伪克雷芒著作"。这些文献具有神话形式,因而人们怀疑,《圣经》上的"行邪术的西门"与后世外典所说的西门不见得是同一个人。2世纪出现了一个西门教派,他们尊西门为首位上帝,即圣父,有时西门又被尊为希腊宗教的宙斯神的化身。该派尊他的配偶海伦娜是雅典娜在地上的化身。据西门教派的创世神话说,圣父心中产生"初念"(Ennoia),用她创造众天使,众天使造有形宇宙。但是,众天使出于妒忌,禁锢初念,把她置于人体中,使她不能返归圣父。她注定要从一副人体转入另一副人体,最后进入海伦娜的身体。圣父为了救赎自己的初念,降临世间,成为人身,即是西门,世人凡承认西门为首位上帝者必将得救。西门教派的救世论不同于诺斯替教其他派别,它宣传人在现世即可得救,而诺斯替教其他派别则谓人首先必须逃出地上监牢才谈得上争取得救。

Simon OF SAINT-QUENTIN **西蒙(圣康坦的)**(活动时期13世纪中叶) 法兰西天主教多明我会修士。1247年随罗马教皇英诺森四世派遣的外交和传教使团访问波斯和亚美尼亚的蒙古人。他记载的这次出使经历大部分保留在法国中世纪百科全书编纂者樊尚(博韦的)的《历史之镜》中。使团自巴勒斯坦的阿卡出发,跋涉59天到达亚美尼亚阿拉斯河与戈赤卡湖(今塞凡湖)之间的拜住的营帐,一行人受到轻侮的对待,并且因被认为行动无礼(如不带礼品,劝人信教,拒绝朝见蒙古大汗贵由)而3次几乎被处死。9个星期后被放回,携有拜住的信件,命令教皇朝见和臣服天下之主贵由。

Simon OF SUDBURY **西蒙(萨德伯里的)**(?,英格兰萨福克萨德伯里～1381-06-14,伦敦) 原名泰博尔德或特博或西奥博尔德。坎特伯雷大主教,英格兰大臣。他在罗马教廷任12年法官,1359年教皇英诺森六世派他去说服英格兰国王爱德华三世与法兰西议和。作为一种报偿,英诺森六世于1361年任命他为伦敦主教。1375年5月又任命他为坎特伯雷大主教、1377年7月,他为国王理查二世加冕。1380年1月,他被任命为大臣。1381年春,泰勒所率肯特的叛军向伦敦进军。伦敦塔失陷后,西蒙和另外两个贵族被斩首。

Simon THE APOSTLE, SAINT **西门(使徒),圣**(活动时期公元1世纪,卒于波斯或希腊埃泽萨?) 又称奋锐党西门。十二使徒之一。在原文《马可福音》和《马太福音》中,他的名字

供图:Sonia Haliday

附有 Kananaios 或 Cananaean,此词常误为"迦拿人"或"迦南人"。其实,希腊文 Kananaios 是阿拉米文 qan'anaya 的转写,意为"奋锐党人"。《路加福音》和《使徒行传》就是这样称呼他的。奋锐党是公元70年以前犹太民族主义团体,西门究竟是否为其成员,不能断定。给他加上这个称呼,显然是防止同"彼得的西门"相混。关于他,《新约》除此之外再未提供任何材料。相传他曾在埃及传福音,后来与圣犹大(达太)一同在波斯传教。据外典《西门和犹大行传》载,他在波斯被人锯为两半殉教,他的主要徽号之一就是锯(另一是一本书)。而据4世纪卡帕多西亚教父大巴西勒说,西门善终于埃泽萨。

Simon, Claude (-Eugène-Henri) 西蒙(1913-10-10,马达加斯加塔那那利佛～2005-07-06,法国巴黎) 20世纪50年代兴起于法国的"新小说"派最有代表性的作家之一,因其广阔的历史视野和独特的写作技巧而受人重视。1985年获诺贝尔文学奖。其父为骑兵军官,第一次世界大战时死于战场。西蒙本人在巴黎、牛津及剑桥等大学学习之后,开始游历四方,并参加第二次世界大战,1940年5月被德国人俘虏,逃出后参加了法国抵抗运动。战争期间设法完成其第一部小说《作弊者》(1945)。后定居法国的南部,经营葡萄园。西蒙在《风》(1957)一书中,这样规定自己的目标:向分裂的时代挑战,重新发现经过当代历史大动荡而幸存的物和人的永恒。他在《僵硬的绳索》(1947)和《春之祭》(1954)中描述了西班牙内战的混乱,在《作弊者》(1945)中写了1940年法国的崩溃。他的4部小说《草》(1958)、《佛兰德公路》(1960)、《宫殿》(1962)和《历史》(1967)构成一组人物和事件互有联系的作品。许多评论家认为这些小说,尤其是《佛兰德公路》为他最重要的作品。后期小说有《法尔萨卢斯之战》(1969)、《三联画》(1973)。在西蒙的作品中,叙述与意识流混合,不加标点,句子冗长,有时甚至达千字。西蒙试图通过这种词的堆砌去捕捉生活的真实进程。他的小说虽然表面上杂乱无章,但仍具有相当的可读性。

Simon, Herbert Alexander 西蒙(1916-06-15,密尔沃基～2001-02-09,匹兹堡) 美国社会科学家,以多学科,例如心理学、数学、统计学等方面的研究闻名。他因将各科研究综合成一关键理论而于1978年获诺贝尔经济学奖。西蒙1936年毕业于芝加哥大学。1943年获哲学博士学位。1949年任匹兹堡卡内基-梅隆大学教授,讲授行政管理学及心理学,后讲授计算机科学及心理学。他以有关"行为主义"理论方面的论述而闻名。在其颇有影响力的《论管理行为》(1947)一书中,他试图以确认多种因素的决策办法来代替极简单的传统经济模式的办法以及它的由寻求牟取最大利润的企业家单独作决策的概念。他认为这一体系会为许多领域提供一种更加满意的理论方法,各决策单位都可以对价格和产品产生较大影响。这一理论的重要方面是"满足行为"即经济可变因素在将复杂事物及风险保持在最低限度时,便达到了可接受的程度;这与传统的以最大利润作为首要的动机因素不同。西蒙的理论认为要将心理因素包括在决策过程内,而古典经济学家则不会考虑这一点。西蒙发表过数本有关计算机、经济学和管理方面的著作。

Simon, Sir John 西蒙(1816-10-10,伦敦～1904-07-23,伦敦) 英国医师。为改善城市卫生条件作出许多努力,导致现代公共卫生标准的制定。1848～1855年任伦敦市第一任保健卫生官。1855～1876年任中央政府第一任保健卫生官。创建了管理公共卫生的国家机构,建立了国家主办的科研事业,完善了预防接种制度,并对医务界实行监督。在他提倡下通过了《1866年卫生法》,第一次使公共卫生法令成为普遍适用的、有科学根据的和带强制性的,并成为工业卫生的起点;1875年通过《公共卫生法》,这是一部完整的

供图：BBC Hulton Picture Library

卫生法典，经过充实和调整后在此后的100年间继续生效。

Simon(of Stackpole Elidor), John Allsebrook Simon, 1st Viscount 西蒙(1873-02-28，曼彻斯特～1954-01-11，伦敦） 英国内政大臣(1915～1916，1935～1937)、外交大臣(1931～1935)、财政大臣(1937～1940)和上院议长(1940～1945)。他支持N.张伯伦首相在第二次世界大战前对纳粹德国的绥靖政策。1898年取得律师资格，开业后颇有成就。

供图：Keystone

1906年以自由党党员身份进入下院。1913年任总检察长。1915年任内政大臣，次年因反对为第一次世界大战征兵而辞职。1922年11月再次当选为下院议员。1931年11月在麦克唐纳的国民联合政府中任外交大臣。1927～1930年领导一个委员会调查英国对印度的治理情况，提出了在该地进行温和改革的建议。他在整个30年代是自由国民党(自由党中反对社会主义，赞成保守党实行保护性关税的一派人另组成的政党)的领袖。他主张英国和纳粹德国之间建立友好关系，1936年后是一个绥靖主义者。1935年6月再次被任命为内政大臣。1937年5月任财政大臣。他支持《慕尼黑协定》。1940年在丘吉尔的战时联合政府中任上院议长。同年受封子爵。著有自传《往事回顾》(1952)。

Simon, Jules(-François) 西蒙(1814-12-31，法国洛里昂～1896-06-08，巴黎） 法国政治家、哲学家和法国激进党理论家。1848年被选入国民议会，作为自由派议员，从哲学理论方面支持言论、信仰和思想自由的主张。因反对1851年12月的路易-拿破仑政变，被暂停在巴黎大学的学术职位。1868年发表《激进政治》一文，后成为激进党政治纲领的基础。1869年再次当选为议员，并成为国防政府成员。1871年2月18日，A.梯也尔任命他为教育、宗教和美术部长。1873年5月18日，他同梯也尔一起下台。1876年的选举把一个强大的共和派多数选入众议院，他应邀组成政府，他的政府虽比较温和，但很快与教权运动派发生激烈冲突。1877年5月16日麦克马洪总统给他一封信，实际上等于要他辞职。这时他在众议院中并未被击败。本来可以拒不服从总统，但他还是辞去职务，从而加剧5月16日的宪法危机，争论的焦点是究

供图：H. Roger-Viollet

竟内阁应向总统负责，还是应向众议院负责。由于事态的发展表明应向众议院负责，麦克马洪乃于1879年1月30日辞职，第三共和国实质上成为议会制。

Simon, (Marvin) Neil 西蒙(1927-07-04，纽约市～ ） 剧作家、电影作家、电视剧作家、歌剧歌词作家，美国戏剧史上最受欢迎的剧作家之一。在布朗克斯长大，曾在纽约大学读书，40年代晚期和50年代为各种电视节目写作喜剧。他的自传体剧本《自吹自擂》在百老汇上演立即取得非凡成功，1961年上演以后连演达两年之久。接下来的剧本都极受观众欢迎，通常总在百老汇长演不衰。其中有《赤脚在公园里》(1963；1967年拍成电影)、《怪异的一对》(1965；1968年拍成电影)、《星光闪亮的姑娘》(1966)、《广场组曲》(1968；1971年拍成电影)、《最后的狂热情人》(1969；1972年拍成电影)、《第二街的囚犯》(1971；1975年拍成电影)、《阳光照耀下的男孩们》(1972；1975年拍成电影)、《加利福尼亚套房》(1976；1978年拍成电影)、《第二章》(1977)、《我应当在画中》(1980)，以及一部自传体的三联剧：《布赖顿海滨的回忆》(1983)、《比洛克西布鲁斯》(1985)和《百老汇跳跃》(1986)组成。西蒙还写电影剧本，既改编他的舞台剧本，也专门为电影创作。他还为几部音乐剧写歌词本，如《渺小的我》(1962)、《可爱的慈悲心》(1966)、《诺言，诺言》(1968)和《他们在演奏我们的歌曲》(1979)。西蒙的剧本写的是一般中产阶级的日常生活及家庭问题。他考察人物的婚姻及其他令人陷入困境的问题，在角色的情境中表现一些不协调的事物以达到喜剧效果。

Simonde de Sismondi, J(ean)-C(harles)-L(éonard) 西蒙德·德西斯蒙迪(1773-05-09，日内瓦～1842-06-25，日内瓦附近谢讷） 瑞士经济学家和历史学家。他唤起人们注意不受控制的工业主义所带来的危险和潜伏的危机，指出了经济危机的性质和无限制的竞争、生产过剩及消费不足所带来的危险。他是这方面最早的理论家之一，为K.马克思、J.M.凯恩斯等后来的经济学家所推崇。16岁时在里昂一家银行当职员。1794年和全家到托斯卡纳经营农业。1800年回到故乡日内瓦居住，从事写作，取得很大成功，甚至拒绝出任教授。他的巨著《中世纪意大利共和国历史》(1809～1818)，把中世纪的意大利视作现代欧洲的起源，从而推动了意大利的统一运动。在经济学方面，开始时他是亚当·斯密的忠实信徒，主张自由放任；而1819年他的《政治经济学的新原理》却揭示出他同这位英国人的分歧，德西斯蒙迪主张经济竞争要有政府的节制，产销要有平衡。他预见到资产阶级和工人阶级之间日益增大的裂痕。他号召进行社会改革以改善工人的生活条件，但不谴责私有财产。

Simonianism 西门教派教义 1世纪西门(术士)所创教派的教义。参阅 **Simon Magus**。

Simonides OF CEOS 西摩尼得斯(凯奥斯岛的)(约公元前556，凯奥斯优利斯～约公元前468?，西西里叙拉古） 来自爱琴海凯奥斯岛的抒情诗人和警句作家。他似乎首创胜利者颂歌，以祝贺奥林匹亚竞技会的胜利者。公元前520年他的一首胜利者颂歌，是最早见于记录的作品。西摩尼得斯在凯奥斯研习音乐和作诗法，但是年轻时便离家并且大部分时间住在雅典。后世作家把他同雅典残暴的统治者或色萨利的克拉农和拉里萨以及同叙拉古的暴虐的统治者联系起来，但是他并不完全依赖他们的恩赐。他的有关公元前480年守卫温泉关隘口以抗击波斯人的斯巴达后卫部队的诗句是后人永志难忘的墓志铭。他的声誉如此之高，乃至许多警句后来都错误地归之于他。他又是已知的为取得报酬而写诗的第一位希腊诗人。他的酒神颂歌式的(激情的、歌唱的)诗篇(我们知道这些诗篇在雅典的多次诗歌比赛中是成功的)的片断，他的合唱抒情诗的残篇和他的警句诗都表明，他十分善于表达在希腊人战胜波斯之后出现的新时代的泛希腊理想。

Simonin, Albert-Charles 西莫南(1905-04-18～1980-02-15，巴黎） 法国作家，善于运用巴黎下层社会语言写作，可与美国在这方面的实践者相匹敌。在巴黎郊区的拉夏佩尔度过童年，12岁辍学谋生，曾当过扫烟囱工人、珠宝首饰匠和出租汽车司机等。1935年发表用俚语写的第一部小说《出租汽车来了》。从此，使用俚语便成了他的标志。后来转入报界，用不同笔名发表通俗小说。1953年他的《别碰那钱》获"双像奖"，并被拍成电影。续集《受骗者的反抗》(1954)也获得成功。1957年他编一部巴黎土语字典，名为《西莫南例句小辞典》。除小说外，他还编过电影剧本。1977年发表自传体小说的第一卷《拉夏佩尔区一个小孩的自白》，获圣西门奖。

Simons, Menno (Dutch Anabaptist) 参阅 **Menno Simons 门诺·西门**。

Simons, Walter 西蒙斯(1861-09-24,威斯特伐利亚埃尔伯费尔德～1937-07-14,德国巴伯尔斯贝格) 德国法学家,1925 年 3 月至 5 月曾担任魏玛共和国临时总统。1911～1921 年间在外交部任职,后任德国最高法院院长(1922～1929)。1925 年 2 月 F.艾伯特总统去世,西蒙斯担任临时总统,直至 P.冯·兴登堡当选就职。1927 年起执教于莱比锡大学。

Simonson, Lee 西蒙森(1888-06-26,纽约市～1967-01-23,美国纽约扬克斯) 美国舞台设计师。对美国舞台设计摆脱传统现实主义的束缚起了作用。就学于哈佛大学,1915 年开始为纽约市华盛顿广场剧院设计布景。4 年后,协助创建了戏剧公会,1919～1940 年任该公会理事会理事。此后 30 年间设计了 75 场布景。曾为梅斯菲尔德的《守信》(1919)一剧使用了日本的帷幕;为萧伯纳的《回到玛士撒拉时代》(1922)设计了幻灯。他还是一位积极的艺术批评家、画家、杂志编辑和剧院顾问。发表的作品有论述戏剧的重要文章《舞台装饰》(1932)、自传《毕生的角色》(1943)以及《舞台设计美术》(1950)。

Simonstown 西蒙斯敦 南非开普省西南部的城镇和海军基地。濒临大西洋法尔斯湾,在开普敦南 40 千米,开普半岛东侧。1741 年后为荷兰海军停泊地。1814 年成为英国南大西洋海军中队总部。1957 年海军设施转交南非管辖。20 世纪 70 年代该港口已成为南非的主要海军基地。有早年的海军墓地、总督官邸(1776)、海军上将官邸(1814)、南非第一座英国教堂(1814,1834 年改建)等。该镇港口也是深水游艇的停泊港。人口4 373(1985)。

simony 买卖圣物神职 指买卖属灵的事物或与属灵事物有密切关系的事物。广义指为神圣律法或教会法禁止的任何交易。西门(术士)企图从使徒手中购买传输圣灵恩赐的能力(《使徒行转》8:18),此词即源于此。买卖神职即教会职位的事,实际上在基督教会最初 3 个世纪中并不存在,而在教会有了俸高而势隆的职位可以予人时遂成为司空见惯之事。卡尔西顿会议(451)的第 2 号法规是关于这种行为的最初的立法。其后,禁止和惩罚买卖主教、司铎和助祭之职的命令一再重申。再往后,一切圣俸的转让以及弥撒祭(不包括由当局授权的弥撒祭)、圣油和经过祝圣的其他物件的买卖,都列为买卖圣物神职。这种丑闻起初只是偶然发生,在 9、10 世纪就普遍见于欧洲。经过教皇格列高利七世(1073～1085 在位)大力整治,才又成为偶发现象。16 世纪以后,教会财产或丧失或世俗化,明目张胆的买卖圣物神职现象逐渐敛迹。

simoom(whirlwind) **西蒙风** 参阅 **samūm 萨姆风**。

simple harmonic motion 简谐运动 物理学中指通过平衡位置或中心位置来回重复的运动。它在平衡位置一侧的最大位移等于另一侧的最大位移,每次全振动的时间间隔都相同,并且引起这一运动的力总是指向平衡位置,力的大小与离开平衡位置的距离成正比。许多物理系统都显示为简谐运动(假定没有能量损失),例如摆动着的摆、通以交流

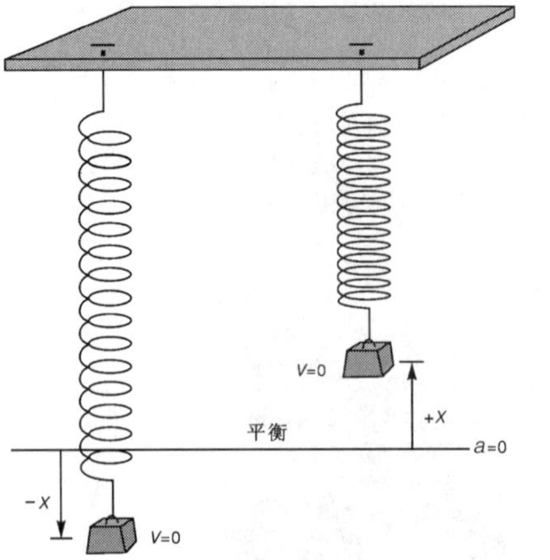

竖直弹簧悬挂质块的振动

电的金属导线中的电子、声波中振动着的介质粒子以及其他一些包含有许多围绕稳定平衡位置作微小振动的系综。

把弹簧上端固定在天花板上,下端系的质块的振动就是简谐运动的一个特例(见图)。当质块在最大位移 $-x$ 处时,弹簧处在最大张力下,这个力使质块向上运动。当质块在最大位移 $+x$ 处时,弹簧受到最大压缩,这时的力使质块向下运动。在两个最大位移处,力都最大而且指向平衡位置,质块的速度(v)为零,其加速度(a)最大,且质块改变运动方向。在平衡位置,质块速度最大而加速度减为零。加速度总是指向平衡位置,与离开平衡位置的位移成正比。此外,每次全振动的时间间隔为恒量,与最大位移的大小无关,因此某种形式的简谐运动就成为计时的依据。这种运动称为谐运动是因为乐器发生这种振动,并引起空气中相应的声波。乐音实际上是许多简谐波的组合,这些简谐波相应于乐器的振动部分以一组组叠加起来的简谐运动的方式振动,其频率为最低基频的倍数。事实上,任何有规则的重复运动和任何波,不管形式多么复杂,总可以看作是一系列简谐运动或简谐波的和。1822 年法国数学家 J.-B.-J.傅里叶首先宣布了他的这一发现。

Simplicius OF CILICIA **辛普利西乌斯(西利西亚的)**(活动时期约530) 希腊哲学家。他为亚里士多德的《天论》、《物理学》、《灵魂论》、《范畴篇》所作的学识渊博的注释因有独创性并包含前苏格拉底哲学家的许多珍贵残篇而被认为有重要价值。曾在雅典和亚历山大城学习,一生大部分时间住在雅典(529 年雅典哲学学校关闭后的一个短时期除外)。现存有对爱比克泰德所著《手册》一书的注释和一部论述求积法的著作。

Simplicius, SAINT **辛普利修斯,圣**(?,罗马附近蒂沃利～483-03-10,罗马) 教皇(468～483 在位)。登位时正值东派教会因发生正统教义与基督一性论之争而陷于分裂。当埃卢鲁斯重任亚历山大牧首时,基督一性论派控制了亚历山大、安提阿、耶路撒冷等重要教会。辛普利修斯向君士坦丁牧首阿卡西乌和支持基督一性论的巴西利斯库斯(475 年排斥东罗马帝国皇帝芝诺而僭位)提出申诉,反对埃卢鲁斯。巴西利斯库斯在辛普利修斯的请求下发出谕旨,谴责埃卢鲁斯。但是,当基督一性论者彼得·芒古斯继埃卢鲁斯之位后,辛普利修斯却未能使 476 年复位的皇帝芝诺谴责彼得·芒古斯。476 年西罗马帝国幼帝罗慕路斯·奥古斯图卢斯被蛮族人奥多亚塞废黜,芝诺任命奥多亚塞为行政长官,亦即事实上的第一代意大利国王,西罗马帝国宣告结束。此时,芝诺表面上成为罗马全境的唯一合法统治者,西方帝国既已灭亡,教皇遂成为权威中心,因而威信提高。482 年芝诺就基督本性问题颁发可以为基督一性论派接受的文件,辛普利修斯则继续坚持卡尔西顿会议的正统教义。

Simplon Pass 辛普朗山口 瑞士南部彭尼阿尔卑斯山与勒蓬廷山之间的山口。海拔 2 006米。拿破仑修建一条驿道(1800～1807)穿过贡多峡谷以后,辛普朗山口才开始

瑞士勒蓬廷山的辛普朗山口
供图:Keystone

同其他阿尔卑斯山各山口一样,作为连接中欧和南欧之间的主要通道。靠近山口顶部有一教会招待所,现由奥古斯丁教派的教士居住。附近还有一家旅店。一条长 20 千米的铁路隧道(1906 年通车)在山口底下1 286米处通过,把瑞士的布里格和意大利的伊塞莱联结起来。山口公路通常从 10 月中旬到翌年 4 月初关闭,其间汽车由火车运过隧道。

Simplon Tunnel 辛普朗隧道 世界最长的铁路隧道,自意大利伊塞莱至瑞士布里格,长约 20 千米,为历史上伟大的工程之一。辛普朗山口自 13 世纪起就是南北欧之间的主要商业通道。隧道自 19 世纪 90 年代开始施工,由发明岩石掘进技术的德国工程师 A.勃兰特主持。由于隧洞深度大(在莱昂内山下最深处达 1.6 千米),洞内温度很高,为此勃兰特同时开凿了两条间隔为 17 米的坑道,作为两条超前导洞,并用横洞提供通风和施工回车道。施工中遇到很多困难,如测量仪器受山区重力场的影响发生偏差,以及涌进洞内的水每分钟多达49 270升等;在一处岩石断层发生涌泉,结果用 74 个 50 厘米厚的钢架

作为导洞的衬里,才得以制服。第一坑道于1905年1月凿通,第二坑道因技术上的困难和第一次世界大战影响,直到1921年才凿通。

Simpson, Christopher **辛普森**(约1605,英格兰约克郡韦斯顿比~1669-05-05和-07-29之间,伦敦) 英国作曲家、教师、理论家,维奥尔琴演奏史中技巧高超的杰出演奏家之一。天主教徒,英国内战(1643~1644)时为保皇党作战,后成为著名天主教徒罗伯特·博尔斯爵士之子的私人教师。生前以其人品与乐艺受人尊敬。作为作曲家,他主要为维奥尔琴创作独奏曲和重奏曲。以发掘乐器演奏的多种可能性和发展变奏曲式著称。有影响的音乐理论著作有:《加花变奏的维奥尔琴演奏家》(1659;1958年现代版),探讨维奥尔琴的技术以及多声部音乐和加花变奏的即兴演奏技术;《音乐演奏的原则》(1665;1970年现代版),受到H.普赛尔以及当时其他作曲家的称赞。

Simpson, George Gaylord **辛普森**(1902-06-16,芝加哥~1984-10-06,亚利桑那图森) 美国古生物学家,对进化论研究作出贡献,又研究了过去的地质年代中动物物种在各大陆间的迁徙情况。1926年获耶鲁大学的博士学位。他选择中生代的哺乳动物作为其论文内容,中生代的哺乳动物对了解哺乳动物的进化十分重要,但这些动物生存过的证据只是零零星星一些颚骨和牙齿的碎片,而难窥其全貌。这些材料主要收藏于耶鲁大学的皮博迪博物馆和伦敦的不列颠博物馆。他编写成关于此二处收藏品的大量四开本专著,因此被誉为能干的哺乳动物古生物学专家。1927年他到纽约市的美国自然博物馆工作,在此继续研究古生物学30年。头15年成绩很大;他在此期间发表约150篇科学论文,其中许多具有相当的重要性。仅少数几篇探讨了低等脊椎动物,但几乎所有论文均讨论哺乳动物古生物学。初到纽约的头几年他对佛罗里达晚第三纪和更新世(250万年前至1万年前)的动物区系感到兴趣,并出版了许多有关文章。但他的兴趣主要在哺乳动物的早期历史上,他20世纪30年代的著作也主要在这方面。他研究了蒙古和北美的白垩纪哺乳动物,尤其是北美大陆的古新世(始于6 500万年前,延续1 100万年)动物区系。由于这些研究,在蒙大拿州联合堡地层中发现了古新世约50种不同的原始类型哺乳动物。他对哺乳动物的进化进行了广泛的研究,最终写成详细的哺乳动物分类系统,成为在这方面的标准分类系统。在第三纪,南美洲生活过许多哺乳动物,这些动物与其他大陆的动物差异颇大。对晚第三纪和更新世的类型已有相当的了解,但关于这些独特的南美类群的更早期历史则几无所知。因此,他于20世纪30年代三次到巴塔哥尼亚考察,收集新材料,并重新研究已经描述的标本;由于这些工作,对南美洲的第三纪哺乳动物了解更多。在30年代晚期发表数十篇有关这些类型的论文,以后又发表两卷著作,将这些动物的早期历史作了总结。第二次世界大战期间他在美军担任管理工作,主要是在北非。回到美国自然博物馆后任活跃的古生物学部主任,并任哥伦比亚大学教授。这些工作要占去他一些研究的时间,但他仍研究不辍。他一面继续进行描述性的古生物学研究,同时兴趣又向其他领域发展。他考虑将数学方法用于古生物学的可能性,与人合著一本论述定量动物学的著作。考虑到各大陆地区的动物区系的演替,于是研究了动物物种在大陆间迁徙的可能性。分类学问题与进化研究紧密相关,他又充分考虑了自己在哺乳动物分类中所使用的分类原则,于1961年发表一卷本的《动物分类学原则》。他在一系列讲座中讨论了接受进化论的哲学意义,这引起世界的注意;这些演讲于1949年汇编成《进化的意义》一书。战后人们从遗传学、系统学和古生物学角度重新研究进化论,他在这些研究中起重要作用。他在此领域的主要著作包括:《进化的节奏和方式》(1944,1984年再版)和《进化的主要特征》(1953)。1858年他离开纽约市,到哈佛比较动物学博物馆的亚历山大·阿加西斯讲座任脊椎动物古生物学教授十年。以后移居亚利桑那州的图森,在亚利桑那大学任地球科学教授,1982年退休。他继续写作,题材广泛。他以后的著作有:《庄严的孤立:奇特的南美哺乳动物史》(1980)、《为什么,怎么样:历史生物学一些问题和方法》(1980)和《化石与生命的历史》(1983)。

Simpson, Sir James Young **辛普森**(1811-06-07,苏格兰林利斯戈郡巴斯盖特~1870-05-06,伦敦) 英国产科医师。第一个在产科应用氯仿,并且第一个在英国应用乙醚。他是

供图:BBC Hulton Picture Library

爱丁堡大学的产科学教授,1832年在该校获医学博士学位。1846年外科手术应用乙醚麻醉的消息传到苏格兰,次年1月他即试用于产科。同年又以氯仿代替乙醚,并发表其经典著作《一种新麻醉药》。尽管产科医生及牧师们反对,辛普森仍坚持应用氯仿来减轻分娩疼痛。辛普森创用了铁线缝合和针压止血法,并发明了一种以他的姓氏命名的长产钳。他还因医学史(尤其是苏格兰的麻风病)、胚胎病理学和两性畸形等方面的著作而闻名。

Simpson, Sir John Hope **辛普森**(1868-07-23,利物浦~1961-04-10) 英国驻印度民政官员、现代最早两部研究难民著作的作者。担任过政府的多种职务,曾任安达曼-尼科巴群岛代理司令官。1916年退休。后来,他又参加中国和希腊的难民救济工作,为此获得很高的荣誉,包括1937年授予的英帝国二等高级爵士勋章。他的著作有《难民问题:调查报告》(1939)和《难民:1938年9月以来的形势回顾》(1939),至今仍为20世纪初难民状况的主要资料来源。

Simpson, Louis (Aston Marantz) **辛普森**(1923-03-27,牙买加~2012-09-14,纽约斯托尼布鲁克) 牙买加出生的美国诗人、文学批评家,因其诗歌风格的卓越发展而著称。所著诗集《诗:在大路的尽头》(1963)获1964年普利策奖。17岁时从牙买加移居纽约市,1948年毕业于哥伦比亚大学(博士,1959)。50年代任图书编辑和在哥伦比亚大学、伯克利加利福尼亚大学任教。1967年后在纽约州立大学任教。早期诗歌——《暴发户:诗(1940~1949)》(1949)和《死亡的好消息和其他诗》(1955)——遵循传统的形式和韵律,虽然所描写的是20世纪的战争和生活质量等当代主题,但在《州长们的梦》(1959)中,他开始表现出惠特曼的诗的影响并尝试写自由诗。他后来认为,诗源于诗人的内心生活,诗的表现形式应新颖、自然。《诗:在大路的尽头》发表时,他的诗歌风格的发展已很明显,即已放弃使用诗的常规。后来的诗集包括《字母I历险记》(1971)、《寻牛记》(1976)、《葬礼上的鱼子酱》(1980)和《晚上最美好的时刻》(1983)。除诗歌外,还写有研究其他诗人的几部评论著作和一部自传《牙买加以北》(1972)。随笔和演讲集《一群诗人》出版于1981年。

Simpson, Matthew **辛普森**(1811-06-21,美国俄亥俄加的斯~1884-06-18,费城) 19世纪下半叶著名的基督教循道宗领导人。短期上学后自修了学校课程。从当地医生学医3年之后开始独立行医。一直热心于宗教工作,19世纪30年代加入循道会担任牧师,几年后成为出色的传教士。1839年任印第安纳阿斯伯里大学校长,在9年内将该校办成中西部的主要教育机构。1848年主编《西部基督教倡导者》杂志。他撰写社评和发表演讲,反对奴隶制度。1852年当选主教,南北战争前和战争期间用其职位与口才鼓舞北方的爱国主义精神。他与共和党领导人友善,在林肯的葬礼上被人推举致悼词。著有《循道宗100年》(1876)和《循道宗百科词典》(1878)。

Simpson, N(orman) F(rederick) **辛普森**(1919-01-29,伦敦~2011-08-27) 英国剧作家,其作品通过对词句的巧妙运用,经常出现双关妙语,特别是不根据前提的推理而取得精彩的语言效果。曾在伦敦大学求学,第二次世界大战期间在部队谍报队服役。战后任助理讲师。他的第一部作品《响亮的丁当声》(1957)表现了他的幽默风格。《摆去不摆来》(1959年上演)一剧是其最成功的剧作,剧情所围绕的中心人物把自己的起居室布置成伦敦中央刑事法庭,最后却发现自己是在被告席上。其他作品有《洞》(1964年上演)、《克雷斯塔之行》(1966)和《他是个人物吗?》(1973)。他也编写电视剧。

Simpson, O.J. **辛普森** (1947-07-09,美国加利福尼亚旧金山～　) 全名Orenthal James Simpson。美国大学和职业橄榄球守卫队员,以其奔跑速度和灵活闪避动作闻名。1965年入旧金山市立学院,以便取得加入旧金山南加利福尼亚大学橄榄球队的资格。在该队,先后于1967和1968年创奔跑前进1 415码和1 709码的纪录。同时,他所参加的440码接力赛跑队创世界纪录。1969年被美国橄榄球联盟布法罗麻鸭队优先吸收。1973年创奔跑前进2 003码的赛季纪录。因膝部受伤,1978年调到全国联盟旧金山49人队。1975年创一个赛季底线得分23次的纪录。在1972～1973年和1975～1976年赛季他的跑动带球向前推进的总码数居美国橄榄球联盟之冠。他整个橄榄球生涯中取得的总码数(11 236)则名列第二。1985年被吸收为前橄榄球名人堂成员。1979年赛季结束后退休,任电影和电视演员和体育评论员。

Simpson Desert **辛普森沙漠** 澳大利亚中部无人居住干旱区,面积约145 000平方千米。东起马利根河和迪亚曼蒂纳河,西至芬克河,北达麦克唐奈山脉和普伦蒂河,南抵巨大的艾尔盐湖。大部在北部地方,部分在昆士兰州和南澳大利亚州。有高20～37米、间距450米的平行沙丘,从西北向东南绵亘160千米。

Simrock, Karl Joseph **西姆罗克**(1802-08-28,波恩～1876-07-18,波恩) 德国学者和诗人,保存了许多早期的德国文学资料,并使之能为人所用,其做法是将古德语译为现代

供图:Bavaria-Verlag

德语(如《尼贝龙根之歌》,1827),重写或改述(如《阿梅龙根之歌》,1843～1849),或编辑整理(如《德国民间传说集》,18卷,1839～1867)。曾在波恩和柏林学过法律,听过A.W.冯·施莱格尔和K.拉赫曼关于文学理论的讲座。1830年,由于写过一首赞美是年七月革命的诗,被撤去司法职务。不久,其父去世,他拥有了财力就退隐到波恩,潜心研究文学。1850年任波恩大学名誉教授。

Sims, William Sowden **西姆斯** (1858-10-15,加拿大安大略霍普港～1936-09-28,美国马萨诸塞波士顿) 海军上将。他坚持不懈地致力于改进舰艇设计、舰队作战战术和海军炮术,使他可能成为美国海军史上最有影响的军官。西姆斯出生时,其父为受雇于安大略的美国工程师。1872年举家迁往宾夕法尼亚。1876年,西姆斯进入美国海军学院。1880年毕业后,他连续在海上执行任务达17年之久。在此期间所撰写的航海教程,长期为海军和商业船只使用。1897～1900年,先后担任美国驻巴黎和圣彼得堡大使馆海军武官。他对外国海军所作的观察使他坚信美国海军处于劣势地位,尽管前不久在美西战争中曾取得胜利。在美国亚洲舰队任职期间(1901～1902),他从一名英国海军上校处了解到一种连续瞄准发射技术。西姆斯向海军部送上一系列报告,陈述了这种技术并对美国现有舰艇落后和海军炮术欠佳提出种种批评。由于没有得到满意答复,他便直接写信给T.罗斯福总统,总统调他回华盛顿任海军射击练习督察。在此职位努力工作7年以后,西姆斯重新回到海上,使海军炮术大大提高。西姆斯于1917年擢升海军少将,美国参加第一次世界大战那年升为海军中将。大战期间,他指挥美国舰队与英国皇家舰队在欧洲水域共同作战。他尽力与其他协约国海军部队密切协调,并在采取确保协约国商船不受德国潜艇攻击的船队护航体制中发挥了主导作用。战后就任海军学院院长。

Simsbury **锡姆斯伯里** 美国康涅狄格州北部哈特福德县城镇。临法明顿河。1660年创建,1670年设建制。菲利普王战争(1675～1676)中遭焚毁,居民外逃。1705年附近发现铜矿后重建并日趋繁荣。1737年铸造首批殖民时期铜币。锡姆斯伯里历史中心有铜币展出。现主要为住宅区,亦有轻型制造业。镇东北有州立托尔克特山公园。人口约23 421(2002)。

simulation **模拟** 工业、科学和教育中的一种研究或教学方法。它可在实验条件下再现实际事件和过程。制订一项模拟是一种极复杂的数学过程。开始时,要详细说明一整套规则、关系和操作程序,以及其他变量。这些现象的相互作用产生新的情境甚至新的规则,它们随着模拟的进行而演化。模拟工具种类颇多,从用纸笔和木板再现情境,直到用复杂的计算机辅助的相互作用体系。实验中使用模拟方法使研究者能不用稀有材料或昂贵仪器而进行奇异的"干燥实验室"的实验或演示。在汽车制造业中,计划的汽车设计在计算机模拟中来进行模拟风洞试验,从而节省原来用于制造和测试原型的几百小时。压缩时间是模拟技术节省成本的另一个特点。任何地方发生的事件,其真实时间可能为几小时直至极长的时间,但在几分钟内即可模拟出来。例如,医学研究人员常常要隔离器官,并且要用人工方法保持它们的生命,进行培育,注入化学药物,并等待结果。然而,当一个被选择的器官的正常机能可被精确地模拟下来时,研究人员在几分钟之内即可观察到范围广泛的许多事件对器官机能产生的影响。同样,天文学家使用计算机模拟银河系运动,可以演示数百万年才能完成的事件——例如两个星系的碰撞——以检验理论描述的正确性。作为教学方法,模拟可使学生以逼真的方式处理重大事情,而在他们作出错误选择时也不致产生恶果。这种方法在医学训练中十分有用,例如,艾伯塔大学医学院便用计算机来模拟处于危急情况并且如无适当护理即会死亡的病人。要求有抱负的医生迅速作出诊断,确定治疗方法,以保全病人的生命。飞行员受训者也要通过林克式地面教练机一类精密模拟装置置身于各种逼真的紧急情况之中。模拟能使学生理解各种自然环境因素或社会环境因素的复杂的相互作用。例如,达特茅斯学院的学生做模拟游戏,力求在虫灾、火灾、洪水的威胁下,使水稻获得好收成。西北大学管理学研究生院用计算机模拟了一个美国经济的微型模式。学生利用便携式终端和电视监视器提出解决经济问题的方案,并将他们的预计与从该模式中取出的数据加以比较。

simulator, flight 参阅 **flight simulator** 飞行模拟机。

simultaneous setting (theatre) 参阅 **multiple setting** 多重布景。

Simulue (Indonesia) 参阅 **Simeulue Island** 锡默卢岛。

Simuwu Quadripod **司母戊鼎** 中国商代晚期青铜器。因腹内壁铸有"司母戊"三字而得名。1939年出土于河南省安阳市殷墟王陵区商代大墓,为现知中国古代最大的青铜礼器。现藏中国国家博物馆。鼎通高133厘米,器口长110厘米、宽78厘米,重875千克。长方形腹,双立耳,四圆柱形足,折沿,方唇。器腹四边角、每面正中和足上端均有扉棱。鼎上的纹饰主要由兽面、夔龙和牛、虎等形象组成。鼎身与足为浑铸,耳后铸接。合金成分为:铜84.77%,锡11.84%,铅2.76%,配比已相当进步,是当时青铜器艺术的代表作之一。器内铸"司母戊"三字,其中"母戊"为商王武丁或武乙配偶的庙号。鼎的铸造年代有祖庚、祖甲之时或文丁之世二说。

Sin **辛** 阿卡德语。美索不达米亚宗教所崇奉的月神,太阳神沙玛什(即乌图)之父,另说他是金星女神伊什塔尔之父。辛与沙玛什和伊什塔尔共为天空联立三神。苏美尔人称他为Nanna(南那),其徽号为新月,有时用硕大公牛之角表示。南那使牛群繁殖,牧民亨通,

约公元前2050年乌尔纳姆石碑上国王倒酒祭奠辛(右坐者)浮雕像

费城宾夕法尼亚大学博物馆供图

防止河水泛滥成灾,调节芦苇生长,增加乳类产量。他的配偶宁伽尔司掌芦苇。辛的形象是长须老人,睿智难测,冠上有四角,其上饰以新月。

sin 罪 从宗教观点上断定为不道德的邪恶行为。犹太教和基督教认为,罪就是有意识、有目的地违背上帝的旨意。参阅 **deadly sin**。古今许多文化形态中都有关于罪的概念,一般是指个人没有实践外界的行为准则,也指违犯禁戒、法律或道德准则。有些古代社会还讲一种集体的罪,这种罪涉及全人类,源起于一种神话,这种神话说,人本来天真无邪,快乐幸福,后来发生了"人的堕落",丧失了那种境界(参阅 **original sin**)。在古代希腊人思想中,罪实质上就是人没有能够达到真正的自我表现,没有能够同身外宇宙保持正当关系;其原因主要是无知。在《旧约》中,罪这个概念同希伯来人的一神教有直接关系。罪行被认为是违抗上帝的诫命,罪本身就是违抗或仇恨上帝的态度。《新约》承认犹太教关于罪的概念,但是又认为,由于人类处于既有集体罪又有个人罪的状态,于是耶稣到世上来补救。通过基督所实现的救赎会使人克服罪而达到纯全。基督教和犹太教都认为,罪是有意识地违背上帝的旨意,其原因是人的骄傲、以自我为中心和不顺服。这两种宗教一方面较之其他大多数宗教都强调罪的严重性,另一方面,在关于罪的本质和后果上,又都坚决地反对摩尼教的教义(该教认为,整个受造世界或其物质部分乃固有罪恶)。基督教认为,恶的原因是受造体滥用自己的自由意志;并认为,肉体连同它的情欲和冲动,不应漠视或鄙视,而应使之圣洁;《圣经》在贬义地使用"肉体"一词时,指的不是人的身体,而是人的叛逆上帝的性质。神学家把罪分成"本罪"和"原罪"。本罪即通常所说的罪,包括邪恶的思想、言论和行动。原罪(此词不太好解)指的是:人作为有罪的种类的一员,生来就处在道德堕落的状态。据《创世记》所述,这是从人的第一宗罪,即亚当的罪,遗传下来的。对于这段叙述应如何解释,众神学家见仁见智,但是大家都认为:无论原罪的起源和性质如何神秘,人来到世界,不是作为孤立的个体,而是作为一个统一的种类的一员,这个种类从自己过去的历史继承善与恶两种特点,而这就是原罪的起源。本罪根据严重程度分为重罪和轻罪。这种区分往往难以做到,但是又不可避免。重罪是蓄意背离上帝,是在重大问题上完全自知地、完全由个人意志认可的情况下犯下的,它使罪人断绝了享受上帝圣化之恩的道路,一直到罪人悔改。轻罪涉及较次要的问题,犯罪时不太自知为谬误。轻罪一方面削弱罪人与上帝的关系,另一方面却又不是蓄意背离上帝,因而并未完全断绝享受圣化之恩的道路。本罪又可以分成物相罪(material sin)和全相罪(formal sin)。全相罪一方面本身错误,另一方面罪人也自知其为错误,因此它是使他卷入其中的一种个人过错。物相罪所包含的行动本身错误(因为它违反上帝的律法和人的道德性),但是罪人并不知其为错误,因而他本人不应为之负责。

Sin-ahhe-eriba (Assyrian king) 参阅 **Sennacherib** 辛那赫里布。

Sīnā' al-Janūbīyah (Egypt) **西奈南方省** 参阅 **Janūb Sīnā'** 南西奈省。

Sīnā' ash-Shamālīyah (Egypt) **西奈北方省** 参阅 **Shamāl Sīnā'** 北西奈省。

Sinai, Mount 西奈山 又称摩西之山或何烈山,希伯来语拉丁字母转写作 Har Sinai(西乃山),阿拉伯语拉丁字母转写作 Jabal Mūsā(摩萨山)。埃及西奈半岛中南部的花岗岩山峰。位于南西奈省境内。在犹太历史中此山是上帝发出启示的主要地点,根据《圣经》,上帝在此向摩西显灵,并赐给他十诫(《出埃及记》第20章;《申命记》第5章),该山因此著名。在基督教和伊斯兰教的传说中也是圣地。因为学者们关于古以色列人出埃及的道路意见不同,并且按基督教《圣经》中叙述的地名,不能确定现在的地点,所以难以确定《圣经》上的西乃山是否即为此山。然而这座山峰长期被犹太教、基督教和伊斯兰教视为圣地。在基督教的早期,隐士们常来此地。530年在西奈山北麓修建了圣凯瑟琳隐修院。至今仍有西奈山自主的正教会少数修士居住。这或许是世界上最古老的一直有人居住的基督教寺院(参阅 **Saint Catherine's**)。西奈山海拔2 285米,从1967年的六日战争直到1979年归还埃及时,一直在以色列管辖下。现已成为重要的朝圣地和旅游地。

西奈山的主峰

供图:W. P. Jacob, Greenwich, Conn.

Sinai Peninsula 西奈半岛 连接非洲和亚洲的三角形半岛,面积6.1万平方千米。西濒苏伊士湾和苏伊士运河,东接亚喀巴湾和内盖夫沙漠,北临地中海,南濒红海。东西最宽处210千米,南北最长达385千米。半岛的干燥地带称西奈沙漠,苏伊士湾和苏伊士运河将其与埃及的东部沙漠分开,西奈沙漠继续向东延伸进入内盖夫,没有明显的地势变化。

西奈半岛地理上属亚洲,为埃及的东北端,东邻以色列和加沙地带。行政上分为两个省,即北西奈省(Shamāl Sīnā')和南西奈省(Janūb Sīnā')。1967年阿拉伯-以色列战争期间半岛被以色列军队占领,1982年根据1979年和约归还埃及。西奈史前就有人居住。最早的书面记载始见于公元前3000年,当时古埃及人记录了他们在那里寻找铜矿的情况。以色列人穿过西奈一事是毫无疑问的,但他们出埃及的道路和时间仍在争辩之中。西奈是上帝赐给摩西十诫的地点因而出名,但还不能确定西奈山就是真正的地点。沿西奈北岸的一条大道数百年间曾一直是埃及与巴勒斯坦之间的主要商道。埃及帝国衰落后,来自佩特拉的纳巴泰人控制西奈商道达200年之久,公元106年被罗马人击败。这一地区遂成为罗马帝国中的阿拉比亚省。

在基督教的早期,西奈成为许多隐士和苦行者的居住地,特别是南部山区。530年,拜占廷皇帝查士丁尼一世开始在西奈山低坡上建造圣凯瑟琳隐修院,为这一地区基督教徒分散的群体提供了一个中心。在整个欧洲中世纪,该隐修院一直是朝圣地。1517年后,西奈归属奥斯曼帝国,情况恶化。19世纪早期,埃及摆脱了土耳其的直接统治后,到西奈去就更为困难了。阿里什地区是第一次世界大战期间土耳其人和英国人进行战斗的地方,战争结束后,西奈移交给埃及,直到1967年的六日战争,以色列人侵占了西奈半岛。自1949年以来,西奈一直是以色列和埃及军事冲突的地点。半岛东南部的吉迪和米特拉要隘在1956、1967和1973年都是激战的战场。

西奈可分为两个主要地区。第一个地区是南方的高山群,包括凯瑟琳山(2 642米);肖马尔山(2 585米)和西奈山(2 285米)。南区是火成岩山地。第二个地区是一片大高原,占西奈2/3的面积,从900米以上的高度向地中海倾斜,有广阔的阿里什平原,西部和北部有沿海平原,上有沙丘。北部(或地中海)水系在阿里什镇附近注入地中海。东部(亚喀巴湾和死海)流域和西部(苏伊士湾)流域都有小河流过。估计西奈沙漠每年从本地区降水接受20亿立方米以上的水量。西奈位于北非和西南亚的干燥气候带内,在北部(地中海)地区,冬季降雨量较大(125毫米),夏季干燥炎热,春秋季有南部吹来的干燥的喀新风,偶尔降暴雨。南部(红海)地区因有高山,气候不同。山峰终年云雾环绕,冬季冰雪盖顶。南方地区冬季有降雨,夏季偶尔自东南吹来季风,有时下暴雨。

除北部沿海平原的新灌溉区外,西奈沙漠中一般只有短生命植物。在南部山坡和北部高原上有些灌木丛。动物很少,有野山羊、瞪羚、狐、豹等。境内人口稀少,主要集中在北部边缘,这里水源充足,此外西部边缘人口也较多,这里开采石油和锰矿。定居人口从事农业、土地开垦、畜牧业、石油业、矿业、渔业和旅游业。游牧的贝都因族也越来越被吸引到工农业中去。1910年在塔纳卡山发现石油,这是西奈半岛开采的最重要矿藏。锰和铀也适宜开采。土地开垦和灌溉计划使北部沿海平原几十万公顷土地成为耕田。生产大麦、水果、蔬菜、椰枣和橄榄。也种植树木。椰枣林遍布半岛各地。有些贝都因人仍过着游牧生活。

Sinaia 锡纳亚 罗马尼亚中东部普拉霍瓦县城镇。位于普拉霍瓦河谷。在布加勒斯特西北偏北105千米处。1695年,一骑士在此建造隐修院，名锡纳亚，后成为城名。1878年修通铁路后迅速发展。佩莱什博物馆藏有绘画、家具和地毯。佩利肖尔宫内有英国式花园。该镇有现代化旅馆、疗养所、露营地和体育设施。工业有冶金、建筑材料和食品加工。人口约15 435(1985)。

Sinaitic inscriptions 西奈铭文 又称原始西奈铭文，是用字母文字书写的最早文献之一；这种铭文刻在西奈半岛的石头上，是英国考古学者W.F.皮特里于1904～1905年间最先发现的。西奈铭文的时代大约始于公元前16世纪初，显然受到埃及象形文字和迦南文字(公元前1900～前1800年的一种古文字，可能发展成后来的北闪米特字母)的影响。西奈铭文至今尚未被很好地解读出来，少量不同的符号似乎可以说明这种文字是一种字母文字，而不是一种表意文字。1916年英国的埃及学专家A.加德纳曾经把一组符号尝试地解读为闪米特女神巴勒特(Baʿalat)的名字；这个结论是根据西奈符号和相对应的闪米特文字的相似特征而作出的，为学者们所接受并认为可能是正确的。加德纳的研究工作表明，西奈文字与北闪米特字母有亲缘关系；还有人认为与阿拉伯半岛上的南闪米特字母也有关系。

Sinaloa 锡那罗亚 墨西哥西北部一州。临加利福尼亚湾和太平洋。面积58 328平方千米。1830年建州。为从内陆升起延伸至西马德雷山脉的一片沿海平原。有5条主要河流流过。经济以农业为主。河流灌溉区产小麦、鹰嘴豆、棉花、烟叶和甘蔗等。矿产有盐、石墨、锰、金等。工业有啤酒、香烟、棉织。主要的公路和铁路从英雄诺加莱斯城至墨西哥城，经过州首府库利亚坎和该州的主要太平洋港口马萨特兰。人口约2 534 835(2000)。

Sinan 锡南(1489-04-15，土耳其阿吉那兹～1588-07-17，君士坦丁堡[今伊斯坦布尔]) 奥斯曼帝国著名建筑师。在建造清真寺等建筑物的过程中形成了他的设计思想，成为后来土耳其建筑的基本格调。初承父业作木石工匠，1512年应征到伊斯坦布尔苏丹宫廷服役，经过严格的训练，成为奥斯曼帝国军队的一名营造官。在设计建造桥梁、堡垒时已显露出他的建筑才能。1539年他完成了第一幢非军用建筑，此后的40年一直从事建筑工作。他的建筑作品数量惊人，有79座清真寺、34座宫殿、33所公共浴室、19座陵墓、55所学校、16所济贫院、7所伊斯兰经学院以及12家商队客店，此外还有谷仓、喷泉、高架渠和医院等。最著名的建筑是三座瑰丽壮观的清真寺：1548年完工的塞扎特清真寺，他自认为是学徒时代最好的作品；1550～1557年建于伊斯坦布尔的苏莱曼一世清真寺则是为许多专家学者公认的最佳作品，它以圣索非亚大教堂为蓝本；1568～1574年建于埃迪尔内的谢利姆清真寺。锡南以拜占廷教堂为榜样，设计清真寺，为满足穆斯林集体祈祷时所需要的广大空间，他将巨大的圆穹顶设在中央，作为核心，而在周围设置较小的穹顶、半穹顶及扶壁等加以衬托，并在四角竖立细长的尖塔，成为整个建筑物的外框。他的大型建筑作品均能给人以雄伟有力的感受，在较小的作品中以陵墓和纪念碑最受人推崇。

锡南设计的伊斯坦布尔苏莱曼一世清真寺，1550～1557年
供图：Owen Franken—Stock, Boston

Sinanthropus 中国猿人属 北京人(**Peking man**)和蓝田人(**Lantian man**)原来的属名，现在二者均归属于直立人。

Sinarquism 辛那其主义 西班牙语作Sinarquismo(由西班牙语 sin[没有]和 anarquia[无政府]两字组成)。墨西哥的法西斯运动，以墨西哥政党——辛那其全国联盟为基础，该党于1937年在瓜纳华托州莱昂成立，反对1911年革命后确立的政策，特别是反对反僧侣法。它受在瓜纳华托的德国人、语言学教授H.O.施莱特的鼓动而成立，施莱特是纳粹党员和第一次世界大战中的德国情报员。该运动反对共产主义、自由主义和美国，拥护法西斯独裁者佛朗哥、墨索里尼和希特勒。辛那其纲领要求恢复墨西哥传统——天主教、西班牙传统和以家庭与村庄为中心的社会秩序。该运动并批评地方政府滥用职权。1941年辛那其主义宣称共有100万信徒，但后来由于分裂和总的经济情况改善而被削弱。1952年国家行动党吸收辛那其中主张土地改革的人，以增强其群众的呼声。50年代和60年代留在运动内的政治活跃分子继续敦促恢复天主教会曾拥有的权力，但其影响甚微。

Şinasi, İbrahim 锡纳西(1826，君士坦丁堡[今伊斯坦布尔]～1871-09-13，君士坦丁堡) 又称易卜拉欣·锡纳西·埃芬迪。土耳其作家，19世纪土耳其文学中的西方文化运动的发起人和领导者。锡纳西曾在奥斯曼炮兵总署当过职员。曾随奥斯曼陆军中一位法籍军官学习法语，后要求去法国学习。在留法期间(1849～1853)，结识了许多法国作家和诗人。回国后，曾数任政府职务，但他却转向新闻和诗歌。1853年，《锡纳西诗集》和另一本译自法文的诗集几乎同时出版。1860年投身报业，1862年自己创办《思想写照》报，传播新的政治和文学思想。还为《军事新闻》撰稿。1865年可能由于政治原因，逃往巴黎，大半时间从事研究和编纂一本大型土耳其词典，但从未完成。1870年返回君士坦丁堡，隐居终生。锡纳西被认为是土耳其文学现代派的奠基人，也许是第一个痛感文学必须反映人民大众心声的土耳其作家。为此，他提倡改革土耳其诗歌形式(大量模仿经过他仔细研究和观察的法国模式)，并采用一种不受阿拉伯和波斯语词汇及语法影响的纯土耳其文学。

Sinatra, Frank 西纳特拉(1915-12-12，美国新泽西霍博肯～1998-05-14，加利福尼亚洛杉矶) 美国备受欢迎的歌手，亦是名闻遐迩的电影演员。约1936年开始歌唱生涯，1937年他和他的小组"霍博肯四人团"在一次业余天才比赛中获胜。1939年乐队领队H.詹姆斯发现他在路边咖啡馆里表演，立即招他到乐队工作。1939年7月他首次与詹姆斯乐队合作录制了他演唱的《出自我内心深处》。1940～1942年他与T.多尔西乐队合作演出，1942年12月31日在纽约市首次独唱演出。1943～1945年在电台广播节目"流行歌曲风云榜"中的独唱演出使他迅速驰名全国。特别擅长于演唱流行爱情歌谣。他首次主演的电影为《再高一些》(1943)，40年代还参加几部轻快音乐剧影片。1953年，当他的事业衰微之际，他在《从这里到达永恒》中扮演一个不唱歌的角色安杰洛·马焦，因其严肃的表演才华而荣获奥斯卡金像奖。这一胜利大大推动了他的事业，从此成为一位多才多艺的戏剧演员。除1971～1973年间一度短暂退隐外，他一直是一位走红的歌唱与录音明星，亦时常在电视上露面。

供图：*down beat* magazine

Sinbirsk(city, Russia) 参阅**Simbirsk**辛比尔斯克。

Sincelejo 辛塞莱霍 哥伦比亚北部苏克雷省省会。建于1776年。位于从巴兰基亚通往麦德林的公路干线上。经济活动包括养牛、制糖、服装和农业(种植烟草、水稻、豆类、玉米和薯类)。人口约167 600(1992)。

Sinclair, Harry F. 辛克莱(1876-07-06,美国西弗吉尼亚惠灵～1956-11-10,加利福尼亚帕萨迪纳) 美国石油实业家,在大西洋里奇菲尔德公司合并之后,创建辛克莱石油公司。辛克莱生长在堪萨斯州,当时该州的油田还处于开发的初期。1901年他购置了第一笔石油资产。开始是租赁经纪人,继而成为独立的石油生产商,最终参加炼制与销售。1916年他将自己一些企业合并组成辛克莱石油公司;未数年,他成为主要的独立的石油生产商,所属企业遍及全球。20年代因卷入蒂波特丑闻,贿赂政府官员,后以蔑视法庭和国会罪服刑6年半。1949年他退休时,辛克莱石油公司的资产有12亿美元,盈利6 800万美元。

Sinclair, Sir Keith 辛克莱 (1922-12-05,新西兰奥克兰～1993-06-20,加拿大) 新西兰诗人、历史学家、教育家。以关于新西兰的历史著作而闻名。曾就学于奥克兰大学学院(1954年获博士学位),第二次世界大战时曾在军队服役。1947～1987年在奥克兰大学教书,1963年成为历史学教授。1985年被封为爵士。第一本诗集是《夏天之歌及其他诗歌》(1952),随后又发表了《陌生的人们或凶残的人们:诗集》(1954)、《拥抱之时》(1963)和《火轮树》(1973)。最著名的历史著作是《毛利人战争的根源》(1957)。此外还有《新西兰史》(1959,1980年增订再版)和《自由党政府,1891～1912:向福利国家前进的第一步》(1967)以及《不同的命运:新西兰对民族特性的追求》(1986)。他的自传在他去世后不久出版。

Sinclair, Upton 辛克莱(1878-09-20,美国马里兰巴尔的摩～1968-11-25,新泽西邦德布鲁克) 美国小说家、社会主义和其他事业的辩护人。所写小说《屠场》是自然主义的无

美国不列颠百科全书公司供图

产阶级小说当中的一个里程碑。1897年毕业于纽约市立学院,在哥伦比亚大学当过研究生,靠为报纸撰稿维持生活。《屠场》(1906)是他的第6部,也是他第1部成功之作。当时他由一家社会主义周报派到芝加哥调查屠宰场的情况,因而写成此书。他的报告是用小说体裁写的。《屠场》的本意是要唤起人们对屠宰场被剥削和虐待的移民工人的同情,但却引起人们对肉类加工质量和不洁的愤怒,促使政府通过食品质量检查法。此书是*黑幕揭发者*(**muckraker**)作品中最有生命力的一部。最初被几家出版商所拒绝,后自费出版,竟成为畅销书。他用稿费开办了"赫利孔之家",这是在新泽西州恩格尔伍德举办的一项合作生活试验。1907年房屋焚毁,这项活动遂告结束。后来辛克莱又写了一系列反映现实问题的小说,但均不如《屠场》成功。这类小说包括根据蒂波特山丑闻写的《石油》(1927)和根据萨柯-范泽蒂案件写的《波士顿》(1928)。在俄国1917年革命前后,辛克莱的作品在俄国深受欢迎。后来由于他积极反对共产党政权,在俄国的声望下降。但是,在20世纪30年代末和40年代,他因为写了一些反法西斯的作品,在俄国的声望又一度上升。从小说《世界末日》(1940)开始,辛克莱以兰尼·巴德为主人公,写了11本现代历史小说。兰尼·巴德是一个难以置信的反法西斯英雄,碰巧亲身经历了当时所有的重大事件。这部系列小说拥有大量读者。在20世纪30年代经济危机期间,辛克莱以"结束加利福尼亚的贫困"为口号,组织了一场社会主义改革运动。1934年,他作为民主党候选人竞选州长,未成。他的《美国的前哨:回忆录》(1932)经过修改补充成为《厄普顿·辛克莱自传》(1962)。

Sind(Pakistan) 参阅 **Sindh** *信德*。

Sindbad THE SAILOR 水手辛伯达 《一千零一夜》中的人物,他叙述了自己7次远航中的历险见闻;但不要与连环故事《七贤哲》中的人物贤哲辛伯达相混淆。辛伯达的历险活动基于巴士拉(伊拉克)商人约在阿拔斯王朝初期(750～约850)冒极大危险同东印度和中国进行贸易的经历。故事中比比皆是的非凡经历,自然夸张了他所遭遇的种种危险。故事中的辛伯达运载货物从巴士拉启航后,不是被弃置荒岛,就是遇到船难。主人公靠随机应变和幸运才得以九死一生,并发财还乡。航海故事的精彩细节反映了东方的海运和商业活动。例如,辛伯达虽然没有列举他从巴士拉运载了哪些货物,但是他在航海期间买了钻石、贵重的宝石、檀香、樟脑、椰子、丁香、桂皮、胡椒、沉香、龙涎香和象牙。辛伯达旅程中奇迹般的经历使人想起某些民族文学中的类似情节。例如,产卵大如白色圆形屋顶的神鹰,就出现在马可·波罗关于马达加斯加岛等东非近海岛屿的描述里。在第一次航海中被误认为海岛的鲸就类似普林尼和索利努斯笔下的巨鲸。加兹维尼(13世纪波斯地理学家)、马可·波罗和圣爱庇法尼乌斯(塞浦路斯的萨拉米斯的主教)也叙述过与辛伯达在第2次航海中发现的钻石谷相似的地方。人们还可以把第3次航行中的吃人巨人同《奥德赛》中的独眼巨人联系起来,而辛伯达的同伴被吃人巨人用饭菜养肥并因此而失去理智的故事使人想起《奥德赛》中吃莲蓬的故事。圣·哲罗姆曾提到把死者的亲人同死者一起活埋的西徐亚人风俗,与之相似的是辛伯达被葬在死人洞的事。在第5次航海中强迫辛伯达带他航海的那个"海上老人",已被确定为婆罗洲和苏门答腊的巨型类人猿。有些学者认为辛伯达的冒险故事又转而影响了D.笛福的《鲁滨孙飘流记》和J.斯威夫特的《格列佛游记》。

Sindh 信德 又拼Sind。巴基斯坦东南一省,西部和北部邻俾路支省,东北接旁遮普省,东边是印度的拉贾斯坦和古吉拉特邦,南濒阿拉伯海,海岸线长240千米。信德省基本上是印度河三角洲的一部分,也由印度河而得名,印度河在巴基斯坦称为信度河。信德省建于1970年,省会卡拉奇位于西南海岸。现今的信德省地区是古代印度河流域文明的中心,以摩亨约-达罗、阿姆雷及果德迪吉各地为代表。这个早期文明出现于大约公元前2300到公元前1750年,接着是一千多年的历史空白,直到公元前6世纪后期大流士一世的波斯人阿开民帝国对信德的合并。将近两个世纪之后,亚历山大大帝于公元前326～前325年征服了本地区。在他死后,信德又相继被统治于:塞琉古一世、孔雀王朝的旃陀罗笈多(约公元前305年)、公元前3世纪至公元前2世纪印度-希腊人及安息人、公元前约100年到公元200年西徐亚人及贵霜人。信德居民于公元1世纪在贵霜统治下皈依了佛教。公元3～7世纪,本地区依然处于波斯人萨珊王朝统治下。阿拉伯人于711年征服信德,预示伊斯兰教进入印度次大陆。从712年到大约900年信德是伍麦叶及阿拔斯两帝国的信德省的一部分,首府设在曼苏拉,位于现今海得拉巴城北方72千米处。当哈里发中央权力衰微时,信德省的阿拉伯总督从10～16世纪在此建立他们自己的王朝。16～17世纪信德受莫卧儿(1591～1700)人统治,嗣后由一些独立的信德人王朝自行治理,最后的一个信德人王朝于1843年把本地区丢失给英国人。此时信德的大部分地区属于孟买管辖区。1937年成为英属印度的一个单独的省。但在巴基斯坦独立后,信德省于1955并入西巴基斯坦省,1970年信德又重新建为一个单独的省。

在地形上,信德省可分为南北向的3条平行地带:西部是基尔塔尔山脉,中部是印度河纵贯中央的冲积平原,东部是沙漠地带。基尔塔尔山脉包括3条平行山脊,土壤很少,大部分是干旱的不毛之地。肥沃的中部平原是印度河谷地,该平原长约580千米,面积大约5.18万平方千米,地面从北往南逐渐下降。东部沙漠的北部有低矮沙丘和平地,南部是阿克罗塔尔,意为"白沙沙漠",东南部是塔尔沙漠。信德省属亚热带气候,夏季炎热,冬季寒冷。5～8月气温经常升到46°C以上,12月至翌年1月平均低温则为2°C。年平均降水量180毫米上下,主要集中在7、8月份。除了有灌溉的印度河谷外,本省土地干旱,植被稀少。矮棕榈、克尔树及约赫洛树是西部山丘地区的独特树种。中部河谷阿拉伯橡胶树最普遍,出现于印度河沿岸的稠密树林里。芒果、椰枣、香蕉、番石榴和柑橘是印度河谷地中栽培的典型果树。沿海及溪流畔多半水生及水生植物。大规模及继续不断的入境移民使本省人口具有多种种族成分:本土原住

民有梅赫人,或称穆罕那人,是古代梅德人的后裔;桑马人以及与之有亲缘关系的拉喀人、洛哈那人、尼噶玛拉人、卡哈人和昌纳人;萨达人、巴蒂人及来源于拉杰普特人的塔库人;贾特人及洛拉人二者都是古西徐亚人同以后的俾路支人的混血;还有约基亚人及布尔发特人。随着伊斯兰教于8世纪进入本地区,阿拉伯人、波斯人及土耳其人后裔也定居于信德,他们中最多的人群是俾路支人,早在13世纪即迁入信德,使信德省成为他们的第二故乡(仅次于俾路支省)。另一个大变化是1947年印巴分治后印度穆斯林难民的涌入,现在人口的很大一部分是从印度入境的难民后裔。信德省主要的本土语言是信德语、色拉基语及俾路支语。因1947年以后从印度迁来许多说其他语言的群体,城市里有了其他语言,其中最普遍的是乌尔都语,其次是旁遮普语、古吉拉特语及拉贾斯坦语。国定官方用语乌尔都语,在省立学校中和信德语同等用于教学。省内居民绝大多数是穆斯林。人口自1947年以来急速增长,集中在城市和有灌溉的中部河谷里。城市化步伐也同步发展,巴基斯坦的两座最大城市卡拉奇和海得拉巴都在本省境内。农业是经济基础。信德的农业生产1961年之后稳定增长,因为农业科研工作有所进展,使用化肥,修建地面排水设施以减轻地表土壤的积水和盐碱化。信德最大的水利工程古杜水坝提供灌溉用水。棉花、小麦、稻米、甘蔗、玉米、黍及油料作物是本省主要农作物。也有许多果园,出产芒果、椰枣、香蕉及其他水果。饲养牲畜也有重要地位,黄牛、水牛、绵羊和山羊是主要饲养对象。信德沿海水域拥有丰富的对虾、小虾、鲳鱼、鲱鱼和鲇鱼。信德是巴基斯坦最工业化的地区之一,许多大规模制造业集中在卡拉奇。本省占有全国原棉产量的很大比重,拥有全国大部分棉纺厂。一些大型水泥厂生产巴基斯坦的大部分水泥。制糖业拥有许多制糖厂。还有几家生产钢和汽车的工厂。有两条主要公路,分别顺着印度河东西两岸延伸,从南到北穿过省境。卡拉奇有公路和铁路连接旁遮普省的拉合尔和俾路支省的奎达。印度河及其一些渠道从很古时代起就是主要的水上航道,这些水道现在用于运输谷物及其他农产品。卡拉奇是巴基斯坦主要港口。卡拉奇是国家报刊的重要据点。主要大学有集中在海得拉巴的信德大学以及卡拉奇大学。信德阿德比局出版信德文化方面的作品。该局及信德省博物馆和图书馆皆位于海得拉巴。省面积为140 913平方千米,人口约20 312 000(1983)。

Sindhi language　信德语　西北部印度-雅利安语,通行于巴基斯坦的信德省以及印度的卡奇沼泽地和卡提阿瓦半岛。其标准方言是维乔利语。有人将通行于卡奇地区的卡奇语划为受古吉拉特语强烈影响的信德语方言,另外有人认为它是信德语和古吉拉特语之间的过渡方言。信德语同通用于北部的拉亨达语关系极为密切,由于穆斯林有数世纪的影响,有很多波斯语和阿拉伯语借词,使用波斯式阿拉伯字母。印度教徒则使用天城体字母。1920年前信德语文献极少。

Sindhia FAMILY　信希亚家族　统治瓜廖尔的马拉塔家族,18世纪一度支配北印度的政治。创始者拉诺吉·信希亚。1726年已受帕什瓦(首相)之命治理马尔瓦地区。1750年去世时,他已建都乌贾因。信希亚的国都后来才移至瓜廖尔岩堡。在继承者中,最重要的是马哈杰(1761～1794在位)。他建立实际上独立于帕什瓦的北印度国家。在与东印度公司作战时(1775～1782)大显身手,成为公认的西北印度统治者。后在法国军官帮助下击败许多酋长,置莫卧儿皇帝沙·阿拉姆于自己的保护之下。1793年,由于击败帕什瓦的主将荷尔卡而控制了帕什瓦。然而,传到其侄孙杜拉特时代,信希亚家族遭到严重挫折。1803年他与英国人开战,在4次战斗中被G.莱克将军击败后,被迫解散军队、签订和约。1818年信希亚家族受英国保护,作为一个王公家族,一直存在到1947年。

Sindona, Michele　辛多纳(1920-05-08,意大利西西里帕蒂～1986-05-22,意大利沃盖拉)意大利金融家,被控犯有欺诈、贿赂与谋杀等罪,使其金融帝国崩溃瓦解。这桩丑闻还波及梵蒂冈。在墨西拿大学学习后,辛多纳于1940～1946年在西西里当律师;然后自1946年起迁居米兰。在其后的数十年中,他运用自己任税务和公司法律顾问所具有的才智,累积起总额估计多达4.5亿美元之巨的股票、证券等财产;这些财产散布在许多银行和实业之中。在列支敦士登注册成立的法斯科公司(Fasco AG)是其拥有的主要公司之一;通过该公司,到20世纪60年代中期,他领导着散布于9个国家中的一些经营房地产、钢铁、纸张、食品加工、银行等业务的公司。人们认为他实际上早已与西西里黑手党有勾结。1972年他买下富兰克林纽约公司——富兰克林国民银行的母公司——的控股权。2年后,该银行由于挪用资金和巨额贿赂融资界官员被揭露而倒闭。梵蒂冈银行家P.马辛克斯大主教被控参与了非法交易,可是他抗拒从梵蒂冈被引渡出去。无论如何,梵蒂冈在与辛多纳的交易中损失了多达数百万美元的金额。1980年3月,美国一家法院判决辛多纳犯有共谋、欺诈、伪证等65项罪名;除控告其他事之外,还控告他已将富兰克林公司4 500万美元资金转移到大多建在意大利的其他公司。与此同时,意大利当局也提出起诉,认为他应对将私人融资银行与其他机构的资本转移至国外其他银行和企业,造成私人融资银行和其他机构垮台而负有责任。1985年辛多纳与另外23名被告人一起被米兰一家法院判决犯有欺诈罪。这时,律师G.安布罗索利已被官方任命为辛多纳金融帝国的账目清算人;他在清算工作的过程中发现了辛多纳一些作案的证据,并将其汇编成一份2 000多面的报告。1979年7月12日,安布罗索利在米兰自家门前遭枪击丧命。1986年辛多纳与另一共犯被控为指使杀害安布罗索利,辛多纳被判为终身监禁。判决两天后,有人发现他被氰化物毒死在牢房。他究竟是自杀或遭谋杀,无人知晓,但他在死前曾说过:"他们担心我会泄露他们不愿外界知道的非常敏感的信息。"

Sindone, Santa　参阅　**Turin, Shroud of** *都灵尸衣*。

Sines　锡尼什　葡萄牙西南部港口城市。在塞图巴尔区大西洋沿岸,里斯本以南。葡萄牙航海家达·伽马(约1460～1524)出生地。1978年国有葡萄牙石油公司在此建有炼油厂,日炼原油20万桶。还有石油化工、化肥、火车车厢制造和轻工业。该港口已发展为主要装运出口货物的深水港。人口约9 628(1991)。

sinfonia　辛福尼亚　在音乐中,指主要起源于意大利的几种器乐形式中的任何一种;17、18世纪时专指歌剧和康塔塔的管弦乐引子。意大利的歌剧序曲(或辛福尼亚)通过三段体形式(快-慢-快),发展成独立的管弦乐交响曲。这种快-慢-快的形式到17世纪后期成为标准的结构。一旦这些对比乐段发展成相对独立的乐章,18世纪40年代的意大利、奥地利以及德国作曲家的三乐章交响曲的发展便无所阻挡了。该名称偶尔也指非管弦乐的乐曲,例如巴赫将其声部键盘创意曲称为"辛福尼亚"。

sinfonia concertante　交响协奏曲　又作symphony concertante。指古典时期(约1750～1820)音乐中采用两件或两件以上独奏乐器的交响曲。虽然从其独奏组与全乐队形成对比这一角度而言它与前此的巴罗克时期的大协奏曲相似,但它在曲式上却更像古典的独奏协奏曲,是19世纪二重和三重协奏曲的前身。莫扎特的《小提琴、中提琴和管弦乐队降E大调交响协奏曲,K364》和海顿为双簧管、小提琴、大管、大提琴和管弦乐队所写的一首曲子均为这一体裁的范例。此词偶尔也指如大协奏曲那样,利用两个乐器组之间的对比和旋律的相互作用为原则的一种交响曲。

Singanhoe　新干会　1927年朝鲜民族主义者与共产党人建立的民族独立统一战线。他们为脱离日本统治、争取朝鲜独立而共同奋斗。新干会企图唤醒民族意识,鼓动反日情绪。它提倡研究朝鲜语,要求思想自由,支持朝鲜人大学中的科学研究。其分会最多时据称有138个,会员达3.7万人。由于日本人的镇压和民族主义者与共产党人的内部意见不合,新干会1931年解散。

Singapore　新加坡　全称新加坡共和国。位于马来半岛南端,在赤道以北约137千米。北有一条公路与铁路堤道跨越柔佛海峡与西马来西亚半岛相接。西南隔马六甲海峡与印度尼西亚的苏门答腊相望。首都新加坡市,行政上等于新加坡共和国。新加坡由新加坡岛和其他60座小岛构成。面积622平方千米。人口约4 204 000(2002)。

土地　新加坡岛(面积544平方千米)的地形单调,全境近2/3为起伏不平的低地,海拔不足15米。最高峰武吉知马山位于主岛中部崎岖不平的花岗岩高地中,高仅165米。东部的低高原以丘陵和冲蚀谷地的复杂地形为特征。中部高地的南面和西面是陡崖,形

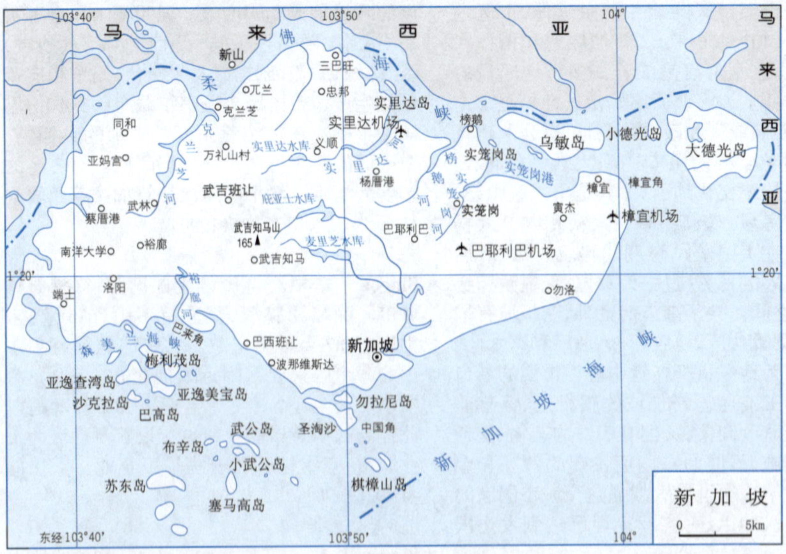

美国不列颠百科全书公司供图

成一系列短峭壁和沿海浅谷。

岛上小溪密布，最长的实里达河长不到16千米。尽管新加坡年平均降雨量约达2 400毫米，但2/3以上的用水仍靠邻国马来西亚供应。

全年月平均气温很高，1月为25 °C，6月27 °C。全年降雨量分布相当均匀，12月至翌年3月的东北季风期月降雨量超过250毫米，5～9月的南季风期约178毫米。

土地总面积的2%为可耕地，但土质较差。通过现代化精耕技术的运用，新加坡的可耕地成为世界上产量最高的蔬菜水果产地。森林约占土地总面积的5%，由国家自然资源委员会管理。以中部高地知马山自然保护区的热带雨林最为茂密。许多河流，特别是向北流动的河流，都有一直延伸至内地的、边缘为红树林的宽阔河口湾。原始雨林植被多被大片灌木丛所取代。哺乳动物有长尾猕猴（亚洲猴的一种）和穿山甲。鸟类极多，眼镜蛇和蜥蜴为数也很可观。

人民　当地人口以华人为主体（占总人口的3/4），大多来自福建省和广东省，各操互不相通的方言。马来人和印度人（包括泰米尔人、马拉亚兰人和锡克族人）组成其余人口的大部。大多数华人自认为在一定程度上尊奉儒教、佛教或道教。马来人和一些印度人则信奉伊斯兰教；其余的人或信奉基督教或信印度教。

20世纪60～80年代采取节育措施以来，新加坡的人口增长率下降了一半以上。结果不到1/4的人口年龄在15岁以下。由于传染病减少，人口死亡率也已下降。

新加坡的人口实际上全是城市居民，约85%的人住在72平方千米（28平方英里）的土地上，多数人住在只占地数平方英里的高层公寓楼里。公共住房计划和入境移民有限已多少缓解了过度拥挤的问题。

经济　新加坡以市场经济为主，国际贸易和金融是经济的主要基础。人均国民生产总值的增长速度快于人口增长速度，居东南亚国家之首。农业不足国内生产总值的1%，占用劳动力的比例也大体相同。混合农业占优势，以蔬菜种植和家禽饲养为主。鸡肉的生产仅能满足国内需要量的一小部分，其他大部分食品必须进口。

除花岗岩外，新加坡没有其他开采项目。矿物原料须依赖进口。新加坡为亚洲各地近海石油开采制造钻井设备和钻机，是世界主要的石油精炼国之一。该国也提炼相当数量的精锡。

制造业占国内生产总值的1/4以上，雇用了1/4以上的劳动力。新加坡的主导工业是运输设备和电子产品工业。裕廊工业区有1 600多家工厂，是东南亚最大的工业区，生产纺织品、胶合板和装饰板、砖、水泥、各种化学品和塑料、钢锭和钢管以及船舶等。大部分产品供出口。该国全部使用进口燃料发电，人均耗电量目前居东南亚之冠。

新加坡有100多家商业银行，其中大部分属于外国人所有。亚洲美元市场的总部设在新加坡，外国投资基本上引进亚洲的企业。新加坡是英联邦成员及东南亚国家联盟的成员。主要贸易伙伴有美国、马来西亚和日本。进口以原油、资本货物和工业用原材料为主，主要出口品包括石油产品、本地制成品（包括电动机械和纺织成品）。尽管制造业的迅速增长减少了新加坡对转口贸易的依赖，但从年吨位来看，新加坡仍是世界最大的港口之一。

政体与社会状况　新加坡是议会制共和国，由单一的政治组织人民行动党统治。立法机构为81名议员组成的一院制国会，议员由成年人义务选举产生，任期5年。国会中多数党或各党联盟领袖以总理身份行使行政权。总统为国家元首，由人民直接选举产生。从1959年以来，尽管有几个政党竞选国会席位，但人民行动党始终在所有的选举中占有优势。这个在政治上务实的反共组织常常以极权主义的方式执掌权力。

新加坡发达的社会福利系统为雇员的工伤、老年、残疾和鳏寡提供救济。此外，所有居民均享有低廉的医疗保健服务。

新加坡人的健康状况与大多数发达国家相比更胜一筹。全国人口平均预期寿命超过73岁。传染病基本上消除。

该国实行6～8年的免费初等教育。学校以英语教学，但要求学生学习马来语、汉语或泰米尔语作为第2语言。尽管不属义务教育，但大多数小学学龄儿童都入校学习。能否进入高等学校取决于学生学业的优劣。高等学府有国立新加坡大学（建于1980年）。

政府希望该国的新闻界是自己的合作伙伴而不是对手。电台和电视台均由新加坡广播公司发给执照。

历史　该岛曾名为单马锡，长期由渔人和海盗居住，是苏门答腊室利佛逝帝国的前哨。14世纪以前一直是在室利佛逝的宗主权管辖下，后来先后受爪哇的麻喏巴歇帝国和暹罗的阿瑜陀耶大城王国所控制。15世纪初，单马锡成为马六甲帝国的一部分。16世纪葡萄牙人在此建立霸权，17世纪当地又被荷兰人所控制。1819年，英属东印度公司行政官员S. 莱佛士根据同柔佛苏丹订立的条约建立新加坡港口居民点，该地即成为英国在东南亚殖民活动的中心。1832年新加坡成为包括新加坡、槟榔屿、马六甲和拉布安在内的海峡殖民地政府所在地，并于1867年成为英国直辖殖民地。

新加坡港的发展甚为平稳，尽管英国于1842年攫取香港，印度支那的西贡（今胡志明市）和海防的发展，以及荷属东印度群岛（今印度尼西亚）诸港口的建立，使新加坡港的发展减缓。随着1869年苏伊士运河的开通和轮船的使用，新加坡迎来了繁荣时代。新加坡是马来半岛的锡和橡胶的天然海运出口港，它随着市场对这些物资的需求而继续发展。

第一次世界大战以后，英国在新加坡建立了一个大规模的海军基地，这个基地成为英国在东南亚权力的象征。但在1942年1月，日本军队入侵马来半岛，迫使新加坡和英国海军基地投降。日本占领新加坡至1945年，此后新加坡重归英国统治。1946年海峡殖民地解体，新加坡遂成为英国直辖殖民地。1959年取得内部完全自治，1963年成为马来西亚一部分，1965年独立。自此新加坡的经济高速增长，至20世纪末其人均收入已达到东南亚国家中的最高水平。

1971年10月底，英国军队结束在新加坡驻军。1959年缔结的承诺英国对该地区防务的英马条约终止，替代它的五国国防约定——包括同等地位的英国、澳大利亚、新西兰、马来西亚和新加坡——开始生效。从70年代开始，新加坡一直遵循经济增长以出口产品和贸易为主的积极政策。该国在地区外交方面逐渐也更加活跃。新加坡是1967年东南亚国家联盟成立时的一个创建国，到1980年已成为东盟领导之一。人民行动党（PAP）一直在新加坡的政治中占主导地位，尽管李光耀1990年辞去总理职务，反对党的议会席位在1981～1991年间从1个逐渐增加到4个。然而，尽管该国取得了惊人的经济成功，生活水平大幅提高，继而实现了国际化的目标，但政府家长式统治的政策仍然引起一些人的不满，特别是在那些期望对新理念更加开放、资讯流通更加自由的人们当中。

Singapore　新加坡　新加坡共和国的城市和首都。位于新加坡岛南部。地处印度洋和南海之间海峡的战略要冲，又有深水港，为东南亚最大港口、世界最大商业中心之一。该市为一自由港，地控新加坡岛，因而往往称新加坡共和国为城市岛国。新加坡（素称“狮

新加坡河畔的华侨银行大厦
供图：E. Streichan—Shostal Associates

城”，又因有许多花园和林荫道而称为“花园城”）有“小亚洲”之称，因游客可迅速一览来自亚洲各地的移民带来的各种文化。居民以华人占多数，马来人和印度人也很多。根据马来人的传统说法，苏门答腊室利佛逝帝国的王子曾来到该岛，建立此城并命名为新加普拉城。葡萄牙史书亦记载巨港的室利佛逝国王子建立了该城。14 世纪时，受麻喏巴歇帝国的爪哇人劫掠，其地位已被马六甲取代，但仍是一停靠港。新加坡近代史始于 1819 年 1 月 29 日英属东印度公司的 S. 莱佛士为寻求商业据点而来到该地之时。港口经济稳定增长，由于苏伊士运河于 1869 年通航和发明了轮船，新加坡作为燃料补给站而日益重要。港口是马来半岛的天然航运出口，对马来半岛的锡和橡胶的需求使港口稳步发展。1951 年获皇家特许建市，1957 ～ 1959 年由选举产生的市长-议会政府治理，1959年该殖民地获自治权。1963 年起，市和乡村行政归中央政府管理。港口面积 93 平方千米，为世界最大港口之一。港口当局开辟了6个出入口（裕廊港、货柜站、克佩尔、德洛克亚逸、三巴旺和帕西班让等码头），提供从远洋班船到驳船各种大小船只进出之设备。克佩尔码头为深水码头，有布拉尼岛和森托萨岛为其屏障，拥有巨大的船坞和仓库。是东南亚石油、橡胶、胶合板、木材和香料的主要转运站，大宗进口货物包括机器、纺织品和稻米。始自曼谷和吉隆坡的马来亚铁路网以新加坡为终点。市区自港口区向北和向东延伸，市区内有小山丘（40 ～ 50 米）。新加坡河和梧槽河流经市区，这两条河是泊着许多当地船只的过潮口。新加坡河北面原始定居地仍是市中心，为主要商业区和政府所在地，有公共建筑物和英国圣公会的圣安德烈大教堂（1862）。城市某些传统文化地区，尤其是华人区中，耸立着现代房屋。饭店、摩天大楼和办公大楼现在夹杂在英国殖民时期的建筑、华人的店铺和马来人的村屋（过去为草屋，现在改为锡皮屋顶）之间。除了港口活动外，新加坡有炼锡厂、凤梨罐头厂、橡胶厂、炼油厂和锯木厂。东部潟湖为地区货柜转运中心。市西的港口裕廊为大工业区。新加坡的银行业、保险业和经纪行欣欣向荣，又拥有极好的运输、交通和储存设施，已成为东南亚主要的贸易和金融中心。第二次世界大战后这个城市国家的经济发展极为迅速，实际上现已达到发达国家的水平。

著名建筑物有维多利亚剧院与纪念堂、莱佛士旅馆、高等法院、市政厅、玉宫、斯里马里安曼寺及新加坡工艺学校。政府设置了国家博物馆、图书馆、剧院、范克利水族馆。樟宜国际机场（1981 年启用）建于东北部的新拓地。新加坡植物园在西北部。新加坡国立大学建于 1980 年，系由新加坡大学和南洋大学合并而成。南洋工艺学院于 1981 年建于前南洋大学校址。虎香园陈列中国神话和传说中的人物雕像。其他游乐胜地有裕廊鸟园（1971 年开放），占地 20 公顷，堪称世界最大鸟园。新加坡港中的森托萨岛已开放成一主要的游览区；乘缆车可达法贝尔山，亦可搭渡轮抵达该岛，岛上有海滩、高尔夫球场和游乐公园等设施。人口 4 204 000（2002）。

Singapore Botanic Gardens　新加坡植物园　世界最著名的植物园之一，以美学魅力及园内植物的质量著称。约有热带和亚热带植物 3 000种，还有藏品 50 万件的标本室。19 世纪中叶由英国人建立。占地 31 公顷，大部地面原是马来丛林，其中有 4 公顷原始丛林仍保持着天然状态。植物园在早期主要用作试验站，种植可能有商业价值的当地植物和引进植物。1888 年 H.N. 里德利任园长，植物园在他领导下成为巴西橡胶树（*Hevea brasiliensis*）的研究中心。他改进割胶方法，提高了胶乳产量。他的革新引起了马来半岛的经济革命。

Singapore Strait　新加坡海峡　连接马六甲海峡（西）和南海（东）的航道。长 105 千米，宽 16 千米。在新加坡岛（北）与廖内群岛（南）之间，属印度尼西亚所有。包括**柔佛海峡（Johore Strait）**、克佩尔港和许多小岛。为通向新加坡港口的深水航道，世界上最繁忙的商业航线之一。

Singaraja　新加拉惹　印度尼西亚巴厘岛中北部巴厘省城市。位于北海岸附近，有公路通往岛上其他城市。北面的布莱伦是瓜哇海的港口。在荷兰殖民统治时期，新加拉惹是努沙登加拉（小巽他群岛）的首府。市内的居民有穆斯林、佛教徒和基督教徒。还有经商的阿拉伯人和印度人。现为稻米和咖啡贸易中心，主要输往爪哇。手工业有石（砂岩）雕、纺织、编篮、制帽以及手提包、扇子和皮革制品生产。市内历史图书馆藏有约3 000份巴厘文手稿。新加拉惹东面 7 千米的桑西特、东南面的萨尔万和东面的耶萨尼均有古老的印度教庙宇。洛韦纳海滩在新加拉惹西面约 11 千米。人口75 336（1990）。

Singen　辛根　德国西南部巴登-符腾堡州城市。濒临阿赫河，霍恩特韦山（686 米）东山脚。787 年首见记载。村庄在霍恩特韦尔山的一个强大要塞附近发展起来。V.冯·舍费尔的著名小说《埃克哈德》（1855?）就是以此地为故事背景的。1899 年设建制。现为工业城市，有铝材厂和一些轻工企业。人口约 44 492（1998）。

Singer, I. J.　辛格（1893-11-30，波兰比乌戈拉伊～ 1944-02-10，美国纽约州纽约）　全名 Israel Joshua Singer。波兰出生的以意第绪语写作的作家。以他的写实主义的历史小说知名。他是一位犹太神秘教虔敬派教士的儿子，作家以撒·巴谢维斯的哥哥。1915 年，他动手写一些虔敬派教徒生活的故事，20 世纪 20 年代和 30 年代初，在华沙任新闻记者，在此期间，出版了几卷短篇小说集，包括首次为他赢得国际声誉的短篇小说《珍珠》。他的长篇小说《约瑟·卡尔布》描写加利西亚虔敬派教徒生活，出版于 1932 年。次年，他移居美国。以后他的作品都在纽约市的《犹太前进日报》上连载。长篇小说《阿什肯纳齐兄弟》于 1936 年问世。下一部是 1943 年出版的《卡尔诺夫斯基一家》。辛格兄弟都擅写几世同堂的大家庭，他和他的弟弟以撒·巴谢维斯的不同之处在于他把笔下的栩栩如生的人物同历史的和社会经济的大背景紧紧连在一起，同时他自始至终花许多笔墨来写这大背景。他的杰作《阿什肯纳齐兄弟》写了一对迥不相同的兄弟互相倾轧，他们的命运和他们的出生地波兰工业城市罗兹的命运共沉浮。《卡尔诺夫斯基一家》叙述了一个已被同化了的德国犹太人家庭前后几十年的经历，最终纳粹占领波兰后，它的成员不得不移居美国。他也写短篇小说和剧本。他的剧本曾成功地由欧洲和美国的意第绪语剧团上演。

Singer, Issac Bashevis　辛格（1904-07-14?，帝俄波兰拉济明～ 1991-07-24，美国佛罗里达）　波兰出生的美国小说家和散文作家。以意第绪语写作。1978年获诺贝尔文学奖。他描写波兰和美国犹太人生活的小说熔讽嘲、诙谐、智慧于一炉，异彩纷呈，且有明显的巫术和怪异色彩。辛格的生日至今不能确定，一说为 7 月 14 日，一说为 11 月 21 日，又一说为 10 月 26 日。他出身于一个犹太神秘教的虔敬派教士家庭，受的是华沙拉比神学院的传统犹太教育。然而他和他的哥哥小说家以色列·约书亚都不想当教士而想当作家。他的第一部小说《撒旦在戈雷》在他 1935 年移居美国之前不久在波兰杂志上连载。他的哥哥和他相隔一年先后在纽约市定居，他先在《犹太前进日报》工作。他在报纸上发表的

文章，署笔名沃肖夫斯基。1943 年，他成为美国公民。辛格的作品都是通过英译本而获得广大读者赞赏的，但他始终用意第绪语写作，绝少例外，同时他亲自过问英译工作。他的主要作品有《莫斯卡特一家》(1950)、《卢布林的魔术师》(1960)、《奴隶》(1962)、《庄园》(1967)、《田产》(1969)、《冤家，一个爱情故事》(1972)、《舒莎》(1978)、《悔罪者》(1983)。他的受到普遍赞誉的短篇小说有《傻瓜吉姆佩尔》(1957)、《市场街的斯宾诺莎》(1961)、《短暂的星期五》(1964)、《降神会》(1968)、《羽毛

供图：Thomas Victor

做的王冠》(1973)、《旧日的爱情》(1979)和《形象及其他》(1985)。《辛格短篇小说全集》于 1982 年出版。辛格在他的作品中追写第二次世界大战中惨遭大屠杀之前波兰犹太人的生活天地。他的两部规模最大的小说：《莫斯卡特一家》和实际上是上下篇的《庄园》及《田产》写了前后数代人的众多人物，记叙了 19 世纪后期和 20 世纪前期犹太人大家庭的变化和最终的解体，当时这些大家庭成员同受现代世俗观念和同化机会的影响而有不同的反应。辛格的中篇小说写的多是受各种形式的恶的引诱的人物，例如《卢布林的魔术师》中那个表演精彩的马戏团魔术师，《撒旦在戈雷》中 17 世纪犹太村民对救世主的狂热迷信，《奴隶》中被奴役的犹太学者所受的苦难。他的短篇小说博采犹太民间传说、传奇和秘传仪式，显示了他对人性中与生俱来的弱点的认识之精深。《施莱迈尔去华沙及其他故事集》(1968)是他为儿童所写的最好的作品之一。1966 年，他发表了自传性的回忆自己在华沙度过的童年的作品《在我父亲的院子里》。

Singer, Isaac Merrit　辛格(1811-10-27，美国纽约皮茨汤～1875-07-23，英国德文郡托尔奎)　又译胜家。美国发明家，研制出第一台实用的家庭缝纫机。他19岁时作机械徒工，1839 年获得凿岩机的专利，10 年后又取得金属和木料两用雕刻机的专利。1851 年他在波士顿机械厂工作时，接受修理一台莱罗-布洛杰特缝纫机的工作；11 天后他设计制造出一台改型样机，注册专利并由胜家公司出售。这台缝纫机的首要特点是可以连续进行曲线缝纫，由于在机器的水平板上方用外伸臂固定针杆，因而可以在工件的任何部分进行缝纫。后来几乎所有的缝纫机都保留这些基本设计特点。1851年6月他同E.克

辛格公司供图

拉克合作经营，到 1860 年他们的公司已成为世界最大的缝纫机制造厂。辛格由于改进缝纫机还获得另外 12 项专利。他所推行的分期付款购货办法，对扩大现代社会消费品的销路产生了深刻的影响。1863 年他和克拉克组成胜家制造公司，退休后去英国。

Singer Company　胜家公司　又译辛格公司。美国大公司。1863 年 I.M.辛格接管了原来的辛格公司正式组成胜家制造公司以销售缝纫机。胜家缝纫机为家庭实用缝纫机，1851 年获得专利，1855 年获得巴黎世界博览会一等奖。1860 年该公司已成为世界上最大的缝纫机制造商。该公司 1885 年在美国费城电气工业展览会展出第一台实用的电动缝纫机，1910 年开始大批投产。该公司也是销售方式的革新者，它首创分期付款购买法。还制造和销售动力工具、地板清洁用品、家具及电子控制装置等。20 世纪 70～80 年代，公司开始多种经营，范围涉及航天、电子及其他高科技产品。从 1986 年开始，该公司的资产拥有者不断更换。

singerie　猴戏图　一种幽默画样式。画中描绘的猴子穿着入时，模仿人类的举止。18 世纪初一些法国画家画过这类作品，首创者是法国装饰家、设计家J.贝兰。但作为一种

C.于埃的猴戏图《梳妆》，18 世纪上半叶
供图：Giraudon—Art Resource/美国不列颠百科全书公司

独特的绘画样式出现则通常归功于装饰家C.奥德朗。1709 年他为马利府邸画了一幅大画，描绘猴子们在席上进餐。18 世纪 30 年代的猴戏图反映了爱好中国式装饰或中国艺术风格的时尚，画中的猴子不穿巴黎人的服装，而打扮成清朝官吏，仿效中国人的举止。

Singh, (Chaudhuri) Charan　辛格(1902-12-23，印度北方邦努尔普尔～1987-05-29，新德里)　印度政治家，曾于 1979～1980 年短期任印度总理。曾任律师。1929 年参加印度国大党运动。在争取印度独立的斗争中，他数度入狱。1937 年起任联合省(今北方邦)议会议员，1967～1968 年和 1970 年任该邦首席部长。1977 年他的以农民和农业为基础的印度革命党与 M.德赛的人民党联合，他在德赛的联合政府中任内政部长(1977～1978)和副总理(1979)。人民党联合政府因派系之争于 1979 年分裂后，同年 7 月辛格在其前政敌英迪拉·甘地的支持下出任总理(英·甘地曾在宣布国家处于紧急状态期间[1975～1977]将他投入狱中)。一个月内英·甘地撤回对他的支持，辛格遂领导一看守政府，至甘地于 1980 年 1 月的选举中重掌政权为止。辛格从此未能东山再起。

Singh, Manmohan　辛格(1932-09-26，印度西旁遮普邦格赫[今在巴基斯坦]～　　)　印度经济学家和政治家，2004 年任印度总理。他是锡克教信徒，为第一个担任印度总理的非印度教徒。曾入旁遮普大学和英国剑桥大学学习，后在牛津大学获经济学博士学位。20 世纪 70 年代在印度政府中担任过一系列经济顾问职务，曾任多位总理的顾问。还曾在印度储备银行任职，1976～1980 年任非官方董事，1982～1985 年任行长。1991 年被任命为经济部长，当时正值印度经济面临崩溃边缘。辛格实行卢比贬值、减税、国营企业私有化，并鼓励外国投资等措施，所进行的改革使印度经济大为改观，并开始逐步走向繁荣。辛格是国民大会党党员，1991 年为联邦院(议会上院)议员。担任经济部长直到 1996 年，1999 年竞选人民院(下院)议员失败。2004 年印度议会进行选举，国民大会党击败执政的印度人民党赢得大选。国民大会党主席索尼娅·甘地(前总理拉吉夫·甘地的遗孀)拒绝担任总理转而推荐辛格。辛格组建政府开始就职。他的执政目标明确，即改善印度贫困人口的生活条件(这些人通常不能从国家的经济增长中受益)，确保与邻国巴基斯坦的和平以及改善印度各宗教集团之间的关系。

Singh, Rana Pratāp　辛格(1545？，印度麦华～1597-01-19，麦华)　印度梅瓦尔邦拉杰普特联盟的大君(1572～1597 在位)，该邦在今天的印度西北部和巴基斯坦东部。他曾成功地抵御莫卧儿皇帝阿克巴企图征服该邦的行动，被誉为拉贾斯坦的英雄。其父拉那·乌代·辛格软弱无能，他继承父位后即力图对阿克巴在 1567 年洗劫梅瓦尔邦首都奇托尔以及后来不断向该邦进犯的行动进行报复。在这方面，他同其他各印度邦君的表现可说有天壤之别，那些邦君早已向莫卧儿人投降了。

他改组政府,加固军事堡垒,并引导其臣民在莫卧儿人入侵时暂时撤入山中,以避其锋。他曾当面羞辱阿克巴派来的使者,拒绝结成联盟的要求。1576年6月,在哈尔提伽特一战中,他的军队败北,逃往山地。尽管失掉许多军事据点,他继续对莫卧儿帝国进行骚扰,并劝导人们不与阿克巴派来的税吏合作,实行消极抵抗。在此期间,梅瓦尔已是历经兵燹,满目荒凉。1584年,他再次拒绝阿克巴的使臣所衔的结盟之议。当时阿克巴正忙于旁遮普地区,因之,他得以收复大部失地,并战死沙场,成为民族英雄。其子阿马尔·辛格继位后,于1614年向阿克巴之子皇帝贾汗季称臣纳贡。

Singh, V(ishwanath) P(ratap) 辛格(1931-06-25,印度安拉阿巴德～2008-11-27,新德里) 政治家,政府官员,1989～1990年任印度总理。辛格就读于安拉阿巴德和浦那大学,1969年任其家乡北方邦的国大党籍议员。1971年在人民院(下院)选举中获胜,1974年被英迪拉·甘地总理任命为商业部副部长。1976～1977年任商业部长。英迪拉·甘地在1980年重新执政后,他任北方邦首席部长(省长)直至1982年,1983年继续任商业部长。1984年英迪拉·甘地去世后,她的儿子和总理继任人拉吉夫·甘地任命辛格为财政部长。在此职位上,辛格努力减少政府对商业的管制,并依法处理纳税方面的欺诈行为,受到广泛好评。辛格在1987年1月改任国防部长,同年晚些时候他调查采购武器诈骗案遭压制后,辞去甘地内阁的职务。其后不久,辛格完全辞去政府职务,离开了甘地的国大党(英迪拉派)。他不久组成了中央各反对党派的全国性联盟,称为人民阵线,参加在1989年12月的大选。此后,辛格作为人民阵线的领导人,得以与其他两个较大的反对党成立联合政府。1989年12月2日,他宣誓就任印度总理。1990年3月各邦议会选举后,辛格执政的联盟取得对议会两院的控制。但是,这个联盟因有关宗教和种姓的争端而分裂,1990年11月7日辛格在议会举行不信任投票后辞职。

Singh Sabhā 辛格大会 印度北部锡克教内于19、20世纪之交兴起的教育、文学运动,其主要宗旨为发扬锡克教各祖师的教义,撰写旁遮普语宗教著作和推广识字运动。辛格大会积极鼓吹效忠当时统治旁遮普的英国人,受到英国行政当局的保护。

Singhasāri 新柯沙里王国 谏义里王国衰落后13世纪上半叶在东爪哇出现的国家。第一代国王庚·安洛于1222年击败谏义里国王。末代国王格尔达纳卡拉(**Kertanagara**;1268～1292)暂时统一了东爪哇。在他统治末期,元朝皇帝忽必烈汗派使臣前来要求新柯沙里效忠中国。格尔达纳卡拉表示拒绝,并侮辱忽必烈汗的使臣。此后不久,谏义里的统治者查耶卡旺反抗新柯沙里,将格尔达纳卡拉杀死,从而结束了新柯沙里的统治。新柯沙里时期建造的庙宇被认为是印度-爪哇艺术的杰出范例。显示出印度建筑逐渐向爪哇建筑形式转变,还反映了印度教与佛教的结合。

singing 歌唱 借助人的嗓音产生乐音的过程。这是最早的音乐活动方式。从身体角度而言,歌唱技巧特色分明,决定于肺部的运用(两肺供应气息,作用如同风箱)、喉(它像簧片一样,起振动器作用)、胸腔与头腔(均起扩音器作用,犹如管乐器中的管),以及舌(它和腭、牙齿、唇一起形成辅音和元音,并入扩大的声音)。这4种身体机构虽然在功能上各行其是,但却必须互相协调、互相作用方能确立嗓音技巧。歌唱与说话的区别在于消耗气息以振动声带的方式不同。唱得越响亮、越高、时间越久,要求气息就越多,对气息的吐出也就要求更严格的控制。歌唱的技巧归根结底决定于多种解剖机构的互相协调以稳定连贯地推出声音。

歌唱与说话的另一区别在于歌唱时必须控制喉的运动及其反射作用。唱高音时,喉往往感应地往上提,达到某一点便成为一种障碍而使嗓音破裂。在歌唱者的常用音域之内(一般约为1个8度加1个3度),喉的运动不太多。超越这一范围,无论是向上还是向下,就需要有完善的技术造诣,这是区别职业歌唱家和未受训练的业余歌手的分水岭。

西方歌唱艺术首先以音量见长。其他文化群落的歌手可能音域较宽,尤其是可以向上扩展,但他们未必唱得更响亮。西方歌唱艺术的另一特征是追求纯净声音、讲究音质音色,讲究嗓音的所谓绝对的美。在西方音乐中,无论是歌者还是听众,往往忽视歌曲的基础是语言这一事实,而把歌唱当作单纯的乐器发声。

现代西方歌唱风格在很大程度上衍生于意大利美声唱法,而美声唱法则源自一种与16世纪复调音乐有关的风格。这种音乐表现歌词的意义或情绪,因此要求歌手有宽大的表情幅度(歌手们在这些复调作品中承担着略似"嗓音乐队"的功能)。于是歌唱艺术相应地有所发展,而使歌者可以有最大的力度和最丰富多姿的表情。参阅**bel canto**。

美声唱法的主要立论基础是承认嗓音可以在一个单一的音上增加或减弱强度,这种改变强度的手法意大利语称messa di voce(字面意义为"嗓音的置放",实指渐强渐弱唱法)。不过嗓音的强度变化和音量变化并不是一回事。美声歌唱风格决定于强度技巧,换言之,音色的多样化是通过增加或减少声门边缘的空气压力而不是靠扩大口腔来做到的,扩大口腔只能使音量扩大。美声歌唱风格还立足于下述原则:嗓子有两种"音",即喉在较低位置时发出的"深沉音"和喉处于较高位置时的"长笛音"。不过,在瓦格纳和更晚的作曲家采用比较宽广的歌唱风格后,这些区别基本消失。

美声唱法技巧的形体要求是挺胸收腹的站立姿势;软腭抬起,喉相应往下放;收起下巴以打开喉咙。正确的呼吸是至关重要的;意大利人甚至宣称:"凡是会呼吸的人就会唱歌。"收缩上腹部肌肉即可控制横膈膜,从而保持从肺部出来的气息稳定流畅。这一原则是18世纪歌唱的基础,后为西班牙男高音歌唱家M.加西亚所采纳。加西亚认为"肺部管发音、声门管音高、口腔管元音和音质、口的前部管辅音"。横膈膜的作用是调整气息,而喉则像喷水器的喷嘴一样决定气流的性质。如果肌肉安放妥贴、气流控制得当,那么歌唱中的重音就可以充分唱出来,不是作为令人吃惊的叩击音,而是像小提琴家那样先正确安放弓子,做好准备,然后奏出重音。有一种被称为"颤动"的练习,使歌者能够在喉头控制嗓音,并通过轻柔的起音,借助喉的压力而增加音量。

后来的歌唱学派非常注意"面罩"(亦即头腔)中的嗓音共鸣,虽然这种共鸣并不影响嗓音的辐射力而只影响其音量。这些歌唱家以及更晚的帕兰多歌唱家(意大利文parlando字意为"说话般的",帕兰多歌唱家将说话与歌唱统一起来)有意识地以这种方式运用共鸣;与美声唱法歌唱家不同的是,他们对身体机构的控制较少。

19世纪柏辽兹、威尔地、瓦格纳对管弦乐队加以发展,因而激发歌唱家们去探索如何以美声唱法风格中闻所未闻的共鸣法来扩大自己的嗓音,于是建立了一种新的"共鸣唱法"。这一学派的主要倡导者是德·雷什克,他强调鼻子在共鸣中的作用。除面罩和鼻子外,硬腭和牙齿也被视作共鸣器。

浪漫派歌剧作曲家对嗓音的要求使歌唱风格的原则发生了变化,这主要是因为人的嗓音可能被这些作曲家动用的浩大管弦乐力量所淹没。尤其在后来的瓦格纳乐剧中,强大的管弦乐音响迫使歌唱者必须以空前的力度歌唱。在威尔地的歌剧中,与其说是由于乐队的专横,还不如说是由于戏剧表达的激情,而要求歌唱者以美声唱法时代中可能认为不得体的响亮度和力度来演唱。歌手们觉得,要同时做到既铿锵有力又优美典雅,是很困难的。于是,特别是在德国,有人强烈抵制即兴演唱和任何形式的装饰,从17世纪到19世纪中一直被视作歌唱最高标准的东西此时被谴责为虚张声势的炫耀。

华丽的歌曲形式在现存的较老歌剧中存活下来,但它往往是陈式化的,只是专家们的财富。在大约1830年以前,所有歌唱家都希望能成为美声技巧的大师,而现在则把歌喉分成戏剧、抒情、花腔(演唱华丽歌曲的专家)等类型。按照音域来区分为女高音、女低音、男高音、男低音的传统分类法也有所拓宽,而加进了次女高音、男中音和男低中音。

不出人们所料,20世纪后半叶出现了对歌唱者有利的转机,罗西尼、唐尼采蒂和贝利尼的几已淹没无闻的歌剧,甚至连韩德尔的那些地道的美声唱法歌剧,再度赢得群众热情欢迎。一批歌唱家崭露头角,他们掌握必要的技巧,能应付自如地处理音乐留给他们即兴发挥的余地。通俗歌唱家们因为采用话筒而无须提高嗓音,并将爵士乐的即兴传统加以开拓;他们本能地运用许多与美声唱法大同小异的装饰音和表情手法。先锋派音乐对歌唱的要求超越了传统歌剧唱法,而包括更丰富的音色变化,以及诸如诵唱(指一种具有音乐音高的说话)之类的技巧,还有一些想入非非的即兴发挥,其中动用的有些声音在过去是受过训练的歌唱家所不用的。

Singitic Gulf 辛吉蒂克湾 又称圣山湾。希腊马其顿区哈尔基季基半岛东南部两海湾中较大较深的海湾。东、西为圣山岬和锡索尼亚岬环抱。湾顶附近有阿莫利亚尼岛。只有寥寥无几的村落和港口，主要港口为扎夫尼。湾畔的欧拉诺波里斯原为一小渔村，现已发展为重要旅游中心，有许多为前往圣山旅游者服务的饭店。

single crystal　单晶　原子、离子或分子的三维有序排列在整个体积中重复出现的固体物质。某些矿物，如石英和宝石，就常以单晶形式存在。人工制作的元素单晶，特别是硅和锗多用于固体电子器件，如晶体管、整流器和集成电路。人工制备合成单晶时采用一些特殊的工艺来控制材料附着在晶核上的过程（参阅 **nucleation**），所用晶核常常是预先制作好的该物质的一小块单晶。

single tax　单一税　原指只对土地价值征课一种税作为政府收入的唯一来源，以代替一切现有的赋税。美国经济学家 H.乔治在《进步与贫困》(1879)一书开始提出这一名词，这也是现代单一税运动的发端。这一建议在以后数十年间获得了很大支持，以后又逐渐衰微。拥护者认为：既然土地是一种固定资源，经济地租就是经济增长的产物，而非个人努力的结果；因此社会将其收回而用以资助政府支出是完全合理的。另有些人则认为，采用单一税会使其他形式的税收成为不必要，而且免除对建筑物的税收，会刺激建筑业和经济的发展。还有人指出单一税的优点是简化行政管理工作。批评者认为：因为土地所有权与总财富和收益之间并无关联，所以单一税违反支付能力的通常标准。其他收益也和地租一样可认为是不劳而获。事实上，将土地价值与建筑物价值划分清楚会十分困难。

singlestick　单棍　圆细木棍，长约1米，一端粗一端细，粗端插穿一杯状编织的护手柄，用于进攻和自卫。16 世纪起在英国作为训练之用。18 世纪流行于英国各城镇，广泛用于棍棒和单棍格斗比赛。18 世纪末单棍的使用受到限制。比赛双方站立相距很近，双足不得移动。发动进攻时，棍举在头上保持防御姿势，再靠腕力进攻。腰部以上各部位均可击打，但比赛开始时不能先击头部。这种运动到了 19 世纪末期衰落，20 世纪开始后很少练单棍。

Singleton　辛格尔顿　澳大利亚新南威尔士州中东部城镇。位于亨特河畔。为大型乳品业合作组织（为悉尼供应乳品）的中心。当地时有水患。饲养牛羊，种植葡萄和蔬菜，出产优质煤和硬木。有食品加工、木材加工、机械制造等工业。设有圣凯瑟琳学院。人口 10 990(1986)。

Singora(Thailand)　**信哥拉**　参阅 **Songkhla** 宋卡。

Singspiel　歌唱剧　又译喜歌剧。18 世纪用德语演唱的歌剧。剧中包括说白，属喜剧性。最早的歌唱剧是带有通俗歌曲的轻松愉快的戏剧。它同当时的英国民谣歌剧和法国喜歌剧（两者都促进了歌唱剧的发展）一样，在 18 世纪末非常盛行。它之所以成功，部分原因是作曲家和听众都反对当时占统治地位的、以矫揉造作取宠的意大利歌剧。歌唱剧的主要作曲家有 J.A.希勒、J.本达和 K.迪特斯多夫等。莫扎特将歌唱剧发展成一种严肃的更加完整的艺术形式，如《后宫诱逃》(1782)。

singular solution　奇解　微分方程的不包含在通常解法给出的通解中的解。在解微分方程时，得到的是由一族曲线组成的通解，例如 $(y')^2 = 4y$ 的通解是抛物线族 $y = (x+c)^2$（见图）。而直线 $y = 0$ 也是这方程的解，但不

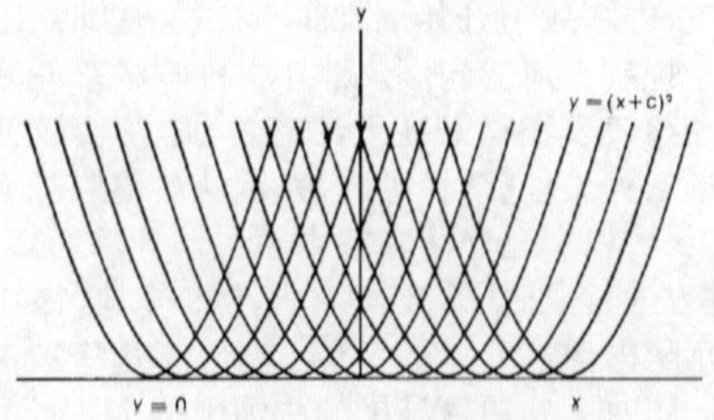

$(y')^2 = 4y$ 的通解族和奇解

是通解中的任何一条，因而是个奇解。奇解是表示通解的曲线族的包络。包络是相切于曲线族的曲线，如果奇解是包络，那么它可以从通解求得，只需要解一个极值问题，求出当 x 固定时使 y 达到极大值或者极小值的参数 c，然后把 c 代回通解去。在上例中，对每个 x，当 $c = -x$ 时，y 极小，代回去就给出奇解 $y = 0$。

singularity　奇点　又作 singular point。在数学分析中，指复平面（复数 $z_0 = x_0 + iy_0$）上的某个点，在此点上复变函数 $f(z)$ 不是解析的（即不能表示为复变量 z 的无穷幂级数）。但在接近奇点的任意点处函数仍是解析的。例如，复变函数 $f(z) = e^z/z$ 除了在 $z = 0$ 处外在整个复平面上（即对于 z 的所有的值）都是解析的。换句话说，它的级数展开式为：

$$\frac{1}{z} + 1 + \frac{z}{2} + \frac{z^2}{6} + \cdots + \frac{z^n}{(n+1)!} + \cdots$$

只是在 $z = 0$ 处是没有定义的，因为它包含了 $\frac{1}{z}$ 这一项。

Sinha, Satyendra Prassano, 1ST BARON SINHA OF RAIPUR　**辛哈**（1864-06，印度赖布尔～1928-03-06，贝汉布尔）　印度律师和政治活动家。有极为成功的法律生涯，在印度民族主义人士中享有崇高的威信，并被英国政府任命为高级官员。曾在伦敦林肯律师学院进修，取得律师资格。1907 年任孟加拉检察长，是第一个担任该职的印度人。1909～1910 年间任总督府法律委员。1914 年受封爵士。1915 年任国民大会党年会主席。此后在英国战时内阁任职。1919 年参加劳合·乔治内阁，担任印度事务次官，成为贵族，受封男爵。1920 年任比哈尔和奥里萨省省长，成为在英国人统治下担任这个职务的第一个印度人。次年因病辞职。1926 年任英国枢密院司法委员会委员。

Sinhala Maha Sabha　僧伽罗大会党　锡兰（今斯里兰卡）的政治团体，1937 年由 S.W.R.D.班达拉奈克创立。有公社制倾向，增进居民中僧伽罗人和佛教的利益。1945 年班达拉奈克率大会党加入统一国民党。但大会党仍是一个独立的政治组织。时常公开地支持与统一国民党的政策相左的语言和宗教政策。后由于政见不同，1951 年脱离统一国民党，并将大会党解散，另建斯里兰卡自由党。1956 年该党击败统一国民党，由班达拉奈克出任总理。

Sinhala Only Bill　《只要僧伽罗语法》　锡兰（今斯里兰卡）政府于 1956 年通过的一项法令，规定以僧伽罗语为国家的官方语言。这是 S.W.R.D.班达拉奈克上台后采取的第一个步骤。但是操泰米尔语的人们表示坚决反对，该法通过不久即发生暴动。由 S.J.V.切尔瓦纳亚卡姆领导的泰米尔联邦党要求锡兰成为联邦国家。为安抚泰米尔人，班达拉奈克与切尔瓦纳亚卡姆达成一项协定，允许讲泰米尔语的省份以泰米尔语为官方语言。1958 年，在僧伽罗极端分子的压力下，班达拉奈克废除了该协定。接着发生了严重的暴乱，导致泰米尔人和僧伽罗人大批迁移，政府宣布紧急状态。1958 年 8 月又通过《泰米尔语法》，规定在某些行政工作中使用泰米尔语，在中等和高等学校中用泰米尔语教学。这一措施暂时缓和了形势，但它均未满足泰米尔人或僧伽罗极端分子的要求。

Sinhalese　僧伽罗人　斯里兰卡（锡兰）的民族，是该岛最大的种族集团。20 世纪末期估计人口约达1 230万，占总人口的 74%。传说僧伽罗人的祖先在公元前 5 世纪来自印度北部。语言属印欧语系。僧伽罗人务农，信仰小乘佛教，少数人是基督徒。僧伽罗族和斯里兰卡的其他民族一样，其种姓按职业划分，结构复杂，通常要在同一种姓中选择配偶，最好要结姑舅亲。实行一夫一妻制，但偶尔也有一夫多妻或一妻多夫。

Sinhalese language　僧伽罗语　又作 Singhalese 或 Cingalese。印度-雅利安语，通行于斯里兰卡（旧称锡兰）。约公元前 5 世纪，随北印度殖民者传入锡兰岛。因与印度本土的印度-雅利安语隔绝，遂发展成独立的语言。它受巴利语（锡兰佛教徒的宗教语言）和少量梵语的影响，并从达罗毗荼诸语言尤其是也通行于斯里兰卡的泰米尔语中吸收大量借词。最早文献是约公元前 200 年刻写在岩石上的波罗米字母铭文。到 1250 年左右开始有文学语言。现代口语与这种文学语言已有很大差别。11 世纪起用这种语言出版过很多佛教文学作品。现代的非宗教文学是在 20 世纪开始的。现代僧伽罗语有自己的音节文字。其方言通行于拉克沙群岛和马尔代夫诸岛。

Siniavski, Andrey Donatovich　参阅 **Sinyavsky, Andrey Donatovich** 西尼亚夫斯基。

Sinigaglia(Italy)　**锡尼加利亚**　参阅 **Senigallia** 塞尼加利亚。

Sinitic languages 参阅**Han languages 汉语**。

sinkhole 落水洞 又作 sink 或 doline。地面下石灰岩被地下水溶解而形成的陷落地形。它是一种最基本的喀斯特地形,面积和深度变化很大。落水洞有两大类:一类由洞顶塌陷而成,一类是土壤覆盖层下的岩石慢慢溶解而成。塌陷的落水洞一般具有陡峭的岩壁,河流可能由此流入地下。后者通常较浅并接受当地径流,它可因黏土堵塞而成为小湖。形成于更新世低海面时期的某些落水洞,现已部分被淹,称为天然井。

sinking fund 偿债基金 公司或政府机构为定期偿还公司债券、无担保品债券和优先股票而累积的和拨出的基金。这种基金是收益累积起来的,也可按未偿清债务的固定百分比或按利润的固定百分比解入基金。偿债基金与公司周转金分开,交由信托公司或偿债基金托管人经营管理。偿债基金可立即用以偿付债券;可是,在多数情况下,基金经管人却宁愿储蓄金钱,把基金投资于在公开市场购进的稳健的债券,然后再将这些投资所得的收益计入基金。设立偿债基金的目的是向投资者保证,业已作好到期偿还债券的准备。

Sinn Féin 新芬党 爱尔兰语意为"我们自己"。爱尔兰民族主义政党,在意识形态上信仰社会主义,反对资本主义。虽然 20 世纪 20 年代以来,新芬党在选举上无足轻重,但在爱尔兰政治生活中,它却起着某些重要作用。它是反对两个主要政党——替天行道士兵党和爱尔兰统一党——的保守主义的左翼核心。这是因为新芬党同**爱尔兰共和军(Irish Republican Army)**的关系(有时它被认为是爱尔兰共和军的政治代表),还因为它在统一爱尔兰问题上的战斗性。这个党的早期史同 A.格里菲思密切相关,他在 1901 年主编民族主义报纸《团结一致的爱尔兰人》并积极参与"盖尔人协会"的活动,该会于 1902 年 10 月首次开会,提出名为"新芬"的政治纲领,主要是对英国消极抵抗、拒绝纳税、建立爱尔兰议会和独立的地方法庭。1916 年都柏林复活节起义之前,新芬党的地位不重要,在起义中,新芬党成为极端民族主义者和共和人士的团结中心,共同反对同英国商定的关于爱尔兰问题的解决办法(这一办法导致 1921 年出现一个忠于英王室的分裂的爱尔兰)。1918 年 12 月普选中,新芬党赢得 105 席中的 73 席。1919 年 1 月新芬党成员在都柏林开会,宣布自己是爱尔兰共和国议会,成立与英国当局相对抗的临时政府。1921 年建立爱尔兰自由邦后,由于新芬党的许多党员对同英国达成的协议条款抱不妥协的反对态度,使新芬党被排除在宪法规定的政治活动之外。在 1927 年 6 月的选举中,新芬党候选人只获得 2.7% 的席位。以后,直到 1957 年以前没有再参加竞选。1957 年它获得了 2.6% 的选票,4 个议席。20 世纪末期,该党或获得很少议席,或完全落选。20 世纪 20 年代以后,新芬党的重要性在于它对爱尔兰统一问题的积极性以及同爱尔兰共和军的关系。许多爱尔兰共和军成员属于新芬党,但是它并未能控制爱尔兰共和军,尤其在紧急时刻更是如此。在 1969 年 12 月于都柏林举行的"秘密"会议上,新芬党和爱尔兰共和军在寻求统一的策略问题上,分裂为"正式派"和"临时派"。

Sinnott, Michael 迈克尔·辛诺特 参阅 **Sennett, Mack 塞纳特**。

Sino-French War 中法战争(1883～1885) 法国侵略越南和中国的战争。19 世纪 60 年代后,法国一直推行侵占越南并进而侵略中国的政策。1883 年 8 月法国强迫越南签订《顺化条约》),确定越南为法国"保护国"。12 月法军向防守越南山西的清军和黑旗军阵地进攻,中法战争开始。1884 年 3、4 月间法军完全控制红河三角洲。5 月清政府派李鸿章与法国代表福禄诺在天津签订《中法会议简明条款》(又称《李福协定》),承认法国对越南的"保护权",允许法国在中越边境开埠通商。6 月法军企图强行接收谅山清军阵地,被中国军队击退。8 月法海军进攻台湾基隆被击退。同月下旬福建马尾港法国舰队突然袭击福建水师。水师仓促应战,7 艘舰只被击沉,官兵伤亡 700 余人。清政府被迫对法宣战。9 月底法舰再犯台湾被击退。1885 年 3 月法舰北犯浙江镇海,登陆未成。同时法军占领广西镇南关(今友谊关),两广总督张之洞起用老将冯子材。3 月 24 日冯军收复镇南关,使清军在中法战争中转败为胜,并乘胜出关追击,28 日取得谅山大捷。在越南西线的刘永福黑旗军也在临洮大败法军。但清政府的投降派主张"乘胜即收",由李鸿章与法国驻华公使巴德诺在天津签订《中法会订越南条约》(即《越南条款》,或《中法新约》,又称《李巴条约》),共 10 款,重申《中法会议简明条款》有效;承认法国在越南的殖民统治,同意在云南、广西的中越边界开埠通商;规定滇、桂边界进出口货物减税及法国未来在中国建筑铁路的特权。从此中国西南边界门户被打开。

Sino-Indian border clashes 中印边界冲突(1962) 中国边防部队对印度人侵军进行的自卫反击战,称中印边境自卫反击战。1959 年印度向中国提出了大片领土要求,并声称其主张线具有所谓条约法律的基础。中国政府多次指出,中印边界从未正式经条约或协定划定,"麦克马洪线"是非法的,中国历届政府从未承认,但两国之间有一条双方历来管辖所及而形成的传统习惯线。中国政府一贯主张,中印双方应考虑过去的历史背景和当前的实际情况,根据和平共处五项原则,通过友好协商,互谅互让,公平合理地寻求边界问题的全面解决。从 1961 年起,印度军队乘中国单方面停止边境巡逻之机,先后在中印边界西段和东段越过双方之间的 1959 年 11 月 7 日实际控制线,增设军事据点,以武力改变边界现状。中国政府多次提出通过谈判解决边界问题的建议,均遭拒绝。1962 年 10 月 20 日,印度军队在东段和西段发动了武装进攻。中国边防部队被迫进行自卫反击,并追击到传统习惯线附近。中国政府为谋求和平解决边界问题,采取主动措施,于 11 月 21 日宣布从次日零时起,中国边防部队在中印边界全线停火,并自 12 月 1 日起,中国边防部队从 1959 年 11 月 7 日中印双方实际控制线后撤 20 千米。中国政府还主动把缴获的武器弹药和其他军用物资全部交回印方,释放和遣返全部被俘的印度军事人员。

Sino-Japanese War 中日甲午战争(1894～1895) 日本侵略中国和朝鲜的战争。1894 年(光绪二十年)战争爆发,是年为甲午年,故称甲午战争。日本自明治维新后迅速对外扩张。1894 年春朝鲜发生东学党领导的农民起义。朝鲜政府请清政府派兵援助。日本利用这一事件派兵进入朝鲜。7 月 23 日清政府被迫派兵增援。同日,日军占领王宫,发动政变,攻占清驻朝鲜总理公署。25 日日本海军在朝鲜牙山口外丰岛海面突然袭击中国军舰。29 日日军由陆路进攻驻守牙山的清军。8 月 1 日双方正式宣战。9 月中国陆海军在平壤和黄海海战中战败。10 月日本分陆海两路进攻中国东北,相继占领九连城、安东(今丹东)、大连、旅顺。1895 年 2 月日军攻占山东威海卫军港,中国北洋舰队全军覆没。3 月,日军占领辽东半岛。清政府屈膝求和,1895 年 4 月 17 日清政府代表李鸿章与日本代表伊藤博文在日本马关(今下关)签订《马关条约》。主要内容有:清政府承认朝鲜独立;中国割让辽东半岛、台湾、澎湖列岛;"赔偿"日本军费库平银二万万两;开放沙市、重庆、苏州、杭州为通商口岸;日本人可在中国通商口岸设立工厂;日本轮船可在长江及运河航行;允许日本在中国通商口岸城市任便从事各项工艺制造,其产品免征一切杂税。该条约的签订进一步加深了中国的半殖民地化,同时也成为中华民族觉醒的一个重要转折点。

第三款
前款所載及粘附本約之地圖所劃疆界俟本約批准互換之後兩國應各選派官員二名以上爲公同劃定疆界委員就地踏勘確定劃界若遇本約所訂疆界於地形或治理所關有礙難不便等情各該委員等當妥爲參酌更定
各該委員等當從速辦理界務以期奉委之後限一年竣事但遇各該委員等有所更定劃界兩國政府未經認准以前應據本約所定劃界爲正

1895 年 4 月 17 日签订的中日《马关条约》
中国大百科全书出版社供图

Sino-Japanese War 中日战争(1937 ～ 1945) 即中国的抗日战争。1937 年 7 月至

1945年9月,中国各族人民抗击日本帝国主义侵略的民族解放战争。中日甲午战争中,日本攫取了在中国的巨大权益,随即图谋进一步侵略中国。1931年9月18日,发动"九一八"事变,全面侵占了中国东北三省。1932年1月28日,日本侵略军在上海发动进攻。中国军队奋起抵抗。由于国民党当局的忍让,中日两国政府签订了《淞沪停战协定》。翌年,日军占领热河省(今分属河北和内蒙古自治区)及长城各关口。1935年日军向华北扩张侵略,加速了变中国为其殖民地的步伐,但遭到全中国人民的反对。

1937年7月7日夜,日军制造借口向宛平县城(今北京卢沟桥)中国军队进攻(史称卢沟桥事变),发动全面侵华战争。中国军队奋起反抗,从此开始了全面的抗日战争。日军于8月13日入侵上海,并不断增加侵华兵力,企图凭借其武器装备的优势,分由华北、华中沿交通线长驱直入,迫使中国政府屈服。当时,中国政府在蒋介石统率下有正规军200余万人,以一部兵力在华北抗击日军,集中主要兵力保卫上海、南京地区。中国军队在宛平、上海、忻口、台儿庄等地英勇作战,给日军以打击,打破了日军3个月内灭亡中国的狂妄计划。但在日军不断进攻下,各条防线相继被日军突破,北平、天津、上海、南京、武汉、广州等城市相继失守,华北、华中、华南大片国土沦陷于日军之手,中国政府和国民党军事统帅部迁至四川重庆。抗日战争第一阶段结束时,中国的空军和装备较好的正规军遭覆灭,重要的工业、铁路和贸易港口被占,但是还拥有广大的大后方和众多的人力资源。

中国共产党在卢沟桥事变的第二天即号召全国团结一致抗击日本的侵略,接着提出抗日救国十大纲领。中国共产党领导的红军,按照国共两党协议,分别改编为国民革命军第八路军(不久,改称第十八集团军)和新编第四军。这两支抗日武装和华南抗日游击队(1938年广州失陷后组成),担负着开辟敌后战场的艰苦任务。八路军和新四军改编后迅速开赴华北、华中日军占领区作战,宣传、组织与武装人民群众,开展游击战争,配合正面战场作战。在山西省的平型关、雁门关重创日军,以后又多次袭击日军后方据点和交通运输线,连续粉碎日军的围攻,收复了大片国土,在日军占领的山西、河北、山东创建了晋察冀边区、冀鲁边区、山东等许多块抗日根据地,牵制日军40余万人。

1938年10月,日本准备配合希特勒的世界战略,积极巩固已占区,恢复铁路交通,企图集中兵力,攻占英美在东方的基地,于是停止在正面的战略进攻,转入相持阶段。在这一阶段中,日本对中国国民政府采取诱降为主、军事打击为辅的政策,同时却加强了对其占领区中国共产党领导的抗日武装的"扫荡"。在日本策动下,国民党副总裁汪精卫于1938年底投降日本,于1940年3月组成南京傀儡政府。国民党中以蒋介石为首的主要当权者虽没有放弃抗日主张,但采用了两面政策,一面继续部署对日抗战,一面制定"溶共、防共、限共、反共"的反动方针,对中国共产党领导的抗日根据地长期进行包围封锁,不断制造反共摩擦。1941年1月,国民党制造了震惊中外的"皖南事变",包围袭击新四军,对抗日战争造成重大损失。中国共产党挫败了国民党内顽固派发动的三次反共军事行动。

从1939～1945年,日本侵略者对正面战场发动过进攻南昌、长沙等内地城市,配合诱降谈判,以后又发动过浙赣、粤、桂、黔等进攻战役,企图打通大陆交通线。这时,中国政府拥有500余万军队,在前线的中国军队虽也进行过抵抗,但由于国民党当局采取避战政策,致使内地大片土地继续丢失。在此期间,中国共产党领导抗日根据地抵抗了日军极其残酷的围攻。华北、华中、华南各抗日根据地军民,开展广泛的人民战争,粉碎日军40余次"扫荡"。1941年12月日本发动珍珠港事件,使美国与中国成为同盟者,英国因其东方殖民地全被攫夺,也加入太平洋战场。12月25日香港沦陷,中国失去与外间世界的空中联系和物资进口的孔道。至1942年日军占领了缅甸大部,击败了英、印、缅的防御力量。至此中国几乎全被封锁。而中国政府与美国之间也发生矛盾。美方主张中国军队特别是指挥机构应加以改革,美国供给的"租借物资"应用于有效方面。在另一方面,各抗日根据地在1943年已先后转入局部反攻,开展了声势浩大的攻势作战,将日军压缩包围于主要城市和交通线上。同时,以中国大后方为基地的美国第14航空队,开始对华中日军特别是长江航运实行打击。至1945年8月,中国共产党领导的抗日根据地已扩大到1亿人口的地区,拥有正规军91万,民兵220万。

1943年夏,同盟国军队在太平洋上开始反攻,到1945年6月,美军占领冲绳,已逼近日本本土,8月6日、8日,美国在日本的广岛、长崎投掷原子弹,发挥巨大杀伤力;8月8日,苏联对日宣战,并出兵中国东北。中国各抗日根据地军民积极响应中国共产党的号召,立即向当地日伪军展开大反攻。8月15日,日本天皇裕仁正式宣布日本无条件投降。世界反法西斯同盟举行接受日本投降的签字仪式。9月2日,日本正式在投降书上签字。中国人民取得了百年来反对帝国主义侵略战争的第一次完全胜利。9月3日成为中国抗日战争胜利纪念日。9月9日,中国战区侵华日军总司令官冈村宁次在日本投降书上签字。史称"南京受降"。

中国八年抗战,据日本方面的统计,日军在整个中国战场上被中国军队毙伤俘的总数达133万余人。据中华人民共和国人民革命军事委员会统计,共产党领导的敌后战场共歼灭日军52万余人,伪军118万余人。在战争中,中国人民付出了巨大牺牲,军民伤亡达2 180万余人,财产损失上千亿美元。中国是世界反法西斯战争的主力军之一。

Sino-Soviet Agreement 《中苏协定》 1924年5月31日中国政府和苏联政府在北京签订的协定。全称《中俄解决悬案大纲协定》。协定全文15条。规定帝俄与中国或第三国订立的一切有损中国主权利益的条约一概无效;苏联政府放弃帝俄在中国境内的一切租界、租地;取消帝俄在中国的领事裁判权;放弃俄国部分的庚子赔款。苏联同意由中国出资赎回中东铁路,赎回前由中苏两国共管;有关中国国家主权的事务,一概由中国官府办理。苏联政府还承认中国对外蒙古的主权,声明一俟中苏会议商定具体办法,即将驻外蒙古的苏军全部撤退。《中苏协定》签订后,苏联和中国北京政府建立了外交关系。加拉罕出任苏联首任驻华全权大使。

Sino-Tibetan languages 汉藏诸语言 有300多种语言和主要方言的语系。主要语言有汉语、藏语和缅语。就使用人数而言,是世界第二大语系(仅次于印欧语系)。汉语诸方言划入汉语语族,通行于中国全境以及海外许多国家的华裔和移民中。藏缅诸语言通行于西藏、缅甸和喜马拉雅山地区。

汉藏诸语言有许多共同特征,其中多为类型性特征:单音节、有声调、加词缀、首辅音交替、元音交替、词类不易确定、使用名量词或名词性类别词、词序限制严格。相应词汇中的语音符合是汉藏诸语言有系谱关系而且同源的重要论据。

汉语这一术语在英语世界一向以 Chinese 这个形式出现,并曾被用于指称自公元前二千纪中叶以来的许多方言。现代语言学者转而采用 Sinitic 这个形式来代表汉语语族的全部方言。汉语史可以分为3个时期:前古典时期汉语(约公元前1500～约公元200),古典时期汉语(约200～1920)和后古典时期汉语。现存最早的前古典时期汉语是兽骨龟甲上的卜辞。上古时代的汉语(周秦时代,公元前1122～前206)包括大量儒家、道家及其他哲学流派的著作。汉代(公元前206～公元220)的汉语是古典汉语的基础,历经许多世纪几乎没有变化。古典汉语在结构上即所谓"文言";由于口语不断变化,文字读音的习惯也随之改变,致使文言在朗读时便难于让人理解。结果,古典汉语作为真正语言的地位终于被不公平地否定了。实际上古典汉语作为一种通用语一直延续使用到20世纪。后古典时期汉语源于唐代(618～907)以后的民间语言。后古典时期汉语的书面语、官话和北京地区的口语晚近以来曾结合成事实上的国语,即现代标准汉语。新的书面语汇已得到普及而且在相当大的程度上取代了古典汉语。中华人民共和国曾有效地承担起使现代标准汉语推广到整个中国这项重任。

汉语书写系统不是拼音文字。每个有意义的音节或构成多音节词的每个没有意义的音节,都是用专门的汉字符号来表示。许多汉字都可用来描述某个客体,但大多难以认知。因而将汉字说成是图画文字或表意文字都会造成误解。它也不是音节文字,因为同音异义的诸音节写法都不同。汉语书写系统是词符文字系统,亦即是一个符号代表一个单词。

秦代(公元前211～前206)官方第一次对汉字进行标准化,涉及约3 000个汉字。秦代隶书字体至今仍在很大程度上被视为标准。虽然编有超过4万汉字的字典,但现今绝对必须使用的汉字估计不超过4 000个。现代汉语口语和书面语的差异以及书写不便问题曾导致人们进行各种引进新的汉语文字系统的尝试，由于政局不稳定而受阻。20 世纪 50 年代以后，中华人民共和国政府实行简化汉字，采用拼音字母，以便使用拉丁字母形式书写汉语。据设想，拼音作为一种文字，也许逐渐要完全取代汉字。

藏缅诸语言由一共同的来源经过不同途径发展形成，这至少是部分由于各民族通过中亚和南亚的迁徙活动所造成的。藏语文字系统在 7 至 9 世纪由来自印度的早期佛教僧侣创制而成。它是与印度-雅利安文字体系极其相似的一种字母文字。现代藏语的发音与其书面语形式已有很大差异。西部藏语诸方言至今仍保留着词首辅音丛和词末塞音，但中部方言已经没有这些特征。中部方言已发展起一种声调系统，可能是汉语影响所致。汉语对藏语的影响似乎日益增强。

缅语文字系统用拼音字母，来源于印度。缅语的现代书面形式可溯至 15 世纪。语法范畴依然相当保守，但缅语语音却有很大变化。

Sinoia（town，Zimbabwe） **锡诺亚** 参阅 **Chinhoyi** 奇诺伊。

Sinop **锡诺普** 土耳其北部港口，在黑海南岸。史称锡诺卜。位于连接博兹泰佩半岛与大陆之间的地峡上，森林覆盖的高山将它同南面的安纳托利亚高原隔开。为小亚细亚

锡诺普的海岸城堡遗迹
供图：R. V. Johnson—Shostal/美国不列颠百科全书公司

北岸唯一天然良港。古代通港口的陆路要津建有巨大堡垒（现已倾圮），海边筑有坚固防卫石墙。后因与内地交通不便，且有西部伊内博卢和东部萨姆松港口竞争，遂告衰落。据传，锡诺卜原为亚马逊人所建，以其王后锡诺娃命名。古代居民将该城归于希腊神话英雄赫拉克勒斯的同伴奥托吕科斯所建。后毁于流浪的辛梅里安人，公元前 7 世纪末被米利都人重建。最终成为黑海沿岸最繁荣的希腊居民点。锡诺普是从上美索不达米亚出发的贸易路线终点，控制着庞廷地区大部海上贸易，公元前 5 世纪已在沿岸建立许多拓居地，并在黑海享有海上霸权。公元 1214 年被塞尔柱突厥人占领。1458 年并入奥斯曼帝国版图。1854 年 11 月克里米亚战争爆发不久，城市大部为俄国海军所毁。现存名胜有拜占廷和塞尔柱时期经过重修的古堡垒遗迹，早期希腊和罗马时代建在旧城墙中的孤立圆柱、石雕和 1214 年修建的阿拉爱丁清真寺。13 世纪时修建的阿拉耶宗教学校现为地方博物馆。有公路通萨姆松，海路通伊斯坦布尔。格克河流经境内，多山地，部分地区有森林。农业为主要经济活动，河谷和滨海狭长的肥沃地带种植玉米、亚麻和烟草。人口：市 23 148（1985）。

Sinosauropteryx **中华龙鸟** 世界上已知第一件带原始羽毛的恐龙化石。发现于中国辽宁省西部早白垩世的湖相地层中。大小与鸡相差无几，具很大且典型的兽脚类恐龙的头骨，满嘴生有带小锯齿的尖锐牙齿，前肢非常短，尾巴却出奇地长。因中华龙鸟体表有毛状的原始羽毛，故命名者最初将其归入了鸟纲。现公认中华龙鸟属兽脚类恐龙中的美颌龙科。原始中华龙鸟的前掌和脊椎等形态类似于欧洲的美颌龙属，但另外一些特征则更进步。从形态上看，原始中华龙鸟尚处于向鸟类演化的一个相对原始的进化水平，与鸟类差别很大。但其背部从头到尾具有毛状皮肤结构，代表一种原始的羽毛，这是类似结构在恐龙当中的第一次发现，为鸟类羽毛起源这一长期以来悬而未决的问题的解决提供了重要信息，中华龙鸟因此而闻名世界。

Sint Anna Bay **圣安娜湾** 将荷属安的列斯的库拉索岛首府威廉斯塔德的两部分隔开的深海峡。为长约1 600米、宽 90 ～ 300 米的一条狭窄的水道。其南端连通加勒比海，北端则连通绍特加特（起着港口和水上飞机锚地作用的一个巨大的深潟湖）。跨越圣安娜湾的浮桥——爱玛女王桥，将城市的两部分连接起来。一座较新的固定桥高出海湾水面 50 米，桥上有 4 条车道。

Sint Eustatius **圣尤斯特歇斯岛** 英语作 Saint Eustatius；又称斯塔蒂亚。加勒比海中荷属安的列斯群岛的岛屿。陆地总面积 21 平方千米，主要由两座死火山构成，一块平坦

圣尤斯特歇斯岛首府奥拉涅斯塔德的奥拉涅要塞
供图：Arthur Griffin—美国不列颠百科全书公司

的中央平原横亘在这两座山中间。圣尤斯特歇斯岛位于信风带内，年平均雨量为1 125毫米，主要降于 5 ～ 11 月之间。但岛上各地气候条件很不相同。东侧（大西洋一侧）的风强劲，植被矮小；在无风的西侧（加勒比海一侧）长着高大的棕榈树、面包果树和浓密的香蕉林。在奎尔火山南坡上的怀特瓦尔气候干旱，旱地植物占优势。岛上的其余地方覆盖着粗硬的、多刺的灌丛和树木，很多树在旱季落叶。圣尤斯特歇斯岛最初在 1625 年是法国和英国的殖民地，1632 年由荷兰占领，在 1664 ～ 1674 年间曾十次易手，但仍开始发展成为商业中心。该岛没有良好的天然港，又严重缺乏淡水，但在 1780 年前是加勒比海东部奴隶贸易和商品交换的中心。1776 年 11 月 16 日圣尤斯特歇斯岛向挂着星条旗的一只横帆双桅船放礼炮致敬，成为正式承认新建立的美国的第一个外国政府。英国政府命令海军元帅 G. 罗德尼占领此岛，1781 年 2 月此岛终被占领。在劫掠了仓库和住宅以后，英国在岛上继续张挂荷兰的国旗来诱捕许多美国和其他敌对的船只。圣尤斯特歇斯岛是一个贫困的岛屿，许多年轻人离开岛屿到其他地方寻找工作。虽然雨量稀少，每户人家都有蓄水池来积聚径流，但岛上仍种植洋葱、薯蓣和甘薯。捕捉大螯虾出口到波多黎各。圣尤斯特歇斯岛由一个选举产生的委员会治理，并选举一名议员参加荷属安的列斯群岛议会。通用英语。人口全部集中住在奥拉涅斯塔德，其中包括数量不断增加的美国退休人员。岛上居民在美国长期工作到足够取得老年人的社会保险收入后就回到家乡。人口约1 889（1989）。

Sint-Jans-Molenbeek（Belgium） 参阅 **Molenbeek-Saint-Jean** 莫伦贝克·圣·让。

Sint Maarten（Caribbean island） 参阅 **Saint Martin** 圣马丁。

Sint Nicolaas **圣尼古拉斯** 加勒比海南部阿鲁巴岛东南端城镇。其深水港内码头为附近拉戈石油和运输公司的炼油厂服务。附近的沿海村庄萨瓦内塔在 1797 年前为阿鲁巴岛首府。人口约17 000（1986）。

Sint-Niklaas **圣尼克拉斯** 比利时北部东佛兰德省城市。在安特卫普西南。铁路枢纽，土壤肥沃的瓦斯兰地区的工商业中心，市场规模在比利时占首位。有纺织工业。设有几所专科学校。著名建筑有市政厅（1876）和老市政厅（1663）等。市博物馆中收藏有出生在附近的地理学家 G. 莫卡托的遗物。人口：城市区约67 979（1990）。

Sinte-galeshka（Sioux Indian） **辛特-加莱什卡** 参阅 **Spotted Tail** 斑点尾巴。

sinter **泉华** 具有大体上是多孔状或泡沫状结构（有小孔洞）的矿物质沉积物。至少可以分辨出两种泉华：硅质的和钙质的。硅质泉华（硅华）是蛋白石质或非晶质二氧化硅的一种沉积物，围绕温泉和间歇喷泉形成结壳，有时形成锥形丘（喷泉锥）或台阶。硅质泉华的沉积主要是由于温泉水中的藻类和其他植物作用的结果；在喷气孔附近和较深的温泉通道中，也可以由围岩受蚀变而形成。产地有冰岛、新西兰、美国怀俄明州的黄石国家公园、科罗拉多州的汽船泉。钙质泉华，有时叫上水石或石灰华，是碳酸钙的一种沉积物，钙华就是个例子。所谓钙华泉（在石灰岩地区并不少见）产生出钙质水，钙质水在受到它作用的物体上沉淀出一层泉华状结壳。钙质泉华中的孔洞，部分地是由于促使泉华沉淀的苔藓和其他植物的组织腐烂之后留下的。甚

至在沉淀硅质矿物的温泉水中(例如捷克的卡罗维法利的温泉),沉积物的起源也主要是由于各种有机因素。

sintering 烧结 小颗粒的金属在低于熔点的温度下熔结在一起。这种方法可用于钢铁生产,如复杂构件的成型、合金的生产或对熔点非常高的金属进行加工。在炼铁烧结厂,混有焦炭或无烟煤的铁精矿粉在烧结床上用煤气烧嘴点火后,顺着传送台车运转。空气穿过篦格向下抽风燃烧。在烧结床向前运转中,产生1 325～1 500°C的高温将细颗粒熔结成直径约2.5厘米的结块,使其适于高炉炼铁。烧结也可用来对陶瓷或玻璃粉进行预成型,然后再通过焙烧将其永久地固定下来。烧结过程中的驱动力是降低的表面能量,随着烧结的进展,相邻颗粒由于黏性流动(如在玻璃中)或扩散过程(如在结晶物体中)而局部聚结,从而总表面积缩小,结果是增强了物料的力学性能和物理性能。参阅 **powder metallurgy**。

Sintra 辛特拉 又拼Cintra。葡萄牙里斯本区小镇和3个堂区。位于辛特拉山地北坡,景色优美,约在里斯本西北24千米。原为王室避暑胜地。英国诗人拜伦在《恰尔德·哈

辛特拉镇的佩纳宫

供图:George Holton—Photo Researchers/美国不列颠百科全书公司

罗德游记》中赞美过当地的秀丽景色。驰名的古代建筑和附近的蒙塞拉特宫及其花园吸引大量游客。该花园是伊比利亚半岛上风景优美的园林艺术中最杰出的典范之一。旅游业很重要。该镇是农贸中心。地区采石场出产花岗石、玄武石、石灰石、大理石及雪花石膏等。人口:3个堂区20 574;小镇225 398(1981)。

Sintra Mountains 辛特拉山地 葡萄牙西部里斯本区山脉。从辛特拉城延伸至大西洋岸罗卡角。长约16千米。最高点在辛特拉以南,高529米。山坡上植物茂盛(属地中海和北欧植物区系),气候温和,为里斯本居民的旅游区。

Sinuhe 西努希(活动时期公元前20世纪)埃及中王国第12王朝(公元前1938～前1756)官员。他是阿门内姆哈特一世王后为其夫留下的后宫官员。在一次征讨利比亚途中,他听说阿门内姆哈特一世被刺(公元前1908)后,或由于恐惧,或由于同谋关系,遂即潜逃。他本想前往南方,但在横渡尼罗河时被风吹向北方,进入巴勒斯坦。他在巴勒斯坦和黎巴嫩漫游很长时间后,被邀请到南叙利亚和一酋长同住,这位酋长收留了他,并以长女许之为妻。西努希遂在该地安家并成了一位名副其实的族长。他捍卫岳父的疆土,款待往返埃及的使者。法老塞索斯特里斯一世邀请西努希返回埃及,国王宽恕了他,并以重礼欢迎他归来。他在故乡再次结婚,法老下令为他建造一座极好的陵墓。西努希传记成为人们喜爱的史话流传下来,他的传记是以事实为根据,揭示了当时的政治和社会情况。西努希事迹由现代芬兰作家M.瓦尔塔里改写成通俗小说《埃及人》(1949)。

Sinŭiju 新义州 朝鲜西北部城市。在义州旧城西11千米处,距鸭绿江入海口40千米。为开放港。因内地林区的原木沿江流放此地,发展木材商业。利用河流将内陆森林中的木材运出。鸭绿江上游水丰水库(水力发电体系)建立后,发展了化学工业。朝鲜战争期间,遭到轰炸的严重破坏,现已重建。市内有搪瓷厂。有航空线、电气化铁路和公路通平壤。铁路经鸭绿江的铁桥(长944米)通往中国丹东,并经中长铁路与西伯利亚大铁路相连。为朝鲜与中国贸易口岸。人口约200 000(1981)。

sinus 窦 解剖名词,指穴、腔、陷窝、囊袋、大的含血管道、脓性腔道或骨内腔。颅内静脉窦是硬脑膜中的夹层腔隙,接受来自脑部的血液并将其汇入颈内静脉。颅静脉窦与颅外静脉之间的交通支有重要的临床意义,因为它为某些面部炎症蔓延到脑提供了一条直接的通路。其中海绵窦最为重要,位于垂体两侧,不仅内含静脉血,还有颈内动脉及几条颅神经。与鼻腔相通的鼻旁窦是邻近鼻部的骨内含气空腔,壁附黏膜,其分泌物由纤毛运动排至鼻腔。鼻旁窦每侧各有4个;额窦位于两侧眼眶上方偏内,其前后壁均为颅骨,底部斜向通入鼻腔。上额窦最大,角锥形,顶为框底,底由腭及上颌骨形成。上颌牙根可穿入窦腔或与窦底部靠近,故拔牙后可能形成瘘管。筛窦于鼻腔和眼眶之间,由3～18个薄壁小腔构成。在鼻顶部嗅神经通过筛板。蝶窦位于鼻背部蝶骨之内,前壁开口入鼻腔。垂体手术须通过蝶窦。鼻旁窦大多是出生后才开始发育,至青春期前后才完成发育。鼻旁窦的急性感染通常都由上呼吸道感染引起,上颌窦最常受累。治疗应用抗生素,慢性感染则需要手术治疗。来自上颌窦以及筛窦的鼻息肉多因变态反应引起,可使鼻腔阻塞,需要外科治疗。鼻旁窦的癌肿甚为罕见。据信,鼻旁窦的生理功能和嗅神经的走行分布、语言、保护鼻黏膜、预温吸入空气以及减轻颅骨重量有关,但是缺乏有说服力的比较解剖学证据。

sinusitis 鼻窦炎 鼻窦的炎症。可分为急性及慢性两种。患感冒后或感冒继发细菌性上呼吸道感染后均可导致急性鼻窦炎。六个月龄以后的各年龄人均可患急性鼻窦炎,最常受累的是上颌窦。急性鼻窦炎还可因某些全身性疾病引发,如麻疹等。此外,游泳时呼吸不得法也是本病常见原因。急性鼻窦炎的症状为局部疼痛及压痛、头痛、鼻堵、流涕、全身不适。急性鼻窦炎的治疗方法主要有抗生素、药物引流、穿刺冲洗等方法。急性鼻窦炎反复发作或治疗不及时可导致慢性鼻窦炎,特别是因为鼻堵而通气、引流受阻时。慢性鼻窦炎的症状为容易患感冒、流脓性鼻涕、呼吸不畅、嗅觉缺失,有时头痛,无急性发作时疼痛少见。如果采用保守治疗无效,则必须手术治疗。

sinusoid 窦状隙 肝、脾及骨髓中的不规则管状空隙,功能为代替毛细血管及小静脉,用以流通血液。肝窦状隙由门静脉的分支所形成。其他器官的窦状隙则由小动脉所形成。窦状隙的内壁上排列着库普费尔氏细胞(一种吞噬细胞),能消化衰老的红细胞及清除血液中的有毒物质。血液从**门静脉(portal vein)**及肝动脉进入肝窦状隙。静脉血在窦状隙中得到净化,而动脉血向周围的肝细胞提供氧。血液从窦状隙进入肝静脉,然后回心。

Sinyavsky, Andrey Donatovich 西尼亚夫斯基(1925-10-08,俄罗斯联邦～1997-02-25,法国巴黎附近丰特奈-欧罗斯) Sinyavsky 又拼Siniavski。笔名阿布拉姆·捷尔茨。俄罗斯评论家、长篇和短篇小说家。1966年被苏联政府判处犯有颠覆罪。1952年毕业于莫斯科大学,后进入高尔基世界文学研究所。曾为文学杂志《新世界》撰稿,并为帕斯捷尔纳克的一卷诗集撰写了一篇深刻锐利的序言。他的小说没有一部在苏联出版,而是被偷偷带到西方,以阿布拉姆·捷尔茨的名字发表。西尼亚夫斯基小说的英译本始于长篇小说《审判开始了》(1960)。这部小说描写的是1953年的"医生阴谋案",在这桩"阴谋案"中有9位医生被诬控谋反。另一部短篇小说集《幻想的故事》(1963)揭示和探究了专制暴政、挥霍放荡和精神孤寂的主题。在长篇小说《调解一下试试》(1965)中,描写了一个村长用种种神话和巫术蒙骗他的村民。他的论文《论社会主义现实主义》(1960)也被偷偷带到西方发表,文章号召苏联文学要进行创新。1965年9月13日,西尼亚夫斯基和另一位作家尤里·丹尼尔被捕。丹尼尔被判处5年劳役,西尼亚夫斯基被判处7年劳役。这次审判激起国内外的抗议。1971年西尼亚夫斯基获释,2年后移居巴黎,在巴黎大学教俄罗斯文学。西尼亚夫斯基在被监禁期间的极端困苦条件下,仍继续坚持写作。他这一时期的作品被译成英语的有《想象的自由》(1971)、《没有防卫的思想》(1972)和《合唱中的一个声音》(1976)。

Sion 锡永 德语作Sitten(锡滕)。瑞士西南部瓦莱州首府。位于日内瓦湖东南,罗讷河畔。最初是凯尔特人和罗马人的一个聚落点,6世纪后期成为主教驻地。公元999年起至1798年,瓦莱历任主教一直保留对锡永的圣、俗权力。俯瞰着城镇的两个小山顶上有13世纪遗留下来的几座城堡(现为历史博物

锡永镇 15 世纪的教堂

供图：Davis Pratt from Rapho/Photo Researchers—美国不列颠百科全书公司

馆）和一座大部分建于 13 世纪的教堂。其他著名建筑物有加拉里埃圣母院大教堂、圣泰奥迪莱教堂（1516）、上撒克逊院（1505）、市政厅（1660）和马若里埃堡（现为艺术展览馆）。城镇位处洛桑到米兰的公路和铁路线上。锡永是蔬菜、水果和葡萄酒的重要市场。居民大部分讲法语。人口约25 350（1990）。

Siôn Cent　希安·森特（约1367～约1430）威尔士诗人。他的名字是两派吟唱诗人争论的象征，一派以高雅的风格来歌颂贵族们的英雄事迹，另一派则较多地写涉及个人的诗歌来赞美并非十全十美而又富于人性的英雄所具有的纯朴和高尚的品质。在希安·森特看来，传统的对贵族的赞颂是虚伪的谄媚和谎言。他的作品反映了欧洲中世纪道德家的影响，专门讨论宗教或道德问题，并评述人生的变化无常和死亡的不可避免。他的生平知道甚少，不过他赞颂布雷克诺克郡的诗可能表明他的出身。

Siouan languages　苏语诸语言　北美印第安语系，是墨西哥以北最大的美洲土著语系之一，与易洛魁语系和卡多语系共同组成大苏语群，大苏语群仅次于阿尔冈昆语群。苏语至少包括 5 个语族：墨西哥湾海岸地区语族，包括比洛克西语，奥福语，图特洛语；密苏里河上游地区语族，包括希达察语，克劳语；北部平原区语族，包括达科他语，即苏语本身；中部平原区语族，包括奥马哈语，奥萨格语，蓬卡语，坎萨语，夸保语；大湖区语族，包括温内巴戈语。南北卡罗来纳州已消亡的卡陶巴语有时也被划入苏语内。

Siouan languages, Macro　苏语语系　参阅 **Macro-Siouan languages** 大苏语诸语言。

Sioux　苏人　又称达科他人（Dakota）。北美大平原印第安民族或民族联盟。操苏语。分为3个主支：桑蒂人、扬克顿人及特顿人；他们分别自称为：达科他人、纳科他人及拉科他人。桑蒂人又名东苏人，包括姆德乌坎顿人、瓦佩顿人、瓦佩库蒂人及西塞顿人；扬克顿人包括扬克顿人和扬克托奈人；特顿人又名西苏人，有 7 个主要分支——西哈萨帕人（又名黑脚人）、布鲁勒人（又分为上布鲁勒人和下布鲁勒人）、洪克帕帕人、米尼孔朱人、奥加拉拉人、桑萨雷人及乌赫农帕人（又名两壶人）。

17 世纪中叶之前，桑蒂苏人生活在苏必利尔湖附近地区，采集野生稻、豆，猎捕鹿和野牛，并驾独木舟以鱼叉刺鱼。由于常年与奥吉布瓦人作战，桑蒂人被逐往明尼苏达南部及西部。特顿人和扬克顿人这两支则被迫永久离开明尼苏达，迁往大平原（现在的北达科他州和南达科他州）；从此停止其传统的农业活动，采取了大平原的生活方式，主要从事游动捕猎野牛和其他大型野兽。

苏人文化同其他平原印第安部落文化具有许多相同的特征。他们住圆锥形帐篷。男子靠作战骁勇获得部落中地位；在袭击敌人时，夺得马匹及取到头皮即为骁勇之证明。战争与迷信密切相连，以致把幻觉中所见的图饰绘于盾牌，相信带着这样盾牌便可以不受敌人伤害。他们跳一种复杂形式的太阳舞，它是部落的主要欢庆活动。

其宗教体系承认有 4 种力量主宰宇宙，每种力量又分成 4 种。在他们的宗教中，野牛形象亦占重要的地位。在特顿苏人中间，熊很重要。在幻觉中获得的熊力被视为具有医疗作用。桑蒂苏人举行一种猎熊仪式，以使即将出动劫掠的武士们得到保护。

苏族妇女精于编制带有箭猪刺和小圆珠组成几何图形的绣制品。警察职能由军事团体承担，最重要的职责是监督野牛捕猎活动。苏人组织有舞蹈、萨满教和妇女会社。

在大平原诸印第安部落中，苏人是最坚决抵抗白人入侵他们土地的。19 世纪中叶，随着密西西比河以西白人边界的推进，美国和苏、萧萧尼、夏延、阿拉帕霍及其他西部印第安部落商谈第一个《拉勒米堡条约》（1851），寻求以此防止印第安人动乱。条约规定了大草原北部全境各部落的疆界，并在印第安人领地筹建碉堡和公路。1851 和 1859 年，桑蒂苏人放弃了在明尼苏达的大部分土地，被指定去到某一居留地，政府鼓励他们在居留地从事不到处游动的农业。然而，白人多次违背条约，加上白人边界不断推进的压力，桑蒂苏人终于在利特尔克罗领导下，于 1862 年举行起义，伤亡惨重。起义失败后，桑蒂苏人被迫向西迁至达科他州和内布拉斯加州的居留地。

过游动生活的特顿苏人和扬克顿苏人的领地（包括密苏里河与特顿山之间的地区以及普拉特河［在南］与黄石河［在北］之间的地区），在 1849 年淘金潮后日益受到白人的进犯。美国政府试图修建通往蒙大拿州博兹曼的公路（保德河公路），公路要横穿这些苏人喜爱的比格霍恩山猎场，这特别激怒了这些部落。1865 ～ 1867 年，奥加拉拉族酋长红云（**Red Cloud**）率领成千上万苏族武士发动制止修建公路的战斗。1866 年 12 月 21 日发生了费特曼大屠杀。酋长海巴克本率一群武士在菲尔卡尼堡附近诱捕了 80 多名美国士兵，并将他们全部杀死。美国政府最终在第二次《拉勒米堡条约》（1868）中承认失败。条约中，美国政府同意放弃博兹曼路线，并保证苏人独占密苏里河以西的南达科他地区。

然而，19 世纪 70 年代中期在南达科他的布莱克山中发现黄金后，成千上万的矿工根本不理睬第二次《拉勒米堡条约》，涌入苏人居留地，从而于 1876 年引发了第二轮敌对事件。1876 年 6 月的小比格霍恩河战役（**Little Bighorn, Battle of the**）中，一支人数众多的苏人和夏延人分遣部队制服了 G.A.卡斯特中校，并全歼其 266 名士兵。但印第安人这一惊人胜利并没有影响全局战争的进程。当年夏天晚些时候，3 000名苏人在汤河河谷被 A.H.特里（Alfred H. Terry）将军的主力部队诱捕。10 月 31 日苏人投降；之后，他们大部分人回到居留地。

然而，坐牛（**Sitting Bull**）、疯马（**Crazy Horse**）和高尔（Gall）等酋长拒绝将部下带回居留地。疯马于 1877 年投降后被杀，而坐牛逃到加拿大，于 1881 年回到美国。1889 年，一种宣扬救星降临、回归到古老的游动狩猎生活、并和死者重聚的“鬼舞”宗教活动开始在禁闭在居留地、生活必需品极为匮乏的苏人中蔓延滋长。因为相信这一活动正在搅乱这难得的安宁，政府的印第安人事务官提议逮捕领头人。1890 年 12 月 15 日坐牛被印第安警察和士兵在格兰德河畔抓获，当他的战士们试图营救时，他在混乱中被杀。同月，美国军队在翁迪德尼残杀了许多苏族男人、妇女和儿童，这标志了苏人对白人统治的一切抵抗的结束。

20 世纪后期苏人约有 4 万人，75％以上住在北达科他州、南达科他州、蒙大拿州及内布拉斯加州的居留地内。还有几千人住在加拿大。参阅 **Plains Indian**。

Sioux City　苏城　美国艾奥瓦州西北部城市、伍德伯里县县城（1853）。位于密苏里河畔，地当艾奥瓦州、南达科他州和内布拉斯加州三州交界处。1804 年 M.刘易斯及 W.克拉克曾到此探险。1848 年规划。1849 年有人定居。1857 年建市称现名。1868 年通铁路后，人口迅速增长，1920 年已达 7 万人以上。以运输、牲畜围场、批发业和谷物贸易为经济基础。有莫宁赛德学院（原西北大学）和布赖尔克利夫大学院（1930）及西艾奥瓦社区技术学院（1966）。人口：市80 505；都会统计区 115 018（1990）。

Sioux Falls　苏福尔斯　美国南达科他州东南部城市，明尼哈哈县县城（1862）。位于大苏河畔。1857 年建立，因大苏河上的瀑布得名（福尔斯意为瀑布）。1865 年建达科他堡。1873 年以瀑布发电。1877 年设村，1883 年设市。1878 年通铁路后，所采花岗岩开始外运。由于该州离婚法条例较松，苏福尔斯城以“离婚工厂”闻名（约 1890 ～ 1910）。苏福尔斯城是全州最大城市，为农产品集散中心，也是全国最大牲畜贸易市场之一。工业有肉类加工、木器、金属加工、农业机械和电子元件等。东郊建有世界上最早的核电站。教育机构有奥古斯塔纳学院（1860）、苏福尔斯学院（1883）、北美浸礼会神学院、州立感化院、聋人学校、佩蒂格鲁博物馆和地球资源观测系统。人口：市 100 814；都会统计区 123 809（1990）。

sipahi　西帕希　奥斯曼帝国的封建骑兵，其地位类似中世纪的欧洲骑士。他们由苏丹直接赐给采邑，有权获得采邑的全部收入；但以军事服役作为回报。迄16世纪中期,他们构成奥斯曼陆军的大部分。此后逐步为禁卫军所取代。这一变化部分因为火器使用迅猛发展,骑兵日益失去原有的重要性,同时也因为需要建立一支常规军。希腊独立战争中(1821～1832),西帕希威信扫地,1831年采邑制正式废除。

Siphnus 锡弗诺斯 现代希腊语作Sífnos。希腊基克拉泽斯(**Cyclades**)群岛岛屿。面积73平方千米。由一石灰岩山岭构成,主峰普罗菲蒂斯伊利亚斯(694米)和圣锡梅翁(495米),顶部均建有拜占廷时期的教堂。早由雅典人拓居。1207年后属于纳克索斯岛威尼斯公爵领地。曾被拜占廷、威尼斯和土耳其人控制。主要城镇阿波洛尼亚在西岸港口卡马雷西东南面。经济以制陶和捕鱼为主。人口2 087(1981)。

siphon 虹吸管 使容器中的液体越过容器的边缘输送到较低水平的装置,通常是把一根管子弯曲成长度不等的两段而成。虹吸管的口径可任意选择,在土木工程中常用来输送水或其他液体越过高程。虹吸作用取决于重力影响而不取决于大气压力的差异(因为在真空中虹吸作用也能进行),还取决于液体的内聚力。这种内聚力使虹吸管两段中的液柱不致因本身重量而破裂。

Siping 四平 又拼Ssu-p'ing。中国吉林省辖地级市。位于省境西南部,东北平原中部,哈尔滨—大连铁路的中点,与平齐、四梅铁路相交,是东北地区重要交通枢纽之一。唐代渤海曾置扶余县,为扶州治。辽改为通远县,为通州治。金废。清光绪二十四年(1898)以前还是小村落。1903年长春—大连铁路建成,始置四平街站,商业兴起。1937年设四平街市,1947年改四平市。辖铁西、铁东2区和梨树县和伊通满族自治县,并代管公主岭、双辽2县级市。面积14 323平方千米,其中市区面积741平方千米。1991年公主岭县级市归省直辖,仍由四平市代管。东北解放战争期间(1946～1948)四平为战略要地,先后经历4次大战役,被誉为"英雄城市"。1949年前,四平市仅有小型粮食加工和手工业,现已建成拥有机械、电子、纺织、化工、建材等工业部门的新兴工业城市,尤以农业机械(联合收割机)和化工企业最为重要。梨树县为重点商品粮基地县,双辽市为全省细毛羊和养牛基地,并建有省内最大的牛羊肉加工厂。人口:全市3 280 000(2005);市区510 000(2004)。

Sippar 西巴尔 巴比伦尼亚古城,即今艾布哈巴赫,在今伊拉克中部巴格达西南。曾为巴比伦第一王朝藩属。公元前1174年被埃兰国王库提尔-纳洪特洗劫,始为人知。恢复后被亚述国王提革拉·帕拉萨一世占领。在巴比伦第八王朝统治下,国王纳布-阿帕尔-伊迪纳(约公元前880)在此重建巨大的沙玛什庙,记录了在发掘废墟时发现了一座古老的神像,他把自己和沙玛什铭绘在一块纪念石版上。这块石版被公元前7世纪末重建神庙的纳巴波拉萨国王发现。这块石版今藏在不列颠博物馆。

Sipri(India) **锡布里** 参阅**Shivpuri**希沃布里。

sipunculid 星虫 参阅**peanutworm**沙虫。

Sipyagin, Dmitry Sergeyevich 西皮阿金(1853-03-20,俄罗斯帝国乌克兰基辅[今在乌克兰]～1902-04-28,俄罗斯圣彼得堡) 保守的俄国内政大臣,以对专制制度的绝对忠诚而闻名。出身于古老贵族家庭,1876年毕业于圣彼得堡大学。入内政部服务。历任库尔兰省总督(1881～1891)、莫斯科总督(1891～1893)、国家领土副大臣(1893～1894),1899年10月出任内政大臣。历史学家称他为"十足的反动派"。他心胸狭隘,绝对相信专制制度是俄国政府最适合的形式,他极力扩大自己对沙皇的影响以及内政部的权力,削弱地方自治会的权力,并在镇压学生和工人政治组织中起过积极作用。1902年4月被一名冒充沙皇副官的20岁的学生刺杀。

Siqueiros, David Alfaro 西凯罗斯(1896-12-29,墨西哥奇瓦尼～1974-01-06,库埃纳瓦卡) 墨西哥油画家和壁画家,其艺术反映出他的马克思主义政治思想体系。是现代派墨西哥壁画三大奠基人(另二人是D.里维拉和J.奥罗兹科)之一。青年时已是政治活动家,曾在墨西哥城圣卡洛斯美术学院学习,1913年墨西哥革命时离校参加V.卡兰萨的队伍作战。后到欧洲继续学美术。1922年回墨西哥后,协助完成国立预备学校校墙的湿壁画,并开始组织和领导美术家和工人工会。在西班牙内战(1936～1939)期间,他为共和派指挥几个旅。40余年来,他的工会工作和他的共产党政治活动导致数度入狱和流亡国外。他曾以演讲者和特约美术家的身份访问美国、苏联和许多拉丁美洲国家。西凯罗斯的大型壁画大多数画在墨西哥政府建筑上。所作壁画的特色是活力充溢、构图生动、画幅巨大、气魄雄伟,以雕刻手法来处理形象,为了戏剧效果只使用有限几种颜色来突出明暗反差。他和他的追随者们画了数千平方米的生动壁画,皆以左翼观点表现各种社会、政治和工业的演变。他经常用喷漆枪喷上人工合成的油漆色来加快装饰大型公共建筑的进程。他也画了很多架上画,最有名的也许是《呼喊的回声》(1937)。

Siquijor 锡基霍尔 菲律宾保和海岛屿。位于内格罗斯岛东南30千米处。面积292平方千米。为沉积岩构成,有珊瑚礁环绕。岛上有狭窄的泛滥平原和三角洲。拉雷纳和拉西为港口。经济以渔业为主。人口70 360(1980)。

Sir Edward Pellew Group 爱德华·佩留爵士群岛 在澳大利亚北部地方东北部卡奔塔利亚湾内,近麦克阿瑟河口。为砂岩荒岛。总面积2 100平方千米。最大者为范德林岛,长32千米,宽13千米;另有北岛、西南岛、中岛和西岛。

Sir Gawayne and the Grene Knight 《高文爵士和绿衣骑士》 一位不知名作者写于14世纪下半叶(可能为1375年)的中古英语头韵诗。诗中叙述的故事发生在亚瑟王时代。其主人公高文爵士是一个虔诚然而具有人所固有的弱点的基督徒。他在一次比武中获胜,并抵制了一位贵族夫人的勾引,但接受了她赠予的一条能使他刀枪不入的腰带。与该诗手稿保存在一起的还有另外3首诗,现在普遍认为是该诗作者的作品。因其中一首挽歌体诗名《珍珠》,故《高文爵士和绿衣骑士》和这几首诗的作者常被称为"珍珠诗人"。参阅**Gawain**。

Sirāj-ud-Dawlah 西拉吉-乌德-多拉(约1729～1757-07-02或03) 名义上受莫卧儿皇帝统辖的印度孟加拉统治者。在他的统治期间,英国开始控制印度的内部事物。他对加尔各答的攻击,酿成加尔各答黑洞(**Black Hole of Calcutta**)事件,使被他俘虏的一批英国人窒息而死在无通风设备的小牢房中。他于叔祖父死时(1756)就任孟加拉的纳瓦布(省长)。本家族中其他成员反对他就此任,同时,英国东印度公司未经他许可即在加尔各答构筑工事,支持与他争夺职位的拉吉巴拉。虽然他成功地消除了争夺者的威胁,但加尔各答的英国统治者仍拒绝他的停止构筑工事的要求。于是他向加尔各答进军,攻占英军前哨戈西姆巴扎。1756年6月16日,他率军进抵加尔各答,英人总督率大部属员及部分英国居民逃离威廉堡,以期加尔各答港中的英国船只不受损害。威廉堡守军略事抵抗后,于6月20日投降,当夜发生加尔各答黑洞事件。英军于1757年1月2日重占加尔各答。西拉吉-乌德-多拉于6月23日被英军击败,逃往穆尔希达巴德,后被俘处死。

Sirājganj 锡拉杰甘杰 孟加拉国中部城市。位于布拉马普特拉河西岸。是重要的黄麻集散地和加工与贸易中心,有公路、铁路、内河轮船与外地交通。1869年设市。有拉杰沙希大学的几所附属学院。人口99 669(1991)。

Siren 塞壬 希腊神话中半鸟半女人的怪物,常用美妙的歌声引诱航海者触礁毁灭。据荷马的说法,在埃埃亚和斯库拉岩礁之间的西海上有一个岛,岛上住着两个塞壬。后来她们的数目一般增加到3个,住在意大利西海岸靠近那不勒斯的地方。一说她们是海神福耳库斯的女儿,一说她们是河神阿谢洛奥斯的女儿。希腊英雄奥德修斯听从女巫喀耳刻的主意,用蜡堵住水手的耳朵,水手由于听不到塞壬的歌声,便没有被她们引诱,但他本人还能听到歌声,就让人们把自己绑在桅杆上,这样才使船只不致偏离航道。另一个说法说阿尔戈英雄们在海上也走这条路,但奥尔甫斯唱得如此神奇乃至他们中间没有任何人听塞壬的歌声。根据后来的传说,塞壬经过一两次这样的失败之后便自杀了。在艺术作品里,她们最初表现为有女人头的鸟,后来又表现为有时带翼的、长着鸟脚的女人。

塞壬似乎是从两个因素演化出来的:一个有关早期探险的危险的原始故事,再加上

雅典狄皮隆墓地公元前4世纪的塞壬石雕像

供图：Alinari—Art Resource

一个半鸟半女人的东方形象。人类学家把东方形象解释为一种灵魂鸟，也就是把生者偷来分享与它相同命运的一种带翼的幽灵。就这方面而言，塞壬同鸟身女怪（Harpies）有相似之处。

siren　鳗螈　有尾目鳗螈科两栖动物，共3种，皆水栖，外形似鳗鲡。体躯细长，通常棕色、深灰色或略呈绿色。前肢细小，后肢和骨盆消失。幼体和成体皆具羽状鳃。常于沼泽或溪流底部泥中挖穴而居或隐藏在水草乱石之中，但有时亦上陆逗留短时期。离水后能发出轻微的叫声。夜出活动，主要捕食昆虫和小鱼。在水中交配，产卵一枚至多枚，产于水草叶上。体内或体外受精尚未明。幼体发育为成体不经变态过程。有些种寿命至少25年。大鳗螈（*Siren lacertina*）体长50～90厘米，见于美国大西洋沿岸几个州，从特拉华南至佛罗里达，西至墨西哥北部。小鳗螈（*Siren intermedia*）约长17～60厘米，见于南卡罗来纳至得克萨斯以及密西西比河流域向北至伊利诺伊和印第安纳一带。矮鳗螈（拟鳗螈，*Pseudobranchus striatus*）长约12～21厘米，遍布于全佛罗里达州及南卡罗来纳州南部。

siren　旋笛　产生一定音调的刺耳声的噪声发生器。用来产生报警信号，它是18世纪后期由苏格兰的自然哲学家J.罗比森发明的。由法国工程师拉图尔命名为旋笛，他在1819年设计了这种型式的声学仪器：高速旋转的边缘带有间隔均匀的小孔的圆盘以固定的时间间隔阻断对准小孔的空气射流，这样产生的有规律的脉动就在周围空气中产生声波。因而旋笛属于一种无约束的管乐器，其音调的声频等于每秒钟空气喷出的次数（或小孔数乘以转数）。刺耳声就由出现数量很大的泛音而产生。

sirenian　海牛类　海牛目（Sirenia）大型水生哺乳动物，包括两个现存属和20多个绝灭属。现存4种，因人类捕杀以取其肉和油，其数量已变得稀少。体型最大的种——斯特勒氏海牛（*Hydrodamalis gigas*）——体长可达8米，1741年发现后因人类滥捕于数十年内绝灭。现存二属：儒艮属，1种，儒艮（*Dugong dugon*）；海牛属（*Trichechus*），3种。两属种类均可称海牛，体长均可达4米，但有人见到过体长近于8米的。海牛类完全以植物为食。仅分布于有大量株形较高的水生植物的沿岸浅水水域。

儒艮严格海栖，主要见于印度洋-太平洋地区。海牛属种类亦生活于海中，但亦可

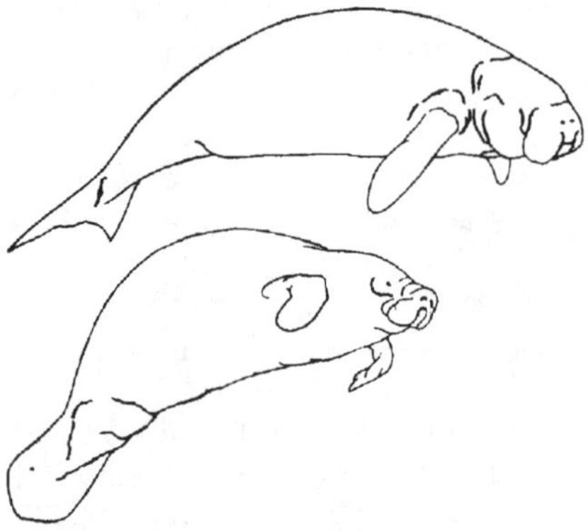

两种主要海牛的体形：（上）儒艮；（下）美洲海牛

生活于河口湾和江河的水域中；若被放在附近的岸上，还能扭动身体回到其天然环境中去。可见于热带和亚热带大西洋海域，以及亚马孙内湾和加勒比海。化石记录证明，海牛目与象类同属亚有蹄超目（Subungulata），海牛目的历史可追溯到始新世（5 780万年前至3 660万年前）。海牛类身体外形似鱼雷，无后肢，以纵扁的尾部推动身体游泳。儒艮的吻部向下弯，尾分叉；而海牛属种类的吻部直，尾圆形。海牛类的皮肤极厚而坚韧，几乎无毛。皮下的海兽脂不多，但体内脂肪甚多。眼小而圆，无眼睑。外耳孔微小，不易发现。骨密度大，故与其身材相比体重较大。唇富含肌肉，有力，用以将植物上的可食部分撕下，并用上下颌前部的角质垫将其磨碎。儒艮具6枚带硬尖的磨牙，其中4枚随动物的成年逐渐脱落，故成体仅余两枚牙齿。雄体有两枚切牙十分长大，突出口外，类似象牙。海牛属种类上下颌各有20～30枚磨牙，这些磨牙随着年龄的增长而逐渐向前移动。海牛属种类还有一个与其他哺乳动物不同之处：其他哺乳动物均具7块颈椎骨，本属动物只有6块。

海牛类通常群居。因其自然生境远离人类，海牛类又极端胆怯，对其繁殖、生长和其他生理过程所知甚少。估计其妊娠期为约5个月。每产一仔最为普遍，儒艮偶产二仔。在不同年龄雌雄个体的体型大小均相同。乳腺位于胸部，哺乳时母体会用一个鳍肢将幼体抱在直立位置，美人鱼的传说可能就由此而来。海牛类需要经常浮到水面进行呼吸，估计每两次呼吸之间海牛类能在水下停留16.5分钟之久。海牛属种类可被看到，通常背部朝上地卧在水上晒太阳。但对声音十分敏感，天性谨慎而多疑，若受到最轻微的不熟悉的声音的打扰，就立即沉入水中。

Siret River　锡雷特河　源出乌克兰西部境内喀尔巴阡山东坡的河流，向南流经罗马尼亚东部，在加拉茨以西注入多瑙河，全长约575千米。上游纵贯摩尔多瓦，河道曲折，河谷宽阔。下游地势低洼，多沼泽。从东喀尔巴阡山流入该河的7条主要河流中，比斯特里察河流量最大，建有数座水电站。流域面积44 000平方千米。仅小船可通航。

Sirhind Canal　锡尔欣渠　印度西北部旁遮普邦的灌渠。1882年启用。灌溉面积5 200平方千米以上。引水的渠首工程位于喜马偕尔邦边境附近罗巴尔的苏特莱杰河上，渠水向西南流，在多拉哈分为三支。一条向西北，在巴基斯坦边境附近重归苏特莱杰河；一条向西南经珀丁达流向拉贾斯坦邦边境；第三条向东南到伯蒂亚拉。有众多支渠。

Sirhindī, Shaykh Aḥmad　西辛迪（1564，印度伯蒂亚拉锡尔欣～1624，锡尔欣）　又译希尔信迪。印度伊斯兰教神秘主义者、教义学家。他反对阿克巴皇帝统治时期盛行的信仰调和倾向，为在印度重申和复兴逊尼派正统信仰做了不懈的努力。成年时正值印度莫卧儿帝国皇帝阿克巴试图融合各派而树立新信仰以统一帝国。西辛迪于1593～1594年间参加印度苏非派最重要的纳克西班底教团。毕生反对阿克巴和他的后继人贾汗季两代皇帝的泛神论和什叶派倾向。他有几部著作，其中以《马克土巴特》最为著名。此书是他写给在印度和奥克苏斯河以北地区的友人的波斯文书信汇编，信中提出见识统一说，谓世上只有由信徒心灵体会的主观统一，并无客观的统一。他激烈反对什叶派教义，开罪于皇帝贾汗季，1619年贾汗季下令将他监禁于瓜廖尔城堡，不久释放。由于他在印度复兴伊斯兰教正统信仰方面所做的努力，他死后获得"第二个千年的革新者"的称号。

Siribunyasan　西里奔亚山（约1730～1781，老挝万象）　又称翁奔。老挝万象国王。当他在1760年左右继承其父翁荣的王位时，老挝分裂成一些相互敌对的国家，万象王国本身也分成许多派别，而缅甸军队正席卷暹罗和东南亚的北部。不久，西里奔亚山就投靠缅甸。达信国王使暹罗复兴后，便力图使万象屈服并结束缅甸人在老挝的影响。1779年初暹罗军队攻克万象，西里奔亚山向东逃往越南边境地区。后来以他的几个儿子留在暹罗作为人质，他被允许回到万象复位，作为泰王的封臣。

Siricius, Saint　西利修斯，圣（约334，罗马［意大利］～399-11-26，罗马）　教皇（384～399在位）。他所遗一批书信是现存历史最悠久的教皇谕令，内容主要是教会戒律、洗礼、告解、按立神职和灵修等。386年写给塔拉戈纳主教希梅里乌斯的信中包括严禁司铎结婚的重要谕旨，这是关于这一问题的最早的通谕，自教皇利奥一世在位期间（440～461）一直恪守至今。该信中称教皇为整个西派教会的元首，有权颁发教会法。同时他也认为自己有权干预东派教会事务。

Sirionó　西里奥诺人　玻利维亚东部的南美印第安人，居住在贝内省东部和北部热带密林中。他们与奇基托斯-莫克索斯地区其他印第安人不同，使用图皮语。**图皮人（Tu-**

pian)是很早以前由于迁徙而脱离这个种族的。西里奥诺人与周围各族较发达的文化形成尖锐对照,只有简单的半游牧文化。早期基督教传教士和政府代理人使他们定居的尝试,证明是灾难性的。他们的人口由于疾病已大为减少。这个不好战的民族的少数幸存者已退进森林深处,而其他的则被强迫在农场和牧场劳动。西里奥诺人传统上以农、猎及采集为生,其物质文化与社会结构均很简单,临时茅屋以棕榈叶及木柱搭成,大者可容120人。他们实行母系制,婚姻从妻居。相信神灵但无巫师。以玉米及野蜂蜜酿酒;以歌舞为娱乐。男女文身而无衣着。

Siris(Greece) **锡里斯** 参阅 **Sérrai** 塞雷。

Sirius **天狼星** 又称大犬座α(Alpha Canis Majoris)或犬星(Dog Star)。夜空中最亮的恒星,目视星等为-1.5等。它是大犬座中的一颗双星。双星中的亮子星是一颗比太阳亮23倍的蓝白星,体积略大于太阳,温度则比太阳高得多。它距太阳系约8.6光年,只有除太阳以外最近恒星距离的两倍。其名称可能来自希腊语的一个词,意为"发火花的"(sparkling)或"灼热的"(scorching)。古埃及人把天狼星称为索蒂斯(Sothis,女神名),他们知道,当该星偕日升起,即正好出现在太阳升起之前时,尼罗河三角洲就开始每年的泛滥。他们长期相信,尼罗河的洪患同索蒂斯有关,而且他们发现,天狼星两次偕日升起的时间间隔不是埃及历年的365天而是365.25天,这个年长度的改正值后来被儒略历所采纳。古罗马人则认为,每年最热的时节与"犬星"的偕日升起有关,"犬日"一词正是表达了这种联系。德国天文学家F.W.贝塞尔于1844年报道天狼星是一颗双星。他发现该亮星在附近空间中沿一条呈波形的轨迹运动,从而得出它有一颗伴星和绕转周期约为50年的结论。这颗伴星被美国天文学家和望远镜制作家A.克拉克于1862年最先看到。天狼星及其伴星都在偏心率颇大的轨道上互相绕转,平均距离约为日地距离的20倍。尽管亮星光芒四射,用大望远镜还是不难看到那颗7等的伴星。伴星(又称天狼B)的质量与太阳差不多,密度则比太阳大得多,是第一颗被发现的白矮星。

Sirius **"天狼星"号** 第一艘全程用蒸汽机横渡大西洋的船。这艘703吨的明轮船由英美汽轮公司租用,载客40名,于1838年从伦敦经科克驶往纽约。它在快到终点时,燃料耗尽,但船长拒绝升帆,决定使用蒸汽机驶完全程。他用帆桁代替燃料,投入锅炉。新泽西州的桑迪胡克终于及时进入视线,从而防止了一场可能发生的骚乱,而且它比大得多的"大西方"号还早到纽约几个小时。此外,"天狼星"号还实行了一项重要的技术革新:通过冷凝器回收锅炉用淡水。

"天狼星"号,平版画(1838)
供图:Mariners' Museum, Newport News, Va.

Sirkari disease **西尔卡里病** 参阅 **kala-azar** 黑热病。

sirocco **西洛哥风** 吹过地中海和欧洲南部的、从南方或东南方吹来并带来雨和雾的湿热的风。西洛哥风是在自西向东越过地中海南部的低压中心的锋面上产生的。它起源于北非,本是一种干燥的风,当吹过地中海时就获得了湿气。

Sirohi **锡罗希** 印度西北部拉贾斯坦邦西南城镇,处在丘陵与石质山岭起伏交错的一块地方,位于瑟勒万丘陵西坡,据说城镇名字即由此丘陵而来。本地区有西部的伯纳斯河及卢尼与苏格里两河的支流流贯。城镇建于15世纪初,曾是原先锡罗希土邦的首府,该土邦1949年并入孟买邦,1950年成为拉贾斯坦邦的一部分。本地区主要农作物有玉米、豆类、小麦及油菜籽。开采石灰岩、花岗岩及大理石。城镇为农产品市场和手工艺中心,以制作刀剑出名。有座医院及附属于拉贾斯坦大学的行政管理学院。人口:城镇23 903(1981)。

Síros (Greece) 参阅 **Syros** 锡罗斯。

Sirsa **锡尔萨** 印度西北部哈里亚纳邦最西部城镇。位于塔尔沙漠边缘。为公路和铁路的交叉点。有手工织布及各种制造业。设有古鲁格舍德拉大学的几所附属学院。夏季有大规模的牲畜集市。农业依靠灌溉。人口:城镇89 068(1981)。

Sirtica **锡尔提加** 利比亚中北部沙漠地区。为撒哈拉沙漠向北延伸部分,是世界最大油田之一。沿锡德拉湾南部延伸约480千米,大体东南向穿过苏尔特盆地。东为希腊文化区,西为布匿文化区。公元前500年左右,在这一地区建造一个祭坛,作为希腊和布匿之间界线的标识,自公元7世纪起,锡尔提加也是穆斯林西方(马格里布)和穆斯林东方(马什里克)之间的分界线。利比亚的石油主要分布在锡尔提加地区,特别是苏尔特盆地。1959年在达赫拉油田首次进行商业性开采。同年在宰勒坦(距地中海港口布赖盖169千米)发现全国最大油田。所产石油为轻质低硫原油,经管道输往西北锡德拉湾岸的锡德尔、拉斯拉努夫、卜雷加港等地。盐的产量也很高。

Sisaket **四色菊** 又作Srisaket。泰国东部城镇。在呵叻—乌隆铁路线上。周围地区为泰国最贫穷的地区之一。主要产稻米和烟草。四色菊与柬埔寨交界,很多居民讲高棉语。人口:城镇约21 577(1986)。

sisal (species *Agave sisalana*) **西沙尔麻** 又称剑麻。龙舌兰科植物;其纤维亦称西沙尔麻,是最重要的**叶纤维**(**leaf fibre**)。该植物原产于中美洲,哥伦布发现美洲前当地人早就利用西沙尔麻。19世纪80年代谷物割捆机发明,其操作需要低价的麻绳,这刺激了人们对西沙尔麻的兴趣,不久西沙尔麻种植园就在巴哈马群岛和坦噶尼喀(今坦桑尼亚)建立。

西沙尔麻(*Agave sisalana*)
供图:Harrison Forman

20世纪30年代末,西沙尔麻在莫桑比克、安哥拉、马达加斯加和非洲的其他地区以及菲律宾、中国台湾省、巴西、委内瑞拉、印度尼西亚和海地开始种植。主茎植株高达0.9米,直径约为38厘米。主茎上密集莲座状丛生的剑形叶片,肉质而坚硬,灰绿至深绿色,长约0.6～1.8米,基部阔7.6厘米,最阔的部分10～18厘米,叶尖锐利如针。植株生长4～8年后成熟,长出可高达6米的中心花茎,花茎顶端出枝,枝端丛生出密集的分枝花束,花黄色,长约6厘米,具难闻的气味。随着花朵开始枯萎,花茎和叶梗之间向上生长的芽体发育成珠芽,珠芽落地后生根,花事既毕,老植株死亡。西沙尔麻最适宜于生长在排水良好的中等肥沃的土壤中和温暖潮湿的气候下。用珠芽或成熟植株的地下茎繁殖的幼苗,在苗圃中培育12～18个月,雨季开始时移栽到田里,株距1.2～2.4米。种植后约3～5年成熟(决定于气候),在此后的7～8年内能产生符合要求的纤维,每株共约生产300片叶片。在外层叶片成熟后从靠近主茎处割下,第一次收割约70片,以后每年的产量平均约25片。西沙尔麻纤维常用机械剥制,将叶片在滚筒之间压碎,去掉叶肉,洗净,然后用天然或人工方法干燥。纤维束富有光泽,一般呈乳白色,平均长度为100～125厘米,直径0.2～0.4厘米。纤维粗硬,有时称为西沙尔大麻(但与真正的大麻无亲缘关系)。由于纤维的强度、耐久性、抗拉力、对某些染料的亲合力和耐海水腐蚀性良好,制造绳索极为适宜,广泛应用于航海、农业、运输和工业。也用于制造席子、地毯、女帽和刷子。坦桑尼亚和巴西是最大的生产国。

siserskite **暗铱锇矿** 铱锇矿(**iridosmine**)的富含锇的变种。

Sishu **四书** 又拼Ssu shu。英语作Four Books。中国儒家四部经典著作,即《大学》、《中庸》、《论语》和《孟子》,共5.3万字。由南宋朱熹编定并作《四书章句集注》,因名四书。其中《大学》、《中庸》由朱熹从《礼记》中选录并分别写序,列入四书之内。这四部书后来成为中国古代社会学习儒家经典的入门书。四书以及朱熹的注释后来成为中国科举考试的题材，有助于儒学在中国的传播，在中国后期封建社会的学术和政治领域产生巨大作用。

Sisimiut（Greenland） **锡西米尤特** 参阅 **Holsteinsborg** 荷尔斯泰因斯堡。

Sisines, Archelaus **西西纳斯** 参阅 **Archelaus** 阿基劳斯。

Sisinnius **西辛尼乌斯**（?，叙利亚～708-02-04，罗马[意大利]） 教皇（708在位）。当时罗马处在拉韦纳督主教、伦巴第人和穆斯林的威胁之下，西辛尼乌斯命令整修罗马城垣。

siskin **黄雀** 约20种具褐色条纹和黄斑的小鸟的统称，主要属于雀形目金翅科（**Carduelidae**）红衣主教雀属（*Carduelis*，包括*Spinus*属）。世界性分布，从寒冷的北部地区到

普通黄雀（*C. spinus*）

供图：Frank V. Blackburn from the Natural History Photograhpic Agency—美国不列颠百科全书公司

好望角和合恩角。嘴圆锥形；尾短，分叉。在田间成群觅食杂草籽，（常在飞行时）发出呼哧呼哧的声音。北美的松黄雀（松金翅，*C. pinus*）体长11厘米，翅和尾有黄横斑。欧洲的普通黄雀（*C. spinus*）头顶黑色，胸淡黄色。

Siskind, Aaron **西斯金德**（1903，美国纽约市～1991-02-08，罗德岛普罗维登斯） 美国教师、编辑和20世纪中叶最有影响的摄影家之一，以创造性地发展了抽象摄影而著名。

供图：Doung Prince

1932年，在纽约市当英语教师时开始摄影。他最早的著名作品是一套关于大萧条对纽约社会影响的写实照片。同那时的其他写实照片不同，西斯金德的作品《死亡的结局：流浪者聚集的波威里街》和《哈莱姆黑人区纪实》不但注重他所拍摄的处于困境中的人们，而且注重画面的构图。20世纪30年代后期以后，他不再拍摄人物，而把精力集中于像《巴克斯县的旧房子》那样的建筑摄影。40年代初期，西斯金德致力于发展一种能反映出他的心理状态而不是单纯的纪录题材的摄影风格。40年代，他拍摄了一套如盘绕的绳索、沙中脚印和海草等平凡题材的照片，后来，又集中精力拍摄一些如人行道、告示牌、墙壁等平面造型的照片，尤其爱拍摄那些饱经风雨、历尽沧桑的景物。这个主题思想，在1967年他所拍摄的一套关于康斯坦丁拱门废墟和阿庇亚古道残迹的照片中，表现得最为突出。西斯金德最初的抽象作品，并未立即为摄影家们所接受，但却为一些和抽象表现主义运动有关的画家，如W. de库宁和F.克兰等所称赞。事实上，西斯金德曾把他的抽象照片和他们的绘画一起展出。西斯金德是摄影教育学会的创始人，又是文学和摄影杂志《选择》的共同编辑人，他的影响主要就是从这些活动产生的。1951～1971年，他在芝加哥伊利诺伊理工学院设计学院担任摄影学教授的时候，影响最大。

Sisler, George (Harold) **西斯勒**（1893-03-24，美国俄亥俄曼彻斯特～1973-03-26，密苏里里士满海茨） 美国职业棒球运动员，有些人认为他是最杰出的一垒手。1915年参加

合众国际社供图

美国棒球联盟圣路易斯布朗队，至1927年一直为该队队员。1928年参加华盛顿队，1928～1930年为全国棒球联盟波士顿勇士队队员。他是左撇子，原任击球员和外场手，后来才改任一垒手。他的击球率在1920年为0.407，在1922年为0.420，两次超过0.400，整个生涯中击球率为0.340。1920年创257次安打的大联赛纪录。1922年连续在41场比赛中安打得分，创美国联盟中的最高纪录。他在4年中的偷垒数在美国联盟中居首位，1922年偷垒数51个。1939年入选棒球名人堂。

Sisley, Alfred **西斯莱**（1839-10-30，法国巴黎～1899-01-29，卢万河畔莫雷） 画家，法国印象派创始人之一。其富有的英国父母本打算让他从商，但他选择了绘画。1862年在格莱尔的画室里与C.莫奈、P.-A.雷诺阿、

西斯莱绘《大水中的小船》（1876）

巴黎罗浮宫博物馆供图

J.-F.巴齐耶等画家交往，他基本上是风景画家。早期风格受C.柯罗影响颇深，其作品色彩十分柔美和谐，所画雪景尤有魅力。他的许多最好和最生动的作品是1872～1880年间在巴黎等地与莫奈亲密相处的那段时间完成的。

Sismondi, Jean-Charles-Léonard Simonde de **西斯蒙迪** 参阅 **Simonde de Sismondi, J(ean)-C(harles)-L(éonard)** 西蒙德·德西斯蒙迪。

sismondine **镁硬绿泥石** 硅酸盐矿物硬绿泥石（**Chloritoid**）的富镁变种。

Sisowath **西索瓦**（1840-09-07，柬埔寨马德望省～1927，柬埔寨） 柬埔寨国王（1904～1927）。法国殖民地政府的傀儡。早年与其兄诺罗敦在泰国曼谷受教育。1860年父王东去世，他返回柬埔寨旧都乌栋，以防其同父异母的弟弟西沃塔篡位。后将西沃塔赶出乌栋。泰国人将其召回曼谷，匆匆立比较温顺的诺罗敦为王。1862年法国人部分控制越南，并宣布柬埔寨为其保护国。经法国人同意，诺罗敦正式加冕，西索瓦退居西贡。1867年，他被从西贡召回，镇压反法起义。此后即留居金边支持法国殖民政权。1904年诺罗敦去世，他继位一直到1927年。

Sīstān **锡斯坦** 又作Seistan。伊朗东部和阿富汗西南部的边境区域，其中40%属伊朗。全境人口的半数以上分布在伊朗境内。该区包括海拔450～520米的大洼地，很多河流流入一系列低地沼泽区。洪水季节形成浅湖。三个较大的三角洲是主要居民区，即法拉赫河畔的拉什朱韦恩、哈什河畔的恰汉苏尔（均在阿富汗境内）和赫尔曼德河畔的锡斯坦。当地属沙漠气候，年平均降雨量100毫米以下，夏季酷热，冬季严寒。居民主要是塔吉克人，也有俾路支人、布拉灰人、贾特人和古贾尔人以及饲养瘤牛的加万达尔人。锡斯坦南与俾路支接壤，其主要城镇查布尔有公路与麦什德一扎黑丹公路连接。扎黑丹是通往奎达（在巴基斯坦）的铁路终点站，是从该地前往世界其他地区的门户。恰汉苏尔是阿富汗锡斯坦的首府。该区经济原先依靠一座每年被洪水冲毁的临时代用水坝。如今两座水坝灌溉约13万公顷土地。当地主要作物有小麦、大麦、少量的棉花和玉米。据说锡

斯坦是波斯传说中卡亚尼王朝的发祥地。公元226年起属萨珊王朝管辖。7世纪中叶，阿拉伯穆斯林侵入，传入伊斯兰教。14世纪受突厥人帖木儿的野蛮统治。以后在当地酋长的领导下取得独立。1747年，受一名阿富汗人控制，他死后，该地区成为伊朗与阿富汗长期争夺的地区。争端导致英国的仲裁，1872年开始划分伊朗-阿富汗边界，直到1903～1905年才告结束。70年代初期，伊朗政府在锡斯坦的伊朗地区创办宏大的灌溉工程。

Sistine Chapel　西斯廷礼拜堂　教皇礼拜堂，在梵蒂冈宫中，建于1473～1481年，是设计师乔凡尼为教皇西克斯图斯四世所立。堂中有米开朗琪罗的文艺复兴风格壁画。礼拜堂呈长方形，砖结构，两侧主墙各开有6扇拱窗，屋顶为筒形拱顶，堂的外形平淡朴素，但是内部墙壁和屋顶都饰以佛罗伦萨文艺复兴运动一些大师所作的壁画。堂内边墙的壁画作于1481～1483年之间。北墙6帧壁画，写基督生平，作者为佩鲁吉诺、平图里乔、波提切利、D.吉兰达约和C.罗赛利。南墙6帧壁画写摩西生平事迹，作者为佩鲁吉诺、平图里乔、波提切利、吉兰达约兄弟、罗赛利、L.西纽雷利和加塔。这些作品的上方，各窗之间又有小幅壁画写历代教皇。每逢大典边墙下部饰以壁毯，写福音书及《使徒行传》所载事迹。壁毯设计者为拉斐尔，1515～1519年织于布鲁塞尔。堂中最伟大的艺术作品是屋顶和西墙祭台后面的壁画，为米开朗琪罗所作，屋顶上的壁画统称"西斯廷平顶"，是1508年教皇尤里乌斯二世委托米开朗琪罗作于1508～1512年的，写《旧约》所载事迹和人物。西墙壁画《最后审判》是米开朗琪罗为教皇保罗三世作于1534～1541年者。对于"西斯廷平顶"的清洁和修复工程历时10年，于1989年完成；"最后审判"的清洁和修复工程于1994年完成。西斯廷礼拜堂是教皇个人专用的教堂，教廷主要典礼都在该堂举行，教皇圣座空缺时，枢机团在此处选举新教皇。

sistrum　叉铃　打击乐器。在木、金属或陶瓷制的框架上松散地放置横木条（常常挂着铃铛）而成。框上有柄，用柄摇晃发声。古埃及曾在礼拜女神哈托尔的仪式上使用叉铃。公元前2500年，在苏美尔已有开顶的U字形叉铃，在格鲁吉亚第比利斯附近曾有此类乐器出土。在科普特教堂和埃塞俄比亚教堂的礼拜仪式中现亦采用类似的叉铃；西非洲和美国印第安部落中亦有。

公元前850年以后制作的埃及青铜叉铃，其中的横条与铃铛为复制品
不列颠博物馆供图

Sisyphus　西绪福斯　希腊神话中狡猾的科林斯国王。被罚在冥府把一块巨石推到山上，但他将要把巨石推到山顶时，巨石又滚下来，他只得重新再推，永无终止。这一命运安排是《奥德赛》中讲述的。在《伊利亚特》中，住在埃皮列（即后来的科林斯）的西绪福斯是埃俄罗斯（埃俄罗斯人的名祖）的儿子，**格劳科斯（Glaucus）**的父亲。在荷马以后的时代，人们说他是奥德修斯的父亲，这显然是狡猾地使两人挂了钩。西绪福斯以创办科林斯地峡运动会驰名。据后来的传说，当死神来捉他时，他把死神锁了起来，致使在阿瑞斯前来帮助死神使西绪福斯就范之前，世界上没有一个人死亡。就在这时，西绪福斯告诉他的妻子墨洛珀不要依照惯例举行献祭仪式，也不要掩埋他的尸体。这样，当他到达阴间时，他就获准返回人世以惩罚她的怠慢。但他一回到家，就继续活到高龄才再次死去。西绪福斯实际上如奥托吕科斯与普罗米修斯一

公元前6世纪末阿谢洛奥斯画匠的双耳陶瓶画，上绘对西绪福斯的惩罚
供图：Bildarchiv Foto Marburg/Art Resource，New York City

样，也是民间传说中一位极为著名的人物，一个骗子或惯贼。很明显，他是由于欺骗死神之罪而在冥府受永无终止的惩罚，但是为什么决定叫他继续不断地滚一块巨石却是一个谜团，迄今没有令人首肯的答案。看起来，这与希腊人把冥府看作无益劳动的场所的其他一些想象如出一辙。

sit-in　静坐示威　一种非暴力反抗战术。示威者进入某营业单位或某公共场所静坐，直到他们被强力逐出或他们的要求得到满足时为止。静坐示威本是一种消极反抗，制止静坐示威的行动往往显得很粗暴，因而使温和派和局外人对示威者产生同情。在抗英独立运动中，印度人遵循甘地的教导，极为有利地运用了静坐示威战术。后来美国黑人在争取人权的运动中，将静坐示威当作主要斗争方式，第一次著名的静坐示威于1960年发生在格林斯伯勒（北卡罗来纳州）一家饭馆里。大学生后来利用静坐示威反对"越战"、课程改革，在其他活动中也曾使用这种战术。与静坐示威相似的一种战术是静坐罢工。工会使用这一方法占领正在举行罢工的工厂。1937年联合汽车工人工会对通用汽车公司的罢工运动首次在美国大规模使用了静坐罢工战术。参阅 **civil disobedience**。

Sītā　悉多　印度教神话所传罗摩的配偶，妇女忠贞节烈美德的化身。悉多遭魔王罗波那诱劫，终于脱险，这是印度叙事诗《罗摩衍那》的主要内容。悉多由国王遮那竭抚养成

约1600年莫卧儿绘画中的悉多画像
供图：Pramod Chandra

人。罗摩通过比武赢得她为妻。她陪伴罗摩流亡，被罗波那诱劫到楞伽，长期持守贞节。她返回后，自愿接受火验，证实自己贞洁。但罗摩仍将她逐往森林。她在森林中为罗摩生下俱舍和罗婆两子。他们成年后经罗摩承认为自己之子，悉多呼唤自己的母亲大地，大地将她吞没。

Sītāmarahi　锡达默里　印度东北部比哈尔邦最北部城市。位于勒肯代河西岸。为东北铁路线上的一车站并有公路通尼泊尔边境。地处肥沃的恒河中游平原。为稻谷、木材、油籽和皮张的贸易中心，比哈尔邦最大的牛市，并为印度教圣地。农业为主要经济部门，出产稻谷、小麦、珍珠粟、豆类、玉米、甘蔗和油籽。工业生产棉织品、皮革、精米、氢化植物油、木雕与金属器皿。人口：城市约44 910（1991）。

Sītāpur　锡达布尔　印度北部北方邦中北部城市。位于勒克瑙西北偏北方向，濒瑟拉扬河。为几条公路和铁路交叉点和谷物等农产品的贸易中心。有制糖厂和胶合板厂。地处戈默蒂河与卡克拉河之间平原，大部为耕地或林地，出产稻米、小麦和大麦。许多地区依靠萨尔达河及戈默蒂河支流灌溉。有一所眼科专门医院。人口：城市约120 595（1991）。

sitar　锡塔尔琴　北印度诗琴族的弦乐器。用作独奏乐器，同塔姆布拉琴（低音诗琴）和塔布拉鼓一起演奏，也用于乐队合奏，为北印度的卡塔克舞伴奏，是北印度音乐的主要乐器。受中世纪穆斯林影响从坦布尔琴

(中东的长颈诗琴)、维那琴(一种精致的窄形印度齐特琴)演变而来。像坦布尔琴一样,有一个厚的梨形琴身,但颈比坦布尔琴宽,品可移动。锡塔尔琴有5根旋律弦和5或6根低音弦,后者亦用于加强节奏。在凸形品的下方是中空的颈,其中有9～13根共鸣弦。音域约从中央C下的F向上扩展。凸形品便于把弦拉向一边,弹奏装饰音。琴颈的铃斗一端的下面常有一个葫芦,很像维那琴。三弦的锡塔尔琴实际上就叫三弦维那琴。锡塔尔琴用套在右手食指上的金属线制成的拨子弹奏。

sitatunga(*Tragelaphus spekei*) **林羚** 偶蹄目牛科一种水栖羚羊,栖息在非洲中部沼泽地。善游泳和潜水,常在水中进食,可近于完全潜入水中而避敌害。蹄长而宽,脚关节柔韧,因而能在软地上行走。肩高约102厘

林羚(*Tragelaphus spekei*)

供图:Tom McHugh—Photo Researchers/美国不列颠百科全书公司

米,毛粗而蓬松;雌体浅褐红色,雄体浅灰褐色。脸部有一白斑,颈上有两个白色斑块,有时身上散有多数白色斑纹。雄体具螺旋形长角。

sitella **小鳾** 又作treerunner。澳大拉西亚7种小鳾属(*Neositta*)鸟类的统称,通常归入鳾科(Sittidae),但有时列为小鳾科(Neosittidae)。体型(尾短,足大)和行为像鳾,但或多或少有条纹并在枝杈上营杯状巢。

Sithole, Ndabaningi **西索尔**(1920-07-31,罗得西亚马塔贝莱兰尼亚曼德洛武[今在津巴布韦]～2000-12-12,美国宾夕法尼亚费城) 教师、基督教教士和罗得西亚(后称津巴布韦)黑人民族主义运动的知识分子领袖。1955～1958年在美国就读神学,后回罗得西亚任公理会牧师、学校校长和非洲教师协会主席(1959～1960)。1960年加入新成立的民族民主党,并担任司库。1961年12月协助建立津巴布韦非洲人民联盟,该组织被取缔后,他广泛游说争取支持。1963年7月回到罗得西亚,建立津巴布韦非洲民族联盟。罗得西亚单方面宣布为主权国家(1965-11)前夕被捕,一直被监禁到1974年12月。他同意在卢萨卡(赞比亚)会晤罗得西亚总理I.史密斯。1975年3月4日再次被捕。一个月后获释,参加达累斯萨拉姆的非洲统一组织会议,然后去卢萨卡继续为罗得西亚争取黑人多数统治而奋斗。1978～1979年为过渡时期执行委员会成员。1979年为议会议员。他虽仍是津巴布韦非洲民族联盟领导人,但在1982年的选举中落选,影响也随之减弱。著有《非洲民族主义》(1958)、《奥贝德·穆特扎传记》(1970)、小说《一夫多妻者》(1972)和津巴布韦斗争纪实《革命的根源》(1977)。

Sitka **锡特卡** 美国阿拉斯加州东南部城市,历史上最著名的阿拉斯加人居留地。在亚历山大群岛巴拉诺夫岛西岸。1799年7月俄国驻阿拉斯加首任总督A.巴拉诺夫在此

锡特卡城的港口

供图:Bob and Ira Spring—美国不列颠百科全书公司

筑要塞,1802年为印第安特林吉特人焚毁。1804年创建现城。1867年10月18日俄国人在此将阿拉斯加正式转让给美国。1900年前锡特卡为阿拉斯加准州首府。1920年设市。现经济以渔业、罐头业、木材业和旅游业为主。市内有俄罗斯正教圣迈克尔大教堂(1848)、谢尔登杰克逊初级学院(1895)和锡特卡社区学院(1962)。附近有锡特卡国家历史公园。人口8 588(1990)。

Sitrah **锡特拉** 巴林首长国城镇和油港。位于波斯湾的锡特拉岛。巴林以及沙特阿拉伯东北部石油均从此港出口。有58千米的输油管连接沙特阿拉伯的达曼港。镇上有庞大的油罐场。炼油厂设在巴林岛。街道布局呈长方形,道旁建有现代建筑物。沿海水浅,油管沿长堤向波斯湾内伸展约4.5千米,末端即为码头。可停泊远洋油轮。巴林岛上里法附近炼铝厂的产品也由此出口。锡特拉岛在巴林岛东面,面积10平方千米。为巴林群岛中第四大岛。在巴林发现石油之前(1932),该岛水源充足的北部地段有主要居

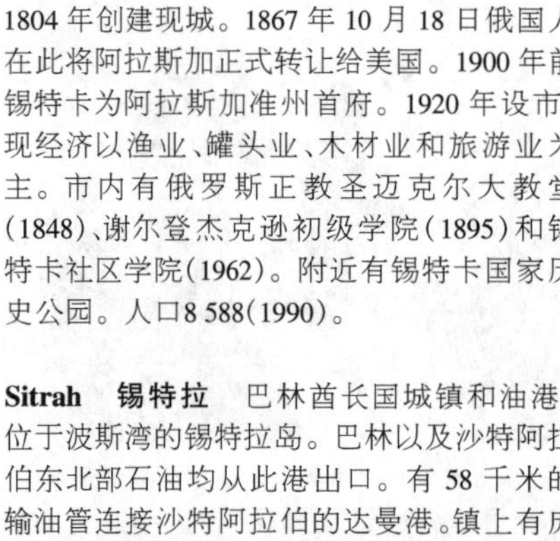

锡特拉岛岸外波斯湾中的深水石油装运码头

供图:FPG—美国不列颠百科全书公司

民点,以广种枣椰树闻名。人口9 618(1981)。

Sittang River **锡当河** 缅甸中东部河流。发源于掸高原边缘的央米丁东北部,向南流420千米注入安达曼海的马达班湾。水道用于木材(主要是柚木)筏运,向下游出口。锡当河有40千米全年通航,90千米每年通航3个月。下游有运河通勃固河。宽阔的河谷上有仰光—曼德勒公路和铁路干线,以及勃固、东吁、央米丁和彬马那等主要城镇。

Sittard **锡塔德** 荷兰东南部林堡省城市镇。1243年获准建市镇。19世纪曾先后受法国和比利时占领。现有采石、化肥、化工品、电子元器件、纺织品等工矿业。有几所中世纪教堂和一所地区性博物馆。人口:市镇约44 251;锡塔德-赫伦都会区177 432(1988)。

Sitte, Camillo **西特**(1843-04-17,奥地利维也纳～1903-11-16,维也纳) 奥地利建筑师、城市规划师。他的许多理论与同一时期E.霍华德在英国宣扬的花园城市的主张相似。英国的R.昂温和美国的D.H.伯纳姆等后来的城市规划师都深受德、奥理论家特别是西特的影响。他曾担任维也纳州立工业学院的领导工作。逝世前不久还创办了《城市建设》杂志(1904年创刊)。G.R.科林斯与C.C.科林斯合著的《西特和现代城市规划的诞生》(1965)一书总结了他的观点及其产生的影响。两人还将西特的主要著作《城市规划的艺术原则》(1889;第5版,1922)一书译成英文出版(1965)。

Sitten(Switzerland) **锡滕** 参阅 **Sion** 锡永。

Sitter, Willem de **德西特**(1872-05-06,荷兰斯内克～1934-11-20,莱顿) 荷兰数学家、天文学家和宇宙学家,以A.爱因斯坦广义相对论为基础提出宇宙的理论模型。德西特曾在国立格罗宁根大学学数学,后到该校天文实验室工作,受J.C.卡普坦的指引,对天文学发生兴趣。1897～1899年间,他在南非好望角天文台工作,此后即献身于天文事业。1908年成为莱顿大学天文学教授,1919年任莱顿天文台台长。在其早年的天文学生涯中,德西特分析了木星的4颗伽利略卫星的运动,以便确定它们的质量。1916～1917年间,他在伦敦发表一系列描述爱因斯坦广义相对论的天文结果的论文,这得益于他对天体力学的研究。这些论文引起英国人对广义相对论的广泛关注并导致A.爱丁顿1919年率团作日食远征观测,以便测出光线在通过太阳近旁时的引力弯曲。德西特对宇宙的看法在某些方面与爱因斯坦不同。爱因斯坦关于弯曲空间的相对论性构想促使他把宇宙看成是静态的,而且是大小不变的。德西特则认为,相对论实际上就包含着宇宙不断膨胀的结果。这种看法后来在E.哈勃观测遥远星系中得到支持,而爱因斯坦本人后来也接受了这种观点。德西特计算的宇宙范围和包含在其中的星系数,后来证明太小和太少而不再被采用。

Sittewald, Philander von **西特瓦尔德** 参阅 Moscherosch, Johann Michael 莫色洛史。

Sittidae (bird family) **䴓科** 参阅 nuthatch 䴓。

Sitting Bull **坐牛**(约1831,美国达科他准州格兰德河附近[今在南达科他]～1890-12-15,南达科他格兰德河畔) 印第安名为塔坦卡·约塔克。达科他州特顿苏族印第安人首领,

史密森学会国家人类学档案馆供图

在他的领导下苏族印第安人部落联合起来为捍卫在北美大平原上的生存权而奋战。他以其终生不信任白人并坚决反抗白人统治而为后人所怀念。

坐牛出生于特顿苏族的洪克帕帕部落。14岁时首次参加战斗,不久即以其无畏的作战精神而颇具声望,成为强大的"壮心"战士会的领袖,后参加默食者团体,这是一个以部族的兴旺为己任、加入条件苛刻的集团。作为部族领袖,坐牛促进了苏族狩猎地向西拓展至原为肖肖尼人、克劳人、阿西尼本人及其他印第安人部落的领地。他第一次与白人军队交战是在1863年6月,当时美国陆军在"明尼苏达大屠杀"之后正向桑蒂苏族人进行报复,而特顿苏族人并未参与屠杀。其后5年中,他时常与入侵苏族狩猎地、破坏印第安经济的美军作战。1866年他成为北部狩猎的苏族人的主要首领,号称"狂马"的奥格拉拉苏族人领袖则为其副手。坐牛智勇超群,深受族人敬仰,于1867年左右被公推为整个苏族的主要首领。

1868年苏族人接受与美国政府按第2个《拉勒米堡条约》媾和,条约保证以今南达科他州西南部的地区为苏族居留地。但自19世纪70年代中期布莱克山发现黄金后,大批白人淘金者涌入条约保证留给印第安人的土地。1875年末,全体抵抗白人入侵的苏族人被命令在1876年1月31日以前回到他们的居留地,否则即以与美国为敌论处。但即使坐牛愿意从命,亦不可能于隆冬季节跋涉390千米如期迁移村庄。3月,G.克鲁克将军向敌视白人的印第安人发动全面进攻,坐牛召集全体苏族人、夏延人及某些阿拉帕霍人到他在蒙大拿准州的营地应敌。6月17日罗斯巴德战役中,克鲁克的部队被迫后退。印第安人的首领们继而将其营地迁入小比格霍恩河谷。就在这时,坐牛表演了太阳舞,当他从自我折磨所引起的神智恍惚状态中恢复过来后,他声称曾看到有许多士兵像蝗虫一样从天而降,落入他的营地。他的预言在6月25日得到应验,当时G.A.卡斯特中校率部进入河谷,卡斯特及其所部在小比格霍恩战役中悉数被歼。

白人群众对小比格霍恩战役的强烈反应引起了军事行动的加剧。苏族人在和美军的战斗中一跃而成为胜利者,但他们虽然节节获胜,却不能打赢这场战争。他们赖以维持生命的水牛遭到白人的不断捕杀,很快濒于绝灭。饥饿迫使越来越多的苏族人投降,1877年5月,坐牛率领残部越过边境退入加拿大。但加拿大政府不肯承担责任供养居留地原在边境以南的人民。4年后,随从者不断减少,坐牛迫于饥馑终于投降。1883年后,他居住在立石管辖区。在那里,他反对出售部落土地,但全无效果。一半是为了摆脱他,1885年印第安事务官允许他参加布法罗比尔的西大荒演出,他赢得了国际声誉。

1889年"鬼舞"宗教活动蔓延滋长,这一活动预言印第安救世主即将降临,将把白人除尽,恢复印第安人从前的传统。"鬼舞"活动使原已因饥馑和疾病在苏族人中激起的骚乱变本加厉。为了预防不测,印第安警察和士兵被派去逮捕其魁首。坐牛于1890年12月15日在格兰德河畔被抓获,当他的战士们试图营救时,他在混乱中被杀。他被葬于耶茨堡,但遗体于1953年被移往南达科他州的莫布里奇,安息处有花岗岩石矛为志。

Sittwe **实兑** 又称阿恰布。缅甸西部城镇。临孟加拉湾,位于加拉丹河口。为沿海和国际贸易港,出口大宗稻米。有船舶修造厂、柴油机发电厂、碾米厂和机场。有渡船通孟加拉国吉大港。实兑地处梅宇河、加拉丹河及莱姆洛河汇流处。冲积平原上广种水稻。东部丘陵地带人烟稀少。1971年印巴战争之后,从孟加拉国移民来许多穆斯林,人数超出了该地区原佛教徒的人数。人口107 607(1983)。

situation, comedy of **情景喜剧** 参阅 intrigue, comedy of 情节喜剧。

Sitwell, Dame Edith **西特韦尔**(1887-09-07,英格兰约克郡斯卡伯勒～1964-12-09,伦敦) 英国女诗人,最初因作品的文体技巧而获得声誉,但在第二次世界大战期间显示出她是一位感情深邃并对人类深为关注的诗人。她还同样以杰出的品格、伊丽莎白时代的穿著和反常的见解闻名。出身于知名的文

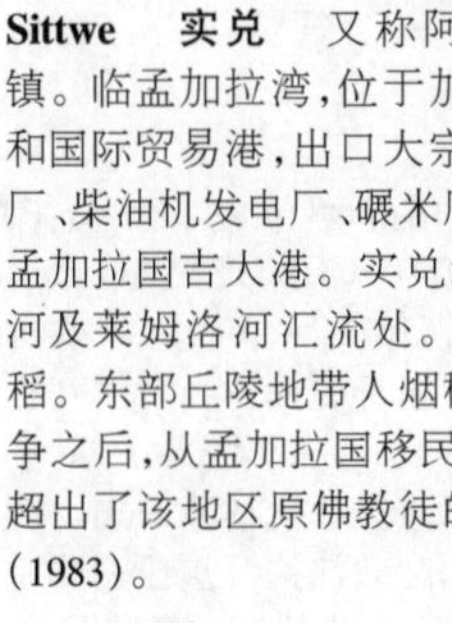

英国广播公司供图

学家庭,是乔治·西特韦尔爵士之女。O.西特韦尔和S.西特韦尔之姐。第一部作品《母亲及其他诗篇》于1915年发表。1916年因编辑一年一度的选集《车轮》开始引起注意。她在其早期诗歌《农夫陋室》(1918)、《田园喜剧》(1923)和《睡美人》(1924)等作品中,创造了一个她自己的世界,表现出作者敏锐的观察力和善于运用音乐性的语言,反映了W.B.叶芝和T.S.艾略特对她的影响。她对声音在诗歌中的价值的强调在《门面》(1923)中表现特别明显,作曲家W.沃尔顿曾为之谱写了音乐。《黄金海岸习俗》(1929)一诗以其更为严酷和痛苦的意象标志着这种诗歌风格试验阶段的结束。1930年,她的《诗集》问世。西特韦尔的后期作品,特别是第二次世界大战期间所写的《街道之歌》(1942)、《绿色的歌》(1944)和《寒冷之歌》(1945)等明显表现出她对诗歌技巧掌握得更纯熟,对痛苦和精神理解得更深刻。在《园丁们和天文学家们》(1953)和《被弃者》(1962)中,她进一步强调了宗教象征主义,这两部作品使西特韦尔被公认为一个具有悲剧性的壮丽和强烈特征的诗人。西特韦尔的散文作品有《亚历山大·蒲柏评传》(1930)、《巴思》(1932)、《英国怪人》(1933)、《我生活在黑暗的太阳下》(1937)、《诗人札记》(1943)以及《关于莎士比亚的笔记》(1948)等,反映了她的博览群书与渊博学识,以及她对失去的贵族时代的光辉的偏爱。1953年访问美国,在好莱坞将《伊丽莎白的鼓乐》(1946)改编成电影剧本。1954年被封为大英帝国女爵士。

Sitwell, Sir Osbert, 5TH BARONET **西特韦尔**(1892-12-06,英格兰伦敦～1969-05-04,意大利佛罗伦萨附近) 英国文人,因与其姊伊迪丝及弟瑟谢弗勒尔共同与文艺界假想的敌对

供图:Camera Press

者作斗争而闻名。其最著名作品为散文回忆录。曾写过严肃的讽刺诗歌[如《讽刺诗与其他诗歌选》(1931)、《金伯太太》(1937)等],以及小说。其最佳小说为《攻击之前》(1926),讽刺和描写了在维多利亚时代末期,即第一次世界大战前夕约克郡斯卡伯勒的社会情况;还写过短篇小说和文艺评论。其声誉来自他的系列自传《左边!右边!》(1944)、《绯红色的树》(1946)、《多好的早晨!》(1947)、《隔壁房中的笑声》(1946)和《高尚的本质》(1950)。在这些作品中,西特韦尔以发自内心的怀乡思绪,刻画了一个已经消逝的时代。他继承其父乔治·西特韦尔爵士成为第5代准男爵。死后出版的有随笔集《玛丽女王和其他》(1974)。

Sitwell, Sir Sacheverell, 6TH BARONET **西特韦尔**(1897-11-15,英格兰约克郡斯卡伯勒～1988-10-01,北安普敦郡托斯特附近的韦斯顿宅) 英国诗人、评论家,诗人和散文家伊迪丝和奥斯伯特之弟。以关于艺术、建筑和旅

供图:Universal Pictorial Press, London

行的作品著称。他的诗《人民的宫殿》(1918)、《第13个凯撒》(1924)、《格兰德河》(1929年上演,作曲C.兰伯特)、《诗选》(1948)和其他集子主要采用传统韵律,其矫饰风格反映了作者的音乐艺术爱好的影响。他的富有想象力和阐释性的著作更具有独创性,其第一本《南方巴罗克风格艺术》(1924)是这方面学术研究的创始作品。其最佳散文诗是"自传体幻想曲"《一日一夏》(1926)和以忧郁沉思笔调写的《显赫与痛苦》(1943)。1969年他在其兄奥斯伯特死后成为第六代准男爵。《因为没有金色城池》(1973)是探讨生活和艺术的随笔集,包含大量自传性材料。

Siuri 苏里 又作Sūri。印度东北部西孟加拉邦中部城镇。位于莫尔河南岸。为重要公路枢纽与农产品贸易中心。主要工业有碾米、棉织、丝织和家具制造。莫尔河灌溉工程水闸在该镇西北32千米处。1876年定为自治城镇。设有布德万大学的一所附属学院。人口54 274(1991)。

Śiva 湿婆 又拼Śiwa或Shiva。印度教所崇奉的主神之一,**湿婆教(Śaivism)**各派奉为最高主宰。湿婆是属性最复杂的诸神之一,集水火不相容的特性于一身:既是毁灭者又是起死回生者;既是大苦行者,又是色欲的象征;既有牧养众生的慈心,又有复仇的凶念。湿

印度马德拉斯约公元900年的湿婆青铜坐像

马德拉斯政府博物馆供图

婆的女性配偶有多种化身,如乌摩、萨底、钵伐底、突迦和迦利(至尊女神舍支有时也被认为湿婆的配偶)。据说湿婆夫妇连同他们的儿子——六头的塞犍陀和象头神——住在喜马拉雅山脉的盖罗娑山上。公牛难底是他的坐骑,也是他的象征。湿婆庙殿对面都有难底的卧像。寺庙和私宅神龛里所供奉的湿婆的主要象征是**林伽(liṅga)**,即男性生殖器像。在绘画和雕塑中湿婆通常肤色白或灰白;颈部青色(因吞下宇宙海洋所泛起的、危及人类的毒液所致);多绺发辫盘成高髻;头顶一弯新月,有恒河之水自头上流下。他有三眼,第三眼能透视内心,一注目能将某物化为灰烬;戴骷髅项圈和盘蛇,两手(或四手)执鹿皮、三股叉、小手鼓或饰有骷髅的棍棒。湿婆以多种形象出现:与配偶钵伐底和儿子塞犍陀在一起表示祥和,有时是宇宙范围内的舞者(那吒罗阇)、裸体苦修者、乞丐、瑜伽修习者,还可以同他的配偶结合而成阴阳同体、半男半女的半女自在天。

Siva Dayāl Sāheb 希沃·达耶尔·萨海布(1818,印度阿格拉省阿格拉～1878,阿格拉)又称希夫达耶尔。原名图尔西·拉姆。印度教密宗神人谐和老实人派的创始人。出身于虔信毗湿奴的刹帝利种姓家庭,在阿格拉经营金融业。1861年宣布自己是"灵性真师",收徒讲道。所著两书,一为散文体,一为诗体,均名《语萃》。希沃·达耶尔·萨海布的骨灰葬在阿格拉附近一圣园中,该地现仍是神人谐和老实人派的一个重要中心。参阅**Rādhā Soāmi Satsaṅg**。

Śivājī 西瓦吉(1630-02-19或1627-04,印度浦那希沃内～1680-04-03,拉杰格尔) 又拼Shivājī。印度国王(1674～1680),印度马拉塔王国的创立者。出身显贵。当时印度正处于穆斯林统治之下,北方有莫卧儿王朝,南方有俾查浦尔和哥尔康达穆斯林苏丹国。西瓦吉痛感穆斯林对印度教徒的沉重压迫和宗教迫害,16岁即决心为教徒的解放事业而斗争。1655年他聚集一些人进攻俾查浦尔边境地区。他的勇敢和军事才能,再加上他对压迫印度教徒者的坚定态度,赢得了普通大众的心。1659年俾查浦尔苏丹派2万大军向他进攻。他诱敌深入,在一山坳里全歼敌军。莫卧儿皇帝奥朗则布派南方副王去攻打西瓦吉。西瓦吉大胆进行夜袭,杀伤副王、杀死副王的儿子,迫使副王退兵。他随即进袭富饶的海滨城市苏拉特,缴获大量战利品。奥朗则布又派大将米尔查·罗阇·查伊·辛格率10万人去攻打西瓦吉,迫使西瓦吉求和。西瓦吉和他的儿子去阿格拉,随时都有被处死的可能。1666年8月17日他同儿子藏在大筐中逃出了警卫的监视。两年后西瓦吉不仅收复失地,而且扩张了领土。他从莫卧儿统治区收税,掠夺他们富饶的集市,重组军队,并为其臣民的福利施行改革。他开始建立海军。从而成为近代印度第一位认识到海上力量不仅是为了防御,而且是贸易的基础的君主。奥朗则布被西瓦吉的崛起激怒,加强了对印度教徒的迫害。向他们征收人头税,默许强迫改变宗教信仰的行为,拆毁庙宇,在上面建起清真寺。西瓦吉于1674年夏登王位,他通过由8名大臣组成的内阁进行统治。他允许他的两个被迫改信伊斯兰教的亲戚重信印度教,从而打破了不允许背教者重新入教的传统,并保护基督教徒和伊斯兰教徒作礼拜的地方。加冕之后,他与各苏丹王联盟在南方开展了最重要的战役,扼制了莫卧儿人将统治扩展到整个次大陆的宏伟规划。他给数世纪来受奴役的民族带来了新生活,领导他们反抗奥朗则布。在充满宗教仇视的地方和时代,几乎只有他实践了真正的宗教容忍。

Sivapithecus 西瓦古猿属 化石灵长类的一个属,断代起自中新世(2370万年前至530万年前),现认为是猩猩的直系祖先。西瓦古猿属同腊玛古猿属(*Ramapithecus*)近缘,两者的化石常在巴基斯坦北部西瓦利克山同一沉积层发现。其他西瓦古猿属化石则发现于土耳其、巴基斯坦、中国、希腊和肯尼亚。某些权威认为西瓦古猿属和腊玛古猿属是一回事。虽然西瓦古猿比腊玛古猿大一些,但也只是体型小到中等的猿,类似于现代黑猩猩的大小。西瓦古猿的化石残留物显示,它和猩猩的面孔特征有共同之处:眼距窄,面凹陷,鼻底光滑,颧骨大,中央切牙大。在20世纪80年代以前,西瓦古猿在灵长类进化史中的地位一直不明确。当时,西瓦古猿和腊玛古猿被认为兼具猿和人两种性质,因此就被当作由猿中的类人主干进化分异出人类的第一步。但有关西瓦古猿的新发现以及对已有证据的重新解释,又使80年代大部分权威认为,西瓦古猿是现代猩猩的祖先,它在1300万年前便已由非洲猿(黑猩猩和大猩猩)和人的共同世系中分化出来。目前发现的最古老的西瓦古猿遗物约有1700万年历史,而最近的约有800万年。

Sivas 锡瓦斯 土耳其中部城市。史称塞巴斯铁亚。位于克孜勒河宽广河谷中,海拔1 275米。曾作为罗马城市而兴起。公元6世纪查士丁尼一世重建城墙和防御工事。拜占廷帝国时期成为宏大、富裕的安纳托利亚城市。11世纪末土耳其人到此地区始称今名,1172年归塞尔柱人的鲁姆苏丹国统治,逐渐兴盛,为安纳托利亚最重要的城市之一。据说1400年被中亚统治者帖木儿劫掠时已有15万余人口。1919年9月穆斯塔法·凯马尔在此召开第二次国民会议,最后导致驱逐欧洲占领军,推翻奥斯曼帝国和成立共和国。该市保留有13世纪塞尔柱突厥人的精美建筑遗迹。几所宗教学校引人注目,有地方博物馆、卡伊·卡乌斯一世苏丹的墓及复杂的建筑雕塑等。附近有亚美尼亚教会圣十字架隐修院,内有皇帝御座及其他遗物。地处同伊拉克和伊朗贸易的交通要冲。为几条铁路和公路的枢纽,航空线经安卡拉通至伊斯坦布尔。生产水泥、棉花和毛织物。境内有克孜勒河、凯尔基特河、恰尔特河和托赫马河。现为谷物重要产区。富蕴铁矿,现在迪夫里伊开采。人口:市221 512(1990)。

Sivash 锡瓦什海 俄罗斯人称格尼洛耶海(Gniloye More)。乌克兰亚速海西部的浅

水海域,以狭长的阿拉巴特沙嘴(宽 270 米至 8 千米)与亚速海相隔。面积约2 560平方千米。多沼泽小湾。夏季盛产无机盐类,为彼列科普地峡上的克拉斯诺彼列科普斯克市的化学工业提供原料。俄国国内战争和第二次世界大战期间,均为重要的作战区。

Śivdayāl (Hindu religious leader) **希夫达耶尔** 参阅**Siva Dayāl Sāheb**希沃·达耶尔·萨海布。

Sivertsen, Cort **西弗生** 参阅 **Adelaer** 阿德拉。

Śiwa(Hindu deity) 参阅**Śiva** 湿婆。

Siwa Oasis **锡瓦绿洲** 埃及西部马特鲁省绿洲。长 10 千米,宽 6～8 千米。位于开罗西南偏西 560 千米处,靠近利比亚边境。供奉阿蒙神的神殿所在地。阿古米废墟中有

锡瓦绿洲中的穆德城街景

供图:Hubertus Kanus—Rapho/Photo Researchers

神殿遗迹(有公元前 4 世纪的铭文)。附近是乌姆贝达寺院的废墟和许多罗马时代的遗迹。英国旅行家 W.G. 布朗是罗马时代以后于 1792 年到达这里的第一个欧洲人。居民为讲柏柏尔语的苏丹族,住宅为泥砖房屋。肥沃的绿洲中有大约 200 眼泉水,种植数千株橄榄树和枣椰树,橄榄和椰枣为主要的收入来源。还有篮筐编织业。人口 7 299 (1986)。

Siwālik Hills **西瓦利克山脉** 又称外喜马拉雅山脉。自印度锡金蒂斯塔河向西北偏西方向延伸,经尼泊尔、印度西北部进入巴基斯坦北部。全长1 600千米。狭窄处仅 16 千米,平均海拔 900～1 200米。南从印度河和恒河平原抬升,山势陡峻;北与喜马拉雅山主脉平行,二者为山谷所分隔。有时认为应将阿萨姆喜马拉雅山脉南麓群山包括在内,此段东向延伸 640 千米,横亘不丹南部,直达布拉马普特拉河弯头处。西瓦利克一名原仅指由印度赫尔德瓦尔起自恒河至贝阿斯河向西北延伸 320 千米的一段。此段山中原有少量灌木林早已绝迹,季风雨侵蚀显著,间发性山洪不断冲下大量泥沙。该山脉在尼泊尔境内部分称朱里亚岭。

Siwān **锡万** 印度东北部比哈尔邦西北部城市。位于恰布拉西北 64 千米的达哈河东岸,为东北铁路的联轨点,与附近地区有公路相通,是商业和制造业中心。生产陶器、铜器、"普尔"(当地熔炼的一种合金)制品,还有糖厂和酿酒厂。地处恒河中游平原。经济以农业为基础,农作物有水稻、小麦、玉米、豆类、甘蔗、棉花和油籽。人口:城市约81 092 (1991)。

Siwertz, Sigfrid **西韦尔茨**(1882-01-24,瑞典,斯德哥尔摩～1970-11-26,斯德哥尔摩)瑞典作家。以长篇小说《下游》(1920)及短篇小说闻名。就读于乌普萨拉大学及巴黎的法兰西学院。早期作品中流露着世纪之交瑞典文学所特有的颓废情绪和悲观主义。一度深受H.柏格森的过程哲学的影响。这个哲学拒绝静止,赞成运动、变化和进化。这种较乂乐观的观点因第一次世界大战的爆发而被打破。他的最优秀长篇小说《下游》无情地揭露了发战争财的资本主义心态。除一些优美的短篇小说集外,他还写了一部有名的自传《年轻时候》(1949)。1932 年被选进瑞典文学院。

Six, Les **六人团** 20世纪初的法国作曲家小组。他们的音乐既反对 R.瓦格纳和 R.施特劳斯的沉重的德国式浪漫主义,又反对 C.德彪西的华丽的印象主义。六人团成员是:D.米约、F.普朗克、A.奥涅格、G.奥里克、L.迪雷和 G.泰耶费尔。法国评论家 H.科莱 1920 年在他的文章《俄罗斯五人团,法国六人团和 E.萨蒂先生》中首先使用了"六人团"这个称号。科莱希望将 19 世纪末著名的、高度民族化的俄罗斯五人团与后来法国作曲家的类似小组相提并论。许多评论家都认为科莱的这一组合有强行搭配之嫌,这 6 位作曲家确实是各自按最适合于其趣味和能力的路子发展的。但是不容忽视的是,诸如干巴巴的音响、深奥微妙的情绪和爵士乐节奏等特定因素足以把这些作曲家的音乐联系起来而形成一个独立的乐派。

six-day race **六日赛** 室内自行车比赛项目。连续进行 6 天,选手除小休和便餐外,一直骑车行进,在规定时间内完成里程最多者胜。兴起于美国,1891 年首次举行比赛,当时只进行个人赛,使用高轮自行车。后来以低轮自行车为标准赛车。1899 年取消个人赛,改为分组赛,两人一组,轮流休息。20 世纪初这项运动传至芝加哥、底特律、旧金山和美国、加拿大的其他主要城市,但衰落得也很快。1939 年后纽约赛中断进行。六日赛在欧洲,特别在德国继续吸引观众。现代的六日赛不比早先,每日只赛 12 小时,完成的里程也比过去少。

Six Dynasties **六朝**(220～589) 中国东汉末(220)至隋统一南方(589)的一段时间。因六个王朝先后均建都南京而得此称谓。六朝计有吴(222～280)、东晋(317～420)、刘宋(420～479)、南齐(479～502)、南梁(502～557)、南陈(557～589)。此时北方先后也出现中亚入侵者创建的王朝。其中北魏(386～534 或 535)建都洛阳、东魏(534～550)建都安阳、西魏(535～556 或 557)建都长安、北齐(550～577)建都安阳、北周(557～581)建都长安。**南朝**(**Southern Dynasties**)的时代,说明中华文明已逐渐由过去的北方中心转移到人口稀疏的南方,其京都以扬子江阻隔了北方入侵者。

six-man football **六人制橄榄球** 美式足球(又称橄榄球)的一种。1934 年在内布拉斯加担任中学体育教练的 S.埃普勒鉴于小型中学没有成立十一人橄榄球队并另外设置 11 名队员作为队内分组比赛和替补之需的人力物力,遂设计这种球戏。30 年代流行于美国并传到加拿大。每队 6 人:2 名端线员;中锋、前卫、中卫和后卫各 1 名。比赛场地长 100 码,宽 40 码。球门线之间距离 80 码,两个球门区各 10 码。由 3 名裁判员(主裁判、副裁判和司线)进行裁判。与十一人橄榄球的区别主要在于:发球后,球必须向后或向前传一下之后才能通过争球线。违犯这一规则者须将球后移 5 码作为惩罚。手递球不算传球。每个运动员均可接前传球。球 4 次触地之后,拿球队必须前进 15 码,否则就得将球交给对方。投或踢进一球得 4 分;在对方球门线带球触地后在 3 码线上踢球成功得 2 分;抱球跑进对方球门或传球至对方球门内得 1 分。在上半场结束时或下半场中,如一队得分已超过对方 45 分,则比赛结束。在 20 世纪 50 年代,许多学校将六人制改为八人制,场地更小一些,按十一人橄榄球规则进行比赛。除增加两个前锋外,队员的配置与六人制橄榄球相同。两个前锋同中锋一样不准接前传球。有些地方还开展五人制橄榄球和九人制橄榄球。

Six Masters of the early Qing period **清六家** 中国清初著名画家王时敏、王鉴、王翚、王原祁、吴历、恽寿平 6 人的合称。6 人当中,以王时敏年最长,声望最高,被认为是"国朝画苑领袖"。他与王鉴均富于古书画的收藏,因而在继承前人技法上都有较深的工力。其余 4 人也都不同程度地受到这一影响。6 人中除恽寿平之外,主要长于山水画,继承"元四家"(黄公望、吴镇、倪瓒、王蒙)的传统,并上溯至五代的董源和巨然,但在师董还是师巨、学黄或是学王(蒙)上,却有着不同的风格。他们以古人为师,以古法为宗,经常在言论和题跋中表露出来,作品笔墨精炼,章法严谨,赢得当时上层社会的赞许与欣赏。王翚、王原祁甚至得到皇帝的嘉奖。所以他们的艺术在当时被认为是中国山水画的"正宗"。恽寿平长于画花卉,"没骨法"平淡天真,清新雅丽,托名于"仿北宋徐崇嗣",被时人认为是清代花鸟画的"写生正派"。追随清六家者甚众,影响到清代的山水和花鸟画的风格。

Six Principles **六法** 参阅 **Xie He** 谢赫。

Six Schools 六派哲学 指印度的六派（弥曼差派[Mimamsa]、正理派[Nyāya]、数论派[Sāṃkhyā]、胜论派[Vaisheshika]、吠檀多派[Vedānta]和瑜伽派[Yoga]）哲学。

1688, Revolution of 1688年革命 又称"光荣革命"或"不流血革命"，指英格兰史上1688～1689年发生的一系列事件，结果废黜詹姆斯二世，迎立他的女儿玛丽二世和玛丽的丈夫荷兰执政奥兰治亲王威廉三世。1685年詹姆斯二世即位后公开信奉天主教，引起全国大多数人的不满。1687年颁布《信教自由令》，取消对不信国教者进行惩治的法律；1688年4月又命令各教堂连续在两个星期日宣读第二个《信教自由令》。坎特伯雷大主教W.桑克罗夫特和其他6名主教上书反对，结果以煽动诽谤问罪。当法庭宣告无罪开释的时候，詹姆斯二世的天主教徒王后玛丽恰好生下一个儿子。这表明詹姆斯二世将坚持他的政策，国民的不满情绪达到极点。托利党人丹比伯爵和伦敦主教H.康普顿等7位英格兰著名人士联名致书奥兰治的威廉，请他率兵前来解除民困。威廉最关心的是在欧洲抑制法国势力的扩张，所以他欢迎英格兰的支援。他和英格兰的一些著名人士密切接触，接受了他们的邀请。威廉在托贝登陆（11月5日）后，徐徐向伦敦进军。当时詹姆斯已是众叛亲离，不得不逃往法国。英格兰人请求威廉当政，并召开议会（1689-01-22），经过辩论后同意把詹姆斯的逃亡当作逊位对待，而将王位授予威廉和玛丽两人。同时通过的《权利法》规定：在威廉和玛丽无嗣时，由玛丽之妹安妮继承王位；禁止天主教徒担任国王；废除中止法律效力的权力；谴责不受法律约束的权利；宣布和平时期的常备军为非法；要求经常召开议会和进行自由选举。问题的解决标志着辉格党观点的重大胜利。既然没有一个天主教徒可以成为国王，那么王权就不是绝对无条件的。这种解决办法恰好支持了J.洛克所谓"政府的性质就是国王和在议会内拥有代表的人民之间的一种社会契约"的论点。

sixteen kingdoms of five ethnic groups 五胡十六国 公元304～439年中国北方5个民族建立的16个割据政权。五胡即匈奴、羯、鲜卑、氐、羌5个少数民族。从晋惠帝永兴元年(304)匈奴族刘渊称汉王起，到南朝宋文帝元嘉十六年(439)北魏统一中国北部止。在135年间这5个民族先后在北方和巴蜀建

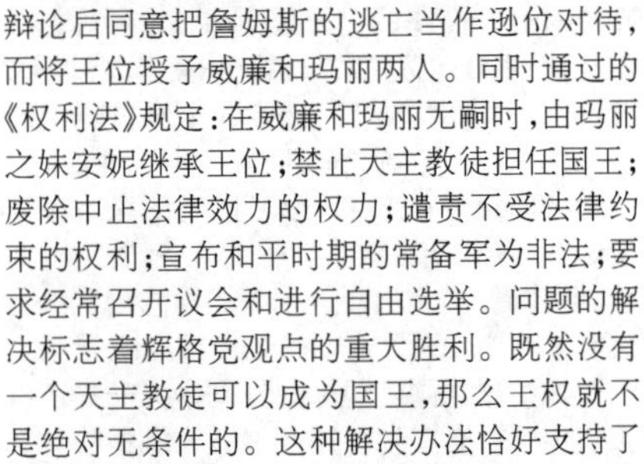

辽宁朝阳北庙村北燕墓出土的妇女汲水图壁画
中国大百科全书出版社供图

立了成汉、前赵、后赵、前秦、后秦、西秦、前燕、后燕、南燕、北燕、前凉、后凉、南凉、北凉、西凉、夏16个割据政权。史称"五胡十六国"。除这16国外还有冉魏、西燕和北魏前身的代国。

Sixtus 西克斯图斯 又拼Xystus（特别是一世到三世）。几代教皇的称号。按年代顺序排列于后，并各以●为标志。

● **Sixtus I, Saint 西克斯图斯一世，圣**（?，罗马？～约125，罗马?） 教皇（约115～约125在位）。他在罗马皇帝哈德良统治之下执掌教权。关于他在位年代各说不一，但一致认为他在位9年或10年。传他最终殉教，但此说未经证实。

● **Sixtus II, Saint 西克斯图斯二世，圣**（?，希腊？～258-08-06，罗马） 教皇（257～258在位）。前代教皇司提反一世在位期间西派教会与一部分东派教会在是否应为悔过的异端分子再施洗礼问题上发生争执。司提反一世坚持罗马教会成例，认为不必为这些人再施洗礼。西克斯图斯二世则采取较为灵活的态度，容许东派教会重新为他们施洗。他当选教皇后不久，罗马皇帝瓦莱里安颁发第一道反基督教谕令，残暴迫害随即开始。西克斯图斯二世率领信徒躲入地下墓窟，与4名助祭一同被害，一说就地斩首，另说审后押回原地斩首。后世误传西克斯图斯二世是被钉十字架而死。

● **Sixtus III, Saint 西克斯图斯三世，圣**（?，罗马～440-08-09） 教皇（432～440在位）。起初，人们怀疑他赞成贝拉基主义（这种异端贬低上帝恩宠在灵魂得救过程中的作用）。但是，他即位后却使贝拉基派大失所望，他拒绝他们与罗马教廷和解的建议。他善于调解。在431年以弗所会议之后，亚历山大牧首西里尔和安提阿牧首约翰在基督论问题上发生争执，经过他调解，433年教会内部纷争平息。他同东派教会保持平和关系。437年君士坦丁堡会议企图限制教皇对伊利里亚（巴尔干半岛西北部）的权力和安提阿牧首的权力，只是在这时双方才略有争执。

● **Sixtus IV 西克斯图斯四世**（1414-07-21，热那亚共和国萨沃纳附近塞拉利古莱～1484-08-12，罗马） 原名罗维雷。教皇（1471～1484在位）。是方济各会会士。1472年派遣舰队参加进攻穆斯林要塞士麦那的登陆战，次年再次派舰队出征失败。法兰西国王路易十一坚持容许法兰西教会自由行动的1438年布尔日法令，于是西克斯图斯四世同法兰西关系紧张。1474及1476年西克斯图斯四世先后两次试图使俄罗斯教会与罗马教会重新联合并支持罗马教廷进攻土耳其人，均未达到目的。于是他不再追求国际权益而集中精力于意大利政治，坚决维护亲族利益。族人大受其惠，顿成巨富，使他本人涉及无数纠纷，其中最不光彩的是谋害梅迪契家族的罗伦佐的事件。1478年他的侄子G.里亚里奥主使他人在佛罗伦萨大教堂弥撒进行期间击伤罗伦佐，杀其弟朱理亚诺，意在消除梅迪契家族的势力。此事得到西克斯图斯四世默许，但他原不许他们酿成命案。他就此案进行谋划，寻找借口，绝罚罗伦佐，停佛罗伦萨

A. 瓜西亚洛蒂制作的大纪念章上的西克斯图斯四世像
美国国家美术馆供图

圣事，并唆使与教廷结盟的那不勒斯国王斐迪南一世向佛罗伦萨宣战。这场不光彩而无结果的战争使意大利两年不得安宁。1480年罗伦佐毅然同斐迪南议和，西克斯图斯四世则坚持本来立场，使教廷与佛罗伦萨继续处于交战状态。他最后宣布撤销对罗伦佐的绝罚，解除对佛罗伦萨的处分。西克斯图斯四世在罗马诸豪门之间纵横捭阖，并且不光彩地于1482年鼓动威尼斯侵略费拉拉王国。1478年他宣布康斯坦茨会议各项文件无效，1482年谴责西班牙异端裁判所滥用权力。他创立或恢复多处文化设施，赞助文艺。他成立第一所育婴堂，并捐赠该堂大量财物，还修复并兴建教堂多处。但在进行这些建树的同时，他横征暴敛、鬻卖神职。

● **Sixtus V 西克斯图斯五世**（1520-12-13，教皇国安科纳格罗塔马雷～1590-08-27，罗马） 原名佩雷蒂。教皇（1585～1590在位）。1533年加入方济各会。1547年在锡耶纳受神

L.弗拉尼制作的大纪念章上的西克斯图斯五世像
美国国家美术馆供图

职。1557～1560年两度任威尼斯异端裁判所大法官，因执法过严而被解职。在罗马动乱中当选而继前代教皇格列高利十三世之位。其时教廷因进行反宗教改革运动而财力枯竭，同时教廷辖境盗贼及其他违法分子猖獗，西克斯图斯五世在短期内恢复和平与安定，但惩治盗贼手段过激，树敌甚多。西克斯图斯五世的重大成就在于整顿教廷中央机

构，1586年发布通谕，将枢机主教院名额限制在70人以内。一般认为他是反宗教改革运动的肇始人之一，因为1545～1563年的特伦托会议的各项决议是通过他所创建的新机构执行的。1585年绝罚新教人士纳瓦拉的亨利（日后为法兰西国王亨利四世）。后来亨利有改奉天主教之意，西克斯图斯五世对他的态度有所改变。他在与亨利谈判法兰西王位继承权问题期间死去。

61 Cygni　天鹅座61　头一批测出距离（距地球约11光年）的恒星之一（测量者为F.W.贝塞尔，时间为1838年）。该星为目视双星，两子星互相绕转的周期约650年；星等分别为5等和6等。亮子星在运动上有规则的变化说明它还有一颗看不见的伴星，其质量约为太阳的1/100或木星的10倍。

siyyum　结束礼　犹太教的庆典，或庆祝学习小组学完《塔木德》中的一篇专论，或庆祝律法书经卷誊写完毕。根据通常的安排，《塔木德》的学习在逾越节前夕完成一段落，此时要举行宴会，于是长子不必再举行禁食。经卷誊写即将完成时，男子都可参加书写最后一批字母中的一个，其后举行庆祝。

sizing　上胶　在视觉艺术中，指绘画前在画布或画板上涂敷胶料的准备工作，胶料为稀释的胶水或树脂。这种准备工作在油画中很重要，因为油画布必须上胶，以减弱其吸收力，并避免画布与颜料接触而损坏。最常用的胶料是皮胶；14世纪意大利画家兼作家C.琴尼尼推荐的羊皮纸浆已多半为皮胶所取代。纺织生产中，在织物表面覆盖一薄层上浆物质，使具有平滑和硬挺特性，并增加重量和光泽。常用的上浆物质有淀粉、蜡、明胶、油脂和某些聚合物。纱线上浆后强度和抗磨能力增加。

Sjælland（Denmark）　参阅**Zealand西兰岛**。

Sjahrir, Sutan　沙里尔（1909-03-05，荷属东印度苏门答腊巴当班让［今印度尼西亚］～1966-04-09，瑞士苏黎世）　印度尼西亚有影响的民族主义者和总理，他赞成印度尼西亚采取西方的立宪民主制度。父为检察官。沙里尔曾在苏门答腊和爪哇受荷兰教育，后入莱顿大学法律系。在荷兰参加社会主义学生会，并任印度尼西亚协会秘书。许多印度尼西亚未来的政治领袖均为其成员。1931年返回荷属东印度，参加创立印度尼西亚国民教育会。1934年初被荷兰当局流放。从此与印度尼西亚政治隔绝直至1942年日军占领。他反对日本人，但只是远离政治而不是积极抵抗。1945年发表小册子《我们的斗争》。该书为他赢得民族主义者的支持及战后总理的职位。他声称与日本人合作过的苏加诺会损害共和国的国际形象，于是苏加诺总统的行政权转至总理手中。他与荷兰人签订《林芽椰蒂协定》，荷兰承认印尼在爪哇和苏门答腊的权力。但他的和解政策不合时宜。1947年6月被迫去职。此后任印度尼西亚驻联合国代表团团员。1948年组织印度尼西亚社会党，反对共产党，但未能获得公众支持，1960年被苏加诺禁止。1962年1月17日以阴谋叛乱罪被捕。1965年因心脏病获准去瑞士就医。

Sjöberg, Alf　舍贝里（1903-06-21，瑞典斯德哥尔摩～1980-04-17，斯德哥尔摩）　又译斯约堡。瑞典电影导演，他的影片在第二次世界大战后瑞典电影复兴中出类拔萃。他打破对瑞典电影的艺术发展起阻碍作用的舞台剧传统，率先采取一种抒情的风格。曾受过演员和舞台监督训练，并在德国第一流制片厂乌发公司学习影片制作。他的第一部影片《最强的人》（1929）是纯电影表现形式。接着，他花去10年时间从事戏剧导演。从1940年以影片《开花时节》开始，他拍摄一系列国际驰名的影片，这些影片把精美的技巧、画面的创新和细致的性格刻画结合在一起。《天堂之路》（1942）表现了深深植根于瑞典人民中的宗教精神；《折磨》（1944）由I.伯格曼编剧；《朱丽小姐》（1950）是改编自斯特林堡的剧本。舍贝里的其他影片有《野鸟》（1954）、《最后的两个赛跑者》（1956）、《法官》（1960）、《岛》（1964）和《父亲》（1969）。

Sjöberg, Birger　舍贝里（1885-12-06，瑞典维纳什堡～1929-04-30，韦克舍）　瑞典诗人。只受过很少正规教育，从事过多种职业，最后成为一个新闻工作者；业余写词谱曲，曾演唱过自己所写的《弗里达之书》（1922），一举成名。在他所写的唯一一本小说《被打断的四重唱》（1924）中，宣泄了他的胸怀。在《危机与桂冠》（1926）中，他尽情发泄了在生活面前的严重对立情绪，就寻求诗歌新形式和探索高度现代化诗歌表现手法而言，这本诗集是一个突破。他死后出版了《弗里达之书》的续集（1929）和从约3 000首诗作和片断中选出的诗集，题为《来自大地的回忆》（1940）。

Sjögren's syndrome　舍格伦氏综合征　又称干燥综合征。特征为眼干（干性角膜结膜炎），口干（口腔干燥），常伴有唾液腺肿大和类风湿性关节炎或其他结缔组织病，如全身性红斑狼疮、结节性多动脉炎、皮肌炎或硬皮病。本病主要发生于绝经期后的妇女。其基本病变是慢性炎症，受累脏器有腮腺等唾液腺、脾、血管、甲状腺、肝、胰等。主要合并症有：血细胞计数下降、雷诺氏病、桥本氏病等。有相当比例的舍格伦氏综合征患者可合并网织细胞肉瘤或巨球蛋白血症。治疗可对症处理，应用皮质类固醇和免疫抑制剂。

Sjöström, Victor　舍斯特伦（1879-09-20，瑞典锡尔布戴尔～1960-01-03，斯德哥尔摩）Sjöström又拼Seastrom。瑞典电影演员和导演，对第一次世界大战后瑞典默片蜚声国际作出重大贡献。受S.拉格洛夫小说的影响（拉格洛夫的艺术植根于中世纪北欧传说和民间故事，并浸透着对自然的崇敬），舍斯特伦的影片抒情而优美地表达了人与自然以及与社会的关系。舍斯特伦接受舞台演员的训练，于1912年执导并主演了他的第一部影片《园丁》。其他著名的影片有：《英格保·贺姆》（1913）；《巨浪之子》（1916），这是将布景与主题结合起来的一次试验；以及《生死恋》（1917），他在该片中改善了滤光技术和对重要细节的运用。随着《鬼车魅影》于1920年上映，瑞典影片在艺术上的卓越成就为全世界所公认。1923年舍斯特伦移居好莱坞，在其所执导的影片中进一步改善其电影技巧，这些影片有《挨耳光的人》（1924）、《红字》（1926）、《天仙美女》（1927）和《风》（1928）。这些影片画面优美、写实。尽管他在美国拍摄的影片受到高度赞扬，但这些影片的上座率却不高。1930年舍斯特伦回到瑞典。虽然他又导演了一些影片，但主要作为演员参与第二次世界大战后瑞典电影的复兴。他的杰出的表演之一，是在I.伯格曼执导的影片《野草莓》（1957）中扮演老英雄。

舍斯特伦在《野草莓》（1957）中的剧照

供图：Museum of Modern Art/Film Stills Archive, New York City

Sjöwall, Maj; and Wahlöö, Per　舍瓦尔和瓦勒（舍瓦尔1935-09-25，瑞典斯德哥尔摩～　；瓦勒1926-08-05，瑞典哥德堡～1975-06-22，马尔默）　夫妇二人均为瑞典记者和有革新精神的侦探小说作家。瓦勒和他的妻子合作写了许多侦探小说，都以M.贝克及其斯德哥尔摩中央调查局的同事为主人公。从《玫瑰》（1965）到《恐怖分子》（1975），由10部小说组成的系列小说，均已译成英语和其他文字。他们有意识地利用侦探小说这种受欢迎的形式作为对社会进行批评的工具。不论小说中的犯罪本身多么引人入胜，它只起次要作用。书中的警察和罪犯都反映了福利国家瑞典10年间社会内部力量的各种变化，作者对显而易见的社会各级机构滥用职权和有组织地利用宣传进行了有力抨击。

ska　斯卡　牙买加第一种本土的都市流行乐风格。斯卡是由强烈而变化多样的迪斯科舞曲操控器（所谓的"音响系统"）所开创，20世纪50年代末从早期牙买加式的节奏与蓝调演变而来，而牙买加的节奏蓝调是模仿美国的节奏蓝调，特别是来自路易斯安那州的新奥尔良音乐。新的节奏混合了美国钢琴家R.戈登的拖曳节奏，加上受到加勒比海民族曲风的影响，特别是古巴的曼波舞，以及赋予这个新兴音乐核心节奏的牙买加门托舞曲。利用吉他在弱拍的切击和拟声来模仿新奥尔良风格节奏蓝调的布吉-伍吉即席伴奏特色，因而称为"斯卡"。号角、萨克斯风、小号、长号和钢琴在弱拍演奏相同的即兴重复乐段而让节奏更有活力。鼓声一直保持 4/4 拍，加上低音鼓把重音放在第二和第四拍。因为牙买加的流行音乐史大多是靠口述，有人争相自称是原创者也是必然现象，但吉他手 E. 兰格林声称是他发明斯卡的切击法一般认为是可信的。D. 摩根、P. 布斯特、图茨和梅托尔斯乐队的 T. 希伯特、J. 海因兹和"骨牌乐队"等歌手成为明星，但斯卡主要是器乐。1962 年牙买加脱离英国统治而独立，使得这个国家和斯卡音乐都充满欢欣鼓舞的气氛。斯卡音乐的主要代表人物是一群顶尖的录音室音乐家：D. 杜伦孟德、R. 阿方索、D.J. 摩尔、T. 麦库克、L. 斯特林、J. 米图、L. 布雷维特、J. 杰里、L. 尼布斯，1963 年在麦库克的领导下以"斯卡塔莱特"闻名。"斯卡塔莱特"中最独特的音乐怪胎是长号手、作曲兼编曲的杜伦孟德。杜伦孟德是个多彩多姿的人物，却为精神病所苦，他是当代重要的音乐人，对斯卡的发展就如马利对雷鬼音乐的发展一样至关重要。斯卡曾掀起几波国际流行风潮。第一波开始于 60 年代早期，最有名的是活跃于伦敦的牙买加歌手 M. 斯穆尔的作品《我的糖果人》，以及布斯特、"德克与爱司"乐队的热门单曲。70 年代斯卡对英国流行文化产生重大影响，而所谓的"双调团体"（名称来自其所穿服装和他们常摆的阵式）如"特别"、"选民"、"疯狂一族"将朋克和更多的流行音乐要素带入斯卡中。"疯狂一族"的音乐跨越大西洋在 80 年代中期的美国造成斯卡的第三波流行，另一个英国乐队"大众"则有多首热门歌曲在美国畅销。斯卡的第四波风潮是从 90 年代中叶开始，"不要怀疑"、"超优"、"超大声"等美国乐队将斯卡带入流行音乐的主流，为斯卡的先驱如斯卡塔莱特和摩根找到新的听众。

Skadi　斯卡狄　据古斯堪的纳维亚神话，她是海神尼约尔德之妻（女巨人）。为了报父（巨人提亚吉）仇，她拿起武器向众神居住地阿斯加尔德中的敌对的埃西尔神族进攻。埃西尔神族为了平息她的怒气，让她挑选他们中的一人作丈夫，但条件是，她只能看腿（或脚）选人。结果，她选中尼约尔德，以为他就是漂亮的巴尔德尔神。他们的婚事未成，因为尼约尔德想住在海边，而斯卡狄却愿意住在她父亲在山中的家里（特里姆海姆）。在有些史料中，斯卡狄以雪鞋女神著称。还有一种传说，说她后来嫁给奥丁神并生有几个儿子。

Skagen　斯卡恩　又作 The Skaw。丹麦日德兰州北部城市和港口。位于卡特加特海峡一半岛的北端。1413 年获许建市。为丹麦主要渔业中心之一，也是避暑胜地。自 19 世纪 70 年代起曾是艺术家和作家聚居地。南有沙丘多处。斯卡格拉克海峡和卡特加特海峡在丹麦最北端的格雷嫩岬角（距该城 3 千米）相接。人口：市约11 499；城市区13 890（1988）。

Skagerrak　斯卡格拉克海峡　北海一个矩形海域。从西南伸向东北，在挪威（北）和丹麦日德兰半岛（南）之间。长约 240 千米，宽 130～145 千米。在丹麦的斯卡恩角和瑞典海岸之间变狭，向南入卡特加特海峡，经丹麦各海峡与波罗的海相通。在丹麦沿海一带很浅，到挪威沿海则逐渐加深，最深处达 600 米以上。是繁忙的海上通道，港口有挪威的奥斯陆和克里斯蒂安松，瑞典的乌德瓦拉和斯特伦斯塔德。

Skagerrak, Battle of the　斯卡格拉克之战（1916）　参阅 **Jutland, Battle of** 日德兰半岛之战。

Skagway　斯卡圭　美国阿拉斯加州东南部城市。位于林恩运河北端，内海航道最北端。19 世纪 90 年代创建，作为前往育空和克朗代克采金地的入口。现为穿过邦德里山脉怀特山口（888 米）的通道和来自加拿大怀特霍斯的育空铁路的太平洋沿岸终点站，地理位置十分重要。铁路于 1982 年暂停使用。但有公路交通。有不冻港。附近的里德瀑布落差 90 米。1900 年设建制。人口 692（1990）。

skaldic poetry　吟唱诗　skaldic又拼scaldic。口头宫廷诗歌，源出挪威，但主要是由冰岛吟唱诗人于 9～13 世纪之间发展起来的。在时间上，它与"埃达"诗歌（即古冰岛诗歌）相平行，但其韵律、词令和风格都与之有别。埃达诗乃无名氏之作，它简单、精炼，常采用客观的戏剧对话形式。吟唱诗是有姓氏的人所作，他们的诗是叙事的、主观的，其韵律有严格的音节，而不是自由多变的，他们的语言点缀着"海提"（*heiti*）和"肯宁"（*kennings*）。"海提"指有诗意的非复合名词，它是想象出来的艺术字眼，而不是日常用语；如以 brand 代替 sword（剑），以 steed 代替 horse（马）。"肯宁"即迂回的隐喻法，如以 sword liquid 代替 blood（血），以 wave-horse 代替 ship（船）。在 100 种吟唱诗歌中，最流行的是"德劳特克瓦特"（即宫廷韵律），它运用一种计数音节和规则的头韵、句中韵以及半谐音的音律。这些吟唱诗歌常常赞颂国王当时的功绩，因而具有很高的历史价值，只是由于文字深奥才使其价值受到局限。最伟大的吟唱诗人为埃吉尔·斯卡拉格里姆松（**Egill Skallagrímsson**），其生平与作品见《埃吉尔萨迦》。

Skalkottas, Nikos　斯卡尔科塔斯（1904-03-21，希腊哈尔基斯～1949-09-20，雅典）　20 世纪希腊最杰出作曲家之一。5 岁习小提琴，后在雅典音乐学院和柏林深造，同时还学习作曲。1927～1931 年师事勋伯格，在其影响下开始用 12 音技巧作曲，但坚守传统曲式。其作品生前极少演奏，几乎无一出版。主要作品有交响乐组曲、钢琴协奏曲 3 部、弦乐四重奏 4 部和前奏曲《尤利西斯的归来》。所谱希腊舞蹈音乐系根据巴尔干民间音乐写成。

Skallagrímsson, Egill（Icelandic skald）　**斯卡拉格里姆松**　参阅 **Egill Skallagrímsson** 埃吉尔·斯卡拉格里姆松。

Skamander　斯卡曼德尔诗社　指一群年轻的波兰诗人，他们聚集一处，试图创造一种新的诗歌语言，以准确地反映对现代生活的感受。1918 年创建于华沙，名称取自这些年轻诗人出版的月刊。诗社的发起者是两位文人，即以小说闻名的作家 J. 伊瓦什凯维奇和诗人 J. 杜维姆。杜维姆最著名的诗集有《窥伺上帝》（1918）、《吉普赛的圣经》（1933）和自传体长诗《波兰之花》（1949）。同诗社有联系的还有 K. 维耶任斯基、J. 莱洪和 A. 斯沃尼姆斯基。

Skanda　塞犍陀　又称羯提计耶、鸠摩罗或苏婆罗摩尼耶。印度教所信奉的战神，是大神湿婆长子。关于此神出生的环境，说法不一。迦梨陀娑在所著叙事诗《战神之生》所叙

印度瓦拉纳西笈多时代的战神塞犍陀石雕像
供图：Bharat Kala Bhavan, Banaras Hindu University

无非是各说之一。但各说大致都说，众神欲灭恶魔多罗加，而据天意只有湿婆之子才能灭多罗加，于是众神希望湿婆生子。湿婆潜心沉思默念，不为配偶钵伐底所动，后来爱神伽摩一箭射中湿婆，湿婆才动情。湿婆多年禁绝色欲，其精有大力，众神顾虑所生将为何物。有说法谓众神将此精存于火中（原意为"喷发出的一股精"）。一说塞犍陀的抚育者或生母是昴星团六星之一（"羯提计耶"意为"六星之子"）。在绘画和雕塑中，塞犍陀往往是六头孩童，钵伐底把他抱在怀中，与象头神兄弟相伴。"鸠摩罗"意为"青春少年"，因为他从未娶妻，瑜伽学说以塞犍陀为纯阳之力的代表。他力大无比，统领众神天军。他把长矛插在地上，只有湿婆才能撼动，于是山河震动。其像常为六头或一头，手持矛或弓箭，骑孔雀，或有孔雀陪伴。

Skanderbeg　斯坎德培（1405，北阿尔巴尼亚～1468-01-17，阿尔巴尼亚莱什）　原名 G. 卡斯特里奥蒂或 G. 卡斯特里奥塔。阿尔巴尼亚民族英雄。埃马提亚大公之子，早年作为人质羁留土耳其。归依伊斯兰教，在土耳其受教育，穆拉德二世授以贝伊之职。1443 年土耳其人在塞尔维亚战败后，他转而参加阿尔巴尼亚人抗击土耳其的军队。改宗基督教。1444 年组织阿尔巴尼亚王公联盟，他任最高统领。1444～1466 年击退土耳其人的 13 次进攻。1450 年战败了穆拉德二世的军队，成为西方世界的英雄。教皇加里斯都三

世赐称教廷将军。1463年又协助威尼斯向土耳其人进行反攻。终其一生,坚持抵抗土耳其的入侵,并取得成功。但他死后,阿尔巴尼亚遭受土耳其人的奴役达几个世纪之久。

skandha 蕴 巴利语作khandha。佛教名词,指组成人的全部精神和物质存在的五种因素。自我(或灵魂)不是五蕴中的任何一蕴,也不是五蕴的总和。五蕴是:①色蕴(物或体),4种元素(土、空气、火和水)的表现形式;②受蕴(知觉或感觉);③想蕴(关于知觉对象的理解);④行蕴(精神结构);⑤识蕴(知觉或意识)。

Skåne 斯科讷 又称斯堪尼亚(Scania)。瑞典南部历史上一省。即今马尔默胡斯省和克里斯蒂安斯塔德省。素有"瑞典粮仓"之称。位于瑞典半岛的南端,三面环水,东和南濒波罗的海,西临松德海峡。面积10 939平方千米。从宽广的海滨到内陆地区是瑞典最富饶的平原之一。海滨有许多海滩和避暑胜地。中世纪的教堂,16、17世纪的古城堡和庄园使该地区别具一格。主要作物有小麦、黑麦、大麦、燕麦、马铃薯、甜菜等。工业亦发达,有食品加工、造船等。主要城市马尔默是瑞典第三大城市。其他主要城镇有海尔辛堡、兰斯克鲁纳、克里斯蒂安斯塔德、特雷勒堡和于斯塔德。除与国内各地四通八达外,与丹麦、德国和波兰有轮渡相接,在马尔默附近还有国际机场。人口约1 084 755(1993)。

Skåne question 斯科讷问题 Skåne又作Scania。指中世纪和近代波罗的海和斯堪的纳维亚国家有关控制斯堪的纳维亚半岛南部斯科讷省的国际问题。中世纪开始时(约500)斯科讷归属丹麦。丹麦人控制从波罗的海到北海的通道,跻入强国之林。从14世纪起波罗的海沿岸各国即已垂涎此地。1658年瑞典乘机夺取,遂引起严重"问题"。斯科讷省居民不接受瑞典的统治,他们在斯卡尼亚战争中(1676～1679)协助丹麦人打败了瑞典人。丹麦虽然获胜,但由于法国从中作梗,仍未能收复斯科讷省。18世纪丹麦再次企图夺回失地,依然遭到海洋大国的反对,因为它们不愿让任何一个强国控制波罗的海—北海通道;此外,斯堪的纳维亚人口迅速被瑞典的政治和文化所同化也是一个因素。19世纪瑞典和丹麦都沦为次要国家,斯科讷问题不复存在。

Skara 斯卡拉 瑞典斯卡拉堡省城镇。位于维纳恩湖东南。全国最古老的城镇之一。基督教传入前后,均为宗教中心。1015年为瑞典大主教所在地。大教堂建于12世纪,中经几度修葺。市内有瑞典最早的中学之一(1641)。人口:城镇区约17 887(1984)。

Skara Brae 斯卡拉布雷 欧洲保存最完整的石器时代村落之一,位于苏格兰奥克尼群岛梅恩兰岛斯凯尔湾的海岸上,曾被沙丘淹没几百年。1850年在大风暴中露出痕迹。19世纪60年代W.瓦特挖掘出4座房屋。1926年再次发生风暴后,英国古文物局作了进一步发掘。考古学家估计这个村落建于公元前2000～前1500年。住房用海滩上的天然石板砌成,完全不用灰泥,现存的墙壁有些高达2.5米。每座房屋只有1室,长方形,圆

公元前2000～前1500年的村落斯卡拉布雷
供图:J. Allan Cash

角,门低而窄,可用1块石板挡住。村中共七、八座房屋,由石铺的小道相连。6座房屋由于周围堆置垃圾,被埋在沙土和泥炭灰小丘下面,形成地下建筑,石道也成了以石板为顶盖的隧道。整个居住区靠一条阴沟排水。居民主要食牛羊肉和贝类,可能喝奶。大概穿兽皮。用具都是就地取材,使用石块、海滩卵石和动物骨头。有带花纹的粗陶器。村民佩耳坠和彩珠,用羊的髓骨、牛的牙根、逆戟鲸齿和野猪长牙制成。他们用海象牙骰子和牛羊蹠骨作游戏。墙壁上涂有许多菱形或其他直线图形。

Skaraborg 斯卡拉堡 瑞典中南部一省。在维纳恩湖和韦特恩湖之间。面积7 938平方千米。多山,有数条河流流贯。据信约公元前7500年波罗的海海侵时期,此地曾为海水所覆盖,在约尔的亚海的沉积物上产生了肥沃的土壤。经济以农业为主。工业有石灰石开采、汽车装配、火柴和水泥制造等业。省会玛丽斯塔德。人口约270 613(1983)。

Skarga, Piotr 斯卡尔加(1536-02,马索维亚格鲁耶茨～1612-09-27,克拉科夫) 全名彼得·斯卡尔加·波维兹基(Piotr Skarga Powes-ki)。波兰天主教耶稣会有魄力的传教士和作家,波兰反宗教改革的第一位代表人物。曾在利沃夫一堂区任司铎。在罗马参加耶稣会,后到维尔纳,在劝化新教教徒改奉天主教方面颇获成功。1579年任维尔纳大学第一任校长,后来到克拉科夫,任国王西格蒙三世的宫廷牧师。

skarn 夕卡岩 在地质学上,指在火成岩侵入体周围的接触地区,当大量硅、铝、铁和镁进入碳酸盐沉积岩中时所形成的变质带。夕卡岩中常见的矿物包括铁的氧化物、钙硅酸盐(硅灰石、透辉石、镁橄榄石)、钙铁榴石、钙铝榴石、绿帘石和方解石。许多夕卡岩含有金属矿物;在其内部和附近曾发现有若干铜和其他碱金属的大型矿床。典型的夕卡岩岩石是角岩,它是由侵入岩浆放出热和溶液形成的细粒燧石质岩石。花岗岩质岩浆和闪长岩质岩浆最常与夕卡岩有联系。当变质作用波通过围岩传播时,随着内带依次交代外带,夕卡岩可呈带状出现。

Skarżysko-Kamienna 斯卡日斯科-卡缅纳 波兰东南部大波兰省城市,濒临卡缅纳河。为战后重要的冶金中心,华沙—克拉科夫铁路接轨站。为波兰旧工业盆地一部分。盆地包括该镇和圣十字山周围地区。16世纪该地区的采矿业始于城东的翁霍茨克,19世纪达到顶峰。自20世纪40年代中期始,该镇一直为采矿业中心。市内建有军事博物馆。人口约50 464(2002)。

Skat 斯卡特牌 一种纸牌游戏,源于德国,为世界各地德裔所喜爱。3人玩,用32张一副的纸牌(抽出2、3、4、5和6点不用)。发给每家10张牌,余2张扣放为斯卡特(底牌,供叫牌人使用)。叫牌时必须掌握120牌点中的大多数。A当作11,10作10,K作4,Q作3,J作2。另两名牌手暂时结伴设法击败叫牌人。每轮共约15局,各家先叫分,不得低于10分,由叫分最高者先指定一局的打法。各种打法中有图尔尼、格朗德、索洛、古奇、努尔、拉姆希等。

skate 鳐鱼 鳐目(Batoidei)鳐亚目(Rajoidea)多种扁体软骨鱼的统称。分布于全世界大部分水区,从热带到近北极水域,从浅海到2 700米以下的深水处。共9属,分隶于3

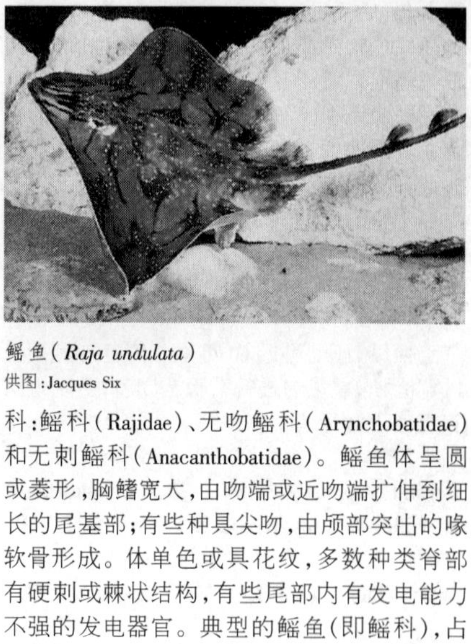

鳐鱼(*Raja undulata*)
供图:Jacques Six

科:鳐科(Rajidae)、无吻鳐科(Arynchobatidae)和无刺鳐科(Anacanthobatidae)。鳐鱼体呈圆或菱形,胸鳍宽大,由吻端或近吻端扩伸到细长的尾基部;有些种具尖吻,由颅部突出的喙软骨形成。体单色或具花纹,多数种类脊部有硬刺或棘状结构,有些尾部内有发电能力不强的发电器官。典型的鳐鱼(即鳐科),占现存鳐亚目种类的大多数,尾部有两个背鳍;无吻鳐科有一个背鳍,无刺鳐科没有背鳍。鳐鱼的口与鳃孔均位于体的腹侧。就现在所知,全部鳐类鱼均为卵生,其卵又称"美人鱼的荷包",常见于海滩,长方形,有革质壳保护。鳐鱼体型大小各异:小鳐(猬鳐,*Raja erinacea*)产于西大西洋,成体长仅50厘米或更小;大鳐(双睛鳐,*R. binoculata*)产于北美太平洋沿岸,可长达2.5米。鳐鱼无害,底栖,常常部分地埋于水底沙中。游动时靠胸鳍作优美的波浪状摆动前进。以软体动物、甲壳类和鱼类为食,由上面突然下冲,扑捕猎物。在欧洲是常见的商品食用鱼。

Skate "鳐鱼"号 美国海军第一艘生产型的核动力潜艇,于1957年下水。它类似"鹦

鹉螺”号，但排水量只有2 360吨。它是第一艘全程潜航横渡大西洋（1958）和第一艘在北极浮出水面（1959）的潜艇。装备有鱼雷，在水面航速大于20节，潜航时大于25节。其他3艘“鳐鱼”级潜艇为“旗鱼”号（1958服役）、“棘鬣鱼”号（1958）和“海龙”号（1959）。

skate 溜冰鞋 指在冰上滑行时穿的冰鞋或在平坦场地滑行时穿的轮鞋。参阅 **ice-skating；roller-skating**。

skate sailing 滑冰航行 穿冰鞋携带小幅风帆、靠风力推进在冰上滑行的运动。可能源于斯堪的纳维亚国家。帆为长方形或三角形，幅面5～6平方米，绷紧在桅杆和帆缆上，由滑冰人携带在向风的那个肩上。帆系用薄片材料或未经漂白的平纹细布、轻的帆布、气球绸或尼龙料制成。采用长41～46厘米的管状冰刀。时速可达90千米。该项运动19世纪90年代由英国伦敦滑冰俱乐部成员发起，20世纪初传至北美洲。美国滑冰航行协会于1922年成立。到20世纪下半叶已无人参加这项活动。

skateboarding 滑板运动 在年轻人中间流行的娱乐项目。人站在一条装有滑轮的滑板上滑行，保持身体平衡。滑板长约2英尺6英寸（0.76米），宽约4英寸（10厘米）；最初为木制，后又出现铝、玻璃纤维和塑料制者，分硬式和软式两种。20世纪60年代初，在美国加利福尼亚州海滨，如有风平浪静之时，冲浪爱好者无法出海冲浪，就把旱冰鞋的滑轮装在小型冲浪板上，在经过整平的场地上滑行，这就是这种游戏的开始。70年代中期由于有了合成纤维的滑轮，滑行更为灵便迅速，滑板运动在全世界各地大盛。还建立了滑板公园，提供各式斜坡和为急转弯用的带堤边的平地。后来又有了滑轮汽车，驾驶员伏在车上操纵，速度可近60英里/时，还有利用张帆驾滑板，靠风力进行滑板运动者，更晚近又有在冰上滑行者。

skating（sport） **滑冰** 参阅 **ice-skating** 滑冰；**roller-skating** 旱冰运动。

Skaw, The（Denmark） 参阅 **Skagen** 斯卡恩。

skaz 故事 俄罗斯文学中指以书面形式讲述的故事，这类故事中刻画人物性格所使用的方言、俚语及特殊惯用语等方面都模仿自然而优美的口述。使用这种文学手法的著名作家有N.列斯科夫、A.列米佐夫、M.左琴科和Y.扎米亚京。该词的俄文字面意思是“故事”，源自skazat，意为“讲”。

Skeat, Walter William 斯基特（1866-10-14，英格兰剑桥郡剑桥～1953-07-24，伦敦） 英国人种学家，长于马来半岛人种志。他的著作资料丰富，为这一地区后来的人种志研究奠定了基础。早年在剑桥大学基督学院攻读古典语言。1891年在马来半岛的雪兰莪州担任公职。对于马来人中间的巫术概念以及内地土著居民的风俗习惯和日常生活深感兴趣。1899年去马来亚的丁加奴和吉兰丹两州（当时在宗主国暹罗国管辖之下）进行考察，收集那些尚未受欧洲人影响的地区的马来人信仰、传说、生活方式等资料。在旅途中因病辞去殖民政府中的职务，此后一直生活在伦敦。1914年起，为不列颠博物馆的斯塔德利讲师团成员之一，1932年退休。著有《马来巫术》（1900）和《马来半岛的非基督教种族》（1906；与C.O.布莱格登合著）。死后留下大量未发表的材料。

Skeena River 斯基纳河 加拿大不列颠哥伦比亚省西部河流。源出该省北部斯基纳山脉，大体向西南流，与巴宾和巴尔克利两大支流汇合后在鲁珀特王子港之南注入查塔姆湾。全程约360英里（580千米）。为鲑鱼重要产区，河口有罐头厂数家。轮船可沿河深入内地100英里。在乔治王子城和鲁珀特王子港之间，巴尔克利河与斯基纳河下游同加拿大国家铁路及耶洛黑德公路平行。沿河居住点有特勒斯、黑泽尔顿和史密瑟斯（濒巴尔克利河）。

skeet shooting 双向飞碟射击 枪手使用猎枪打碟靶的体育活动。泥制碟靶由抛靶器抛向空中。此项运动源于美国，1915年由W.福斯特首创。比赛时，25个碟靶组为一轮。射手从8个射击位置射击单碟靶，每个位置打两发，两抛靶房同时各抛一个单碟靶。射手从第一、第二、第六和第七4个射击位置打双碟靶，共打8发。双碟靶同时由两个抛靶房各抛出一个。第一次脱靶补打的一发作为第25发，如果前24发都中靶，第25发可以作为在靶场任何位置打的自由选择射击。比赛时常使用半自动开膛12号猎枪。射手可按枪的口径分组。1968年首次列为奥运会比赛项目，每个选手打8轮，每轮25个碟靶。国际性和世界双向飞碟锦标赛在国际射击联盟监督下举行。关于世界纪录参阅 **Sporting Record**：shooting。

skeletal muscle 骨骼肌 参阅 **striated muscle** 横纹肌。

skeleton 骨骼 动物身体的支架。脊椎动物的骨骼系统主要由位于体内的骨、软骨构成。而无脊椎动物的骨骼系统（图1）常常位于体表，构成组织也不是骨和软骨。动物的骨骼系统有6种基本的结构形式（硬结构、半硬结构、结缔组织、流体静力骨结构、弹力结构、浮力结构）。虽然构成骨骼的化学成分大体相同，但不同结构部位的机械性能却差异极大；而且，同一骨骼系统中可能包括不止一种结构形式。这种现象在复杂的高等动物身上表现尤为显著。硬骨结构的种类多样，从最简单的如珊瑚岩沉积（为之提供生长基础和保护功能）、蛤壳、海星刺骨、节肢动物外被的角质硬壳，到脊椎动物复杂的骨结构，都属此类。其硬度主要来自钙盐沉积、硅石和表皮角化。半硬结构主要见于节肢动物的关节处外被的较薄的角化外壳；脊椎动物的软骨也属此类。结缔组织骨架主要由胶原蛋白纤维构成；其功能主要见于多细胞动物的纤维性外膜、节肢动物的肌肉附着点、腔肠动物的内脏系膜和脊椎动物的膜性成骨的基础组织。流体静力骨结构的功能形态有点像充水软管，它可以构成动物主要的骨骼形态（这种流体静力骨是蚯蚓肌肉运动的支点），也可以是多种骨骼形态之一。但在节肢动物，这种体腔液主要执行循环功能。在高等动物，流体静力骨不再具有骨骼和运动功能。弹力结构的主要功能是使动物在其肌肉运动后回复正常体态。如水母靠收缩钟形身体喷射出水流，借其反推力运动；而水母的充水动作就要靠其弹力结构。脊椎动物肌肉系统的弹力结构主司肌肉运动。浮力结构是很多海洋动物的压力感受器，主司在水中的升降运动。脊椎动物的骨骼主要执行支撑、运动和保护三大功能。可有中轴骨和附带骨之分，前者有颅骨和脊柱，后者含四肢骨及肢带骨。可将下颌骨、部分上颌骨等归为内脏骨一类。脊椎动物的种类繁多，但它们的基本骨骼结构是相似的。除有几种鱼类直到成体阶段一直保留着脊索外，作为一种早期胚胎结构的脊索，在绝大部分脊椎动物中很快被脊柱所取代。脊柱由椎骨和椎间盘软骨构成。从头向尾，脊柱分为五段：颈椎、胸椎、腰椎、骶椎和尾椎；各段的椎骨数量因动物种属不同而异。颅骨附于脊柱顶端；颅骨保护着其中的脑组织，并容纳耳、眼、鼻、口等器官。脊柱有许多极为重要的功能：保护脊髓；多组肌群的附着点；和肋骨相关节构成胸腔的骨性支架，保护

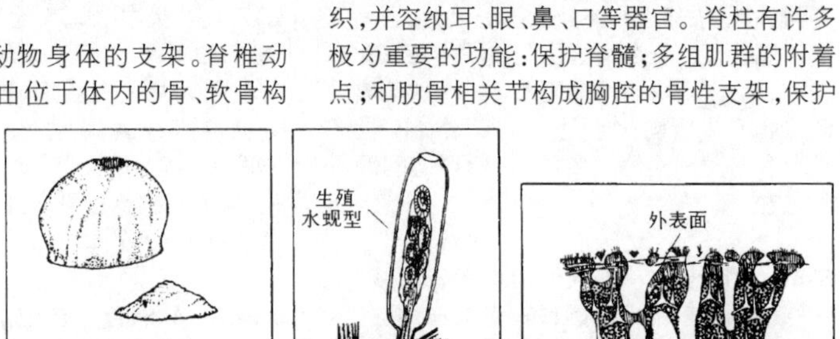

图1 低等无脊椎动物的骨骼系统
A 细指海葵属的三种状况；B 薮枝水母属；C 杆壁虫属；D 毛壶属

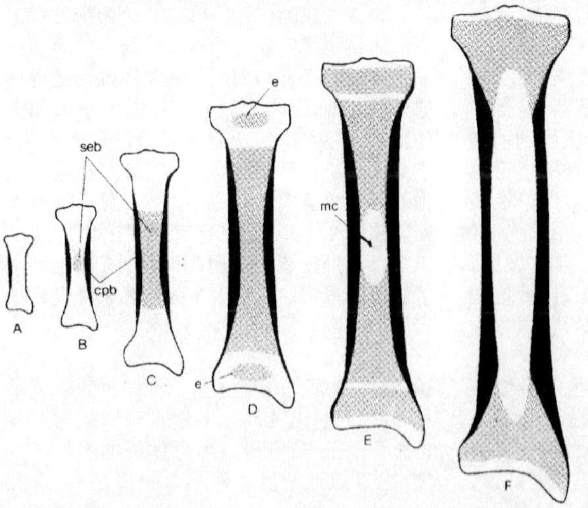

图 2 哺乳动物长骨的骨化与生长

A 软骨时期；B 和 C 海绵膜内软骨(seb)与致密骨膜(cpb)的沉积；D 两端骺出孔(e)；E 骨髓腔(mc)出现；F 骨髓腔延长与骺杆联合

心、肺等重要胸腔脏器；和肢带骨相关节，主司动物的躯体运动；人类脊柱还兼负直立姿势的骨性支柱功能。为此，正常成人脊柱形状呈 S 形。脊柱的这一曲度可缓冲运动冲击、扩大体腔容量并兼承重，并可减少骨折的危险。动物从水生进化到陆生，极大地增加了脊柱在各个方向上的活动度。附带骨包括肢体骨和肢带骨等，系由鱼类的成对的鳍骨进化而来。肩胛带骨(胸带骨)连接前肢和脊柱，盆带骨连接后肢和脊柱。肢体骨由三部分构成：近端肢骨(只一根粗大长骨，图 2)、中段肢骨(含一粗、一细二根较小长骨)、远端肢骨(多数掌骨和指骨)。肢体骨借肢带关节和中轴骨相连结，肢带关节的机动性能极佳。

skeleton shrimp　骷髅虾　端足目麦秆虫科(蚂科，Caprellidae)，尤其是麦秆虫属(蚂属，*Caprella*)及 *Aeginella* 属的海产甲壳动物。体细长，如骷髅，故得其俗名。多数取食小动物，也有的以有机碎屑为食。运动时，身体弯成弓形，头尾接近，如尺蠖状。*A. longicornis* (*longicornia*)分布于拉布拉多与美国中大西洋海岸之间，栖息于大叶藻、海绵及码头桩基间；长约2.5厘米，土绿色或褐色。北海和北

骷髅虾(*Caprella*)

供图：R. Mariscal—Bruce Coleman Inc.

美洲沿岸的北方麦秆虫(*Caprella septentrionalis*)习性似 *A. longicornis*，长 3.2 厘米；分布于北海及北美沿海，从格陵兰至新英格兰。格拉厄姆氏麦秆虫(*C. grahami*)生活在福布斯氏海盘车(*Asterias forbesi*)的管足间，取食粘在海盘车分泌的黏液上的碎屑。

skeleton sledding　山地雪橇滑雪　又作 Cresta sledding。使用钢架滑橇的冬季体育运动项目。钢架滑橇包含具滑座的台式底盘和固定在其上的钢质滑雪板，运动员在其上采用头向前卧姿。这种运动在北美较常见。1884 年建于瑞士圣莫里茨的山地雪道(长 1 213米)为山地雪橇滑雪的固定比赛场地。自1885年起每年在该地举行山地雪橇全国

山地雪橇滑雪

供图：Bavaria-Verlag

大赛。平均滑速每小时可达约 80 千米。1928 和 1948 年曾两次列为在圣莫里茨举行的冬季奥运会比赛项目。参阅 **Olympic Games**。

Skellefteå　谢莱夫特奥　瑞典北部西博滕省港口和城镇。濒临谢莱夫特河，邻近波的尼亚湾。1845 年设建制。1918 年在西北部布利登发现丰富的矿藏后，地位开始重要。金、银、铜、砷等金属和木制品在谢莱夫特港装运出口。主要工业为冶炼和精炼铜。人口：城镇区约72 035(2001)。

Skelmersdale　斯凯尔默斯代尔　英格兰兰开夏行政、历史郡西兰开夏区城镇。位于威根老工业城镇的西郊。在《末日审判书》(1086)中标为小农村。1861 ～ 1881 年间开始采煤，城镇日益重要。1962 年被选为全郡第一个新城镇。大片新住宅区迅速出现在旧镇周围。一个大的工业区吸引了各种轻工业的发展。人口42 104(1991)。

Skelton, John　斯克尔顿(约1460～1529-06-21，伦敦)　英国都铎王朝时代诗人、讽刺家，作品以政治和宗教为主题。他作为英国重要诗人的名望直到20世纪才恢复。他以平常说话的节奏写短韵诗，独具一格，有斯克尔顿体之称。曾在剑桥大学受教育。1498年

不列颠博物馆供图

担任圣职，1502 年亨利成为王位继承人后内府改组，任迪斯教区长直到逝世。约于 1512 年，受"钦定演说家"称号，成为亨利八世在宫廷诗作、公众问题和宗教事务方面的顾问。其早期作品情况不详，但名气很大，被北方文艺复兴最重要人物 D.伊拉斯谟称为"英国文学盖世无双的权威和光荣"。在宫廷期间，最引人注目的诗作是《宫廷饮食》，讽刺令人失望的宫廷生活经历。到迪斯任职之后，才尝试他的斯克尔顿体。这时期所写两首主要诗作是《麻雀菲利普》和《当心老鹰》。前者表面上是写年轻贵妇人因爱鸟死去而伤心，实际上是讽刺为死鸟举行的宗教仪式。后者怒斥一无礼的牧师打猎时将猎鹰放飞进他的教堂。1516 年他写了第一部英语世俗道德剧《壮丽》，为一部政治讽刺剧。继而又写了《埃林诺·拉明奇的大酒桶》，生动地描绘酒店里一个喝醉酒的女人。剧本虽十分流行，但他后来却因此得到一个"下流诗人"的名声。三首主要的政治和宗教讽刺诗《说吧，鹦鹉》(1521)、《科林·克劳特》(1522)和《你为何不进宫》(1522)，锋芒直指枢机主教 T.沃尔西在教会和国家中日益增大的权力，以及他所认为的人文主义者的新学问的危险性。但斯克尔顿发觉沃尔西是一个过于强大的对手，难以继续加以攻击，后期所写诗歌便转向抒情和寓言主题，并统统奉献给这位枢机主教。斯克尔顿的名望在 16 世纪的英国一落千丈，那时在宗教方面新教逐渐得势，在诗歌方面意大利风格日益流行。直到 20 世纪他的诗才重新为人们所欣赏。

Skelton, Red　斯克尔顿(1913-07-18，美国印第安纳温森斯～1997-09-17，加利福尼亚兰乔米拉日)　美国哑剧演员、广播及电视喜剧演员。他是全国广播公司杂耍节目"雷德·斯克尔顿演出"之主持人及明星演出者(1951 ～ 1971)。在这一电视连续剧节目中，他重塑了曾在歌舞杂耍表演中及广播剧中出现过的虚构人物。他使用了一种将滑稽表演与感情上的复杂性相结合的风格。他是其父之遗腹

子，自幼即需独立谋生。7岁成为报童，10岁参加兜售药品的广告性巡回演出，走遍美国中西部。他参加黑脸歌唱剧团表演、滑稽歌舞表演、马戏团的丑角表演及广播演出。还在30多部电影中担任角色，包括与G.罗杰斯合演的电影《快活时刻》(1938)。参加广播事业后，1941年曾被选为杰出的广播新星。其他使他享有盛名之影片包括《浴美人》(1944)等。

Skelton Glacier 斯凯尔顿冰川 南极洲冰川。位于麦克默多湾附近、库克山脉东北、维多利亚地的希拉里海岸。它缓慢地向南流入罗斯陆缘冰。长62千米，最大已知厚度位于距浮动尖端约48千米的地方，约1 450米。冰川的东侧为硬砂岩状的变质沉积岩和变质火山岩的不连续带所覆盖。

Skeltonics 斯克尔顿体诗 都铎王朝诗人J.斯克尔顿使用较多的一种韵律不规则的短诗。这种诗体每行有2～3个重音，有时为下降韵律，有时为上升韵律。依靠押头韵、平行结构和多重韵等手段，与打油诗有关联。

skene 永久性剧场背景建筑 古希腊剧场中演出区后面的建筑物。原是一个换面具和服装的小屋，后来演变成一堵背景，戏剧就在它的前面演出。此种背景约在公元前465年首次使用，最初只是个面对普通观众席的小型木质结构，后发展成为一座两层楼的建筑物。装饰有一些圆柱，并有3个门供上场、下场和魔鬼及天神出现，侧部立有边厢。公元前5世纪末，木质结构被一种固定的石结构取代。在古罗马剧场中，它是一座经过精心建造的建筑物的正面。

Skepticism 怀疑论 又拼Scepticism。一种哲学上的态度，对各个领域提出的见解表示怀疑。怀疑论者对知识的根据或基础提出质疑，怀疑任何超出直接感觉经验之外的知识。怀疑论旨在破除独断论。在西方哲学中，怀疑论的每一次挑战都引起了解决难题的新尝试。启蒙运动以来，怀疑论的矛头主要指向宗教。在医学、伦理学、宗教、认识论等方面都存在着怀疑论。认识论上的怀疑论是一种较为占优势的怀疑论形式，指的是人们可否完全地、充分可靠地认识事物。认识论的怀疑论可根据怀疑所产生的领域、怀疑论者的动机以及怀疑的界限进行区分。

古代怀疑论出现于苏格拉底之前。爱利亚哲学家怀疑感官世界以及变化、杂多的实在性。赫拉克利特认为对世界不能有永恒不变的认识。色诺芬尼对人能否区分真知识与假知识表示怀疑。苏格拉底怀疑别人关于知识的所有主张，宣称他所真正知道的知识就是他一无所知。普罗塔哥拉声称人是万物的尺度，这是一种怀疑相对论，即没有一种观点是真实的，每一种不过是一个人的意见。高尔吉亚则认为什么都不存在，即使存在也不能被认识，即使被认识也不能言传。希腊怀疑论之父皮浪只根据现象行事以追求心灵的宁静。怀疑论的第一个学派是学园派怀疑论，其领袖人物是阿尔克西劳和卡尔内亚德，他们否认任何区分真理和谬误的标准，认为什么都不可认识，对于知识只能建立推论的与或然的标准。另一主要派别是皮浪主义，代表人物有爱内西德谟和塞克斯都，他们怀疑感性认识的真实可靠性，怀疑任何判别真伪的标准；他们对知识的可能性既不肯定也不否定，认为在悬而未决的状态中可以保持心灵的平静。

中世纪的怀疑论主要形式是学院派的，代表人物是奥古斯丁。在西班牙，怀疑论在穆斯林与犹太神学家中得到发展，它引导人们接受神秘信仰所包含的宗教真理。

17世纪，蒙田建议根据本性与习惯生活。桑切斯认为只能通过经验的科学手段获得有限的知识。伽桑狄与梅森纳的构造性怀疑论对有关实在的知识保持认识论的怀疑，但承认科学提供了关于世界的重要而有用的信息。笛卡儿认为以怀疑方法可以找到不容置疑的真理，即“我思故我在”。凡是能够清楚、明白地想到的就是真的。以此可确立上帝与外部世界的存在。培尔只遵循自己的良心，认为那些对于宗教知识的解释是令人难以置信的。他为启蒙运动提供了武器，并被看作宗教之敌。大多数18世纪的思想家吸取了培尔的理论之后，放弃追求形而上学的知识。伯克利否认经验之外的世界而成为另一种怀疑论者。休谟是培尔的主要继承者，他认为知识只包含直观的明显材料而不包括经验以外的任何事物；我们不可能揭示经验中的必然联系，也不可能揭示经验的任何根本原因；我们对于世界的信念并非根据理性或证据，而仅仅是以习惯为基础；我们对外在世界的信仰不能得到适当的证明，在认识论上也是可疑的。休谟的怀疑论集中在这样几个问题上：归纳法的基础，因果性的基础，关于外部世界和自我的知识，关于上帝存在的证据。康德意识到休谟的怀疑论是对一切人类知识提出的最根本挑战，要回答他，必须说明知识是如何可能的。康德提出一种论点，即必须具备某些普遍而必需的条件，才可能取得关于一切经验及经验范畴的知识。

怀疑论在19世纪被克尔恺郭尔发展为存在主义。他强调对信仰的需要。英国唯心主义者布拉德利认为只有超越现象世界才能获得真知。美国批判现实主义者桑塔亚那在《怀疑论和非理性信仰》中提出自然主义怀疑论。为了使生活有意义，人们按照生物学的和社会的各种因素用“对客观世界之存在的非理性信仰”解释生活。马赫、罗素和卡尔纳普共同攻击思辨形而上学，怀疑获得经验之外的知识的可能性，罗素与波普尔进而强调归纳法的不可证明性，波普尔则批判基于经验论证的认识论。语言分析创始人毛特纳的怀疑论指出任何语言只是相对于其使用者而言的，从而是主观的。

在西方思想中怀疑论提出了如何区别真实与虚假、标准是什么等基本的认识论问题，向人们暗示在确信其拥有知识之前必须解决的问题，即接受的信息不可能虚假。批评家们认为怀疑论无论在逻辑上还是从人的角度看都是站不住脚的，阐述这种立场会反驳其自身。但正如休谟所说，虽然可能如此，但它在反驳其自身的过程中破坏了独断论。批评家们断言彻底的怀疑论者将会成为精神病患者。休谟也将怀疑行为与自然的实践活动分开。但塞克斯都与内斯却认为怀疑论是精神健全的表现，因为他们没有被囿于一个固定的位置。怀疑论在历史上起着能动的作用，它迫使独断论哲学家为了回答怀疑论者的攻击而寻求更坚实的基础，迫使人们不断地检验以往的知识，敦促思想家们提出新的理论以对付怀疑论者所提出的问题，同时也制止了轻率的思辨。当代大多数思想家都受到怀疑论的影响。

sketch 速写 传统上是一种初步的绘画草稿，画家尽量迅速而扼要地将一作品的初步构思记录下来，留待以后再作精细的加工并完成。重点通常放在作品总的构思、组合和

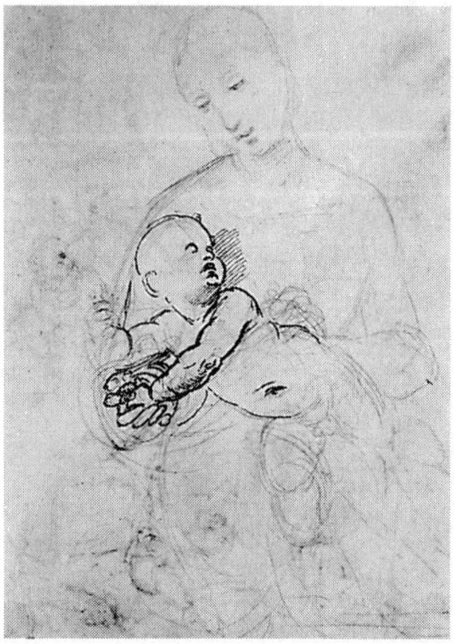

拉斐尔的速写《圣母子》
供图：Albertina, Vienna

布局方面，着重表现作品的整个气氛。从功用上看，速写有三种类型：第一类称之为草图(croquis)，旨在记录画家所见过的景象或事情；第二类称之为粗绘(pochade)，画家在其中用颜色来记录一片风景气氛的美感及大体的印象；第三类则与肖像画有关，记录包括被画像者的容貌神态，头颅形状或其他的生理特征。自18世纪起，速写开始获得一种新的含义。当时人们崇尚自然风景，速写本身渐渐变成一种美术目的，即成为用简单的绘画工具(如钢笔和墨水、铅笔、淡彩或水彩颜料)就能将所见的感受记录下来的图画。这就使速写有了新的价值。

ski 滑雪板 参阅 **skiing** 滑雪运动。

ski jumping 跳台滑雪 竞技性滑雪项目。运动员先沿陡峭的滑道下滑，滑至翘起的台端或起跳点引体跃起，在空中水平滑翔尽可能长的距离。比赛在特别整修的坡道上进行，跳台高度分为100米、80米和70米三级。重大国际比赛大多在90米和70米的跳台上进行，虽然自1991年起世界锦标赛设120米和90米两个竞赛项目。运动员在飞跃跳台上开始即滑坡，采取下蹲姿势滑下以积聚速度(高达每小时120千米)，直到他面朝外向上跃起为止。技术高超的运动员从脚踝开始

身体就大幅度地前倾，双膝挺直，雪板保持平行且略向上翘起。这种体位可减小风的阻力，产生气动升力以增加跳跃的距离。这种体位的一个变化是拉开雪板朝前的两端，使雪板呈V字形，以增强升力，增加跳跃距离。选择在山峰陡峭部位着陆，身体直立，由膝部和臀部承受着陆时的震动，两脚前后分开，双臂向两侧外展（呈弓步式转弯状）。运动员在坡度较小处转身停住前滑的冲力。比赛要求每名运动员跳跃两次。裁判员根据跳跃的距

滑雪运动员从跳台飞跃出去，身体前倾，雪板呈V字形

供图：ALLSPORT/Shaun Botterill

离和姿势判分决定成绩。由于坡道情况各异，在不同地点达到的跳跃距离不能严格地加以比较。跳台飞跃在各方面都与跳台滑雪相同，只有记分制度不同。前者更加强调距离，而不是姿势。在理想条件下，优秀运动员能跳出150米以上。关于世界冠军，参阅**Sporting Record**：Skiing；并参阅**Olympic Games**。

ski patrol 滑雪巡逻队 保证滑雪安全并救护受伤运动员的专职或义务人员组织。滑雪巡逻人员是受过急救训练、在寒冷气候条件下营救以及救生技术训练的滑雪好手。世界上最大的这种组织之一为美国全国滑雪巡逻体系，成立于1938年，总部设在美国科罗拉多州的丹佛。

skibobbing 雪犁运动 又称雪橇比赛（skibob racing）。冬季运动项目，比赛时运动员驾驶形似自行车、有舵雪橇和滑雪板的可导向的单滑迹雪犁。滑雪板后部较长，前部较短以便转向。雪犁上装有鞍座和操纵杆。整个装置轻巧、灵便，用木、铝或塑料制成，便于越过山包。雪犁长1.90～2.29米。运动员脚着短滑雪板，头戴防护帽，有时可戴防护眼镜。比着赛时，雪犁沿标志路线行驶，全程通常长3～5千米。1963和1967年起分别设立欧洲和世界锦标赛竞赛项目，比赛由成立于1961年、总部设在维也纳的国际雪犁联合会管辖。1892年第一台雪犁般的装置在美国获得专利。1902年一个奥地利装置继而获专利。瑞士邮递员和送货员使用这种装置，但是这项运动在第二次世界大战之后才得到发展。1948年德国人G.格费勒生产出称为“格费勒蛋”的雪犁。这项运动从奥地利发展到瑞士阿尔卑斯山脉、西德、法国、意大利和捷克斯洛伐克，然后又从欧洲传播到美国、加拿

雪犁运动

瑞士国家旅游局供图

大、日本等地，慢慢地成为一个国际性运动。雪犁运动包括滑降、大回转以及特殊回转（类似滑雪项目），其滑降路程，女子至少365米，男子为600米。大型回转下降坡度不那么陡，有31个旗门。特殊回转的坡度甚至更小些，但是男子项目有50～60个旗门，女子项目设30～40个旗门。非竞赛性速度为每小时40～65千米，滑降时速度可达每小时160千米以上。

Skien 希恩 挪威南部城镇，泰勒马克郡首府。位于希恩河畔。建于1110年，是挪威最古老的城镇之一，1346年设建制。为工业中心和港口，城内的木材和矿业公司自17世纪中期起便对当地资源进行了开发。矿石储藏虽已开采殆尽，但城市现在仍有重要的铸造厂和兴旺的木材、纸浆贸易。1892年开通从希恩到达伦的班达克运河，长105千米，是挪威最长的运河。城内还设有泰勒马克与格伦兰地区博物馆。戏剧家H.易卜生诞生于该市。人口：城镇区约49 498（1999）。

skiffle 斯基弗尔音乐 以简单乐器演奏的音乐风格，20世纪20年代最先流行于美国，但50年代中期由英国音乐家复兴。该词原用于即兴坛罐乐队所演奏的音乐，早在1905年即出现于肯塔基州路易斯维尔，20～30年代在田纳西州孟菲斯益显重要。在第二次世界大战后贫穷的英国，年轻音乐家很高兴地发现一种用廉价吉他、用顶针刮着搓衣板和用茶叶箱做的贝斯等演奏的音乐风格。利德贝利和W.格思里是此一同时跨越布鲁斯和民谣音乐运动中的风云人物。当L.多尼根离开C.巴伯的迪克西兰乐队（传统爵士乐）而录制利德贝利1954年的作品《岩岛铁路》时，他已在无意中为60年代英国音乐界奠定根基。1956年《岩岛铁路》以单曲形式推出，被数以百万计的人买下，包括J.列农和P.麦卡特尼，这样，他们第一次接触非洲裔美国人的流行音乐。在成千上万受多尼根影响而组成斯基弗尔乐队的英国青年中，列农和麦卡特尼组建了“采石工”乐队，作为踏上摇滚乐之路的第一步。

skiing 滑雪运动 一种娱乐、体育运动和运输方法，利用固定在鞋或靴上的一双长而平的滑雪板在雪地上滑行。

历史 在瑞典和芬兰沼泽地发现的最古老的滑雪板据考证有4 000～5 000年历史。有些早年的滑雪板短而宽，更像双雪鞋，而不像狭长的滑雪板。在挪威境内靠北极圈地方发现的公元前2000年的岩画上绘有两个脚下有滑雪板的人。有史料提到公元7世纪时中国华北有滑雪运动。10和11世纪北欧海盗使用过滑雪板，后来芬兰北部的人脚踏滑雪板进行狩猎。

起初滑雪板用作运输。现在挪威、瑞典、芬兰和一些东欧国家农村地区仍旧用滑雪板旅行。在奥斯陆战争开始前，挪威人脚踏滑雪板进行侦察活动。1452年瑞典也使用滑雪部队作战。15～17世纪，在芬兰、挪威、波兰、俄国和瑞典的战役中都使用过滑雪部队。1733年J.埃马豪森上尉为挪威人写出第一

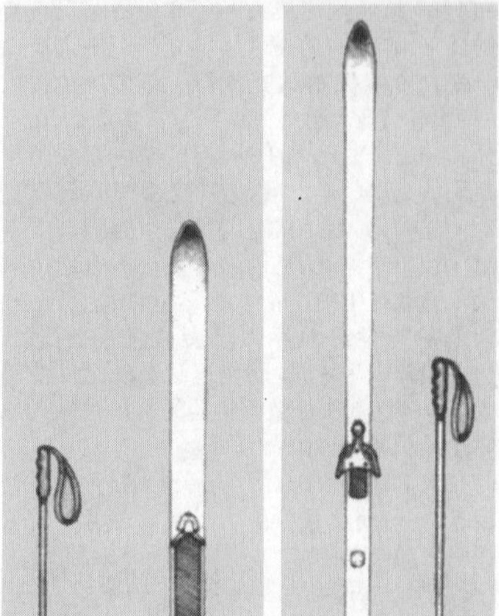

（左）滑降时穿带的标准器材；（右）越野滑雪用标准器材

部滑雪手册。从1767年起，出现颁发奖金的军事滑雪比赛。军事滑雪活动一直延续到20世纪，在冰雪条件和地形有利时使用军事滑雪来开展侦察活动；另有一种脚踏滑雪板的步兵在攻击小目标时具有先发制人的优势。

滑雪从开始用来运输自然而然地发展成娱乐和体育运动。直到19世纪中叶之后，滑雪仍为原始的捆缚方式所限制。1860年挪威人S.诺尔海姆首先使用从脚趾外侧绕至脚后跟的套趾雪板，从而根本改变了滑雪板形

状。1843年在挪威特罗姆瑟举行的越野赛跑是一次最早的滑雪运动比赛。19世纪60年代,在加利福尼亚州进行滑雪比赛,那是在降滑的直道上,使用只有套趾雪板的长366厘米的滑雪板。

滑雪比赛可分为两种:北欧式和高山式。前者包括越野和跳台滑雪技术,后者包括快速降滑比赛和回转。1879年在奥斯陆举行了第一届大的跳台滑雪比赛,在座的有挪威国王以及上万名观众。F.南森记载他于1888～1889年踏着滑雪板越过格陵兰岛的探险活动的书问世(1890)后,该书1891年被翻译成英、法和德文。北欧滑雪运动员和高山滑雪运动员之间钩心斗角,前者认为从1892年起在奥斯陆附近的霍尔门·科隆山每年举行一次越野赛和跳台滑雪比赛以及北欧运动会(1905～1917,1922～1926,每4年一次)是最重要的。约在19世纪末,在阿尔卑斯山脉中兴起了滑雪登山活动。到20世纪70年代作为一种下山的手段再次流行起来。

滑雪运动到20世纪变成一项越来越普及的活动。先是在欧洲流行,然后传到北美。20世纪30年代在澳大利亚和新西兰迅速传播开来,40年代在智利和阿根廷(安第斯山一带),50年代在日本流行。第二次世界大战后,滑雪运动也传到南斯拉夫和希腊、西班牙和葡萄牙的比利牛斯山脉、摩洛哥和阿尔及利亚、苏联、黎巴嫩、土耳其、伊朗和印度。

起初,高山滑雪运动员必须爬到高处再滑下。20世纪初,在阿尔卑斯山只有用山间火车道或空中缆车把滑雪运动员送上山去。但是在20世纪30年代,开始引进上山缆索、上山吊椅和吊篮,从而使运动员能比从前每天多滑4～5次。造雪机器的引进也保证滑雪运动员有足够的雪可用。

滑雪板的改进对于精通滑雪技术也是个促进,同时使这项娱乐运动更为普及。滑雪板原来用整块胡桃木制成,但从20世纪30年代起也改用多层薄板合成。50年代起,用塑料板面以增加速度和耐磨性。带有木质或塑料芯的金属滑雪板通常更受人们青睐。早在19世纪,诺德海姆设计了两侧向内卷边的滑雪板,成为所有现代滑雪板的模型。

新的结构和生产技术使得滑雪运动员在山坡上感觉更加舒服。针对各种各样冰雪条件和滑雪类别,在板面上使用了花样繁多的蜡;提高了一般滑雪运动员的熟练程度,同时也为滑雪休憩小屋内友好争辩提供了题目。

组织 早期成立的地方性和全国性的滑雪俱乐部有:挪威的特吕西尔(Trysil,1861);美国新罕布什尔州柏林市的俱乐部(1872);第一所瑞典滑雪俱乐部(1879);挪威滑雪协会(1883);英国滑雪俱乐部(1903,1964年起为英国全国滑雪联合会)。

1924年国际滑雪联合会作为世界性管理机构宣告成立。联合会每4年举行一次世界锦标赛。1924年滑雪成为奥运会项目,1936年前北欧只有男子项目,1936年开始增加了男、女高山项目。20世纪50年代和60年代,北欧引进了女子项目。1967年在国际滑雪联合会监督下,由个人出资赞助设立了一年一度的高山世界杯锦标赛,到1969～1970年赛季,世界杯赛完全变成私人和职业化的活动。1979年增添了北欧世界杯赛。20世纪60年代国际奥委会针对主要为走职业化道路而接受器材和金钱的问题提出越来越多的指责,结果在1972年奥运会上一名优秀滑雪运动员丧失比赛资格。在此之前只涉及滑雪教练员的职业化问题,而现在波及面更广了。对世界一流的业余和职业滑雪运动进行电视转播,有助于促进滑雪运动的普及。

器材 滑雪板的长短各异。一般成人降下滑雪用长210厘米,宽7.6厘米的滑雪板,越野滑雪用的略为长些和窄些。快速滑降(包括回转)、跳台滑雪和越野(比赛和旅游)用的各式滑雪板均为尖头,向上翘起,通常前部(尖铲头)稍宽些,后部(或尾部)呈方形。最厚部分在脚底下,最薄部分在滑雪板末端。滑雪板略呈弧形或略有弯度以便把滑雪运动员的重量分散到整个滑雪板各部分去。降滑用的滑雪板在底部中央有一纵向浅槽可稳定地掌握方向。这种滑雪板底部有尖锐的钢边咬住坚硬的冰雪。跳台滑雪用的滑雪板长约244厘米,比滑降板宽些、厚些和重些。这种滑雪板底部通常有3个底槽,没有钢边。越野滑雪板比滑降板的分量要轻许多。

用皮革或塑料制成的又重又紧的靴子,由一种装置牢牢地把靴子固定住(万一人摔倒即可松开),底平而硬便于对滑雪板加以准确地控制。可穿较轻软的靴子进行跳台滑雪和越野滑雪,靴上的固定装置可以使脚跟抬起。

滑降时,运动员双手拿着约122厘米长,用金属管做的轻巧的雪杖。越野滑雪用的雪杖特别长而轻,雪杖协助运动员在平地上前进,向上攀登,在快速滑降或转弯时保持身体平衡。每一根雪杖在顶端有一个腕皮带,预防运动员摔跤时丢杖,近末端处有一个杖环,可防止杖尖深陷入雪中。参阅 **Alpine skiing; Nordic skiing**。

Skikda 斯基克达 旧称菲利普维尔。阿尔及利亚东北部地中海城镇和港口。临斯图拉湾。1838年建为君士坦丁的港口。有人工港湾、全国最大的罗马剧场和博物馆。1970年哈西鲁迈勒—斯基克达天然气管线启用。有气体液化、炼油、石油化工工业。输出哈西迈斯欧德油田的石油和农、矿产品等。进口货物经君士坦丁运往阿尔及利亚东部。有沙丁鱼捕捞和罐头制造业。过往旅客众多。以前的居民主要是意大利人和马耳他人,1962年阿尔及利亚独立后,流入许多穆斯林难民,一些欧洲人迁走。人口:城镇区128 747(1987)。

skimmer 掠水鸥 鸻形目剪嘴鸥科3种水禽的俗名。嘴刀片状,嘴的下颚较上颚长1/3。白天在岸边休息,黄昏时觅食,掠过平静的水面,嘴尖一直浸在水里,当遇到鱼或甲壳动物时,上颚马上下闭。成小群地营巢,每窝产卵3～5枚。幼雏靠双亲吐食喂养直到嘴(出壳时,上下颚等长)呈现成鸟状态方停止给食。主要见于温暖地区宽阔河流和河口中。三个种上体均呈暗色,下体白色,脸和前额均白。短腿和嘴均呈红色。翼狭长,黑色。美洲的黑掠水鸥(黑剪嘴鸥,*Rynchops nigra*)

黑掠水鸥(黑剪嘴鸥,*Rynchops nigra*)
供图:Earl Kubis from Root Resources—美国不列颠百科全书公司

最大,体长达50厘米。非洲掠水鸥(黄嘴剪嘴鸥,*R. flavirostris*)和印度掠水鸥(白颈剪嘴鸥,*R. albicollis*)较小。

skimmer(insect) 撇水黾蝽 参阅 **water strider 黾蝽**。

skin 皮肤 人体解剖学术语。覆盖于人体表面的组织。人自出生到老年皮肤不断发生变化。婴儿和儿童的皮肤平滑干燥,无皱无斑,汗腺和皮脂腺功能不全。到青春期皮肤

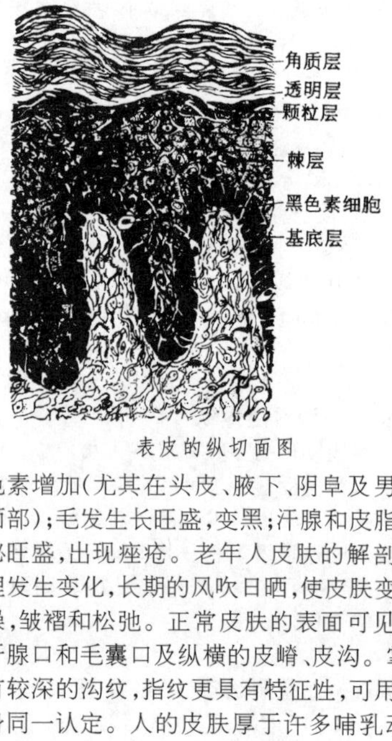

表皮的纵切面图

色素增加(尤其在头皮、腋下、阴阜及男性的面部);毛发生长旺盛,变黑;汗腺和皮脂腺分泌旺盛,出现痤疮。老年人皮肤的解剖和生理发生变化,长期的风吹日晒,使皮肤变得干燥,皱褶和松弛。正常皮肤的表面可见无数汗腺口和毛囊口及纵横的皮嵴、皮沟。掌、蹠有较深的沟纹,指纹更具有特征性,可用于人身同一认定。人的皮肤厚于许多哺乳动物,可分为两层:由4～5层细胞组成的表皮,及其下方由纤维组织组成的真皮。真皮内有丰富的血管、淋巴管和神经。表皮一般背面较腹面为厚,最厚处为掌、蹠部。表皮最基部与真皮紧密相联的部分是具有活力的基底层,向上依次为棘层、颗粒层和无活力的角质层。所有表皮细胞间以桥粒相连。基底层形成新的细胞,新细胞逐渐向上推移,角质层不断脱落,表皮不断更新,一般由基底层移到表面约需27天。各种必需营养物质由真皮渗入表皮细胞间。表皮细胞能很好地适应内外环境的变化,再生能力强。角质层能合成脂类、蜡质和固醇,使皮肤更加坚实,柔韧。基底细胞之间或之下有一种树枝状细胞名为黑色素细胞,可产生黑色素。人体各部皮肤的黑色素细胞数目在各色人种中大致相同,因此,是黑色素细胞的质而不是其量决定皮肤的颜色。日晒后皮肤变黑,是由于黑色素细胞活动能

力增强，黑色素产生增多所致。黑色素细胞有许多树枝状分支，穿行于表皮细胞之间，黑色素在胞浆内合成，然后输送到树枝状分支，表皮细胞又将分支的尖端吞噬。黑色素进入表皮细胞后就移到胞核的上侧，其功能为保护细胞免受紫外线损伤。乳头、乳晕、小阴唇、阴茎和阴囊部位的色素沉着，有吸引异性的作用。棘细胞层内可见与黑色素细胞相似的朗格汉斯氏细胞，不能合成黑色素，功能未明。

除头发、睫毛、鼻毛及非生殖道开口周围的毛外，人的体毛几无保护作用，却有感觉功能。所有毛囊的周围均绕以感觉神经，压迫毛干即可牵动神经。毳毛长到一定长度后不再继续生长，经过一段时间后脱落代之以新的毳毛。毛发的生长由毛囊控制，毛生长到一定长度后，毛根部变成棒状而非圆柱状，毛囊萎缩，毛发脱落。经过一段休息期后，毛囊再度活跃，重建毛球，再生新的毛发。头发共约150 000根，生长速度为每天1/3毫米。男型秃发开始于20岁或更早，此时毛囊退化变小，发脱落。秃发也是一种第二性征。

皮脂腺开口于毛囊，分泌皮脂注入毛囊腔内。皮脂中含脂肪酸、甘油三酸酯、蜡、胆固醇以及细胞碎片。面部，阴肛部皮脂腺大而多，鼻、口周、前额、颧部也有巨大的皮脂腺，所以这些部位常呈油性。睑缘皮脂腺排列成行，肉眼可见。男性口唇的皮脂腺随着性成熟而增大、增多。颊黏膜、偶尔牙龈以及舌部也有皮脂腺。皮脂腺受雄激素控制，其功能为滋润。新生儿的皮脂腺较大，到儿童期变小，青春期又增大，到成人期则充分发育。男性的皮脂腺较女性大而活跃。汗腺分为大汗腺和小汗腺，大汗腺开口于毛囊，小汗腺直接开口于表皮。在哺乳动物的进化过程中，大汗腺减少、小汗腺增多。类人猿皮肤大小汗腺各半，人类则多为小汗腺而大汗腺仅限于某些部位，如外耳道、腋窝、脐周、阴肛部。每平方厘米的皮肤上有小汗腺150～340个，以掌、蹠部最多，其次为头皮、躯干和四肢。汗液由小汗腺分泌，大汗腺只分泌少量乳状、黏质、浅灰色至带白色的液体。新鲜、无菌的大、小汗腺分泌物原为无臭，腋下的大汗腺分泌物被皮表的细菌分解后始产生臭味。汗液的分泌受植物神经控制。汗腺的功能为调节体温，汗液排在皮肤上蒸发时带走热量。甲与毛发相似，均含角蛋白，但甲的生长无间歇期，平均每日生长约0.1毫米，春、秋、冬季较夏季生长慢，婴儿及老年人甲的生长较慢。一般经3个月全部甲板可更新一次。甲板透明，可透见其下部甲床浅层毛细血管而呈粉红色。近甲根部有白色的甲半月，小指一般无甲半月。甲板下为甲床。甲由甲根及甲半月下的甲母产生，甲母细胞增生，合成角蛋白，并向前推移，一旦露出皮肤，即成甲板，甲板和甲床作为一个整体继续向前生长。许多因素如年龄、外伤、中毒和各种疾病，均可影响甲的生长，而使甲的形状、厚度发生改变。甲可保护指尖，使之牢固，便于捡拾细小的物品。

皮肤的功能为保护内部组织、调节体温、排泄废物、感觉、控制血压等，部分区域的毛发具性吸引作用。

skin beetle　皮金龟　鞘翅目皮金龟科(Trogidae)或金龟科皮金龟亚科(Troginae)的昆虫。分布广泛。体粗短，体表粗糙，长不及12毫米，暗褐色。以干燥的动物的尸体为食，有益于清除腐物。受惊时缩足装死。因体小又被污物遮盖，所以不常见到。英语中skin beetle一词又指皮蠹科昆虫——皮蠹(**dermestid beetle**)。

skin cancer　皮肤癌　以皮肤细胞生长失控为特点的疾病。分为黑色素瘤和非黑色素瘤两种完全不同的类型，共占所有癌症的一半左右。黑色素瘤是色素细胞的癌症，远比非黑色素瘤危险，而后者是美国最常见的癌症。非黑色素瘤是表皮组织的癌症。非黑色素瘤有两种，通常能用简单的手术治愈。鳞状细胞癌从皮肤表面附近一层扁平细胞发展起来，约占非黑色素瘤病例的1/4。基底细胞癌约占3/4，常复发。基底细胞癌起于鳞状细胞下方的一层细胞。鳞状细胞和基底细胞层都位于表皮。病因大部分是因皮肤暴露受太阳紫外线辐射，导致脱氧核糖核酸(DNA)受损。肤色浅者比肤色深者致癌率高，而男性比女性更易罹患皮肤癌。接触砷、煤、沥青等物质都可能患皮肤癌，受到人类乳突病毒(HPV)感染(特别是会造成生殖疣的感染)时亦然。其他因素包括慢性炎性皮肤病、长期治疗牛皮癣、以前的放射治疗、免疫抑制。主要症状是皮肤上不寻常的生成物、胎块或其他异常的外观。如果疑似癌症，应在皮肤活体检查后进行诊断。活体检查可以刮起表面细胞。一旦诊断出癌症，即应确定病期，以指出癌症扩散的程度。在检测出来和切除之前，很少扩散到其他组织。如果早期诊断出来，可用简单手术将受癌症侵袭的组织切除。放射疗法可用来治疗极小的癌症，或延缓较大癌症的进展。有时也使用化学疗法。在非黑色素瘤已扩及远处组织的罕见病例中，可能需要系统性化疗。避免致病因素即可预防，特别是避免太阳的紫外线辐射。有些医学会建议20～40岁的人每3年由医师进行一次皮肤检查，40岁后每年检查一次。

skin diving　自由潜泳　又作free diving。水下游泳，运动员戴面罩着脚蹼，但不携带轻便的供氧设备。参阅**underwater diving**。

skin effect　趋肤效应　电学中高频交流电有向导体表面集中的趋势。这一现象把电流限制于导体总截面的一小部分，从而产生使导体电阻增大的效果。由于趋肤效应，感应加热可以局限于表面，同时通过适当选择电感线圈的形状和大小，可以控制加热区(参阅**induction heating**)。趋肤效应随频率的增高而加剧。

skin graft　皮移植术　从身体某一部位切下健康皮肤移植到其他具相似皮型的部位，以覆盖及治疗大面积的创伤或烧伤的手术。最常用的技术有两种：①分层皮片移植，只切下表皮及部分真皮，使供皮区得以自然愈合。②全厚皮片移植。将全部真皮切下，供皮区亦行手术闭合创面。早期的技术为颗粒状皮移植术，不用大张皮片而是切下多数小皮片，这方法会在供皮区形成难看的疤痕，今多废弃不用。最常用的取皮区为大腿内侧、小腿、上臂及前臂。

skin test　皮肤试验　将试验物质用注射或划痕法导入受试者皮内的诊断方法。用以确定受试者是否对某些物质产生变态反应，是否对某些疾病易感或免疫。接触试验材料的皮肤出现红肿，试验即为阳性；皮肤无反应时，试验即为阴性。参阅**tuberculin test**。

skinhead　光头党　青年亚文化群，特征是放荡不羁的男性发式和服饰，头剃得光光的，脚下穿着笨重的靴子。在许多国家，光头党被普遍认为是极右的民族主义者或新法西斯主义者。他们信奉反犹太观点及其他种族主义观点。不过光头党现象并不总是明显的政治现象，也不都是种族主义者。光头党现象源自20世纪60年代伦敦工人阶级居住区。虽然有许多光头党具有暴力倾向，但其他的光头党认为他们的亚文化模式主要是表达了具他的价值观念和大众的团结。他们对聚会、音乐会和体育活动的兴趣甚于对暴力的兴趣。70～80年代，光头党运动传到澳大利亚、北美和西欧，特别是德国。虽然最初的光头党是非政治群体，但其中有许多人很快就被引入极端民族主义的，尤其是反移民的团体中。有些被招募为新纳粹组织的“冲锋队队员”，该运动就此变得日益政治化。他们经常袭击移民或少数民族，特别是在德国的土耳其人和亚洲人，以及在英国的印度人和巴基斯坦人。澳大利亚影片《无法无天》(1992)对光头党作了经典的描述。美国影片中也出现类似主题。在美国，光头党通过诸如雅利安人抵抗组织被引入极端民族主义的白人至上运动。即便如此，美国等地的某些光头党还是非政治性的，甚至是拥护左翼立场的。光头党不仅通过街头暴力，还通过音乐来表达他们的种族主义观点。许多早期的光头党喜欢西印度群岛的雷盖音乐，但后期的光头党音乐团体创作的朋克音乐是声音喧闹、放肆的种族主义和亲纳粹的音乐。

skink　石龙子　蜥蜴亚目石龙子科(Scincidae)爬行动物。约1 275种。世界各热带地区(以及北美温带地区)皆有分布，但以东南亚及其附近岛屿上的种类最多。体躯呈圆筒

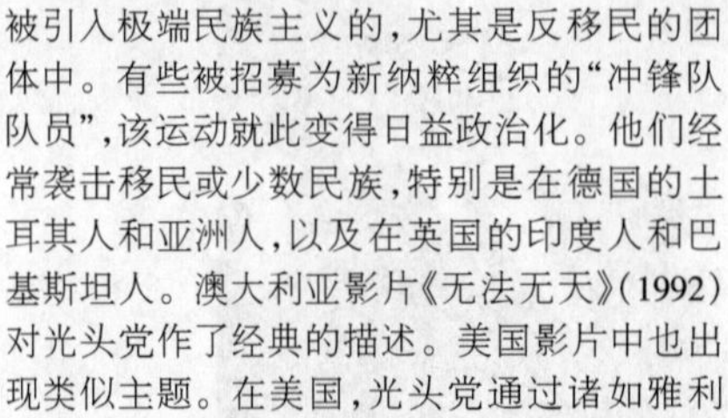

宽头条纹石龙子(*Eumeces laticeps*)

供图：John H. Gerard from the National Audubon Society Collection/Photo Researchers—美国不列颠百科全书公司

形，头为圆锥形，尾渐尖。最大体长达66厘米，一般不及20厘米。多隐匿地下或穴居。有一适应地下生活的器官——透明鳞片(透明窗)，以替代下眼睑，这样在挖穴时既能视物，又不会使眼受到粗糙颗粒伤害，肢体不发

达或完全退化,耳鼓凹陷。有些种类树栖或营一定的水栖生活。以昆虫和类似的小型无脊椎动物为食,大型种类以植物为食。卵生或卵胎生。较普通的种类有:脊状鳞石龙子(棱鳞蜥属[*Tropidophorus*])约 20 种,体长15 ～25 厘米,半水栖;分布于东南亚至澳大利亚北部一带。南蜥属(*Mabuya*)约 105 种,在地下居住,广布热带地区。沙石龙子又称沙鱼(沙鱼蜥属[*Scincus*]),穴居,爪具鳞状缘缨,产于北非和亚洲南部的荒漠地带。细长石龙子(蝘蜓属[*Lygosoma*]),约 300 种;尾粗,肌肉发达;四肢退化;眼睑有部分透明;广布旧大陆热带。蛇眼石龙子(泛蜥属[*Ablepharus*]),约 25 种,体长 10 ～ 12 厘米,体色极为多样;是唯一活动的眼睑被一固定的透明膜所代替的石龙子,广布于热带地区。条纹石龙子(石龙子属[*Eumeces*])约 58 种,身上多有纵向条纹,许多种的幼体和少数种的成体尾呈蓝色;主要分布在北温带地区,欧洲无分布。

Skinner, B(urrhus) F(rederic)　斯金纳 (1904-03-20,美国宾夕法尼亚萨斯奎汉纳～1990-08-18,密西西比剑桥)　美国心理学家和行为主义的有影响的代言人。行为主义把

供图:Alfred A. Knopf

人类行为解释为对环境的生理反应,并主张对反应进行科学的实验研究,视此为阐明人类本性的最直接方法。俄罗斯生理学家 I.巴甫洛夫对条件反射的研究工作,B.罗素评述行为主义的文章,以及行为主义创始人 J.B.沃森的观点,使斯金纳对心理学发生兴趣。他在 1931 年从哈佛大学取得博士学位后留校作研究,直至 1936 年他至明尼苏达大学任教。在后一学校他发表《生物行为》(1938)一书。任印第安纳大学的心理学教授(1945 ～ 1948)时,斯金纳因为发明了一种空调小室而取得一定的名声。这是一种大柜子,隔音,无菌,有空调,设计目的是作为一个自动的婴儿护理机,当时设想这可为新生儿提供一个在两岁内的最佳生长环境。1948 年发表了他最引起争议的书之一《华尔腾第二》。这是一本小说,描述一个理想社会中的生活,这是完全按照他自己的社会工程的原则设计的。由 1948 年起(至 1974 年荣誉退休)作为哈佛大学的心理学教授,他影响了一代心理学家。应用他自己设计的各种实验装置,他训练实验动物完成复杂的、有时是很卓越的技巧动作。一个突出的例子就是他的鸽子学会打乒乓球。斯金纳箱是他的发明之一,现用于药理学研究,以观察药物对动物行为的影响。这些逐步训练实验动物的经验引导斯金纳形成了一套程序学习的原理,他设想可以利用所谓学习机来实现这些原理。他的方法的中心概念是强化,或称奖励。学生可以利用这个机器按自己的速度学习,机器针对他要掌握的知识提出问题,答对时学习者就得到奖励。这样学习就被强化了。除了他的广被阅读的《科学和人类行为》(1953)一书外,他还写了一系列其他书,包括《言语行为》(1957),《行为的分析》(与 J.G.霍兰合著,1961),以及《教学工艺学》(1968)。他还有一本书也引起争议,即《超越自由和尊严》(1971)。他在书中宣称,自由和尊严概念可导致自我毁灭,并宣扬一种可与物理科学和生物科学相比的行为工艺学。斯金纳发表了一套自传,共三部:《生活细节》(1976),《一个行为主义者的形成》(1979),和《一件大事》(1983)。在他死前的一年,又发表了《行为分析的新问题》(1989)一书。

Skinner, Constance Lindsay　斯金纳 (1877-12-07,加拿大不列颠哥伦比亚省克内尔～1939-03-27,美国纽约州纽约)　全名 Constance Annie Lindsay Skinner。加拿大出生的美国作家、评论家、编辑和历史学家。以有关美加两国边境和河流的系列通俗历史著作而为人们所铭记。在不列颠哥伦比亚的皮斯河畔一贸易站长大。14 岁时全家迁居温哥华,16 岁时因健康原因迁居美国加利福尼亚州的亲戚家。开始向《旧金山观察者报》和《洛杉矶时报》投寄音乐和戏剧评论文章。1910 年第一部话剧《大卫》在加州卡梅尔市福雷斯特剧院上演。最终定居纽约市,向《先驱论坛报》投寄书评文章,并在《图书人》、《北美评论》和《诗歌》等杂志上定期发表文章和诗歌。1917 年第二部话剧《罗莎蒙德,您早!》在纽约上演。曾应邀为耶鲁大学美国编年史丛书写《老西南的开拓者》(1919) 和《俄勒冈的冒险家》(1920)。曾为儿童写作一系列在西南生活经历的探险故事,也为成年人写过一部长篇小说《红柳》(1929);受不列颠哥伦比亚斯夸密士印第安人传说的启发而写的诗集《海岸边居住者之歌》(1930),得到读者高度赞扬。其历史书语言生动,可读性很强,当然偶尔也会出现不严谨之处。1935 年主编一套有关美国各大河流的历史丛书。第一卷于 1937 年出版,这套丛书最后出到 40 多卷,但未等此套丛书全部出版她即去世。

Skinner, Cornelia Otis　斯金纳 (1901-05-30,美国伊利诺伊芝加哥～1979-07-09,纽约州纽约)　美国女演员和女作家。她以诙谐的讽刺,撰写短诗、独角戏、逸话、小品和单人剧,并在其中扮演角色,展现出多才多艺的富有特色的表演技巧。斯金纳的首次专业性舞台演出是与她父亲、悲剧演员奥蒂斯·斯金纳于 1921 年同台演出《碧血黄沙》一剧。1925 年她又与其父合作写出她的第一部剧本《船长的愤怒》。30 年代她编写并演出了几部单人剧,包括《查尔斯二世之爱》、《女皇尤金尼亚》、《哈得孙河边的宅邸》和《亨利八世的妻妾》。这些戏每次演出时她均扮演几个不同的人物,熟练地把她自己从一个角色转换到另一个角色。直到 1939 年在《候选人》一剧中斯金纳才树立起她作为一个优秀女演员的名望,1941 年《剧场》一戏中她才向人们证实她具有一个优秀戏剧女演员的才能。她在其中扮演角色赢得评论界赞誉的演出还有《温德米尔夫人的扇子》(又译《少奶奶的扇子》,1946)、《巴黎 '90》(1952) 和《他伙伴的乐趣》(1958),其中《他伙伴的乐趣》这部戏是她与 S.泰勒合写的。斯金纳变化多端的写作才能在她的作品《我们的心年轻而快活》和《萨拉夫人》(1967)中表现得十分明显:前者是 1942 年的畅销书,与 E.金布罗合写;后者严肃而感人,是法国女演员 S.伯恩哈特的编年史式生活记录。

Skinner, Otis　斯金纳 (1858-06-28,美国马萨诸塞剑桥～1942-01-04,纽约州纽约)　美国演员。60 多年的演员生涯中,他在世界各地扮演了数百个角色。1877 年在费城博物馆首次登台演出《伍得利》。1879 年在纽约市第一次和观众见面,他在布思剧院和 E.布思一起,然后又和 L.巴雷特一起合作 3 年,掌握了许多经典剧目的表演艺术,并成功地形成了自己的表演风格。1884 年加入戴利剧团,在那里工作 4 年。1886 年与该团一起去伦敦首次演出。后加入布思-莫德耶斯卡剧团,1892 年成为该剧团主要演员,与剧团主要女演员 H.莫德耶斯卡配戏。除了扮演莎士比亚戏剧人物外,最成功的剧目有《基斯梅特》(此剧 1911 ～ 1914 年间经常上演)和《碧血黄沙》(1921)(他饰斗牛士加勒多)。其著作有《脚灯和聚光灯》(1924)和《戏剧界的狂人们》(1928)。

skip rope (game)　参阅 **jump rope** 跳绳。

skipjack　参阅 **click beetle** 叩头虫。

skipper　弄蝶　鳞翅目弄蝶科昆虫,近3 000 种,全球分布。体小,肥短,飞行快速如跳跃。或认为弄蝶介乎蝶与蛾之间。成虫的头和身体似蛾,但静止时前翅多数像蝶那样上举。

小弄蝶(*Thymelicus sylvestris*)
供图:Stephen Dalton

又无见于多数蛾类的翅缰。触角似蝶,棍棒状,但多数末端呈细钩状。翅肌强大,故飞行速度每小时达 30 千米。幼虫以豆类及禾草类植物为食,常将叶子卷折结网,并在里边生活。在丝质茧或丝、叶交织成的薄茧内化蛹。或将弄蝶分别归入澳大利亚弄蝶科(Euschemonidae科,包括一个澳大利亚种)及大弄蝶科(Megathymidae科,分布于新大陆,成虫翅展90毫米)。钻入龙舌兰及丝兰叶中的弄蝶幼虫在墨西哥视为美味,可油氽或制罐出售,称"龙舌兰虫"。

skipper　酪蝇　双翅目酪蝇科昆虫。形小,黑色有光泽,长约5毫米,口器长而肉质,受惊时跳跃,故其英文名意为"跳蝇"。喜食脂肪,在多油质的干酪、肉等物质或腐败动物残体中繁殖。有的种类曾见于医学院用甲醛浸泡的供解剖的尸体内。

Skirophoria(Greek religion)　参阅**Scirophoria 斯奇洛弗里昂节**。

Skíros(Greece)　参阅 **Skyros 斯基罗斯**。

skittles　撞柱戏　首先在英国玩的用球滚向木柱的游戏。几个世纪以来,一直流行于英国特别是英格兰西、中部地区以及南威尔士和苏格兰的洛锡安地区酒馆、俱乐部。撞柱戏的运动比赛规则和记分方法虽因地而异,但基本原则相同,即用重约4.5千克的木质或橡胶质球撞击布成菱形的9根椭圆体头木柱。以最少的次数将大约6.5米以外所有木柱均撞倒者为胜。伦敦地区使用重5.4～6.4千克的扁球形愈疮木质球。业余撞球协会管理此种老式的地滚球比赛,并且规定滚球道面积以及在菱形框架内9根柱子每一根之间的距离。

Skobelev(Uzbekistan)　**斯科别列夫**　参阅 **Fergana 费尔干纳**。

Skobelev, Mikhail Dmitriyevich　斯科别列夫(1843-09-29,俄罗斯圣彼得堡～1882-07-07,莫斯科)　俄国军官,在俄罗斯征服突厥斯坦和俄土战争(1877～1878)中发挥过突出

供图:Novosti Press Agency

作用。1868年去塔什干。1873年参加征服希瓦汗国的战争。1875年浩罕汗国发生叛乱,他于次年1月攻下安集延城。2月俄国吞并浩罕,改名费尔干纳省,任命斯科别列夫为第一任省长,升少将。1877年俄土战争发生后,他被调往欧洲前线,在几次具有战略意义的战役中击败土耳其军,最后攻克埃迪尔内和圣斯特凡诺,迫使土耳其人签订停战协定。他因常穿白制服和骑白马,人称"白将军"。战后重返突厥斯坦。1880年指挥俄军讨伐住在里海、咸海和波斯呼罗珊省之间的土库曼人。1881年1月攻克格克·泰佩之后,屠杀当地男人。后任明斯克军团司令。1882年初进入政界,在巴黎和莫斯科发表演说,预言日耳曼人和斯拉夫人之间必然发生冲突。因此观点与官方政策相左,当即被召回圣彼得堡。

Skoblikova, Lidiya Pavlovna　斯科勃利科娃(1939-03-08,苏联俄罗斯兹拉托乌斯特～　)　苏联速度滑冰女运动员。在一届冬季奥运会(1964)上连获4块金牌的第一名运动员。在1960和1964年两届冬季奥运会共得6块金牌,成绩空前。1957年创苏联女子1 500和3 000米速度滑冰纪录。1960年在美国加利福尼亚州斯阔谷冬季奥运会上再获这两项比赛的金牌。1963年2月在日本轻井泽以45.4秒和1分31.8秒的成绩分别创500米和1 000米世界纪录。1964年在奥地利因斯布鲁克冬季奥运会上又赢得500、1 000、1 500和3 000米4项女子速度滑冰比赛冠军。斯科勃利科娃曾就读于车里雅宾斯克教育学院,从1962年起在该学院教生理学,执教到1974年。是年,她被指派为莫斯科一所大学的体育系主任。

Škoda, Emil von　斯科达(1839-11-19,波希米亚比尔森～1900-08-08,奥地利阿姆施泰滕)　德国工程师和工业家,创办了欧洲最大的工业联合企业之一,两次世界大战中都以生产武器闻名。在德国学习工程技术,后在比尔森一家小机器厂任总工程师。3年后收买了这家小厂并迅速加以扩大,1886年自己建筑一条和维也纳—赫布干线衔接的铁路,1890年新建一家兵工厂,为奥地利陆军生产新发明的机枪。1899年他将比尔森许多机器厂、锻造厂、工具模具厂等合并成一个大厂,称斯科达工厂。

Skokie　斯科基　美国伊利诺伊州东北部库克县芝加哥北郊村庄。1834年始建居民点。1888年设村。早期为贸易中心。20世纪20年代后期通铁路后迅速发展。第二次世界大战后大量引进轻工业。现经济以印刷和出版业为主。设有希伯来神学院(1958)。1952年兰德麦克纳利公司(制图商和出版商)国际总部从芝加哥迁此。人口63 348(2000)。

Skopje　斯科普里　马其顿共和国主要城市和首都。位于瓦尔达尔河两岸。古代伊利西亚部落中心。518年地震中全城沦为废墟。9～10世纪发展迅速。1189年塞尔维亚人首次占领该城。1392年土耳其人征服马其顿,设该城为省府和重要商业中心。1689年,为根除流行性霍乱,奥地利军队纵火,全城化为灰烬。19世纪贝尔格莱德—塞萨洛尼基铁路兴建后该城复兴。1913年并入塞尔维亚。1918年归属南斯拉夫。第二次世界大战中为德国所占领,后由保加利亚军队镇守。1944年解放,次年成为马其顿首府。旧城位于河岸阶地上,阶地上有一古城堡,城北有罗马时代的水渠桥。附近的中世纪隐修院包括内雷济隐修院(1164),内有12世纪壁画。其他著名建筑有中世纪土耳其的库尔舒姆利客栈和若干清真寺。1963年大地震使城市80%左右化为瓦砾,1 070人死亡,12万多人无家可归。78个国家提供财政和物资援助,派来携带器材的医疗队、工程建筑队,因此被南斯拉夫人称作"国际团结的城市"。制订了全部抗震的新城规划,包括数座卫星城和4

斯科普里市1963年地震后新建的大楼

供图:Salmer—Plessner International

个工业区。瓦尔达尔河左岸有马其顿共和国议会大厦、教育机构、图书馆、音乐厅和广播、电视台;右岸为经济和商业中心。现为工商、行政中心。工业产品有化学制品、水泥、农业机械、电气器材、砖、陶瓷制品、玻璃、酒、水果和蔬菜罐头、烟草。亦有皮革加工、木器加工、炼铬及炼钢厂。为一重要交通中心,有便利的铁路、公路线及现代化机场。有一大学(1949)和工学院,还有马其顿科学和艺术学院。人口444 299(1994)。

Skorzeny, Otto　斯科采尼(1908,维也纳～1975-07-05,马德里)　纳粹党卫军军官。1943年因营救在阿布鲁奇山区遭监禁的墨索里尼脱险而名噪一时。1933年加入纳粹党,第二次世界大战中成为党卫军上校。1944年7月20日谋杀希特勒事件败露之后,负责追捕及拷问密谋分子。1944年10月17日,率一支党卫军小队,到布达佩斯王宫逮捕了匈牙利领导人M.霍尔蒂海军上校。1944年底的阿登攻势中,他指挥几百名能说英语、身穿美军制服的德国士兵,渗透到同盟国防线后面进行骚扰。战后在纽伦堡国际军事法庭上被宣布无罪释放。1949年,在西德肃清纳粹分子法庭候审期间,越狱逃往西班牙,度过余生。

Skou, Jens C.　斯科(1918-10-08,丹麦莱姆维～　)　全名Jens Christian Skou。丹麦生物化学家。由于他发现了一种被称为钠钾激活的腺苷三磷酸酶——钠钾ATP酶(Na^+－K^+ ATPase)——而与P.D.博耶和J.E.沃克共获1997年诺贝尔化学奖。这种腺苷三磷酸酶是在动物细胞的质膜中发现的,起着以钠(Na^+)交换钾(K^+)的泵的作用。斯科在哥本哈根大学攻读医学,并于1954年在奥胡斯大学获博士学位。后任教于奥胡斯大学。他对载离子酶的研究是以阿兰·霍奇金爵士和R.凯恩斯的研究工作为基础的。他们两人一直在研究受刺激之后的神经细胞中钠和钾的运动情况。这两位英国科学家发现,神经元激活时,钠离子涌进细胞。当离子穿过膜被转运回时,钠浓度平衡才得到恢复。由于转运是逆浓度梯度(从低浓度的区域到

高浓度区）进行的，这一过程需要能量。而且据信，所需能量就是由载能分子腺苷三磷酸酶（ATP）提供的。20世纪50年代后期斯科提出：酶负责通过细胞膜运送分子。他研究蟹神经细胞膜导致发现了钠钾ATP酶。束缚于细胞膜的钠钾ATP酶被外部的钾和内部的钠所激活。酶将钠泵出细胞并将钾泵人细胞，从而维持相对于周围外部环境的细胞内部的高钾浓度和低钠浓度。斯科的研究导致发现类似腺苷三磷酸酶基的酶，包括控制肌肉收缩的离子泵。

Skövde 舍夫德 瑞典南部斯卡拉堡省城镇。位于比灵恩高地东坡。虽始建于12世纪，但到1413年才得此名，1526年设镇，1905年成为军事重镇。石灰石开采、发动机、化学制品、砖、水泥和绝缘材料等的制造为主要工业。人口：城镇区约49 083（2001）。

Skowronska, Marta 斯科夫龙斯卡 参阅 **Catherine I（empress of Russia）叶卡捷琳娜一世**。

Skram, Amalie 斯克拉姆（1846或1847-08-22，挪威卑尔根～1905-03-15，哥本哈根） 母家姓为Alver（阿尔韦）。挪威女小说家，是当时挪威最杰出的自然主义作家之一。早年不幸的家庭生活成为她的作品中极度悲观情绪的部分原因。这些作品大多描写不幸的婚姻。她相信人类完全受残酷的自然法则的支配。她的最佳作品是四部曲《海勒米尔的人们》（1887～1898），描写一家四代的关系、他们的抱负和自卑感以及家庭的衰败。

Skryabin, Vyacheslav Mikhaylovich 斯克里亚宾 参阅 **Molotov, Vyacheslav Mikhaylovich 莫洛托夫**。

Skrzynecki, Jan Zygmunt 斯克日内茨基（1787-02-08，奥地利帝国波希米亚热布拉克～1860-01-12，波兰克拉科夫） 波兰将军，1830年革命时波兰军队的组织者。伦贝格大学毕业后，进华沙大公国组建的波兰军团，并且在莱比锡战役（1813）中战功卓著。1814年在奥布河畔阿尔西曾救过拿破仑。1815年波兰王国成立，他指挥5个步兵团。他参加1830年起义后，受命组织波兰军队，不久即任波军总司令。由于他期待大国作出有利于波兰的和平干预而避免作战，因此最后发动攻势时，错过战机；与俄军血战后，退回华沙。他要求重建政府，自任执政，议会没有认可。他辞职后参加游击队，并到奥地利避难。后定居布拉格，1839年退隐克拉科夫。

Skrzyński, Aleksander, Count（Hrabia） **斯克任斯基**（1882-03-18，奥匈帝国加利西亚扎古扎内～1931-09-25，波兰奥斯特鲁夫） 波兰政治家，外交部长、总理。1906年进入外交界，新波兰成立时，被任命为驻布加勒斯特全权公使。1922年12月共和国首任国际主席G.纳罗托维奇被刺后，任外交部长。1923年5月右派内阁成立，他离开外交部。翌年8月重任外长。在多次国际会议上及外交谈判中，他加强波兰的国际地位，并积极参加国际联盟的活动：参与起草《日内瓦议定书》，解决但泽纠纷并使之对波兰有利。1925年11月13日受命组织新政府，后在1926年5月J.毕苏斯基的政变中垮台。6月，他与前陆军部长斯坦尼斯瓦夫因政见发生争吵而进行决斗，那位将军开枪未击中他，他放弃还击权。

SKU 库存单位 全称stock keeping unit。一种编码，通常用作机读条形码，用于每一件库存产品。作为库存控制系统的一部分，库存单位是可出售、购买或添加库存产品的最小单位。用于批发、零售和生产运作。库存单位可辅助交易监控，跟踪客户消费习惯，控制库存和采购，并为定价提供信息。

Sku lnga（Buddhism） 参阅 **Five Great Kings 五大明王**。

skua 贼鸥 鸻形目贼鸥科几种掠食性海鸟的统称。在美国，贼鸥一词仅指英国人称之为大贼鸥的*Catharacta skua*。在英国，贼鸥一词还指3种美国人称之为猎鸥（**jaeger**）

大贼鸥（*Catharacta skua*）
供图：Frans Lanting—Minden Pictures

的海鸟。大贼鸥体长约60厘米，形似海鸥，但较粗重，淡褐色，具白色大翅斑。是唯一既在北极又在南极繁殖的鸟类。营巢自奥克尼群岛至冰岛及自南美顶端至离南极点不足240千米处。除人类外，大贼鸥是曾来到最接近南极点处的生物。虽然繁殖种群占据彼此分离的地区并且颜色不同，但它们似乎均属同一个种。在北方，贼鸥类仅在大西洋（苏格兰至冰岛）地区繁殖，羽毛稍呈锈红色。在南方却有几种羽衣类型，从浅红色到深褐色。冬季，贼鸥类飞向大海；南方者向北方迁移，在太平洋地区定期跨越赤道，而北方者则飞抵热带。贼鸥敏捷而迅速，会迫使其他鸟类吐出食物；营巢于企鹅、圆尾鹱类、燕鸥之类的附近，盗食它们的卵和幼雏。在北方，贼鸥亦食旅鼠，并且跟巨鹱一样食腐肉。

skull 头颅 脊椎动物头部的骨架，由几块骨组合而成，借以保护脑和感觉器官。上颌为头颅的一部分，下颌则不然。人的脑颅部呈球形，内含脑，较面颅部为大。人类的头颅由位置最高的颈椎——寰椎——支持，其间的关节可作屈伸动作（点头），寰椎又与第二颈椎——枢椎——齿突构成关节（寰齿关节），该关节可作左右回旋运动。大多数其他动物的面颅部（包括上牙和鼻）比脑颅部大。人颅的后下方为枕骨，上有引入脊髓的枕大孔。颅顶由顶骨和颞骨组成，额部为额骨，颅底由蝶骨和筛骨组成。面颅包括颊骨（与颞骨共同组成眼窝下方的颧弓）、腭骨和上颌骨。鼻孔由鼻骨、泪骨和鼻甲骨组成，通人鼻腔。左右鼻腔由鼻中隔（由犁骨和鼻隔板组成）隔开。婴儿头颅的各部分结合不紧，随年龄增长而愈合。许多哺乳动物（如狗），其头颅中央有一矢形脊，为负责闭颌的颞肌提供了额外的附着点。

skull cult 颅骨崇拜 史前期和某些现代原始人对人（通常是对祖先）的颅骨的崇拜。把颅骨从人体骨骼的其余部分分开，加以保存并膜拜的习俗，可能早在旧石器时期早期即已开始，而以各种不同的方式贯穿于整个史前时期。有些学者认为，这些颅骨说明史前人类的食人习俗，大多数权威人士则一致认为，这些颅骨是在祖宗死后被长期用作膜拜之物的。史前人还特别珍视动物的颅骨。据认为，珍视兽骨是为狩猎而实行的一种巫术，而对人颅骨的膜拜，则是对英雄祖先的崇敬，并被认为能使持有者得到死者的保佑。

skunk 北美臭鼬 又作polecat或zorrino。鼬科11种新大陆食肉动物的统称，以能从肛门两侧的腺体分泌一种恶臭的气味而著称。多数种类表现出特征性的警告行为，如跺脚和以前足作"倒立"（斑臭鼬）。如果威胁继续存在，北美臭鼬便将臀部转过来对准目标，并喷出一股气味难闻的黄色细雾，喷射距离可达3.7米。喷出的液滴中含某些含硫有机化合物，分解时便产生恶臭。不同种类的体型大小各异，但皮毛颜色均黑白相间。多数夜出活动，主要地栖。主要以啮齿动物、昆虫、鸟卵、鸟及植物为食。妊娠期约42～72天。每窝可产2～10仔。北美臭鼬易驯养为宠物，其皮毛具商业价值。臭腺分泌物可用作香水的原料。其肉可食。著名的北美臭鼬种类如下：①猪吻鼬属（*Conepatus*）有7种，分布

加拿大星鼬（*Mephitis mephitis*）
供图：E.R.Degginger—美国不列颠百科全书公司

于整个西半球的开阔地区和多树木的地带。因具有特征性的裸出的长吻而得名。又称獾臭鼬或白背北美臭鼬。头和躯体长30～49厘米；尾长16～41厘米；体重2～4.5千克。被毛粗糙，黑色，尾白色，背部通常全为白色。中美和南美的亚马孙猪吻鼬又称条纹猪吻鼬

(*C. semistriatus*)有两条白色的背纹。②冠臭鼬(*Mephitis macroura*)生活于北美南部及中美,尤其是荒漠生境,以特征性的绉领状颈毛而得名。头和躯体长31～41厘米,尾长28～44厘米;体重最多2.5千克。冠臭鼬有两个色型——一种背和尾大部分是白色;一种背黑色,体两侧有白色条纹。③斑臭鼬属(*Spilogale*)有两种,栖于北美及中美的干燥地区。又称小条纹臭鼬、恐水猫;英语中又称civet,polecat及civet cat。头及躯干长12～35厘米,尾长7～22厘米;体重通常在0.2～1千克之间。毛柔滑如丝,黑色,有形状不同的斑纹,躯体及面部有许多不连续的条纹或斑纹。④条纹臭鼬即加拿大星鼬(*Mephitis mephitis*)见于北美大部分地区。又称普通北美臭鼬;英语中又称wood pussy及polecat。头及躯干长31～46厘米,尾长18～40厘米;体重通常在1～6千克之间。色型各异,但多为黑色,前额有一条狭窄的白纹;头部有一块白斑,延伸至背部,甚至尾部,延伸部分为一个条纹或两个条纹。

skunk bear 参阅 **wolverine** 狼獾。

skunk cabbage 臭鼬草 生长在温带酸沼和草甸中的3种植物的俗称。北美东部的臭鼬草是臭菘(地涌金莲,*Symplocarpus foetidus*),属天南星目(**Arales**)天南星科,为肉质草本,叶大,有紫棕色的佛焰苞,具臭鼬样气味;有一个变种产于亚洲东北部。西部臭鼬草(黄色臭鼬草)即美洲观音莲(*Lysichitum americanum*)亦属天南星科,佛焰苞大,黄色,分布于加利福尼亚至阿拉斯加,向东到蒙大拿。另一种是加利福尼亚藜芦(*Veratrum californicum*),属百合科,有毒,产于新墨西哥、下加利福尼亚,向北到华盛顿州。

Skunk River 斯康克河 美国河流。源出艾奥瓦州中北部哈密尔顿县,南流至埃姆斯后转向东南流,与得梅因河平行。在伯灵顿以南注入密西西比河,全长425千米。有北斯康克河注入。

skutterudite 方钴矿 钴和镍的砷化物矿物系列中的一种,与其他钴和镍的矿物一起产于中温矿脉中。这个系列的矿物全是等轴对称晶,包括方钴矿、镍方钴矿、少砷方钴矿及复砷镍矿;它们的成分近似于化学式$(Co, Ni)As_{3-x}$所表示的成分。

Sky God(religion) **天神** 参阅 **High God** 高位神。

skydiving 跳伞运动 英语又作parachuting。使用降落伞进行娱乐或比赛的体育运动。一般方法是自以低速在3 000米以下的高度飞行的飞机跳下,先不张伞,形成自由落体,然后再张伞。

跳伞运动包括特技跳伞、定点跳伞和集体跳伞。第一届世界跳伞锦标赛于1951年在南斯拉夫举行,其后隔年举行,由国际航空运动联合会主办,有40个全国性代表队参加。个人特技跳伞要求运动员在自由落体时

七人连手自由下落跳伞
供图:Guy Sauvage—Agence Vandystadt/Photo Rsearchers

间内做出快速向后转体等高难度动作,按姿势评分,不考虑降落地点。定点跳伞要求降落点尽量接近地面上对电子仪器敏感的直径37厘米圆形标的的中心(径长5厘米的圆盘)。集体跳伞要求各运动员下降时互相传递

翼伞式跳伞
供图:Jim Larsen

接力棒并组成圆圈或其他造型。较新式的跳伞项目包括:在伞上安装活动翼的带伞滑翔;将跳伞人系在与其伞背带相联结的长绳上,地面车辆拉引长绳使人带伞升空。

Skye 斯凯 苏格兰内赫布里底群岛中最大和最北的岛屿,与苏格兰本岛相距最近。属苏格兰高地行政区斯凯-洛哈尔什区。长约80千米。岛的中南部有库林丘陵(1 000米以上)为该岛最高点。区首府波特里北面

斯凯岛麦克劳德家族的邓韦根城堡,9世纪建
供图:Tourist Photo Library

有古怪的玄武岩小山群。岛大部分是高沼地。仍广泛实行小佃农制度。18世纪末和19世纪初,佃农生活极端困苦。1886～1911年,通过了(苏格兰)《小土地所有者法令》,接着政府又贷款发展马铃薯种植和牛羊饲养,情况才有所改善。曾是经济支柱的捕鱼业衰落。其他行业有卡博斯特的威士忌酿造业、乌伊格的硅藻土开采和加工厂。旅游业是重要行业。波特里生产苏格兰呢、格子花呢和其他羊毛织品。人口8 695(1991)。

Skye and Lochalsh 斯凯-洛哈尔什 苏格兰西北部高地行政区一区。1975年设置,由前罗斯-克罗默蒂郡和因弗内斯郡的各一部分组成,包括罗斯南部高地,尽头是洛哈尔什教区凯尔和附近的斯凯岛。面积2 486平方千米。行政首府设在斯凯岛上的波特里。与主岛有渡船来往。人口约11 970(1994)。

Skye terrier 斯凯㹴狗 㹴狗的一个品种。在苏格兰斯凯岛培育用作猎狗,400年来几乎一直保持原样。为19世纪最受欢迎的㹴狗之一,用作使役狗或贵族的玩赏狗。体壮,

斯凯㹴狗
供图:Sally Anne Thompson—美国不列颠百科全书公司

机敏,温驯。头大,身长,腿短,耳直立或下垂。被毛长而直,黑色到淡黄棕色。成年狗体高24～25.5厘米,体重约11千克。

skyjacking 空中劫持 劫持正在飞行中的飞机(参阅 **hijacking**)。

Skylab Program “天空实验室”计划 美国将第一个航天站(取名“天空实验室”)送入绕地球轨道的航天计划。原称“阿波罗”应用计划。“天空实验室”于1973年5月14日用“土星”5号火箭射入轨道,1973年5月25日至1974年2月8日期间,先后有3批航天员曾在“天空实验室”内外进行地理学、工程技术、地球资源、生物医学以及其他科学领域的实验,历时171天。然后调整“天空实验室”的轨道高度。按照预定计划,它能在太空继续运行到1983年,届时在航天飞机计划中将再次调整其轨道高度。但是,由于太阳黑子活动的增加,“天空实验室”遇到的大气阻力比预计的要大,而航天飞机计划又因故推迟,所以,1978年6月“天空实验室”开始偏离轨道,最终于1979年7月11日坠入地球大气中烧毁。首批碎片在格林尼治平时下午5时37分坠落于印度洋和澳大利亚西南地区。

skylark 云雀 一些百灵(**lark**)种类的俗称。

Skyros 斯基罗斯 现代希腊语作Skíros。希腊爱琴海斯波拉泽斯群岛最大和最东岛屿。面积201平方千米。南部最高点为科基拉斯山(790米)。首府斯基罗斯位于北部。据传该岛是神话英雄阿喀疏斯的圣地,雅典王忒修斯在此遭暗算遇难。公元前475年被雅典占领。公元前196年罗马人从马其顿人手中获得该岛。现为游览地。人口2 757(1981)。

skyscraper 摩天楼 非常高的多层建筑。19世纪80年代美国建成最初几座摩天楼后不久,开始使用这一名称。摩天楼是技术与社会的各种因素相结合的产物。“摩天楼”一词原指10～20层的建筑物,但到了20世纪末期,此词则形容异常高,一般超过40或50层的直上云霄的大厦。19世纪下半叶美国城市商业的发展加大了对城市经商空间的需要,1857年在纽约市霍沃特百货公司安设第一部安全载客电梯,才有可能建造四五层以上高度的楼房。虽然最早的摩天楼由底层极厚的砖石墙承载,但不久就以铸铁和熟铁框架支承上层荷载,增多了下层的楼板面积,如J.博加德斯在纽约市建成的铸铁大厦(1848)。然而摩天楼构造的主要进步还有赖于美国19世纪60年代对贝塞麦炼钢法的改进。由于钢比铁坚固而轻,利用钢框架使真

W.詹尼设计的芝加哥市财产保险公司大厦,1884～1885年
芝加哥历史学会供图

正的高层建筑成为可能。1885年W.詹尼设计的10层芝加哥财产保险公司大厦首次采用钢梁结构和幕墙。摩天楼包括地下柱墩组成的下层结构、地上柱梁组成的上层结构,以及幕墙。由于城市人口密度增大,建筑物需要竖向发展。摩天楼原本是一种商业建筑,而现在美国和世界各地已越来越多地用作住宅。其设计和装饰经历了几个阶段。詹尼和他的学生L.沙利文强调建筑的竖线条,从底部至檐口使用通柱的形象。也有一些保留和回归过去各种风格的情况,如麦金、米德和怀特建筑事务所设计的摩天楼还模仿古希腊的柱子,N.勒布朗设计的纽约市大都会人寿保险公司大厦(1909)以威尼斯圣马可教堂的钟楼为蓝本,而C.吉尔伯特设计的伍尔沃思摩天楼(1913)则是新哥特式装饰的一个重要范例;甚至像纽约市克莱斯勒大厦(1930)、帝国大厦(1931)和美国无线电公司大厦(1931)那样一些高耸云霄的塔楼上的装饰派艺术雕

W.范艾伦设计的纽约市克莱斯勒大厦,1930年
供图:© Peter Mauss/Esto

刻,在当时曾被认为像新技术一样时髦,而今看来属于过去华丽装饰的成分居多,很少能归入真正现代艺术的行列。国际风格(**International Style**)朴实无华、干净利落,适合摩天楼的设计,在第二次世界大战后的几十年间占有统治地位。初期的著名范例有纽约市的西格拉姆大厦(1958)和芝加哥的湖滨大道公寓楼(1951)。这种风格的绝对垂直和玻璃幕墙成为“超现代化”风格的标志。但到了20世纪70年代,又尝试在城市建筑中恢复“人情因素”。例如,根据城市分区法规,即使是最高的摩天楼,也要在其周围设置广场和公园,正如20世纪最初二三十年通过的《城市分区法》防止街道变成不见太阳的狭谷、从而限制摩天楼高度并使其成为阶梯状一样。像纽约市的世界贸易中心(1970～1977)和芝加哥的西尔斯大厦(1973)这样的办公摩天楼仍在建造,但大多数——如纽约市的西特公司中心(1978)——在临街的一层设置了活泼新颖的场所供人们采购和娱乐。20世纪末期影响摩天楼设计和建造的另一社会因素是节约能源的需要,如早期采用的封闭窗已改为可以开启的窗户和玻璃墙,并涂上颜色以反射日光。另外,可能出于对国际风格的过分朴素的反感,20世纪80年代又出现了较为古典的装饰,例如P.约翰逊设计的纽约市美国电话电报公司总部大楼(1982)。参阅 **high-rise building**。

Skytrain(U.S.aircraft) **“空中列车”** 参阅 **DC-3** DC-3飞机。

Sla(Morocco) 参阅 **Salé** 塞拉。

SLAC 斯坦福直线加速器中心 SLAC是Stanford Linear Accelerator Center的首字母缩略词。中心位于美国加利福尼亚州帕洛阿尔托的斯坦福大学内。SLAC是粒子物理学的研究中心(研究物质的基本组分),由斯坦福大学经营,供全美国和其他国家的物理学家使用。内设有世界最长的直线加速器(linac)——长3.2千米的机器,可加速电子使其能量高达50吉电子伏(GeV)。由于在斯坦福大学成功地研制出较小的电子直线加速器(20世纪50年代初开发出1.2GeV的机器),逐渐产生了研制多-GeV电子直线加速器的思想。1961年,20GeV新机器的设计方案被批准,并于1966年制成了长3.2千米的直线加速器。1968年,从SLAC的实验中找到质子和中子内部深一层结构(即夸克)的第一个直接证据。早在1961年,在SLAC就开始了另一种机器的设计工作。该机器是电子-正电子对撞机,称为斯坦福正电子-电子不对称环(SPEAR)。但是直到1970年才开始建造,工程于两年内完成,产生每束能量为2.5GeV的两束粒子流的对撞。1974年,把SPEAR的每束能量提高到4.0GeV,而那里的物理学家不久即发现了一种新型夸克(人们称之为粲夸克)和一种称为τ粒子的与电子相关的重轻子)。在SPEAR以后,又建造了一个规模更大、能量更高的粒子束对撞机——正电子-电子工程(PEP)。它于1980年开始运转,并把电子-正电子对撞的总能量提高到36GeV。斯坦福直线加速器中心的斯坦福直线对撞机(SLC)在1987年建成。SLC利用提高到50GeV的初始直线加速器加速电子和正电子,尔后以相反绕向把它们注入600米的环路中,在那里它们以100GeV的总能量相撞。这就足以产生Z粒子——作用于基本粒子的弱核力的中性载体。

Slade, Jack 斯莱德(1824,美国伊利诺伊卡莱尔～1864-03-10,蒙大拿弗吉尼亚城) 美国西部著名的枪手和杀人犯。生于伊利诺伊,幼年离家出走,在西南部成为牛仔。墨西哥战争时期(1848)当兵。1859年在科罗拉多州科尔德斯普林因酒后斗殴,将宿敌J.贝尼捆在木桩上,作为靶子杀死,由此而得恶名。1861年在哈利克堡因袭击案被控,逃往北方的蒙大拿州弗吉尼亚城。他在那里仍然酗酒、吵架以及进行枪战。1864年被治安维持会会员绞死。

slag 渣 金属或矿石中的杂质在熔炼、焊接和其他冶金、燃烧工序中形成的副产品。渣主要由一些元素(如硅、硫、磷、铝)的混合氧化物、灰分以及它们与炉衬和熔剂(如石灰石)的反应生成物组成。渣漂浮在熔融金属表面,能防止金属被空气氧化,使金属保持洁净。渣可用作某些混凝土的粗料,也可用作筑路材料和道碴,还可用作磷酸盐肥料的原料。一些大容量锅炉烧煤时生成的熔融煤灰,有时也叫做渣。参阅 **flux**。

Slagelse 斯劳厄尔瑟 丹麦西兰岛西西兰州城市。为丹麦最古老的城镇之一,1288年建镇。中世纪时是繁荣的贸易中心,由于屡遭火灾,现仅存有少数古迹。是西兰地区西部的商业中心,工业产品包括蔬菜和肉类罐头、人造黄油、酵母、卷烟和酒。城西南8千米处著名的茨赖勒堡是丹麦最重要的北欧海盗时期遗迹之一。人口约31 674(2003)。

Slagle, Eleanor Clarke 斯莱格尔(1871-10-13,美国纽约州霍巴特～1942-09-18,纽约州菲利普斯庄园) 母家姓 Clarke(克拉克)。美国社会福利工作者、精神病职业疗法的早期提倡者之一。1917 年,斯莱格尔在芝加哥赫尔大厦主持职业疗法训练课程。1918～1922 年,她领导伊利诺伊州的职业疗法研究工作,随后为该州的精神病医院编制了治疗方案。1922 年被任命为纽约州职业治疗所的所长,直到去世。她为该州医院系统提出了第一个大规模的职业治疗规划,并建立了一所一年一期的职业治疗医务人员训练机构,这些都成为全美同类医疗系统的一个典型。1917 年美国职业疗法协会成立,斯莱格尔是创建人之一。

slaked lime 熟石灰 氢氧化钙。又称消石灰。一种松软的白色粉末,广泛用作化学工业的原料。参阅 **calcium**。

slalom 回转 在旗门(杆子上挂着旗)之间沿着弯道滑行的滑雪比赛。20 世纪 20 年代初由英国运动员 A.伦恩设计。系高山滑雪项目之一,源自欧洲的阿尔卑斯山脉。精心

大回转比赛中的滑雪运动员
供图:Laura Riley—Stock, Boston

设计的跑道用来测试运动员的技巧、时机掌握和判断能力。旗门设置格局不同,漏掉旗门者要返回补滑,否则取消比赛资格。旗门宽度不得小于 75 厘米,两门相距至少 4 米。奥运会和世界锦标赛男子滑道线路标高差为 180～220 米,而女子为 130～180 米。在其他比赛中以及对于不太熟练的运动员,滑道可能会短些,难度小一些。男女项目的旗门数分别为 55～75 和 45～60。大回转兼有回转和降滑的特点。旗门较宽、间距较大、滑道较长。1950 年大回转滑雪首次列入世界锦标赛。超大回转比赛首先是速度比赛,伴随着许多降滑的特征。比起其他回转比赛,滑道更加陡直,距离更长,有更多的急速转弯。正如降滑比赛那样,一次滑跑即决出优胜者。1987 年超大回转被列入世界锦标赛,1988 年列入奥运会比赛项目。在高水平国际比赛中,参加回转比赛的运动员通常在同一条滑道上不加练习地跑两次,或者在两条不同的滑道上滑行。用时间最少者为胜。关于世界冠军,参阅 **Sporting Record**: Skiing; 并参阅 **Olympic Games**。

Slammin' Sam (golfer) 参阅 **Snead, Sam** 斯尼德。

Slaney, River 斯拉尼河 爱尔兰河流。源出威克洛郡勒格纳基利亚山(926 米),向西到伊迈尔谷,水流湍急,再向南穿过卡洛郡低洼农业区,在班克洛迪汇合克洛迪河,并继续流向东南,穿过斯拉尼山峡,注入韦克斯福德湾。全长 118 千米。两条主要支流是德里河和巴恩河。

slang 俚语 不规范的词汇,由那些主要以极其通俗含义为特征的字词或意义单元构成,而此种词语的流行又不限于某一特定区域。俚语的典型成分是新铸词语或人为改变的词语,缩短部分或全部简化的形式,夸张之词,勉强之词,戏谑之词,或新奇说法等等。

构成俚语的词和词组,已不属于某些特殊社会亚群所使用的隐语(cant)、行话(jargon)及黑话(argot)的范畴,在较小程度上也不属于方言、非标准语以及禁忌语的范围,这样,即使这类词和词组往往保留着原先使用并推广它们的那些亚群的某些色调,但它们却为总人口中之多数所熟悉和使用。所以说,俚语是一个中间地带,它所包括的词及词组一方面已很盛行而不能再被视为应予限制的词汇之一部分,另一方面它们也尚未(也许永远不会)得到普遍承认而足以被视为通俗用语或标准用语。试比较俚语 hooker 与标准语 prostitute("妓女")这两种形式。

根据上述的定义,"隐语"是只限于任一特属群体所使用的非技术性的词及词组,这些群体有些是职业性的,不同年龄段的,不同种族的,不同爱好或是特殊利益集团的;如 cool("真棒!")、uptight("紧张,拮据")、do your thing("发挥你的长处")这些 20 世纪 60 年代末期的青年人隐语,后来都变成俚语。"行话"是任一特殊群体所使用的本行业术语或"生意经",这里涉及不同的职业、手艺、科学、艺术团体及犯罪集团等等;如 finals("定稿"——出版界用语;"期考"——学生用语),Fanie May("联邦国民抵押联合会"——金融界用语),preemie("早产儿"——妇产科医生用语)等在成为俚语之前都是行话。"黑话"仅是窃贼、罪犯及其他下流社会所用的隐语与行话之混合体;如 hit("到达"——武装匪徒用语),scam("玩花招"——行骗帮伙用语)。

俚语在所有语言中都占有必要的适当的位置,它占据规范语和日常语言之间的中间地带,介于为广大群众所接受的标准语和通俗语与只有少数社会亚群所通晓的特殊用语之间。它作为一座桥梁有助于特殊阶层使用的新旧词语进入人们通用的语言中,或者作为一重栅栏防止它们进入。这样一来,对许多词语来说,俚语就是一个试验场,最终确定它们是否有用而被接受,并足以成为规范词或日常用语。对另外许多词语来说,作为试验场的俚语可以指示出哪些应限制使用,不适宜用作规范语的同义词;或含义浅鄙,一时俗尚所趋,但不能为规范语或日常语言所接受。对于第三种词语来说,俚语并不是接受或排斥它们的最终试验场,而是一个广阔的中间地带,一个永久的保留场所,一个只字片语无法外逸的区域。因此在不同的历史时期里,美国俚语 cowboy("牛仔")、blizzard("大打击")、okay("对的,好的")、racketeer("讹诈钱财的歹徒")、phone("电话")、movie("电影")等等都已进入标准语和常用语。经过尝试之后最终被拒绝的俚语有 conbobberation("混乱")、krib("房间")、lucifer("火柴")、tomato("女郎")及 tab("惊人的")等词语。有些词如 bones("骰子")起自 14 世纪,beat it("逃走")起自 16 世纪,长期处于"胶着"状态,既未进入标准语或通俗语的行列,又一直被大众广泛使用。

俚语词从声音和意义上难和其他词相区别。的确,一切俚语词都曾是隐语、行话、黑话、方言、非标准语、禁忌语。例如美国俚语 to neck("接吻和爱抚")来自大学生的隐语;flaltop("航空母舰")来自海军行话;pineapple("炸弹或手榴弹")源于罪犯的黑话。当这类词成为俚语时,音和义均未改变。事实上,许多俚语词在标准语有相对应的同音词,拼写和发音都很相像。以美国俚语为例,cabbage("钱")、cool("放松")、pot("大麻")即是。

一切语言,所有国家,各个历史时期都有俚语。这是真实的情况,因为这些俚语词被社会接受的程度和普及的程度是不相同的。

社会的各阶层都使用某些俚语,包括受教育最多的人,有修养的人和作家们。事实上,这就是俚语定义的一部分。例如 G.华盛顿就用 redcoat("英国兵");W.丘吉尔就用 booze("酒");B.约翰逊用 cool it("平静下来")。适用于创制和普及任何词语的程序,同样适用于俚语的创制和推广。这就是说,一切词语都是按照相同的一般方法创制和推广的;有些词被称为俚语,只是经过创制推广过程很久之后,由当时的社会取舍程度来决定的。

俚语既不是下层社会的语言,绝大多数也不是必然来自下层社会。产生俚语的主要根源随时代而变化。这样,在一段时期内,美国俚语的主要来源可能是那些拓荒的边境居民,牛仔,猎手和设陷阱捕兽者;20 世纪 20 及 30 年代的某些时期,主要来源可能是垒球运动员及犯罪分子的言词;在另外一些时期,爵士乐师、士兵和大学生的语词也能成为俚语的重要来源。

一个人为了充分理解俚语必须记住,一个词的使用、普及、可接受程度都是能够变化的。词语能改变其社会层次适应性,改变其发展方向。如此,莎士比亚时代的某些规范词语仅能在现代英语某些方言或在美国南部的方言中发现。在某一时属于禁忌的词如 stomach("肚子")和 thigh("大腿"),在其后的时代却成为可接受的规范词语。语言是动态的,在任何一个特定时期都有成百上千的词语处于从这个层次向那个层次的演变,成为可接受的或不可接受的,成为更为通用的或不甚流行的。

Slánský, Rudolf 斯兰斯基(1901-07-31,奥匈帝国比尔森附近内兹维斯季采[今在捷克共和国]～1952-12-03,布拉格) 捷克共产党领导人,1952年"斯兰斯基案件"中的主要

受害者。犹太血统。1921年参加共产党。1924年任党机关报《红色权利报》编辑。1927年任俄斯特拉发州党委书记。1929年任党中央委员。1935年当选为捷克斯洛伐克国民议会议员。第二次世界大战期间为驻莫斯科的捷克斯洛伐克共产党领导主要成员。1944年斯洛伐克举行反对德国人的起义时他同游击队并肩战斗。战后任捷克斯洛伐克共产党总书记,为仅次于领袖K.哥特瓦尔德的第2号人物。在1948年2月共产党夺取政权的过程中发挥重要作用。其后任副总理。1949年积极参加捷克斯洛伐克共产党的改组工作。1951年9月被解除总书记职务,11月被捕。在强大的压力下他承认自己是犹太复国主义的代理人,为西方从事间谍活动。1952年11月他和另外13个人受审,其中11个人(包括他在内)被判处死刑。斯兰斯基一案的审判具有强烈的排犹性,被判刑者多为犹太人,诬陷使党的领导人日后陷于窘境。1963年平反,1968年恢复党籍。

Slaný 斯拉尼 捷克共和国中捷克州北部城镇。位于首都布拉格西北、伏尔塔瓦河河谷以西的小丘地带。周围地区种植大麦、小麦、蛇麻草、甜菜和玉米,饲养鸡、猪。20世纪70年代附近发现烟煤矿,煤层位于地下800～1 300米。生产机械、电子设备。有铁路通莫斯特并与布拉格—霍穆托夫铁路连接,也是公路枢纽。人口约15 237(2001)。

slapstick 打闹剧 一种喜剧样式,以滑稽幽默、情境荒诞、运作激烈有力为特征。打闹剧的喜剧演员不仅要善于逗笑或插科打诨,常常还必须是个杂技演员、特技演员,并且在某种程度上是个魔术师——一个动作不受约束而又能分秒不差地掌握时间的大师。从古代起,低俗喜剧和闹剧即已采用打闹剧纷繁的部分舞台动作。文艺复兴时期产生了即兴喜剧的运动员式的丑角配角,甚至有了更为粗鲁的丑角。19世纪晚期,打闹剧在英、美的杂耍剧和轻歌舞剧中发展到另一顶点;英国明星G.福姆比和G.菲尔兹等人使这种滑稽剧一直流行到了20世纪。电影为视觉方面的笑料提供了更多的机会,C.卓别麟、H.劳埃德等喜剧演员以及M.森纳特的*启斯东警察*(**Keystone Kops**),都借用了疯狂的追逐场面和投掷饼状物等打闹剧的传统手法;由于采用高速摄影,常常取得双倍的欢闹效果。劳莱、哈代及马克斯兄弟们又在有声电影中追随这些人。他们的影片从20世纪60年代起还常常重映,并且被现代的喜剧导演们喜爱地加以模仿。可以说优秀的打闹剧演员已经将低级的幽默转变为高水平的艺术。

slash-and-burn agriculture 刀耕火种农业 又称烧垦。一种农耕方法,世界各地的热带丛林块根作物农场主和东南亚丛林丘陵地区旱稻种植者常用此法。先烧掉丛林并清理土地用来耕作,灰烬供作肥料,耕地上杂草不多。耕作数年后,肥力下降杂草增多时,就让耕地休闲,成为次生的树林或灌丛。大约10年后才能再次烧林重新使用。在此之前人们转移到一块新土地上耕作。

Ślask 参阅 **Silesia** *西里西亚*。

Śląskie 西里西亚 波兰语作 Województwo Śląskie。波兰南部省份,北邻罗兹省,东北连接圣十字省,东与小波兰省毗邻,西连奥波莱省,南邻斯洛伐克和捷克共和国。1999年波兰省份调整时建立,主要包括原卡托维兹省、琴斯托霍瓦省、别尔斯科-比亚瓦省。省会为卡托维兹。该省地形多样,北部有高地和盆地,南部有众多山脉。森林主要以松树和云杉为主,占全省面积的1/3。北部气候温和,南部山脉地区气温更低。平均年降水量为650～1 000毫米。为波兰人口密度最高的省份,有4/5的人口居住在城市。大城市(人口150 000以上)包括卡托维兹、琴斯托霍瓦、索斯诺维茨、格利维采、比托姆、扎布热、别尔斯科-比亚瓦。以卡托维兹为中心的上西里西亚工业区是波兰最大的城市群,人口在21世纪初超过3 000 000。西里西亚是波兰经济最发达,工业化程度最高的省份之一。工业主要包括电力、冶金、机械、汽车、纺织和化工。矿产资源丰富,煤、锌、铅对当地经济十分重要。高度的工业化已经严重破坏了环境,工业区周围地区是波兰污染最严重的地区之一。有1/2的土地用于农业,主要作物为谷物、马铃薯、蔬菜。也有畜牧业。公路和铁路网发达,格利维采运河上的河港将上西里西亚工业区和奥得河连接起来。建有国际机场。该地的山脉和高地是颇受欢迎的旅游休闲胜地。数百年来,西里西亚地区发展出了独特的地区意识、文化和方言。在霍茹夫建有介绍西里西亚文化和传统的博物馆,名为上西里西亚民族公园。卡托维兹的西里西亚博物馆藏有大量19和20世纪的波兰绘画。比托姆举办现代舞蹈节。16世纪,西里西亚由哈布斯堡家族统治。17世纪,该省西部地区成为波兰的一部分。三十年战争(1618～1648)以后,西里西亚由普鲁士统治。三分波兰(1772,1793和1795年)以后,该地区东南部由奥地利统治,西北部归入普鲁士。19世纪,在当地建立了很多煤矿,炼钢企业也建立起来。但这些新工业区分别属于三个不同的国家。上西里西亚盆地属于德国西里西亚,达布罗瓦戈尼察盆地和琴斯托霍瓦工业区是波兰王国的一部分,雅沃兹诺和别尔斯科-比亚瓦工业区是奥地利加利西亚的一部分。新建道路和铁路使这里成为面积仅次于鲁尔的工业区。在20世纪初,有57%的当地人讲波兰语(主要是矿工、产业工人和农民)。有更高技能和教育背景的德语人口生活在大城镇中。第一次世界大战以后,上西里西亚发生了三次波兰人起义,目的是将该地区并入波兰。上西里西亚最后被分为两部分:其中29%的地区归属波兰。大萧条时期,当地产业遭受严重打击。1939年并入德意志帝国。在德国统治时期,当地很多波兰人被征召加入德国军队。当地建立了很多集中营。地方产业被迫为德军服务。第二次世界大战以后,并入波兰,德国人撤出该地。面积12 294平方千米。人口4 742 874(2002)。

slate 板岩 细粒的黏土质变质岩,极易劈或裂成薄板,具有大的抗张强度和坚固性。有些成薄层产出的其他岩石,由于能当作盖屋顶的石料和用于类似的目的而被错误地称为板岩。真正的板岩一般不沿层理面而沿劈理面裂开,劈理面可以高角度与层理面相交。板岩是在低级变质条件下,也就是在较低的温度和压力之下形成的。原先的物质是细粒的黏土,有时含有砂或火山灰,一般呈沉积岩(例如泥岩或页岩)的形式。原岩可能只有部分变化,以致于有些原来的矿物和沉积层理被保存下来,沉积层理如原始形成的样子,被交替出色的色带体现出来,有时在劈理面上见到沉积层理。劈理是一种叠加构造,是某些时间,当岩石深埋地球表面以下由于压力作用于岩石而产生的结果。因此板岩主要产生在比较古老的岩石中,不过有些板岩也出现于比较近代的岩石由于造山运动的结果而被褶皱和挤压的地区。劈理的方向决定于变质作用期间所受应力方向。板岩可以是黑色、蓝色、紫色、红色、绿色或灰色的。暗色板岩的颜色取决于碳质物质或细分散的铁的硫化物。淡红色和紫色板岩的颜色取决于赤铁矿(氧化铁)的存在,绿色板岩的颜色取决于大量绿泥石、绿色云母状黏土矿物的存在。板岩中的主要矿物是云母(呈小而不规则的鳞片状)、绿泥石(呈薄片状)和石英(呈透镜形颗粒)。从采石场采出的板岩被劈成7.5厘米厚。用一把凿子对准岩块的边棱,用锤头轻轻敲打,在节理方向上就出现了裂缝,用凿子轻轻击打,使岩块裂成两片,带有光滑平整的面。反复这样做,直到原来的岩块分裂成16～18片,然后用手或用机器转动的小刀具将这些岩片大小修剪整齐。供出售的板岩有时要做成一定尺寸的石板或破碎板岩(细砾或粉砂)。一定尺寸的石板主要用作配电板、实验室台面、屋顶、地板以及黑板的材料。破碎板岩用于屋顶混合料,用作骨料和填充料。美国主要板岩产地是宾夕法尼亚州和佛蒙特州;北威尔士提供了不列颠群岛使用的大部分板岩。

Slater, Samuel 斯莱特(1768-06-09,英国德比郡贝尔珀～1835-04-21,美国马萨诸塞韦伯斯特) 美国棉纺织工业的创立人。在英国时学会了生产棉纺织品的全部知识。在美国向熟练的棉纺工人提供奖金的吸引下,于1789年移居美国。由于当时英国禁止纺织工人移居国外或把纺织机图纸输出国外,他不得不对当局隐瞒自己的知识和技能。在罗得岛阿尔米和布朗公司的财力支持及老工人的帮助下,根据他对纺织机的详细了解,在美国复制了阿克赖特的纺纱机和梳棉机,并于1793年在罗得岛的波塔基特建立美国第一座成功的棉纺织厂。后来又在新英格兰建立了几座工厂。并在罗得岛建立了斯莱特斯维尔城。

Slatin, Rudolf (Anton) Karl, Baron (Freiherr) **von 斯拉廷**(1857-06-07,奥地利维也纳附近～1932-10-04,维也纳) 奥地利军人,曾在苏丹为英格兰服役。以被马赫迪革命者监禁和越狱而闻名。他在苏丹居留近40年,对其发展产生过不可磨灭的影响。1874年他首次到苏丹,1881年任达尔富尔省(在苏丹西部)

省长。后来在同马赫迪革命者交战中于1883年底投降并被囚禁。1895年逃出后被埃及哈蒂夫(奥斯曼总督)任命为帕夏。著有《苏丹的火与剑》两卷(1896,1922)。1897～1898年随基钦纳勋爵再次征服苏丹,1900～1914年任苏丹监察长。

Slatina 斯拉蒂纳 罗马尼亚南部奥尔特县城镇和县城。濒临奥尔特河。当地博物馆藏有城南迪尔若夫谷发掘的史前期人类使用的石器,还有古罗马的手工制品、货币和武器,以及古代书籍和服装。斯拉蒂纳附近有热电站和铝厂。通公路和铁路。人口约87 623(1997)。

Slauerhoff, Jan Jacob 斯劳尔霍夫(1898-09-14,荷兰吕伐登～1936-10-05,希尔弗瑟姆) 荷兰诗人。由于抱有浪漫主义幻想,曾当随船医生到海上去见世面,但他的悲观诗作反映出他后来的幻灭情绪。从第一本诗集《群岛》(1923)到最后一本诗集《一个光荣海员的坟墓》(1936),主题都贯穿着他的浮躁不安情绪和对荷兰的鄙视和憎恨。还写有诗作《缅怀自我》(1931)。

Slaughterhouse Cases 屠宰场案(1873) 一项法律争端,其结果标志着美国最高法院的裁决限制了宪法第14修正案中关于保护特权和豁免的条款。1869年路易斯安那州议会将新奥尔良屠宰业的专营权给了单独一家公司。其他屠宰场对此提出诉讼。该案于1873年提交到最高法院,法院以5比4的多数作出不利于其他屠宰场的裁决。法官S. F.米勒代表法院多数宣称,宪法第14修正案有"一个贯彻始终的目的",即保护新获解放的黑人;但该修正案并未将全部民权的管辖权从各州转移给联邦政府。屠宰场案反映了联邦政府权力集中趋势的暂时逆转。更重要的是,最高法院在限制了保护特权和豁免条款的同时,无意中也削弱了宪法第14修正案保护黑人公民权利的作用。

Slav 斯拉夫人 欧洲各民族和语言集团中人数最多的一支。其分布范围主要在欧洲东部和东南部,少数居地则跨越亚洲北部,远达太平洋地区。语言属印欧语系。习惯上分为东斯拉夫人,主要是俄罗斯人、乌克兰人、白俄罗斯人;西斯拉夫人,主要是波兰人、捷克人、斯洛伐克人、文德人或称索布人;南斯拉夫人,主要是塞尔维亚人、克罗地亚人、斯洛文尼亚人、马其顿人。*保加利亚人*(**Bulgar**)虽然像匈牙利人一样也属混合族源,却讲斯拉夫语,而常被划为南部斯拉夫人。斯拉夫人的宗教信仰,传统上分两个主要集团:一是东正教徒,包括俄罗斯人、大部分乌克兰人、少数白俄罗斯人、塞尔维亚人和马其顿人;另一是天主教徒,包括波兰人、捷克人、斯洛伐克人、克罗地亚人、斯洛文尼亚人、少数乌克兰人和大部分白俄罗斯人。这种区别还可以进一步以前者使用西里尔字母后者使用拉丁字母作标志(不过乌克兰人和白俄罗斯人都使用西里尔字母)。还有许多人数很少的宗教集团,如穆斯林、基督教新教徒和犹太教徒。

在史前时期,斯拉夫人的原始居住地是亚洲,公元前第三千年间或前第二千年间移居到欧洲东部某些地区。5～6世纪时,日耳曼人向西移动,引起了斯拉夫人的大迁徙:向西进入奥得河和易北-萨勒河之间的地区;向南进入波希米亚、摩拉维亚、匈牙利、巴尔干地区,向北则沿着第聂伯河上游迁移。迁徙活动终止后,在斯拉夫人中间出现了最早的国家雏形,各以大公为首,拥有财货与军队,阶级开始分化。以后几个世纪,各斯拉夫民族几乎没有发展成为统一体。西斯拉夫人的文化和政治生活已和一般的欧洲模式合为一体。俄罗斯人和巴尔干斯拉夫人因其土地被蒙古人和突厥人所侵扰,好几个世纪与欧洲社会没有任何密切联系。19世纪,在知识分子、学者、诗人中开展过泛斯拉夫运动,但对于实际政治无甚影响。即使20世纪如南斯拉夫那样的一些政治联盟,其民族感情或文化也并不经常与之配合一致;第二次世界大战以后,他们虽都实行共产主义,也并未出现超出高度政治和经济联盟之外的局面。

Slav'ansk(Ukraine) 参阅**Slavyansk** *斯拉维扬斯克*。

Slav'ansk-na-Kubani(Russia) 参阅**Slavyansk-na-Kubani** *库班河畔斯拉维扬斯克*。

Slave 斯拉维人 又作Slavey。又称阿沃卡纳克人(Awokanak)或埃查雷奥廷人(Etchareottine)。加拿大操阿萨巴斯卡语的印第安居民集团,原居住大奴湖西岸、马更些河及利亚德河流域以及毗邻的河边及森林地带。他们的名字斯拉维人或阿沃卡纳克人都是克里人对他们的称呼;因为克里人常常抢掠他们或掳其成员以为奴隶,故有此称,而英、法人亦习用之。斯拉维人同大多数阿萨巴斯卡部落一样,分成许多独立的族群,组织颇为松散,仅有名义上的领袖,各有其狩猎地带,由一个非正式的猎户议事会解决内部争端,妇女、老人受到尊敬、爱护,此点与其他阿萨巴斯卡部落大不相同。斯拉维人住在森林及河边,捕猎驼鹿、林地驯鹿及其他猎物,鱼类也是重要生活资源。他们将兽皮制成长袍、补衣、护腿、鹿皮鞋及其他衣物;鹿角、豪猪刺以及其他天然材料所制成的缘饰或装饰品,颇为流行。斯拉维人夏天住树枝覆盖的帐篷,冬天住木柱及云杉枝构成的长方形茅屋。他们相信守护精灵,相信巫医,相信死后的不定生活。

Slave DYNASTY **奴隶王朝**(1206～1290) 在德里存在近一个世纪的苏丹王朝。创始人顾特卜-乌德-丁·艾伯克。他原是穆斯林将军(后为苏丹)古尔的穆罕默德的奴隶,是穆罕默德最信任的官员之一。1206年穆罕默德被刺,顾特卜在拉合尔接管权力。他死于1210年,王位传给女婿伊尔杜德米什。伊尔杜德米什是奴隶王朝最伟大的国王,他打败并杀死了另一个奴隶君主伊尔迪兹(1206),降服孟加拉总督,扩大帝国疆域,兼并下信德。伊尔杜德米什死后奴隶王朝面临蒙古侵略军的威胁。1290年6月13日查拉-乌德-丁·菲鲁兹·卡尔吉发动政变成功,建立卡尔吉王朝,奴隶王朝遂告终止。

Slave Coast 奴隶海岸 在18和19世纪,非洲几内亚湾部分海岸的名称。西起沃尔特河,东至尼日利亚的拉各斯或至尼日尔河三角洲(在今多哥、贝宁和尼日利亚共和国)。德国、丹麦、法国、葡萄牙、瑞典和西班牙人曾设法在此建立城堡和机构,但它主要为非-英和非-荷的奴隶和商品贸易范围。

slave code 奴隶法规 美国历史上按照奴隶是财产而不是人的观念制订的一系列规定的通称。奴隶主根据这些法规不但保护自己的财产,而且保护自己免遭奴隶暴力行为的危险。这些奴隶法规是19世纪中叶黑人法令的前身。奴隶叛乱并不少见,并成为美洲殖民地以及后来美国各州的不安定因素。奴隶也会逃跑,在新大陆的英国领地,殖民者可以随意制订他们认为合适的法规以管理劳动力。早在17世纪初,弗吉尼亚等地就制订有全套法规;但其内容在各殖民地和后来的各州不尽相同。不过,所有的奴隶法规都有一些规定是共同的:即都以肤色为准,不论其血统中黑人的成分是多是少,都是奴隶。奴隶在法律上没有权利,在任何涉及白人的诉讼中,他们的证词都不被承认;他们不能缔结契约,也不能拥有财产;即便受到白人侵袭也不得反抗。有无数的限制以加强社会控制:奴隶未获许可不得离开主人的劳动场所,如果没有白人在场不得集会,不得拥有枪支,不得教以读写,不得传递"煽动性"宣传品,不准结婚。迫使奴隶遵守奴隶法规的手段多种多样,常用的处罚方式有鞭笞、烙印和禁闭,但除非发生暴动等极端案件,很少有奴隶被处死,因为奴隶的死亡也意味着奴隶主财产的毁灭。

slave labour 奴隶劳动 参阅**forced labour** *强迫劳动*。

slave narrative 奴隶纪事 美国文学的一种体裁,以一个昔日奴隶的回忆录形式,记述种植园的日常生活。描写他作为奴隶所遭受的苦难,以及他怎样逃脱,最终获得自由等。记述中充满了幽默的轶事,讲奴隶为了取悦主人而被迫采用欺骗与虚假手段,表现了奴隶的宗教热诚和迷信,尤其是对自由和自尊的普遍渴望。奴隶纪事的首例是1760年在波士顿出版的《不同寻常的苦难和出人意料的解救——黑人布里顿·哈蒙纪事》。随后问世的早期作品中,有《上帝对黑人J.默兰特的恩泽——根据本人自述笔录》(1784)和《奥劳达赫·埃奎亚诺一生趣闻录,或非洲人古斯塔乌斯·瓦萨》(1789)。F.道格拉斯的自传杰作《一个美国奴隶弗雷德里克·道格拉斯的生平纪事》(1845)使奴隶纪事体裁达到其高峰。20世纪上半叶,一些民间传说研究者和人类学家根据采访昔日黑奴的记录编成记实性的纪事。其中著名的有B.A.博特金的《卸下我的重担》(1945)。20世纪下半叶,黑人的文化觉悟不断提高,从而重新激发了对奴隶纪事的兴趣。奴隶纪事被认为体现了奴隶对于一个被人们议论甚多的社会制度所持的观点。

slave rebellions　奴隶起义　美洲历史上，在200多年蓄奴制度期间，黑奴采取的周期性暴力反抗行动。这种反抗行动表明黑人对于奴隶制度的深刻不满，同时又往往引起愈益严酷的压迫和社会控制。在美国南北战争（1861～1865）前的200年中，有文献可考的10人以上的暴动，约250余次，目的都是为了获得人身自由。但这些起义很少经过系统的筹划，多数仅仅是黑人小群体的自发行动，持续时间很短。但有3次起义特别引人注意。第一次大规模起义是加布里埃尔（**Gabriel**）于1800年夏天发动的。8月30日，1 000多名武装起来的奴隶集中在里士满附近，但因遇到暴风雨，无法行动。奴隶们被迫解散，有35人被绞死，包括加布里埃尔在内。第二次是南卡罗来纳查尔斯顿已获自由的工匠维齐（**Vesey, Denmark**）于1822年领导的起义，这是唯一一次由自由民领导的起义，聚集了奴隶9 000人。但在行动之前被出卖，有37名黑人被绞死，32人被流放。第三次著名的奴隶起义于1831年发生在弗吉尼亚南安普敦县，是由特纳（**Turner, Nat**）领导的，在几天内杀死白人57名，白人则杀死至少40名、很可能接近100名奴隶，特纳被绞死。随后又通过了许多镇压黑人的新法律。南北战争前的数十年间，经由"地下铁道"（**Underground Railroad**）逃往北方或加拿大的奴隶数量大增。关注奴隶起义的北方公众和蜂拥而至的逃亡奴隶促进了对奴隶处境的更广泛的同情，推动了对废奴运动的支持。

Slave River　奴河　在加拿大艾伯塔省北部和西北地区南部的河，为马更些河水路的一部分。1771～1772年S.赫恩进行过勘察。奴河从皮斯河和自阿萨巴斯卡湖流出的几条小河的汇合处开始，北流415千米，在雷索卢申堡附近注入大奴湖。除26千米一段急流可利用陆运连接外，全部可以通航。奴河上半段构成伍德布法罗国家公园东界。

slavery　奴隶制　一个人被另一个人占有的状况。奴隶在法律上被视作财产或物件，并被剥夺自由人一般所拥有的大部分权利。在几乎整个有记载的人类历史中，都存在着各种形式的奴隶制。奴隶以若干方法获得。被奴役常常是非自愿的，通过在战争中俘获，绑架或奴隶虏掠，因犯罪受罚，还债，被父母、保护人或酋长直接贩卖，所有权易主转让等方式来实现；奴隶所生子女通常、但并不一概成为奴隶。虽然19世纪各西方国家政府曾几次宣布大规模解放奴隶，但从奴隶制下获得自由通常只能由主人准予解放。奴役区别为两大类：家务（或家庭）奴役和生产性奴役，前者主要作为下等家仆伺候主人，后者则大多使用在生产可售商品的矿山或种植园里。

奴隶制很可能是在文明达到游牧阶段、不同于狩猎和采集阶段时发展起来的。奴隶帮助主人放牧畜群，被当作家里的成员看待。在较为先进的文明世界，如埃及和美索不达米亚，城市里的奴隶像家仆一样劳动，而农村的奴隶则在主人的田地和矿山成群结队地劳动。随着一个社会的经济从谋生存水平的农业经济转变为能够生产剩余物的市场经济，奴隶的地位大为降低。奴隶不再是仆人，变为被买卖以牟利的商品。贯穿希腊和罗马大部分文明，奴隶劳动是公众所接受的生活方式，奴隶们常常担负管理人和文书的职务以及通常的家务和农事。至罗马帝国末期，奴隶群不能离开他们所属的土地而被出卖。在伊斯兰教崛起的阿拉伯半岛上，阿拉伯人、土耳其人和基督教徒之间的战争提供了大批奴隶，但据《可兰经》教导说，解放一名奴隶是一种善举，已获得自由的奴隶随即被社会吸收。在南美洲土著印第安人部族里，奴隶劳动也是常事。15世纪末叶，西班牙人征服新世界大部以后，迫使印第安人在矿山和农田劳动。印第安人因染欧洲疾病和劳动条件恶劣而大批死亡，为补充劳力，1517年西班牙人开始从非洲输入奴隶。非洲人起先被送往西印度群岛，后来送往制糖业发达的大陆，于是开始了严酷的黑人种植园奴隶制度。北美洲第一批非洲籍奴隶于1619年搭一艘荷兰船抵达英属殖民地弗吉尼亚。当时，英国人正在开发获利甚丰的烟草、糖料作物和棉花种植园。由于种地所需奴隶人数增多，奴隶买卖比输出农作物更有利可图，遂在北美、西印度群岛和西非之间建立了一个精心安排的贸易网。1681年弗吉尼亚约有2 000名奴隶，但到19世纪中叶美洲的奴隶总数已增至400多万人。

18世纪启蒙运动在欧洲兴起后，道德上对奴隶制的谴责开始传播。英国和美国纷纷成立了一些团体，要求终止奴隶买卖。1823年在英国成立的反对奴隶制协会，至1833年，已成功地解放了西半球英属殖民地的奴隶。1848年法国废除了西印度群岛上的奴隶制。1865年美国宪法第13修正案获得通过，永远终止了奴隶制。奴隶制再也得不到世界上任何政府在法律上的承认。它在阿拉伯半岛上仍有残存，直至1962年被废除。1980年毛里塔尼亚成为世界上最后一个正式废除奴隶制的国家。

关于奴隶制的社会学是一个重要的研究领域。一般说来，奴隶属于与其主人不同的种族、民族、国籍和宗教，是外人。在大多数情况下，一名奴隶是违背本人意志，从他自己的社会里被抓出来，在被奴役条件下移送到另一社会中去。不论其原籍为何，奴隶通常是自己所受奴役的社会中的微不足道的人，常常是鄙视、忽视、虐待和暴行的对象。一个社会对奴隶的态度取决于各种因素。总的说来，奴隶与其主人在种族、民族和文化上的特征差别越大，奴隶的处境就越糟，得到的权利就越少。例如，在罗马，奴隶主与奴隶都是白种人，奴隶获得自由的事常有发生。在非洲，奴隶主与奴隶都是黑种人，因此在大多数社会里，奴隶被允许在许多方面参加社会生活。但是在美国南方，奴隶主是欧洲裔白种人，而奴隶是非洲裔黑种人，因此对奴隶的鄙视和社会孤立的程度就特别严重。

Slavey (people)　参阅**Slave**斯拉维人。

Slaveykov, Petko Rachev; and Slaveykov, Pencho Petkov　斯拉韦伊科夫父子（佩特科1827-11-17，保加利亚特尔诺沃～1895-07-01，索非亚；彭乔1866-04-27，保加利亚特里亚夫纳～1912-05-28，意大利布鲁纳泰）　父子都是保加利亚作家，共同创立现代文学语言并把欧洲其他国家的当代思想介绍给保加利亚。父亲佩特科·拉切夫17岁时任教师。早期诗作都是抒情的爱国主义作品，如作于1852年的《五色缤纷的花束》、《歌曲集》等。作为爱国者和政治家，他发表政治小册子，直言不讳地反对土耳其压迫和希腊大主教区的精神奴役，促进了保加利亚的新生。1863年移居伊斯坦布尔，为保加利亚流亡者办的刊物撰稿，并编印讽刺性和政治性期刊。1878年保加利亚解放，遂成为活跃的政治家，不仅任制宪议会议长，还参加创建民主党。1881年武装政变后，前往仍处于土耳其统治下的普罗夫迪夫，任《独立报》编辑。儿子彭乔受歌德、海涅、尼采等人影响较深，也受到保加利亚民歌朴实流畅的语言和现实主义的启发，以未完成的叙事诗《血之歌》（1911～1912）最为有名。该诗描写保加利亚人民在争取独立的斗争中所遭受的牺牲。他还是一位杰出的散文家和介绍德国文学的翻译家。

Slaviansk (Ukraine)　参阅**Slavyansk**斯拉维扬斯克。

Slaviansk-na-Kubani (Russia)　参阅**Slavyansk-na-Kubani**库班河畔斯拉维扬斯克。

Slavic languages　斯拉夫诸语言　又作Slavonic languages。印欧语系语族，作为民族语言使用的有东欧和巴尔干大部地区，中欧和北亚部分地区。斯拉夫语族与波罗的语族（立陶宛语、拉脱维亚语及已消亡的古普鲁士语）系属关系最密切。

学者们将斯拉夫诸语言划分为三个语支：①南部斯拉夫语支，包括塞尔维亚-克罗地亚语、斯洛文尼亚语、保加利亚语、马其顿语（南斯拉夫及与希腊接壤地区通行）。②西部斯拉夫语支，包括捷克语、斯洛伐克语、卢萨蒂亚语（索布语）、莱克希特语（波兰语及其方言）。③东部斯拉夫语支，包括俄语、乌克兰语、白俄罗斯语。

斯拉夫语族划分为三个语支，并未考虑到每种语言的各种方言口语。如有些所谓的过渡性方言或混合方言常在不同语言中成为填补空缺的桥梁，将其与文学（标准）语言作比较，所显示出的相似性并非表面上的。各种斯拉夫语言和方言存在相当多差异，使不同国家的斯拉夫人感到交流上有困难，但并不是不可能进行交流。就每种斯拉夫语方言而论，俄语方言歧异较少，而斯洛文尼亚语方言歧异较多。不过，面向大众的信息传播将会使所有斯拉夫语的歧异大为减少。

斯拉夫诸语言溯自其母语原始斯拉夫语的一种方言。原始斯拉夫语与原始波罗的语同出于一种语言，而原始波罗的语则是波罗的诸语言的母语。据传在原始印欧语地区分化成各自独立的不同方言区（约公元前3000年）之后，这种最早的原始波罗的斯拉夫语曾一度通行于今天的立陶宛周围地区。

斯拉夫人曾居于喀尔巴阡山北部地区，直到公元后最初几个世纪才开始迅速向外扩张，首先向西向东，然后往南越过喀尔巴阡山并向其附近地区拓展，于公元6世纪出现于多瑙河流域。虽然斯拉夫人当时已分化成不同的群体，然而从根本上说，仍使用同一种语言。它像一切语言一样，分化成各种地区方言，而其不同点却是微不足道的。

从9至11世纪，各个斯拉夫国家开始形成，10至12世纪斯拉夫诸方言在元音系统上发生很大变化，使每种方言出现不同的结果，最终发展成独立的语群，这些语群与今天斯拉夫语的各个语支的分野十分相似。各种历史事件和外国文化的影响使南部斯拉夫语群和西部斯拉夫语群之间以及南部斯拉夫语群和东部斯拉夫语群之间的联系陷于中断。

在9世纪由圣西里尔和圣美多迪乌发展起来的教堂斯拉夫语不断因地方方言的影响而有所改善，为斯拉夫人提供出一种书面语言。可是到11世纪，东正教会和罗马教会发生分裂，教堂斯拉夫语在西部斯拉夫语区和南部斯拉夫语区西面大部地区却遭受排挤。

现在，东部和东南部斯拉夫诸语言均采用西里尔字母以代替圣西里尔所创的格拉哥里字母。在西部，信奉天主教的斯拉夫人使用拉丁字母。至于塞尔维亚-克罗地亚语方面，塞尔维亚人和黑山人采用西里尔字母文字，克罗地亚人则用拉丁字母文字。

在词汇方面，斯拉夫诸语言的古代借词显然来自伊朗语和日耳曼语。每种语言的词汇反映更为晚近的地缘影响，最重要的是西部地区受德语影响，巴尔干地区受土耳其语影响。新术语常用希腊语和拉丁语术语稍加修改而成，斯拉夫诸语言之间的借词也非常普遍。自由使用前缀和后缀也有助于斯拉夫诸语言词汇的增加。

斯拉夫诸语言保留有原始斯拉夫语的格体系（主格、属格、与格、宾格、方位格、工具格、呼格），因而常被称为综合语（即用词尾表示语法信息）。现代保加利亚语和马其顿语是较带分析特点的语言（即较多通过词序来表示语法信息）。动词以屈折变化（用词形变化表现语法关系）表示过去时和现在时，并有两种体，即以完成体表示完成的动作和以未完成体表示未完成的动作。

Slavophile　斯拉夫派　俄国历史上19世纪知识分子运动的成员，该运动致力于俄国的未来发展，要求以该国早期历史的价值观念和制度习俗为基础。斯拉夫派是19世纪30年代从研究德国哲学的几个小组发展起来的，并受到F.谢林的很大影响。该运动以莫斯科为中心，吸引了旧贵族中一些富有的、受过良好教育和经常旅行的成员。主要领导人有A.S.霍米雅科夫、阿克萨科夫兄弟和季列耶夫斯基兄弟以及Y.F.萨马林。他们的个人兴趣都十分广泛，并一致认为：俄国不应以西欧作为其发展和现代化的模式，而应走一条由其自身的特色和历史决定的道路。

斯拉夫派认为信奉天主教和新教的西欧在道德上已经破产，并且认为西方的政治和经济制度（如立宪政体和资本主义）是畸形社会的产物。相比之下，信奉正教的俄国人民，按照斯拉夫派的观点，可以通过他们的共同信仰和教会，团结在自然、和谐、富有人情味关系的“基督教社会”里。

斯拉夫派认为俄国的农民村社是“基督教社会”的一个未腐败的代表。他们还认为专制政体十分适合一个具有共同精神的民族。他们看到俄国具有能按照“基督教社会”模式发展的能力，认为一旦这样的社会建立起来，俄国的义务就是把精神价值重新引入西方，以取代理性主义、物质至上主义和个人主义，使西方得到复兴。

不过斯拉夫派也认识到当时的社会并不代表他们的理想。斯拉夫派认为彼得大帝（1682～1725）推行仿效西方的各项改革败坏了俄国，导致贵族与农民之间产生不和，打乱了正常的社会关系。他们鄙视彼得所组建的国家官僚机构和所推行的削弱了教会权威的宗教改革。

为了完善俄国社会，使专制政体和教会恢复到它们的理想形式，斯拉夫派竭力主张进行广泛的改革，包括解放农奴，削减官僚机构，给公民以言论、出版和凭良心行事的自由，建立一个代表全体人民的机构（类似彼得大帝以前的俄国的市民会议或缙绅会议）。

斯拉夫派在19世纪40和50年代最为活跃。克里米亚战争（1853～1856）后，它的几个领导人相继去世（1856和1860），60年代亚历山大二世又颁布了几项改革法令，这一运动遂逐渐衰落。该派的一些信条后来为极端民族主义者、泛斯拉夫派和民粹派加以修改和简化。斯拉夫派除对上述运动产生影响外，不少个人还对神学、俄国史和民俗学等领域的研究作出了重要的贡献。

Slavyansk　斯拉维扬斯克　又拼Slav'ansk或Slaviansk。乌克兰东部顿涅茨克州城市。在大小托列茨河汇合处。1676年初建时称托尔，1794年改称今名。为顿涅茨盆地西北部工业重镇。因有温泉，又是疗养胜地。产岩盐与煤，化学工业占重要地位。也生产机械、家具和铅笔。有师范学院。人口约124 829（2001）。

Slavyansk-na-Kubani　库班河畔斯拉维扬斯克　又拼Slav'ansk-na-Kubani或Slaviansk-na-Kubani。俄罗斯西南部克拉斯诺达尔边疆区斯拉维扬斯克区城市和中心。位于库班河支流普罗托卡河左岸。1958年前为哥萨克大村落斯拉维扬斯克。后设市。工业以农产品加工为主。也生产拖拉机零件和服装。设有农学院。人口约58 500（1991）。

sled　雪橇　又作sleigh。冬季在冰雪上的运载工具，通常用马或狗牵引。其前身为北美印第安人所用的橇。橇身支在滑橇或狭窄的直滑板上。雪橇一般用于车辆下陷难行的地方，例如在拉普兰，以及阿拉斯加、加拿大和亚洲的冻土带。

sled dog　雪橇狗　在北极拉雪橇在冰雪中行走的狗的统称。最常见的雪橇狗品种有西伯利亚爱斯基摩狗、阿拉斯加马拉缪特狗、萨莫耶德狗和莱卡狗。这些品种硕大有力，皮毛丰厚，能耐久。北美大陆以前用12～15只狗排成扇形，每头狗的皮带单独连到雪橇上；此种狗拉雪橇用以运客或运货。现常用8头狗排成2纵列。在俄罗斯的西伯利亚地区用较少的狗来拉雪橇。

sledding　雪橇运动　乘雪橇在冰上或雪地滑行的冬季娱乐或运动。有不同形式的雪橇比赛。参阅 **tobogganing；bobsledding；lugeing；skeleton sledding；dogsled racing**。

sledge　橇　不靠车轮滚动前进的载货或载人的运输工具。北美印第安人的橇由两根横向连接的木杠组成，牵引时与地面成一定角度。橇起源于古代，亚述人和埃及人的浮

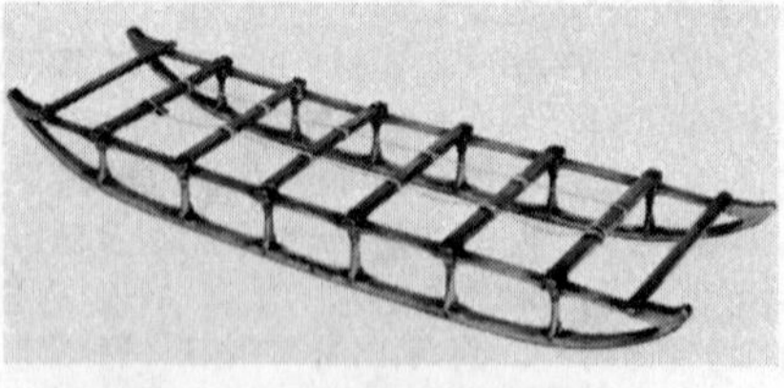

1859年的橇模型，伦敦科学博物馆藏
伦敦科学博物馆供图

雕描绘了用橇拖拉巨大塑像的情景。车轮和车轴出现后，除了在冰雪上用的雪橇外，橇已不复使用。

sleep　睡眠　正常的、易逆转的、自发的对外界刺激的反应性降低或低效反应状态。睡眠与觉醒相反，后者表现感受性增强及对外界呈高效反应状态。睡眠是一种规律重复的意识暂停状态，有恢复精力和适应功能。睡眠通常要求骨骼肌松弛和不存在觉醒时常见的有目的行为。记录人类脑电活动的脑电图（EEG）在睡眠时可显示特殊情形。人类正常情况下在夜间睡眠，但许多种动物在夜间活动因而在白日睡眠。正常人睡眠需要量每夜在6至9小时之间，平均为7.5小时。年龄决定睡眠长短及睡眠模式。新生儿一天可间断地睡16小时，而两岁大婴儿则睡9至12小时。在由婴儿至儿童的正常成熟过程中，睡眠也由若干个短觉变为一个不间断的长觉。老年人可能又回复到儿童式的睡眠模式，白天经常打盹但夜间只睡几个小时。

快眼动和非快眼动睡眠　1953年睡眠研究出现了巨大的进展，当时E.阿塞林斯基和N.克莱特曼以快速眼球运动（REM）为参照研究了睡眠。用中枢神经系统活动来测量快眼动睡眠，它很似觉醒状态。非快眼动（NREM）睡眠则性质不同。用EEG可测出4个阶段；其中第4个阶段就是我们平常称为“好觉”的最能恢复精力的平静熟睡。REM睡眠的特点是生理活动增加，人脑的血流和氧气均增加，身体活动也增多。睡眠阶段顺序循环复变，由0期（安静的α过渡期）至1、2、3、4期，然后再回至1期和REM睡眠（差不多在循环开始90分钟后），如是循环终夜。REM睡眠的时间逐渐有所增加，平均占总睡眠时间的20%～22%。

人们用睡眠剥夺实验探讨睡眠的功能。使人多日不眠会造成疲乏、记忆力丧失和烦躁，但不会导致精神病或持久的心理或生理损伤。在长期不眠后立即进行的恢复性睡眠中，REM和第4期NREM均增多。

定性研究证明NREM和REM睡眠都很

重要。在过去，对 REM 睡眠的研究常同睡梦剥夺实验联系在一起，但现在知道在 NREM 睡眠中也做梦，人们现着重研究 REM 睡眠及其对于思维和生物内驱力调节的影响。

睡眠病理学　可以区分出原发性睡眠障碍和仅仅是在睡眠时有所加重的障碍两大类。原发性病理情况包括：脑炎，这是病毒感染；发作性睡病，脑中司睡眠和觉醒的部位发生缺陷；睡眠过多症，指睡眠时间增加和白昼迟钝现象；失眠，指睡眠时间减少。其他异常——梦游症、梦呓、遗尿、磨牙、打鼾——则不属睡眠障碍。梦魇虽然吓人，但通常不代表精神病理情况。

行为心理学家和神经生理学家仍在探索由功能和神经方面来解释睡眠。研究人员研究了中枢神经系统及各神经中枢在调节睡眠和觉醒过程上起的作用；研究了睡眠及睡眠各阶段是主动的还是被动的状态；研究了睡眠的生物功能。因为 REM 和 NREM 睡眠各具不同性质，有的功能主义理论家就提出这样的假说：NREM 睡眠可能代表一种"躯体修复"状态，而 REM 睡眠可能代表一种"脑修复"状态，一种"复原"过程。参阅 **dream; insomnia; narcolepsy; sleepwalking**。

sleeper　睡鱼　鲈形目鰕虎鱼亚目塘鳢科海水和淡水鱼类的统称。产于温带和热带水域，大部分种类常安静地"卧"于水底，故名。体细长，具二背鳍，与其他鰕虎鱼类的区别在于二腹鳍分开而不是并成一个吸力不强的圆形吸杯。睡鱼的体长由仅几厘米到约 90 厘米。马来亚的大理石纹尖塘鳢（*Oxyeleotris marmoratus*）为所有鰕虎鱼类中最大的。比较常见的种类中，有美洲热带地区的大口睡鱼（睡呆塘鳢，*Gobiomorus dormitor*）和澳大利亚的紫纹鮈（彩塘鳢，*Mogurnda mogurnda*）。

Sleeping Bear Dunes　睡熊沙丘　世界最大的移动沙丘之一。在美国密歇根州利勒诺县。沿密歇根湖东北岸延伸 11 千米，高出湖面 152 米。形状奇特，间有小片树林。有臭鼬、美洲野猫等动物出没。西坡有稳定的上升气流，使沙丘向内陆移动，并使该沙丘成为斜坡滑翔运动的著名场所。其他活动包括滑沙运动、爬沙丘、乘沙橇。沙丘后面有州立公园。1970 年美国国会又将 55 千米长的湖岸辟为睡熊沙丘国家湖滨公园。管理处设在法兰克福。

sleeping car　卧车　又作sleeper。供旅客夜间睡卧的铁路车厢。早在 19 世纪 30 年代美国铁路就使用了临时性的卧车，第一辆为舒适的夜间旅行而设计的车辆是 1865 年开始运营的美国普尔曼型卧车，以后在英国和欧洲也有了卧车。20 世纪常用的卧车其中段有六间卧室，每间卧室设两个床位；两端各有六个单间。因为乘客定员少，因此票价高，这样就出现了铁路须同航空公司竞争的问题。这一问题使新的设计力求扩大车辆的容量，如可躺式座椅客车即其一例，车厢内设有较多的可大角度向后倾斜的座位。

sleeping sickness　睡眠病　又称非洲锥虫病。是由鞭毛原虫冈比亚锥虫（*Trypanosoma gambiense*）或其近缘种罗得西亚锥虫（*T. rhodesiense*）造成的感染，由舌蝇传播。睡眠病的特征包括发热、淋巴结发炎及脑脊髓受侵导致深度昏睡，常致死。冈比亚锥虫感染分布于自非洲西海岸向东至东非湖区再向南至刚果的一大片区域内。罗得西亚锥虫感染则只限于东非中部高地。大部分人类受染是因为舌蝇吸血时将锥虫接种于人体内。舌蝇吸受染人血时自己也受染。通常要经过 12 至 15 天之后这些受染舌蝇才能对人类有感染力。在此期间，锥虫借二分裂在舌蝇的中肠内繁殖，然后移行到唾液腺，当舌蝇吸血时随唾液滴经喙排出。在人体内经一两周的潜伏期后，血中锥虫已有相当数目；然后淋巴结及脾受侵，变肿大、软、有压痛。颈后淋巴结的异常肿大（称温特博特姆氏征）比较有诊断意义。此阶段的典型症状还有不规则发热和痛觉延迟。罗得西亚睡眠病的毒血症严重，病人常很快死亡。在冈比亚型则锥虫进一步侵入脑脊髓。产生的神经系统症状有：严重头痛、精神迟钝淡漠、拖行步态、震颤、痉挛或弛缓性麻痹、舞蹈症和深度睡眠，睡眠可在进食、站立或行走时出现。此后逐渐消瘦，出现昏迷，最后死亡。冈比亚睡眠症常在两三年内致死，但某些非洲人已对本病产生一定耐受性，病人可作为带虫者生活多年。睡眠病的诊断和治疗越早，病愈的机会越大。对于冈比亚睡眠病，有一种合成药叫锥虫胂胺高度有效，不过它可引起急性视神经炎，可能致盲。对于中枢神经系统未受侵的病例，锥虫胂胺几乎永远有效。还有一种非砷制剂苏拉明对冈比亚型有效，对早期罗得西亚型也有效，但在后者一旦达到菌血症阶段则一切治疗均无效。在非洲撒哈拉沙漠以南的一切地区，睡眠病仍然流行，而一些舌蝇聚生的地区因睡眠病的威胁根本不能住人。为了控制睡眠病，曾采取大量措施：①将一切受染者隔离并予适当治疗，这包括大量无症状的慢性带虫者；②使用杀虫剂并在居民区附近大范围地清除植被以保护人类免被舌蝇叮咬；③对必须进入丛林的人，每隔 60 至 90 日给予预防量的苏拉明或二脒化合物，以防被舌蝇叮咬而受染；④偶尔将整个村庄由疫区迁至无病区。还有人建议，需要消灭野生猎物种群，因为它们可能贮藏本病。

sleepwalking　梦游症　又作 somnambulism。一种行为障碍，患者于睡眠中坐起并作各种活动，如站立、行走、说话、大叫大笑、穿衣、去浴室或甚至离家外出。每次发作通常是以本人返回睡眠而结束，事后对此次发作毫无记忆。梦游症最常见于儿童，不过也可见于青年人或成年人。常出现于深睡中，即基本无梦的阶段。只有当梦游者可能误伤自己时，梦游症才有危险。梦游症也可见于创伤后的紧张障碍，患者做恶梦，最后大喊、挣扎或跳下床。此类发作常使患者惊醒。

sleet　冰丸　直径5毫米以下的一般成透明球状的冰粒，是由雨滴冻结或由多半已融雪花再冻结而成；冰粒较大者称为雹块（参阅 **hail**）。当地表面空气层在 1 ℃以下，而上层为暖空气时，就会产生冰丸。英国和美国的一些地方用 sleet 称呼雨夹雪，有时这个名词用于称呼在物体上的纯净冰，但后者更确切地应称作雨凇（或冻雨）。

sleigh　参阅 **sled** 雪橇。

sleight of hand（popular theatre）　参阅 **conjuring** 戏法（魔术）。

Sleipnir　斯雷普尼尔　据古斯堪的纳维亚神话，为奥丁神的神马。

slendro　斯林德罗　爪哇和巴厘地区的五声音阶系统。参阅 **gamelan**。

Slessor, Sir John Cotesworth　斯莱塞（1897-06-03，印度兰尼凯特～1979-07-12，英格兰威尔特郡鲁顿）　英国空军元帅。第二次世界大战期间及战后英国空中战略的策划者之一。幼时曾患小儿麻痹症，第一次世界大战时最初未获准服兵役，但后来争取进入皇家航空队，在法国、埃及和苏丹担任飞行员，在苏丹负伤，获军功十字章。两次世界大战之间在国内和印度任参谋和指挥职务。1937 年起在空军部负责计划工作。1931～1934 年任陆军参谋学院空军教官时著有《空中力量与陆军》（1936），成为军事经典。1942 年起任空军助理参谋长，后任海岸地区空军司令，为粉碎德国潜艇在大西洋的进攻作出了突出贡献。他指挥的飞机平均每月击沉七艘德国潜艇。1944～1945 年任地中海和中东地区英国空军司令。1950～1952 年任空军参谋长。1948 年受封为爵士。

供图：Karsh of Ottawa—Camera Press

Slessor, Kenneth　斯莱塞（1901-03-27，澳大利亚新南威尔士奥兰治～1971-07-30，悉尼）　澳大利亚诗人、记者。以诗《滩头葬地》享有盛名。这首诗是对第二次世界大战期间澳大利亚军队感人的颂歌。19 岁任悉尼《太阳报》记者。一度任《史密斯周刊》的编辑，后任第二次世界大战随军记者（1940～1944）。战后继续任编辑和文学评论员。早期诗作收在《大地的来访者》（1926）中，以情调欢快和在写作技巧上的实验为特点。深奥微妙的《疯狂的国度》（1932）明显地受到诗人 T. S. 艾略特和 E.庞德的影响。《五个铃铛——诗 20 首》(1939)和《诗集》(1957)显示出诗人娴熟的写作技巧。

Slezak, Leo 斯勒察克(1873-08-18,奥匈帝国舒姆佩克[今在捷克共和国]～1946-06-01,西德埃格恩) 奥地利男高音歌剧歌唱家和电影喜剧演员,以扮演瓦格纳歌剧角色闻名。1896 年在布尔诺首次登台。1909 年已在伦敦和纽约市因扮演奥瑟罗一角而享有英雄男高音的盛誉,而对瓦格纳歌剧的诠释亦得到人们更进一步的尊崇。后来放弃歌唱,成为奥地利著名的电影喜剧演员。

slick 带纹 比较平静的洋面或湖面上明亮如镜的片或条纹,是浮游生物产生的或人造的有机物单分子层减少了水的表面张力的那些地方形成的,近岸处大部分是人为的碳氢化合物污染物质。当风速小于每小时 13 千米时,带纹呈片状,风速较高时就把它分成与风向平行的一行行紧密排列的窄条。拉长的平行带纹也可能在内波的尾坡生成,与它一同移动。

slickhead 平头鱼 又作 smoothhead。又称滑头鱼。鲑形目平头鱼科几种深海鱼的统称,见于几乎各大洋深达5 500米或更深的水域。体色深,柔软,鲱状;种与种间在结构上差别很大,少数种具有发光器。本科的共同特征为无鳔,具侧线,背鳍位置甚为靠后且与臀鳍相对。

slide rule 计算尺 一种可相对移动、有多种刻度的直尺,利用此工具能机械地进行简单计算。一般的计算尺操作范围包括:乘除法、开平方根,有时也可进行三角函数和对数的计算。计算尺一直是科学与工程数学中的基本工具,而且在工商界也广泛加以应用,直到20 世纪后期才为便携式电子计算器所取代。

对数计算尺是一种能迅速完成有限精确度计算的小巧装置。1614 年,苏格兰数学家 J.纳皮尔所发明的对数,以及经计算而发行的对数表,使得借简单的加减法而实现乘除法的运算成为可能。纳皮尔早先有关简化数学计算之重要性的概念导致他发明了对数,从而使计算尺的发明成为可能。

1654 年,R.比萨克首创以一根滑尺在固定木块的各部之间移动的第一把问世的计算尺。其他的算尺包含 S.帕特里奇(1657)和 H.科吉歇尔(1677)投资的一把两英尺长折叠式的用于丈量木材的算尺以及 1683 年 T.埃弗拉德用于量规的算尺。计算尺从事快速计算的有效性逐渐受到肯定,尤其是英国在 18 世纪中曾大量制造稍经修改的计算尺。1779 年左右,M.博尔顿和 J.瓦特于英国的伯明翰工厂因设计蒸汽机进行计算,促进了计算尺刻度精确性的提高。

法国炮兵军官 A.马内姆于 1859 年首先发明第一把公认的现代计算尺。这计算尺只在一面有刻度,构造虽简单,却以马内姆为名而制造了 100 年之久。尺上附装游标的马内姆算尺在法国应用很普遍,这种算尺在 1880 年以后大量运销到别的国家。

1814 年,P.M.罗热发明了重对数计算尺,用于数的乘方和开方。固定尺不再按对数来刻度,而是按尺上各数的对数的对数的比例来刻度;滑动尺仍是以对数为刻度的。

1890 年,W 考克斯引进一项计算尺构造上的革新,他在算尺的正反面均刻上刻度。一只两面用玻璃制作的游标,可用以同时读出正反面全部表尺上的计算数值。

晚期的改进最重要的是计算尺上三角函数和重对数刻度的排列,这种排列使三角函数和重对数能一起运作,同时和基本的刻度协调一致。由于这样的排列无需中间的读数而连续运作地求解,使得无论解决简单或复杂的问题,都能较迅速而灵活地得到答案。

Slidell, John 斯利德尔(1793,美国纽约州纽约～1871-07-29,英格兰伦敦) 美国和南方邦联外交家,美国南北战争期间与 J.M.梅森一道被捕,由此引发"特伦特"号事件。1810 年毕业于哥伦比亚学院,1819 年在新奥尔良为执业律师,办理海事案件。1843 ～ 1845 年当选为美国众议员。后任美国参议员(1853 ～ 1861)。他坚定地支持 J.布坎南总统,强烈反对 S.A.道格拉斯。1861 年加入南方邦联,在赴法国谋求承认南方邦联途中被法国军舰从英国轮船"特伦特"号上抓走,关押在波士顿港的沃伦堡。后在英国抗议下于 1862 年初获释。在法国,他与拿破仑三世的关系尽管良好,但属非官方的。他除为南方邦联谈成 1863 年棉花贷款外,没有什么成就。1865 年 R.E.李将军投降后,他留居巴黎,德法战争爆发后迁居伦敦。

slider-crank mechanism 曲柄滑块机构 由机械零件组成的机构,用于把直线运动变成旋转运动,如在往复活塞式发动机中,或把旋转运动变成直线运动,如在往复活塞泵中。

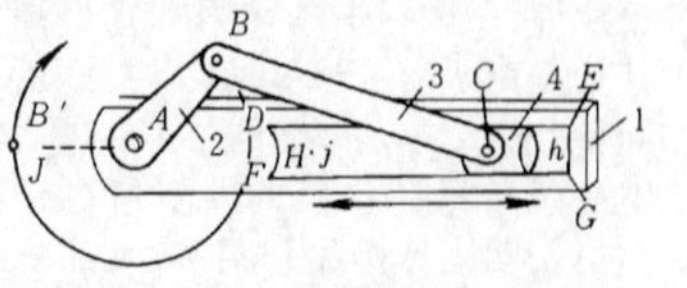

曲柄滑块机构

其基本特点和各零件之间相对运动的方式,最好结合附图介绍。构件 1 表示泵或发动机的固定机架或缸体(其中有气缸),用两条平行线 *DE* 和 *FG* 代表气缸壁的横截面,构件 4(活塞)在气缸中来回滑动。在 *A* 点的小圆圈代表主曲轴轴承,它也在构件 1 内。构件 2(曲轴)表示为从曲轴轴承 *A* 点延长到曲柄销轴承 *B* 的一直线杆件,而 *B* 点与构件 3(连杆)相连。连杆表示为从曲柄销轴承 *B* 延长到活塞销轴承 *C* 的一直线杆件,从 *C* 点又把它与构件 4(活塞)相连接。用圆圈表示的 *A*、*B*、*C* 三个轴承,允许连接件彼此自由旋转。*B* 点的轨迹是一个半径为 *AB* 的圆。当 *B* 到 *H* 点时,活塞将到达位置 *h*;而当 *B* 到 *J* 点时;活塞则到达位置 *j*。对汽油机来说,气缸盖(汽油-空气混合气在那里发生爆燃)在 *EG*,爆燃产生的压力将活塞从位置 *h* 推到 *j*;从位置 *j* 返回到 *h*,则靠飞轮的旋转能,飞轮装在曲柄轴上,并绕一个与轴承 *A* 同心的轴承旋转。对往复活塞泵来说,曲柄轴由电动机来驱动。

Sliema 斯利马 马耳他东部城镇和首都瓦莱塔一郊区。地处马尔萨姆谢特港湾和圣朱利安斯湾之间。为现代化的住宅区,多旅馆、别墅,是该国内英国人最多的地方。中世纪时所建圣朱利安斯灯塔现仍屹立在滨海区。人口约13 541(1990)。

Sligo 斯莱戈 爱尔兰康诺特省一郡。面积1 796平方千米。将近 1/2 的土地是崎岖牧场,分布在山区、丘陵和泥炭沼泽。东部与利特里姆交界处一直向南延伸,通过海岸低地到达石灰岩达特里山(527 米)。郡边界接着

重对数计算尺的正面(上)和背面(下)

越过格伦卡和一片高原到达吉尔湖，湖中有因尼斯弗里岛，爱尔兰诗人 W.B. 叶芝曾在一首抒情诗中对该岛大加颂扬，叶芝死后葬在德拉姆克利夫。斯莱戈湾有三个长河口湾通向德拉姆克利夫、斯莱戈和巴利萨代尔三个城镇。该郡有悠久的渔业传统，但只有捕捞鲑鱼能够获利。低地上有许多小农庄，除有种植业外，还饲养牛、绵羊和家禽。高原地区尤其是奥克斯山区开采泥炭。罗西斯波因特和斯特兰德希尔是著名的旅游胜地。低洼农地中夹杂着景色优美的湖泊和石灰岩丘陵。这里长期饲养奶牛和菜牛，大部分在当地集市出售。郡首府和唯一城市斯莱戈有郡议会，大多数城镇是小型集市中心，有面粉厂和其他工厂。人口56 046(1986)。

Sligo　斯莱戈　爱尔兰斯莱戈郡海港和首府。濒临斯莱戈湾和加拉沃圭河。城内有属于埃尔芬主教管区的天主教大教堂和一座爱尔兰圣公会大教堂，还有 13 世纪古堡和男隐修院废墟。是爱尔兰西海岸三个重要港口之一，又是鲑鱼捕捞中心。工业有纺织、制药和脱水食品。出口牛，进口煤、铁、木材和食品。附近卡罗莫尔有一大群巨石碑，而在斯莱戈西面的克诺克纳莱(海拔 329 米)有一座石冢，据传是康诺特的梅芙王后的坟墓。城里有一所地方性工艺学院。人口17 259(1986)。

Slim, William (Joseph), 1st Viscount Slim of Yarralumla and Bishopston　斯利姆(1891-08-06，英格兰格洛斯特郡布里斯托尔～1970-12-14，伦敦)　英国陆军元帅，帝国参谋总

供图：Walter Bird—Camera Press

长，第二次世界大战中，他粉碎了日本人侵印度的企图，并在缅甸击败日军。第一次世界大战爆发时，斯利姆参加英国陆军，当时是一名二等兵，但很快晋升为军官，先后在达达尼尔、法国和伊拉克作战。1920 年成为正规军官，参加印度陆军，在两次世界大战之间一直在印度陆军中服役。第二次世界大战初期，斯利姆指挥一个印度旅参加了英国征服意属东非的作战(1940)。次年率第 10 印度师在伊拉克向维希法国的部队和亲德土著部队发起进攻，在盟国占领伊朗期间于德黑兰同苏军进行了首次接触。1942 年 3 月，匆匆受命指挥第 1 缅甸军，面对横扫缅甸全境的优势日军的进攻，他率部退却 900 英里，成功地撤回印度边境。1943 年 10 月任第 14 集团军司令。1944 年 2 月率部在印缅边境非常成功地突入若开地区，接着于 1944 年 3 月至 7 月在英帕尔-科希马战役中，挫败了日军入侵印度东北部的强大攻势。他创造了适用于断裂地形无绵亘战线的丛林战新战术，以空中补给和游击战支援主力将日军逐出缅甸大部分地区。1945 年 5 月 3 日收复仰光，6 月担任东南亚地区盟军地面部队最高司令。1945 年 8 月 14 日日本投降，斯利姆进攻马来亚的计划未能付诸实施。1946 年，斯利姆任帝国国防学院院长，1948 年任帝国总参谋长，并晋升为陆军元帅。1953 年至 1960 年任澳大利亚总督，同时封子爵。其回忆录《转败为胜》(Defeat into Victory)于 1956 年出版。

Slim Helú, Carlos　斯利姆·埃卢(1940-01-28，墨西哥墨西哥城～　　)　墨西哥企业家，其卡尔索集团控制着很多墨西哥企业，在通信、科技、零售和金融业实力尤为强大。全世界最富有的人之一。出生黎巴嫩天主教移民家庭，其父在 1910～1920 年的墨西哥革命中通过房地产业发家。斯利姆获得过墨西哥国立自治大学工程学学位，从 20 世纪 60 年代中期起，投资众多产业，成为他日后建立卡尔索集团的基础。1982 年经济崩溃后，墨西哥政府因为比索贬值而无法支付外债，于是开始实行银行国有化，吓跑了投资者。斯利姆利用这个机会以低价格收购了多个公司，经过 10 年的成功经营，这些公司的价值大幅增加。十多年来，他成功的基础在于其所拥有的墨西哥电信使他能够将投资扩展到美国的科技和电信公司。80 年代末，斯利姆与总统和执政党革命制度党建立起了密切关系，1990 年，政府将墨西哥电信公司私有化，斯利姆与其他两家公司出资用 17.6 亿美元购买了该公司，后获得该公司的管理控制权。他对墨西哥电信公司的严格控制遭到人们的反对，到 2003 年已将业务转交给三个儿子。他还是有名的艺术品收藏家和慈善家，曾出资修复墨西哥城古老的市中心。2004 年获得世界文化遗址基金会颁发的哈德里安奖。

slime eel　黏鳗　参阅 **hagfish** 盲鳗。

slime mold　黏菌　一类含真核的既似原生动物又似真菌的原始生物，约 500 种。“黏菌”一词包含许多相互间差异甚大的生物体，

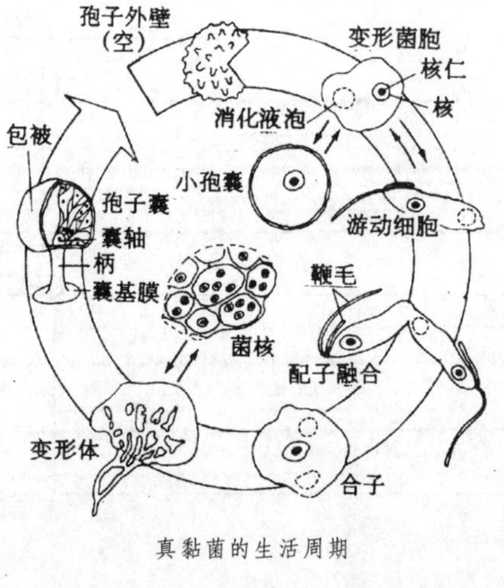

真黏菌的生活周期

这反映了人们在这些生物体表面的相似与实际的亲缘关系之间一直感到迷惑。黏菌门(**Myxomycetes**)的种类称为真黏菌，特征为具变形体阶段及明确的子实体。其他黏菌类包括原柱黏菌门(Protostelia，微小、简单的黏菌类)、集胞黏菌门(Acrasia，各细胞间界限清晰的黏菌)、根肿黏菌门(Plasmodiophorina，寄生的黏菌)、及网黏菌门(Labyrinthulina，网黏菌)。黏菌为世界性分布，在阴暗、凉爽、潮湿的条件下生长繁盛(如森林中的地面)。细菌、酵母、霉菌及真菌为黏菌提供主要的营养来源，而根肿黏菌寄生于甘蓝及其他十字花科植物的根部，由此获取养分。黏菌门种类的生活周期可作为所有黏菌的代表，但各种类间也有少量差异。其生活周期始于一粒直径 4～15 微米的孢子，在有水的条件下，释出小团细胞质，称为游动细胞。游动细胞借鞭毛运动，与物体表面接触后伸出伪足，借以爬行。在此爬行阶段，黏菌外形颇似阿米巴(变形虫)，称为变形菌胞。游动细胞和变形菌胞均行使性细胞(配子)的功能，两个游动细胞或变形菌胞融合便成为合子，并开始生活周期的另一阶段——原质团(变形体)。鞭毛永久缩回之后，变形体的核反复分裂，受精细胞便开始生长。变形体以连续的波浪形运动渐渐移动，形成特征性的扇形。整个变形体表面覆盖着一层黏液(slime)，在某些种，此黏液与动物的唾液或黏液(mucus)相似。接着，黏菌发生了最显著的变态：从无固定形态的原质团发育为构造复杂的孢子囊。细胞壁上出现许多小滴，小滴结合，形成垫状，然后形成一柄，该柄生长到 1.25 厘米宽、2.5 厘米长。该柱状结构先变为紫色，后变为黑色，其尖端形成一个孢子囊，内充黑色的孢子。孢子囊壁干燥、裂开，遇气流或突然的碰击时便释出孢子，从而开始另一个生活周期。

sling　抛石索　抛石工具，最早用于战争的投射武器之一。由两端各系一绳的皮革套组成；一手抓住两绳末端，使皮革套袋绕头部急速旋转，然后猛然松开一绳，将袋中石块抛出。另有一种将绳端系在双手握持的木棍上，以抛掷更重的石块，中世纪常用于攻城。古代关于抛石索和抛石兵的记载很多。亚述人纪念碑上有抛石索图。古希腊史学家指出，抛石索原为野蛮部落军队的武器。三次古罗马与迦太基间的布匿战争时代(公元前 3～前 2 世纪)罗马军队中有希腊、叙利亚和非洲的抛石兵；汉尼拔军队中的士兵也以善于抛石著称。14 世纪时棍式抛石索多用于攻城。17 世纪之前，曾使用抛石索抛掷小型榴弹。

slip　滑移　工程学和物理学术语。在剪切力作用下，晶体的一部分相对于晶体其他部分沿晶面的滑动位移。在应力作用下，材料的永久(或塑性)变形大都是组成材料的各个晶体滑移的结果。滑移和孪晶(又称双晶，变形的另一种方式)，是固体中晶体得以产生永久变形的仅有的两种方式。滑移时，并非在滑移(或滑动)面一侧的所有原子都同时由一组位置滑到下一组位置，而是一排排依次地

沿晶面滑移到下一个位置。这是由于晶体中一些称为刃型位错的结构缺陷(结构空间)以同等速度向相反方向运动所致。从大尺度现象来看,例如一块金属的变形,滑移则包括许多单个晶体中大量位错沿互相邻近的滑移面的移动。在光学显微镜下所看到的晶体内部的滑移线,若在电子显微镜下以更高的放大倍数观察,则表现为由许多滑移面组成的滑移带。

Slipher, Vesto Melvin 斯里弗(1875-11-11,美国印第安纳马尔伯里附近～1969-11-08,亚利桑那弗拉格斯塔夫) 美国天文学家,他对旋涡星系视向速度的系统观测(1912～1925)首次为人们提供了支持宇宙膨胀学说的证据。斯里弗生于印第安纳州的农场,早年在印第安纳大学就读(1901年获学士、1903年获硕士、1909年获博士学位)。1901年就已在弗拉格斯塔夫的洛威尔天文台工作(虽然不时回印第安纳上大学课)。1916年他成为代理台长,1926年任台长。他在该台组织并领导一项研究工作,结果发现了冥王星——太阳系第九颗已知的行星。有几颗行星的自转周期是经他深入研究后确定的。他在木星、土星和海王星光谱中发现的暗吸收常使他能够证认出它们大气中的某些化学成分。他指出有许多弥漫星云(尘埃云和气体云)是因反射邻近恒星的光才发亮,并发现夜空的亮辐射及其强度的变化。他还证明了钠和钙遍布于星际空间。

slipmouth 滑口鱼 又作slimy。又称鲾。鲈形目鲾科鱼类的统称。特点是体被小鳞,黏滑;口小而可伸长,摄食时即滑出。共3属,约18种,仅分布于印度洋-太平洋区的海水与咸淡水水域。体型小,体长一般不足15厘米。短棘鲾(*Leiognathus equula*)最大,可达30厘米。在沿岸浅海中数量丰富,被广泛用作食品。克隆青格氏鲾(*L. klunzingeri*)是20几种已知可渡过苏伊士运河并成功地在地中海建立种群的红海鱼类之一。

slipped disk(medicine) 参阅**herniated disk**椎间盘突出。

slipper flower 拖鞋花 又作pocketbook flower, slipperwort或pouch flower。又称荷包花、钱袋花。玄参科拖鞋花属(荷包花属,*Calceolaria*)植物,约500种,原产地从墨西哥至南美。因其花形似拖鞋或荷包而得名。通常黄色或紫色,带鲜明的斑点。有许多花

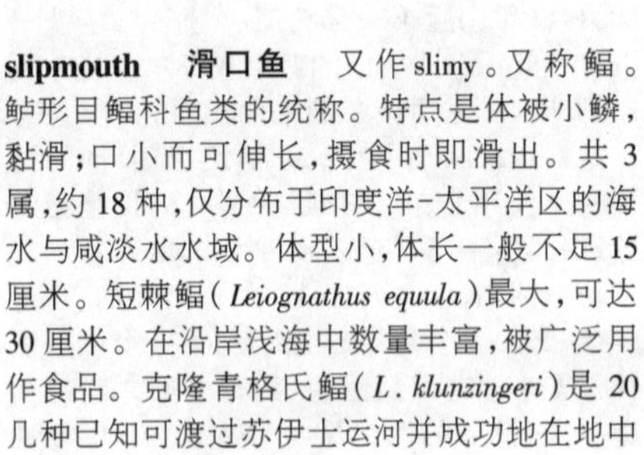

拖鞋花属(*Calceolaria*)植物
供图:Godon L. Maclean

大而美丽的品种常见于花市。

slipper lobster 蝉虾 蝉虾科数种虾类的通称。参阅**lobster**。

slipper shell 履螺 前鳃亚纲帆螺科履螺属(*Crepidula*)的海产螺类。壳隆起或低平,在里面有甲板样的隔板,将壳内空间部分隔开。见于浅水中,世界性分布。成体固着在

4个大西洋履螺(*C. fornicata*)
供图:Lynwood M. Chace from the National Audubon Society Collection/Photo Researchers—美国不列颠百科全书公司

石上或生活于其他空贝壳内。常见的大西洋履螺(*C. fornicata*,又称履帽贝),长约4厘米,淡黄色,从新斯科舍到得克萨斯很多,曾传布到欧洲沿岸,在该处对牡蛎业有害。

slipware 挂浆陶器 经过半液体状的黏土或泥浆处理过的陶器,有时称为泥釉陶器。起初,因坯体颜色有缺陷,就利用白色或有颜色的泥浆在烧成前作器皿表面的涂层。后来,用泥浆作装饰逐渐发展,出现了釉雕、刻

英格兰斯塔福德郡北部的T.托夫特制作的挂浆陶碟,约1680年
伦敦维多利亚和艾伯特博物馆供图

釉、泥浆绘画、泥浆浇饰、大理石花纹和泥浆镶嵌等。釉雕装饰(如伊斯兰陶器就有这种装饰)是在泥浆上刮出图案,使下面坯体的不同颜色显露出来。在刻釉装饰(伊斯兰陶工和中国宋代[960～1279]的陶工采用过)中,是用刀把较厚的泥浆层刻掉,使剩下的部分成为一幅稍稍凸起的图案。古埃及陶器曾广泛采用泥浆绘画,它是用白色泥浆在红色坯体上绘画动物和风景题材;北美洲的印第安陶器上也用过泥浆绘画。另一种泥浆装饰法是像在蛋糕上浇糖霜一样,用管子将泥浆浇成纹缕,以形成颜色(常为白色)与坯体相映衬的线条图案。还可以对施敷后的泥浆再进行模塑,或者将小团小团的泥浆滴到坯体上,然后用模型或印花板将其压塑成山莓、玫瑰花等形状。先施用不同色调的泥浆,再用梳子使之混合,有时能获得大理石状的效果(如中国唐代[618～907]的陶器)。朝鲜人还曾在他们称为三岛镶嵌的技术中使用过泥浆;这是先在黏土中刻画出图,再将黑白两色泥浆填入刻痕中。

slit drum 梆子 打击乐器。在一段空心树干上开一纵长的口,由演奏者用脚跺或用棍敲打而发音。开口的边厚度不同,从而发出不同的音高。梆子是体鸣乐器。亚洲、美洲、非洲、大洋洲都有。有各种尺寸:大梆子用长达6米以上、宽达2.1米以上的大树干制成,放在小屋中,由几个人演奏;小梆子用竹制,为马来西亚更夫所用。梆子常用作仪

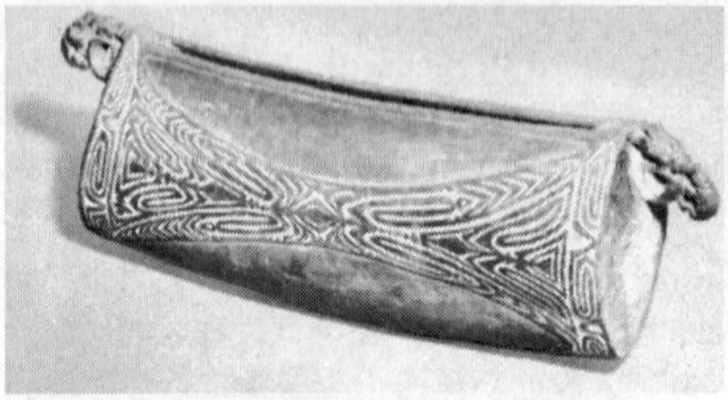

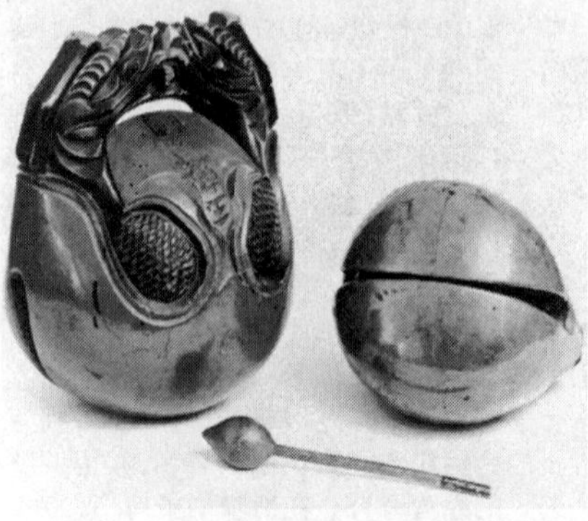

(上)新几内亚木质大洋洲梆子;(下)中国木鱼
供图:(上)纽约大都会艺术博物馆;(下)James Blades

式乐器,视为具有魔法,并与水、死亡和复活相联系。由于其传播力强,富于共鸣,因而也常用作信号器。梆子常被刻制成精致而程式化的动物。据信曾有将几个梆子结合起来以奏出旋律的。中国的木块梆子和木鱼也属此类,这两种都用于宗教仪式,前者还用于中国戏曲乐队中。由于其发音清脆,在20世纪西方管弦乐队中也得到采用。

slit-faced bat 凹脸蝠 又作hollow-faced bat。凹脸蝠科凹脸蝠属(*Nycteris*)约16种热带蝙蝠的统称,分布于非洲、马来西亚以及印度尼西亚地区。脸上有一纵向凹陷和一中间裂开的鼻叶(吻上的肉质结构)。体长约5～8厘米,尾和体等长;重10～30克;一般为浅灰到褐色。以昆虫为食,常栖息在黑暗、潮湿的隐蔽处,如山洞、树洞、小建筑物和动物的洞穴中。

slit moss 裂缝藓 花岗岩藓(**granite moss**)类多种植物的通称。

Sliven 斯利文 保加利亚中东部城镇。位于东巴尔干山脉南麓，在诺沃塞尔斯卡和阿塞诺夫斯卡两河汇流处。1153年设镇。遭土耳其人摧毁后，于15～19世纪重建，发展成纺织和手工业中心。1834年建成保加利亚第一家纺织厂，其纺织业传统为现今纺织厂所继承。其他工业有织袜、地毯、木器、玻璃器皿、酿酒、粮食加工等。为铁路和公路交通枢纽。有图书馆、剧院、博物馆和交响乐团。人口约102 455(1986)。

sliver 条子 纺纱生产中，粗细大致均匀的松软而未经加捻的绳状纤维条。条子是梳理工序的产品，原料经梳理后分离成单纤维，为纺细纱作准备。梳理过的纤维条可经精梳工序去掉短纤维并使条子中的纤维平行排列。并条工序将若干根条子并合、牵伸，进一步使纤维伸直，条子变细。经粗纺工序可使条子变得更细并加少量捻度。

Sloan, Alfred P(ritchard), Jr. 斯隆(1875-05-23，美国康涅狄格纽黑文～1966-02-17，纽约市) 美国企业主、慈善家，曾任通用汽车公司总裁、董事长达25年以上。他是咖啡和茶叶进口商之子，在纽约市布鲁克林长大。1895年获麻省理工学院电气工程学位，后加入其父入股的新泽西州哈里森的海厄特滚子轴承公司。26岁时出任总裁，使该公司成为日益发展的美国汽车业的轴承供应者。后海厄特公司并入通用汽车公司，他先后任业务部副总裁、公司总裁、董事长。他是一位管理天才，将通用汽车公司从一个松散的企业群体转变成现代企业组织的模范，他所建立的公司机构一直保持至今。他将公司改组为五个汽车分厂，分别生产不同档次的汽车。分散生产使每个分厂都能自由发挥其主动性，去争取更多的商业机会；而集中管理则建立一个强有力的中心办事机构，这个机构拥有大批的金融和顾问人员以备咨询，并协调整个公司的经营方针。在斯隆的主持下，20年代后期通用汽车公司在美国汽车销售中超过福特汽车公司，终于成为世界最大的汽车企业，并开始控制了市场，产品占美国汽车销售量的一半以上。

1956年退休后他担任公司的名誉董事长。著有《公司岁月》(1964)、《一位白领工人不平凡的经历》(1941，与B.斯帕克斯合著)，概要地论述了他的经营方针。30年代晚期，他向以他名字命名的基金会大量赠款，还资助过其他多种慈善事业。

Sloan, John French 斯隆(1871-08-02，美国宾夕法尼亚洛克港～1951-09-07，新罕布什尔汉诺威) 美国油画家、铜版和石版画家、漫画家和插图画家，以生动描写20世纪初纽约市的日常生活著名。曾在费城从R.亨利学画，后随亨利到纽约。1908年他们和另外6位画家组成"八人画派"，一起展出作品。他以现实主义手法描写城市生活，因而称"垃圾箱派"。他关心社会改革，为社会主义刊物《群众》作插图。1939年出版《美术要旨》一书。1900～1920年是其艺术创作的鼎盛期。作品有《星期日，妇女晾头发》(1912)、《麦克

斯隆绘油画《渡轮留下的尾流》(1907)

供图：Phillips Collection, Washington, D.C.

索利酒吧》(1912)和《格林尼治村里的后院》(1914)等。

Sloan, Tod 斯隆(1874-08-10，美国印第安纳科科莫附近～1933-12-21，洛杉矶) 美国骑手。蹲伏式骑术的推广者。这种骑马姿式起初受人嘲笑，后为大多数骑手所采用。斯隆收入很多，但挥霍无度，一贫如洗而死。他腿短，绰号癞蛤蟆，因而采用短绳马镫，骑时匍匐在马背上，头几乎贴于马颈。这种姿势可能早为老骑手加里森所首创，但大多数骑手都自斯隆学得。斯隆起初在中西部参加比赛，在美国赢得多场比赛后于1896年去英国，次年成为威尔士亲王马厩的骑手。1901年英格兰英国赛马总会拒发骑马执照给他。到1906年他已四处碰壁。在从事电影业失败后，于贫困潦倒中去世。

Sloane, Sir Hans 斯隆(1660-04-16，爱尔兰唐郡基利莱～1753-01-11，英格兰伦敦) 英国医生、博物学家，他所收藏的图书、手稿和古玩构成伦敦不列颠博物馆的基础。1727年

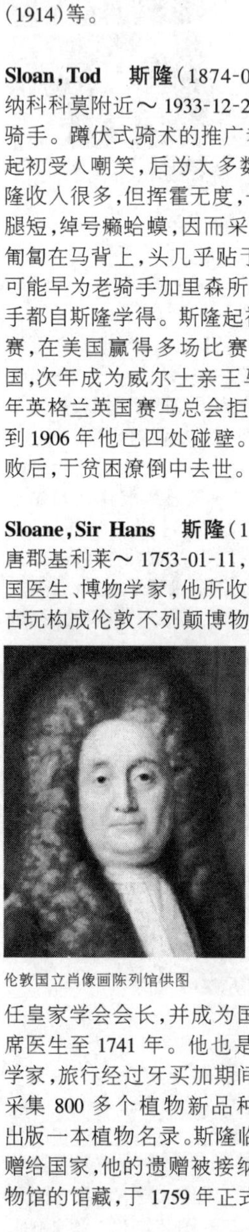

伦敦国立肖像画陈列馆供图

任皇家学会会长，并成为国王乔治二世的首席医生至1741年。他也是学识渊博的植物学家，旅行经过牙买加期间(1687～1688)曾采集800多个植物新品种，为此于1696年出版一本植物名录。斯隆临终将其收藏品遗赠给国家，他的遗赠被接纳后构成不列颠博物馆的馆藏，于1759年正式向公众开放。

Slobozia 斯洛博齐亚 罗马尼亚东南部雅洛米察县城镇和首府。濒临伯勒甘平原中部的雅洛米察河。为周围富饶农业区(以种植谷物和养牛为主)的农产品集散中心。北部的阿马拉为游泳和疗养胜地。通公路，其中有布加勒斯特至康斯坦察的公路。人口约55 614(1992)。

Slocum, Joshua 斯洛克姆(1844-02-20，加拿大新斯科舍威尔莫特～1909，海上) 航海家、冒险家，全世界第一个有历史记载的单独进行环球航行的人。16岁时为商船船员，其后大部分时间在海上度过。1895年4月单人驾驶1800年建造并经他重修的长11.1米的旧渔船"浪花"号，从波士顿起程经新斯科舍、亚速尔群岛、直布罗陀、南美洲、萨摩亚、澳大利亚、南非、西印度群岛，最后于1898年6月1日抵罗得岛纽波特，完成其环球航行，共历时三年两个月零两天，航行74 000千米。1899年所撰《孤身环球航行》一书成为著名航海文献。1909年又乘"浪花"号从新英格兰出发准备在加勒比海大开曼岛过冬，途中失踪。据猜测死于撞船事件，"浪花"号亦再无消息。1924年有关当局正式宣布他已死亡。

sloe(shrub) 参阅 **blackthorn** 黑刺李。

Slonim 斯洛尼姆 白俄罗斯西部格罗德诺州城市，斯洛尼姆区首府。10世纪后半叶建为要塞。后发展为市场中心。现为铁路枢纽。生产食品、消费品和机器。设有医科学校。人口约47 200(1991)。

Słonimski, Antoni 斯洛尼姆斯基(1895-11-15，俄帝国波兰华沙～1976-07-04，波兰华沙) 波兰诗人、翻译家和报纸专栏作家，以献身于反战和社会公正事业而著称。曾在华沙美术学院就读，在德国慕尼黑及巴黎住过一段时间，1913年出版第一部诗集。曾参加华沙一群青年知识分子组成的斯卡曼德尔诗社。到巴勒斯坦和巴西旅游归来后出版诗集《东方之路》(1924)。20世纪30年代初期，他的诗反映出世界正走向灾难，受到经济和社会问题、法西斯主义兴起以及战争来临等问题的威胁。话剧《家庭》(1933)是一部喜剧，讲述兄弟二人，一个是共产主义者，另一个则是纳粹分子。他在讽刺性的、具有先见之明的长篇小说《世界的两个尽头》(1937)中想象独裁者雷特利希下令轰炸华沙，彻底摧毁了这座城市。他由犹太教皈依天主教。战时流亡国外，先后去过法国和英国。1951年回到波兰，为直言不讳的反斯大林主义者。他抗议文艺书刊审查制度，鼓励政治和思想的自由化。曾写过数千首诗，还出版了几部剧本、长篇小说和莎士比亚作品的几部译本，其译文得到高度评价。

sloop 单桅小帆船 从船头到船尾均有帆缆的单桅杆帆船，包括主帆、船首三角帆，还有一个或多个船头帆。作战用的单桅小帆船是一种有帆缆的小型战船，装有20门火炮。在现代应用中，单桅小帆船与独桅纵帆船(**cutter**)实际上是同义的。

slot machine 投币式自动赌博机 又称吃角子机。俗称独臂匪徒。一种赌博用具。其主要部件是若干并列的滚轮，滚轮侧面上每隔一段即绘有不同的符号。赌者将钱币投入机上狭孔，各滚轮即开始转动。待到各滚轮停止转动时，看各轮显示的符号数量和组合方式即可知赌博机吐入彩金钵中的钱币数

(从两枚到机中所存全部钱币不等)。轮上所绘符号有:星、纸牌花色、色条、数字(多为7和11)、水果(樱桃、李、橘、柠檬、西瓜)、"头奖"字样。投币机一词原来兼可用于自动售货机和赌博机,但到20世纪就仅限于赌博机了。美国最初的这种赌博机仅仅是新巧之物,它不赔付硬币而只是显示赌运。例如,塞入一枚硬币就有两匹玩具马开赛。这种装置是安装在沙龙的酒吧间里来吸引顾客之间打赌用的。到1892年就出现了赔付硬币的机器,通常是一块圆形显示板,以旋转的指示器停止时所指的数字、颜色或图画来赌输赢。20世纪初,投币式赌博机就定型为三滚轮式(后来偶有增至五个的),其上带一窗口,显示已投入机内可供作头奖的钱币数量。道德力量,后来还有法律,是反对投币式赌博机营业的。20世纪20年代,这种机器一直流行于美国大部分地区,尤其是人群聚集的地方,并且持续到大萧条的30年代。由于相信投币式赌博机的散布是受有组织犯罪控制的,法律限制了它们的销售、运输和使用,只有私人的社交俱乐部是例外。至1951年,除承认赌博合法的内华达州之外,上述禁令已普及全国,不过一些私人俱乐部的非法经营则普遍被漠视。后来,由于有些州和国家为税收的前景所打动而允许赌博,投币式赌博机开始流行于全世界的赌场和其他场所。美国的制造商占市场的主要份额。20世纪70年代末,出现了靠按电纽开动的自动显示图像式的电子赌博机,特别是用于扑克牌、克诺和二十一点等赌法。独臂匪徒这一诨名的来源,一则是因为机器是用单手柄操作的,二则是因为经营者能够在赌客盈门时将赔付率调低,在生意清淡时则将其调高。到了20世纪末,吃进1~5美元的五轮式美元赌博机的最高中彩额竟达100万美元。

sloth 树懒 树懒科树栖兽类,与犰狳和食蚁兽共同组成贫齿目。在美洲热带有六个现存种。地树懒与之近缘曾分布到北美洲,今已绝灭。树懒头圆,耳不明显,面部平坦。体长约60~70厘米,尾短或退化。毛硬,浅褐色。前肢比后肢长;爪长,弯曲而锐利,可致深创口。三趾树懒(树懒属[*Bradypus*])共四种,每足上有三趾。二趾树懒(二趾树懒属[*Choloepus*])二种,前足上有二趾,但后足上仍为三趾。大多数哺乳类有七节颈椎,树懒却有九节,而二趾树懒只有六或七节。三趾树懒可以将头转动270°。树懒很少自动下地,因为树懒不能行走,只能用爪费力地爬行,故易被美洲豹和其他捕食者捕杀。常垂直地抱着树的枝干,或倒悬于树上。行动极其谨慎,在树上两臂交替地向前行进。以植物为食,夜间活动,通常独栖,往往驱逐同性个体。树懒善游泳,若浸在水中,能比其他陆栖哺乳类存活更久。其毛上生有绿藻,在树上具很好的伪装,尤其是雨季。通常不发声,有时发出尖叫或嘶嘶声。妊娠期4~6月,每产一仔,生后即抓住母兽毛皮,直到约5个星期后才松开。在人工饲养条件下,二趾树懒可活20多年;三趾树懒很少活到几个月,部分原因可能是食性太窄,其食物似仅限于喇叭树(轻桑属[*Cecropia*])树叶。

三趾树懒(*Bradypus tridactylus*)
供图:Des Bartlett—Bruce Coleman Ltd.

sloth bear(*Melursus ursinus*) **懒熊** 又作honey bear或bhalu,亦称蜜熊,印度熊。熊科动物,树栖种,栖息在印度和斯里兰卡热带和亚热带地区。因行动缓慢而得名。视力和听力都弱,但嗅觉灵敏。夜行性。具各种适应搜捕昆虫群落的结构:前足大,具长而弯曲的爪,适于挖破、扒开蜜蜂或白蚁的巢;长长的吻部可伸进巢穴,同时闭上鼻孔以防昆虫进入呼吸道;嘴唇可以向前伸出;无上中切牙,可通过此处的孔隙吸进昆虫。此外还吃果实、蜂蜜、谷物和小脊椎动物。成体通常肩高约75厘米,体重91~113千克,全长1.5米(包括长7~12厘米的尾)。毛粗而浓,黑色,带深浅不同的灰、红或褐色色调。吻部有灰白至浅黄色毛,同样的毛在胸前形成一新月形或人字形斑。妊娠期正常七个月,一窝1~3仔。据报道,幼熊留在母兽身旁2~3年,常骑在母兽背上。

懒熊(*Melursus ursinus*)
供图:Bucky Reeves from the National Audubon Society Collection/Photo Researchers

Slough 斯劳 英格兰伯克郡的区和自治市。位于大伦敦都会区西缘,在大西路和M4高速公路旁。面积(区)28平方千米。第一次世界大战后发展为多种轻工业中心。1976年建成大型购物中心。人口:区约98 600(1991)。

Slovak language 斯洛伐克语 斯洛伐克语作Slovenčina。西斯拉夫语,与捷克语、波兰语及德国东部的索布语关系密切,通行于斯洛伐克东部,为斯洛伐克官方语言,用罗马(拉丁)字母书写。虽然11~15世纪的拉丁语文献及14~16世纪的捷克语文献中已出现斯洛伐克语的痕迹,但最早使用斯洛伐克书面语是在17~18世纪。那时以特尔纳瓦大学为中心的罗马天主教徒们设法把斯洛伐克语用于赞美诗及其他教会作品。到新教徒L.什图尔(1815~1856)所领导的一群人都尽量用斯洛伐克中部方言写作时,斯洛伐克语才被承认为文学语言。这些著作所用语言由M.哈塔拉在1852年所著语法中加以修改、整理,很快得到社会赞许,成为标准语。斯洛伐克语有三个主要方言群:即东部方言,中部方言和西部方言。西部方言已混合入捷克语摩拉维亚诸方言中。除了最东部的斯洛伐克语方言和波希米亚捷克方言外,斯洛伐克语和捷克语的所有方言都能相互领会,没有明显的语言界限。斯洛伐克语较为保守,捷克语自14世纪以来经历极大变化,斯洛伐克语保留有长l和r音节及一系列二合元音,它没有产生有区别的捷克语咝音ř。参阅**Czech language**。

Slovak literature 斯洛伐克文学 用斯洛伐克文创作的文学作品的总称。18世纪才由斯洛伐克方言中发展出有系统的文学语言,斯洛伐克方言虽与捷克语关系密切,但却是从中世纪早期发展起来的一种独立的语言。18世纪初捷克文学的衰落导致了斯洛伐克祈祷经文的地方色彩增加。不久,拜尔诺拉克编纂了斯洛伐克语法(1790)和词典(1825~1827),并整理出该语言的文学惯用法。民族意识复兴时期,这种语言被许多作家采用,首先是霍利。他用斯洛伐克文撰写抒情诗、田园诗及民族史诗。巴伊扎用斯洛伐克化的捷克文撰写的长篇小说《勒内》(1783~1785)亦有巨大的影响力。19世纪初期,语言学家及爱国主义者什图尔极大地优化了斯洛伐克语。"新"语言被一批有才华的诗人用来写作,其中斯拉德科维茨创作的民族史诗《玛林娜》(1846),诗人及革命家克拉尔创作的民谣、史诗、抒情诗等都是最早的斯拉夫浪漫主义作品。19世纪50及60年代,帕拉里克的喜剧开辟了斯洛伐克戏剧之先河。库库钦的作品问世则显示了斯洛伐克小说的成熟。第一次世界大战前,抒情诗人赫维兹多斯拉夫的作品及大量译作丰富了斯洛伐克语言。另一位著名诗人克拉斯科的多卷诗集《孤独的诺克斯》(1909)及《诗歌》(1912)则进入了斯洛伐克文学最杰出成就的行列。1918年后,斯洛伐克文学进入鼎盛期,抒情诗人包括拉祖斯、卢卡奇、耶森斯基及斯姆瑞克最受人欢迎。在小说方面,蒂姆拉伐的田园故事,乌尔班的浩瀚的20世纪斯洛伐克编年史,菲古利的抒情散文等均为杰作。在第二次世界大战后40年的共产党统治下,斯洛伐克文学同捷克文学一样经历了全面的衰退。

Slovak Ore Mountains 斯洛伐克矿山 喀尔巴阡山脉的一部分，在斯洛伐克中南部。东西走向，自兹沃伦至科希策绵延约 145 千米，其中斯托利察山高1 477米。以矿藏尤其是优质铁矿著名，对斯洛伐克经济具重要意义。此山是伊佩尔河和斯拉纳河的发源地。北坡有多布希纳冰洞。

Slovakia 斯洛伐克 全称斯洛伐克共和国。中欧内陆国家，疆域大致与历史上的斯洛伐克地区相同。西连前联邦伙伴捷克共和国，北接波兰，东邻乌克兰，南与匈牙利交界，

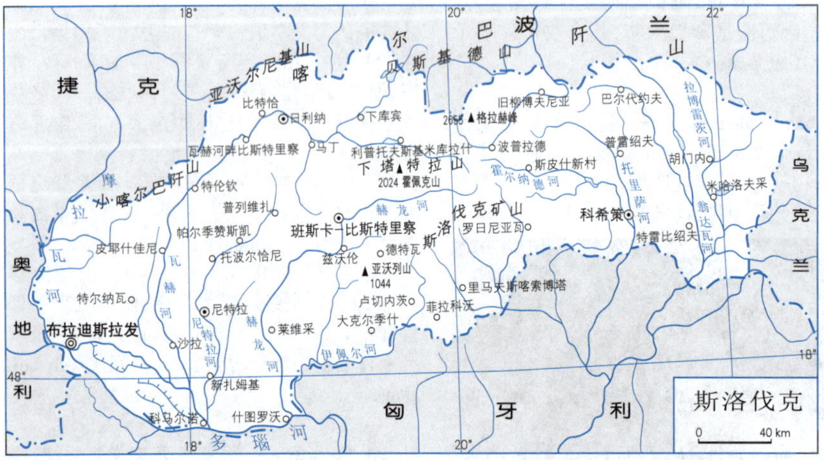

美国不列颠百科全书公司供图

西南为奥地利。首都布拉迪斯拉发。面积49 035平方千米。人口约5 379 455(2001)。

自然地理与人文地理 斯洛伐克全境地形以喀尔巴阡山脉为主。最高点位于北部高塔特拉山的格拉赫峰(2 655米)。西南部和东南部为低地。摩拉瓦河与多瑙河两大河流，形成共和国南部的部分边界。山区的主要河流有南流的瓦赫河、赫龙河、霍尔纳德河与博德罗格河及北流的波普拉德河。

斯洛伐克的气候属温和的大陆性气候，低地夏季较热，山区冬季较冷。年降雨量多瑙河平原为 570 毫米，迎风面山谷在1 100毫米以上。森林面积占斯洛伐克国土的 2/5 以上，山区森林覆盖面积极大。

人口中约 9/10 为斯洛伐克人。集中在南部地区的匈牙利人是最大的少数民族。全国约 60％的人口为天主教徒，其余为基督教新教徒或各派正教徒，亦有一些其他教派集团或无宗教信仰者。

农业在国民生产净值中只占 1/10 左右。约 1/3 的土地为可耕地。低地种植小麦、大麦、玉米、甜菜、裸麦和蔬菜，猪和牛为主要牲畜。瓦赫河流域种植烟草和水果，喀尔巴阡山南坡则遍栽葡萄。

采矿业与制造业占国民生产净值的 60％以上。山区有大量铁、铜、镁、铅和锌矿开采。利用瓦赫河、奥拉瓦河、霍尔纳德河及斯拉纳河水力建坝发电，是工业的主要能源。重工业集中在瓦赫河沿岸城镇以及布拉迪斯拉发和科希策等地。主要制成品有钢、水泥、塑料、食品和饮料以及化肥。

政体与社会状况 1992 年的斯洛伐克宪法规定，设立一院制立法机构国民议会，由国民议会选出的总统为国家元首。总理由总统任命，并负责主持政府工作。

历史 公元最初的数世纪先有伊利里亚人和凯尔特人，后有日耳曼人在此居住。6 或 7 世纪时，斯拉夫族的斯洛伐克人在此定居，臣服于阿瓦尔统治者，直到 9 世纪并入包括波希米亚所有地方在内的大摩拉维亚。10 世纪初摩拉维亚人的国家毁灭之后，斯洛伐克成为匈牙利王室领地(11 世纪)。15 世纪时捷克的胡斯派占据斯洛伐克全境，16 世纪的宗教改革期间，许多斯洛伐克人皈依了路德派和加尔文派。但奥地利的哈布斯堡王朝又成功地使天主教在斯洛伐克得以恢复。哈布斯堡王朝于 1526 年继承了匈牙利的王位，旋即统治斯拉伐克直至 1918 年。18 世纪末，斯洛伐克民族复兴运动开始在该国的少数知识分子中兴起，但在 1867 年奥匈协约之后，匈牙利政府得以对斯洛伐克实行直接控制，在该国推行一项马扎尔化政策。

第一次世界大战结束时，斯洛伐克人脱离匈牙利，与捷克地区(波希米亚、摩拉维亚和部分西里西亚)的捷克人共同组成新的国家捷克斯洛伐克。当希特勒德国威胁要瓜分捷克斯洛伐克时，斯洛伐克人于 1938 年 10 月 6 日宣布自己是捷克斯洛伐克联邦内的一个自治体。德国占领布拉格后，斯洛伐克成为德国保护下的一个徒有虚名的独立国家(1939-03-14)。

1945 年初，当苏联红军占领该国时，斯洛伐克人同意加入重组的捷克斯洛伐克国家。共产党人在苏联的协助下控制了捷克斯洛伐克(1948-02)，斯洛伐克被置于一个严格中央集权的以捷克人为主的政府统治之下，工业实行国有化，农业实行集体化。1989 ～ 1990 年共产党政府在捷克斯洛伐克倒台后，斯洛伐克人中间出现要求斯洛伐克独立的情绪。1991 年经斯洛伐克和捷克的领导人磋商之后，联邦的两个共和国于 1993 年 1 月 1 日分离，成为两个独立的国家。

Slovene language 斯洛文尼亚语 又作Slovenian，斯洛文尼亚语作 Slovenščina。南部斯拉夫语言之一，用罗马(拉丁)字母书写，通行于斯洛文尼亚以及奥地利和意大利与之接壤地区。从语法上说，名词和动词仍保持着双数形式。方言分歧很大，有些学者区分出独立方言达 46 种之多。最早文字记载见于 10 世纪的弗赖辛残稿，到基督教改革运动开始后，新教徒翻译《圣经》，写出宣传教义的小册子，这时才有书面语形式。天主教《圣经》译本出现于 18 世纪末期，19 世纪初出现斯洛文尼亚语法；到 19 世纪中叶已经有标准书面语。斯洛文尼亚语与其东邻塞尔维亚-克罗地亚语关系密切，它是在 7 ～ 9 世纪与之分离的，从东斯洛文尼亚诸方言变成塞尔维亚-克罗地亚语的卡依维亚方言是个逐渐过渡过程。

Slovene literature 斯洛文尼亚文学 居住在巴尔干半岛西北部的南部斯拉夫族斯洛文尼亚人的文学的总称。

现存的斯洛文尼亚语言，最早的文献见于 10 世纪。在中世纪，丰富多彩的民间诗歌在包括斯洛文尼亚在内的整个巴尔干兴起。基督教新教的出现促使斯洛文尼亚文的宗教文学的繁荣，在 1584 年出版了达尔马丁翻译的《圣经》之后更是如此。同时，博霍里奇出版了第一本斯洛文尼亚语语法。

欧洲的浪漫主义运动以及随之而来的民族主义在 19 世纪前半叶影响了一代斯洛文尼亚知识分子，使之从事语文学论著和文学作品的创作。科皮塔尔作出了最初的尝试，使斯洛文尼亚语文规范化和语法化。19 世纪 30 和 40 年代，乔普在斯洛文尼亚积极从事文学作品和期刊的出版工作。19 世纪早期的最伟大的诗人为普列舍伦，他造就了一种足以通过现代用语传达思想感情的微妙之处的斯洛文尼亚文学语言。

斯洛文尼亚文的第一部小说《第十个兄弟》出自尤尔契奇之手，出版于 1866 年。19 世纪后期，斯洛文尼亚作家们开始借鉴西方的风格与流派，成立出版社和其他机构以发展民族文学与语言。

20 世纪早期斯洛文尼亚现代主义运动的兴起引发了文学的第二次繁荣，有创作力旺盛的诗人祖潘契奇的作品和散文能手参卡尔的《老管家耶尔奈和他的权利》(1907)及《圣母马利亚收容所》(1904)。第一次世界大战以后，从塞科什卡尔、雅尔茨和沃德尼克的有鲜明表现主义倾向的诗歌以及格鲁姆的剧作中可以看到社会的和精神领域中显而易见的冲突的折光。20 世纪 30 年代，长短篇小说重又趋于繁荣，出现了社会主义现实主义，这在科扎克、克拉涅茨、科斯马奇和沃朗茨的作品中尤为明显。沃朗茨在《自己播的种》中转而写普通乡民的日常生活。科茨贝克的音节更为自由的诗指出了对现实作魔幻式理解的道路，而沃杜塞克的辛辣的十四行诗则显示了一种清醒的幻灭感。

第二次世界大战期间及战后，那些过去非常活跃的作家继续扎根于现实主义传统，但其中许多人加强了他们的主题的深度与广度。这在诗人和剧作家博尔的作品(《一个原子时代的流浪者》(1958)以及散文作家和剧作家波特尔奇和米海利奇的作品中尤为明显。以后散文方面的发展有在西方影响下出现的诸如雷梅茨等作家所写的科学小说。诗

歌则在维波特尼克、巴兰季奇,尤其是乌多维奇笔下保持了它的力求自我表现的品格。这一倾向在以陶费尔、村德里奇和扎伊茨为代表的下一代的诗作中继续存在。

Slovenia 斯洛文尼亚 全称斯洛文尼亚共和国。巴尔干半岛西北端国家。西与意大利接壤,北与奥地利交界,东北与匈牙利为邻,南及东南与克罗地亚相连。西濒亚得里亚海,有一条狭窄的锯齿形海岸线,从北至南约25千米,在的里雅斯特(意大利)和伊斯特拉半岛(克罗地亚)之间,科佩尔市位于该线中心。首都卢布尔雅那。面积20 256平方千米。人口约1 994 000(1993)。

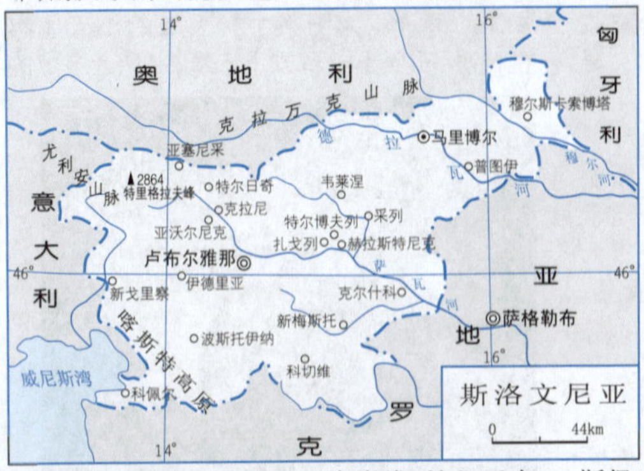

美国不列颠百科全书公司供图

自1919～1991或1992年,斯洛文尼亚为南斯拉夫的一部分。1991年6月25日斯洛文尼亚宣告脱离南斯拉夫独立,1992年得到国际承认。

自然地理和人文地理 斯洛文尼亚多山区和森林,有肥沃的深谷地和众多的河流。其西北端伸入至尤利安阿尔卑斯山脉,萨瓦河由此向东南流动,绕过首都卢布尔雅那,穿过该国中部。卡拉万克(卡拉旺肯)山脉位于北部奥地利边界。德拉瓦河穿过斯洛文尼亚东北部,与萨瓦河同向东流,最终与多瑙河汇合。在卢布尔雅那西面和西南面沿索查河一带,该国气候及一般特征逐渐从大陆性向地中海型转变。伊德里亚西南是一个石灰岩高原,一直延伸至的里雅斯特南面伊斯特拉半岛的狭长海岸带。

人口绝大部分是斯洛文尼亚人,且几乎督信奉天主教,他们一向与西欧保持着比东欧或巴尔干半岛更为紧密的关系。

斯洛文尼亚在历史上曾经是巴尔干半岛一个较为繁荣的区域,经济以制造业为主。马铃薯、油菜籽、谷物(小麦、玉米、裸麦、燕麦)以及水果为农村生长的主要作物。林业和畜牧业也很重要。钢铁厂和其他重工业均设在首都以及耶塞尼采、马里博尔和亚沃尔尼克等地。纺织厂设在马里博尔、克拉尼和特尔日奇等地。煤则采自位于扎戈列、特尔博夫列和赫拉斯特尼克的煤矿。

政体与社会状况 斯洛文尼亚的1991年宪法赋予总统以极大的权力。总统由普选产生,任期5年。由直接选举产生的立法议会,以一个任命的代表经济及地方利益的国务委员会为顾问机构。总理及内阁成员经立法议会同意后由总统任命。

历史 斯洛文尼亚人于公元6世纪来到现今的国土及其以北地区。627年,斯拉夫王国在萨摩的领导下成立,从萨瓦河流域一直向北延伸至莱比锡。748年,这块领土并入加洛林王朝的法兰克帝国版图。9世纪时帝国分裂,该国被纳入日耳曼王国。日耳曼人将斯洛文尼亚人降为农奴身份,并使德拉瓦河以北的大部分斯洛文尼亚居民区日耳曼化。

奥地利哈布斯堡王朝对斯洛文尼亚领土的宗主权系从13世纪后期逐渐建立起来的。15和16世纪不时发生农民起义。通过哈布斯堡女王玛丽亚·特蕾西亚及其子约瑟夫二世在18世纪所颁布的改革法令,斯洛文尼亚农民的命运才有所改善。

在短暂的法国拿破仑统治(1809～1814)之后,奥地利哈布斯堡王朝又重新统治该地区。当地希望成立一个南部斯拉夫人(斯洛文尼亚人、塞尔维亚人和克罗地亚人)政治联盟的设想于19世纪70年代开始提出,斯洛文尼亚的第一批政党于90年代组成。

1918年第一次世界大战结束时,斯洛文尼亚的政治领袖们勉强合作,组成了塞尔维亚-克罗地亚-斯洛文尼亚王国(1929年改名为南斯拉夫)。第二次世界大战初期,斯洛文尼亚被轴心国占领并瓜分。在这一期间,出现了一些斯洛文尼亚抵抗运动组织,其中最重要的是共产党人所领导的解放阵线。

1945年同盟国胜利后,斯洛文尼亚成为组成南斯拉夫的一个共和国。在共产党的统治下,斯洛文尼亚的经济和文化享有一定程度的自治,但在政治方面则从属于以贝尔格莱德为中心的南斯拉夫共产主义者联盟。20世纪80年代后期,斯洛文尼亚共产主义者领袖们开始酝酿在他们的共和国里建立一种多党制度,从而同南斯拉夫的以塞尔维亚人为主的共产党发生了摩擦。1990年4月,斯洛文尼亚举行了自第二次世界大战以来南斯拉夫境内的第一次多党选举。一个中间偏右的联盟取胜,他们先是号召将南斯拉夫改为各共和国的较为松散的邦联,并终于在1991年6月25日完全脱离南斯拉夫联邦。取得独立后,斯洛文尼亚在1991年12月23日正式通过一部民主宪法。翌年M.库昌成为斯洛文尼亚独立后第一位民主选举产生的总统。斯洛文尼亚将该国的政策和经济转向西欧,与欧洲各国建立了更紧密的联系。在以后的10年该国经济增长迅速,政治稳定。库昌1997年再次当选,从1992～2002年(除了一段短暂时期以外)政府首脑是总理J.德尔诺夫舍克,2002年他继任库昌成为总统。90年代斯洛文尼亚在各主要政党的支持下一直寻求加入北大西洋公约组织和欧盟。2003年受邀加入这两个组织之后,得到绝大多数斯洛文尼亚人的支持。2004年成为这两个组织的正式成员。

Słowacki, Juliusz 斯沃瓦茨基(1809-08-23[新历09-04],波兰克热米涅茨～1849-04-03,法国巴黎) 波兰诗人、剧作家。与A.密茨凯维奇和M.克拉辛斯基共同领导了波兰文学的浪漫主义运动。他以娴熟的技巧、丰富而独特的词汇、引人入胜的想象,成为象征派诗人的先驱。父亲是大学教授。他曾在立陶宛维尔纽斯求学,1829年入华沙财政部。在1830年起义中,他似乎是起义政府的使节。1831年退出财政部,1833～1835年,先后到德累斯顿、巴黎、伦敦、瑞士和意大利,并写了爱情田园诗《在瑞士》(1839)。1837～1838年的中东之游,在叙事诗《圣地旅行》(1866死后发表)中作了描绘。还著有散文诗《安赫利》(1838)、长诗《精神之王》(1847部分发表,1925全文发表)。剧本《里拉·维涅德》(1840)、《莎乐美的银梦》(1844)、《法塔齐》(1843)均在他死后于1866年出版。所写剧作对后世剧作家影响很大。

slowworm (lizard) 慢缺肢蜥 参阅 **blindworm 盲蛇蜥**。

Sluck (Belarus) 参阅 **Slutsk 斯卢茨克**。

sludge 污泥 在污水处理中,污水中的悬浮物在水槽或水池内沉积形成的固态物质。参阅 **sewage system**。

slug 缓步虫 腹足纲中壳退化的软体动物。壳可退化为一体内片状结构,成一列颗粒,或完全消失。有的危害园林。肺螺亚纲的缓步虫称蛞蝓,其体软,有黏液,生活在潮湿的场所(淡水产者仅知一种)。温带地区常见的阿勇蛞蝓科(Arionidae)、蛞蝓科(Limacidae)和嗜黏液蛞蝓科(Philomycidae)的种类取食真菌和腐叶。吃植物的婆婆纳蛞蝓科(Veronicellidae)见于热带。吃其他螺和蚯蚓的肉食性缓步虫包括欧洲的小壳螺科(Testacellidae)。后鳃亚纲的海生腹足类有时称为海蛞蝓(参阅 **opisthobranch**)。

slug caterpillar moth 刺蛾 鳞翅目刺蛾科(Eucleidae,又作Limacodidae)昆虫,约500种。分布全球,多数在热带。幼虫肥短,蛞蝓状(故得其英文名);无腹足,代以吸盘,行动时不像是爬行而是滑行。有的幼虫体色鲜

刺蛾(*Euclea delphinii*)
供图:Alexander B. Klots

艳,并有螫人的刺毛,能引起皮疹。幼虫以植物为食,在卵圆形的茧中化蛹,茧挂在叶间。巫婆蛾(猴形巫刺蛾,*Phobetron pithecium*)幼虫的附肢上密布褐色刺毛,像乱蓬蓬的头发;结茧时附肢伸出茧外,用以保护和伪装。

slump, submarine 参阅 **submarine slump** 海底滑塌。

Słupsk 斯武普斯克 原波兰北部一省。现为滨海省的一部分。

Słupsk 斯武普斯克 德语作Stolp(施托尔普)。波兰北部滨海省城市。濒临斯武皮亚河。距波罗的海海滨18千米。斯武普斯克市为制造业中心(主要生产供出口的家具),位于格丁尼亚至什切青的铁路线上。历史上为汉萨同盟成员和波美拉尼亚诸公爵领地。17世纪后归勃兰登堡(普鲁士)所有。1945年成为波兰一部分。人口约102 000(1993)。

Sluter, Claus 斯吕特(约1340或1350,荷兰哈勒姆?[今在荷兰]~1405-09-24至1406-01-30之间,勃艮第第戎[今在法国]) 尼德兰早期最有影响的雕刻家,他将当时占统治

斯吕特的《摩西之泉》(1395~1404或1405)
供图:Lauros—Giraudon from Art Resource

地位的法国审美趣味转变为高度个性化的纪念碑式的自然主义形式。其写实主义作品既充满活力又宏伟壮观,对北欧15世纪画家和雕刻家影响深广。有关他的生平记载不多,而是以其作品闻名后世。现存的作品都是为菲利普大公雕制的。有两组作品现仍在香普木原址:一组为大人物像,大公和夫人及保护圣徒;另一组为大公本人的墓,原在小教堂中,现拆迁到第戎重新组装。第戎档案室提供了一些斯吕特的事迹和他承担的雕刻工作。1389年接替让·德·马尔维尔成为大公的主要雕刻师,1393年完成了大公夫人雕像,随后又完成大公雕像。公爵墓的建筑于1398年完成,但陪葬石像只雕成两个,公爵即于1404年去世。斯吕特本人亦于1406年作古。斯吕特是一位艺术革新家,他雕制的有六位手持书本或卷轴的先知围绕四周的《摩西之泉》是"生命之泉"的象征。卷轴内容是《耶稣受难》,叙述耶稣为了挽救人类而牺牲的故事。六位人像由摩西始,向反时针方向顺序为大卫、耶利米、撒迦利亚、但以理和以赛亚。其最后的作品为菲利普大公之墓,现存法国第戎博物馆,其中送葬行列40个人像,各高41厘米,可能是斯吕特设计的,也可能是他雕刻的,送葬者与哭泣者形象逼真,是写实主义雕刻的杰作。

Slutsk 斯卢茨克 又拼Sluck。白俄罗斯明斯克州斯卢茨克区的城市和首府。始建于12世纪,1795年设市。18世纪斯卢茨克市为编织和金银器制作业中心。该市现有食品、机械制造、金属加工、木器、亚麻纺织等行业。人口约60 100(1991)。

slype 狭廊 英国中世纪大教堂或隐修院中从耳堂或中堂通向牧师会堂或教长住宅的走廊。大多数十字形教堂的耳堂南面有回廊,狭廊则经常与回廊的东部毗连。多见于11世纪晚期的大型教堂中,例如温切斯特大教堂、达勒姆大教堂以及圣奥尔本斯隐修院教堂,三者的狭廊都在耳堂和牧师会堂之间。在格洛斯特大教堂(1029年始建)中则在中堂的西尽端。

Småland 斯莫兰 瑞典南方一旧省份。东濒波罗的海。面积29 330平方千米。是瑞典南方最大的传统省份,现包括延雪平、卡尔马和克鲁努贝里三省。北部地势起伏,南部为高原区。有大面积森林、石楠丛生的荒地、泥沼、沼泽和湖泊。尽管该地区土壤贫瘠,仍有农业和养牛业,产小麦、大麦等,东部为小麦主要产地。奥斯嫩湖南岸乌什胡尔特地区和格兰纳周围盛产水果,其中以梨和薄荷糖颇有盛名。重要工业部门大都以林产品为基础,如家具、火柴、制纸等。玻璃制品也很著名,在奥勒福什、布达和科斯塔有世界闻名的玻璃厂。人口约707 903(2000)。

Small, Albion W(oodbury) 斯莫尔(1854-05-11,美国缅因巴克菲尔德~1926-03-24,芝加哥) 美国社会学家。曾使社会学作为一门独立学科并订出其专业标准,在美国得到学术界承认。他于1892年在芝加哥大学建立美国第一个社会学系,成为美国第一位社会学教授。1895年创办《美国社会学杂志》,并一直担任主编,使该杂志成为美国第一个有影响的社会学期刊。他在新英格兰受神学教育,后去德国留学两年,1889年在约翰斯·霍普金斯大学获博士学位,1889~1892年任缅因州科尔比学院院长。斯莫尔与E.文森特合编的《社会研究导论》(1894)被认为是世界上第一部社会学教科书。他吁请美国学者们注意当代德语国家的社会学说,特别是奥地利哲学家G.拉岑霍费尔的学说,这位哲学家的观点对斯莫尔的《普通社会学》(1905)有很大影响。斯莫尔的社会学理论和方法本身虽然很快就已过时而无人采用,但他对政治和经济思想的影响却持续较久。在政治学方面,后世的著述家们接受他所提出的国家仲裁说。他在《从资本主义到民主制度的时代》(1913)一书中,曾经援引马克思、T.凡勃伦及W.桑巴特等人的学说,攻击资本主义,这对制度派经济学家们产生了影响。

small body 小天体 太阳系中除太阳和几个主要行星、矮行星及它们的卫星以外自然物体的通称。太阳系中有大量的小天体存在,包括石质小游星或小行星,占绝大多数的

2004年1月2日"星尘"号宇宙飞船拍摄的"怀尔德2号"慧星核
美国不列颠百科全书公司供图

冷彗星,以及这些天体的碎块(通常称作流星体)。这些小天体大小不一,小到要用显微镜才能看到的微粒,称作行星际微尘,或微流星体。小天体一词有时限定为在地球大气层以外能用望远镜看到的物体。实际上,这个标准更低地限定在直径几米的小天体。

流星体一词的使用已扩大到所有小块的行星际物质,特别是体积小于几十米的物质。该词以前是限于离地球很近,以及最后进入地球大气层的小天体。根据这个狭义涵义,流星体通常或指流星或指陨石,或指二者。当一个流星体运行通过大气时,摩擦使其发热,产生出一个离子化气体(等离子体)的发光尾巴,因而称作流星。如果该物体在穿越大气层后存留下来,落到地面上,就称作陨石。99%以上的陨石都是小行星的碎块。已知有一小部分是源自月球,另一部分通常认为是源自火星。也有理由认为有些是彗星的残留石质碎块,不过这种说法还有待明确认定。

已知的传统意义上最大的小天体,是一些在海王星轨道以外围绕着太阳运行的柯伊伯带(见下文)中的冷物体。根据其亮度,估计它们的大小接近或超过矮行星冥王星最大的卫星卡戎(直径1 250千米),或约为地球月亮直径的1/3。以前的冠军保持者,最大的小行星谷神星的直径约为920千米。直径2 300千米的冥王星自从1930年发现就被定为行星,直到2006年。20世纪90年代,天文学家们认为它可能是行星形成时的一个极冷的巨大剩余物。起初,出于历史上的原因,行星的卫星不被认为是小天体。然而,许多卫星只有小游星大小,或者更小,而且有些可能是被俘获的小游星或彗核。小天体虽然在太阳系中普遍存在,但大多数已知的小天体都

集中在几个区域。在这些区域中它们在相当稳定的轨道上运行，包括：①火星与木星运行轨道之间的主要小游星带；②沿木星与火星运行轨道的一些引力固定点（拉格朗日点）——可能在其他行星轨道上也有——是名为特洛央群小行星的一些物体的聚集处；③柯伊伯带，是一个由极冷天体构成的盘形带，其中的物体也称作超海王星物体，因为它们的运行轨道位于海王星之外；④由众多极冷天体组成的球形奥尔特云，据推定，是在距离比海王星或冥王星的轨道远1 000倍的轨道上绕太阳运行。在以上几个区域之外，2003年发现的赛德娜，是在太阳系最外边的小天体，其大小约为冥王星的2/3。赛德娜的轨道是高度椭圆形的，其距太阳的最近点有几十亿千米，处在公认的柯伊伯带的范围之外，可能是柯伊伯带和奥尔特云之间众多天体中的一员。

其他一些小天体则是在穿过一个或多个行星之运行途径的不稳定轨道上运行。这些天体包括：①最常见的彗星；②近地小游星，其中大多数的轨道穿过地球的轨道或火星的轨道，有些小游星的轨道大部分或者完全位于地球轨道之内，而且接近地球，穿过金星的轨道或金星与水星二者的轨道；③半人马座中的极冷天体，可能是受到引力的摄动，脱离柯伊伯带，现在主要是在木星和海王星的轨道之间运行；④个别跨越行星的特殊物质天体，如小行星希达尔戈，则是在小游星带的内缘与土星轨道的外缘之间运行。所有在跨越行星的轨道上运行的物体最终都会碰撞到太阳或一个行星，不过也有的由于稳定的共振而长期幸存下来（长达几亿年）。

一般认为，所有的小天体基本上都是在太阳星云形成太阳系时，行星构成过程中的剩余物质。在炽热的初生太阳附近，贴近于木星现在轨道的地方，只有挥发性较低，凝固点高的物质，如金属和硅酸盐，能够从星云中凝结出来。这种物质起初是些微小的颗粒，在相互引力的作用下逐渐融合，成为巨大的直径高达几百千米的石质天体。这些称作星子的巨大物体的大部分，最后结合成为内太阳系（水星至火星）中密实的石质行星。在外太阳系，在木星现在轨道的附近或以外，温度冷得足以使挥发性物质（如水和二氧化碳）凝结成为它们的冰。虽然石质的星子也同样在那里融合，但由冰所提供的重要的另外质量，使它生长成为密度低、气体丰富的外太阳系行星（木星至海王星）。

然而，在内太阳系和外太阳系，都分别有残留的石质天体和占极大多数的冷天体，它们从未聚合成为行星或被俘获成为行星的卫星。如今，在内太阳系，这些天体主要以小游星及其碎块为代表；在外太阳系，则主要以源自柯伊伯带和奥尔特云的物体为代表。彗星生成于柯伊伯带和奥尔特云，而且大多数都仍然在那里。除极大的柯伊伯带物体（直径大于100千米）以外，柯伊伯带中的彗星是看不见的，因为它们距离地球太远。直到进入行星的领域时，彗星才会出现彗发和彗尾。传统上，都是以基于物质差异，位置及轨道性质的一些特点来区分彗星和小游星。一个物体显示出有“彗星活动”（即，有彗发和彗尾，或者有由它发出的任何气体或微尘的迹象），即可归类尾彗星。奥尔特云中的物体，即便并不都是在它们当前的位置上生成的，都可以认为是彗核。由于距离太阳遥远，它们并不显示出彗星活动。然而，由于料想这些物体，与看到的彗星一样，是由相同的挥发性物质构成的，因此都有变得活跃的潜能。最后，任何在一个不返回（抛物线的或双曲线的）轨道上运行物体，都可以认为是彗星。虽然在大多数情况下都使用这些区分的标准，但并不总是能够将个别的物体归类为小游星，或者彗星。例如，发现一个物体在一个从太阳后退的不返回轨道上运行，而且没有显示出彗星活动，则可能是一颗彗星，也可能是一颗越过行星的小游星，是在与一个行星（很可能是木星）近距离遭遇后，被从太阳系逐出。再者，在穿过行星的轨道上运行的物体，可能来源于柯伊伯带，也可能来源于小游星带。除非一个物体显示出有彗星活动的表现，通常无法确定其来源，并从而将其明确无误地归类。这个物体可能在生成时是一个极冷的天体，但是在反复经过内太阳系时失去了它原有的挥发性物质。其坚固物质的燃烧残余物，目前会有与小游星而不是其他彗星更多的相同物理特性。

small-headed fly 参阅 **balloon fly** 小头虻。

small intestine　小肠　大多数脊椎动物都有的狭长而迂曲回环的肠管，连于胃及大肠之间，食物的消化吸收过程大部分在此进行。人的小肠长4.7～7.4米，高度迂曲盘旋，由

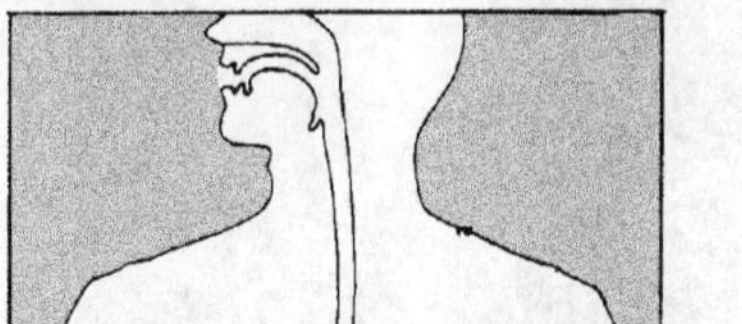

小肠

肠系膜支持及悬吊于腹腔中下部，肠系膜上有成堆的脂肪，用于脏器保温，血管网丰富。小肠上分布有自律神经：副交感神经促使肠管蠕动，将食物向前推送；交感神经则抑制肠管的运动。人及其他哺乳动物的小肠习惯上分为三部分；三部分虽各有特征，但在解剖上相互间无截然分界：①十二指肠，与胃相连，长仅25～30厘米，但直径最粗，无肠系膜，胆总管和胰管开口于此，肝、胰分泌的消化液能中和来自胃部的胃酸，并能消化蛋白质、糖类及脂肪。②空肠，位于腹腔中部，占系膜小肠的2/5，肠壁血管丰富，故色深红，其蠕动迅速有力。有肠系膜，其上脂肪不多。③回肠，位于下腹部，直径小，肠壁薄，血管较少，蠕动慢，肠系膜上多脂肪。小肠黏膜突入肠腔形成许多环状襞（**plica circularis**），高等哺乳动物又有许多微小的指状突起——绒毛（**villus**）突入肠腔，使小肠黏膜的分泌及吸收面积大为增加。小肠壁内有许多微小的腺体，显微镜下方能看清。布伦纳氏腺位于十二指肠的黏膜下层，其分泌物能保护肠壁免受胃液的伤害。利伯屈恩氏腺位于黏膜内，能分泌消化酶。又产生一些细胞，以补充绒毛尖端脱落的黏膜细胞，布伦纳氏腺又开口于利伯屈恩氏腺基部。蠕动波使正在消化的食物通过小肠，而节律性分节运动将食物分割成许多节段，使之与肝、胰及肠壁腺体分泌的消化酶充分混合，并使之与吸收表面接触。在人类，食物通过小肠正常需要3～6小时。罹患炎症（肠类）、畸形（憩室病）及功能性肠梗阻时食物通过障碍。

smallage（*Apium graveolens*）　**野芹菜**　即旱芹。伞形花科具浓烈芳香的直立二年生草本植物。广泛分布于温带的潮湿地方。野

野芹菜（*Apium graveolens*）

供图：Shunji Watari—美国不列颠百科全书公司

生，也作为调料种植。在传统医学中用其根为驱风药，用其叶柄制安神茶。

smaller water strider　**小黾**　又作 ripple bug 或 broad-shouldered water strider。又称涟漪蝽、宽肩黾蝽。异翅目宽黾蝽科昆虫的俗称，近300种。全球性分布。褐色，黑色，或银

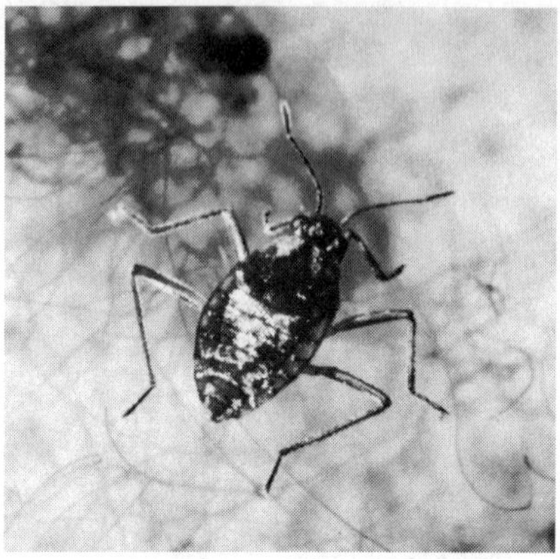

加利福尼亚小宽黾蝽（*Microvelia californiensis*）的若虫

供图：William E. Ferguson

色。体长一般不超过5毫米。体粗壮，在中、后足处最宽，向腹部渐窄，看似肩部宽阔，因而又名宽肩黾蝽。一个种内可同时有长翅、短翅和无翅型。足的间距相等。但阔黾蝽属

(*Rhagovelia*)种类的中足接近后足。本属昆虫中足有扇形排列的刚毛，故能逆着急流奔跑，也能潜水和潜泳。宽黾蝽属(*Velia*)种类在流速适中的溪水和沼泽中生活。小宽黾蝽属(*Microvelia*)种类常成群地在岸边，受惊时能在水面奔跑。

smallpox 天花 又作variola。一种急性病毒性传染病，世界上最可怕的疾病之一，1977年已经消灭。公元前1122年中国已有描述，古代印度的梵文典籍中亦曾提到，埃及法老拉美西斯五世的木乃伊面部即有痘疤。天花的症状为发热、两天后出现皮疹，其发展程序为丘疹、疱疹、脓疱，然后干缩，遗留明显疤痕。天花的自然过程可分数型，如重型、轻型(皮疹较浅)等。重型天花常常也没有典型的发疹过程，而表现为紫癜或出血斑。有的病例刚发病时，典型皮疹尚未出现已见中毒性皮疹：躯干、四肢弥漫分布猩红热样或麻疹样皮疹，重症可见出血性皮疹，每于典型皮疹出现前即死亡，不易确诊，此种患者常无传染性。典型皮疹出现于咽部及皮肤。后者具传染性，通过直接或间接接触。本病毒没有传媒动物，也不具体外传播的自然能力，故天花传染性不强，一个患者通常至多传染1～2名密切接触者。天花病毒在体内能生存一段长时期，在棉花包中能生存18个月。在欧洲，天花多次通过洗衣房造成爆发。病毒亦能在干燥的尘土中生活数月，故患者死亡移出病房后室内需进行严格终末消毒。经呼吸道的飞沫传播是天花最主要的传播途径。轻型患者可无明显症状，却成为传染源。某型天花病毒制备的痘苗对其他型亦能免疫，且天花病毒无动物贮主，世界卫生组织决心用追踪接触者并及时为之种痘的方法消灭天花。1967年天花造成世界上200万人死亡，1977～1980年除英国发生2例实验室感染外全世界无天花病例。现在大部分国家已停止牛痘接种，全世界仅4个实验室保存有天花病毒以备不时之需。

Smalls, Robert 斯莫尔斯(1839-04-05，美国南卡罗来纳博福特～1915-02-22，博福特) 美国黑奴，南北战争(1861～1865)中成为联邦海军英雄，重建时期(1865～1877)为南卡

美国国会图书馆供图

罗来纳州的国会议员。他是种植园奴隶之子，战争爆发时被迫充当南方邦联海军“种植园主”号兵舰舵手。1862年5月13日与另外12名奴隶在查尔斯顿港劫持该舰投归联邦海军，因之盛名轰传北方。1863年升任该舰舰长。战后斯莫尔斯的政治地位迅速提高。1868～1870年为南卡罗来纳州众议员，1871～1874年为州参议员。1875～1879、1881～1887年为美国国会议员，任内最主要的政治主张是支持在州际交通设施上白人与黑人受平等待遇的法案(未获通过)。1877年因曾在州参议员任内受贿5 000美元被判处3年徒刑，但为州长赦免。1895年在南卡罗来纳州制宪会议上发表阻止剥夺黑人选举权的动人演说，但毫无成效。政治上他是温和派，晚年在博福特当过港口收税员(1889～1893，1897～1913)。

smaltite 少砷方钴矿 是钴和镍的砷化物矿物族中的一种富钴贫砷矿物。参阅 **skutterudite**。

Sman-bla-rgyal-po (Buddha) 参阅 **Bhaiṣajya-guru 药师佛**。

Smart, Christopher 斯马特(1722-04-11，英国肯特希普伯恩～1771-05-21，伦敦) 英国宗教诗人，主要因《献给大卫的一首歌》(1763)而闻名。剑桥大学毕业后，1745年被

伦敦国立肖像画陈列馆供图

选为彭布罗克学院的评议员，可是约在27岁时在伦敦成为雇佣文人。由于疯癫(一种轻微的宗教狂热)，斯马特曾三次被监禁。他因奇特而可爱的人品，得以与一些名流为友，如S.约翰逊、演员兼经理D.加里克、剧作家O.哥尔德史密斯等。最后死于伦敦一所债务人监狱里。

smart bomb 灵巧炸弹 又称灵巧导弹(smart missile)。一种带有能将飞行轨迹导向目标的制导系统的炸弹。弹翼或尾翼上有操纵面，它们按照制导指令而活动。制导系统可以是光电的、激光的或红外的，其典型安装位置是在炸弹头部。用光电制导系统时，传感器把目标区图像传送给空勤人员，此人使炸弹跟踪目标，或者全程主动导引，直至击中目标。激光制导炸弹则跟随由另一激光源(例如地面部队、投弹的飞机或另一目标引导机)射在目标上的激光束的反射光。红外制导对目标发出的热产生响应。这类武器中较尖端的变型叫做灵巧导弹。灵巧炸弹或导弹(如“白星眼”)曾在越南战争中广泛使用，以达到定点轰炸的准确度。有三种电视制导无动力滑翔炸弹的型号均用“白星眼”命名。使用灵巧炸弹和灵巧导弹，就可用较小和较少的飞机对情况明确的目标作卓有成效的攻击。与第二次世界大战的“散布”轰炸或“地毯”式轰炸相比，可以用较少和较大的爆破弹头来摧毁这类目标。此外，投弹的飞机要比为了达到足够的轰炸精度而作低空飞行或俯冲轰炸飞行更不易遭到高射炮火的伤害。

Smārta sect 传承派 印度教正统派。其成员为再生族人，即经过入法礼的上等种姓(婆罗门、刹帝利和吠舍)人物，主要是婆罗门，他们崇奉印度教义中的全部神祇，恪守古经所规定的仪礼和行为准则。该派的大师(有人认为即该派的创始人)是八世纪哲学家商羯罗。传承派教徒也可以在众神之中特别崇敬某一位神，现在多敬湿婆。不过在进行五神礼拜时，崇拜湿婆、毗湿奴、舍支、苏利耶、象头神五位大神。传承派的婆罗门以极端正统自居，直到不久以前还比其他任何教派都更加重视印度教的传统美德。他们积极研究各种学术，经常被称为学者。

Smeaton, John 斯米顿(1724-06-08，英国约克郡奥斯特罗普～1792-10-28，奥斯特罗普) 英国工程师，因在普利茅斯海面的埃迪斯通礁石上建造全石砌灯塔和创建英国土木工程

伦敦科学博物馆供图

专业而著名。在伦敦学习数学仪器制造，因发表科学论文在1753年当选为皇家学会会员。1754年参观访问低地国家，研究运河、港口和磨坊，这次参观访问是他事业的转折点。1756～1759年，他建设第三座埃迪斯通灯塔，用楔形波特兰石块砌合，使之能承受海浪的冲击，这种结构后来成为同类建筑的标准。他在设计这座灯塔时，发现水下建筑最好的灰浆是黏土含量高的石灰石，因此成为第一个了解水硬石灰成分的人。他在苏格兰修建了福斯-克莱德运河，开辟大西洋与北海之间的水上航道；建设了珀斯、班夫和科尔德斯特里姆等地的桥梁，并在拉姆斯盖特完成了港口工程。他是从运用风力、水力改变为运用蒸汽力的重要人物。他采用铸铁轴，用齿轮与风车和水车连接起来，并发表《利用水力和风力推动碾磨机的实验探讨》(1759)一文，因而获得皇家学会的科普利奖章。经过他的改进，纽科门大气蒸汽机达到了最好的性能。他为朗本顿煤矿、切斯沃特煤矿和俄国喀琅施塔得船坞设计了大型大气抽水机。他通过加装空气泵以提高潜水钟的安全性。1771年他创建了土木工程师学会。1791年撰写《建

筑埃迪斯通灯塔……记事》一书。

Smedley, Agnes 史沫特莱(1894?,美国密苏里奥斯古德? ～ 1950-05-06,英国牛津) 记者和作家,其文章和著作都集中于中国共产主义成长时期她在中国的亲身经历。早年即开始工作以帮助养家,故接受的正式教育很少。16岁离家,其后几年在美国西部和西南部作过各种各样的工作。1916或1917年迁居纽约市,在纽约大学读过一些课程。后逐步卷入到政治活动中。根据美国的间谍法,她于1918年被捕,政府指控她作为印度民族主义者的代理人没有进行过登记。印度民族主义者在她不知情的情况下接受了德国的活动经费。之后她对美国完全不再抱有任何幻想。1919 ～ 1928年间住在柏林,在柏林大学教授英语、研究亚洲问题,并参与建立德国第一所公开的节育诊所。她写了自传体小说《大地的女儿》(1929)。1928年,作为《法兰克福报》特约记者前往中国。她以上海为活动基地,周游中国各地,热情报道成长中的中国共产党的运动。1936年前往中国共产党控制的北方地区。1936年12月她在西安用英语向全世界广播,报道了蒋介石被东北军兵谏之事。1937年初到达毛泽东在延安的总部。抗日战争期间她历尽艰险与八路军一起跋山涉水。1938年出版《中国在反攻:与八路军在一起的一位美国妇女》。在汉口她与中国红十字会医疗团一起工作,为红军募集供应品。之后又与新四军一起转战华中各地,随时向《曼彻斯特卫报》撰稿,报道前线战事。1941年返回美国,代表中国共产党人继续写作,并到处演讲。1949年D.麦克阿瑟将军发布一份军事情报报告,指控史沫特莱是苏联特务。闻此消息,她极为愤怒,表示要诉诸法律。美国陆军部部长承认此项指控查无实据。但她的声誉已遭到不可弥补的损害。她从此失去做记者的工作机会。当年晚些时候,她向英国寻求避难。在英国她完成了《伟大的道路——朱德的生平和时代》一书,这是为中国共产党军事领导人撰写的传记,在她去世后的1956年出版。其骨灰葬于北京革命烈士公墓。

smell 嗅觉 又作olfaction。借感觉器官探知和鉴别空气中化学物质的作用。因为许多低等动物借助位于身体各个部分的感受器来探测环境中的化学物质,并且没有一种无脊椎动物具有像脊椎动物的鼻腔一样的化学感受结构,所以适用于人类的嗅觉概念,当用于讨论无脊椎动物和低等脊椎动物(鱼类和两栖类)时就变得很不确切。因此许多权威学者把嗅觉视为远距离化学感觉,而把味觉视为接触性化学感觉。呼吸空气的脊椎动物的嗅觉主要依靠末梢在鼻腔上皮中的化学感受神经。像食肉目之类哺乳类,主要靠嗅觉寻找食物或逃避捕食者,其鼻甲卷曲复杂,以增加上皮的表面积,从而提高了嗅觉的敏感度。除鼻上皮外,某些动物口腔顶部的犁鼻器(雅各布森氏器)也是化学感受器。参阅 **chemoreception; nose; perception**。

Smellie, William 斯梅利(1697,苏格兰拉纳克郡拉纳克～ 1763-03-05,拉纳克) 苏格兰产科医师。曾在农村行医20年,后去伦敦以示范的方法来教授助产士及医学生。建立了实习医师参加助产的新教学法,对贫家妇女免费行医,由他的学生接生。斯梅利曾发明一种产钳,但最驰名的是他对“分娩机制”的描述,著有《解剖图表》(1754)及《助产术的理论与实践》(3卷,1752 ～ 1764)等。

Smellie, William 斯梅利(1740,爱丁堡～ 1795-06-24,爱丁堡) 苏格兰自然史学家、《不列颠百科全书》第一版(1768 ～ 1771)编纂人。斯梅利12岁时辍学当印刷学徒,同时在

美国不列颠百科全书公司供图

大学旁听。学徒未满即被提升为印刷所校对员,曾因拉丁原文印刷精确无误为印刷所赢得爱丁堡哲学学会奖。1765年成为印刷师傅。约于此时他受A.贝尔之请着手编纂《不列颠百科全书》。早在1760年他就曾参与创立牛顿学会。1765年以一篇反对瑞典植物学家林奈观点的、论述植物性别的论文获得金质奖章。1780年他协助创建苏格兰文物学会。1781年任爱丁堡自然史博物馆馆长。他翻译了布丰的巨著《自然史》(9卷,1781),著有一部《自然史哲学》(2卷,1790 ～ 1799)。

Smelser, Neil Joseph 斯梅尔瑟(1930-07-22,美国密苏里卡霍卡～) 美国社会学家。因将社会学理论应用于经济体制、集体行为、社会变革以及个性与社会结构等方面的研究而声誉卓著。1952 ～ 1954年获罗兹奖学金在牛津大学就读。1958年获得哈佛大学哲学博士学位。后又在旧金山精神分析研究所进修,在伯克利加利福尼亚大学工作,1962年任该校社会学教授。1969 ～ 1973及1980 ～ 1981年间,两度担任国际关系研究所副所长。此外,还在许多国立社会学研究机构及学术团体担任职务。著有《经济与社会》(1956;与T.帕森斯合著)、《工业革命中的社会变革》(1959)、《集体行为论》(1962)、《经济生活社会学》(1963;第2版1975)、《社会学论文集》(1968)、《当代社会学说》(1971)、《社会科学比较研究法》(1976)及《变化中的学术市场》(1980;与R.康坦特合著)。

smelt 银白鱼 胡瓜鱼科主要海产银白色食用鱼的统称,与鲑鱼和鳟鱼近缘,见于北部冷水区。体细长,具小脂鳍。肉食性。上溯近江河的碎波带或池塘中产卵。美洲银白鱼(彩虹胡瓜鱼,*Osmerus mordax*)已从大西洋引殖到五大湖。最大长度约37.5厘米。冬末或春季产卵,卵黏性,黏附于物体上。欧洲银白鱼(欧洲胡瓜鱼,*O. eperlanus*)与此相似。太平洋的近缘种是亚洲胡瓜鱼(虹鲱,*O. dentex*)、破浪银白鱼(海公鱼,*Hypomesus pretiosus*)、毛鳞鱼(*Mallotus villosus*)和蜡烛鱼(*Thaleichthys pacificus*)。蜡烛鱼在产卵期油质很大,可制蜡烛,故名。银边鱼及其他一些无亲缘关系的鱼有时亦称银白鱼。

smelting 熔炼 矿石在氧化剂(如空气)或还原剂(如焦炭)中加热至超过其熔点以获得金属元素或简单复合物的方法。铜可能是古代中东最先熔炼的金属(约在公元前5 000年),随后是锡、铅、银。为获得熔炼所需高温,发展出带强制通风的熔炼炉,炼铁则比其他金属需要更高的温度。这样熔炼反映了人类重大的技术成就。在18世纪英国发明焦炭之前,木炭是普遍使用的燃料,那时高炉已有高度发展。现代矿石处理通常在熔炼前进行各种选矿工序以尽量富集金属矿石。在熔炼过程中金属氧化物(如氧化铁)加热到高温后,与燃料中的碳化合,生成一氧化碳或二氧化碳逸出。其他杂质(合称脉石)与熔剂结合形成熔渣后清除。现代炼铜采用反射炉,精矿和熔剂(通常是石灰石)从炉顶加入,熔化的冰铜(铜、铁与硫的化合物)和熔渣由炉底排出。还需要用另一炉(转炉)进行第二次加热处理,从冰铜中除去铁。

Smendes 斯门德斯(活动时期公元前11世纪) 埃及国王(公元前1070 ～前1044),第21王朝创建者。长期在尼罗河三角洲东北部的塔尼斯建立都城,而阿蒙神庙的高级祭司统治着底比斯和上埃及。他可能通过其王后滕塔蒙得到统治权,而她可能与前一王朝有关联。阿蒙神庙高级祭司虽在上埃及握有实权,但仍承认他为法老并与他合作。

Smenkhkare 斯曼赫卡拉(活动时期公元前14世纪) 埃及第18王朝国王(公元前1335 ～前1332在位)。或许在大部分时间里和他的前任阿肯那顿共同执政。他从阿肯那顿的首都阿肯塔顿(今特勒·埃尔-阿马尔纳)迁去底比斯,开始恢复对底比斯神即阿蒙神的祀奉。据信他是他的继位者图特安哈门的兄弟。阿肯那顿肯定是阿孟霍特普三世之子,图特安哈门和斯曼赫卡拉也可能是阿孟霍特普的儿子。阿肯那顿的王后去世或倒台后,斯曼赫卡拉和阿肯那顿的长女结婚,一跃而与阿肯那顿联合执政。执政时期的长短一直有争论,他也可能曾短期独立执政。一些学者相信他和曾被他岳父残酷迫害的阿蒙神的支持者和解,并在底比斯恢复对阿蒙神的祀奉。

Smerdis 斯梅尔迪士(公元前6世纪) 又称Bardiya。波斯居鲁士大帝之子,冈比西斯的弟兄。虽然他的真正名字是巴尔迪亚,但在希罗多德的著作中却被称为斯梅尔迪士。根据大流士在比索通的碑文中的记载,真正的斯梅尔迪士已被冈比西斯谋害,后来袄教僧侣高马达冒名顶替成功,在冈比西斯死后,于公元前522年即位。但接位仅8个月即被大流士和其他波斯贵族杀害。某些现代史学家认为,继承其位的大流士编造高马达的故事来为自己的行动辩护,被谋杀的国王确是

居鲁士之子。

Smet, Pierre-Jean de　斯梅特(1801-01-30，特尔蒙德[今在比利时]～1873-05-23，美国密苏里圣路易斯)　天主教耶稣会传教士。他劝化印第安人信奉天主教，安抚密西西比河以西各部落，印第安人称他为“黑袍”；而且他还充当调解人，使美国政府得以推行白人在印第安人领地定居的计划。1821年到达美国，入马里兰州怀特马什耶稣会隐修院。1823年与另外8人到达密苏里州，1827年在该地受神职。一生与天主教圣路易斯学院(后改名圣路易斯大学)保持关系。1838年在

美国国会图书馆供图

今艾奥瓦州康瑟尔布拉夫斯附近波塔瓦托米部族辖区建立第一所传教站。1839年沿密苏里河旅行，在扬克顿地方的苏族人和波塔瓦托米人之间调停。得知平头印第安人对白人友好，并希望派遣司铎向他们传教，即于1840年前往他们所居住的蒙大拿准州比特鲁特岭地区，以后还多次前往该地。1841年在今蒙大拿州米苏拉城建立圣马利亚传教所。一生共约旅行29万千米，16次渡洋赴欧洲。作为印第安人的朋友，1851年应邀赴今怀俄明州境内拉勒米城堡出席由美国政府主办的和平会议。在这次会议上，大平原印第安各部酋长允许白人沿大道旅行并构筑碉堡。后来这项条约被破坏，印第安人纷纷起事。1868年美国政府再次利用他同印第安人交涉的才干，派他去会见洪克帕帕部苏族人酋长坐牛，请他允许政府筑路经过他的统治区通往蒙大拿金矿。坐牛不愿参加谈判而派代表出席。各酋长以美国政府废弃碉堡为条件同意筑路。这项条约后来又被破坏。

Smetana, Bedřich　斯美塔那(1824-03-02，奥地利帝国波希米亚莱托米斯亥[今在捷克共和国利托米什尔]～1884-05-12，布拉格)　波希米亚歌剧和交响诗作曲家，捷克民族乐派奠基人。第一位真正重要的波希米亚民族主义作曲家。在父亲(业余小提琴手)指导下学习音乐。早期又在一位专业教师处学习钢琴。6岁就公开演出。在李斯特的鼓励下，于1848年在布拉格兴办了一所钢琴学校。1856年谱写了第一批交响诗，同年被任命为瑞典哥德堡爱乐乐团指挥直至1861年。然后返回布拉格，成为建立民族歌剧院的重要人物。第一部歌剧《在波希米亚的勃兰登堡人》，1866年在布拉格上演。1866年5月30日上演了第二部歌剧《被出卖的新娘》，使他赢得了杰出的捷克作曲家的声誉。后来的几部歌剧不大成功。受瓦格纳影响创作的歌剧

伦敦皇家音乐学院供图

《达里波》于1868年上演。以捷克历史中的一个传奇人物命名的《里布舍》原系为庆祝弗兰西斯·约瑟夫皇帝加冕为波希米亚王而作，但这一加冕典礼未能实现，该剧也直到1881年才得以演出。1874年健康恶化，辞去布拉格歌剧院指挥的职务。1874年末两耳全聋，但到1879年为止还创作了6首交响诗的套曲《我的祖国》。同时还创作了著名的《我的一生》弦乐四重奏，被认为是他的最佳作之一。他早年就是一位技艺精湛的钢琴演奏家，因此多年来他的作品都是以钢琴曲为主。加上后期在艰苦岁月中所创作的更为成熟的钢琴曲，成了钢琴文献的一个重要组成部分。最后因精神崩溃，在布拉格精神病院去世。1931年在布拉格成立了斯美塔那学会，设有一博物馆，保存他的手稿，并负责他作品的出版与演出。其著名的作品《被出卖的新娘》、《我的祖国》和钢琴三重奏等至今仍在世界各地演出。

Smetanina, Raisa　斯梅塔尼娜(1952-02-29，苏联科米[今在俄罗斯]～　　)　全名Raisa Petrovna Smetanina。苏联北欧两项滑雪运动员，5次参加冬奥会，共获得奖牌10枚。1976年冬奥会获5 000米银牌，4×5 000米接力和10 000米金牌。1980年获5 000米金牌和4×5 000米接力银牌。1984年获10 000米和20 000米越野赛两史银牌。1988年获10 000米越野赛银牌和20 000米越野赛铜牌。1992年39岁，她最后一次参加冬奥会，获4×5 000米接力金牌，是年龄最大的女子金牌得主。此外还是1974、1976和1977年全国冠军，1974和1978年世界锦标赛冠军。她第一次和最后一次获得奥运会金牌的时间跨度达16年，而更令人钦佩的是其间每届奥运会都能赢得奖牌。

Smetona, Antanas　斯梅托纳(1874-08-10，俄罗斯帝国立陶宛乌克梅尔盖区～1944-01-09，克利夫兰)　立陶宛政治家和新闻工作者，四任总统。1902年毕业于法学院。1905年任第一家立陶宛文日报《维尔纽斯消息报》和民主党机关报《立陶宛农民报》主编，还当选为维尔纽斯议会主席团委员。1907～1913年主编《希望》杂志，1913年创办《方向舵》。第一次世界大战德国占领期间，当选为立陶宛国民议会主席(1917-09)。1919～1920年任立陶宛共和国临时总统。1926年12月右翼军事政变后，当选总统。1931和1938年重新当选。1940年苏军占领立陶宛，他流亡德国。1941年转赴美国。

Smibert, John　斯米伯特(1688-04-02，爱丁堡～1751-03-02，波士顿)　Smibert又拼Smybert。苏格兰出生的画家和建筑师，他在波士顿主要以内勒晚期的巴罗克风格为基础，建

斯米伯特绘《百慕大群像》(1729)，画家的自画像在画面的左上角

耶鲁大学美术陈列馆供图

立了殖民期肖像画的传统。他曾在爱丁堡随房屋漆匠当学徒；1706年到伦敦，在那里工作19年；1730年到波士顿。曾为波士顿许多显耀人物画像，并开小店出售美术用品和图片。所藏老辈画师作品临本和古代雕刻模件在殖民期北美是独一无二的。

Smilax　菝葜属　菝葜科的一属，约300种，分布热带和温带地区。木质或草质藤本，茎多有刺。下部叶鳞片状，上部叶革质，全缘，具3～9条粗脉。花单性，雌雄异株，白色

菝葜属(*Smilax*)植物

供图：Mildred Glueck from Root Resources—美国不列颠百科全书公司

或黄绿色。浆果，红色或蓝黑色。欧亚菝葜(*S. aspera*)幼苗可食。牛尾菜(臭肉花、草质菝葜，*S. herbacea*)和普通菝葜(圆叶菝葜，*S. rotundifolia*)产北美东部，有时栽培，可形成密丛。

Smiles, Samuel　斯迈尔斯(1812-12-23，苏格兰贝里克哈丁顿～1904-04-16，伦敦)　苏格兰作家。以训诫性著作《自助》(1859)著称，后续作品有《性格》(1871)、《节俭》(1875)和《责任》(1880)，均以维多利亚时代的价值观念和工作信条为准绳。1832年在爱丁堡取

得医师资格，但旋即弃医而从事新闻工作，并迁居利兹。自1838至1842年主编进步的和主张改革的《利兹时报》。他的激进主义乃是功利主义哲学家J.边沁和J.穆勒的学说的

伦敦国立肖像画陈列馆供图

实际应用。他热烈拥护以个人企业和自由贸易为基础的物质进步。1845～1866年，从事铁路行政管理。1857年，出版一部为铁路的发明者和创建人G.斯蒂芬森所写的传记。后又出版了《自助，以性格和行为举例说明》。该书是他在利兹向年轻人所作的关于自我完善的一系列讲演，至19世纪末已售出25万册并被译成多国文字。他还有多种其他作品，包括《工程师们的生平》(3卷集，1861～1862；增订5卷集，1874)和《自传》(T.麦凯编辑，1905)。

Smilodon 斯剑虎属 已绝灭的大型食肉动物剑齿虎(sabre -toothed cat)的一个属。

smith 锻工 参阅 blacksmith 铁匠。

Smith, A(rthur) J(ames) M(arshall) 史密斯(1902-11-08，蒙特利尔～1980-11-21，密歇根东兰辛) 加拿大诗人、诗集编纂者和评论家，20世纪20年代加拿大诗歌复兴运动领袖。在蒙特利尔麦吉尔大学就学时，创办并编辑了第一家致力于使加拿大文学从狭隘的乡土观念中解脱出来的文学杂志《麦吉尔双周刊》(1925～1927)。他鼓励其他年轻的加拿大作家放眼世界，树立崇高的文学标准。1932年获爱丁堡大学博士学位后，在美国，主要在密歇根州立大学(1936～1972)任教。1941年成为美国公民。在所编纂的以《加拿大诗集》(1943)为开端的一系列诗选中，以学者风度对待加拿大文学，为加拿大现代评论奠定了风格。后期编纂的诗选包括《枯萎的松树》(1957)、《现代加拿大英、法文诗歌》(1967)和《殖民世纪：联盟前的加拿大英语作品》(1973)。本人诗集有《凤凰的消息》(1943)、《诗集》(1962)和《新诗集》(1967)。

Smith, Abby Hadassah and Julia Evelina 史密斯姐妹(艾比 1797-06-01，美国康涅狄格格拉斯顿伯里～1878-07-23，格拉斯顿伯里；朱莉娅 1792-05-27，格拉斯顿伯里～1886-03-06，康涅狄格哈特福德) 美国女权主义者，曾不懈地为其财产和投票权进行抗争。受父母影响，二人都独立判断并行事。1869年由于地方税率不公正，她们参加哈特福德女权运动的集会。1873年艾比前往纽约参加提高妇女地位协会的第一次会议。一个月后，在格拉斯顿伯里召开的会议上，艾比宣读一篇反对对无选举权妇女课税的充满激情的抗议书。其后，姐妹俩拒绝缴纳税款，除非给予她们在市镇会议上投票的权利。1874年她们所养的7头值钱的奥尔德尼牛被没收出售抵税。4月，市镇的第二次会议拒绝艾比发言，于是她站在一辆四轮马车上向群众陈述抗议。6月，当局又没收史密斯牧场15公顷土地，价值2 000美元，理由是她们拖欠了总额约50美元的税款。然而出售该地的方式是非法的。经过漫长的诉讼，二人成功使该案平反。由于报纸的宣传，此案很快在全国乃至国外闻名，艾比的发言连同姐妹俩机智而有力的信件都在各种报纸上登载。1977年朱莉娅编辑出版了整个案件的经过《艾比·史密斯和她的牛》。二人在许多争取选举权的会议上演讲，并在州和联邦关于妇女选举权的立法委员会上作证。1879年，艾比去世后第二年，朱莉娅结婚后移居哈特福德。

Smith, Adam 斯密(1723-06-05受洗，苏格兰法夫柯科迪～1790-07-17，爱丁堡) 经过两个世纪之后，亚当·斯密在经济思想史上仍然是一位杰出的人物。主要以他的一部著作

苏格兰国家肖像画陈列馆供图

《国民财富的性质和原因的研究》(1776，简称《国富论》)而著称。这部著作第一次把政治经济学形成为一个完整的体系，而他则被恰如其分地看作是一位社会哲学家，他的经济著作不过是他的关于政治和社会演变的全部思想的顶峰罢了。如果从他早期论述道德哲学和政治的演讲来看，以及从《道德情操论》(1759)一书中所提及的他希望"在法律和政治的总原则上，以及在不同时代和不同社会阶段所发生的不同革命的总原则上"来写一部书这一点来看，这部杰作——《国富论》——可以被看作不仅是经济学的一部专著，并且是一部要伟大得多的历史演变大纲的一部分论述。

早年生活 遗憾的是，对斯密的生活远不如对他的思想了解得多。他的确切生日不明，只知道他于1723年6月5日在柯科迪接受洗礼，柯科迪是爱丁堡附近的一个小而繁荣的渔村(人口1 500)。父亲亚当·斯密是柯科迪海关审计员，第二次结婚后生下他，母亲马格丽特·道格拉斯是一个大地主的女儿。对斯密的童年只知道他在柯科迪接受初等教育，以及据说他4岁时被吉普赛人拐走。四出寻找后，拐骗者才把年幼的斯密丢下。他的一位主要的传记作者写道："我担心，他会成为一个可怜的吉普赛人。"

1737年斯密14岁时，进入格拉斯哥大学学习，这时格拉斯哥大学已很有名，是苏格兰启蒙运动的中心。在那里，他深受著名的道德哲学教授哈奇森(**Hutcheson, Francis**)的影响，虽然后来他与哈奇森的经济和哲学观点背道而驰，但他的富有魅力的性格对斯密的发展似是一种定型的力量。1740年斯密毕业，获得奖学金(斯内尔奖学金)，得以骑马旅行至牛津，进入巴利奥尔学院。与格拉斯哥大学激励人的气氛相比，牛津大学是教育上的一块沙漠。他在那里主要是自学，他牢固地掌握了经典哲学和当代哲学两门学问。

在阔别了6年之后，斯密回到家乡，寻求合适的工作。由于他母亲一方的关系，以及得到法理学家和哲学家H.卡姆斯勋爵的支持，他获得机会在爱丁堡大学作一系列公开的演讲——在当时盛行的"改良"精神中一种很流行的教育方式。

这些演讲，包括的学科范围很广，从修辞学到历史和经济学，给斯密同时代的一些知名人士留下了深刻的印象。他们也对斯密的生平产生显著的影响。1751年斯密27岁时，被任命为格拉斯哥大学逻辑学教授。1752年，又从这一职位转至报酬更丰的道德哲学教授职位，这一学科包括自然神学、伦理学、法学和政治经济学的一切有关领域。

在格拉斯哥 斯密从此进入具有非凡创造力的时期，结合着过一种社交和学术生活，他后来描写为是"我一生中最愉快和最值得尊重的时期。"每个工作周，他每天上午7点半至8点半授课，并每周三次从上午11点至中午授课，各班学生最多的达90人，年龄从14岁至16岁不等。(虽然他仿效哈奇森的先例，用英语讲课，而不是用拉丁语，但其复杂深奥的程度，对如此年幼的受众来说，今天在人们看来，是异乎寻常地苛求。)下午则忙于学校行政事务，对此他发挥着积极的作用，于1758年被选为学院院长；晚上在格拉斯哥社交界过着振奋人的交际生活。

在他广泛结识的各界人士中，不仅有贵族成员，其中许多与政府有关系，并且有一系列学术界与科学界人士，包括化学领域的先驱J.布莱克，后来因发明蒸汽机著名的J.瓦特，卓越的印刷商和发行人、后来成为第一所英国设计学校创始人的R.福尔斯，特别是斯密在爱丁堡认识的、他终身的至交、哲学家D.休谟。这一时期，他并与许多富商巨贾结成朋友，这些人正在从事殖民地贸易，这种贸易是在苏格兰于1707年与英格兰合并后苏格兰着手进行的。其中之一的A.科克伦曾是格拉斯哥市长，他创立了著名的政治经济学俱乐部。斯密无疑从科克伦和其他商人那里获悉关于贸易和商业的具体情况，从而赋予《国富论》以现实的世界感。

《道德情操论》 1759年，斯密的第一部著作《道德情操论》出版。这是一部交织着教

诲、告诫和分析的书,为他日后写成《国富论》奠定了心理学基础。斯密在书中阐述了"人性"的原则,他与休谟及这一时期的其他哲学界泰斗一起,把这些原则看作是一种普遍的和不变的论据,社会的体制和社会的行为正是从这一论据演绎而来的。

有一个问题斯密在《道德情操论》中特别感兴趣。这个问题也曾吸引斯密的老师哈奇森和他的一些苏格兰哲学家前辈们。这个问题是,在看来是压倒一切的自卫和利己的感情面前,构成道德评价包括对自我行为的评价在内的能力的根源是什么。在一段很长的时间内,斯密的回答是,在我们每个人的体内存在着一个"灵魂",它起着"公正的旁观者"的作用,用一种不容忽视的呼声赞成或谴责我们自己的或别人的行为。(如果问题改成问本能的力量是如何通过超我实现社会化的,那么这一论点可能就不那么天真了。)

但是,公正的旁观者的论点却把这本书的一个更为重要的方面隐藏起来。斯密把人类看作是受感情驱使的动物,而同时以他们的思考力和——同样重要的——同情心进行自我调节。这一双重性既使人们互相斗争,又赋予他们以推理和辨别是非的能力来建立机构和制度,借以缓和两败俱伤的斗争,甚至使斗争转化成为对大家都有利。他在《道德情操论》中写下了一段著名的话,后来他在《国富论》中重复使用了这段话:追求私利的人常常"被一只看不见的手牵着……不知不觉地、也并非有意地促进社会的利益"。

必须指出,学者们长期以来一直在辩论《道德情操论》与随后写出的《国富论》是相辅相成,抑或互相冲突。从一个方面看,第一本书里所包含的社会道德的主题与第二本书里对经济制度所作的大部分非道德的解释似乎相冲突。另一方面,第一本书也可以被看作是对生活方式的一种解释,在这种生活方式中,人被社会化了,成为面向市场和受阶级束缚的行动者,从而使经济制度得以运作。

欧洲大陆之行 《道德情操论》很快使斯密的声望大著,特别是引起了C.汤森的注意,他是个业余经济学家,一个颇具才智的人,作为政治家则有些欠缺,以任财政大臣时应对采取最终激起美国独立战争的征税措施负责而告终。汤森新婚不久,正在为他的继子、受他监护的年轻的布克勒奇公爵物色一位私人教师。在休谟的大力推荐下,以及他自己对《道德情操论》的赞赏,他请斯密担任。工作条件极其优越(年薪300镑,外加旅差费,以及此后每年300镑养老金),比斯密任教授所得收入多得多。为此,斯密于1763年辞去格拉斯哥大学职务,并于翌年作为这位年轻公爵的私人教师陪同前往法国。他们大部分时间住在图卢兹,在那里,斯密开始写书(即后来的《国富论》),作为排除旅居极端寂寞的一种方法。在过了18个月的厌倦无聊的生活之后,作为报偿,他前往日内瓦旅游两个月,在那里,他认识了他极其尊敬的伏尔泰,接着他前往巴黎,当时休谟在巴黎任英国大使馆秘书,把斯密介绍给法国启蒙运动的文艺大沙龙。斯密在那里认识了以**魁奈**(**Quesnay, François**)为首的一批社会改革家和理论家,这些人自称是经济学家,在历史上被认为是重农主义者。关于重农主义者对斯密的影响究竟有多大,存在着某些争议,但是人所共知,斯密充分认识到魁奈的影响,如果这位法国经济学家在《国富论》出版之前没有去世的话,那么斯密一定会把这本书奉献给他的。

一件可怕的事缩短了斯密在巴黎居留的时间。在图卢兹与他们会合的布克勒奇公爵的弟弟遭到伤害,尽管斯密不顾一切地照顾,仍一命呜呼。斯密和他照管的布克勒奇公爵随即返回伦敦。在伦敦,斯密与汤森勋爵一道工作直至1767年春,在这期间,他被选为皇家学会会员,进一步广交知识界朋友,包括E.伯克、S.约翰逊、E.吉本,以及大概还有B.富兰克林。1767年底,他回到柯科迪,此后6年,他在柯科迪口述和修改《国富论》,之后又在伦敦住了3年,最后完成这部著作,于1776年出版。

《国富论》 虽然《国富论》因是政治经济学的第一部巨著而著称,而它实际上是《道德情操论》开始论述的哲学主题的续编。斯密所论述的最终的问题是,感情和"公正的旁观者"——在《道德情操论》中从独自个人的角度加以阐明——之间的内在斗争,从社会长期演变和从斯密所处时代的历史阶段具有典型意义的直接特点来看,是如何施影响于历史本身这一更大的领域的。

对这一问题的回答写入该书第5篇,在这一篇里,斯密概述了除非因资源不足、战争和政府的坏政策所阻,社会发展所必由的社会结构的4个主要阶段:原始狩猎者"未开化"状态阶段,游牧农业的第2个阶段,封建或采邑农业的第3个阶段,商业上互相依赖的第4个也是最后一个阶段。

必须指出,在这4个阶段中,每一个阶段都伴随着适合它所需要的组织机构和制度。例如,在狩猎者的时代,"几乎没有任何财产……;因此几乎没有任何确定的地方法官或任何固定的司法行政机构。"随着畜群的出现,一种较为复杂的社会结构形式产生了,它不仅包括"可怕的"军队,并且包括保护私人财产的中央机构及其不可或缺的法律和命令的支持。斯密思想的实质是,他承认这种机构是保护特权的一种工具,而不是根据自然法则证明为正当的一种机构,对其社会效益他则从未怀疑过。他写道:"只要国民政府是为保护财产的安全而设立的,那就实际上是为保卫富人反对穷人而设立,或为保卫那些拥有一些财产的人反对那些一无所有的人而设立。"最后,斯密阐述了从封建制度进入另一个社会阶段的演进,这后一个阶段需要有新的制度,例如由市场决定而不是由行会决定工资,以及要自由企业而不要受政府束缚的企业。这一制度后来被称之为自由放任的资本主义;斯密称之为完全自由的制度。

这种在物质生产基础上的演变的连续性,以及每次演变都给法律和国家机构及制度等上层建筑带来必要的变更,与马克思的历史观有着明显的相似之处。然而,虽然这种相似的确显著,却又有很大的不同:马克思学说认为,演进的动力归根结底是敌对阶级之间的斗争,而斯密的哲学体系则认为,主要的动力是受自我改善的愿望所驱使和受理智的功能所引导(或错误引导)的"人性"。

社会与"一只看不见的手" 虽然历史进化论可能是《国富论》的确定不变的思想,但这一理论在这本书中却从属于在社会的商业阶段或最后阶段"一只看不见的手"如何实际运作。这成为该书第1篇和第2篇的中心内容,在这两篇里,斯密致力于解释两个问题。第一个问题是,在人性和巧妙地制定的体制的驱使和制约下运作的完全自由的制度,如何导致产生一个有秩序的社会。这一已由早先的作家们作了相当多阐述的问题,要求对规定单项商品价格的基本秩序作出解释,以及对调整全部国民财富(即斯密所说的国家全年的商品和劳务的总产量)在根据权利提出要求的三大阶级——工人、地主和制造者——中的分配的"法则"作出解释。

可以设想,这一秩序是由人性的两个方面的相互作用产生的,这两个方面是人性对其感情的反应,以及人性对理智和同情的敏感性。《道德情操论》强调主要依靠"灵魂"的存在来对个人行为施加必要的限制,而在《国富论》里,人们则看到使用制度作为一种手段使由于单单盲目服从感情而带来的混乱的可能性得到克服。这种保护的手段就是竞争。这是一种安排,通过这种安排,人们想要改善自身状况的热切愿望——"一种我们从娘胎里带来直至进入坟墓才会离去的愿望"——,以一个人的自我改善的动力与另一个人的这种动力相竞争而转变成为有利于社会的力量。

正是在这种为争取自我改善而进行竞争的无意的结果中,这只调节经济的看不见的手显示了自己的力量,为此斯密解释了相互之间的竞争是如何迫使商品的价格降低至与生产成本相一致的"自然"水平的。不仅如此,通过引导劳动力和资本从获利较少的工作或领域转移至获利较多的工作或领域,这种竞争的手段常常使价格纵使短期脱离常规也能恢复至"自然"水平。最后,通过解释工资、地租和利润(生产成本的三个组成部分)本身也都服从于这种利己和竞争的同一规律,斯密不仅为这些"自然的"价格提供了根本的理论基础,并且揭示了在工人、地主和制造者中收入分配的基本秩序;工人得到的报偿是他们的工资;地主得到的收入是他们的租金;制造者得到的报酬是他们的利润。

经济增长 斯密对市场起自我修正作用的分析给人以深刻的印象,而他的目的较之证实制度的自我调节性质更为远大。确切地说,这一目的是为了显示,在渴望获得财富的动力的推动下,国民财富每年的流量可望稳定地增长。

斯密对经济增长的解释,虽然没有集中成为《国富论》的一个分篇,但却是十分清晰的。其核心是他着重论述分工(其本身是人类对交换的"自然"倾向的结果)是社会提高其生产率的力量的源泉。《国富论》以其著名的一段话开始,这段话叙述了一家制造扣针的工厂有10个人,由于各人分工专司其职,这家工厂一天生产48 000枚扣针,而与一个人独自生产相比,这个人一天只能生产几枚,也许仅仅一枚。但是这一十分重要的分工不会凭空发生。它只能在资本(斯密称之为储备)预先积累起来之后才有可能出现,才有可能用这笔积累来支付所增工人的工资和购买工具和机器。

但是对积累的追逐却带来了问题。制造者在积累起储备之后，需要雇佣更多的工人(在斯密的方案里没有提及节省劳力的技术问题)，而为了要雇佣工人，他便将工人工资抬高至"自然"价格以上。结果是，他的利润开始降低，积累的过程处于停止的危险之中。但这时一种十分灵敏的作用随之发生了，使之得以继续前进。在哄抬劳动价格时，制造者在无意中开始了扩大劳动力供应的进程，因为"对雇工的需求，就像对其他商品的需求一样，势必调整雇工的供应。"斯密明确地考虑到较高的工资对减少儿童死亡率所起的作用。在有更多的劳力供应的情况下，工资的提高得到了缓和，利润得以维持；同时，工人的新的供应提供制造者以持续的机会进一步实施分工，从而促进制度的发展。

接着出现了促进发展的"机器"——一种根据牛顿学说运作的完全可靠的机器，对于这种学说斯密十分熟悉。但与牛顿学说不同，斯密促进发展的机器并不单单依据自然法则运作。人性推动它运转，但人性是一种复杂的力量而不是一种简单的力量。因此，国民财富要获得增长，人们就不能通过政府来满足对特权的要求，这种特权将阻止竞争制度发挥良性作用，从而抑制国民财富的增长。正因为如此，《国富论》的许多内容，特别是第4篇，是声讨"重商主义"的限制性措施的檄文，这种重商主义主张在国内外实行垄断。斯密小心地指出，他的"天赋自由"的体系符合一切人的最佳利益，但如果政府被委托照顾或注重"不是也不应该是人类统治者的商人和制造者的卑鄙的掠夺和垄断特性"，那它就无法实现。

这样，《国富论》就远不是人们常常设想的那样是一本思想意识方面的书。斯密虽然鼓吹自由放任(有一些重要的例外)，但他的论点却针对垄断，就像针对政府一样；他虽然颂扬对财富的渴望所带来的社会效果，但他对商人的习气和花招却几乎一律嗤之以鼻。他也不认为商业制度本身值得完全赞扬。他富有洞察力地描写了在分工已经进展得很远的社会里工人智力的下降；与农民敏捷的智力相比，专业化的工人"一般变得愚蠢和无知，就像人类可能变成的那样"。

在这一切中，值得注意的是，斯密是在工业化以前的资本主义时代写这本书的。他似乎并没有真正地预感到正在形成中的工业革命，这一革命的预兆在离爱丁堡数千米远的大钢铁厂里已见端倪。他没有谈到大规模工业企业，《国富论》少数几处关于合股公司前途的评论，也都是贬低之词。最后，人们必须记住，如果增长是《国富论》的重大主题，这种增长也不是无止境的。在这一专著中处处可以看到现实世界利润率的降低；斯密并提到这一前景，即当这一制度最终积累起"全部财富定额"时——例如所有扣针厂，其产品能被承担——，经济衰退就开始了，这种衰退将在贪困的停滞状态中结束。

虽然《国富论》并没有立即获得普遍的成功，但为斯密众多的朋友和仰慕者所赞赏。该书完成后，斯密即处于半退休状态。该书出版后第二年，他被任命为苏格兰海关税务司兼盐税司，这两个职务使他的年收入达到600英镑。因此他的晚年生活过得十分富裕，大部分时间住在爱丁堡，偶或至伦敦或格拉斯哥旅行(格拉斯哥大学任命他为大学校长)。时间平静地过去，他对两部巨著作了几次校订，但没有再出版其他著作。1790年7月17日，斯密带着对他的充分的尊敬和赞誉去世，享年67岁。他被埋葬在卡农门教堂墓地，简单的墓碑上镌刻着：《国富论》的作者亚当·斯密葬于此。

斯密终身未婚，对他个人的生活几乎一无所知。此外，他那个时代的习惯是，对知名人士的私人档案，不是保存，而是销毁，不幸的结果是，斯密的一部尚未完成的书稿的许多部分，以及他个人的笔记，都给毁掉了(有的迟至1942年)。只有斯密的一个肖像——塔西制作的大纪念章侧面像——保存了下来，使人们得以一睹这位老人：眼睑有点重垂的眼睛，鹰钩鼻，多少有点突出的下嘴唇。有一次，他的一位朋友参观他的约有3 000册藏书的图书室时，斯密对他说，"除了我的书籍外，我是个一无所有的求爱者"。

据各种记载，他并且是个很怪的人，诸如说话结结巴巴(直至愈讲愈起劲后方休)，走路的姿态像是"蠕虫爬行"，以及特别是奇怪地、甚至滑稽可笑地独自发愣。另一方面，同时代的人描写了他的"难以形容的慈祥"的微笑，他的政治上的机智，以及他在处理格拉斯哥大学教职员工有时颇为尖锐的问题时的敏捷果断。

毫无疑问，他在他的时代享有高度的声望；甚至早期在格拉斯哥大学时，他的名声即吸引了来自远至俄罗斯的一些国家的学生；晚年他不仅赢得了欧洲许多思想家们赞美的词句，并且获得了英国统治阶层日益增长的赞誉，他的著作为现实的经济政策提供了其重要性无法估量的理论依据。

许多年来，斯密作为一个社会哲学家的光辉经受了侵袭其他第一流的政治经济学家们的风吹雨打而不褪色。虽然他是为他的一代人写作，但他的知识的渊博，他的概括性论述的锐利的锋芒，他的高瞻远瞩，始终博得一切社会科学家们、特别是经济学家们的赞赏。《国富论》用他的时代的无拘无束和富有抑扬顿挫的散文体来表达，富于想象力和充满活力，放射出一个满怀希望而不是伤感的社会形象。既不像李嘉图那样细微地分析，也不像马克思那样严厉和深奥，斯密是启蒙运动真正的集中体现：抱有希望但却现实，臆测但却实际，处处尊重正规传统，而又最后奉献于他的时代的伟大发现——进步。

Smith, Alfred E(manuel)　史密斯(1873-12-30，纽约市～1944-10-04，纽约市)　美国政治家，属民主党，前后4次任纽约州州长，为竞选美国总统的第一位天主教徒(1928)。1895年开始从政，接受纽约市民主党政治团体坦曼尼协会任命，成为市陪审委员团调查员。后选入州议会下院(1903～1915)，为人富有才略，忠于选民，和蔼近人，至1913年当选为议长。自从参加工厂情况调查委员会(1911)与州宪法修改委员会(1915)以后，进一步开拓了认识社会的眼界。1915年由坦曼尼协会委任为纽约县行政司法长官。1917年被选为大纽约市参议会主席。1918年出人意料地以微弱多数当选为纽约州长。1920年因共和党在选举中取得压倒性胜利而去职。1923年

纽约历史学会供图

再次当选，后3次连任，至1928年去职。州长任内致力于克服住房恐慌，改进工厂法，妥善安置精神病患者，增进儿童福利事业及辟建州立公园。他还以务实精神精简州政府。在1924年民主党全国代表大会上，由于他的天主教宗教信仰和反对禁酒的主张，出现了他和禁酒候选人W.G.麦卡杜长时间对峙的局面，后两人均未获提名。4年后史密斯再次被提名为总统候选人，因西部和南部农业区联合支持保守的共和党人H.胡佛，史密斯终被击败。在1936和1940年，他支持共和党的总统候选人。

Smith, Amanda　史密斯(1837-01-23，美国马里兰朗格林～1915-02-24，佛罗里达锡布灵)　美国福音传教士，曾为非洲裔美国女童开办孤儿院。生为奴隶，赎回自由后，于宾夕法尼亚州约克县长大。主要在家里受教育，很早即做女佣。第一次不幸婚姻以丈夫在南北战争中失踪而告终。1863年与J.史密斯结婚，最终与其同往纽约市。1868年一次圣洁的经历令她首次有了从事布道工作的打算。到1869年，丈夫和孩子均已死去，她经常在纽约和新泽西的非洲裔美国人教堂中布道。1870年在至善派夏令营对白人听众的一次成功布道促使她决心全力从事福音传道。以后的8年她周游各地，1878年乘船去英国，在至善派集会布道一年。1879～1881年，在印度、英国短暂停留后，于1881年乘船去西非。有8年时间在利比里亚和塞拉利昂传教。1889～1890年又一次在英国逗留之后，回到美国。1892年前均在美国东部城市布道，后移居芝加哥。1893年出版自传。出书所得加上她的积蓄、出版小报的收入以及他人的捐赠，使她得以于1899年为非洲裔美国孤儿在伊利诺伊州哈维开办一所孤儿院。最终她又恢复布道和唱歌以支持孤儿院。1912年退休去佛罗里达时，孤儿院由伊利诺伊州接管，注册为阿曼达·史密斯女童技工学校。1918年学校毁于一场大火。

Smith, Bernard　史密斯(约1630，德国～1708-02-18，伦敦)　别名Father Smith。英国王政复辟时期最优秀的德国出生的管风琴制造家。原从德国管风琴制造家C.弗尔默习

艺,1660年移居英国后很快适应英国制作风格。1681年被任命为王室管风琴制造师。此后造出许多重要乐器,有些保存至今。1675年起任威斯敏斯特圣玛格丽特教堂管风琴手。一般认为他的管风琴音响胜过他的劲敌R.哈里斯(**Harris, Renatus**)所制,但机械装置稍逊一筹。他的木管音质特别迷人。

Smith, Bessie 史密斯(1898?-04-15,美国田纳西查塔努加～1937-09-26,密西西比克拉克斯代尔) 美国最优秀的布鲁斯女歌唱家之一。出身于穷苦的黑人家庭。童年开始学

美国哥伦比亚唱片公司供图

唱。由于得到著名布鲁斯歌唱家M.雷尼的赞助,才取得专业歌手的地位。在南方各州旅行演出多年,在亚特兰大、萨凡纳、伯明翰和孟菲斯的廉价酒吧间和小剧场学习技艺,最后被哥伦比亚唱片公司的代表、钢琴家兼作曲家C.威廉斯发现,于1923年2月录制了她的第一张唱片。所唱的主题都是布鲁斯的典型素材:贫困和压迫,爱情(多半是单相思),以及在残酷无情和冷漠的世界上对挫折逆来顺受的态度。她的事业中的一大悲剧是,她的寿命比她的乐汇流行的时间长;在生命的最后几年她的唱片销量和声名都有所下降。她在生前以"布鲁斯女皇"而闻名。作为一个果敢而极其自信的艺术家,她经常不屑于使用话筒,其艺术表现了整个一代美国黑人的挫折和希望。她的修长身材和美貌在一部《圣路易斯布鲁斯》(1929)的短片中保存下来。这部影片由于它的现实主义而遭禁映,现保存在纽约市现代艺术博物馆中。她在一次交通事故中遇难。据说,如果她是白人就会及早得到治疗而获救。E.阿尔比把此事作为他的话剧《贝西·史密斯之死》(1960)的主题。C.艾伯森所著传记《贝西》于1972年出版。

Smith, Sir Charles Edward Kingsford (aviator) 参阅 **Kingsford Smith, Sir Charles Edward 金斯福德·史密斯**。

Smith, Charlotte 史密斯(1749-05-04,英格兰伦敦～1806-10-28,萨里法纳姆附近蒂尔福德) 英国女小说家、诗人,曾受到司各特高度赞扬。她对大自然充满诗意的态度使人想起W.柯珀对英格兰乡村"平常"乐趣的赞颂。她对传统道德的激进态度和阶级平等的政治思想使她得到恶名。她的丈夫逃往法国避债,她前去与其团聚。后主要由于她的努力才得以回到英国。1787年她与他分手,开始靠写作来维持12个孩子的生活。1784年

不列颠博物馆供图

出版《挽歌十四行诗及其他短论》获得好评。翻译过一些法国作品。后写《埃米林,又名古堡孤儿》(1788)和《埃塞林德,又名湖边隐士》(1789)。《德斯蒙德》出版于1792年,接着出版了她最好的作品《旧邸宅》(1793)。晚年开始写有关儿童教育的作品,其中最好的是《向儿童介绍诗歌的谈话》(1804)。

Smith, Cyril Stanley 史密斯(1903-10-04,英国沃里克郡伯明翰～1992-08-25,美国马萨诸塞剑桥) 美国冶金学家。在1943～1944年确定了1945年爆炸的第一枚原子弹的基本原料钚和铀的性质和生产工艺。他曾在英国和美国学习,任麻省理工学院副研究员(1926～1927),后来在康涅狄格州沃特伯里的美国黄铜公司工作15年,并组织研究实验室,进行了多项研究计划。1931年他与一位历史学家结婚后,开始对冶金史感兴趣。他积聚了许多原始资料,并与其他学者合作将经典著作译成英文。他的著作《金相学史:1890年以前金属结构概念的发展》(1960)是以这项工作为基础的。1942年,他在华盛顿国防研究委员会的战时冶金委员会担任研究工作,次年迁往新墨西哥的洛斯阿拉莫斯,为研制原子弹的曼哈顿计划工作,负责研究铀和钚的性质,他和同事们对碳化钨和硼也作了重要的研究。1946年,他回到芝加哥大学任金属研究所所长(1946～1956),1961年离开芝加哥到麻省理工学院,任冶金学和科学技术史教授。1969年成为荣誉教授。史密斯曾获得许多荣誉,其中包括伦敦金属学会白金奖章(1970)。

Smith, David (Roland) 史密斯(1906-03-09,美国印第安那迪凯特～1965-05-23,纽约奥尔巴尼) 美国雕刻家,其金属焊接雕刻和

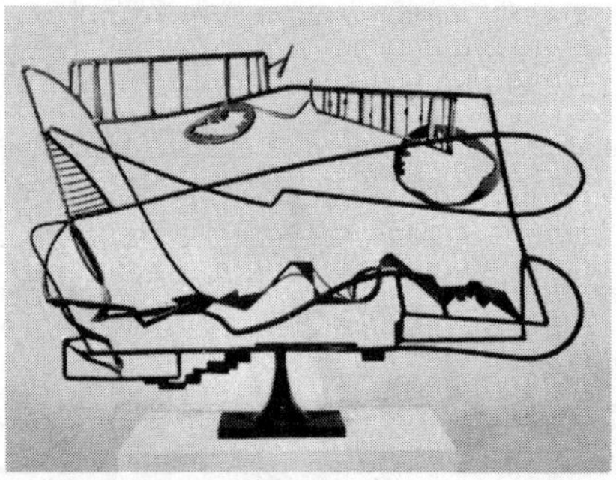

史密斯的金属焊接雕刻《哈得孙河景观》(1951)
纽约惠特尼美国艺术博物馆供图

大型彩绘几何形式富于拓新精神,是第二次世界大战后成熟起来的最有独创性的美国雕刻家,并对60年代最小主义艺术的色彩鲜艳的"原色结构"产生巨大影响。他从未受过雕刻训练,1925年曾短期当过铆工,学过金属加工。在大学读完第一年课即退学,迁居纽约市,先后当过出租汽车司机、推销员和木工;同时向J.斯隆和捷克抽象派画家扬·马图尔卡学习绘画。他的雕刻是从他早期的抽象城市风景画发展而来的,他用纺织品作试验,开始把小片木头、金属细片和找到的各种物品贴附在画布上,最后把画布当作雕刻建筑物上层结构所依据的范本。30年代初第一次见到毕加索和另一西班牙雕刻家冈萨雷斯的金属焊接雕刻的插图之后,开始对独立式的雕刻发生兴趣,并追随他们的范例,而成为美国第一位创作金属焊接雕刻的艺术家。他创作大量的抽象的生物形象,其特征是新颖别致,风格不一而饶有美学价值。到40年代末,他制作了风格统一的系列作品。1959年开始的《奥尔巴尼》系列雕刻和第二年开始的《急转弯》的系列雕刻,变为完全非写实的作品。《急转弯》雕刻是他最成功的立体派作品,他利用颜料突出表明平面的关系。1963年开始的最后一大系列《立体》雕刻中,他努力超脱雕刻原坯所限定的美学空间,创作存在于"真实空间"的"真实物体"。

Smith, Dean 史密斯(1931-02-28,美国堪萨斯恩波里亚～) 全名Dean Edwards Smith。美国大学篮球教练,1961～1997年一直在北卡罗来纳大学执教,共胜879场。1953年毕业于堪萨斯大学,获数学和体育教育学位。曾参加堪萨斯大学篮球队,获1952年美国全国大学生体育协会冠军。1954年加入美国空军,任美国空军专科学院助理教练。1958年参加北卡罗来纳大学校队F.麦圭尔的教练组。1961年学校因使用干扰行为受到制裁,史密斯接替麦圭尔为主教练。经过几个赛季的努力奋斗,该队成为大学篮球的亮点,11次打进大学生联赛半决赛,2次获得冠军,并获全国邀请赛冠军。他还担任过1976年奥运会美国篮球队教练,赢得金牌。1983年人选美国篮球名人堂。史密斯善于创新,发明的战术有"四角进攻"(在领先不多的情况下耗时间,这导致后来实行进攻时限)和"跑跳防卫"(交换盯人的全场紧逼防守)。他的队员有95%都获得过大学学位,许多人如M.乔丹和J.沃西等,还成为NBA的杰出球员,L.布朗和R.威廉斯则是大学队和职业队的知名教练。史密斯还积极促进种族融合,是最早吸收非洲裔美国球员的白人教练。著作有《篮球:多种进攻与防守》(1982)、《教练生涯》(1999)和《卡罗来纳方式:教练的领导经验》(2004)。

Smith, Donald Alexander 史密斯 参阅 **Strathcona (and Mount Royal), Donald Alexander Smith, 1st Baron 斯特拉思科纳男爵(第一)**。

Smith, Edmund Kirby 史密斯 参阅 **Kirby-Smith, Edmund 柯尔比-史密斯**。

Smith, Eliza Roxey Snow **史密斯**(1804-01-21,美国马萨诸塞贝基特～1887-12-05,犹他盐湖城) 婚前名 Eliza Roxey Snow(伊莱扎·R.斯诺)。美国摩门教领袖、诗人,确定摩门妇女作用的主要人物。伊莱扎·R.斯诺两岁起在俄亥俄州曼图亚长大。她的家庭笃信宗教,19世纪20年代加入浸礼会改革派中的坎贝尔派。1831年,摩门教创始人约瑟夫·史密斯到她家造访。1835年和母亲加入摩门教,同年4月受洗。1836年12月移居柯克兰,成为约瑟夫家孩子的家庭保姆。另外她还主持一所女童学校。她随同摩门教徒迁徙至密苏里州杰克逊县,从那里又回到伊利诺伊州诺伍。1841年,史密斯宣布多妻制之后,她成为约瑟夫的妻子之一。在诺伍,她在摩门教会确立妇女作用方面起了主要作用。对摩门教徒的迫害导致1844年约瑟夫·史密斯被杀,多数信徒迁往犹他州。1849年成为摩门领袖B.扬的妻子之一,继续活跃于教会工作。1866年成为妇女救济会总会长。担任该职时,她指导发展合作商店、妇女学习班、各种慈善工作以及1882年开办妇女医院。1869年扬命令她负责新成立的青年妇女节约协会,1878年发展为青年妇女共进会,后来一直是摩门教会中重要的世俗组织。1888年被任命为全世界摩门妇女组织的会长。青年时期即在当地享有诗人盛誉,一生不断写作。其最著名的赞美诗是《啊！我的父,你无处不在》。出版了两卷诗集和一本她兄弟的传记。

Smith, Emmitt **史密斯**(1969-03-15,美国佛罗里达彭萨科拉～) 美国美式橄榄球选手。2002年成为全国橄榄球联盟历史上史无前例的头号跑动带球传球员。到2004年底退役时累积跑动带球18 355码。他还保持着最多达阵纪录(164次)和单一赛季的达阵纪录(1995年25次)。早年就在美式橄榄球方面表现出色,是青少年联盟的明星,高中毕业时曾获年度最佳球员称号。在佛罗里达大学打过3年球,创下该校58项纪录。1990年加入达拉斯牛仔队成为跑动后卫以来,他攻得的码数超过12 000码,并帮助球队赢得3次超级杯。1993年获常规赛季和超级杯最有价值球员奖杯。1995年赛季第三次获得超级杯冠军。2002年之后与牛仔队解约,签约亚利桑纳红衣主教队。尽管个子相对矮小(1.75米),但他最终证明自己是全国橄榄球联盟能打任何位置的最持久不衰的球员之一。

Smith, Erminnie Adele Platt **史密斯夫人**(1836-04-26,美国纽约马塞勒斯～1886-06-09,新泽西泽西市) 美国人类学家,进行人种志实地调查工作的第一位妇女。1853年毕业于纽约州特洛伊市女子神学院,早年从事地质学特别是结晶学的研究工作。1876年创建美学协会,吸收500人参加,座谈科学、文学、艺术方面的问题。通过这些集会,她了解了人类学这门新科学。1880年得到史密森学会的资助,开始研究美洲印第安人种学。晚年致力于易洛魁联盟的调查工作,积累各种传说,并收集、编辑易洛魁方言词汇达15 000个以上。她还提出训练本地人提供资料的方法,为后来的人种学家所广泛采用。著有科学论文多篇及《易洛魁神话集》(1883)。

Smith, F(rederick) E(dwin) **史密斯** 参阅 **Birkenhead, Frederick Edwin Smith, 1st earl of 伯肯黑德伯爵(第一)**。

Smith, Father 参阅 **Smith, Bernard 史密斯**。

Smith, Florence Margaret(poet) 参阅 **Smith, Stevie 史密斯**。

Smith, George **史密斯**(1840-03-26,英国伦敦～1876-08-19,叙利亚阿勒颇) 英国亚述学家。发现阿卡德语最重要文学作品之一《吉尔伽美什史诗》,增进了近代对美索不达米亚最早(苏美尔)时期文明的了解。史诗对于洪水的描写酷似圣经《创世记》的记载,此发现在当时引起轰动。史密斯14岁作钞票印刷雕版学徒,自修亚述学。1861年起,伦敦不列颠博物馆从尼尼微运来楔形文字泥板,史密斯长于解读,发表论文数篇,解释楔形文字疑义,引起学术界注意,不久为该馆录用为东方古物部助理员。翻译铭文准备出版时,发现其中有关于洪水记载,十分惊奇。该发现见诸报端后,促使伦敦《每日电讯报》报社资助他作第二次勘探,寻找关于洪水记载的短缺泥板。1873年5月,在尼尼微发掘的第五天,果然获得所缺泥板。他所撰写的《迦勒底人关于创世的记载》(1876)成为当时的畅销书之一。

Smith, George **史密斯**(1824-03-19,伦敦～1901-04-06,英格兰萨里郡韦布里奇附近拜弗利特) 英国出版商,以出版维多利亚时代许多作家的作品和出版第一部《全国人物传记词典》而最为闻名。其父也名乔治·史密斯(1789～1846),在家乡苏格兰学习经销书籍的生意,后移居伦敦,与另一苏格兰人埃尔德一起于1816年建立史密斯-埃尔德公司,出售书籍与文具,两人并于1819年均成为出版商。小史密斯在店中长大,对公司业务十分熟悉,1846年父亲死后,由他单独经营(埃尔德与后来加入的第三个合伙人一起离开该公司)。30多年中,史密斯一直是小说家和评论家J.罗斯金的朋友和出版者,C.勃朗特的《简·爱》也正是由罗斯金介绍出版的。他的公司出版了达尔文、萨克雷、R.布朗宁和E.B.布朗宁、W.科林斯、M.阿诺德、H.马蒂诺、J.佩恩、A.特罗洛普和H.沃德夫人等的作品。1860年1月,史密斯开创其三大事业中的第一项事业:在该月出版由萨克雷主编的配有插图的文学刊物《康希尔杂志》。第二项事业是于1865年创立《帕尔梅尔报》,该报被形容为“绅士写给绅士看的”报纸。第三项也是最重要的事业是出版《全国人物传记词典》,第一卷于1885年出版,全书于1901年完成,共66卷,这部不朽的著作是他成功的一生中的最大成就。1894年后,史密斯将公司的主控权移交给他的小儿子A.M.史密斯(1899年从合股中退出)和他最小的女儿的丈夫R.J.史密斯(1857～1916)。后者从1899年起成为唯一的任职合伙人,于1908年将《全国人物传记词典》66卷原版本重新编排成22卷(1917年该词典赠与牛津大学出版社)。

Smith, George Washington **史密斯**(约1820,美国费城～1899-02-18,费城) 美国舞蹈演员、芭蕾舞指导和舞蹈教师。公认为19世纪美国唯一的男芭蕾舞星。1832年首次登台演出,不久成为一名多才多艺的舞蹈演员。1840年,维也纳的芭蕾舞女演员F.埃尔斯勒和她的英国舞伴、芭蕾教师J.西尔万抵达费城,准备在美国演出两年。史密斯与他们合作,演出他最著名的角色之一——小丑。他们离去之后,史密斯运用他演丑角戏的天才,在一出哑剧《马祖尔梅,或坟上的黑鸦》中扮演角色,并以此闻名。晚年从事编导和教学工作。

Smith, Gerrit **史密斯**(1797-03-06,美国纽约乌蒂卡～1874-12-28,纽约市) 美国改革者和慈善家,曾资助反对奴隶制的先驱约翰·布朗。史密斯出身于富有家庭,约在1822年成为禁酒运动的积极参与者,曾在家乡建起禁酒旅店,是美国早期此类旅店之一。1835年投身于废除奴隶制的事业。1840年参与领导组织反对奴隶制的自由党,1848和1852年由该党未加入自由国土党的成员提名为主席。1852年作为独立人士被选入美国众议院。1854年第一次会议结束后放弃席位。他反对土地垄断,曾将许多块占地50英亩的农场赠给当地农户。1850年后,曾为被控违犯逃亡奴隶法的人员偿付诉讼费用。曾将位于纽约埃塞克斯县的一处农场赠给布朗,彼此交往密切,还经常向他提供资金,虽然不能肯定这些资金是否被用作发动奴隶暴动之用。1859年10月,布朗袭击哈珀斯费里时,史密斯因激动而暂时患精神病,在乌蒂卡的精神病院中度过数周。他赞成进行一场激烈的南北战争,但在战争结束时,主张对南部邦联各邦采取温和政策,宣称北方应对奴隶制的部分罪恶负责。

Smith, Hamilton Othanel **史密斯**(1931-08-23,纽约市～) 美国微生物学家。因发现Ⅱ型限制性内切酶而与W.阿尔伯、D.内森斯共获1978年诺贝尔生理学或医学奖。1952年毕业于伯克利加利福尼亚大学,1956年获约翰斯·霍普金斯大学的医学学位。任实习医师和住院医师后,1962年到密歇根大学任教。1967年回约翰斯·霍普金斯大学,1973年任微生物学教授。阿尔伯等人已研究过一些限制性内切酶,但这些酶切断DNA分子的部位变动不定。史密斯与同事在研究流感嗜血杆菌从噬菌体P22接受DNA的机制时,发现一类新的限制性内切酶,它们分别在特定部位切断DNA分子,因此可用以研究DNA分子中核苷酸的顺序和用于DNA重组体技术。

Smith, Hannah Whitall **史密斯**(1832-02-07,美国宾夕法尼亚费城～1911-05-01,英国伊夫莱[牛津附近]) 婚前名 Hannah Whitall(汉娜·惠特尔)。美国基督教福音布道者和改革家,19世纪后期圣洁运动的重要宣讲人和作家。在虔诚的贵格会家庭中长大，热衷于宗教。1851 年与 R. P. 史密斯结婚，1865 年迁居新泽西米尔维尔，深受卫斯理宗圣洁运动的影响。不久丈夫就开始在圣洁营的集会上布道，并在费城出版期刊《基督徒的天使之路》。汉娜常给期刊投稿，并开始布道。1873 和 1874 年二人先后到英国，成为高尚生活运动的著名人物。汉娜在英国各地讲道，以其雄辩的口才和文雅的仪表被人称作“教会天使”。1875 年由于丈夫牵连到一桩丑闻，二人返回费城。汉娜转而从事写作，1875 年出版《基督徒幸福生活之秘诀》，后译成多种文字，在全世界销售近 200 万册。其他著作有《日常宗教》（又名《圣经常识》）和《我如何认识到上帝的慷慨：心灵自传》以及其他许多小册子、传单和文章。她鼓动妇女接受高等教育，1874 年参与成立女基督徒禁酒联盟，1883 年任新成立的福音堂教长。1888 年移居伦敦，其住所成为一些知识分子、艺术家和革新人物经常聚会的地方，包括 B. 贝伦森（与其女儿玛丽结婚）、B. 罗素（与其女儿爱丽丝结婚）、萧伯纳、詹姆斯兄弟、韦伯兄妹和 G. 桑塔亚那。

Smith, Sir Harry (George Wakelyn), BARONET 史密斯（从男爵）（1787-06-28，英格兰伊利岛惠特莱塞～1860-10-12，伦敦） 英国将军，开普殖民地总督和驻南非高级专员

伦敦国立肖像画陈列馆供图

（1847 ～ 1852）。1805 年任陆军掌旗官。1807 年在南美，1808 ～ 1814 年在西班牙，均战功卓著。在 1812 年战争中随英军占领并焚毁华盛顿（哥伦比亚特区）。后回欧洲，在滑铁卢战役中奋勇作战。在英格兰和牙买加服役后，奉调前往开普殖民地（1828），参加 1834 ～1835 年的开普边界战争。他以将官身份奉派前往印度（1840），1845 和 1846 年曾与锡克教徒作战。在阿利瓦尔战役（1846-01-28）中，因亲自领导最后的冲锋而声名大著，封从男爵，擢少将衔。1847 年 12 月回到开普，任总督和高级专员。当他并吞奥兰治河主权国时，布尔人领袖 A. 比勒陀利乌斯招募一支部队进行斗争。史密斯在布姆普拉茨袭击并战败了布尔人（1848-08-29）。1852 年 3 月被召回国，后又担任各种军职，直到逝世。

Smith, Hoke 史密斯（1855-09-02，美国北卡罗来纳牛顿～ 1931-11-27，佐治亚亚特兰大） 美国议员、内政部长（1893 ～ 1896）和佐治亚州政界的进步人士。1873 年取得律师资格后，在亚特兰大城操律师业，积极参加当地民主党的政治活动。1887 ～ 1900 年出版《亚特兰大日报》，以此作为论坛支持当时几乎所有的进步措施。1893 年 G. 克利夫兰总统任命他为内政部长。他促使国会建立全国森林委员会，由全国科学院遴选其成员以确定森林状况。他在担任佐治亚州长期间（1907 ～ 1909）对该州的教育、交通和监狱条件多有改进。1911 ～1921 年任美国参议员时他继续促进进步法律的制定。但在对外关系上他却附和保守分子，反对美国加入国际联盟。

Smith, Ian (Douglas) 史密斯（1919-04-08，罗得西亚塞卢奎［今津巴布韦舒鲁圭］～2007-11-20，南非开普顿） 英属殖民地南罗得西亚第一个本地出生的总理，白人统治的热烈鼓

供图：Marion Kaplan

吹者，他于 1965 年宣告罗得西亚独立，随后脱离英联邦。史密斯在本地学校上学，后进南非格雷厄姆斯敦罗得斯大学学习。1939 年中断学习，参加皇家空军，第二次世界大战期间为战斗机驾驶员，曾两次被击落。在大学修完他的课程后，史密斯于 1948 年进入政界，同年当选为南罗得西亚议员。1953 年罗得西亚与尼亚萨兰联邦成立时，他加入执政的联邦党。到 1958 年时史密斯已成为当时的总理罗伊・韦伦斯基爵士的执政党议会党团领袖，但当联邦党人支持新宪法允许非洲黑人在议会中有更多的代表时，史密斯于 1961 年成立了罗得西亚阵线，赢得了白人至高主义者的支持。他的党许诺脱离英国而独立，建立以白人少数统治为基础的政府，从而在 1962 的选举中赢得了惊人的胜利。1964 年 4 月史密斯成为南罗得西亚总理（联邦政府已于 1963 年解散），他的第一号政府令是下令逮捕并放逐 4 名非洲黑人民族主义者，接着发生的骚乱为警察所镇压。当英联邦总理会议于 1964 年 7 月召开时，史密斯拒绝讨论将最终导致黑人多数统治的新宪法。与英国的进一步谈判证明是无用的，史密斯乃于 1965 年 11 月 11 日单方面宣布罗得西亚独立。英国拒不承认罗得西亚独立，在英国的请求下，联合国安理会实施对罗得西亚的经济制裁。史密斯遂与英联邦断绝一切关系。1970 年 3 月 2 日，罗得西亚宣布成为共和国。70 年代初期，罗得西亚黑人反政府游击战升级，这场游击战由黑人民族主义者穆加贝和恩科莫的武装力量联合组成的爱国阵线领导。从 1972 年起，他们从在莫桑比克的基地出发进行战斗，史密斯动用罗得西亚军队对之采取激烈的报复措施。由于政府经费大量用于军事开支，以及由于伴随游击战而来的大量白人从罗得西亚移居国外，经济状况不断恶化。史密斯最后被迫于 1977 年与温和的黑人领袖穆佐雷瓦主教进行谈判。1978 年开始向黑人移交政府权力，史密斯成为监督这一进程的权力移交执行委员会成员。他继续担任总理直至 1979 年 5 月，接着从 1979 年 5 ～ 12 月担任津巴布韦-罗得西亚黑人多数政府的不管部长。史密斯继续任议员至 1987 年。

Smith, Jedediah (Strong) 史密斯（1798-06-24，美国纽约班布里奇～ 1831-05-27，锡马龙河附近） 商人和探险家，是从东部进入加利福尼亚再由陆路返回的第一个美国人。他十几岁时就作了第一次西行，1822 年加入一个皮毛商队去落基山脉，迄 1830 年一直在落基山经营商业。1826 年他已拥有自己的贸易商行，曾偕一伙商人离开大盐湖经莫哈维沙漠到达加利福尼亚南部，成为第一批从东部进入该地的美国人。1827 年他先到萨克拉门托附近的亚美利加河，然后越过内华达山脉和沙漠返回大盐湖，因此他又是从加利福尼亚经由陆路返回的第一个美国人。1827 年下半年他再次从大盐湖循旧路去加利福尼亚南部，途中遭到莫哈维印第安人的袭击，18 人中有 10 人被杀，幸存者到达加利福尼亚。第二年沿海岸北上到达俄勒冈，又遇到翁普夸印第安人的袭击，商队中除他与另一人外全部丧生。1830 年他不再经营落基山的贸易。可是他开拓了从加利福尼亚沿海岸到哥伦比亚河畔温哥华堡的路线。1831 年又开拓圣菲的商业。后来在去圣菲途中于锡马龙河附近遭到科曼奇印第安人的包围，结果被杀。

Smith, Jessie Willcox 史密斯（1863-09-08，美国宾夕法尼亚费城～ 1935-05-03，费城） 美国艺术家，以其常以儿童为主角为众多著名杂志、广告宣传和为儿童读物作插图而享有盛名。16 岁时入费城女子设计学校学习，1885 ～ 1888 年在宾夕法尼亚美术学院师从 T. 伊肯斯。1894 年入 H. 派尔在费城德雷克塞尔文理学院（今德雷克塞尔大学）开设的插图班学习。那时她已有几幅画作售予《圣尼古拉斯》杂志。她参加派尔在特拉华州威尔明顿开设的非正式学习班和私人画室学习，并通过他得到了第一份订单，为两本有关黑人的书籍画插图。1897 年，与友人兼同学 V. 奥克利为 H. W. 朗费罗的一本《伊万杰琳》（1847）绘插图。1902 年她在南卡罗来纳州查尔斯顿展览会展出的作品获铜奖，一时闻名全国。1903 年与 E. S. 格林推出了一本非常受人欢迎的日历，题为《孩子》。其插图，尤其是以儿童为题材的插图，经常出现在《主妇之家》、《斯克里布纳》和《哈珀斯》等杂志上。多年来她经常为《好管家》作封面插图，并为若干儿童读物作插图。

Smith, John（religious leader） 参阅 **Smyth, John 史密斯**。

Smith, John 史密斯（1580-01-06 受洗，英格兰林肯郡威洛比～ 1631-06，伦敦） 英格兰探险家，北美弗吉尼亚州詹姆斯敦第一个永久性英格兰移民区的主要创建者。他既是

不列颠博物馆供图

制图员又是多产作家，将新世界的自然资源之丰富描绘得多姿多彩，刺激起英国人的殖民热情。他在农村长大，十几岁时给一个富商当学徒。20岁参加反土耳其战争，在匈牙利作战。被俘后逃往俄国，1604年返回英格兰。此后结识准备到北美建立殖民地的一群人。1606年12月20日与约100人出航，1607年4月26日到达切萨皮克湾，5月14日在后来称为詹姆斯敦的地方登陆。不久，他成为这块新建殖民区的首领。12月遭印第安人伏击，几被头人所杀，（据他本人叙述）被头人13岁的女儿所救。1608年任殖民地总督。1609年回国。1614年航行到他称为新英格兰的地方，仔细测绘了从佩诺布斯科特湾到科德角的海岸。次年在航行中被海盗俘虏，3个月后脱逃，只身回到英格兰。著有《新英格兰记》(1625)等书。

Smith, Joseph　史密斯(1805-12-23，美国佛蒙特沙伦～1844-06-27，伊利诺伊迦太基）美国摩门教创始人，他的著作连同《圣经》为耶稣基督末世圣徒教会和摩门教其他派别奠定了神学基础。1827年声称蒙天使指引发掘出金片，上刻美洲印第安人的历史，说他们原是希伯来人的后裔，许多世纪以前横渡太平洋到美洲。据说，铭文为"改革埃及文"，经他得助于两块石头译出，是为《摩门经》，1830年出版。他说此书从科学上证明他蒙上帝召

密苏里州独立城改组后期圣徒教会供图

唤。摩门教外许多学者认为，此书无非是搜罗当地印第安人传说、自传片段、当时的宗教与政治的论争（特别是关于反共济会运动的论争），杂然汇集，巧妙地改写为宗教文献形式。史密斯宣称，他于1830年4月在纽约州费耶特城成立的教会已恢复原始基督教。十年间信徒不断增加，他率领他们自纽约州到俄亥俄州，又自密苏里州到伊利诺伊州，不断西迁寻找生计来源并逃避教外人士，教外人士特别憎恨传闻中的该教多妻制；据说史密斯曾娶妻50名之多，但是他只承认有一个妻子即元配埃玛，她为他生有9个子女。史密斯定期就种种问题发布启示，用以统治他的信徒。1839年，史密斯率领信徒迁到伊利诺伊州的康默斯，将该地改名为诺伍，各地信徒迅速集中于此，人口不久达到2万，使该地成为该州最大城市。由于民主党和辉格党争夺摩门教徒的选票，诺伍市获得正式承认，史密斯任市长兼州民防军所属诺伍军团司令。1844年2月，他宣布竞选美国总统，结果招来猜疑与敌视。一部分叛教分子在反对派的报纸上抨击他多妻并怀有政治野心，史密斯下令捣毁该报印刷厂，此时大有发生暴乱之势，史密斯遂征召军队保卫诺伍，结果被控犯有叛国罪，与兄弟希罗姆一同被捕，囚于迦太基市监狱。6月27日，涂黑脸的武装暴徒冲入监狱，杀死兄弟二人。史密斯死后，摩门教分裂，大多数信徒由扬率领迁到犹他州的大盐湖。少数由史密斯尚在的4个儿子中最年长者率领，定居于密苏里州的独立城。

Smith, Joseph, III　史密斯(1832-11-06，美国俄亥俄科特兰～1914-12-10，密苏里独立城）美国宗教界名人，耶稣基督末世圣徒改组教会第一任会长；与其父摩门教创始人同名。其父被暴徒杀害时他11岁，他没有随扬一派人迁往犹他州，与其母留在伊利诺伊州诺伍。据1981年发现的一份文件说，其父生前希望由他继任会长。他原从事农业和编写工作，1860年就任耶稣基督末世圣徒改组教会会长。自1881年起住在艾奥瓦州拉莫尼，参与创办格雷斯兰学院。1906年迁到密苏里州独立城，在该地设立改组教会的总会。他毕生力图证明他父亲从未实行或提倡多妻制，他还在犹他州的耶稣基督末世圣徒教会本会争取取缔多妻行为。

Smith, Joseph F(ielding)　史密斯(1838-11-13，美国密苏里法韦斯特～1918-11-19，犹他盐湖城）　美国宗教界名人，耶稣基督末世圣徒教会（摩门教）第六任会长(1901～1918在任）。1844年他的叔父、摩门教创始人约瑟夫·史密斯和他的父亲希罗姆·史密斯在伊利诺伊州迦太基被杀，他即与母亲随大多数教徒逃到犹他州。1866年任使徒，累升到会长。曾任盐湖市议会议员和犹他准州议会议员。他有六房妻室，1890年该教会首脑协议废止多妻制，他接受这一协议，并在美国参议院委员会作证，谓摩门教徒不再实行多妻。

Smith, Kate　史密斯(1909-05-01，美国弗吉尼亚格林维尔～1986-06-17，北卡罗来纳罗利）　美国广播和电视女歌唱家，久以"南方的鸣鸟"而闻名于世。史密斯是哥伦比亚广播公司的"凯特·史密斯演唱"这一节目(1931～1947)的主角。她演唱的主题歌《当月亮从山那边出来的时候》已为千百万人所熟悉。1938年她还介绍了I.伯林的歌曲《上帝保佑美国》。此后若干时候，作曲者给她以在广播或电视中唱这支歌的独有权利。史密斯自幼喜唱歌，在华盛顿长大。家人希望她成为一名护士，她只好答应接受这项训练。不久以后，她在17岁时放弃成为护士的前程，全身心致力于音乐，并前往纽约。1926年史密斯担任百老汇音乐喜剧中一个胖女孩的角色，成为其他演员取笑的对象。1930年与播音员T.科林斯结成搭档，科林斯帮助她创造了"凯特·史密斯演唱"节目，这是30年代至40年代初最受欢迎的节目之一。她和科林斯于1938年一起创造了午间新闻及闲话节目"凯特·史密斯讲话"。1950～1954年主持她自己的电视节目"凯特·史密斯演出时刻"，也是"凯特·史密斯晚间演出时刻"（全国广播公司，1951～1952）及"凯特·史密斯演出"（哥伦比亚广播公司，1960）中的主要演员。后来在许多电视杂耍表演中成为客串演员。1982年美国总统里根授予她美国自由勋章。

Smith, Sir Keith Macpherson; and Smith, Sir Ross Macpherson　史密斯兄弟（基思1890-12-20，南澳大利亚阿德莱德～1955-12-19，新南威尔士悉尼；罗斯1892-12-04，阿德莱德～1922-04-13，英国萨里沃尔顿和韦布里奇附近布鲁克兰兹）　澳大利亚的兄弟飞行员，首次完成从英国到澳大利亚的飞行。哥哥基思第一次世界大战时是英国皇家空军的飞行员(1917～1919)。弟弟罗斯随澳大利亚轻骑兵在加利波利和西奈服役，1916年在埃及学习飞行，战争最后两年在巴勒斯坦的澳大利亚飞行队服役，1918年完成从开罗至加尔各答的首次飞行。他们飞往澳大利亚的创纪录飞行用的是维克斯公司的维米型双发动机双翼机，有两名机械员同行。他们于1919年11月12日从英国起飞，12月10日在达尔文降落。后两兄弟受封爵士并获1万英镑奖金。1922年他们开始准备用维克斯公司的推进式两栖飞机做一次首创性的环球飞行，但是罗斯和贝内特在试飞时不幸身亡。基思遂放弃了这一计划，后在悉尼经商。

Smith, Dame Maggie　史密斯(1934-12-28，英格兰埃塞克斯伊尔福德～　　）　原名Margaret Natalie Smith。英国舞台剧女演员和电影女演员，以扮演众多的尖刻、机智的喜剧角色而闻名。史密斯是内科医生的女儿，曾在牛津剧场学校学习表演。1952年开始在牛津上演的时事讽刺剧中登台，1955年在伦敦演出。她在百老汇时事讽刺剧《1956年的新面貌》中扮演的角色使她首次得到公众承认，后在伦敦上演的时事讽刺剧《分享我的钞票》(1957～1958)中担任喜剧女主角。此后她开始定期在伦敦老维克剧团上演的戏中露面。她在让·阿努依的《排练》(1961)、彼得·谢弗的联系喜剧《私人耳朵》和《公众眼睛》(1962)、让·克尔的《玛丽，玛丽》(1963)等剧中的表演巩固了她的名望。1963年她加入英国国家剧院剧团，1964年在该团扮演德丝苔蒙娜，与劳伦斯·奥利佛扮演的奥瑟罗配戏。1965年奥利佛在电影《奥瑟罗》中扮演剧名角色，她也在电影中再次扮演德丝苔蒙娜一角。她还在国家剧院上演的其他戏中扮演角色，如在《新上任的官员》(1963)一剧中扮演西尔

维亚。史密斯于1958年在《无处可去》一片中初登银屏。在扮演影片《琼·布罗迪小姐的青春》(1969)的剧名角色时,她的表演赢得国际声誉,并使她获得奥斯卡最佳女演员奖。随后她在国家剧院演出的威廉·威彻利的《乡村妻子》(1969)、法夸尔的《情人策略》(1970)和亨利克·易卜生的《海达·加布勒》(1970)等剧中扮演角色。70年代早期史密斯离开国家剧院,并在安大略的斯特拉特福的几届戏剧季中参加演出。她还曾在纽约上演的诺埃尔·科沃德的《私生活》(1972,1975)和汤姆·斯托帕特的《白昼与黑夜》(1979)两剧中扮演角色。她后来出演的影片《加利福尼亚套房》(1978),为她赢得奥斯卡最佳女配角奖。1990年她获得高级英帝国女勋爵士称号。

Smith, Margaret (tennis player)　**史密斯** 参阅 **Court, Margaret** *考特(夫人)*。

Smith, Margaret Chase　**史密斯**(1897-12-14,美国缅因斯科黑根～1995-05-29,斯科黑根)　婚前名 Margaret Madeline Chase。美国有影响的政府官员,是美国众参两院里的第一

美国不列颠百科全书公司供图

位女议员。在家乡上的高中,1916年毕业。曾短期教过书并干过许多其他工作。1930年嫁给当地的政治人物C.史密斯。1930～1936年为州共和党委员会成员,1936年丈夫当选美国众议院议员之后,曾任他的秘书。丈夫1940年心脏病发作时,他敦促她代替自己参加那一年的议员选举。丈夫于4月去世,两个月后她在一次特别选举中被挑选接替她的丈夫职务。当选后她几乎立即就显示出独立的判断能力,在9月的投票中与她的共和党同事产生分歧,投票赞成《义务兵法案》。虽然她坚决反对共产党,但却是党内第一个公开谴责J.麦卡锡的人,她也因坚定的正义感而赢得尊敬。1972年主要由于年龄和健康原因败选,随后退出政坛。她得到的荣誉包括多次当选年度最佳女性、《新闻周刊》1960年最有价值参议员,以及1989年的总统自由勋章。

Smith, Patti　**史密斯**(1946-12-30,美国伊利诺伊芝加哥～　　)　全名 Patti Lee Smith。美国诗人、摇滚歌曲作者和歌手。成长于新泽西州,获艺术奖学金得以入读葛拉斯堡罗州立师范学院。1967年迁居纽约后活跃于曼哈顿艺术舞台并写诗。她为演出而作的诗带有音乐成分,1971起经常与吉他演奏家、评论家L.凯合作。1973年他们组建了一个乐队并在市区里的俱乐部演出。史密斯有着令人神魂颠倒的超凡魅力,其圣歌般却又嘶哑的悦耳朗诵、梦幻般的台词,以及纯朴而又巧妙的摇滚音乐,为她赢得众多热情的崇拜者。1975年与阿里斯塔唱片音公司合作,发行第一张专辑《马》。70年代后期的专辑转而面向商业市场,然而多少失去了她原有的精妙之处,同时,音乐会也常常变得零乱散漫。1978推出在商业上最成功的专辑《复活节》,其中包括与B.斯普林斯廷合作的一首热门单曲《因为那个夜晚》。1979年发行专辑《浪潮》之后,她解散了乐队,退休到底特律,与MC5乐队创办人F.史密斯成立了家庭。1988年与丈夫合作录制了一张专辑《生活的梦》,在随后的几年间二人创作了一些新歌。1994年丈夫因心脏病突然去世,她才真正回归她的事业。1996年出版她17年来第一张独唱专辑《再次离开》;随后的《和平与噪音》(1997)和《同心协力》(2000)都充满旧时的热情,但滤掉了过激的成分。虽然从来没有上过排行榜的榜首,但她促进了纽约、伦敦、洛杉矶以及其他一些地方朋克摇滚乐的发展。

Smith, Preserved　**史密斯**(1880-07-22,美国俄亥俄辛辛那提～1941-05-15,肯塔基路易斯维尔)　美国历史学家,以其论述新教改革的学术著作知名于世。1907年在哥伦比亚大学获哲学博士学位。1919～1920年在哈佛大学讲授历史,1922年起任康奈尔大学历史教授,直至去世。著有《马丁·路德的生平和著作》(1911),《宗教改革时代》(1920脱稿),《伊拉斯谟的生平、理想和历史地位》(1923),以及《现代文化史》中的两卷:《伟大的更新,1543～1687》(1930)和《启蒙运动,1687～1776》(1934)。

Smith, Red　**史密斯**(1905-09-25,美国威斯康星格林贝～1982-01-15,康涅狄格斯坦福)美国体育专栏作家。其文学的技巧、幽默和反对偶像崇拜的态度以及对体育运动的深厚知识,使他成为最受人欢迎的美国体育作家之一。其专栏作品文学性很强,并避免使用土语。他的著作对整整一代作家具有深远影响。史密斯就读于格林贝的公立学校,常出外远足、狩猎和垂钓。1927年毕业于圣母大学之后,作为记者,进行体育写作,发展了他的写作风格。1936～1945年他为《费城纪录》撰写体育故事。从1945年开始,他的专栏"体育概述"刊载在《纽约先驱论坛报》。不久以后,他的专栏被组成辛迪加,开始在全美国的各种报纸上发表。1971年参加《纽约时报》工作,大部分时间从事重要的、引人注目的体育运动报道,如橄榄球、棒球、拳击及赛马。使用的英文自然而且精确,从而使他成为许多字典和百科全书的文字顾问。1956年,史密斯以杰出的体育作品而获得第二届格兰特兰·赖斯纪念奖。其专栏作品为他的5部书提供了素材,其中包括:《出自红色》(1950)、《体育展望》(1954)及《冬天的草莓》(1974)。

Smith, Robert　**史密斯**(1757-11-03,宾夕法尼亚兰开斯特[美国]～1842-11-26,美国马里兰巴尔的摩)　J.麦迪逊总统的美国国务卿。军队英雄S.史密斯的弟弟。1781年毕业于新泽西学院,专攻法律,为巴尔的摩名律师。1793～1801年活跃在马里兰州政界,历任州参议员和众议员及巴尔的摩市市政委员。T.杰斐逊当选总统后,他依靠哥哥的影响被任命为海军部长。任内成功地执行对北非伊斯兰诸国的海上战争。麦迪逊任总统时由于他哥哥和其他显要参议员的压力,史密斯得以出任国务卿,但他与总统在限制商业政策和外交政策上意见经常不合,终于导致1811年面对面的冲突和史密斯的辞职。

Smith, Samuel　**史密斯**(1752-07-27,宾夕法尼亚卡莱尔[美国]～1839-04-22,美国马里兰巴尔的摩)　美国军人和政治家,作为1812年战争中保卫巴尔的摩的美国陆海军司令而知名。富商家庭出身,美国独立战争期间参加过长岛战役,跟随G.华盛顿在福吉谷度过困难的冬天。在任米夫林堡司令官时他曾阻止R.H.豪勋爵率舰队增援伯戈因将军,为美军在萨拉托加取得决定性胜利(1777)作出贡献。独立战争后他在1792～1803年间4次被选入美国众议院,1803～1815年任参议员。1814年英军侵入马里兰,他统领1.3万名战士保卫巴尔的摩,击败并重创入侵者,还坚守麦克亨利堡,在经受两天炮轰后,英军终于撤走。1816年任众议员,1822年任参议员,直至1833年,在国会的任期连续达40年。1835年(83岁)出任州民兵司令,平定了巴尔的摩叛乱;之后担任该市市长,直到1838年,即他去世的前一年。

Smith, Seba　**史密斯**(1792-09-14,美国缅因巴克菲尔德～1868-07-28,纽约帕乔格)　美国编辑、幽默文学作家,虚构的杰克·唐宁少校的创造者。毕业于鲍登学院。1829年创办《波特兰信使报》,1830年1月开始在该报发表虚构人物杰克·唐宁少校的来信,后在《国民报道者》继续刊载,直到1853年7月。杰克少校是一个普通人,却被夸大为一个预言者,一个满脑子普通常识和通俗格言的新英格兰人,一个身着旧衣烂衫一心想当官的人,他揭露出在暴民统治下的许多蠢事。由于有人无耻地剽窃史密斯的创造,他只好把所写的信汇编成册,最后一册在1859年出版,题为《我在参议院外的30年》。1854年他出版《往东去的路》一书,对唐宁这个新英格兰人物的描写,比唐宁书信中的描写更加夸张。

Smith, Sophia　**史密斯**(1796-08-27,美国马萨诸塞哈特菲尔德～1870-06-12,哈特菲尔德)　美国慈善家,她以继承的财富在马萨诸塞州北安普敦创办了史密斯学院。富裕的农场主之女。虽喜欢家乡的农村社交生活,但从未结婚。40岁时失聪,此后大部分时间过着居家生活。父亲于1836年去世,遗下大笔财产给四个子女,其中三个继续生活在家族的农场。她的妹妹1859年去世,两个兄弟1861年也相继故去,其中一个曾通过投机股票使自己继承的遗产价值成倍增长。65岁时,她继承了一大笔财富。为负起责任用到好处,她向哈特菲尔德公理会牧师J.M.格林求教,最终决定创办女子学院。1870年,她的最后一份遗嘱规定学院应建于北安普敦而不是哈特福德。是年去世,给学院留下遗赠

393 000美元。史密斯学院于 1871 年注册，1875 年开学，当时有学生 15 人；后来成为美国一所重要的女子学院。

Smith, Stevie **史密斯**（1902-09-20，英格兰约克赫尔～1971-03-07，伦敦） 弗洛伦斯·玛格丽特·史密斯（Florence Margaret Smith）的笔名。英国女诗人，其作品表现了一种独特而又喜爱幻想的性格。一生大部分时间与姑母在伦敦北部郊区帕默斯格林一所房子里度过。在那里上完学以后，她在一个杂志发行人的伦敦办事处当秘书，直至 50 年代初。后在家中生活和工作，照顾年迈的姑母，直到老人于 1968 年 96 岁时去世。帕默斯格林和那里的居民们成为她的一些诗作的主题。60 年代，她的诗朗颂很受欢迎，她在电台作过广播和录音。还写有 3 部小说及短篇小说、文学评论和随笔，但主要因她的诗而为人们所缅怀。《斯蒂维·史密斯诗集》（1975）附有她瑟伯风格的插图，包括她的第一部诗集《人人都玩得好》（1937）。她的诗常常短小、有力。她把严肃的主题写得很清晰，批评家常称之为童稚气。死亡的主题一再重现。《斯蒂维·史密斯未集录作品集（本人插图）》（1981）在她死后编辑出版，收入她的散文、书信及以前未集录的诗歌。

Smith, Sydney **史密斯**（1771-06-03，英格兰埃塞克斯伍德福德～1845-02-22，伦敦） 天主教宣教士、议会改革的鼓吹者。曾在爱丁堡大学学习道德哲学、化学和医学，在该地

伦敦国立肖像画陈列馆供图

结识许多朋友，并在 1802 年帮助创办《爱丁堡评论》，25 年间一直为该报撰写一些言词锋利的文章。1803 年迁居伦敦。1804 年开始讲道德哲学，听众甚多。1807 年史密斯写了《彼得·普利姆莱给我住在乡下的兄弟亚伯拉罕的信》，攻击新教徒无知、愚昧和顽固。1809 年去约克郡，写有一些有关讨论天主教问题的文章。

Smith, Theobald **史密斯**（1859-07-31，美国纽约奥尔巴尼～1934-12-10，纽约州纽约） 美国病理学家。以对传染病和寄生虫病的病因与免疫学的研究闻名。1889 年发现牛得克萨斯热的致病原虫为二联梨浆虫（现名二联巴贝虫）；1889～1893 年与 F.L.基尔本共同证实该病通过牛蜱传播，这就为防治疟疾、黄热病及其他昆虫传播的疾病铺平了道路。他还首次区分了牛型与人型结核杆菌，从而促进了 R.科赫的工作。1884～1886 年间史密斯发现，用猪霍乱的病原微生物滤液注入猪身，可使它对霍乱免疫。1886 年首次描述了细菌的多形态。1903 年通过将白喉杆菌浸出物注入致敏动物体内，首次证实了过敏性（后被 P.埃尔利希命名为 T.史密斯氏现象）。

Smith, Sir Thomas 参阅**Smythe, Sir Thomas 史密斯**。

Smith, Tommie **史密斯**（1944-06-12，美国得克萨斯克拉克斯维尔～ ） 美国短跑运动员。200 米（弯道）赛跑世界纪录保持者（1966～1971），他以 19.83 秒的个人最佳成绩，首次把 200 米跑的时间缩短到 20 秒以内。他的 200 米直道跑最佳成绩是 19.5 秒（1965～1979）。他代表加利福尼亚州立圣何塞学院参加比赛。在 1968 年墨西哥城奥运会上夺得了 200 米赛跑金牌。由于他和队友 J.卡洛斯在领奖时行黑人权力礼而被美国奥林匹克委员会中止参赛资格，并被命令离开墨西哥城。史密斯在大学就读期间，以 19.5 秒的成绩创造了 220 码（直道）和 200 米（弯道及直道）两项世界纪录，并于 1967～1970 年间成为一名 4×200 米接力赛成员，以 1 分 22.1 秒的成绩创造了世界纪录。退役后在俄亥俄州奥伯林学院和加利福尼亚州圣莫尼卡学院担任田径教练。他在奥柏林学院还教授社会学。

Smith, Vernon L. **史密斯**（1927-01-01，美国堪萨斯威奇托～ ） 美国经济学家，因其在实验经济学研究方面所做的贡献而与 K.卡内曼共获 2002 年诺贝尔经济学奖。先后就读于加州理工学院（1949 年获学士学位）、堪萨斯大学（1952 年获硕士学位）和哈佛大学（1955 年获博士学位）。毕业后在好几所院校任教，2001 年在弗吉尼亚州费尔法克斯的乔治·梅森大学任经济学和法学教授。他在经济分析方面的大量实验室实验，为实验经济学奠定了基础。通过这些实验他能够确定理论上的均衡，或可以接受的市场价格。他还着重研究公开拍卖的结果，表明有组织的出价会左右卖价；而他所设计的"风洞试验"，可以对新的其他市场设计，例如解除管制的产业的市场设计，进行试验。

Smith, W. Eugene **史密斯**（1918-12-20，美国堪萨斯威奇托～1978-10-15，亚利桑那图森） 美国新闻摄影记者，他的那些富于同情心的、心理刻画深刻的专题摄影报道，使他成为 20 世纪中叶最重要的摄影家之一。14 岁时就开始摄影，一年之内，就成了当地两家报纸的摄影师。只读了一年大学，就去纽约为几家大杂志工作。1942年，他作为《生活》杂志的随军记者，采访了太平洋战区的许多最重大的战役，包括塔拉瓦战役、塞班岛战役、关岛战役和硫黄岛战役。1945 年，他在采访登陆冲绳岛时受了重伤。1947 年，他拍摄出最著名的作品《到天国乐园去》。这是他受伤后第一次拍摄的照片，描写的是他自己的两个孩子走进林中旷地的情景。摄影家爱德华·施泰肯于 1955 年为现代艺术馆主办的《人类大家庭》展览就是以这幅照片作为压场

史密斯的《到天国乐园去》（1947）
本人供图

作品。1947 年，史密斯又回到《生活》杂志，并开始拍摄一系列著名的专题摄影报道。《乡村医生》（1948）是当时从心理上刻画得最深刻的一套摄影报道。《西班牙的乡村》（1951）由他的许多最令人难忘的照片组成，展示了村民们在贫瘠的土地上，为了生活而天天艰苦奋斗的情景。《助产士》（1951）和《仁慈的人》（1954）是描写一个边远落后地区的助产士和致力于解除他人痛苦的艾伯特·施韦策医生。1956 年，史密斯着手一套关于匹兹堡城的规模雄伟的照片报道。几乎是同一时期，他从他阁楼的窗口拍摄了一套关于纽约街景的照片，其中的一部分，以"城市窗口下的奇观"为题，于 1958 年刊登在《生活》杂志上。他的一本照片集《日本——形象的篇章》出版于 1963 年。他的最后一部摄影报道《水俣》（1975）反映日本一村庄居民因附近化工厂排出的含汞废水中毒而致躯体变形的惨状。1977 年史密斯进亚利桑那大学任教。

Smith, W. Wallace **史密斯**（1900-11-18，美国艾奥瓦拉莫尼～ ） 美国宗教界名人，耶稣基督末世圣徒改组教会会长（1958 年就任）。是该教创始人约瑟夫·史密斯之孙，改组教会第一任会长约瑟夫·史密斯之子。1924 年毕业于密苏里大学，1928 年受神职。

Smith, Walter Bedell **史密斯**（1895-10-05，美国印第安纳印第安纳波利斯～1961-08-09，华盛顿［哥伦比亚特区］） 美国陆军将领、外交官、政府官员，第二次世界大战期间任欧洲美军参谋长。早年为印第安纳州国民警卫队士兵（1910～1915），1917年为美国陆

美国陆军部供图

军少尉,曾参加第一次世界大战,后于美国和菲律宾服役,并在步兵学校任教。1942 年 2 月被任命为参谋长联席会议秘书及盟国参谋长联席会议美国秘书,领准将军衔。同年 9 月为欧洲战场的参谋长及 D.D.艾森豪威尔将军的参谋长,至战后艾森豪威尔离开欧洲为止。曾代表同盟国谈判并接受意大利(1943)及德国(1945)的投降。1945 年返美后任陆军部参谋本部作战与计划司司长。不久被任命为美国驻苏联大使(1946 ~ 1949)。后任美国第一军军长(1949 ~ 1950)、中央情报局局长(1950 ~ 1953)。1951 年晋升上将。1953 年退役,任副国务卿。1954 年 10 月辞去政府职务,经营商业。著有《我在莫斯科的三年》(1950)和《艾森豪威尔的六项重大决策》(1956)。

Smith, William 史密斯(1769-03-23,英格兰牛津郡丘吉尔～ 1839-08-28,北安普敦郡北安普敦) 英国工程师和地质学家,以其对地层学科学的发展而广为人知。史密斯所绘

伦敦地质学会供图

的英格兰与威尔士大地质图(1815)为现代的地质图树立了样板,他用于表示地层的很多颜色名称一直沿用到今天。

史密斯是牛津郡一个农庄铁匠的儿子。他 7 岁时,父亲就去世了。史密斯由一个当农民的叔叔照管。他进入乡村学校,从他自己买的书本上学到了测量的基本方法,并且收集了他家乡科茨沃尔德丘陵的丰富的化石。1787 年,他在斯托昂泽沃尔德附近成为测量师 E.韦布的助手,韦布帮助史密斯定居在巴斯西南的萨默塞特郡煤矿区。那时蒸汽机车还没有发明,在那个高地,特别为了运输煤炭而需开凿运河。圈地和耕地排水方面也有很多工作。

当 1793 年在为拟议中的萨默塞特郡输煤运河作初步测量期间,史密斯发现,在这个地区出露的地层规则地向东倾斜,就像那么多"面包片和奶油片"一样。1794 年,史密斯在为考察运河与煤矿而作的长途旅行出差中,有机会进一步扩大他的观察。他认为萨默塞特的地层可以穿过英格兰而远远地向北追索,这一点得到了证实,因为在这次旅行期间,熟悉的地层反复出现。新运河的开凿始于 1795 年,史密斯研究新鲜的挖掘面,发现每一个地层都含有"为它自己所特有的化石"。

他在运河工作一直到 1799 年,这年他突然被免职,也许是由于一个工程上的争端。但是史密斯在当时知识界及社会各界的中心——巴斯有很好的声誉,他很快就建立起了作为一个地质工程师的长远业务。1804 年,他把自己的事务所迁到伦敦一幢房子里,他的化石采集品和地质图就一直陈列在那里。

1799 年,史密斯向巴斯一位业余地质学家口述了他的巴斯邻近地区地层表,这成为传播他的革命性发现的主要手段。他也在他定期参加的,如像霍尔克姆"剪羊毛节"那样的农业集市上去展示他的地质图和地层剖面。他大量的职业工作都是为那些支持这些展览的乡村绅士而作的,但他也监督过诺福克和威尔士的大规模垦荒计划、巴斯温泉的恢复以及很多运河工程和煤矿工程。他有时候一年旅行 1 万英里(这是个不可思议的总数,由于 1784 年开始有了快速的邮政马车而成为可能)。

史密斯的智慧与关于地质学与地下水的实践知识,把他带到了他职业的前沿领域,但由于他个人的目的是绘制英格兰地质图,所以他永远成不了富人。他作了关于他工作中的见闻的大量笔记,他花费大量时间和金钱于野外旅行,以便填补他绘制的图中的空白,他常常在去到下一个目的地途中的马车里睡觉。在地层露头较少的地方,他利用土壤、地形和植被来证明下伏的岩石。他的划时代的英格兰和威尔士地质图出版于 1815 年,图名是《英格兰、威尔士及苏格兰部分地区地层概略图》。1819 ～ 1824 年精美的一系列各地区地质图又相继问世。

在这些年间,史密斯在财政上处于窘境,拿破仑战争之后农业的萧条使其更加恶化。萨默塞特采石场事业的失败使他失去了财产,迫使他把他收集的化石卖给伦敦的不列颠博物馆。当他在债务人监狱里度过了 10 个星期后,债权人夺去了他在伦敦的财产,他卖光了所有东西,离开伦敦而去了约克郡,最终定居在斯卡伯勒,和一小帮热衷地质科学者在一起,这里面有一位聘请史密斯为他附近房地产的顾问。1822 年,史密斯的工作被 W. D. 科尼比尔和 W. 菲利普斯在他们的关于英国地层学的教科书——《英格兰和威尔士地质学概要》中加以赞扬。1831 年,他从伦敦地质学会得到第一枚渥拉斯顿奖章,并且在 1832 年获得皇家给予的年金。他于 1839 年在去伯明翰参加一次科学会议的途中逝世。

史密斯不仅观察力特别敏锐,而且具有把他自己的观察加以综合的能力。他见到不同的岩层含有不同的化石,并利用这一事实,在数百英里以外去追索地层。他的能力是这样伟大,以致他所提出的所有技术方法一直为地质学家所采用,现在流行的英格兰地质图与他当初绘制的只在细微部分有差别。1815 ～ 1817 年,他发表了他的少数几卷薄薄的著作,但是在某种意义上说,这些著作发表得太晚了。史密斯总是和任何一位感兴趣的人自由地交谈,并且,他的知识始终是英国每一个地方的地质学家都可运用的公开的财富。他生前所获得的荣誉至今日一直保持不衰减,他被公认为"地层学的奠基者"。

Smith, William Robertson 史密斯(1846-11-08,苏格兰阿伯丁郡基格～ 1894-03-31,英格兰剑桥郡剑桥) 苏格兰闪米特语学者、百科全书编者、比较宗教学家、社会人类学家。1870 年任阿伯丁苏格兰自由教会学院东方语言及《旧约》训诂学教授,同年受神职。为《不列颠百科全书》第九版撰写的有关圣书的条目(主要是《圣经》条,发表于 1875 年),引起苏格兰自由教会当局的强烈反对,终于在 1881 年去职,任《不列颠百科全书》副主编。1883 年任职于剑桥大学,兼任《不列颠百科全书》主编,直至 1888 年。

Smith, Zilpha Drew 史密斯(1851/1852-01-25,美国马萨诸塞彭布罗克～ 1926-10-12,波士顿) 美国社会工作者。毕业后当过报务员,后从事校订萨福克县遗嘱检验法庭案件索引的繁复工作。1879 年新成立的波士顿慈善联合会当记录员。她的任务是进行和监督所有慈善案例的秘密审查与登记,以确保各代理机构在处理这些问题时能够协调一致,并设立"友好访问"制度以找出各家之所以贫穷的原因。在她的管理下,慈善联合会处理问题的效率非常高,因此地区总是指派他们办理这种事务,并且利用有偿的和无偿的代理人。她先后为地区的管理人员代理人及志愿的友好访问者开办培训班,并且首创代理人讨论会。各地的慈善机构纷纷前来学习。1886 ～ 1903 年任联合会秘书长。1904 ～ 1918 年任波士顿社会工作者学校副校长。

Smith Act 《史密斯法》 正式名称《1940 年外侨登记法》,1940 年通过的美国联邦法。规定凡鼓吹以暴力推翻政府组织或参与鼓吹以暴力推翻政府的任何社团,均属犯罪。第二次世界大战后,该法成为一系列起诉共产党和社会工人党领导人的依据。最高法院在"丹尼斯诉美国案"(1951)中,确认了对主要官吏的定罪,支持关于"鼓吹"的规定的合乎宪法性。但在以后一项案件中("耶茨诉美国案"(1957),法院又以严格解释《史密斯法》条文的办法,对这种立场作了某些修正,将"鼓吹"解释为只是进行包括煽动非法行为的号召。

Smith Center 史密斯森特 美国堪萨斯州北部城市,史密斯县县城。东南距萨莱纳 137 千米。1871 年建为县城。1886 年设市。美国大陆的传统地理中心位于该市东北 18 千米处(北纬 39°50′,西经 98°35′),有一座石塔标明该中心的位置。城市经济以饲养牲畜、种植谷物为主。人口 2 016(1990)。

Smith-Connally Anti-Strike Act 《史密斯-康纳利反罢工法》(1943-06-25) 尽管 F.D.罗斯福总统已进行否决,但美国国会仍使其成为法令。法定总统有权在实际罢工、威胁罢工或者厂主停工有碍军工生产时接管和经营私人所有的军火工厂。政府已接管的工厂禁止继续罢工。此外,军工部门工会应在 30 天前通告罢工意图,否则应承担法律责任。

Smith Sound 史密斯海峡 北冰洋海上通道。在加拿大埃尔斯米尔岛(西)和格陵兰西北部(东)之间。宽 48 ～ 72 千米。自巴芬湾至凯恩盆地北向延伸 88 千米。1616 年由 W.

巴芬发现，以寻找西北航道的发起人托马斯·史密斯爵士之名命名。19世纪中叶前，无人到达较此更北地区。

Smithfield 史密斯菲尔德 英格兰伦敦旧城西北部一地区，以肉市闻名。1381年W.泰勒在此与理查二世会谈，被刺身亡。市场建于1183年，曾先后用作比武场、刑场，举办古老的巴托罗缪集市，是现在伊斯灵顿喀里多尼亚集市的前身。现市场分为鲜肉、冻肉、家禽、粮食、鱼类、水果等几部分。圣巴托罗缪医院建于1137年，1730年开始重建。

Smithian stage 司密斯阶 早三叠世的地层和年代划分单元（早三叠世为2.45亿年前至2.4亿年前）。最初在地中海沿岸欧洲阿尔卑斯山区东部建立。位于迪纳尔阶之上，司帕斯阶之下。为深海环境沉积，并以头足类菊石为主的一个独特化石群为特征。

Smithson, Alison; and Smithson, Peter 史密森夫妇（妻艾利森 1928-06-22，英国约克郡设菲尔德～1993；夫彼得 1923-09-18，达勒姆蒂斯河畔斯托克顿～2003-03-03） 英国建

供图：J.S.Lewinski

筑师。他们设计的诺福克郡亨斯坦顿中学（1954）是最早的野兽派建筑，形式严肃明晰，具有密斯·范·德·罗尼的风格，露明的钢铁结构、砖墙及电线管道则显示野兽派的原则。1949年结婚，1950年以后共同从事建筑业务。他们设计的伦敦圣詹姆斯街的"经济学家"建筑群（1959～1964）包括一座16层的办公楼，一座较小的塔式住宅楼和一座银行，并用不对称的步行平台，将三者连成整体。该建筑群巧妙地利用了不规则的地形，并使其尺度能与圣詹姆斯街的环境相称。后期的作品有牛津圣希尔达学院的花园大厦（1968～1970）。他们的著作有《城市结构研究》（1967）、《平凡与光明》（1970）、《无需修饰的建筑美，1955～1972》（1973）和《现代建筑中英雄辈出的时代》（1981）。

Smithson, James 史密森（1765，巴黎～1829-06-27，热那亚） 英国科学家，曾提供基金在华盛顿建立史密森学会。为第一代诺森伯兰公爵H.S.珀西与E.K.麦西的私生子，系亨利七世的直系后裔。在牛津大学读书，据说他化学和矿物学的成绩为全班之冠，并发表过27篇科学论文。由于H.卡文迪什等人的推荐，史密森22岁时就参加皇家学会。菱锌矿（smithsonite）就是以他的姓氏命名的。他终身未娶，一生大部分时间是在欧洲度过的，在欧洲结识许多知名科学家。他主要从母系继承巨额遗产，按照他的遗嘱的要求，全部遗产"转往美国，在华盛顿创办文化机构，定名为史密森学会，以增进和传播知识"。他之所以将遗产赠与美国，似乎与他对自己私生子境遇的怨恨有关。他曾经写道："当诺森伯兰和珀西这些称号被人淡忘时，我的名字却将永存在人们的记忆中。"1904年史密森的遗体由A.G.贝尔等护送，运到美国，葬在原来的史密森大厦附近。

Smithsonian Institution 史密森学会 由英格兰科学家J.史密森捐款创建的研究机构，按照美国国会法令于1846年在首都华盛顿建立。设有董事会，由美国副总统、最高法院院长、3名参议员、3名众议员和6名非官方人士组成。史密森学会领导美国艺术档案馆、库珀-休伊特装饰艺术与设计博物馆、弗里尔艺术陈列馆、国际交流服务社、J.H.赫什霍恩博物馆和雕刻陈列馆、国家航空和航天博物馆、国家武装力量博物馆咨询委员会、国家美术馆、国立美国艺术博物馆、国立历史和技术博物馆、国立自然历史博物馆、国立肖像画陈列馆、国家动物园、放射生物学实验室、科学情报交换所、史密森天体物理台、史密森热带研究所、W.威尔逊国际学者中心、A.M.萨克勒美术馆（陈列亚洲与中东艺术品）以及国立非洲艺术博物馆。由一赞助团体出版一份以史密森学会为名的月刊。

Smithsonian Tropical Research Institute 史密森热带研究所 巴拿马境内主要从事生态研究的科研机构。虽设在巴拿马，但自1946年以来一直由美国的史密森学会管理。1923年成立时原为生物保护区。1997年与巴拿马政府签订协议，允许研究所在21世纪继续运作。研究所以其研究热带森林生态系统的两台林冠吊车闻名。首台设置于1990年，第二台设置于1997年。科学家通过吊车距地面40米的悬臂上的吊舱立体观察每一公顷森林。两台吊车分设于巴拿马运河两端，对太平洋沿岸的热带落叶林生态系统（年均降雨量超过1.5米）与加勒比海沿岸的热带雨林生态系统（年降雨量超过3.4米）进行比较研究。下属的1 500公顷巴罗科罗拉多岛生物保护区位于加通湖，属巴拿马运河区的一部分。有35名研究热带森林的科学家在此工作。另有两个海洋研究实验室、一条30米长的研究船、一处会议与研究中心、一所热带科学图书馆以及若干教育中心。供生态旅游的游客中心于1997年建成开放。研究所是史密森学会热带森林科研中心（在全球其他12个热带地正开展研究项目）的一部分。研究领域包括寻找新药、调查热带森林对全球气候的调节作用、查明森林无数物种之间的关系，以及了解如何利用森林资源而又不破坏生态系统。

smithsonite 菱锌矿 原称calamine。一种成分为碳酸锌（$ZnCO_3$）的矿物。过去一直是锌的主要来源，直到19世纪80年代后，才为闪锌矿所取代。通常出现在金属矿床的氧化带里，为一种次生矿物，即原生锌矿物的蚀变

产自撒丁岛的菱锌矿，上面的标本经过切割和抛光，下面的两块则为葡萄状块体
伊利诺伊州立博物馆供图

产物。著名产地有希腊的拉夫里翁、波兰的比托姆及塔尔诺夫斯凯古雷、意大利的撒丁岛以及美国科罗拉多州的莱德维尔。

Smithton 史密斯顿 澳大利亚塔斯马尼亚州西北部城镇，瑟丘勒黑德自治区的中心。位于达克湾达克河口。为附近乳品、蔬菜和马铃薯产区的服务中心，也是渔船队停泊港。工业包括乳品、腊肉和蔬菜罐头食品加工及锯木业。人口3 495（1991）。

smock 斯莫克服 中世纪欧洲妇女穿在长外衣内的宽松而类似衬衫的衣服（也叫无袖女衬衫）。后来则演变成一种宽松、有过肩、类似衬衫的亚麻布罩衫，用以保护衣服。在欧洲，野外工作者都穿它。20世纪，斯莫克服是指一种宽松的有袖外衣，工作时穿它以保护衣服，它也是孕妇普通穿的罩衣。

smog 烟雾 广布于城乡的污染空气。虽然此词源自smoke（烟）和fog（雾）两词，但一般多指来源于汽车或工业生产的、组成不定的、笼罩着许多城市的烟幕。此词可能首先由H.A.德佛在1905年用于描述笼罩着许多英国城市的大气状态；1911年由于德佛向大不列颠降低烟雾联合会曼彻斯特会议提交的一篇报告而得到流传。他在报告中提出，1909年秋季在格拉斯哥和爱丁堡发生了1 000多起死于"烟雾"的事故。人们已认识到至少两种类型的烟雾，即含硫烟雾和光化烟雾。含硫烟雾由空气中各种氧化硫浓度过高所致，并因使用含硫矿物燃料特别是煤而造成；这种烟雾由于空气中的水分和高浓度的悬浮微粒而更趋恶化。光化烟雾大都发生在大量汽车集中的市区，既不来自烟，也不来自雾。这种烟雾来自汽车及其他来源所排出的各种氧化氮和烃类蒸气，它们在较低层大气中发生光化学反应。高毒性气体臭氧由各种氧化氮与烃类蒸气在阳光下反应而生成，有些二氧化氮由一氧化氮在阳光下反应而生成。光化烟雾使大气呈微棕色，降低了能见度，损害植物，刺激眼睛并引起呼吸系统的疾病。

Smohalla 斯莫哈拉（1815或1820，俄勒冈康特雷上哥伦比亚河［美国］～1895） 又称Smowhola，Smuxale或Snohallow。北美印第安人宗教领袖、导师，强调印第安人传统风尚的梦师崇拜的创始人。他出身于今属美国华盛顿州的哥伦比亚河普里斯特湍流一带操萨哈普蒂安语的瓦纳蓬部落。本来白人早已大量

迁入美国西北地区，北太平洋铁路建成后移民越发增多。美国政府劝导印第安人迁入保留地，或就地定居务农。高原地区印第安人大都原本从事渔猎，此时不少人响应政府号召务农。斯莫哈拉鼓吹，只有印第安人才是上帝最初创造的真正的人，因为印第安人抛弃传统生活习惯，上帝才又创造白人、黑人和华人以惩罚他们。如果印第安人保持祖先的生活方式并遵行梦师崇拜的礼仪，自然界诸力和将要复活的列祖就会保祐他们，上帝就会驱逐非印第安人。梦师崇拜在一代之久阻碍美国政府促使西北部印第安人定居并接受白人生活习惯的政策。

smoke detector　烟火探测器　在火苗尚未迅速蔓延、住户还未撤离时扑灭大火于未燃的火警装置。一旦发生烟火，这种探测器立即发出高音火灾警报。警报声通常是颤音或周期性的，并在指示器上发出闪光信号。烟火探测器有两种型号：一种是光电型探测器；另一种是电离型探测器。光电烟火探测器上可以采用两种光敏电池的一种。电离探测器使用的是微量放射性材料，对人体不会产生有害影响。放射性材料使探测盒内一对电极之间的空气电离，传导微弱的电流；当烟进入盒内后，烟尘附着在离子上，电流减小，启动报警电路。光电探测器反应比较慢，但对于闷烧和燃烧缓慢的火焰产生出来的大烟粒具有极大的敏感性；而电离探测器反应较快，对燃烧快的火焰释出来的小烟粒反应灵敏。因此，某些工厂研制出一种综合型的烟火探测器。消防部门推荐在私人住宅，不同的位置使用光电型和电离型烟火探测器，两种探测器可用电池或家用电源供电。

smoke tree　烟树　几种叶簇远望如烟的植物的通称。多刺戴尔氏木（*Dalea spinosa*）是豆科灰绿色具刺灌木，原产于北美西南部的干旱地区。叶稀疏；花蓝紫色，穗状花序顶生。称为烟树的还有两种漆树科黄栌属（*Cotinus*）的小灌木，一种原产于欧亚大陆，一种产于北美。二者的叶均具短柄，花黄色，果肉质多汁，气味浓烈，聚生成长簇，间有不育花的花梗。普通黄栌（*C. coggygria*）原产欧亚大陆，叶广椭圆形。美洲黄栌（*C. obovatus*）为北美种，叶楔形。

多刺戴尔氏木（Dalea spinosa）
供图：Randall from Root Resources—美国不列颠百科全书公司

smoking　吸烟　吸入并呼出植物原料特别是卷烟、雪茄或烟斗的烟丝燃烧所产生的烟气。美洲印第安人在礼仪上使用烟草（例如吸一斗和睦的旱烟丝），并相信它具有药物的性能。C.哥伦布和其他早期探险家将烟草传入欧洲。任凭社会、宗教和当代医学有种种反对吸烟的理由，吸烟的习惯还是遍布于世界各地。*尼古丁*（**nicotine**）及与之有关的生物碱对生物实体产生麻醉作用。

健康问题　人们早就认识到吸烟有害于身心健康。19世纪初就流传着来自不同方面的吸雪茄和烟斗可导致口癌的报道。直到20世纪（事实上是1950）才确立了肺癌直接与吸烟有关的有力证据。现今，肺癌是大多数西方国家人癌症死亡的最普遍原因。20世纪末期，在许多国家中，癌症死亡人口中1/3的男性和1/10的女性是由吸烟所致。因为当前男性戒烟的趋势还在继续，所以男性的百分数还将下降。然而不乐观的是，在20世纪50和60年代，增加了很多吸烟的妇女，因此，因烟草致癌而死亡的妇女比率有所增加。

一般说来，由烟草致癌的危险与吸烟习惯的强烈程度有关，即取决于吸烟习惯的持续时间、每天吸香烟的支数、香烟的烟碱含量和吸入的深度。吸烟不仅能导致肺癌，也能导致膀胱癌、口腔癌和食道癌。研究表明，不同的烟草制品和不同的吸烟强度对不同的癌变病位产生不同的影响。一般说来，那些直接与烟尘接触的部位——肺、口腔和喉——由于暴露在烟尘中而受到最有害的影响。

被动吸烟，即在关闭场地，不吸烟者吸入由吸烟者呼出的烟尘，看来也会提高肺癌的发病率。有几项研究发现，经过一段长时期，吸烟者的不吸烟配偶比双方都不吸烟的夫妇得肺癌的危险率要大一倍。然而必须强调，吸烟者继续会有高得多的肺癌发病率；强烈吸烟者的肺癌死亡率比不吸烟者要高20～30倍。

吸烟也是心血管系统疾病的主要危险因素。大家都知道，尼古丁可使血管收缩并释放荷尔蒙使血压升高。这两种效应都可能对心脏产生不利影响。吸烟者血液中的一氧化碳明显高于不吸烟者。一氧化碳易于同血红蛋白相结合引起许多生理效应。其中的一种是可供携带氧的血红蛋白的数量减少，并导致可用血红蛋白同氧亲和力的增大。这又转过来降低氧对生物组织的效力。已经表明，甚至微量的一氧化碳就能降低冠心病患者的运动能力。

另外一个联系吸烟和疾病的重要的流行病学依据是，当每一个人都戒烟时，得肺癌、冠心病、慢性支气管炎、肺气肿和其他一些同烟草有关的疾病的危险率就会下降。正如预期的那样，下降的速度和程度同吸烟习惯的持续时间和强烈程度有关。在那些吸烟20年、每天吸20支香烟的人中间，至少要戒烟3年后，患癌症的危险率才可能明显下降；戒烟10年后，得癌症的危险率才能接近那些从来不吸烟的人。

控制措施　公众对吸烟危害健康报道的反应是掀起了一场减少吸烟的运动，或在吸烟者中提倡吸用接有过滤嘴的香烟，以及选购以味道较柔和的烟草制成的香烟。生产烟草的国家曾发起种植一些低尼古丁和低烟碱含量类型的烟草。

在20世纪50和60年代从医学上对吸烟的危害进行了较广泛的揭露后，在几个国家中日益试图缩减烟草广告的影响。1972年，加拿大的香烟制造商在下院通过禁止做香烟广告的法案后，同意终止电视广告。西德在1972年年底前已逐步终止了香烟的电视广告。在1971年1月英国皇家内科医师学会公布的关于癌症死亡人数的报告以后，在英国掀起了一项健康运动，包括印在香烟包装物上的警告，以及反对吸烟的无线电或电视广告节目。美国于1971年1月停止了做香烟的电视广告。1971年4月同主要的美国烟草公司达成协议：在其他的香烟广告中，要有健康警告；该协议后来变为法律。另一个劝阻吸烟的手段是增税。20世纪末期，在一些国家，尤其是在欧洲，一包香烟的税增加了很多。在美国和几个其他国家，一些地方政府于80年代开始禁止或限制在公共建筑物内吸烟。一些私人社团办公室和其他商业场所也模仿这些做法。

smoking　熏　食品加工方法。熏腌鱼腌肉是为了便于保存，同时可加香料使其美味可口，色泽棕黄。熏干可使肉类防腐，同时，木柴烟气中含有很多化学成分，如甲醛及某些醇类，也都是天然防腐剂。熏是最古老的食物防腐方法之一，可能在用火做饭后不久就出现了。这种制作方法达到很高水平，如斯堪的纳维亚和北美洲西北部的熏鱼、欧洲和美国的熏火腿都很著名。20世纪中叶，由于普遍采用化学防腐剂，对熏肉的兴趣有所下降，但到20世纪后期，由于所谓天然或保健食品运动，这种兴趣又恢复了。无论是商业规模还是家庭规模，熏制技术都是将肉挂在或放在烟气室的架子上。商业性熏房往往有几层楼高，常用蒸汽管道补充锯末烟火热量的不足。山核桃木锯末是较适用的燃料。无论熏制规模大小，都必须使用硬木火，因针叶树类软木，如云杉和松树等均含有树脂，可在肉上形成一层膜并带来苦味。熏房的温度一般在43～71 °C，熏制时间短则数小时，长则数天，视肉类品种及所含水分而定。熏后要将肉尽可能地迅速冷却、切块并包装零售。在美国，猪肉和牛腿、五花咸肉和香肠是最普通的商品熏肉。但是，人们在家里使用平常的烟熏炉或烤肉架，已成功地将熏制技术不仅用于使肉、禽、鱼等，还可用于使乳酪、果仁和种籽、硬煮蛋和浆果，以及杂肉类如心、舌和肝等防腐和带香味。为了缩短生产过程，有时将商品肉浸入化学防腐剂溶液中或将溶液刷在肉上，仿制“熏肉”。但由于这种方法不包括自然干燥过程，实际上并不起防腐作用。

smoky bat 烟蝠 无拇指蝙蝠科（烟蝠科，Furipteridae）的东部南美无拇指蝠属（烟蝠属，*Furipterus*）及西部南美无拇指蝠属（四指蝠属，*Amorphochilus*）两个种的统称。见于中美洲和南美洲热带地区。体纤小，长约3.7～5.8厘米，尾长约2.4～3.6厘米，重约3～5克。蓝灰色或褐色，拇指退化，翼膜覆盖到无功能的爪的基部。烟蝠罕见，对其习性了解甚少。

Smoky Hill River 斯莫基希尔河 美国河流。由两条源头河（源出科罗拉多州东部夏延县）在堪萨斯州的拉塞尔斯普林斯附近会合而成，后曲折流向东北，在章克申城与里帕布利肯河汇成堪萨斯河。全长900千米。堪萨斯州中部河段有治洪水坝（1948）。主要支流有萨林河和所罗门河。

Smoky Mountains（U.S.） 参阅 **Great Smoky Mountains** 大雾山。

smoky quartz 烟晶 硅氧矿物石英（quartz）的很常见的粗粒变种，其颜色由近乎黑色到烟褐色。烟晶与无色石英之间不存在明显界限。由于产量丰富其价值大大低于紫晶或黄晶。加热会使烟晶脱色；有时会成为黄色，这些黄色的烟晶常常作为黄晶销售。烟晶的晶体经常含有气态（二氧化碳）、液态（常常是水和液态二氧化碳）或者固态（金红石）的包裹体。产自苏格兰凯恩戈姆山的烟晶称凯恩戈姆烟晶，在苏格兰是一种受人喜爱的装饰品，用作高地服装的胸针。其物理性质与石英相同。参阅 **silica mineral**（表）。

Smolensk 斯摩棱斯克 俄罗斯西部一州。大部分位于第聂伯河上游流域。斯摩棱斯克-莫斯科高地的尾碛从东至西贯穿该州，高达320米，将第聂伯河、伏尔加河和西德维纳河流域隔开。各流域之间便利的运输，使该州自古以来就是水陆交通要冲。混合森林的天然植被已大部分开垦为农田，现在森林仅占土地面积的1/5以下，但在波状冰碛地形的谷地和凹地有许多泥炭沼泽和水草沼地。农业以种植亚麻、马铃薯和饲养乳牛为主。亚麻纺织、木材加工和食品加工业分布广泛且历史悠久。大城市有机械制造业。斯摩棱斯克市为行政中心。面积49 800平方千米。人口约1 165 800（1991）。

Smolensk 斯摩棱斯克 俄罗斯西部斯摩棱斯克州城市和行政中心。位于第聂伯河两岸，莫斯科以西418千米处。俄罗斯最古老的历史名城之一，始建于9世纪，但由于战争（尤其是第二次世界大战）的破坏，该城古老的教堂和其他建筑物极少幸存。863年首见记载，当时是控制第聂伯河与西德维纳河之间以及莫斯科地区与西欧之间水陆交通的要冲。地处北面的波罗的海与南面的基辅和拜占廷帝国之间商船直通航线上，这使该城成为商业重镇，且有异常动荡的历史。1237～1240年鞑靼人入侵时遭洗劫，随后转归立陶宛。其后4个多世纪曾是立陶宛、波兰与俄国之间激烈争夺的目标。经屡次围攻，1340年被莫斯科攻占，1408年被立陶宛夺回，1514年又被俄国攻取，1611年被波兰人攻克，1654年又最后被俄国据有。由于地处莫斯科与华沙和西欧之间的大道上，曾使该城极不安宁。1812年拿破仑入侵俄国期间，8月17～18日发生大规模交战，该城被烧毁。拿破仑溃败时曾枉费心机地试图在该城重整军队。1941年7～9月，第二次世界大战中最激烈的战役之一发生在该城及其邻近地区，阻止了德国人在冬季到来之前向莫斯科的推进。1943年9月，另一次大战役迫使德国人放弃该城。

斯摩棱斯克市的圣母升天大教堂内景

供图：Shostal

斯摩棱斯克市有几座历史著名教堂残存下来，现已修复，其中有12世纪的圣彼得教堂和圣保罗教堂以及17～18世纪的圣母升天大教堂。还保留有部分旧城墙。该市现有机械制造业、亚麻纺织及其他轻工企业，并有医学、兽医、师范和体育学院。人口约349 800（1991）。

Smolensk Upland 斯摩棱斯克高地 俄语作 Smolenskaya Vozvyshennost。旧称斯摩棱斯克-莫斯科高地。俄罗斯西部高地。呈西南偏西—东北偏东走向，从奥尔沙起，经斯摩棱斯克的西南部，至莫斯科东北面的尤里耶夫波利斯基，横跨俄罗斯平原，长680千米。为最后一次冰川的南界。由石灰岩和冰川碎屑岩（即崩解岩类）组成。最高海拔320米。在历史上，许多入侵俄国的部队经过该山，其中包括1812年拿破仑的军队。

Smollett, Tobias 斯摩莱特（1721-03-19受洗，苏格兰邓巴顿卡德罗斯～1771-09-17，托斯卡纳里窝那附近[意大利]） 英国讽刺小说家，以流浪冒险小说《罗德里克·兰登历险记》（1748）、《佩里格林·皮克尔历险记》（1751）和书信体小说《汉弗莱·克林克尔探险记》（1771）著称。他擅长从外貌描写滑稽人物，文笔有力，情节发展迅速。他师法法国勒萨日等的“流浪汉小说”，由主角的一系列片断遭遇串成，结构松散。然而他对社会全景的

伦敦国立肖像画陈列馆供图

描绘却仅次于菲尔丁，他对当时英国皇家海军中情况的描述特别有价值。早年学习外科医术和数学、哲学等。曾在海军舰艇上担任过助理船医，远航牙买加。1746年詹姆斯党人在卡洛登叛变失败后，他写了他最著名的诗《苏格兰的眼泪》，后来又写了讽刺诗《规劝》和《申斥》。1748年发表小说《罗德里克·兰登历险记》，生动描绘了当时皇家海军的生活。他还先后翻译过法国A.R.勒萨日的《吉尔·布拉斯》和西班牙塞万提斯的《堂吉诃德》及法国伏尔泰的36卷集。同时还担任一些杂志的编辑。1756年着手撰写《英国通史》。一年后他的剧本《报复》在伦敦上演。1758年任58卷的《世界史》的主编，亲自撰写其中关于法国、意大利和德国各卷。1762年他的小说《朗斯洛·格里弗斯爵士》在《不列颠人》杂志连载。两年后开始撰写8卷的《各国现状》。1766年他的《法、意游记》出版。他最优秀的作品、书信体小说《汉弗莱·克林克尔探险记》于1771年6月出版。

Smolyan 斯莫梁 保加利亚南部城镇。位于罗多彼山脉东南的切尔纳河畔。海拔1 000米，是保加利亚海拔最高的城镇。为农业中心。有木材和采矿业。周围多森林、湖泊和高地，景色优美。人口约31 571（1986）。

Smon-lam chen-mo 默朗 即传召法会。中国藏传佛教一年一度的隆重庆典，也是拉萨新年节庆的一部分。法会由格鲁派（黄帽派）创始人宗喀巴于1409年创立，成为信徒对佛一年一度的发愿祈祷。法会前有戴面具的跳神仪式。法会期间拉萨大昭寺内每天举行三次祈祷及各种赎罪仪式。在此期间拉萨市管理权暂时转交哲蚌寺铁棒喇嘛，他对扰乱秩序的市民有处罚权。

Smoot-Hawley Tariff Act 《斯穆特-霍利关税法》 前称《美国1930年关税法》。美国法规。该法将进口关税提高50%以保护美国企业和农民，给大萧条时期的全球经济增加了不少压力。当时虽有1 000位经济学家请愿要求胡佛总统否决该法案，但为了保护国内产业，该法案仍获通过。结果各国对华尔街迅即失去信心，它也代表了美国孤立主义的立场。后来其他国家相继展开报复，同样提出保护性关税，海外银行于是开始崩溃。1934年罗斯福总统签署《互惠贸易协议法案》，降低了美国关税并促进了贸易自由化和与外国政府的合作。

smooth hound **光滑猎狗鲨** 皱唇鲨科(Triakidae)数种小型鲨鱼的通称,其中最著名的种称为狗鲨。参阅 **dogfish**。

smooth muscle **平滑肌** 又称不随意肌。在显微镜下看不到横纹的肌肉。由狭长的梭形细胞组成,核在细胞中心。平滑肌组织能缓慢地自动收缩。内脏器官的大部分肌肉组织是平滑肌。参阅 **striated muscle**。

smooth snake (*Coronella austriaca*) **滑蛇** 又称奥地利方花蛇。游蛇科爬行动物,产于欧洲和小亚细亚,数量多。鳞片光滑而有光泽,体长一般不超过 65 厘米。以蜥蜴等小型脊椎动物和昆虫为食。是欧洲中部最常见的蛇类之一。滑蛇和一种水蛇为斯堪的纳维亚和不列颠群岛仅有的两种游蛇。

smoothhead(fish) **滑头鱼** 参阅 **slickhead** 平头鱼。

smorgasbord **瑞典式自助餐** 在瑞典烹饪中,提供各种鱼、干酪、热菜和凉菜的自助餐。在大型集会上用这种自助餐款待客人是瑞典乡村的习惯,所有的菜都摆放在长桌上,由就餐人自己选用。18 世纪,节日盛餐是从自助餐开始的,有利口酒、鲱鱼以及其他美味。现在的自助餐更为丰盛,有各种面包、黄油、干酪、醋渍或盐腌的鲱鱼;各种精致的冷、热菜,包括十几种作法的鲱鱼,肥鹅肝、冷肉和沙拉;还有瑞典的名菜:如用醋、酒、香料腌制的鲑鱼,肉丸以及叫做"约翰的美味"的名菜,这是装上土豆、洋葱、凤尾鱼及稀奶油的砂锅炖菜。

smother crop **窒息作物** 为抑制顽固的杂草而播种的作物。其中紫苜蓿最有效,能与许多杂草竞争生长空间。有时可将所种植的作物种得极为稠密,从而遮蔽和阻碍杂草生长。一年生杂草一般比多年生杂草尤其像田旋花、加拿大蓟、多年生苦苣菜、匍匐冰草这样的多年生杂草更容易受窒息。

Smowhola (American Indian cult leader) 参阅 **Smohalla** 斯莫哈拉。

Smṛti **传承** 根据人的追忆写成的一类印度教经籍,区别于据说是由神灵启示而写成的吠陀经典。传承详细阐明、解释并综合归纳吠陀的教义,但它们是从吠陀衍生而成的,因此在权威性上逊于吠陀。但是它们为大多数现代印度教徒所熟悉。传承类包括劫波经和往世书以及《罗摩衍那》和《摩诃婆罗多》等叙事诗。

smṛtyupasthāna **念处** 梵语,巴利语作 satipaṭṭhāna。佛教哲学名词,指僧人在为求证觉悟而修习禅定之前所必须经历的准备阶段之一,其内容为心中经常观想某一事物。根据 4、5 世纪典籍《阿毗达磨俱舍论》,应当经常观想的事物共有 4 项:①观身不净;②观受为苦因;③观心无常;④观一切事物无永恒实质。修习这 4 种念处的目的,是使自己解脱与 4 念处相违的谬误见解。

smudge pot **烟熏罐** 一种器具,通常为一油盆,底部倒入原油点燃,置于果园(尤其是柑橘类果园)中防止霜冻。放出的烟雾像毯子一样可减少热量散失。但此法污染空气,已被其他方法取代,如使用以天然气为燃料的无烟燃烧器。

smuggling **走私** 指偷运物品,特别是秘密运送商品,以逃避关税或进出口限制。凡是征收重税(例如 18 世纪英国对茶叶、酒类和丝绸的征税,许多欧洲国家对咖啡的征税和几乎所有地方对烟草的征税)或禁止进口(毒品)或出口(武器和货币)的地方,走私就盛行。走私也许和最早的征税及贸易管制同样古老。在 18 世纪中,通过走私运进英国的茶叶、烟草、香料、丝绸和酒料的数量,超过合法输入的数量。在法国,为对付烟草专卖和高额盐税的走私非常广泛。英国无法执行它要求各殖民地只能通过母国与世界其他地方贸易的商业政策,到 1744 年时,有来自美洲殖民地的 40 多艘商船与西班牙帝国进行直接的交易。中国政府为了杜绝鸦片走私而做的努力导致了 19 世纪 40 年代的鸦片战争。19 世纪的英属印度在税率不同的各邦之间盛行食盐走私,而在果阿与印度和直布罗陀与西班牙之间有各种征税商品的走私。19 世纪后半叶,非洲发生了走私,特别是从葡属殖民地到布尔人各邦和从法属殖民地到黄金海岸和尼日利亚的酒类走私。在美国(1920 ~1933)的 13 年禁止售酒期间,有成队的船只从欧洲和西印度群岛把酒运到大西洋沿岸,而在沿加拿大的整个边界上到处都有载酒的卡车驶进。在 20 世纪后半叶,海洛英、可卡因和大麻等毒品是世界范围的走私产品。

走私的方法很少改变;所有的方法都是两种主要的手段的变化:一是越过边界不被发觉地偷运货物;一是把货物隐藏在轮船或卡车上不被注意的地方,隐藏在行李或其他货物中,或者隐藏在人身上。

smut **黑粉病** 由多种真菌引致的禾谷类、玉米、禾草、洋葱、高粱的病害。其特征为种子、叶、茎、花器及鳞茎上形成煤烟状的孢子堆。孢子堆开裂,散出黑色粉末状物,易借风力传播。许多黑粉菌进入胚部或苗,随寄主的发育而蔓延全株,引起系统侵染,仅于接近发育成熟时患病植株才有外部表现。有些黑粉病为局部性,侵染生长旺盛的组织。控制措施为在未侵染土壤内种植抗病品种,用杀真菌剂处理种子,使用无病的移植株,在孢子释放前消灭受侵植株或受侵部位。参阅 **bunt, corn smut**。

Smuts, Jan (Christian) **斯穆茨**(1870-05-24,开普殖民地西里比克附近博芬普拉茨[今在南非]~ 1950-09-11,南非比勒陀利亚附近艾琳) 又译史末资。南非政治家、军人和政府总理(1919 ~ 1924,1939 ~ 1948),设法使南非成为英联邦的一个负责的成员。生为英国臣民,但不具有英国血统。维多利亚学院毕业后,入剑桥基督教学院学习法律。1895 年返回开普敦,投身政界,支持总理 C.罗得斯。1898 年移居比勒陀利亚,任国家检察官,从此参与南非和国际事务。1899年南非布尔战争爆发,他率领一支独立部队以游击战术破坏

美国不列颠百科全书公司供图

英军交通线,并于1902年4月进入开普殖民地。战争结束时任议和代表。战后布尔人失去他们的独立共和国。斯穆茨同 L.博塔将军合作反对英国高级专员狭义地解释和约,捍卫布尔人的权利。斯穆茨在德兰士瓦(1906)和南非联邦(1910)成立责任制政府过程中起了重大作用。第一次世界大战爆发时,支持博塔将军镇压了南非变乱,占领了西南非,在东非发动一场战争。1917 年 3 月去英格兰参加帝国会议。英首相劳合·乔治赏识他的才干,任他为空军大臣。他组织了皇家空军,并参与重大战争决策。在凡尔赛和会上他热烈支持建立国际联盟。回国不久博塔将军去世,他继任总理,执政近 5 年。1933 年与 J.B.M.赫尔佐格联合,反对较极端的民族主义分子。1939 年 3 月出任总理,向德国宣战。在第二次世界大战中他的主要任务是防止德国和意大利征服北非。1945 年出席旧金山会议,参与起草联合国宪章。1948 年大选失败后,去英国受任剑桥大学名誉校长。两年后去世。斯穆茨不是一位受爱戴的领袖。许多阿非利堪人不信任他,甚至仇视他。他希望成立一个同英国密切联系的独立的南非,而他们要的是在英联邦之外的独立共和国。

Smuxale (American Indian cult leader) 参阅 **Smohalla** 斯莫哈拉。

Smybert, John 参阅 **Smibert , John** 斯米伯特。

Smyrna (ancient city, Turkey) **士麦那** 参阅 **İzmir** 伊兹密尔。

Smyrna **士麦那** 美国特拉华州中部肯特县城镇。在士麦那河附近。建于 1768 年。19 世纪中期成为繁忙的特拉华州中部物产转运站。1859 年设镇。现为农业、水运和加工业中心。保存有一些历史建筑,如阿利厅(1753)和林登斯厅(1725 前)。附近有科莫湖水库。人口5 231(1990)。

Smyrna carpet **士麦那地毯** 安纳托利亚西部生产的并经伊兹密尔(士麦那)出口的粗糙的大尺码手织地毯。士麦那这一名称更多

18 世纪安纳托利亚生产的士麦那地毯
供图：Textile Museum Collection，Washington，D. C.

地是专指一种常见于小型地毯上的图案，是16及17世纪奥斯曼宫廷彩花毯图案的一种退化形式。由于18或19世纪生产的士麦那地毯存世很少，因而赝品多于真品。

Smyslov，Vasily Vasilyevich　斯梅斯洛夫（1921-03-24，苏联俄罗斯莫斯科～2010-03-27，俄罗斯莫斯科）　俄罗斯国际象棋大师。1957年击败M.博特温尼克，夺得冠军，1958年重赛落败。他以稳健的布局风格和计算精确的残局技巧而闻名。著有《斯梅斯洛夫精选棋局125例》（1983），展示出其精湛的下棋风格和残局功底。

Smyth，John　史密斯（？～1612-08，阿姆斯特丹）　Smyth 又拼 Smith。英格兰自由主义宗教人士，英格兰浸礼会的创始人。1620年首批移居北美洲的清教徒曾受到他的影响。自1600至1602年在林肯市传教，1606年脱离圣公会，在林肯郡盖恩斯伯勒市为反圣公会的信徒任牧师。两年间在清教派牧师鲁宾逊的协助下把诺丁汉郡的反圣公会派信徒组织起来，1608年两人率信徒到荷兰境内阿姆斯特丹，史密斯按浸礼会规则自行施浸礼，然后为别人施浸礼，当时受浸礼的有日后闻名的伦敦浸礼会牧师赫尔维斯。后来史密斯被自己的信徒逐出教会，又见拒于荷兰门诺会，终于摒弃有关原罪的教义并主张基督徒人人有权保留自己的宗教观点。

Smythe，Conn　斯迈思（1895-02-01，多伦多～1980-11-18，加拿大安大略省卡利登）　加拿大最佳冰球运动员之一，教练、冰球队领队和东家。1920年获多伦多大学工科学位。第一次世界大战前后在炮兵和空军部队服役，并在多伦多大学作冰球队员和教练。曾指导获1928年奥运会冠军的加拿大冰球队训练。1927年组建全国冰球联盟纽约突击队。该队后由帕特里克兄弟（**Patrick，Lester B. and Frank A.**）接管，于是斯迈思购得多伦多市圣帕特里克队的特许权，将该队更名为枫叶队。该队先后于1932、1942、1945、1947～1949和1951年共获7次斯坦利杯赛冠军，1960年将该队转售给其子斯塔福所主持的团体。1931年建立枫叶花园俱乐部。加拿大全国广播节目现场报道枫叶队的各次比赛，是由他首倡。枫叶花园俱乐部自1964年起每年将康恩·斯迈思杯奖给斯坦利杯锦标赛中的最佳运动员。后全国冰球联盟扩大，专门设立斯迈思级。

Smythe，Sir Thomas　史密斯（1558？，英格兰肯特奥斯坦汉格［今韦斯滕汉格］～1625-09-04，肯特萨顿-霍恩）　Smythe 又拼 Smith。英格兰企业家。对开拓弗吉尼亚殖民地的成功起过作用。17世纪初，对许多贸易活动和探险航行进行过资助。1580年起经营伦敦男子服饰用品公司和皮货公司积累了可观的财富。1600年组织东印度公司，并任该公司总裁。1603年兼任俄国和法国公司总裁，后任驻沙俄特别大使（1604～1605）。1609年任弗吉尼亚公司司库。开拓弗吉尼亚殖民地之所以能获得成功，在很大程度上是靠他的努力、坚持和资助。曾任1615年组织的萨默斯群岛（百慕大）公司总裁，使该群岛在经济上和政治上同弗吉尼亚保持密切联系，并得到发展。还是寻找通往东方的西北航线航行的主要发起人之一。史密斯海峡是该海峡的发现者W.巴芬为纪念他而命名的。

snail　螺　腹足类（**gastropod**）动物的俗称，尤指具有螺壳者，此类动物可将身体完全缩入壳内以得到保护。无壳的腹足类动物常称为蛞蝓或海蛞蝓。

snailfish　狮子鱼　又作 sea snail。鲉形目圆鳍鱼科（Cyclopteridae，有时另行独立为狮子鱼科［Liparidae］）约115种海产鱼类的统称。体型小，最大约30厘米长。体长形，柔软，蝌蚪状；皮肤松弛，无鳞，而有时具小刺。背鳍长，腹鳍于头下，形成吸盘，用以吸附海底。分布于北大西洋、北太平洋及南北极冷水区。有些种，如北大西洋的普通狮子鱼（*Liparis liparis*），生活于沿岸；另一些，如头肛狮子鱼属（*Careproctus*）的粉红色种类，则栖居于深海。

snake　蛇　又作 serpent。爬行纲有鳞目蛇亚目（Serpentes）的动物，与蜥蜴亚目、蚓蜥亚目近缘。体长，身体的形状与其活动程度相关，活动频繁者身体细长，营定居生活的种类身体粗壮，树栖种类身体最长，且侧扁，尾比身体长。穴栖种类几乎无尾。海蛇的尾扁平如桨，利于游泳。全身被鳞，定期更换，称为蜕皮。蜕皮次数与生长速度有关，快速生长的蛇每两个月可蜕皮一次。蛇的颜色及花纹多鲜艳，有的十分醒目。其功能或为保护色或为警戒色。头骨轻而骨块减少。方骨与颌的关节骨形成关节，使口能张得很大。牙数多。毒蛇上颌上有毒牙，毒牙上有沟或管，毒液沿之注入被咬对象。四肢退化，椎骨数多，具椎弓突及椎弓凹。几乎每个躯体椎骨均有一对肋骨，肩带完全消失，腰带常消失。在原始种类如蟒则肛门两侧后肢残存为一对角质的爪状物。外耳孔及鼓膜消失，听觉全凭骨导。蝰蛇有颊窝，蟒有唇窝，均为热感受器。只存一个功能肺，不发声，无眼睑。常藏身于各种动物的洞穴内、树洞、裂缝以及多刺的植物丛中。适应于既不太冷又不太热的气候环境。除南北极外，广布于全球。有些种类有毒，全世界每年约100万人被蛇咬，死亡1～4万人。蛇皮可制皮带、鞋、手套、皮夹。蛇肉在亚洲一些地区视为美味。蛇又用于展览或演出，或饲为玩赏动物。蛇出现于各种宗教典籍、仪式、活动及传说中。蛇在控制啮齿类种群中起重要作用，许多地区，因滥捕蛇类而鼠类数量大增。热带蛇类休眠，以对付炎热的缺雨季节。温带地区的蛇类冬眠。热带和温带地区的种类皆营独居生活，仅在休眠或交配时群集。但海蛇常见大批一起行动。雌海蛇在繁殖季节亦常聚集于海堤的洞内产仔。温带某些种类的雌性习于在同一地点产卵。猎食时均采取个体行动，未见有集体猎食行为。可有几条蛇同处于隐蔽处或一起晒太阳。无社会等级、领域行为及优势现象。通常休眠一结束即交配。少数种类在冬眠之前完成交配。雄性的泄殖腔之后具一对可膨大的半阴茎，上有沟，可将精液输入雌性泄殖腔内。受精在输卵管上端进行。受精卵沿输卵管下行，在输卵管下端陆续被包裹以由管壁壳腺分泌的蛋白和卵壳。交配后卵子即受精。有些种类的雌性可将精子储存几年，为后来的卵子受精之用。许多蛇产卵后即弃之不顾，有些蛇护卵，有些甚至孵卵。少数种类有卵胎生现象，即受精卵留于母体输卵管内发育，直至胚胎发育为幼体时始产出。通常认为卵胎生爬行类的卵在母体内发育，但与母体并无联系，母体仅起保护作用。但已证实，卵胎生种类的发育中的胚胎，能与母体进行物质交换。无论卵生或胎生的幼蛇，一出世就具有捕食能力。性成熟前生长速度很快，性成熟后生长速度减慢，但终生都在生长，直到死亡。多数种类2年达性成熟，大型种类则需4～5年。移动方法有4种。多数种采用“蛇行”运动（蜿蜒运动：身体弯成一系列“S”形，与地面的接触点上产生压力，推动身体前进）。有的种类采用“六角手风琴”式移动方式，有的则采用“蠋”状移动（或称“直线”移动）方式，少数种类采用侧进移动方式。最早的蛇类化石见于上白垩纪。蛇亚目分3个超科：1.盲蛇超科（Typhlopoidea）。形小如蠕虫。有腰带残迹。（1）盲蛇科（Typhlopidae）。（2）蠕蛇科（Leptotyphlopidae）。2.蟒超科（Booidea）。中至大型。有腰带残迹。（1）筒蛇科（Aniliidae）。（2）异盾蛇科（Xenopeltidae）。（3）盾尾蛇科（Uropeltidae）。（4）蟒科（Boidae）。（5）瘰鳞蛇科（Acrochordidae）。3.游蛇超科（Colubroidea）。无腰带残迹，仅存左颈总动脉。部分种类上颌首后端有毒牙。（1）游蛇科（Colubridae）。①食卵蛇亚科（Dasypeltinae）。②食螺蛇亚科（Dipsadinae）。③钝头蛇亚科（Pareinae）。④闪皮蛇亚科（Xenodontinae）。⑤水游蛇亚科（Homalopsinae）。⑥游蛇亚科（Colubrinae）。（2）蝰蛇科（Viperidae）。毒牙为管牙，上颌骨短。①蝰蛇亚科（Viperinae）。②响尾蛇亚科（Crotalinae）。（3）眼镜蛇科（Elapidae）。上颌骨短，固定。前端具沟牙。（4）海蛇科（Hydrophiidae）。尾及部分躯体侧扁，适于游泳。

snake eel 蛇鳗 鳗鲡目蛇鳗科海水鱼的统称。共200多种,遍布全世界,大多在热带与温带水域。形似蛇,远较与之近缘而富进攻性的海鳝温良得多。尾部尖且锐利(而海鳝的尾侧扁),用以在海底向后打洞,形成一保护穴。斑蛇鳗(*Ophichthus ophis*)见于南大西洋和加勒比海,长达120厘米。

snake gourd 蛇瓜 葫芦科两种生长迅速的藤本植物,即蛇状栝楼(*Trichosanthes anguina*)及甜瓜样栝楼(王瓜,*T. cucumeroides*)的俗称。均原产于东南亚及澳大利亚,但全世界

蛇状栝楼(*Trichosanthes anguina*)

均有栽培。果形状奇特,可食。卷须两叉或三叉,花白色,花瓣边缘呈长流苏状。蛇状栝楼的果绿色,形长,长达1.5~2米,略有肋,头尾尖削。而甜瓜样栝楼的果卵圆形,仅长5~8厘米,干后可代替肥皂使用。

snake-necked turtle 蛇颈龟 髭龟科动物。约10属,35种,产于南美洲、澳大利亚和新几内亚。其收回头颈的方法与侧颈龟同,并非缩入龟甲内,而是弯向一侧。有些种类的颈部极长,似蛇。长颈髭龟(*Chelodina longicollis*)性驯良;颈长;甲褐色或黑色;长约12厘米;为蛇颈龟中最著名者;原产澳大利亚。毛缘龟(*Chelus fimbriatus*)为最独特的龟类之一,产于南美洲;龟甲长30~40厘米;趾间有蹼;甲粗糙,口大但颚无力,眼小而位置靠前;吻突延伸似象鼻;头扁平,颈扁而长,皮上覆以无数流苏状突出物;水栖,以鱼和甲壳动物为食;捕食方法为突然张口将一股水流连同猎物一起吞入口中。髭龟科还包括新几内亚和澳大利亚的澳大利亚蛇颈龟属(*Emydura*)以及南美洲的海龟属(*Hydromedusa*)。

Snake River 斯内克河 哥伦比亚河最大支流,美国西北太平洋沿岸地区最重要河流之一。源出怀俄明州黄石公园东南角附近大陆分水岭山区。流向南转西北,过帕利塞兹水库进入爱达荷州。在海斯附近出山区,穿过斯内克平原。接纳博伊西河后北流形成爱达荷和俄勒冈州界河348千米。在俄勒冈州东北角形成华盛顿州-爱达荷州界,经过刘

斯内克河下游流经俄勒冈和爱达荷两州之间的赫尔峡谷国家游览区

供图:Greg Vaughn/Tom Stack & Associates

易斯顿后折向西流,在帕斯科南汇入哥伦比亚河。全长1 670千米,流域面积282 000平方千米。海拔从3 000米至90米。上游用于灌溉和水力发电,干流有数座水库,其中以亚美利加福尔水库为最大。海斯以下主要支流有亨利斯河(最大)、布莱克富特、波特纳夫、拉夫特及比格伍德河。除亨利斯河及比格伍德河之外斯内克河北岸支流沉入平原,形成一大型地下水库。米尔纳坝下游有特温和肖肖尼瀑布,落差分别为20米和65米。中段主要用于水力发电。灌溉水源靠支流佩埃特、奥怀希、马卢尔及博伊西河。下游流经北美最深河谷赫尔峡谷(**Hells Canyon**,1.6千米深)。斯内克河最大支流萨蒙河即在此汇入。

snakebird 蛇鹈 又作 darter 或 anhinga。又称冲鹈,图皮蛇鹈。鹈形目蛇鹈科水鸟,有

蛇鹈(*Anhinga anhinga*)

供图:James R. Simmons—美国不列颠百科全书公司

时认为只有一种(*Anhinga anhinga*),有多个地理变型。体大,形细长,体长约90厘米,颈长。体羽多为黑色,具银白色翅斑。雄鸟具绿色金属光泽,繁殖期具浅色头羽及黑色的"鬃";雌鸟色单调,整年为淡褐色。除欧洲外,见于热带至温暖地区,成小群生活于湖泊和河流边。游泳时,除头部和颈露在水面外,几乎全身潜入水中,像蛇一样左右摆动,从一边冲到另一边。用带锯齿的喙刺鱼,并衔之上岸。

snakebite 蛇咬伤 蛇(特别是毒蛇)牙咬入皮肉所造成的创伤。无毒蛇咬伤的治疗如同刺伤。毒蛇咬伤可能很严重,决定于受伤者体形的大小、咬伤的部位、蛇毒注入的量、蛇毒吸收到病人血循环中的速度以及咬伤和应用特异抗蛇毒血清之间的时间长短。蛇毒含许多酶或蛋白质类物质,能损害血液、神经系统或其他组织,其含量因蛇种而异。有些蛇毒产生直接的毒性作用,但对人类并非都能致命。有些是影响全身的致命毒素(如响尾蛇的毒液),而有些开始只对咬伤的附近组织起破坏作用,但可引起坏疽的发生。咬伤若在肢体,急救措施包括立即将受伤肢体在水平方向上固定,并用宽绷带在伤口最靠近身躯的一侧轻轻绑扎;切开、吸吮伤口、应用止血带都是不当处置;还应避免用力和兴奋,以防脉率的增加和循环的加快。同理,刺激剂亦应避免。对伤口用冰或高锰酸钾等药物,有害无益。大多数种类的蛇毒中毒可以用抗蛇毒血清治愈。由预先免疫的动物(特别是马)取得的抗蛇毒血清,其有效程度依赖于抗蛇毒血清的特异性、抗体的含量以及制品的浓度和纯度。对某一种蛇咬伤,用特异的抗蛇毒血清治疗更佳,但有些抗蛇毒血清可治疗各种有亲缘关系的蛇的咬伤,例如,抗虎蛇(*Notechis scutatus*)蛇毒血清对其他几种蛇毒也同样有效。参阅 **venom**。

snakefly 蛇蛉 蛇蛉目昆虫,约80种。长约15毫米。易辨认,头小,前胸细长如"颈"。触角丝状;咀嚼口器;两对翅形状相似,网状脉。雌体有细长的产卵管。全变态。幼虫在

蛇蛉(*Raphidia adnixa*)

E.S.Ross 供图

疏松的树皮下生活,好活动,肉食性。蛇蛉捕食昆虫的幼虫和蛹,为益虫。除澳大利亚外,分布于其他各洲。

snakehead 鳢 鳢科一些分布于非洲和亚洲淡水鱼类的统称。体长形,断面近圆形。口大。背鳍、臀鳍各一,均长。体长约10~90厘米。能借助于鳃部附近的一对血管腔呼吸大气中的空气。肉食性。能在水外存活

较长时间。在一些地区为食用鱼类。

snapdragon 啮龙花 即金鱼草。玄参科金鱼草属（*Antirrhinum*）植物的俗名。约40种，草本。原产于北美西部和地中海西部地区。花筒状，两侧对称，通常较大，口部唇形，

普通金鱼草（*Antirrhinum majus*）

供图：Carlo Bevilacqua—SCALA from Art Resource/美国不列颠百科全书公司

裂片闭合，只有健壮的蜂类才能挤入花内。该属多是受人喜爱的庭园花卉植物，有许多园艺品种。*Galvezia speciosa* 与之近缘，俗名亦称啮龙花。

snapper 啮鱼 鲈形目笛鲷科约250种鱼类的统称。盛产于所有热带海区，为集群游动鱼类。体长可达60～90厘米，口大，具锐利犬牙，尾鳍圆钝或叉状。以甲壳类及其他鱼类为食，是名贵的食用鱼类，但大西洋的狗啮鱼（白纹笛鲷，*Lutjanus jocu*）等则有毒，可致鱼肉毒。皇帝啮鱼（千年笛鲷，*L. sebae*）产于印度洋及太平洋，体红白二色。灰啮鱼（红树林啮鱼、灰笛鲷，*L. griseus*）灰、淡红或淡绿色，产于大西洋。红斑啮鱼即杂色裸颊鲷

红斑啮鱼（*Lethrinus variegatus*）

供图：Douglas Kaulkner

（*Lethrinus variegatus*）。黄尾啮鱼（疾鲷，*Ocyurus chrysurus*）产于大西洋，行动快速，从吻端到黄色的尾鳍有一黄色宽带纹。红啮鱼（坎佩切湾笛鲷，*L. campechanus*）体鲜红色，是著名食用鱼，产于大西洋深水。鯥科的鯥（**bluefish**）有时也叫啮鱼。

snapping beetle 扣甲 参阅 **click beetle** 叩头虫。

snapping turtle 啮龟 鳄龟科两种可食淡水龟的俗称，因其噬咬方式而得名。见于北美洲和中美洲，以体大具好斗性著称。棕黄至黑色，背甲粗糙，腹甲小呈十字型，尾长，头大，下颌呈钩状。每次产卵20～40枚。出壳的小龟甲长2.5～4厘米。肉可食。普通啮龟（蛇鳄龟，*Chelydra serpentina*）广布加拿大至中美洲。特征为尾的背面有一锯齿形脊，背甲平均长20～30厘米，体重4.5～16千克。幼时背甲上有三条纵行棱脊，随着时间的推移棱脊逐渐磨耗。常将身埋于浅水的泥中。杂食性。在水中时通常不好斗，而在陆上却能猛冲猛咬。鼍啮龟（特明克氏大鳄龟，*Macrochelys*［有时作 *Macroclemys*］*temmincki*）为美国最大的淡水龟，产于美国南部和中部地区。不好动。背甲上有三条凸起的纵走棱脊。甲长约40～70厘米，体重18～70千

普通啮龟（*Chelydra serpentina*）

供图：Walter Dawn

克，曾有近100千克的记录。口腔底部有一蠕虫样的附器，常静伏水中，张着嘴，借附器诱食附近鱼类。亦食植物。啮龟的化石曾在欧洲和北美洲的中新世沉积物中发现过。

snaps（distilled liquor） 参阅 **aquavit** 利口酒。

snare drum 小鼓 又作side drum。军乐队和管弦乐队的打击乐器。有几条肠衣、尼龙或金属线，或缠金属线的丝弦（响弦）横绷在下面的鼓皮上，响弦与下面的鼓皮共振（振动从上面受敲击的鼓面，通过鼓内空气的振动传到下面鼓皮），发出清脆、响亮的高调音响。现代的小鼓呈圆筒形，鼓身用木、胶合板或金属制成，高13～30厘米，直径35～40厘米。比较高型的小鼓叫做战场型或守卫型鼓，用于军乐队中。鼓面是小牛皮或塑料制，用两个上粗下细的圆头木棒敲击。鼓皮用正箍（鼓皮包在上面）和反箍安装。古埃及人就已知道响弦，在现代中东的许多铃鼓上也有响弦。中世纪欧洲塔波鼓的上端鼓面上装有响弦，有时双面均有响弦。当大型塔波鼓改用两支鼓槌、并将响弦改装到下端鼓面时，就发展成小鼓。从14世纪起，在瑞士步兵（雇佣兵）团中，小鼓用腰带或背带系在演奏者的左侧，与军笛配在一起使用。以后，小鼓传遍全欧洲。早期小鼓的高度与直径相等或稍大。所用鼓皮比现代的厚，鼓槌也较粗，发音较沉重，缺乏明亮色彩。此鼓在19世纪中变化很大，其形较扁，并且常用黄铜制成鼓身，用杆或螺旋来绷鼓皮。虽然从17世纪早期就能用螺旋或杠杆操纵响弦的紧张度，但只是在20世纪中才有了先进的机械装置，使响弦可以立即离开鼓面（为了产生特殊

现代小鼓

选自：Anthony Baines *Musical Instruments Through the Ages*

效果或避免由于别的乐器而引起的不需要的共振）。20世纪以前，常用肠衣作响弦膜。到19世纪，军队演奏小鼓还是按口授的传统方法，只有到后来小鼓用在管弦乐队里时演奏者才需要乐谱。现代作品和爵士乐的演奏可能要求奏出特殊效果，这可通过放松响弦、敲鼓边，以及用手指或不标准的鼓槌或钢丝刷演奏来取得。史料证明，最早在管弦乐队采用小鼓的是法国作曲家兼维奥尔琴演奏家M.马雷的歌剧《阿尔西厄尼》（1706），其后又在罗西尼的歌剧《偷东西的喜鹊》（1817）中出现，但直到里姆斯基-科萨科夫和其他19世纪末的俄罗斯作曲家作品中，它才成为正式的管弦乐队乐器。

Snares Islands 斯奈尔斯群岛 新西兰外围岛群。在南太平洋斯图尔特岛西南105千米处。均为火山岛，其中一岛较大，余为几个小岩石岛。总面积2平方千米。岛上无人定居。沿海海豹早在19世纪被大批捕杀，现又有繁殖。为鸟类重要群栖地。

SNCF 参阅 **Société Nationale des Chemins de Fer Français** 法国国营铁路公司。

Snead, Sam 斯尼德（1912-05-27，美国弗吉尼亚温泉城附近～2002-05-23，温泉城） 别名Slammin' Sam。美国职业高尔夫球运动员，共赢得82次职业高尔夫球协会比赛以及除美国公开赛以外的其他他有资格参加的较大的比赛冠军。斯尼德以他高尔夫球生涯之长和完美的挥拍动作及敏捷性而著称。自1933年起为职业运动员，1937年在奥克兰公开赛中首次获胜。他获冠军的各种比赛包括英国公开赛（1946）、加拿大公开赛（1938、1940、1941）、美国大师巡回赛（1949、1952、1954）、职业高尔夫球协会锦标赛（1942、1949、1951）和瓦登杯赛（1938、1949～1950、1955），平均击球次数在职业高尔夫球协会中居领先地位。曾7次代表美国参加赖德杯比赛。1964、1965、1967、1970、1972和1973年获职业高尔夫球协会甲组锦标赛冠军，1964、1965、1970、1972和1973年获世界甲组锦标赛冠军。1978年与迪肯森并获高尔夫球传奇赛冠军。

供图：AP/Wide World Photos

据说斯尼德从未学过怎样打高尔夫球，可他比任何其他冠军赢得更多的职业高尔夫球赛。保守的估计是他在135次世界比赛中夺冠。在1965年的一次公开赛中他是摘取桂冠年龄最大的高尔夫球选手，当时他52岁。1953年入选职业高尔夫球协会名人堂。

Sneek 斯内克 又作Snits。荷兰北部弗里斯兰省城市。临海于夫河。始建于1294年。1456年建市。现为弗里西亚湖区水上运动（尤指游艇）中心，也是重要的牛和乳品市场。有一些轻工业。名胜古迹有水闸门（1613）、市政厅（1760）和弗里西亚航运博物馆。人口约29 445（1994）。

斯内克市的水闸门

供图：Fritz Henle—Photo Researchers/美国不列颠百科全书公司

Sneeuberg 斯尼乌山 南非开普省中部山脉。在大卡鲁东北边缘，大致呈东西走向，延伸达48千米。东端略微向南弯曲。最高点为孔帕斯山（2 504米）。是森迪斯河（南）与大鱼河（东）的分水岭。

Sneevliet, Hendricus (Josephus Franciscus Marie) 斯内弗利特（1883-05-13，鹿特丹～1942-04-13，荷兰阿默斯福特） 荷兰共产党政治家。创建荷属东印度群岛的社会民主联盟，其雄辩的革命演说激励了当地的民族运动。他最初在荷兰铁路上工作，到1909年成为铁路和电车雇员工会主席。他也与当时被政府恨之入骨的社会民主工党有瓜葛。在与工会的其他领导人发生意见分歧后，他去东印度群岛（1912），在那里为《泗水商业杂志》撰稿，并在三宝垄的一家贸易公司中当秘书。此后，他毕生从事印度尼西亚的民族主义运动。1914年他创建了社会民主联盟。1917年该党分裂后，他领导党内比较革命的一翼。他的党牢牢控制了三宝垄铁路工会。斯内弗利特是一位有煽动性的演说家。1917年因进行革命活动被驱逐出境。回到欧洲后他到共产国际工作。1924年以后他专门在荷兰活动，1929年他在那里建立革命社会党，1933～1937年作为党的代表之一参加议会。1942年被德国人处决。

sneezeweed 催嚏草 菊科堆心菊属（*Helenium*）植物的俗称。约40种，为高大草本。原产北美。大部多年生，头状花序，花黄、棕或红色，集生成平顶花序簇。叶互生。夏季和秋季开花的种常栽于花坛边缘。其盘花的颜色比边花深，边花有时反曲。

催嚏草（*Helenium*）

供图：A to Z Botanical Collection—美国不列颠百科全书公司

Snefru 斯奈夫鲁（活动时期公元前26世纪～前25世纪） 埃及第4王朝（约公元前2575～约前2465）第一代国王。支持建立高度集中的政府，这种政府是古王国时代的特征。出身埃及中部的一个家庭。因与前王女儿（王位继承人）结婚而登上王位。他竭力主张任命王室成员担任最高行政职务。历任首相均由接近继承王位的王子们充任。他曾入侵努比亚（尼罗河第一瀑布上游）和利比亚。传闻还曾征服过西奈半岛。他在开罗西南代赫舒尔建造两座规模宏大的金字塔。一座称"弯塔"，原四坡陡峭，建筑结构缺点暴露后，顶端角度锐减，以致外形弯曲。该塔为埃及建造金字塔初次尝试。数年后他在塔北再建一金字塔，或即为其葬地。两塔至今犹存。他统治24年后，其子胡夫继位。传说在位期间为王国的黄金时代，民间故事多以他为主人公。

Snell, George Davis 斯内尔（1903-12-19，美国马萨诸塞布拉德福德～ ） 美国遗传学家，因在组织相容性的研究中所做的贡献而和J.多塞和B.贝纳塞拉夫一同成为1980年度诺贝尔生理学或医学奖得主。组织相容性是指不同个体的基因构成之间可以互相兼容的性质；故在进行组织移植时，须在和受体有相同组织相容性的个体中选择供体，这样才不会发生排异反应。斯内尔1926年毕业于达特茅斯学院，1930年获哈佛大学理学博士学位。1931～1932年间在得克萨斯大学的H.J.马勒指导下做研究工作。1935年加盟缅因州巴港杰克逊实验室，此后便一直在此供职，1957年晋级为资深科学家组成员，1969年退休。斯内尔以小鼠为实验动物研究组织相容性，先后识别和鉴定出H-2基因复合体和MHC（主要组织相容性复合体）。MHC是一个由多种**抗原（antigen）**组成的复合体，所有脊椎动物的基因结构中都有它们各自MHC的基因组合编码。1976年出版的《组织相容性》一书的作者中除了斯内尔以外还有J.多塞和S.纳特汉森。

Snell, Peter (George) 斯内尔（1938-12-17，新西兰奥普纳基～ ） 新西兰中距离赛跑运动员，800米（1962～1968）、1 000米（1964～1965）、1英里（1962～1965）和880码（1962～1966）世界纪录保持者；1961年为创世界纪录的4×440码（1英里）新西兰接力队队员。斯内尔从芒特艾伯特中学（奥克兰）毕业后，在利迪亚德指导下训练，着重在长跑中培养耐力。1960年在罗马奥运会上获800米金牌。1962年创800米（1分44.3秒）、880码（1分45.1秒）、1英里（3分54.4秒）等项世界纪录，在1964年东京奥运会上又把1英里成绩缩短到3分54.1秒，并获800米和1 500米赛跑两块金牌。1965年退出体坛，成为新西兰一家烟草公司建立的体育基金会主任。1974年在英格兰学习体操生理学后，入戴维斯加利福尼亚大学继续研究这门科学。

Snellman, Johan Vilhelm 斯内尔曼（1806-05-12，斯德哥尔摩～1881-07-04，芬兰基克柯诺米） 芬兰民族主义哲学家、政治家。1835年在赫尔辛基大学任哲学讲师。19世纪40年代起领导了以芬兰语为祖国语言的运动，坚决主张政府机关、学校使用芬兰语。当时芬兰是俄罗斯的大公国（1809～1917），以瑞典语为文明语言。1842年他出版了《政治学》，内容深受黑格尔哲学的影响，主张国家的本质是民族精神。1844年出版了以芬兰文写的《农民之友》和一份瑞典文报纸，但该报于1846年被查禁停刊。从此他成为民族文化生活的鼓动者而开始发挥其革命影响。其后与学者和民间传说研究者、《卡勒瓦拉》（芬兰史诗）编者埃利亚斯·罗特合作，编辑《大众文艺报》。1856年任教授，1863～1868年任参议员。他对1863年颁布的推广使用芬兰语的法令起了决定性作用。他还协助将芬兰货币本位从卢布改为马克（1865）。他的《斯内尔曼文集》于1928～1933年间问世。

Snell's law 斯涅耳定律 表述光穿过两种互相接触的介质的界面时，光所穿行的路程和两种介质的**折射率（refractive index）**之间的关系。这一定律为荷兰天文学家、数学家W. van R.斯涅耳（1580～1626，又名Snellius）于1621年所发现。斯涅尔定律的内容在惠更斯的光学论文提到它之前，都一直没有发表。在图的左边，n_1和n_2分别表示两种介质的折射率，α_1和α_2分别为界面处光线与法线*NN*所成的入射角和折射角。斯涅耳定律指出$n_1 / n_2 = \sin\alpha_2 / \sin\alpha_1$。由于对任意给定波长的光$n_1 / n_2$是一常数，故对任何角度这两个正弦之比也是常数。所以当光线从折射率小的物质进入折射率大的物质时，光线的路径总是折向法线；由于光程是可逆的，因而当光线进入折射率小的物质时，光线总是要偏离法线。图中右边显示光从一种介质

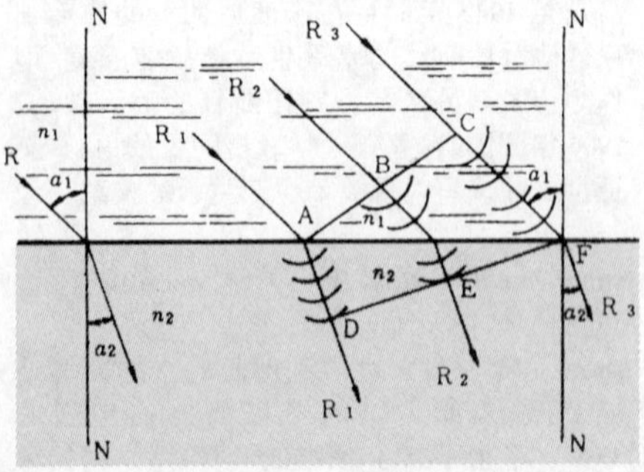

斯涅耳定律

进入另一种介质产生折射的原因。按照惠更斯原理，光的波阵面上的每一点都是一个新的子波的源。由R_1、R_2和R_3三条光线组成的一束平行光，入射到折射率分别为n_1和n_2的两种介质的分界面*AF*上，光的平面波阵面为*ABC*。在此例中，第一种介质中的光速高于第二种（$n_1 < n_2$）。根据惠更斯原理，第一种介质中的子波的半径大于第二种。当波阵面*ABC*上的*C*点移到平面上的*F*点时，波阵面上的*A*点只在第二种介质中移动了距离*AD*。平面*DEF*与新的诸子波相切，它就代表新的波阵面，而与新的波阵面相垂直的三条直线则代表光在第二种介质中所取的路程。

Snezhnoye　斯涅日诺耶　乌克兰东部顿涅茨克州煤矿中心。位于顿涅茨煤田区。1938年建市。除开采煤矿外，有化工设备制造厂。又为富饶的农业地区中心，种植谷物，饲养牛、猪、家禽。人口约58 496（2001）。

Snijders, Frans　（Baroque painter）　参阅 **Snyders, Frans 斯尼德斯**。

snipe　沙锥　鸻形目鹬科约10种滨鸟的统称。常出现于湿草甸和沼泽地。遍布全球温带和暖和地区。腿短，嘴长，身体肥短。具褐、黑、白色条纹和横斑。翅尖、棱角分明，眼位于头部较后方。嘴灵活，用于觅食泥土中的蠕虫。沙锥繁殖时成单个活动，迁徙时几只沙锥成一小群（沙锥群）与其他滨鸟一起出现在泥滩平地。大多数种类的雄鸟于求偶表演时在高空盘旋，然后急降飞向地上的雌鸟，降落时由于尾羽振动而发出击鼓或羊鸣一样的声音。求偶通常发生在黄昏、月夜或阴天。普通沙锥（扇尾沙锥，*Gallinago*［有时作*Capella*］*gallinago*）外形甚似近缘的丘鹬，体长（包括嘴长）约30厘米；是准许狩猎的鸟类；向空中飞起时发出一声令人心惊胆裂的粗厉的叫声，左右盘旋，然后突然降到隐蔽处；栖息于温带地区，包括北美的威尔逊沙锥、欧亚

普通沙锥（*Gallinago gallinago*）
供图：Ingmar Holmasen

沙锥和南美沙锥。北欧的大沙锥（中沙锥，*G. media*）体较大，下体具横斑。其他沙锥包括印度的针尾沙锥（*G. stenura*）和欧亚大陆的姬鹬（*Lymnocryptes minima*）。参阅 **painted snipe**。

snipe fly　鹬虻　双翅目鹬虻科昆虫，常见于林区。8～15毫米长，色深，头圆，腹部向后趋尖，足长。幼虫在土或水中。多不叮咬。但合鹬虻属（*Symphoromyia*）的雌体吸血，是北美太平洋沿岸的常见害虫。

snipefish　鹭管鱼　又作bellows fish。又称风箱鱼。刺鱼目鹭管鱼科约12种深海鱼类统称，见于暖水及温带地区。形小，体高。最大体长约25～30厘米。体色通常为银白、粉

鹭管鱼（鹭管鱼属，*Macrorhamphosus*）
绘图：Gilbert Emerson

红或红色。吻呈长管状，背部生有甲片形成的不完整护甲。背鳍具数根鳍棘，其中之一通常很长，此棘与尾部恰似风箱的两个把手，故此鱼又称风箱鱼。

Snits（The Netherlands）　**斯尼茨**　参阅 **Sneek 斯内克**。

Snodgrass, W(illiam) D(e Witt)　斯诺德格拉斯（1926-01-05，美国宾夕法尼亚威尔金斯堡～2009-01-13，纽约埃尔维尔）　美国诗人，早期作品的特点是注重形式和对个人经历作无情和细致的剖析。曾就读于日内瓦学院、艾奥瓦大学等院校，后任教于康奈尔大学（1955～1957）、罗彻斯特大学（1957～1958）、韦恩州立大学（1958～1968）、锡拉丘兹大学（1968年后）。《心针》（1959）和《经历之后》（1968）两本诗集是韵律诗，前者获普利策奖。后来的诗则以自由诗体写成。其他著作有翻译的欧洲民谣数卷和评论集1卷。《行吟诗六首》出版于1977年。

Snohallow（American Indian cult leader）　参阅 **Smohalla 斯莫哈拉**。

Snoilsky, Carl Johan Gustaf, Greve（Count）　**斯诺伊尔斯基**（1841-09-08，瑞典斯德哥尔摩～1903-05-19，斯德哥尔摩）　瑞典诗人。1869年出版的《诗集》是他在欧洲大陆长期旅游中写成的，使瑞典读者爱不释手，其中包括《意大利印象记》（1865）。后来他进入外交使团工作，与名门攀亲，过起贵族生活，不再

供图：Svenska Portrattarkivet, Stockholm

从事写作。1879年他厌弃了这种生活而出走，重新结婚，在欧洲大陆定居，再度执笔写诗。1881、1883和1887年先后出版了3卷诗集。

snood　束发网　妇女扎头发的狭窄环状或带状饰物。最初苏格兰未婚女子把它戴在头上，作为贞洁的标志。维多利亚女皇时代，发网较为流行。“snood”一词即指网状帽或

扎发网的妇女，雕版画（1858～1860）
伦敦维多利亚和艾伯特博物馆供图

能束住后面头发的帽身。19世纪30年代，“snood”一词指妇女戴在后脑、用以束住头发的网状袋。第二次世界大战期间，妇女在工厂非常喜用“snood”，以保持头发不被卷入机器中。

snook　婢鲈　又作Robalo。又称锯盖鱼。鲈形目婢鲈科婢鲈属（*Centropomus*）约8种海产鱼的统称。体长形，银白色，似狗鱼。背鳍2，头长，口颇大，下颌突出。产于热带美洲大西洋及太平洋沿岸，常见于河口及红树林中，有时也进入淡水。体长0.5～1.5米。是食用鱼和游钓鱼。

snooker 斯诺克 又译落袋台球。源于英国的一种流传甚广的台球游戏。球台的大小和标记与英式台球相似。这项游戏大概最初于16世纪70年代在印度的英国士兵中出现。

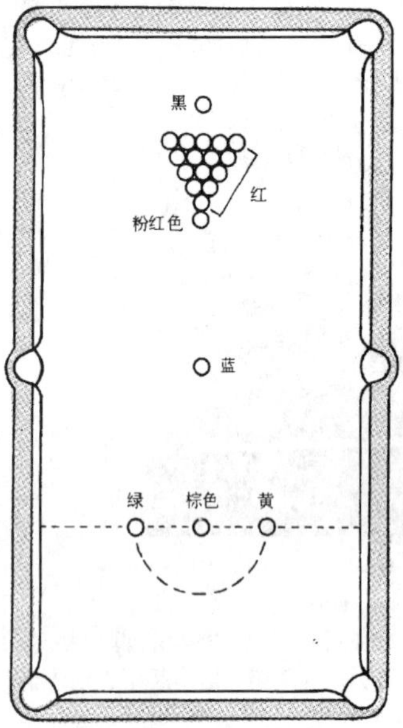

美式落袋台球桌

这种台球使用22只球，其中白球（主球）1只；红球15只，各值1分；黄球1只，值2分；绿球1只，3分；棕球1只，4分；蓝球1只，5分；粉红球1只，6分；黑球1只，7分。比赛时，要先把红球击落袋内，然后再击落非红色的球（杂色球），每只红球值1分，其他球按不同分值计算。开局时，球的排列如下：所有红球排成金字塔形，塔尖放在金字塔点上；黑球放在靠近台底一侧的台球点上；粉红球紧靠塔尖；蓝球放在中心点上；绿球、棕球和黄球分别放在台端一侧击球线上的左、中、右三处。开球时必须先用主球击红球，一方可连续击球，直到不能命中落袋或犯规（见上图）时方由对方击球。当击杂色球时，击球者必须指明哪只球是的球，但不需具体说明他想把球击入哪一个袋。红球落袋后，不管击球是否合法，都要留在袋内。杂色球落袋后，只要球台上还有红球，则须立即放回原来位置上。待所有红球都已落袋后，须从球值最低的黄球开始顺序击球，直到球值最高的黑球。当台上最后一只球落入袋内时，这一局就宣告结束，得最高分的一方获胜。犯规者要给予处罚。所谓犯规是指违反某条规则，例如：把主球击落袋内（包括误刮进去），击球时主球未碰到任何球或者只触及一个“非的球”，一枪把两只杂色球击落袋内等。处罚的办法通常有：把若干分让给对方，犯规击球不得分，停止一次击球权等。按照英国台球协会和监督理事会以及美国台球协会的规则，英、美式的台球游戏有所不同。球员无法按照规则要求用主球撞击其他球时，主球所处的位置称为“困境”。参阅 **pool**；**pyramids**；并参阅 **Sporting Record**：Billiards。

snoring 打鼾 睡眠中吸气时发出的粗糙而嘶哑的噪声，因软腭和声带振动而引起。常见于鼻道阻塞，迫使经口呼吸时。更常见于老人，其口咽肌肉失去张力，从而促使软腭和咽振动。男人比女人更常见，最常见于肥胖者。儿童打鼾常因扁桃体或腺样增殖体增大所致。无论什么原因，打鼾总与用嘴呼吸有关。纠正的办法是去除鼻道阻塞，恢复正常的鼻呼吸，或改变睡觉的位置，不仰睡。

snorkel 柴油机通气管 第二次世界大战时德国潜艇潜航时用的通气管。内燃机潜艇在潜航时用蓄电池作动力，为蓄电池充电的发电机是用内燃机带动的，内燃机工作时需要空气，因此蓄电池需要充电时潜艇必须浮出水面，这样就暴露了潜艇本身。当潜艇贴水面潜航时，将通气管伸出水面，以便吸入空气和排出废气，因此潜艇不必浮出水面即可充电。潜水员的面罩内装上类似的通气管可使潜水员在水下呼吸。

Snorri Sturluson 斯诺里·斯图鲁松（1179，冰岛～1241-09-22，雷恰霍尔特） 冰岛诗人、历史学家。《散文埃达》和《海姆斯克林拉》的作者。他是《埃吉尔萨迦》中伟大的诗人和主人公埃吉尔·斯卡拉格里姆松的后裔，从3岁起在冰岛最有权势的首领奥迪的J.洛皮松家长大。J.洛皮松是已知的第一个冰岛历史学家。1206年定居雷恰霍尔特，1223～1235年期间他的大部分作品就在这里写成。在1215～1218年和1222～1232年期间，他是冰岛高等法院的院长。1218年应挪威国王哈康四世邀请去挪威。他为哈康赢得了冰岛人的归顺，使哈康同时成为冰岛的国王。1220年回冰岛后，渐与哈康不合。1241年，根据哈康的命令，斯诺里被刺杀。斯诺里的作品取材广阔，运笔自如。《散文埃达》是一本诗学手册。他在自己创造的故事结构中重述古斯堪的纳维亚的神话，尤为人所广泛重视。他还写过一篇挪威圣奥拉夫的传记，收入他所著挪威诸王史《海姆斯克林拉》中。他的天才在于以批判的眼光将他见识到的人和事用戏剧的直接表现手法形之于文字。

Snouck Hurgronje, Christiaan 斯努克·许赫龙耶（1857-02-08，荷兰奥斯特豪特～1936-06-26，莱顿） 荷兰的大学教授和殖民官员。对伊斯兰教进行科学研究的先驱。1880～1889年任莱顿大学讲师。1884～1885年访问阿拉伯，著有《麦加》（2卷，1888～1889），叙述这座圣城的历史和伊斯兰教的起源。1890～1906年在爪哇岛的巴达维亚任阿拉伯语教授并任政府顾问。他为荷兰殖民政府提出一套对伊斯兰教政策，一直沿用至1942年荷兰在印度尼西亚的统治结束。他对穆斯林的宗教生活持宽容态度，但作为殖民官员又要抑制穆斯林的政治鼓动。1906年回国，在莱顿大学教授阿拉伯语，直至逝世。曾撰写大量关于伊斯兰教的文章。

snout beetle 象鼻虫 参阅 **weevil** 象甲。

snow 雪 由大气落到地面的水的固态结晶，其永久或短时的覆盖面约占地表的23%。在北纬35°和南纬35°至极地之间的海平面高度上可降雪，但在大陆的西海岸一般要在较高的纬度上才降雪；赤道附近只在海拔约为4 900米或更高的山区降雪。积雪对气候以及动植物和人类生活有显著的影响。雪加强对太阳辐射能的反射，妨碍地面热传导，使气候变冷。热传导差，可保护小植物不受冬季低温的影响；另一方面，春季雪融化得慢，又推迟植物的生长。当春天积雪融化时，雪水给江河补充水量，并为灌溉和人类其他工程供水。大雪能严重地妨碍交通，但在遥远的南极、北极和山区，积雪的表面坚固，可使用传统的狗拉雪橇、雪鞋或现代的雪地汽车。雪花由冰晶形成，一般呈六角形，多精致美观。冰晶的大小和形状主要取决于形成时的温度和水汽的数量。当温度高于约 -40 °C时，围绕着悬浮在空中的微小尘粒和化学物质的周围形成冰晶；当温度较低时，冰晶直接由水汽形成。如果空气潮湿，冰晶迅速增大，

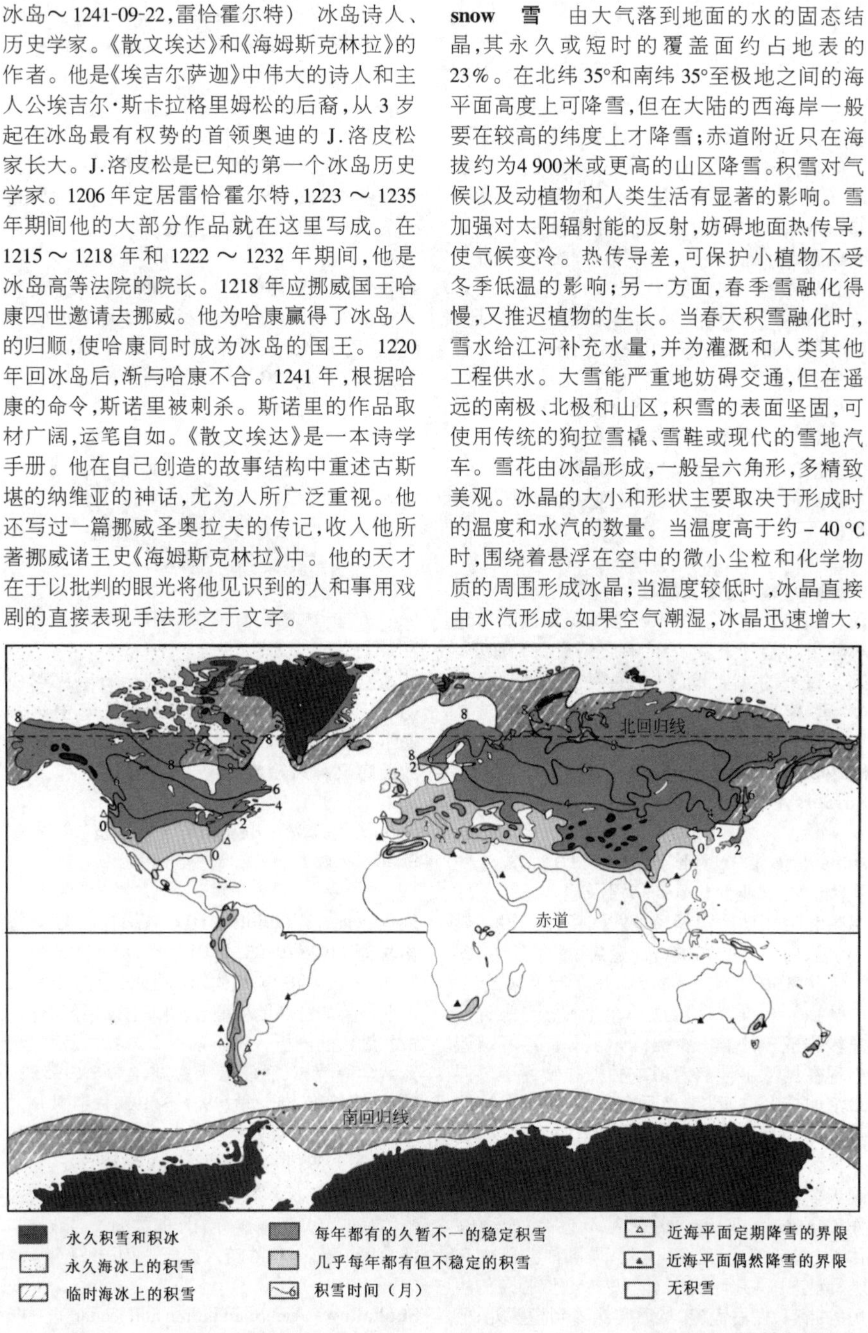

图1 世界积雪分布

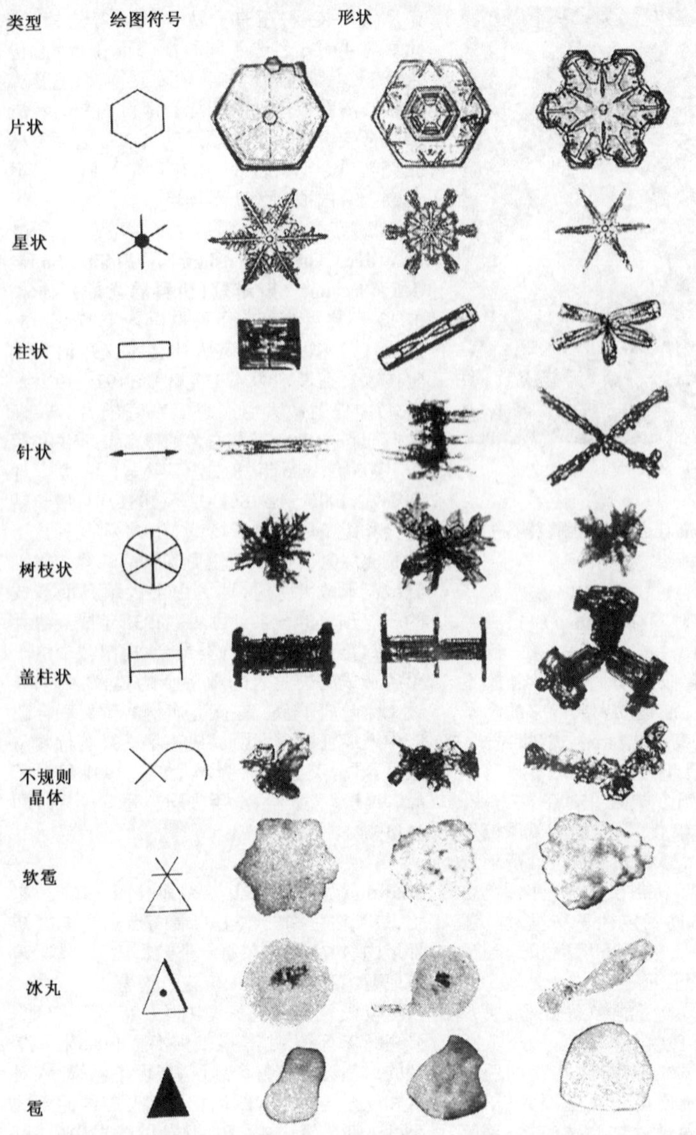

图 2 雪晶分类

出现岔枝，并凝集在一起成为雪花。在比较干冷的空气中，颗粒小而结实。固态降水可分为 7 种形状的雪晶以及软雹、冰丸、雹 3 种类型的颗粒。雪在下降时其结构和密度不断变化，地面上的雪往往更为致密，历春、夏数年不化，并有可能变为冰或形成一条冰川。在山坡上积雪中的雪粒因温度变化，结合力降低，重力和黏性可能克服摩擦阻力引起雪滑和雪崩。

Snow, C. P.　斯诺（1905-10-15，英格兰莱斯特郡莱斯特～1980-07-01，伦敦）　英国小说家、科学家和政府官员。毕业于莱斯特大学，后在剑桥大学获物理学博士学位，25 岁时成为该校基督学院评议员。从事分子物理学工作约 20 年后，成为该校行政领导人。第二次世界大战爆发后，任英国政府科学顾问。1957年被封为爵士，1964 年被封为终身贵族。从 30 年代起即开始创作共 11 分卷的系列小说，总题为《陌生人和兄弟们》（1940～1970），描写一个叫 L. 艾略特的英国人的学术、社交和私人生活。作品以朴素、细腻的笔触剖析了一个有官僚作风的人，以及权力的腐败影响。他有几部小说曾被搬上舞台。后来的小说有《在他们的智囊中》（1974）和《一层粉饰》（1979）。关于科学和文学的著作《两种文化与科学革命》（1959）及其续篇《另一个样子》（1964）是他最著名的作品，也是受到广泛

供图：Camera Press—Pictorial Parade/
美国不列颠百科全书公司

攻击的作品。在这部作品中，他强调从事两大学科中任一学科的人们对另一学科纵非一无所知，也是极少了解，他们之间的交流也极其困难。因此，他要求人们注意西方文化两大支脉间的这一鸿沟。斯诺还注意到第 3 种“文化”，即研究“人们现在和过去如何生活”的社会科学和艺术。他的许多关于科学和文化的论述都收入《公众事务》（1971）一书中。还著有《特罗洛普的生平和艺术》（1975）、《八个现实主义作家的写照》（1979）。

Snow, Edgar (Parks)　斯诺（1905-07-19，美国密苏里堪萨斯城～1972-02-15，瑞士埃辛斯）　美国记者和作家。对中国共产主义运动在其取得政权之前的情况，作了对西方最有影响的报道。斯诺曾在密苏里大学和哥伦比亚新闻学院学习。他担任的第一个工作是在 1927 年任《堪萨斯城明星报》记者。1928 年他漫游至中国，在此后的 12 年里，他把中国作为他为美国各主要报纸和杂志报道东亚的基地。1936 年，斯诺越过国民党封锁线，到达中国共产党根据地——中国中北部陕西省延安。他在延安与毛泽东及其他领导人一起生活了几个月后，回到外部世界，对中国共产主义运动作了第一次准确的报道。斯诺不像国民党那样把毛泽东及其追随者描写成为机会主义的“赤匪”，而是描写成为主张进行国内改革和切望抵抗日本对华侵略的忠诚的革命者。斯诺把关于中国的报道写成一本书：《西行漫记》（1937），这本书成为中国共产主义运动早期历史的主要史料来源。1941 年斯诺回到美国，任《星期六晚邮报》记者。第二次世界大战期间，他报道了苏联及其他国家的情况。1960 年他重访中国，写了《大河彼岸：今日红色中国》（1962）一书，报道共产党统治 11 年后该国的情况。

snow goose　雪雁　雁形目鸭科几种体羽纯白、翅尖黑色、腿和嘴粉红色、嘴裂黑色的雁。有两个主要类型。小雪雁（*Chen hyperborea hyperborea*）繁殖于北极，主要迁徙至加利福尼亚和日本。大雪雁（*C. h. atlantica*）繁殖于格陵兰西北部和附近岛屿，越冬于美国东海岸，从切萨皮克湾到北卡罗来纳，特别在皮岛。蓝雁长期列为另一种，学名 *C. caerulescens*，体羽淡蓝灰色，头和颈白色，有时胸和腹亦为白色；繁殖于小雪雁分布区的东部，越冬于美国墨西哥湾海岸，多在路易斯安那。大多数生物学家认为蓝雁实际上是小雪雁的一个深色色型，而不是一个独立种。或认为白色的类型（“小雪雁”）构成蓝雁的一个亚种 *C. c. hyperborea*。许多鸟类学家（尤其是欧洲的鸟类学家）把所有这些鸟归入雁属（*Anser*），认为雪雁属（*Chen*）一名应废去。

Snow Lake　斯诺莱克　加拿大马尼托巴省西部城镇。20 世纪 40 年代后期为采金者驻地。现为产铜中心。1956 年附近发现新铜、锌矿，成为大规模勘探的基地。有公路、铁路和航空线通该省较大城市。行政上属西南 140 千米的帕斯管辖。西南有省立格拉斯河公园（2 290平方千米）。人口1 598（1991）。

snow leopard　参阅 ounce 雪豹。

snow line　雪线　终年积雪的下界线。雪线是地表面上一条不规则的线，在这条线上雪的积累与消融（融化和蒸发）相等。雪线的高度变化甚大，并且受多方面的影响；在下午向阳的迎风坡，雪线可能比背风和背阳山坡高出

1千米之多。在大范围地区中，雪线位置取决于夏季气温以及降雪量。在气温低的地区(如极地附近)雪线高度甚低。在气温高的地区(如赤道附近)雪线高度甚高。大范围地区的雪线平均高度，可用来推算出气候雪线。气候雪线的高度随着全世界气候变化而升降。在冰期，气候雪线比现在低600～1 200米。

snow mold 雪腐病 又称雪霉病。在北美、欧洲、亚洲等的北部地区侵袭禾谷类、饲草及草皮的植物病害。在融雪或天气持续冷湿时由土传真菌引致。对高尔夫球场或其他草皮为害最大。禾雪腐镰孢霉(*Fusarium nivale*)引致粉红色雪霉，或称镰孢霉斑，形成不规则的环形斑，黄褐色、蓝红褐色，直径可达30厘米。斑块可覆盖植株的很大面积。当潮湿时，叶上有白色至粉红色稠密的菌丝体。伊藤核瑚菌(*Typhula itoana*)及爱达荷核瑚菌(*T. idahoensis*)引致的灰色雪腐病也称核瑚菌疫病；病株有环形、淡黄褐色、径约60厘米的病区，潮湿时有蓝灰色至近黑色的绒毛状菌丝体覆盖；在病部形成微小圆形褐色菌核。雪腐病的防治法是改善表土排水，避免秋末施肥，避免死草积存地表，必须秋季割草。病情严重时，于潮湿的晚秋喷洒杀真菌剂，于仲冬雪融时再喷药一次。

Snow Mountains(New Guinea) **雪山山脉** 参阅 **Maoke Mountains** 毛克山脉。

snow-on-the-mountain (*Euphorbia marginata*) **银边翠** 大戟科肉质植物，原产美国中部平原。株高0.6米，叶长，广椭圆形，淡绿色，近顶部的叶片有白边，枝端簇生数轮白色苞

银边翠(*Euphorbia marginata*)
供图:Constance Porter—Photo Researchers/美国不列颠百科全书公司

片。银边翠久已是广为喜爱的一年生栽培花卉，但有人对其白色乳汁有过敏反应。

snowberry 雪果 又称毛核木。忍冬科雪果属(毛核木属，*Symphoricarpos*)约18种低矮灌木的统称。该属植物花钟状，淡粉红色或白色；浆果含种子两粒。最著名的观赏种有：白雪果(雪球，*S. albus*)，高1米，茎柔软，叶广椭圆形，浆果大，白色，多肉；多果雪果(*S. rivularis*)，稍高大，叶椭圆形，浆果量多；洋雪果(西方毛核木，*S. occidentalis*)，高约1.5米，浆果白色；小花雪果(珊瑚雪果、印第安茶藨子，*S. orbiculatus*)，高2米余，浆果淡紫色。本属均原产于北美，仅有1个种原产中国中部，即中国雪果(*S. sinensis*)，浆果淡蓝黑色。

多果雪果(*S. rivularis*)
供图:Sven Samelius

匍匐雪果(creeping snowberry)为杜鹃花科白珠树属(*Gaultheria*)植物。

snowbird 雪鸟 灯草雀(**junco**)的一种。

snowboarding 滑雪板运动 又译雪板运动。从滑板运动和冲浪运动发展而来的冬季运动。主要有3种:高山式、自由式、横越式。20世纪60年代发展起来，一般认为源自美国，是几位发明者想出的在雪上冲浪的方法。然而，这种运动快速演化，早期的简单滑板后来被能适应不同竞赛需要的特殊设计滑板取代。基本设计是脚可以绑在板子上面，竞赛者不用雪杖，而是借助固定柱子来推动。雪板的形状和大小不一，视板子用途和运动员身材大小而定。然而，板子平均大小为150厘米长，25厘米宽。为了能够急转弯，板子侧边中间凹入(外形有点像沙漏)。板子上有一条皮带系着运动员的脚踝，以防跌倒后板子滑开。高山式比赛使用一块坚硬的板子、金属板固定装置和内衬软垫的硬壳塑料靴，所有比赛都计时，并包含运动员必须操纵的旗门。回转和大回转项目被视为技巧比赛，因为有急转。超大型回转项目属于速度比赛，转弯较缓且距离较长。自由式比赛使用的是非常有弹性的板子、壳状固定装置和软靴。比赛在半管内举行，这是以雪做成的斜面坡道，类似试管底部。管子大小不一，通常是75～100米长，两边墙相距10～18米。墙的高度3～6米不等。自由式不是比速度，而是表演一连串特技动作，由3～5名裁判评分。横越式比赛使用有弹性的自由式靴子及固定装置，还有一块弹性中等的板子。比赛时4～6名选手同时滑降而下，滑道包含隆起物、跳越障碍和其他障碍物，以速度决胜负。滑雪板运动的国际管理机构是国际滑雪联合会。1994年此项运动首次被国际奥林匹克委员会承认，1998年在日本长野冬季奥运会上首次被列为比赛项目。

Snowden (of Ickornshaw), Philip Snowden, Viscount 斯诺登(伊科恩肖的)(1864-07-18，英格兰约克郡伊科恩肖～1937-05-15，萨里郡蒂尔福德) 英国社会主义政治家和宣传家。在最初两届工党政府(1924，1929～1931)中任财政大臣。织工家庭出身。曾任政府职员。1893年左右为独立工党演讲和写作，1903～1906年任独立工党全国主席。他在下院(1906～1918，1922～1931)中，擅长就社会和经济问题进行辩论。1921年与独立工党脱离关系。1929年任麦克唐纳的第2届工党政府财政大臣时，遇到由于大萧条而造成的政府预算的一系列困难。1931年成立由乔治·梅爵士领导的经济委员会，提出减少由于萧条造成的失业者的救济金的建议，结果导致工党政府下台。在麦克唐纳的国民联合政府中继续任财政大臣。1931年9月实行紧急预算，同月英国废除金本位制。1931年封子爵，并任掌玺大臣，次年去职。著有《自传》两卷(1934)。

Snowdon 斯诺登山 威尔士北部的一座山，是英格兰和威尔士的最高点。在圭内斯郡境内(1974年前在原卡那封郡内)。是斯诺多尼亚山脉的主峰。其从山约有五个主峰，由险峻山脊连接起来，中间夹有圆形凹地。最高峰Y怀德法，其最高处海拔1 085米。厚密的冰雪覆盖着整个地区，展现了山脊、冰雪坑和从斯诺登山向四周扩展的低谷中的无数小湖。斯诺登山主要由板岩和斑岩构成，可追溯到奥陶纪(5.05亿年前至4.38亿年前)。从兰贝里斯到Y怀德法峰顶架有齿轨铁路可达斯诺登山，是斯诺多尼亚国家公园的主要游览地。

Snowdonia National Park 斯诺多尼亚国家公园 威尔士北部的国家公园。在克卢伊德郡和圭内斯郡境内，1951年设立，面积2 170平方千米。境内峰峦起伏，大都由火山岩构成，谷壑深邃，显示出冰川的影响。公园西北部的斯诺登山海拔1 085米，是英格兰和

斯诺多尼亚国家公园内的斯诺登山
供图:G. F. Allen—Bruce Coleman Inc.

威尔士的最高山峰，有齿轨铁路(1896年开始通车)从兰贝里斯通到山顶。这里可以爬山、散步、钓鱼和远眺，游人很多。公园内和公园附近有许多旅游中心，巴拉湖畔的巴拉有各种娱乐设施，贝图瑟科伊德以瀑布、林木繁茂的峡谷和别具风格的桥梁闻名，布莱奈费斯廷约格有莱奇韦德石窟，迪纳斯毛苏伊有为旅游者开设的纺织和手工艺品商店，多尔盖莱在卡德伊德里斯山下，费斯廷约格的旧村位于林木丛生的费斯廷约格谷上方的断崖上。卡迪根湾畔有哈勒赫、巴茅斯和阿伯多维等休养地。

snowdrop　雪花莲　石蒜科雪花莲属(*Galanthus*)植物，约12种，有许多变种，原产欧亚。草本，有鳞茎，春天开白花。普通雪花莲(*G. nivalis*)和巨雪花莲(埃尔威斯氏雪花

雪花莲(*Galanthus*)
供图：Derek Fell

莲，*G. elwesii*)等几种是春天最早开花的庭园花卉；花白色，俯垂，随风摆动，有时有芳香，作为观赏植物栽培。

snowflake　雪片莲　石蒜科(**Amaryllidaceae**)雪片莲属植物。

snowman porcelain　雪人瓷器　约1750～1752年间英国斯塔福德郡朗顿庄园工厂制造的一种瓷器雕像。之所以称为雪人瓷器，是因为它们外表涂有一层又厚又白的釉料。制品有人物和动物的雕像，有些作品受到迈森原作的影响。从风格上来说，这时期的瓷雕比后来某些同类的彩色品更富有活力。

雪人瓷塑——刻瑞斯与丘比特，朗顿庄园工厂制作(约1750)
伦敦维多利亚和艾伯特博物馆供图

snowmobile　机动雪橇　装有1或2个滑雪屐和机动单式或复式履带的单座或双座机动车。机动雪橇的基本设计是滑雪屐、燃料箱、引擎和驾驶座。操纵支配滑雪屐的手柄或移动座位，即可变更前进方向。20世纪20年代有人给雪橇装上飞机用的螺旋桨，这就是机动雪橇的原型。当时的发动机笨重，因此早期的机动雪橇体积较大，以便把重量分散在较大块雪地上。50年代初期出现轻巧的发动机，于是加拿大人邦巴尔迪耶发明小型机动雪橇。1959年始有单座和双座机动雪橇应市，不久，流行于北美洲，成为消遣用车辆并为冬季进行渔猎的人们广泛运用。70年代中期创立职业性比赛，记录已达到每小时160多千米。机动雪橇也可用于冬季营救工作、森林巡逻、维修电线、冬季为专业资源保护人员运输供应品。皇家加拿大骑警队和爱斯基摩人用机动雪橇代替狗橇，拉普兰人

机动雪橇
供图：Steve & Dolores McCutcheon

乘机动雪橇放牧驯鹿。有人研究如何把机动雪橇用于军事。到20世纪80年代，单、双座机动雪橇在北美已有300万多具在使用中。

snowshoe　雪鞋　一种系着皮带并用两个或更多的横杆加固的轻巧木框，椭圆形，穿在脚上可在松软的雪地上行走或奔跑而不下陷。穿雪鞋行走于数千年前源起亚洲北部地区。在北美洲，印第安人和早期移民都以雪鞋为冬季旅行的主要工具。目前猎人和其他工作人员在机动雪橇和其他交通工具无法行驶的地区仍利用雪鞋。雪鞋有两种基本式样：一种雪鞋较短而肥，无尾，称为熊掌式；另一种狭长，有尾，称缅因式、密歇根式或阿拉斯加式。20世纪80年代始有用轻金属、合成纤维绳和塑料制作的。1840年蒙特利尔雪鞋俱乐部成立，即可视为雪上竞走的开始。着雪鞋竞走运动员屈膝曳步行走，12秒钟可走大约90米，5分钟左右可走1.6千米。

Snowy Mountains　雪山　澳大利亚阿尔卑斯山脉之一部分，在新南威尔士州东南部。有几座海拔逾2 100米的高峰，主要为科西阿斯科峰，也是全国最高峰。为墨累河、马兰比吉河、蒂默特河和斯诺伊河发源地。河水由高架渠和隧道导入水库贮存，用于发电和灌溉。每年冰雪覆盖期3～6个月，为冬季运动场地；已辟为科西阿斯科国家公园。

snowy owl(*Nyctea scandiaca*)　**雪鸮**　鸮形目鸱鸮科的一种白色或褐白相间具横斑的猛禽。栖息于北极苔原，有时向南到欧洲、亚洲和北美洲。体长约60厘米。翅宽；头圆

雪鸮(*Nyctea scandiaca*)
供图：W. Suschitzky

形，不具耳羽束。以小型哺乳动物(如野兔和旅鼠)和鸟类为食。营巢于开阔的地面上。

Snowy River　斯诺伊河　澳大利亚新南威尔士州东南部、维多利亚州东部河流。源出雪山山脉东坡向东南流，西折后向南注入巴斯海峡。全长435千米。雪山水力发电工程

斯诺伊河上的尤坎本湖及其大坝
供图：G. R. Roberts

为世界规模最大的电力和灌溉系统之一，斯诺伊河在其中具有重要作用。河水贮于高处，经澳大利亚阿尔卑斯山脉的隧道发电，最后流入墨累河和马兰比吉河。

SNP　参阅**Scottish National Party**苏格兰民族党。

snubber　缓冲器　参阅**shock absorber**减振器。

snuff　鼻烟　用烟叶制成的粉末，以鼻吸入或擦在牙和牙龈上。制造工艺包括把烟叶磨细，使之反复发酵，并加入玫瑰油、熏衣草、丁香和茉莉花等香料。约17世纪，鼻

烟在英国流行，18 世纪遍及全世界。最初，每次吸用都要现磨。吸鼻烟的人随身带着碾鼻烟器。18 世纪前期，象牙和其他材料制成的碾鼻烟器就像精巧的鼻烟壶那样仍在使用。

snuffbox 鼻烟盒 盛鼻烟的小盒，常带有装饰。鼻烟是有香味的烟草粉末。17 世纪左右，英国人闻或吸鼻烟已很普遍。18 世纪，其他一些国家也很流行，鼻烟盒需求随之增加。精美的鼻烟盒常饰以浮雕宝石或以

约 1770 年的法国金质珐琅镶嵌鼻烟盒
伦敦维多利亚和艾伯特博物馆供图

珍宝作成的纹章盾饰图案。价格不贵的通常用银、紫铜、黄铜、角料、龟甲乃至木料制造。

snuffer 烛剪 用来熄灭蜡烛火焰的金属用具，通常作成剪刀形（用来剪烛花切断烛芯）或在一长柄的末端装一个空心锥形扣灭物。留存下来的最早的烛剪是藏于伦敦维多利亚和艾伯特博物馆、大约于 1550 年制造的银质镀金烛剪，但据记载，早在 15 世纪中叶英国就有烛剪。其他留存下来的烛剪说明最常用的金属材料是黄铜和钢，但也有用贵金属制造的。烛剪上的装饰通常为粗糙铸造物，但某些 18 世纪的欧洲大陆的钢制烛剪则是经过精雕细刻的。19 世纪下半叶，自耗芯的蜡烛被采用和其他照明方法的出现，使得烛剪的使用日益减少。

美国银质烛剪与烛剪架，M.迈尔斯制作（约 1755～1770）
耶鲁大学美术陈列馆供图

Snyder, Gary (Sherman) 斯奈德（1930-05-08，圣弗朗西斯科[旧金山]～ ）美国诗人，早年与*避世运动*（**Beat movement**）有联系。从 60 年代末起，成为主张青年过集体生活和生态保护主义者的重要发言人。曾就读于里德学院、印第安纳大学、伯克利加利福尼亚大学，当过护林人、伐木工和海员。1956 年起还在日本研究过佛教禅宗。他在诗中详述他本人日常生活中的宗教体验。他的自由诗风格显示出从惠特曼到庞德、日本的俳句的影响。最早的两本诗集《乱石坝》（1959）和《神话与诗文》（1960）突出描写了他在美国太平洋西北沿岸当伐木工人和护林人时的意象和经历。在《六段无尽山水诗，加一》（1965）、《穷乡僻壤》（1967）和《凝视波涛》（1969）中，他把宗教同日常生活结合在一起，反映作者对东方哲学日益增长的兴趣。后来的诗集有《龟岛》（1974）和《斧把》（1983），前者获普利策奖。后来出版的作品有《老习惯》（1977）、《在父亲的村里猎鸟的人》（1979）和《印度之行》（1984）。1966 年获美国艺术和文学学会奖。

斯尼德斯绘《猎鹿》
马德里普拉多博物馆供图

Snyders, Frans 斯尼德斯（1579-11-11 受洗，安特卫普～1657-08-19，安特卫普） Snyders 又拼 Snijders。巴罗克画家，17 世纪最著名的狩猎和动物画家。原致力于花卉水果等静物描写，后转作生动的动物描绘。所画狩猎和动物搏斗景象，丰富多彩，准确有力，笔触大胆，且能充分描绘兽皮与兽毛的不同纹理。鲁本斯常雇用他在自己的画上画动物、水果和静物。

so-na（musical instrument） 参阅 **suona** 唢呐。

Soai Rieng（Cambodia） 参阅 **Svay Riĕng** 柴桢。

Sōami 相阿弥 （1472，日本～1525，日本）名真相。日本画家，艺术评论家，诗人，园艺家，茶道、香道及插花艺术大师，日本美学史上的杰出人物。祖父能阿弥、父亲艺阿弥都是画家和艺术鉴赏家。祖孙三人均在足利幕府将军府任艺术品收藏工作。相阿弥的作品深受佛教禅宗影响。据禅宗经义，世俗艺术形式可以成为明性悟道的一种手段。在绘事上，师承 13 世纪中国禅宗画家牧溪法常。他的传世作品有京都禅宗佛寺大德寺之大仙院内的一组屏风画。此外日本最负盛名的两座禅宗佛寺庭园——京都龙安寺庭园和大仙院庭园，均由他设计。龙安寺庭园为枯山水的杰出作品，以砂、石铺筑，象征山水。大仙院庭园亦为枯山水风格。京都银阁寺，传亦为相阿弥之作。

Soane, Sir John 索恩（1753-09-10，英格兰牛津郡泰晤士河畔戈灵～1837-01-20，伦敦）英国建筑师，以具有独创性的新古典主义建筑风格著称。1768 年在 G.丹斯（小）的事务所工作。1772 年作 H.霍兰的助手。之后又在皇家学院的学校中学习。1778 年获英王乔治三世颁给的旅行奖学金赴意大利。1788 年任英格兰银行的建筑师。1806 年任皇家学院的建筑学教授。1831 年受封为爵士。他的作品甚多，其中如重建的英格兰银行（1792～1833）、伦敦达利奇学院的美术馆（1811～1814）等，可谓上乘之作。其风格特征是将古典的成分减弱至结构上必需的程度，并以简洁的线条替代装饰纹样，采用较平的穹顶

索恩设计的英格兰银行殖民地业务部办公楼
伦敦约翰·索恩博物馆供图

和顶部采光，对室内空间的处理也颇具匠心。

soap　肥皂　一种水分散性的脂肪酸盐，通常用于洗涤。虽然肥皂和洗涤剂这两个名词有时可互相换用，但是后者通常指合成物质。肥皂的作用可分为明显的4个步骤。被洗物的表面经润湿后，即可吸收肥皂，随后污垢从表面上分散到水中，保持在悬浮液中，肥皂可防止它重新沉积在清洁的表面上。动物脂肪和草木灰制成的肥皂，在古代似乎只用于医疗，直到公元2世纪才被用作洗涤剂。虽然在中世纪和近代早期的欧洲肥皂是家庭自制并用于洗衣，但是当时的块状肥皂仍是奢侈品，直至19世纪才得到普遍使用。早期的肥皂工人将草木灰撒在水中，加入脂肪煮沸，水蒸发时再增加草木灰。中性脂肪与草木灰进行化学反应，此过程称为皂化。手工艺制皂的工业化，得力于吕布兰盐水制纯碱法（约1790）。现代的制皂法采用若干种技术。脂肪-煮沸法仍有小生产者在使用，但是在此法中，从皂化、分离掉肥皂中的甘油，到除去杂质，共需时4～11天。连续法大量生产肥皂，仅需几小时。脂肪分解成脂肪酸和甘油，然后将脂肪酸用蒸馏法净化，再用碱中和。小工厂还采用下列两种方法：在冷法中，将脂肪-油混合物在敞口的平锅中用碱液搅拌，直至变稠；在半沸法中，将各种原料成分在锅内加热，但不煮沸。肥皂的后加工是倾入板框或进行冷挤压，然后切块和打上印记。也可将肥皂挤成薄带状，经干燥切成皂片。参阅 **detergent**。

soap opera　肥皂剧　连续广播剧。在美国称肥皂剧，因为这种节目的主要赞助者多年来一直是肥皂和洗涤剂生产厂家。肥皂剧节目的特点是：使用固定的演员组，故事带连续性，注重对话以替代动作，说话节奏比实际生活中的慢些，一直用情感的或情节剧的方式处理。肥皂剧开始于20世纪30年代早期，是15分钟的白日广播片断；50年代早期又为电视所继承，并扩展到30分钟。到50年代中期肥皂剧占领了平日午前午后的电视节目，正如它们在前10年的这段时间里占据广播节目一样。20世纪30～50年代，经典的美国肥皂剧是一种典型的连续剧，内容多为小城镇里中产阶级的家庭生活，好人一般总是最后的胜利者，或者至少所有的坏人坏事都会受到公正的惩罚。肥皂剧大部分的布景是室内的，通常总是在干净的家里或办公室里。对话充满紧张感，只是偶尔出现幽默感。到70年代，肥皂剧从风格到内容均经历了一次革命。其中包括一些公开讨论，内容涉及堕胎、滥用药物、打骂妻子和性病传播这类事情。肥皂剧的人物以前全部为白人即盎格鲁-撒克逊人，现在则增加了各种宗教背景和不同种族的人物。依然保留着对罗曼蒂克和婚姻问题的重视，但是却越来越直接涉及到乱交行为、暴力和犯罪活动。有些肥皂剧节目扩展到60分钟，少数甚至在晚间最佳收视时间里播放。

soapberry　无患子　无患子科无患子属（*Sapindus*）植物。约12种，灌木或乔木。原产亚洲、美洲的热带和亚热带地区及太平洋岛屿。羽状复叶。花淡绿色或白色，花序大，顶生。浆果略带革质，含皂角甙37%，其果泡水后起泡沫，在某些热带地区用作肥皂，故其英文名意为"肥皂果"。

无患子（*Sapindus saponaria*）
供图：W. H. Hodge

soapfish　肥皂鱼　鲈形目线纹鱼科的海鱼，约24种。分布于大西洋至印度洋-太平洋地区。外形的特征为下颌稍向前突出，口弯向下方。受惊时身体分泌出一种有毒的黏液，黏液遇水后形成黏滑似肥皂泡的泡沫，用以吓住捕食者，肥皂鱼之名因此而来。均形小，最大者体长约30厘米。大肥皂鱼（真皂鲈，*Rypticus saponaceus*）是最著名的种。分布于大西洋，从美国南部及南美北部至西非一带。特征为背部具3条明显的棘，故有时称为三棘肥皂鱼。

soapwort　肥皂草　石竹科肥皂草属（*Saponaria*）植物，共数种，其汁液加入水中可生成泡沫。多数种为杂草，少数种已栽培，尤其是攀缘种罗勒样肥皂草（*S. ocymoides*）。该种有若干变种，其花成簇，粉红至深红色。药用肥皂草（*S. officinalis*）在北美东部的广大地区引种，高达1米。其根一直药用。汁液可代肥皂。

Soares, Mário (Alberto Nobre Lopes)　苏亚雷斯（1924-12-07，里斯本～　　）　社会党政治家、律师，1986年当选为葡萄牙总统，1996年卸任，是葡萄牙60年来第一个由选举

中国大百科全书出版社供图

产生的文官国家首脑。其父J.L.苏亚雷斯是一位自由派共和主义者，在A.O.萨拉查独裁统治期间曾多次被监禁或放逐。年轻的苏亚雷斯在里斯本大学和巴黎大学法学院学习，是学生积极分子，后从事律师工作，为持不同政见者辩护。在右翼军事独裁政权于1974年垮台前，他被12次下狱，两次流放：一次至圣多美（1968），一次至巴黎（1970～1974）。1964年他与一些人建立秘密组织葡萄牙社会主义行动党，1974年改组为葡萄牙社会党。1974～1975年苏亚雷斯在仍受军人控制的新政府里任外交部长，监督关于葡萄牙海外殖民地获得独立的谈判。1976年他成为自1974年革命以来根据宪法选举产生的第一位总理（在职时间为1976、1976～1978、1983～1985）。1986年成为1926年以来第一个文官国家首脑（总统），结束了60年的军人统治。2006年再次参加总统选举，但未获成功。苏亚雷斯著有不少哲学和政治学书籍，其中包括一部半自传体著作：《缄默的葡萄牙：一份遗嘱》，1972年在巴黎初版，其英译本书名为：《葡萄牙为自由而斗争》。

soaring　翱翔运动　又称滑翔运动（gliding）。驾驶重于空气的无动力航空器，利用上升气流的力量保持一定高度或上升的运动（参阅 **hang gliding**）。航空器主要有滑翔机和翱翔机两种。滑翔机在摆脱牵引之后由滑翔员操纵降落；而翱翔机的翼面大、升力大，因此降落较慢，而且能靠上升气流大大升高。滑翔飞行的先驱者有德国人利林塔尔（1848～1896）、英国驾驶员皮尔彻（1869～1899）和美国的夏尼特和莱特兄弟。翱翔机是于第一次世界大战后在德国首先发展起来的。1910年滑翔运动发源于德国。1922年国际比赛开始举行。1937年国际航空运动联合会（FAI）建立，成为这项运动的管理机构，其

后该运动在欧洲和美国流行。第二次世界大战后发展到澳大利亚和南非。翱翔，意为不利用动力上升，一般靠飞机牵引起飞。当时速达到100千米，高度达到610米时，“脱钩”

翱翔机
供图：Linn Emrich

甩掉牵引绳，此时翱翔机位于牵引机后方稍高一点的位置，以避开螺旋桨旋转形成的涡流。翱翔的要领是利用热力上升气流（例如阳光照射作物成熟的田地所产生的上升暖气流）。热力气流上升可以达到很高的高度，如驾驶得法，翱翔机也可以达到很高高度。当翱翔机遇到移动的气脊，即被托起，沿着气脊滑翔，往往可以持续很长距离，这就是顺坡翱翔。假如翱翔机滑到背风的山坡或类似地带而遇到垂直气浪，靠气浪推动可以迅速上升到极高的高度，这就是乘气浪翱翔。为了便于操纵和飞翔，翱翔机上装有高度表、空速表、磁罗盘和转弯倾斜仪等仪表。其中飞机爬升率测定仪尤为重要，用以显示翱翔机的轻微升降。1937 年开始举办世界锦标赛，冠军由总分确定，许多人纯粹为了娱乐进行滑翔。

Sobaek Mountains　小白山脉　韩国南部最大山脉。长 350 千米，自江原道太白山（海拔1 561米）北面，向西南伸展至丽水附近的高兴半岛。许多高山成为韩国南部的分水岭。其西南支脉的智异山（海拔1 915米）辟为国家公园。

Sobat River　索巴特河　尼罗河的主要支流。在苏丹马拉卡勒上方与杰贝勒河（山尼罗河）汇合，形成白尼罗河。全程 220 英里（354 千米）。接近尼罗河时，河床深至 18 ～ 30 英尺（5½～9 米），窄至 400 英尺。汽轮可于 6～12 月通航至埃塞俄比亚之甘贝拉和苏丹之皮博尔站。旱季，河水降落，为牧民提供牧场。

Sobekneferu（queen of Egypt）　参阅 **Sebeknefru 塞拜克奈夫鲁**。

Sobers, Sir Garfield (St. Auburn)　索伯斯（1936-07-28，巴巴多斯布里奇敦～　）　被许多权威人士认为是最有天赋最全面的西印度群岛板球运动员。在 1957 ～ 1958 赛季西印度群岛队对巴基斯坦队的国际比赛中他作为击球手创一局得 365 分、无出局的纪录，兼在投球和三门柱附近防守方面异常出色。1965 年继沃雷尔任西印度群岛队队长；该队击败澳大利亚队，1966 年以 3∶1 战胜英格兰队。1974 年退出比赛，1975 年被封为爵士。1953 ～ 1974 年的历次国际比赛中击球共得 8 032分，与前述纪录以及 26 个单局得 100 分的成绩均为空前的最高水平。索伯斯撰写了几本关于板球的书。

Sobhuza　索布扎　又拼 Sophuza。斯威士人国王之名，按年代分列于后，并各以 ● 为标记。

● **Sobhuza I　索布扎一世**（约1795～1836 或 1839）　南非国王（约 1815 年起在位），曾开创斯威士国，今称斯威士兰。是伟大祖鲁国王恰卡和兹威德的同代人。在两王威逼下，率恩格瓦尼族和德拉米尼族人民从南非蓬戈拉河畔的家园向北方逃亡。恩格瓦尼人和德拉米尼人的迁徙被认为是南非各族人民战争和迁徙时期（称姆菲卡尼）的开端。索布扎就蓬戈拉河畔农田问题与兹威德发生争议后，约在1820 年开始迁徙。同年已使自己的人民在今斯威士兰境内的蓬戈拉河以北地区定居，并征服和兼并当地几个相邻的王国。他允许所征服的恩古尼和索托两酋长国仍由原首领统治，使刚成立的斯威士国得到它存续所需的威信和支援。他以灵活外交手腕以及纳贡与恰卡和平相处，又为进一步巩固地位而娶兹威德一女为妻。1836 年左右再次受到威胁，这回的威胁者为恰卡的接班人丁冈。但是他设法避免与祖鲁军队的血腥搏斗。此后不久逝世，给儿子姆斯瓦蒂留下一个强盛而统一的斯威士王国。

● **Sobhuza II　索布扎二世**（1899-07-22，斯威士兰～ 1982-08-21，斯威士兰姆巴巴内附近洛布齐拉宫）　绰号“狮子”。1921 年起为斯威士国王，1967 ～ 1982 年为斯威士兰王国国王。曾在斯威士兰和南非开普省洛夫戴尔学院学习。1921 年 12 月 22 日成为斯威士人的统治者。斯威士兰当时由英国南非高级专员管辖，1967 年成为自治王国，英国只掌管外交与国防。1968 年斯威士兰获得完全独立，组成君主立宪政府。1973 年 4 月，索布扎依靠秘密训练的军队废除宪法，解散议会，宣布政党为非法，独揽最高统治权。1979 年成立新议会，但纯为咨询性。他善于利用政治和家族关系。他的至少 70 次婚姻把所有重要家族和他的氏族联系一起从而使国家团结。据说他的子女多达 500 个。他去世后由儿子马豪塞蒂夫摄政，后在 1986 年成为姆斯瓦蒂三世国王。

Sobibor　索比堡　德国纳粹灭绝营，位于今波兰海乌姆省索比堡村附近的森林中。建于 1942 年 3 月，有 5 个毒气室。从 1942 年 5 月至 1943 年 10 月，共杀害约 25 万犹太人，大部分来自波兰和苏联的被占领区。1943 年 10 月 14 日，约 300 名犹太劳工暴动，杀死几个党卫军管理人员和乌克兰警卫，多数暴动者被杀或死于逃跑之中。暴动后的第二天，营内的所有剩余者立即全部被杀害，营地灭迹后在原地植树。脱逃者仅约 50 人。

Sobieski, Jan　索别斯基　参阅 **John**（Poland）约翰项下的 **John III Sobieski 约翰三世·索别斯基**。

Sobral　索布拉尔　巴西东北部塞阿拉州西北部城市。1773 年设镇。1841 年升为市。现为商业、棉纺织业和农产品加工中心。渔业也重要。与沿海的福塔莱萨和其他城市通铁路和公路。人口约92 805（1991）。

Sobrāon, Battle of　索布拉翁战役（1846-02-10）　第一次锡克战争（1845 ～ 1846）中的最后一次决定性战役，锡克人试图渡过萨特莱杰河撤退，但浮桥毁于炮火，激战中被杀 1 万余人。英军也损失惨重，伤亡2 383 名。从此印度西北部的锡克邦遂成为英国人的领地。

socage　农役租佃　指封建时代英国财产法中的一种土地租佃形式。佃户依靠其领主的土地为生，但须向领主提供农业劳役或交纳金钱地租。佃户死亡时，土地可由其继承人继续租佃，但须向领主交付一笔款项（称为接替钱），最后其数额固定为大约相当于该土地一年的地租。农役租佃应与骑士服役租佃区别开来，因为后者提供的劳役是军事性质的。但按 1660 年实施的法律，所有骑士服役租佃都变为农役租佃。后来，英国的大多数土地都属于上述的租佃形式。在美国，早期英国殖民地的土地都采用这种租佃形式。特别是在宾夕法尼亚依据发给威廉·佩恩的王室特许状建立起一种农役租佃制度，其土地年租为两张河狸皮。美国独立战争胜利后，实行这种租佃制度的王室土地被认为归享有主权的州所有，有些州通过法律或者制定宪法条款，废除了这种租佃制度。

soccer　参阅 **association football 英式足球**。

Socé, Ousmane (Diop)　索塞（1911-10-31，塞内加尔吕菲斯克～ 1974-05，达喀尔）　塞内加尔作家、政治家，该国最早的小说家之一。在上古兰经学校之后，成为最早获法国大学奖学金的非洲学生之一。他在学兽医时，写了两部小说《卡里姆》（1935）和《巴黎的海市蜃楼》（1937），均在巴黎出版。前者预示了索塞后来对非洲青年在从乡村迁到城市时面临的问题的关注。后者利用了作家自己在法国的经历，成为第一部法语“留学生”小说，集中描写一名塞内加尔留法学生与其法国女友的爱情悲剧故事。在《黑非洲故事与民间传说》（1942）中，他保存了一些塞内加尔口传的动物故事和历史传说。他编辑了《塞内加尔灯塔》（1952 ～ 1957），创办了《宾戈》（1953）杂志，写了一部抒情诗集《卡拉姆的节奏》（1956）。他曾任塞内加尔驻美大使和驻联合国代表。

Soch'i（Korean artist）　**小痴**　参阅 **Ho Ryong 许维**。

Sochi　索契　俄罗斯西南部克拉斯诺达尔边疆区城市和旅游胜地。沿黑海海岸延伸，地处高加索山主脉西部山麓。1896 年建于纳瓦金斯科耶要塞旧址，1902 年开始发展为游览胜地。丰富的矿泉、诱人的海岸和山色，长长的海滩以及温和的气候使索契成为俄罗斯和东欧各国的著名度假及旅游胜地，建有许多旅馆、旅游中心、宿营地和50多个疗养院。该城的街道和花园种满了亚热带乔木和灌木。1961年建成包括沿海岸延伸约140千米旅游地的大城区。市东约72千米处的高加索国家自然保护区占地2 633平方千米。人口约352 000(1993)。

Sōchō　宗长(1448，日本～1532-04-11，日本)又名宗观。日本室町战国时代(1338～1573)后期的连歌诗人和编年史家，号柴屋轩。他与另外两位连歌诗人共写《水无濑三吟百韵》(1488)。宗长早年情况不详。成年后，曾给和尚兼连歌师饭尾宗祇当弟子多年。1488年初，宗长、宗祇和宗祇的另一门生肖柏在京都和大阪之间的水无濑村相会，共著《水无濑三吟百韵》。此时连歌正处发展顶峰，该诗被认为是这种体裁最佳范例之一。1502年宗祇逝世后，宗长为纪念他的老师而写一篇叙事文《宗祇终焉记》。晚期作品主要有《宗长手记》(1522～1527)，用连歌和俳谐描写他在那一时期的旅行见闻，另外还有《宗长日记》(1530～1531)。

Social and Liberal Democratic Party　社会自由民主党　英国自由主义和中间路线政党，由自由党(**Liberal Party**)与社会民主党(**Social Democratic Party**)于1988年3月3日合并成立。约自社会民主党于1981年成立时起，两党即互结联盟。两党决定合并以增加他们所获选票。

social change　社会变革　社会学用语。社会结构内部的机制改变，体现在文化象征、行为准则或价值体系等方面的变化。社会学在其历史发展过程中，曾从其他学科领域借用说明社会变革的各种模式。19世纪末，进化论成为理解生物演变的主导模式，有关社会变革的各种思想便也采用了进化论的模式；虽然现代的社会变革概念已被另外一些模式所修正，进化论往往仍是社会变革的理论基础。另一些社会学模式则把社会变革与西方的科技进步联系起来，进行类比。20世纪中叶，人类学家们根据结构主义的理论，提出一种解释社会变革的说法，称为结构功能主义。这个学说以决定社会行为的某些基本制度(包括亲属关系和劳动分工)为出发点，认为一种制度的变更，会影响其他各种制度，因为它们是相互依存的。马克思主义经济学说提出，社会变革是一种文化的不同集团之间权力角逐的结果。这种斗争学说同结构功能学说代表了事物的一体两面，两者都承认社会变革同社会结构相互依存，不过斗争模式强调变革过程，而结构功能模式则以各种稳定因素为其中心论点。社会变革可由许多不同原因造成，其中包括：生态系统(可导致自然资源损失或疫病流行)；技术革新(以产业革命为代表，曾产生新的社会集团，即城市无产阶级)；人口增长及其他人口统计学的变化因素；以及意识形态、经济、政治等方面的运动。

social class　社会阶级　又称阶级(class)。一个社会内具有相同社会经济地位的群体。阶级的概念除了在社会理论中十分重要外，作为处于相同经济环境的个人集合体，在人口统计与社会流动研究中也被广泛应用。

"阶级"一词在19世纪开始广泛使用，它代替了用"等级"之类旧词来描述社会中主要等级集团的状况。它的使用反映了18世纪末工业和政治革命后西欧社会结构的变化。当时封建性质等级的区分正失去重要性，而新的社会团体正在发展——商业和工业资本家以及新工厂中的城市工人阶级——它们的区分主要根据经济条件，一方面是资本的所有权，另一方面为对工资的依赖。虽然"阶级"一词在范围广泛的各种社会中用于各种社会团体，这些社会包括古代的城邦、早期的帝国和种姓社会或封建社会，但该词应用最广的是在现代社会的社会划分中，特别是在工业化社会中。社会阶级必须同地位集团区别开来；前者主要根据经济利益，而后者则由一种职业、社会地位或家庭出身的荣誉或威望来判断。

有关社会阶级的各种理论只是在19世纪作为现代社会科学，特别是社会学发展时，它们才得到详尽的阐述。政治哲学家T.霍布斯、J.洛克和卢梭等讨论了社会不平等和阶层形成等问题，而18世纪末和19世纪初的法国与英国作家们提出一种观念，即社会中的非政治因素如经济制度与家庭在很大程度上决定了一个社会的政治生活形式。这个观念又由法国社会理论家圣西门进一步阐述，他申辩说一个国家的政府形式同经济生产的基本制度的性质是相符的。在圣西门后继者的著作中，第一次出现了无产阶级或城市工人阶级作为现代社会主要政治力量的理论，它直接影响了马克思理论的发展。

马克思的阶级理论主宰了以后关于这个问题的讨论。马克思认为，区别一种社会与另一种社会的关键是它的生产方式，每种生产方式都会产生一种不同的阶级体系，在这种体系中，一个阶级控制并管理生产的流程，而另一个阶级或其他各阶级则是直接的生产者和为统治阶级提供服务的人。各阶级之间关系是对抗性的，因为他们在占有产品方面有冲突。在某些阶段，当生产方式本身由于技术发展和劳动力的利用发生变化时，这些冲突会更加尖锐化，一个新的阶级会向该社会统治者的统治地位挑战。统治阶级不但控制物质生产，还控制着观念的产生；它由此建立一种特别的文化形式和一种占主导地位的政治学说，它对社会的控制通过一种特别的政治制度形式得到巩固。随着生产方式的变化，被统治阶级的力量和影响开始增长，产生了对抗统治阶级的政治理论和运动。

阶级理论是马克思社会理论的中心，因为就是在一个特定生产方式内形成的社会各阶级建立起一种特定的国家形式，推动政治冲突并引起社会结构的重大变动。

以后的阶级理论主要是对马克思理论的修正、反驳或提出替代理论。德国社会学家M.韦伯对社会阶级在现代社会政治发展的重要性提出质疑，指出宗教习惯、民族主义和其他因素同样起着一种作用。但马克思理论对于阶级冲突的强调——即着重于各阶级间为控制生产手段而发生的冲突和斗争——是在分析阶级结构时形成社会理论家分歧的争论最多的问题。许多反对马克思理论的人把注意力集中在各阶级间功能上的相互依赖和彼此间和谐的合作。也正是如此，到20世纪末，似乎难以否认的是资本主义社会内各阶级已趋向于失去其特性，而它们之间的敌对性已减小到如此程度，以致在大多数西方国家中，它不会再引发严重的政治冲突。此外，由于20世纪多数马克思主义政府的暗淡的记录以及它们在1989～1990年间由于内部原因大批地垮台，马克思主义关于无产阶级反对资产阶级的革命取得成功和资本主义制度将由一个无阶级社会替代的预言已愈来愈成为一个空洞的口号。

虽然在阶级理论方面仍有争论，但社会科学家对于现代社会中主要社会阶级的特征有着一致的看法。社会学家一般设想三个阶级：上层阶级、工人(或下层)阶级和中层阶级。

在现代资本主义社会中，上层阶级有别于其他阶级的主要之处是拥有大量主要来自遗产的财富。例如在美国，全部财富的30%以上集中在1%的财产所有者手中。巨大财富的所有权和来自财产的收入给了上层阶级成员许多有利条件。他们能够根据广泛的文化爱好与闲暇活动以一种独特的方式生活，可以对经济政策与政治决策施加重大影响，能够为他们的子女获得良好的教育和经济机会，以有助于家庭财富世代相传。

在工业社会中，同上层阶级相对应的主要是工人阶级，它传统上包括采掘业和制造业中的体力劳动者。由于西方后工业经济中的服务业迅猛发展，必须将餐饮业和零售业等服务行业中低收入、低技能和未加入工会的人员也列入工人阶级的范畴。在工人阶级内部还存在着相当大的差异，可以进一步区分为熟练的、半熟练的和非熟练工人，这种区分一般符合其收入水平上的差异。工人阶级作为整体的特征是没有财产和依靠工资为生。同这种状况相关联的是较低的生活水平、难以获得高等教育以及在很大程度上被排除在重要的决策范围以外。除去第二次世界大战后数十年生活水准迅速提高外，20世纪后半期影响工人阶级的主要因素是经济中从制造业向服务业的普遍转移，引起体力劳动者数量的减少。在美国和英国，同其他国家一样，传统制造业的衰落留下了一批长期失业人员，他们生活在破败的城市地区，脱离了经济主流。这个永久无业和未充分就业的工人的新的城市底层，一些社会学家称之为下层阶级。

中层阶级一般包括中上层的办公室工作人员、从事技术和专业的人员、管理人员和经理以及小店主、商人和农场主这类个体经营人员。在最上面——例如富有的专业人员或大公司经理——中层阶级融入了上层阶级，而在最下面——例如销售、分送和运输部门的一般低收入职员——中层阶级则并入了工人阶级。

似乎明显的是1945年后西方工业社会生活标准的提高和社会政策的变化导致提供

更全面的福利服务,已在阶级体系中发生了重要的变化。较高的生活水平、较大的社会流动性和财富与收入的有限的再分配已导致阶级差异的普遍缩小。这些变化一般反映在阶级观念和阶级冲突的减少。

中层阶级于19、20世纪在西方资本主义社会已上升至主导地位,并在第二次世界大战后数十年间巩固了它的地位,在20世纪后期,这个过程在日本和其他东亚国家的发展经济中又再次重现。

social contract　社会契约论　在政治哲学上,指被统治者同他们的统治者之间订立契约或达成协议;并在不同的情况下用来说明政治权威和政治义务的起源、范围和条件。社会契约论这一概念包含两个基本的要素:政治机构和政治权威。各个契约之间彼此大不相同之处在于它是强调前者还是强调后者。一般说来,契约是以自然法的某些概念为基础,自然法是对契约的最终认可。社会契约论和自然法的起源可以追溯到罗马法制度和西塞罗的著作。在中世纪期间,社会契约的概念发展成为基督教政治思想的一个标准的特征;封建主义隐含着政治义务的契约基础和这样一个原则:法律和政府必须伸张正义。从原则上说,人民可以不服从非正义的统治者,因为他违反了契约。托马斯·阿奎那把政府看成是自然法的执行者,认为权力的内容是神授的,政府的形式则是由人民集体决定的,并把权力的行使看成是由人民授权的(而在滥用权力时则由人民撤销这种授权)。关于契约的概念在欧洲政治思想中跃居首要地位的情况,发生在宗教改革运动至18世纪之间。托马斯·霍布斯在其所著《利维坦》(1651)一书中把"自然状态"描述为像野兽一样生活的、不断追求权力的极端自私自利的人们之间彼此为敌的状态。只是为了生存,人们才相互订立契约,拥戴一个共同的统治者,并把自己的权力交给这个统治者。因此,国家的组成不是为了帮助人们变好,而只是作为一种保证自我保存的公约。约翰·洛克在他的《政府论》(1690)中把自然状态描绘为这样一种状态:人们在这种状态中是自由而平等的,但要受自然法的约束。他们订约建立一个公民社会和政府,为的是保护他们的财产和自由;但是,如果政府滥用权力,联合起来的大多数人民就有权反抗。卢梭(在1762年发表的《社会契约论》中)提出把社会契约作为一种手段,人们借此保留他们原有的自由,同时把社会"公意"树立为主宰以创建道德。

Social Credit Party　社会信用党　法语作 Parti du Crédit Social。加拿大小政党,由阿伯哈特于1935年在艾伯塔省成立,以英国经济学家道格拉斯的社会信用理论为基础。1919年道格拉斯在英国社会主义出版物《新时期》上首次提出他的理论,主张向消费者发行附加钱,并给生产者补助使生产脱离价格体制,以此解决购买力长期不强的问题,而又不改变私人企业和利润。阿伯哈特的新党于1935年赢得艾伯塔省议会63席中的56席,从而组成世界上第一个社会信用党政府,执政达36年。该运动后又扩及其他省份。到30年代后期,社会信用党实际上已放弃道格拉斯理论。现主张职工参加分红和入股等政策。

social Darwinism　社会达尔文主义　把达尔文在自然界植物和动物中所观察到的自然淘汰法则应用于个人、群体及种族的理论。按照流行于19世纪末和20世纪初的这种社会达尔文主义,弱者愈弱,文化受到限制;而强者势力和文化影响更强于弱者。此说强调,人类在社会中的生活,就是为求生存而进行的一场斗争,要受"适者生存"这条规律的制约。"适者生存"是英国哲学家、科学家H.斯宾塞提出来的一句名言。著名的社会达尔文主义者有英国的斯宾塞和W.白哲特,美国的萨姆纳,他们认为影响人口变异的自然淘汰过程,将导致竞争中的最强者的生存和人口的不断改良。社会也像个体一样,应被看作是以这样方式进化的有机体。这一理论被人用于支持自由资本主义和政治上的保守主义。他们认为穷人是生存竞争中的"不适者",不应予以帮助;在生存竞争中,财富是成功的标志。在对待社会的问题上,社会达尔文主义成为帝国主义、殖民主义和种族主义政策的哲学基础,支持盎格鲁-撒克逊人或雅利安人在文化上和生理上优越的论点。社会达尔文主义在20世纪衰落,因为有关生物学的、社会的和文化的诸现象的知识领域不断扩大,足以驳斥而不是支持其基本信条。

social democracy　社会民主主义　一种政治思潮,提倡按照现行的政治程序实现从资本主义到社会主义的和平而渐进的转变。社会民主主义原以修正主义而知名,因为它主张修改马克思主义基本学说,主要是放弃以革命方式建立社会主义社会。社会民主运动是在倍倍尔的努力下产生的,他于1869年和李卜克内西共同创立了德国社会民主工党,然后该党在1875年与全德工人联合会合并,组成社会民主党。倍倍尔认为,社会主义应能通过合法手段而非暴力来建立。社会民主党的政治实力不断增强,到1912年已成为拥有最多选票的大党,在国会397席中占有110席。社会民主党在德国的成功,促进了社会民主主义在欧洲其他国家的传播。德国社会民主主义的发展深受德国政治理论家爱德华·伯恩施坦的影响。伯恩施坦在其《社会主义的前提和社会民主党的任务》(1899)一书中,对马克思主义关于资本主义注定灭亡的正统观点提出异议,指出资本主义正在克服自身的许多弱点,如失业、生产过剩、财富分配不均等。第二次世界大战后,社会民主党开始在一些西欧国家如西德、瑞典和英国执政,为现代欧洲社会福利计划奠定了基础。这种支配地位使社会民主党逐渐发生了转变,最显著的是德国。这些变化主要反映在缓和了19世纪社会主义关于工商企业全部国有化的理论。尽管各社会民主党的原则开始出现一些分歧,但还是形成了一些共同的基本原则。除了放弃把暴力和革命作为社会变革的工具外,社会民主主义采取了反对极权主义的立场,放弃了马克思主义关于民主是"资产阶级"阶级统治的伪装的观点,宣布民主是社会主义理想的本质内容。社会民主主义逐渐选定了国家控制工商业而非实行国有的目标,以此作为促进经济增长和实现公平收入的保证。

Social Democratic and Labour Party (SDLP)　社会民主工党　北爱尔兰民族主义政党,致力于以政治和非暴力手段使北爱尔兰与爱尔兰共和国合并,以此有别于北爱其他左翼政党和共和派组织。1998年该党领袖J.休姆获诺贝尔和平奖。成立于1970年8月,创始人为共和工党、北爱尔兰工党和国民党的成员,以及北爱尔兰议会的三名独立议员。成立后随即加入社会党国际和欧洲社会党以确立其左翼立场。20世纪70年代得到天主教社区的有力支持,选举得票率为20%～24%,1973～1974年间在一个短期存在的权力分享政府中占4个职位,包括副总理。1987年在英国议会占有4席。1994年的欧洲议会选举中,党领袖休姆赢得选票近29%,仅落后民主统一党领导人I.佩斯利1 200票。社会民主工党主张通过和平手段实现爱尔兰统一,认为北爱尔兰的问题不可能完全由内部解决,因而敦促英国爱尔兰更加紧密合作,并与欧洲伙伴和有影响力的爱尔兰裔美国人建立联盟。这一战略有助于达成1985年的《英爱协议》。1988年休姆开始与新芬党主席G.亚当斯密谈,劝说新芬党放弃武装斗争。1993年两位领导人发表联合原则声明,号召以"三方合作"的方式进行和谈。1995年英爱政府联合发表"未来框架"文件,接受这一方式,成为第二年开始多党谈判的基础。1998年4月各党批准旨在恢复北爱自治的《耶稣受难节协议》。该协议反映出社会民主工党的许多关键提议。5月,北爱尔兰和爱尔兰共和国以全民公决通过这一协议。在6月举行的选举中该党在北爱尔兰新议会108个席位中赢得24席,成为第二大党,并与北爱尔兰统一党、民主统一党和新芬党组建联合政府,有4名成员任部长职位,副主席S.马伦当选第一副部长。20世纪90年代末因新芬党参加和平进程而在政治上受到尊重,对社会民主工党形成挑战。在2001年的下院选举中,新芬党得票首次超过社会民主工党。2001年休姆退出领导岗位,M.德坎当选党领袖。

除牵涉严重的派系问题外,该党实行欧洲社会民主运动的政策,但比欧洲大陆类似政党更关注公平和人权问题。在经济方面赞成英国接受欧元,而在传统上与英国工党关系密切。该党履行平等主义,要求执行委员会中有40%的女性,并制定反歧视行动计划,确保党的各级职位中有50%由妇女担任。在党的年会上,地方分支、工会、青年阶层和妇女团体的代表与党的评议员和总委员会成员一道就广泛的政策提议投票表决,并选举执行机构干事和代表。总委员会属于最高决策机构,每年至少召开5次会议。执行委员会负责党的日常事务,批准党的候选人并监督选举活动。

Social Democratic Party (SDP)　社会民主党　英国前政党,1981年3月26日由4名

退出工党的前工党内阁阁员 R.詹金斯、D.欧文、W.罗杰斯和 S.威廉斯所创立,他们指责工党极度左倾并过分受工会的控制。社会民主党自称将持中间立场,他们认为当政权更迭时英国的公共政策有从极左转到极右的倾向,他们希望结束这种倾向。社会民主党是80年代第一个新出现在英国的主要政党。

该党成立时只有14名下议院议员(除了一名曾经是保守党党员外,其余都是前工党党员)和大约20名上议院议员。詹金斯和威廉斯赢得了1981年和1982年举行的议会议员递补选举。在接下来的大选和递补选举中,社会民主党人和自由党结成联盟。这个有时被称为"联盟"的两党结合赢得了25%的选票及不少下议院席位。在1983年和1987年的大选中,社会民主党却遭到挫败。1988年该党的大多数党员和自由党合并改组为社会自由民主党(**Social and Liberal Democratic Party**)。剩下的党员由欧文领导,该党由于人数锐减,于1990年解散。

Social Democratic Party of Germany 德国社会民主党 德语作Sozialdemokratische Partei Deutschlands(SPD)。德国政党,主张政府控制大工业,是德国历史最悠久、单独得票最多的大党。1875年拉萨尔领导的全德工人联合会与倍倍尔和李卜克内西领导的社会民主工党合并,建立社会工人党,1890年改用现名。该党虽于1878年被俾斯麦的普鲁士政府禁止,但实力迅速增长,并促成1889年第二国际的成立。1890年成为合法政党,在国会中的席位逐年增加。第一次世界大战导致该党分裂,以考茨基为首的中间派组成独立社会民主党,以卢森堡和李卜克内西为首的左派组成斯巴达克思同盟,1918年12月改称德国共产党。社会民主党于1933年被纳粹分子取缔。第二次世界大战后重整旗鼓。在西德,该党所获选票从1953年的28.8%稳定增长到1972年的45.9%。1966年与基督教民主党组成联合政府,1969年以该党为主与自由民主党组成联合政府,执政到1982年。在东德,社会民主党被强迫与共产党合并成为德国统一社会党,1989年以后重新成为独立政党。东西德重新统一后,于1990年与西德社会民主党合并。

Social Democratic Party of Switzerland 瑞士社会民主党 瑞士中间偏左的政党,支持政府在经济中广泛发挥作用。成立于1888年,属瑞士历史最悠久的政党之一。自1959年以来一直与基督教民主人民党、激进民主党、瑞士人民党结成大联盟治理国家。19世纪末是执政的自由民主党的主要反对党。20世纪选举采取比例代表制后,在瑞士政治生活中颇具影响力。最受蓝领工人、教师和老年人支持。其政策通常反映欧洲民主社会主义传统。在20世纪后半期,积极倡导环境保护和在政府中扩大妇女作用等一系列议题,主张瑞士加入联合国和欧盟等国际组织。虽然通常采取温和的社会主义政策,但在20世纪70年代曾提出较为激进的经济政策,至80年代初重新回归传统路线。1959年后在联邦委员会的7个席位中拥有2席。1984年出现内部纷争,以微弱多数否决退出联邦委员会。90年代,因该党向联邦委员会派出的委员遭联合政府其他党派否决,一度威胁退出联合政府。自90年代初以来一直从属于社会党。第二次世界大战后大部分时间是瑞士的最大政党,目前在全国的得票率平均约为1/5。1999年该党的R.德赖富斯成为瑞士首位女联邦主席。

Social-Democratic Workers' Party (Russia and Soviet Union) 参阅 **Russian Social-Democratic Workers' Party 俄国社会民主工党**。

Social Gospel 社会福音 1870年前后至1920年前后主要在美国基督教各开明派别中兴起的宗教社会改良运动。其宗旨是实行《圣经》中的爱和公义的原则,改进工业社会。美国新教作家谢尔登的著作(例如《踏着他的足迹》,《耶稣会会做什么?》,1897)和美国神学家劳兴布施的著作(例如《基督教与社会危机》,1907)是社会福音运动的最有说服力的著作。社会福音运动主要鼓吹改善劳工处境,如取消童工、缩短工作周、保障生活工资和制订劳资法规等。在20世纪30年代,由于有组织的劳工运动兴起,由于"新政"立法的建立,这些理想许多已经实现。

social insect 社会昆虫 又称社群昆虫。集群生活并表现出成员行为的相互协调和劳动分工的昆虫。种类甚多,最典型的例子如白蚁(等翅目)和蚂蚁、蜜蜂类、黄蜂类(膜翅目)等。社会昆虫群体中的个体可按构造、功能和行为分为不同的等级,主要的等级有专司生殖的生殖等级(如蜂后、蚁后)和不生育的等级(如工蜂、工蚁、兵蚁)。生殖等级除执行基本的生殖功能外,通常还会为新群体选择一个新地址,并挖出最早的通道。做工等级照顾卵和幼虫,为同社群其他成员收集食物,筑巢和修巢;而士兵等级保卫社群免受掠食者的侵害。

social insurance 社会保险 对各种经济风险(如因疾病,年老或失业而丧失收入)提供保障的公共保险计划。参加保险带有强制性。社会保险是**社会保障**(**social security**)的一种类型,实际上这两个词有时可以互换使用。

第一个在全国范围内实行的强制社会保险计划始于俾斯麦首相执政下的德国,他完成了1883年的健康保险、1884年的工人赔偿费和1889年的养老金与伤残抚恤金的立法。德国的榜样随即被奥地利和匈牙利仿效。欧洲其他地方关于社会保险的争论主要存在于赞成自愿性、补助性的保险和倡导强制性保险制度这两派人士之间。1911年英国采取了国家强制健康保险,并在1948年大力推广。1920年后,建立在强制基础上的社会保险迅速被整个欧洲和西半球采用。美国则落后于欧洲,直到1935年通过《社会保障法》,实施向老年人、残疾人和灾难幸存者提供救济金的政府保险计划完全属于州或地方政府的责任。1935年以后美国实施的三项联邦保险计划,为退休者和灾难幸存者提供了救济金,并且提供了对65岁以上老人的医疗保健及对伤残的保险。

社会保险计划在几个方面不同于私人保险。社会保险的保险费缴纳通常是强制性的,不仅可由被保险人缴纳,而且可由雇主和政府负担。同时,其受益(救济金)的多寡,也不如私人保险那样严格地受到所缴保险费金额的限制。例如为了使保险计划服务于某种社会目的,一些团体即使未曾按照要求的时期交纳保险费,也可包括在受益人中。此外,救济金可以随着生活费用的上涨而提高,这也削弱了保险费与救济金之间的联系。

社会保险还与其他形式的公共援助有着明显区别,社会保险制度大多是自我筹集资金,将缴纳的保险费存入为此目的而设立的特别基金。因为救济金的支付通常以所交的保险费为基础,而不以需要为依据,所以无需调查申请救济者的家庭经济情况。救济金成为一项权利,以领取公共基金为羞耻的副作用已大为减少。在某些国家中,社会保险类似私人保险,所要求的保险费等级反映了不同的风险程度。例如,在失业保险计划中对于有着较低开除率和解雇率的雇主,所要求的保险费可以少于那些开除率和解雇率较高的雇主。

社会保险资金的筹措,各国情况大不相同。澳大利亚、瑞典、丹麦等国,就是由国家为社会保险计划承担很大部分费用。一国之内社会保险费用的分摊,也因具体保险计划不同而情况各异,例如,工伤保险费用,通常由雇主全部承担。

social learning 社会学习 受社会环境影响控制的、非遗传性、非主动性的学习过程。这个心理学概念是由美国心理学家A.班杜拉首先提出的。他以大量的实验结果证明:孩子们的很多行为方式都是通过观察、模仿学会的,如分享、攻击、合作、社会人际间的相互作用和适时满足等。班杜拉的一项经典的儿童模仿学习实验证明:以何种方式处理攻击性或错误的行为,是奖励、惩罚,还是不置可否,可直接影响到儿童模仿性学习的结果。班杜拉的研究结果提出了这样一个问题:充斥各种大众传媒的色情暴力场面会给儿童造成"潜移默化"的恶劣影响。虽然有人强调:由于暴力场面的教育、精神升华作用和设身处境的感情共鸣,传媒中的暴力场面反而会明显抑制儿童的这种暴力行为。但人们普遍认为这几乎没有什么正面效应可言。后来人们又指出:以观察为基础的社会学习是个复杂的过程,它包括三个阶段:①见到他人的反应;②学到他所看到的东西;③随后接受所见行为作为指导自己行动的榜样。

social mobility 社会流动 个人、家庭或集团在空间上的流动(物理的或地理的流动)或者在一个社会等级或社会分层制度中的流动。如果后一种类型的流动涉及的只是任务,特别是职业上的变化而不是社会阶级上的变化,则称为"水平流动",(一个例子是从一个公司的经理职位向另一个公司的类似职位上的流动)。如果任务的变化涉及社会-阶级地位的变化,则称为“垂直流动”,垂直流动包括“向上流动”和“向下流动”(一个产业工人成了一个富有的企业家便是在阶级制度中的向上流动;一个贵族地主在一次革命中丧失了一切便是在制度中向下流动)。

在革命中,整个阶级结构起了变化。然而,一旦社会经过重大改组以后,进一步的社会流动可能降至最低限度。但社会流动也可能由比较缓慢、比较细微的变化产生,例如个人或集团从穷困的农业地区向城市流动。在整个历史中,国际移民是向上流动的一个重要因素。19 世纪欧洲工人阶级和农民阶级的成员向美国的移民便是一个例子。另一方面,西欧的殖民扩张虽然使某些人受益,却奴役了另外一些人。

很难衡量流动,特别是垂直流动的社会后果。有些人认为,大规模的流动,无论是向上的和向下的,都有打破阶级结构的作用,使一种文化更加统一。另一些人则认为,那些试图向上爬或维持现有地位的人实际上巩固了阶级制度,因为他们似乎关心实现阶级差别。因此,有些社会学家曾经暗示说,个人的流动不可能减少阶级差别,只有实现所有人的社会平等和经济平等才能做到这一点。

流动的一个积极的后果是能更好地利用个人的才能。促进这一点的是现代工业化国家中受教育机会的增多。在消极方面,已知高比例的垂直流动产生了个人的和社会的失范(法国社会学家涂尔干创造的一个术语)。经历了失范的个人感到在社会上孤立和焦虑不安;从更大范围的社会情况来看,众所公认的信念和行为标准削弱了或者消失了。

很多人认为,自从 1945 年开始提供广泛的福利措施以来,西方工业国家的阶级制度已经有了巨大的变化。另一个结果是由于较高的生活水平而带来了较大的社会流动。人们争辩说,这种流动的增加已把阶级差别缩小到最低限度,因而西方国家正在走向一个相对说来是无阶级的(或者说主要是中产阶级的)社会。然而另外一些观察者反驳说,一个新的上层阶级正在形成的过程中,这个阶级包括公、私领域中生产的组织者和经营者。这个理论似乎是在世界范围内可以普遍接受的,至少在先进的工业国家里是如此。

social movement　社会运动　社会运动是一个普遍使用的名称。改良运动、宗教运动、革命以及各种“主义”满布在人类历史中。一般人说到运动时,是指一大群个人要进行一种社会变动的行动纲领或程序。人们参加了上述活动,就被认为是参加了一种运动。另外,社会运动也是社会思想家的一种概念工具。

所有对社会运动的理解都内在地与社会变迁相联系。不能想象人们的活动都是在稳定的社会集体中,在毫无问题的组织和价值观念中进行的。社会运动反映人可以改变社会秩序,可以影响历史的进程。

社会运动是一种集团活动或是一种集体的事业。一个人参加社会运动就是与其他人们联合起来共同表示对现状不满,希望得到改进。一种社会运动像一个群体一样,有共同目标和共同价值观念。每一个成员都能觉察到运动中别的成员都能和他同一爱憎同一好恶。当社会中更多的人不同意他的看法时,他也不感到孤立。社会运动有一些所有成员必须遵从的行动规范和思想指导路线。社会运动的一个突出特点是它的结构是半正式的。它的非正式性并不像一个人数少而形式原始的群体一样,而是缺乏一种稳定的、正式的结构。

社会运动与社会变迁相联系,但并非所有社会变迁都要通过社会运动。社会变迁有时是很有组织、很有计划的行为。社会运动作为一个非正式的集体行动,有时是从原有的具有正规章程和传统的社团里发生的;社会运动的成员往往也是那个老的社团的成员,例如新教改革是从天主教会中发生的。

目前还没有一个简单的、标准的社会运动的分类法。有的把它分为一般的和特殊的,有的把它分为政治的、宗教的、经济的、教育的等等。也可说所有社会运动不是要求政治改革就是要求宗教改革的,其目的是改变政治结构或改变个人的道德价值观念。一个最普通的分类是分为“改良”的和“革命”的运动。改良的即保存现有价值,使之得到逐渐的改进;革命运动,则意味着对现存价值观念的改换。18 世纪的两大政治运动是法国和美国的革命。19 世纪是革命的时代,因为受了法国大革命影响,政治运动席卷欧洲多数国家,说明资产阶级民族主义革命的兴起;而在大西洋彼岸,南美洲独立运动也不断上升。20 世纪开始了一些巨大的社会运动,如十月革命、中国的辛亥革命以及其他许多小国的革命运动;犹太复国运动、女权运动也多始于 19 世纪而收效于 20 世纪。德国和意大利的法西斯蒂运动出现于 20 世纪前期,后期则在美国出现了三 K 党复活等“极右倾”运动。20 世纪也有一种民族运动的新浪潮,亚洲和非洲殖民地人民起来反抗欧洲人的统治。美国国内很多地方也掀起黑人的抗议运动。

社会运动发生的原因包含了个人心理上的一种疏离感即无权、无望和与社会隔绝的种种因素,但重要的是社会的因素,原因在于社会变迁中引起的冲突。社会运动无论对于个人还是社会,都会有很大影响,它好像一个大学校,能够改变人的个性,社会领袖便是通过社会运动产生的。社会运动也能建立新的权威和制度。由于人口的增加、城市化、生活水平的变化,将会使社会运动不易控制。

social norm　社会规范　参阅 norm 规范。

social psychology　社会心理学　研究在社会及文化背景下的人类行为的学科。20 世纪 20 年代才开始应用实证方法来收集材料,探讨各种社会力量与个体行为间的关系。社会心理学的开创性工作在美国进行。虽然社会心理学自此成为国际性学科,但美国的研究者一直在这个领域具有重要影响。

社会心理学包括广泛的课题,例如社会因素与知觉的关系。社会心理学家可能研究一个人如何根据知觉线索来判断其他人的社会地位,或研究一个人自己的社会境遇(例如本人是某个团体的一员)如何影响其一般知觉。另一项有关领域是研究社会因素对态度和信仰的影响。社会心理学家关心的主要课题之一是集体的功能。研究小集体(如家庭、委员会或工厂中的工人小组)时要收集下列问题的材料:小组和个人在完成某些任务时的相对工作效率、各种集体领导的形式、遵守小组规范的情况等等。研究者研究大社会组织(如军队、一个工厂的劳动力)的动态,以明确下列问题,如组织内部互通信息的程序、决策及其他权力在人群间的分配、以及不同因素对成员行为的综合作用。目前的研究,特别是在企业关系方面的研究,探讨了组织结构如何改变和这些改变可能产生的结果。

社会心理学家常常研究社会化过程(即社会因素塑造一个人的人格的过程和社会背景改变时个人行为随之变化的方式)。研究过多种影响人格形成的因素,其中许多与儿童期有关。例如,S.弗洛伊德关于儿童心理发育的观点就曾促使某些社会心理学家探讨社会力量如何在儿童发育的每个时期产生作用。有关社会心理学的材料有两个主要来源:实验和现场调查。研究者设计在实验室对被试者进行的实验。这种方式曾被批评为不真实,因为这类实验缺乏现实社会中各种因素的交互作用,而被试者意识到被人观察时的心理也影响实验。但在真实背景下观察社会交互作用的现场调查法也有其局限性。在某些情况下研究者不受欢迎,并且也和在实验室条件一样,观察者在场可能影响被观察的人。随着学科的发展,社会心理学已有多种应用,特别在各种社会工作中。例如,精神保健机构常任命一些社会心理学家调查精神病问题与社会的关系以及设计有效的治疗方案。社会心理学对商业也有用处,尤其在雇员关系方面。社会心理学可以指导企业如何选择、训练和奖励工作人员,以及如何组织生产过程以减轻工作人员的不满情绪。社会心理学家研究消费者的态度,这有助于设计广告方针。

Social Realism　社会现实主义　约 1930 年美国艺术中兴起的一个潮流,就狭义而言,指的是揭露社会时弊的绘画;就广义而言,这一术语还包括反映美国一般生活的美国风俗画和地区特征。作品有的带有微妙的批判性,有的则没有。发端于垃圾箱派,他们在 20 世纪头 10 年,描绘了美国城市生活的阴暗现实。社会现实主义艺术家曾获公共事业振兴(后改为“设计”)署(WPA)和财政部的支持,并于 30 年代受托为公共建筑物作美国题材的装饰壁画。几位美国画家被当时在美国从事壁画的墨西哥画家 D.里维拉和 J.C.奥罗斯科的富有社会意义的壁画所感动。例如,G.比德尔就以这种风格画了壁画《血汗工厂》(约 1935)。对美国的生活和政治敢于更公开进行批判的还有为公共事业振兴署工作的 B.沙恩、P.埃弗古德、W.格罗珀和 J.莱文。B.沙恩的《萨柯和万泽蒂的受难》(1931～1932)一画,展示了两个意大利无政府主义者在一次轰动的审判中被判处极刑的场面。W.格罗珀的《参议院》(约 1935)则是对美国公共生活的有力讽刺。

Social Register　《社会人士名录》　纽约出版的一份列有美国 13 个城市中社会上有声

望人士之名的名册。按规定,主要是白人,信奉基督教,与其他入编成员有较好的联系,经他们举荐,由评选委员会承认,即可列入此名册。此名册第一版于1887年由L.凯勒创办,列有3 600人。此后该名册由与凯勒有关的三个家庭拥有,1976年出售给福布斯出版公司。

social science　社会科学　社会科学研究的课题是人类在社会和文化方面的行为,包括经济学、政治学、社会学、社会和文化人类学、社会心理学、社会和经济地理学;也包括教育的有关领域,即研究学习的社会环境以及学校与社会秩序之间的关系。严格说来,社会科学是在19世纪才出现的;但很可能,如果没有古希腊的理性的探讨精神,也就不会有今日的社会科学。在中世纪的神学里就有根据人类和社会这两方面的观念塑造出来的综合物;这些观念其实就是政治、社会、经济、地理和人类学的概念。在整个中世纪,甚至进入文艺复兴和宗教改革运动时期,教会对学者们关于人类思想和社会行为的想法,十分注意,并竭力加以控制。而当经院哲学式微之时,希腊古典文献的魔力和笛卡儿学派的推论方法,以及18世纪把社会改革与社会科学视为一事,也阻碍了社会科学的发展。随着17、18世纪社会科学理想的传播一如自然科学理想的传播之受到重视,人们对世界上人类经验的复杂性、对人类社会行为的社会和文化特征的认识,都在逐步加深。反映在理论上,则有结构概念和发展变化的概念。这些创新思想,大部分存在于某些著作之中,目的在于抨击当时西欧政治和社会制度。就社会科学而言,19世纪一些决定性的思想,在前两个世纪就已经出现。在法国革命和工业革命双重打击之下,西欧旧制度开始瓦解,这使地位、权威、财富等因素发生变化,而19世纪的社会思想史就是把这些因素在理论上赋予新义而已。当时社会思想的重大主题几乎都与两大革命有关,如人口激增、劳动条件恶劣、财产的变化、都市化、技术和机械化、工厂制度、参政群众人数的发展等。这些都几乎立刻成为新意识形态的基础。此外实证哲学、博爱精神和进化观点三种思想倾向也影响了社会科学。社会科学初建之时,是想建立一门总体社会科学,而有些人则追求单科的专门化。结果是后者取得胜利。经济学和政治学首先达到独立的科学地步;其次是人类学和社会学。社会心理学也开始于19世纪,但轮廓不如其他各科清晰。最后出现的是社会统计学和社会地理学。民主和工业革命引起的各种进程,在20世纪散布到了世界的其他地区。西方与非西方的各种关系即西方同全部"新国家"现象之间的关系,正是社会科学极其重要的各个方面。马克思的思想对于今天数以亿计的人来说,有着深刻的道德甚至宗教意义;即使在西方,马克思主义在思想方面的影响也是巨大的。他首先提出了社会可以通过计划来引导。由于对中央计划的兴趣,才使得凯因斯的思想获得了历史性的意义。在人格、意识和性格的一般领域里,弗洛伊德的著作对20世纪文化和思想的影响并不在马克思之下。他的基本理论已进入多门社会科学。由下述变化特点可以看到社会科学的某些趋势:社会科学的专门化,仅从高等院校开设的课程之多就可以看出。另一倾向是多科性的相互补充和合作,新出现了政治社会学、经济人类学、选举心理学和工业社会学;某些单个概念也常运用于多门社会科学,并都获得了有益的效果。另一突出点是,由于专业化,在社会科学内不可避免地出现了紧张关系。其他特点是近几十年从事社会科学的研究工作,变得身价百倍;数学方法和其他定量方法以及计算机已广泛用于科学和教学之中。20世纪在理论方式上可以看到:发展说又开始恢复活力;社会体系的研究由控制论推动起来;结构主义和功能主义着重于模式和动态方面;互动论则强调"他物"的影响。关于20世纪的社会科学有必要考虑的一点是,它与有组织的社会、政府和工业等的关系。自从社会科学出现以来,人们一直想用知识来影响社会政策。但在试图影响现代权力和职能的重要机构的过程中,社会科学本身可能反而受到这些机构所拥有的权力和财力的影响。关于社会科学的目的,它同政府和社会的关系,以及社会科学家个人在20世纪社会中的作用等,有可能成为今后若干年的主要问题。

social security　社会保障　一种公共福利计划,旨在保护个人及其家庭免除因失业、年老、疾病或死亡而在收入上所受的损失,并通过公益服务(如免费医疗)和家庭生活补助以提高其福利。社会保障可包括:社会保险计划、保健、福利事业和各种维护收入的计划。从前,福利保障是个人及其家庭的事;事实说明单靠这样做不够时,教会成了分配慈善物品的渠道。逐渐地,对于处理那些无保障的问题有了较有条理的规章。第一批这类规章是由劳工协会、互济社和工会制订的;后来,又通过立法确立了这类规章。几乎世界上所有的发达国家都有成熟的社会保障计划,计划因国家而异。通常有三大相同的特征:①由法律制定;②由于年老、残废、死亡、疾病、分娩、工伤或失业而收入损失时,对个人至少要偿付部分现金;③福利或服务通过几个主要渠道提供,包括社会保险和社会补助。社会保险全部或大部由雇员、雇主支付、有时来自政府资助,而不是由正常的政府收入支付。捐款通常另存特别基金,所有福利从该基金支付。享受福利的权利出自个人的贡献或计划中规定受雇的工作。福利金额按法律规定,不按个人的需要。世界上现行的社会保障计划主要是社会保险计划。社会补助计划限于收入低或需要补助者(须调查情况),由政府总的税收中支付。

Social Security Act　《社会保障法》(1935-08-14)　美国国会通过的一项立法,规定向雇主和雇员征收工资税,用作老年人救济金。适用于铁路雇员者另有《铁路退休法》(1934)。

social service　社会福利事业　又称福利事业(welfare service)或社会福利工作(social work)。这些名称至今还没有普遍一致的定义。有些国家,主要是东方新独立的和发展中国家,曾试图把它们分为两大范畴:①社会事业,指对一般人口服务的事业(如教育和卫生);②福利事业,指专为弱者提供的服务。大略说来,社会和福利事业有两种说法:①残余说:即指一些紧急措施,当正常的机制(包括市场经济、个人及家庭)不能满足人们的需要时才提供的。②制度说:把社会和福利事业作为任何社会所必需的职责,应积极为个人或团体服务,使其可以最好地发展而有所成就。残余说近代已为制度说所取代。

社会和福利事业所受的近代影响　有影响的因素是:人口增长、劳动队伍成分的变化、从农业就业向工业就业的改变、从农村向城市的移民、家庭生活型式的改变、医药和社会科学的进步,这种进步使得人们对人类体质、精神和社交各方面的需要有了更多的了解,也为满足这些需要提出了种种办法。例如,亚非各国经过工农业发展的变化,使建立已久的对个人和家庭照管办法趋于崩溃。在发展中国家,普遍穷困和资源缺乏,已限制其社会经济的发展,而人口爆炸更使社会和福利事业难以进展。在这些国家中,15岁以下和65岁以上的人约占全人口的80%。这些都是不生产者。所以需用的社会及福利费用所占比重最大。妇女参加劳动的人数比例越来越大,造成为照顾家庭和儿童方面的新要求。城市人口增加特别快,成为社会福利事业所研究的侧重方面。

历史背景　早期的私人慈善事业是出于同情心或道德行为,但这不足以应付贫穷和困苦的问题。以后有以法律或宗教来组织和管理慈善事业的,如1601年英国的"伊丽莎白济贫法",将管理责任委交教区。美国17～18世纪大体上亦仿此法。但贫民所得之救济甚少,教会亦只限于其信徒。18～19世纪受自由主义思想深刻影响,表现为自由意志,个人失败应由自己负责,国家不关心救济贫穷问题。20世纪初慈善事业才首次有了发展,有人试图对社会弊病的原因作深入钻研,如C.布思开始对伦敦人民生活作了考察,其报告名为《伦敦人民的生活和劳动》(共17卷,1892～1903),揭露了伦敦人口有1/3在贫困中生活的情况,其影响深远。1900年S.朗特里在约克的考察得到相同结论。19世纪末20世纪初使慈善事业制度化的最好例证是所谓慈善组织运动。E.丹尼森和O.希尔曾在伦敦建立慈善机关联合会(COS),由C.洛赫任总干事,达40余年之久,对制定原理和政策贡献最大。联合会认为:救济的发放应使领受者能成为自食其力者,这种事业应由个人举办而不受政府干预。根据调查受救济者实际需要,发给实物救济,更重要的是救济者改变穷人生活模式的那种道德影响。

实现福利事业由政府负责的各种改进措施　20世纪福利事业的发展方向深受对国家职能看法的影响,个人主义思想让位于社会主义、福利国家及改善工人阶级状况的思想。贫富悬殊的社会实况促使人们深思,劳工领袖们促使政府干预。在德国和英国,中产阶级和工人阶级开始在福利的立法方面显示政治力量,要求实施社会保险和公共救助的广泛规划。1897～1930年间,大多数欧洲国家都采取了社会保障措施,以德国为最早

(始于1883)。在发达国家,政府与私人合办慈善事业,相互补充。在社会主义国家,政府对全部社会福利事业负责,而这些事业又都纳入社会、经济及文化发展的国家全面计划的系统之中。

专门的社会福利工作　美国M.里奇蒙于1897年成功地建议:应设立一所讲授应用慈善学的专门学校,培养人才,使慈善事业成为专门职业,这在社会福利事业的发展方向上跨进很大一步。因此时关于贫穷和犯罪的社会学研究,以及欧洲和美国慈善事业工作者积累的经验都已初具规模,可以构成一个知识体系。对慈善事业作"科学研究"就要有一定的工作方法。1873年O.希尔所发起的训练工作就已制定既有讲课又有训练的规划。1899年在阿姆斯特丹设立了世界上第一所全科制的社会福利工作培训学校即"社会福利工作专门学校"。该校是两年制,开设课程有:一般社会学知识、社会经济问题、立法,还有各种有指导的社会福利工作实习课。在发达国家,由于一般生活水平较高而且社会保障规划已可满足大多数人的物质需要,专门社会福利工作便转向社会心理方面的问题,主要通过个案工作方法,来应付个人(或家庭)的特殊情况。但后来因城市工业社会产生新的挑战,使侧重点又由个人或群体问题转向广阔的社会弊害方面去,发展社会调查、社会管理和社会行动等方法。但为多用途的工作训练,有按不同领域来发展的,如医疗福利救济工作、学校福利救济工作、家庭和儿童福利、劳动福利和人事管理等。美国尚有私人从事专业社会福利工作的,是否妥当间有争论,但美国全国社会福利工作者协会已肯定私人救济事业亦属社会福利工作范畴。

社会福利工作的问题及政策　1.个人服务,包括:(1)家庭福利,其中又分为:①婚姻问题顾问,②母爱及计划生育,③家庭生活教育,④家政服务,⑤老年人照顾;(2)儿童福利,又分为:①母子保健,②儿童保护,③非婚生母子之照顾,④日间托儿,⑤孤儿收养;(3)青年福利;(4)群体福利,又分为:①社会服务社与社区中心,②移民服务,③少数民族服务,④残疾人服务,⑤退伍军人服务;(5)救灾,又分为:①救济工作,②灾情预报服务。2.社区发展。3.其他服务,有:(1)医疗社会服务;(2)精神病治疗社会服务;(3)学校社会服务;(4)教养院服务,又分为:①缓刑,②假释,③少年犯管教。

social settlement　社会服务所　又称街坊文教馆(settlement house、neighbourhood house)或社区活动中心(community centre)邻里社会福利服务机构。其主要目的是发展和改善某一社区居民的福利。它与其他社会服务机构的区别在于,它所关注的不是单项服务项目,而是整个邻里的生活福利。服务所为个人、家庭或小组提供服务。他们充当服务对象的非正式顾问,作家访,还举办友谊俱乐部、学习班、运动队以及各种业余爱好组。需要专门知识来解决问题时,他们还雇用社会工作者、心理学家、精神病医生、家政学家和职业顾问。社会服务运动始于1884年在伦敦成立的汤因比服务所(**Toynbee Hall**)。当时的圣犹大教区牧师S.A.巴尼特及其夫人邀请一些大学生,一道在伦敦城内教育条件极差的地区开展社会服务活动。社会服务运动后来传到美国,C.B.斯托弗与在伦敦西区道德学会讲学的一位美国演说家——早年曾访问过托因比服务所的S.科伊特——于1886年在纽约市东区的下城建立了邻里协会,即现在的大学服务所。J.亚当斯1889年在芝加哥西区买了一处住宅,那就是后来的赫尔大厦(**Hull House**)。社会服务运动迅速传到西欧的大部分国家、东南亚及日本。大多数国家都成立了全国性组织,如美国的全国社区邻里中心联合会及英国的全国社区及社会行动中心联合会。1922年在伦敦首次举行了国际社会服务工作会议,在这次会议的基础上,1926年成立了国际社区及邻里服务中心联合会,其总部设在荷兰乌得勒支市,并在联合国派有视察员。

social status　社会地位　个人在以荣誉或声望为基础的社会等级中所具有的相对位置及其附带的权利、义务和生活作风等。社会地位可生而有之而不问其本身能力如何,也可通过竞争和努力来获取。社会地位往往根据性别、年龄、家庭背景、出身而赋予一个特殊的社会集团。后天获取的社会地位则要看所受教育、职业、婚姻状况及其他因子来定。"地位"一词,亦指垂直的社会分层。平行的或空间的相应划分范畴,则包含数种意义。一个人拥有高位,可有以下几种决定条件:他能发号施令以指挥别人的行动,或者他具有魅力足以影响群众;他位居要津而威仪凛然;或其行为高洁,足以为后学景仰。相对的社会地位是决定人与人之间所持态度的一项重要因子。对社会地位的竞争似乎就成为一项重大课题。一个人的社会地位会因社会整体条件的制约而发生变化。如一个人在其亲属集团中的地位有助于决定其在社区中的地位。在霍皮印第安人中间,家系即使不显赫,也具有对土地、房屋及祭祀知识等的袭承权利,因而对一个人的社会地位至关重要。在塔伦西人中间,一个小孩(在丧父之后)就成为一家之长;一个中年人如在父亲家里生活时就仍是一名"儿童"。社会地位也因职业而有所不同,在撒哈拉沙漠以南的非洲,铁匠社会地位就低,而印度种姓则把清道夫视为社会的最低层。社会地位与礼仪和道德密切相关,在许多社会中财富也可以是提高个人地位的一个条件(参阅 **gift exchange**;**potlatch**)。许多西方城市工业化社会中视工作、生活、仪表、礼貌重于家世。社会地位集团是指在等级森严的社会制度下被划入某一阶层的那一群人,其典型代表就是印度种姓(**caste**)。东非的年龄群(**age set**)也类似一种社会地位集团。

social structure　社会结构　社会结构一词是个比喻,把人类社会关系或条件比作机器、建筑物或生物机体,是社会学家从物理学和解剖学借用的。人们在社会中扮演不同的角色或占有不同的地位,彼此之间或与社会各种风俗、制度的关系上,都有各种不同的看法。行动及行动之合理化、观念和陈述意见甚至竞争之中,似乎都有某种社会秩序或模式。问题是如何理解这种模式。

文化模式型　自20世纪20年代至50年代,有三种形势影响了文化模式型的发展。首先,第一次世界大战结束发现人类学处于十字路口,战争才弄清楚:虽然战争之前(尤其在19世纪)学者们都专心研究人类社会发展的普遍原理而很少科学地研究人们如何实际生活、争斗及共同相处的方法。因此就出现一种要求新鲜概念的倾向,并期望这些新概念能促进研究并发现共同相处的方法。其次,S.弗洛伊德及其他心理学家认为,要想从战争的废墟中重建世界,心理学必然会提供解答的方案。人类学家们开始想从心理学的原理中寻求解决众说纷纭的途径从而提出了文化模式理论。其三,主张文化模式理论的多是美国人,认为印第安人都居住在不同的生态区带并形成互相排斥的群体,不同群体就是不同文化。因而文化模式方法主要就是从这个群体的个人及其个性的考察中得出其人民的文化来,其缺点是将政治的和经济的冲突似乎都湮没于个性的差异之中。

结构功能型　是文化模式型的反面。个人不是被看作从属于群体而是从属于集体表现的各范畴。集体各范畴存在并坚持下去;个人乃深入这些范畴之中,操纵它们并或许改变它们。因此,角色、地位及位置关系等都至为重要;同样,经济和政治利益也是极重要的。法国社会学家É.涂尔干是主张这种方法的第一人。英国人类学家A.R.拉德克利夫-布朗声称:"社会结构的继续……不是静止的像一座建筑物,而是动态的延续,像生物的有机结构。在生物有机体的生命全程中,它的结构都是经常在更新;同样,社会生命也经常更新其结构"(《原始社会的结构和功能》,1952)。英国主张社会结构功能说的人类学家B.马林诺夫斯基和拉德克利夫-布朗都强调探索社会生活及社会各种"法则"的重要意义。结构功能型的美国学派以社会学家R.K.默顿及T.帕森斯为代表,不侧重亲族模式而侧重各种阶层的各个方面——角色、地位以及由个人的质、素、财产、权力等所决定的位置关系。

冲突型　冲突型基于政治理论并企图说明历史过程。正如德国理论家R.达伦多夫所说,它企图说明改革的速度和方向(《阶级冲突》,1967)。它包含有关人类的天性、存在及目的的整个哲学。从柏拉图、亚里士多德直到黑格尔、卢梭、马克思,都认为冲突存在的方式及其可能后果都是极其重要的。这里有两个主要的但并不互相排斥的论点:第一,冲突恰恰就存在于人的本性之中;第二,它亦可存在于社会秩序的本性之中。这两种论点常被合并于下列两种方法的任何一种中:①在人的本性和知觉中有各种东西能引起冲突;这些东西可被特种社会秩序所遏制、控制并使之无效。几乎一切乌托邦思想——政治的、哲学的或社会学的——都符合这个公式。②由于人的本性和知觉乃是其社会秩序的产物,冲突便是从社会秩序的矛盾中产生而来的;冲突的解决只能依靠社会秩序的重新安排。这种模式属于寻求某种改革的政治理论。

自然科学型 自然科学型固有的困难大都来自：①社会素材的性质；②基本的假设和目的；③语言。自然科学的实验实体，可以被多数有大量国民生产总值为基金后盾的科学家们加以无数次的试验。但这是否对社会科学同样适用，则成问题。再者，在社会科学中有一种道德关系存在于考察者和被考察者之间，它禁止用自然科学的方法客观分析和解释社会行为。美国社会学家 G.A.伦德伯格说："人类社会学所论述的是一种可传授的调态技术，这种技术则是人类群体在长期斗争中因达到彼此间相适应并与其环境相适应而发展起来的"（《社会学基础》，1964，第 1 页）。这里他提出了一种有关人类存在的设想，而对这种设想并非所有人都能同意。

数学型或逻辑型 这一类型以一种纯理语言为基础，即按照数学或逻辑的关系来分析经验的真实性、经验的合理化过程及经验的诸范畴。从柏拉图经过启蒙时期直至人文主义和浪漫主义运动，一直存在一条公理：宇宙具有一种根本的和谐性，那是可以用数学术语来表示的。不过这在天体运行中是显而易见的，但在人类行为中则较模糊；如果人类行为可以用数学术语来表达而以社会组织或国家形式来实现的话，人类就臻于理想境界，这就是柏拉图的《理想国》所提出的目的。自然科学注重对各组实验数据之间的系统关系所作的综合推断，社会科学则主要研讨对于各种经验资料合理处理过程中的诸系统关系，而数学或逻辑则着重于抽象关系的研究而不涉及实际内容，但作为工具，可对神话、亲属关系及决策过程等进行分析。

一般结论 社会结构和社会组织这些概念一直是指导性概念，对于社会学以及社会和文化人类学都是非常重要的。"结构"一词，到 20 世纪 40 年代，已从原来的"概括全体"的概念转为某一特定范畴的概念，以后数十年中又用于一般行为规则的含义，因此，它已不再是静态的概念而是包括动态即变化的一种术语了。从 18 世纪至今已出现一种从宏观模式到微观模式的一般化运动，正是在这一点上心理学和社会学开始结合起来；也是在这一点上，数学的模式和逻辑的模式以及各种考察和测量技术都是对检验社会的相互关系大有助益的。参阅 **social change**。

Social War　同盟者战争（公元前90～前89） 又称意大利战争。古罗马的意大利盟友所发动的反对罗马特权和争取政治独立的战争。意大利中部和南部的盟友长期与罗马并肩作战，但要求获得罗马公民权及相关特权却不能如愿，愤而起事。意大利中部山区人民是起义的核心。他们在科菲尼乌姆设大本营，不久，参加作战的达 10 万人。公元前 90 年，罗马军队在北部败北。在南部，意大利人也取得了胜利。而公元前 89 年，罗马人在南北两方奏捷。从此，意大利实现了政治上的统一，过去缔盟的罗马人和意大利人终于形成一个单一民族。

social weaver　群居织布鸟 又称厦鸟。雀形目织布鸟科（**Ploceidae**）多种群居非洲小鸟

群居织布鸟（*Philetairus socius*）
绘图：Murrell Butler

的统称，尤指 *Philetairus socius*。该种形小，颏部黑色，在树上筑一"公寓"式巢，几十对小鸟整年共同维修群体巢上方像茅屋那样的屋顶。群体巢可有 300 个室（每室居住一对厦鸟）；巢顶宽 7.5 米，高 1.5 米。每组巢室在底层有一公共的隧道入口。

social welfare program　社会福利计划 保障公民应付经济风险和生活不安定的任何一种政府计划。计划最普通的形式是对老年人或退休者、病人或伤残人、靠供养的遗属、母亲、失业者、工伤人员和家庭提供救济金。在不同的国家中，筹款和行政管理方法，以及救济的范围和金额有很大的不同。最早的近代社会福利法是德国在 19 世纪 80 年代制定的。当其他国家制定类似的计划时，一般趋势是在要求的条件和危险的性质两方面向更广泛的范围发展。一般认为，政府对于特定的危险负有普遍给予最低保障的责任，而在许多国家中，一致的意见认为，政府的责任应扩大到所有由于各种原因难以照顾他们自己的人们。这种观点认为社会福利是广泛的，接受福利是一种权利，而不是需要。

福利或保险计划的主要特征是应保障的各种危险、受保障的人口、合格者的标准、救济金的水平、筹款方式和行政管理程序。所有这些标准在实践中都有很大的变动。特别是合格者的标准经常包括一个"定时锁"，它要求对计划适用的对象和范围规定一定的时间限制。财务来源通常是由受保障人员、雇主或双方按规定的数额提供；或由政府从一般收入中支付；或两者共同承担。计划的最普通的几种形式可归纳如下：

老年、伤残和遗属计划 救济金发放对象是无能力或不适合从事有收益工作的人、除工伤以外的永久性残废并且未受其他伤残医疗计划保障者和死亡工人的遗属。这种计划一般提供普遍保障，通常按分担保险计划筹款。时间锁的规定适用于老年救济金，放宽时也可用于伤残者和遗属救济金。救济金的水平为基本工资的 30%～60%。这个计划在全国实施。

医疗计划 福利和保险计划中最复杂和最有争议的计划。救济金可以包括医疗以外工资损失的补偿。适用范围包括全体直至该计划有关雇主所雇用的人员。筹款方式可能是分担的或由政府开支，主要根据该国提供服务的方式而定。医疗服务可以由开业医生和供应者提供，或由政府有关部门提供；开业医生可由政府直接付费或由病人先付，再由政府偿还。在实际提供保健医疗方面，政府参与的程度并不相同，从而病人的选择幅度、病人与医生关系的持久性、对节约的鼓励、医生收入的规律性和管理的难易程度也不相同。

失业救济金计划 这种计划在工业化国家里很普遍，在发展中国家则较少。对于正常受雇的工人由于非本人过失而失业，而且愿意并能继续工作者，通常提供基本工资 50%～75%的救济金。发放救济金有一定期限，典型的筹款方式是由雇主或雇员或两者共同交纳的强制性保险金，有时由政府资金补充。

家庭补助救济金 由政府向儿童数合乎规定的最少数量的家庭提供。救济金可向所有家庭发放，在这种情况下，家庭补助是朝着保证家庭收入的方向迈出的一步；或者这种救济金可以作为其他补助，特别是失业救济金的补充。

工伤补偿 历史最悠久、应用最广泛的社会福利计划。该计划通常包括超过一定规模的所有企业的雇员，资金来源于雇主的若干形式的保险计划。补偿救济金包括医疗费、工资补贴（通常为实际工资的 50%～75%）、身体永久性损伤的特别赔偿和死亡救济金。接受工伤补偿或工人赔偿救济金者不得再经诉讼获得损伤赔偿。

公共救济 一种补充性计划，旨在帮助不在其他计划范围之内的各个社会等级的穷人。典型的受益人包括不在上述有关雇员的计划内的老年人、盲人、不属工伤或其他有关雇员福利计划的残疾人，以及须抚养儿童的贫困家庭。

social work　社会福利工作 参阅 **social service** 社会福利事业。

socialism　社会主义 一种社会组织体系，在这个体系中私有财产和收入的分配受制于社会控制，而不由追求自己利益的个人或资本主义的市场压力决定。这个名词也用于旨在将这种体系付诸实施的政治运动。

社会主义形式多种多样，这取决于"社会控制"是什么含义，这种控制对国家社会实施到什么程度，以及由谁来实施。有些社会主义理论认为一切产业都应收归国有，而另一些理论则认为只有最大的或最重要的，如银行或自然资源，应为国家所有。有些社会主义理论要求实行高度集中的国家控制，而另一些理论则允许更多的地方分权，将很大程度的计划权力授与地方政府。有些理论要求实行专制的中央集权经济，而另一些则设想一种只是受指导的市场经济。社会主义一词经常被贬义地用来指任何一种国家可借以获得更多控制权的政策。结果，社会主义实际采取的各种形式之间的差异十分显著。社会主义可以是中央集权的，也可以是自由意志的；可以是马克思主义的，也可以是自由主义的；可以是革命的，也可以是渐进的；可以是世界主义的，也可以是国际主义的。

社会主义一词约于1830年首次使用,指的是法国傅立叶和圣西门,以及英国欧文发挥的理论。然而,这个词一旦被确认,人们发现若干古代哲学家早就提出过社会主义思想。古代有柏拉图(《国家篇》),文艺复兴时期作家中有莫尔(1516年著有《乌托邦》),康帕内拉(1623年著有《太阳城》),还有17、18世纪的若干位社会评论家,以及法国革命时期的一些杰出人物。傅立叶提出一种叫做"法郎吉"的小型合作社区的理论,这种社区既是一个经济单位,也是一个社区,人们非强制性地结合在一起,从事生产劳动、愉快地生活。圣西门对社会主义思想的伟大贡献在于他强调国家有责任规划和组织生产资料的使用,以不断保持与科学发现并进,他强调工业专家和组织者,而不是政治家和单纯实业家的主控作用。傅立叶和圣西门都不是严格的平均主义者,但他们的信徒却把他们的理论变得激进了。欧文通常被认为是英国社会主义之父,他是一个非常成功的和模范的实业家,主张建立合作的、无竞争的制度,谋求全体人民的心灵和物质的幸福。欧文的观点吸引了人数众多的劳工阶级追随者,在美国(特别是在印第安纳州的哈莫尼)和在英国涌现出若干个欧文式社区。

直到19世纪40年代,社会主义几乎只是作为法国和英国的运动得到发展。这是很有道理的:英国工业的发育远比其他国家先进,从18世纪起法国就是革命的政治思想的主要发源地。然而,不久这股潮流就转到德国,该国政治分裂,经济落后。德国的社会主义始于黑格尔的某些急进的追随者,如费尔巴哈、鲍威尔、赫斯和格律恩。

1848年是社会主义群众运动的高潮线,也标志着一种新型的社会主义理论和实践的开始。当年年初,马克思和恩格斯发表《共产党宣言》。他们利用了以前的社会主义运动中他们认为正确的东西,但是他们以自己的科学社会主义与空想的唯心论的乌托邦社会主义形成对比。科学社会主义声称已证明劳工阶级(无产阶级)战胜资产阶级,从而社会作为整体占有生产资料,是历史地不可避免的。他们声称资产阶级国家的强制的结构最终将"消亡"。

马克思和恩格斯用"共产主义的"一词来描绘这个无阶级的社会,"社会主义的"一词则通常被用来指无产阶级已的确获得了生产资料、但国家尚未消亡这一过渡时期和运动。他们于1847年创建的党叫共产主义者同盟,以区别于当时存在的许多社会主义政党。在《共产党宣言》1890年版的一条脚注中,恩格斯解释说,该书如此命名,就是因为"社会主义"一词已被认定就是"形形色色的社会骗子"。

即使在马克思生前,就已开始有对马克思主义的许多不同的解释,马克思去世后就更明显了。譬如,在伯恩施坦领导下的德国社会民主党人就对资本主义即将崩溃这一点表示怀疑。他们喜欢一种温和的社会主义,比革命的社会主义更为自由、更为改良主义的社会主义。伯恩施坦受到考茨基的严厉批评,考茨基代表更正统的马克思主义观点。19世纪的其他社会主义形式包括建于基督教原则上的基督教社会主义,以及强调工人控制的基尔特社会主义。

20世纪的社会主义实践也是多种多样,从公开宣称奉行苏联那种严格中央集权社会主义的共产主义国家(一直到1987年开始的改革为止),到更为地方分权的南斯拉夫模式(工厂工人不仅参与工厂管理,而且还参加分红)。匈牙利等一些国家甚至在一定程度上恢复农业工人的私人管辖权。非共产主义的社会主义在以瑞典、丹麦和英国为范例的福利国家找到了主要的表现方式。在这些国家,社会主义政党通过国会手段赢得政权,建立旨在向全体人民保证能获得某种最低生活水平的、以税收为基础的社会服务体系。一些像美国那样的绝对非社会主义的体制也采纳了一些全国性的福利计划,这既证明了许多社会主义理想的力量,也证明了许多社会主义实践的变化不定的适应性,所以极难给社会主义本身下定义。

Socialist International 社会党国际 参阅 **International, Second** 第二国际。

Socialist International 社会党国际 各国社会党的联合组织,主张民主形式的社会主义。第二次世界大战后,工人阶级的国际联合会的重建分阶段逐步进行。首先,在1946年于英国举行的战后第一次国际会议上成立情报和联络局。次年,该局改组成为咨询委员会,成为一个更具代表性的机构,称国际社会党会议委员会。1951年它决定重建国际(参阅 **International, Second; International, Third**)。1951年7月在美因河畔法兰克福召开的代表大会上完成了重建工作。新组织取名社会党国际,总部设于伦敦。其章程规定,决议须获得所有成员党的同意才能通过,每个成员党不论其党员多少,一律拥有一票。它的最高机关是代表大会,每两年召开一次,宣布各项原则,决定各种规章和接纳会员。设有一个人数较少的"委员会",每年开会一次,由各成员党的代表组成,负责确定社会党国际对当前政治问题的态度,选举主席和书记,规定分摊经费份额等。此外还设有"常务局",由12个国家的代表组成,根据需要随时召开会议,负责监督书记的活动。社会党国际在宣言中曾经声明其原则立场,主要强调社会主义的民主制度与公民自由,它的政策是反共和广泛地反苏。社会党国际不仅否定共产主义制度,认为它和社会主义原则水火不相容,而且支持北大西洋联盟反对苏联。但它支持同苏联和平共处和缓和的政策,赞成国际监督下的普遍裁军。支持联合国并要求联合国接纳中华人民共和国。支持欧洲经济统一,支持欧洲各有关成员党参加欧洲议会机构包括欧洲委员会、西欧联盟和欧洲煤钢共同体等的议会机构的活动。在20世纪后期,社会党国际在欧洲、亚洲、非洲、大洋洲和西半球各国共拥有60多个成员党。

Socialist law 社会主义法 参阅 **Soviet law** 苏维埃法。

Socialist Party 社会党 法语作 Parti Socialiste。原名工人国际法国支部(1905～1969,法语作 Section Française de L'Internationale Ouvrière[SFIO],英语作 French Section of the Workers' International)。1905年成立的法国社会党,在经济上支持广泛国有化。在法国,社会主义可追溯到埃贝尔、巴贝夫等革命人物。19世纪有过一段辉煌历史,出现过圣西门、傅立叶、布朗基、勃朗等一批作家和理论家。第一个马克思主义政党法国工人党,系由马克思的女婿拉法格于1880年建立。但是,在19世纪80年代,这个党一再分裂,到19世纪90年代,在法国至少有5个较大的政党或组织。尽管有上述冲突,1899年各集团还是在巴黎召开了第一次代表大会,接着又在1900年召开了第2次代表大会,由此形成两个政党:意识形态上不妥协的法国社会党(由盖德和瓦扬领导);和支持社会党人参加进步资产阶级政府的法国社会党(由饶勒斯领导)。分裂局面持续到1905年,对立的两党方合并成为工人国际法国支部——即第二国际法国支部。该党通常被非正式地称为社会党。

20世纪初期,社会党发展很快,但是1917年的俄国革命使该党产生了危机。1920年,社会党中的左翼势力分离出去,组成了法国共产党。1936年社会党是当时法国最强大的政党,并且在布鲁姆的人民阵线政府中起过主要作用。

第二次世界大战法国被德军占领期间,社会党参加了抵抗运动,并与戴高乐将军合作。战后社会党成为法国第2大党,1945年大选中得票超过20%。后来,在第四共和的几届联合政府中均有社会党参加,这些年中,在社会党的主持下,政府采取了若干重大的国有化行动。不过,其他党派势力的增长,使社会党失去了一些人的支持,1946年以后,它通常只能获得15%左右的选票。

在戴高乐的第五共和国时期,社会党陷入一片混乱,对于社会党应与左翼政党结盟还是与右翼政党结盟意见不一,导致党内分裂,并逐渐衰落。1969年总统选举时,仅获得5%的选票。同年,工人国际法国支部正式改名为社会党,1971年有了强有力的新领导人密特朗。社会党采取了同左翼大联合的战略,1972年与共产党和左翼激进党签订了共同纲领。尽管关系常常趋于紧张,这一联盟却导致左翼在1981年选举中的胜利。那一年社会党候选人密特朗当选总统。他的新政府对大多数法国的最大银行和几个大工业公司实行了国有化,并实行了增加工资和其他旨在重新分配财富、刺激经济增长和减少失业等措施的计划。不过这一计划很快对法国经济产生了消极结果,及至80年代中期,社会党人已从其原先的经济政策后退,转而支持一项节约方案。事情的进一步发展证实了这一趋势。90年代初,社会党似乎已经完全放弃原来的主张,不再强调国有化是保证经济增长和重新分配收入的途径。

Socialist Party(Italy) 参阅 **Italian Socialist Party** 意大利社会党。

Socialist Party(Japan) 参阅 **Japan Social Democratic Party** 日本社会民主党。

Socialist Party (Spain) 参阅 **Spanish Socialist Workers' Party** 西班牙工人社会党。

Socialist Realism 社会主义现实主义 从1932年至20世纪80年代中期盛行于苏联并为官方承认的文学创作理论与方法。对于该历史时期,社会主义现实主义是衡量文学作品的唯一标准。经过多年的争论,其定义和解释仍含混不清。社会主义现实主义继承了19世纪俄国现实主义的伟大传统,宣称创作必须忠实、客观地反映生活。但它在一些重要方面与先前的现实主义有所不同。托尔斯泰和契诃夫的现实主义不可避免地对其所描绘的社会勾画出一幅批判的画面(由此产生"批判现实主义")。社会主义现实主义的主要题材是建设社会主义和一个无阶级的社会。作家在描写这一斗争时,尽管可以承认社会主义社会有缺陷,但必须对它持积极、乐观的态度,并考虑到与之有关的更广阔的历史背景。塑造不屈不挠地克服一切困难或障碍的正面人物是社会主义现实主义的需要。因此,社会主义现实主义在这一点上又回到了浪漫主义,鼓励对人物或事件适当夸张和理想化,以便对群众的思想产生影响。按这种要求创造的许多正面人物,通常为工程师、发明家或科学家,全都缺乏生活真实性。在少数情况下,当作家深刻体验的经历与官方的原则吻合时,作品就是成功的,如苏联公认的最佳作品奥斯特洛夫斯基的《钢铁是怎样炼成的》(1932～1934)就是如此。奥斯特洛夫斯基是一个残废军人,32岁时逝世。书中主人翁保尔·柯察金在十月革命中负了伤,他克服身体的残疾而成为一名作家,写书激励重建祖国的人们。这位青年小说家的热情、诚挚和亲身经历使保尔·柯察金被写得栩栩如生、真实可信,而这正是社会主义现实主义塑造的许许多多的主人翁所缺乏的。社会主义现实主义还是苏联官方所倡导的担当着与文学相同的宣传和意识形态作用的视觉艺术的马克思主义美学。社会主义现实主义绘画和雕塑以写实的理想手法塑造工人和农民,将他们表现得英勇无畏、坚强不屈、肌肉结实和朝气勃勃。直至20世纪末叶苏联领导人戈尔巴乔夫所倡导的发生在苏联社会中的变革导致社会主义现实主义被放弃之前,它一直是苏联(及其东欧卫星国)公认的美学原则。

Socialist Revolutionary Party 社会革命党 俄国政党。在罗曼诺夫王朝统治末期,是社会民主工党的主要竞争对手。思想上承袭19世纪的民粹派,建于1901年,以土地社会化和建立联邦政府为主要纲领。该党搞过几百次政治暗杀,从未完全放弃恐怖策略(列宁在1918年也曾遭到社会革命党人的枪击)。在1917年二月革命和十月革命之间社会革命党是俄国最大的社会主义团体,社会革命党人担任过重要官职(如克伦斯基曾任司法部长和总理,契尔诺夫曾任农业部长),在临时政府中有很大势力。1917年11月立宪会议选举中,社会革命党赢得410个席位,布尔什维克只有175个,但在是年10月布尔什维克革命问题上,社会革命党内部意见分歧。其激进的左翼(左翼社会革命党人)组成一个分裂派,曾参加布尔什维克政府。1918年7月第五次苏维埃代表大会期间,社会革命党的代表被逐出会场。布尔什维克在内战中取得胜利后,社会革命党为列宁取缔。

Société, Îles de la (French Polynesia) 参阅 **Society Islands** 社会群岛。

société, vers de (verse) 参阅 **vers de société** 社交诗。

Société Générale 法国兴业银行 法国的大商业银行。1864年建立。经营一般银行业务、投资咨询、包销证券、外汇兑换和计算机服务。在世界各地有分行和联行。1946年收归国有。当时国家按前一年的立法接管中央银行法兰西银行,还有4家一流的商业银行。这些银行的资产与负债的总额占法国银行的半数。1972年其纽约分支由欧美银行信托公司接管。总行在巴黎。

Société Nationale des Chemins de Fer Français(SNCF) 法国国营铁路公司 英语作French National Railways。法国的国营铁路系统。法国在圣艾蒂安与昂德雷济约之间建成第一条铁路,1827年通车。1832年筑成从圣艾蒂安到里昂之间的线路。1840年全国有铁路约500千米,到1870年约有1.55万千米。以巴黎为中心发展了一个高度集中的铁道系统,有几条贯穿全国的干线,如里昂—南特、波尔多—里昂和加来—巴塞尔等干线。1938年成立法国国营铁路公司,接管私营铁路,成功地实现了该铁路系统的国有化。国家持有51%的控股权,给予大量的补贴。该公司在1981年开通巴黎至里昂间高速铁路,426千米的行程仅需两小时。

Société Nationale Elf Aquitaine (French company) 参阅 **Elf Aquitaine** 埃尔夫·阿奎坦公司。

Society Islands 社会群岛 法语作Îles de la Société。在南太平洋中部的法属波利尼西亚。长725千米,分为向风和背风两群岛。最大和最著名的是**塔希提岛(Tahiti)**。1842年为法国保护国。1881年为其殖民地。1903年属法属大洋洲。1946年设为法属波利尼西亚向风群岛和背风群岛两行政区。人口162 573(1988)。

Socinian 索齐尼派信徒 16世纪基督教理性主义派别的信徒,该派坚持意大利出生的在俗神学家索齐尼的思想。他们主张以理性主义的方法解释《圣经》,承认耶稣体现上帝,但耶稣仅仅是人,他虽具有神的职能并无神性,由此看来,索齐尼派反对上帝三位一体论。该派的一项中心教义是:肉体死亡时灵魂也就死亡,但是一向坚持遵从耶稣诫命的人的灵魂将要复活。该派也主张教会与政府分离。索齐尼派兴起于意大利,其根源在于L.索齐尼和他的侄子F.索齐尼的思想。后者于1579年定居在波兰,充任先已成立的小归正会(波兰兄弟会)的一位首脑。索齐尼经过一番努力,使小归正会接受了他自己的神学体系,该会在索齐尼到来以后的50年间兴盛一时,极盛时共有大约300处教堂。索齐尼叔侄在克拉科夫以北的拉科夫开办的大学成绩显著,并办有著名的印刷所印行大批索齐尼派书籍和小册子,于是该地即成为索齐尼派的学术中心。这个印刷所所出版的《拉科夫教理问答》(1655)被该派定为正式信纲。

但是,波兰议会为策应反宗教改革运动,于1638年查封了拉科夫的大学和印刷所,并于1658年勒令索齐尼派信徒遵奉天主教教义,否则即驱逐出境或处死。随后大批索齐尼派信徒逃往外国,主要是特兰西瓦尼亚、荷兰、德意志和英格兰,而索齐尼派即绝迹于波兰。索齐尼派的一些小群体在特兰西瓦尼亚和英格兰等地一直存在到19世纪,该派的思想对英格兰上帝一位论派的开创人比德尔产生了影响。

Socinus, Faustus 索齐尼(1539-12-05,锡耶纳[意大利]～1604-03-03,波兰卢克劳斯) 意大利语作Fausto (Paolo) Socini, Sozini或拼Sozzini。意大利出生的在俗神学家,他提

美国国会图书馆供图

出反对上帝三位一体论的学说,在这种学说的基础上形成了索齐尼派,日后上帝一位论神学的发展受到这种学说的影响。他是神学家L.索齐尼的侄子,未受过系统的教育,但很早就开始反对正统天主教教义。1559年受到异端裁判所的批判,流亡苏黎世直到1562年,在该地收到叔父的著作,这就是他的信仰的来源之一。他所发表的第一部著作是解释《约翰福音》的前言的,提出基督具有神的职能而并无神性。他于1563年返回意大利,在佛罗伦萨政府中任书记,12年间表面上遵奉天主教。他其后3年在巴塞尔研究《圣经》,随后撰写《救主耶稣基督》(1578年完成,1594年出版),此书是他最重要的著作。索齐尼前往特兰西瓦尼亚,试图说服上帝一位论派主教大卫不再坚持引起争论的反对崇拜基督的立场未能成功(1578～1579)。其后索齐尼定居于波兰的克拉科夫,该地附近的拉科夫是小归正会(波兰兄弟会)的中心,索齐尼在这个派别中发挥主导作用,终于成为该会的首脑,使它的神学打上了他的印记。索齐尼学说的中心内容是,人必须研读上帝所启示的《圣经》才能获得永生。他认为,基督是真实的人,但基督无罪,他以自己忍受苦难的榜样教导世人忍受自己的苦难;信仰并非仅限于

相信基督的道理为真理，信仰必然以悔罪和顺服上帝以达永生为结果。自 1587 至 1598 年索齐尼住在克拉科夫，1599 年愤怒的暴民图谋杀害他，于是他逃往附近的卢克拉维茨村，在该处度过余生。他的未完成著作《基督教信仰原理》可能就是《拉科夫教理问答》(1605)的基础，这份教理问答深入阐发了索齐尼的思想。索齐尼的著作于 17 世纪介绍到英格兰，强烈地影响了尔后的上帝一位论神学，特别是其中关于基督的位格和事业的内容。

Socinus, Laelius　索齐尼（1525-03-25，锡耶纳［意大利］～ 1562-05-14，瑞士苏黎世）　意大利语作 Lelio(Francesco Maria) Socini。Socini 又拼 Sozini。意大利神学家，他的反对上帝三位一体论的观点经过他的侄子 F.索齐尼发展，形成了索齐尼派的教义。索齐尼出身于法理学世家，曾在帕多瓦大学攻读法律，后转而研究《圣经》，逐渐怀疑天主教教条。21 岁到威尼斯，后来次第到瑞士、法兰西、英格兰和荷兰。1548 年定居于苏黎世学习希腊文及希伯来文；翌年与加尔文通信，讨论教义问题，后又在维滕贝格会晤德意志宗教改革家梅兰希顿。索齐尼所到之处，无不进行神学探索，特别注意圣事、恩宠、得救预定、肉体复活、悔改等问题以及原始福音的教义根据。有流言说索齐尼是异端，经过瑞士宗教改革家布林格的警告，他写出信仰自由(1555-07)，这份文件颇似正统，但仍不足以释异端之嫌。他在苏黎世度过余年。索齐尼是具有高度思辩能力的思想家，他固然没有提出十分明确的结论，但是，他的神学观点却存在于日后由他的侄子 F.索齐尼充分发展了的学说体系之中，后者曾受到他的强烈影响。

sociobiology　社会生物学　生物学的一个分支学科，其任务是系统地研究社会行为的生物学基础。美国生物学家 E.O.威尔逊于其著作《社会生物学：新的综合体》(1975)一书中宣传使用社会生物学一词。社会生物学试图根据自然选择和其他生物学过程来了解并解释动物(和人类)的社会行为。社会生物学的中心信条之一就是基因(以及基因通过成功的复制而实现的传递)是动物生存的主要激发因素，动物的行为方式必然使它们具有最多的机会可以将它们基因的复制品传递给后代。因为行为方式在某种程度上是遗传的，故此可以说自然选择的进化过程会促进一些行为特征(以及躯体特征)的形成，那些特征能增加个体生殖的机会。社会生物学在几个方面有助于了解动物的社会行为。它认为表现在某些动物物种的看起来是利他的行为，从遗传学的角度看其实也是自私的，因为这些个体虽然采取了利他行为，而通常得利的却正是那些具有与之极为相似的基因的个体。这种见解有助于解释为什么兵蚁牺牲自己的生命去保卫它们的群体，为什么蜜蜂巢中的工蜂放弃了生殖能力以帮助蜂王生殖后代。在某些情况下，社会生物学能解释某些动物物种雌雄行为之间的差异，认为这些差异的原因在于不同性别的个体必须采用不同的策略以将它们的基因传递给自己的后代。可是，当社会生物学试图用有利于生殖的适应价值来解释各种人类的社会行为时引起了很多争论。

sociolinguistics　社会语言学　对语言的社会学诸因素所作的研究。这门学科探讨语言在一个社团内部所起的维护社会职能的那种作用。社会语言学家企图将那些用于特定环境的语言特征同表示社会成员中不同社会关系及表示环境中各种能指因素的语言特征区别开来。在选择语音、语法成分和词汇项目等方面所出现的各种影响，包括年龄、性别、教育、职业、种族、同侪群身份及其他等等。例如，一个操美国英语者可能使用像“He don't know nothing”或“He does't know anything”(他什么事情都不知道)这样一些形式，这全取决于他的教育水平、种族、社会等级或阶级意识，同时也取决于他希望中的对交谈者所产生的效果等这些因素。在某些语言中，例如日语，它有一套复杂的体系，根据这一体系所使用的任何语言形式，都表示说话者对听话者的社会关系。社会方言展示许多具有社会意义的表达形式，可以判明说话者社会地位，这点在英国特别明显，那里的社会方言超出地区方言的界线。

sociology　社会学　一种人类行为科学，用以考察个人之间以及个人与群体之间各种社会关系之性质、原因及结果。社会学也研究社会风习、社会结构、社会制度以及个人在参加群体和组织时所受到的各种影响。

虽然对于人类社会的分析，早在古希腊时期即已成为西方思想的一部分，但在 18 及 19 世纪以前，这种分析并未发展成为现代科学。社会学同其他各种社会科学一样，也经历了一个发展过程。它最初不过是道德哲学的一个方面，而且是深受生物学说及进化论的影响的。比如早期的社会学家大都试图把社会机制同生物机体这两者相提并论，并尽力想把达尔文的进化论应用于对社会现象的研究。A.孔德虽早在 1838 年就创造出 sociologie 这个词用以概括这一对人类社会现象进行探讨的学科，然而几乎经历 60 年之后，社会学才获得专门科学的地位。19 世纪末，E.涂尔干把社会学的研究范围与诸如心理学和生物学迥然有别地予以分开。他认为，某些显然不同的社会现象的性质或“社会事实”等，例如群体感情和群体信仰、礼仪和规章制度等，都是产生于社会交往之中而不是见之于个人，同时这些“事实”又制约着个人的行动以及行为。

第一个高等学府设置的社会学系是由 A.斯莫尔于 1892 年在芝加哥大学创办的。到 19 世纪 90 年代末，许多教育机构都开设了有关社会学的课程。当时也出现了国际性的社会学研究团体和有关社会学论著的书刊。社会学作为一种科学体系，大大增强了其专门化地位和科学地位。时至今日，社会学已开始普遍应用于政府事务、企业经营、教育管理和社会服务中。

现代社会学拥有许多研究方法，而且常常是两种或数种方法同时并用。第一批把考察社会机构的性质及其对人类行为的影响作为研究课题的学者们是 R.默顿、T.帕森斯、P.A.索罗金以及另一些人。他们把这种方法叫做“(社会)功能-(社会)结构分析法”。帕森斯曾探讨过各种社会制度所赖以维持其存在的诸种条件，并且对各种社会结构根据其各自的特殊功能提出一套分类方法。群体动力学的研究领域是由 K.勒温开创的，他曾对诸如家庭和职业集团之类的小型社会单位进行研究，并把他所说的个人的“心理生活空间”和“社交空间”两者之间联系起来予以考查。

符号交感说见于 J.杜威、J.H.米德和 C.库利等人的著作中。此说认为个人的“自我概念”只是一种社交过程中自我对某些行为模式之适应或趋同的结果。经济决定论最初是社会学家 C.W.米尔斯根据马克思的思想提出来的，倡导“精英人物当权”之说。与此相反的观点则强调阶级矛盾产生于意识形态的差异，而其他条件则属次要。这一学说主要是由 K.曼海姆提出的。此后的发展便是试图把各种不同类型的数学分析方法用于对社会现象的研究。

现代社会学研究中有若干主要课题，课题之一便是如何寻找出更为精确、更为行之有效的方法论来。早期的社会学家们倾向于先设论再求证，或是凭借可能致误的材料去进行论证。到 20 世纪 20 年代，R.E.帕克提出一种更着重于归纳法的研究模式，主张理论应由一大堆精心整理好的信息资料中提炼出来。现代社会学家们应用几种方法进行研究，其中有对照实验法、直接和间接观测法以及统计学分析法。

sociometry　社会测量　建立在对社会选择和人际间亲疏关系进行评估基础上的一项测量技术，被广泛用于社会心理学、社会学、社会人类学和精神病学等学科领域。奥地利出生的精神病学家 J.L.莫雷诺提出此概念，并把它用于研究和临床治疗实践。社会测量一词现有多种含义，通常是限指对那些优选的人际关系进行的定量处理，但有时也用于所有类型的人际关系。应用重点是心理学和社会学。具体方法是：让每一位集团成员选指他所愿意(或不愿意)与其共事的人选；并藉此来评估该集团内部的亲疏状况。人际关系测量设有多种科目，以适用于不同的测量目的。为衡量一个人在处理人际关系方面的能力，人们现又引入一个所谓社会测量指数的概念。这方面的研究主要包括：领导能力、社会调适能力(人际交往范围从极小到极广)、社会测量指数和其他人格特征、性格是否“合群”以及智力因素之间的关系、对少数派的态度等。

sockeye salmon（*Oncorhynchus nerka*）　**红大麻哈鱼**　又作 blueback salmon 或 red salmon。鲑科北太平洋食用鱼类，体无斑，重达 3 千克。该鱼分布于白令海北部至日本及从阿拉斯加向南至加利福尼亚一带。可洄流 1 600千米上溯河流到湖泊或支流中产卵。其幼鱼可留在淡水中生活 3 年。在北美洲，红大麻哈鱼曾在哥伦比亚河及弗雷泽河中被捕到。科卡尼鲑(肯纳利氏红大麻哈鱼，*O. n.*

雄性红大麻哈鱼(*Oncorhynchus nerka*)
供图:Jeff Foott—Bruce Coleman Inc.

kennerlyi)体型小为非洄流性淡水鱼。参阅 **salmon**。

Socorro 索科罗 美国新墨西哥州中部城市,索科罗县县城(1852)。临格兰德河。原为印第安人村庄。后西班牙人到此。1680年普韦布洛暴动期间曾被废弃。1817年重新有人定居。1867年发现银矿,1880年通铁路时为该州最大城市。1889年建立新墨西哥矿业学校(今采矿技术学院),这些均有利于当地的发展。现经济以采矿、牧场、灌溉农业为主。有少量轻工业。为白沙导弹发射场北端的供应点,以及前往山地风景区旅游的基地。人口8 159(1990)。

Socotra 索科特拉岛 又拼Sokotra,阿拉伯语作Suquṭrā。也门岛屿。位于印度洋,在也门东南约340千米处。面积3 600平方千米。是群岛中的最大岛。内陆有海季希尔

索科特拉岛上的主要居住地——海季希尔山脚下的哈迪布镇
供图:Picturepoint, London

山,北岸平原狭窄;南岸平原较宽。西面和西南面是较小的萨姆哈岛、代尔宰岛和阿卜杜勒库里岛。均属也门。诸岛立于珊瑚洲上,可能曾与非洲及阿拉伯大陆相连。有几种植物颇著名,如没药、乳香、龙血树等。马赫里苏丹长期统治该岛。1967年苏丹国覆灭,该岛成为独立的也门(亚丁)的一部分。居民多从事捕鱼、采珠和小规模农业,内陆的游牧民饲养牛和其他牲畜,还种植一些农作物。出口货物有酥油、鱼和乳香。北岸的哈迪布是该岛最大城镇和首府。人口:哈迪布城镇约51 000(1984)。

Socrates 苏格拉底(公元前约470,雅典[希腊]~前399,雅典) 活跃于公元前5世纪后50年的雅典人苏格拉底,在古希腊三大哲人——苏格拉底、柏拉图和亚里士多德中的第一人。他们共同奠定了西方文化的哲学基础。正如西塞罗所说,苏格拉底"把哲学从天上传到了人间",即从爱奥尼亚和意大利的宇宙研究者对大自然所作的玄想引入对人类生活的特性和行为的分析,他从原初的灵魂论角度对后者进行了评估。由于他生活在伯罗奔尼撒战争的混乱时期,道德价值遭到腐蚀,苏格拉底感到有必要通过劝导人们"认识自己"和努力探索道德和人道主义术语的含义,去支撑当时生活中的伦理局面。

生平 苏格拉底生于萨拉米斯战役发生10年之后。其父索弗若尼斯库斯是提洛同盟的建立者公正的阿里斯提得斯家的朋友(通过提洛同盟雅典帝国才得以产生)。有关他父亲是一个雕刻匠的传说来自柏拉图将神话式的雕刻家代达罗斯说成是苏格拉底的祖先或职业传承关系的论述。尽管这位哲学家的母亲斐娜拉底是一个"助产妇",但这一事实对她社会地位的高低并没有作出任何暗示。

回忆录作家伊安提到他本人曾见过苏格拉底在萨摩斯与安那克萨哥拉(雅典第一位哲学家)的弟子哲学家阿基劳斯在一起,时间大约是在公元前441～前439年发生一系列战役期间。音乐学家亚里士多塞诺斯也肯定这两个人之间有交往,因此,以亚里士多德的继承人泰奥弗拉斯托斯的著述为基础的后世各家的纪事之作也称苏格拉底为阿基劳斯的"门徒"。

按照军事历史学家色诺芬的说法,苏格拉底与那一时期主宰雅典的伯里克利集团中的头面人物(阿斯帕西娅、亚西比德、阿克西奥丘斯、卡利亚斯)很为亲密。苏格拉底对话录的两位作者柏拉图和苏格拉底派埃斯基涅斯都同意色诺芬的这一说法。色诺芬也同意柏拉图所说的苏格拉底对几何和天文学都很精通。对苏格拉底的这种描述与柏拉图在《斐多篇》以及剧作家阿里斯托芬在滑稽剧《云》中的记述都相符合。

当阿里斯托芬和阿米普西阿两人在公元前423年将苏格拉底写入他们的喜剧中时,苏格拉底此时在雅典必定已成为一个惹人注目的人物,而且,由于他们对他的贫穷特别加以强调,他那时多半刚刚遭受过经济损失(柏拉图在其《辩诉篇》中讲到过,苏格拉底老年时惊人的贫困可能是由于他执着地认为自己对人类负有特殊使命所招致)。

苏格拉底显然是在晚年与桑娣帕结婚的,她为他留下3个儿子,其中一个年尚幼。色诺芬谈到过桑娣帕的坏脾气;但是,没有证据表明她是一个"泼妇";根据亚里士多德的说法,他的几个儿子都没有什么出息。

从苏格拉底的经历看,他的忍耐力非常突出。他可能曾在萨摩斯(公元前440)和在伯罗奔尼撒战争期间的一些驻地作为铠甲兵服役。(在波提狄亚,他曾救过亚西比德的命)。他从不参与政治,正如他对他的审判者所说的那样,做官将意味着损害他的原则。但至少在公元前406～前405年间,他曾作过500人立法会议的成员;在对阿吉纽西战役的胜利者进行审判过程中,他起初是在同事的支持之下,随后则是孤身一人始终反对以集体裁决方式判处将军们有罪的违宪行

那不勒斯国家考古博物馆供图

为;公元前404年,在雅典的三十僭主独裁期间,当三十僭主打算对一些正直人士起诉,并命令苏格拉底和另外4个人去抓捕受害者之一的莱昂时,他又表现出同样的勇气,拒绝执行此项命令;根据柏拉图的《辩诉篇》记载,他曾说过,要不是由于第二年发生反叛,这件事也许会让他丢掉性命。

公元前399年,苏格拉底被控告有"渎神"罪。起诉人是在公元前403年反叛中被复位的两位民主派首领之一,很有影响的阿尼图斯,但名义上的起诉人则是著名的小人物米利图斯。罪名有两点:一是"腐蚀青年",二是"藐视城邦崇拜的诸神以及从事稀奇古怪的宗教活动"。苏格拉底以不屑一顾的态度对待这种指控,作了相当于承认确有其事而且作了认为此事正当有理的"辩护",因而(或许是)以280票对220票被判决有罪。原告要求判他死刑,但当时判刑的轻重取决于被告是否提出反建议。假若苏格拉底同意付出一笔尽管数目不太大但也达到一定数额的罚金,本来是可以做得到的。然而苏格拉底却采取强硬立场,反而说自己其实是公众的大恩人,应该作为对社会有益的杰出人士而受到国家供养的待遇。他仅仅同意形式地付出1个米纳的微小罚金(后来在朋友的恳求之下才加到30个米纳)。

苏格拉底声称自己是公众大恩人的说法激怒了法庭,死刑判决以更多数赞成票被通过,而苏格拉底却宣称他对此非常满意。按照雅典法规,被判死罪的人要在24小时内"服毒"自裁,但在苏格拉底一案中,由于每年派往提洛岛的圣船未能如期返航,而圣船未返回期间照规矩是不容许执行死刑的,这意外的耽搁使对苏格拉底执行死刑的时间拖延了1个月。在此期间,他仍被关押在狱中,每日接待朋友并以他惯常的方式同他们交谈。他的朋友克里托策划他越狱逃走,但被苏格拉底拒绝,理由是:对他的判决虽然有违事实,但这是由一个合法的法庭作出的,因此必须服从。他最后一天服毒的故事在柏拉图的《斐多篇》中有细致的描述,柏拉图自己虽然不是目击者,但他与当时在场的许多人都保持着紧密的联系。

主要资料来源 苏格拉底没有写过什么

著作，因此，有关他的人品和学说的资料主要见于柏拉图的若干篇对话录和色诺芬的《回忆录》。由于这两个人都比苏格拉底年轻近45岁，他们能够通过第一手资料讲述的也仅限于苏格拉底最后10～12年之间的生活。

色诺芬与苏格拉底的关系看起来并不是那么亲近，有人怀疑有关苏格拉底的资料是他从柏拉图的著作中得到的。色诺芬被公认为缺乏想象力和思考能力，他未能将苏格拉底这位哲学天才描述得更加可信。此外，色诺芬在其论述中倾全力为苏格拉底申辩的用心，也使其论述的可信性打了折扣。他最有价值的论述是那些看上去和其著作的主题有极大分歧的部分，就是说，论述表明，即使从起诉者们自己所持的观点来看，对苏格拉底的起诉也是把事情弄错了。

由于柏拉图习惯于将苏格拉底作为他自己理论的“传声筒”，因此他对苏格拉底所作的那部分最为生动的描绘往往受人怀疑，例如关于“理念”的理论或者关于“形式”的学说都被人认为是柏拉图自己提出的。但也很有理由否定这种假设，虽然这些理由还没有使许多学者信服。然而如果不进行深入细致的研究就用这些理由来否定柏拉图的描述，那就是用尚待证实的问题作为已然得出的结论来提出论述了。

柏拉图的描述的某些重要方面在现今仍存世的埃斯基涅斯有关苏格拉底的著作中得到证实。阿里斯托芬的《云》，尽管是滑稽剧，肯定对剧中人物有所夸张，但还是提供了有关苏格拉底40岁以后中年时期有价值的资料。我们应该把它和《斐多篇》中借苏格拉底之口所作的自传性叙述加以认真的比较；尽管不是“同时期的见证”，《斐多篇》却显然带有柏拉图对其导师的心智史表达自己真诚信仰的意义。然而不论从什么方面来解释这种证据，在柏拉图的多篇对话录中都可以看到柏拉图式的苏格拉底观点，而这类观点即使从其自身的分量来评判也是有价值的。因此，本文以下的论述将着重从柏拉图的对话录作为描述苏格拉底的主要资料来源。

个人特色 虽然苏格拉底是一位优秀的斗士，但他的外表却非常丑陋，既矮又胖、突眼、扁鼻、阔鼻孔和大嘴，看上去十足是个奇丑的森林之神塞利纳斯。但是正如他的朋友们所了解的那样，他“内心非常高尚”“是当时最为正直的人”（柏拉图，《第七封信》[324e]）。苏格拉底的自我克制力和忍耐力堪称楷模；“他把自己磨炼到十分清心寡欲，以致他那颇为清寒的财力便能满足他的一切物质需要”。

然而苏格拉底并不是一个自我折磨的禁欲主义者；他“既知道如何甘守清贫，又懂得如何过富裕生活”，能够在寻欢作乐的聚会上成为欢闹的中心。他绝不欣赏友人安提西尼的懒散，也十分厌恶毕达哥拉斯（数字哲学家）的追随者们假装出来的那种貌似不食人间烟火的不修边幅。苏格拉底看待其同胞的愚蠢行为乃至犯罪行径，既没有表现出那种以正人君子自居的假清高，也没有尖刻之徒的那种愤世嫉俗。不仅要提高自己的道德修养，更要促进自己的同胞从善向上，是“上天”赋予他的任务，这是苏格拉底终其一生都深深怀有的信条；但是，这种职责是不能用冷面孔和斥责的声音来履行的。正如圣方济各·沙勿略那样，苏格拉底懂得要赢得人们的心，必须成为他们“志趣相投的伙伴”。由于意识到自己也有种种弱点，所以他对行为不检点的人有着深刻的同情。

苏格拉底是一个真正的爱国者，他感到他能坚决地拒绝那些当时流行的貌似正确而其实却是完全虚伪的公共和私人道德的种种诱惑，便是自己对雅典忠诚的最好证明。当雅典人对他进行审讯并以死相威胁时，他的公民义务感阻止他在审讯之前或之后以流亡来逃避审判。正是他的强烈的爱国主义感情驱使他对雅典“民主制”进行了严厉的批判，并因此而导致自己被判死刑。

苏格拉底对人类的天性和行为的喜剧性具有一种非同一般的敏锐理解，在他的性格特点中，这一点最为显著。这使得他既不至于感情至上，也不至于愤世嫉俗。这就是在柏拉图著作中他的反对者称之为苏格拉底之“冷嘲”并认为令人十分反感的矫饰之作。“在智力上他是他那个时代才思最敏捷的人，但他和别人在一起时却往往表现得像是所有在场人当中头脑最迟钝的一位。在道德上他最为纯洁，但他却时常装作是情欲的奴隶”（W.H.汤普逊语）。毫无疑问，这种“冷嘲”式的表现，在一定程度上是“有意做作的”；它“先摆出准备受嘲笑的样子以使自己不被人嘲笑”。但是这种态度主要产生自一种天生的幽默感，这使得他反对一切道德上的或思想上的装腔作势，而且，可以确定的是，尽管苏格拉底的纯洁无需怀疑，但他确实具有炽热的倾心于男女之情的性格。

宗教信仰 苏格拉底显然是一位性格令人难以理解但却极为虔诚的人。他认为，包含着关于天上诸神的种种荒唐而猥亵的故事的神话其实纯粹是诗人的虚构之说。但他又认为，就实际行为而言，一方面，他自己可以对作为世界统治者的天神怀有强烈的信仰，另一方面，这种信仰的礼拜方式又可以遵循“城邦的老规矩”行事，把这两者结合起来是很容易的。在他看来，“神的存在”不仅可以用上天安排的自然界森罗万象的秩序以及他自己内心中无处不在的对神的信仰来证实，还可以通过梦、征兆和预言所给予的警告和启示而表现出来。人的灵魂带有神性，而且正如柏拉图在《斐多篇》中所提出的，苏格拉底相信灵魂的不朽。阿里斯托芬将苏格拉底塑造成“不信神”的物质主义者和神秘地私下笃信神祇的圣师结合体，并在《鸟》一剧中把他描绘成为欺诈性降神会的主持人。而色诺芬则说，虽然苏格拉底相信只有天上诸神才知道什么是对人有益的，他的祷告必定是非常简单的一句话：“神啊，请赐予我有益的东西吧”，但他还是定时祈祷和供奉祭品的。从柏拉图的作品中可以明显看出，苏格拉底对毕达哥拉斯和俄耳甫斯的宗教思想非常熟悉（例如关于神的起源和灵魂命运的学说），尽管他对那些专门贩卖俄耳甫斯神秘主义的凡夫俗子持正当的轻视态度。

说苏格拉底的性格具有明显的“神秘”色彩有很多根据。柏拉图谈到过苏格拉底往往令人惊奇地表现得“失魂落魄”的若干事例，其中之一是说苏格拉底曾经在战壕里呆呆的站立了24小时之久。有关这位哲学家表现出“神的迹象”的各种记载，也都提到了同样的故事。按照柏拉图所言，苏格拉底从孩提时代起就经常听到一种“声音”。这种“声音”告诫苏格拉底不要去做某些事，但从未给予过他正面的鼓励。据柏拉图说这仅仅显示了运气好坏的预兆，而发生此种情况的诱因时常是“琐碎的小事”，因此，这种“声音”既不是直觉也不是精神错乱的征兆，而是内心的聆听。

生活方式 苏格拉底似乎总是在街道上、市场上，更特别的是在运动场上消磨时光，他不喜欢农村。尽管他经常喜欢和那些有作为的青年人聚会，但他又常常无拘无束地和政治家、诗人以及工匠们谈论他们的各种欲求，他们的是非观以及他们感兴趣与熟悉的种种话题。所有这些谈话的目的都是为了检验德尔斐神庙中宣称他是世上最聪明的人这一著名的阿波罗预言。这个论断是在苏格拉底意识到自己对雅典同胞负有神圣使命之前作出的；即便是在那段早年时期，据说他在对智慧有兴趣的学人圈子里也已经有了最高的声望。（这个时间之早可以由以下事实来证实：来自麦加拉的爱利亚学派和底比斯及弗利奥斯的毕达哥拉斯学派这些受业于苏格拉底的学子，必定是早在伯罗奔尼撒战争爆发之前就和他建立了联系。）

苏格拉底认为自己有义务指出虚伪性之受到“尊崇（神化）”的错误。但是当他发现那些自以为聪明的人并不能以任何前后连贯的方式来表达他们的智慧时，苏格拉底便只能承认他比其他任何人都聪明，而这正是因为唯有他才认识到自己的无知。这种表达方式明显地带有一般的“反调”色彩。苏格拉底对德尔斐神庙的预言看得非常认真，以致要尽力去探究这一预言的真正含义。他确信他自己负有天上的神委托给他的使命，要他设法让自己的同胞认识他们的无知和那些对灵魂有益的知识的无上重要性。他说过他宁愿立即面对死亡也不愿忽略他自己的使命，这番话证明了他的自信。

这种使命感给他造成的贫困和生活方式的节俭是闻于远近的。他无论寒冬酷暑，都穿着同一件外衣；他既没有鞋子也没有衬衫。“一个奴隶如果得这样生活也会逃跑的”，智者派的安梯丰说。这种强加给自己的苦难生活是苏格拉底追求精神独立的代价。

然而，对待苏格拉底这种思想的态度是形形色色的。那些被他犀利的批判揭露了虚假面目的伪君子们对他满怀恶意；许多人则认为他是一个过于爱管闲事的家伙。在年轻人当中，很多人则因为看到他们的长辈被苏格拉底驳得哑口无言而觉得开心，而另外一些人，例如亚西比德和克利底亚这些“出于个人目的”而有意追随他的人，却是为了要从这位谈锋如此犀利的推理家那里学到辩论技巧的秘密，以便为日后到法庭、议事会和民众大会上大显身手作最好的准备。还有一些人则真诚地希望通过与苏格拉底交往而成为正直善良的人，能够对家庭、家族、亲朋好友、城邦和同胞履行自己的义务。此外，还有一个更加深入地理解苏格拉底的思想并把它们传给下一代的内部小圈子。可是,这些人都不是由一种共同的理论结成一体的他的"弟子"。把他们联合在一起的纽带是对一位伟人的智慧和性格共同持有的尊崇。主要也正是这一群人——他们很多是来自最近那场战争中雅典的敌国——在苏格拉底被处死的那一天聚集在他的身旁。

罪名及受控原因 对施加在苏格拉底身上的攻击的解释是简单化了的。他被指控与克利梯阿斯和亚西比德这两个人有亲密的友谊关系,而这两个人的所作所为则是民主派所深恶痛绝的:克利梯阿斯是公元前404年恐怖统治派中最凶狠的人物;亚西比德的任性则是雅典帝国衰落的主因。在审判苏格拉底数年后由智者派的波利克拉特斯写的小册子在历数判决的理由时突出了苏格拉底"曾经教育过亚西比德"这一条罪状。半个世纪之后,演说家埃斯基涅斯还提醒他的听众:苏格拉底被判处死刑是因为他被认为当过克利梯阿斯的老师。事实上,让苏格拉底对亚西比德的野心负责是荒谬的,而且正如苏格拉底告诉法官的,他曾以自己的生命冒险抵制克利梯阿斯及其同伙的非法命令。但是,苏格拉底不得不为这两个人的罪过而受牵连是很自然的,尤其是他曾经对民主政治和著名的民主派领导人持严厉批评的态度,而且没有像一些有名望的民主派那样在"恐怖统治"时期从雅典撤退。

事实是,人们怀疑苏格拉底曾利用他的伟大才智和天赋使他的年轻朋友们不再效忠于民主原则,而那些在公元前403年光复了雅典城的坚定的民主派们是不情愿(正如伯内特所说)"听任他们的工作由反动势力来摆布"的。因此,正直而不聪慧的民主派阿尼图斯的思想动机也就很容易得到解释了:在他看来,苏格拉底充其量也只是一个温和的寡头统治者而已,而民主派对那位曾经尝试把民主和寡头统治调和起来的政治家赛拉门尼斯的所作所为记忆犹新,因此不能指望他们会在温和的寡头统治者和叛国分子之间作出很好的区分。

由于已经颁布结束这次斗争的大赦令(阿尼图斯本人就是大赦令的主要倡议者),因此,指控苏格拉底的真正原因便不能在起诉书中披露,而只能采取含糊的"腐蚀青年"的措辞。或许出于同样的原因,阿尼图斯羞于在此案中以主要指控人的身份出现,而把不知名的米利图斯推上前台,因为此人可以在"办事轻率"的掩护下更加肆无忌惮地提出对苏格拉底的指控。如果这位米利图斯就是曾经以"渎神"的同样罪名指控过安多喀德斯的那个同名者,他一定是个弱智的狂热分子——而这一点或许可以解释何以又会给苏格拉底加上亵渎神祇的罪名。色诺芬认为"渎神"罪名所暗示的是那些"神迹",但是这不正确。在起诉中米利图斯没有谈到"神迹",当苏格拉底假意猜想判决书中提到的"宗教上的新奇花招"是指"神迹"时,他是在用他"惯常的反调法"讲话的。据《辩诉篇》记载,苏格拉底说过起诉书无疑是由于自己大谈"无神论"而形成对研究科学的人们嘲弄的一部分才造成的后果,这一事在阿里斯托芬的剧作《云》中有所反映,可以为证。

但是,在这些指控的背后肯定还有内情。看起来很像是起诉安多喀德斯"渎神的神秘祭礼"这件过去的丑闻此时又被人记起,那件丑闻曾经使雅典在公元前415年发动西西里远征前夕发生了骚乱。而这件事的两个主要受害者亚西比德及其伯父阿克西奥丘斯又都是苏格拉底的密友,因此有理由认为他的其他朋友也受到了影响。如果这就是指控背后所隐藏的全部内容,那么就可以理解为什么判处苏格拉底死刑的真正用意从没有被解释清楚:因为从大赦令的角度来看,这些指控并不在法庭的审判权限之内。

苏格拉底本人对整个事件抱一种轻蔑的态度。他的辩护词包括对他自己已往生活的回顾,其中的若干事实证明他同样乐于为了正义和法律而拂逆众意和反抗三十僭主,证明上天赋予他的使命的真实性以及他履行这种使命的决心,甚至不惜以生命为代价。起诉者本来并没有要苏格拉底真的被处死的打算,他们指望被告能在举行公开审判之前自愿提出不诉诸法律而私下了结;判他死刑的建议也只是为了确保达到这一目的而提出的。是苏格拉底自己激化了事态:他自始至终拒绝作出哪怕是最小程度的妥协。起诉书提出了这样一个问题:苏格拉底究竟是一个卖国贼,还是像他自己所认为的那样是一个神的使节;苏格拉底认定法官对这场争端应该无可推诿地给予直接的裁决。这就是为什么不仅苏格拉底使自己成为一个殉道者,而且我们也不能称阿尼图斯是凶手的原因。

学说与方法 苏格拉底是伯里克利时代的人,这个时代是周期性发生"科学破产"的时代之一。从公元前6世纪开始就一直进行大胆探索的宇宙论玄想,这时似乎已导致产生一种各个思想体系并存互相冲突的混乱局面。爱利亚学派的唯理论者巴门尼德指出,真实的世界一定与感觉所展现的一切完全不同,因此,用我们熟悉的事物作类推法推导对世界的解释从本质上讲也是虚伪的;这样一来,巴门尼德便显然使科学丧失了一切立足的基础;他的学生,爱利亚学派的芝诺似乎也已经证明甚至数学公式相互间也是矛盾的。因此,像智者派的普罗塔哥拉和高尔吉亚这样一些最杰出的学者都纷纷放弃了对科学的追求,不再关心真理,转而追求人世生活的成功。

苏格拉底年轻的时候曾经对"自然科学"深感兴趣,致力于学习当时流行的各种思想体系——他通晓米利都人的宇宙论的大地扁平说和意大利人的地圆说,并且熟知芝诺提出的关于"单元"的数学难题(即连续性问题)。当时完全不存在批判性的研究方法。苏格拉底曾一度希望从安那克萨哥拉的学说中求得帮助,这一学说认为"心"是一切宇宙秩序的根源,因为这种学说似乎意味着"万事万物都安排得最合理想",而世界则是一个合理的有目的的系统。但他在仔细阅读安那克萨哥拉的著作时,却发现这位哲学家并未把这一理论作任何有效的运用,而且其理论的细节也和其他人的学说一样,充满了随意性和武断性。

苏格拉底的"前提"说 失望之余,苏格拉底决心改弦易辙,在思考问题时主要不是从"事实"出发,而是从人们对"事实"所作的"陈述"或"命题"的逻辑入手。苏格拉底的方法是:可以从对某一特定主题来说似乎是最令人满意的"前提"或命题入手,然后再去研究由它推出的结论。如果这些结论是真实的和前后一贯的,则其"前提"也可以暂时认为获得了证实。但是不能把对"前提"推断出的结果所进行的研究和证明该"前提"之真实性的证据混为一谈。真实性问题只能通过从某个更具有终极意义和更加普遍地为人所公认的"前提"所演绎出最初的"前提"(作为推导的结果)来解决。

"形式"理论 据柏拉图说,苏格拉底随后又进而提出他自己的一个根本性的"前提",即:每一个具有明确意义的名词(例如"善"、"美"、"人性")都直接代表着该名词所指的对象,这类对象是无法通过感觉器官来认识的,而只能为思想所理解。这样的对象苏格拉底称之为"理念"或"表相",亦即一种"形式"。被人们认为具有美、善、人性等属性的可感知的事物只具有从属的和派生的真实性;它们按照所"参与"的不同的"形式"暂时地化为这个或那个具体的事物。

19世纪的学者们通常都认为"形式"学说是在苏格拉底死后由柏拉图有意识地设想出来的。这一观点的主要论据以亚里士多德的一种说法为基础。在亚里士多德看来,苏格拉底恰恰没有像柏拉图所做的那样(如这种理论明显地表示出的),将一般与特殊"区分开来"。不过,亚里士多德这句话的意思也可能是说,《斐多篇》中介绍的苏格拉底的这个理论本身并没有涉及他在柏拉图理论中所反对的"那个区分"法。另一方面,这种理论在《斐多篇》中被明确指出是苏格拉底"时常"反复论述的一种人们所熟知的理论;因此,如果柏拉图所说的这种情况是不真实的,就很难理解柏拉图如此故弄玄虚的目的何在,也就更难理解柏拉图如何能指望这种说法能令人信服,特别是《斐多篇》中提及的大部分人物当时都肯定活在人世。但是,如果柏拉图所说的这种情况是真实的,人们又必须准备承认另一种可能,即柏拉图在《会饮篇》和《理想国》中也盗用了苏格拉底的思想,因为在这些作品中,柏拉图都提到了一种最高"形式",亦即"美"或"善"的形式,对它们的展望则是所有富有智慧的冥想所要实现的远期目标。可惜的是,把苏格拉底的和柏拉图的理论完全区分开是不可能的。

逻辑方法 在逻辑方面,柏拉图和色诺芬两人都认同亚里士多德的评价:苏格拉底在逻辑学方面有两大贡献,即"归纳法"和"一般定义法"。"一般定义法"试图为一个具有普遍意义的述语提供精确的含义——亦即试图理解《斐多篇》中叫做"形式"的那种东西。而这来源于苏格拉底的实践,他总是致力于对道德述语的意义作出思想上的清晰认识,把这视为改善自身行动实践的一个首要的和不可缺少的步骤,于是,柏拉图和亚里士多德所介绍的那种苏格拉底式的逻辑区分法和定义法的理论就此产生。

"归纳法"意味着一种具有苏格拉底特色的努力,即力图研究一些简单而具体的突出事例,来找出上文所说的那种精确的定义,亦即有关"鞋匠、木工和漂洗工"的那些永无休止的争论,而这种争论则被柏拉图著作中那些赶时髦的演说家们视为粗俗不堪。从这一角度来看,"归纳"并不被看作是一种证明的方法;就其作用而言,"归纳"是一种提示的方法:它把所提出的"定义"的含义有力而清晰地置于人们的心灵之前。因此,对定义的论证只能从接受该定义之后推导出的"结果"令人满意的程度上去寻求。苏格拉底自己主要是在他最感兴趣的领域里寻求他的"定义":正如亚里士多德所说,他所关心的是个人和公众的"伦理性"品质和行为,而不是笼统的"大自然"。

伦理学和政治学 在苏格拉底的治学中,哲学的中心问题,从对宇宙研究转向了对生活准则的制订,转向了"理性的实际应用"。正如《辩诉篇》中所叙述的,苏格拉底带给其信从者的来自神的具体信息,是要人们"关心"或"照管好"自己的灵魂,使"自己的灵魂臻于至善"——实际上是要"使自己的灵魂像神那样完美",而不要像大多数人那样,不去先关心"灵魂"而先关心自己肉体的享受或"财产",以致毁灭了自己的生活(因为"灵魂"或"心灵"才是人的最真实的自我)。

苏格拉底的灵魂观与荷马和爱奥尼亚人的看法形成鲜明的对照,后者把灵魂看作是"生命的呼吸",当人"自身"亦即他的身体死亡时,灵魂也就消失了。苏格拉底的观点也完全不同于深受俄耳甫斯型宗教影响的那些学者圈子里流行的观点,在后者看来,灵魂只是一种松散地栖息于人身体上的局外人,它"在身体活动时休眠,但在身体睡觉时醒着";在公元前4世纪,灵魂逐渐被看作是标准的活的人格,是性情与智慧的中心,正如在柏拉图著作中"引证"苏格拉底所说"正是凭借于此,我们才被称作聪明人或笨人,好人或坏人"。对灵魂一词的这种用法第一次出现在被认为是受过苏格拉底影响的作家们(伊索克拉底、柏拉图以及色诺芬)的笔下,确实可以归因于苏格拉底的影响。因此,灵魂就是人本身。

在苏格拉底看来,人的幸福与否直接取决于灵魂的好坏。人人都希望追求好的东西,亦即真正的幸福。但是人们往往会与幸福失之交臂,这是因为他们不懂得什么是幸福。他们往往把并非真正好的东西误认为是真正的好东西(例如无限制的财富与权力)。在这个意义上讲,"所有坏的行为都非出于故意"。人们需要知道什么才是真正好的东西,并且不要把它和其他任何东西相混淆,以避免错误地使用力量、健康,财富或机会。如果一个人有了这种知识,他就会一直按照这种知识来行动,因为如果不这样做,就等于是宁愿要已知的痛苦而不要已知的幸福。例如,如果一个人确实知道犯罪要比蒙受损失、伤痛或死亡还要坏,对这些事情的恐惧就不会导致他犯罪。按照职业智者派的看法,"善"是中性的"成就",始终可以有两种用途,一种是用于做好事,一种是用于做坏事。与此对照,在苏格拉底看来,对善的认识是一种不可能有坏用途的知识;一旦掌握对善的认识,便可以保证这种知识总能被恰当地应用。因此苏格拉底便成为——与普罗塔哥拉的道德相对主义不同——建立在一种幸福概念基础之上的绝对道德学说的奠基者。这种幸福不是雅典人或斯巴达人乃至希腊人的幸福,而是人之作为人本身,作为全体人类一分子的幸福。

苏格拉底从这一观点出发,认为政治学所研究的就是政治家们的一种任务,即要"关心"所有同一城邦公民的灵魂,使他们达到"尽可能的完善"。对善的认识也是一切政治艺术的基础。在苏格拉底看来,古代民主制度的根本缺点就在于将社会置于一些既无真知灼见又无专门知识的人们的手中。然而,苏格拉底主要的批评点却在于:虽然民主政治中的某些部门只能从有资格的专家们那里听取意见,但是在道德和正义的问题上,真正的民主政治却应该对一切公民的意见都一视同仁地予以重视。

在苏格拉底看来,就连地米斯托克利或者伯里克利这样的人显然也不具有真正政治家的知识:他们给予民众的是能够刺激起物质欲望的一些东西,例如一支海军或一个繁荣的商业贸易;但是由于他们未能促进社会的"公正之心和节制精神",未能促进全体民众的精神健康,他们都算不上是"国家的医治者"。苏格拉底坚持认为,只有他自己才配享有政治家的称号,这是因为他懂得:唯有认识到什么是绝对的善,才是保证一国人民繁荣与幸福所必需的和足够的条件,而那些当政者们则不懂得这一点。实际上,柏拉图的《理想国》完全可以被看成是一幅在苏格拉底信条治理下的社会生活的写照。《理想国》中描绘的各种具体管理措施究竟在多大程度上实际体现了苏格拉底的信条,需要费很大的功夫才能讲述清楚。然而有意义的是,埃斯基涅斯的剧作《阿斯帕西娅》中的苏格拉底却被描绘成在捍卫柏拉图的一条"悖论"(即妇女在处理战争和政治问题)方面具有惊人的能力。

苏格拉底曾经对后来被称为"小苏格拉底派"的一批人产生过暂时的影响,在这些人当中,最为重要的是雅典的安提西尼和麦加拉的欧几里得,后来的麦加拉学派和犬儒学派和这两个人有很深的关系。但是苏格拉底主要是通过对柏拉图的影响而使自己的努力产生了名垂后世的丰硕成果,柏拉图继承了他的思想,并在自己的一生中把这种思想继续发扬光大。

Socrates 索克拉蒂斯(约380,君士坦丁堡~约450) 拜占廷教会史学家、法律顾问,第一个撰修教会史的在俗信徒。所著《教会史》是4～5世纪教父时期基督教史的不可或缺的文献资料,书中引证浩繁,为中世纪拉丁教会提供了有关早期基督教的重要情况。此书现存第2版完本,分7卷,述那段时期中的宗教及世俗史实。每卷对应东罗马帝国一代皇帝在位期间,起自君士坦丁一世(324～337),止于狄奥多西二世(408～450),收有4世纪史学家优西比乌斯著作的主要内容。索克拉蒂斯直接引用前人资料、会议决议以及与之有关的皇帝、主教书信,加以综合编排,较为公正地夹叙夹议,兼取目击者所提供的材料。

soda ash 纯碱 碳酸钠。一种分布广泛的白色或透明的钠(**sodium**)的碳酸盐。

soda lime 碱石灰 氢氧化钙和氢氧化钠(或氢氧化钾)组成的白色或浅灰白色粒状混合物。碱石灰吸收二氧化碳和水蒸气时迅速变质,所以应保存于密封容器中,医学上用于基础代谢试验和再呼吸麻醉系统中吸收二氧化碳。在防毒面具中用作毒气吸收剂。在实验室中用作干燥剂。碱石灰是腐蚀性极强的毒物,吞服了碱石灰会严重损坏胃肠道甚至造成死亡。

soda-lime glass 钠钙玻璃 一种最普通的玻璃,其组成为:二氧化硅约70%,氧化钠15%,氧化钙9%以及极少量的其他各种化合物。氧化钠作为助熔剂,可降低硅的熔点;氧化钙作为二氧化硅的稳定剂。钠钙玻璃价廉、化学稳定、相当硬、极易加工,如果需要,可多次加热软化。这些特性使它适合于制作大批玻璃产品,包括灯泡、窗玻璃、瓶子和工艺品等。钠钙玻璃的生产遍及欧洲大部分地区,延续几百年之久。以砂子形式存在的二氧化硅和石灰石几乎到处都很丰富。虽然威尼斯的玻璃制造者爱用燃烧海藻生产的钾碱,而苏打灰却很容易从硬木森林获得。

soda tremolite(mineral) 参阅 **richterite** *钠透闪石*。

sodalite 方钠石 似长石类矿物,是含氯化物的钠铝硅酸盐,与白榴石和霞石产在霞石正长岩、粗面岩和响岩等火成岩中。关于化学式与详细的物理性质,参阅**feldspathoid**

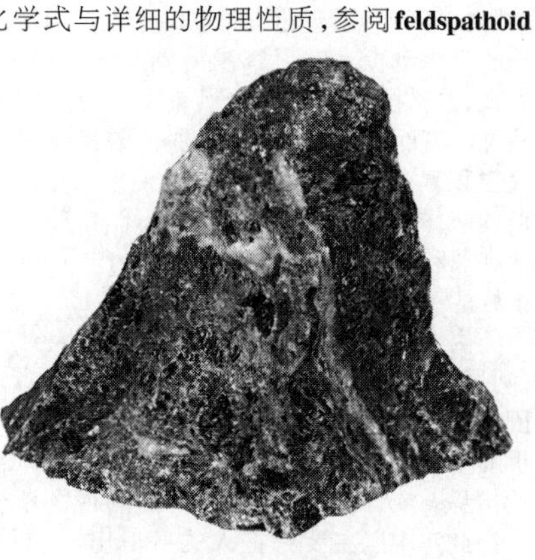

产自加拿大的方钠石

供图:Albert H. Waters collection

(表)。方钠石族也包括羟方钠石(氢氧化物代替了氯化物)、黝方石(含硫化物和水)、蓝方石(含有硫化物,钙部分置换钠)。黝方石呈灰色、褐色或蓝色圆粒,含有包裹体,是常见的火山喷出物的组成部分。蓝方石的颜色由白色或灰色至绿色和蓝色。其蓝色变种的青金石是*杂青金石*(**lapis lazuli**)的主要组成部分,其颜色深度看来随附加的硫化物取代的增加而增加。

Soddy, Frederick 索迪(1877-09-02,英国苏塞克斯伊斯特本～1956-09-22,苏塞克斯布赖顿) 英国化学家,因研究放射性物质并阐明同位素理论获1921年诺贝尔化学奖。他曾在威尔士和牛津大学学习。1900～1902年,在蒙特利尔的麦吉尔大学的物理学家E.卢瑟福的指导下工作,后又在伦敦大学学院的化学家W.拉姆齐的指导下工作。还曾在苏格兰任教,后来任牛津大学化学教授(1919～1936)。索迪根据他与卢瑟福合作研究的放射性元素衰变的成果,于1912年得出结论:某些元素可以不同原子量的形式存在,而这些形式的元素用化学方法是无法辨别和分离的,他称之为同位素。1920年,他在《科学与生命》中指出同位素在确定地质年代方面的价值。

Söderberg, Hjalmar Erik Fredrik　瑟德尔贝里(1869-06或07-02,瑞典斯德哥尔摩～1941-10-14,丹麦哥本哈根)　瑞典小说家、文学评论家,以他的优美的风格和对生活中不如意事以及本身的局限性采取游戏人间的态度而知名。所写小说《马丁·伯克的青年时代》(1901),富有19世纪90年代的世纪末的忧郁情绪,为瑞典文学中描写童年的最出色的篇章之一。小说《格拉斯医生》(1905)曾引起轰动,因为作者明显地为医生合乎伦理的有意杀人进行辩护。在他的4册短篇小说里,文笔洗练机智、入木三分。1910年后主要住在哥本哈根。

Söderblom, Nathan　瑟德布洛姆(1866-01-15,瑞典特勒讷～1931-07-12,乌普萨拉)　瑞典基督教信义会总监督,神学家,因努力谋求教会合一以达成世界和平而于1930年获

供图:Svenska Portrattarkivet, Stockholm

诺贝尔和平奖。1893年受按立为牧师。曾在瑞典驻巴黎公使馆任牧师7年。1901年任母校乌普萨拉大学神学教授。自1912至1914年任莱比锡大学教授,1914年任乌普萨拉大主教兼瑞典首席主教。经过到各地访问,逐渐注意普世教会运动而积极为之活动。经过他的斡旋,第一届普世生活工作会议于1925年在斯德哥尔摩举行。这种会议举行多次,后来成为世界基督教协进会的活动之一。

Södergran, Edith (Irene)　瑟德格兰(1892-04-04,俄国圣彼得堡～1923-06-24,芬兰雷沃拉)　瑞典裔芬兰女诗人,她的表现主义风格影响了瑞典和芬兰一代作家。16岁时患结核病,此后始终未能完全恢复健康。她的第一本作品《诗集》(1916)表现了时而忧伤、时而欢乐的变幻不定情绪,她所采用的自由诗形式借鉴于象征主义诗人的作品。这本诗集开创了瑞典、芬兰的现代主义运动。她一共写了6本诗集和1卷书信集。

Soderini, Piero di Tommaso　索德里尼(1452-05-18,佛罗伦萨[意大利]～1522-06-13,教皇国罗马[意大利])　15世纪末至16世纪初佛罗伦萨的政治家。出身于古老的佛罗伦萨名医家庭。1481年成为一个小隐修院的院长,后来得梅迪契的宠信,1493年任命他为驻法国宫廷大使。梅迪契被逐和萨伏那洛拉殉难后,索德里尼被希望他们的共和制度更加稳定的佛罗伦萨人民选举为终身行政长官(1502)。尽管他缺乏大政治家的素质,但是他的统治显得温和而明智。他创立本国民兵制度,以代替外国雇佣军。在他执政期间结束了与比萨之间旷日持久的战争,佛罗伦萨人于1509年攻陷比萨。为了感谢法国对他的支援,在意大利政治生活中,他始终站在法国人一边。1512年梅迪契在西班牙军队的帮助下返回佛罗伦萨,废黜索德里尼,并把他驱逐出境。他避难于达尔马提亚的拉古萨,一直到选举梅迪契次子为教皇利奥十世。新教皇召他去罗马,给与他很多恩惠。索德里尼在罗马度过余生,为佛罗伦萨办些好事,但始终未得获准返回故国。

Södermanland　南曼兰　瑞典中东部省份。濒波罗的海、梅拉伦湖和耶耳马伦湖。面积6 060平方千米。为低地区,全境海拔不超过120米。小湖众多、土壤肥沃。种有谷类和苹果,还有畜牧和乳品业。工业包括铁矿开采业、木器和造纸等部门。主要中心城市有省会尼雪平、机械制造中心埃斯基尔斯蒂纳等。人口约259 199(1994)。

Södertälje　南泰利耶　瑞典中东部斯德哥尔摩省城镇。位于斯德哥尔摩西南,波罗的海和梅拉伦湖之间。始建于10世纪。城内及其周围保存有格里普斯霍尔姆城堡,圣拉根希尔德教堂(1200)等古迹。19世纪时是著名的矿泉浴场疗养地。现为制造业中心,斯德哥尔摩至马尔默、哥德堡和奥斯陆公路和铁路交通枢纽。有5千米长的南泰利耶运河沟通梅拉伦湖和波罗的海。人口:城镇区约81 890(1995)。

sodium　钠(Na)　周期表Ia族(碱金属族)化学元素。钠是很软的银白色金属。自然界中钠以化合物特别是食盐即氯化钠(NaCl)的形式大量存在于岩盐和海水中。钠约占海水溶解组分的31%。H.戴维用电解熔融氢氧化钠(NaOH)的方法首次制备出元素钠(1807)。钠是最常见的碱金属,其含量在地球上占第6位,占地壳的2.8%。在其他星球和太阳中也有痕量以上的钠。钠比水轻,在室温下可用刀切,低温下性脆;易导热、导电,并显示出明显的光电效应(光照下发射电子)。钠与水发生猛烈反应,生成氢气(它会因反应热而燃烧)和氢氧化钠。金属钠的化学性质活泼,易与空气中氧化合,通常保存于惰性液体如煤油和石脑油中。工业上用电解氯化钠法制取钠。成车成罐价格低廉的钠广泛用于生产化学制品(特别是制备四乙基铅所用的铅合金Na_4Pb)和药物,用于冶金工业和用作原子反应堆和某些发动机中的热交换介质,以及用于钠蒸气灯中。天然钠是质量为23的稳定同位素。在6种人工放射性同位素中,钠22(半衰期为2.6年)用作天然钠的放射性示踪原子;钠24(半衰期为15小时)的寿命短,用途有限;其他放射性同位素的半衰期为1分钟或更短。钠蒸气灯和钠火焰的黄色(分析鉴定钠的基础),可由可见光谱黄色区域中的两条亮线来识别。

钠很活泼,能与几乎所有的无机和有机阴离子形成各种各样的化合物。钠的化合价为+1,极易失去它的单个价电子而生成无色的钠离子(Na^+)。氢氧化钠是一种腐蚀性的白色晶体,容易吸收湿气直到自身变成液体。氢氧化钠通常称为苛性钠或碱液,是应用最广的工业碱。它对动、植物的组织有强烈的腐蚀性。它溶于水中而形成的碱性溶液,在各种工业生产过程中用于中和酸类:在石油精炼中除去硫酸和有机酸类;在制皂过程中与脂肪酸反应。在赛璐玢、纸张、黏胶纤维和其他产品的生产中,其碱性溶液用于处理纤维素和制造多种化学制品。最重要、最熟悉的钠化合物是氯化钠。氯化钠存在于海水、盐湖水和岩盐中。大多数其他的钠化合物都直接或间接地从氯化钠制取。氯化钠的其他重要工业应用包括用电解沉积法生产氯和氢氧化钠,以及用索尔维法生产碳酸钠(Na_2CO_3)。氯化钠电解可生成次氯酸钠(NaOCl),它是钠、氧和氯的一种仅存在于水溶液中的不稳定化合物。大量用于家庭氯气漂白。也可用作纸浆和纺织品的工业漂白剂,用于水的氯气处理,以及在制备某些医药中用作防腐剂和杀菌剂。硝酸钠即钠硝石($NaNO_3$)通常称为智利硝石,这是因为它主要来自智利北部的硝石矿床。硝酸钠可用作氮肥和用作达纳炸药的成分。硫酸钠(Na_2SO_4)是一种白色晶体或粉末,用于生产牛皮纸、卡纸板、玻璃和洗涤剂,以及用作生产各种化工产品的原料。硫酸钠可以从它的矿物(如芒硝和无水芒硝等)矿床开采,也可由氯化钠与硫酸作用合成。硫酸钠的结晶产物是一种水合物$Na_2SO_4 \cdot 10H_2O$,通常称为芒硝。硫代硫酸钠(海波)被摄影师用来使显影后的底片和正片定影,其作用为溶解未起变化的银盐。另一种熟悉的钠化合物是碳酸盐,它们都含有碳酸根离子(CO_3^{2-})。碳酸氢钠又称小苏打($NaHCO_3$),是二氧化碳的一种来源,可用作发酵粉、起泡盐和饮料的成分及干粉化学灭火剂的主要组分。由于它的碱性较弱,因此用于治疗胃酸或尿酸过多和酸中毒。它也可用于某些工业生产,如鞣革和羊毛加工中。碳酸钠或称纯碱(Na_2CO_3),广泛分布于自然界中,成为矿泉水和泡碱、**天然碱(trona)**、水碱(thermonatrite)等固体矿物的组分。大量碳酸钠用于制造玻璃、洗涤剂和清洁剂。用二氧化碳处理碳酸钠,可以制得碳酸氢钠。碳酸钠的一水合物($Na_2CO_3 \cdot H_2O$)广泛用于摄影术中作为显影剂的成分。洗涤

碱是由十水碳酸钠($Na_2CO_3 \cdot 10H_2O$)组成的，可用作棉花和亚麻的漂白剂，以及家用清洁剂。钠原子序数 11。原子量 22.989 8。熔点 97.81 ℃。沸点 892 ℃。比重 0.971(20 ℃)。化合价 1。电子组态 2,8,1 或 $1s^2 2s^2 2p^6 3s^1$。

sodium chloride　氯化钠(NaCl)　食盐。钠和氯组成的化合物，为无色透明晶体或白色结晶状粉末。参阅 **salt**；**sodium**。

sodium deficiency　钠缺乏　机体对钠元素摄入不足的一种营养缺乏病。钠离子在体内与氯离子、重碳酸根离子一道起维持体液和组织中正负离子平衡的作用。钠是细胞外液中的主要离子，具有维持组织内水分的性能。在循环功能障碍的患者，摄入过多的钠可引起体内水潴留，造成水肿。而饮食中钠含量过少便会破坏组织-水平衡和酸-碱平衡，从而影响身体的营养状态。钠盐容易经小肠吸收，一般贮存在肌肉和软骨组织中。钠的摄入与排出受肾上腺皮质激素醛固酮的调节而得以保持平衡。钠缺乏最常见于大量出汗造成严重脱水之后。其症状包括无力、淡漠、恶心及四肢肌肉痉挛。服用食盐片剂可预防钠缺乏，天气持续炎热时可增加饮食中的食盐含量以补充钠元素。

sodium glutamate　谷氨酸钠　参阅 **monosodium glutamate** 谷氨酸一钠(味精)。

sodium pump　钠泵　一种细胞生理学机制，能使细胞内的钾离子(K^+)浓度维持在高于周围介质(血、体液、水)的水平而钠离子(Na^+)浓度则大大低于周围介质。许多细胞，甚至可能所有的细胞中均有钠泵存在。已知钠泵即三磷酸腺苷酶(ATP 酶)，结合于细胞膜上，并为细胞外的 K^+ 和细胞内的 Na^+ 所活化。ATP 酶利用代谢能将 Na^+ 送出(或泵出)细胞，将 K^+ 泵入细胞。钠泵一般不能改变膜两侧的电荷分布，因此不能产生电流。细胞的休止电位和有关的生物电现象(如动作电位)取决于靠钠泵维持的 Na^+ 和 K^+ 浓度的稳态差异。已知植物根部的细胞、脊椎动物的胃细胞和肌肉细胞有转运不同离子的其他离子泵。

sodium silicate　硅酸钠　参阅 **water glass** 水玻璃。

sodium-vapour lamp　钠蒸气灯　使钠电离放电而发光的灯，用作街灯和其他照明。低压钠蒸气灯由内装金属电极的玻璃外壳构成，其内充以氖气和少量钠，当电流在两电极间流过时，氖气被电离并成赤热态，直至使钠蒸发而发出光亮。这种由电离而发的光几乎为单色的黄光。高压钠蒸气灯内装有汞和钠的混合物，能发出较白的光，用以照明需要特别明亮的场合，如十字路口和大型露天运动场。

sodoku(disease)　**鼠毒**　参阅 **rat-bite fever** 鼠咬热。

Sodom(Israel)　参阅 **Sedom** 塞多姆。

Sodom and Gomorrah　所多玛和蛾摩拉　《圣经·创世记》所载著名的罪恶之城，其址在今以色列境内死海南端附近利桑半岛以南的浅水之下。两城与押玛、洗扁、琐珥(贝拉)合称《圣经》时代"平原五城"。据说这两座城因为罪大恶极而被"燃烧的硫磺"所焚毁(《创世记》19:24)，实际上可能是毁于公元前 1900 年自约旦河谷至东非赞比西河流域的大裂谷中死海地区的地震。从考古发现证明，在青铜时代中期(约公元前 2000～前 1500)，该地区土地肥沃，流入死海的淡水河流足以维持农业耕作。地震时可能发生石油与天然气的喷发燃烧，以故有"燃烧的硫磺"毁灭两城之说。这两城的故事对作家、艺术家和心理学家有所启发，有不少戏剧写两城和它们的毛病，例如中世纪神秘剧《罗得和亚伯拉罕生平》、法国剧作家季洛杜 1943 年创作的戏剧《所多玛和蛾摩拉》、希腊作家卡赞扎基斯在 20 世纪 50 年代所写的小说《所多玛和蛾摩拉》。中世纪许多"诗篇歌集"附有描写《圣经》中此两城故事的插图，从文艺复兴时代一直到现在也有许多壁画和油画写这个题材。所多玛人好男色和鸡奸，现代名词"所多玛"(sodomy)源出于此。

Sodoma, Il　索多马(1477，萨伏依公国韦尔切利[意大利]～1549-02-14 或 15，锡耶纳共和国锡耶纳)　原名 G.A.巴齐。意大利画家，其作品反映了从盛期文艺复兴到风格主义的转变。1490～1497年随斯潘佐蒂学画，先后深受 L.达·芬奇与拉斐尔的影响，后者对他风格的成熟起了决定性的作用。最成功的作品之一《亚历山大与罗克桑娜的婚礼》(约 1511～1512，罗马法尔内西别墅)，其在装饰画上的成就可同拉斐尔画派的壁画媲美。

索多马绘《亚历山大与罗克桑娜的婚礼》(约 1511～1512)
供图：SCALA—Art Resource/美国不列颠百科全书公司

sodomy　所多玛性行为　正常男女阴道性交之外的有肉体接触的性交合。在历史、文学及法律上对该词有几种不同的理解：①指任何两个男子之间的同性恋行为，语出《旧约·创世记》第 18 章第 19 节所多玛城的故事；②指肛门性交(鸡奸)；③指人与动物之间的性交(兽奸或嗜兽癖)；④包括多种其他性活动，从与未成年人的性接触到口-生殖器接触及成人之间的口交。肛门性交曾在类人猿中观察到。在某些没有文字的社会中，男人与男童肛交被认为是正常的，尤其在接受男童为社会一员的仪式上。在现代社会中，肛交发生于男性同性恋者之间，也发生于男女之间。据信，在肛交过程中，同意对方将阴茎插入其肛门的被动伙伴与主动伙伴一样，都能体验到快感，其原因可能是生殖系统与肛门区有共同的神经分布。在某些司法系统中，上述各种性行为均被视为犯罪，在大部分其他司法系统中将其视为异常行为而加以谴责。某些法典中规定对有同性恋性交行为者处以终生监禁的刑罚，即使这种关系是自愿的并发生于两个达到承诺年龄的成人之间也是如此。所谓的所多玛性行为法实际上宣布多种性接触为非法，这些法律似乎连夫妇间的性行为也要干预。丹麦、法国、意大利、瑞典、或瑞士等国的法典中并无此类规定。英国的沃尔芬登委员会和美国的美国法律研究所均已建议废除认定此类行为为犯罪的条款，除非此类行为涉及暴力或儿童或公开教唆进行此类行为以牟取金钱。这种观点于 1961 年在伊利诺伊州(后来又在美国其他几个州)被接受，1967 年英国也接受了这一观点。

Soekaboemi(Indonesia)　参阅 **Sukabumi** 苏加武眉。

Soela Eilanden(Indonesia)　**索埃拉群岛**　参阅 **Sula** 苏拉。

Soemba(Indonesia)　参阅 **Sumba** 松巴。

Soembawa(Indonesia)　参阅 **Sumbawa** 松巴哇。

Soerabaja(Indonesia)　参阅 **Surabaya** 泗水(苏腊巴亚)。

Soerakarta(Indonesia)　参阅 **Surakarta** 苏拉卡尔塔。

Soest　索斯特　德国西北部北莱茵-威斯特法伦州城市。在肥沃的索斯特平原。出土文物表明早在罗马时期就是居民点。836 年首见记载。该市 12 世纪的市证书和法典是以后许多古老的日尔曼社区的市证书和法典的样板。曾一直属于科隆大主教区，1449年成为重要的汉萨城镇。第二次世界大战中虽遭严重破坏，但许多木架屋、旧建筑和大部分城墙却存留下来。圣帕特罗克卢斯大教堂约建于955年，扩建于1166年，毗连有巴罗克式市政厅，内有重要的基督教信义会档案室和早期的新教神学图书馆。几座著名的中世纪教堂已经修复。现为平原地区的农产品和牲畜市场。也有些轻工业。人口约42 605(1989)。

Soest　苏斯特　荷兰中部乌得勒支省城市。位于林木繁茂的霍伊区。1029年建镇。1400年前后的哥特式教堂于1959年修复。以前为农业中心；现主要为住宅区，有发达的轻工业。人口约48 223(2003)。

sofa　长沙发　参阅 **settee** 长靠椅。

Sofala　索法拉　今名新索法拉。历史上著名的海港。位于莫桑比克(原为葡属东非)索法拉河口，濒临大海。原为非洲东部葡萄牙领地中最重要城镇，但1890年，在其北约30千米处建起贝拉城后，索法拉即迅速衰落。一度能停泊100艘大船的港湾淤塞，逐渐被沙洲堵塞。索法拉港原是非洲南部最古老的海港。为了购买内地的黄金，阿拉伯人于915年开始来此港。1020年波斯的穆斯林在此定居。14～15世纪时，为基卢瓦伊斯兰苏丹王国在南部的重要前哨。在此期间，阿拉伯人与集中在现津巴布韦东南部津巴布韦历史胜地的卡兰加国保持贸易关系。1480年，葡萄牙人科维良来到此港，寻觅黄金。1505年，葡萄牙人阿纳雅占领索法拉，建一边界贸易站和工厂，企图夺取阿拉伯人所掌握的黄金贸易。接着葡萄牙人征服此镇，葡属东非领地起初几任总督称作索法拉军事总督。1586年，多明尼克教派修道士来此定居，并从此地将天主教传入内地。1502年，洛佩斯陪同伽马到达印度。他死后留下一本对这次航行的记叙。他试图认定索法拉即所罗门国王之产金地俄斐，并声明索法拉是示巴女王之故乡。将索法拉与俄斐认定为同一地方(英国诗人弥尔顿在长诗《失乐园》[11:399～401]中还提及此事)是不正确的。

sofer　索佛　又作 sopher。公元前5世纪至约公元前200年之间的犹太教学者的称号，他们诠释并讲授《圣经》律法和伦理学。最早的索佛是先知以斯拉。索佛逐渐绝迹之后，研究《圣经》的传统由法利赛人继承，尔后又次第出现坦拿、阿摩拉和加昂。索佛约在公元前2世纪即已不复存在。索佛在历史上占有重要地位，他们不仅首倡拉比学术传统，而且确定《旧约》正典；他们在抄写与编订工作中考核谨严，存真去伪。索佛应犹太民族的特殊需要而兴。统治犹太人的异族允许犹太人享受文化自治，并根据摩西律法在本民族中断事。于是索佛担任律法专家，运用《圣经》律法和口传律法的原则解决日常问题。后世索佛向儿童讲授《圣经》，抄写律法或誊抄会堂所用经卷或其他经籍。

Sofia　索非亚　保加利亚共和国首都。靠近巴尔干地区地理位置中心，在保加利亚西部槽形谷地——索非亚盆地内。公元前8世纪，色雷斯人的一支在该地定居。公元前29年

索非亚市的大清真寺和现代楼房
保罗·阿尔马赛供图

以后被罗马人占领，称谢尔迪卡。图拉真皇帝统治期间(98～117)兴旺，康士坦丁大帝统治时期臻于极盛。公元4世纪末成为东罗马帝国之一部，6世纪建立圣索非亚教堂，城市由此得名。809年并入保加利亚国，改斯拉夫名字“斯雷德兹”。1018～1185年被拜占廷帝国占领，1185年归属第二保加利亚帝国。1382年被土耳其人占领，成为奥斯曼总督驻地，该城渐具东方特色。俄国军队1878年结束了奥斯曼的统治后，1879年4月3日定为保加利亚首都。第二次世界大战中被德国人占领，1944年俄国军队解放该城。1947年保加利亚共产党执政的政府成立，该城得以改造。主要工业项目有机械、冶金、食品加工、纺织和服装。印刷业占重要地位。又有橡胶、制鞋、家具与木器以及化学工业。周围农业区生产水果、蔬菜和乳品。有公路通往周围城镇，又为保加利亚航空和铁路交通中心。市区有有轨电车、无轨电车和公共汽车。有缆车通往附近维托沙山顶。教育机构有保加利亚科学院和农业科学院、该国最老的高等学府索非亚大学(1888)。有国家图书馆、国家剧院、天文台和博物馆等。名胜除圣乔治、博亚那、圣索非亚等教堂外，有大清真寺、亚历山大·内伏斯基大教堂、保共总部和季米特洛夫陵墓等。人口：市约1 119 152(1987)。

soft coal　软煤　在美国为烟煤(**bituminous coal**)的同义语，与表示无烟煤的硬煤相反。但在欧洲软煤一词专指褐煤(**lignite** 和 **brown coal**)，而硬煤指烟煤。

soft drink　软饮料　不含酒精的饮料，可以充碳酸气也可以不充，通常含有甜料、食用酸以及天然或人工香料。称它为软饮料是为了与烈性酒相区别。咖啡、茶、牛乳、可可、纯果汁和菜汁不被列为软饮料。欧洲人为了仿制著名矿泉中矿物质丰富的天然喷气水，首先想到制造充碳酸气的软饮料。从事早期实验的人相信水中含有气体是矿泉水有益健康的重要原因，因此把注意力集中于向水中充气上。18世纪晚期，在伦敦皇家学会的《哲学学报》上发表了大量的实验和研究报告，作者普里斯特利因发表有关二氧化碳及其与水的混合体的报告获得皇家学会的科普利奖章。欧洲和美国的科学家同时进行碳化作用的实验。1775年，努思设计了一种制备少量充气水的特殊装置，接着有许多这类设备出现。1789～1821年欧洲各城市开办生产瓶装饮料和汽水瓶的工厂，美国早在1807年已有瓶装苏打水出售。生产软饮料时应特别注意用料的纯度和一致。水通常取自城市供水系统，经过加工，保证水质始终如一，清除可能出现的杂质、颜色、氯、味道或气味。二氧化碳可防止充碳酸气的饮料变质，并产生泡沫和浓烈的味道。糖或其他甜料在经过处理的水中溶解或稀释，然后同香料、食用酸、色素，有时还有防腐剂，混合在一起。

soft maple　软槭　参阅 **silver maple** 银槭。

soft water　软水　不含有会在锅炉中形成不溶性沉积物锅垢及在澡盆和洗衣机中形成皂凝物的不溶性钙、铁或镁等金属盐的水。参阅 **hard water**。

softball　垒球　棒球的一种。为群众性体育项目，主要流行于美国。一般认为该项运动是从1887年最初在芝加哥举行的室内棒球发展而来。1933年美国业余垒球协会成

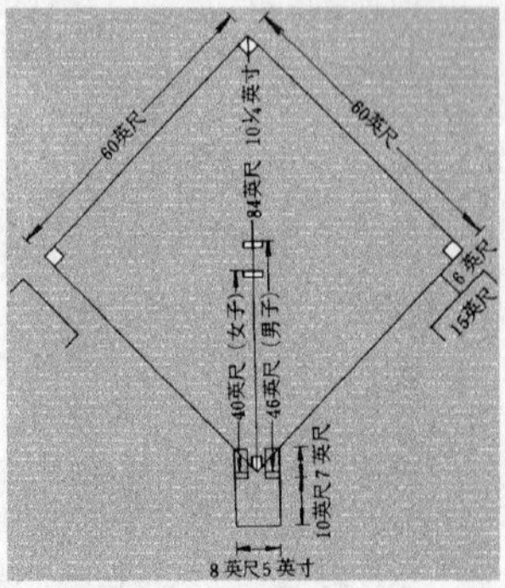

垒球场地图示，分别标出男子、女子投球距离

立。它成为一个推动并掌管有组织的全国比赛的经认可的管理机构。1952年国际垒球联合会成立，是几个国家的40多个垒球组织的联络机构，总部设在美国俄克拉何马州俄克拉何马城。它协调国际、经常性地区和世界锦标赛中的男女比赛。垒球与棒球相似，但由于场地较小，每场比赛只打7局，比赛时间比较短。正式垒球比赛场地为菱形，垒线长60英尺(18.28米)。投球距离男子46英尺，女子40英尺。击球棒呈圆柱形，长不超过34英寸(86厘米)，最粗部分直径不超过2½英寸。正式比赛用暗缝软球，周长12英寸，重6¼～7盎司(177～198克)。垒球投球用低手投法，附有手和腕部的随球动作，待球在手中通过体侧直线送至体前方时才可投出。可以偷垒，但跑垒员必须在投手投球出手后才可离垒。另一种比较流行的垒球为慢投垒球，可以用正规垒球器械，也可以略为扩大场地而缩小内场(垒线长55或50英尺)，用球较大而重(周长约16英寸，重9～10盎司)。

softly-softly (primate)　参阅 **potto** 树熊猴。

softshell turtle　软甲龟　鳖科水栖软甲爬行动物，见于北美、非洲和亚洲带柔软泥底的江河或其他淡水水域。甲板扁圆，上覆以革

鳖属(*Trionyx*)软甲龟
供图:E.R.Degginger—美国不列颠百科全书公司

质皮。趾间具蹼,颈长,吻延长如象鼻,鼻孔位于吻端。雌体大于雄体。行动敏捷,肉食性。常隐埋于泥沙中,偶尔钻出晒太阳。咽部具有能从水中吸取氧气进行呼吸的特殊组织。其肉可食。被捕捉时敢于自卫,常出其不意地猛咬敌人。有6属,20余种,其中鳖属(*Trionyx*[或 *Amyda*])的种类最多,见于北美、亚洲和非洲。多刺软甲龟(多刺鳖,*T. ferox*)和平滑软甲龟(钝鳖,*T. mutica*)为北美洲的代表种,主要产于美国;灰色或褐色平滑软甲龟,甲长约35厘米;多刺软甲龟甲长达45厘米。非洲的三爪龟(*T. triunguis*)和马来亚的鼋(*Pelochelys bibroni*)为旧大陆的两种大型软甲龟,甲长达60余厘米。印度和缅甸的平滑池龟属(*Lissemys*)以及某些有亲缘关系的非洲属通常被划为平滑池龟亚科(Lissemyinae)。

software 软件 告诉计算机做什么事的指令集合。软件由与计算机系统的运行相联系的整套程序、过程和例行程序组成。这个术语旨在区别这些指令和硬件(即计算机系统的实际部件)。指挥计算机的硬件执行任务的一套指令称为程序或软件程序。软件有两大类:系统软件和应用软件。系统软件主要是通过**操作系统**(**operating system**)控制计算机的内部功能,同时也控制如监视器、打印机和存储设备等外部设备。应用软件与系统软件不同,它指挥计算机执行用户所给的命令,而且可以说包括替用户处理数据的任何程序。因此应用软件包括文字处理、电子表格、数据库管理、库存管理、工资管理和许多其他"应用"。第三类软件是网络软件,它协调连接在网内的计算机之间的通信。软件一般存储在外部的长期存储设备(如硬盘或软盘)中。当程序被使用时,计算机将其由存储设备读入,并临时把指令存放在随机存取存储器(RAM)中。这一存储和使用指令的过程叫做"运行"或"执行"程序。作为对比,用只读(ROM)技术永久地存储在计算机存储器中的软件程序和过程叫做"固件"或"硬软件"。

softwood 软材 又称针叶树材。产自针叶树(主要是松杉类)的木材,波罗的海沿岸、斯堪的纳维亚和北美地区为主要产地。软材约占世界木材总产量的80%。软材一词是材料分类上的名词,原指欧洲产的软木材,但现在,也包括硬材在内。软材树种绝大部分都是常绿的。长叶松、黄杉或红豆杉类都属于软材类内,但其机械强度比若干硬材还要硬。

Soga 索加人 居住在尼罗河以东维多利亚湖和基奥加湖之间的湖间班图语民族,是乌干达第4大种族集团,在文化上与其西邻的干达人十分相似。索加人大多是农民,主要种植香蕉和黍稷,经济作物有咖啡、棉花等。以养牛为主的畜牧业占有重要地位。索加人传统上组成若干小酋长领地,构成领地的千百个氏族一直为重要单元,实行父系制。现在大多数索加人是基督教徒,他们传统的宗教信仰是崇拜祖先或自然精灵。

Soga, Tiyo 索加(1829,开普殖民地蒂尤姆～1871-08-12,南非共和国巴特沃思附近的图图拉传道区) 科萨新闻工作者、圣公会牧师、翻译家、赞美诗作者、南非黑人寓言、传说谚语等的搜集者。所译J.班扬的《天路历程》(1866)对科萨语影响之大,几乎可与《圣经》的钦定英译本对英语的影响相提并论。他属于科萨语民族真正有文化教养的第一代人,是第一位在英国(格拉斯哥,1856)被授予圣职的非洲牧师。19世纪60年代,他是在南非洛夫代尔出版的《新闻》杂志的经常撰稿人。他写作的主要对象是基督教徒读者,题材涉及当时的社会变革,以及异教徒与基督教徒之间鸿沟的深化。他谱写的许多赞美诗不仅流行于19世纪,而且至今在南非各教堂里仍为人们咏唱。他在文学上对科萨文坛的后起者产生了重大影响。

Soga Chokuan 曾我直庵(?～1614,日本坂井?) 日本花鸟画画家,创立曾我画派,尤以画家禽知名。其花鸟画屏色彩鲜明而逼真(高野山宝龟院、京都大德寺及东京国立博物馆均有收藏)。也画中国风格的水墨画。如《三笑者》(藏高野山的遍照光院)。

曾我直庵绘八扇彩绘屏风画《花鸟图》,16世纪晚期
供图:Obai-in, Kyoto

Soga Emishi 苏我虾夷(?～645-07-11,日本大和) 日本苏我家族的首领,他篡取君权,引起政变,导致苏我家族权力的丧失。为苏我马子之子。苏我虾夷任大臣后,飞扬跋扈,为自己建造了一座巨大的陵墓,送给儿子入鹿一顶紫色皇冠,享有过去只属于天皇的许多特权。643年入鹿刺死山背大兄王,显然有篡位意图。两年后,入鹿被中大兄皇子(后为天智天皇)和中臣家族首领中臣镰足杀死。虾夷召集部下谋反,但很快即被击溃。他纵火后,在邸内自杀。许多珍贵文献包括第一部日本历史孤本,也随之被毁。苏我家族从此失势。

Soga Iruka 苏我入鹿(?～645-07-10,日本大和) 日本大和时代苏我家族首领。他被谋杀后,政权返归天皇,并促进了一系列影响深远的改革。587年苏我氏取代物部氏独揽朝政。626年其父苏我虾夷赠入鹿以紫色皇冠。入鹿为人专横跋扈。643年刺死山背大兄王,显然有篡位企图。中大兄皇子与中臣家族首领中臣镰足利用他上朝接见朝鲜使者的机会,把他杀死。中大兄皇子后来成为天智天皇,他实行著名的大化革新,大大增强了天皇统治。

Soga Shōhaku 曾我萧白(1730,日本伊势省～1781-01-30,京都) 原名曾我晖雄。江户中期(1603～1867)的日本画家。青年时就学于狩野派画家高田敬甫门下。后画水墨人物画,尤其欣赏得室町时代画家曾我蛇足的作品,自称为蛇足十世。有《寒山拾得图》,也画怪诞的精灵鬼怪。为人刚直奇狂,身后无人继承其风格。

Soga Umako 苏我马子(?～626-06-19,日本大和) 日本大和时代苏我家族首领。他消灭物部氏、中臣氏权力,使苏我氏掌握最高权力;他把佛教引入日本,并鼓励引入中国文化、官僚制度和行政管理方法。6～7世纪物部氏、中臣氏反对引入佛教,而苏我氏认为引入新的宗教有助于破坏大氏族的权力,而还权于皇族。570年继任大臣。他得天皇准许自造了一座小庙供奉佛像。当时正值瘟疫流行,人们认为是他所供奉的佛像造成的,因此就引起了一场宗教纷争。587年用明天皇逝世,物部氏企图拥立他们挑选的皇子,而苏我氏则想使有自己血统的皇子当天皇,双方进行决战,苏我氏终于587年消灭了物部氏。苏我马子拥崇峻天皇即位,标志着佛教在日本兴起的开始。但是不久即与崇峻天皇发生矛盾,将其谋杀,又立外甥女、前敏达天皇遗孀推古为天皇,此举为对日本传统的一大破坏。又以外甥圣德太子任摄政。圣德太子在马子的支持下,邀请中国僧人、学者、艺术家和手工艺者到日本传播文化,并仿照中国的制度整顿政府。使日本有了明确的中央行政体系和丰富的文化遗产。

Sogamoso 索加莫索 哥伦比亚中东部博亚卡省城市 。海拔2 569米。在哥伦布到达美洲以前一度是奇布查印第安人的圣城,现为四周农牧业区的工商业中心。主要行业有

索加莫索市一角

供图:Carl Frank

面粉、纺织和制鞋。郊区有储藏量很大的煤矿。位于从波哥大到帕斯德里奥的铁路线上。靠近泛美公路。人口约95 100(1995)。

Sogdian art　粟特艺术　中亚细亚一带的前穆斯林装饰艺术品(大约创造于5世纪和9世纪之间),其最有代表性的作品是在中亚粟特境内的两个公国城镇彭吉希肯特和沃勒克舍发现的。许多文化在这里融为一体:有波斯萨珊王朝、印度笈多王朝后期和中国隋唐时期的文化遗物。当时人们特别喜爱的室内装饰品是壁画和木雕。从那些运用鲜明色彩的平面、描绘的僧侣姿态,以及单纯的构图等方面来看,似乎是大量地仿效了伊朗的传统绘画。但从那些穿着轻薄的衣装,富有动感的木雕人像的遗迹来看,却又像受了印度的影响。壁画除具有美观和活力之外,还反映出当时城市居民的生活方式。粟特艺术由于10世纪伊斯兰教的战争而消失。

Sogdiana　粟特　中亚古国,位于今乌兹别克斯坦境内肥沃的泽拉夫尚河谷。出土文物表明该地在公元前1000～前500年即有人定居,后归阿契美尼德人统治。此后,亚历山大大帝、塞族人和月氏人相继入侵。在萨曼王朝(9～10世纪)统治时期,它是伊斯兰教的东方文化中心。

Sōgetsu　草月流　创始前卫("先锋派")生花样式的20世纪日本花道的一个流派,以表达自由见称。这一流派为敕使河原苍风于1927年创建,第二次世界大战后出名。对传统的规则甚为漠视,颇合当代人的趣味。容器不拘形状和材料,均可使用;在插花布置中鲜花或植物幼苗和人造材料可一齐使用。

用松枝与鹤望兰为材料的草月流"先锋派"插花

东京国际教育情报学社供图

Sōgi (Japanese poet)　宗祇　参阅 **Iio Sōgi** *饭尾宗祇*。

Sogn Fjord　松恩湾　挪威西部松恩-菲尤拉讷郡峡湾。挪威最长、最深的峡湾。湾口在阜尔根以北72千米。从北海海岸外叙拉岛的苏伦,到其最长的支湾吕斯特拉峡湾顶端的肖伦,长204千米。最深处1 308米。主轴东西向。其窄而深的支汊海峡东抵尤通黑门山,北到约斯特谷冰川。在南面,艾于兰峡湾几乎延伸到哈灵山。松恩湾及其支湾为挪威风光最绮丽的地方,是重要旅游区。峡湾顶端的冲积土上有一些农田。沿海湾瀑布甚多,其中多已利用为工业提供电力。奥达尔的大型铝加工厂十分重要。

濒临松恩湾南岸的维克镇

供图:A. F. Kersting

Sogn og Fjordane　松恩-菲尤拉讷郡　挪威西部一郡。濒临北海。其内地部分包括约斯特谷冰川和部分尤通黑门山地。面积18 634平方千米。北部有北峡湾,南部有挪威最长的峡湾*松恩湾*(**Sogn Fjord**)。郡首府为*赫曼斯沃克*(**Hermansverk**)村。沿海有许多以捕鱼为主的岛屿,湾内两岸农业(谷物和水果)占重要地位。因地势崎岖,景色秀丽,该郡成为挪威主要的旅游区之一。水电促进了工业发展,以奥达尔为中心的炼铝业很重要。尤通黑门山地附近的韦蒂瀑布,是挪威第二大瀑布,垂直落差275米。人口约107 576(1994)。

Sohāg (Egypt)　参阅 **Sawhāj** *索哈杰*。

Sŏhak　西学　英语作Western Learning。朝鲜17～18世纪中由中国明清两朝输入的西方文化,广义上指对西方思想、宗教、伦理、科学技术进行研究。狭义上仅指这一时期对西方宗教和伦理的研究。西学派许多学者的观点往往与*实学*(**Sihak**)派一致。实学派乃儒学一支,致力于用实在论的经验方法解决治国问题。西学派在18～19世纪曾遭到政府的严厉镇压。

Sohlman, (Per) August (Ferdinand)　索尔曼(1824-05-24,瑞典内尔彻～1874-07-05,斯德哥尔摩)　瑞典新闻工作者、时事评论家。19世纪中叶泛斯堪的纳维亚主义运动的领袖人物,也是俄占芬兰境内瑞典少数民族保持文化与语言特色的先驱者。他曾为许多瑞典重要报纸撰写文章。1857年起一直任斯德哥尔摩有影响的《晚报》编辑。他支持在19世纪40年代随着丹麦和德国民族主义者为争夺石勒苏益格和荷尔斯泰因两个公爵领地的斗争而兴起的泛斯堪的纳维亚主义运动。他不仅撰写文章支持这个运动,而且在石勒苏益格战争(1848～1850)中参加反对德国分裂主义者的瑞典志愿军。他反对日益高涨的提倡芬兰语言和文学的民族主义运动,强调瑞典人和瑞典语所形成的文化和种族的优越性。这一论点对以后几十年瑞-芬民族主义思想家的立场有很大影响。

Soho　索霍　英国大伦敦威斯敏斯特市一街区。北为牛津街、东为查灵克罗斯路、南邻考文垂大街、西为里真街和皮卡迪利圆形广场。多移民,其中杰拉德街是唐人街。W.布莱克、W.哈兹里特和K.马克思等著名人士曾在此居住。瓦杜尔街为电影公司集中地;卡纳比街是伦敦闹市区。索霍现仍是伦敦的红灯区之一;除一些不健康的活动外,还有沿街集市、广告公司、服装店、音乐出版社等。

Sohr, Martin　参阅 **Agricola, Martin** *阿格里科拉*。

Sōhyō　日本工会总评议会　全名为日本劳动组合总评议会,简称"总评"。日本最大的工会联合会。1950年作为反对前组织中共产党领导的民主工会运动而成立。它很快就成为战后日本最有势力的工人组织,并与日本社会党形成亲密关系。总评的成员主要是公务员、教师、国营铁路工人、交通运输工人和金属工业工人等工会。根据日本劳工法,受地方政府或全国政府雇用的工人没有正式的提出条件权和罢工权;国营公司雇用的工人有提出条件权，但没有罢工权。由于总评的成员大部分是这些工人，所以总评常以政治行动取代经济行动。总评的领导者们还以如下的事实证明他们依靠政治行动是正确的，即：由于企业工会主义（每个企业有独自的工会）占有优势，往往造成工人们相互隔离，妨碍解决一般性的工人问题。总评最著名的政治策略开始于1955年，为一年一度的春季斗争，这是一场由街头游行、群众集会和其他压力战术组成的激烈运动。总评于1989年自行解散，大部分成员工会被吸收进新近成立的"新连合"（日本工会联合会）。这一组织有效地团结了全日本参加工会的工人中的非共产党部分。

Soignies 苏瓦尼 比利时中南部埃诺省城市。临塞讷河，在蒙斯东北。相传建于公元7世纪。市内有俯视全城的前女隐修院教堂（10～13世纪），它是比利时保护得最好的罗马式建筑之一。古老的公墓现是一座公园，园内有一座罗马式小教堂，内设考古及玉石雕刻博物馆。附近有石炭石灰岩采石场和一座玻璃制品厂。人口：城市区约23 954（1992）。

soil 土壤 陆地的疏松表层，动物、植物和人类的生存基地。能涵养水分和养分，净化进入其中的有毒物质；给人类提供食物、木材、纤维素、纺织纤维、皮革及其他生活必需品。土壤通常由一些生物、化学、物理性质各异的土层组成。土壤都具有1～4个基本土层，由上而下分别成为A、B、C及R层。A层为表土层，风化作用最强，含有较多的有机质和有效养分；B层风化作用中等，积聚着许多来自A层的物质；C层为母质层，A层和B层即由母质形成。R层为下垫的基岩，不属于土壤本身部分，性质与C层大不相同。由于土壤发生发育的具体条件不同，有些土壤会缺少某一两个基本土层。土壤形成过程如下。①黏粒形成过程。最基本的黏粒形成过程是风化，长石等原生硅酸盐矿物分解，释出盐基、二氧化硅及铁和铝的氧化物，大部分盐基和部分二氧化硅淋失，剩下的二氧化硅和氧化铝结合形成2:1型晶态黏粒（由一层二氧化硅和一层氧化铝组成）或1:1型晶态黏粒（一层氧化铝位于两层二氧化硅之间），或形成无定型黏粒。不同种类的黏粒具有不同的特性。②腐殖化过程。土壤有机质的重要性仅次于黏粒。进入土壤的动、植物残体经过微生物的作用，一部分形成腐殖质，残留土壤中。由于具体条件不同，或形成温性腐殖质（色深，盐基尤其是钙饱和，富含腐殖酸；可稳定黏土），或形成粗腐殖质（色较红，碱性较低，富含富里酸；有利于黏土的分散）。③淋溶过程和淀积过程。土壤中的物质受水作用或溶解或分散，随水移动，并在较下层土壤中按其溶解度由小至大相继沉淀。当水被排走时，水中携带的物质亦丢失。当地下水位离根仅1～2米时，地下水在旱季可能上升至根区内，地下水所含物质部分被植物吸收利用；部分在根区聚积。④碱化过程。黏粒逐渐为钠饱和（钙质黏土）并容易分散、下移，又在表层下某处淀积。⑤铁质和黏粒淀积过程。铁质和黏粒受富里酸作用而分散、淋溶，并与有机质一道在表层下一定深度处沉淀，使土壤呈棕色。⑥灰化过程。在强酸性溶液中，A层的铁、铝倍半氧化物淋溶，成无定形黏粒淀积于B层。⑦红化过程。若土壤经常苦旱，则倍半氧化铁成为不可逆的脱水微晶态物质。⑧铁质化过程。在有大量铁质释出，且有大量砂和砾残留的土壤中，倍半氧化铁黏附在砂砾表面，使之呈红色，并结成铁盘。⑨铁质分凝过程。含铁丰富但又缺乏2:1型黏粒时，铁质往往分离并凝结成不规则的结核和结瘤，坚硬如石。⑩潜育化过程。在渍水条件下土壤中的铁被还原成为Fe^{2+}，使土壤呈蓝灰色。

成土因素有：①气候。雨量和温度影响黏粒生成、土层厚度、盐基饱和度、盐渍层次等，还决定着另一成土因素植被。②排水与地形。影响淋溶作用、侵蚀作用、地下水位及地下给水。③植被与生物。植被类型决定腐殖质的种类、数量及分布状况，影响土壤侵蚀、淋溶作用。土壤生物，如蚯蚓、白蚁使各土层及地面植物残物相混。④母质。土壤许多重要性质来源于母质。来自疏松沉积岩的土壤中，许多黏土组分来自母质，富含铁质的母质产生红壤。⑤时间。土壤年龄可影响土壤性质，各种作用随时间的延续而加强。

土壤分类争议尚多。为大家公认的一些主要土类为：暗色火山灰土（富含无定形黏粒）、棕壤（2:1型黏粒，棕壤层或酸性层）、黑钙土（2:1型黏粒，深厚的中性暗黑色腐殖质层）、褐土（2:1型黏粒，红色，富含脱水氧化铁）、黑黏土（2:1型黏粒，富含膨胀性黏粒，盐基饱和）、潜育土（土壤因渍水而呈蓝灰色或锈斑）、高岭质土（热带土壤，富含1:1型黏粒，剖面可能未分异，或有富含铁结核或砖红壤的土层）、白浆土（有由有机质导致的黏粒淀积作用）、有机土（极富于有机质，可能有泥炭层和有机质层）、灰壤（有氧化铝和铁的淋溶作用，往往有灰白色砂质表层和富含无定形黏粒的淀积层）、黏盘土（有由钠导致的黏粒淋溶作用，淀积层不碱化）、硅质薄层土（2:1型黏粒，腐殖质层直接覆在岩石或永冻层上）、原始土（2:1型黏粒，未分异的土壤剖面）、黑色石灰土（石灰含量极高）、盐土（富含氯化物、硫酸盐之类的盐分）和碱土（有由碱导致的黏粒淋溶和淀积作用，碱化的淀积层）。

soil chemistry 土壤化学 研究土壤的化学和矿物成分以及发生在土壤中和土壤形成过程中的化学反应的学科。土壤化学研究的目的是：①通过化学分析确定自然土壤类型的成分界限以及各种植物群落的最佳生长条件；②推导出控制土壤剖面发育的原理；③把分析方法和理论知识应用于改进农业生产上。参阅 **pedology**。

soil mechanics 土壤力学 研究土壤的物理性能及利用的学科，对于规划结构物基础和路基特别有用。最早对土壤力学从事科学研究的是法国物理学家C.-A.de库仑，他于1773年发表了有关土压力的理论。库仑的理论和苏格兰工程师W.兰金于1857年发表的有关土体的理论迄今仍是用以对土壤应力进行定量的主要工具。20世纪内，人们对这两种理论作了修正，使之能计及内聚力的影响；内聚力是较晚近发现的一种土壤性能，它使土壤在应力作用下的性态与库仑和兰金的预测有所不同。

土壤是矿物颗粒的天然集合体，有时含有有机组分。它具有固体、液体和气体三相。土壤如何支承由结构物重量加给它的应力和它对施工过程中的运动有何反应，取决于六种性能：内摩擦力（土体对滑动的阻力，与含湿量成反比，因而砂与砾石的内摩擦力比黏土的大）和内聚力（土壤颗粒之间的分子吸引力，黏土的内聚力比砂和粉砂的高得多），二者均可缓解土壤沿平面剪切错动或滑动的趋势；压缩性（为使土壤能支承更大载荷而对其进行夯实和振动等各种处理时，土壤能变得更加密实的程度）；弹性（土壤被压缩后重新膨胀的能力）；渗透率（土壤能传导水流的程度）；毛细作用（把水从正常水位向上吸引的程度）。

对某一地址作土壤调查的周密程度取决于建设项目的规模。有些情况下只需对地表作目视考察即可。土壤的各种特性一般沿垂直方向（随深度）变化得比沿水平方向更快。地下考察的技术有开挖探槽、钻探（试验土壤抗力并取得土样）和用泵将地下物质和水一起抽吸到地表。地震勘查（测量爆炸产生的冲击波在土壤中的传播速度）和土壤电阻测量也能为土壤评估提供有益的资料。原地土样的颗粒尺寸和塑性性能需在实验室内测定。偶而也可使用从前研究该地附近土壤所获得的数据。

设计基础的目的是用它把结构物的重量传递给它下面和周围的土壤。与土壤特性匹配不当的应力分布会因土壤的剪切错动或不均匀沉陷而导致结构物破坏。扩展基础可以是扩展底座式（在承重梁或承重墙正下方设置加宽底座而成），席式（由设置在建筑物整个面积之下的板构成，通常是钢筋混凝土板）或浮筏式。浮筏式基础由箱形刚性结构构成，其在地面以下的深度可使为安放此基础而挖去的土壤重量恰好与建筑物的重量相等。于是，建筑物竣工后，其下土壤所支承的重量与开始开挖之前所支承的重量相等。深基础可以是端承桩（可将加于其上的重量从顶端传递到底端，从它上面的建筑物传递到它立足的基岩上），摩擦桩（通过桩侧面与土壤之间的摩擦力或黏着力将作用于其上的部分压力传递给周围的土壤）或沉箱（在开挖的坑洞中现场浇注的特大桩，不是预制后埋入的）。

边坡停留在原位是因为重力引起的下滑力被土壤颗粒之间的摩擦力和内聚力抵消了。各种变化都可能打破这几种力之间的平衡而突然引起滑坡。特别是当边坡土壤中的含水量增加时，会使内聚力和摩擦力剧减。在边坡稳定性分级中，1.0表示各种力刚好平衡；2.0表示稳定力二倍于引起运动的力；依此类推。分级值小于1.0的边坡就要坍方。水坝边坡、公路路堑和铁路路堑都是以这种尺度衡量，按照一定的稳定性标准设计的。排水、逐级放坡、夯实或注入水泥加固边坡，均可提高稳定性。在水坝建设中是用不透水的心墙来避免因过度渗水而降低稳定性,而边坡则由透水材料构成,借以缓解沿坝体的水压。

借助于土壤力学,通过考察道路和公路的路基,可以确定何种路面(刚性的或柔性的)更加经久耐用。开挖地下隧道时,也可通过研究土壤特性来选定最适用的开挖方法。

soil organism　土壤生物　终生或生命的一个阶段生活于土壤中的生物。体型差异极大,小至显微镜下才看得见的以腐烂有机物质为食的微生物,大至主要以其他土壤生物为食的小型哺乳动物。土壤生物在维持土壤肥力、结构、排水能力和通气性中发挥重要作用。又能分解动植物组织,释出贮藏的营养素,并将其转化成可被植物利用的形式。为害庄稼的土壤生物包括线虫、蛞蝓、蜗牛、综合纲节肢动物、蛴螬、蝇类幼虫、毛虫及根蚜等。某些土壤生物可致腐烂病,某些土壤生物可释出抑制植物生长的物质,另一些身上寄生着可致动物疾病的生物体。因为土壤生物的大部分功能是有益的,包含大量生物的土壤往往是肥沃的。一平方米肥沃的土壤中可栖息多至10亿个生物体。

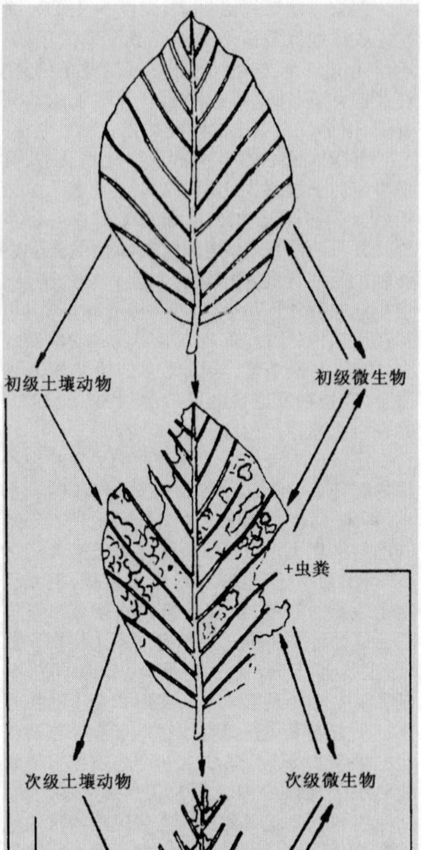

腐殖质形成示意图

土壤生物可依其体型的大小人为地分为5类,最小的是原生生物,包括细菌、放线菌、藻类等。稍大一些的是微型动物区系,其中的个体长度不及100微米,通常以微生物为食。微型动物区系包括单细胞的原生动物、某些小型扁虫、线虫、轮虫及缓步类动物(一类8足无脊椎动物)。中型动物区系的个体体型稍大,各种之间差异甚大,包括以微生物、腐烂物质和活植物为食的种类,如线虫、螨、弹尾虫(无翅的昆虫,腹部末端有分叉的附肢用以将虫体弹出)、原尾虫(似昆虫,以真菌为食)以及烛蛾。第四个类群为大型动物区系,各种类间差异亦大。本类群中最常见的例子为盆虫(白色分节的蠕虫,以真菌、细菌及腐烂的植物为食)。本类群又包括蛞蝓、蜗牛、马陆(以植物为食)和蜈蚣、甲虫及其幼虫和蝇类幼虫(以其他生物或腐烂物质为食)。巨型动物区系由最大的土壤生物构成,包括最大的蚯蚓(可能是生活于表土中的生物中最重要的)。蚯蚓将土壤和有机物质吞下,通过其消化道后排出,在这过程中疏松了土壤,粉碎了土壤表面的有机物碎屑,并把土壤表面的物质垂直地运送到底土。这对土壤的肥力极为重要,并促使土壤结构的形成,使土壤成为植物和其他生物的生命之源。据估计,每10年蚯蚓便能将相当于地球表面2.5厘米深的土壤翻松一遍。某些脊椎动物也包括在巨型动物区系中,这包括各种挖穴动物,如蛇、蜥蜴、囊地鼠、獾、兔、野兔、鼠、鼹鼠等。

土壤生物最重要的作用之一便是对腐烂的动植物的复杂的结构分解,使之能被活植物重新利用。土壤生物在许多自然循环中(其中最突出的是碳、氮、硫循环)起催化剂作用。碳循环始于植物,植物将来自大气的二氧化碳与水结合,生成叶、茎、果等植物组织。动物以植物为食,将这些植物转化为自身的组织。动物死亡后,其组织腐烂分解,为土壤生物所食,在这过程中释出二氧化碳,至此碳循环方告完成。蛋白质是生物组织的基本材料,氮是所有蛋白质的基本成分。土壤肥力的基本决定因素是有无以植物能利用的形式存在的氮素,因此土壤生物促进氮循环的作用极为重要。动植物死亡后,土壤生物即分解其遗体内复杂的蛋白质、多肽和核酸等,并产生氨离子、硝酸盐和亚硝酸盐等,植物即利用这些物质形成自身的组织。细菌和蓝绿藻均能直接从大气中固定氮素,但根瘤菌属(*Rhizobium*)细菌与豆科植物及某些乔木、灌木之间的共生关系对植物的发育更为重要,寄主植物分泌的物质又促进根瘤菌的生长和繁殖。根瘤菌在根上形成小结节状的根瘤,在其中固氮,使大气中的氮转变成植物能利用的形式。土壤生物也参与硫循环,主要是分解土壤中天然大量存在的硫化合物,使这重要的元素能为植物所利用。草本沼泽和森林沼泽中常能闻到的臭鸡蛋气味便是这些微生物产生硫化氢之故。虽然由于合成肥料的发展,土壤生物在农业中的作用已不及以前那么重要,但它们在林地中仍发挥重要的作用,尤其是在腐殖质的形成中,腐殖质是由腐烂的叶和其他植物部分经分解又重新合成的复杂有机物质。植物的叶落到地面后不能为大部分动物所食。叶内的水溶性成分被淋出之后,真菌和其他微植物区系侵入叶内,使之变得柔韧。于是落叶变得为许多无脊椎动物所爱吃,这些动物将落叶咬碎成为覆盖地面的一层物质。马陆、窃虫、蛆、弹尾虫和蚯蚓以落叶为食,但不改变其化学结构却为初级分解者创造一种适当的底物。初级分解者将这些底物分解成较简单的化学物质。还有一群称为次级分解者的生物,将这些较简单的化学物质进一步分解。有些生物如弹尾虫,可归入这两个类群。于是叶内的有机物质被一个比一个小的土壤生物所消化、再消化。最后剩下的腐殖物质可为原来落叶中有机物质的1/4大小。这些腐殖质逐渐由挖穴动物(如鼹鼠、兔等)以及蚯蚓混入土壤之中。

虽然有些土壤生物可能对人有害,特别是在同一片田地中重复播种一种庄稼从而使食其根的土壤生物大量增殖时。但总的说来土壤生物是生命、死亡和腐烂这个使环境恢复活力的过程中必不可少的要素。

soilless culture　无土栽培　参阅**hydroponics 溶液栽培**。

Soissons　苏瓦松　法国北部皮卡第大区埃纳省城市。位于埃纳河畔富饶的农业谷地,四周是林木繁茂的山丘。罗马人统治下该城是驻军城镇,3世纪传入基督教后成为主教管区。该城被法兰克国王克洛维于486年夺得后,成为其后代纽斯特里亚(法兰克王国的西部)诸王的首府。墨洛温王朝最后一个国王希尔德里克三世于752年在此被废黜,其继承者矮子丕平在圣梅达尔隐修院登基加冕。10世纪苏瓦松附近的战役最后导致了法国王室的H.卡佩即位(987)。在卡佩王朝的统治下(987～1328),城镇受苏瓦松世袭伯爵管辖。该城在百年战争(1337～1453)和16世纪末的宗教战争中遭到破坏。第一次世界大战期间于1918年遭严重炮击,5月被德国占领,8月收复。在拿破仑一世的统治下,隐修院大教堂遭到严重破坏,但宏伟的正面建筑(13～16世纪)却免遭破坏。教堂两座楼塔高低不一,高者达70米。隐修院其他残存部分包括两个走廊和一个13世纪的饭厅。圣勒热尔隐修院及其13世纪的教堂现存建筑设为收藏名画和雕刻品的博物馆。苏瓦松是出售周围地区产品的集市城镇。工业有铁、铜铸造、机器设备制造、玻璃和橡胶产品生产等。人口32 144(1990)。

Soissons, Charles de Bourbon, Count (comte) de　苏瓦松伯爵(1566,法国诺让勒罗特

鲁～1612-11-01，布朗迪昂布里） 法国宗教战争的主要人物，曾协助波旁的亨利取得继承权。他是孔代亲王、波旁的路易一世的幼子。其父于1557年取得苏瓦松伯爵爵位，1569年其父死后由他承袭。他曾替波旁的亨利（日后的亨利四世）在库特拉攻打法国的亨利三世（1587），替亨利三世在布列塔尼抗击以吉斯家族为首的神圣联盟（1589），最后，又替亨利四世在诺曼底抗击该联盟（1590～1592），并攻打萨伏依（1600）。1601年起任多菲内总督。1610年亨利四世死后，他曾抗议太后摄政。后任诺曼底总督，两年半后去世。

Soissons, Louis de Bourbon, Count（comte）**de 苏瓦松伯爵**（1604，法国巴黎～1641-07-06，色当附近拉马菲） 法国军人和廷臣。波旁的查理的独生子，1612年承袭父爵。1620年支持太后玛丽·德·美第奇一方，1622年为路易十三效劳，征讨胡格诺派。后卷进反对枢机主教黎塞留的阴谋，据说曾策划于1636年在亚眠暗杀黎塞留。1637年逃往紧靠法国东部的侯国色当；1641年发表檄文声讨黎塞留，并率领一支哈布斯堡军队人侵法国。他在拉马菲得胜之际，被一发神秘的枪弹击毙。

soja bean 参阅 **soybean** 大豆。

Sōka 草加 日本本州埼玉县城市。濒临东京以北的绫濑川。德川时代（1603～1867）为驿站，生产革制品和染料。1899年通铁路。由于该市紧邻东京，水陆交通便利，第二次世界大战后，作为京滨工业区延伸部分发展起来，生产纸浆、革制品、金属制品和机械。人口216 022（1994）。

Sōka-gakkai 创价学会 日本佛教在家信徒团体，与日莲正宗有联系。该会自20世纪50年代以来发展迅速，是20世纪日本新宗教中最活跃者，20世纪末自称拥有会员600多万人。该会在外国也有相应的组织，在美国称为美国日莲正宗。创价学会从事教育与文化活动，出版书刊甚多。该会于1965年自建公明党，该党至80年代初成为日本第三大党。创价学会由曾任小学校长的牧口常三郎创立于1937年，原名创价教育学会。牧口强调宗教的实际效益，以"美"、"利"、"善"三种价值为争取目标。第二次世界大战期间政府压制教派，该会受到打击，一度宣告解散，牧口死于狱中。1946年牧口的主要弟子户田城圣恢复该会，改名创价学会。该会与日莲宗（参阅 **Nichiren Buddhism**）其他各派一样，重视念诵"南无妙法莲华经"。

Sōkan 宗观 参阅 **Sōchō** 宗长。

Sokch'o 束草 韩国东北部江原道城市。滨日本海。青草湖位于其南部。沿海有良好渔场，产乌贼、绿鳕和鲭鱼。与汉城有航空和公路连接。1937年起即为矿产品转运港口。人口73 805（1990）。

Sokile（people） **索基勒人** 参阅 **Nyakyusa** 尼亚库萨人。

Sokodé 索科德 多哥中部城镇。历史上曾是重要贸易中心，现为多哥第二大城镇，又是贸易的主要中心。工业有轧棉、糖加工等。有公路北通卡拉，南达首都洛美。城镇及周围地区的居民为穆斯林滕族人。人口约55 000（1987）。

Sokol 索科尔 俄罗斯西北部沃洛格达州河港和索科尔区中心。位于苏霍纳河畔。1917年十月革命前，当地仅有两个小工厂。在苏维埃时代初期迅速兴起，1932年设市。现为造纸、木材加工和食品工业中心。有一所幼儿师范学校。人口约46 400（1994）。

Sokollu, Mehmed Paşa 索科卢（1505，奥斯曼帝国波斯尼亚索科尔～1579-10-11或12，君士坦丁堡［今土耳其伊斯坦布尔］） 1565年6月起任奥斯曼首席大臣。早年在奥斯曼军队中服役。1546年晋升海军元帅。后来任鲁梅利亚总督。在谢里姆和巴耶塞特争夺王位时（1559～1561），他在谢里姆手下任总司令。1562年与谢里姆的女儿结婚。后任首席大臣。他主张和平，反对奥斯曼参与对威尼斯和对伊朗的战争。谢里姆死后，他因过去树敌太多，遭到暗杀。

Sokolow, Nahum 索科洛夫（1861-02-03，俄罗斯帝国波兰维绍格鲁德［在今波兰］～1936-05-17，英国伦敦） 犹太新闻工作者和犹太复国运动领袖。他是波兰古老的犹太教拉比家族的后裔，由于常给希伯来语和其他语文的犹太报刊撰稿而出名。24岁时任华沙希伯来语科学周刊《泽费拉报》的助理编辑，后任编辑。他把该刊办成一份现代日报，发行量很大。他还在华沙负责编辑文学和历史期刊（1885～1902）。1897年参加犹太复国组织，1906年任秘书长并负责编辑其机关报《世界报》和一份希伯来语周刊。他周游全世界，宣传犹太复国主义。第一次世界大战爆发后，前往英国，后归化为英国公民。在导致发表1917年11月20日贝尔福宣言的英法谈判中起突出作用。他还促使法国、意大利、波兰、南非和其他国家发表有助于建立犹太民族家园的类似宣言。1917年5月在梵蒂冈受教皇本尼狄克十五世接见，教皇对犹太复国主义事业表示同情。他率犹太复国主义代表团参加了1919年巴黎和会。后来，还为东欧国家的犹太人取得少数民族权利发挥了作用。曾任世界犹太复国运动组织及其代表机构的主席（1931～1935）和世界犹太复国运动执行局主席（1922～1931）。他的遗体于1960年被运往以色列。其大量著作中包括《犹太复国主义运动史，1600～1918》（2卷，1919）。

Sokoto 索科托 尼日利亚西北部一州。北与尼日尔共和国接壤，西和南与凯比州交界，东南与尼日尔及卡杜纳两州为邻，东连卡齐纳州。南部为矮草的稀树草原植被，北部为荆棘丛林。土地干旱，逐渐与横跨尼日尔共和国边界的沙漠连成一片。5月中旬至9月中旬有雨。11月到次年3月有撒哈拉的哈麦丹风（含尘土的风）。境内有索科托（凯比）河及其支流，索科托河本身即尼日尔河的一条主要支流。

在1804年及富拉尼人进行的圣战以前，该地区（包括现今的索科托州和凯比州在内）由豪萨人的戈比尔州（北）、扎姆法拉州（东）、凯比州（西）及姚里州（南）辖治。富拉尼人于1808年战胜戈比尔的豪萨人以后，圣战领袖谢赫·奥斯曼·丹·弗迪奥将其广大的疆土分为两大势力范围。1809年命其子穆罕默德·贝罗为索科托酋长及东酋长国君主。奥斯曼1817年去世，穆罕默德继其父任萨尔金穆苏尔米（"忠诚的指挥官"），成为索科托第一位苏丹和富拉尼帝国的精神和政治领袖。

在穆罕默德统治期间（1817～1837），索科托成功地保卫该帝国不受豪萨人的侵袭。索科托1853年与大不列颠签订商业条约，允许英国人在1885年条约后享有附加的贸易特权，但是反对英国的殖民扩张。

英国人于1903年击败索科托军队后，几乎整个酋长国并入北尼日利亚保护国。1933年后，萨尔金穆苏尔米亦赋有索科托萨尔多纳（"苏丹"）的头衔，并保留其富拉尼人的精神领袖及尼日利亚穆斯林主要人物的地位。索科托的萨尔多纳兼北方首相阿赫马杜·贝罗在伊格博（伊博）部族人领导的一次军事政变（1966）中遭杀害，导致北方的伊格博人被屠杀，亦是触发尼日利亚内战（1967～1970）的一个因素。

经济以农业为主。河流两旁漫滩的经济作物有花生、棉花、水稻。高地种植高粱、小米、稻米、豆类和木薯。索科托河上长5千米的巴科洛里大坝（1975）为世界最长的大坝之一，可供索科托-里马盆地终年灌溉，但灌溉使土地日益贫瘠，水坝下游的水量减少。该项目成为经济灾难。该州有许多土地用作放牧；主要出口产品有牛皮、山羊皮、绵羊皮、革制品、牛、山羊及家禽。石灰石和瓷土已在开采。州首府索科托镇有水泥厂、皮革厂、现代化的屠宰和冷冻厂。工商业中心古绍有现代化纺织业、榨油厂和大豆加工厂。

索科托州人口稀少。主要民族为富拉尼人和豪萨人。居民多为穆斯林。索科托镇设有奥斯曼·丹·弗迪奥大学（建于1975年）。有数条主要公路和一个机场。东南部的奎安巴纳禁猎区是主要旅游胜地。人口4 392 391（1991）。

Sokoto 索科托 尼日利亚西北部索科托州首府和最大城镇。在索科托（凯比）河与里马河汇流点东侧。在尼日尔共和国边界以南约80千米，位于向北穿过撒哈拉大沙漠的古商道上。在被选定为由第一位萨尔金穆苏尔米（"忠诚的指挥官"）谢赫·奥斯曼·丹·弗迪奥领导的圣战军事总部驻地时（1804～1805），索科托仅仅是一个小村庄。1809年，奥斯曼将帝国分为两个部分，命其子穆罕默德·贝罗为东酋长国之君主，此时索科托定为富拉尼帝国永久性首邑。穆罕默德从索科托进行统治，但直至奥斯曼于1814年迁往该城镇并于1817年在此地逝世后，索科托方成为富拉尼人民精神上的首邑。奥斯曼之坟墓及其他圣物使该城镇成为朝圣中心。19世纪20年代索科托以拥有两大清真寺——谢胡寺和贝罗寺（均于20世纪60年代重建）——

和苏丹王宫而著称。亦以皮革制品(特别是以索科托红山羊皮,即所谓摩洛哥皮革的原料做的皮革制品)闻名;该镇同邻近诸王国频繁贸易,主要商品有棉布、奴隶、高粱、灵猫香、黄铜手工艺品、香料、可乐果、盐和钾。现今的索科托为皮革制品(重要出口商品)、可乐果、山羊和绵羊皮、牛皮、骆驼皮、高粱、小米、稻米、鱼、花生、棉花、洋葱和烟草的主要贸易中心。附近一家水泥厂使用索科托盛产的石灰石。皮革制作仍主要由手工艺人在传统泥屋中制作。索科托有几家制革厂、一个现代化的屠宰场和冷冻厂。1975 年建立的奥斯曼·丹·弗迪奥大学设在索科托。镇内有机场。人口约185 500(1992)。

Sokoto River 索科托河 又称凯比河。尼日利亚西北部河流。发源于北部高原的丰图阿之南,流 320 千米至索科托。下游在索科托之西接纳里马河,流至伊洛之东又与尼日尔河会合。索科托河冲积所形成的河谷和平原已广泛开垦,种植花生、棉花、烟草、水稻、洋葱、甘蔗和靛青。已在推行一些灌溉计划,以在沿河一带实行全年耕作。索科托河是当地的豪萨人、达卡尔基人和扎巴尔马人的一条重要航道。

Sokotra (Yemen) 参阅 **Socotra** *索科特拉岛*。

sokutai 束带 日本天皇在加冕或其他重要礼仪中穿的朝服。具有浓厚的中国色彩,从 12 世纪以来变化很少。由宽松的白锦缎裤子和宽大的黄袍配套组成。黄袍按中国式样裁制,但腰部缩拢,缀有中国凤凰图案。黄袍里面穿有 3 件和服,最外面的是白锦缎的下袭衬袍,后面缀有不同颜色的长 3.7 米的拖裾。黑色漆绸的冠上有用帝国菊花作顶饰的竖起的三角旗。天皇穿束带时要手执象牙笏,无疑这是受到中国帝王手执象征皇权的玉笏的启示。

Sol 索尔 古罗马宗教所信奉的两位太阳神的共同名称。罗马诗人把索尔等同于希腊的太阳神赫利俄斯。罗马皇帝埃拉加巴卢斯(218 ～ 222 在位)为他立庙,意在把对他的崇拜立为罗马主要宗教。皇帝奥勒利安(270 ～275 在位)重新提倡崇拜索尔,为他兴建堂皇庙宇。罗马人相信索尔专门保祐皇帝和帝国,崇拜索尔一直是帝国的主要宗教生活内容,直到基督教代兴为止。

sol 溶胶 物理化学术语。一种胶体,由非常细的微粒分散在连续介质中构成的分散体系,其中微粒为固体,分散介质为流体。分散介质为水时,称为水溶胶;分散介质为空气时,称为气溶胶。分散介质的分子对微粒吸引较弱者称为憎液溶胶。憎液溶胶容易絮凝沉淀。亲液溶胶较稳定,比较接近真溶液。许多溶胶介于憎液溶胶和亲液溶胶之间。参阅 **gel**。

Sol, Isla del 太阳岛 的的喀喀湖玻利维亚所属部分中的岛屿。面积 14.3 平方千米。在哥伦布到达美洲以前时期是安第斯山脉东部居民区的重要中心。因岛上的太阳庙得名。相传庙址为印加王朝创始人芒科·卡帕克和玛玛·奥柳被太阳神派遣到地球上来的着陆地。岛上有保存完好的印加古王宫(两层,15 米 × 13 米),也有些失修的印加粗石工程。人口约1 806(1976)。

Solanaceae 茄科 茄目(Solanales)的一科。约 95 属,至少2 300种。该科有重要的经济价值,有许多食用或药用植物。最重要的有马铃薯(*Solanum tuberosum*)、茄子(*Solanum melongena*)、番茄(*Lycopersicon esculentum*)、辣椒(如 *Capsicum annuum* 及 *C. frutescens*)、烟草(*Nicotiana tabacum*)、颠茄(*Atropa belladonna*)、曼陀罗(*Datura stramonium*)和茄类植物(如 *Solanum nigrum* 及 *S. dulcamara* 等)。此外还有许多花园观赏植物,如碧冬茄属(*Petunia*,即矮牵牛属)、枸杞属(*Lycium*)、茄属(*Solanum*)、烟草属(*Nicotiana*)、曼陀罗属(*Datura*)、*Salpiglossis* 属、番茉莉属(*Brunfelsia*)、夜香树属(*Cestrum*)、蝴蝶花属(*Schizanthus*)、*Browallia* 属、*Solandra* 属、*Streptosolen* 属、赛亚麻属(*Nierembergia*)等等。茄科植物分布世界各地,但拉丁美洲热带地区数量最多,分布最广,其中约 40 属为该地区特产。分布于温带地区种类很少,美国和加拿大两国仅有约 50 种。茄属(*Solanum*)包含该科 2/3 以上的种类,包括所有西半球可见的野生马铃薯类植物。该科某些植物含有毒的生物碱。该科植物的特征为花单生或簇生,花萼和花冠均合生,5 裂;雄蕊 5;子房上位,著生位置偏斜;心皮 2,合生;花柱 1,柱头 2 裂。花通常显著,虫媒传粉。

Solanales 茄目 双子叶植物纲的一目。茄目应包括哪些科,植物学家意见分歧。但无论如何分类,茄目均包含某些对人类健康极为重要的植物。茄科和旋花科是通常包括入茄目的最重要、最为人熟知的两个科。茄科最大,有 95 个属,2 400种,大部分原产于热带,但在温带地区也有其代表种类。南美西部并分布到中美洲和墨西哥的种类最具有多样性。茄科包括许多重要农作物种类:马铃薯、番茄、青椒、茄子、烟草、碧冬茄等。最大的属为茄属(*Solanum*)1 000多种,包括马铃薯(*S. tuberosum*)。烟草属(*Nicotiana*)近 100 种,包括用以制烟的种类。旋花科有 55 属,1 500 多种。北美和欧洲最为人熟知的旋花科种类为缠绕植物,但在世界其他地区旋花科尚有许多草本、灌木或小乔木种类。旋花科最大的一些属为:番薯属(*Ipomoea*),约 400 种,包括牵牛花;旋花属(*Convolvulus*),包括旋花以及其他约 250 个种。菟丝子科(Cuscutaceae)约 100 种,为大型寄生植物,包括菟丝子属(*Cuscuta*)。本目其他两个较小的科是戈策氏草科(Goetzeaceae)和 Duckeodendraceae 科。花葱科也被列入茄目。该科包括约 300 种,多为草本,有的为灌木、藤本或小乔木,分属 15 或 20 个属。多数种类原产于北美西部,已适应于干燥的环境条件。茄科包括几种重要的药用植物。曼陀罗(*Datura stramonium*)可提取强力的致幻药。颠茄(*Atropa belladonna*)可提取生物碱阿托品,该药用作肌肉松弛药及几种中毒类型的解毒药。

solar calendar 阳历 以地球环绕太阳运转一周的时间(约等于 365.25 日)作为一年的历法。埃及人似乎最先创立阳历,他们用每年日出时天狼星再次出现于东方天空来定季节,这时也是尼罗河水开始泛滥的季节。他们创立的历法一年有 365 日,共分 12 个月,每月 30 日,另在年终加 5 日。但埃及历未考虑日还有小数,因而使该历误差越来越大。埃及托勒密三世于公元前 237 年的坎诺普斯法令中在 365 日的基本历内每 4 年外加 1 日。公元前 45 年,儒略·凯撒用儒略历取代了根据古希腊的阴历发展起来的混乱的罗马历。儒略历规定一年中有 11 个月,每月有 30 日或 31 日,但 2 月的日数较少,每 4 年中设一闰年。但儒略历因每年增加 0.25 日而使阳历年比实际的太阳年(365.242 2 日)略长。到 1580 年,累积的误差已约达 10 日。为了改正这一误差,教皇格列高利十三世于 1582 年创立了格列高利历(又译格雷果里历)。他把该年 10 月 5 日改为 10 月 15 日;而对那些不能被 400 整除的世纪年,如 1700、1800、1900 则不设闰年。

solar compass 太阳罗盘 又作 sun compass。利用太阳所在位置确定方向的一类航海仪器。太阳罗盘的工作原理与日晷仪有些类似。它把太阳投影的角度与罗盘盘面结合使用,借以指示方向;罗盘盘面为一扁平圆盘,上面刻有方位和角度。太阳罗盘用于高纬度地区航行,尤适用于两极附近,因为那里地球磁场的水平分量常有无法预测的波动。一种形式简单的太阳罗盘似乎是早在 14 世纪由阿勒颇的叙利亚阿拉伯人发明的。

solar constant 太阳常数 在距太阳 1 天文单位(1 天文单位约 1.5 亿千米,通常指地球到太阳的平均距离)处,同太阳光线方向垂直的单位面积在单位时间内所接收到的太阳总辐射能。在地球表面上的测量须考虑大气影响和太阳距离季节变化的修正。太阳常数的值约为 2 卡/(平方厘米·分),或约为 1.8 马力/平方米;随太阳活动可略有变化。任何实质性的变化都会对地球的生命产生重大的影响。

solar cycle 太阳活动周 几种重要太阳活动重复发生的时间间隔。这一周期平均为 22 年,它包含两个 11 年的太阳黑子周期,在每个周期中,太阳黑子的磁极性相反,而其他各种日面现象的变化也像黑子一样有两次高潮和两次低潮。这些日面现象包括日珥、光斑(光球上的亮区)和磁效应等的频数起伏,磁效应则包括极光和对地球上无线电干扰的增强。太阳黑子的 11 年基本周期(有时也称太阳活动周)是德国业余天文学家 S.H.施瓦贝于 1843 年宣布发现的。有人试图把太阳活动周同其他各种现象的变化联系在一起,如太阳直径的微小变化、树木年轮的变化,甚至连股票市场行情的涨落都同太阳活动周有关。

solar deity 太阳神 代表太阳的神，或男或女，据信有权能，恒常不变，明察万物，在有些文化形态中是至尊神祇，或者与君主融为一体。参阅 **sun worship**。

solar energy 太阳能 来自太阳的辐射，能够产生热，引起化学反应，或直接发电。太阳是一个极为强大的能源，而太阳辐射更是地球接受的最大能源，但地球表面太阳能的强

法国蒙路易的太阳能炉

供图：Laurent—H. Roger-Viollet

度十分低。这部分地是由于地球的大气和云吸收和散射了54%的入射阳光。尽管如此，由于太阳能的无偿和无穷尽以及无污染特性，在21世纪，它作为能源的吸引力有望不断增强，这是矿物燃料如石油和煤所不可比拟的。

到达大地的阳光中，包含约50%的可见光，45%的红外线以及少量紫外线和其他形式的电磁辐射。这些辐射既可转换为热能（热量），也可转换为电能，不过前者较易完成。用于收集太阳能并将其转换为热能的设备主要有两类：平板集能器和聚焦集能器。由于地球表面的太阳辐射强度很低，两种集能器的面积必须很大。甚至在世界温带的阳光充足区域，聚集足够一个人使用一天的能量，集能器必须要有约40米^{2}的表面积。

应用最广的平板集能器由一块覆盖着一或两片玻璃的涂黑金属板组成，靠照射到集能器上的阳光加热。这热量转移到流经板背面的水或空气等传热流体中。这热量可直接利用，或者转移到另一介质中储存起来。平板集能器通常用来加热水或取暖。用绝热容器储存晴天时加热的水，供夜间或多云时使用。这类系统能从储存容器中取出热水供家用，也可使热水流经地板或天花板中的管道以取暖。平板集能器一般将传热流体加热到66～93 °C。这类集能器的效率（即转换为可用的能量与所接受的能量之比）为20%～80%，视集能器的设计而定。

需要较高温度时，须使用聚焦集能器。这类设备使阳光从广大表面上反射并焦聚到一个涂黑的小接收器上，光的强度大大增强，产生高温。称为太阳炉的经仔细校直的反光镜阵列能聚焦足够多的阳光使接收靶加热到2 000 °C或更高些。这些热量能用来研究高温下的物质性质，或用于循环产生蒸汽的锅炉，为蒸汽涡轮发电厂提供蒸汽。太阳炉已成为高温研究的重要工具。为了产生蒸汽，可将活动反光镜排列得能使大量太阳辐射集中到涂黑的管子上，水循环地流过这些管子并获得热量。

用光生伏打电池可将太阳辐射直接转换成电能。在这类电池中，当光照射到金属和半导体（例如硅）间或两不同半导体间的结上时，就能产生很小的电压（参阅 **photovoltaic effect**）。单个光电池产生的电压不到1伏特。像现代的太阳电池组那样，把大量的单个电池联结起来，可以产生超过1 000瓦的功率。最新式光电池的能量效率只有约15%～20%，即只有这样大的辐射份额能转换为电能。因为太阳辐射强度低，所以要用庞大和昂贵的这类光电池组以产生中等数量的动力。因此，由太阳光操作的光生伏打电池组至今主要用于低动力的场合——例如计算机和手表的动力源。较大的电池组已用来为气象和通信卫星提供动力。

此外，太阳能还有为其他目的的小规模应用。在一些国家中，特殊设计的太阳灶可用于烹饪，而且太阳能还可用来蒸发海水制盐。

太阳能的潜力是巨大的，因为地球每天接受的太阳能约是全世界发电量的20万倍。虽然太阳能本身是无偿的，但其收集、转换和储存费用高，因而限制了它的开发使用。

solar flare 太阳耀斑 太阳色球中局部小区域的突然增亮，位置在谱斑或光斑附近，且常在黑子群周围。耀斑在几分钟内形成，可持续存在几小时。能量大多是紫外辐射，也发出强X射线，还有宇宙线和非高能粒子。粒子的运动速度比耀斑的光速慢得多，因而一二天后才能到达地球附近。耀斑发出的辐射和粒子同地球磁场和电离层相互作用，会使地球上的短波无线电通讯中断并出现极光。

solar heating 太阳能供暖 利用日光加热建筑物室内的水或空气。有两种太阳能供暖法：被动法和主动法。被动供暖法依靠建筑设计向建筑物供暖。建筑物的位置、结构和材料，全可利用来尽量加强所受日照的供暖（和照明）效果，从而降低甚至取消燃料的需要量。例如，保温良好并具有南向大玻璃窗的建筑物，可在晴天有效地捕获热量，并减轻对煤气、石油（取暖用）或电能（照明用）的依赖。射入的日光可加热受照房间内的空气和固体表面，并且这种暖热可通过自然对流传给建筑物中的其他房间。建筑物的砖瓦等内部面材，也与建筑物一起吸收日光，并在夜间辐射出热量。在主动供暖法中，利用机械方法贮存、聚集和在建筑物内分配太阳能，以提供热水或空间供暖。照射在建筑物的集光器阵列上的日光，被转换为热能，传给载热流体（通常是液体，较少用空气），后者随后被泵送到转换、贮存和分配系统。在液基系统中，水（较少用甘油）被泵送通过与平板集光器相接触的许多管子。集光器是黑色的金属板，可吸收日光，前面用数层玻璃和空气保温；玻璃让可见光透过并使它照射在金属板上，但却能捕获所生成的热量，再将它传给载热流体。也可将载热流体泵送通过受到由反射镜聚集（从而聚光）的大量日光照射的已排空的玻璃管或一定体积的空间。载热流体吸收来自集光器的热量后，被泵送到保温的贮槽中，可直接使用或贮存起来，以待随后使用。此系统可向住宅提供由贮槽放出的热水或提供流过楼板和天花板中管道的温水，以向空间供暖。贮槽可使日照期间被加热的水能在夜间或阴天使用。如果载热流体含有预防冷天冻结的防冻液，则可用换热器将此载热流体的热量传给可供家庭直接使用的水。采用平板集光器的住宅供暖系统，一般将载热流体加热到66～93 °C的温度。

solar nebula 太阳星云 在太阳系起源的所谓星云说中，凝聚成太阳和行星的气体云。德国哲学家I.康德在1755年提出，一个缓慢转动的星云在它自身引力作用下，会收缩并扁化成为一个旋转星云盘并从中形成太阳和行星。法国天文学家和数学家P.-S.拉普拉斯在1796年提出一个相似的模式，不过他认为行星诞生在太阳形成之前。19世纪晚期，康德-拉普拉斯的观点遭到了英国物理学家C.麦克斯韦的批评。他指出，若已知行星所含的全部物质确曾一度分布在环绕太阳旋转的圆盘上，则较差转动所产生的剪切力将使各行星无法凝聚。另一种反对的意见是，太阳拥有的角动量（取决于太阳的总质量、物质分布和自转速率）似乎比理论所要求的小。在几十年间，大多数天文学家倾向于所谓碰撞理论。根据这一理论，行星的形成被认为是由于某个恒星走近太阳的结果，但随后又有人对碰撞理论提出异议，而且这种异议比对星云说的反对意见更有说服力，尤其是当星云说在20世纪40年代作过修正以后更是如此。在修改后的星云说中，原始行星（参阅 **protoplanet**）的质量比早期理论所说的要大，而角动量的表观差异则被解释为连接太阳和行星的磁力造成的。

solar prominence 日珥 在太阳色球上面进入日冕的炽热电离气体云，有时延伸几十万千米。其原因仍不明，也许同磁力有关。日珥在大小、形状和运动方面差别很大，而且有活动日珥和宁静日珥两种主要类型。活动日珥快速喷发，持续几分钟至几小时。活动日珥和黑子群有关，而且同黑子群一样，在数量和活动上都同太阳活动周期紧密相关。宁静日珥喷发平缓，减退更慢，可延续几个月。当日全食时，日面完全被月球遮住，用肉眼就可看到如火焰喷射物的日珥。瑞典哥德堡的天文学家B.瓦森纽斯可能是描述日珥的第一人（1733）。1868年，P.J.C.让桑和J.N.洛基尔分别独立发明一种不需等到日全食就可用分光镜观测日珥的方法。

solar radiation 太阳辐射 太阳发射的电磁能，包括X射线、紫外线、红外线、射电辐射以及可见光。太阳每秒钟发出的总电磁能约为3.8×10^{33}尔格，太阳系的行星及其卫星总共接收到太阳总辐射的1/1.2亿。地球接收到的能量只是其中一小部分（平均1千瓦/平方米），但它对地球上的生命和维持地球表面的自然过程却极关重要（参阅 **solar constant**）。太阳能量输出的峰值在波长0.47微米处。太阳表面上辐射约8千瓦/平方厘米。

solar system 太阳系 在太阳引力控制下，大行星、天然卫星、小行星、彗星、流星体以及行星际尘埃和气体的集合体。太阳质量占太阳系总质量的99%以上，其余的主要为

太阳系八大行星(以前认为是九大行星)所有。2006年8月国际天文学联合会(负责给天文物体分类的组织)投票决定将冥王星从太阳系行星的正式名单中删除,把冥王星列入新的矮行星类。自从1930年被发现环绕海王星(距离太阳第八远的行星)飞行以来,冥王星一直享有行星地位。

根据公认的太阳系起源学说,太阳和大行星约在46亿年前,从一个大型尘埃和气体云的引力坍缩过程中同时形成。位于中心地带的太阳吸积了大部分下落的气体,质量逐渐增大,致使在炽热的、受压缩的核内,引发了产能的核聚变反应。于是,太阳演变为恒星。环绕太阳的天体中没有一个获得足以产生大量光和热的质量,它们从而变成黑暗且相当冷的大行星。

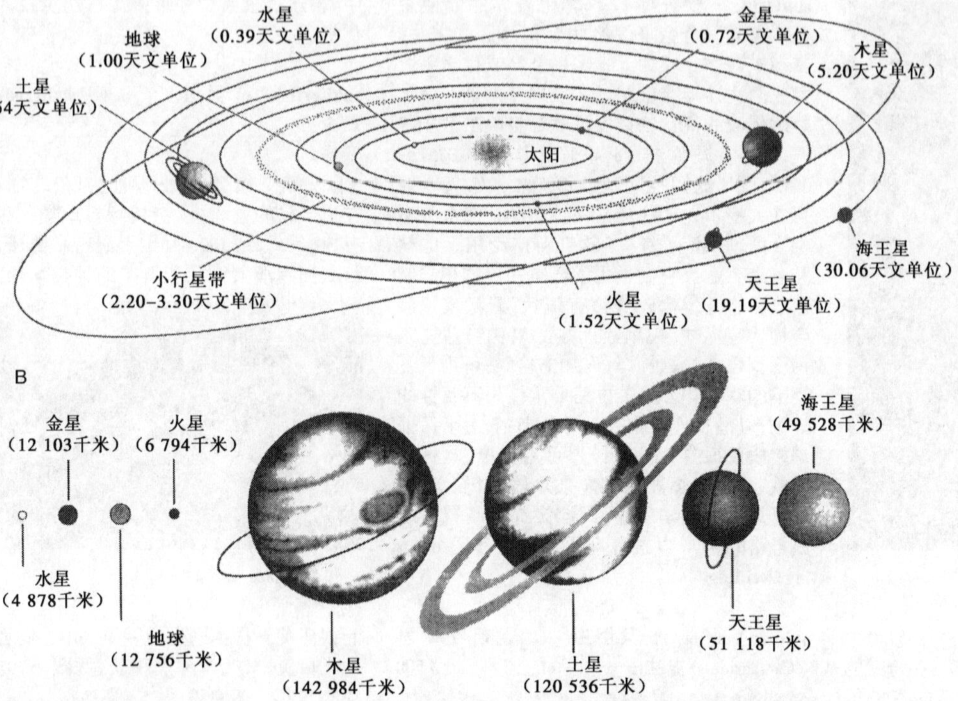

(A)行星距太阳的相对距离示意图,以天文单位(1天文单位 = 149 598 000千米)为计;(B)根据行星的平均赤道直径绘出的行星体积比较示意图

大行星可划分为两大群:类地行星和类木行星。类地群由4个最近太阳的大行星组成,它们是水星、金星、地球和火星。类木行星是外围的巨型气态行星:木星、土星、天王星和海王星。

类地行星位于距太阳0.3～1.7天文单位(AU)之间(1AU等于149 598 000千米或92 955 800英里,代表日地平均距离)。这4个大行星都是体小(直径小于13 000千米)、石质、具有稀薄或微不足道大气的天体。通常认为,年轻太阳的热能阻碍了在类地行星上聚集原始太阳星云中丰富的气态元素。所以,这些天体不能拘留住广延的气态包层,致使只剩下裸露的石质内核,其大气(如果有的话)是从内部排气而得。

太阳星云内的气体在5.2～30.4AU区间足够冷却,从而几种浓密气体得以凝聚,致使开始形成的外围行星的质量增长得很大,因此保持住主要由氢和氦等轻元素气体组成的浓厚大气。木星、土星、天王星和海王星全都具有类似的结构,它们中没有一个具有可接触的固态表面。在4个巨型气态行星中,木星最大,直径约43 000千米。除海王星外,其他3个大行星的周围至少都有一个完整的环,以及一个复杂的卫星系统。

内围行星和外围行星被火星和木星的轨道之间的一条空隙带所分开,空隙带内充满几万个小行星。虽然其中几个,例如谷神星和智神星是球形的、直径有几百千米,但绝大多数都是外形不规则的大石块或大金属块,直径仅数米。由于木星的强大引力拉扯,小行星很可能是很多稍大的、未能吸积物质而形成一个单一行星的天体的碎块。某些小行星具有很扁椭的轨道,足以使它们运行到小行星带之外,并飞近其他行星。小行星或小行星的碎块因而得以撞击地球,在过去的岁月里,这种类型较大天体的大量轰击,给内围行星及其卫星的表面上留下为数众多的陨石坑。然而,如今较大的小行星体多已消失不见,其中一些较小的碎片冲进地球大气,变成发光的流星。如果一块小行星碎片进入地球大气且没有燃尽并陨落在地球表面,就称为陨石。

大多数流星体比起源于小行星带内的碎片要小得多。它们是往复穿过内太阳系而磨损的彗星的易碎的、低密度的尘粒。彗星被认为起源于一个巨大的宇宙碎屑团之中,即所谓的奥尔特云内,其外围边界估计在远离太阳50 000AU以外处。每当一个这种彗核的轨道受到一个近距恒星的引力摄动,该彗核即可能飞离奥尔特云,并沿一个扁椭的轨道进入内太阳系。随着入侵的彗星飞临太阳,它的冰态物质的外层熔融并蒸发,释放出气体和尘埃,在彗核周围形成一团球状的弥漫云,这就是彗发。最后,从彗发中抛射出一些气体分子和尘埃微粒,形成一条或更为常见的两条、长达几百万千米的彗尾。

太阳系的其他成分中还包括如太阳风。它是荷电原子的粒子流,不断地从太阳的最外层向外流出。空间探测器在远到海王星的轨道处,已检测到来自太阳风的质子和电子。

solar time 太阳时 按地球相对于太阳的自转测量的时间。视太阳时是直接观察或用日晷测得的时间。平太阳时是大多数钟表所指示的时间,它是假定太阳在一年内以均匀的视速运行观察而测得的。实际上太阳运行的视速按季节不同有所变化。平太阳时和视太阳时的差称为时差。时差从不超过16分钟,它通常以修正量表示。通过加、减修正量,可以从一种太阳时求出另一种太阳时。真太阳和据以量测平太阳时的想象的“平太阳”可能相隔16分钟之多的原因在于,在一年之中,真太阳以其他恒星为背景的表现运动要交替地减慢和加快。引起这种变化的因素有二:一是地球的轨道并不严格是圆形的,而且地球在轨道中的运行速度还随季节而略有不同。二是地球的轨道平面和地球的赤道平面是相对倾斜的,一年中太阳的表观每日行程与正东西方向要偏离不同的量,因而据以推算太阳时的太阳黄经的改变速率也有相应的变化。自1972年以来,常用的时间是太阳时和原子时的结合,称为**协调世界时**(**Coordinated Universal Time**),它的秒是原子时的秒,而它的历元则是靠周期性的调节来保持,调节量在平太阳时0.9秒以内。参阅**Universal Time**。

solar wind 太阳风 主要是由质子和电子加上少量重元素核组成的粒子流。这些粒子受日冕或太阳外部区域的高温而不断加速,其速度大到足以使这些粒子脱离太阳重力场。太阳风能使地球磁层尾部和彗星尾部向远离太阳一侧偏离。在地球距太阳1个天文单位(地球与太阳的平均距离,约1.5×10^8

千米)处,当太阳相对宁静时期,每立方厘米太阳风约含1～10个质子,粒子以350～700千米/秒的速度移离太阳。这可以造成每平方厘米每秒10^8～10^9个离子的正离子流。每一个离子的能量至少等于15电子伏特。在太阳耀斑期间,质子速度、通量、等离子体温度和有关的湍流便显著增强。太阳风遇到地球磁场时,会产生冲击波;其实质还未完全弄清。未与地球和其他行星发生相互作用的一部分太阳风继续移动约20个天文单位而变冷,最后扩散到银河系空间。

Solari, Andrea 索拉里(?～1524-08-18至10-07之间) 原名安德列亚·德尔·戈博。意大利文艺复兴时期米兰画派画家,达·芬奇最重要的追随者之一。最早注明年代的作品是

索拉里绘《有绿座垫的圣母》
供图:Giraudon—Art Resource/美国不列颠百科全书公司

《圣母子和圣约瑟与耶圣哲罗姆》(1495,米兰布雷拉宫绘画陈列馆)。圣母的达·芬奇式的脸型说明他受这位佛罗伦萨大师的影响很深。著名的《有绿座垫的圣母》(巴黎罗浮宫),其色彩和气氛芬芳的效果也表现出达·芬奇的影响,而此画栩栩如生的构图却显示了画家自己的艺术气质。

solarium 日光室 所有可受到日光照射的房间。该词也指古希腊或罗马住宅屋顶上的敞廊或住房。但现在专指用玻璃围护的房间。这样的日光室有三四面玻璃墙甚至玻璃屋顶。日光室往往是医院或疗养院中的一种设施,在此房间内,病人在可控制的条件下受日光照射,作为一种治疗方法。

Solaro della Margarita, Clemente, Count (conte) 索拉罗·德拉·马加里塔(1792-11-21,皮埃蒙特蒙多维[意大利]～1869-11-12,意大利都灵) 皮埃蒙特政治家,支持旧秩序,反对复兴运动。1816年进入皮埃蒙特外交界,1835年任外交大臣。他奉行一种在法国和奥地利之间谨慎中立的政策,在国内则反对立宪改革。1847年被国王免职。他继续反对意大利统一计划,在皮埃蒙特议会中(1854～1860),他领导反动的反对派,与复兴运动的领袖加富尔首相对立。1860年他没有被选入统一后的意大利第一届议会,遂退出政坛。

Solbad Hall 索尔巴特哈尔 又称蒂罗尔的索尔巴特哈尔,或蒂罗尔的哈尔,或哈尔。奥地利西部蒂罗尔州城镇。在因斯布鲁克东面,濒临因河。约1260年,在附近几座盐矿周围有人定居。1303年建镇。1477年建造币厂。城内保持着中世纪末期特征:街道狭窄,房屋古色古香,还有城墙和护城河遗迹。名胜有哥特式圣尼古劳斯教区教堂(1281)、市政厅(1447)、施蒂夫特教堂(1507)、施蒂夫特女隐修院(1566)和侯爵大厦(1751)。有很多矿泉。盐矿仍在开采,并有制革及酿酒业。人口11 482(2001)。

soldering 软钎焊 不熔化被焊件而使用低熔点金属合金来焊接两金属表面的方法。其基本操作步骤如下:①用磨料或化学手段彻底清洗被焊接金属,②使用焊剂来消除加热时生成的氧化物并促进软钎料的扩散和浸润,③将焊件排列起来,形成0.025～0.125厘米的可控间隙,④加热,⑤将软钎料加入接口,⑥冷却并保持不动,⑦清洗腐蚀性焊剂残渣。锌-铅软钎料广泛用于电气和管道工业。它们也用于汽车的黄铜和铜制散热器的钎焊。软钎料有线状、棒状或预混合糊状等形式,视用途而定。氯化锌基焊剂用于铜合金的软钎焊,再加上盐酸,可用于不锈钢的软钎焊。电子电路要求使用不腐蚀的焊剂;以酒精作溶剂的松香基焊剂,对于保证焊接质量很有效。软钎焊可用焊枪、软钎焊烙铁、火焰加热器和感应加热器进行。浸渍软钎焊用于汽车工业,而熔波钎焊装置在印刷电路的生产中占有重要地位。参阅 **brazing; welding**。

soldier beetle 士兵甲虫 鞘翅目花萤科(Cantharidae)昆虫——花萤的俗称。近3 500

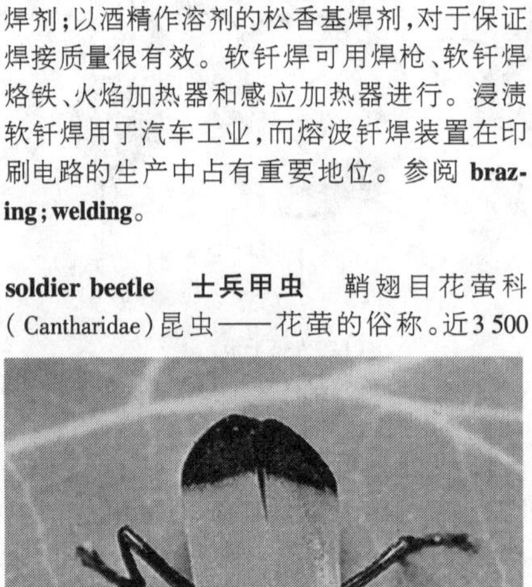

普通士兵甲虫(突颚花萤属, *Chauliognathus*)
供图:Walter Dawn

种。分布广泛。体细长,柔软;褐色或黑色,边缘镶以红色、黄色或橙色,甚似士兵的制服。成虫体长5～15毫米,通常见于植物上。某些花萤的口器上有一对肉质的长丝,用以取食花粉和花蜜。其他各种为肉食性。北美最常见的种有镶边突颚花萤(*Chauliognathus marginatus*,头和足橙色)和宾夕法尼亚突颚花萤(*C. pennsylvanicus*,黄色,具黑斑,通常见于一枝黄花上)。欧洲常见的属有花萤属(*Cantharis*)和 *Rhagonycha* 属。该科的名称曾有一些混乱。现今归入芫菁科(Meloidae;参阅 **blister beetle**)的甲虫,原曾归入花萤科。

soldier fly 水虻 双翅目水虻科昆虫,根据其翅脉可辨认。水虻属(*Stratiomys*)的腹部宽扁,但长腹水虻属(*Ptecticus*)的腹部长而基部窄。具鲜明的黄、绿或黑色条纹,外形似蜜蜂或黄蜂,亦常出现于花的附近。幼虫蠕虫状,肉食性或草食性,其生境多样,如水中、腐败有机质和蔬菜中。在幼虫蜕的皮内化蛹。

soldierfish 兵鱼 参阅 **squirrelfish** 松鼠鱼。

sole 鳎 鲽形目几个科比目鱼的统称,但在更严格的意义上,专指鳎科鱼类。鳎科约有30多属,约100种,见于温带和热带海域。从欧洲到澳大利亚和日本的种类均为海产,

多佛鳎(*Solea solea*)
供图:Jacque Six

而很多美洲种类则生活于淡水中。同许多其他比目鱼一样,体扁而稍长,两眼小,均位于头的右侧。多佛鳎(欧洲鳎,*Solea solea*)是有商业价值的食用鱼,长约50厘米;体褐色,具深色斑块,胸鳍有一黑点;分布于东大西洋与地中海的河口到近岸水域。北美的常见种是三鳍鳎(*Trinectes maculatus*),见于从新英格兰到中美洲的大西洋近岸浅水,也常见于深入内陆同大河川相连的淡水水域中;体圆形,长度很少超过25厘米。

Soledad 索莱达 哥伦比亚西北部大西洋省城市。距马格达莱纳河口30千米。建于1640年。现为地方工商业中心。受巴兰基亚城发展的影响,索莱达也实现工业化。与其他城市通公路,建有为北面5千米处的巴兰基亚城服务的国际机场。人口164 494(1985)。

Solemn League and Covenant 《庄严盟约》(1643) 英格兰与苏格兰签定的一项协定。根据这项协定,苏格兰保证支援英格兰议会党人反对王党,共同争取把英格兰、苏格兰和爱尔兰在政治和宗教上统一于长老制和议会制之下;这项协定于1643年8月由苏格兰长老会通过,次月由英国议会和威斯敏斯特会议通过。盟约执笔人是亨德森,英国议会党

以它为争取军事盟友的世俗协定，但苏格兰人则以之为保障他们的教会制度的宗教文件。克伦威尔的共和政府和复辟(1660)后的国王查理二世都没有履行盟约，盟约也再未续订。

solenodon　沟齿鼩　又作 alamiqui。食虫目沟齿鼩科外形似鼠的尚存两个种的统称。产于加勒比地区。体长 28 厘米，尾无毛，与体等长。吻尖削，具长须，耳大且圆。主要以

古巴沟齿鼩(*Atopogale cubana*，或 *S. cubanus*)
供图：J. A. Hancock—Photo Researchers

无脊椎动物为食，用利爪从地里挖掘食物。其唾液有毒。海地沟齿鼩(*Solenodon paradoxus*)栖息在伊斯帕尼奥拉岛东北部的多石树林中，由于土地开发和砍伐森林，已濒于绝灭。罕见的古巴沟齿鼩(*Atopogale cubana*，有时作 *S. cubanus*)仅见于奥尔金地区，已受法律保护。

solenogaster　沟腹虫　无板纲蠕虫状海产小型软体动物的俗称。与多数软体动物不同，无壳，却覆以有棘的角质外皮。多数体长不到 2.5 厘米，但最长可达 30 厘米。生活在海洋 30～1 800米深处。已知约有 150 种。

solenoid　螺线管　由导线均匀绕成的圆筒形线圈，其长度远大于其直径。直流电通过导线时产生磁场，把插棒式铁心吸进螺线管中；插棒式铁心的运动常用于驱动开关、继电器或其他装置。

Solent, The　索伦特海峡　英吉利海峡中的小海峡。位于英格兰汉普郡沿岸和怀特岛西北岸之间。西起尼德尔斯，东至南安普敦水道。长 24 千米，宽 3～6 千米。因河谷被海水淹没而形成。索伦特海峡向东沟通斯皮特黑德海峡，为大轮船到南安普敦的安全航道。北岸有比尤利河和林姆河河口湾。尼德尔斯对岸矗立着建于 16 世纪的赫斯特堡。南安普敦水道出口处有都铎时代的要塞卡尔肖特堡。索伦特海峡是帆船比赛场所；斯皮特黑德海峡以举行海军检阅而闻名。

Soler, Antonio　索莱尔(1729-12-03，西班牙奥洛特～1783-12-20，马德里附近埃斯科里亚尔隐修院)　18 世纪末西班牙最重要的器乐与教堂音乐作曲家。1752 年加入圣哲罗姆教团并担任埃斯科里亚尔隐修院管风琴乐师。作为当时最著名的键盘演奏家之一，他曾教过王室成员管风琴和拨弦键琴。他是 D.斯卡拉蒂的学生，所作大量拨弦键琴奏鸣曲和一些管风琴曲在键盘技巧、曲式与往往是出人意表的和声进行方面均受老师的影响。作有许多教堂音乐，还为卡尔德隆和其他人的戏剧配乐。写有 6 首五重奏和 6 首两架管风琴的协奏曲。著有《转调要诀》(1762)，该书在同代人中引起广泛讨论。为了进行微分音音程试验，他还发明了一种称为"阿菲纳多尔琴"的键盘乐器。

Soleri, Paolo　索勒里(1919-06-21，意大利都灵～　　)　意大利出生的美国建筑师、城市规划师，以设想 20 世纪的未来城市著称。1946 年获都灵工业学院建筑学博士学位。1947～1949 年在美国亚利桑那州随建筑师 F.L.赖特学习。1955 年再赴美国，定居于亚利桑那州斯科茨代尔。1959 年开始规划了"岩滩"城市的方案(可容纳 200 万人口的沙漠城市)，他设计了一系列巨大的垂直伸向空间的居住中心，这些大型建筑既可保留周围的自然环境，又便于使集中在一起的居民更加活跃地生活和工作。他把这种布局称之为

美国不列颠百科全书公司供图

"生态建筑"。1970 年这一规划的模型和图纸先后在美国大城市展出，受到普遍赞扬。同年，他开始第一个实施方案，在亚利桑那州菲尼克斯和弗拉格斯塔夫之间设计了一个可容 5 000人的单幢大厦。

Soleure (Switzerland)　**索勒尔**　参阅 **Solothurn** 索洛图恩。

soleus muscle　比目鱼肌　一块扁、阔的小腿肌，位于腓肠肌下方。形似比目鱼，故名。起于胫骨及腓骨上部，与腓肠肌融合，通过跟腱止于跟部。主要功能为屈膝时使足蹠曲。

solfatara　硫质喷气孔　来自意大利语，意思是"硫磺产地"。指以硫气为主要成分并且带有热蒸气的喷气孔(**fumarole**)或者天然蒸气孔。

solfeggio　视唱　用阶名唱法唱名(do、re、mi 等)歌唱的声乐练习曲，以及引伸为用某一元音来歌唱的练声曲，通常快速、华丽并难于掌握。视唱曲集自 17 世纪一直使用至今，18 世纪杰出歌剧作曲家如 N.波尔波拉和 A.斯卡拉蒂，以及 19 世纪的 L.凯鲁比尼均有此类作品。后来写作这类练习曲的有拉威尔、丹第、沃恩·威廉斯、维拉-洛博斯和拉赫玛尼诺夫等人。视唱有时也指音程及其记谱法的一门专业课程。

Solferino, Battle of　索尔费里诺战役(1859-06-24)　第二次意大利独立战争中奥地利军和法国-皮埃蒙特军队在伦巴第进行的最后一战，结果伦巴第大部土地并入撒丁-皮埃蒙特，促进了意大利的统一。奥军约 12 万人于 1859 年 6 月 4 日在马真塔战役中被击败后，向东撤退，奥地利皇帝 F. 约瑟夫一世亲临前线指挥。法国-皮埃蒙特军队的兵力几和奥军相当，在法国皇帝拿破仑三世和撒丁-皮埃蒙特国王 V. 伊曼纽尔二世的共同指挥下穷追奥军。6 月 24 日两军不意在伦巴第境内斯蒂维耶雷堡东南 4 英里的索尔费里诺及其周围地区正面遭遇。法军以重大牺牲为代价突破奥军中路，而奥军则采用拖延战术，使法国-皮埃蒙特军队精疲力竭，无法穷追。此役奥军死伤 1.4 万人，失踪和被俘8 000余人；法国-皮埃蒙特军队死伤 1.5 万人，失踪和被俘2 000余人。此役伤亡惨重，故拿破仑三世决心同奥地利停战言和，并导致国际红十字会运动的兴起。参阅 **Villafranca, Conference of**。

Soli　索利　古安纳托利亚海港。在今土耳其中南部梅尔辛以西，由罗得岛希腊移民所建。公元前 333 年曾被亚历山大大帝占领，当时十分繁荣。公元前 1 世纪被亚美尼亚的提格兰(公元前 95～前 55 在位)摧毁，但后来又由罗马大将庞培修复。该地最引人注目的古迹为索利通往港口主要公路两侧的长柱廊遗址。

Soli　索里　塞浦路斯的希腊古城。位于今莫尔富湾卡拉沃斯塔西以西。相传索里是在特洛伊战争后，由雅典英雄阿卡麦斯所建。但据另一传闻，它是为纪念梭伦而取名索里。梭伦是雅典法律的制定者（活动期在公元前 6 世纪），据说到过塞浦路斯。公元前 7 世纪时，索里可能是亚述的盟邦。在古希腊时代，索里虽铜矿很出名，而政治上却无关紧要。发掘出来的古迹有一所剧院，一座古庙和武尼以西 8 千米处的一座 5 世纪的宫殿。

solicitation　引诱　在刑法上，指一个人要求、鼓励或指示另一个人去犯某项重大的刑事罪。它往往与煽动罪有联系。煽动犯通常是在犯罪现场上鼓励主犯去犯一种他本人已经准备去犯的罪行。引诱犯不需要在现场，但是他鼓动和指导罪行本身。引诱本身就是一种罪行，不论被引诱实施的行为最终实施与否。煽动则往往要在实施了被煽动去实施的行为时才受惩罚。一般地说，引诱罪只有在涉及重大罪行时才发生。引诱是走向实施犯罪的一个步骤。如果被引诱的人是可以不负法律责任的人，例如儿童，引诱者可能构成引诱未遂罪。如果被引诱的人实施了预定的行为，引诱者可能被作为同谋犯处罚。参阅 **accomplice**。

solicitor　初级律师　英格兰两类开业律师之一，另一类为出庭辩护的高级律师。初

级律师进行大部分法律事务工作。一般地说,高级律师只通过初级律师受理委托,由初级律师将当事人的要求整理后转交高级律师。初级律师负责与当事人商洽委办事项,提供意见,起草文件,进行谈判,为案件的审判作准备,只就某些专门问题征询高级律师意见或延聘其在高级法院出庭辩护。初级律师有权在一切法庭充当诉讼代理人或委托人的代表,并可以被认为法庭官员之一,但他们只能在初级法庭上充当辩护人。由于初级律师的活动占律师工作的大部分,其人数为开业高级律师的很多倍。初级律师的资格要求受过法律院校教育,但是,最重要的特点是必须随一名开业初级律师见习(当学徒)5 年(大学毕业生见习 3 年)。初级律师必须是英联邦公民,而高级律师没有这种限制。初级律师正式的组织是"法律协会",这是一个经议会同意成立的自愿参加的团体。法律协会在制定和执行初级律师应遵循的准则方面有广泛的权力。它的条例规定如何为当事人保管金钱或处理接受委托的金钱;此项金钱必须有账目,而且每年要经审查核对。法律协会掌握有一笔当事人赔偿基金,以便减轻或补偿由于初级律师的不诚实行为所造成的损失。初级律师与高级律师不同,初级律师可为索取应得的律师费而起诉。参阅 **barrister**;**Inns of Court**。

solid 固体 物质的三种基本状态之一。其余两种分别为液体和气体。固体是由这两种状态之一转变过来的,因为当物质中的原子处于比较有规则的三维结构时,原子的能量要减少。固体具有与液体和气体相区别的某些特性。例如所有固体都能承受垂直或平行地加在它某个表面上的载荷(即分别为正压力或剪切力)。这种性质与构成固体的原子的性质、原子的排列方式以及原子之间的相互作用力有关。固体一般分为三大类:晶态、非晶态和准晶态。晶态固体的周期性原子排列有序度很高。几乎所有的金属和许多其他的矿物都属于这一类。非晶态固体中原子和分子不组成固定的点阵图样。这一类包括玻璃、塑料和凝胶体等。准晶态固体是具有异常对称性的金属合金,其中原子以准周期性方式排列,即其图样每隔固定距离并不重复。它们呈现的对称性(如五重对称性)是一般晶体没有的。准晶体结构常见于铝与另一种金属(如铁、钴或镍)组合的合金中。

某些分子可在液晶(**liquid crystal**)状态中存在。液晶介于结晶固体和液体之间,液晶流动似液体而又呈现结晶固体的某种程度的对称性。结晶固体中的原子键主要有 4 种:金属键,离子键,共价键,分子键。金属和合金的主要特征是有较高的电导率和热导率。这是由于自由电子的迁移而引起的。离子晶体可以看作是带电离子的聚集体,这些盐类通常具有随温度升高而增大的离子导电性。共价晶体质硬,往往也脆,这类材料有金刚石、锗、硅和碳化硅等。在较简单的单原子类型中(例如金刚石),每个原子都被数量与它的化学价相等的原子所包围。分子晶体是像干冰(凝固的二氧化碳)、固态的稀有气体(如氩、氪和氙)以及许多有机化合物晶体一类的物质,其分子键合较弱。某些在低温下为良好绝缘体的多种合金、盐类、共价晶体和分子晶体在高温下却可转变为导体,且其电导率随温度升高迅速增加。这一类材料称为半导体。它们与铜、银或铝一类金属相比,电导率一般比较低(参阅 **semiconductor**)。

solid solution 固溶体 与液体溶液类似的固体体系。如同液相之间一样,在任何两个共存的固相之间也存在着互溶的趋势。两种无机组分的互溶性取决于固相间的化学相似性,可以像水与乙醇一样达到 100%,也可以如同水与煤油一样,接近于零。达到平衡时的温度愈高,则互溶性愈大。固溶体系列是一组其组成介于两个完全不相同的极端之间的物质连续系列。在固溶体系列中,可以认为各个组分在其晶体结构中能够在分子水平上互相置换。各个中间固溶体的性质随组成的改变,从一个极端固溶体的性质连续地变化到另一极端固溶体的性质。如果固溶体系列中所有各种组成的固溶体在自然界有实物存在或已在实验室中合成成功,则称此固溶体系列为完全固溶体系列;如果有一个组成范围在理论上是可能的,但始终未曾观察到,则呈现有这样的组成范围的固溶体系列,称为部分固溶体系列。一个连续固溶体系列的实例是橄榄石矿物的镁橄榄石-铁橄榄石系列。在这一系列中,固溶体的化学组成从镁橄榄石(硅酸镁 Mg_2SiO_4)变化为铁橄榄石(硅酸铁 Fe_2SiO_4);中间固溶体的结构与极端固溶体的结构相同,而物理性质则有规则地从镁橄榄石的物理性质逐渐过渡到铁橄榄石的物理性质。

solid-state detector 固体探测器 又称半导体辐射探测器。用硅或锗晶体之类半导体作为探测介质的辐射探测器。这类器件之一种是用 p-n 结,当致电离辐射的粒子通过结时就产生电流脉冲。另一种是利用半导体材料吸收致电离辐射而产生载流子对,即产生电子和缺少电子的空穴,外加电压使载流子移动而构成电流脉冲。电脉冲经过放大并记录下来,然后进行分析,从而测定入射的带电粒子的能量、数目或识别入射粒子。在低温(通常是液态氮,-164 °C)使用这类探测器可以抑制由热振动造成的载流子的无规生成,从而提高仪器的灵敏度。

solid-state device 固态器件 电流流经固体半导体晶体(硅、砷化镓、锗)而非真空管的电子器件。第一个固态器件是"晶须"(1906),在其中有一根纤细的金属线在固态晶体中移动以探测无线电信号。由一个或多个半导体制成的晶体管位于现代固态器件的中心;集成电路可容纳数百万个晶体管。

Solidarity 团结工会 正式名称为独立自治团结工会(波兰语作 Niezależny Samorząd Związków Zawodowych Solidarność)。波兰工会,80 年代初苏联集团国家的第一个独立的工会。团结工会于 1980 年 9 月成立,1981 年 12 月受到波兰政府的暴力镇压;1989 年重新出现,成为自 40 年代以来苏联集团国家第一个反对派,参加自由选举。团结工会随后与波兰统一工人党(共产党人)(PUWP)组成联合政府,其领导人在这一全国性政府中占统治地位。

团结工会的起源可追溯至 1976 年,当时一群持不同政见的知识分子有鉴于数千名罢工工人在各城市遭到政府当局的袭击和被捕入狱,因而组成工人防卫委员会(KOR)。工防会为入狱者的家属提供法律和医疗援助,通过地下组织网散播消息;1979 年发表工人权利宪章。

1980 年抗议食品价格上涨的新的罢工浪潮日益高涨,格但斯克成为抗拒政府法令的温床。格但斯克列宁造船厂约 1.7 万名工人在当时的电工瓦文萨的领导下举行罢工,并在厂内设栅防守。1980 年 8 月中旬,格但斯克成立厂际罢工委员会,以协调该地及其他地方迅速蔓延的罢工行动。它在一周内,向波兰政府提交了一份主要根据工防会工人权利宪章提出的要求清单。8 月 30 日,政府和格但斯克罢工工人之间达成协议,允许自由和独立的工会均有罢工的权利,并有宗教和政治表达的更大自由。

团结工会于 1980 年 9 月 22 日正式成立,当时 36 名地区工会代表在格但斯克开会,在团结工会的名义下联合起来。工防会随后解散,其积极分子成为团结工会会员,瓦文萨被选为团结工会主席。一个由个体农民组成的单独的农会于 1980 年 12 月 14 日在华沙成立,取名团结农会。到 1981 年初,团结工会约有会员1 000万人,代表波兰大部分劳动力。

1981 年全年,由雅鲁泽尔斯基将军领导的政府面对的是一个日益强大和更需认真对付的团结工会,后者发动了一系列罢工来支持它对经济改革、自由选举和工会参与最高层次决策的要求。温和的瓦文萨受到更趋急进的工会会员的压力,团结工会的立场日益强硬。与此同时,雅鲁泽尔斯基的政府则受到苏联要求镇压团结工会的极大压力。

1981 年 12 月 13 日,雅鲁泽尔斯基实施军事管制法,企图粉碎团结工会运动。团结工会被宣布为非法,其领导人被捕。1982 年 10 月 8 日,议会正式解散团结工会,但它作为地下组织继续存在。

1988 年新的罢工浪潮和工人骚动席卷波兰;在罢工工人所提要求中,最主要的是政府承认团结工会。雅鲁泽尔斯基授权政府与团结工会领导人举行会谈,接着举行谈判,结果于 1989 年 4 月达成协议。由此团结工会合法化,并被允许参加两院制的波兰议会的自由选举。在同年 6 月举行的选举中,团结工会认可的候选人赢得了新成立的参议院(上院)100 个席位中的 99 席,并在议会(下院)获得了分配给反对派候选人的全部 161 个议席(议会议席总数为 460 席)。8 月团结工会同意与波兰统一工人党组成联合政府,雅鲁泽尔斯基提名团结工会的长期顾问马佐维耶茨基任由团结工会会员及其支持者占统治地位的内阁的总理。8 月 24 日马佐维耶茨基出任总理,成为自 40 年代后期以来第一个治理波兰的非共产党人的总理。在与马佐维耶茨基在一场政治争论中分裂后,瓦文萨于 1990 年 12 月当选为波兰总统。

Soligorsk 索利戈尔斯克 白俄罗斯明斯克州索利戈尔斯克区城市和首府。于1949年斯塔罗宾矿区发现钾碱矿藏后建立。钾碱地层面积约14 000平方千米，含钾盐约500亿吨。为开发这些矿藏，原设有3座加工厂，后合并成白俄罗斯联合企业。其他工业有混凝土预制件。设有一所化工矿业学院。人口约96 000(1991)。

Solihull 索利哈尔 英格兰西米德兰兹大都市地区一区和自治市。位于伯明翰与考文垂之间。19世纪发展为伯明翰的住宅区。1930年后发展迅速。面积179平方千米。历史建筑有圣阿尔菲奇教堂，15世纪的帕克伍德大厦。主要为居住区，也有汽车和其他轻工业。伯明翰国际机场附近是国立展览中心。人口约194 100(1991)。

Solikamsk 索利卡姆斯克 俄罗斯西北部彼尔姆州城市。位于乌索尔卡河与卡马河汇流处。建于15世纪初，一直是大型钾矿和盐矿开采中心，有多种化学工业，有俄罗斯最大的镁厂之一，也是俄罗斯新闻纸的最大产地之一。人口约110 200(1991)。

soliloquy 独白 戏剧中由一个人物直接向观众陈述或高声诉说其思想的台词。独白可以独自一人在台上进行，也可以是在舞台上其他演员保持沉默的情况下的自白。这是一种悠久戏剧传统，尤多见于16、17和18世纪的戏剧中。英国伊丽莎白时代的复仇悲剧里这种大段独白十分流行，如基德、马洛和莎士比亚作品中所见，《哈姆雷特》中大段独白"生存，还是毁灭"即是一例。20世纪的剧作家们试验用各种方法代替固定的独白语言。在奥尼尔的《伟大之神布朗》(1926首演)中，当剧中人物向世界展现他们自己时，就戴上假面具；当他们表达真实感情或思想时，则不戴面具。在他的《奇妙的插曲》(1928)中，人物采用一种双重对话形式：在交谈时就隐藏起真理，当面对观众时就揭示出真理。

Solimões River 索利蒙伊斯河 亚马孙河上游一段。在巴西西北部亚马孙州境内。西起巴西-秘鲁边境，东至马瑙斯附近，与内格罗河汇成亚马孙河。在汇成亚马孙河的许多水道之间，有一些覆盖着热带雨林的岛屿。索利蒙伊斯河全长约1 600千米，流经一80千米宽的泛滥平原。

Solingen 索林根 德国西北部北莱茵-威斯特法伦州城市。濒临武珀河，在杜塞尔多夫东。965年首见记载。1374年建市。1929年与奥利希斯、瓦尔德、格雷夫拉特和赫沙伊德等镇合并。中世纪兴办刀剑制造业，现为国际上著名的刀具制造中心。第二次世界大战中受到严重破坏，市中心已重建。德意志宝剑博物馆的展览展示了切割工具的发展过程。经济以刀具制造和冶金工业为主，亦生产化学品和糖果等。人口约165 543(2003)。

solipsism 唯我论 在哲学中，原指如康德著述中所称的道德自我主义。但现在也用于认识论，以表示一种主观唯心主义的极端形式，否认人心有任何可靠的根据去相信除它自身之外还有什么事物存在。英国唯心主义者F.H.布拉德利在《现象和实在》(1897)中把这种唯我论的特征表述如下："我不能超越经验，而经验就是我的经验。因此可以说，除了我自己，就没有任何东西存在；而经验不过是人心自身的状况。"

Solís, Juan Díaz de 索利斯 参阅**Díaz de Solís, Juan** 迪亚斯·德索利斯。

solitaire 孤鸽 与渡渡鸟(**dodo**)有亲缘关系的两种已绝灭的不能飞行的鸟类。

Solitaire 单人纸牌戏 又作Patience。由一个人玩的纸牌戏。用一副或两副纸牌，每副52张。大小顺序为：K、Q、J、10、9、8、7、6、5、4、3、2、A，在某些玩法中A大于K，例如，

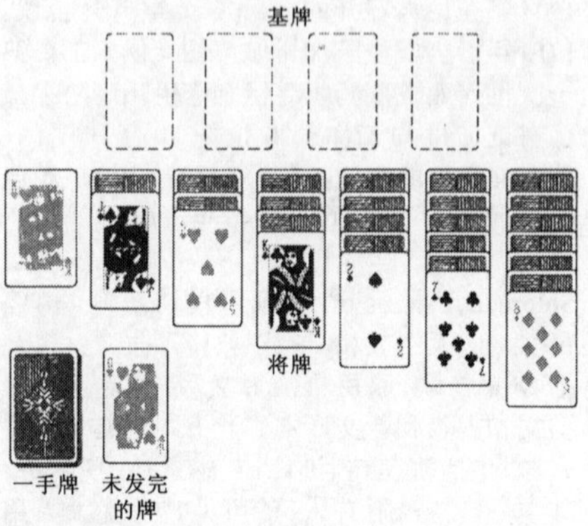

单人纸牌戏中的克仑代克7行排列纸牌

克仑代克7行排列纸牌游戏以A为基牌，其他牌搭在其上。在坎菲尔德的玩法中，K作为基牌，A再搭在K上，后接2、3……

Solitario, EL(pseudonym) **隐士** 参阅**Estébanez Calderón, Serafín** 埃斯特瓦内斯·卡尔德隆。

solitary bee 独栖蜂 参阅**mining bee** 地花蜂。

Sollentuna 索伦蒂纳 瑞典中部偏东斯德哥尔摩省城市。由斯德哥尔摩市北部一些郊区组成。1600年以来，城市发展速度与首都建设关系密切。1900年后由于工业和近郊的发展，该市由农业区发展为现代化都市。与斯德哥尔摩市通公共汽车后城市发展加快。主要是住宅区，有些重要工业，生产酵母、工具和水泥等。有12世纪教堂。人口：城市区约51 790(1992)。

solmization 阶名唱法 用音节唱出规定音符名称的一种方法。在印度音乐中得到充分发展。所唱音节名称是ṣa、ṛi、ga、ma、pa、dha、ni；类似的体系也在其他国家和地区存在，例如在中国、东南亚和古希腊的音乐之中。欧洲音乐中主要的阶名唱法体系，在11世纪由意大利僧人圭多(阿雷佐的)创始，他从一首拉丁文赞美诗的前6行中取其每一行的第一个音节形成ut、re、mi、fa、sol、la六音系列或六音音列(**hexachord**)。17世纪法国开始采用七音大、小调音阶，增加了第7音的音节唱名si(后来某些国家用ti)。在同一世纪又用do取代了音节唱名ut，认为这样更易歌唱。阶名唱法后来发展成现代的两种用法。法国、意大利和西班牙采用"固定do唱名法"，即音节唱名同音高是固定的：do的含意永远是C，re是D，mi是E，fa是F，sol是G，la是A，si是B。在其他国家则流行"可移do唱名法"，do总是表示大调音阶上第1个音的音高。发明了各种各样以可移do唱名法为基础的体系来教唱歌和视唱，最重要的是1850年前后由英国的J.柯温所创立的首调唱名法。它强调各音之间以及它们与主音(大调的do，小调的la)的关系。如果调性改变，do(或la)就换到一个新的高度。

Solna 索尔纳 瑞典中东部斯德哥尔摩省城市，在斯德哥尔摩市西北。原为古居民点，有一些北欧海盗时代的墓碑和墓地。1960年初，建成索尔纳中心(包括行政、文化、商业诸区)。是铁路枢纽和制造业中心，也是医疗中心，有两所规模庞大的医院和各种医学教育和研究机构。人口：城市区约52 402(1992)。

Solnhofen Limestone 索伦霍芬灰岩 德国索伦霍芬区晚侏罗世的地层单元(年代为1.66亿年前至1.44亿年前)。该区晚侏罗统的岩石由珊瑚和海绵礁(通常呈弓状)组成，礁体中有侏罗纪潟湖沉积。潟湖中，石灰质沉积物缓慢聚集，形成很细粒的灰岩，这种灰岩现用于石印术生产。索伦霍芬灰岩的细粒结构有助于晚侏罗世化石非常完好的保存。甚至保留了柔软部分和内部器官的痕迹。该灰岩中发现的动物化石中，最重要的也许是始祖鸟，是已知最早的鸟，形态还很像爬行类。其他的动物包括翼龙类——即有翼的爬行类和100多种昆虫，包括像蛾、苍蝇那样稀少保存的类型。该灰岩总共提供了450多种侏罗纪动物化石，值得注意的是保存着8种完全软体组成的水母。

Solo(Indonesia) **梭罗** 参阅**Surakarta** 苏拉卡尔塔。

Solo man 索罗人 又译梭罗人。1931～1932年在爪哇昂栋梭罗河岸阶地上出土的史前人类化石，标本包括11具化石头骨(面骨缺)和两根胫骨残片。脑量1 150～1 300立方厘米，与现代人的脑量(平均脑量为1 350立方厘米)部分相似。头骨侧视低平，骨壁厚实，眉嵴粗壮，形成隆凸，但是肢骨却无异于现代人。颅底全部破碎，表明这些人头可能曾是战利品，脑子也被吃掉。索罗人一直被认为属于更新世晚期——或许是最后一次冰期(约1.5万～2万年前)——但其年代尚未确定。有些学者鉴于索罗人与爪哇人以及北京人都相似，因而认为索罗人是直立人在亚洲地区的一种晚期代表，即直立人梭罗亚种。另外一些学者认为索罗人是分布地域很广的早期智人种群中的一个地区变种，欧洲的尼安德特人和非洲的罗得西亚人也都是这类地区变种。在古人类学上，索罗人化石原来的

属名是爪哇猿人属。

Solo River 梭罗河 印度尼西亚爪哇岛最长河流。源出拉武火山(海拔3 265米)山坡和塞武山脉南部,北流转东,于泗水西北方马都拉岛对面注入爪哇海。最长支流茉莉芬河在牙威附近汇合梭罗河。梭罗河下游落差小,形成许多低地曲流。其沼泽三角洲用作鱼塘。梭罗河在每年的旱季里大部分河床干涸。

Sologne 索洛涅 法国中北部地区。面积约520平方千米,为平坦的冲积平原。北面以卢瓦尔河为界,南抵谢尔河。该地区有卢瓦尔河和谢尔河及其支流流经,多池沼、水潭和沼泽,19世纪下半叶已大力排水。该地区生产谷物、蔬菜和葡萄;有许多现存的湖泊和池塘,在充分发展养鱼业。还饲养牛和家禽,种植大量树木。重要城镇是罗莫朗坦-朗特奈。

Sololá 索洛拉 危地马拉西南部城镇。在中央高地,海拔2 113米。俯瞰城南壮观的阿蒂特兰湖。以星期五集市(附近印第安人在此买卖或到16世纪教堂做礼拜)著名。主要生产咖啡、谷类、洋葱、大蒜。附近有面粉厂,在泛美公路上。人口约12 201(1990)。

Solomon 所罗门(活动时期公元前10世纪中叶) 希伯来语作Shlomo。以色列最伟大的国王。大卫之子和继承人。在位年代不详,但已知他的统治时期很长,共约40年,在公元前10世纪中叶。所罗门的父亲大卫开创犹大王朝,并建立一个从埃及边界直至幼发拉底河的帝国。所罗门继承王位以后,一个接一个地消灭他的政敌,并将他的朋友安插在军队、政府和宗教机构的岗位。所罗门还通过联姻的办法加强自己的地位。据《圣经》中《列王纪》记载,所罗门有过成千的后妃。他与各地国王的女儿和姐妹成亲;其中有一个是埃及法老的女儿,法老攻占并焚毁迦南人的基色城,把该城送给所罗门。与所有帝国的开创者一样,所罗门也是以武力维持自己的版图。除了步兵以外,他还有令人惊异的战车兵和骑兵。据《列王纪》所载,所罗门的军队拥有1 400辆战车和1.2万匹战马。所罗门建立的贸易站网后来成为犹太人在外聚居区的核心。所罗门帝国以商业为主,一切政府机构都为贸易服务。他在首都耶路撒冷周围给驻以色列的主要外国贸易使团修筑馆驿。示巴(在阿拉伯半岛南部)女王访问过所罗门。所罗门兴建了耶路撒冷城墙和圣殿。所罗门是一位精力充沛的行政官,他把以色列原有的十二支派重新划分为12个行政区。每一个区由国王任命一名总督,12名总督受一位大总督管制。所罗门还以贤明著称。有两个妓女争夺一个婴儿,都说婴儿为自己所有,各执一词;所罗门命人将婴儿切成两半,从对此命令的反应中判断出了谁是真正的母亲。他也是一位有名的诗人,写过1 000多首诗歌,其中主要是《圣经》中所收《雅歌》。所罗门帝国后来衰落。鉴于以色列奢侈与财富俱增而民间不得受益,且所罗门偏袒本部族,因此北方部族脱离帝国,建立了自己的以色列王国。所罗门后裔只保持南部的犹大王国,而且又分裂为两个王国。

Solomon, Hannah Greenebaum 所罗门(1858-01-14,美国伊利诺伊芝加哥～1942-12-07,芝加哥) 婚前名Hannah Greenebaum。美国俱乐部女活动家和社会工作者。成长于富裕的犹太家庭,1877年参加当时刚刚成立的芝加哥妇女俱乐部。1879年与H.所罗门结婚。1890年成为筹备组建世界宗教议会的委员会成员。1893年组织附属于宗教议会的第一个美国犹太妇女大会。大会设立了常设的全国犹太妇女委员会,她任主席至1905年。后为终身荣誉主席。1896年参与组织伊利诺伊妇女俱乐部联合会,并针对芝加哥迅速增多的犹太移民,为成立学校和公共服务机构的可行性进行统计调查。第二年创办私人服务处,为新移民提供指导。1899年当选为全国犹太妇女委员会司库,并代表委员会出席1904年在柏林召开的国际妇女委员会会议。1910年参与成立芝加哥城市妇女俱乐部。第一次世界大战期间领导伊利诺伊州国防委员会在芝加哥的工作。20世纪20年代退休。著有文章与演讲选集《一束落叶》(1911)和自传《我的生平》(去世后1946年出版)。

Solomon, Psalms of 《所罗门诗篇》 伪经(犹太教、天主教和新教正典皆不收)之一,包括18篇诗歌,原用希伯来文写成,现仅存希腊文和古叙利亚文译本。此书同正典《诗篇》一样,包括赞美诗、训诲诗、感恩诗、挽歌等,其中一些诗篇附有乐符,可见曾为犹太人用于礼拜仪式。这些诗中有一些表示相信复活和自由意志,有两篇流露对于救世主的期望。最难断代者是主要讲道德的诗。有几篇显然提到公元前63年罗马将军庞培攻占耶路撒冷和犹太统治者哈斯蒙王朝覆灭的事。

Solomon, Song of 《雅歌》 又称《歌中之歌》(Canticle of Canticles或Song of Songs),《旧约》中的一卷,属于《圣经》正典第三部分"克图温"(圣录)。在希伯来《圣经》中,《雅歌》与《路得记》、《耶利米哀歌》、《传道书》和《以斯帖记》一起组成"弥基录",是供在犹太教历一些宗教节日诵读的五卷经书。《雅歌》要在纪念古代以色列人迁出埃及的逾越节诵读。今本《雅歌》编成于巴比伦囚虏时期(公元5世纪起)以后,但是其中的诗歌写成于公元前10世纪左右,即大卫王朝。此书作者不详("所罗门"是后加上去的),是男女对话式的情歌集,没有连贯的情节。一些诗系统地歌颂情人的美丽和优秀。对于《雅歌》有多种解释法,最著名的有寓意说、戏剧说、礼拜说和字面解释。犹太教中,寓意说认为该书所说的是上帝对于同他立有圣约的以色列人的爱;而基督教中,寓意说则谓此书描写基督同他的教会之间建立在盟约之间的爱。中世纪神秘主义则认为《雅歌》写的是基督与人的灵魂之间的爱。戏剧说在很大程度上以《雅歌》的对话体为依据。此说认为书中的对话者是在表演爱情剧,而对该剧的粗略情节则解释不一。古代闪米特语文学中并无戏剧,因此此说显得牵强。礼拜说认为此书所收的诗歌与苏美尔人和美索不达米亚其他古代民族的"神婚"习俗有关。第四种解释法在现代学者中间最为流行,它认为《雅歌》无非是世俗情歌汇编,毫无宗教意义。此说谓这些诗歌歌颂两性之间的爱情的快乐和善良,同时歌颂由性爱产生的内心自我实现的感觉和与上帝所造万物混然一体的感觉。

Solomon, Wisdom of 《所罗门智训》 宗教文献中"智慧文学"之一例,此类作品推崇对人的存在进行内省和反思(特别是从伦理的角度)的生活。《所罗门智训》是外典(不入犹太教和新教正典),但收进《七十子希腊文本圣经》,成为天主教正典。此书把智慧加以拟人化而赋之以女性,体现上帝的一种属性,说她就是"上帝权能的广度,是全能者的荣耀的清彻的溢出"(基督教的众教父就是根据这种观念提出"逻各斯"神学来说明耶稣基督同上帝的关系的)。此书是公元前1世纪亚历山大的一位犹太人士所著。它实际上是为犹太教辩护,因为它用希腊化哲学语言介绍犹太教义,说明哲学真理适用于犹太教的上帝观。此书笔锋所指:一方面或许是在非犹太环境中叛教而拜异教神灵的犹太人,另一方面或许是在同样环境中坚持完全的宗教、社会孤立状态的犹太人。全书分三部分:第一部分用诗歌体写成,主张热心维持教义和习俗,强调信仰至高,不敬神可耻;第二部分诗文并用,颂扬智慧并将之拟人化;第三部分仍是半诗半文,论证以色列人的全部历史都得到智慧的引领,并谴责偶像崇拜。此书原本极可能是希腊文;残篇见于巴勒斯坦地区库姆兰出土的艾赛尼派文献。

Solomon Islands 所罗门群岛 太平洋西南部岛国。领土自巴布亚新几内亚东部的北所罗门(布卡岛和布干维尔岛)向东南延伸。首都霍尼亚拉,位于瓜达尔卡纳尔岛。面积为28 370平方千米。人口约339 000(1992)。

土地 该群岛包括7个大火山岛群,形成两串平行的岛链,并集中于东南方的马基拉(即圣克里斯托瓦尔)岛。还有一些偏远小岛和环礁。主要群岛系巴布亚新几内亚东南岛弧的延长。大部分岛屿林木茂密,地势崎岖不平,河流不长,但水流湍急。年平均降雨量3 000～3 500毫米。气候炎热而潮湿,年平均气温27 °C。90%以上陆地为森林覆盖,仅地势低洼的沿海地区和谷地的树木被砍伐辟作农田。

人民 所罗门群岛人口以美拉尼西亚人为主(占94%);波利尼西亚人(占4%)多住在偏远的环礁上。英语为官方语言。但是皮钦语(一种混杂英语)普遍使用。另有60多种美拉尼西亚土语。95%以上的岛民信奉基督教(多为新教)。4/5以上的人口居于乡间。蒂科皮亚是人口最稠密的一个岛。最大城市是霍尼亚拉。

经济 所罗门群岛的经济以农业、渔业和木材业为基础,是发展中的自由企业经济。土地总面积中仅有2%为耕地。主要经济作物产品有椰仁干、椰子、棕榈油和可可。粮食作物有甘薯、芋头、山药、稻、香蕉和蔬菜。亦饲养猪和牛。伐木业是大岛上的重要产业,产品主要供出口。渔业是另一项重要的产

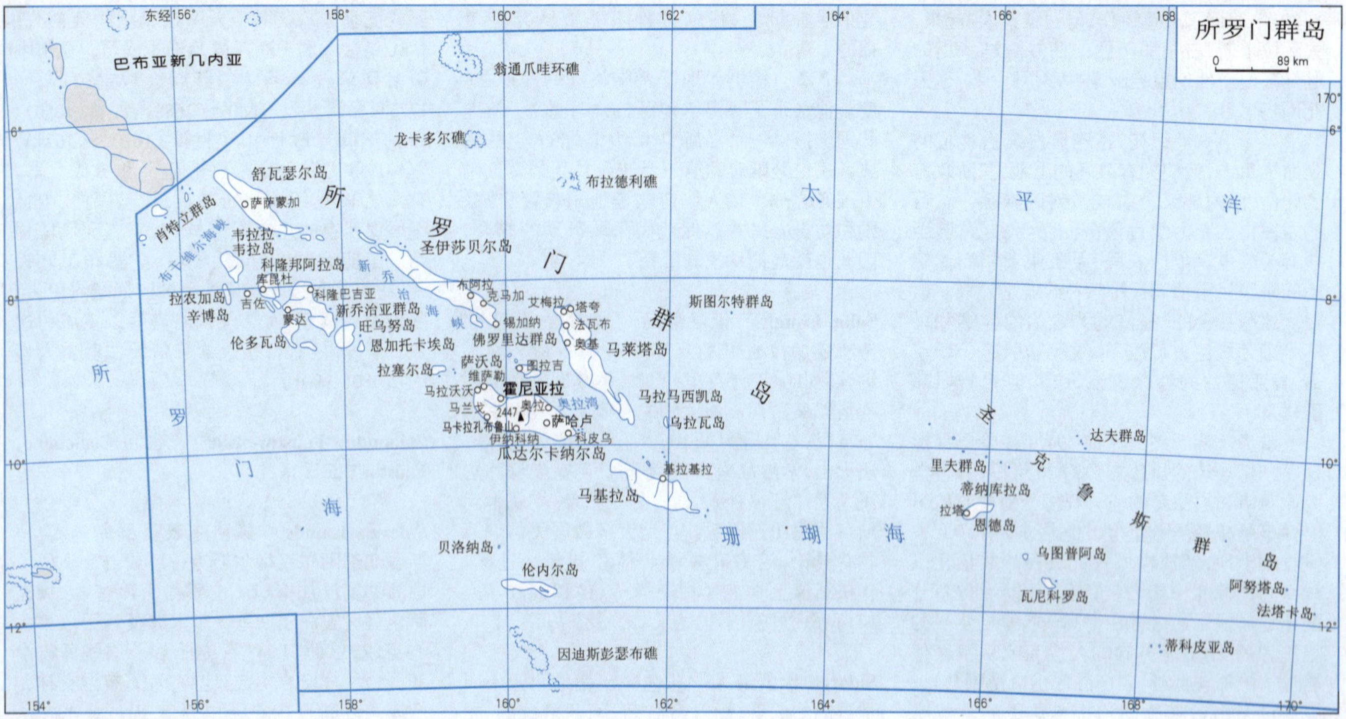

美国不列颠百科全书公司供图

业，以捕鲔鱼为主。旅游业已发展起来，以乘客轮游览和参观第二次世界大战战场（日本游客居多）为主。所罗门群岛的鱼、椰仁干、木材和棕榈油产品主要出口到日本、泰国和英国。

政体与社会状况 所罗门群岛是君主立宪制国家，国家元首为英国君主，由总督作为代表。群岛内部为议会制，有一院制的国民议会。行政机构由总理及其所领导的经任命的内阁组成。医疗保健状况良好，但疟疾和肺结核仍是有待解决的问题。平均预期寿命约61岁。教育为非义务性，公立与教会办的学校为大约2/3的学龄儿童提供正式教育。

历史 所罗门群岛至少在公元前2000年就开始有人居住，大概是讲澳斯特罗尼西亚语的民族。第一个到此地（1568）的欧洲人是西班牙探险家阿尔瓦罗。群岛以《旧约》中富有的国王所罗门的名字命名。荷兰人、法国人和英国人也随后探险至此，并且制作了各岛的海图。圣公会传教士于19世纪40年代开始对岛民传教，并最终于70年代在此地区定居。德国对北所罗门的统辖权于1898～1899年转让给英国，作为对英国承认德国在西萨摩亚（今萨摩亚）主权的回报。英国于1893年宣布南部诸岛为其保护地。1942年，日本人入侵所罗门群岛前不久，英国从此地撤出。其后3年在所罗门群岛上的战事是太平洋战区中最为激烈的，尤以瓜达尔卡纳尔为甚。战后英国又恢复了对群岛的统治。

1946～1950年，一个名为"走向统治"的独立运动发展起来。1970年英国批准了群岛的一部新宪法，规定设立有一些地方代表参加的执政议会。1975年保护地被允许内部自治。1978年获得完全独立。

Solomon Sea 所罗门海 南太平洋西部海域，西界新几内亚，北抵新不列颠，东至所罗门群岛。面积72万平方千米，内有路易西亚德群岛、新乔治亚和瓜达尔卡纳尔岛。南连珊瑚海，西北接俾斯麦海，东北通大洋。海底分为两大海盆：北部为新不列颠海盆，深度一般4 000米以上，最深处为普拉尼特海沟，达9 140米；南部为所罗门海盆，深达7 000米。冬季（7～9月）太平洋南赤道洋流自此而来，夏季则相反。最早航行来此的是波利尼西亚人、阿拉伯人和中国人。1567年始有欧洲人航行此地。第二次世界大战中曾为美日两国大海战的战场。

Solomonid DYNASTY 所罗门王朝 埃塞俄比亚的王朝，传说由所罗门和示巴女王之子曼涅里克一世创立。除扎格王朝（11～15世纪）和特沃德罗斯二世（1855～1868）统治时期外，这一王朝的传承始终未断，直至1974年海尔·塞拉西一世被推翻为止。

Solomon's Bay (Sinai , Egypt) **所罗门湾** 参阅 **Ra's Naṣrānī** 纳斯拉尼角。

Solomon's seal 黄精 百合科的黄精属（*Polygonatum*）植物，约25种，多年生草本，广布北半球。根状茎粗壮匍匐，地上茎高而

黄精属（*Polygonatum*）植物
供图：Roche

弯垂。叶两列着生于茎上段。花序生于叶腋，白色或淡绿色。浆果，红色。鹿药属（*Smilacina*）植物与黄精相似，但花簇生茎端，被称为假黄精。

Solomós, Dhionísios, Count (Komis) **索洛莫斯**（1798-04-08，伊奥尼亚群岛赞特［今希腊扎金索斯岛］～1857-11-21，科孚［希腊］） 在广泛的文化和第一流的抒情才能的鼓舞下首次指出希腊普通话的潜力的近代希腊诗人。索洛莫斯最早的诗是用意大利语写的，但是到1822年他决定用希腊口语写作。他的《自由颂》写于1823年，而他的有关拜伦之死的诗写于1824～1825年。未完成的革命时代的浪漫诗篇《兰布洛斯》开始于1826年。在这一时期（1823～1828），他还写过一些短篇的抒情诗和一些讽刺作品，其中最有名的是《扎金索斯的一个女人》。由于日益关注德国的戏剧形式理论，并因不满于他所选择的语言手段的资料仍然贫乏而受限制，索洛莫斯的抒情才华受到了压抑。这些障碍再加上灾难性的家庭不和，可以说明为什么这一时期的主要诗作都还没有成篇。尽管如此，《克里特人》（1833）、《被包围的自由人》（1827～1849）（此诗论述的是包围迈索隆吉翁一事）和《鲨鱼》（1849）虽然还没有成篇，却表现了一种节奏感、一种"奇妙的语言技巧"和一种在他青年时代的作品中看不到的悦耳的韵律。

Solon 梭伦（约公元前630～约前560）雅典政治家（"七贤人"之一）。他结束了贵族对政府的独占统治并代之以一套由富人统治的制度；他还制订了一部新的较为人道的法典。他也是一位知名的诗人。

梭伦时代 梭伦贵族出身，但家道不富。他可能当过商人。约公元前600年，雅典人因与麦加拉争夺萨拉米斯岛的战争失败而沮

丧，梭伦朗诵了一篇诗作，号召雅典人"起来，去萨拉米斯，占领那美丽的岛并洗刷我们的耻辱"，促使他们重启战端并取得胜利。他因此而扬名。

公元前6世纪初，在雅典占统治地位的是血统贵族，他们拥有最好的土地、垄断政府的职位，而内部又分裂成敌对的派系。贫苦的农民常因无力偿付债务而降为农奴，甚至被卖为奴隶。中产农民、手工业者和商人等中间阶级对于他们被排除在政府之外表示愤恨。这些社会的、经济的和政治的弊端如果不是因为梭伦进行改革，很可能引起一场革命，导致僭主的独裁统治，像其他希腊城邦那样。

经济改革 约公元前594年梭伦已经担任了一年一选的执政官。约20年后，获得作为改革者和立法者的充分权力。他关心的第一件事是减轻债务负担。他通过法令赎回被没收的土地，解放被奴役的公民。并禁止以人身为担保的一切借贷；但是他拒绝重新分配土地。他还通过旨在提高一般富裕水平的措施，并鼓励不能务农的人经商或从事其他职业。除橄榄油外，农产品的出口受到禁止，以免过多出口谷物使阿提卡居民的食物匮乏；还比照流通的邻邦钱币，铸造标准钱币，促进流通；引进新的重量和长度单位。考古证明，新的币制和雅典产品(特别是橄榄油和陶器)在当时整个商业世界中迅速扩展。

政治改革 梭伦的新的政治体制取消了血统贵族的垄断地位并代之以由富有公民掌权的政府。他按年收入为标准把公民分成4个集团。政治权力在此基础上，而不再按照出身加以分配。所有公民都有权参加统治主体的公民大会，它有权通过法律和政令，选举官吏并且听取来自法庭最重要判决的上诉。除最贫苦阶层外，其他人都可以每年一度参加新的四百人会议(筹备公民大会的机构)。高层的政府职务则保留给收入高的两个集团的公民，从而为未来的民主制度奠定了基础。

法典 约公元前621年，雅典的第一部成文法，即德拉古法典仍然有效。它极为严酷(人们说它不是用墨水而是用鲜血写成的)，容许因负债而受奴役，几乎所有刑事罪都处以死刑。梭伦除了"杀人者死"这一条外，几乎对每一条都作了修订，从而使雅典法律具有人道的色彩。他的法典几经补充修改，直到5世纪末仍是雅典成文法的基础。

梭伦的改革的反响 当梭伦完成了自己任务的时候，从四面八方都传来了抱怨声。他试图使所有人满意，结果任何人都不满意。贵族们希望他只在边沿处进行改革；穷人们则希望均分全部土地，并且在必要时由他们自己出任僭主以便强力进行重分。梭伦虽然关心自由、正义和人道，但是他决不是平等主义者，他也没有攫取专制权力的任何野心。雅典人虽不满意，但还是坚守接受梭伦安排的诺言。梭伦的改革保证100年有效并且张贴在转动的木板上供所有的人观看。为了避免不得已的辩护和作更多的解释，梭伦作了一系列的旅行，约定10年不回来。梭伦访问过埃及和塞浦路斯。传说吕底亚国王克罗伊斯曾同梭伦有过一次著名的会见，国王从梭伦那里学到：财富和权力并不是幸福，并且只要他活在世上，任何人都不能被认为是幸福的。

声誉 梭伦体现了希腊最高的美德：适度。他结束了阿提卡地区的最坏弊端，为他的同胞提供一种平衡的体制和一部人道的法典。梭伦是雅典的第一个诗人并且是真正属于雅典的一个诗人。诗歌是他用来警告、激励和劝告人民并敦促他们采取行动的媒介，因此也就是他从政的工具。

Solor Islands 索洛群岛 印度尼西亚东努沙登加拉省群岛。有3座大岛和一些小岛，面积804平方英里(2 082平方千米)，位于阿洛群岛西面。最大的龙布陵岛面积499平方英里，有几座活火山。阿多纳拉岛也有一座火山，索洛岛有一葡萄牙旧要塞废墟。居民为大洋洲黑种人，语言种类繁杂，均属于澳斯特罗尼西亚语系。当地大多数居民信仰万物有灵论，沿海有些穆斯林和基督徒社区。佳庆礼仪上常常互相交换猪、锣和铜鼓。人口14 761(最新估计)。

Solorese 索洛人 居住在印度尼西亚小巽他群岛的部落，而以索洛岛、阿多纳拉岛、龙布陵岛和弗洛勒斯岛东部的人数较多。索洛人使用马来-波利尼西亚语系、安汶-帝汶语族的三种方言。他们分成德蒙族和帕齐族两个政治和宗教信仰不同的对立群体，按父系继承，土地归氏族所有，刀耕火种，作物有玉米和旱稻。早在公元16世纪时，索洛人曾受伊斯兰教和基督教的影响，现今除弗洛勒斯岛有天主教徒外，其余大部分是穆斯林。地方政治决策操于原来氏族或拥有土地使用权的氏族的首领及4名掌管宗教礼仪的首领们之手。

Solothurn 索洛图恩 法语作Soleure(索勒尔)。瑞士西北部一州。北、西、南面为伯尔尼州，西邻汝拉州，东接巴塞尔乡村半州和阿尔高州。境内有阿勒河及其支流流过。面积791平方千米。首府*索洛图恩*(**Solothurn**)。有两个完全孤立的区域在北部与法国接壤，还包括汝拉(侏罗)山脉山麓和阿勒谷地沿线的平原。1798年以后是海尔维第共和国的一部分。1803年是瑞士联邦19个州中的一个州。目前的州宪法制订于1887年，但在1895年作了重大修改。在19世纪以前，全州的经济活动主要是农牧业。农牧业目前仍占重要地位，但居民大部分从事制造钟表、珠宝、靴鞋、棉织品、纸张、化学纤维、水泥、汽车部件、钢铁产品和电讯装备。格斯根的核电站在1979年开始投产。有良好的公路与铁路联运。奥尔滕是通往日内瓦、苏黎世、巴塞尔和圣哥达山口的几条铁路的枢纽。居民几乎全部讲德语，3/5的人信天主教，2/5信基督教新教。人口约226 655(1991)。

Solothurn 索洛图恩 瑞士西北部索洛图恩州首府。临阿勒河，在巴塞尔以南。最初是凯尔特人和罗马人的要塞，战略地位重要。1218年成为自由的帝国城市，1295年与瑞士联邦结成联盟。在15世纪，索洛图恩城以购买或征服方式获得今天全州领土的大部分，1481年加入瑞士联邦成为正式成员。城市中著名建筑物有圣乌尔苏斯大教堂(1762～1773)、耶稣教堂(1680～1688)、钟楼(1250)、15世纪的市政厅和军械库(1610～1614)。军械库收藏着瑞士最好的盔甲和古代兵器。有几处16世纪优美的喷泉、几座碉堡、中世纪城堡残存的几座城门，还有一座现代博物馆。工业有制造钟表、机械、电器和工艺设备、纺织品和纸张。地处阿勒河通航河段，为水陆交通枢纽，有7条铁路支线以该城为起点。居民讲德语，绝大部分信天主教。人口约15 480(1990)。

Solouque, Faustin- Élie 参阅 **Soulouque, Faustin-Élie** *苏洛克*。

Solovets Islands 索洛韦茨基群岛 俄罗斯西北部阿尔汉格尔斯克州所属群岛。位于白海的奥涅加湾口。由索洛韦茨基、大穆克萨尔马和安泽尔斯基3个大岛及若干较小岛屿组成，总面积347平方千米。这些岛屿由花岗岩和片麻岩构成，地势多山，有混交林和沼泽。最高点在安泽尔斯基岛的戈尔戈法山，海拔107米。15世纪建在索洛韦茨基岛上的索洛韦茨基隐修院是俄罗斯最大的隐修院之一。1974年群岛被列为国家历史及自然保护区。

Solovyov, Sergey Mikhaylovich 索洛维约夫(1820-05-17[旧历05-05]，俄罗斯莫斯科～1879-04-16[旧历04-04]，莫斯科) 俄国著名历史学家。教士家庭出身。1842年毕业于莫斯科大学，1845年开始任母校俄国历史副教授。1850年为教授，直至1877年退休。在莫斯科大学担任过许多重要的行政职务，发表一些论述彼得大帝和亚历山大一世的著作。1859年任皇储尼古拉·亚历山德罗维奇教师，1866年给未来的沙皇亚历山大三世当教师。撰有29卷的鸿篇巨著《远古以来的俄国史》(1851～1879年发表)，并因此而享有俄国最伟大的史学家之一的声誉。

Solovyov, Vladimir Sergeyevich 索洛维约夫(1853-01-28[旧历01-16]，俄罗斯莫斯科～1900-08-13[旧历07-31]，莫斯科附近乌兹科耶) 俄国哲学家和神秘主义者。作为对欧洲理性主义思想的对抗，他试图把宗教哲学、科学和伦理学在一个统一的基督教的范围内综合起来，也就是在教皇的领导下把

美国国会图书馆供图

东正教和天主教教会联合在一起。但由于遭到俄国正教会和政府的反对,他对宗教和文化采取了预言的启示的观点。他是历史学家S.M.索洛维约夫的儿子,在正教的家庭中受过语言、历史和哲学方面的基础教育。1874年以《西方哲学的危机:反对实证主义者》这一篇论文在莫斯科大学获博士学位。在西方旅行后写了第二篇论文——一篇批判抽象原则的文章,并在圣彼得堡大学执教。在该校发表了有名的《神人身份》的演说(1880)。后因要求宽恕1881年3月沙皇亚历山大二世的行刺者而被解职。他批判西方的经验主义哲学和唯心主义哲学,因为它们认为部分的洞察力和抽象原则具有绝对的意义;援引斯宾诺莎和黑格尔的说法,他认为生活是一个辩证的过程,在这个过程中认识和现实通过冲突的紧张状态而相互起作用。索罗维约夫认为一个绝对的存在(犹太教和基督教传统称之为上帝)最后会把一切统一起来,因此他提出一个说法,即从单一的创造源泉产生的世界中,千差万别的事物正在经历着同那个源泉重新结合起来的过程,自然的创造根源正在把一切引向一个有生命力的"统一的整体",和泛神论不同,这个整体包含有绝对存在本身。他根据神人的概念断言,世界与神的唯一中介是人,只有人是自然有生命的部分,能够在实在经验的混乱而多样的条件下去认识和表述"绝对统一整体"的神圣观念。在他看来,伦理学乃是这样一个辩证问题,即人们的行为和决定是否合于道德,要看其在多大程度上有助于使世界同最后的神圣的统一结合在一起。这一理论见之于他的《爱的意义》(1894)一书中。索洛维约夫的其他哲学著作有:《完整知识的哲学原则》(1877)、《神权政体的历史与未来》(1887)、《俄国与普世教会》(1889)。他还将其象征手法体现在诗歌创作中,直接影响了俄国文学。

Solow, Robert Merton　索洛(1924-08-23,美国纽约布鲁克林～　　) 美国经济学家,因对经济增长理论有重要贡献获1987年诺贝尔经济学奖。1947年获哈佛大学文学士、1949年获文科硕士、1951年获哲学博士学位。1949年在麻省理工学院开始讲授经济学,1958年成为该学院的正教授。1961～1962年在经济顾问委员会工作,1962～1968年任该委员会的顾问。在20世纪50年代,索洛发展了一种数学模型,可显示导致国民经济持续增长的各因素所起的相对作用。与传统经济学思想相反,他证明:在取得这种增长中,技术进步的速度实际上较资本积累和增加工人还重要。因此,新型机器、人的技术改进等质量上的提高所导致的效率和劳动生产率的提高,比纯数量上投资的增加所导致的机器和工厂的增多更为重要。自20世纪60年代以来,在说服各国政府为促进经济增长而将资金投入技术的研究和发展上,索洛的学说颇有影响。

Solstad, Dag　索尔斯塔(1941-07-16,挪威桑讷峡湾～　　) 挪威小说家、戏剧家。20世纪60年代挪威最重要的作家之一,以写试验性短篇小说开始其创作生涯,并以同化和异化为其探索主题,如《旋梯》(1965)和《摇椅》(1967)。他在小说《陈腐! 绿色!》(1969)中继续研究了当代生活中的异化,该书获得挪威文学批评家协会奖。随着长篇小说《阿里尔德·阿斯内斯》(1970)的问世,索尔斯塔的小说开始转变,更多地直接涉及政治。该书描写一个青年人逐渐领悟到政治革命不但是必要的,而且一定要用暴力来进行。他的小说《叛卖,战前的岁月》(1977)和《1940年战争》(1978)细致入微地纪实性地描述了第二次世界大战中的挪威。

solstice　至点　太阳在一年中,在视路径上到达距地球赤道最北点或最南点的两个时刻中的一个。在北半球,夏至点到达于6月21或22日。在南半球,情况与之正相反,季节也正相反。至点一词也适用于黄道偏离天球赤道的最大处的二点中的一点。在北半球的夏至时,北极倾斜于太阳23.45°(23°27′)。由于太阳光向北位移了同样一个角度,北回归线(北纬23°27′)上的太阳正午光线直射头顶。6个月后,地球的南极点和太阳的倾角也是23.45°。在南半球的夏至那天,太阳的直射头顶的光移到最南的位置,即南回归线(南纬23°27′)上。参阅 **equinox; season**。

Solti, Sir Georg　索尔蒂(1912-10-21,匈牙利布达佩斯～1997-09-05,法国昂蒂布)　原名György Solti。匈牙利出生的英国指挥家、钢琴家。20世纪后半叶最受尊重的指挥家之一。曾在布达佩斯李斯特音乐学院师承巴尔托克和科达伊。18岁加入布达佩斯歌剧院辅导员班子,1938年在该院初次登台指挥。他是犹太人,第二次世界大战期间在苏黎世避难,但他的外国人身份使他不能从事专业指挥。1942年在日内瓦国际钢琴比赛中获奖。战后先后任慕尼黑巴伐利亚国家歌剧院(1946～1952)、法兰克福歌剧院(1952～1960)和科文特加登剧院(1961～1971)音乐总监。1971年被封为爵士,翌年取得英国公民身份。1969～1991年任芝加哥交响乐团音乐总监,重新树立该团国际声誉。1972～1975年在巴黎管弦乐团任音乐总监,1971～1973年在巴黎歌剧院任音乐顾问。1979～1983年任伦敦爱乐乐团首席指挥和艺术指导。作为指挥家,索尔蒂以对莫扎特、贝多芬、舒伯特、瓦格纳、施特劳斯和马勒等人的歌剧、交响曲和其他大型作品的激情洋溢而入木三分的诠释而著称。尤其是他对音乐细节的着意刻画及用管弦乐队营造丰富多彩音色变化的才略,更为人称道。自40年代末他以指挥和钢琴独奏者的双重身份录制许多赢得高度赞扬的唱片。1966年完成瓦格纳歌剧套曲《尼贝龙根的指环》的首次完整录音,获得一片喝彩声。

soluble glass　可溶性硅酸钠　参阅 **water glass** 水玻璃。

solution　溶液　化学术语。两种或多种物质组成的均匀混合物,它们的相对量可以连续变化,直至溶解度的极限。溶液一般指液体物质,但也存在气体溶液和固体溶液。例如,空气是主要由氧、氮和几种痕量的其他气体组成的溶液,黄铜是由铜和锌组成的溶液。生命过程在很大程度上依赖于溶液。氧从肺进入血浆中的溶液,与红血细胞中的血红蛋白结合,再释放到身体组织中。消化产物也由溶液带到身体的各部分。液体溶解其他流体或固体的能力有许多实际应用。化学家利用溶解度的差别来分离和纯化物质以及进行化学分析。大多化学反应发生在溶液中,且受试剂溶解度的影响。用于化学加工设备的材料要选择对溶剂不起作用的材料。组成溶液的液体习惯上称为溶剂,而溶解的物质称为溶质。如果两种组分都是液体,就没有明显的区分,一般较小浓度的物质就称为溶质。溶液中的任何组分的浓度可以表示为摩尔每升或摩尔每千克。有些盐的晶体含有离子晶格,也就是交替排列的带正负电荷的原子或原子团。带相反电荷的离子相互吸引,在晶体中形成内聚力,要使晶体溶解,必须使溶剂中的电荷克服这种内聚力。熔融盐的离子或溶剂分子的电偶极子能提供这种可能。这类溶剂包括水、甲醇、液态氨和氟化氢。溶质离子被溶剂偶极分子包围,使它们互相分离并向荷电的电极迁移。这种溶液能导电,溶质称为电解质。在简单的、非极性分子(非电解质)之间吸引的势能是短程的,并近似地随分子间距离的7次方而减小。对电解质,这种荷电离子吸引和排斥能的降低仅与分子间距离的1次方成正比。因此,电解质和非电解质溶液的性质有很大区别。一般假定所有气体都能完全混合(即以各种比例互溶),但这仅是在常压下才成立。在高压下,一对化学性质不相同的气体可能仅有限的混溶。许多不同的金属在液态是能混溶的,偶然也生成可识别的化合物。有些也一样生成固溶体(参阅 **alloy**)。

Solutrean industry　梭鲁特文化期工艺　在法国西南部(上洛日里和索吕特雷等地)及其邻近地区发现的一种为时不长的石器工艺。距今约21 000～17 000年,因制作精美而特别重要。梭鲁特工艺与旧石器时代晚期其他的大型野兽狩猎集团所用石器相似,种类多样,有雕刻器、刮削器、石钻等;但还有独具风格的一些石器,例如加工成月桂叶形或者柳叶形的石刀以及带肩的尖状器等。梭鲁特文化期早期常见的石器是单面尖状器。到中期,单面尖状器已逐渐被月桂叶形石刀和两面尖状器所取代。这个阶段也有小型钝背燧石刀和刮削器以及单肩尖状器。还出现了一些形状奇特的工具,有的带有凹口,有的器形不对称。这类石器和月桂叶形石刀制作都很精美,非一般工具所能比,说明这种精心修打的石器仅是一种奢侈品。梭鲁特文化期晚期出现了做工极为精美的柳叶形石刀(长条形,两端修圆,仅一面修整)。带孔骨针也出现了,说明人们已经穿用适于近冰川气候的缝制皮衣。装饰品也很多:手镯、串珠项圈、垂饰、骨饰针以及彩色颜料等均已用于个人装饰。石饰板和洞壁上发现有饰带、浅浮雕和图画。就连石器原料的选择也注意美感,诸如彩色石英、碧玉以及秀美的燧石,都很丰富。梭鲁特文化继贝利哥特文化和奥瑞纳文化之后而先于马格德林文化。

Solvay, Ernest　索尔维（1838-04-16，比利时布鲁塞尔附近勒贝克罗尼翁～1922-05-26，布鲁塞尔）　比利时工业化学家，以发明生产苏打灰(碳酸钠)的氨碱法而闻名。苏打灰广泛用于制造玻璃和肥皂。索尔维在当地学校毕业后，进入他父亲的制盐企业。他21岁时开始在布鲁塞尔附近的一个煤气厂中与他叔父一起工作，在这里他开始研制上述转化方法，因此闻名于世。虽然1811年以后已经有人知道氨碱法，但是工业化学家却未找到它的适用而经济的大规模工业生产方法。索尔维并不知道氨碱法的反应已为人知50年了，却用他发明的索尔维碳化塔解决了大规模生产的实际问题，在这种塔中，氨-盐溶液能与二氧化碳混合。1861年他和其兄创办了他们自己的公司，并在1863年建成一个工厂，1865年开始生产，到1890年，索尔维已在某些外国设立公司。索尔维法在欧洲的许多国家及其他国家逐渐被采用，到了19世纪末已取代了吕布兰法。吕布兰法是从19世纪20年代起主要用于将食盐转化为碳酸钠的方法。这个成就给索尔维带来了大量财富，他将这笔财富用于各种慈善事业，包括创办化学、物理学和社会学等方面的各种国际科学研究机构。索尔维物理学会议因在发展量子力学和原子结构等理论方面的作用而尤其著名。

Solvay process　索尔维法　参阅**ammonia-soda process** 氨碱法。

Solzhenitsyn, Aleksandr (Isayevich)　索尔仁尼琴(1918-12-11，俄国基斯洛沃茨克～2008-08-03，莫斯科附近)　俄罗斯小说家与历史学家。1970年诺贝尔文学奖获得者，1974年被逐出苏联。

供图:Gilbert Uzan—Gamma/Liaison Agency

索尔仁尼琴出身于一哥萨克知识分子家庭，主要由其母抚养成人(其父在他出生前死于意外)。他毕业于顿河畔罗斯托夫大学数学系，又完成了国立莫斯科大学的文学函授课程。在第二次世界大战中曾参军作战，被授予炮兵大尉衔。1945年，由于在一封信中批评斯大林而被捕，在监狱和劳改营中服刑8年。刑满后又继续被流放3年多。1956年平反后，获准于俄罗斯中部的梁赞定居，在当地任数学教员，并开始写作。

20世纪60年代初受到政府放松对文化生活箝制的非斯大林化政策的鼓舞，索尔仁尼琴将其一部不长的小说《伊凡·杰尼索维奇的一天》(1962)投予苏联的主要文学刊物《新世界》。作品很快被刊载，并立即受到广大读者的赞赏，作者本人也在旦夕间成为名人。这部作品根据索尔仁尼琴自己的经历，记叙了斯大林时代一座劳改营中一名犯人典型的一天生活。书中简洁、直接的语言以及对劳改营生活的日常斗争和物质艰难的有根有据的描述，加上此书是后斯大林时代第一部直述劳改营生活的苏联文学作品，因而更加深了大众对此一生活不可磨灭的印象。作品在国外以及苏联国内引起了政治上的轰动，引得一些别的作家也来写他们在斯大林统治下的狱中生活。

然而索尔仁尼琴受官方恩宠为时短暂。1964年赫鲁晓夫被罢黜，苏联文化活动所受意识形态上的束缚也随之加紧。当索尔仁尼琴以雄辩反对政府压制政策的姿态出现时，先是遭当局越来越激烈的批评，随后便是公然骚扰。在1963年出版了一本短篇小说集之后，他的作品再也不能正式出版，于是只得以"秘密出版物"的方式，亦即以暗中流传的非法出版物的方式传播，并且在国外出版。

其后几年中，国外出版了索尔仁尼琴的几部小说巨著，使他在国际文坛上获得了声誉。《第一圈》(1968)间接取材于他身为一名数学家在监狱的一座研究所的工作经历。这部作品刻画了为秘密警察做研究工作的各个科学家的不同心态，他们必须决定：是同当局合作，从而留在监狱研究所呢；还是拒绝为之服务，从而被送回残酷的劳改营。《癌症病房》(1968)则是作者在20世纪50年代中叶被放逐于哈萨克斯坦期间，住院治疗被诊断为晚期癌症直至治愈过程中的见闻。书中主角也如索尔仁尼琴一样，是刚从劳改营中获释的人物。

1970年，索尔仁尼琴获得诺贝尔文学奖，但因害怕政府拒绝他重返苏联而婉谢了前往斯德哥尔摩受奖的邀请。他的下一部作品《1914年8月》(1971)是在苏联境外出版的。这部历史小说记述了第一次世界大战德国与俄国初次交锋，在坦嫩贝格战役中大胜俄国的故事。小说着重于描写由俄国将军萨姆索诺夫率领的注定覆灭的第一军中的几个人物，并间接探讨了导致沙皇统治最终在1917年的革命中倒台的种种弱点。

1973年12月，《古拉格群岛》的最初几部分在巴黎出版。在此之前，该文稿的一份副本在苏联遭克格勃查扣(古拉格一词是由苏联监狱和劳改营制度的正式名称的每个词的第一个字母组成的)。索尔仁尼琴企图通过《古拉格群岛》这本书，为布尔什维克在俄国夺得政权(1917)之后不久就建立、并在斯大林统治时期(1924～1953)又大大加以扩充的庞大的监狱与劳改营系统，编写一部文学性的历史记录。书中各个章节记叙了40年来苏联当局逮捕、审问、定罪、发配、监禁古拉格的受害者的实际做法。作品综合了历史的说明和索尔仁尼琴本人的自传性记述，并借他那过目不忘的记忆力保存下其他同时受难的难友们的大量个人证词。

《古拉格群岛》第一卷刚一问世，索尔仁尼琴立即遭到苏联报刊的抨击。虽然西方对他的命运表示极大的关注，他仍于1974年2月12日被控以叛国罪遭逮捕。次日，索尔仁尼琴被驱逐出境，并于12月领取了他的诺贝尔奖金。

第二年，即1975年，他发表了一部纪录性的小说《列宁在苏黎世：一些篇章》。随后，索尔仁尼琴前往美国游历，并最后定居于佛蒙特州卡文迪什的一座幽僻的庄园。1980年他出版了两本非小说性质的书：《橡树与牛犊》，描述苏联文坛的情况；另一本短论《生死攸关》分析了他所观察到的美国对苏联的错误看法所隐藏的危险。1983年，《1914年8月》一书经过很大扩充出版了俄文修订版，这是他计划写作的一部系列作品《红色的轮子》中的一部分。本系列其他已出版或设计中的各卷(或称难题)有《1916年10月》、《1917年3月》和《1917年4月》。

索尔仁尼琴在提出替代苏联现政体的方案时，倾向于否定西方强调民主与个人自由的主张，而是赞成设法组织一个以俄罗斯传统的基督教价值观为基础的仁慈的独裁政权。可是，80年代末实行"公开性"政策后，索尔仁尼琴的作品在苏联重新受到了关注。1989年苏联文学刊物《新世界》发表了首批官方认可的《古拉格群岛》的摘录。他的其他作品也出版了。1990年正式恢复了索尔仁尼琴的苏联国籍。

soma　苏摩　植物名，种属不明。其汁液为古代印度吠陀教祭典中所使用的主要祭品。信徒将苏摩的茎置于两石之间，榨出汁液经过羊毛过滤，和以水和奶，苏摩汁先祭奠众神，然后由众祭司和献祭人饮用。信徒珍视苏摩酒，因为它使人兴奋，也可能会使人产生幻觉。苏摩神被人们认为是植物之主，能医治疾病，并使人发财致富。

soma　体细胞　动植物体内除生殖细胞外的所有有生命活动的物质。19世纪A.魏斯曼在其学说中指出了体细胞与生殖细胞间的区别。

Somacandra(Jainaauthor)　参阅**Hemacandra** 月天。

Somadeva　苏摩提婆（创作时期1070）克什米尔湿婆派婆罗门和梵文作家。他以一系列诗体故事的形式保留下许多印度古代民间传说。他是克什米尔王阿南陀的宫廷诗人。显然是奉王命编写一组故事，以使王后苏里亚玛蒂在一场政治危机中欢悦和平静。他借助于一部现已散失的较早的梵文作家德富著的《伟大的故事》，而德富可能采用了更早时期的佛教资料。苏摩提婆的著作《故事海》，很近似于欧洲中世纪的童话；在124个被称为"波浪"的章节中，充满魔术、精怪、血腥的祭祀、吸血恶鬼、爱情以及离奇的冒险故事。

Somali　索马里人　非洲民族。其居地为索马里全境、吉布提一狭长地带、埃塞俄比亚欧加登省和肯尼亚西北部分地区。除北部贫瘠的沿海地区之外，索马里人占有平原、草地及河流等真正游牧区域。语言属含闪语系库施特语支。学术界认为，索马里人在14世纪受到跨越红海而来的阿拉伯人影响，改宗伊斯兰教，然后便向南迁移到现今的居住地，即传统上所说的索马里兰。虽然索马里人按北部、中部、南部各地区分为三大群体，但是他们具有高度统一的文化和很强的民族自豪感。索马里人主要是游牧民族，信奉伊斯兰教，但对教义认识模糊不清，宗教活动主要仍是崇拜祖先。第二类的索马里人是城市中心的居民和农民，特别是非洲之角沿岸的民众。他们因长期同伊斯兰文化密切接触，已使本身文化高度发达；他们信奉正统伊斯兰教，其地理位置也使之成为阿拉伯世界和内陆索马里放牧部落之间的商业中间人。

Somali Basin　索马里海盆　阿拉伯海西南部的海底盆地，位于索马里以东。在东北方，由卡里斯堡海脊将它与较浅的阿拉伯海盆隔开。在南方，它与马斯克林和马达加斯加两海盆相联，岩床深度达3 600米以上。索马里海盆和阿拉伯海盆之间的岩床深度是从在这两个地区观察到的最低温度推算出来的。

Somali Current　索马里洋流　印度洋西部洋面的表层流。索马里洋流出现于北半球的夏季月份，系由于西南季风沿东非海岸吹刮形成，它可使海水沿海岸流动近1 500千米。向东北流动的索马里洋流，在北纬6°～10°的索马里近海处便转向东流，称为季风洋流。9月间季风逆转为东北风，索马里洋流随之减弱，直到冬季完全消失，海水再转向西南缓慢流动。

Somalia　索马里　全称索马里民主共和国。非洲东北部国家，位于非洲大陆最东端的“非洲之角”。北濒亚丁湾，东临印度洋，西与肯尼亚和埃塞俄比亚接壤，西北与吉布提交界。首都摩加迪沙。面积637 000平方千米。人口约8 050 000(1993)。

土地　索马里北部与亚丁湾沿岸为古班沿海平原。该平原有灌丛覆盖，半干旱，地表一般呈黄褐色，以气候湿热、降雨量少、植被稀疏为其主要特征。在远离亚丁湾处该平原地势升至切割高地北侧的陡峭断崖，形成崎岖的山脉，西北起自埃塞俄比亚边界，东抵非洲之角的顶端。该山脉有几处境内最高点，其中苏鲁德峰海拔达2 407米。山南为豪德高原，气候较为凉爽和干燥。最南部主要为平原。两条主要河流朱巴河和谢贝利河，均发源于埃塞俄比亚，流经该国向南注入印度洋。索马里地处热带和亚热带地区。日平均最高温度在30～42 °C之间，最低温度约在18～27 °C之间。南部和西北部一般降雨量较多，全国各地降雨量从100～610毫米不等。北部大部分地区长有稀疏的矮树和分散在各处的小块草地。较高地区有小片森林。境内野生动物有狮子、大象、鬣狗、狐狸、豹、长颈鹿、斑马和羚羊。全国土地面积仅有约2%为可耕地，其中近一半种植谷物。土地面积的一半以上是牧草地。

人民　全国2/3以上人口为牧民或半牧民。旱季期间牧民在靠近水源的村庄居住；雨季开始后，他们便各自带着畜群四处游牧。

美国不列颠百科全书公司供图

游牧生活是他们最喜爱的传统生活方式。索马里人占人口总数的绝大部分。由于农村人口大量流入城市，游牧民(萨马勒人)和定居农牧民(萨布人)之间的文化差别已不明显；但大多数索马里人均坚决忠于各自的氏族及其分支。全国通用的索马里语是国家统一最强有力的因素之一。几乎所有人口都信奉国教伊斯兰教。

定居人口的主要聚居区在南部以及朱巴河和谢贝利河谷地。尽管干旱地区人口稀少，但自第二次世界大战后城市人口迅速增长，并且还在继续增长。首都摩加迪沙是索马里最大的城市，20世纪90年代初曾遭内战破坏。

索马里的年人口增长率一般高于撒哈拉沙漠以南非洲国家的平均水平，但婴儿死亡率高，平均预期寿命短，男性43岁，女性47岁。20世纪70和80年代，约有100万难民涌入索马里；这些为逃避战争和旱灾的难民均来自埃塞俄比亚欧加登地区。90年代初期，随着旱灾和内战而产生的暴力、饥荒和疾病夺去了数十万索马里人的生命。估计有100万难民逃往邻近各国。

经济　索马里属发展中的混合型，主要以畜牧业和农业为基础。但20世纪90年代初内战爆发后，该国经济情况急剧恶化。人均国民生产总值属世界最低之列。

农业一向约占国内生产总值的2/3，占用了近3/4的劳动力。从20世纪60年代开始，畜牧业发展迅猛，到80年代期间，畜牧产品已占总出口额的一半以上。朱巴河和谢贝利河沿岸种有香蕉和其他一些水果；其他农作物还有甘蔗、棉花、玉米和高粱。20世纪70和80年代，政府大力振兴索马里的渔业，鱼产量有所增长。

工业在国内生产总值中的比重微不足道，雇用的劳动力不足其总数的1/10，规模较小且主要为肉类和鱼类加工、纺织品和皮革品的生产。大多数企业属国家所有，但私人企业的重要性亦日渐增加。电力仅供应城市地区，且完全靠热电厂生产。

索马里的国家预算通常分为普通预算和开发预算；前者资金来自国内，后者则多半来自海外。索马里的国际收支赤字不断增加，负担沉重，不得不依赖增加外援资金以抵消赤字。进口商品主要有石油产品、化肥和农药、基本制造品及食品，大多来自西欧。出口商品主要有牲畜、兽皮和原料革及香蕉，主要销往意大利、沙特阿拉伯和也门。全国无铁路，国内运输主要靠卡车和公共汽车。有国际和国内空运服务，还建有几个深水港。

政体与社会状况　1960年独立后，索马里在名义上已成为一个共和制国家。根据该国1979年宪法，总统可行使最高行政权力；人民议会由选举产生，行使最高立法权；中央委员会和内阁从当选的议员中产生。几乎所有的政党和武装反叛集团均系建立在忠于民族和宗教基础之上；索马里从未有过稳定的民主政权。司法系统主要以伊斯兰法规为依据，但无独立的司法系统。

医疗保健服务一般由地区和地方医院提供；乡村地区则建有诊疗所网络。肺结核和麻风为常见疾病，但主要的医疗难题还是产妇和婴儿死亡率高。医生数量极少，医药供应亦不足，几乎没有护士和实验室技术人员。社会条件极差，工资仅够糊口。城镇房荒严重。

政府实行小学义务教育制，但实际上小学学龄儿童入学率还不到1/5。中学教育不属于义务教育。摩加迪沙设有国立索马里大学(1954)，为主要高等学府。此外，还有一些职业学校和师资培训学校。报纸用阿拉伯文、意大利文或英文出版，只有少数受过教育的精英能够阅读。摩加迪沙广播电台和哈尔格萨广播电台每日以索马里语广播。

文化生活 诗在索马里占有重要地位，题材涉及战争、和平、妇女、马和骆驼。民间舞蹈也是一种很流行的艺术。索马里有丰富的口头文学，传诵有关天文学和占星术的主题。两个主要文化机构为加雷萨博物馆和国家剧院。

历史 索马里北部和东部沿海地区可能就是古埃及作品中所提到的朋特的一部分。7～10世纪期间，阿拉伯穆斯林和波斯的移民在亚丁湾和印度洋沿岸一带开辟了许多贸易站。到10世纪，索马里游牧民族占领了自亚丁湾到内陆的地区；以畜牧为基础的奥罗莫诸族群则居住在南部和西部。这时伊斯兰教已在摩加迪沙、马尔卡、巴拉韦、泽拉和柏培拉等贸易中心牢固地扎根。1839年英国人占领亚丁之后，欧洲人在当地开始深入探险。1884年，英国人在北部建立起一个保护地。1889年，意大利在索马里东北角攫取了两个保护地；1905年，索马里海岸南部成为受其管辖的又一殖民地。20世纪初期，英国对索马里的统治受到哈桑的阻挠；他号召全国的穆斯林团结起来反对英国殖民者。但在意属索马里兰，意大利的殖民却受到鼓励；1936年意属索马里兰成为意属东非帝国的一部分。第二次世界大战期间，意大利人入侵英属索马里兰(1940)，一年后英国军队又将该地夺回；此后，英国一直统治着整个地区，直到1950年意属索马里兰成为一个联合国托管地(归意大利管辖)。1960年，该托管地与前英属索马里兰合并成为独立的索马里共和国。1967年，舍马克当选为总统，伊加勒任总理。1969年，舍马克遇刺。西亚德少将发动军事政变，推翻了伊加勒总理领导的政府，成立了由军官组成的最高革命委员会，以取代议会制政权，建立起索马里民主共和国，并与苏联建立密切的关系。1977年，索马里入侵埃塞俄比亚的欧加登地区(这里的居民几乎全部是索马里人)，试图将该地区并入本国版图，但未获成功。当苏联转而支持埃塞俄比亚时，西亚德的军队被赶回索马里境内；埃塞俄比亚边境附近的难民营挤满了来自欧加登地区的数十万难民。1991年以部族为基础的反叛集团联盟驱逐了西亚德。该国被分割成许多地区，各由一个部族或部族联盟控制。战争使得已遭持续旱灾影响的农业生产陷于瘫痪；估计有150万索马里人面临饥饿的威胁。90年代召开过10多次和平会议处理索马里的战争冲突，但基本上都不成功。2000年和平会议在吉布提举行，会议产生的一个治理索马里的3年规划引发国际上的乐观情绪。一个包括许多部族代表的临时国民议会成立，并在同年晚些时候组成过渡国民政府。但该政府的权威在国内并没有被普遍接受；新政府面临不断的反对，从没能够有效治理国家。2002年开始了新一轮和平谈判；谈判最终产生新的过渡政府。过渡议会在2004年正式成立，同年10月A.Y.艾哈迈德被议会选举为临时总统，任期5年。但由于索马里的许多地方(特别是摩加迪沙)都不安全，索马里的新政府一直设在肯尼亚。2005年出于安全原因计划把新政府重新迁到索马里城镇拜多阿和乔哈尔。不断的暴力活动和战争，再加上旱灾、洪水和饥饿，使索马里在20世纪末和21世纪初满目疮痍。2004年末一场海啸袭击索马里海岸更是雪上加霜，死亡数百人，数千人离开家园，摧毁了索马里渔民赖以生存的生计。

Somaliland 索马里兰 历史上指今索马里和吉布提所在的地区。这一地区大概是古埃及人所认为的"朋特地区"的一部分。7～12世纪，阿拉伯半岛和伊朗的穆斯林商人来到沿海地区定居，在亚丁湾建立了泽拉和柏培拉等城市，和在印度洋沿岸建立了马尔卡、巴拉维和摩加迪沙等城市。他们出口珍贵的树胶、鸵鸟羽毛和奴隶，向内地信奉基督教的埃塞俄比亚人发动战争，并组成两个苏丹国(以泽拉为中心的阿达尔和以摩加迪沙为中心的阿朱兰)。10～15世纪游牧的索马里人占领这个地区的北部，他们接受伊斯兰教，并在苏丹国的军队中当兵。索马里人逐渐控制苏丹国，并向南往肯尼亚扩张。19世纪末叶，欧洲各国开始瓜分非洲。1862年法国就在红海出口附近的奥博克建立一个基地，北岸的其他一些地区被埃及占领，南索马里兰承认桑给巴尔苏丹的宗主权。19世纪80年代末，法国控制了目前的吉布提地区，英国在其亚丁基地对面的北岸地带建立一个保护地，意大利控制索马里兰的其余部分。1899年，穆斯林领袖穆罕默德·阿卜杜拉·哈桑在北部开始反英战争；到1920年去世前，他一直保有内陆部分。意大利人在第一次世界大战结束后占领了南端的朱巴兰。1936年他们将索马里领地与埃塞俄比亚合并，组成意属东非。第二次世界大战期间，意属地区由英国人控制。1960年，英属和意属索马里兰联合成为独立的索马里共和国。法属索马里兰(1967年易名为法属阿法尔和伊萨领地)在1977年独立，成为吉布提共和国。

Somapura Mahāvīra 大雄寺 孟加拉国西北部拉杰沙希附近伯哈尔布尔村内佛教寺院，8世纪始建。面积约11公顷，是喜马拉雅山脉以南最大的寺院之一。在整个17世纪是重要的学术中心，曾被佛教徒、耆那教徒和印度教徒轮流占领。各种居民所留下的线索见于寺院厚厚的外墙里保存的艺术品中。寺院各边长约270米，由僧房组成；共有170多间僧房，还有92个祭坛。墙内是一个庭院，包含一个传统的佛教窣堵波遗迹。其他圣物和神龛的证据见于各处，包括耆那教的建筑结构，呈现出寺院三大居住群体的艺术及宗教影响；主墙上有耆那教神像；佛教赤陶艺术品和印度教圣人雕像见于底墙。大雄寺是少数历经穆斯林人侵南亚而留存的佛教寺院之一。巨大四角形建筑的历史及文化价值最早由英国学者B.汉密尔顿发掘，他在19世纪早期研究过此遗址。100多年后的1919年，被宣布为受保护的考古遗址，4年后开始挖掘。1985年被联合国教科文组织列为世界遗产。

somatotype 体型 人类体型和体格的分类标准。美国心理学家谢尔登制定的人体分类法曾使用体型这个名词。谢尔登分类法按照人体结构的三种极端类型，将人类划分为三种，即内胚层体型或圆胖型，中胚层体型或肌肉型，外胚层体型或瘦长型。每个人的体型可用三位数字来表示，第一位数为内胚层体型，第二位数为中胚层体型，第三位数为外胚层体型；每一位数又分为1～7七个级别。由此，极端内胚层体型是711型，极端中胚层体型是171型，极端外胚层体型是117型。分类数级是互相否定的，所以一类的高位数，必然排除其他两类的高位数；实际上，极端类型(711,171,117)很少或根本不存在，正常体型的人其数值接近于444，为三种极端类型之间的平衡数值。参阅 **ectomorph; endomorph; mesomorph**。

Sombart, Werner 桑巴特(1863-01-19，普鲁士萨克森埃姆斯莱本～1941-05-18，柏林) 德国经济史学家。出身富裕地主兼政治家家庭，求学于柏林、比萨、罗马，1888年获柏林大学博士学位。在布雷斯劳教学后，1906年在柏林获得大学教职，1918年任正教授。初热衷于马克思学说，但后来日趋保守而坚决反对马克思主义。1902年出版《现代资本主义》一书，在方法论上受马克思学说的影响。在这时及稍晚的著作中，他提出一种观点，认为资本主义在进化发展，而并不预示其走向腐朽衰落。晚年同情纳粹，死后名声湮没。

sombrero 阔边帽 阔边、高顶的毡帽或草帽。在西班牙、墨西哥和美国西南部特别流行。最早出现于15世纪。绅士一般戴阔边毡帽，农民则戴阔边草帽。墨西哥阔边帽的

戴阔边帽的墨西哥牛仔

供图：Constantine Manos—Magnum

帽边宽达60厘米。美国的边疆居民和牧场或农场工人也多戴用，后改为牛仔帽。

Somers (of Evesham), John Somers, Baron 萨默斯(伊夫舍姆的)(1651-03-04，英格兰伍斯特郡伍斯特附近克兰斯的怀特莱迪斯～1716-04-26，赫特福德郡米姆斯诺斯附近布鲁克曼斯) 英国政治家。英王威廉三世的首席大臣(1696～1700)，一批有影响的辉格党人的首领。1676年成为律师。1688年因参加为被詹姆斯二世审判的7名圣公会主教辩护成名。1689年进入议会，任权利法案起草委员会主席。1692年任总检察长。1693年任掌玺大臣。1696年成为国王威廉三世的首席顾问和辉格党的代言人。1697年任大法官，晋封为贵族，但受到下院多数党托利党人的激烈攻击而于1700年被迫辞职。1708年安妮女王任命他为枢密院长。1710年托利党控

伦敦国立肖像画陈列馆供图

制政府时，他又失去权力。1714 年成为乔治一世的枢密顾问官。

Somerset 萨默塞特 英格兰西南部一郡。西北濒布里斯托尔湾。面积3 451平方千米。下设门迪普、塞奇莫尔、约维尔、汤顿迪恩、西萨默塞特 5 个区。境内主要由称作塞奇莫尔的低盆地构成，位于近海处。东北部的门迪普丘陵以及西部的埃克斯穆尔高地和匡托克丘陵，被划为风景优美区。西萨默塞特区有埃克斯穆尔国家公园。沿岸风景优美，是保护区。史前居民点主要分布在较开阔的高地上，尤其在门迪普丘陵。古罗马人曾在此采铅矿、建别墅。7 世纪起成为韦塞克斯王国最西面的部分。现经济以农业为主。乳品业和畜牧业重要。有一些商品菜园。果汁生产历史悠久。矿产有石灰岩、砂岩、沙、砾石、泥炭。1965 年欣克利岬建成一座核电站。旅游业对经济十分重要。布里斯托尔湾胜地和一些历史名胜古迹十分吸引人。5 号高速公路为旅游交通干线。人口约435 700(1983)。

Somerset, EARLS AND DUKES OF 萨默塞特伯爵和公爵 英格兰封爵贵族，属博福特、卡尔和西摩 3 个家族。按年代排列于后，并各以 ● 为标记。

● Somerset, Edmund Beaufort, 1st duke of 萨默塞特公爵(第一)(约1406～1455-05-22 英格兰赫特福德郡圣奥尔本斯) 即 E.博福特。英格兰贵族，兰开斯特家族的首领。他与约克公爵理查的争执是玫瑰战争的导火线。他是博福特家族的成员，该家族在 15 世纪 30 年代操纵英王亨利六世的政府。1441 年被封为多塞特伯爵，1444 年继承了其兄的萨默塞特伯爵爵位。他多次参加英格兰对法国的作战，1447 年被任命为在法国的英军总司令，次年封萨默塞特公爵。1449 ～ 1450 年法国重新征服诺曼底，主要是由于他统率无方。这虽然引起公众不满，他却成为亨利的首席大臣。他的劲敌是约克公爵理查。1453 年亨利精神失常后，他被议会监禁，约克成为王国的摄政。1454 年 12 月国王恢复健康后，他又官复原职。约克诉诸武力。1455 年 5 月，萨默塞特在圣奥尔本斯战役中被约克的军队杀死。

● Somerset, Henry Beaufort, 2nd duke of 萨默塞特公爵(第二)(1436～1464-05-15，英格兰诺森伯兰郡赫克瑟姆) 即 H.博福特，又称多塞特伯爵(第二)。英格兰玫瑰战争中兰开斯特家族的首领。第 1 代公爵埃德蒙·博福特的长子。在韦克菲尔德战役(1460)和圣奥尔本斯战役(1461)中为兰开斯特家族的司令官。1461 年在陶顿战败后逃往苏格兰。1463 年投奔约克家族，后来又倒戈，在赫克瑟姆战役中指挥兰开斯特军队，战败被俘，当日就被处死。

● Somerset, Edward Seymour, 1st duke of 萨默塞特公爵(第一)(约1500或1506～1552-01-22，伦敦) 又称博尚(阿什的)子爵、赫特福德伯爵。英王爱德华六世未成年时的摄政。1536 年其妹简与国王亨利八世结婚。他备受恩宠，青云直上，1542 年任海军大臣。1544 年率兵进犯苏格兰，劫掠爱丁堡。1 年后在布洛涅对法国作战，又取得辉煌胜利。1547年亨利八世死，他成为9岁的新王爱德

不列颠博物馆供图

华的摄政。不久封公爵。他有两年半时间实际为代理国王。他劝说苏格兰人自愿与英格兰合并，没有成功，遂入侵苏格兰，在平基战役(1547-09-10)中打败苏格兰人。在内政方面他采取温和政策，废除亨利八世惩治异端的各种法规，使天主教与新教和解。他为解救贫苦农民而禁止圈地，但遭到地主们的破坏。1549 年 10 月被赶下台。1551 年诺森伯兰公爵诬告他犯叛逆罪，4 个月后将他处死。

● Somerset, Robert Carr, earl of 萨默塞特伯爵(约 1590～1645-07) 又称罗伯特·卡尔爵士或罗彻斯特子爵。1607 ～ 1615 年间英格兰国王詹姆斯一世的宠臣。他对政府政

伦敦国立肖像画博物馆供图

策的影响虽微不足道，但由于卷入一起丑闻，使詹姆斯宫廷的名声受损。苏格兰贵族子弟。因外貌英俊，博得詹姆斯的青睐，任为宫室侍从。从此青云直上。1611 年封罗切斯特子爵，1612 年任枢密官和国王秘书。此时他与第 3 代埃塞克斯伯爵罗伯特·德弗罗的妻子弗朗西丝相爱。他劝说詹姆斯解除弗朗西丝的婚姻。他的好友和老师托马斯·奥弗伯里爵士反对他这样做，被弗朗西丝(可能是在他的帮助下)秘密毒死。1613 年 12 月在他被封为伯爵并任苏格兰财政大臣后不久，与弗朗西丝结婚。1614 年他任宫廷大臣。次年奥弗伯里之死真相大白。他和弗朗西丝被判谋杀罪入狱，但 1624 年被赦免。

● Somerset, Charles Seymour, 6th duke of 萨默塞特公爵(第六)(1662-08-12～1748-12-02，英格兰萨塞克斯郡佩特沃思) 即 E.西摩。英格兰政治家。安妮女王的宠臣，促成汉诺威王室的乔治一世继位。他同时继承了萨默塞特公爵和西摩男爵的爵位，曾就读于剑桥大学三一学院。1682 年与诺森伯兰伯爵之女伊丽莎白结婚，给他带来很多产业。1683 年在宫中任职。两年后成为龙骑兵上校，但在 1688 年革命中，他为奥兰治的威廉作战。1692 年支持安妮公主，因而安妮即王位后，他深受宠信，于 1702 年任御马长。在安妮弥留之际，他与安格尔、什鲁斯伯里等辉格党贵族一起坚持享有参加枢密院的权利，使汉诺威王室得以继承王位。乔治一世时期仍任侍卫长，1716 年被免职，退隐。

Somerset, Edward 萨默塞特 参阅 **Worcester, Edward Somerset, 2nd Marquess of 伍斯特侯爵(第二)**。

Somerset, FitzRoy James Henry 萨默塞特 参阅 **Raglan(of Raglan), FitzRoy James Henry Somerset, 1st Baron 拉格伦男爵(第一)**。

Somerville 萨默维尔 美国马萨诸塞州东部米德尔塞克斯县城市。临米斯蒂克河。1630 年创建。1842 年设镇。1871 年设市。独立战争后经济以制砖业为主。1802 年通米德尔塞克斯运河后更利于工业化。1835 年通波士顿-洛厄尔铁路。1900 年后人口和工业增长最快，屠宰和肉类加工业为经济支柱。现为波士顿市郊住宅和工业区。亦为货物储运中心。人口约72 532(1993)。

Somerville 萨默维尔 美国新泽西州中北部自治城镇，萨默塞特县县城(1784)。濒拉里坦河。17 世纪末始有居民。1863 年设镇。1909 年设自治镇。当地华莱士厅(现为州立历史纪念地)曾是乔治·华盛顿的指挥部。1834 年特拉华-拉里坦运河开通及 1842 年通铁路促进了该镇发展。为附近农场和工业区的贸易中心。轻型制造业生产医药和电子设备。旧荷兰牧师公馆(1751)现为州立历史纪念地，是拉特格斯大学(现迁至东南数英里处的新不伦瑞克)和新不伦瑞克神学院最初建立的地方。杜克庄园是纽约园艺学会的科研和展览中心。1921 年，哈丁总统在此签署结束美-德战争状态的诺克斯-波特决议案。设有县立学院(1968)。人口约11 943(1993)。

Somerville, William 萨默维尔(1675-09-02，英格兰斯塔福德科尔威奇～1742-07-17，

沃里克亨利因阿登） 英国作家。曾学过法律，后来到乡间过着绅士的生活，沉溺于野外运动，这些消遣活动成为他日后著名诗歌，特别是《打猎》(1735)的题材。

Somerville and Ross 萨默维尔和罗斯（萨默维尔 1858-05-02，希腊科孚～1949-10-08，爱尔兰科克郡海芬堡；罗斯 1862-06-11，爱尔兰戈尔韦郡～1915-12-21，科克郡科克） 爱尔兰表姐妹作家安娜·萨默维尔和维奥莱特·马丁合用的笔名。她们两人共同写了许多长篇和短篇小说，用俏皮的文笔和同情的态度描绘了19世纪末期的爱尔兰社会。萨默维尔在表妹罗斯去世后，仍使用她们的联合笔名，说她仍然是靠表妹的启示从事创作的。维奥莱特·马丁(即罗斯)出身在一个上流社会的新教徒家庭，在罗斯豪斯乡村庄园中长大，生计并不富裕。1872年她父亲去世后，全家迁往都柏林，她在那里进了亚历山大学院。萨默维尔的父亲是英国军队的陆军中校，曾在科孚服役，在萨默维尔出生1年后退伍，回到科克郡德里斯汉豪斯的老家。她就在此度过了童年。除了在亚历山大学院短暂读书外，她还在伦敦、杜塞尔多夫和巴黎的画院中学过绘画。1886年1月17日，27岁的萨默维尔和23岁的马丁第一次见面，从此两人合伙从事文学创作，3年后出版了第一部作品《一位爱尔兰表亲》(1889)。到1915年马丁去世时，两人共合写了14部著作，其中有一部出色的长篇小说《真正的夏洛蒂》(1894)和一部短篇小说集《一个爱尔兰水兵的经历》(1899)。后者及其续集是他们两人的最著名作品。1915年后萨默维尔和罗斯合用的笔名仍然用在萨默维尔个人撰写的作品上，例如《爱尔兰回忆》(1917)、《登山音乐》(1919)和《因弗尔大宅》(1925)。在两人共同生活期间，两表姐妹都住在罗斯豪斯和德里斯汉豪斯，但经常到国内外旅游。两人都擅长骑马猎狐，纵狗狩猎。1898年马丁在骑猎中受过一次重伤，从此没有康复过来。萨默维尔晚年也常常旅游，曾出访过丹麦与法国。还和她的朋友英国作曲家、作家、女权运动家史密斯夫人(1858～1944)访问过意大利和美国。

Somes, Michael (George) 索姆斯(1917-09-28，英国格洛斯特郡霍斯利～1994-11-18，伦敦) 英国皇家芭蕾舞团(原萨德勒的韦尔斯芭蕾舞团)的首席舞蹈演员和团长助理。他主演过许多保留剧目(既有古典的、又有当代的芭蕾舞剧)，经常作为M.芳廷的舞伴。1934年获得萨德勒的韦尔斯舞蹈学校第一次发给男学生的奖学金，并于1935年加入芭蕾舞团。到1937年，他已担任独舞角色；在F.阿什顿的《算命》(1938)里，进行了首次重要的创作。第二次世界大战服役归来，他又在阿什顿编导的芭蕾舞剧中创作了另外一些重要的角色，包括《交响变奏》(1946)、《灰姑娘》(1948)、《达甫尼斯与赫洛亚》(1951)、《盲人卜卦者》(1951)、《翁金娜》(1958)。他也演过《天鹅湖》、《吉赛尔》和《睡美人》这类古典芭蕾舞剧。1950年继R.赫尔普曼担任M.芳廷的正式舞伴。1959年获不列颠帝国勋章。作为首席芭雷舞演员退休(1961)之后，他成为皇家

索姆斯和M.芳廷在《但丁奏鸣曲》中的舞姿

供图：Penguin Photo Collection

芭蕾舞团的团长助理，并表演哑剧角色，如《茶花女》(1963)中的父亲。1970年离开团长助理一职后，他仍在皇家芭蕾舞团任首席教师，直到1984年。

Someş River 索梅什河 匈牙利语称索莫什(Szamos)河。特兰西瓦尼亚地区最重要的河流之一，位于罗马尼亚西北部。有两支源流：大索梅什河，源出罗德纳山，西南流向；小索梅什河，源出阿普塞尼山，东北流向。两河在特兰西瓦尼亚盆地的代日镇汇合。向西北流经约400公里，在匈牙利境内注入蒂萨河。在代日镇和蒂萨河之间有几条支流。沿河有萨图马雷市。

somite 体节 胚胎脊柱两侧由中胚层分裂而成的排成纵列的块样结构。椎板全部由体节分化而成。此外，体节还分生出生骨节(后发育成脊椎的椎体及神经弓)、生皮节(发育为皮肤的结缔组织)、肌节(或称原始肌肉，发育成脊椎动物的主要肌肉)。英文somite一词也常用来泛指分节动物的体节metamere。

Somme 索姆 法国北部皮卡第大区一省。西临英吉利海峡。地处索姆河流域，因此得名。面积6 174平方千米。由原皮卡第省的大部和邻省阿图瓦小部分组成。索姆河从东向西北方向流，途经佩罗讷、亚眠(省会)和阿布维尔。南部边界的布雷勒河和北部边界的欧蒂河与索姆河以平行方向流入海峡。海洋性气候为主，常有阵雨。西南部土地肥沃。索姆和欧蒂二河的河口湾已淤塞，在沿海悬崖后面造成沼泽地。海滨地区点缀着港口和小型游览区。养牛业和蔬菜种植业在已开垦的沼泽地和河谷地区很兴旺。在大面积白垩纪高原上，种植谷物、饲料和甜菜，饲养牛。在亚眠、阿布维尔、维默和其他城镇附近有一些工业，包括纺织、食品加工、金属、化工和橡胶，但全省经济以农业为主。下设亚眠、日默、阿布维尔、蒙迪迪耶和佩罗讷等专区。属于亚眠教育区。人口547 825(1990)。

Somme, First Battle of the 第一次索姆河战役（1916-07-01～1916-11-13） 第一次世界大战中，协约国在西线进行的代价巨大，但很不成功的进攻战役。英法军在索姆河以北21英里（34千米）战线上发起正面进攻时，德军已挖壕固守，并占据了战略上的有利地位。经过1周的炮击，英军步兵“跳出战壕”开始发起进攻，由于德军阵地实际上坚不可摧，英军步兵遭到重大伤亡。进攻第一天，英军伤亡近6万人（2万人阵亡）。9月，英军在战争中第一次使用新式武器——坦克，但对此役没有产生什么影响。索姆河进攻战役逐渐变成一场消耗战。10月，倾盆大雨将战场变成无法通行的泥潭；到11月中旬，协约国仅前进5英里（8千米）。虽然数字有很大出入，但第一次索姆河战役的伤亡人数可能达到：德国约65万，法国19.5万，英国42万。索姆河战役成为徒劳无益和疯狂残杀的代名词。不过，由于在索姆河地区发起进攻，协约国却得以缓解了德军对瓦尔登的压力。

Somme, Second Battle of the 第二次索姆河战役（1918-03-21～1918-04-05） 又称圣康坦战役。第一次世界大战末期德国在西线向协约国军队发起的进攻。德军司令E.鲁登道夫将军相信，利用因俄国退出战争从东线腾出的部队在1918年春季趁美国军队增援厌战的协约国军队之前，先在西线打一场胜仗是十分必要的。他的第一个企图是直接攻打索姆河以北相当薄弱的英军。英军的第一线和第二线很快失守；3月22日，溃败的英国第五军后撤，同南面的法军失去了联系。德军迅速进击，希望在英法两军之间打进一个牢固的楔子。但是3月28日，协约国调集了新的部队制止了德军向亚眠以东的进攻。这是德军自1914年开战初期以来在西线占地最多的一次进攻，向前推进了64千米，俘获7万人；但是尽管如此，协约国的战线并未失守。

Somme River 索姆河 法国北部河流。源出埃纳省圣康坦附近富索姆的山丘。大致向西流，长245千米，注入英吉利海峡。流域面积6 000平方千米。河谷为沼泽带。索姆河为佛兰德通往巴黎重要屏障，在军事上具有重要战略意义。上游盆地在第一次世界大战中，特别是第一次索姆河战役（1916-07～1916-11)曾经是激烈战斗的战场。第二次世界大战1940年5～6月索姆河地区被德国人占领，1944年8月被盟军收复。阿布维尔以下，索姆河进入河口湾，泥沙淤塞，需经常疏浚，河口有圣瓦莱里港。上游有运河通瓦兹河和埃斯科河(斯海尔德河)，从而与通向巴黎与佛兰德的水道相连。

Sommeiller, Germain 索梅耶(1815-03-15，法国圣茹瓦尔～1871-07-11，圣茹瓦尔) 法国工程师，开凿了阿尔卑斯山脉的塞尼斯山(弗雷瑞斯)隧道，这是世界上第一条重要的穿山隧道。他在都灵大学研制增加机车动力的空气压缩冲压机时，就想到用这种机器钻岩石，因为长距离输送蒸汽有困难，不宜用蒸汽作动力钻岩石。他在法国和瑞士之间的塞尼斯山下开凿12千米长的隧道时，采用了经

过反复试验、改进的新钻机，后来，使用了A.诺贝尔刚发明的甘油炸药。这条隧道在1870年12月完工。

Sommer, Ferdinand 索默尔（1875-05-04，德国特里尔～1962-04-03，慕尼黑） 德国历史语言学家，以其关于赫梯语和古典语言的研究而知名。曾先后在巴塞尔大学（1902～1909）、罗斯托克大学（1909～1913）、耶拿大学（1913～1924）、波恩大学（1924～1926）及慕尼黑大学（1926～1951）担任教授。重要著作有《拉丁语语音学和形态学手册》（1902）、《论希腊语名词性复合词的历史》（1948）以及许多关于赫梯语研究的重要论著，包括《阿希亚瓦文书》（1932）和《赫梯人与赫梯语》（1947）等书。

Sommerfeld, Arnold (Johannes Wilhelm) 索末菲（1868-12-05，普鲁士柯尼斯堡［今俄罗斯加里宁格勒］～1951-04-26，慕尼黑） 德国物理学家，所创原子模型可以解释精细结构谱线。在柯尼斯堡大学攻读数学和自然科学后，任格丁根大学助教，以后在克劳斯塔尔（1897）和亚琛（1900）教数学。在慕尼黑任理论物理学教授时（1906～1931）作了他最重要的研究工作。由于对原子光谱的探索而提出用电子运动的椭圆轨道来代替玻尔原子模型中的圆轨道。从这种想法出发，假定出角量子数。后来又引进了磁量子数。他对波动力学也作了详细研究。他的金属电子论，对温差电和金属导电的研究很有价值。

Sommo, Judah Leone ben Isaac 索莫（1527，曼图亚［意大利］～1592，曼图亚） 意大利作家。其作品是有关16世纪意大利戏剧创作的原始资料。他的第一部剧作《婚礼的喜剧》（1550）反映了意大利即兴喜剧对他的影响。他的《舞台艺术对话录》一书（1565）谈到了他作为剧作家和戏剧演出人的各种经验，也是对同时代演出实践的总结。

somnambulism 参阅 **sleepwalking** 梦游症。

Somnāth 索姆纳特 又称帕坦-索姆纳特。印度中西部古吉拉特邦西南部的古废墟城。为月亮神庙的所在地。根据印度史诗《摩诃婆罗多》，索姆纳特是雅达瓦部族自相残杀之地，又是毗湿奴第八化身克里希纳身亡处。数度被战争摧毁与重建。最后于1951年开始再次重建。帕坦为古城的港口，现作用已不及附近的韦拉沃尔港。最近挖掘发现有公元1500年前的居民点。

索姆纳特的湿婆庙

供图：Baldev—Shostal Assoc.

Somnus（Greco-Roman god） **索姆诺斯** 参阅 **Hypnos** 许普诺斯。

Somogy 绍莫吉 匈牙利西南部一州。自巴拉顿湖南岸起至塞尔维亚边界，面积6 036平方千米。一度以巨大地产和贫困农民的结合而闻名，20世纪开始发展合作化农场。主要作物有黑麦、马铃薯、甜菜和烟草。也饲养猪和绵羊。因当地猪倌和牧羊人创造了一种复杂的木刻艺术而全国知名。巴拉顿湖沿岸为游乐区。首府考波什堡（**Kaposvár**）是最重要城镇。南部包博乔周围有小型石油和天然气田。人口约344 925（1990）。

Somolu（Nigeria） 参阅 **Shomolu** 绍莫卢。

Somoza FAMILY 索摩查家族 政治控制尼加拉瓜达44年之久的家族。这一家族的创始人阿纳斯塔西奥·索摩查·加西亚（1896-02-01，尼加拉瓜圣马科斯～1956-09-29，巴拿马运河区安孔［今巴拿马］）为富裕的咖啡种植园主之子，曾在尼加拉瓜和美国受教育。因与显赫家族女儿结婚而飞黄腾达。1933年成为尼加拉瓜军队国民警卫队首脑。由于军权在握，3年后他废黜了当选总统J.B.萨卡萨，1937年1月1日自任总统。1947～1950年任军队总司令，继续掌握大权。1951年再任总统。他支持改革，使国家减少对香蕉收入的依赖。他放逐了大部分政治反对者，占有大片土地和许多企业，大发横财。索摩查遇刺后，其长子路易斯·索摩查·德瓦伊莱（1922-11-18，莱昂～1967-04-13，马那瓜）继任总统，后当选总统（1957～1963）。他在任期中扩大家族的商业利益，统治方式比其父温和。他不愿连选连任，在1967年以前由支持索摩查家族的几位政治家出任总统。其弟阿纳斯塔西奥·索摩查·德瓦伊莱（1925-12-05，莱昂～1980-09-17，亚松森）在一次选举中当选总统。统治方式如其父一样雷厉风行，并继续增加家族的财富。1972年辞职。1974年再度出任总统。反对索摩查镇压式统治的起义层出不穷，外国纷纷指责他侵犯人权，他于1979年辞职，流亡中遭暗杀。

son et lumière 声光表演 由法国科松河上的尚博尔城堡掌管者P.罗贝尔-乌丹设想出的一种夜间文娱活动。1952年在该地作了首次声光表演。将可变强度的彩色灯光射向一座有历史意义的建筑物或废墟的表面，灯光的变化，与一配有音乐和该遗址掌故的声带保持同步进行。无演员参加。烟幕弹或烟火之类生动的效果偶尔也被用来作为恰当的插段。这种表演很快在法国流行起来。到20世纪下半叶，特别是在卢瓦尔河流域、凡尔赛和巴黎伤残军人院，每年举行大约50场。除法国以外，在罗马（古罗马广场）、雅典（帕台农神庙）、英国（1957，格林尼治宫）、美国（1962，费城独立宫）、埃及开罗（1961，吉萨金字塔）、印度德里（1965，红堡）等地均举行过这种声光表演。

Son La 山萝 越南西北方城镇，位于河内西北约310千米。山萝是玉米和茶树专门种植区的市场中心，种植区也生产稻米和棉花，饲养牲畜。本地区居民主要是岱旦（黑泰），还有苗、岱靠（白泰）和芒族。附近的纳伞有一机场。人口14 810（1979）。

Son Pyŏng-hi 孙秉熙（1861～1922） 朝鲜东学教第三代领袖。为小官僚私生子。在贫困中长大，饱受歧视。1897年继崔时亨之后被推举为东学教首领。他重整因1894年起义失败而削弱的东学教，被政府宣布为政治犯而亡命日本。1905年朝鲜被日本吞并后，把东学教改名为天道教（**Ch'ŏndogyo**），着手把该教变为真正的宗教，并从事各种文化活动。1919年领导全国性独立运动。

Son River 宋河 又拼Sone River。恒河的主要南部支流。发源于印度中部中央邦，向北流过曼布尔，然后转向东北穿过盖穆尔岭后在巴特那以西汇入恒河。流程784千米。在地质上，宋河河谷为其西南讷尔默达河河谷的延续。大部被森林覆盖，人口稀疏，河谷以北为盖穆尔岭，南为焦达讷格布尔高原。流量因季节而异，航运作用不大。某些支流筑有拦水坝，自北方邦代赫里起修有宋河灌渠网。

sonar 声呐 英语sound navigation and ranging（声波导航和测距）的缩写音译，指利用声学方法探测和确定水下目标的距离和方位的技术。声呐设备探测从目标发射或反射的声波，分析其中所含信息。声呐系统可分为三类。在有源声呐系统中，声发射装置发出的声波向外传播并被目标反射回来；接收装置接收和分析反射信号，并可确定目标的距离、方位和相对运动。无源声呐系统仅具有接收目标（如舰船、潜艇或水雷）所发噪声的接收传感器；分析探测到的各种波形，即可识别目标的特征以及方向和距离。第三类声呐设备是声通信系统，它在声道两端各有一个发射装置和接收装置。声呐最初是作为探测冰山的装置而设计的。第一次世界大战中潜艇战的威胁加强了人们对声呐的关注。到1916年，由一些传声器拖缆构成的早期无源声呐系统曾用于探测潜艇；到1918年，英、美科学家已研制出有源声呐系统。随后出现了回声探测器或水深探测器、快速扫描声呐、侧扫描声呐和内脉冲电子扇形扫描声呐（WPESS sonar）。声呐现今有多种用途。在军事领域，大量声呐系统用于对潜艇进行探测、识别和定位，也用于音响制导鱼雷和扫雷。声呐的非军用方面有寻找鱼群、测量水深，测绘海底、多普勒导航等。发展声呐系统的关键是发明声换能器和设计高效的声发射装置。这些都要利用压电晶体（如石英或电气石）、磁致伸缩材料（如铁或镍）或电致伸缩晶体（如钛酸钡）。这些材料在电场或磁场中会改变形状，从而将电能转换为声能。将这些材料适当地安装在一充油箱中，就能产生广阔频率范围的声能波束。在有源系统中，发射装置（接收和发射换能器通常也是一样）可配置在从空中发射的声呐浮标上，装设在飞机的机身上，或用直升飞机吊悬于海上。无源系统通常装设在机身上，或配置在声呐浮标上，或被拖曳在船后。还有一些无源系统常以大阵列的方式布置在海床上，以提供不间断的监视。

sonata 奏鸣曲 由一件或几件乐器演奏的音乐作品的曲式，通常包含3或4个乐章，在节奏和意境上形成对比，但在调性上互相关联。“奏鸣曲”一词是随着器乐的兴起而得到采用的，最早出现于13世纪，将近16世纪末由于器乐开始大量涌现而普遍流行。那时它的含义相当笼统：G.加布里埃利写过供几组乐器在教堂中演奏的奏鸣曲，也有供较小规模的重奏组演奏的奏鸣曲。在17世纪，此词的定义更加精确，开始和小型乐器组发生联系，而辛福尼亚、交响曲、协奏曲等术语则用于大型合奏。这一时期奏鸣曲常被写成几个速度不同的乐章，由一或两个独奏员演奏，而和声的衬托通常由一架键盘乐器和一架低音乐器(如低音维奥尔琴)提供。具有两个独奏的奏鸣曲一般称作“三重奏鸣曲”，它成为巴罗克作曲家室内乐的主要形式。这一时期的另一发展是将教堂奏鸣曲和室内奏鸣曲加以区分。教堂奏鸣曲通常包含4个乐章，呈快-慢-快-慢模式；这一体裁一直存活到18世纪末。室内奏鸣曲不如前者规范化，有时像组曲那样有连续几个舞曲，或是呈快-慢-快模式，成为古典主义时期的常规。约18世纪中期三重奏鸣曲开始消失；随着键盘乐器精湛技巧的蓬勃发展，拨弦键琴独奏奏鸣曲的地位更加重要。D.斯卡拉蒂写了500余首这种单乐章的奏鸣曲。在海顿和莫扎特笔下，奏鸣曲基本上是一种键盘乐器独奏，可能有另一件乐器起辅助作用。这两位作曲家都以快-慢-快3乐章模式为标准。贝多芬在其32首钢琴奏鸣曲中也坚持这一准则，但有偏离之处：例如，他的最后一首奏鸣曲只有两个乐章。对下一代作曲家来说，奏鸣曲似乎是一种老式而有约束的形式。舒曼和肖邦觉得用他们自己设计的体裁写作更加舒展自如；李斯特在其《但丁读后感》中加入一个文学性标题，而《B小调奏鸣曲》中则将通常的连续几个奏鸣曲乐章结合为一个单乐章。到了20世纪，“奏鸣曲”一词的用法又变得与文艺复兴时期一样混乱。创作了一些钢琴奏鸣曲，包括梯皮特和布莱兹的，都明显地参照贝多芬的作品；不过从其他方面来看，奏鸣曲的形式和配器却自由得多。

“奏鸣曲式”一词既指一个乐章之内的调性素材的组织，亦指几个乐章之间的关系。奏鸣曲式乐章之内的主要段落是：呈示部、展开部和再现部。在呈示部中，二段体的调性素材具有内在的对比因素；主题虽然不一定是两个，却表现出意境的冲突。两段之间的紧张关系因调性的冲突而益发增强：开始的素材用主调；对比的素材用第2个调，它一般和主调关系密切，但还是有足够的特性，可以保证与起始点有一定的距离。在展开部中，前面素材中的任何一段以及新的或貌似新的素材可按任何次序并以任何组合方式出现。素材常常分割成几段，再加以组合和发展。对比的意境被刻画出来，并使之互相作用。展开部将近结束时会给人以一种预感，最后实现重返主调，因而也就重新回到原来的开始素材。在再现部中，原先在呈示部中营造出对比调性和对比意境的两个对立面又一次出现，而且次序依旧。现在，对立的素材不是以不同于主调的调(一个或更多)出现，而是采用开始素材所用的调(或主要用这个调)。对立面之间的紧张并未放松到取得均势的地步。因此接着可能出现一个尾声，有时它具有如此精美复杂的幅度，似乎又进一步得到发展；但是奏鸣曲式的乐章只有以和解结束才算完整。

sonata da camera 室内奏鸣曲 三重奏鸣曲(**trio sonata**)的一种类型，系供世俗演奏之用。

sonata da chiesa 教会奏鸣曲 三重奏鸣曲(**trio sonata**)的一种类型。

sonatina 小奏鸣曲 在音乐中指奏鸣曲的缩短形式，通常以3个短小的乐章或独立段落组成。第1乐章一般是按照奏鸣曲曲式，即音乐素材用呈示部和再现部构成，但无需有开展部，即使有，也是非常简单的。早期钢琴小奏鸣曲往往是为了教学而作，包括M.克莱曼蒂和F.库劳的作品都是如此。但后来的小奏鸣曲，包括M.拉威尔和F.布索尼所作的，则要求演奏者具有相当熟练的技巧来弹奏。除钢琴小奏鸣曲外，其他乐器的，例如米约的小提琴、中提琴和大提琴小奏鸣曲，就不甚普遍。

Sønderborg 森讷堡 丹麦南日德兰州港口和海滨胜地。位于阿尔斯岛西南海岸。13世纪中叶围绕着森讷堡城堡而建。1461年建市。克里斯蒂安二世国王在1532～1549年被囚禁在该城堡中。1864年普鲁士攻击迪伯尔附近的丹麦战壕时，该城被夷为平地。附近的迪伯尔米尔是丹麦人进行英勇抵抗的地点，现为民族团结的象征之地。森讷堡城堡现在是博物馆。该市主要产品有纺织品、机械、家具、化工品、人造黄油和啤酒。人口：市26 885(1981)；城市区约27 867(1982)。

Sonderbund 分离主义者联盟 又拼Schutzvereinigung。指防御联盟。1845年12月11日由瑞士7个信奉天主教的州组成，以反对信奉新教的州所采取的反对天主教的措施。它亦指因此冲突而导致的内战。原来在1841年，信奉基督教新教的阿尔高州不顾联合公约的规定，下令解散本州的天主教隐修院。1843～1844年，7个信奉天文教的州商定，他们要同任何不遵守联合公约的州断绝关系。1844年卢塞恩州邀请耶稣会士主持宗教教育，这引起广大群众的不满。1845年春，新教各州的志愿军向卢塞恩进行征讨。1847年夏，瑞士议会中的新教多数派赞成解散分离主义者联盟，驱逐耶稣会士。1847年11月，分离主义者联盟采取武装行动，并向国外求援，但都没有得到良好的结果。多数派军队在11月14日攻克弗里堡，11月21日占据楚克，11月23日在吉济康赢得决定性的胜利，11月24日开进分离主义者联盟的大本营卢塞恩州，1847年11月28日占领了瓦莱。根据1848年的和平解决方案，参加分离主义者联盟的各州要赔偿战费600万法郎；对内罗登阿彭策尔州罚款1.5万法郎，对纳沙泰尔州罚款30万法郎，因为它们采取中立态度；并通过了一个瑞士新宪法。

Sønderjyllands 南日德兰 丹麦日德兰南部一州。1970年由原岑讷、奥本罗-森德堡和哈泽斯莱乌等州组成。面积3 929平方千米，濒临北海和小贝尔特海峡，与德国接壤。西部有沼泽地，东部土地肥沃。州内各地有农业、饲养牲畜和乳品业。首府是奥本罗(**Abenrå**)。人口约250 409(1982)。

Sondheim, Stephen (Joshua) 桑德海姆(1930-03-22，纽约市～) 美国作曲家和歌词作家。所作歌词和音乐在戏剧情节中的卓越配合，为百老汇音乐戏剧开创了新局面。儿童时期即显示出音乐才能，学过钢琴和管风琴。曾从哈默斯坦第二学习音乐戏剧。1950年毕业于马萨诸塞州威廉斯学院，获哈钦森作曲奖。后又在纽约随作曲家M.巴比特进一步深造。50年代初期，在好莱坞为电视系列片《高级人物》写剧本。回纽约后于1956年为《夏天的少女们》创作戏剧配乐。《西城故事》是他作为歌词作家在百老汇的第一次亮相，该剧于1957年9月26日在纽约市开演。《去古罗马广场途中遇到的趣事》是根据罗马剧作家普劳图斯的喜剧所作，词曲均出自他的手笔，1962年5月8日在纽约公演，连演964场。随后，他为许多百老汇戏剧所作的歌词和音乐连获托尼奖，其中有《陪伴》(1970)、《时事讽刺剧》(1971)、《一支小夜曲》(1973)、《太平洋序曲》(1976)等。他尖刻的歌词拨动了许多人的心弦。大多数评论家认为他的作品标志着20世纪前几十年传统和感伤音乐喜剧的新突破。1973年3月11日，纽约上演了《桑德海姆：一个音乐贡献》一剧。《希拉的最后一刻》是一部非音乐的电影神秘剧，由桑德海姆这位热衷于运动比赛和谜语的人(这是剧中主要内容)与A.珀金斯合作写成。C.扎丹为他写了传记《桑德海姆》(1974)。

Søndre Strømfjord 南斯特伦菲尤尔 格陵兰西南部海湾，在北极圈北侧，荷尔斯泰因斯堡东南95千米。长约190千米，宽约1.5～8千米。在南斯特伦菲尤尔海湾顶端附近有第二次世界大战美国空军基地，现为斯堪的纳维亚和北美之间飞越北极区航线的中间站。

Sondrio 松德里奥 意大利北部伦巴第区松德里奥省省会、城市。有考古博物馆。马塞格拉古城堡现为兵营。为农业和商业中心，以盛产萨塞拉葡萄酒闻名。有棉纺和丝纺业。亦为旅游基地，有索道与附近阿尔卑斯山旅游地相连。人口：城市区约22 817(1991)。

Sone River(India) 参阅 **Son River** 宋河。

sone 宋 响度单位。响度是声音的一种主观属性(与此相反,以分贝表示的声压级则是声音的客观属性,可直接测量)。所以,以宋为单位的响度标度依据受试者辨别纯音和噪声响度所得的数据确定。1宋人为地规定为频率1 000赫兹的纯音在其声压级比标准参照声声压级(即最小听阈)高出40分贝时的响度。1个响度为4宋的声音,是听者感到其响度等于参照声响度4倍的声音。

Sonepat 索内贝德 印度北部哈里亚纳邦中东部城市。位于新德里以北43千米。为邦内最大城镇之一。由于靠近新德里,原料、动力方便,工业发达。为全国自行车主要产地之一。其他产品有缝纫机、汽车部件、钢材、针织品、纺织品。手工艺品有地毯、土布、铜器等。人口约142 992(1991)。

song 歌曲 由单声演唱的、有伴奏或无伴奏的乐曲。为几个人声声部谱写的作品称为二重唱、三重唱等,为较大集体谱写的称为合唱曲。在西方音乐中,民歌与艺术歌曲在习惯上是加以区分的。民歌演唱一般不用或只用简单的吉他或大扬琴等乐器伴奏。民歌很少用乐谱记录,通常凭口授耳听来传授。因此,代代相传,音调和歌词均不免有所变动。大部分民歌作者不详。艺术歌曲是专为职业歌唱家或至少是受过相当训练的歌手们所作的,通常由钢琴或器乐组伴奏。音乐全都记录在谱中,此后其曲调和歌词便不许随意改动。通俗歌曲在技巧难度、深奥、精致以及不许随意改动等方面介于上述两种歌曲之间。民歌往往伴随各种活动而出现,诸如宗教典礼、舞蹈、劳动或求爱。另外也有一些民歌是故事性的,主要有叙事民歌和抒情民歌。欧洲传统的艺术歌曲则很少与音乐之外的活动联系在一起,其歌词精练、深刻,旋律风格繁多而复杂,需要反复多听才能充分理解。艺术歌曲像“古典”音乐一样,主要是一种都市现象,其根源在中世纪宫廷、大学、城市和教堂。12世纪的行吟诗人和游吟诗人留下了一大批旋律和可唱的诗句,它们在整个欧洲得到仿效。旋律和诗歌都十分精妙而井然有序,是贵族社会的产物。在13和14世纪的欧洲,随着复调音乐的发展,作曲家学会将主要曲调分配给独唱者,次要曲调由乐器演奏。至15世纪时,由于采用了一个旋律模仿前一个旋律的技巧,使织体变得复杂精美,声乐线条的首要地位受到威胁。接着,歌曲中出现了背道而驰的情况:伴奏只有最简单的几个和弦。这类歌曲非常流行。到16世纪,吐字细心、歌词清晰再次成为人们关心的主要问题。在17世纪的戏剧音乐中歌曲风格得到进一步的去粗取精。在宣叙调与咏叹调之间出现了区别:前者完全向说白方向发展,并且比较自由,由简单的和弦伴奏;后者则在艺术技巧和曲调上更为艰难和精细,伴奏也多样化。由于咏叹调在音乐上能引起人们的兴趣,它在歌剧、康塔塔和清唱剧中占有统治地位。18世纪,独唱歌曲很少为人注意。19世纪初,舒伯特的歌曲在戏剧性的体现和音乐的鲜明性方面出类拔萃。舒曼、勃拉姆斯以及浪漫乐派其他主要歌曲作家,不仅学习舒伯特变化分节曲调的艺术,而且学习他表现伴奏的潜在意义的方法。在法国歌曲中,作曲家福莱和德彪西的作品都有独特的万花筒般的和声变化。20世纪作曲家继续探索人声对伴奏的关系和扩展歌唱家的表情与技巧范围,有时还把人声当作乐器对待。参阅 **chanson; lied**。

Song——: 宋朝帝王 按在位年代顺序排列,并各以● 为标记。

● Songtaizu Zhao Kuangyin 宋太祖赵匡胤 (927～976) 中国宋王朝开国皇帝。960～976年在位。年号为建隆、乾德、开宝。涿州(今河北涿县)人。曾为后周将领,任殿前都点检,统领禁军。960年发动兵变,夺取后周

台北故宫博物馆供图

政权,即皇帝位,建国号宋,仍都开封(东京)。963年开始以武力统一全国,先后攻灭荆南、湖南、后蜀、南汉、南唐诸国,对契丹则采取守势。同时兴修水利,发展生产,开垦荒地,广拓田亩,整治中原运河,以利南北交通并增加财政收入。太祖鉴于五代藩镇割据的祸乱,竭力加强中央集权,将政权、兵权、财权和司法权均集中于皇帝。置枢密使和三司使,以分割宰相的军政和财权;削夺中央禁军将领和节度使的兵权,实行“更戍法”,防止军队为将领私有;减削地方州郡长官的权力,规定由文臣担任,另设“通判”以资牵制,并将地方上的兵权、财权和司法权也都收归朝廷。这些措施对维护国家统一和发展社会经济起了作用,但也形成宋代“积贫积弱”的局面。

● Songtaizong Zhao Jiong 宋太宗赵炅 (939～997) 中国北宋第2位皇帝。宋太祖赵匡胤之弟。976～997年在位。年号为太平兴国、雍熙、端拱、淳化、至道。原名匡义,后改名光义,即位后改名炅。遵循太祖既定国策,于978年迫使吴越投诚,979年亲率大军攻灭北汉,结束五代十国分立局面;同时乘胜伐辽,围攻南京(今北京)。辽朝全力反攻,太宗大败于高粱河(今北京市郊),几被俘,从此对辽采取防御战略。治国侧重文治,重用读书人,纂修《太平广记》、《太平御览》等书,并发展隋唐以来的科举制度,严密考试制度,增加进士科中式名额,提高中式的待遇。在位后期,镇压了四川王小波、李顺领导的农民起义。

● Songzhenzong Zhao Heng 宋真宗赵恒 (968～1022) 中国北宋第3位皇帝。宋太宗赵炅之子。997～1022年在位。年号先后

中国大百科全书出版社供图

为咸平、景德、大中祥符、天禧、乾兴。时值太宗统一承平之后,社会经济发展,咸平、景德年间(998～1007)是北宋的治世。但辽朝屡遣兵进犯。1004年辽萧太后和圣宗皇帝率军南下攻宋,真宗用宰相寇准计“御驾亲征”,于次年在澶州(今河南濮阳附近)与辽订立澶渊之盟,以纳币求和取得边境安宁。宋真宗笃信道教,迷信各种祥瑞,封禅泰山,广建宫观,大兴土木,开支浩大,使北宋逐渐由盛而衰。

● Songrenzong Zhao Zhen 宋仁宗赵祯 (1010～1063) 中国北宋第4位皇帝。宋真宗赵恒之子。1022～1063年在位。年号为天圣、明道、景祐、宝元、康定、庆历、皇祐、至

中国大百科全书出版社供图

和、嘉祐。以对臣下宽厚著称,开创北宋社会经济、科学文化发达的时期。但土地兼并严重,官僚机构臃肿,因循成风,又养兵百万,使财政日渐困难。西北的西夏屡次进犯,宋兵抵抗失利;东北辽朝也索取关南土地。庆历二年(1042)增加给予辽的岁币,1044年又以年给大量银、绢、茶与西夏议和。后范仲淹等开明官员针对时弊提出改革主张,史称庆历新政,为熙宁时(1068～1077)王安石变法的先声。

● Songshenzong Zhao Xu 宋神宗赵顼 (1048～1085) 中国北宋第6位皇帝。宋英宗赵曙之子。1067～1085年在位。年号为熙宁、元丰。重视社会经济,力图改变“积贫积弱”局面,决心变法。熙宁二年(1069)重用王安石主持变法新政,但在保守派阻挠下,神宗死后新政即废弃。企图击溃西夏,用王韶取熙河。元丰四年(1081)进兵西夏,以指挥失当而战败。第二年命徐禧筑永乐城(今陕西米脂西),后又被西夏攻陷,徐禧、李舜举等及数万宋军民夫全部死难。神宗彻夜不眠,郁闷

中国大百科全书出版社供图

于怀，1085 年病死。随后，北宋政局发生重大变化。

● **Songzhezong Zhao Xu　宋哲宗赵煦**（1077～1100）　中国北宋第 7 位皇帝。宋神宗第 6 子。1085 ～ 1100 年在位。年号元祐、绍圣、元符。自 1085 ～ 1093 年的元祐年间由祖母高太后主持国政，任命司马光、文彦博等为宰相，罢斥神宗时的一切新政。高太后卒后，绍圣元年(1094)哲宗亲政，又恢复神宗的一切新政。起用变法派的章惇、曾布等任宰相，罢黜元祐时的老臣数十人，形成新、旧两党互相报复、纷争的局面。与西夏关系十分紧张，边境军备耗资甚巨。内忧外患，北宋的统治面临危机。

● **Songhuizong Zhao Ji　宋徽宗赵佶**(1082～1135)　中国北宋第 8 位皇帝。宋神宗第 11 子，哲宗时封端王。哲宗卒无子，以皇弟继位登基。1100 ～ 1125 年在位。年号为建中靖国、崇宁、大观、政和、重和、宣和。爱好艺术，善书画。在位时扩充翰林图画院，提高画工的社会地位，建立比较严格的肄业和考核制度，并经常亲自进行指导。他还广泛搜集历代文物，命臣工编辑《宣和睿览集》、《宣和书谱》、《宣和画谱》、《宣和博古图》、汇刻书法

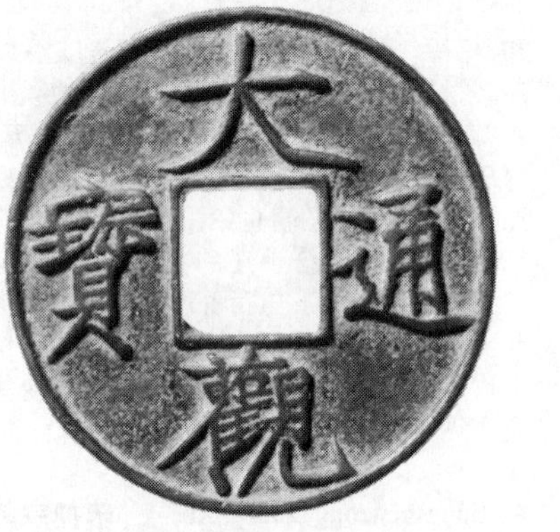

宋徽宗赵佶书“大观通宝”青铜币，1107 年
不列颠博物馆供图

《大观帖》，都是美术史上的盛举。今数以千计的名画《睿览集》已见不到几幅；著名的《大观帖》亦残缺不全。唯《书谱》、《画谱》、《博古图》尚存，虽有驳杂不纯之处，但均为研究美术史者所必备。他亦能书，其“瘦金书”真迹存世甚多。论者谓其书法来自褚、薛一派，尤得力于薛曜之《石淙诗序》。草书存世者有《千字文卷》。他更擅绘画，尤工花鸟，既能精

宋徽宗赵佶绘《五色鹦鹉》
波士顿美术博物馆供图

丽，亦能“墨戏”。《桃鸠》、《五色鹦鹉》、《瑞鹤》、《祥龙石》以及《枇杷山鸟》、《柳鸦芦雁》、《池塘秋晚》、《雪江归棹》等图都是他的作品。至于《听琴图》、《芙蓉锦鸡图》和王希孟的《千里江山图》则可认为是“宣和画院”的代表作。他生活奢侈，好游乐，兴筑宫殿，搜括江南异石奇花运至汴京，筑艮岳以点缀园林。崇信道教，大建宫观，号教主道君皇帝。任用新党蔡京和宦官童贯等人专擅朝政，贪暴横敛，激起河北、京东、两浙的农民起义。女真建立金朝后，与宋结盟攻辽朝。不久金朝毁约。宣和七年(1125)金兵南下时传位于钦宗(赵桓)，自称太上皇。靖康二年(1127)汴京失陷，与钦宗同为金朝所虏，押解北上；8 年后(绍兴四年)徽宗死于五国城(今黑龙江依兰)。

● **Songqinzong Zhao Huan　宋钦宗赵桓**(1100 ～ 1156)　中国北宋第 9 位皇帝。宋徽宗赵佶长子。年号靖康。宣和七年(1125)金兵南犯，徽宗匆忙传位于钦宗。靖康二年(1127)金兵再次大举进兵，汴京沦陷，与其父徽宗被俘北上，北宋灭亡。在位仅 1 年零 4 个月。后被幽禁于五国城(今黑龙江依兰)至死。

● **Songgaozong Zhao Gou　宋高宗赵构**(1107 ～ 1187)　中国南宋开国皇帝。宋徽宗赵佶第9子，赵桓之弟。徽宗时封康王。1127 ～ 1162 年在位。年号建炎、绍兴。1127 年汴京失守，徽、钦二帝被金兵俘去后，即位于南京应天府(今河南商丘)。继位后以黄潜善、汪伯彦为宰相。金兵南下后即南迁扬州(今属江苏)，又渡长江逃至临安(今浙江杭州)、明州(今浙江宁波)、温州(今浙江)，最后建都临安。曾任用张浚、韩世忠、岳飞、吴璘等抗金将领，但志在苟且，未有成就。后以形势稳定，江南可望保全，与宰相设计收回各路将领兵权，绍兴十一年(1141)十一月与金签

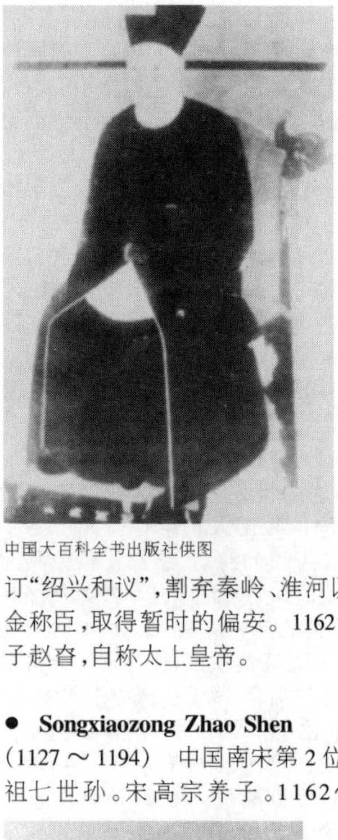

中国大百科全书出版社供图

订“绍兴和议”，割弃秦岭、淮河以北之地，向金称臣，取得暂时的偏安。1162 年传位给养子赵昚，自称太上皇帝。

● **Songxiaozong Zhao Shen　宋孝宗赵昚**(1127 ～ 1194)　中国南宋第 2 位皇帝。宋太祖七世孙。宋高宗养子。1162～1189年在

中国大百科全书出版社供图

位。年号隆兴、乾道、淳熙。绍兴三十一年(1161)金海陵王完颜亮率大军南下,败于采石(今安徽马鞍山),被部将射杀,金兵北归。次年赵昚继承皇位,重用张浚北伐金朝,因诸将不和,败于符离。隆兴二年(1164)与金朝签订"隆兴和议"。议定宋金为侄叔之国,改岁贡为岁币,银绢比"绍兴和议"各减5万。南宋又取得暂时的偏安。

● Songguangzong Zhao Dun　宋光宗赵惇(1147～1200)　中国南宋第3位皇帝。孝宗第3子,封恭王。乾道七年(1171)立为太子。1189～1194年在位。年号绍熙。任用留正、赵汝愚等为宰相,初即位政尚宽平,减轻赋役。后因体弱多病,受制于皇后,不甚理朝政,政局转入中衰。1194年宗室赵汝愚和外戚韩侂胄拥立宁宗为皇帝,光宗被迫禅位。

● Songningzong Zhao Kuo　宋宁宗赵扩(1168～1224)　中国南宋第4位皇帝。宋光宗第2子。1194～1224年在位。年号庆元、开禧、嘉定。1194年由赵汝愚与韩侂胄等所拥立。即位后罢斥赵汝愚,专任韩侂胄,锐意北伐。开禧二年(1206)五月下诏伐金,分道进兵。金大军南下击败宋兵,不可收拾,乃于次年函韩侂胄首级送至金朝谢罪。嘉定元年(1208)签订"嘉定和议",约定宋金世为侄伯之国,岁币增至银绢各30万两匹,犒军钱300万贯。此后由皇后杨氏与史弥远专擅朝政,而北方蒙古兴起,宋与金都渐次衰落。

● Songlizong Zhao Yun　宋理宗赵昀(1205～1264)　中国南宋第5位皇帝。宋太祖十世孙。1224～1264年在位。年号宝庆、绍定、端平、嘉熙、淳祐、宝祐、开庆、景定。由操纵朝政

中国大百科全书出版社供图

的宰相史弥远定为宁宗嗣子,继承皇位。但绍定六年(1233)史弥远死后始得主持朝政。在位纵情声色,政事委于宰相丁大全和内侍董宋臣等,政治日渐败坏。在蒙古军威胁下晚年任用贾似道执政,国势益危。

Song DYNASTY　宋(960～1279)　中国历史上继五代十国之后建立的统一封建王朝。公元960年赵匡胤(宋太祖)在陈桥驿(今河南封丘东南陈桥镇)发动兵变,取代后周建立宋朝。定都汴京(今河南开封)。厉行中央集权

河北禹县白沙镇赵大翁墓宋代壁画《乐舞图》
中国大百科全书出版社供图

制,先后消灭割据势力,统一全国。疆域东、南尽于海;北面以今天津海河、河北霸县、山西雁门一线与辽朝接界;西北以陕西横山、甘肃东部、青海湟水流域和西夏、吐蕃为界;西南以岷山、大渡河和吐蕃、大理分界。至1126年金兵攻破汴京,掳徽、钦二帝,共历9帝,167年,历史上称为"北宋"。1127年赵构(宋高宗)在南京(今河南商丘)即皇帝位,后又建都临安(今浙江杭州)。其疆域北面以淮河、秦岭与金接界。到帝昺祥兴二年(1279)被元朝灭亡,共历9帝,153年,历史上称为"南宋"。宋朝鉴于五代十国的军阀割据,制定偏重防内和重文轻武的方针,影响到国力衰弱,对外作战败多胜少。但注重法制,勤于编订法典;水利兴修,科技进展,农业增产;商业发达,城市兴起,并开展对海外贸易;科举制度和书院进一步发展;印刷普遍,思想家、学者和文学家辈出;书法、绘画、雕塑、织造等艺术兴旺,文化繁荣。理学形成,并成为中国严密的哲学体系,影响深远。

song-babbler　歌鹛　雀形目画眉科约140种鸟类的俗称。又称噪鹛(即噪鹛,laughing thrush)。见于热带非洲和亚洲,包括所有色彩鲜明的画眉科鸟类。体长约10～30厘米,喙粗壮,尾相当长。常栖于隐蔽处,但由其快速短促的鸣声,即可知其隐蔽处所。典型的是鸫鹛属(*Turdoides*)的26种鸟。普通鸫鹛(普通鸫鹛,*T. caudatus*)见于伊拉克往东到

斑鸫鹛(*T. bicolor*)
绘图:John P. O'Neill

印度;体长23厘米;褐色,尾长;经常成小群在灌丛地上觅食;鸣声低啭。斑鸫鹛(*T. bicolor*)长21厘米;见于非洲西南部;体呈白色,翅和尾黑色;善鸣。参阅 **laughing thrush**。

Song Chuyu　宋楚瑜(1942-03-16～　)　又拼 Soong Ch'u-yul。中国台湾亲民党主席。湖南湘潭人。1964年毕业于政治大学外交系。后赴美国深造,先后获加利福尼亚大学政治学硕士(1967)、天主教大学图书管理学硕士(1971)及乔治敦大学哲学博士(1974)学位。1974年回台湾后,历任"行政院"简任秘书(1974～1977)、新闻局副局长(1977～1979)、"总统府"简任秘书(1977～1981)等职。1979～1984年任"行政院"新闻局局长。1982年获艾森豪威尔奖金赴美国访问3个月。1984～1987年任国民党中央文化工作会主任,致力于整顿国民党的文化事业,规划国民党新闻开放政策。1987年任国民党中央委员会副秘书长,1989年6月升任国民党中央委员会代秘书长。1993年任台湾省政府主席,1994年12月～1998年12月任台湾省省长。1999年与国民党决裂,2000年3月竞选总统失利后组建亲民党,任主席。2005年5月率亲民党代表团访问西安、南京、北京等地。著有《学术论文规范》、《美国政治与民意》等书。

Song ci　宋词　英文作 tz'u of Sung dynasty。中国宋代(960～1279)的长短句歌词。萌于唐而盛于宋。词的形式源于民间,它长于言情,是文人析酲解愠、娱宾遣兴的工具。北宋初期词人承袭了晚唐五代的词风,崇尚浮靡,内容多写花前月下,形式多小令,风格多香软。代表词家为晏殊、柳永、欧阳修等;中期苏轼的豪放词从根本上改造了词的体制,给词注入了新的生命;后期多数词家仍沿婉约词风发展,艺术成就最高的是周邦彦。南宋初期,南渡词人多抒发乡关之思、亡国之痛或抗敌御侮之情,代表词人有李清照、张元幹、朱敦儒等。到南宋中期,辛弃疾、陆游、陈亮、姜夔等人使词的创作进入繁盛。辛弃疾的豪放词使词真正成为"无事不可言,无意不可入"的文学形式。姜夔长于音律,精通乐理,使词与音乐完美结合。南宋后期词坛纷纭繁杂,刘克庄、刘辰翁、文天祥等多写抗敌斗争和亡国之恨,风格上更为沉郁悲壮;吴文英、张炎等则更重骚雅、空灵与音律。宋代词派众多,如"柳永体"、"东坡体"、"稼轩体"等,但总体上不出婉约、豪放两派。宋词的辑录刊刻较全者有清朱孝臧的《彊村丛书》,收北宋词27家、南宋词85家。另有近人赵万里的《校辑宋金元人词》73卷;唐圭璋的《全宋词》是收罗最全的宋词总集。

Song Jiaoren　宋教仁(1882-04-05,中国湖南桃源～1913-03-20,上海)　又拼 Sung Chiao-jen。中国近代民主革命家,中国国民党早期领导人。字遯初,号渔父。1904年与黄兴等

中国大百科全书出版社供图

在长沙创建华兴会，筹划反清起义未成，流亡日本。次年在东京参加同盟会，被举为司法部检事长和机关刊物《民报》撰述。1907年赴辽东建立同盟会。1910年在上海主持《民主报》，次年参与组织同盟会中部总会，为总务干事。武昌起义后，积极促成上海、江苏等地起义，筹建南京临时政府。1912年任临时政府法制院院长，5月到北京任农林总长，8月同盟会改组为国民党，任代理理事长。袁世凯任总统时被邀入阁，后因反对袁的独裁，不久辞职。1913年国民党在国会选举中获胜，企图组织政党内阁，以限制袁世凯专权，袁极为嫉恨。3月20日国会开会前夕，宋由上海起程赴北京时被袁派人刺死。著有《宋教仁集》、《宋渔父日记》等。

Song Lian **宋濂**（1310～1381） 中国明初大臣、文学家。原名寿，字景濂，号潜溪。浦江（今浙江义乌）人。元至正（1341～1368）年间荐授翰林院编修，辞不赴。明初应聘为江

中国大百科全书出版社供图

南儒学提举，命授太子经。后奉命主修《元史》，任总裁官。书成，迁翰林学士知制诰。深得明太祖朱元璋（1368～1398在位）信任，常随左右以备顾问。对明初典制多所裁定。被列为开国文臣之首。晚年退休，因长孙宋慎涉及胡惟庸案，全家谪茂州（今四川茂汶），途中病死于夔州（今四川奉节）。著作甚多，文章辞采富瞻，散文雅洁。有《宋学士全集》42卷传世。

Song Meiling **宋美龄**（1899-03-23，中国上海～2003-10-24，美国纽约） 又拼 Soong Mei-ling。中国国民党领袖蒋介石的夫人及外交助手。祖籍广东文昌（今属海南）。1910年去美国，后在卫斯理女子大学读书。1920年回国。1927年同蒋介石结婚。婚后为蒋进行

中国大百科全书出版社供图

对西方的宣传工作。1929年任国民政府立法委员。1936年西安事变中曾同宋子文赴西安参加斡旋。1939年任中美文化协会名誉会长。1943年访美，在美国国会发表演说。后又陪蒋介石参加开罗会议。1949年随蒋到台湾。1975年蒋介石在台北去世后赴美国养病并定居。曾任"中华妇女反共联合会"主席、中国国民党评议会主席团主席。著有《西安事变》（1937）、《中国的和平与战争》（1939）、《与鲍罗廷谈话的回忆》（1976）等。

Song of Hildebrand（German ballad） 参阅 **Hildebrandslied**《希尔德布兰特之歌》。

Song of Roland, The（epic poem） 参阅 **Chanson de Roland, La**《罗兰之歌》。

Song of Solomon（biblical literature） 参阅 **Solomon, Song of**《雅歌》。

Song Ping **宋平**（1917-04-24，中国山东莒县～ ） 又拼 Sung P'ing。中国共产党第十三届中央政治局常务委员。1934年起在北平大学农学院、清华大学学习。1936年春参加中国共产党领导下的青年抗日救国组织——中华民族解放先锋队。1937年12月加入中国共产党。1938年后，在延安中央党校、马列学院学习，曾任延安中央党校教务处干事，延安马列学院组织科科长、教育处处长，中央党务研究室秘书，中共南方局宣传部

中国大百科全书出版社供图

助理秘书，重庆《新华日报》社资料室主任、编辑部秘书主任、秘书长，新华社重庆、南京总分社负责人，南京中共代表团周恩来的政治秘书。1946年在哈尔滨市任中共区委副书记兼警备大队政治委员，市总工会公营企业部主任、组织部部长。1949年后，任东北总工会文教部部长、秘书长、副主席。1952年任国家计划委员会劳动工资计划局局长，同年9月兼任劳动部副部长。后任国家计划委员会委员、副主任。1960年任中共中央西北局委员、计划委员会主任、三线建设委员会副主任。1970年任兰州军区国防工业办公室副主任。1972年7月任中共甘肃省委书记，省革命委员会副主任。1977年6月，任中共甘肃省委第一书记，同年12月任甘肃省革命委员会主任。1977年6月后，任兰州军区第二政治委员、甘肃省军区第一政治委员。1981年后，历任国家计划委员会第一副主任、主任、党组书记。1983年6月，任国务委员。后兼任国务院环境保护委员会副主任、"三北"防护林建设领导小组组长。1987年任中共中央组织部部长。在中共第十一、十二次全国代表大会上都被选为中央委员。1987年11月在中共十三届一中全会上当选为中央政治局委员。1989年6月在中共十三届四中全会上当选为中央政治局常务委员，同年7月兼任中共中央党的建设工作小组组长。1990年11月在中国计划生育协会第三次全国代表大会上当选为协会会长。1992年10月后，不再担任党的领导职务。

Song Qingling **宋庆龄**（1893-01-27，中国上海～1981-05-29，北京） 又拼 Soong Ch'ing-ling。中国近代革命家、社会活动家，世界和平与进步事业的卓越战士，中华人民共和国

中国大百科全书出版社供图

名誉主席。祖籍广东文昌（今属海南）。1913年毕业于美国佐治亚州梅肯市卫斯理女子大学。后追随民主主义革命家孙中山，成为他的英文秘书。1915年与孙中山结婚。1925年孙中山逝世后，继承他的遗志，继续坚持联俄、联共、扶助农工三大政策。1927和1929年两次被国际反帝国主义同盟大会选为名誉主席，成为世界反法西斯委员会主要领导人之一。1931年回国，从事社会福利工作，参加抗日救国活动，坚持团结抗日，批评国民党政府对日妥协投降、对内反共压迫人民的政策。1932年底她和鲁迅、蔡元培、杨杏佛等进步人士在上海组织"中国民权保障同盟"，积极营救争取民主权利的革命者。1933年当选远东反帝反战同盟中国分会主席。不久联合爱国人士发表《中国人民对日作战基本纲领》，成立中华民族武装自卫委员会，积极支持全国的抗日救亡运动。中国抗日战争爆发后，在香港发起组织"保卫中国同盟"，募集医药物资支援中国人民抗日斗争。1945年9月抗日战争胜利后，她呼吁美国人民制止美国政府支持蒋介石打内战。1945年12月在上海创办"中国福利基金会"，从事妇幼福利事业。1949年9月30日，在中国人民政治协商会议上当选中华人民共和国中央人民政府副主席，后历任国家副主席、全国人民代表大会常务委员会副委员长、全国妇联名誉主席和中国人民保卫儿童全国委员会主席。1950年被选为世界和平理事会理事，1951年获"加强国际和平"斯大林奖金。1952年被选为亚洲和太平洋区域和平联络委员会主席。1981年5月15日加入中国共产党，16日第五届全国人大常委会决定授予她中华人民共和国名誉主

席称号。著作有《为新中国奋斗》、《宋庆龄选集》和《永远和党在一起》。

Song Ziwen 宋子文(1894-12-04,中国广东文昌[今属海南]～1971-04-24,美国旧金山) 又拼 Soong Tzu-wen。中国金融家,民国时期国民政府行政院院长、财政部长。早年毕业于上海圣约翰大学。后去美国哈佛大学攻读

中国大百科全书出版社供图

经济学,获硕士学位;继入哥伦比亚大学,获博士学位。1923 年任孙中山英文秘书,后主管国民党财务。1924 年在广州创办中央银行,任总裁。1925 年任国民政府财政部长。1928～1930 年间通过谈判收回关税自主权,使中国有权确定关税税率和监督征收。1942 年担任国民政府外交部长后,曾与美国国务卿赫尔签订中美抵抗侵略互助协定,次年与外国谈判收回各国在华的治外法权。宋子文于 1945 年出席联合国大会任中国首席代表,同年 6 月去莫斯科与斯大林会谈,8 月签订中苏友好条约。1947 年担任广东省政府主席。1949 年去香港,后移居美国纽约。

songbird 鸣禽 又作 passerine。又称燕雀类。雀形目燕雀亚目(又称鸣禽亚目)的鸟类。包括 35～55 个科,约4 000种(几占世界鸟类种类的一半)。大多数笼鸟属于本类群。鸣禽的共同特征为发声器官非常发达,但并非所有鸣禽都能用此发出悦耳的鸣声。本亚目的分类争论甚多。百灵科和燕科是最有特征的科。

鸣禽的体型大小不等,小的如戴菊和太阳鸟,大者如乌鸦。主要为陆栖鸟类,生活于多种多样的环境中,从开阔的草原至森林。虽然鸣禽包括一些鸣声最悦耳的鸟类,如鸫,但有些种类如乌鸦的鸣声则刺耳;有些种类很少或从不鸣啭。鸣禽与其他栖鸟不同之处为具某些解剖特征,尤其是较复杂的发声器官——鸣管。

鸣管位于气管分为两侧支气管的地方。此处的内外侧管壁均变薄,称为鸣膜,吸气和呼气时气流均能震动鸣膜而发出各种不同的声音。鸣管外侧生有鸣肌,鸣肌受神经支配,可控制鸣膜的紧张度。真鸣禽的鸣管最为复杂(但鸣啭能力并非仅由复杂的鸣管所决定,因为有些鸣禽几乎从不鸣啭)。有些鸣禽的气管长并复杂地盘曲。有时延长的部分位于胸骨之内。某些称为辉风鸟的天堂鸟,气管长并盘曲于胸部皮肤与肌肉之间。可能这样的气管用以使声音产生共鸣。

除了鸣啭本身外,鸣禽还能发出多种多样的鸣声,可提供社会通讯的功能。大都认为鸟类的鸣啭用于求偶及繁育,主要是雄鸟用鸣声通知雌鸟自己已准备好交配,吸引雌鸟,可能也借鸣声激起雌鸟交配的欲望,或借以保持配对关系,并通知与之竞争的其他雄鸟:它已建立自己的占区,不许他人侵入。雄鸟的鸣声也是威胁表态的一部分,用以代替驱逐入侵者的真正的争斗。但有时鸟类也会自发地发出上述那样的鸣声,却看不出上述目的的存在。偶然雌鸟也会鸣叫,尤其是热带的种类,配对的雌雄鸟会一同鸣叫,这可能是加强配偶间联系的手段。通常鸣啭从一系列鸟类经常停息的栖木上发出。有些鸟类,尤其是生活于草原的种类,在飞行中鸣啭。

鸟类的鸣啭无需迎合人类的喜好。猫头鹰的叫声、北美三声夜鹰的单调反复的鸣叫、马来亚杜鹃疯狂反复的鸣声(该物种因此得名脑热鸟)、非洲补锅鸟敲击金属似的鸣声(该鸟因此得名),这些都可以称为鸣啭。什么鸟的鸣啭最好听,这完全取决于主观的感受。欧洲的夜莺(*Luscinia megarhynchos*)是一种小型的鸫,可能是欧洲文学中名列前茅的著名鸣禽。欧洲百灵(*Alaudia arvensis*)也是诗人喜爱的鸣禽。北美的嘲鸫(*Minus polyglottos*)的鸣声丰富多彩,悦耳,持续时间长。澳大利亚的琴鸟不是真正的鸣禽,但其鸣声变化多端而嘹亮,甚为激动人心。虽然鸣声最悦耳的鸟类可为真正的鸣禽,另一些其他类群的鸟类也可有悦耳如歌的鸣声,如鸣角鸮的发颤的鸣声和山齿鹑轻快的口哨声一般的鸣啭。

Sŏnggyun'guan 成均馆 原称国学(Kukhak)。朝鲜在高丽时代(935～1392)和李朝时代(1392～1910)的国立大学。高丽时代称国学,李朝时更名为成均馆,成为培养国家官员的唯一最高机构。最初有 200 名学生,后来减少为 126 名。学生包括科举生员或进士、汉城 4 所中等公立学校毕业生、功臣之子以及下级官员。这所坐落在汉城的大学有两栋宿舍、一座教学馆和一个圣祠。圣祠每年春秋两季祭祀孔子和一些大儒。开设两门课程:儒家经典阅读和汉文写作。1910 年日本人吞并朝鲜后,成均馆成为朝鲜儒教的中心。1945 年朝鲜解放后,重组为成均馆大学。装备了现代教育设施。现在大学校园内春秋两季依然举行祭祀孔子的仪式。

Songhai 桑海人 又称桑赖人(Sonrhai),非洲文化语言集团,住在马里尼日尔河河套,即从代博湖直到尼日利亚索科托河口之间的地区。桑海人可能是尼格罗人种与高加索人种混血的群体,由许多族源相近的支系构成,其中最重要的是杰尔马人。他们的语言称桑海语,是尼罗撒哈拉语系中一独立语支。他们社会等级分明,由贵族、自由民、工匠、格里奥(即行吟艺人和野史说唱者)组成,从前还有奴隶。允许一夫多妻,喜爱堂兄妹和表兄妹缔姻;按父系血统传代继位。农作物大多是谷物,6～11 月雨季是农忙季节。饲养少量家畜,捕鱼比较重要。手工艺,无论是铁工、木工、制陶、鞣革或棉纺,都各自构成一个种姓。由于其住区地当非洲西部及中部孔道,长期以来商队贸易使桑海人经济繁荣。大批桑海青年离家赴沿海地区,去加纳的人更多。

Songhai empire 桑海帝国 西非商业大国(活动时期 15～16 世纪),中心位于尼日尔河中游,即今马里中部,最后扩大版图,西至大西洋之滨,东达尼日尔和尼日利亚。据传,桑海人于公元 800 年前后占据加奥城,但直至11 世纪初皈依伊斯兰教的狄亚(即国王)科索依在位时期,才认为该城是他们的首都。此后 300 年间,加奥城大为繁荣与扩展,使得马里的统治者们在 1325～1375 年把它并入自己帝国的版图。约在 1335 年,狄亚世系的统治者们让位于逊尼或什世系。据传,属于后一世系的苏莱曼-马尔曾经恢复加奥的独立。他这一世系传了一百来年,约 1464 年索尼·阿里登位,此人史籍又称阿里·贝尔,卒于 1492 年。他击退莫西人对桑海第 2 个最重要城市廷巴克图的进攻,在邦贾加拉的群山中打败多贡人和富拉尼人,到 1468 年已经为帝国消除了任何直接的危险。此后,他把从 1433 年就占据廷巴克图的图阿雷格人赶走,并经过困城 7 年,于 1473 年攻陷杰内,到 1476 年已经占领廷巴克图以西中尼日尔的多湖地区。1480 年他击退莫西人对西北方的瓦拉塔的进攻,随后又使前来袭扰的尼日尔河谷南缘的所有居民闻风丧胆。索尼·阿里的对内政策是调和他的异教牧民与穆斯林城市居民的利益,桑海帝国有赖于那些穆斯林的财富和学识。他的儿子索尼·巴鲁(1493 在位)完全偏袒牧民,被反叛者穆罕默德·伊本·阿拜·贝克尔·图雷废黜。后者史籍又称穆罕默德一世·阿斯基亚(1493～1528 年在位)。他把西苏丹的中部地区结合成一个统一的国家。他也与亚滕加的莫西人作战,在今尼日利亚西北部与博尔古人作战(1505),但战绩平平。他在征伐迪亚拉人(1512)和塞内加尔的富塔-托罗王国以及向东进攻豪萨人诸国时,都奏凯旋。为了取得对北方主要商队市场的控制权,他命令自己的军队在艾尔的阿加德兹境内和周围开辟一个驻防地。1528 年他被长子穆萨废黜。在以后几代(阿斯基亚·穆萨[1528～1531]、阿斯基亚·穆罕默德二世[1531～1537]、阿斯基亚·伊斯梅尔[1537～1539]、阿斯基亚·伊西哈克一世[1539～1549])的王室争吵中,城镇中的穆斯林始终继续在与中几内亚阿坎人诸国的有利可图的黄金贸易中当掮客。在阿斯基亚·达乌德统治时期(1549～1582)的和平与繁荣之后,摩洛哥的苏丹阿哈默德·曼苏尔发动一次对塔戈哈扎盐矿的袭击。穆罕默德·巴尼在位时期(1586～1588),局势愈益恶化;到伊西哈克二世时代(1588～1591),桑海人终于大祸临头,摩洛哥军队使用火枪侵入桑海帝国,先后在通迪比、廷巴克图和加奥击溃伊西哈克二世的军队。游牧的桑海人虽然以游击方式进行反击,但未能恢复帝国,帝国的经济和行政中心依然掌握在摩洛哥人的手中。

Songhai languages 桑海诸语言 Songhai 又拼 Songhay。一般认为是组成尼罗-撒哈拉语

系主要分支的一组紧密相关的语言。这些语言使用范围主要是在沿尼日尔河一带，从马里的杰内和廷巴克图向东远至贝宁，再延伸到相邻诸国。桑海诸语言至少能分出6种不同的语言。有200万人操扎尔马语，故按使用人数而言，是非洲最重要的语言之一。其余5种主要的桑海语使用者超过100万人，这5种语言分别是西桑海语、中桑海语、东桑海语、登迪语和塔达克撒哈克语。

Songhua Jiang　松花江　又作Sungari River。中国黑龙江水系最大支流。满洲语松花意为“天河”。源于中、朝交界的长白山天池，流向西北在三岔河与嫩江汇合后折向东北，在同江市东北汇入黑龙江。全长2 308千米，流域面积约55万平方千米，跨越黑龙江、吉林和内蒙古三省区。支流有嫩江、拉林河、呼兰河、蚂蚁河、牡丹江、倭肯河、汤旺河等。牡丹江上火山熔岩堰塞河道，形成镜泊湖，建有水电站。每年通航期约200天，哈尔滨以下丰水期可通航千吨以上江轮。冬季河流封冻，但江面冰厚，可通行汽车、拖拉机，交通便利。佳木斯以下为松花江、黑龙江和乌苏里江冲积成的三江平原，地势低平，湖泊沼泽广布。全流域有大小水库1 800多座，蓄水能力200亿立方米，其中丰满水电站库容107亿立方米，装机容量55.4万千瓦。

流经哈尔滨的松花江
供图：Emil Schulthess—《黑星》杂志社

Songjiang　松江　又拼Sung-chiang。中国上海市辖区。在市西南部，黄浦江中上游，邻接浙江省。唐天宝十年（751）析昆山、嘉兴、海盐三县地置华亭县。元至元十五年（1278）为松江府治，因境北吴淞江古名松江而得名。1912年废府存县，1914年改为松江县。1958年由江苏省划归上海市。1998年撤销松江县，设松江区。区政府驻松江镇。面积605平方千米。地势低平，南部略高。西北境内有十多座残丘呈东北-西南向排列，其中天马山（海拔98.2米）为上海陆地上最高点。西佘山（97.2米）位居第二，上有著名的佘山天文台和天主教堂。气候温暖湿润，河流纵横，土壤肥沃，素称“鱼米之乡”，为长江三角洲稻谷、棉花、油菜籽的重要产区。特产以“老来青”大米和名贵的四鳃鲈鱼驰名中国。元代，棉花传入中国后，即引种于松江府；贫家女黄道婆自海南岛崖州归来，传授轧花、弹花、纺织技术，从此棉纱纺织成为松江的主要手工业。明中叶后，松江更发展成中国棉纺织业中心，有“棉布衣被天下”之说。19世纪上海兴起，松江的纺织和商业地位逐渐下降。1949年后又开始复兴。今已成为上海商品粮和淡水鱼生产基地，上海市机电工业卫星城，有纺织、机械、化工等厂。交通极为发达，沪杭铁路及其金山支线穿越境内。沪松、松金、青松等公路纵横交错。黄浦江流贯南部，支流河汊呈网状分布全境。浦江大桥和米市渡为连通浦江南北的交通要津。泖港大桥沟通了浦江的东西交通。县境内文物荟萃，唐代（859）的陀罗尼经幢为上海地区最古老的建筑物。宋兴圣教寺塔、明照壁和清醉白池以及国家级佘山风景区等为著名游览点。人口510 000（2005）。

松江的宋代兴圣教寺塔和明代照壁
中国大百科全书出版社供图

Sŏngjin（North Korea）　城津　参阅**Kimch'aek** 金策。

Songkhla　宋卡　又称信哥拉（Singora）。泰国南部城市。位于马来半岛东岸。为銮湖入海口处的港口，亦为泰国湾沿岸地区中心，与马来西亚和新加坡贸易关系密切。出口橡胶、锡、椰子、花生、燕窝、林产品和鱼制品。设有宋卡王子大学（1964）和南方工学院。也是旅游中心。有合艾铁路支线通机场。人口约84 738（1986）。

songlark　鹨莺　雀形目细尾鹩莺科（Maluridae）或鹟科（**Muscicapidae**）木鸫亚科（Orthonychinae）澳大利亚鹨莺属（*Cinclorhamphus*）的两个种的统称；两个种均为黄褐色，略似百灵，雄性体型显著大于雌性。赤褐鹨莺（马修斯氏鹨莺，*C. mathewsi*）体长20厘米，栖于开阔的森林；鸣声轻快。和褐鹨莺（黑胸鹨莺，*C. cruralis*）长30厘米，栖于开阔地，发出咕咕般的鸣声，有如百灵一样，在飞行中发出鸣啭。

Sŏngnam　松南　又称城南。韩国西北部京畿道城市。在汉城东南19千米。1973年设市后迅速发展为汉城的卫星城，吸收了汉城的部分居民和轻工业。仅1970～1975年间，人口约增5倍，达25万以上，为该国增长率最高的城市。政府仍在鼓励汉城工业迁往此地。人口约434 078（1984）。

Songnim　松林　朝鲜西南部城市。朝鲜最大的钢铁中心，也是大同江河港。朝鲜战争期间，被炸毁，现已重建。有生铁、钢材和轧钢加工业。通公路和铁路，亦利用大同江和载宁江运输原材料和制成品。港口可容4 000吨级船只。人口53 035（最新估计）。

Songpan Caoyuan　松潘草原　又作Sung-p'an Grassland。中国四川省西北部草原。在阿坝藏族羌族自治州北部，包括松潘、红原、阿坝、若尔盖等县。四周山地海拔4 000多米，草原平均海拔3 400米，丘岗相对高度50～60米，谷地宽阔。白河、黑河北流入黄河。黑河流域泥炭沼泽连片，中下游沼泽率多达20%～30%，沼泽总面积3 000平方千米。草本泥炭沼泽的泥炭层有2～3米厚，最厚可达9～10米。气候寒冷，常年无夏，无绝对无霜期。丘岗地生长蒿草、驴蹄草等，丘间以苔草为主。在热量条件较好的盆地可栽培耐寒青稞、燕麦，也可培育贝母、大黄等药材。近年由于人类活动影响，沼泽已有退化迹象。1935年中国工农红军长征曾经此北上。

songshrike　吵嚷伯劳　雀形目钟鹊科若干种鸟类通称，包括钟鹊（**bell-magpie**）、屠夫鸟（**butcherbird**）和噪钟鹊（**currawong**）。

Songwudi Liu Yu　宋武帝刘裕（363～422）中国南朝宋的创建者。字德舆，小名寄奴。原籍彭城（今江苏徐州），后侨居京口（今江苏

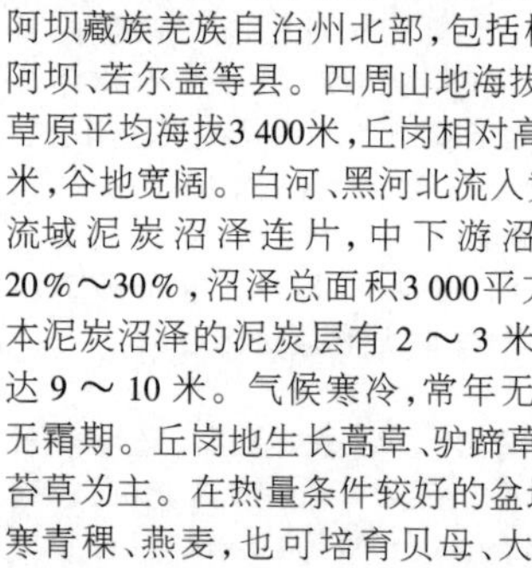

中国大百科全书出版社供图

镇江）。青年时参与东晋劲旅北府兵，以镇压孙恩起义建功，累官建武将军、下邳太守。荆州都督桓玄谋夺朝政，起兵至建康（今江苏南京），拔刘裕为桓修参军。裕率北府兵将士击败桓玄，以平乱功于408年任扬州刺史录尚书事，独揽政权。次年出师北伐灭南燕，又镇压卢循、徐道覆起义，并收复巴蜀。416年出兵讨伐后秦，翌年克洛阳，命大将王镇恶直趋长安，后秦投降。旋因故仓促回建康，致长安得而复失，但潼关以东至青州已属晋朝版图，保障了江淮流域安全。420年代晋称帝，国号宋，在位3年（420～422）。在位期间，整顿吏治，抑制豪强；依界土断，将北方侨人编户纳税服役；精简机构，减轻刑罚，亲自听讼；兴学校，策试诸州郡秀才；发展江南农业生产，为日后的“元嘉之治”奠定基础。

Songzaju　宋杂剧　中国宋、金时期的戏剧艺术。在唐代参军戏基础上吸收角牴戏、歌舞、说唱等艺术而成。在宫廷和民间都很盛行，有职业艺人和演出团体。宫廷艺人隶属

丁都赛雕像砖拓片
中国大百科全书出版社供图

“教坊”，演出团体称为“甲”。民间艺人戏班称“行院”。宋杂剧已有行当之分，如末泥、副末、副净、装孤、装旦。剧中人物由各行演员扮演。表演以滑稽、诙谐的念白、动作为主，有的节目也用唱。节目分艳段、正杂剧、杂扮三种。艳段表演日常生活中的一段事，如《眼药酸》写一位眼疾患者向行医的秀才求治眼疾，其间多有滑稽调笑的表演。正杂剧是较复杂的故事剧。杂扮是装扮农夫村妇表演节目。宋杂剧对形成比较完整成熟的南戏和北杂剧（元杂剧）有直接影响。

sonic boom　音爆　又称声震。飞机或其他飞行体以跨音速或超音速飞行时产生的激波，在地面听来好像一声惊雷。飞机以亚音速飞行时，它所产生的压力扰动或声波，向各个方向传播。这种扰动连续地传向地面，传播途中每一点都没有急剧的压力扰动或压力突变。但在超音速时，压力场的范围主要在飞机后面一个逐渐扩大的锥形区（马赫锥）内。当飞机前进时，尾后扰动锥的抛物线边缘与地面某点瞬时相交，地面上就产生霹雳声，而在此声之前或之后都没有声音。这样的飞机在低空飞行时，其激波有相当强度，能震碎玻璃或造成其他破坏。音爆强度不仅取决于飞机与地面的距离，而且与飞机的大小和形状、机动飞行的类型、气压、气温及风有关。如果飞机特别长，将出现双音爆，一个来自飞机前缘，一个来自后缘。

Sonic Youth　音速青年乐队　美国先锋派噪音乐队，对20世纪80和90年代其他各类摇滚乐队有很大影响。主要成员为K.戈登、L.拉纳尔多、T.穆尔和S.谢利。70年代末，正值后朋克时代“无浪潮”运动（通常都是一些未经训练的乐手奏出的聒噪刺耳的实验性声调）盛行之时，穆尔与拉纳尔多相遇，1981年成立音速青年乐队，由穆尔和拉纳多尔演奏吉他，穆尔的女朋友（后来的妻子）戈登演奏贝斯，鼓手几经换人，1986年固定为谢利。他们的第一张专辑杂音和噪声极重，到1985年推出专辑《残月升起》时总算找到了自己的音调。最后与DGC公司签约，但其一系列作品仍然保持着先锋派的尖声和实验性音乐的倾向，包括《感伤》（1990）和《肮脏》（1992）的直截了当的流行乐方式，以及《洗衣机》（1995）和《千片落叶》（1998）的近似管弦乐风格。1988年的双张专辑《白日梦国度》被认为是他们的杰作。

Sonin　索尼（？～1667-06）　中国清初辅政大臣。赫舍里氏，满洲正黄旗人。清太宗（皇太极）崇德八年因军功进三等甲喇章京。顺治元年（1644）从睿亲王多尔衮入关。次年晋二等昂邦章京。顺治八年世祖亲政，进一等伯世袭。擢内大臣，兼议政大臣，总管内务府。1661年世祖去世，圣祖玄烨年仅6岁，索尼与苏克萨哈、遏必隆、鳌拜四内大臣受遗命共同辅政，加授一等公。

Soninke　索宁克人　又称萨拉科尔人（Sarakole）、塞拉库勒人（Seraculeh）或塞拉胡利人（Serahuli）。分布在西非塞内加尔境内塞内加尔河畔巴克尔地区及其他毗邻地区，操尼日尔-刚果语系的曼德语。塞内加尔的索宁克人有些已移居达喀尔，但在巴克尔地区的仍从事农业，其主要粮食作物是黍稷。索宁克人是古代加纳王国的缔造者；10世纪穆斯林入侵，王国覆灭。索宁克人的社会结构和社会体制是曼德人（**Mande**）诸民族中的典型。

Sonneberg　松讷贝格　德国东部图林根州城市。位于苏尔市东南，图林根林山南坡。1207年首见记载，1349年设市。1735～1918年期间为萨克森-迈宁根公爵领地。现为铁路枢纽。图林根玩具工业中心，有玩具博物馆。人口约25 151（1998）。

Sonneck, Oscar（George Theodore）　桑内克（1873-10-06，美国新泽西州泽西市～1928-10-30，纽约市）　美国音乐学家、图书管理学家和编辑。主要在德国受教育，在海德堡大学和慕尼黑大学学习哲学、作曲、指挥，尤其是音乐学。他对1800年前美国音乐生活研究中的一个重要部分是在首都华盛顿的新的国会图书馆中完成的。1902年成为该图书馆音乐部的第一领导人。任职期间把该馆发展成为世界上乐谱、手稿、音乐书籍最佳、最齐的收藏所之一。1917年辞去图书馆职，接任席尔默公司（纽约市）出版部主任，从1915年第一期起就主编该公司出版的《音乐季刊》。1921年任该公司副总经理，积极支持美国作曲家，并主持出版了E.布洛克、J.A.卡彭特、C.T.格里福斯、R.戈德马克、C.M.勒夫勒等人的新作品。他的著作为在美国科学地研究音乐奠定了基础。他精心编制的一些目录（由国会图书馆出版）和论述歌剧台本的著作一直是这些领域中杰出的参考书，他为音乐收藏所设计的分类体系是对音乐目录学非常宝贵的贡献。

sonnet　十四行诗　又译“商籁体”。有严整韵律的十四行抒情诗。在西方文学的诗歌格律中，它之所以占有独特的地位，是因为500年间大诗人一直喜欢用这种诗体写诗。它似乎起源于13世纪西西里诗派宫廷诗人，而这些人则受过普罗旺斯行吟诗人的爱情诗的影响。后传到托斯卡纳，在14世纪诗人彼特拉克的作品中臻于成熟。彼特拉克的《歌集》是献给他的被理想化的爱人劳拉的，共包括互相衔接的十四行诗317首。他确立了意大利（彼特拉克体）十四行诗，并使之趋于完善。这一直是十四行诗的两种主要格式之一，并且使用广泛。另一种主要格式是英国（莎士比亚体）十四行诗。意大利十四行诗的特点是用两种方式来处理主题。前8句谈一件事情，问一个问题，或表示一种紧张的情绪；后6句解决这个问题，回答这个问题或缓和紧张的情绪。前8句的韵式是 *abbaabba*，后6句的韵式变化较多，有 *cdecde*、*cdccdc* 或 *cdedce* 3种。彼特拉克体十四行诗对欧洲诗歌影响较大。它不久就被西班牙、葡萄牙和法国移植过去，并被引入波兰，从波兰又转入其他斯拉夫国家文学之中。在大多数情况下，人们使这种诗体适应于本国的主要格律，如法国的亚历山大诗体（抑扬格12音节句）和英国的抑扬五音步诗行。十四行诗和意大利的其他诗体是16世纪由怀亚特爵士和霍华德伯爵引入英国的。新的诗体加速了伊丽莎白时期抒情诗的发展，这一时期是英国十四行诗最流行的时期。英国的十四行诗分成3个4句，每4句各有独立韵式，最后则是一个押韵的对句。英国十四行诗的韵式是 *abab cdcd efef gg*。对句必须像希腊警句诗那样简洁有力地把前3个4句的效果归纳起来。但即使莎士比亚有时也做不到这一点。伊丽莎白时期对十四行诗的典型用法像彼特拉克那样，写成一系列互相衔接的爱情诗，而最优秀的十四行诗组大概要归于莎士比亚名下。但人们感兴趣的不是贯穿其中的爱情故事，而是关于时间与艺术、成长与凋谢、名与利的基本想法。后来十四行诗便日益脱离爱情主题。到多恩写宗教十四行诗、弥尔顿写政治和宗

教题材或有关个人题材的十四行诗时，这种诗就发展到把诗的一切题材都包括在内。在浪漫主义时期，华兹华斯和济慈都写过出色的十四行诗，在英文诗中均属最优秀的作品。

Sonni ʿAlī　索尼·阿里（？～1492）　Sonni 又拼 Sunni。又称阿里（大帝）。西非君主，开创西苏丹桑海帝国的扩展疆土事业。他征服了几座主要的苏丹商城，为桑海今后的繁荣和扩张奠定基础。约1464年即位时，桑海仅有上尼日尔河谷首都（繁荣的商城加奥）周围的一小片土地。1468年，马里帝国主要城市廷巴克图的穆斯林首领请他援助，推翻乘马里势衰而占领该城的图阿雷格人（游牧于沙漠的柏柏尔人）。事成，穆斯林首领爽约，不给他通过尼日尔河的权利。索尼·阿里因而洗劫廷巴克图，在苏丹历史上留下暴君之名。他曾将穆斯林仪式与桑海人传统信仰结合起来，引起穆斯林反感。他了解控制苏丹商业的好处，在围城7年后，终于在1473年攻取巴尼河畔临近尼日尔河汇合处的富庶贸易城市杰内。他精通战略，善用骑兵，因而能削弱异族莫西人的攻击力（但未能吞并其领土），征服、同化登迪地区，使图阿雷格人不敢再来侵犯。索尼·阿里时期桑海国家实际统治形式不详，仅知他将征服地区划分为省，派可靠副将治理。他在一次西征富拉尼人之后死于回师途中。

Sonnino, Sidney, Baron　桑尼诺（1847-03-11，比萨［今在意大利］～1922-11-24，意大利罗马）　意大利政治家，作为外交大臣曾促使他的国家参加第一次世界大战，1906年和

美国不列颠百科全书公司供图

1909～1910年任首相。19世纪60年代，意大利统一后不久，桑尼诺参加外交工作。后来专门研究意大利的政治、社会和经济，1876年出版了一部关于西西里的状况的重要著作。1878年，桑尼诺创办经济评论杂志，后改为政治性的日报。当1880年被选为议员时，由于他精通意大利的经济事务，最初担任财政副大臣，而在1893年金融危机期间，又担任财政大臣。他的有力措施使得可能发生的全国性破产得以避免。此后，桑尼诺担任议会反对派领袖多年。1914年任外交大臣。在协约国接受他的领土要求后，他说服政府参战。但战后的凡尔赛和会未满足意大利的全部要求，使他深为失望。1919年奥兰多政府倒台时，他退休。

Sonntag, Gertrud Walpurgis（singer）　**宗塔格**　参阅 **Sontag, Henriette** 松塔。

Sonoma　索诺马　美国加利福尼亚州西部索诺马县城市。在索诺马谷地（以被杰克·伦敦称为"月谷"而著名）内。位于圣罗莎东南34千米处。1835年由M. G. 巴列霍将军在圣弗朗西斯科-索拉诺传教团所在地所创建。1900年设市。当地巴列霍故居（1850）和重新修建的传教团为州立索诺马历史公园的主要部分。1846年6月14日一小队美国移民进入该地，俘虏了巴列霍将军及其率领的墨西哥驻军，宣布成立共和国，但仅维持到7月9日。19世纪50年代一匈牙利伯爵引种欧洲葡萄，奠定了当地葡萄酒业的基础。该市经济以酿酒和多种经营的农业为主。人口8 121（1990）。

Sonora　索诺拉　墨西哥西北部一州。北界美国，西临加利福尼亚湾。16世纪30年代西班牙人在该地勘探，即成为殖民时期重要的铜、金和银矿区。气候干燥、半干燥，依靠灌溉生产蔬菜、粮食、棉花、烟草和玉米。面积182 052平方千米。1830年设州。居民集中在诺加莱斯英雄城、埃莫西约（州首府）、瓜伊马斯（海港和深海钓鱼胜地）和亚基谷地中的奥夫雷贡城。自从20世纪40年代以来，由于实行大面积灌溉计划，各城市周围地区的棉花种植得到发展。铁路和公路干线从墨西卡利和诺加莱斯英雄城穿过该州。主要城市均有机场。人口1 823 606（1990）。

Sonora, José Gálvez, Marqués de la（Marquess of）　**索诺拉侯爵**　参阅 **Gálvez, José** 加尔维斯。

Sonora River　索诺拉河　墨西哥西北部索诺拉州河流。源出美国边界附近的卡纳内阿以南，向南流后折向西南，经西马德雷山脉西侧。索诺拉河在州首府埃莫西约下部经沿海低地在蒂布龙岛对面注入加利福尼亚湾。全程约400千米。河流沿岸有许多居留地，包括阿里斯佩、莫克特苏马、乌雷斯和埃莫西约。索诺拉河只在降雨量大的年份才能注入海湾，但河水能用于灌溉，特别在埃莫西约附近。

Sonoran Desert　索诺兰沙漠　包括美国亚利桑那州西南部和加利福尼亚州东南部、墨西哥下加利福尼亚州大部和索诺拉州西半部在内的干旱地区。面积31万平方千米。其中炎热而干旱的地区是科罗拉多沙漠和尤马沙漠。因灌溉形成大片肥沃农田，如著名的

美国加利福尼亚州圣罗莎山附近索诺兰沙漠中的绿洲

供图：David Muench—美国不列颠百科全书公司

科切拉和因皮里尔谷地。温暖的冬季吸引大批游客，如加利福尼亚州的棕榈泉、亚利桑那州的图森和菲尼克斯。境内有许多印第安人保留地。

sonorant　响音　在语音学中，指任何以延续的共鸣音为特征的鼻辅音、流辅音和滑移辅音。响音比其他辅音有更多音响能量。英语中的 *y*、*w*、*l*、*r*、*m*、*n* 和 *ng* 均为响音。参阅 **nasal; liquid**。

Sonrhai（people）　参阅 **Songhai** 桑海人。

Sons of Liberty　参阅 **Liberty, Sons of** 自由之子社。

Sonsonate　松索纳特　萨尔瓦多西部城市。建于1524年。1833～1834年曾是临时首都。濒临松索纳特大河。有铁路和公路通太平洋港口阿卡胡特拉。经营畜产品、热带水果、咖啡和甘蔗贸易。出口皮革和裘皮。人口：城市区约48 436（1985）。

Sontag, Henriette　松塔（1806-01-03，法国科布伦茨［今在德国］～1854-06-17，墨西哥墨西哥城）　原名 Gertrud Walpurgis Sonntag。德国歌剧和音乐会女高音歌唱家，在她事业中的一段长达19年的中断之前或之后均受到高度赞扬。父母分别为演员与歌唱家。早年接受戏剧训练，在德国与布拉格串演戏剧与歌剧中的儿童角色。曾在布拉格音乐学院学习。1821年首次作成年后的歌剧演出。1823年韦伯在维也纳亲聆她演唱后，邀她扮演《欧利安特》中的同名主角。此剧于当年晚些时候首演，对歌唱者和作曲者而言均为一大成功。她1824年在维也纳为贝多芬的《第九交响曲》和《庄严弥撒》作首次公演演唱，其后几年在柏林、巴黎、伦敦以及欧洲其他一些较大的城市巡回演出。丈夫为驻海牙大使。由于其同事的压力，使她离开舞台达19年之久。只偶尔在私人音乐会和慈善音乐会露面。1849年，政治动乱结束了她丈夫的外交官生涯，同时也结束了她的隐居生活。她接受了伦敦的女王陛下剧院的6个月的演唱合同，然后在英国和法国巡回演出。在德国成功演出后，于1852年赴美国。1854年在墨西哥巡回演出中死于霍乱。

Sontag, Susan　桑塔格（1933-01-16，美国纽约州纽约～2004-12-28，纽约）　美国学者和作家，以其论述现代文化的随笔而知名。她在亚利桑那州图森和洛杉矶长大。在伯克利加利福尼亚大学学习一年后转至芝加哥大学，1951年毕业；又在哈佛大学进修英国文学和哲学，分别在1954和1955年获硕士学位。前后在一些院校讲授哲学。1963年出版了她的第一本小说《恩人》。60年代初期，在《纽约书评》、《评论》和《党派评论》等杂志上发表了一些随笔和评论，其中部分篇幅较短的文章收在《反阐释及其他随笔》（1968）中。继第二本小说《死亡行装》（1967）后出版随笔集《激进意志种种》（1969）。后来的批评论著有《论摄影》（1977）、《疾病之隐喻》（1979）、《农神像下》

(1980)和《艾滋病及其隐喻》(1988)。其随笔之特点在于,以一种认真的哲学态度来看待现代文化的各个方面和各个人物。她最初在1964年因题为《漫话"营垒"》的一篇随笔而引起全国注意,它是探讨社会某一特定阶层内趣味的属性。她写作的内容涉及戏剧、电影以及N.萨罗特、R.布雷松和F.培根等人物。除文学评论和小说外,还写有电影脚本,编有R.巴尔泰斯和A.阿尔托的选集。

Sony Corporation　索尼公司　日本家用电子产品的大制造商。总部设在东京。公司于1946年成立注册,名为东京通讯工业株式会社。创办人为井深大和盛田昭夫,前者的日本精密仪器公司在第二次世界大战期间曾供应过电子装置,后者是应用科学的教员。组建该企业时由盛田的父亲出资,目的是要利用战时开发的先进技术制造家用产品。公司在1958年取用现名。开始时公司生产伏特计、电热毯、电报共鸣器的发声器及其他类似装置。它所生产的第一项主要家用产品为1950年在日本推出的声频磁带录音机。它用索尼商标在全世界销售产品。自生产磁带录音机至今,它继续带头利用新技术于制造家用产品。1957年它在全世界首先推出袖珍式晶体管收音机;1960年推出8英寸(20厘米)晶体管电视机,为电视开创了新的市场;1968年生产出装有单枪三束显像管的彩色电视机。该公司是首先认识到家用录像磁带有潜在市场的厂商之一,1969年推出工业和家庭两用的彩色盒式录像机。1972年它组建了一家联营公司销售贝塔玛克斯牌彩色盒式录像系统。在20世纪末期日本成为世界家用电子产品的主导生产商的运动中,索尼公司出人头地。1987～1988年,它从CBS公司收购了全世界最大的唱片公司CBS唱片集团,嗣后又于1989年购得哥伦比亚电影娱乐公司。

Soochow(China)　参阅 **Suzhou** 苏州。

Soong, T.V.(Chinese Nationalist official)　参阅 **Song Ziwen** 宋子文。

Soong Ch'ing-ling(Mme Sun Yat-sen)　参阅 **Song Qingling** 宋庆龄。

Soong Mei-ling(Mme Chiang Kai-shek)　参阅 **Song Meiling** 宋美龄。

sooty mold　煤污病斑　又作blotch或black mold。又称烟霉、黑霉。植物的叶、茎、果实上出现的黑色斑块。由煤炱菌属(*Capnodium*)、烟霉属(*Fumago*)、蛛网煤炱菌属(*Scorias*)真菌的黑色菌丝构成。这些真菌生长在植物的溢汁或蚜虫等吮吸式口器昆虫分泌的蜜露中。煤污病斑虽对植物无害,但不雅观,需尽力免除。防治方法为用农药灭除吮吸式口器昆虫、冲洗植物表面的溢汁或蜜露,避免损伤植株等。

Sophar(Old Testament)　参阅 **Zophar** 琐法。

sopher(Judaism)　参阅 **sofer** 索佛。

Sophia　索菲娅(1630-10-14,海牙～1714-06-08,汉诺威黑伦豪森)　汉诺威选侯夫人、英国王位继承人和英王乔治一世的生母。莱茵巴拉丁选侯腓特烈五世的第12个孩子,其母为英王詹姆斯一世之女伊丽莎白。1649年定居海德堡,1658年与E.奥古斯特结婚。1692年其夫成为不伦瑞克-吕讷堡(汉诺威)选侯。1698年丧夫。1700年,英王威廉三世患病,无后嗣,安妮公主仅存之子格洛斯特公爵威廉新丧。索菲娅成为顺序最近的信奉新教的继承人。根据1701年《王位继承法》,在威廉或安妮均无后嗣时,英格兰王位应由"最杰出的公主、汉诺威选侯和公爵未亡人索菲娅"及"她的信奉新教的继承人"承袭。1714年6月索菲娅先于安妮死去。不出两个月安妮亦去世,索菲娅之子,选侯G.路易成为大不列颠和爱尔兰国王乔治一世。

Sophia　索菲娅(1657-09-27[旧历09-17],莫斯科～1704-07-14[旧历07-03],莫斯科)　俄国摄政(1682～1689)。沙皇阿列克谢的长女。自幼受到良好教育。1682年费多尔三

供图:Novosti Press Agency

世死后,她的同父异母兄弟彼得被立为沙皇。她煽动射击兵(皇室部队)起来造反。结果使她的亲弟弟伊凡五世与彼得共同执政,而她出任摄政。她依靠情夫V.V.戈利钦亲王进行统治。为了防止射击兵改变立场来推翻她,将射击兵司令霍凡斯基处死,以亲信沙克洛维第来代替。另外,还把莫斯科的19个团中的12个团调去守卫边疆。她极力促进工业的发展,鼓励外国工匠到俄国定居,并根据《俄波和约》获得基辅和第聂伯河以东的土地。1689年缔结对俄国有利的《俄中尼布楚条约》。同年9月射击兵把她推翻,送进莫斯科新圣母隐修院。1698年,射击兵中她的拥护者们,曾试图恢复她的王位,但未成功。她虽未参与阴谋,但仍经特别法庭审讯,被迫出家当修女(1698-10)。

Sophia Dorothea　索菲娅·多罗特娅(1666-09-13～1726-11-23,下萨克森的施洛斯阿尔登)　汉诺威选侯G.路易(英国国王乔治一世)之妻,不伦瑞克-吕内堡-策勒公爵G.威廉的独生女,其母是一位胡格诺派教徒。1682年出于王朝考虑嫁给表兄G.路易,遭婆母和丈夫嫌恶。由于婚姻不幸,她在柯尼希斯马克伯爵(据说是她的情人)的协助下,一再设法逃离汉诺威,均告失败;1694年伯爵被暗杀,这位公主被丈夫指控不贞而离异,被囚禁于阿尔登城堡32年,迄于老死。

Sophist　智者派　公元前5和前4世纪古希腊的一些演说家、作家和教师。他们大多都周游希腊全境,讲演各种课题,并取得一定酬金。

智者一词原来说的只是早期希腊社会的"哲人",例如公元前7～前6世纪的"七贤"(他们是早期最高实际智慧的象征)和前苏格拉底哲学家。但后来因为柏拉图、亚里士多德反对职业教师(例如智者普罗塔哥拉),批评他们不是追求真理而是求在辩论中用不诚实的手段达到取胜的目的。所以以后智者派一词变成"强词夺理的诡辩者"的意义。当时有近30名真正可称为"智者"的名字留传下来。最主要的有:普罗塔哥拉、高尔吉亚、安提丰、普罗迪科斯和色拉西马柯斯等。

智者派教人们在公众辩论中如何讲话、使用何种论据。当时雅典社会变化很大,许多传统观点不再适用;于是批判旧观点,用合理的论点代替旧观点,引起了青年们的特别注意,也因此引起维持旧传统的人对智者派产生了强烈的厌恶。古代著作家因受了柏拉图和亚里士多德的影响,固然排斥智者派,就是当代著作家也认为智者派并非哲学家。

在近代人中,黑格尔是第一个重新将智者派放入希腊哲学史的人。智者派将相当大的注意力集中于:人和人类社会,文字与事物的关系,认识论中的问题以及观察者在实在中的主观因素和正确理解实在的重要性。现在虽对公元前5和前4世纪的智者学派所讨论的许多问题和学说倍加欣赏,但在18世纪和19世纪初期,智者学派却被看作是骗子,指责他们对知识缺乏忠实态度,非难他们的学说有损于希腊的道德结构。其理由有二:一是许多智者学派攻击传统的为人们所奉行的道德准则;二是他们探索甚至嘉奖与传统准则相悖离的道德行径。但自19世纪中叶以来,这一类的责难就没有多少力量了。这里要补充一句:智者学派虽然反对传统的道德准则,但没有证据证明他们任何个人或他们的学生有过不道德的行为。他们除教书外还写了很多书。可惜这些书都没有留传下来,只在哲学史家著作中记载着书名和断简残编。

从他们的理论本身看,他们并不是真正的相对主义者和真正的怀疑主义者。他们都想不求助于任何超出现象之外的原则来解释现象世界。他们并不反对科学和对物质世界的研究。在研究社会问题时,他们强调自然和约法(或法律)的对立,他们认为人类法显然优于自然法,这是人类通过努力得到的一种进步。他们对人类社会的组织和历史极感兴趣。尤其是普罗塔哥拉,他不再相信黄金时代是在过去,也不相信历史是循环的;他认为人类历史是按照从野蛮到文明的进步而发展的。普罗塔哥拉用一个最著名的神话解释人类,首先是借助于艺术与工艺,然后通过在他们事业的安排中获得尊敬感与正义感而达

到了文明社会。

智者学派最独特的信条之一是：美德是可以教出来的。这一教导的含义很深远，它一方面否认美德只能来于出身（例如出身于高贵家庭）的观点，另一方面也否认美德是偶然出现于特殊人物的特殊品质。在智者学派看来，美德是已知的和可控制的过程所产生的结果。这对社会组织具有重要意义。

从公元前4世纪末，隔了近500年，到公元2世纪，由于罗马哈德良皇帝赞扬希腊文化，在散文界中出现第二次智者派运动，哲学家如卢奇安也受到影响，不过这一运动到3世纪便已消失。

Sophocles　索福克勒斯（公元前496，雅典附近科罗诺斯[希腊]～前406，雅典）　古希腊三大悲剧作家中的第二位，是埃斯库罗斯和欧里庇得斯的同时代人，年龄较前者幼，较后者长。父亲索菲罗斯是个富裕的兵器制造厂厂主。索福克勒斯受过良好教育。公元前480年16岁时曾以其英俊、勇敢和音乐才能而被选进歌颂神的合唱队中领唱，庆祝希腊人在萨拉米斯海战中战胜波斯人。有关索福克勒斯的市民生活的资料相当贫乏，但已有的资料却显示出他当时是一位受公众欢迎的人物，积极参与社区活动，发挥了卓越的艺术天才作用。公元前442年任财务官，负责收取和管理根据提洛同盟雅典所辖城邦交纳的贡金。公元前440年，当选为负责最高军事指挥的10将领之一，成为佩里克利斯的年轻同僚。索福克勒斯后来可能又曾两度担任军事将领。公元前413年大约83岁时任审议员兼十人顾问委员会的成员。在希腊遭受西西里岛锡拉库萨的惨败之后，这个委员会被赋予特殊权力并委以重托，处理雅典经济和国内秩序恢复事宜。索福克勒斯最后一项有历史记载的活动，是公元前406年戏剧节前率领一个唱诗班在他的对手、已去世的欧里庇得斯的葬礼上唱挽歌。

以上为所知的数量不多的有关索福克勒斯生平的全部史料。这些史料均可信赖并明显地与雅典有关，与雅典政府、宗教和社会形式相联系。索福克勒斯出生于富裕家庭，受过良好教育，并以其儒雅和魅力著称；与当时的名门望族关系良好，与杰出的政治人物私交甚厚，并且在公元前404年雅典向斯巴达投降之前就离开人世，因而从许多方面说他都是幸运的。在他晚期的剧作之一《俄狄浦斯在科罗诺斯》中，他依然怀着深厚的感情赞扬他的出生地和雅典这座伟大的城市。

索福克勒斯于公元前468年在迪奥尼修斯戏剧节上赢得首次胜利，在比赛过程中击败了伟大的埃斯库罗斯，从而开始了他事业上长期的无与伦比的成功。他总共为戏剧节写过123部戏剧。由于每个被选中参加比赛的剧作者通常要呈交4部剧本，这就意味着他一定是参加过大约30次比赛。他赢得的胜利可能多达24次，与埃斯库罗斯的13次和欧里庇得斯的4次相比，他进入比赛中所得到的胜利可能的确从不曾低于第2位。

戏剧与文学成就　古代戏剧权威们把许多项主要的和次要的戏剧革新归功于索福克勒斯。他的一些比较次要的革新成果中就包

索福克勒斯青铜半身像，公元前340～前330年希腊原作的复制品

供图：Alinari—Art Resource/美国不列颠百科全书公司

括他发明的某种类型的“布景画”或其他用图画表现的道具，以创造剧中的地点或气氛。他也可能曾经把歌队人数从12人增加到15人。相比之下，把第3个演员引入戏剧表演之中则是索福克勒斯的主要革新。以前演出中允许两个演员“兼演”，即在一出戏演出过程中他们可以再承担其他角色，但是在舞台上增添一个第3演员就使得剧作家能够增加人物数量并扩大他们之间相互动作的多样性。从而扩展了戏剧冲突的规模，情节可以变得更加流动，戏剧情境也可更为复杂。

典型的索福克勒斯式戏剧会出现这样一些人物，他们的决心和力量给人留下深刻印象，拥有一些被强烈扭曲的品质或缺点，与一种特定的环境相结合，会不可避免地导致他们走向一种悲剧性命运。索福克勒斯运用极其精炼的手法、集中浓重的技巧和戏剧性效果，使他的人物很快发展到悲剧性结局，创造出有条理的富有悬念的情境，持久而无情的突进，从而达到结合古希腊社会的典型悲剧形式。索福克勒斯强调说，绝大多数人缺乏智慧，而他是在与愚昧、无知和困惑的撞击中表现真理的。许多场景戏剧化地表现了思想中的缺点或失败（如骗人的报告、谣言、盲目的乐观、匆忙的决断和疯狂）。主要人物做出一些引起严重错误的事情，这又影响到其他人，他们各人按照自己的方式作出反应，从而又导致主要角色采取另一个走向毁灭的步骤——他自身的毁灭和其他人的毁灭。同样重要的是，那些将会从悲剧性错误中遭受痛苦的人通常都是当时在场的人或属于同一代的人。正是这种比较复杂的悲剧类型才要求有一位第3演员。索福克勒斯从而放弃了埃斯库罗斯式的相互连接的大规模的三联剧框架结构；取而代之的是将完整的戏剧行动包容在一部单独的剧本之中。从他那个时代之后，“三联剧”通常仅意味着由同一个作者创作的并在同一个戏剧节上演出的3个分开的悲剧而已。

索福克勒斯的语言非常适合当时的戏剧需要，它可以是凝重深沉或流畅动情，可以是激动紧张或悠然自得，也可以是极富装饰性或完全朴实无华、明白易懂。他对形式和修辞的熟练掌握受到他同时代人的高度尊敬。人们还普遍赞赏他描写人物时的富于同情心和栩栩如生的手法，尤其著名的是他笔下的悲剧女主人公，如埃勒克特拉和安提戈涅。很少有剧作家能像索福克勒斯那样以如此力量和确信来处理戏剧情境和情节。《诗学》中经常提到索福克勒斯的《俄狄浦斯王》一剧，表明亚里士多德认为这部剧本是结构上的杰作，并且后来的批评家也很少有不赞成这种意见的。索福克勒斯在高度运用戏剧紧张感方面和暴露性运用悲剧讽示方面也都是他那个时代无人能超越的。

评论还指出索福克勒斯是位出色的艺术家，他既不像埃斯库罗斯那样去抓住宗教问题，也不像欧里庇得斯那样去解决智能问题。他以一种无思虑的正统派精神接受了希腊宗教之神，并以表现人的品格和人的冲突为满足。但是需要强调的是，对于索福克勒斯来说，这种“天神”似乎是已经代表了宇宙的自然力量，人类已经无意识地或不情愿地服从于这种力量之下。对于索福克勒斯来说，人类在很大程度上是生活在黑暗的无知之中，因为他们已经被隔断了同这些永恒不变的力量和现实结构的联系。然而，正是痛苦、遭难和忍受悲剧性危机才可能使人们与事物的普遍秩序进行有效接触。在这个过程中，一个人才可能变得更具有真正的人性，才能更真诚地恢复他的自我。

剧作　索福克勒斯所有悲剧中完整留传至今的只有7部，还有一部羊人剧的400行台词，大批的现已遗失的剧本中的残篇，以及90部剧名。这7部完整的剧本是索福克勒斯的成熟作品，而其中只有《菲罗克忒忒斯》和《俄狄浦斯在科罗诺斯》两部戏有比较确切的创作日期。《埃阿斯》通常被看成是他现存的最早的一部剧作。有些证据显示《安提戈涅》首演于公元前442年或前441年。《菲罗克忒忒斯》于公元前409年首次上演，当时索福克勒斯已经90高龄，而《俄狄浦斯在科罗诺斯》据说是在他去世后由他孙子上演的。

《埃阿斯》　是一部环绕主人公埃阿斯构成的戏剧。埃阿斯是特洛伊战争中一位非凡英雄，他的骄傲驱使他走向谋反，最后导致自身的毁灭，在全剧进行到2/3处他自杀身亡。由于勇士奖（已故阿喀琉斯的盔甲）没有授予他而是奖给了奥德修斯，他被深深地触怒了。于是他图谋刺杀奥德修斯和主持这次竞赛的评判官——希腊指挥官阿伽门农和墨涅拉俄斯，但是却被雅典娜女神的干预所挫败。他难以忍受这种羞辱，于是拔剑自刎。阿伽门农和墨涅拉俄斯下令禁止掩埋埃阿斯的尸体以示惩罚。但聪明的奥德修斯说服两位指挥官发慈悲给予埃阿斯以厚葬之礼。剧终时只有奥德修斯似乎是真正懂得了人类命运的变化无常。

《安提戈涅》　安提戈涅是第比斯前国王

俄狄浦斯的女儿。她心甘情愿面对极刑去埋葬她哥哥波吕涅克斯,因为新登基的国王(她的舅舅)克瑞翁曾下令,任何人如胆敢去埋葬波吕涅克斯的尸体都要被处死(波吕涅克斯因进攻第比斯而刚刚被杀死,为了对他进行死后惩罚,克瑞翁才下令禁止埋葬他的尸体)。在爱的本能、忠诚和人道信念的驱使下,安提戈涅不顾克瑞翁的禁令还是埋葬了哥哥的尸体以尽兄妹之情。克瑞翁出于坚信国家利益高于亲属关系的原因,拒绝取消对安提戈涅的死刑判决。待到先知提瑞西阿斯最后终于说服克瑞翁发慈悲释放安提戈涅之时,她已在被囚禁的石窟里自杀身亡。克瑞翁的儿子海蒙出于对已去世的安提戈涅的爱情和同情而在她身旁自尽,接着克瑞翁的妻子欧里迪丝由于忍受不了这些悲惨事件带来的痛苦而自杀。剧终时剩下克瑞翁孤单一人,精神崩溃。克瑞翁狭隘而过度地坚持他的公民义务,却蔑视了神明,没有对死者尽到应尽的人道责任。剧本就这样反映了公民义务与个人忠义和宗教习俗之间的冲突问题。

《特拉基斯少妇》 这出戏的中心内容是关于得阿涅拉如何努力赢回她丈夫赫拉克勒斯迷失的爱情。赫拉克勒斯又一次出门去担负一项英雄使命,并把他最近的一位爱妾伊奥勒送回到他们在特拉基斯的家中与其妻一同居住。得阿涅拉对赫拉克勒斯炽热的爱变成了怨恨。当她得悉她给丈夫带来痛苦时,她自尽了。这样,在《特拉基斯少妇》一剧中,赫拉克勒斯缺乏敏感(竟把自己的情妇送回家中与妻子同居)和得阿涅拉的无知导致了这场家庭悲剧。

《俄狄浦斯王》 这个剧本的情节结构令人惊异,标志着希腊古典戏剧形式上的最高成就。剧中主要人物俄狄浦斯是一位聪明、幸福并深受第比斯人爱戴的统治者。虽然在危机时刻他脾气暴躁、缺少耐性并且傲慢狂妄,但在其他方面他似乎又交上各种好运。俄狄浦斯错误地相信自己是科林斯国王波吕玻斯夫妇之子。由于他正确地猜破斯芬克斯的谜语而把第比斯城从这个狮身人面的女妖手中解救出来而成为第比斯国王,并作为奖赏让他娶这个城邦的寡妇皇后伊奥卡斯忒为妻。在降伏斯芬克斯之前,俄狄浦斯曾被迫永久离开科林斯国,因为阿波罗神曾向他预言,说他要杀父娶母。从科林斯去第比斯的路上,在十字路口他遇见一位老人及其5个仆从。由于他的傲慢和坏脾气,他和老人发生争吵并杀了老人和他的4个仆从。

戏开始时第比斯城遭受瘟疫,人民请求俄狄浦斯想办法解决。他请教阿波罗先知,神示告诉他只有在找到杀死伊奥卡斯忒的第一个丈夫拉伊俄斯国王的凶手并惩罚其罪行后,瘟疫才能停止。俄狄浦斯决心找到杀害拉伊俄斯的人。剧的剩余部分主要集中在他所进行的有关这方面的调查工作上。在一系列紧张的、令人焦急的和不祥的场景中,俄狄浦斯的调查渐渐转化成重现他本人隐蔽历史的结构,他也开始怀疑自己在十字路口杀死的那位老人不是别人而正是拉伊俄斯王。最后,俄狄浦斯得悉,在他还是一个婴儿时就被拉伊俄斯和伊奥卡斯忒丢弃待死。因为他们害怕一种预言,说他们的幼小儿子将来会杀死他的父亲。但是他却存活下来并被科林斯的统治者收养为义子。而在他成年后又不知不觉地实践了阿波罗神对他的预言。他的确杀死了自己的生身父亲,又娶了自己的母亲,并且生下孩子,他们同样也是自己的兄弟。

伊奥卡斯忒得悉这桩乱伦、杀父和图谋杀死亲生儿子的丑事之后便自缢身亡。深感有罪的俄狄浦斯接着就用针乱刺双眼,把自己弄瞎。他双目失明孤孤单单,周围世界这时对他来说一片黑暗,但最后他却终于知道了自己身世的可怕的真实。

《埃勒克特拉》 正如在埃斯库罗斯的《奠酒人》中一样,《埃勒克特拉》中的戏剧情节也是从俄瑞斯忒斯刚从国外回来时开始。他要处死他母亲克吕泰墨斯特拉及其情夫埃吉斯托斯,为他的父亲报仇,因为他们共同谋杀了他的父亲阿伽门农。但在这部剧中,主要的焦点集中在他妹妹埃勒克特拉身上,写她如何痛苦地参加了她兄长的复仇计划。为了能够进入宫中以实现复仇,俄瑞斯忒斯散布虚假消息,说他已经死亡。听到这个报告后埃勒克特拉相信了,绝望之中她想联合她妹妹克律索忒弥斯去设法刺杀她母亲。在一场戏中,俄瑞斯忒斯随后穿着伪装走了进来,把一个假设装着自己骨灰的小罐交给埃勒克特拉。他妹妹非常伤心,这种痛苦深深感动了他,于是俄瑞斯忒斯向她暴露了真实身份,接着就去击倒了他的母亲及其情夫。埃勒克特拉的胜利就这样完成了。在这部戏里埃勒克特拉表现出人类一套完整的情感——从激情的爱到刻骨的恨,从麻木的绝望到疯狂的欣喜。人们对这出戏评论不一,究竟是刻画了美德的胜利,还是塑造了一个由于多年仇恨和苦恼而扭曲的并且难以医治的年轻女人,还存在着争论。

《菲罗克忒忒斯》 希腊人在去特洛伊的途中把本剧的主要人物菲罗克忒忒斯丢弃在荒凉的兰姆诺斯岛上,因为他脚上生有一种令人恶心的并且难以治愈的烂疮。但是希腊人很快发现,没有菲罗克忒忒斯和他那百发百中的、从前属于赫拉克勒斯的神箭,他们是难以赢得特洛伊战斗胜利的。聪明的奥德修斯领命去想一切办法把菲罗克忒忒斯找回来。奥德修斯知道,愤怒的菲罗克忒忒斯如有可能就会杀了他,于是他就利用年轻的易受影响的士兵涅俄普托勒摩斯为他的代理人,这个士兵是已故阿喀琉斯的儿子。菲罗克忒忒斯无论如何也不会愿意去帮助曾丢弃过他的希腊人;这样就使得涅俄普托勒摩斯进退维谷,一面是奥德修斯不正当的操纵,另一面则是菲罗克忒忒斯笃信不疑的诚实。剧本的大部分情节里,涅俄普托勒摩斯仍坚持显然成为逗人娱乐的原因。

良品性,最后他终于丢弃了这种双重人格,融合到与菲罗克忒忒斯的真诚友情之中。后来,赫拉克勒斯作为神圣和解者出现,才说服菲罗克忒忒斯到特洛伊去战胜敌人并接受医治疾病。

《俄狄浦斯在科罗诺斯》 又老又瞎的俄狄浦斯遭到他儿子和第比斯城的拒绝之后,已在流放中过了许多年的游荡生活。仅有他的女儿安提戈涅和伊斯墨涅还在关心他。最后他到达雅典附近科罗诺斯村庄的圣树林中(雅典是索福克勒斯本人的家乡)。雅典高贵的国王忒修斯答应保证俄狄浦斯在那里的安全。忒修斯的确是保护了他,使他免受他内弟克瑞翁的纠缠,后者曾要求他去守护第比斯。俄狄浦斯本人也拒绝了他儿子波吕涅克斯的恳求,他儿子一心想进攻第比斯,曾受到他严辞咒骂。最后俄狄浦斯神秘地死去,显然他是被科罗诺斯大地吞食,在那里他将成为一种仁慈的力量和神秘的源泉,去保卫曾让他最后避难的这片土地。剧本以其忧郁、美感和抒情颂歌见长,并以它的精神和道德权威著称,它正是以这些特色来塑造俄狄浦斯这个人物形象的。

《搜索者》 这出羊人剧有400行剧词残存下来。其情节是以两个有关赫耳墨斯神早期奇异事迹的故事为基础的:他在婴儿时期几天之内就长大成人,从阿波罗神那里偷走一头牛;他把牛的蹄印加以颠倒使人难以发现,并把弦装在龟壳上发明了古希腊竖琴。在这部戏里搜索者由半人半兽的歌队扮演,他们在到处寻找那头牛,当听到赫耳墨斯发明的新乐器发出的声音时,他们惊呆发愣,显得有趣可笑。现存的剧本残稿足以使人对此剧的风格留下印象:这是一种温和亲切、并不复杂的滑稽化悲剧样式,而歌队的滑稽古怪

Sophonias (Israelite prophet) 参阅 **Zephaniah 西番雅**。

Sophron of Syracuse **索夫龙(叙拉古的)** (活动时期约公元前430) 希腊多利斯方言的韵律散文滑稽剧的著者。虽然他的大部分作品现在仅存片言只字的片断,但从其标题如《金枪鱼渔夫》、《女裁缝》等推测,可知大多取材于日常生活。有一较长的片断讲述的是一个魔法的仪式。索夫龙对忒奥克里托斯和赫罗达斯都有一定影响。柏拉图对他的评价很高。

Sophronius **索福罗尼乌斯**(约560,大马士革[叙利亚]~638-03-11,耶路撒冷) 基督教耶路撒冷牧首、修士、神学家。原为修辞学教师,约580年开始在埃及苦修,后入耶路撒冷圣狄奥多西隐修院。有善辩之名,633年前往亚历山大和君士坦丁堡,劝说两地牧首谴责基督一志论。他在这一问题上著作甚多,但已散失。他此次游说虽然失败,但于634年当选为耶路撒冷牧首。就职后不久写信给教皇洪诺留一世和东派教会各牧首,阐述正统派关于基督神人二性的教义。编成600篇希腊教父文选,宣传基督神人二志论,现已失传。637年耶路撒冷为哈里发欧麦尔一世的萨拉森军队占领,索福罗尼乌斯与萨拉森军谈判,由基督教徒缴纳贡税,换取政治和信教自由。他可能即因此操劳而死。除教义论辩文以外,还撰有颂词,歌颂在亚历山大殉教的居鲁士和约翰二人。

Sopiha family 参阅 **Sapieha family 萨佩哈家族**。

Sopot 索波特 德语作Zoppot。波兰北部格但斯克省城镇、港口。地处林木葱郁的丘陵地带、格但斯克(但泽)同格丁尼亚之间的格但斯克海湾。16世纪起即为波兰最大、最著名的海滨疗养胜地之一。位于格但斯克和格丁尼亚之间,有船运、公路和铁路同格丁尼亚、格但斯克相通。13世纪始有人居住。1807年并入拿破仑统治下的但泽自由城。1901年设市。1919年又并入但泽,1945年归还波兰。人口约47 800(1989)。

soprano 女高音 最高的人声音域,大约自中央C至其上的第二个A。音域约自中央C以下的A至中央C以上的第二个F或G的人声声部称为次女高音。虽然有16、17和18世纪的童声女高音和阉声女高音,但女高音通常指女性嗓音。在四声部的乐曲中女高音声部是最高声部。女高音常根据其音色或敏捷等因素分类:音色圆润有力者称戏剧女高音,较轻快而婉转者称抒情女高音,音域更高(可达中央C上的第二个C或更高的音)和讲究技巧上极度灵敏者称花腔女高音。soprano一词亦指一个乐器族中的高音乐器(例如soprano saxophone为高音萨克斯管)。

Sopron 肖普朗 德语作Ödenburg(厄登堡)。匈牙利西部杰尔-肖普朗州城镇。在布达佩斯西面,匈牙利向奥地利布尔根兰州突出的部位。考古发现新石器时代、青铜器时代人类定居实物。地处贸易道路交叉处,为历史悠久的商业中心。内城呈椭圆形,周围有旧城墙。城内有带庭院的旧宅、城塔和旧教堂可供参观游览。现有水果加工、制糖、棉纺织等行业。为重要的旅游中心。设有林业大学。人口约56 324(1994)。

Sopwith, Sir Thomas Octave Murdoch 索普威思(1888-01-18,英国伦敦~1989-01-27,汉普郡温切斯特附近金斯松伯恩康普顿马诺) 英国飞机设计家。他的飞机公司因在第一次

供图:BBC Hulton Picture Library

世界大战时期制造"索普威思骆驼"和"三翼"式军用飞机而出名。1910年他自学飞行,同年因完成以最远航程飞向欧洲大陆的飞行而获得德福雷斯特奖金。两年以后,索普威思创办索普威思飞机公司,并用布莱里奥单翼机赢得第一届飞行竞赛奖。他的公司在第一次世界大战期间生产了许多军用飞机,包括幼畜式、骆驼式,1½-支杆式及三翼式等飞机。1925~1927年他曾任英国飞机制造商协会会长。1935~1963年任霍克·西德利公司董事长。该公司在第二次世界大战中生产飓风式战斗机和兰开斯特式轰炸机。1953年受封为爵士。

Sør-Trøndelag 南特伦德拉格 挪威中部一郡。东起瑞典边境,西至挪威海海岸,面积18 831平方千米。北部有深凹的特隆赫姆峡湾的湾口,南部有部分多夫勒山脉。沿海有希特拉和弗尔两个大岛。郡首府特隆赫姆是挪威主要城市之一。农村经济以农业和渔业为主,郡首府*特隆赫姆*(**Trondheim**)及周围地区航运业和制造业占主导地位。人口约257 079(1996)。

Sora(people) 参阅 **Savara** *萨瓦拉人*。

Sora 索拉 意大利中南部拉齐奥区弗罗西诺内省城镇。是古代古罗马和萨谟奈人战斗之地。曾多次遭受地震破坏。现已发展为山区旅游地。有纺织、造纸及其他制造业等工业。人口:城镇区约26 363(1993)。

Sorabji, Kaikhosru Shapurji 索拉布吉(1892-08-14,英国伦敦附近钦福德~1988-10-15,多塞特多切斯特) 原名Leon Dudley。性情怪僻的英国作曲家,以结合自由节奏、亚洲旋律结构和欧洲复调织体创作出复杂的音乐作品而闻名。他是帕西人、西西里人和西班牙人的后裔,大半生在英国度过。年轻时即对其父的帕西人传统发生兴趣,因而改名。初以音乐会钢琴家为业,技艺高超,20年代初放弃音乐会演奏;在20和30年代是一位直言不讳的音乐评论家和散文家,后从事作曲。最著名的作品是《拨弦键琴曲》(1930),但仅公开演奏过一次,由他亲自演奏。全曲由一个乐章构成,长达2个半小时,这是有史以来出版过的最长的无重复段钢琴曲。1940~1976年他不让自己的作品演奏或出版,只作一些私人的录音。著有:《围绕着音乐》(1932)和《Mi对Fa:一个马基雅弗里主义音乐家的不道德行为》(1947)。

Soranus 索拉努斯 古罗马宗教所信奉的神灵,他统辖阴间。他的庙建在伊特鲁里亚南部索拉克蒂山,他的众祭司在主持礼仪时赤足走过炭火。后人把他同罗马人所奉的阴间之神狄斯或希腊的阿波罗融为一体。

Soranus of Ephesus 索拉努斯(以弗所的)(今土耳其塞耳丘克附近,活动时期公元2世纪,亚历山大和罗马) 希腊妇产科医生和儿科医生、医学方法学派的主要代表。其有关妇科病、妊娠及婴儿护理等方面的著作影响医学界近1 500年。其名著《论助产术及妇科病》描述了多种避孕方法;介绍了产科椅和胎足倒转术(这些都被誉为15世纪的新发现);也描述了显然是佝偻病的疾患。在《论急性和慢性疾病》一书中有一章关于神经系统疾患的描述颇为精辟,他在该书中所建议的疗法类同于现代的心理治疗。作为一位敏锐的观察家和有超凡能力的开业医师,他所写的希波克拉底传是已知最早的一篇,也写过关于骨折的论文。

Sorb 索布人 居住在德国东部的斯拉夫少数民族。索布人集中于施普雷河流域的包岑(索布语布迪辛)及科特布斯两地。他们的聚居区原系*卢萨蒂亚*(**Lusatia**)的一部分,而卢萨蒂亚的历史却是同索布人密切相联的。索布人的先辈是斯拉夫民族的两个小部落卢日伊奇人和米尔查尼人。这两个部落是称作索布人的那个大部落的支系,索布人则是统称为文德人的许多斯拉夫部落之一。文德人居住在易北河与奥德河之间的土地上达数世纪之久,中世纪时才被德国征服并被纳入德国人的社会。尽管数百年来索布人一直处于德国人的包围之中,但今天的索布人却依然保持着他们的种族特征、语言、文学及风俗习惯。索布人大多数为天主教徒,使用一种源于拉丁字母的文字。索布人在20世纪末总共约有7万。参阅 **Wend**。

Sorbian languages 索布诸语言 又称卢萨蒂亚(劳济茨)诸语言或文德诸语言。彼此关系极近的西斯拉夫诸语言和诸方言,中世纪广泛使用,现在只有德国东部有少数操索布语的人。上索布语区的中心是邻近捷克共和国的包岑市,下索布语的中心则是靠近波兰的科特布斯。残存的东索布语没有书面形式,通行于穆斯考地区。索布诸语言的差别主要在语音系统上,约在13世纪已发生分化,而最早的文字记载可溯源至15世纪。上索布语在萨克森公国享有很高声誉,但普鲁士国王却想限制下索布语的流通。现在索布人也操德语,可是自1948年以后上下索布地区的学校一直讲授索布语。

Sorbon, Robert de 索邦(1201-10-09,法国勒泰勒附近索邦~1274-08-15,巴黎) 法国神学家。他是国王路易九世的告解司铎和索邦神学院创始人,这个神学院后来成为巴黎大学。是贫苦农家子弟,曾在兰斯和巴黎受教育,因虔诚和勤奋而获得阿图瓦伯爵和国王路易九世的资助。由于他对国王的重要作用及影响日益增长,1258年被任命为巴黎大教堂教士及宫廷神父。1257年得到一笔财产,又通过国王的帮助,他以这笔财产创建了索邦神学院。这是一所为穷困学生办的神学院,1259年得到罗马教皇的正式批准,并很快发展成为欧洲的主要学习中心和巴黎大学的核心。他自1258年起任该大学校长,主张高等教育应向人民普及,并撰写了大量宗教短论和评述。

Sorby, Henry Clifton 索比(1826-05-10,英国约克郡设菲尔德附近伍德伯恩~1908-03-09,设菲尔德) 英国地质学家。以其对岩石薄片的显微镜下研究,博得了"显微岩石学之父"的称号。他早期研究农业化学,然而不久,他的兴趣就转向地质学。他发表过涉及地质时期的自然地理、岩石的剥蚀和沉积以及河流阶地的形成的论文。他深信显微镜在一切学科中都是有价值的工具,1849年开始制备岩石薄片(厚约0.03毫米),进行显微镜下研究。后来的研究结果证明了岩类学(岩石学的描述性分支)的价值。他1858年在《伦敦地质学会季刊》上发表的《关于晶体微

观构造》的报告中,积极主张在地质学中采用显微镜技术。1865年,他提出一种用于分析有机颜料特别是分析微小血迹的新型光谱显微镜。他在陨石地质学方面的研究,导致了对铁和钢的研究,他的结论是,钢是结晶了的“火成岩”。后来的研究包括关于成层岩石的成因,关于风化作用以及海洋生物学。

sorcery 法道 指由恶魔之助或以控制恶魔而获得力量并加以利用。一些著述家把法道区别于巫术(witchcraft),他们指出:法道只要有一定技巧者都能实行,使用符咒、咒语、药物等物;巫术则据说源出于天生的神秘力量,其手段是无形的。法道也可以起防盗等护佑作用。行法道的人称为术士。法道与巫术并无一定区别。16～17世纪搜捕巫者时,法庭往往把巫婆与术士视为同类而处以火刑。

Sordello 索尔代洛(约1200,曼图亚附近乔托～1269之前) 最著名的普罗旺斯行吟诗人。出生在意大利。他为其保护人布拉卡斯之死而写的《挽歌》是普罗旺斯诗歌的杰作之一。1224年在维罗纳的理查德宫廷供职时,在其主人内弟的唆使下,诱拐了主人的妻子,因此出名。此后,他前往特雷维索,并在那里结了婚,跨越阿尔卑斯山脉,并受到一些仇恨他的家族的追捕。作为一个行吟诗人,他的足迹遍布西班牙和法国南部,约1237年在普罗旺斯贝伦加尔四世宫廷定居下来。嗣后,他又成为安茹的查理的侍从,1265年随查理回到意大利。他留下一首劝世诗《荣誉的教训》(共1 325行),和42首抒情诗。但丁和R.布朗宁都曾在诗中对他表示赞赏。

sordone 索尔东管 16和17世纪一种稀有的双簧片木管乐器。大管的早期前身。同大管的真正前身科塔尔管不同,它有一个圆柱形的管身(大管的管身是圆锥体的)。管身

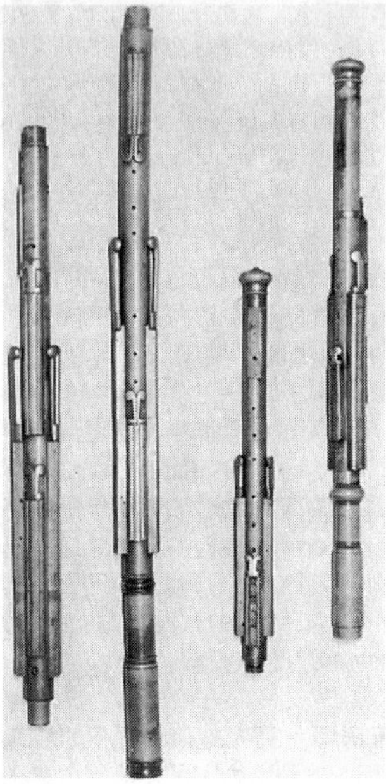

可能是意大利16世纪的索尔东低音管(未装簧片)

供图:Kunsthistorisches Museum, Vienna

用一段木头刻制而成,对折成窄U形,有一个侧孔。管壁上开几个指孔。它发音微弱,有13度的音域。

Sore, Martin 索雷 参阅 **Agricola, Martin** 阿格里科拉。

sore mouth 羊口疮病 又作 doby mouth。又称脓疱性皮炎或传染性丘疹。绵羊和山羊的一种病毒性疾病。特别是在唇上发生水泡、脓疱、溃疡和痂垢,也可发生于面部和耳部。重病例可生口疮。该病发生于春夏之际,约需一个月痊愈。人亦可受染该病。

Sorel 索雷尔 加拿大魁北克省南部城市。在圣劳伦斯河南侧黎塞留河河口。1642年在该地建黎塞留堡。1672年该堡指挥官索雷尔接受赠与地,该地区因之得名。为农业地区的贸易中心和海港,冬季可停泊内河轮船、挖泥船和其他船只。主要工业有炼钢、炼钛、修船、塑料、合成纤维、服装和家具。第二次世界大战中为重要的军火制造和造船业中心。城内有一所学院、一座历史博物馆、两座人教堂(圣彼得堂和圣母堂)、一座哥特式基督教堂(1842)。1848年建市。人口18 786(1991)。

Sorel, Agnès 索雷尔(约1422,法国弗罗芒托～1450-02-09,安娜维尔) 法国国王查理七世的情妇(1444～1450)。因国王赐给她的马恩河畔博泰庄园,亦称博泰夫人。小贵族家庭出身。早年为西西里女王洛林的伊萨贝尔当女侍。1444年在南锡的节日活动中,她的惊人美貌使得国王倾倒。她成为公认的国王情妇,是第一个拥有这种半官方地位的女人。这对于旧政权以后的历史具有十分重要的意义。国王对她的爱情始终不渝,直至她去世。国王曾赐给她钱财、城堡和土地,并给予王后的待遇。法国国王首次公开承认他的情妇,使人民震惊,引起人们的嫉妒和阴谋。她第4次分娩后的猝死据称是由于中毒。

Sorel, Georges(-Eugène) 索雷尔(1847-11-02,法国瑟堡～1922-08-30,塞纳河布洛涅) 一译索列尔。法国社会主义者和革命工团主义者,提出了关于神话和暴力在历史过程

供图:H. Roger-Viollet

中创造性作用的独特理论。出身于中产阶级家庭,学过土木工程。1892年离开了民政工程职务,专心于思考和研究问题。1893年发现了马克思主义并开始写分析评论文章。1897年曾热情为A.德雷福斯申辩。1902年他抨击社会主义和激进党派关于民主和宪政是通往社会主义途径的主张。他热烈支持革命工团主义,革命工团主义强调阶级斗争的自发性,是一个具有无政府主义倾向的运动。他最著名的著作《暴力论》(1908)被译成多国文字。在索雷尔看来,暴力是对现存社会秩序的革命的否定,而国家的武力是强制的力量。他不认为人的本性天生是善的,并由此得出结论说:令人满意的社会秩序不可能自然生成,而必须通过革命行动产生。1909年后,他对工团主义运动不再抱幻想。1917年俄国革命爆发后,索雷尔宣布支持布尔什维克,认为布尔什维克能促使人类在道德上再生。他的主要作品有《工团社会主义的未来》(1898)、《进步的幻想》(1908)、《德雷福斯式的革命》(1909)。

Sørensen, Rasmus Møller 瑟伦森(1799-03-08,丹麦耶灵～1865-05-23,哥本哈根) 丹麦教师、政治家、土地改革和代议制政府的主要鼓动家。19世纪20及30年代曾在几处进步的地主农庄当教师,使他产生了农民改革思想。他拥护在平民中学实施实用的世俗教育;主张分散大地产以维护小农田所有者的利益,由政府拨出基金帮助佃农取得土地所有权,并增加他们的政治代表权。19世纪40年代初他与另一位农民政策主要鼓动家汉森合编《平民之友》杂志。他组织人们传播请愿书,要求实行土地改革、平等征税、普遍征兵等措施。立宪政体建立后他被选入议会(1849～1852)。

Sørensen, Villy 瑟伦森(1929-01-13,哥本哈根～2001-12-16,哥本哈根) 第二次世界大战后丹麦有影响的现代主义的短篇小说作家和文学批评的领袖人物之一。1953年发表第一部短篇小说集《奇怪的故事》,1955年又出版《无害的故事》,1964年另一部重要小说集《保护人的故事》问世。他的短篇小说是试验性的,多取材于《圣经》、传说、民谣和世界历史。他仿安徒生的那种天真的笔调写伊萨克·迪内森写的那种寓意故事,突出那些威胁着人类生存的荒谬事物。他常以分裂的自我和个人在社会中的孤独为主题。他的短篇小说是他的哲学著作《诗人与魔鬼》(1959)和《既不——也不》(1961)中的理论的艺术体现。瑟伦森在思想上受德国的存在主义,尤其是马丁·海德格尔的著作影响很深。1959～1963年为文学杂志《风向标》的编辑之一。

Sorge, Richard 佐尔格(1895-10-04,俄国巴库[今在阿塞拜疆]～1944-11-07,东京) 德国新闻记者。第二次世界大战期间成功地领导了苏联的东京间谍网。第一次世界大战期间在德军中服役,后获德国汉堡大学政治学博士学位。1919年参加德国共产党。1924年去莫斯科,约5年后受共产国际的派遣去中国组织间谍网。在中国期间,他赢得了有才干的新闻记者和忠实的德国人的名声,并于1933年参加纳粹党。接着共产国际派他去日本。他在日本成为德国大使E.奥特少将的

政治顾问。佐尔格于1941年5月12日向俄国人报告,170个德国师将于6月20日沿苏联边境发动进攻(进攻事实上于6月22日开始),矛头直指莫斯科。1941年8月佐尔格报告,日军计划向南对太平洋地区目标发动进攻,而不是向北进攻苏联。这一情报使沿满洲边界驻扎的苏军得以调至西线作战。1941年10月18日,佐尔格被日本人逮捕。他与另一名俄国间谍尾崎秀实一起被处死。1964年苏联宣布佐尔格为苏联英雄。

sorghum 高粱 禾本科(早熟禾科)谷类作物及其可食颖果。可能原产于非洲。主要种植以收取其颖果的类型均属普通高粱(高粱,*Sorghum vulgare*);该种包括许多品种,如谷高粱,用作干草和饲料的草高粱和用扎扫帚、刷子的帚高粱。谷高粱包括都拉高粱、买罗高粱、沙卢高粱、南非高粱、埃及高粱、大黍及印度黍等。高粱是粗壮禾草,通常高0.5～2.5米,有时达4.5米。茎叶覆盖一层白色蜡被。一些品种的茎秆多汁味甜。叶宽约5厘米,长75厘米。圆锥花序松散或紧密,结籽大约800～3 000粒。种子的颜色、形状、大小因种类不同差异很大。高粱的食用价值低于玉米,含丰富的碳水化合物、10%的蛋白质、3.4%的脂肪以及钙和少量铁、维生素 B_1 和烟酸。高粱通常碾成粉做粥、小面包干和糕饼,其独特的强烈的味道在加工过程中减弱。其谷粒也用于制取食用油、淀粉、葡萄糖、浆糊和高粱酒。茎杆用作饲料和建筑材料。甜高粱(芦黍)主要种植于美国和非洲南部,用作饲料或制作糖浆,有的国家的人嚼食其茎杆。高粱耐热抗旱,是非洲的一种主要谷物,美国、印度、巴基斯坦、中国东北部和华北也有栽培。伊朗、阿拉伯半岛、阿根廷、澳大利亚和南欧也大量种植。

Soria 索里亚 西班牙中北部卡斯蒂莱-莱昂自治区一省。面积10 287平方千米。北部隆起蒙卡约和乌尔维翁两山脉,中部属杜罗河流经的平原,南部为丘陵带。出产谷物和葡萄,有林牧业。省会索里亚市。人口约97 984(1988)。

Soria 索里亚 西班牙中北部卡斯蒂利亚-莱昂自治地区索里亚省省会。位于杜罗河西岸,在马德里东北约175千米。曾由阿拉贡国王阿方索一世从摩尔人手中收复,后并入卡斯蒂利亚王国版图。中世纪时,依次属12家贵族统治。有罗马式教堂多处。现有食品加工、锯木、水泥、肥皂及制瓦等工业。西班牙诗人和小说家常以该市为他们的背景素材。人口31 800(1981)。

Sorin, Edward Frederick 索兰(1814-02-06,法国阿胡耶～1893-10-31,美国印第安纳南本德) 天主教司铎、教育家、圣母大学的创建人及第一任校长。1838年受神职,两年后加入法国勒芒的一个司铎和教友的组织圣十字架会。1841年应主教黑兰迪尔邀请,索兰与其他6名教友一起赴美国印第安纳州温森斯市。1843年,他在密歇根州伯特兰市建立法裔圣十字架会女会。次年获得许可建立圣母大学,这是一所男子高等学校,他任校长直至1865年。1854年创办一所小规模女子文科学院圣马利亚学院以及圣十字架会女会母院。1865年开始出版《颂赞圣母》杂志并任圣十字架会美国分会会长,1868年起任总会长,直至逝世。

sorites 复合三段论 三段论或传统逻辑中,逐次的第一格三段论(即以中项或重复项作为大前提的主词和小前提的谓词)或者论证单元,从两个前提(即一个大前提和一个小前提)到一个结论,按如下方式相联而成的链:每个三段论(最后一个除外)的结论是下一个三段论的小前提,或者每个三段论(最后一个除外)的结论是下一个三段论的大前提。这样,如果把所有逐次三段论(最后一个除外)的结论都除去,只表出所保留的前提和最后的结论,那么所得的论证便是从所述前提得出的正确推理。例如:

有些狂热者表现出判断不当,

所有表现出判断不当的人都常常犯错误,

所有常常犯错误的人都不值得绝对信赖,

所以,有些狂热者不值得绝对信赖。一般说来,可能有 $n+1$ 个前提,于是分析便给出 n 个逐次三段论的链。

Sørlandet 瑟兰 挪威南部一地理区域。面积16 493平方千米,包括东阿格德尔郡和西阿格德尔郡。南面沿挪威南海岸伸延,从沿海向内地至比克勒荒原(高地)。奥特拉河从北到南将整个地区分为两部分。居民大多集聚于沿海低地。克里斯蒂安桑和阿伦达尔为地区的主要工业中心和海港。瑟兰地区的农村经济以耕作业和乳制品业为主,沿海地区渔业和鱼类加工亦重要。西南一隅的林讷角灯塔是挪威本土的最南点。由于地处南方,所以沿海地区具有挪威最温暖的气候和海滩浴场。整个地区是旅游业重要中心。人口约243 782(1992)。

Sorø 索勒 丹麦西西兰州城市和首府。著名的丹麦男校、类似英国公学(私立学校)的索勒公学建于此地。1586年腓特烈二世创建该校,学校位于前西多会隐修院内(12世纪)。校友包括丹麦许多国王和王子。1638年建市。经济主要支柱是机械、木制品和肉制品业。人口:市约6 728;城市区约14 668(1999)。

Sorocaba 索罗卡巴 巴西圣保罗州中东部城市。濒临索罗卡巴河。海拔550米。1661年设为镇。1842年设为城市区。现为巴西最重要的工业中心之一。制造业生产棉纺织品、丝织品、水泥、化肥、木材、铝制品、鞋、帽子、酒精和甜酒。为索罗卡巴电气铁路管理总部驻地,有机车修配厂。货物可通过铁路、公路和航空线运至圣保罗城及其他市场。人口487 907(2000)。

Sorokin, Pitirim Alexandrovitch 索罗金(1889-01-21,俄罗斯图里亚～1968-02-10,美国马萨诸塞温切斯特) 美籍俄裔社会学家。1930年在哈佛大学创办社会学系。他对社会学理论的历史研究有所贡献,把社会文化体系分成为两类:一类为"感知的"(经验的,依靠自然科学并促进自然科学),另一类是"想象的"(神秘的、反智力的,依靠权力和信仰)。索罗金是彼得格勒大学第一位社会学教授(1919～1922),因反对布尔什维克主义而被苏联逐出国。索罗金在到哈佛大学以前曾在明尼苏达大学工作,专攻乡村社会学(1924～1930)。著有《乡村社会学资料汇编》(3卷,1930～1932)、《社会动态和文化动态》(4卷,1937～1941)、《在灾难中的人和社会》(1942)、《利他爱》(1950)和自传《漫长的旅程》(1963)。他认为,西方感知文化到中世纪晚期已是它的最后阶段,为了避免世界性的大混乱,必须把非两性的利他爱作为一种科学来研究。根据他的极化原理,在一般情况下,道德情操无分轩轾,但到混乱时期,自私与利他便趋极端。因此,利他之爱便为人类所需而应予提倡。

Sorokino(Ukraine) **索罗基诺** 参阅 **Krasnodon 克拉斯诺顿**。

Sorolla y Bastida, Joaquín 索罗利亚-巴斯蒂达(1863-02-27,西班牙巴伦西亚～1923-08-10或11,塞尔塞迪利亚) 西班牙画家。其后期作品的风格被称为印象主义的一种保守的个人变种。索罗利亚-巴斯蒂达15岁人巴伦西亚的圣卡洛斯皇家学院开始专业训练,后来留学罗马和巴黎。作品有历史画、风俗画、肖像画和风景画。以画海滨景色最为驰名,例如《拖舟上岸》(1903),其特征是:戏剧性的构图,光和影的鲜明对比,颜色明亮,笔触有力。

Soromenho, Fernando Monteiro de Castro 索罗梅纽(1910-01-31,莫桑比克欣代～1968-06-18,巴西圣保罗) 安哥拉白人小说家,用葡萄牙文写作,主要描述国内腹地的非洲人生活,谴责当地葡萄牙殖民政府。被称为"安哥拉小说之父"。1911年被父母携往安哥拉,6岁时回葡萄牙上学,1925～1937年回安哥拉。后在罗安达及里斯本当记者。1937年在里斯本编辑《人道》杂志,1943年开办自己的出版社。他的作品有5部长篇小说,4部故事集,若干社会学研究著作及游记。第1部作品《恩哈利:黑人的戏剧》(1938)中有关于非洲传统社会的故事。长篇小说《死亡的土地》(1949),集中写欧洲人侵入罗安达省非洲人生活而引起的冲突。出版于巴西的《死亡的土地》被葡萄牙当局查禁。政府对他的其余已出版作品也禁止发行。1960年为躲避在葡萄牙遭到逮捕而逃亡国外,生活在法国、美国和巴西。其他小说有《痛苦之夜》(1939)、《没有方向的人》(1941)、《转折》(1957)和《创伤》(1970)。

sororate 填房婚 男人与他的妻子的姐姐或妹妹的婚姻。这种婚姻可以在第一个妻子生前,也可以在她死后。填房婚这一术语是由英国人类学家詹姆斯·乔治·弗雷泽爵士首先使用的。一般来说,转房婚制(寡妇与死去丈夫的兄弟的婚姻)和填房婚制在原则上是有关联的,也是主要配偶以外的次级婚配的最普遍的理想形式。无论填房婚制还是转房婚制都是允许的而非强制性的。但马里科帕人(亚利桑那州)的传统是对转房婚带有强制性,而对填房婚则出于习惯而不强制。虽然一个男子连续与两个以上的姊妹婚配或同时与两个以上的姊妹婚配,在原则上属于同样性质,但有些民族则只赞同一种而禁忌另一种。因之,有必要将姊妹共夫与填房婚加以区别。姊妹共夫的通例是,男子在妻子的诸妹成年之后连续娶以为妻,19 世纪时这种风俗至少在北美 40 个部落中存在过。晚近时期,纳瓦霍男子常常同时娶两姊妹为妻,偶尔也娶 3 个姊妹。

sorority 美国大学女生联谊会 参阅 **fraternity and sorority** 美国大学生联谊会和大学女生联谊会。

sorosilicate 孤立双四面体硅酸盐 旧称焦硅酸盐。结构中有 2 个硅氧四面体(1 个中心硅原子被 4 个在四面体顶点的氧原子所包围)结合在一起的一类化合物。因为 2 个四面体共用 1 个氧原子,所以其化学式含有 Si_2O_7,例如黄长石或异极矿。

sorrel(tree) **酸树** 参阅 **sourwood** 酸木。

sorrel 酸叶草 蓼科几种耐寒的多年生草本植物(酸模)的俗称,广泛分布于温带地区。绵羊酸叶草(微酸酸模,*Rumex acetosella*)原产于欧洲,非常美观,但是它会侵入草坪、花园、草甸和多草的斜坡,成为人们讨厌的杂草。从蔓延的根状茎上抽条生长。酸叶草的叶细长,呈三角形,味酸而辛辣,可用作蔬菜,作炒蛋或酱汁的调料,也是奶油酸叶汤的主要成分,嫩叶可做沙拉;花小,黄色或浅红色。有两个近缘种:庭园酸叶草(酸叶酸模,*R. acetosa*)和法国酸叶草(盾状叶酸模,*R. scutatus*);均为耐寒的多年生植物,遍布于欧洲和亚洲。庭园酸叶草与绵羊酸叶草一样已在北美归化。酢浆草(**wood sorrel**)指酢浆草属(*Oxalis*)植物。

Sorrento 索伦托 意大利南部坎帕尼亚区那不勒斯省城镇和大主教区。位于萨莱诺海湾与那不勒斯湾之间的一个半岛上。在那不勒斯市东南偏南处。诗人 T.塔索 1544 年诞生于此。索伦托的著名建筑物有大教堂、科雷亚莱-迪泰拉诺瓦博物馆,馆内收藏有重要的坎帕尼亚装饰艺术品、中世纪雕刻、绘画以及古典遗物。该地气候宜人、风景优美,久为旅游胜地。索伦托所产葡萄酒、橄榄油和柑橘属水果亦很著名。人口:城镇区约 17 015(1991)。

Sorsogon 索索贡 菲律宾吕宋岛东南部城镇。位于比科尔半岛最南端。为索索贡湾东北岸的港口。与它毗邻的内陆多火山锥,平坦农田散布其间,种植麻、椰子、水稻和白薯。索索贡镇内有麻和椰干加工厂。人口 72 871(1990)。

sortition 抽签选举 抽签选举是古代希腊某些城邦挑选公职人员的方法。在雅典的民主政治中用得特别多。除少数例外,从公元前 487～前 486 年的一届执政官起,所有政务官员都用抽签法选出,五百人会议和法庭的陪审团也是如此。这种办法避免了选举中的竞争,保证定期补足出缺的官员。因此,政府的工作并不掌握在专门家手中,而通过抽签的办法,雅典民主制度至少为它的公民提供了某种实际的政治教育。抽签的理论根据是全体公民一律平等。只有申请为候选人的那些人才由抽签选出担任公职。军官(包括 10 个将军)和某些财政官员则投票选举。但大部分行政职务都被划分为琐细的工作,每项工作委托给一个每年用抽签办法选出的 10 人团。

sorus 孢子囊群 或称囊群。蕨类植物孢子叶下表面的孢子囊丛。呈淡棕色或淡黄色,通常覆以具保护作用的鳞片状或膜状囊群盖。锈菌和黑穗菌的囊群是生长在受侵害

水龙骨属蕨类植物(*Polypodium vulgare*)的孢子囊群
供图:Mary W. Ferguson

植物叶上的孢子堆。孢子囊群亦见于多种海生藻类。参阅 **spore**。

Sosa, Sammy 索沙(1968-11-12,多米尼加共和国圣佩德罗-德马科里斯～) 全名 Samuel Sosa Peralta。美国职业棒球运动员。1999 年成为第一名在两个赛季击出 60 个本垒打的运动员。父亲去世后,他在小时候干过许多工作,包括擦鞋,以贴补家用。14 岁时戴上牛奶盒做成的棒球手套开始打有组织的棒球比赛。1985 年与得克萨斯游骑兵队签约,并于 1989 年首次在职业比赛中亮相,之后很快被交换到芝加哥白袜队,1992 年再转会到芝加哥小熊队。1993 年这位右外场手成为小熊队有史以来在一个赛季 30—30(30 支本垒打,30 次偷垒)的球员,1994 年他再度取得这项成绩。在 1998 年和 M.麦奎尔戏剧性的本垒打破纪录追逐赛中,他以 66 支结束,赢得全国棒球联盟最有价值球员称号。1999 年以 63 支本垒打和麦克威尔成为仅有的两名连续两个赛季本垒打均超过 60 支的球员。在 2005 年赛季开始之前,索沙转会到巴尔的摩黄鹂队。

Sosigenes of Alexandria **索西琴尼**(活动时期公元前 1 世纪) 天文学家和数学家,曾受 J. 凯撒之聘,设计儒略历。由于他和生活在公元 2 世纪的埃及哲学家和教师索西琴尼同名,有时会被混淆。在罗马国内战争结束时(公元前 49～前 45),凯撒决定用统一的历法取代罗马国内各种不精确的历法。在索西琴尼的建议下,凯撒于公元前 45 年 1 月 1 日开始采用儒略历:一年 365 天,每 4 年(闰年)加一天。只须略作更改,这一历法就同现代的格雷果里(格列高利)历无异。索西琴尼著有《公转的球体》等天文学著作,现仅存残篇,其中有一段,他认为水星绕太阳公转。

Sosnowiec 索斯诺维茨 波兰南部西里西亚省城镇。濒临维斯图拉河支流黑普热姆沙河。为一铁路交叉点和上西里西亚的工业城镇。有许多重工业工厂及煤矿、纺织厂和玻璃厂。建有波兰第一座矿业博物馆,收藏约 5 000 件展品。17 世纪建有城堡。1830 年火灾后重建。1845 年华沙-维也纳铁路建成后开始兴盛。19 世纪末成为工业中心。1902 年设镇。到 2002 年建城百年纪念时,该地又增加了商业和服务业。人口约232 622(2002)。

Soso(people) 参阅 **Susu** 苏苏人。

Šostka(Ukraine) 参阅 **Shostka** 绍斯特卡。

Sōtatsu 宗达(活动期1600～17世纪30年代) 日本德川时代(1603～1867)的艺术家。他将叙事性的卷轴画(即大和绘的本土派的传统主题)与安土桃山时代(1574～

宗达绘六扇彩色屏风画《源氏物语》的细部
供图:Seikado Foundation, Tokyo

1600)醒目的装饰性大屏风画结合一体。他在用色,特别是用金粉和银粉以及对空间的处理方式上对后期画家,特别是尾形光琳产生影响。他出身于一个商号叫"俵屋"的富商家庭,活动地点主要在京都。宗达曾获"法桥"的尊称,这是给艺术家的一种很高的荣誉称号。其著名作品有:为京都养源院内的 12 扇门所作的装饰画。此院是 1621 年为日本

军事首领德川将军的妻子重建的。在传为宗达真迹的作品中,最杰出的是一对6扇屏风,屏风画面取自11世纪日本古代著名小说《源氏物语》中的有关情节。其他作品还有:京都醍醐寺中的一对舞乐图屏风、京都建仁寺中的一对雷神及风神图屏风;此外,还有一对描绘"松岛"景色的6扇屏风(现藏美国华盛顿弗里尔艺术陈列馆)等。

Sotavento, Ilhas de(Cape Verde) **索塔文托群岛** 参阅 **Leeward Islands** 背风群岛。

Soter, SAINT **索泰尔,圣**(?,拉丁姆丰迪[意大利]~约175,罗马) 教皇(约166~约175在位)。他写信给哥林多教会,送去捐赠物资,哥林多主教狄奥尼西复信感谢他的盛情和神学指教。他同前代教皇阿尼塞图斯一样,谴责孟他努派异端,该派过分强调先知的作用和修身。他死因无史料可考,但被奉为殉教者。

Soteria **脱灾祭** 希腊化宗教的祭礼,纪念或祈望脱灾入福;常指定期举行的、大规模的纪念性节日。已知有16个脱灾祭日;在德尔斐举行的一次最为著名,庆祝公元前279~前278年击败凯尔特人。

Sotheby's **索思比拍卖行** 全名索思比持股公司。1861~1924年又称索思比-威尔金森和霍奇拍卖行,自1924年起又称索思比公司。它是艺术拍卖行,1744年在英国伦敦建立,自1983年以来归美国人所有。其主要的办事处设在纽约市和伦敦,其他销售办事处和拍卖厅遍及全世界。索思比拍卖行的创始人S.贝克(1778年逝世)为伦敦的书商,早在1744年他以他本人的名义举行了第一次拍卖,售出家传藏书457册。1767年他与G.利合伙经营,在约克大街建立了拍卖行,数年间又拍卖了一些藏书。贝克死后,其全部财产分给利和贝克的外甥J.索思比(1778~1807)。1818年两个继承人将商行迁至惠灵顿大街13号,他们领导了商行达80余年,直至1861年最后一个索思比逝世时为止。商行在一系列合伙人的经营中继续兴旺发达,1917年迁至现在的伦敦处所新邦德大街34~35号。在整个19世纪和20世纪初期索思比拍卖行主要集中在拍卖书籍、手稿和图片;尽管偶而出售有其他的收藏物品,而第一次世界大战结束之前绘画及其他艺术作品并没有在索思比拍卖中占主要的地位。第二次世界大战后,主要在其董事长P.C.威尔逊的领导下(1958~1980),索思比拍卖行在纽约市奠定了业务基础,1964年收购了帕克-伯内特画廊(1883年创建的首要的美国拍卖行)。1983年索思比拍卖行被美国商人和艺术倡导人A.A.陶布曼所收买。在其整个历史中,索思比拍卖行经手销售过一些曾经是最重要的英国及其他国家藏书。在20世纪,它收购过许多财产,以收购了19和20世纪绘画(尤其是印象派的绘画)而著称。1958年,索思比拍卖行出奇制胜地销售了戈德施米特藏品,当时曾出现令人吃惊的销售高价。此事现在有时被人誉为20世纪末期美术销售高潮的先兆。最令人惊愕的拍卖之一发生在销售戈德施米特藏品的3年后(1961),伦勃朗的"亚里士多德凝视荷马的胸像"被纽约大都会艺术博物馆以230万美元买走。索思比持股公司还主办艺术课程和展览会,管理经营豪华房地产的索思比国际不动产公司,出版刊物《预展》、新闻通讯、目录以及印有公司徽章的艺术参考书籍。

Sothern, Edward H(ugh) **萨森**(1859-12-06,美国路易斯安那新奥尔良~1933-10-28,纽约市) 美国演员。以扮演浪漫主义的喜剧角色为观众所熟悉,并以扮演莎士比亚戏剧人物著称。其父是英国喜剧演员E.A.萨森。1879年随父亲的剧团首次在纽约市登台。1882和1883年两度赴英巡回演出,并成为约翰·麦卡洛剧团中的主要喜剧演员。在弗罗曼的指导下,他在纽约的兰心剧院担任主要演员。1899年成立了自己的剧团。1900年在《哈姆雷特》中饰同名主角,1901年在《理查德·洛夫莱斯》中饰同名主角,1902~1903年又扮演了《假如我是国王》中的维龙。以上是他最成功的3个角色。1904年在芝加哥和J.马洛一起主演《罗密欧与朱丽叶》,从那时起(1907~1909除外),他们一直在一起演出,到1924年引退为止。他们于1911年结婚。他掌握的角色多达125个以上,但他以扮演《曾达的囚徒》这类戏剧中的浪漫主义英雄最为闻名。其自传《我的悲伤往事》于1916年出版。

Sotho **索托人** 又称苏图人(Suthu)或苏托人(Suto)。操班图语诸民族中的一个语言和文化集团,住在非洲南部高地草原。主要群体按惯例分为:德兰士瓦索托人(又称北索托

制作陶器的索托人妇女
南非旅游公司供图

人,包括佩迪人、洛维杜人及其他部族)、西索托人(或称茨瓦纳人[**Tswana**])、南索托人(常被称为巴苏托人,住在莱索托及其邻近地区)。传统人索托人绝大部分靠农牧为生,玉米为主食,黍稷、豆类、番薯及其他作物也很重要。在现代社会,男性经常大批离乡背井,到外地作农业季节工。典型的住区模式是分散的小村落,村中住所是泥笆墙或石头墙上苫以锥形草顶之圆形茅屋。较大城镇多是茨瓦纳人聚居地,在南非境内,则是那些班图语居民的住区。他们传统上允许一夫多妻,需用牛作为聘礼;一般按父系血统传代、继位和遗产继承,只有一个群体同时按父系和母系传代。基督教、城市化及非部落化等因素,已使索托人的传统文化逐渐瓦解。

sotie **趣剧** 又拼sottie。15和16世纪早期流行于法国的一种讽刺短剧,其中由一伙傻子(小丑)针对当代人物和事件嘲弄说笑。这些傻子穿上传统的短外套、紧身衣、喇叭裤,戴上小丑的尖帽,并且在这些滑稽小品中加入杂技和闹剧的幽默手法。起初,趣剧被用作神秘剧和道德剧的一种开场小戏,后来发展成一种独立形式。趣剧堂而皇之地嘻笑怒骂,并且被用作政治斗争的一种武器。16世纪时遭到禁止,为更一般化的讽刺形式所取代。

Sōtō **曹洞宗** 日语。日本佛教禅宗最大的支派,主张坐禅以求证觉悟。此宗于9世纪由唐代僧人良价和弟子本寂创立于中国,中心寺院在曹山与洞山,故名。日本僧人永平寺创建人道元将此宗传入日本,13~14世纪得僧人莹山绍瑾弘传。日本曹洞宗本寺有福井县的永平寺和横滨附近鹤见的总持寺。参阅 **Rinzai**。

Soto, Hernando de **德索托**(约1496/1497,西班牙巴达霍斯赫雷斯-德洛斯卡瓦列罗斯~1542-05-21,密西西比河沿岸[今美国路易斯安那]) 西班牙探险家和征服者,参加

美国国会图书馆供图

过对中美洲及秘鲁的征服;在对后来成为美国东南部的探险过程中,发现密西西比河。为首先深入北美大陆的欧洲殖民者。出生于地理发现的伟大年代。从小向往海外探险。1514年,年仅十几岁的德索托告诉父亲说他想去西印度,便离开家乡去塞维利亚。尽管年轻,德索托的热忱和骑师般的勇猛帮助他获得参加阿里亚斯·达维拉的1514年西印度探险的机会。在巴拿马,德索托迅速表现为一名贸易商和远征者,用他的技巧和胆识获得高额利润。截至1520年,由于合伙公司的成功,他在尼加拉瓜和巴拿马地峡的奴隶贸易中积攒了可观的资本。1524~1527年,德索托挫败了竞争对手冈萨雷斯·德·阿维拉对尼加拉瓜的控制权后,便扩展了西印度的奴隶贸易。1530年德索托借给F.皮萨罗2条船去调查位于太平洋岸(在今哥伦比亚西北部)达连南方的金矿。1531年达维拉去世,皮萨罗调查证实了有金矿,德索托乃参加皮萨罗率领的远征队。为酬谢借用船只,皮萨罗让德索托任他的首席官员,次年(1532)开始

对秘鲁的远征。德索托作为远征队的骑兵队长，是战败卡哈马卡印加人的西班牙主力，也是与印加王阿塔瓦尔帕接触的第一位欧洲人。在西班牙人俘虏阿塔瓦尔帕之后，德索托占领了印加帝国的首都库斯科。为了政治原因，他成为印加王的朋友和保护人；但是皮萨罗惧怕印加王在他臣民中的影响，将他处死，虽然臣民们献出巨额黄金请求释放印加王。德索托目睹皮萨罗杀害印加王的罪行和西班牙人统治秘鲁后的胡作非为，使他感到厌恶，1536 年返回西班牙。他在秘鲁劫掠的积累虽然不及皮萨罗的一半，但已使他成了凯旋的征服者中最富有的一位。1537 年他寻求特许远征厄瓜多尔，并对亚马孙流域享有特权。但西班牙王室派他去远征今佛罗里达州的所在地区，另外任他为古巴总督。1538 年他决定去北美探险。4 月，率领 10 条船只 700 人和 350 匹马自西班牙的桑卢卡尔-德巴拉梅达港出发。在古巴短暂停留后，于 1539 年 5 月在佛罗里达坦帕湾与夏洛特港之间的地方登陆。在今天塔拉哈西附近的一个印第安人小村度冬后率众北上。穿过今天的佐治亚州，然后向西经过卡罗来纳及田纳西，由一路诱拐来的土人当向导。虽然没有找到他要寻找的黄金，但也的确搜集到一大批有价值的各色珍珠，地点在今佐治亚东部。德索托同他的队员们折转向南进入阿拉巴马，向莫比尔湾(在路易斯安那)前进，在此等待约定会合的船只。一路和许多印第安酋长打交道。1540 年 10 月在印第安人城堡莫维拉(今天莫比尔)地方与当地土著打了一场硬仗，探险队丢掉全部珠宝和大部分装备。探险队向西北前进，1541 年 5 月看到了"水之父"的密西西比河，在今田纳西州孟菲斯南面。渡河后经过阿肯色与路易斯安那。1542 年初德索托回到密西西比河。他因热病死于今路易斯安那州。他的伙伴把他埋葬在密西西比河中。

sottie (satirical play) 参阅 **sotie** *趣剧*。

sotto in su 仰角透视 在绘画中将天花板上或高台上的人物，按照前缩法加以处理，以给观者造成一种人物悬浮在空中的幻觉。它是巴罗克和洛可可两派画家们所特别爱用的手法，在 17 和 18 世纪的意大利甚为盛行。A.曼特尼亚、朱里奥·罗马诺、柯勒乔和 G.B.提埃坡罗等人都是此项技法杰出的代表人物。

圭尔奇诺用仰角透视法画的《奥罗拉》(1621～1623)
供图:SCALA—Art Resource/美国不列颠百科全书公司

souari nut 油桃果仁 souari 又拼 swarri。又作 butter nut 或 pekea nut。又称黄油果仁。油桃木科(Caryocaraceae)油桃木属(*Caryocar*)乔木的种子。该属植物的果实大型，成簇。典型种为具坚尔油桃木(*C. nuciferum*)，原产南美北部。果实大小如椰子，果肉可食，内含 4 枚坚果状种子。种子肾形，红色，有硬壳，壳上凹凸不平。其味浓，富含油脂，可提取用于烹调。

Soubirous, Marie-Bernarde 苏比鲁 参阅 **Bernadette of Lourdes, Saint** *贝尔娜黛特(卢尔德的)，圣*。

Soubise, Benjamin de Rohan, seigneur de 苏比斯(1583，法国拉罗谢尔～1642-10-09，英格兰伦敦) 即 B.de 罗昂。法国胡格诺派领袖。罗昂公爵亨利的幼弟。曾在奥兰治-拿骚亲王莫里斯麾下到低地国家作战。在 1621 年开始的宗教战争中，他在西部和沿海一带参战。他最辉煌的战绩是 1625 年对布拉韦河上的保王派舰队所进行的极其大胆又指挥得当的袭击以及对奥莱龙岛的占领。在拉罗谢尔包围战中，他指挥守城作战，当大势已去时逃往英格兰求援。

Soubise, Charles de Rohan, prince de 苏比斯亲王(1715，法国巴黎～1787-07-04，巴黎) 即 C.de 罗昂。法国贵族和元帅，路易十五和蓬巴杜夫人的宠臣。1744～1748 年随路易十五御驾亲征，因善谄媚而获得颇高军衔。七年战争开始后，在蓬巴杜夫人的提携下，被授以指挥 2.4 万人的兵权，1757 年 11 月在罗斯巴赫大败于腓特烈大帝之手。然而，他很幸运，以后在桑德豪森和吕泽尔堡打了几次胜仗(1758)。他继续服役至 1763 年全面媾和为止。后来在巴黎过着一般朝臣与社会名流的生活。

soubrette 风骚女仆 戏剧中闺房女仆一类的女性喜剧角色。首见于法国喜剧较早的例子是博马舍的《费加罗的婚礼》(1784)中的苏姗娜。更早的例子则是莫里哀的《达尔杜弗》(1664)和《贵人迷》(1670)中的多莉娜和尼科尔。她们大多具有独立的性格，不随波逐流，十分实际且天性幽默。由于富有机智并胆大谋深，风骚女仆在喜歌剧和小歌剧中更加受人欢迎并受到重视。

佚名画家所绘《杰洛西剧团》(约 1580)中的风骚女仆(右)及哈乐根
斯德哥尔摩德罗特宁霍尔摩剧院博物馆供图

Souei language 梭语 又作 Soui，Kuay 或 Kuy。通行于泰国东北部、柬埔寨北部及老挝南部部分地区的语言，属于澳斯特罗亚细亚语超系孟-高棉语系卡图语支，使用人数约 63 万。梭语以其使用人数、分布范围及历史作用，成为孟-高棉语系中最重要语言之一，仅次于越南语、高棉语及孟语而位列第四。

Soufflot, Jacques-Germain 苏夫洛(1713-07-22，法国伊拉西～1780-08-29，巴黎) 法国建筑师。18 世纪新古典主义的倡导人。18 世纪 30 年代及 50 年代屡次游历罗马，考察该地的古典建筑。1738 年回到里昂从事建筑师业务。他反对当时流行的复杂装饰，主要作品为迪厄饭店的扩建工程（始于 1741 年），简洁开朗，受到当时进步人士的欣赏。1754 年设计的巴黎圣热讷维耶沃教堂将哥特风格的轻巧性同古典式的庄严、开朗感融为一体。平面为正十字形，立面为巨大的神殿式，他用独立的柱子支承穹顶，但由于不够稳固只得用扶垛加固。在法国大革命时期因废除宗教而改名为先贤祠，不幸的是两侧窗用墙堵住，许多装饰被除去，内部空间的明朗感被破坏，成为现在这座有些阴暗的纪念堂。

Soufrière 苏弗里耶尔 又称拉苏弗里耶尔。加勒比海中瓜德罗普的巴斯特尔岛南部的活火山。海拔 1 467 米，是瓜德罗普的最高点。1976 年 8 月喷发，因为当局事先从该地区撤走了约 72 000 人，没有造成生命损失。1977 年 1 月又有几次轻微的喷发。

Soufrière 苏弗里耶尔 加勒比海东部圣卢西亚岛上的城镇。在首府卡斯特里西南该岛西海岸。景色如画，是一个渔港以及椰子和酸橙产区的中心。在城镇东南 3 千米有几座沸硫磺泉。人口约 7 963(1992)。

Soufrière, Mount 苏弗里耶尔山 加勒比海中小安的列斯群岛内圣文森特岛上的活火山。海拔1 234米。1812 年大喷发,1902 年再次喷发,毁灭了半个岛屿,死亡2 000人。1971 年发生一系列小喷发,没有造成损失。1979 年 4 月的一次喷发迫使当局把岛上 2/3 的居民撤离;虽然没有人伤亡,但农业损失很大。

Souk el-Arba(Tunisia) **苏格艾尔巴** 参阅 **Jundūbah** 朱杜巴。

soul 灵魂 宗教和哲学概念。通常指人的非物质方面或人的本质,是个性和人性的所在,往往与心或自我同义。在神学上,灵魂是人的具有神性的一部分,肉体死后灵魂仍存在。大多数民族都认为,人的生命中具有非物质的根本,那就是灵魂;也有一些民族认为,一切生物都有灵魂。甚至有证据表明,史前人类就相信他们还有一种不同于肉体,但始终存在于体内的东西。尽管相信有灵魂存在习以为常,但在灵魂的生、死、性质以及它和肉体的关系等问题上,不同的宗教和哲学派别却有不同的说法。

古代埃及人和中国人都相信有双重的灵魂。埃及人认为,人死后,他的护卫灵守候在尸体附近,身魂前往阴间。中国人认为,人死时他的低级的、感性的魄消散,而魂继续存在而受子孙祭祀。早期希伯来人显然也相信有灵魂,但并不认为灵魂与肉体是分开的。后世的犹太作家进一步发展关于灵魂的观念。《旧约》把灵魂和精神(生命)的概念联系在一起,认为无形的灵魂和有形的肉体之间并没有什么区别。基督教义中后来出现的肉体-灵魂两分的概念始于古希腊哲学,以后在圣格列高利(尼斯的)时代早期,由圣奥古斯丁引入到基督教神学理论。但是,古希腊关于灵魂的学说太多了,时代不同、哲学流派不同,有关灵魂的概念也就不同。伊壁鸠鲁的信徒主张灵魂、肉体同源,认为灵魂是由和肉体其他部分一样的原子构成;而柏拉图主义者认为灵魂是一种非物质、非肉体的东西,与尚在人世间修炼的神同宗。亚里士多德关于灵魂的概念比较含糊,但他的确说过灵魂是与身体分不开的一种形式。圣奥古斯丁在基督教神学中称灵魂好比身体的"骑手",把物质的和非物质的两者清清楚楚地给分割了开来,而且以灵魂代表"真正的"人。虽然肉体和灵魂是分开了,但是灵魂而没有它的身体又是不可想象的。于是,中世纪欧洲的圣托马斯·阿奎那就又找回了古希腊哲学家的概念:灵魂是肉体动机的根本,既独立于肉体,又必须以肉体为依附。自中世纪以迄,西方哲学关于灵魂的存在与性质以及它与身体的关系的争论,一天也没有停止过。R.笛卡儿认为,人是肉体与灵魂的联合体,它们各自为一独立实体而互相作用,灵魂也即心。B.de 斯宾诺莎认为,肉体与灵魂是单一体的两个方面,宇宙万物无不有心与物两个方面。I.康德提出,灵魂无法以理性说明,但心思必然会断定灵魂存在,人必须有这种结论以便据以发展伦理学和宗教。20 世纪初,哲学家 W.詹姆斯指出,一般人所理解的灵魂根本不存在,灵魂无非是各种心理现象的集合。和对灵魂与肉体的关系有不同的理解一样,不同的宗教派别在灵魂的生、灭问题上也是各执一词。毕达哥拉斯主张"灵魂神源",先于肉体而存在,并得永生;柏拉图和苏格拉底也认为"灵魂不灭";但亚里士多德认为只是灵魂中的理性部分可以永生;伊壁鸠鲁认为灵魂和肉体同时死亡。早期的基督教哲学家接受古希腊人灵魂不灭的概念,认为灵魂由上帝创造,并在人成胎时把它注入身体。印度教认为每一个生灵(即灵魂)都是和肉体一起来到世界上;但当这个人死了以后,他的灵魂不死,而是转到另一新的身体上。这个灵魂在灵魂之林中占据一个什么样的位置,完全是由"羯磨"决定的,所谓羯磨实际上就是这个人生前所干的各种事情的总和。按照印度教的说法,这个生死轮回是永恒的;但也有人说,这一轮回一到"羯磨完美"也就截止了,同时这位完美的"羯磨"也就成了神。佛教不承认有什么生灵、灵魂之类的说法,认为任何个体灵魂或自我的感觉都是一种幻觉。穆斯林和基督教的观点差不多,认为灵魂随肉体同时降生,此后有它自己的一生,它与肉体的结合只是一种暂时情况。

Sŏul(Korea) 参阅 **Seoul** 汉城。

soul music 灵乐 一种源于美国黑人福音吟唱和"节奏与布鲁斯"音乐的通俗音乐形式,主要由黑人音乐家演唱、演奏。"灵乐"一词创始于 20 世纪 60 年代,用以指一种熔"节奏与布鲁斯"音乐、福音音乐、爵士乐和摇滚乐于一炉的音乐,其特点为感情强烈、朴实无华。最早多见于美国南部,但随着许多青年黑人歌手迁入北方都市地区,灵乐亦得以在北方推广。在底特律和孟菲斯分别创建的"汽车城唱片公司"和"斯塔克斯-沃尔特公司"为普及灵乐作出很大贡献。最受欢迎的灵乐表演家有 J.布朗、R.查尔斯、S.库克和 A.富兰克林。

Soulas, Josias de, SIEUR DE PRINEFOSSE **苏拉** 参阅 **Floridor** 弗洛里多。

Soulouque, Faustin-Élie 苏洛克(1782?海地小戈阿沃～1867-08-06) Soulouque 又拼 Solouque。奴隶出身的海地总统,后成为海地皇帝。他代表国内的黑人大多数反对上层穆

美国国会图书馆供图

拉托人。1803 年参加驱逐法国人的起义,后继续留在新国家的军队中。1847 年在一些认为能轻易使他听命的穆拉托人领袖支持下,他被任命为总统。1849 年他赶走了穆拉托人,建立起自己的亲信势力。后称帝为福斯坦一世。他曾多次试图征服邻邦多米尼加共和国,但都未成功。1859 年穆拉托人在总参谋长领导下推翻了他,苏洛克在流亡中死去。

souls, multiple 参阅 **multiple souls** 多灵魂说。

Soult, Nicolas-Jean de Dieu, DUC DE DALMATIE **苏尔特**(1769-03-29,法国圣阿芒拉巴斯蒂德[后称圣阿芒苏]～1851-11-26,圣阿芒苏) 法国军事首领和政治人物,以作战英勇和政治投机而闻名。法国大革命爆发时,

巴黎国家图书馆供图

他在斯特拉斯堡任军士。弗勒侣斯战役(1794-06)中表现英勇,被 F.-J.勒费弗尔任命为将军。1799 年 3 月在斯托卡什战役中接替负伤的勒费弗尔。苏尔特以魄力、勇敢和有条理著称。在拿破仑麾下,他负责守卫那不勒斯王国南部(1800～1802),1804 年任法国元帅。由于他在乌尔姆(1805-10)、奥斯特利茨(1805-12)和耶拿(1806-10)等大捷中所起的作用声名益噪。晋封为达尔马提亚公爵后,于 1808 年底奉派前往西班牙,不久就负责指挥参加半岛战争的所有法军,但遇到 A.韦尔斯利(后封为惠灵顿公爵)所率英军的抵抗。以后5年多他在西班牙作战;最后,韦尔斯利迫使他人数处于劣势的军队撤退,并在图卢兹将他击败(1814-04)。第一次复辟(1814)期间,他宣称自己为保王派;但在"百日"(1815)期间,他再次拥护拿破仑,在滑铁卢战役中任参谋长。第二次复辟开始,他被流放,1819 年被召回。在路易-菲力普当政时,苏尔特曾主持过 3 届内阁,通常任首相兼陆军部长。19 世纪 40 年代,他主持法国征服阿尔及利亚事宜。1848 年路易-菲力普被推翻,苏尔特则宣称自己是共和派。所著《回忆录》(3 卷)发表于 1854 年。

Soumak 苏玛克织锦法 手工编织平面毯及类似织物所采用的织锦方法。是最古老的工艺之一,和安纳托利亚安卡拉附近戈地恩出土的公元前 7 世纪炭化残片的织法完全相同。这种织法近代在高加索很盛行,伊朗有些地区也采用此法。形成图案的织线同水平线稍成斜角,相间各列的角度交替改变,毯面即产生人字形组织的效果。织成图案后线头松散地挂在毯背上,形成地毯本身的底垫。

19 世纪的苏玛克织锦地毯

供图：National Rugs and Textile Foundation, Washington, D. C.

通常有重复出现的菱形或星形大奎心，大边图案精细。希莱和维尔内是苏玛克特殊图案中有代表性的两种。

sound 声学 研究声音的发生、传播、音质和接收的物理学分支。在一定条件下打击物体时，会发出悦耳的声音，这构成了音乐的基础。公元前 6 世纪古希腊哲学家毕达哥拉斯已认识到音调和物体振动频率有关。公元前 1 世纪罗马建筑工程师维特鲁维已懂得声波的概念，正式提出声在空气中传播和水面的水波相似。17 世纪法国数学家伽桑狄开始利用放枪时所观测到的光和声的时间差，计算出声在空气中的速度。最初工作大部分是凭经验或用较简单的数学进行分析，后来知道必需用微积分方法。耳朵是声音的接收器，人们早就发现它有极高的灵敏度和分辨能力。后来发展为生理声学。现代声学应从瑞利的《声学原理》一书开始，书中有严谨的理论和确凿的实验资料。20 世纪声学的大部分，是借助于先进设备开拓和发展了瑞利著作中的一些基本概念。

声波 空气具有弹性，被压缩的空气，当压缩解除后又要膨胀。膨胀时，一部分气体推动它相邻的气体，相邻的气体就被压缩，以后又依次膨胀并推动另外相邻的气体。声波是在空气中或其他介质中的压缩波。这种脉动在介质中传播需要时间，所以声波具有一定速度叫声速，20 ℃时空气中的声速约为 344 米/秒。声波具有机械能。声强是通过垂直于声波传播方向的单位面积上的平均功率。单位为瓦/米^2。如 I 表示声强，I_0 表示参考声强（相当于可听到的最弱声音），则声强的定义为 $10\log_{10}(I/I_0)$，单位为分贝。普通谈话的声强约为 60 分贝。

当波传播时，介质中某质点每一秒钟被扰动的次数叫频率。单位是赫兹。音调是人耳的一种声觉，它与音频这一物理量有关。波在介质中传播时，每一质点都要振动，二相邻而具有同相位质点的距离叫波长。

声波的传播 声波方程可以写成 $y = A\sin 2\pi(ft - x/\lambda)$，式中 y 为某质点的位移（或扰动），A、f、λ 各为振幅、频率、波长，t 和 x 为由原点到某点所用的时间和所经的距离。谐振波的压强差 p_e 在空气和时间中的变化也和 y 一样，可用上面方程表示。由压缩波方程可推导出流体和固体中的声速：$V = \sqrt{p_e/\rho_e}$ 或 $V = \sqrt{B/\rho_0}$；式中 p_e 为波在介质中产生的声压，ρ_e 为介质密度差，ρ_0 为介质在未扰动时的平均密度，B 为介质体弹性模量。

波在介质中传播，在同一时刻相位相同各点的轨迹叫波阵面。和波阵面相垂直的射线叫波射线。声波传播过程中遇到不同介质，在交界面处要发生反射和折射。反射定律和折射定律可用惠更斯原理导出。平面波的声强可用声的压强差和声速的乘积求得。结果为：

$$I = (p_{em})^2/2\rho_0 V$$

p_{em} 为最大压强差。

波传播过程中，碰到小障碍物时，有一部分声能反射回来，一部分射入障碍物，另一部分绕过障碍物叫衍射（或称散射）。这时我们就说原来的波束被障碍物散射了。散射图样与波长和障碍物的尺寸有关。一个有趣的衍射现象是光被声音衍射。介质中的声波有如光栅一样，使光发生衍射。

声源 任何弹性介质密度的局部变化都可作为声源。使弹性介质密度变化的方法很多：二固体撞击或摩擦，利用电磁效应产生机械运动、电声装置、磁致伸缩和压电声源。声源运动时，听者听到的音调和声源静止时的不同。它的音调根据多普勒效应变化。如声源的频率为 f，以速度 V_s 对静止的介质运动，收听者以 V_r 对静止介质运动，听者听到的音频为 f'，则 $f' = f(V - V_r)/(V - V_s)$，式中 V 为声在静止介质中的速度。如听者静止不动，声源以 V_s 远离听者运动，听到的频率要比声源发出的频率低。

声的接收 人耳是一具最重要的声音接收器，正常人耳能接收 $10^{-16} \sim 10^{-4}$ 瓦/厘米^2 的声能。听觉阈和感觉阈是频率的函数；人耳所能感觉到频率和强度范围可用图线表示出来。响度是一主观量，与强度有关但非正比。用两个耳朵听声，才有可能判断声源的方向，这并不是主要因为两耳处的声强不同，而是由于声的相位不同和到达两耳的时间不同，这效应叫双耳效应，对探测枪声和水下声源有用，对立体声的无线电广播和唱片的播放很重要，更重要的是双耳能区分出不同的声音，如有意义的声和噪声。

声的录制和播放有三种形式：机械的如留声机唱片，光学的如有声电影片，磁性的如录音带。留声机唱片是用含有要录音声源的电声电流所驱动的铁笔在转动的蜡盘上刻制的。播放时，把唱针放在盘纹中，让盘以录制时的速度旋转。有声电影片是用声波调制光线，用调制的光线照相，胶片中含有音轨。播放时，让光线先通过音轨胶片照在光电池上，光电池经放大器与扬声器联接。录音带是在塑料带上涂有易磁化的薄膜，让磁带以适当的速度通过一电磁铁（磁头），电磁铁中通有录音传声器的输出电流，电流通过电磁铁使录音带磁化录上较为永久的声。播放时，让磁带通过另一磁头，在这里感应出变化的电流，经放大器加到扬声器中。

研究在围闭空间内产生和接收的声，是建筑声学的事。近代一些成功的房屋设计是利用计算机的结果。对某一厅堂的模拟模型，可以作出计算程序，于是可以计算出与实际厅堂类似的声学性能，这样，不断改进可取得最佳条件。军事上声学技术主要用在水下探测潜艇（参阅 **sonar**）。噪声污染环境，控制噪声已成为声学工程中重要的一环。工厂噪声早已成为公害，常使用吸声装置和精心制造机械运动部件以减小发生噪声的振动，来控制声源。当控制声源无效时，需使用能选择声频的耳塞，以限制谈话声频以外的声进入人耳。

人们通过所产生的高频（20 千赫到 10^{10} 赫兹）超声辐射，展开了超声在工业和医学上的应用，窄超声束可用作无损探伤。超声可以使汞和水混合。超声可以杀菌，促进化学反应，又可以清洗浸在水中的物体。在医学诊断方面超声波可以取代 X 射线。对于关节炎它又是一种医疗手段。生物声学，即用超声辐射研究生物物质包括活的组织，已成为一门范围广泛的生物医学科学。

Sound, The 松德海峡 丹麦西兰岛和瑞典斯科讷之间海峡。丹麦称厄勒海峡（Øresund）。西北接卡特加特海峡，南通波罗的海。从瑞典的库伦至法尔斯特布，长 70 英里（110 千米）。最窄处 3 英里，最浅 23 英尺（7 米）。表层海流以 3～4 英里的时速流向卡特加特海峡。几乎没有潮汐涨落，隆冬封冻，不能航行。峡内有三个大岛：阿马耶尔岛、文岛和萨尔特岛。主要港口有丹麦的哥本哈根和赫尔辛格，瑞典的马尔默和赫尔辛堡。过去，对松德海峡——这条从卡特加特海峡通往波罗的海的最短通道——的政治上的控制，就会带来巨大商业利益。1429～1857 年，丹麦占据海峡两岸，向一切过往船只收通行税。该海峡是世界上最繁忙的海上通道之一。

sound barrier 声障 飞机速度接近声速时所出现的气动阻力急剧增大的现象，过去曾认为是超声速飞行的障碍。如果飞机以小于声速的速度飞行，它所产生的压力波（声波）的传播比飞机的速度快，在飞机的前面传播。飞机的速度一旦达到声速，飞机在飞行中就无法避开这些压力波。在机翼和机身处形成很强的局部激波，飞机周围的气流就变得不稳定，从而可能产生剧烈的抖振，飞行也极难稳定，并将失去控制。通常，为超声速飞行而适当设计的飞机，通过声障就没有什么困难，但这样的设计对于亚声速飞行可能变得极其危险。参阅 **sonic boom**。

sound effect 音响效果 戏剧、广播、电视和电影中伴随情节的人工复制音响。音响效果在传统上对剧院非常重要，有许多效果由于范围过大、过于危险或仅因过于昂贵而无法在舞台上表现，不得不以在舞台布景后面用音响效果的方式来代替。音响效果应与舞台上的戏剧行动协调一致。为忠实再现各种声响而设计出了许多精巧的方法。例如,从一阵微风到大台风这些风声的音响效果,均可用装有木板条的圆滚筒旋转磨擦一块帆布的方法模仿;摇动一块大金属板可模仿雷声;雨声则以在木盒里急速丢撒干豆子的方法取得;马蹄声是用椰子壳或特制的杯形橡皮在硬性板面上发出咔嗒声的方法模仿;枪声则用厚板相击或放空枪的方法产生。现在,大多数音响效果均已录制在唱片或录音带上,它可以提供更大的真实性,可以不需要庞大的音响制作装置,就能为演出提供几乎是无限的音响效果。

sound intensity　声强　单位时间内通过垂直于声波传播方向的单位面积的能量。声强可以用能量或功的单位来量度,即微焦/(秒·厘米^2);也可用功率的单位量度,即微瓦/厘米^2。与响度不同,声强是客观的,可用不依赖观测者听力的听觉仪器来测量。两个同频率的声强可以用功率比值来比较。当这一比值为10时,就可以说两者的声强差1贝尔,这个单位是为纪念美国发明家A.G.贝尔而命名的。因此,两个声强的关系用贝尔数表示就等于声强比的对数,即,如果I是一个声的强度。I_0是另一个的强度,那么声强比B用贝尔表示就是$B=\log_{10}(I/I_0)$。一般使用的单位是分贝(缩写为dB),它等于0.1贝尔。这样有关声强的公式用分贝b表示就可改写为$b=10\log_{10}(I/I_0)$。据此可算出,1分贝相当于声强变化26%。如果取I_0作为参照的标准声强,等于10^{-16}瓦/厘米^2,这是人能听到的最弱声强,那么,任何声强或声级都可以用分贝量度。据此,说话的声强是12^{-12}瓦/厘米^2,其声级为

$$b=10\log_{10}(10^{-12}/10^{-16})=40\text{ 分贝。}$$

sound-level meter　声级计　用于测量噪声、乐声和其他声音的强度的装置。一台典型的声级计包括一台*传声器*(**microphone**),用于拾声并把声音变为电信号,再由电子线路处理这些电信号,使所要了解的特性成为可测的。装置的指示部分通常是能以分贝刻度给出声级读数的测量仪表,分贝是一种用来测量*声强*(**sound intensity**)的对数单位。就青年听众的平均水平而言,听阈约为零分贝,而痛阈(极响的声)约为120分贝,表示它比零分贝大1万亿倍(或10^{12}倍)。电子线路通常可用一外部开关来调节,把被测声中包含的所有频率的综合声级或所选频带的强度记录下来。通常要给一个时间延迟,使测量仪表的响应放慢,以便能将急速变化的声强平均化。不同仪器的时间延迟量可能有所不同,这取决于设计仪器的用途。20世纪70年代初,随着人类对噪声污染关注的增长,研制了一些精密、通用的便携式噪声监测仪器。声级是响度的量度,而实际的响度带有主观因素,它与听者耳朵的特性有关。为解决这一问题,提出了一些与响度相关的声的客观量度。例如,弗莱彻-曼森曲线就表明了用分贝标定的响度和主观判断的响度之间的关系,其他一些变通办法也在研究之中。

sound production　发声　动物的一种传递信息的手段。呼吸系统中产生的声音称为嗓音,身体组成部分互相接触或身体组成部分与环境中某些成分相接触而产生的声音称机械音。嗓音只为脊椎动物所有,许多无脊椎动物和脊椎动物所有各纲的某些种类均能产生非嗓音。许多动物具有产生机械音的特殊结构。蟋蟀和蝗虫翅上粗锉状的结构互相摩擦而发出声音。蝉腹基部有一对膜质的鼓器,是其发声的结构。其鸣声是昆虫发出的声音中最响者。蝉鸣时有一特殊的肌肉使蝉的听觉器失去知觉。脊椎动物有许多发出机械音的方式。进化上很不相同的各科鸟类,具有在飞行中发出声音的特化的羽毛。另一个例子是响尾蛇的特化的尾端。许多动物,尤其是哺乳类,用以发声的身体组成部分业已特化,这些部分的特化原是用于别的目的,例如许多种类用足踩踏或敲打地面,水生哺乳动物常用尾击水以警告同类有危险出现。许多鱼类用骨或齿相摩而发声,有时还把鳔作为共振腔。两栖动物的鳗螈、蝾螈和蚓螈不发声或几乎不发声,但蛙的嗓音很发达,有种特异性,蛙类驱使空气在口与肺之间运动,并通过气管中的声带发出声音。爬行动物的鳄和某些鳖发低音,蜥蜴(壁虎除外)和蛇平时不发声,只在危急时才发嘶嘶声。鸟类的嗓音由鸣管发出,鸣管是气管下端的特化区。哺乳类的嗓音在喉中发出,喉是气管上端的特化部分。鸟类和哺乳类都用口腔共振或过滤声音,或以气管或食道突出的特殊的囊作为共振腔。

sound reception　声音感受作用　动物感知周围介质振动的生理作用。触压觉及平衡觉与声感相近,均属力学刺激感受作用,而触觉感受器在一定程度上也可感受介质振动,但本条目介绍的听觉特指专门接受振动刺激的特化感受器(耳)的高效感受作用。某些昆虫,可能还包括蜘蛛,以及硬骨鱼的耳主要是感受介质颗粒的移动速度和加速度(速度型)。大多数昆虫和鱼类以上的脊椎动物的耳则是感受声压(压力型)。听觉只见于节肢动物和脊椎动物,其生物功能包括避敌、猎食、求偶,以及在高等社会性动物中用于通讯。此外,蝙蝠和海豹等动物还发展出回声定位的本领,能依靠定向发射和接收高频声波,从而在黑暗中或水内查知猎物或障碍的位置。在声感的研究中,形态研究是重要的,但结构的相似并不能说明功能的一致。通常判定听觉功能主要靠两方面:行为观察,利用声音建立条件反射可定量研究动物对声波的敏感性;电生理测定,利用微电极测定受刺激时声觉神经的电位变化,其结果更为精确。但训练低等动物建立条件反射常不成功,不过若能成功则却能反映更全面的情况。例如用此二法测定动物对不同频率声波的敏感性,所得曲线可不相同,因电生理法仅测定电极所在细胞水平以下的周围部分的功能,而条件反射法则可反映中枢对听觉信息的进一步加工及行为反应的全面情况。在昆虫,已明确的听觉器官仅见于几个目:直翅目、同翅目、异翅目、鳞翅目及双翅目。鼓膜器是压力型感受器,常位于胸、腹或附肢上,如蛾、蝉、蝗、蟋蟀等。仅有雄蚊的听感受器位于头部触须基部,是一种速度型感受器,可感知雌蚊振翅的声音。据观察,雄蟋蟀可唧唧作声互相应答,而雌蟋蟀可循声而来,但若去除其前腿(上有鼓膜器),则上述现象消失。电生理测定示其最敏感频率在3 000～5 000赫兹。蜘蛛八个腿的跗节可以接受声波,再传至跗基节的隙状感受器,因此是一种速度型感受器。据观察,若有静止物件黏附蛛网上,则蜘蛛截断局部蛛丝使之坠地。但若为挣扎乱动的小昆虫,则蜘蛛马上扑过去进行攻击。以振颤器测定,400～700赫兹的振动可激发攻击反应,但若频率超过1 000赫兹,蜘蛛却逃至网边隐蔽处,若振动强度过大,蜘蛛还可能弃网他去。以扩音器刺激,可引起蜘蛛的朝向反射。这均说明蜘蛛具听觉。脊椎动物的耳都采取同一基本结构:迷路。迷路的上支主要负责平衡觉,除圆口类之外,在其他脊椎动物中变化不大,包括三个互相垂直的半规管和一个椭圆囊。迷路下支主要负责听觉,包括球囊及其衍生部分,衍生部分变化较大,随进化而渐趋复杂;由真骨鱼至鸟类均具听壶,但听壶逐渐延长,至哺乳动物扭曲形成蜗牛状的耳蜗。比较研究表明,听觉器官源自一般力学刺激感受器,特别是与司平衡觉的迷路部分有密切关系。全部迷路的感觉细胞均具纤毛。囊斑部的纤毛与耳石(碳酸钙颗粒)相连,可感知重力作用。机体突然起动或停止时,因耳石惰性较大,纤毛也受到刺激(直线加速度)。半规管终端的纤毛上有一团胶质像瓣膜一样可以感受半规管内淋巴流动的刺激(旋转加速度)。在水生脊椎动物真骨鱼中,听觉也采取了类似机制。水内声波造成鱼体各组织的震动,但耳石惰性较大,其运动滞后于其他组织且震动幅度较小,这便造成了纤毛的相应颤动从而引起听觉。在某些硬骨鱼中,听觉细胞与气囊(鳔)相连,因耳石与气体的惰性相差较大,故可增加听觉敏感度近千倍。硬骨鱼的耳属速度型,但自两栖类以上出现鼓膜装置,耳乃转为压力型。在陆地动物,空气波动作用于鼓膜经听骨传至卵圆窗再转化为内淋巴液的波动。听觉细胞的纤毛与上面的覆膜相连。在蛙(两栖类),听觉细胞是静止的,液传声波带动的是覆膜。但在一切更高等的动物中,覆膜相对静止,声波带动的却是位于基底膜上的听觉细胞。在蜥蜴(爬行动物)中还出现另一种机制,例如壁虎中约一半听觉细胞上连覆膜,另一半细胞纤毛上面却连结一类盔状结构。这种结构也起着束缚纤毛的作用;覆膜的好处是可以束缚单个纤毛从而造成差别刺激,盔状结构因可约束一丛纤毛而增加了敏感性,此外盔状结构更为坚固不易受强噪声破坏。蛙已能大致鉴别一定声调,但在蜥蜴中才可见到听觉器官的不同分区接收不同频率声波的情况。水栖或穴居的龟蛇等听觉较不发达,无鼓膜,借面部软骨或硬骨接受声波,只对低频敏感。鸟类听觉较发达,一些鸟类借声音传递信息,如报警、捍卫领域、辨识同伴、吸引异性等。但至哺乳动物,听觉才发展到高峰。

最惊人的是蝙蝠和齿鲸的回声定位机制。蝙蝠喉部可发出30 000～80 000赫兹的超声波，耳窝电位测定表明其听觉周围部分只对4 000～15 000赫兹范围内敏感，但行为观测却发现它对10 000～30 000赫兹和50 000～70 000赫兹两个范围最敏感，这说明听觉中枢加工提高了它的敏感阈使与所发声波相当。齿鲸所利用的声域还要高(50 000～200 000赫兹)，这是因为水中声速高，波长相应加大，为查知同样物件，声频较在陆地至少需高5倍。不过，鲸类是返回水中的海兽，外耳已退化，其听觉机制可能类似硬骨鱼，巨型听骨起着耳石的作用。据条件反射观察，鲸类听觉还相当敏感。

sound recording　录音　将空气中的声音振动记录在存储介质(如留声机唱片)上。声音的重放过程则与之相反，是把存储在介质上的振动转换成声波。已经研制成功的三种主要录音和放音介质为力学介质(留声机唱片)、磁性介质(录音带)和光学介质(电影的声道和数字式小型光盘)。

1877年美国发明家T.A.爱迪生发明了“会说话的机器”，它既能录音，又能重放音。爱迪生最初的录音圆筒用附接在膜片上的振动针在锡箔上刻画出压痕。德国出生的美国唱机发明者E.伯里纳，用平板唱盘以及电成型方法制成主盘的负片，然后再翻制唱片。

早期的录音和重放音完全采用声学方法。20世纪20年代初，美国L.德福雷斯特发明的真空管放大器得到应用，使录音技术从声录转到电录，用扬声器代替了声喇叭。不久研制成功现代电唱机，它包括一个放大器、一个由电动机驱动的转盘(该转盘常装有换片装置)、一个唱针头和若干个扬声器。每分钟78转的唱片最初是用虫胶制成，后来改用合成热塑料树脂制成，每面的放音时间约为4½分钟，这曾为当时的标准。

1948年一种慢转唱片首度问世，其转速为每分钟33⅓转，采用“密纹”，每面放音时间长达30分钟。1949年又制成了一种每分钟45转的唱片，每面放音时间为8分钟。1958年发明立体声录音，它的每一条纹上具有两个分开记录的声道。到70年代初，又出现了四声道立体声唱片，它添加了两条常用以播放环境声音的声道，但这种四声道立体声唱片在商业上尚未获得成功。

磁录音系统早在19世纪90年代即由丹麦工程师V.浦耳生发明。他用钢丝上的磁化粒子储存电信息。到20世纪20年代，美国和德国科学家研制成磁带；30年代磁带录音机进一步得到改进。但一直到第二次世界大战后，磁带录音机才普遍应用在音乐录制方面。

在磁带录音中，电信号通常是由“磁头”记录在磁带上的。磁头由磁性铁心绕以线圈制成。磁带穿过磁头表面的一缝隙，线圈中的电流产生横跨缝隙的磁通势，磁化磁带上的粒子。重放时磁带通过放音磁头，磁带的磁化部分引起铁心磁通量的改变，产生电压。录音带由涂以磁性材料的塑基胶片制成，磁性材料一般用氧化铁，但也有用二氧化铬和纯金属颗粒的。

磁带录音的主要形式为开盘式和盒式两种。开盘式录音机首先研制成功，至今仍是最为通行的专业录音设备。它可以用几种不同的速度运转，灵活性大，能录制24条分离声道。盒式录音带有一供带盘和一个收带毂，置于密封的矩形盒内。虽然盒式录音带灵活性较差，通常保真度也比开盘式低，但因操作方便，而较为普及。

最早的光学录音系统是德福雷斯特于1923年研制成功的，他开发了将声波转换成光脉冲的多种技术，可将后者拍摄在电影胶片上。胶片显影后从光源与电影放映机的光电管之间通过时，影像就转换成不同的电压，这些电压再通过扬声器系统变成声音。

第二类光学录音系统是数字式小型光盘。它与所有的录音方法和放音方法都不同。传统的方法是产生对原始声音的“模拟”，故称为类比法。数字录音则以特定的间隔抽取声音样本，再把它们转换成二进位数字，然后把这些数字记录在录音带上形成一系列脉冲。可转换成传统式唱片的数字录音带首度在70年代出现。到80年代早期，则出现了用激光读取或“放音”的全数字式光盘，并在90年代初成为最流行的样式。其他正在引入的数字样式是数字声频磁带(DAT)和数字小型盒式磁带(DCC)。

sound track　声迹　电影技术中胶片边缘的光录声或磁性录声窄带。在光录声过程中，声波调制光束，声迹就是变化的光束造成的密度或宽度变化的照相记录。在声音重放时，光束通过声迹射到光电管，该管通过放大器，接至扬声器。这种光学系统在有声电影中是重放声音的基本方案。在立体声录音中，同一电影胶片上可有几条录声窄带。在磁性录声过程中，胶片的录声带上涂有可磁化材料，其录、放方式参阅*磁记录*(**magnetic recording**)。

soundboard　音板　又作belly。直接放在弦乐器弦下的薄木板或绷紧的膜。它的振动是弦的振动的反应(由琴马传导)，把只由弦发出的微弱音响放大。它的尺寸、形状和材料影响乐器的音质。例如，音板太小则对低音不利。

sounding rocket　探空火箭　又作probe rocket。装载仪器设备探测80～160千米高度大气状态与结构的飞行器，这个高度是飞机和气球达不到，而人造卫星又不可能探测的。国际地球物理年(1957～1958)的探空火箭计划取得丰硕的成果，如进行了高空X射线和极光粒子的探测，在低层大气的遮挡层之上拍摄太阳紫外光谱的照片，记录了将近320千米高层大气压力、温度、成分和密度资料。探空火箭也弄清楚高度96千米以下的强湍流伴随而来的在此高度以上的强高空风区域。此外，供卫星和太空探测器使用而设计的仪器样机，也可利用探空火箭进行动态检验。探空火箭大小不一，性能不同。从单级固体发动机探空火箭可将5.4千克载荷送入60千米高度到两级固体发动机探空

法国探空火箭“威鲁尼克”号

供图：French Embassy, Press and Information Division, New York

火箭则可将22千克载荷送入3 060千米高度不等。

soup　汤　液状食物，用牛肉、家禽、鱼、豆荚或蔬菜加入调味品，在水、原汤、牛奶或其他液汁中熬煮而成。汤的历史悠久，可追溯至盛水容器出现之时。在出现能直接用火烧的罐子以前，汤是将烧热了的石头投入液体中做成的。经长时间熬炖的汤营养丰富，因为熬炖时能把油脂、鱼骨或硬碎块料中的营养成分溶解于汤内。在西方，较清淡的汤往往作为头道菜，浓稠而丰盛的汤则是便餐中的主要菜。北欧和东欧地区显然不同，喜欢将水果汤作为最后一道菜(尾食)。在中国，清汤往往作为吃饭时的饮料，而名贵的燕窝汤和鱼翅汤则与其他菜肴穿插上桌或在宴会最后阶段上桌。许多汤是冷吃的，法式的清炖肉羹即可冷食。由于这种汤是用肉骨头熬煮，汤中溶有天然动物蛋白胶质，冷后呈胶冻状。许多汤用高汤和肉汤作底，而高汤和肉汤是在鱼、肉、禽或野味中加入调味品与香料蔬菜等加水熬煮而成。清汤可加入预先煮好的蔬菜、通心粉或大米、肉丸子、汤团、荷包蛋等配料，做成各式汤菜和带汤食品。中国蛋汤与意大利干酪鸡蛋汤是向煮开的肉汤中倒入搅打过的蛋做成的。汤可用面粉、加蛋黄的酱油、加奶油或乳脂的菜汁增稠。虾酱浓汤与杂烩汤是含有乳脂的汤菜，通常是用贝肉或鱼肉，有时也用肉和蔬菜作主料，加入乳脂或牛奶做成。秋葵汤是带有香味的汤菜，源于路易斯安那的西班牙白人后裔，集有美欧及印第安人的各种烹饪特点。在世界各地的乡村烹饪术中，常喜欢采用煨炖的方法做汤。这种汤常用植物块根、豆荚、熏肉或鲜肉混合炖煮而成。比较熟悉的有意大利通心粉干豆肉汁汤，法国的猪油鹅肉卷心菜浓汤，瑞典的豌豆猪肉汤、荷兰的青豌豆豆瓣汤等。

Soupault, Philippe　苏波(1897-08-02，法国沙维尔～1990-03-11，巴黎)　法国诗人、小说

家、评论家，超现实主义运动奠基人之一。苏波最早的诗集《玻璃鱼缸》(1917)是在阿波里耐的帮助下出版的，他还将苏波介绍给勃勒东。1919年，苏波、勃勒东、阿拉贡创办了《文学》杂志。起初，他为达达主义的反理性主义所吸引；可是不久，他厌弃达达主义的虚无主义并和勃勒东试验别的革命技巧；结果两人合作，以"自动写作法"创作了第一部主要的超现实主义作品《磁场》(1920)。苏波很快又放弃了自动写作法，转而精雕细琢地写诗，写了《韦斯特韦戈》(1922)和《乔治亚》(1926)。由于超现实主义运动变得日益教条化和政治化，苏波逐渐对之不满，并最后与它和勃勒东决裂。20世纪20年代中期以后，苏波主要为报刊写小说和评论文章。他的小说集中于自由与反抗这两种观念，有《杜朗多兄弟》(1924)、《黑人》(1927)和《垂死者》(1934)。《杀人犯的时代》(1945)是一本回忆录，详述他在突尼斯电台担任记者兼台长时，被维希政府拘禁6个月的经过。他的第二本自传《忘却的回忆》出版于1981年。苏波还写了许多传记和剧本以及评论文章。1972年，获法兰西学院诗歌大奖。

soupfin shark　油翅鲨　真鲨科的北美太平洋种。参阅 **carcharhinid**。

Souphanouvong　苏发努冯(1909-07-13，老挝琅勃拉邦～1995-01-12)　革命的巴特寮运动领袖、老挝的第一任主席、亲王。为琅勃拉邦副王汶孔之子和梭发那·富马的同父异母弟。曾在法国学习土木工程。1938～1945年在越南修筑桥梁和道路。第二次世界大战后他反对法国继续殖民统治，在万象参加民族临时政府，任国防大臣。1947～1948年曾在曼谷任自由寮流亡政府外交大臣。此后即离开流亡政府，与越盟结合，在越盟帮助下于1950年组成亲共产主义者的巴特寮。1962年参加梭发那·富马建立的联合政府。1963年联合政府解体，他前往巴特寮和老挝爱国战线所控制的北部省份。1974～1975年巴特寮控制老挝全境，他回到万象，任民族政治委员会主席。1975年共和国成立，他任国家主席并为老挝共产党政治局成员。1986年辞去国家主席职务。

Souris　苏里斯　加拿大马尼托巴省西南部城镇。位于布兰登西南32千米，普拉姆河和苏里斯河汇流处。约1880年始有人定居，逐渐成为当地谷物产区的销售、服务中心。它位于加拿大太平洋铁路支线上，铁路工厂为主要就业部门。该镇以格拉弗尔采石场(盛产石化木、碧玉、玛瑙和树枝石)和加拿大最长的苏里斯河吊桥(177米)著称。人口1 662(1991)。

Souris　苏里斯　加拿大爱德华王子岛省东部城镇。位于苏里斯河河口，临圣劳伦斯湾入口的科尔维尔湾。1748年始有法属阿卡迪亚人在此定居。为地区性服务中心，以海滩和捕鳟鱼闻名，也是省内主要渔业中心之一。建有大型深水港，有轮船与北面113千米的马格达伦群岛相通。人口1 333(1991)。

Souris River　苏里斯河　阿西尼博因河(**Assiniboine River**)的支流，流经加拿大萨斯喀彻温省、马尼托巴省以及美国北达科他州。源出萨斯喀彻温省东南部，向东南流入北达科他州，又向北转流入加拿大，在马尼托巴的布兰登附近汇入阿西尼博因河。全长966千米，仅部分河段可通航。流域面积57 000平方千米，土壤肥沃，为春小麦主要产区；也有丰富的矿藏。埃斯特万、宾费特(萨斯喀彻温)和迈诺特(北达科他)附近开采煤矿；米代尔(萨斯喀彻温)和弗登(马尼托巴)附近开采石油。

soursop(*Annona muricata*)　**刺果番荔枝**　又作 guanabana。亦称瓜纳巴纳树。木兰目番荔枝科乔木。原产美洲热带，在旧大陆热带已广泛引种。树高达8米。叶常绿，广椭

刺果番荔枝(*Annona muricata*)
供图：W. H. Hodge

圆形，宽顶，长12.7厘米。果实卵形，长20厘米，重达4.5千克，具刺，绿皮，芳香，纤维状的白色果肉有芒果和菠萝的香味，可食，过滤后可制蛋奶糕、冰淇淋和饮料。参阅 **custard apple**。

sourwood(*Oxydendrum arboreum*)　**酸木**　又作 sorrel。又称酸树，即乔木状酸叶树。杜鹃花科观赏乔木。原产于北美东南部。株高约23米。叶互生，味苦，长12～20厘米，略

酸木(*Oxydendrum arboreum*)
供图：A to Z Botanical Collection—美国不列颠百科全书公司

呈长圆形，具柄。秋季，叶变成亮红色。花白色，芳香，长约1厘米；花穗长20～25厘米。

Sous, Wadi　苏斯河　摩洛哥南部河流。源出大阿特拉斯山的几支源流，西流180千米，注入大西洋。沿河的冲积平原是全国最肥沃的地区之一。出产水果、棉花、蔬菜、糖和橄榄，主要供出口。主要城镇是贸易中心塔鲁丹特和捕鱼基地及商港阿加迪尔。

Sousa(Tunisia)　**苏萨**　参阅 **Hadrumetum 哈德鲁梅；Sūsah 苏萨**。

Sousa, John Philip　苏泽(1854-11-06，华盛顿[哥伦比亚特区]～1932-03-06，宾夕法尼亚雷丁)　别名"进行曲之王"。美国军乐队指挥和军队进行曲作曲家。父为葡萄牙移

供图：RCA Records

民，母为德国人。在华盛顿(哥伦比亚特区)长大，6岁开始学小提琴，后又学习多种军乐队乐器，先后从埃斯普塔和本克特修习和声学与音乐理论。1867年开始步其父后尘成为一名长号手，后又应聘担任管弦乐队小提琴手并任指挥，同时开始作曲。1868年作为海军乐队见习生编入美国海军陆战队。通过领导这一乐队(1880～1892)，他逐渐成为一位以高度精确性著称的杰出军乐队指挥，并将该乐队的演奏提到最高标准。1892年自组乐队，演奏员均经过精心挑选，在军乐和交响乐中具有同样的精湛造诣。曾率乐队在美国和欧洲(1900～1905)巡回演出，最后于1910～1911年巡游全球。苏泽作有136首军队进行曲，均以其节奏和乐器效果而引人瞩目，其中包括著名的《永远忠诚》(1888，该曲后成为正式的美国海军陆战队进行曲)、《华盛顿邮报》(1889)、《自由之钟》(1893)和《星条旗永不落》(1897)。1879～1915年间创作轻歌剧11部，其中《船长》(1896)、《待嫁的新娘》(1897)和《自由职业者》(1906)尤为成功。至少还作有歌曲70首、华尔兹舞曲11首、其他舞曲12首、组曲11首、幽默曲14首、幻想曲27首。19世纪90年代又按照其特定规格将一种称作"黑里空大号"(**helicon**)的低音大号加以改造，最后定名为"苏泽大号"。苏泽于第一次世界大战期间入美国海军服役，在伊利诺伊州大湖海军基地主管军乐队训练中心。为美国海军部编纂《世界各国民族曲调、爱国曲调和典型曲调》(1890)。写有3部小说、一本小号与鼓的教材和一部自传《前进》(1928)。

Sousa, Luís de　索萨(1555，葡萄牙圣塔伦～1632-05-05，里斯本附近本菲卡)　原名曼努埃尔·德·索萨·科蒂纽。宗教历史学家。曾在科英布拉大学攻读法律。1584或1586年与葡萄牙一位英雄的遗孀结婚。1613年与其妻同时发愿出家。1614年入多明我会隐修院为修士。索萨旋即续修该会历史，完成《多明我会史》(3卷，1623、1662、1678)。该书出版

后,他立即被奉为葡萄牙散文大师。此外,他还完成了《大主教巴托洛缪·多斯·马蒂雷斯修士传》(1619)。这本传记被认为是一部文学杰作和有历史价值的文献。

Sousa, Martim Afonso de 索萨(约1500,葡萄牙维索萨镇～1564-07-21,里斯本) 葡萄牙海军上将,领导第一次远征巴西的殖民活动(1530～1533)。1532年摧毁伯南布哥地区的法国商业点后,首次在巴西建立两个葡萄牙永久殖民地,即今桑托斯港附近的圣维森特和圣保罗(原称皮拉蒂宁加)。他建立市政府,制定法律和经济制度,为以后殖民地社会组织奠定了基础。他还与印第安人建立了友好关系。后任葡属印度果阿总督。

Sousa, Tomé de 索萨(约1515～1573) 葡萄牙贵族、军人,葡属巴西殖民地首任总督(1549～1553)。在非洲和印度服役后,率1 000名远征军到巴西,建立了设防首府萨尔瓦多。帮助耶稣会教徒使土著人皈依,并使葡萄牙国王在整个殖民地重振威望。1552年,定里约热内卢为拓居地并建城堡。1553年返葡萄牙,晚年任国王的巴西事务顾问。

sousaphone(musical instrument) **苏萨大号** 参阅 **helicon** 黑里空大号。

Sousse(Tunisia) **苏萨** 参阅 **Hadrumetum** 哈德鲁梅;**Sūsah** 苏萨。

Soussou(people) 参阅 **Susu** 苏苏人。

Soustelle, Jacques(-Émile) 苏斯戴尔(1912-02-03,法国蒙彼利埃～1990-08-07,塞纳河畔讷伊) 法国人类学家和政治家,对戴高乐将军1958年重新当政起过重要作用,但后来因阿尔及利亚问题与戴高乐决裂。苏斯戴尔是一位铁路工人之子,在巴黎高等师范学校学习,1937年获巴黎大学博士学位。1932～1939年参加几个人类学考察团前往墨西哥,1937～1939年任巴黎人类博物馆副馆长,1938～1939年任法兰西学院和殖民学校教师。

苏斯戴尔一开始就是个强烈的左派分子,1938年任反法西斯知识分子保安委员会秘书长。1940年法国向德国投降后,他参加了戴高乐将军在伦敦组织的自由法兰西武装力量。1942年任自由法兰西情报专员,1943～1944年在阿尔及尔指挥情报活动。苏斯戴尔1945～1946年为制宪议会议员,1945年在戴高乐领导的政府中相继任新闻部长和殖民部长。作为戴高乐的法兰西人民联盟(1947～1952)的秘书长,他于1951年当选为议员后,在国民议会中领导该党。1955年1月皮埃尔·孟戴斯-弗朗斯总理任命他为阿尔及利亚总督。阿尔及利亚法国侨界起初带着怀疑的眼光看他,但很快就把他当作自己的主要代言人。他支持阿尔及利亚和法国实行经济和政治一体化。1956年2月他被居伊·摩勒政府召回。

1956～1958年在国民议会中为戴高乐派领袖,以"政府的破坏者"而著称。他对政府的阿尔及利亚政策的猛烈抨击,导致了3届政府的倒台。1958年5月他返回阿尔及利亚,成为反叛的救国委员会的领导人。他同阿尔及利亚的法国叛乱分子、哗变的军队和法国侨民的其他派别一起,迫使皮埃尔·弗林姆兰总理于5月28日辞职,由戴高乐取代。1958年7月7日被任命为新闻部长,戴高乐当选总统后,于1959年1月任撒哈拉和原子能事务部长。由于与戴高乐的阿尔及利亚政策分歧越来越大,1960年2月离开政府,1961年流亡国外。1962年12月,以阴谋反对国家为由,对他发出了逮捕状。1968年宣布大赦后回到法国,任高级研究实践学院教务长。1973～1978年当选为国民议会议员,1971～1977年任里昂市议会议员。苏斯戴尔还是全国进步与自由运动的创建者和主席(1970)。1973年任欧洲委员会法国代表。1983年6月2日当选为法兰西学院院士。

苏斯戴尔的著作有:《阿兹特克人的日常生活》(1955)、《可爱而受苦的阿尔及利亚》(1956)、《古代墨西哥艺术》(1966)、《戴高乐主义的28年》(1968)、《以色列的长征》(1968)、《致非殖民化受害者的一封公开信》(1973)、《考古学与人类学》(1976)、《阿兹特克人的世界》(1979)、《奥尔梅克斯,墨西哥最古老的文明》(1979)和《马雅人》(1982)等。

Soutar, William 苏塔尔(1898-04-28,苏格兰珀斯郡珀斯～1943-10-15,珀斯) 苏格兰诗人。在苏格兰文艺复兴运动的作家中,地位仅次于H.麦克迪尔米德。受教于珀斯学院和爱丁堡大学。第一次世界大战时在海军服役两年而染上关节炎。1923年成半残废,1930年手术失败,遂卧床不起。他的苏格兰语"儿歌"《风播种子》(1933)为兽类寓言,用孩提时代"天真无邪的目光"去观察事物,表达了对事物的透彻领悟。他在《苏格兰语诗歌集》(1935)中,发展了客观抒发个人情怀的民谣风格。在逝世前10年用苏格兰语写的作品中有《幻想》,系幽默诗歌集,充满滑稽夸张,将荒诞不经的与熟悉的事物交织在一起。他喜爱短小精悍的东西,著有《苏格兰谜语》(1937),其英语诗作有尖锐中肯的讽刺短诗集《三言两语》(1935)和短篇大自然抒情诗集《期待中的沉默》(1944)。

Souter, David H(ackett) 苏特(1939-09-17,美国马萨诸塞梅尔罗斯～) 美国最高法院法官(1990～)。苏特的童年在波士顿的郊区度过,后其家于1950年迁往新罕布什尔州的韦阿农村;其父是银行家,母为商店售货员。在(新罕布什尔的)康科德高中学习后,进入哈佛大学,1961年以优异成绩毕业。之后以罗得斯奖学金领取者身份在牛津大学马格达伦学院学习两年。返回美国后进入哈佛法学院,于1966年获法学学位。在康科德当开业律师两年后,在新罕布什尔州检察长办公室工作。1976年被任命为州检察长,成为由州长梅尔德林·小汤姆森领导的极端保守的政府政策的经常的辩护人。1978年,汤姆森任命苏特为新罕布什尔州最高法院法官。1983年,一位同样保守的新州长约翰·苏努努任命苏特到州最高法院工作,苏特在该法院以维护起诉人和反对推翻任何刑事定罪判决而闻名。1990年5月,在乔治·布什总统的政府期间,苏特被批准担任位于波士顿的美国第一巡回上诉法院的法官。两个月以后,布什提名他为美国最高法院法官,提名经过批准后,他于同年10月就职。由于他在全国最高级的法院里取代了一位自由派的人士,从而在该法院构成了新的决定性的保守派多数。

South, the 美国南部 美国东南部地区。泛指梅森-狄克森线、俄亥俄河和北纬36°30′以南诸州。范围包括亚拉巴马,阿肯色、特拉华、哥伦比亚特区、佛罗里达、佐治亚、肯塔基、路易斯安那、马里兰、密西西比、北卡罗来纳、俄克拉何马、南卡罗来纳、田纳西、得克萨斯、弗吉尼亚和西弗吉尼亚。由于当地植物生长期长、主要农作物与其他地区不同,又因为有着种植园制度和大量黑人农业劳动力(自由人和奴隶),南部在历史上是美国一独特的地区。从17世纪直至第二次世界大战结束,其政治和经济主要是以白人居统治地位。该地区气候温暖、雨量充沛、无霜期长达200～290天,有利于烟草、水稻、甘蔗和棉花等作物的生长。17～18世纪时,该地区的欧洲移民为了种植出口的农作物而急需大批劳动力,他们依靠国际奴隶贸易从非洲买进黑奴,进而形成了特殊的蓄奴庄园制。到1790年,黑人占该地区人口的1/3,形成了农业劳动大军。南北战争初期(1861)约400多万黑人受占当地人口总数仅1/6弱的白人奴役。南北战争前以种植棉花为主,经济上依赖工业化的英国纺织工业,因而反对北部在政治和经济上日益增长的势力。南部的社会哲学观与北部的截然不同,主张稳定不变的乡村绅士社会秩序,讲究贵族生活方式,而不想过认真积累财富的生活。独立战争至1830年前后,受废奴主义者鼓动的影响,北部从一般的反对发展到强烈谴责蓄奴,而南部白人则竭力维护其"特殊制度",最终导致脱离主义的产生。1861年南卡罗来纳、密西西比、佛罗里达、亚拉巴马、佐治亚、路易斯安那、得克萨斯、阿肯色、北卡罗来纳、弗吉尼亚和田纳西11州脱离联邦,结成南部邦联,南北战争爆发。战争使南部遭受严重破坏。田园荒芜,牲畜死亡,铁路瘫痪,并使数十亿美元的投资化为乌有。战后获得人身自由的黑人,在生活上并未得到改善。南部大多数地区仍坚持单一作物——棉花、烟草或稻米,经济复苏缓慢。南部占统治地位的白人通过合法化的种族统治办法坚持黑人低劣说,以佃农制(经济制度)、民主党一党政治(政治制度)及种族隔离(社会制度)来取代奴隶制。至1932年南部仍十分贫困。卡罗来纳州纺织业发展及建设"新南部"运动并未改变南部农村生活方式及其对棉花和农业的依赖。1929年南部人均收入只有372美元,而其他地区则为797美元。周期性棉花过剩和价格下跌使越来越多的农民(黑人、白人)成为分成制佃农。1880～1930年间佃农比例数从36%上升到55%。1929年的大萧条使棉花经济彻底破产。1930年实行"新政",政府通过补偿棉花减产、发放失业津贴和鼓励向城市迁居的办法，使经济逐渐恢复。棉花种植面积定额制提高了产量，也促进了农业基础多样化。1933年田纳西河流域管理局提供的电力提高了该地区生产率。第二次世界大战后南部开始实现持续增长和工业化。1939年后工业增长率近乎全国增长率的两倍。有木材、造纸、石油化工、航空与航天及农产品加工业。农业亦出产桃、花生和大豆。1970年南部人口增长率为全国增长率的两倍。一反过去人口外流，不断有移民涌入南部。该地区逐步城市化，人均收入不断增加。1954年美国最高法院宣布公立学校种族隔离为非法的判决，为消除固有的种族隔离奠定良好开端。20世纪50年代后期和60年代初期的民权运动（由马丁·路德·金等人领导）进一步扫除种族歧视的障碍。1964年通过《民权法》，1965年通过《选举权法》，使黑人真正得到合法的权利，并使持续百余年的旧制度得以根除。

South Africa 南非 阿非利堪斯语作Suid-Afrika。全称南非共和国。旧称南非联邦。非洲大陆最南部的国家。国土由东北向西南延伸约1 800千米，东西最宽处约1 600千米。西北与纳米比亚为邻，北与博茨瓦纳和津巴布韦交界，东北与莫桑比克、斯威士兰接壤，东南和南濒印度洋，西南临大西洋。该国境内有一独立国家莱索托。南非行政首都为比勒陀利亚，立法首都为开普敦，司法首都为布隆方丹。面积1 219 090平方千米。人口约43 421 000（2000）。

土地 南非可分为3个主要自然地理区：广阔的内陆高原；周围多山的半圆形大断崖；狭长的海岸平原。高原海拔从西部的700米到东部的2 400米不等，这一广阔地区有起伏和平坦的地形。大断崖海拔1 500～3 350米，当地有多种叫法，东北部称之为德兰士瓦·德拉肯斯山，西南部则称之为罗赫费尔德山。狭长（50～150千米宽）的海岸平原位于西部、南部和东部，土地肥沃。奥兰治河和林波波河为该国两条主要河流。

南非属温和的亚热带气候，夏季（12～2月）白天平均气温为21～32 °C，冬季（6～8月）为10～24 °C，年平均降雨量各地差异较大，干旱的西北部地区不足200毫米，东南部纳塔尔沿海地区在1 000毫米以上。自然植被也不尽相同，好望角地区为地中海灌木型，境内西部半沙漠地区为耐旱灌木型；乔治以东的好望角沿海有一些温带林，该国其余地区为草地所覆盖。克鲁格国家公园是野生动物保护区之一，该区保护的动物种类有狮、象、犀牛和羚羊。

南非矿产资源十分丰富，有煤、石棉、铜、锰、黄金、铬铁矿、铀、铂、铁、金刚石和天然气。

人民 黑非洲人占全国总人口的3/4，白人几乎占1/7，混血种人（包括开普马来人）占1/12，其余多为印度人后裔。黑人居民由4个主要语族群组成，均讲班图诸语言，属于尼日尔-刚果语族的贝努埃-刚果语支。恩古尼族群包括科萨、祖鲁、斯威士和恩德贝勒诸族，共占黑人总数的一半以上。索托-茨瓦纳族包括索托、佩迪和茨瓦纳各族。聪加和文达族群为另外两大语言族群。境内白人讲阿非利堪斯语或英语，分别为荷兰移民和后来的英国移民的后裔。阿非利堪斯语和英语均为官方语言。南非主要宗教集团有班图基督教、荷兰归正会、天主教、印度教和穆斯林。

南非有3/5的人口居住在城市。人口密度从西部干旱地区的每平方千米5人以下，到东部沿海德班附近黑人区的每平方千米647人不等。黑人和混血种人的人口增长率比白人大约高1/3。婴儿死亡率虽然有所下降，但在农村黑人中仍然很高，在城市黑人中较高，白人中较低。平均预期寿命因种族而异，差别极大，白人寿命最长，黑人最短。

经济 南非属市场经济，主要以服务业、制造业和采矿业为基础。经济增长的主要受益者是白人，一直因技术工人缺乏和非技术劳力过剩而受损。国民生产总值尽管属发展中国家水平，而且增长速度慢于人口增长，但仍位居非洲前列。

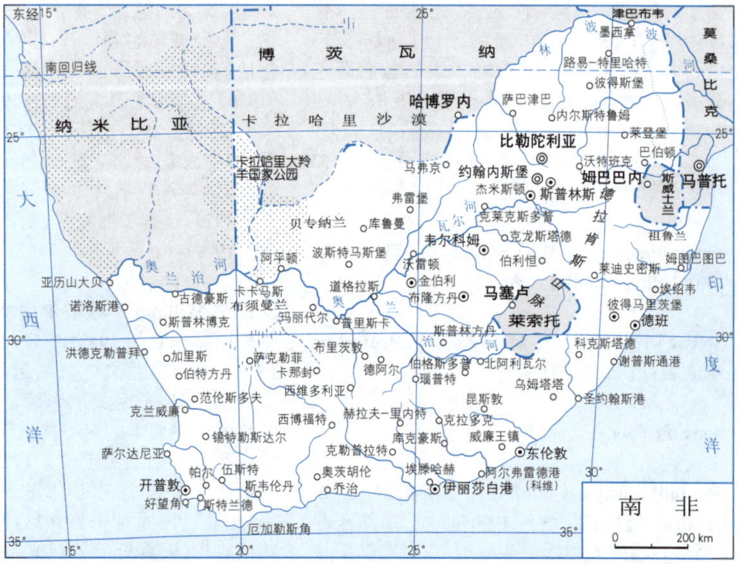

美国不列颠百科全书公司供图

农业约占国内生产总值的5%，占用了1/8的劳动力。可耕地仅约占全国总面积的1/10，产量很低。旱灾时有发生，作为主要粮食作物和出口农产品的玉米收成极不稳定。尽管1962年兴建的奥兰治河工程扩大了灌溉面积，但灌溉仍嫌不足。其他主要作物还有甘蔗、小麦、马铃薯、花生和烟草；棉花种植最近已被引进。全国2/3的土地为牧草地，放养着绵羊、牛和其他牲畜。

森林约占土地总面积的4%；原木的采伐可满足国内小部分需求。近海水产资源丰富；每年捕获的鱼产品有鳀、鳕（开普鳕）和鲱鱼。

采矿业占国内生产总值的1/10，以黄金生产为主。南非是世界最大的黄金生产国，但自1946年以来，黄金在该国全部矿产中所占的重要地位已明显下降。煤的开采十分广泛，并大量出口。南非必须进口石油，南非煤油气公司也生产一部分煤制油。大量的铀被开采并立即进行浓缩。1984年开普敦附近的库堡有一座核反应堆开始投入使用。

南非也是铬、金刚石、铂和钒的主要生产国和出口国。锑、工业金刚石、萤石、锰和蛭石的产量也很大。

制造业占国内生产总值的1/4，雇用了1/8的劳动力。制造业雇用的工人大多是非白人，而企业的所有权则集中在白人手中。主要的制造业有金属制品（尤其是钢铁）、化学品、食品和饮料、电机和机动车辆、纺织品以及印刷和出版。电力大多利用国产煤发电。

在白人统治时期，工会大多实行种族隔离，但现已日趋多种族化。1976年的索韦托暴乱引发了发达国家中的反投资情绪，外国公司的投资随之减少，许多企业的所有权随后转入南非国民手中。南非的主要供应国有德国、美国、英国和日本。进口商品以机械、运输设备、化学品、纺织品和服装为主。意大利、德国、日本和美国均为南非出口商品的主要市场。南非出口最多的商品是黄金，其次为其他金属和金属制品、煤及金刚石。

政体与社会状况 自1948年到1993～1994年期间，南非政治和社会结构的基础是种族隔离制，这一法定的种族歧视制度旨在维护少数白人在政治和经济上的统治地位，并使白人与混血人、亚洲人（多为印度人）和黑非洲人之间的完全隔离得到法律上的保护。在实行种族隔离制时期，政府为各个族群分别建立了10个班图（非洲人）民族家园，1970年，每个黑人都要成为其中小国体的公民。这种作法实际上剥夺了多数黑人的南非公民身份和作为公民而应享有的各种权利。

1983年通过的新宪法规定，混血人和亚洲少数民族只享有有限的政治权利，而黑人的公民权仍被剥夺；占该国人口多数的黑人在议会中没有代表席位。1983年宪法还增加了国家元首总统的权力。在实行种族隔离制时代执政的白人政党为国民党。主要黑人政治组织为非洲人国民大会（简称非国大），但当时该政党在南非为非法组织。

在德克勒克总统的领导下，南非政府释放了非国大领导人曼德拉，对非国大等反对种族隔离制的政治集团开禁，并于1990年开始废除种族隔离制。从1991年起，政府与非国大和其他政治集团就制订一部使境内黑人多数享有公民权的新宪法问题进行谈判。政府还逐步废除了一系列种族歧视的法律，从而拆除了种族隔离制的法律基础。1993年，政府与黑人反对派商定了向南非非种族主义的民主政府过渡的举措。两个主要办法为：①成立黑人占多数的临时执行委员会，负责监督在1994年举行全国首届非种族主义多党选举的有关事宜；②实行临时宪法，直到种族隔离制废除后的南非制订出一部永久性宪法为止。该临时宪法规定实行两院制议会，包括各政党按比例代表制选举产生的国民大会和地方立法机构选举产生的参议院。所有种族均能投票选举新议会的议员，新议会将再选举一位新总统，并最终起草一部永久性宪法。

1994年4月，全国举行新议会选举。从开始举行大选之日(4月26日)起，临时宪法生效，该国4个历史省(好望角、德兰士瓦、纳塔尔和奥兰治自由邦)为9个新省所取代；10个黑人民族家园被撤销，并重新并入南非。由曼德拉领导的非国大在此次大选中获胜；曼德拉成为南非第一位黑人总统。他上台后立即组成一个民族团结政府，副总统和内阁部长来自非国大、国民党和其他温和的政治党派。

1996年制定的非种族主义宪法计划在1996～1999年逐渐实施，规定成立一个两院制立法机构。国民省议会由9个代表团组成(每个代表团有代表10名)，均由9个省的立法机构选出。国民议会350～400个席位的议员按比例代表制选出，任期5年。国民议会从其议员中挑选出该共和国总统，总统任期5年，最多只能担任两届。司法系统的最高机构为宪法法院，包括最高上诉法院、高等法院和地方法院。

南非的社会福利服务包括社会退休金、家庭津贴、对老年、残疾和儿童的照料以及失业救济等。城市地区有现代化的医疗保健设施，而乡村地区则很少；这是由于在提供医疗保健方面的种族不平等所形成的。在非白人当中传染病发病率很高，营养不良现象普遍存在。

由于在种族隔离制时期全国实行3种单独的教育体制，各种族的识字率也有较大差异。白人识字率高达90%以上，黑人则只约有32%。7～16岁的白人，亚洲人和混血人可接受免费义务教育；7～11岁的黑非洲人到1980年才开始接受免费义务教育。一个统一的非种族主义教育体制正在拟议之中。

尽管南非新闻界往往受到政治和法律上的压制，但该国仍属非洲大陆最自由的国家之列。电台和电视台广播由国家经营。

文化生活 南非人使用的语言达10余种，反映出这个国家文化的多样性。最大族群黑人最善于吸收各种文化，尽管有许多人接受了欧洲人的习惯，但非洲传统在音乐、舞蹈和视觉艺术方面仍然根深蒂固。南非的文学传统有以英语、阿非利堪斯语和多种非洲语言(其中以祖鲁语和科萨语为主)写作的作品。该国著名作家包括阿非利堪斯语诗人芳和布雷滕巴赫、英语小说家佩顿、戈迪默和库切和剧作家富加德(参阅 **South African Literature**)。

历史 在石器时代后期，约1万年以前，桑人(旧称布须曼人)和科伊科伊人(霍屯督人)作为猎人和食物采集者生活在南非各地，到欧洲人来到此地的时代，科伊科伊人形成了一种游牧文化。铁器时代讲班图语的民族(至15世纪左右)向南迁徙，并建立了较复杂的社会、采金和采铜业以及活跃的东非贸易。

1488年，葡萄牙航海家迪亚斯航行到非洲大陆最南端。1652年荷兰人里贝克在好望角建立殖民地作为荷属东印度公司商船的停泊站。荷兰殖民者被称为布尔人，后来又因其讲阿非利堪斯语而被称为阿非利堪人；该语言是从殖民者所讲的荷兰语衍生而来。桑人、科伊科伊人和阿非利堪人之间的相互通婚，又产生了一个新的种族集团开普混血人。阿非利堪人从好望角向内陆挺进，成为半游牧的牧农，称为迁徙布尔人。他们在菲什河地带遇到了众多的定居农民科萨人。18世纪最后的25年期间，小规模的牛群劫掠逐渐发展为阿非利堪人和科萨人之间的边境战争，断断续续地持续了近100年之久。

1795年，英国军队攻陷好望角，1802年放弃了对该地的控制，1806年又重新占领这块殖民地。英国对沿边境地区的讲班图语部族实行镇压政策。19世纪30年代"大迁徙"开始，大批阿非利堪人带着他们的奴隶跨越奥兰治河和瓦尔河向北迁徙以逃脱英国人统治。在此时期，奥兰治自由邦(1854)和南非共和国(1838；后称德兰士瓦)两个布尔人共和国先后建立。19世纪50年代，两国摆脱英国殖民统治获得独立。

19世纪后期，由于金刚石(1868)和黄金(1886)的发现，导致经济蓬勃发展。这两个布尔人共和国均对英国人把他们纳入南非联邦的企图进行抵制。这一行动导致了1899年这两个共和国和英国之间的一场南非(布尔)战争。到1902年，布尔人的抵抗被摧毁，英国吞并了这两个共和国，将其作为新的殖民地。

1910年的《南非法》将英国的几块殖民地(开普、德兰士瓦、纳塔尔和奥兰治河等)合并成为新的南非联邦。第一次世界大战时南非支持英国；到1915年，它的士兵击退了占领西南非洲(今纳米比亚)的德军；1919年，国际联盟将前德国殖民地委任南非管辖。

在整个20世纪，维护白人对该国黑人多数的统治地位的议题一直在南非政治中占有支配地位。1948年，白人国民党的新政府实行强制性种族隔离，作为一项正式的种族隔离政策；其内在的种族等级制在经济和政治领域中将白人和黑人分为截然相反的两部分，实际上由白人掌握一切政权，并拥有国家大多数的财富。亚洲人和混血人居中。

从50年代起，非白人的骚乱与日俱增，因实施种族隔离制政策，有时还酿成激烈的冲突。

1966年，莱索托(巴苏陀兰)和博茨瓦纳(贝专纳兰)独立。1968年，联合国将西南非洲更名为纳米比亚；1990年纳米比亚获独立。与此同时，南非白人政府由于遭到世界各国的谴责，开始实行一系列安抚黑人的政策，并拆除种族隔离制的壁垒。1991年，白人控制的政府开始与黑人政治组织就非种族主义的新宪法举行谈判。种族隔离制被废除，政府与主要黑人政党非国大合作以实现向黑人多数统治的过渡，这项举措以1994年4月举行的全国各种族民主选举为标志。非国大在此次大选中赢得新议会中的绝对多数席位，非国大领袖曼德拉成为南非第一位黑人总统，上台后立即组成一个民族团结政府。一部颇受称赞的非种族主义宪法于1996年正式通过，国民党人士也随之退出政府。

South Africa, Church of the Province of 南非圣公会 基督教安立甘宗在南非的自立教会。18世纪末和19世纪，英国圣公会神职人员在好望角地区英国军人和移民中间开展工作，为该教会奠定了基础。起先由印度加尔各答圣公会主教负责该地区教会，后1847年格雷被按立为第一任开普敦主教。经过格雷主教的努力，该教会获得发展，新主教区次第成立。1853年他成为南非都主教(大主教)。格雷曾受到英国圣公会内部强调天主教传统的牛津运动的影响。南非圣公会的信仰和习俗反映这种影响。南非境内成立了一批圣公会修会，正是受这种影响的结果。在现代，南非圣公会努力为该国黑人提供宗教服务，积极反对南非政府的种族隔离政策。

South Africa Act 《南非法》(1909) 统一开普、纳塔尔、德兰士瓦和奥兰治河等英属殖民地的法令，从而建立了南非国家。它由1908年在纳塔尔的德班召开的国民会议上商定。出席会议的人仅代表不到南非人口1/5的白人选民。该法草案主要由德兰士瓦殖民大臣J.斯穆茨(及其英国秘书R.H.布兰德)根据1900年的澳大利亚宪法拟订的。据此法，所有权力几乎完全集中于清一色白人的联邦议会。联邦设3个首都：比勒陀利亚、开普敦、布隆方丹，分别为行政、立法和司法首都。英国议会于1909年以法令形式通过该草案。据此，1910年3月31日成立联邦，博塔为第一任总理。

South African literature 南非文学 现今南非共和国以阿非利堪斯语或英语所写作品的总称。关于以该国黑人多数所操的非洲语言所创作的作品，参阅 **African arts**。

南非为欧洲人在非洲人的抵抗下建立的殖民地，其后曾一度成为英国人和布尔人的战场。虽然南非于1910年独立，但境内各种族尚未统一成和谐的整体，源于黑白种族之间不平等关系的紧张状态便成了许多南非文学作品的真实特点。南非本土文学实际上始于19世纪末，至20世纪已取得相当大的成就。出生在南非的作家，其作品的观点大都受到局限，他们常常仅能模糊地理解不属于他们自己种族的其他南非人的抱负、观念与传统。操英语的南非作家大多住在城市，其眼光及于世界，其文化是英国式的，在国外英语社会中往往拥有更广泛的读者。与此相对，数十年来阿非利堪斯语作家属于一种出于自卫心态而紧密结合的团体，具有共同的经历(包括来自乡村的)、抱负、宗教和强烈的民族意识。直至20世纪60年代才出现与这一传统的明显决裂。

20世纪的都市化及南非政府实施的黑白种族隔离政策的双重现象，大大影响了操英语及阿非利堪斯语的白人和非洲人的心理结构及文学表现形式。南非状况所固有的道德与艺术需求在一定程度上刺激了文学创作,但南非首要的种族问题也许已最终证明有碍于一种真正的民族文学的形成。

以阿非利堪斯语写作的文学作品 虽然大约在1750年阿非利堪斯语即已完全脱离母语荷兰语而被视为一种独立的语言,但首批阿非利堪斯语作品却于一个多世纪之后才面世。1875年一群具有民族意识的人士组成真正阿非利堪人协会,该协会后来出版了阿非利堪斯语的第一份报纸、杂志和第一批文学作品。荷兰归正会牧师S.J.杜托伊特是所谓第一次阿非利堪斯语运动的领袖,是一位才华横溢的多产作家。第一次阿非利堪斯语运动的作品是宣传性的,旨在消除对新语言的偏见,证明它能有效地充当交际的工具。

布尔人在南非战争(1899～1902)中的失败掀起了一股要求将阿非利堪斯语确定为国语的新高潮。第二次阿非利堪斯语运动从开普省向北部展开,阿非利堪斯语逐渐凌驾荷兰语而占据优势,取代荷兰语成为学校教学用语及荷兰归正会用语,并最终在1925年成为当时的南非联邦的官方语言。第二次运动在20世纪初持续了20年,其杰出作家多为诗人,其中主要有:马雷,他的诗以失望、怜悯的笔调写人类的苦难;塞利尔斯是一位田园诗人;J.D.杜托伊特写出了阿非利堪斯语最动人的一些哀歌;莱波尔特的诗表现了南非战争给人们所带来的苦难,其题为《荡子之歌》的抒情短诗表达了对大自然之美的感受。

除诗歌以外的阿非利堪斯语文学作品,在20世纪20年代和30年代取得了重大成就。在乡土现实主义流派方面,范布鲁赫恩及范梅勒两位小说家因描写乡村、农场的人们而获得成功。最优秀的两位浪漫主义小说家是D.F.马莱尔布和C.M.范登海弗。前者写了许多圣经题材和南非拓荒历史的冗长故事,后者的作品大多描写从乡村社会向都市社会过渡期间阿非利堪人的冲突,表现了农民与土地的天然联系。图恩·范登海弗是20世纪20年代杰出的新诗人,其反顺应主义的诗预示了20世纪30年代“新”阿非利堪斯语诗的勃兴。

阿非利堪斯语文学史上最重大的事件是“30年代诗人”的出现。这是一群有才华的诗人,首先崭露头角的是《富有的蠢人》(1934)的作者W.E.G.劳。这位敏感的诗人以神和厄洛斯之间的无情冲突为例,展现了即将成为新一代标志的品德。继他之后是他的哥哥范维克·劳。范维克是新运动主要的富有创造性的艺术家和理论家,各种形式的诗均写得很好,创作出阿非利堪斯语最优秀的颂歌、十四行诗、现代歌谣及爱情抒情诗。其独角戏剧本《上帝的猎犬》(1942)是荷兰文学中无与伦比之作,其叙事诗《芮卡》(1941)已成为经典之作,而在诗集《哀歌》(1962)中,他哀叹寻求神在世俗生活中的朕兆的个人的流亡生活。

20世纪30年代另一诗人艾贝尔丝的诗,起初写女性的内心告白,后来扩大为对爱情、流亡、老年及诗歌技巧的深入、客观的探讨。克里格除了写生动的浪漫诗之外,还是一位短篇小说家、剧作家及优秀的拉丁语系各种语言的翻译家。诗人D.J.奥珀曼在1945年脱颖而出。他的技巧附加在不同的历史层面上,这些历史层面与来自非洲及共同的西方传统的主题、意象、典故的迷人拼图融为一体。恩斯特·范希尔登是20世纪40年代脱颖而出的另一位重要诗人,他一改结构严谨、缺乏感情的诗句而采用更为自由、易于表现人性弱点的形式。在以开普有色人种方言写作的诗人中,斯莫尔最有才华。

至20世纪中叶,阿非利堪斯语已从乡村语言变成都市语言,表现了都市居民的挫折与压力。在新作家中,有诗人布卢姆和短篇小说家拉比。继其后的是“60年代作家”。这是一群迥然不同的作家,因其对形式实验的兴趣、共同的存在主义人生观及对种族隔离和在执政的国民党统治下的南非社会的独裁特征的不满而松散地聚集在一起。“60年代作家”中最重要的是小说家勒鲁和布林克及诗人布雷滕巴赫。在20世纪60年代发表的一系列主题有联系的小说中,勒鲁探索现代阿非利堪人在寻找一种神话时的进退两难的困境,他的作品包含无穷的幻想和讽刺,在阿非利堪语文学中独树一帜。在20世纪70年代,布林克写了一系列描写种族隔离的弊端和不公的小说。作为20世纪60年代最重要的诗人,布雷滕巴赫在充满新奇比喻的自由诗中将超现实主义与佛教的禅宗结合起来。短篇小说在巴纳德、弗里斯和奥康等人的作品发表之后,于20世纪60年代成为阿非利堪斯语文学中一种重要体裁。

20世纪60年代以后,种族隔离制度及其造成的紧张局势和道德败坏在阿非利堪斯语文学中继续为人们所探讨。两部动人的纪实小说是朱伯特的《波皮·农赫纳的远行》(1978)和迈尔斯的《出自废纸篓的记录》(1991),它们分别记录一个说阿非利堪斯语的黑人妇女直至1976年的经历及一桩政治谋杀案。范希尔登的《魔山》(1986)既是一种家族小说,又是一部魔幻现实主义的习作和南非历史寓言。在斯库曼的名作《另一个国家》(1984)中,个人孤独的悲伤经历与探索南非政治现实的描写结合在一起。

20世纪60年代以来,著名的阿非利堪斯语诗人大多为妇女。斯托肯斯特伦在描写荒凉的景色和自我疏远方面表现出给人以深刻印象的白描技巧;屈松在诗里描写通过罗马天主教神秘主义超越人类苦难;而克罗格的《安妮夫人》(1989)记录了她对一种传统范畴之内的个人语言的追求。

阿非利堪斯语戏剧远逊于诗及散文。20世纪60年代和80年代涌现大批青年作家,特别是斯米特、布林克和福里的剧作,但在这一文学体裁中给人印象最深的成就也许仍是范维克的《日尔曼尼库斯》(1956)及奥珀曼的《科林斯的佩里安德罗斯》(1954),两者皆采用古典题材。

以英语写作的文学作品 以英语写作的南非文学作品实际上始于19世纪末南非共和国成立前的各州,至20世纪时已取得相当大的成就。20世纪初,非洲人已大体从部落的习俗及价值观念(包括口述文学传统)中脱离,开始以英语写作。20世纪中期,许多有才华的非洲人在以贫困但却富有生气的“城镇”中的非洲读者为对象的畅销英语报纸和杂志(如《鼓声》)上面试笔写作。大约与此同时,操英语的黑人和白人作家也开始在小范围内交往,这种相互充实的交往也许对文学产生了促进作用。可惜它为期甚短,从1948年起,许多非洲作家和白人作家因政治原因被放逐。

施赖纳是一位思想自由、有影响的作家,专写本地和国际事件,写有南非第一部杰出的小说《一个非洲庄园的故事》(1883)。其他英语作家包括普洛美尔,他在小说《泰尔鲍特·沃尔夫》(1925)中率先以种族关系作为小说题材;史密斯在《小卡鲁》(1925)的故事中同情地描写了乡下的阿非利堪人;波斯特在小说《一省之中》(1934)中则以“非洲人进城”作为主题。

佩顿和戈迪默两人皆以小说及短篇小说在国际上享有声誉。《哭吧!亲爱的祖国》(1948)确立了佩顿作为南非自由人道主义最雄辩的代言人的地位,他后来的作品如小说《太迟了的法拉罗勒》(1953)及《黛比回家》(1961)中的故事进一步提高了他的声望。其作品的特点是具有韵律感的文字、对南非令人痛苦的种族关系所持的同情观点以及反讽。戈迪默的第一部小说《说谎的日子》(1953)在国外引起轰动。她对物质世界及微妙的人际关系作细密的观察,文笔犀利而不流于感伤,其才华在《不为出版》(1965)等短篇小说集中发挥得淋漓尽致。1991年,戈迪默成为第一个获得诺贝尔文学奖的南非人。

雅各布森早期的小说亦赢得了应有的赞誉,它们对种族对立的南非社会提出了独到的深刻见解。其最佳作品包括短篇小说集《我的乞丐邻居》(1964)及长篇小说《初学者》(1965),皆以严谨和讽刺幽默为特色。继戈迪默之后出现的最重要的小说家也许是J.M.库切,其作品标志着与南非现实主义和自然主义描写传统的断然决裂。在《在这个国家的中心》(1977)、《等待野蛮人》(1980)及《迈克尔·K传》(1983)等小说中,库切用比喻、黑色幽默和意识流等叙述手法描写虽然没有明指,但显然是人剥削人的现代社会的残忍与不公。

用英语写作的黑人和有色人作家的最优秀的一些作品是描写南非社会中黑人青年知识分子所经受的挫折和权利被剥夺的传记性描述。亚伯拉罕姆斯是流亡国外的一位多产的有色人小说家,他在小说《谈自由——非洲的回忆》(1954)中探索了这种情绪。拉古玛在其短篇和中篇小说(如《夜游》[1962])中,用搀杂有许多阿非利堪斯词语的道地的有色人英语方言写作。他的其他著作包括《三股绳》(1964)、《石头国》(1967)和《在季末的雾中》(1972)。其他抗议种族隔离的作家包括恩科西,著有论文集《故园与流亡》(1965);慕帕赫列列的自传《沿着第二条林荫大道走去》(1959)已成为南非文学的经典之作。恩科西与慕帕赫列列两人皆为非洲人,都曾为《鼓声》杂志工作,该杂志为他们的思想提供了重要的论坛。两人后均流亡国外。

温馨的幽默在南非的作品中极为少见,但在H.C.博斯曼的作品中却处处可见。他在《马弗京路》(1947)和《杰瑞比哥的木桶》(1957)中以充满感情的笔调描写老派的阿非利堪人。在用英语所写的剧本中，唯一值得注意的是富加德的作品，尤其是《血缘》(1963)及《你好，再见》(1966)。他的后期剧作如《鲍斯曼和列娜》(1969)及《希兹尉·班西死了》(1972)对南非形势作了深刻、悲观的分析，使他跻身世界重要剧作家之列。

早期用英语写作的南非诗人力图按19世纪英诗的传统描绘南非景色。20世纪20年代，重要诗人坎贝尔及普洛美尔的作品问世。作为讽刺诗人，他们竭力戳穿当时南非诗坛特有的肤浅和伤感情调。坎贝尔的诗活泼奔放，经常含有恫吓的口气。其最著名的作品是象征主义长诗《火红的甲鱼》(1924)。严守诗韵的普洛美尔笔法婉约，在《诗的笔记》(1927)和《游洞》(1936)等作品中实验韵律及用语。

坎贝尔的作品，在第二次世界大战之后的几十年间，激励了新一代英语诗人的出现。巴特勒在其优秀诗作《乡思》(1956)中，表达了一种英国人无论作为一般人或诗人都是外国人的感觉。斯莱特经常借着意象与韵律唤起独特的南非感受，如《诗集》(1957)中的《哀悼母牛之死》。克劳茨是第二次世界大战之后崭露头角的另一位重要诗人，但成为20世纪末叶最重要英语诗人的却是利文斯通。他在20世纪60年代以其对非洲景色和动物的动人描写初露锋芒，但他后来的诗扩大了范围，触及现代社会各方面。姆查利是另一位杰出的诗人，其《牛皮鼓声》(1971)获得好评。

South African Party　南非党　原南非联邦的政党，1910年由L.博塔创建，主张英属南非与布尔人在英联邦框架内和解。同年，该党在大选中获胜，博塔任南非联邦第一届总理。南非党在第一次世界大战中支持协约国。1919年博塔去世后，J.斯穆茨任总理。斯穆茨领导下的党在1920～1921年发展壮大。但在1924年落选。1934年与国民党合并成为统一南非国民党。

South African Republic　南非共和国　19世纪两个布尔人国家(在今南非)的名称。一是1838年移民先驱(来自开普的阿非利堪移民)在德兰士瓦西南波切夫斯特鲁姆地区所建立。另一是1860年瓦尔河、哈茨河和林波波河之间的各布尔人共和国合并后，也采用这一名称。后者于1877年被英国兼并，称德兰士瓦殖民地。1880年12月，布尔人在德兰士瓦起义，再次宣布成立南非共和国。1900年南非战争中为英军占领，再次成为德兰士瓦殖民地。1910年后建省。

South African War　南非战争 (1899-10-11～1902-05-31)　又称布尔战争或英布战争。英国与两个布尔(阿非利堪)人共和国——南非共和国(德兰士瓦)和奥兰治自由邦——之间的战争。英国出动军队将近50万人，布尔人的军队只有8.8万名左右。这场战争是在1899年10月11日，即布尔人发出反对英国在南非增加驻军的最后通牒之后开始的。危机的起因是南非共和国在P.克留格尔总统领导下拒绝给予威特沃特斯兰德矿区的异国人(即非荷兰人，主要是英国人)居民以政治权利，而英国高级专员A.米尔纳和英国殖民大臣J.张伯伦对这种顽固性采取咄咄逼人的态度。战争的一个基本原因是德兰士瓦拥有世界最大的金矿，但不由英国人直接控制，而当时的世界货币体系，特别是英国的货币体系，日益依赖于黄金。战争的进程可分为3个阶段。第一阶段，南非的英国人处于没有准备的状态，在军事上也处于劣势。布尔军队在两个战场上发起攻势，即从德兰士瓦攻入纳塔尔和从奥兰治自由邦攻入开普北部。开普殖民地北部地区的居民起来反抗英国人，加入布尔军队。在黑色星期(12月10～15日)中，布尔人多次打败英国人，并围攻一些重要城镇。在第二阶段，英军在基钦纳勋爵和F.S.罗伯茨率领下解救了被布尔人围困的城镇，并沿铁路线迅速挺进，1900年2月占领布隆方丹，5月和6月占领约翰内斯堡和比勒陀利亚。1900年底战争进入破坏性最大的阶段。布尔民团骚扰英军基地和交通线达15个月之久。英国人不能控制德兰士瓦和奥兰治自由邦的广大农村地区。基钦纳在铁路沿线拉铁丝网和建造碉堡，也无成效。后来他采取焦土政策，捣毁布尔人的村庄，把农民关入集中营，虐待布尔人的妇孺，惨死者达2万名以上。布尔人的军队不断发起进攻，J.斯穆茨将军领导军队深入开普殖民地境内80千米。但是，在基钦纳的残酷而野蛮的镇压下，布尔人终于屈服，1902年5月订立《弗里尼欣和约》(**Vereeniging, Peace of**)，同意放弃独立。

South America　南美洲　世界第4大洲，新世界两个主要陆块的最南面一块，约占全球陆地面积的1/8。该洲北部宽阔，向南逐渐变窄，在火地岛形成一个岬角，从北部哥伦比亚的加伊纳斯角延伸到南部智利的合恩角(及附近的迭戈米拉雷斯群岛)，约7 600千米。其最宽处在赤道附近，从东至西约5 300千米，4/5的陆块在热带地区。北和西北濒加勒比海，东和东北、东南临大西洋，西滨太平洋，南隔德雷克海峡与南极洲相望，东北的巴拿马地峡与北美洲相连，该地峡形成一个陆桥，最窄处约80千米。南美洲面积17 814 000平方千米。人口约308 770 000(1993)。

土地　南美洲在地形上可分为3部分：西部为地质年代较短的安第斯山脉，东部和中北部是古老的结晶质圭亚那地盾与巴西地盾，以及地盾周围的沉积盆地。安第斯山脉南北长约8 800千米，平均高度仅次于亚洲的喜马拉雅山脉，居世界第2位。安第斯山脉沿该洲的太平洋海岸延伸，在智利-阿根廷边境的阿空加瓜山(6 959米)，为西半球最高峰。安第斯山区极易发生地震。

东部的地盾区域被亚马孙低地分隔成两个大小不等的部分(圭亚那高原和巴西高原)，有南美洲最古老的岩石。较小的圭亚那高原地势低平，居民稀少，构成今委内瑞拉和圭亚那的大部分地区。巴西高原面积1 502 200平方千米，构成巴西的整个东部与南部地区，向东面的大西洋逐渐倾斜，在东南面陡降，有时达790米(马尔陡崖)。阿根廷南部的巴塔哥尼亚，由一系列台地状的干旱高原组成，从大西洋升起延伸至安第斯山脉的东坡。

地盾周围的一系列低地和河流流域，向南延伸至该洲中部，将高原区与安第斯山区隔开。这些低地中最著名的是亚马孙河流域，面积约7 050 000平方千米，为世界最大的河流流域。阿根廷东部的潘帕斯草原系由河流或尘暴从安第斯山脉带来的大量疏松沉积物构成。该草原及其肥沃的土壤面积约777 000平方千米，是南美洲产量最高的农业区之一。

南美洲的水文以北部的亚马孙河流域为主，流经大陆1/3以上的陆地，最后注入大西洋。亚马孙河的长度仅次于尼罗河，居世界第2位，流量为非洲刚果河的4倍。另外3条重要的水系是奥里诺科河、巴拉那-巴拉圭-拉普拉塔河及圣弗朗西斯科河，均注入大西洋；没有类似的大河注入太平洋。南美洲的大部分湖泊是安第斯山区或其山麓地带的山地湖泊。的的喀喀湖位于秘鲁和玻利维亚之间，海拔约3 810米，为世界最高的淡水湖。

南美洲可分为4个明显的气候区：热带、温带、干燥带和寒带。热带气候区可再细分为两种类型：热带多雨或雨林区出现在哥伦比亚的太平洋海岸、亚马孙河流域、圭亚那海岸及巴西的部分海滨地区；热带湿干或稀树草原区出现在热带多雨地带周围的较干燥区域、奥里诺科河流域、巴西高原及厄瓜多尔西部的部分地区。温带气候区以温差变化较大和冬季温度较低为特征，分布在智利、阿根廷、巴拉圭及巴西南部等地的部分地区。干燥带气候区主要在安第斯山脉东侧的巴塔哥尼亚、太平洋海岸部分地区及巴西东北部。寒带气候区的年平均温度不到10 °C，仅见于阿根廷和智利的最南部及安第斯山脉的高处。南美洲大部分地区雨量充沛，年平均降雨在1 016～2 032毫米之间，亚马孙河流域雨量最多。面积最大的干燥地区在巴塔哥尼亚，而最干燥地区是智利北海岸的阿塔卡马沙漠。

南美洲约有7%的土地为可耕地；大多用来种植玉米、小麦和水稻。该洲约有1/4土地为常年牧场。约一半土地被森林所覆盖，主要是广阔但日益减少的亚马孙雨林。亚马孙雨林一处便生长着大约2 500种不同的树木。南美洲的雨林、高原、河流和沼泽地中生活的动物几乎占世界全部已知种类的1/4，包括亚美利加驼、美洲豹、羊驼、水豚、树懒、大食蚁兽、鹈鹕、海牛和锯脂鲤等稀有或当地的动物。

人民　南美洲现在的人口由4个主要种族组成：美洲印第安人，他们为该大陆前哥伦布时期的居民；伊比利亚人(西班牙人和葡萄牙人)，他们征服并统治该大陆直至19世纪初；非洲人，他们是殖民者贩运来的奴隶；最后是该地区独立后来自海外的移民，多为德国人和南欧人，但也有黎巴嫩人、南亚人和日本人。

除巴西使用葡萄牙语，法属圭亚那使用法语，圭亚那使用英语以及苏里南使用荷兰语之外，整个南美洲的官方语言是西班牙语。讲印第安语的人口不到该洲总人口的10%，其中3/4以上分布在安第斯山区的中部和北部。南美洲大多数人口信仰基督教(约

90%)，其中85%为天主教徒。不同宗教信仰的派别，新教和当地传统宗教的教徒占非天主教徒的大多数。

热带南美洲(阿根廷、智利和乌拉圭以北诸国)的人口增长率长期居世界最高之列，1955～1965年间曾达到每年3%的最高峰，之后便大幅下降。巴西人口超过1.5亿，几乎占南美洲总人口的一半。

温带南美洲的人口增长率较低，主要由于从20世纪50年代开始的低生育率。60年代多数国家实行了家庭计划生育，对于天主教会反对使用人工节育措施的禁令不再严格遵守。出生率在城市区和许多受过教育的妇女中比较低。然而，在大多数南美国家中15岁以下儿童占全国人口的1/3以上；只有阿根廷、智利和乌拉圭除外。

南美洲沿海地区人口居住稠密，内地人口相对稀少。在20世纪沿海地区已变得高度城市化。乌拉圭、阿根廷、智利和委内瑞拉有80%以上人口居住在都市区。仅在里约热内卢、圣保罗和布宜诺斯艾利斯3大城市的都市中，就总共居住着3 500万以上的人口。

经济 巴西几乎占南美洲经济产值的3/5，是该洲最主要的经济大国，其次为阿根廷、委内瑞拉、哥伦比亚和智利。工业化程度最高的有巴西、阿根廷和乌拉圭。南美洲大多数国家的人民收入贫富不均，在为数众多的穷人与极少数富裕家庭之间，是人数日渐增多但仍占少数的中产阶级。大多数国家属自由市场经济或国营和私营企业共存的混合型经济。

南美洲拥有几种重要矿物的丰富储量。铁矿床主要发现于巴西和委内瑞拉，约占世界总储量的1/8。智利和秘鲁拥有世界铜储量的1/4，锡矿大量发现于玻利维亚及巴西的亚马孙河流域西部。该洲还有数量可观的钶(铌)、钼、铝土、铅与锌储量。南美洲最重要的石油与天然气储量位于委内瑞拉。

农业约占用了南美洲劳动力总量的1/3。虽然该洲一向以粮食产地而闻名，但农业生产率普遍很低，土地利用亦不充分。许多国家的农业生产不能自给自足，或仅够自给自足，没有剩余粮食可资利用。

玻利维亚和秘鲁境内的安第斯山脉以及厄瓜多尔与哥伦比亚的部分地区，以小规模的生存农业种植为特色，主要生产豆类、玉米和马铃薯；其间散布着大片牧场，可用来饲养牛和羊。在巴西、巴拉圭、秘鲁、哥伦比亚和委内瑞拉的热带低地，生产香蕉、柑橘与蔬菜等经济作物以及木薯、豆类和水稻等主要粮食作物。其他重要农产品包括糖、可可和咖啡。阿根廷、乌拉圭与巴西南部的潘帕斯天然草原既养牛又用于谷物种植。巴塔哥尼亚亦为一个重要的畜牧区，饲养产羊毛和供肉食的绵羊。智利和秘鲁有绵长的海岸线，渔业资源丰富，两国捕鱼量均居世界前列。

土地主要集中在少数大地主手中一直是南美洲始终存在的问题，而实行土地改革也一直是许多届政府经常做出的承诺。土地改革在智利、玻利维亚和秘鲁已广泛进行，但其他国家的改革速度则缓慢得多。南美洲虽有充足的木材资源，但难以对森林进行商业性开发，主要是因为热带森林所包含的树木种类繁多，单独开发任何一种在经济上都不合算。多少世纪以来南美大陆一直保持着早先的原始状态，但现在整个大陆对自然环境(特别是亚马孙雨林)的破坏正不断地加快。

矿产在南美洲许多地区都很重要，主要供应出口。智利的铜矿产量几乎占世界产量的1/5，巴西的锡矿产量和铁矿产量分别占世界产量的1/6和1/7。巴西也是金、锰、铬和钢的主要生产国。秘鲁则是锌、铅和铜的主要生产国。委内瑞拉是南美洲的主要原油生产国，产量居世界前列。该洲3/4的电力来自水力发电，其中有2/3出自巴西。

南美洲多数国家的制造业相对落后，主要以轻工业或原料出口加工为主。阿根廷与巴西例外，这两个国家已经实现工业化，门类繁多的制造业部门生产钢铁，精炼石油、石化产品及资本货物(如汽车)。南美洲的制造业几乎全部集中在圣保罗、里约热内卢和布宜诺斯艾利斯等大城市。许多南美洲国家都将以前为外国人所有的重要企业收归国有。

南美洲内陆的大片地区交通不便，公路和铁路主要集中在该洲周边地区。除奥里诺科河以外，其他主要河流均不适于大型船只航行。主要长途运输依靠海运，港口仍然是人口与贸易的主要中心，现已开通空运并修筑了一些新建的公路。

南美洲的进口大量超出出口，许多国家的外贸收支长期出现赤字。大部分出口贸易与美国和欧洲经济共同体成员国进行；进口商品主要来自美国、欧洲经济共同体和中东国家。该洲的区域间贸易正缓慢增加。

社会状况 玻利维亚、厄瓜多尔、秘鲁和哥伦比亚的大量人口生活在贫困之中，营养不良现象十分普遍。这些国家与南美洲其他国家相比，平均预期寿命较低，婴儿死亡率却较高。

圭亚那、阿根廷、乌拉圭、苏里南和智利的人口识字率在南美洲地区属最高水平。大多数国家中受过教育的女性通常少于男性。但小学的入学率在两性之间已开始出现平衡的趋势。出版自由缺乏保障。新闻媒体的检查制度，无论是军政府强制实施的，还是为免遭军人政权的查封或其他制裁而自行实施的，已开始缓慢解除。

文化生活 南美洲的文化生活主要基于伊比利亚的文化价值观与印第安和非洲的民俗、音乐及口头传说的融合。安第斯山区与亚马孙河流域受印第安文化影响最深；非洲文化影响在巴西最为明显。此外，南美洲的文化生活也掺合进德国和意大利移民的传统以及西方(尤其是美国)的近代通俗文化。阿根廷、乌拉圭、智利以及巴西(在较小的程度上)的画廊、博物馆和音乐厅都反映出欧洲文化的基调。安第斯山脉北部国家则更多地受到印第安和西班牙殖民地传统的影响。

历史 考古发掘表明，亚洲血统的人种至少在2万年以前最先来到南美洲。这些早期移民主要以狩猎与采集为生。约公元前2600年的农业发展开始了一段文化迅速演进的时期，在南美洲各地达到的水平不一。最主要的文化发展出现在安第斯山区中部，以印加帝国的建立达到顶峰，其全盛时期占地约260万平方千米，人口约600万人。哥伦比亚的奇布查人文化，很可能是仅次于印加的最发达文化，到16世纪初欧洲人来到南美洲时，其他文化的发展程度从旧石器时代至新石器时代晚期不等。

1498年哥伦布第3次航行到西半球时，曾在今委内瑞拉境内的奥里诺科河口登上南美洲大陆，从此开始了欧洲人对该地区的探险。1499年，意大利航海家亚美利哥·韦斯普奇(新大陆即以其命名)的部下西班牙中尉阿隆索·德奥赫达登上被印第安人称作圭亚那的北部海岸。1593年西班牙正式占领北部海岸。到1520年，欧洲人的足迹已遍布南美洲的大西洋沿岸。1494年西班牙与葡萄牙签订《托德西利亚斯条约》，共同瓜分南美洲。葡萄牙占领该洲东部至西经50°，其余部分归属西班牙。

受到有关大量财宝的传闻诱惑，西班牙和葡萄牙探险家深入内陆探险。约1535年皮萨罗征服了印加帝国，1538年希梅内斯·德克萨达打败了奇布查人，在哥伦比亚建立了波哥大。16世纪中叶大批西班牙和葡萄牙移民开始到达南美洲，到16世纪末叶城市发展的基础已基本奠定。

16和17世纪西班牙人为充实国库，在南美洲大量开采金矿和银矿。17世纪除委内瑞拉外，西班牙在南美洲的全部领土都归属秘鲁总督辖区。18世纪西班牙又设立了其他总督辖区。因感染各种欧洲疾病死亡甚多的印第安人大都沦为农奴，在大庄园或矿山上为西班牙和葡萄牙地主做苦工。这些西班牙殖民地由西班牙的西印度群岛的事务院管理。事务院任命的总督都是地主，几乎拥有绝对的权力。

欧洲爆发的拿破仑战争为那些反抗情绪不断高涨的殖民地居民提供了一个反对西班牙或葡萄牙任命的总督的大好时机。1808年法国的拿破仑一世入侵西班牙和葡萄牙。西班牙一心只顾本国防卫，几乎置殖民地于无人管理的状态，这就使这些地方向独立迈出了第一步。葡萄牙国王约翰六世在法国人入侵前不久乘船至巴西，并将葡萄牙政府迁往巴西殖民地。1811年委内瑞拉在米兰达领导下宣布独立；其他西班牙殖民地不久也同样宣布独立。1812年米兰达领导的新共和国被西班牙军队推翻，米兰达被押送到西班牙。1817年玻利瓦尔将军与圣马丁将军分别在北部和南部展开军事活动，继续进行革命。在沃伊金斯将军援助下，圣马丁于1818年使智利脱离了西班牙统治，并于1822年解放秘鲁南部。1821年玻利瓦尔也使委内瑞拉脱离西班牙统治，并使北部的其他西班牙殖民地获得自由。1826年秘鲁的卡亚俄陷落后，西班牙人在南美洲的势力便随之结束。巴西于1822年宣布脱离葡萄牙独立，并立葡萄牙摄政王佩德罗一世为皇帝。至此，南美洲大陆除圭亚那以外，完全摆脱了欧洲人统治。圭亚那则仍由英国、法国与荷兰占领。

阿根廷、乌拉圭、巴拉圭与玻利维亚从拉普拉塔总督辖区分出；哥伦比亚、委内瑞拉与厄瓜多尔则自秘鲁总督辖区分出。南美洲多数国家采用共和政体，政府拥有强大的行政权。这些国家的半封建经济状况，往往导致保守的地主与寻求工业发展和社会改革的自由派人士之间的对抗;这种情形经常引起革命。各国之间由于国界划分不清,常发生领土纠纷,最终导致像巴拉圭战争(1864 或1865～1870)和太平洋战争(1879～1884)那样的大规模冲突。1889 年巴西成为一个共和国。

第一次世界大战期间,多数南美洲国家与德国断绝了关系。战后,南美洲国家均加入国联。两次世界大战之间的一段时期玻利维亚与巴拉圭为领土问题爆发了查科战争(1932～1935)。结果,玻利维亚将大片土地割让给巴拉圭。两次世界大战之间时期,在美国总统罗斯福的睦邻政策推动下,美洲国家之间的关系日益增强。1938 年签署了《利马宣言》,南、北美洲各国政府承诺团结一致,共同防御外来侵略。

美国加入第二次世界大战后,除阿根廷以外,其他南美洲国家都与轴心国断绝了关系。战后,所有南美洲国家都加入了联合国。1945 年的《查普特佩克法案》增强了美洲国家之间的团结、合作与共同防御外来侵略。1947 年的里约热内卢会议,更将这项协议定为永久性条约。1948 年美洲国家组织成立,除圭亚那以外所有南美洲国家都加入了该组织。1960 年阿根廷、巴西、智利、墨西哥、巴拉圭、秘鲁与乌拉圭签订了《蒙得维的亚条约》,建立起拉丁美洲自由贸易协会,后来在区域经济合作方面所做的努力还包括安第斯集团(1969)和《亚马孙公约》(1978)等组织的建立。1980 年为取代拉丁美洲自由贸易协会,成立了拉丁美洲一体化协会,1982 年该组织获得正式批准后,拉丁美洲自由贸易协会被废除。

South American fox　南美狐　又作 South American dog 或 South American Jackal。又称南美犬、南美豺、南美胡狼。犬科南美胡狼属(*Dusicyon*)5 种南美食肉动物的统称。该属有一个称为小齿犬的种,或认为应单独构成一个属——*Lycalopex* 属。南美胡狼不是狐类,但外形似狐。约 6～11 种(各家分类标准不同)。毛长,浅灰色;体长 0.5～1 米;尾长 30～35 厘米,多毛。栖息在开阔地区或森林地区,以小动物、鸟类、果实和其他植物性物质及昆虫为食。通常夜间活动,住在废弃的地穴、岩石裂隙和树洞里。一窝 3～6 仔,由双亲兽照管。有时危害家畜,可是有利于控制啮齿动物和鸟类种群,毛皮可用。南极狼(南方南美胡狼,*D. australis*)或称福克兰岛狼,19 世纪末期被猎尽。

South American Indian local race　南美印第安地域人种　美洲印第安地理人种中的一组人类居民群,居住在南美洲,但不包括该大陆最南端的火地岛地域人种以及与中美洲印第安人血统较近的最西北部居民。生活在南美洲低地和热带雨林中的南美印第安人的体征是:身材较矮;皮肤浅黄或浅褐色;脸、鼻宽扁;内眦褶(蒙古褶)的出现率颇高;几乎没有胡须和体毛。山区居民多呈鹰钩鼻脸型;面色黑红。纯血统的南美洲印第安人只有 ABO 血型系统的 O 型血型,欧洲人中极罕见的 Diego-阳性血型者在南美洲印第安人中所占比例高达全部人口的 34%。参阅 **local race; American Indian geographic race**。

South Arabic language　南阿拉伯语　南阿拉伯和索科特拉岛的闪米特语。南阿拉伯语与吉兹语、阿姆哈拉语、提格雷语、提格里尼亚语及埃塞俄比亚的其他闪米特语同属闪米特语族西南语支。现代方言有阿拉伯海沿岸的马赫里语、沙赫里语、哈尔苏西语、巴塔里语以及索科特拉岛上的苏库特里语。哈尔苏西语较其他方言所受阿拉伯语的影响更大。南阿拉伯语已知的 4 种古代方言有密尼安语、古也门语、卡塔班语和哈德拉毛语。最早期南阿拉伯语铭文为公元前 8 世纪用密尼安方言刻写的。大多数南阿拉伯语铭文都用古也门语,最晚者属公元 6 世纪。古代铭文所用的闪米特字母有 29 个辅音,但不标出元音。

South Asian arts　南亚艺术　印度、巴基斯坦、孟加拉国和斯里兰卡的文学、表演和视觉艺术。尽管在种族、语言和政治方面只有一部断裂的历史,但是印度次大陆的占绝大多数的印度教徒则具有一个极其古老的共同文化传统。矫揉造作的宫廷文化与相对纯真的民间和种族传统的共存及两者的相互作用,使南亚诸艺术产生了复杂性和魅力。由于印度佛经具有百科全书的性质,在实际上,宗教假说支配着印度生活的各个方面,而在艺术上,这种情况是最明显不过了。《往世书》中以及《摩诃婆罗多》与《罗摩衍那》两大史诗中关于人所共奉的大神毗湿奴和湿婆的神话,为描绘性的和富有戏剧性的各门艺术提供材料。

文学　《罗摩衍那》往往被认为是第一个宫廷史诗,这种诗体在迦梨陀娑的作品中得到最佳的体现。拉飒(rasa)即情感,是梵语古典文化最显著的特征。在宫廷史诗的构成中,诗人必须表达不同的拉飒,并且在他的读者之中引导适当的拉飒。南方的德拉维语,包括泰米尔语和特列古语在内,产生了一些不朽的作品,特别是从 7 世纪直至整个 9 世纪操泰米尔语的阿尔瓦尔人和纳扬那尔人的祈祷诗。在北方,守贞专奉是促进地方语言诗歌的一个巨大因素:多罗悉陀沙的《罗摩功行录》是中世纪晚期风格的一个突出的典范。穆斯林征服者传入波斯语,导致了乌尔都语的发展。乌尔都语诗人们追随波斯的传统,特别是喜欢厄扎尔,一种韵律极为纤巧的爱情诗。乌尔都语诗人伊克巴尔和孟加拉语诗人、剧作家、哲学家泰戈尔分别在巴基斯坦和印度达到国民诗人的地位。

舞蹈　《舞论》为古典舞蹈和戏剧立下了规则,其中最流行的形式是纳塔卡,即英雄故事。从 14 世纪起,纳塔卡让位于通俗的民间戏剧,如瓦拉纳西的罗摩里拉,但是古典戏剧的要素仍然存在,特别是在拉飒的观念中;舞蹈和戏剧演员依靠观众的反应测试他们的才能,热情的观众往往在表演中间要求和接受重演。舞蹈有两个类型:一是坦达瓦(tāṇḍava),即猛烈的,仿效舞蹈保护神湿婆那吒罗阇的毁灭性的坦达瓦舞;一是拉西亚(lasya),即温和的,通常由妇女表演,仿效湿婆的夫人雪山神女,在泰米尔纳德保存的古典的婆罗多舞是一典范。喀拉拉邦的卡塔卡利,正如北印度的卡塔克一样,也是坦达瓦。按照传统,舞蹈需要音乐伴奏,但演奏者与歌唱者只能追随舞蹈者脚步的节奏,而不能相反。因此,所有一流的舞蹈家都必须精通音乐,这是印度音乐的复杂性所确定的一个非同小可的任务。拉格(调式)和塔拉(节拍)是即兴作品的基础,很少改编成乐曲。古典音乐与舞蹈传统由古鲁(师傅)传给弟子,因此能保持如今尚可见到的高水平。不幸的是,民间文艺传统就不是这样的情况了,尽管地方的"民间歌剧"的夸张的戏剧表现法对印度电影产生了影响。

视觉艺术　南亚的建筑艺术传统是从东印度和西印度的洞窟佛寺开始的,它们以在岩石中的木制结构的耐久性闻名于世。但是,在笈多时期才出现第一座独立的寺庙。北方的庙与南方的庙有一个很大的不同点,前者的高耸的希诃罗("山峰")矗立于神殿之上,后者是由前者发展而来,瞿布罗(入口)的塔楼高于中央的希诃罗。二者都代表梅鲁火山,神话中的宇宙中心。外部有大量的雕刻和浅浮雕,多种多样的主题在加强它们的宇宙意义。

桑奇、帕鲁德和阿默拉沃蒂的雕刻栏杆是早期印度雕刻的自然主义风格的良好典范,正如后来的马图拉和犍陀罗佛教雕刻一样。印度的雕刻有它自己的审美标准,而这些标准又以拉飒为准绳,即视觉艺术所唤起的情感必须是精神的上升。通过万神庙不断扩大的神话炮制出复杂的哲学,随着这种哲学发展起来的艺术传统是不重视现实主义和解剖学的精确性的。另外,在往往被认为是印度艺术的古典时期的笈多时代,以在造型艺术中应用量影术的手段来千方百计地逃避现实主义。图像是根据一系列标准尺寸来造型的,目的在于创造出一种表征超越现实的神的崇高外貌的固定模式。坦陀罗刺激了东北印度的复杂的巴拉青铜制品的发展。

除了阿旃陀和埃洛拉两洞窟的壁画外,早期绘画少有遗存。在莫卧儿时代,绘画是很兴盛的。虽然麦华派、科塔派和本迪派比较有创造性,但当代的拉杰普特各派则受波斯-莫卧儿风格的影响。17 世纪的巴索利派则远远地超过了他们,这一派的特点是:大胆着色,轮廓有力,情绪的表现朴素真挚。到 18 世纪,冈格拉派代巴索利派而兴起,此派用色比较柔和,风格更具抒情味。虽然德里苏丹国和古吉拉特、马尔瓦等地方苏丹领地,以及德干高原在它们的精美的清真寺里运用了当地的一些主题,这通常来自洗劫的印度教庙宇。但是,只有在莫卧儿帝国时代,伊斯兰的建筑才超越它的波斯本源。德里的由大理石和沙石建造的胡马雍墓是波斯风格与印度风格结合的第一个实物表现,它那肃穆庄严的气氛是泰吉·马哈尔(泰姬陵)的崇高结构的先驱。阿克巴的阿格拉城堡和法塔赫布尔西格里城是莫卧儿非宗教性建筑的和谐原则的最好的典范。

斯里兰卡　佛教国家斯里兰卡的艺术是随着大陆的潮流走的。锡吉里耶的 6 世纪的美丽壁画是当时印度绘画的自然主义的反映,而康提城的舞剧则完全遵循卡塔克的传统,不过有显著的不同之处。佛教以前的传统依然很强烈,在锡兰的魔鬼舞中显而易见。印度艺术风格在印度境内衰落后往往持续很久,正如在阿努拉德普勒和波隆纳鲁沃的窣堵波中显示的那样。钟形的窣堵波,又称舍利塔,是斯里兰卡对一种佛教建筑结构的独特的改造。

South Asian Association for Regional Co-operation(SAARC) 南亚区域合作联盟 南亚各国的组织,1985年建立,致力于经济、技术、社会和文化的发展,强调集体的自立更生。创建此组织的7个成员国是孟加拉、不丹、印度、马尔代夫、尼泊尔、巴基斯坦和斯里兰卡。经常是每年一次召开国家元首会议,两次外长会议。总部设在尼泊尔加德满都。规定11个合作的领域分别是农业,教育、文化和体育,健康、人口和儿童福利,环境和气象,农村发展(所括南亚区域合作联盟青年志愿者计划);妇女进步;以及预防贩毒和滥用毒品等。章程规定决议均需一致通过,双边和有争议的问题均应避免。

South Australia 南澳大利亚 澳大利亚中南部的一个州,地处大陆上最干旱、最荒芜的地区之一。其西为西澳大利亚州,北为北部地方,东北为昆士兰州,东为新南威尔士州和维多利亚州,南临南极洋的澳大利亚大湾。2/3的广阔内地降雨量很少,无法维持许多人口和动物生存。东北部则是大自流盆地(世界上最大的天然泉水地区)的一部分。4/5以上的地区在海拔300米以下。海岸线上有两个可航行的大海湾:圣文森特湾长约160千米,首府阿德莱德在其东岸;斯潘塞湾的长度为前者的两倍,其北岸附近有皮里港、奥古斯塔港及怀阿拉等工业城镇。沙石沙漠地带根本没有植物。北部和西部的干旱地区只有矮草和滨黎属等耐旱植物还可勉强生长。弗林德斯岭有稀疏的桉树和本地松树。阿德莱德附近的洛夫蒂山有较茂密的树林,主要是桉树林。东南部有19世纪末以来为保护森林而种植的数千亩人造林,大多为软木。澳大利亚大部分的动物种类都可在此州找到,某些是此州独有的。然而由于气候原因和由于更好的土地用于耕种,与东部各州相比,数量很少,有些种类已经绝灭。袋鼠和沙袋鼠仍很常见,袋熊和丛林鼠也是如此。鸟、蜥蜴和蛇的种类很多。沿海有各种各样的鱼,但除墨累河外,在内陆水道中鱼很少见。在南澳大利亚,保持和运输淡水很重要。必须保证墨累河流域的优质水正常流动,为此1970年南澳大利亚和《墨累河协议》其他各方——国家政府、新南威尔士州和维多利亚州——就增建水坝的地点问题发生争执。20世纪末期,南澳大利亚的经济增长率不均匀,但生活水平可与澳大利亚其他地方持平。州内不到1/10的劳力从事初级生产,包括开矿和采石。澳大利亚大部分铁矿在米德尔巴克山脉开采;一部分在怀阿拉的鼓风炉中加工。此州是世界主要的蛋白石产地。全国的盐和石膏大部分亦产于此。北部大片天然气田和阿德莱德及新南威尔士州居民中心区之间有管道连接。汽车制造是第二产业的主要部分,雇用全州1/5的劳力,在阿德莱德市内或附近生产耐用消费品、金属管道、化学制品和纺织品。阿德莱德港附近的纯碱工厂是澳大利亚制碱工业的主要生产厂家。国家最大的造船厂在怀阿拉。锯木厂和生产碎料板及纸张的工厂设在东南部软木种植园附近。南澳大利亚是出口小麦和大麦的主要产地,这里还盛产葡萄,全国消费的大部分葡萄酒和白兰地产于此。沿海可捕金枪鱼和龙虾,运往其他各州和出口国外。南澳大利亚3/4以上的人口出生在澳大利亚(有英国或欧洲大陆血统),其他的人几乎全部出生在不列颠群岛和欧洲大陆。约1%的人有澳大利亚土著血统。州管理的主要社会事务是教育、医院、住房、警察和监狱、铁路和公路。两个主要政党是澳大利亚工党和澳大利亚自由党。工党通常得到大部分选票,经常在议会中占有大多数席位。对6至15岁的未成年人实行免费义务教育。技工训练由一个州委员会管理,高等教育机构有阿德莱德大学(1876年建立)、南澳大利亚的弗林德斯大学(1966年开办)和南澳大利亚大学(1991)。州为其公民参加艺术活动提供设施。南澳大利亚美术馆收藏了澳大利亚、欧洲和亚洲的艺术品。一个专业交响乐团由澳大利亚广播委员会管理,几家剧院上演业余演员和专业演员演出的戏剧。每隔一年举办一次阿德莱德艺术节。面积984 000平方千米。人口约1 487 300(1998)。

South Bank 南岸 伦敦兰贝斯区内沿泰晤士河南岸的含糊界定地区。东濒岸边区,大约由布莱克弗莱尔斯桥(东)延伸至威斯敏斯特桥(西南)。南岸主要是艺术中心所在地(南岸艺术中心),包括皇家音乐厅、伊丽莎白女王厅与普赛尔演奏室和海沃德美术馆。皇家音乐厅用于音乐会、独奏会和舞蹈表演,是伦敦爱乐乐团的所在地,有3 000多个座位。伊丽莎白女王厅大约可容纳1 000人,较小的普赛尔演奏室于1967年启用。海沃德美术馆(1968)可举办各类室内和室外美术展。设有77个座位听读室的诗歌图书馆也在该处,于1988年启用。作为艺术中心另一部分的是皇家剧院所在地的国家剧院(1976)和国家电影院(1957)。国家电影院是不列颠节(1951)的产物,是举办伦敦电影节的地方。这些建筑的南面是节庆花园、伦敦眼(一种巨大的费里斯转轮)和伦敦水族馆。另外值得注意的有帝国战争博物馆(一度曾是贝恩勒姆皇家精神病院院址)和赫拉克勒斯路(因赫拉克勒斯楼群得名),其第一批居民中有诗人、神秘主义者W.布莱克,他认为在兰贝斯的7年是他创作最多、最盛的时期之一。长期以来河畔区一直为工厂、仓库所挤占,但第二次世界大战时对滑铁卢车站和伦敦其他建筑物的轰炸摧毁了这一地区。为准备不列颠节(1951)以刺激伦敦经济,南岸被改造成为主要的艺术和文化中心。

South Bedfordshire 南贝德福 英格兰中南部贝德福郡一区。面积212平方千米。地处起伏平缓的台地,有几条河发源于台地。南部越过奇尔特恩丘陵的北缘陡崖。该区经营综合性农业,以乳品生产为主。区首府莱顿巴泽德有大规模的砂石(制砖和玻璃工业原料)开采业。中部的邓斯特布尔有汽车、造纸和印刷工业,城南是伦敦动物学会的大型露天展览区惠普斯奈德(1931年开放)。人口约110 100(1998)。

South Bend 南本德 美国印第安纳州北部城市,圣约瑟夫县府所在地(1831)。濒临圣约瑟夫河,东面与米沙沃卡毗邻,位于芝加哥东南偏东138千米处。1679年法国探险家拉萨尔来此一行,并于1681年与迈阿密和伊利诺伊印第安人邦联的酋长们谈判于古康瑟尔橡树(该树至今仍矗立在海兰基地)下。1820年,美国毛皮公司代理人纳瓦尔在该地设立了一个贸易站(他的小屋现已修复)。三年之后,该站被科基亚尔及其岳父孔帕雷所购得,科基亚尔将该地起名为大圣约瑟夫,并促使欧洲人居民区的建立。后因圣约瑟夫河的河弯在此,社区遂于1830年改为现名。南本德的最早企业为史蒂倍克兄弟制造公司(1852,后为汽车厂)、奥利弗冷淬犁制造厂(1855)和胜家缝纫机公司木柜厂(1868)。尽管这些公司相继在20世纪50年代和60年代关闭,南本德的经济仍保持高度工业化。市中心别号为密西安纳,因为它不仅是印第安纳州北部的还是密歇根州南部的贸易与金融中心。圣母大学(1842)就座落在南本德城外。它是该市重要的额外财源,因为它拥有"战斗爱尔兰人"橄榄球队、克努特·罗克尼体育馆、史耐特美术馆、赫斯伯格纪念图书馆(世界上最大的大学图书馆之一)、卢尔德圣母玛利亚洞室以及乔伊斯运动和集会中心。市内还有圣玛丽学院(1844)、印第安纳大学南本德分校(1940)和圣十字架初级学院(1966)。1835年设镇,1865年设市。人口:市107 789;南本德-米沙沃卡都会统计区265 559(2000)。

南本德市圣母大学的赫斯伯格纪念图书馆
供图:Milt and Joan Mann from CameraMann

South Bucks 南巴克斯 前称比肯斯菲尔德。英格兰白金汉郡的一个区。面积144平方千米。该区东北部有米斯伯恩河流过,东面与大伦敦市的分界大致穿越大联合运河,南面则有泰晤士河将其与伯克郡隔开。该区拥有几处在平缓的白垩丘陵上长着山毛榉林的风景区，如伯纳姆山毛榉林和斯托克公园。在该区斯托克波吉斯村中堂区教堂内有诗人T.格雷的墓。境内有M40号公路和其他一些公路，交通很方便。北部的比肯斯菲尔德镇是个主要旅游点，因为镇内有贝肯斯科特模范村、木结构的劳埃德银行、18世纪中期的五架间的教区长住宅和怀科姆比大厦，以及诗人E.沃勒的故居——大谷仓(1660)。人口约63 700(1998)。

South Cambridgeshire 南剑桥 英格兰中东部剑桥郡一区。面积903平方千米。大部在卡姆河和格兰塔河流域。经济以生产谷物、甜菜和水果为主，亦有奶牛饲养业。希斯顿和索斯顿分别生产果酱和皮革制品。剑桥大学女子学院座落在南剑桥。区首府剑桥。人口约132 500(1998)。

South Carolina 南卡罗来纳 美国最初的13州之一，1670年英格兰人在当地拓居。其富足而有权势的贵族殖民社会是以靠黑奴劳动力维持的种植园农业为基础。到1730年，黑人已占该殖民地总人口的2/3。19世纪初，种植园体制扩及到皮德蒙特高原，这个新成立的州成为南方大片棉花地带的一部分。南北战争使南卡罗来纳的经济和势力极度衰落，此后的一个世纪间，该州又经历了经济、社会和政治上的混乱。20世纪60年代，南卡罗来纳发生巨大变化：经济实现了工业化，城市区扩大，民权运动席卷全州。

南卡罗来纳位于美国东海岸南部。呈倒三角形状，东西向底边长459千米，南北长约362千米，北接北卡罗来纳州，东南临大西洋，西南与佐治亚州交界。面积80 583平方千米，在50个州中位居第40位。首府哥伦比亚位于该州中部，也是该州最大城市。

自然地理和人文地理

土地 *地形* 南卡罗来纳在地理上可分为3个不同地区。蓝岭山脉的一部分位于该州西北角，约占全州面积的2%；该州最高点萨萨弗拉斯山(1 066米)位于该地区的脊部。皮德蒙特高原海拔约90～360米，从山区延伸至哥伦比亚周围的中部地区，约占全州面积的1/3。滨海平原包括该州南部1/3和东部1/3，海拔从90米左右降至海平面，300千米长的海岸线有沙滩和盐沼。上述3个地区之间有两条分界线：河流急泻而下的瀑布线将滨海平原的沉积岩与皮德蒙特高原的变质岩分隔开；布里瓦德地带是一条断层线，将蓝岭与皮德蒙特高原分开。

由于早期北美大陆与非洲碰撞，地势崎岖的蓝岭山脉约在2.5亿年以前形成。蓝岭山脉及平顶岩和平纳克尔山等外露层高出皮德蒙特高原300～600米，成为野生动物保护区和游乐区。这里的森林包括许多北方树种，如白松和铁杉等更新世残遗种。蓝岭土壤发展不完全，表层下面缺乏黏土堆积，不适于农耕。

皮德蒙特高原起伏不平，但多有侵蚀。这里微红色的土壤多黏土，有钙、镁和钾的明显沉积。由于该地区150年来一直种植棉花和玉米，土壤遭到严重侵蚀。20世纪中叶放弃棉花、玉米种植之后，森林得以恢复，但已没有18世纪常见的栎树和山核桃。现在皮德蒙特高原最常见的树是大面积种植的火炬松。皮德蒙特高原边缘是沙山，从马尔伯勒县至艾肯县斜穿该州。这些沙质山岭形成于5 500万年以前，当时大西洋覆盖着现在的滨海平原一带。

滨海平原靠近该州中部地区微有起伏，延伸至海岸则变为一片平川。该州农业带主要在滨海平原靠近内陆一侧，靠近海边一侧多为林地。南卡罗来纳海岸在20世纪初已不再是农业地区，但因经营良好，商品蔬菜生产十分兴旺。20世纪中叶以来，该地区已成为大规模旅游与娱乐开发中心，土地使用的竞争也十分激烈。大斯特兰德是一条由北卡罗来纳州界几乎延至温约湾的连续海滩，但往南该海岸外有一连串的海岛，延伸至佐治亚州。海岛上有大片潮泛沼泽和淡水沼泽。巨大的松树、胶树、活栎、柏和木兰上悬挂着铁兰。岛上许多黑人仍讲古勒语，这是一种源于英语和几种西非语言的混合语，可追溯至种植园时代。

水系 南卡罗来纳的河流一般从西北流向东南。3大水系——东部的皮迪河、数条支流流经皮德蒙特高原大部的桑蒂河和西部边界上的萨凡纳河——覆盖了该州约80%的面积。阿什利-卡姆比-埃迪斯托水系包括在沙山附近形成后流经滨海平原的许多短河流。这些小河几乎不携带任何冲积物，河水因带走沿途沼泽中的鞣酸而变黑。南卡罗来纳没有大的自然湖泊；萨凡纳河和桑蒂河支流上的湖泊是20世纪开发水电所形成。滨海平原有数百个大小不一的椭圆形水洼，中部有死水，并有沼泽型植被。这些所谓的卡罗来纳湾的形成是一个谜；一些地理学家将它们归因于彗星或流星的撞击。

气候 该州属亚热带气候，夏季炎热潮湿，冬季温和。7月平均温度在西北高地为22 °C，中部及沿海为27 °C。冬季平均温度在山区为3 °C，中部为7 °C，沿海地区因墨西哥湾流而变暖，为9～10 °C。该州西北部的生长期在200天以下，而海岛地区则为290天左右。大部分地区年降水量约1 245毫米，但西北山区曾有过1 778～2 032毫米的纪录。夏季降雨多为午后雷雨，雨量通常多于其他季节。该州每年平均有10次龙卷风，往往发生在春季。飓风较少，但有时对南卡罗来纳沿海一带的确造成灾害。

动物 弗吉尼亚鹿是南卡罗来纳最著名的哺乳动物。到20世纪40年代，皮德蒙特高原的鹿群已严重减少，但从滨海平原的引进和森林的恢复，保证了这种动物在全州各地都有分布。河狸和野吐绶鸡等其他动物种类也重新出现。美洲野牛、美洲赤鹿、美洲狮和狼到19世纪已经消失，黑熊目前已很稀少。欧洲人带来的红狐和野猪到处可见。蓝岭有美洲旱獭和红松鼠，滨海平原有钝吻鳄和美国全部4个毒蛇群的变种。南卡罗来纳有大约360种鸟类。多数动物的种类在全州各地均有发现，但沙山形成一道难以克服的屏障(尤其对爬虫类和两栖类动物)，有些物种就仅限于皮德蒙特高原或滨海平原。

住区模式 第二次世界大战之后该州人口分布发生了变化。虽然南卡罗来纳与全国相比仍然像是一个农业州，但城市地区已有发展并且已占总人口的一半以上。人口最稠密地区在皮德蒙特高原北部，主要集中在格林维尔-斯帕坦堡和安德森；哥伦比亚和弗洛伦斯周围的中部地区；沿海地区，包括查尔斯顿、博福特和默特尔比奇。汽车时代围绕小城市发展起来的大都市区，市郊人口现已占压倒多数。

人民 在白人到当地拓荒之前，美洲印第安土著已在今南卡罗来纳一带居住了数千年。虽在接触欧洲人之后印第安人口迅速减少，但现在仍有几千人住在该州。最大族群为卡托巴人，他们在兰开斯特县有一小块保留地。

南卡罗来纳的殖民人口由欧洲许多民族混合而成。最初的移民从英格兰和巴贝多迁来，到17世纪80年代，该殖民地开始接收《南特敕令》撤销后逃离法国的苏格兰人和一些胡格诺派教徒。一些法国人后来在该州西部阿比维尔附近定居。18世纪30年代，德国人也迁入中部地区，分布在萨卢达河沿岸，威尔士浸礼宗住在皮迪河上的威尔士区。18世纪50和60年代来自宾夕法尼亚和弗吉尼亚的苏格兰-爱尔兰后裔移民散布在南卡罗来纳皮德蒙特高原。但在19世纪，涌入美国的数以百万计的欧洲移民中却几乎没有人在南卡罗来纳定居。该州现在为数不多的在外国出生的居民中有近1/4是最近从亚洲来的。

1670年，最初的148名殖民地居民中只有5名黑人。1880年，黑人人口几乎占该州总人口的61%。20世纪期间，黑人大量迁往高度城市化的北方各州，到1970年已减至31%左右，以后便趋于稳定。

20世纪前半叶，因黑人和白人均有迁出，南卡罗来纳州的人口比全国增长缓慢。到70年代情况发生了变化，南卡罗来纳州的人口增长率从此高于全国平均数。南卡罗来纳的300多万居民几乎有3/4生在该州，但都市地区，尤其中部地区和沿海一带，本地出生人口比率较小，农村地区这一比率要高得多。人口4 012 012(2000)。

经济 20世纪前半叶，农业一直是该州经济的关键。但到1923年，工业产值已超过农业产值。农业继续居重要地位，但因制造业与服务业的就业机会增加，其作用已经减弱。南卡罗来纳的工业主要是非耐用商品制造业。

资源 南卡罗来纳的主要资源包括该州的气候和森林。该州海滩夏季阳光明媚，正寻求依靠高尔夫球及其他娱乐活动开发全年性旅游业。森林覆盖了该州面积的65%，提供了锯材原木及造纸原料。旅游业和林业分别为该州第二和第三大产业。矿产资源有黏土、沙、砾石、碎石(花岗岩和石灰岩)；19世纪的开采金矿业已在部分地区恢复。

农业和渔业 第二次世界大战以来，农场数量已减少近85%，农场土地已从该州土地面积的一半以上减至1/4左右。另一主要变化是棉花种植实际上已不存在。过去在全州各地几乎都有的棉花，现仅限于滨海平原靠近内陆一侧的少数几个县。从50年代以来，就现金收入而言大宗作物为烟草，主要在

南卡罗来纳州桑蒂河三角洲附近罗曼角国家野生动物禁猎区内的滨海平原

供图:© Tom Blagden, Jr.

皮迪河地区种植。种植面积最多的是大豆,这是40年代才成功地引入南卡罗来纳的作物。该州一直以产桃闻名,产地主要在皮德蒙特高原北部和中部地区。家畜和家禽以往产值很小,现已在农业经济中起着日益重要的作用,尤其在皮德蒙特高原。重要的沿海商业海产品包括虾、蟹和牡蛎。

工业 20世纪初,在皮德蒙特高原北部和该州中部地区有许多纺织厂开工生产,到1910年约150家工厂雇用了4.5万名工人。纺织业现在虽然遇到激烈竞争并持续衰落,但仍为该州主要产业,占制造业雇用人数的1/4以上。其他重要工业有服装、造纸、机械和化工。这些工业的发展是美国北方的许多公司在这里开设分厂的结果。按人口计算,该州还是别州投资最多的州之一。

运输 南卡罗来纳的州际公路纵横交错,与美国各个地区相连,但铁路长度已减少。两大铁路公司继续放弃连接较小城镇的支线,虽然有些支线作为独立经营的短线仍在运营。大型飞机来往于格林维尔-斯帕坦堡、哥伦比亚、查尔斯顿及默特尔比奇等都市中心之间,短途通勤航线将小城市与区域交通枢纽相连接。州港务局已将查尔斯顿建成大西洋沿岸南部海岸主要集装箱港,并在乔治敦和罗亚尔港经营港口设施。

行政与社会状况 **政府** 州政府根据1895年宪法运作,但是,此宪法自1968年以来已由州议会逐条改写,而每次修正都已提交投票人批准。州长由选举产生,任期4年,1980年宪法修正案允许连选连任一次。副州长兼任参议院议长,在任期未满情况下可接任州长。其他宪法规定的官员(均4年选举一次,连任次数不限)为州务卿、财政部长、司法部长、审计长、国民警卫队总指挥、督学和农业部长。州长虽能否决议案及预算中的特别项目,但对州政府的管辖权比立法部门小得多。州议会由参众两院组成。最初每个县有一名参议员和至少一名众议员,但美国最高法院宣布这种分配不符合宪法规定。1974年众议院分为124个人口相等的选区,各选一名众议院议员,1984年参议院分为46个选区。参议员任期为4年,众议员任期为2年。

司法权归属州最高法院,所有法院统一由首席法官管理。州最高法院由首席法官及4名助理法官组成,均由州议会选举产生,任期10年,任职时间相互错开,每两年改选一名法官。1983年设置的上诉法院包括1名首席法官和5名助理法官,其中有3名法官为陪审员。上诉法院自行审理来自下级法院的一切上诉,但涉及死刑、选举、法律的合宪性、州管理机关行为及债券债务的案件则直接提交州最高法院,不由上诉法院审理。该州分为16个巡回审判区,由巡回法庭审理案件;巡回法庭有广泛的审判权,审判民事案件(普通法庭)和刑事案件(地方刑事法庭)。

1895年宪法没有关于地方政府的条款,县立法代表团经州议会批准决定大部地方事务。1975年地方政府法案将一些权力移交给地方行政部门。该法案认可了能被46个县和大约300个自治市接受的政府组织形式,并规定了它们的责任、权力和税务管辖权。

一个多世纪以来,南卡罗来纳州的政治一直由全白人的民主党控制。20世纪60年代有两个进步:一是共和党的兴起,其势力在大都市的郊区各县;二是《选举权法案》的产生,该法案允许黑人参预选举过程,并为黑人入选地方机关和州议会铺平了道路。虽然民主党人在州一级继续占支配地位,但共和党人已在国会、州长职位、州议会和都市区的县政务会取得成功。

教育 1868年重建时期宪法设立了公共教育学监,使公共教育得到保障。现在的州教育委员会负责给教师颁发证书,规定各项标准,安排公立学校的学习课程。全州公立学校大约分90个地方学区。各级学校教学成绩有提高,但该州长期以来在高等学校毕业生比例和公立学校教师薪金方面一直徘徊在最低水平。为改善这种状况,州议会平衡了各学区教育拨款,并建立了教学成绩最低标准。1984年通过的《教育改进法案》增加了州教育拨款以改进教学和提高学生成绩。

该州最大的高等学府是哥伦比亚的南卡罗来纳大学,1801年以南卡罗来纳学院名义得到特许状,1805年开学。克莱姆森大学是1889年利用政府赠地建立的学校,有一个很大的农业研究和教学中心。位于罗克希尔的温思罗普学院(1886),长期以南卡罗来纳女子学院而闻名,现为男女合校。锡塔德尔军事学院位于查尔斯顿,是少数几所州政府资助的军事学院之一,这里还有南卡罗来纳医科大学。奥兰治堡的南卡罗来纳州立学院成立于1896年,最初是一所黑人学院。弗洛伦斯的弗朗西斯马里恩学院建于1970年;美国最古老的官方资助的学院查尔斯顿学院于1770年建立,1785年得到特许状,1970年正式成为州学院系统的一部分。南卡罗来纳全州各地有许多私立学院,由基督教新教各派资助。

保健与福利 县保健部门提供基本保健服务,包括从胎儿护理到免疫接种,但是南卡罗来纳仍面临一些严重问题。在50个州中,该州婴儿死亡率属最高之列,而平均预期寿命则属最低之列,每10万人中的医生人数也较低。都市区有设施完善的医院和一些最先进的医疗技术,在查尔斯顿和哥伦比亚因有两所医学院,医疗技术较高。但农村地区各县仍难以维持地方医院。

保健问题的根源是贫穷,南卡罗来纳尽管有巨大的经济进步,但贫困线以下的人口比例仍属最高各州之列。在该州内,这有明显的地理划分:滨海平原各农业县的居民有1/4以上被认为是处于贫困线以下。

文化生活 查尔斯顿在殖民地时期和19世纪初是南方的文化中心。1748年成立的查尔斯顿图书馆协会是文化中心。1762年成立的圣塞西利亚协会定期举行公众音乐会。1736年开业的码头街剧院是查尔斯顿的两座剧院之一,大概是美国上演第一部戏剧的地方。1773年建立的查尔斯顿博物馆主要是为了培养科学兴趣。所有这些机构现在仍在继续活动。

W.G.西姆斯是南北战争前南方最成功、最多产的作家。J.彼得金(1880～1961)是首批以黑人观点描写种植园生活的作家之一,获1928年普利策文学奖。A.拉特利奇(1883～1973)连续39年获该州第一个桂冠诗人荣誉。D.海沃德1925年发表长篇小说《波吉》,取得巨大成功,这部小说为格什温的歌剧《波吉和贝丝》打下了基础。W.P.福克斯描写当地生活的幽默短篇小说集受到评论界的称赞。长期住在南卡罗来纳的迪基是拥有读者最多的美国诗人之一。

南卡罗来纳殖民地时期和19世纪初期绘画的主要形式是肖像画,H.约翰斯顿(约1729逝世)和著名小肖像画家C.弗雷泽(1782～1860)的作品具有代表性。W.奥尔斯顿被誉为美国第一个重要的浪漫派画家。

黑人画家W.H.约翰逊(1901～1970)以其所谓的原始风格绘画赢得声誉。A.V.H.亨廷顿(1876～1973)的雕塑作品构成乔治城附近国际著名的布鲁克格林花园的核心。在南卡罗来纳州出生并受教育的J.约翰斯的绘画曾在全世界各大博物馆展出。

南卡罗来纳著名艺术收藏品包括查尔斯顿的吉比斯美术馆以18及19世纪肖像画为主的收藏品和哥伦比亚的南卡罗来纳州立博物馆中的展品,该馆有州艺术委员会收集的南卡罗来纳当代画家的作品。南卡罗来纳大学麦基西克博物馆已扩充了包括埃奇菲尔德和卡托巴陶器及非洲-美洲编筐作品的当地民间艺术收藏品及展品。

查尔斯顿的斯波莱托狂欢节是1977年意大利歌剧作曲家门诺蒂创设的,这是他在意大利斯波莱托举办的"两个世界狂欢节"的新世界分支。这一年一度的盛事吸引了数百名演员、歌唱家、舞蹈家、音乐家及其他艺术家参加演出100多场。全州各地小城镇举办的许多庆祝收割和地方性的狂欢节尤其具有娱乐性。

查尔斯顿以其保存完好的建于18～19世纪的豪华房屋和公共建筑而著名。博福特和乔治敦也有保护完好的历史性地区,该州其他城市也保存了不少建筑,修复了闹市区的建筑原貌,并划出了历史保护区。

历史

早期居民 今南卡罗来纳地区的首批居民约在1.1万～1.2万年前到达。1万年间他们主要以狩猎和采集为生,约于公元前1000年发展起农业。哥伦布到达美洲之前的东南部最先进的密西西比河各民族约于公元1100年带来了他们复杂的社会结构、村庄和土墩建筑,但与欧洲人接触之后很快消失。1600年约有1.5万～2万印第安人住在南卡罗来纳,代表3个主要语族:苏语(卡托巴人)、易洛魁语(切罗基人)和穆斯科格语(属克里克人)。美国独立战争前,疾病、冲突以及欧洲人的不断扩张,致使当地印第安人口基本消失。

殖民时期 1521年首次来到南卡罗来纳的欧洲人是来自圣多明各(伊斯帕尼奥拉岛)的一批西班牙人。1526年艾利翁率领一西班牙殖民团在据信为现南卡罗来纳地区最早定居,但在数月之间归于失败。1562年法国新教徒在J.里保领导下企图占领波特罗亚尔地区。数年后,1566年,西班牙人返回,并在帕里斯岛建立圣埃伦娜,至1587年该地一直是重要的西班牙基地。

1665年,克拉伦登伯爵(第一)爱德华·海德及7位其他勋爵领主获得国王查理二世特许状,在北纬29°和36°30′之间和从东海岸到南海岸广大地区建立卡罗来纳(以国王名字命名)殖民地。根据特许状,英国人于1670年在阿什利河西岸阿尔伯-马尔岬建立第一个永久定居点。10年后,政府及多数居民迁至阿什利河和库珀河之间的半岛上更为有利的处所,即今查尔斯顿所在地。该殖民地发展缓慢,到1720年才有人口1.9万左右,几乎完全住在沿海一带。与印第安人进行贸易和出口鹿皮是当地主要收入来源,1710年后又有海军军需品生意。殖民地在经济资助、印第安贸易和下议院权力问题上与勋爵领主发生冲突,最后于1719年推翻领主统治。

1729年该殖民地分为南北两个殖民地;1731年乔治亚从原始授地南部划出。在国王统治下,南卡罗来纳繁荣起来,稻米和靛蓝的出口使财富不断增加。由于这种贸易的成功,查尔斯顿进入它的黄金时代,它那些令人羡慕的改进和文化成就使其成为各殖民地中的一个重要城市。1760年后,苏格兰-爱尔兰后裔移民从宾夕法尼亚经陆路大量涌入,造成内地人口爆炸,他们要求有自己的政治代表,于是发生低地(沿海)和高地的冲突,一直持续至19世纪。1780年英国军队占领查尔斯顿,但独立战争多为南卡罗来纳爱国派与亲英派之间的内部战争。在考彭斯战役和金斯山战役中美国人获得两次胜利。

建州时期、南北战争及后果 1788年南卡罗来纳成为通过美国宪法的第8州。1786年州首府从查尔斯顿迁往内地新建城市哥伦比亚,目的是平息地区冲突,但1790年宪法继续使低地在政府中占居优势。1800年轧棉机推广之后,棉花种植园和蓄奴制进入皮德蒙特高原,创造了两个地区之间的共同利益。高地还从包括运河修建工程在内的内地改进工程获益。

1822年维齐奴隶暴动在南卡罗来纳就奴隶制问题造成不安,1828年的高关税引发了分离的话题。1832年南卡罗来纳拟议召开会议宣布联邦关税法案无效,但其他南方州没有表示支持。州对联邦法令有权拒绝执行制度的设计师参议员J.C.卡尔霍恩在1850年逝世前一直是代表南方的主要发言人。R.B.雷特等激进派于1860年12月领导南卡罗来纳脱离联邦,1861年4月萨姆特要塞交战为南北战争之始。4年后,W.T.谢尔曼将军的部队步步进逼,穿过该州,邦联投降。南卡罗来纳约有6万人参战;将近1/4一去不返。

重建时期(1867～1877)是一个痛苦时期,主要体现在军事占领、失去特权以及贪污腐化,但1868年宪法确实建立了基本的政治平等,并使该州得享公共教育。1876年W.汉普顿当选州长得力于对黑人的欺骗与恫吓。但直到1877年重建时期结束和"保守派"庄园主和商人的"极端保守分子统治"时期开始,汉普顿才被允许就职。

高地和低地之间的冲突发展成穷人和富人之间的斗争。1890年高地人将蒂尔曼选入州政府以结束极端保守分子时代。这位绰号"长柄叉"的农场主运动领袖和大吵大嚷的种族主义者担任州长直到1894年,并于1895～1918年任美国参议员。农场主运动,或更广义地称为"改革运动"的标志是建立克莱姆森农学院(后改为克莱姆森大学)、温思罗普教师进修学校(后改为温思罗普学院),并实行州酒类专卖制(后因贪污腐化该制度被取消)。1895年召开制宪会议尽可能多地剥夺了黑人的公民权利。到20世纪"蒂尔曼主义"仍是一个重要政治势力。

现代时期 第一次世界大战后,棉价下跌,1922年棉铃象甲虫毁掉一半棉花作物。这一灾难引起外迁浪潮,1929年后,又出现了大萧条。许多新政纲领计划有利于该州,其中包括公共事业振兴署提供资金兴建的桑蒂-库珀水电综合工程。

第二次世界大战后,南卡罗来纳州经历了经济、人口、社会和政治革命。1945年成立的州开发委员会积极兴办工业,1950～1980年间,非农业就业人数比总人口增长快两倍。人均收入急剧增加,到80年代达到全国平均值的77%。经济革命伴随着人口革命,城市人口比农村人口增长快16倍。1975年后,新的经济机会改变了移民模式,迁入南卡罗来纳的黑人和白人多于迁出者。结束种族隔离的社会革命包含了一些悲剧事件,如奥兰治堡大屠杀中在南卡罗来纳州立学院校园有3名黑人在与州警察冲突中死亡。霍林斯(1959～1963在职)、拉塞尔(1963～1965在职)、麦克奈尔(1965～1971在职)和韦斯特(1971～1975在职)等稳健派州长领导南卡罗来纳度过了这一艰难但总体上还是和平的时代。政治革命既包括共和党的兴起,也包含黑人参政程度的增加,到1970年黑人约占该州登记选民的1/4。S.瑟蒙德1946年成功地顺应了选民的这一变化,首次当选该州州长。他是1948年分离主义的州权民主党(迪克西民主党人)提出的总统候选人,1964年成为戈德华特共和党人。瑟蒙德自1954年任美国参议员,得到广泛支持,成为全国公认的南方保守派发言人。

在所谓新南方时期,南卡罗来纳州的成就遇到新的挑战。经济的持续增长,要求工业基础进一步多样化,同时要提高环境保护的要求。为使全体南卡罗来纳州人得到经济增长的利益,必须改善保健服务、教育计划和就业机会,尤其是在各农业县。

South Caucasian languages 南高加索诸语言 参阅 **Kartvelian languages** *卡特维尔诸语言*。

South Celebes (Indonesia) **南西里伯斯** 参阅 **Sulawesi Selatan** *南苏拉威西*。

South Charleston 南查尔斯顿 美国西弗吉尼亚州西部卡诺瓦县城市。跨卡诺瓦河与查尔斯顿相连。建于1916年,随几家化工厂和一美国海军兵工厂的建立而发展起来。主要生产化工产品。市区有一印第安人墓冢。卡诺瓦州有森林位于该市正南方。人口13 390(2000)。

South China Sea 参阅 **Nan Hai** *南海*。

South China Sea Islands 南海诸岛 中国南海海域的东沙、西沙、中沙和南沙四大群岛及其他零星岛屿的统称。由250多座岛屿、暗滩、暗沙、暗礁、沙洲组成。其中东沙群岛位于北纬20°33′～21°10′,东经115°54′～116°57′,由东沙岛、东沙礁、南卫滩、北卫滩组成。其中东沙岛露出水面,平均海拔约6米,盛产"海人草"。西沙群岛是由40座岛、沙洲、礁、滩组成的。它们分散在北纬15°47′～17°08′,东经111°10′～112°55′,分为两群。东面的宣德群岛由赵述岛、北岛、中岛、南岛、石岛、永兴岛、东岛等组成,其中永兴岛面积

1.85平方千米，是南海诸岛中最大的岛屿，也是南海诸岛的政治、经济中心。西面的永乐群岛由金银岛、甘泉岛、珊瑚岛、晋卿岛、深航岛、千金岛、中建岛等组成，珊瑚岛高出海面

南沙群岛航标
中国大百科全书出版社供图

9.1米，岛上建有气象站。中沙群岛位于北纬15°24′～16°15′，东经113°40′～114°57′，由26座尚未露出海面的暗沙、暗滩组成。南沙群岛北起北纬11°29′，南迄北纬4°附近，西起东经109°30′，东到东经117°50′，由100多座岛、沙洲、礁、滩组成，其中露出水面的岛屿和沙洲有20座左右。主要有北子岛、南子岛、中业岛、南钥岛、太平岛、景宏岛、西月岛、马欢岛、南威岛等。除了上述四大群岛外，南海诸岛还包括位于北纬15°08′，东经117°45′的黄岩岛。南海诸岛中除西沙群岛的高尖石是由火山熔岩构成的火山岛外，其余大都是珊瑚岛礁。诸岛地处热带和赤道带，有丰富的热带海洋资源，盛产金枪鱼、旗鱼、马鲛鱼、箭鱼、鲨鱼和海龟、海贝、海藻等。鸟类以鲣鸟和海鸥为主。岛上堆积的鸟粪层厚的达1米，是良好的天然肥料。植物以白避霜花组成的纯林为主，人工栽培植物多为椰树。南海诸岛地处广州、香港与新加坡、马尼拉之间三角航线的中途，又是中国、朝鲜、日本与东南亚各地，菲律宾与越南、泰国之间航空运输的必经之地，在交通运输上具有重要地位。南海诸岛行政上属中国海南省管辖，广东、海南、福建的渔民长期在这一带捕捞海产，在岛上掘井、植树、开垦。现在一些岛屿上已建立气象台站和导航灯塔。

South Chŏlla (South Korea)　参阅 **Chŏlla-nam** 全罗南道。

South Ch'ungch'ŏng (South Korea)　参阅 **Ch'ungch'ŏng-nam** 忠清南道。

South Dakota　南达科他　美国大平原地区一州，北临北达科他州，东接明尼苏达州和艾奥瓦州，南邻内布拉斯加州，西连怀俄明州和蒙大拿州。面积199 730平方千米。密苏里河上游河谷将该州一分为二，形成"河东区"和"河西区"。印第安人苏族的支系达科他人曾在这一带居住，州名即由此而来。首府皮尔靠近该州中部，是美国最小的州首府之一。南达科他于1889年11月2日被接纳为美国的第40州。

南达科他目前基本上还是以农业为主。总人口中有近1/10为美洲印第安人，分属苏族的13个部落。非印第安人口包括20多个民族及宗教集团，其中有挪威裔、瑞典裔、丹麦裔、荷兰裔、爱尔兰裔、德意志-俄罗斯裔、基督教门诺宗信徒、胡特尔派、"平原德意志人"以及捷克裔、英格兰裔、威尔士裔及其他集团的几个分支，他们都保留着母国的生活方式。在这样一个民族成分复杂的社会中，根本就不存在典型的南达科他人。

自然地理和人文地理

土地　地形　南达科他州东部位于草地平原，这是地貌学上的一个经过冰川作用的区域。河西地区（不包括西南角的布莱克丘陵一带）属未曾经受冰川作用的大平原，地势高低起伏，地垛突兀，峡谷崎岖，还有大片的大致平坦的高地。其中巴德兰兹地区地势崎岖，傍夏延河和怀特河连绵160多千米。巴德兰兹地区经过严重侵蚀，多史前动物化石。该地区的大量淤沙随密苏里河水泻下，使该河别称"大泥沙河"。

布莱克丘陵带的2/3在南达科他，其余在怀俄明境内，是圆丘状隆起地区，高出周围地带1 100米。哈尼峰靠近这一地区中心，海拔2 207米，是北美洲落基山脉以东的最高点。

水系　全州都属于密苏里河流域，但不包括东北部几个县，这几个县的水经过哈得孙湾-墨西哥湾分水岭附近的比格斯通湖和特拉弗斯湖北入明尼苏达河和雷德河。在该州东部，密苏里河的主要支流有大苏河、弗米利恩河和詹姆斯河，均向南流。在河西地区，格兰德河、莫罗河、夏延河、巴德河和怀特河都自布莱克丘陵和大平原向东流。

土壤　河东地区为黑土，大都由冰川冲积物形成，适合种植小麦和玉米。大平原范围则为栗色土和坚硬黏土，适于发展畜牧业。

气候　该州气候特点是昼夜温差大、降水量少、湿度较低。天空经常是蔚蓝无云。春夏两季，河东地区常有气旋形成的暴风雨。根据休伦湖中东部气象站的记录，1月平均最低温度为－17 °C、最高温度－5 °C，7月平均最低温度16 °C、最高温度31 °C。有记录的最低气温和最高气温分别为－39 °C和44 °C。平均无霜期在东南部为160天，而在布莱克丘陵仅有110天。

全州平均年降水量19英寸(480毫米)，但各地水量悬殊，东部边界有24英寸，而在西北角最多不过14英寸。在该州中部即草地平原与大平原之间的过渡地带，降水量自20英寸递减到18英寸。植物生长季节的雨量占全年降雨量的3/4，各地降雪量从22～60英寸不等。布莱克丘陵地区的湿度高于周围地区，特别是在冬季。

动植物　在非印第安人开始定居之时，河东地区原是一片草原，连绵不断，草的高度竟达90厘米以上。这类高草的根系深入地下，以适应亚湿润气候条件。大平原中则遍生矮草，如格兰马草、野牛草和西部麦草。这些草类根系浅，抗旱，成熟快。

林地主要在布莱克丘陵以及该州西北部地垛的边缘上。森林较多的地区划入布莱克丘陵国家森林和卡斯特国家森林。主要商业树种是美国黄松。

布莱克丘陵中的卡斯特国家公园野牛成群，山中其他动物有叉角羚、鹿、美洲赤鹿、河狸、短尾猫和豪猪。其他地区则多郊狼、长耳大野兔和草原犬鼠。该州约有近300种鸟类。密苏里河谷和巴德兰兹地区有白头鹫和金雕。许多水禽，主要是鸭和雁，每年南北迁徙都以密苏里河为飞行路线。南达科他州很早就是猎手的乐园，因为境内多雉鸡，这是20世纪从亚洲引进该州的一种野禽。

住区模式　在1725～1750年间，由13个部落组成的苏族人，放弃了明尼苏达中东部，向西散布，定居在草原及大平原的猎区；其中扬克顿人领有河东之大部，特顿诸部落和扬克托索人占有河西。当年苏族人家园占地约3 238万公顷，今南达科他州在其中部附近。

从美国独立战争到19世纪中叶，一些非印第安人定居在密苏里河谷。从19世纪50年代中到19世纪80年代末，更多的北欧裔及西欧裔移民分别定居在河东农业区一带。另有许多人，主要是东欧裔，与本来居住在美国其他地方而西迁的一些移民一道，在1920年已取得密苏里以西最佳的农田和牧场。

除了布莱克丘陵地区以外，河西区每平方英里只有2人，而东北及东南部的人口密度则为这一数量的4倍左右。该州农业人口住在密苏里河西者仅约占1/5。

河东分为两个人口区，大致在自皮尔向东的一条直线的南北两侧。北区以经济作物为主，依靠小麦及其他小谷类粮食的生产；南区则是多种农业经济，饲料及畜产品为其特产。

人民　民族分布　19世纪期间，为了给前来定居的白人腾出空间而为印第安人设立了一些保留地，从那时起，南达科他的印第安人一直保持着祖传的生活方式。印第安人中约有3/4都在保留地中有住处。该州城市中的大部分印第安人或每年长住保留地内一段时间，或频繁到保留地去，意在保持文化联系而同时在城市中享受就业便利和受教育机会。

紧随英国及法国毛皮商人进入今南达科他的最早一批定居白人，大多来自密西西比河上游河谷，主要是新英格兰人。直接来自北欧及中欧的移民，在拓殖过程中也曾发挥重要作用。到1890年，白人居民中有1/3出生在外国。如今国外出生的居民仅占很小的百分比，但是，仅两三代前才从欧洲迁来的人口仍占将近一半。人口的美国化十分明显，不论是白人还是印第安人。但是，在农村中许多自成一片的地区，民族特色灼然可见，本来的语言、宗教派别、饮食文化、节日庆典及民族传统教育长期不泯。

在外来人口中，斯堪的纳维亚人约占1/3。挪威裔多住在河东，瑞典裔和丹麦裔在该州东南部。德裔约占总人口的1/6，据说他们仍以德语为第二或第三语言。其中有一些德意志-俄罗斯人，他们主要居住在东南部的扬克顿和中北部3个县。捷克裔，主要是波希米亚人，一般居住在中南部各县。荷兰裔、芬兰裔和威尔士裔散居在该州东部。

宗教　该州教堂约有一半是白人移民群体建立的。这些宗教机构不仅增进了社会团结而且在发展文化过程中发挥了重要作用。在1890年，天主教徒人数最多，其次为基督教(新教)信义宗，而目前信义宗在人数上已超过天主教。其他主要教派有循道宗、联合基督教会、长老宗、圣公会和浸礼宗。

南达科他州布莱克丘陵地区卡斯特州立公园内的哈尼峰(中)和西尔万湖
供图:Craig Blacklock—Blacklock Nature Photography

德裔群体中有门诺宗和胡特尔派。胡特尔派信徒居住在与世隔绝的村落,主要是在詹姆斯河盆地,从事公社化农业。他们不赞成美国参加第一次世界大战,因而曾一度被迫流亡加拿大。1955年,该州颁行法律,禁止他们扩充居留地或增设村落。他们把自己的法律身份从教会改为公司,避开了这项法律,但是,他们目前仍然由于与众不同而感到社会的压力。

天主教徒也成了一个重要而又受到一定迫害的少数群体。信奉天主教的爱尔兰裔、德裔和捷克裔,为了维护自己的信仰而避免侵扰,在农村成立自己的生活区域,创办教会学校及医院,这类设施有的存留了下来,对全体居民作出重大贡献。20世纪20年代,天主教徒是该州三K党组织的主要打击目标,受害甚重。占多数的新教各派在组织体育运动时排斥天主教徒,天主教徒只好在20年代另行组织自己的中学体育联合会,这个联合会直到1966年才由于州议会的坚持而得以同一般体育体系融为一体。

由于宗教习俗而最受诋毁的民族是印第安人。虽然联邦官员宣布为非法的只有印第安人的太阳舞蹈,但是,采用神圣烟斗和佩奥特仙人掌的印第安礼拜活动,到了20年代即已经迫于社会压制和经济歧视而转入地下。部落民把印第安传统与天主教、长老宗、公理宗及圣公会传教士所宣讲的教义融为一炉,形成"保留地基督教"。这种带有印第安人特色而与多数南达科他白人绝少渊源的宗教环境,其中心内容是十字架、烟斗和佩奥特仙人掌。在这种万教归一式的环境中,太阳舞蹈重新被发掘了出来。人口754 844(2000)。

经济 从毛皮贸易时代起,南达科他州的经济就主要依靠畜产、种植、旅游、森林和采矿等行业。此外,该州受惠于联邦的事业,其中主要是美国印第安人事务机构的作业、美国陆军工兵军团在密苏里河谷所建设施、国家公园和国家保护地以及战略空军司令部所管辖的埃尔斯沃思空军基地。

农业 靠销售牲畜和畜产品而获得的现金收入一般几倍于种植业的收入。南达科他州是美国主要牲畜生产州之一,其羊毛产量在国内也名列前茅。在春小麦以及黑麦和亚麻仁的产量上,该州在全国也位居前列;该州通常也是美国十大玉米及苜蓿籽生产州之一。该州的灌溉面积约有30万英亩,大部分在河西地区。

工业 在南达科他的经济中,旅游业仅次于畜牧业及种植业。该州主要工业产品有食品、轻型机器、木材和木制材料。肉类加工也是重要行业,无污染工业日益发展,苏福尔斯的一家主要银行信用卡中心就是一例。

主要矿产有金、水泥、石料、砂及砾石。产金地是戴德伍德矿脉的霍姆斯台克矿,而水泥则产于州政府在拉皮德城所办水泥厂。大片褐煤矿床中含有低品位铀矿,有待开发。

沿密苏里河建有多功能的奥阿希坝、大本德坝、兰德尔堡坝和加文角坝,遂使南达科他州成为主要水力发电基地,所产电力大都输往州外。南达科他人在很大程度上依赖用煤及石油所发的火电,其成本大大高于水力发电。但是,该州农场基本上都用得上农村合作社电厂所供应的电力。

运输 把19世纪的简陋道路改造成现代化公路的工作,始于20世纪初。在20世纪20年代建成了混凝土路面的公路,凡人口超过750人的村镇一律通了石碴路。在30年代,利用工作救济及保障就业基金改建了内陆公路。1956年又利用联邦拨款修通了两条穿过该州的州际公路(一条自北而南,另一条自东而西)。过去,往来于密苏里河两侧要靠渡船和封冻季节,大受限制,1920年开始兴建现代桥梁。自1954至1966年间,密苏里河上各坝兴建,过河更为方便;而该河自爱奥瓦州苏城以上则再不能通商船。南达科他州的最后一个渡口位于扬克顿附近的兰宁沃特,于80年代中期关闭。

铁路客运已经停止,但由于州政府出资改善线路,铁路货运在80年代复苏。在第二次世界大战期间,联邦政府拨款在南达科他州建设飞机场,于是该州有了空运。大航空公司有定期航班通往大城市,另有150多处公有和私有简易机场供私人飞机起降。

行政与社会状况 *政府* 南达科他州宪法于1889年通过,其后多次修改。州长、副州长以及大多数高级行政官员都由全体选民选出,任期4年。州立法机构包含参议院和众议院,参议员35人,众议员70人。1951年成立立法研究委员会,负责在州议会(每年开会一次)休会期间的立法工作。国会代表团由一名美国众议员及两名美国参议员组成。

司法体制包括州最高法院和巡回法院,州最高法院由5名法官组成,巡回法院有36名法官在8个巡回司法区工作。州最高法院法官由州长任命,巡回法院的法官由非党派选举产生。1975年1月,州最高法院把各县及各地的司法官员组成统一的司法体系。经过法律专业培训的地方执法官由巡回法院法官任命,但须经州最高法院法官批准;未经专业培训的地方执法官由各该区的主任法官任命。执法机构有州检察官、县治安官以及州首府的司法部长。特别执法机关有州公路巡逻队、渔猎法执法队以及有县治安局派有代表参加的部落警察部队。

在南达科他州,州以下各级政府单位有3 500多个;包括66个县,300多个有正式建制的市镇及城市,以及1 000多个有组织的区政府。此外还有100多个特区,大多是为了土壤保持、排水和灌溉事业而设。

州宪法禁止在财政上出现赤字。州政府的主要收入来源有销售税、牌照税及其他收费和联邦援助。州的支出主要用于公路、教育和福利。

该州的初选举行于每偶数年的6月,大选于当年11月举行。地方性问题往往以特别选举解决。自从准州时代以来,共和党一直在该州占主导地位。

居住在保留地的苏族9个群体各有一个由选举产生的部落政府,其中6个是根据1934年的印第安人重新组织法案成立的。扬克顿系苏族人部落自有1932年通过的章程。

教育 公立学校由各地及各县教育局根据州教育部制订的政策进行管理。该州原有普通学校一律缴纳地产税和其他税的办法,1943年对这种办法作了补充,即由州议会拨款支援公立学校。学区改组本来是建立在自愿原则上的,1968年规定,各学区必须实行12年教育制;其后,乡村学校大为减少,中学联区有所增加。

受州政府资助的高等学府有弗米利恩的南达科他大学(1882年开课),布鲁金斯的南达科他州立大学(1884),拉皮德城的南达科他采矿及技术学院(1885),以及斯皮尔菲什、阿伯丁和麦迪逊的地区性学院。私立文科学院因缺乏资金已经减少。私立教育机构有苏斯福尔斯的奥古斯塔那学院和苏斯福尔斯学院，米切尔的达科他卫斯理大学，扬克顿的马蒂山学院，以及阿伯丁的圣母献堂初级学院。此外，还有几所职业学校和印第安人社区学院。

保健与福利事业 州卫生部负责传染病的防治和卫生事业，并负责巡视医院及老年疗养院和核发开业执照，还进行人口动态统计。对于一个农业州来说，南达科他州的保健专业培训事业和保健设施是较强的，这是因为天主教的本笃会和圣母献堂会多年办有医院及护理培训事业。此外，设在苏斯福尔斯的苏河谷医院已经发展成为具有先进水平的医疗事业复合体，而原学制为两年的南达科他大学医学院已提升为4年制的可授学位的大学。从1917年起在印第安人保留地增设联邦医疗设施，部落民也同样享受农村医疗保健标准。一方面保健事业日益集中于地位适中的大规模保健设施，另一方面县、市和私营的小规模医院次第关闭。

州社会服务部负责全州的福利事业。公共救济资金2/3以上来自联邦拨款。该州所办的福利机构有苏斯福尔斯的聋哑学校、雷德菲尔德的精神残障人救济中心和扬克顿的精神病院。

文化生活 早期定居者所享受的文化活动有巡回艺人在各地歌剧团演出的音乐及戏剧节目，还有各学社所主办的讲学活动。当时学校的校舍就是社区社会生活的中心，当时各地的读书会和藏画协会后来都发展成为现代的图书馆。许多公私机构都拥有图书馆，例如皮尔的南达科他州立历史学会图书馆。1913年建立了巡回图书馆系统，由免费图书馆委员会管理。

许多乡土作家描写南达科他风光，其中有H.加兰和挪威出生的O.罗尔瓦格，罗尔瓦格迁居美国初年住在苏斯福尔斯附近，他的《土中巨人》(1927)就是写该地风情的。C.伊斯曼和E.戈戴尔的几部作品也记录了19世纪印第安人的习俗。《南达科他评论》是由南达科他大学于1963年创刊的文学季刊，州内各地及各地区都有许多作家借以发挥才智。

在平面造型艺术方面，两位土著画家H.邓恩和O.豪颇有声誉。邓恩成长在该州早期拓荒者家庭，是全国主要的插图画家之一，因描写拓荒者的油画而闻名。豪则是苏族扬克托奈系人，在画中使用印第安题材和象征主义的表现手法。布莱克丘陵的拉什莫尔山有博格勒姆雕刻的美国4位总统的石像，该地是招徕游客的主要景观之一。串珠之类的印第安传统工艺已经重新兴旺起来。

南达科他博物馆甚多，其中有几所藏物及展品非比一般。归州立历史学会管理的有罗宾逊博物馆(比尔)、欧佛博物馆(弗米利恩)、农业传统博物馆(布鲁金斯)和州立史密斯-齐莫尔曼博物馆(麦迪逊)。南达科他大学办有弗米利恩的音乐圣地博物馆，南达科他州立大学在布鲁金斯办有南达科他历史艺术中心。规模宏大的南达科他州立考古研究中心设在拉皮德城，包含博宁博物馆的史前印第安人村受米切尔市管理。

南达科他州有许多社区剧场和夏令剧场，一些高等学府设有戏剧艺术系。夏令剧场中著名的有布莱克丘陵剧院，位于州立卡斯特公园内，建于1946年。尤其吸引观众的是布莱克丘陵耶稣受难剧，自1939年以来每年夏季在斯皮尔菲什演出。州内有许多交响乐团。民族节日有诺尔兰节、捷克节以及印第安人的许多"帕瓦"仪式。

旅游度假区有州立卡斯特公园和州立贝尔地垛公园、布莱克丘陵国家森林和温德岩洞国家公园。

历史

定居和淘金热 1913年在皮尔堡发现一块铅牌，其上铭文载，1742～1743年间即有法国探险人员在该地活动。20年后，西班牙人取得该地区的管辖权，1800年该地区转归法国所有。该地区包括在美法之间的路易斯安那购地协议范围之内，遂于1803年归美国所有。当时的欧洲移民主要是从事诱猎和贩运毛皮，直到19世纪50年代中期才出现了土地投机商，美国空军也在密苏里河畔建兰德堡。弗米利恩和扬克顿在1859年涌现出许多永久性定居点。1861年设立达科他准州，但是，几年之内，定居范围还仅限于大苏河与密苏里河之间的东南部地区。

1854年发生内布拉斯加的格拉顿事件，其后，印第安人与定居白人之间的战事时断时续，终于导致1890年派恩里奇附近的翁迪德尼惨案。毛皮贸易时代比较和睦的关系不复存在，出于仇恨，至少是出于疑虑，出现了文化上的互相隔离，时至今日，印第安系的南达科他人与白种南达科他人尚未完全摆脱其影响。

虽然联邦与印第安人订有多项条约，承认达科他准州西部土地为印第安人所有，但是，19世纪70年代初，为了到布莱克丘陵寻找黄金，非印第安人蜂拥到该地区。1877年，美国国会迫使印第安人认可缩小保留地，让出布莱克丘陵。拉皮德城兴起，成为该地区的主要门户。条条货运路和驿马车道自矿区通往东部，直到20世纪初铁路才修到河西地区境内。

州的地位和城市房产计划 淘金热过去以后，又有一股移居浪潮，大批移居者迁到河东地区，使其人口从1878年的80 000上下增为1887年的325 000。由于人口膨胀，于是有人要求以北纬46°为界，将达科他准州一分为二，南半部另立新州。北部和美国国会主张设立一个州。南部于1883和1885年先后举行制宪会议，在后一次会议上宣告成立达科他州。1889年美国国会通过以北纬46°线为界，分别成立两个州，同时接纳北达科他州和南达科他州加入联邦政府。

1889年的《大苏族协定》，为苏族特顿人和扬克托奈人设置6个保留地，并使又一批900万英亩土地向白人开放。自1920年以来，南达科他州居民分布格局并没有很大变化，依然是大多数分散在农场、牧场、小城镇和印第安人保留地。由于气候恶劣和经济条件欠佳，许多非印第安人自农村迁往城市，由于保留地内资源有限，也使得许多印第安人离开保留地。教育事业、保健事业、社会服务、运输条件和旅游业都已有所改进，但总人口一直相当稳定不变，民族多元化依然存在。

保守主义与进步党主义 南达科他州的政治历史与各邻州类似。在19世纪90年代，平民党大受拥护，该州一时疏远了共和党。但是，经过4年联合政府的治理，其成果却仅有全美国第一部公民立法提议创制权和复决权法。20世纪伊始，该州受到进步党主义思潮影响。1906年富有创新精神的进步派控制了共和党，提出要求实行直接初选和管制铁路的法案。自1917～1919年，该州又通过了更为激进的一套纲领：建立农村信贷计划，建立州雹灾保险事业，开办州营煤矿，开办水泥厂。在这一批州营企业中，目前仍在营业者仅存拉皮德城水泥厂一家。从20世纪20年代起，选民的取舍更加趋向保守。但是，有悖于这种保守主义的重要例外现象是，该州选进美国国会的人士都是开明派或温和派，他们维护联邦的利益，成效显著。重要的实例是民主党开明派人士G.麦戈文。自1936～1970年，他是代表南达科他州的唯一民主党美国国会议员。但是，1972年麦戈文竞选总统时却没有获得南达科他州的支持。

1973年，美国印第安人运动人士占领翁迪德尼村，表示希望印第安人的要求受到注意。这一事件还表明，部落主义仍然存在，它强调印第安人自决。事起后联邦司法部队包围该村两个多月，最后向印第安人承诺可以就他们所提意见进行谈判。

总的说来，白种南达科他人对联邦的仰赖程度略低于印第安人，印第安人的生活受到全国性的保留地政策的约束。由于气候及经济条件恶劣，南达科他形成了一种独特的生活方式，这种生活方式目前尚无舍异趋同的迹象。

South Derbyshire 南德比 英格兰德比郡一区。面积339平方千米。境内德文特、达夫和特伦特河谷地有起伏的可耕地和草场。特伦特河谷还有发电站和砂砾开采场。主要城镇斯沃德林科特生产粗陶管、陶器和砖瓦等。墨尔本是个商品菜园镇，是T.库克这位火车旅游的创始人的出生地(1808)。雷普顿村庄以其学校和中世纪教堂而闻名。夏德洛是内陆港口，濒临特伦特一默西运河。人口约70 100(1986)。

South-Eastern (state, Nigeria) **东南州** 参阅 **Cross River** *克罗斯河州*。

South Georgia 南乔治亚 南大西洋一多山荒岛，在英属福克兰群岛以东1 300千米处，为该群岛属岛。长160千米，宽32千米，面积3 756平方千米。最高点帕吉特山2 934米。气候寒冷，3/4地区常年被冰雪覆盖，仅生长耐寒草和其他冻原植物。1900年后始引入驯鹿。海洋生物丰富，有多种企鹅和海豹。设有英国南极考察站。1775年詹姆斯·库克船长到此岛，宣布它为英国所有。恩斯特·沙克尔顿爵士1916年第一次横越南乔治亚，为他的南极远征队寻找援助。直至1964～1965年才进一步勘察该岛内地。1982年阿根廷企

南乔治亚岛的小群岛湾风光

供图:Frans Lanting/Minden Pictures

图吞并福克兰群岛及其属地,但最后未成功,在这一时期,该岛曾被阿根廷军事占领。

South Glamorgan 南格拉摩根 南威尔士的郡,1974年设置,由加的夫市和原格拉摩根郡南部的低地部分连同原蒙茅斯郡的小部分组成。首府为*加的夫*(**Cardiff**)。有加的夫

南格拉摩根郡的圣多纳城堡

供图:Barry Webb © Celtic Picture Agency

和格拉摩根谷两个行政区,面积416平方千米。包括拉姆尼河、塔夫河和伊利河流域低地,以及考布里奇以南的索河流域,以及平均高60米的海岸台地。台地表面平滑,靠海多成陡崖。海岸的其他部分多沙丘,而在加的夫以东,主要为沼泽地。加的夫为该郡核心、公路和铁路枢纽,1956年正式定为威尔士首府。在铁路时代和有关港口发达之前,考布里奇集市城镇是主要中心。虽然煤炭贸易最近已趋衰落,东穆尔钢铁厂于1978年关闭,但加的夫海滨仍为工业区。由此往南的巴里港也有海滨工业区。与布里斯托尔地区连接起来的新运输设施增强了加的夫及其周围地区的工业潜力。格拉摩根谷腐植层很厚,有肥沃的田地。乳品业是该郡主要的农事行业。这里的村庄也像英格兰一样,是以教堂为核心发展起来的,而农场则为一个个单独居民点;另外还有若干城内职工在郊外的居住区。海滨胜地(特别是巴里岛)的假日服务业异常兴隆。人口约395 700(1986)。

South Hadley 南哈德利 美国马萨诸塞州中南部汉普夏县城镇(乡)。位于康涅狄格河沿岸。1684年定为哈德利的一部分;1732年被认可为一单独辖区;1753年正式设区;1775年改为镇。19世纪30年代,作为制造业中心(生产纺织品、纸张、钮扣和皮革),南哈德利有过短暂的兴盛,但现在主要是住宅区,有一些奶品和轻工业制造业。该镇以霍利奥克山学院闻名。该学院由M.莱昂建于1837年,是美国首批女子高等学府之一。人口17 296(2000)。

South Hams 南哈姆斯 英格兰德文郡最南部一区。面积887平方千米,北起达特穆尔高地,南至英吉利海峡。该区的景致和田园风光吸引了许多人在此定居或度假。北部有达特穆尔国家公园之一部。地表从达特穆尔高地呈阶梯状向海岸下降并被河流穿切。河间地区主要从事乳品业。托特尼斯是乳品的加工和集散中心。畜牧业也很重要。大麦是主要作物,也栽培水果、蔬菜和花卉。海岸线长82千米,风景优美,形成了南德文自然风景区。达特茅斯为历史上达特河的港口,也是帆船比赛中心,制造海洋机械和轻型机械。索尔科姆为以航海活动闻名的度假和住宅城镇。金斯布里奇有零售和旅游业。人口约80 200(1998)。

South Herefordshire 南赫里福德 英格兰西部赫里福德-伍斯特郡一区。面积905平方千米。大部分在被瓦伊河切割的丘陵和平原交错地带,瓦伊河从西北面的威尔士流入,向东北蜿蜒,然后在极南部流出该区。沿瓦伊河谷是宽阔的泛滥平原,土壤为肥沃红土。丘陵地区土壤贫瘠。境内经济以农业为主,生产谷物、饲草、苹果,亦有赫里福德牛饲养业。赫里福德城市区兼为该区首府。瓦伊河畔罗斯镇以其垂直尖拱式圣母教堂闻名。人口约46 900(1983)。

South Holland 南荷兰 英格兰中东部林肯郡一个区。占有费恩地区内已开垦的沼泽地737平方千米。东北面与北海的一个浅海湾沃什湾相邻。北部有沿沃什湾的干燥平地。更深入内陆的泥炭平原是由浅海底上腐烂的植物形成的。整个中世纪时期粉沙地边沿已不断有零星开垦农耕,但整片泥炭地在17世纪中期以前,实际上始终未曾排干。斯波尔丁原为一古代集镇,现为本区首府,是费恩地区目前复杂防洪排涝系统的总部所在地。在这片极适于耕种的土地上生长着果树、谷类(尤其是小麦和大麦)、马铃薯和各种各样商品菜园产品。英格兰专门从事郁金香的鳞茎最大栽培区就在斯波尔丁附近。斯波尔丁制造农具、拖拉机和罐头食品。其他一些小地方,如霍尔比奇、克罗兰和唐宁顿等,则起着农业市场中心的作用,人口约73 400(1998)。

South Holland (The Netherlands) 参阅 **Zuid-Holland** *南荷兰*。

South Holland 南霍兰 美国伊利诺伊州东北部库克县芝加哥南郊村庄。1846年创建。1894年设村。1853年通伊利诺伊中部铁路后开始发展,初为蔬菜生产社区,现主要为住宅区,亦有些轻工业。E.费伯的小说《如此之大》即以此地为背景。南霍兰是据1964年《民权法案》联邦政府强令废除公立学校中的种族隔离的第一个北方社区。人口22 147(2000)。

South India, Church of 南印度教会 印度基督教会。1947年由印度、缅甸和锡兰圣公会的一部分以及南印度循道会和南印度联合教会合并而成。南印度联合教会本身则是1908年由长老会、荷兰归正会和公理会联合而成。南印度教会成立后又有一些小教会参加。20世纪60年代中期信徒人数已超过100万。

South Indian bronze 南印度青铜像 印度教徒供奉的神像,印度视觉艺术中最杰出的成就之一。8～16世纪,在今泰米尔纳德邦的坦贾武尔区和蒂鲁奇奇拉伯利区,流行达

11世纪早期的南印度托钵僧装束的青铜湿婆神像

供图:P.Chardra

1 000年之久。在帕那瓦时代,金属雕刻仿照该时代的石雕,雕像几乎一律正面,但呈圆锥形,两手垂在两边。在朱罗时代早期(10～11世纪),雕像比较生动,常有舞蹈动作和手

势。朱罗雕像形象逼真，姿势优美，体态匀称，无可比拟。在维查耶那加尔时代(1336～1565)，神像由家庭供奉用的小尊变成等身大，供庙会游行用。虽然还有少数佛像和耆那教神像，但大部分是印度教的神祇，尤其是湿婆神和毗湿奴神以及他们的配偶和侍者，还有许多赛伐和威斯那伐圣者像，都非常精美。神像用**脱蜡法**(**lost-wax process**)铸成，铸成后再加雕琢。泰米尔纳德邦坦贾武尔博物馆和美术馆以及马德拉斯政府博物馆收藏着重要的南印度铜像，但大多数精品散布在印度南部各神庙里。

South Indian temple architecture 南印度寺庙建筑 又称达罗毗荼风格。7～18世纪，今泰米尔纳德邦的印度教寺庙的建筑形式。其特征是有库替那式的金字塔状尖塔。南印度

印度泰米尔纳德邦的9世纪晚期南印度寺庙
供图：P. Chandra

寺庙主要包括一个正方形的神殿，殿顶有小塔(或尖顶)及一个有柱门廊或厅堂。在一个长方形的后院内，有一间间密室围绕。庙的外墙有壁柱分隔，柱上有神龛，内有雕像。殿顶端即尖塔，是库替那式的，逐层向上收缩，成金字塔状，一列栏杆样的小型神龛显出每一层的轮廓。四角是方形，中央是圆桶形的顶部，尖塔有穹顶，顶上放置着宝瓶和饰物。达罗毗荼风格渊源于笈多王朝。现存最早的建筑是默哈巴利布勒姆的岩雕神龛(7世纪)，以及同一地点的滨海寺(建于700)。南印度的这种建筑形式，充分表现在罗阇罗阇大帝建于坦贾武尔的布拉迪斯瓦拉神庙(1003～1010)，以及他的儿子拉金德拉·朱罗于1025年在甘盖康达可拉普姆所建的大庙。以后，这种形式演变得更加精致，庭院内的建筑群也更大了，并有许多连在一起的围墙，各有自己的瞿布罗(门廊)。到维查耶那加尔时代(1336～1565)，瞿布罗更为高大，竟超过围墙内的寺庙。

South Island 南岛 新西兰两个主要岛屿中的大岛。在太平洋西南部。与北岛隔库克海峡，南隔福沃海峡与斯图尔特岛相望。面积151 971平方千米。南阿尔卑斯纵贯岛中央，最高点库克峰海拔3 764米。山脉西面为韦斯特兰平原，狭窄、潮湿；东面为坎特伯雷平原，宽广而干燥。西南部为峡湾地区，多峡湾和高山湖泊。有克赖斯特彻奇、达尼丁、因弗卡吉尔等沿海大城市，但南岛在20世纪不

南岛南阿尔卑斯西坡上的福克斯冰川
供图：G. R. Roberts, Nelson, New Zealand

及北岛发达。人口942 213(2001)。

South Jersey glass 南泽西玻璃器皿 约1781～1870年美国新泽西州南部、新英格兰和纽约州的许多玻璃厂模仿卡斯帕·威斯塔玻璃品生产的各种制品。虽然威斯塔玻璃厂

约1800～1825年间的南泽西玻璃器皿——睡莲叶纹罐
托莱多艺术博物馆供图

已于1780年关闭，但是它促进了南泽西的玻璃工业。这里的工人都是威斯塔过去雇用的德国人和波兰人的后代或来自欧洲的移民，他们的产品式样渊源于许多世纪以来中欧生产的玻璃品式样。这些工厂用绿色和琥珀色瓶罐玻璃和海蓝宝石色窗玻璃生产如壶和糖缸之类的餐具，有时也加一些其他色彩。他们采用欧洲的传统装饰方法：在器皿上粘上各式玻璃斑，并用熔化的玻璃丝一圈圈地绕在上面。另一种是南泽西独创的，即用睡莲叶子图案装饰器皿，其方法是在器皿底部裹上一层玻璃，并用工具在周围从下向上做成一连串的玻璃点子。1820～1850年是南泽西玻璃工业最繁荣的时期。以后由于美国玻璃工业向机械化发展，以及煤和煤气代替了木材作燃料，个体的吹制玻璃行业逐渐衰落。

South Kesteven 南凯斯蒂文 英格兰中东部林肯行政、历史郡一区。面积943平方千米，在郡的西南部。大部为南北走向的石灰岩高原，东部有大片排水改造过的沼泽，西部为丰茂的牧场。农业生产小麦、大麦、甜菜及其他块根植物等。工业有纺织、制鞋、采石、农具和机械制造等部门。区行政中心格兰瑟姆，牛顿(1643～1727)和英国第一位女首相撒切尔夫人都在此度过他们的成长期。人口约122 700(1998)。

South Kingstown 南金斯敦 美国罗得岛州南部华盛顿县城镇。1641年这一带有移民定居。1674年设金斯敦镇，1723年分为南金斯敦、**北金斯敦**(**North Kingstown**)二镇。南金斯敦镇包括**金斯敦**(**Kingston**)村、西金斯顿村等13个社区，行政中心为韦克菲尔德。其西为菲利普王战争中殖民者最终战胜纳拉干塞特印第安人之地(1675-12)。过去工业以纺织业为主，现由多种小型制造业所代替，夏季旅游业也甚重要。罗得岛大学(1892)对该镇的经济、文化生活有重要作用。人口约27 921(2000)。

South Kyŏngsang Province (South Korea) 参阅 **Kyŏngsang-nam 庆尚南**。

South Lakeland 南莱克兰 英格兰西北部坎布里亚行政郡一区，位于该郡南部，南濒爱尔兰海很浅的莫克姆湾。该区西部属于兰开

南莱克兰区湖区的科尼斯顿湖
供图：David Endersbee from TSW—CLICK/Chicago

夏历史郡，东部构成约克历史郡的一部分，中部属威斯特摩兰历史郡。大部分为高地，是风景宜人的度假胜地。中部有肥沃的肯特河谷和伦河谷的丘陵和溪谷带。西部和东部高地包括湖区国家公园和约克郡溪谷国家公园的部分园地，海拔450～900米。在湖泊纵横的狭窄河谷内有英格兰最大淡水湖温德米尔湖。经济以牧羊业为主，河谷内有奶牛饲养业、燕麦和饲料作物种植业。区首府肯德尔和阿尔弗斯顿是农业和轻工业中心。格拉斯米尔、温德米尔和科尼斯顿均为湖区的胜地。浪漫派诗人W.华兹华斯和儿童读物作家B.波特通过欣赏该区的风景而获得写作的灵感。面积1 551平方千米。人口约103 200(1998)。

South Manchurian Railway **南满铁路** 中国东北长春至海港城市旅顺、大连的一段铁路。是起自西伯利亚穿越中国东北各省直达俄罗斯港口海参崴的中东铁路的一段支线。1898年3月俄国强迫中国给予其辽东半岛即南满的控制权，不久俄国人即开始修筑南满铁路。日俄战争(1904～1905)俄方战败后，辽东半岛包括南满铁路转归日本。1906年日本帝国主义在大连设立南满铁道株式会社，成为对满洲进行经济剥削和殖民侵略的主要工具。“满铁”拓展阜新大型露天煤矿，并在鞍山建钢铁厂。由于日本军国主义者怀着极端民族主义情绪，终于在1931年入侵东北，将东北三省制造为满洲傀儡帝国。1945年在雅尔塔会议上，美国总统罗斯福同意将南满铁路划归苏联，作为斯大林参加对日作战的部分报偿。同年8月14日，中国国民政府与苏联签订协议，规定南满铁路由中苏共管30年。1949年中华人民共和国建立后，苏联才同意将此铁路全部交还中国管理。

South Mountain **南山** 美国阿巴拉契亚山蓝岭山脉最北段。从宾夕法尼亚州南部向西南延伸至弗吉尼亚州北部，长105千米。最高点奎劳克山(海拔654米，位于马里兰州)。其间有阿巴拉契亚小道。

South Norfolk **南诺福克** 英格兰东部诺福克行政、历史郡一区。在诺里奇市南面。面积907平方千米。主要为地势低洼、土地肥沃的农区，生产大麦、小麦、甜菜、燕麦、蔬菜等，亦有奶牛、猪和家禽饲养业。东北部多水鸟集栖的淡水沼泽。区首府怀门德姆。人口107 700(1998)。

South Northamptonshire **南北安普顿** 英格兰中南部北安普顿行政、历史郡一区。位于郡西部。地处起伏的丘陵。北部有宁河及大联合运河水系。经济以畜牧业为主，亦生产谷物。位于中部的区首府托斯特是古老的集市中心，极南的布拉克利为全区最大堂区(城镇)，两地均有日益发展的轻工业。区内多别具风格的乡村教堂、草石结构的别墅和乡间宅园。托斯特镇内的托尔伯特客栈因狄更斯的小说《匹克威克外传》中提及而永垂青史。托斯特附近的水道博物馆是为纪念两个世纪的运河史而设。面积632平方

南北安普顿区萨尔格雷夫村的萨尔格雷夫府邸
供图：Barry Hicks—Britain on View (BTA/ETB)

千米。人口约77 300(1998)。

South Orange Village **南奥兰治村** 美国新泽西州东北部埃塞克斯县一区。东邻纽瓦克市。南北战争后，许多纽约居民因这里风景优美而迁此。原为奥兰治城一部分。1861年分出。1869年设建制。设有塞顿·霍尔大学(1856)。有一些轻型制造业。人口约16 964(2000)。

South Orkney Islands **南奥克尼群岛** 英属南极洲领地的一部分。在南大西洋斯科舍海和威德尔海之间。由科罗内申、劳里两大岛和一些小岛组成，总面积620平方千米。荒无人烟。其中锡格尼岛常用作南极探险基地。1821年发现。

South Ossetia **南奥塞梯** 格鲁吉亚中北部地区，地处大高加索山脉南坡。该区2/3居民为奥塞梯人(高加索的一个民族)，其余多为格鲁吉亚人。该地区河流纵横，多用于水力发电。海拔多在1 000米以上。只有9%土地已开垦，种植谷物、水果及葡萄。高坡有牧羊业。森林已开发。主要城市为茨欣瓦利。

South Oxfordshire **南牛津** 英格兰中南部牛津行政郡一区。位于郡的东南部，在牛津市(西北)和雷丁市(南)之间。该区大部分位于牛津历史郡境内，但泰晤士河以西地区，包括沃灵福德，属于伯克历史郡。为泰晤士河的黏土河谷，东南部有奇尔特恩丘陵，长满山毛榉树。经济以农业为主，生产玉米、马铃薯、谷类、奶牛等。最大城镇泰晤士河畔亨利有铸铁业和酿酒业，并以每年举办皇家亨利

南牛津区泰晤士河畔亨利镇的皇家亨利赛船会
供图：Britain on View(BTA/ETB)

赛船会而闻名世界。克罗马什吉福德为区首府，也是居住区。牛津南11千米的卡勒姆村内有重要的原子能研究实验室。面积671平方千米。人口约127 400(1998)。

South Pacific Commission **南太平洋委员会** 原由澳大利亚、法国、新西兰、英国、美国等政府代表组成，其宗旨是就有关影响各国南太平洋岛屿领地的经济、社会及卫生等事务，向5国政府提供咨询建议。今天，该委员会的成员包括若干前附属国，主要研究经济、生物、医药、教育和社会等问题。委员会1947年在澳大利亚堪培拉建立，其总部设于新喀里多尼亚岛上的努美阿。每个成员国可派两名代表参加南太平洋会议，会议每年举行一次。

South Pasadena **南帕萨迪纳** 美国加利福尼亚州洛杉矶县城市。地处帕萨迪纳南3.2千米。经帕萨迪纳高速公路距洛杉矶市中心东北16千米。主要为住宅区，亦有轻工业(主要为电子产品)。1888年设市。人口约24 292(2000)。

South Pembrokeshire **南彭布罗克夏尔** 威尔士西南部原达费德郡的区，现并入彭布罗克郡。

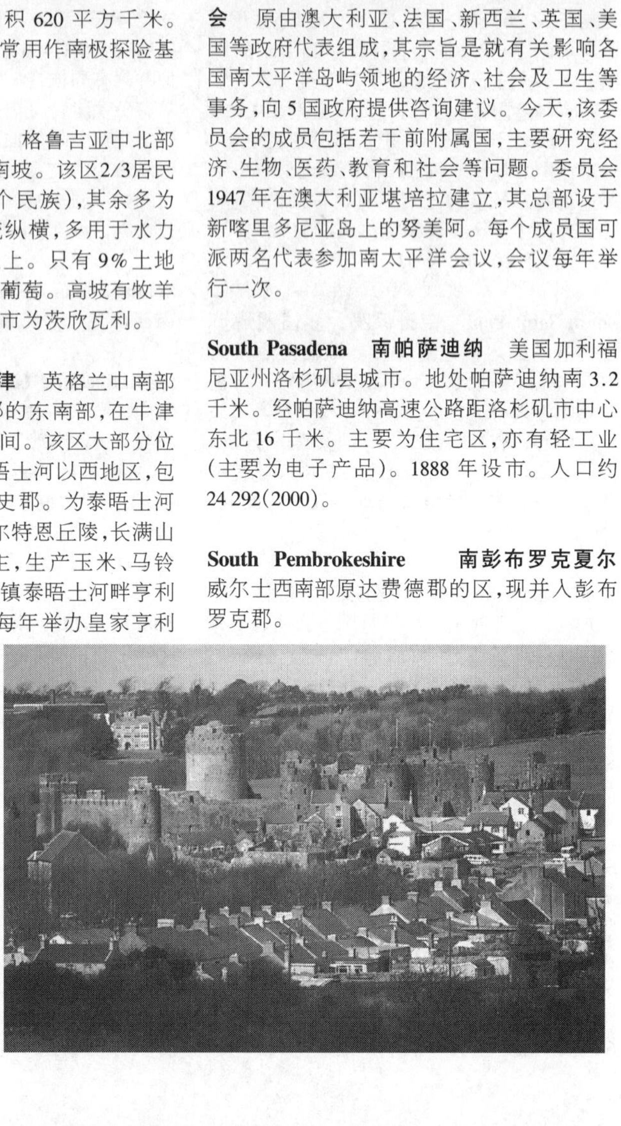

威尔士彭布罗克郡彭布罗克镇的诺曼式堡垒废墟
供图：Britain on View(BTA/ETB)

South Platte River 南普拉特河 美国普拉特河(**Platte River**)两主要支流之一。源出科罗拉多州中部莫斯基托山脉,东南流至迪韦德西侧折向东北,至格里利向东进入内布拉斯加州,在北普拉特与北普拉特河汇成普拉特河。全长711千米。河上有属于密苏里河流域治洪、灌溉、水电工程的水库和水坝。主要支流有克利尔河、博尔德河、大汤普森河、圣弗兰河等。

South Pole 南极 地轴南端。在南极洲罗斯陆缘冰以南约480千米。地理上的南极与罗盘磁针所指的南磁极并不一致。后者位于阿黛利海岸(约在东经139°06′、南纬66°00′处;每年向西北位移约13千米)。南极同地球磁场南端的南地磁极(它也移动,20世纪90年代初约在东经108°44′、南纬79°13′处)也不一致。地理南极位于海拔2 830米处(海拔也经常变化),每年有6个月完全为白天,6个月完全为黑夜。冰盖厚度2 700米。1911年12月14日挪威探险家阿蒙森首先到达南极点,1912年英国探险家斯科特、1929年美国探险家伯德也先后到达。20世纪70年代初在南极有美国阿蒙森-斯科特研究站和简易机场。由于极地冰盖漂移,研究站位置现已移到极点以西。

South Ribble 南里布尔 英格兰西北部兰开夏行政、历史郡一区(自治市)。为兰开夏沿岸平原之一部,位于普雷斯顿自治市的南面。东邻奔宁高地,北以里布尔河为界。工业主要与英国莱兰公司的汽车生产相关联。该公司成立于1896年,其总部现设在伦敦。轻工业中心在沃尔顿-莱-代尔和班伯布里奇等地。西部开垦的泥炭沼有精耕细作农业,并饲养奶牛。区首府莱兰。面积113平方千米。人口约103 600(1998)。

South Saint Paul 南圣保罗 美国明尼苏达州东南部达科他县城市。濒临密西西比河,与圣保罗毗邻。19世纪50年代有人在印第安苏人村落定居。1887年设建制。现为铁路中心,有铁路修配厂、圣保罗联合牲畜围场(1886)和农民联合会交易中心。有肉类加工、制革、建材等行业。人口约20 167(2000)。

South San Francisco 南圣弗朗西斯科 美国加利福尼亚州圣马特奥县城市。地处圣弗朗西斯科以南5千米处,有101公路经过。工业发达,有肉品加工、钢及其他金属制品、化学加工业及其他制造业。该市住宅区有圣弗朗西斯科湾为依托,景色诱人。市南有圣弗朗西斯科国际机场。人口约60 552(2000)。

South Sandwich Islands 南桑威奇群岛 英属福克兰群岛的属地。在南大西洋的威德尔海北面。为小活火山岛群,面积310平方千米。有冰川覆盖。1775年由英国探险家库克船长发现。原无人居住。1976年阿根廷人员不顾英国反对,占领南休利群岛。1982年6月被英军逐出。

South Sea Bubble 南海泡沫 1720年使大批英格兰投资者破产的一次投机狂热。此案以南海公司为主角。该公司成立于1711年,主要是向西属美洲贩卖奴隶。据称西班牙王位继承战争结束后将允许奴隶贸易。公司的股息保证6%,所以股票销得很快。但缔和的《乌得勒支条约》(1713)并非如所期望,而是对输入奴隶征收年税,且每年只许该公司运1船。1717年初次航行收获不大。1718年由国王乔治一世担任董事长,公司信用大著。不久以后付出100%的股息。1720年经议会同意,南海公司承诺接收全部国债,使股票的行市大涨,获利甚厚。1720年1月股票价格为128.5%,8月突破1 000%。9月暴跌,12月跌至124%。许多投资者倾家荡产。经下院调查发现至少有3名大臣受贿和从事投机。公司的许多董事名誉扫地。1750年公司把大部分权益卖给西班牙政府。公司本身维持到1853年。

South Semitic alphabet 南闪米特字母 公元前1000年起源于阿拉伯半岛的使用者很少的一组文字,似与西奈碑铭中所用文字体系有关。这些文字大多数仅用于阿拉伯半岛,以其古老并与北闪米特字母无明显联系而为学者所重视。北闪米特字母溯源于公元前1100年,是除南闪米特字母以外后来一切字母文字的祖先。南闪米特诸字母表一般有28个字母,都表示辅音,经常从右往左书写。其中有7个(或8个)字母与北闪米特字母相似并具有同样音值。在9种有区别的文字中只有萨法伊特文字、古也门文字、埃塞俄比亚文字通用于阿拉伯半岛之外。埃塞俄比亚文字从古也门文字发展而来,是唯一的仍在使用的文字,它的现代形式,有时也叫作阿姆哈拉文字。参阅 **North Semitic alphabet**。

South Seymour Island (Galápagos Islands) **南西摩岛** 参阅**Baltra Island**巴尔特拉岛。

South Shetland Islands 南设得兰群岛 英属南极洲领地的一部分。在南大西洋德雷克海峡,南极半岛北面150千米。延伸510千米,总面积4 700平方千米。荒凉并有冰雪覆盖,主要用作捕猎鲸和海豹(1906～1931)及南极探险的基地(主要在迪塞普申岛)。1819年发现。现无居民。

South Shields 南希尔兹 英格兰东北部达勒姆历史郡泰恩-韦尔都会郡南泰恩塞德区城镇和北海港口。濒临泰恩河口南岸。17和18世纪是制盐和玻璃工业中心。现造船和海洋机械工业重要。英国第一艘自动复正救生艇于1790年在此下水。19世纪造船业和煤矿业促使该镇发展,但到20世纪末传统工业让位于服务业和新型工业。人口83 704(1991)。

South Shropshire 南什罗普 英格兰西部什罗普行政郡一区。西邻威尔士。什罗普丘陵是从西南至东北的一系列山岭,包括斯蒂佩尔斯通、朗明德和克利等丘陵,它们几乎占据了全区。这些山岭已正式指定为风景

南什罗普区伊丽莎白时代的半露木架结构门楼(左)与斯托克赛城堡13世纪的塔楼和主厅(右)
供图:Martin Page from TSW—CLICK/Chicago

区。谷地生产谷物和饲料,有养牛业;丘陵地带有牧羊业。区首府拉德洛是最大城镇,以14和15世纪的半露木架结构住宅闻名。面积1 028平方千米。人口约41 500(1998)。

South Somerset 南萨默塞特 英格兰萨默塞特行政郡一区,环绕该郡的东南部。该地几乎完全位于萨默塞特历史郡境内,仅有沿该区南界的几小块地方属于多塞特或德文历史郡。该区主要为农业区,在农田散落着许多村庄。最大城镇和行政中心是约维尔。除了传统的手套制作和皮革服装贸易以外,当地发展迅速的行业包括食品加工、轻工设计以及直升机和飞机设备制造。面积959平方千米。人口153 700(1998)。

South Spitsbergen National Park 南斯匹次卑尔根国家公园 挪威的国家公园和鸟类保护区。位于北冰洋中斯瓦巴德群岛的斯匹次卑尔根岛南端。建于1973年。面积4 673平方千米。内有4个鸟类保护区。

South Staffordshire 南斯塔福德 英格兰中部斯塔福德行政、历史郡一区。位于大部在伯明翰的西米德兰兹西面。是地势起伏的绿化带,既有富饶的农田,又有从西米德兰兹涌出的过剩居民。为西米德兰兹提供重工业用砾石和沙子。现代化工业区已遍布全区。行政中心是科德萨尔。面积409平方千米。人口约102 500(1998)。

South Tyneside 南泰恩赛德 英格兰东北部泰恩-威尔都会郡都会自治区。位于泰恩河畔纽卡斯尔市东南,北有泰恩河,东临北海。南泰恩赛德的几个城镇——南希尔兹、贾罗、赫布伯恩和博尔敦——在泰恩－威尔都会区的工业发展中起到很大作用。第二次世界大战之后为减轻对重工业的依赖,该地区建起了轻工业。现在船只维修仍在贾罗存在,而采煤已经停止,重工业几乎消失。经济现主要依靠服务业和轻工业。在行政中心南希尔兹以南沿北海海岸有大片美丽的草地和海滩。快速交通系统把南希尔兹和贾罗与泰恩河畔纽卡斯尔和北泰恩塞德连接起来。

面积 64 平方千米。人口 154 600(1998)。

South Uist 南尤伊斯特岛 外赫布里底群岛之一岛。行政属苏格兰西部群岛地区。位于斯凯岛西,两岛相隔约 40 千米。岛南北长 30 千米,宽 11 千米。有桥通岛南面的本贝丘拉岛。岛的东部多山,福尔峰海拔 620 米。岛上土壤贫瘠,多泥炭沼和石南属植物。但岛的西部由于有贝壳沙,因而是一条适于耕种的地带。主要行业为畜牧业,但亦经营小农场和渔业,加工海藻。岛上还编织苏格兰花呢。东海岸的洛赫博伊斯代尔是主要村庄。约 4/5 的居民操苏格兰盖尔语。人口 2 106(1991)。

South West Africa 西南非洲 参阅 **Namibia** 纳米比亚。

South West Africa People's Organization (SWAPO) 西南非洲人民组织 纳米比亚(原西南非洲)政党,主张立即脱离南非而独立。1960 年成立。南非拒绝按联合国要求于 1966 年撤出该托管地的命令后,西南非洲人民组织即转入武装斗争。其最大的政治力量是居住在该托管地北部的安博人。西南非洲人民组织在努乔马的领导下,得到安哥拉执政党、解放安哥拉人民运动和苏联的支持,以安哥拉为基地,在纳米比亚境内进行游击战争。由其游击武装力量纳米比亚人民解放军(PLAN)担负作战任务。自 1978 年起,南非不时从陆地和空中侵入安哥拉进行报复性打击。西南非洲人民组织的创始人托伊沃·雅托伊沃于 1968 年遭南非监禁,刑期 20 年,但于 1984 年获释。努乔马于 1989 年 9 月回到纳米比亚。1978 年联合国承认西南非洲人民组织为纳米比亚人民的唯一代表。西南非洲人民组织与南非均同意联合国的一项停火计划:撤出南非军队,在联合国安全部队的保证下举行自由选举。经过几年的外交活动,南非终于在 1988 年 12 月接受了联合国决议的要旨。零散的战斗仍在继续。1989 年 90% 的纳米比亚登记选民参加制宪议会选举,起草纳米比亚宪法。

South-West National Park 西南国家公园 澳大利亚塔斯马尼亚州西南部国家公园。1968 年由佩德湖国家公园及一水库合并而成。1976 年又并入戴维港浅滩保护区及普里锡皮特斯悬崖,面积几扩大一倍。1981 年再度扩充,并入戴维河源附近地区。现面积 442 200公顷。该园与富兰克林-下戈登怀尔德河国家公园(1981 年成立)为澳大利亚最著名的荒原。公园所在地区崎岖不平,气候湿冷,包括平行的几块高地,间以河湖纵横的宽谷。植被有雨林、苔属、桉树。与东塔斯马尼亚相比,动物种类有限,园内马特赛克群岛多海鸟及海豹。

South Wight 南怀特 原英格兰怀特岛郡西一区(1974 ~ 1995)。现属汉普郡怀特岛县。

South Yorkshire 南约克 英格兰中北部都会郡。包括 4 个都会自治市:巴恩斯利、唐卡斯特、罗瑟勒姆和设菲尔德市。除 3 个地方外,其余均位于约克历史郡境内。1974～1986 年南约克是一个行政单位。1986 年都会郡失去行政权,辖区成为自治行政单位,或称单一政区。南约克现在是没有行政权的地理、礼仪郡。南约克的地貌多种多样。西部的奔宁高沼地,大多是石灰石和磨石粗砂岩,向下延伸到唐河和迪姆河河谷,这两条河流入东面唐卡斯特周围的低地。大部分低地,包括哈特菲尔德沼泽、索恩沼泽、亨伯海德沼泽,已被排干。唐河源于奔宁山脉并向东经艾尔河和乌斯河流到亨伯河。

19 世纪该地区的工业发展得益于靠近产煤区和修通铁路。唐河河谷成为从设菲尔德向东延伸的钢铁生产带的中心。今日英国的主要煤田大部分在南约克,但在 20 世纪末采矿业急速下滑。只有为数不多的高度机械化的煤矿仍在唐卡斯特(英国尚存的煤炭业总部)的周围经营。建在设菲尔德和罗瑟勒姆的钢铁工业也在 20 世纪末下滑,但设菲尔德由于地处奔宁山麓,至今仍以特钢和刀具闻名。轻工生产、研发、食品加工以及服务业在一定程度上弥补了采矿和重工业的就业问题。设菲尔德是南约克最大的城市和主要的服务中心,是设菲尔德大学的所在地。都会郡包括开阔的农村地区以及皮克区国家公园的一部分地方。面积1 585平方千米。人口 1 304 100(1998)。

Southampton 南安普敦 英格兰汉普历史郡的一个单一政区,英吉利海峡港口。位于伊钦河和泰斯特河二河口湾之间的半岛上,近南安普敦湾头。伊钦河东岸曾有古罗马居民点,并发掘出刻石、硬币、陶器及其他艺术品。1086 年以前为皇家自治市。中世纪时为英格兰主要港口之一,出口内地的羊毛和兽皮,并进口波尔多葡萄酒。诺曼时代和金雀花王室时期为与法国通航的主要港口。17 和 18 世纪港口和城市均衰落,但 19 世纪建成铁路后又复苏,尤其是 1840 年伦敦—南安普敦路线通车后发展更迅速。1951 年在西岸建起炼油厂和油轮码头。1978 年开始使用北海油。1980 年跃居英国第二大港。传统工业有造船、修船、粮食加工业等,新兴制造业生产飞机、汽车、电缆、电机和石油化工产品等。市北有一所大学(1862)。面积 49 平方千米。人口217 478(2001)。

Southampton 南安普敦 美国纽约州东南部萨福克县城镇和村庄。位于长岛东部南岸。1640 年,来自马萨诸塞州林恩的移民在康申斯角登陆,建立纽约州第一个英国人村镇。印第安人地契原本(1640-12-13)保存至今。许多殖民地时期建筑物已修复。镇区有欣纳科克印第安人保留地(1703)和萨格港。长岛大学南安普敦学院开办于 1963 年。南安普敦村有帕里什艺术博物馆。人口54 712 (2000)。

Southampton, EARLS, COUNTESS, AND DUKES OF 南安普敦伯爵、女伯爵和公爵 英国封爵贵族,按年代顺序分列于后,并各以 ● 为标记。

● **Southampton, William Fitzwilliam, Earl of 南安普敦伯爵**(约1490～1542-10,英格兰诺森伯兰郡泰恩河畔纽卡斯尔) 亨利八世在位时期的英国海军上将。罗瑟勒姆附近的阿尔德沃克的威廉·菲茨威廉爵士之子。亨利八世少年时代,他曾作陪伴。1513 年因包围图尔奈有功而封爵士。此后任沃尔西枢机主教府司库,并数次被派遣到法国办理外交事务。1523 年英法两国交战时,他作为海军中将指挥一个舰队。他曾任王室审计官、兰开斯特公爵郡大臣、掌玺大臣。1537 年成为海军大臣和南安普敦伯爵。他曾前往加来迎接安妮(克利夫斯的)至英国,并且上书亨利,用阿谀奉承的词句恭维亨利的新娘。在随英国陆军向苏格兰进军时死去,称号因无嗣而废除。

● **Southampton, Thomas Wriothesley, 1st Earl of 南安普敦伯爵(第一)**(1505-12-21,英格兰伦敦～ 1550-07-30,伦敦) 即 T.赖奥斯利。英格兰国王亨利八世在位晚期有权势的国务大臣。王室官吏之子。曾就学于剑桥大学。在校时结识了后来成为温切斯特主教和亨利八世主要谋臣的 S.加德纳,并与加德纳的侄女结婚。1530 年加德纳任命他为掌管印鉴的秘书。但当 T.克伦威尔当权后,他又投靠克伦威尔,成为这位首席大臣的私人秘书,不仅凭此获得大批产业,并得以效力于君侧。1539 年进入议会。1540 年继克伦威尔成为两个主要国务大臣之一,并晋封爵士。由于他曾与加德纳一起策划反对克伦威尔,所以克伦威尔的倒台并未影响他的前程,他反而成为亨利八世的主要顾问之一,1544 年封男爵,任大法官。亨利八世死后,他又希图攀附爱德华六世。1547 年摄政萨默塞特公爵封他为伯爵,收买他的支持。但当萨默塞特实行宗教改革时,免去他的大法官职务。他于是又支持萨默塞特的政敌沃里克伯爵,推翻了萨默塞特。但沃里克更加信奉新教,1550 年 2 月把他排斥出摄政会议。

● **Southampton, Henry Wriothesley, 2nd Earl of 南安普敦伯爵(第二)**(1545-04-24 受洗～ 1581-10-04,英格兰汉普郡法纳姆附近伊切尔马诺) 英国信奉天主教的贵族,曾密谋释放苏格兰玛丽女王。第 1 代南安普敦伯爵唯一存活的儿子,亨利八世国王曾亲自主持他的洗礼。在信奉新教的伊丽莎白一世朝代,他是一个狂热的天主教徒。1570 年 6 月因涉嫌促成第 4 代诺福克公爵与苏格兰女王玛丽的婚姻而被捕,1570 年 7 ～ 11 月和 1571 年 10 月～ 1573 年 5 月被监禁。以后只在南安普敦郡担任一个无足轻重的职务,退出政治舞台。

● **Southampton, Henry Wriothesley, 3rd Earl of 南安普敦伯爵(第三)**(1573-10-06,英格兰萨塞克斯考德雷～ 1624-11-10,荷兰贝亨奥普佐姆) 即 H.赖奥斯利。英国贵族、莎士比亚的保护人。1581 年继承其父爵位并在伯利勋爵的照顾下成为受皇家监护的孩子。曾在剑桥大学和伦敦格雷律师学院受教育。17 岁时入宫,得伊丽莎白一世女王宠爱,埃塞克斯伯爵第二对他也很友善。他是作家的慷慨扶掖者，其中包括B.巴恩斯、T.纳什、G.马卡姆。但他以扶掖莎士比亚最为闻名，后者将《维纳斯和阿多尼斯》(1593)、《鲁克丽丝受辱

伦敦国立肖像画陈列馆供图

记》(1594)奉献给他。1596～1597年随埃塞克斯远征加的斯和亚速尔群岛。1599年随埃塞克斯前往爱尔兰，但女王坚持召他返回伦敦。因深深卷入埃塞克斯谋反事件，1601年2月19日因叛国罪受审，并被判死刑，后因罗伯特·塞西尔爵士从中斡旋，改为终身监禁。詹姆斯一世继位后，重返王宫。1603年被授予嘉德爵位并被任命为怀特岛行政长官，议会还通过法令恢复了他的伯爵爵位。曾为弗吉尼亚公司和东印度公司的积极成员。1614年成为支持德国新教徒的志愿人员。1619年任枢密院顾问，但因坚决反对宠臣白金汉公爵而失宠。1624年和长子一起志愿参加联省反对西班牙的战争，但在荷兰登陆时患热病，在其子死后数日病死。

● **Southampton, Thomas Wriothesley, 4th Earl of　南安普敦伯爵(第四)**(1607～1667-05-16，英国伦敦)　英格兰国王查理一世和查理二世的主要支持者。第3代伯爵唯一存活的儿子，曾就读于剑桥大学圣约翰学院。当查理一世与议会开始发生纠纷时，他站在议会的一边，但是为时不久，议会领袖们的粗暴又驱使他支持查理，此后始终为查理的最忠诚的顾问之一。不过，他热衷于和平，1643年与议会代表谈判，1645年再度在阿克斯布里奇进行协商。共和时期，他向国家交纳6 000英镑，因而被允许居住英格兰，未受迫害。查理二世复辟后，他被任命为财政大臣。作为财政官员，他以两袖清风和努力整顿经济与财政制度而著称。去世后因无子嗣在世，所有爵位称号均废除。他在伦敦居住的街道，分别称为南安普敦道和南安普敦街，使他的名字得以永存。

● **Southampton, Barbara Villiers, Countess of 南安普敦女伯爵**　参阅 **Cleveland, Barbara Villiers, Duchess of** *克利夫兰女公爵*。

● **Southampton, Charles Fitzroy, 1st Duke of 南安普敦公爵(第一)**(1662-06-18受洗～1730-09-09)　英王查理二世的私生子。1670年其母巴巴拉被封为克利夫兰女公爵和南安普敦女伯爵，他也被恩准享用南安普敦伯爵的头衔。1675年封为南安普敦公爵和奇切斯特伯爵。1709年其母逝世后，又承袭克利夫兰公爵爵位。他一生平庸，但涉嫌于1691年密谋使詹姆斯二世复辟。1710年起为贵族院议员。

Southampton Island　南安普敦岛　加拿大西北地区基韦廷行政区岛屿，位于哈得孙湾入口处，与大陆之间隔罗斯·韦尔卡姆湾。全岛略呈三角形，长约340千米，宽约355千米，面积41 214平方千米。东北部为高原(沿岸峭壁高300米)，海拔约600米，逐渐向南部低地倾斜。内地有深谷，溪流奔腾其间。南湾顶端有珊瑚港，为岛上唯一的贸易站；该地西北8千米的芒恩贝，有加拿大皇家骑警基地，还有飞机场和气象站。沿岸以捕捞北极鲑鱼而闻名。

Southdown　南丘绵羊　中细毛、黑面、无角的绵羊品种，原产英格兰苏塞克斯丘陵地区，是英国最古老的绵羊品种，具有理想的肉用体型结构。毛被紧密，在英国品种中最为纤细，毛白而质优，但较短，毛被重量较轻。面部和四肢褐色、浅褐或灰色。在世界许多地方，特别是在英联邦各国和美国很普遍。

Southeast Asia　东南亚　亚洲的一个地区，约在印度洋和太平洋以及亚洲大片陆地和澳大利亚之间。该地区由两部分组成，一为大陆东南亚，或称半岛东南亚，另一为岛屿东南亚，或称群岛东南亚。前者包括缅甸、泰国、柬埔寨、老挝、越南和新加坡；后者包括印度尼西亚、文莱和菲律宾。马来西亚一部分在大陆(马来半岛的南部)，一部分是海岛(婆罗洲的北部)。该地区总面积13 000 000平方千米，其中约4 496 000平方千米为陆地。人口约462 000 000(1993)。

土地　东南亚最宽阔的部分作西北-东南走向，约6 400千米。该地区大部分在北回归线和南纬10°之间，并且几乎全在潮湿的热带。在地形上，大陆部分为复杂且往往是崎岖的起伏地势所分割，山脊大多高1 800～3 000米。地势特征一般表现为较大的大陆地形在这一地区的延伸。丰富的雨量为这里增添了纵横交错的河网。在巨大的河流三角洲地带，形成了面积广阔的可耕地，其中不乏半岛的主要粮仓。上述自然特征对于东南亚大陆部分的人文地理深有影响。自北面进入这一地区十分困难，从而限制了移民由陆路而来，这就从一个方面说明了为何中国就在北面，而整个大陆东南亚的人口仍然相对较少。

岛屿东南亚地形的典型特征是火山和短而湍急的河流很多。接近海洋使得海运极为方便，尽管崎岖的内陆地区依然十分封闭。

这一地区的地理轮廓是由近期地质上大陆架的外泛形成的，而宽阔的河口湾则由河口的淹没作用所造成。沉积的速度随着淹没过程的持续而加快，结果许多较为低浅而平静的岸边出现了宽阔的沼泽地带。这可见于红河、湄公河、伊洛瓦底江和昭披耶河等的三角洲地带。除越南北部和缅甸北部以外，东南亚海平面的年平均温度接近27 °C，而温度的季节性变化则取决于与海洋接近的程度和海拔高度。仅缅甸北部边缘有降雪。大部分地区的年降雨量为1 500毫米以上；有相当多的地方是这一雨量的2～3倍。

总体说来，这里的天气受着季风的左右。大陆地区的大部分降雨来自西南季风(5月到9月)。东北季风来时(11月到3月)，空气就变得比较寒冷和干燥。无季风时常常会有旋风的骚扰。有些旋风可能发展为热带气旋风暴，所经之地常遭暴雨和破坏。

东南亚地区以动植物和微生物丰富而著称于世，它们在热而湿的气候中旺盛地繁殖生长。赤道低地和往北较为潮湿的热带地区中的大部分，生有热带常绿雨林。在大部分马来西亚的沿岸地带生长着红树林，其后广阔的地域上则生长着种类繁多的棕榈树。在并无沉积的裸露的海岸边，是一片片的盐碱滩，繁育着各种耐盐碱的，像鬣刺属这样的植物。更为常见的是长在岸边的椰子树。比起更为开阔的季风林，雨林中的动物一般较少。虎和犀牛为许多地方所特有，虽然它们的数量正在减少。该地区各地都有象和东南亚本地生长的水牛，也有数量巨大、各式各样的鸟类和昆虫。

人民　大陆东南亚已知的最早居民来自亚洲大陆内部，后来又为北方一次次的移民浪潮所取代。岛屿东南亚则有原始马来人(奈索特人)和帕雷依人两者后裔的混合种，并受到马来-波利尼西亚人及其他种族集团的影响。在欧洲人统治时期，当地的种族结构因为大批中国人的到来及规模较小的印度人和阿拉伯人的迁入，变得更为复杂，造成了相当大的混合。

比较起来，除新加坡和文莱以外，该地区的城市化程度尚低。在新加坡、曼谷和雅加达这样的城市里，移民对于人口的增长起了重要的作用。那里人口的增长率通常是国家的增长率的2倍。

在东南亚各地都可以程度不同地感受到远古宗教的影响。万物有灵论在许多比较封闭的地方还在继续流行。在印度尼西亚和马来西亚的很多地方，居主要地位的佛教和印度教信仰曾经受到伊斯兰教的侵扰，而在伊斯兰教传播的后期，也有少数人归信了基督教。

经济　农业仍然在大多数东南亚国家的经济生活中占主导地位。大量的人口是农民，或是从事农产品加工工作的人。主要的农作物有大米、木薯、玉米、烟草、甘蔗、橡胶、咖啡、茶叶、水果、香料、花生和大豆等。作为一个整体，该地区在谷类供应上自给自足。豢养的牲畜有牛、水牛、山羊、绵羊、猪等。渔业地位重要，特别是在马来西亚、印度尼西亚和泰国。

制造业在该地区的经济中占有的比重日渐增大，尤其是在东南亚国家联盟(东盟)的成员国中。以农村为主要生产基地的行业有橡胶和棕榈油生产、小规模大米加工以及砖瓦制造等。城市工业的范围很广，包括大规模大米加工、橡胶的再加工、炼锡、纺纱织布、汽车装配、电子元器件组装、烟草和奶品加工、罐头制造、炼油、重金属制造等。国际运输系统发展很快，但是大多数国内运输系统则是地方性的，往往衔接不上。但是，马来西亚半岛西部的公路网发展完善，是个例外。国内航空一般以一两个城市为中心，同其他地方成辐射状联系。

历史　东南亚历史的显著特点是由于不

断受外界影响而改变进程。早在公元前1000年,东山文化已由中国传入东南亚。其后印度教和佛教又从印度进入这一地区,并在文化和政治上对这里的帝国权力产生了巨大的影响,如先后兴衰于此的室利佛逝、阿瓦、满者伯夷等。高棉王国建立于8世纪后期,10～12世纪兴盛于吴哥。柬埔寨位于暹罗(泰国)和越南之间,无所障蔽,最后归于灭亡。在11～15世纪之间,上座部佛教在整个这一地区传播开来,最后在缅甸的蒲甘和今曼谷以北的大城府建立了上座部佛教的君主政权。伊斯兰教在15世纪开始流行,而葡萄牙人、荷兰人、英国人、法国人和西班牙人也在这一时期相继来到。各伊斯兰教国家逐渐为这些势力所支配。这些外国人在300年间几乎将该地区全部变成了殖民地,只有暹罗免遭殖民占领。19世纪后半期和20世纪初,民族运动兴起,并在第二次世界大战中获得进一步的推动。此时该地区的大部正处在日本的占领之下。大多数国家在50年代先后独立。但是,就整个地区来说,独立并未带来政治上的稳定,原因主要是由于种族斗争,政治和经济上的不公正,以及经济发展上的困难。许多国家,例如柬埔寨、越南和老挝,为共产党和非共产党派别之间的公开争斗所困扰。为试图推动该地区在经济和政治上的一体化,1967年成立了东盟。

Southeast Asia Treaty Organization (SEATO) **东南亚条约组织** 地区性防御组织(1955～1977),根据《东南亚集体防御条约》设置,该条约于1954年9月8日在马尼拉签订,参加国有澳大利亚、法国、新西兰、巴基斯坦、菲律宾、泰国、英国和美国。条约于1955年2月19日生效。巴基斯坦于1968年退出,法国于1975年停止了财政供应。1976年2月20日,该组织举行最后一次演习,1977年6月30日正式宣布解散。

Southeast Asian arts **东南亚艺术** 缅甸、泰国、老挝、柬埔寨、越南、马来西亚、新加坡和菲律宾的文学、表演和视觉艺术。虽然东南亚的文化发展主要受印度的影响,但是某些史前时代的结构严谨的特征则比"印度化"为早。水稻种植、冶金、航海、祭祖、崇拜山庙,这些都是固有的而且十分普遍;迄今仍然在整个地区普遍流行的三种艺术形式——巴蒂克印花织物、佳美兰器乐合奏和哇扬木偶戏也不是由印度传来的。

公元前3世纪的越南东山文化产生了技艺和装饰都很精湛的青铜制品。东山人的航海技术从他们的大船模型和精巧制作的鼓的广泛传播均可证明。东南亚的考古和历史研究尚在孩提时代;如果进行发掘,还会揭示与在马来西亚和印度尼西亚所发现的青铜鼓相联系的同类的金属时代遗址。东山艺术作品的特征在后来的老爪哇和古柬埔寨的占婆王国的建筑装饰中重现出来,在今日婆罗洲达雅克人的装饰艺术中余韵仍存。印度教和佛教都是从印度传到东南亚的。但是依照东南亚的古代信仰和宗教习俗做了相应的改变。印度建筑和装饰的题材为适应东南亚的需要也同样地进行了改造,地方传统在这一过程中起了很大作用。纯粹的外来风格大体反映出东南亚与印度接触的最初阶段;在东南亚的印度教艺术的晚期阶段中,本地因素则占统治地位。例如,在东爪哇修建印度教寺庙的最后阶段,是用取自当地皮影戏的一种风格来表现印度神话和地方神话的主题的。这些哇扬戏浮雕镶板在准胝苏库用一个坛形结构来补充,显然模仿杨高原的古代巨石坛形神龛。中国化的地区(如越南)一般是征服的产物。随着汉朝的统治,中国文学(及汉字)、艺术和思想也强加给越南人。在东南亚的其他地方,尽管有商业和外交上的接触,却很少有明显是中国的艺术成分。不过,中国思想可能在艺术的造型方面发生过影响,皇帝崇拜与东南亚视觉艺术中流行的帝王象征有许多类似之处。

东南亚在接受印度教和佛教很久以前,就与南亚有贸易关系。但是,小小的经商居留地似乎不可能是传播印度思想和艺术形式的中心。与此相反,东南亚的王公们肯定带了头,他们邀请婆罗门的僧侣进入宫廷;有几个僧侣已经把他们的梵语和文化带到东南亚海岛和大陆的沿海地区。印度的艺术形式繁荣起来了,因为东南亚的君主们从印度的高度发展的礼仪、神话和神学中找到了一种能使他们的统治合法化并加以扩展的手段。也可以说,他们是在进口一种最巧妙的魔术,在雄伟的建筑物和丰富多彩的、在东南亚社会中极为重要的仪式中表演了。

宗教艺术和建筑不仅仅是有助于俗世政权,二者之间有紧密的联系。高棉人的庙城吴哥窟和吴哥山是帝王崇拜的中心。它们循着重要地点排成一线,其中以"山庙"地位最崇高,既是宇宙又是王国的缩影。巴永顶端的菩萨罗克湿瓦拉(Lokeśvara)非尘世的面容同样代表了皇帝的洞察秋毫的眼睛。帝王的自我陶醉在东南亚十分流行,许多神佛雕像实际上是帝王的肖像,矫揉造作,加上新奇的装饰,以表达政治权力和宗教权力的古老概念。在爪哇,准胝把庙宇与帝王陵墓结合到一起。婆罗浮屠的综合象征主义使佛教的宇宙观与帝王的祖先崇拜密切结合起来。庙宇的浮雕是印度经传的拔萃,主要取自《摩诃婆罗多》和《罗摩衍那》两大史诗以及《本生经》中关于佛陀前生的故事。

《摩诃婆罗多》、《罗摩衍那》、《本生经》和地方传说(例如关于爪哇和泰国国王阿卜海的一套潘吉故事)在东南亚地区的表演艺术中也作了详细的阐释。《舞论》是一种不同的舞蹈技巧的典范,这种技巧极力减少印度古典主义的手印(即手势),以加强表达主题的优美动作。庙堂舞蹈和宫廷舞蹈在本地区是随着地方的发展而大有变异的,巴厘是普遍流行的特异的印度教的一个活的博物馆,它以怪兽和黎弓舞炫耀于人。许多戏剧形式是社会批评的手段:最突出的是哇扬库里特,即皮影戏,它把木偶表演与舞蹈和戏剧结合为一种独特的娱乐形式。音乐一般是与戏剧艺术互相配合的,结果是重节奏而轻旋律。佳美兰有种种表现形式,它是无调敲击管弦乐队的基础。

缅甸和泰国具有共同的东南亚表演传统,但是,它们在视觉艺术中显然采纳大乘佛教而与斯里兰卡发生紧密的联系(泰国的佛寺和缅甸的塔都是斯里兰卡钟形窣堵波的翻版)。泰国的雕刻和建筑往往是高度抄袭印度和高棉的形式,但素可泰的步态佛像则是一种创新。缅甸蒲甘的寺庙是独特的,而在中爪哇的著名的婆罗浮屠建筑群,尽管受印度艺术的影响,却提供了一个独特的、令人难忘的因地制宜改变建筑样式的范例。

伊斯兰教对这几个王国没有产生影响,在其他地方也不过对已经发达的艺术传统加上点穆斯林的表面装饰而已。与此类似,除在菲律宾外,欧洲文化的影响也是微乎其微。而且,反对殖民统治的民族运动推动了地方语言文学的发展;而在过去,由于梵文在本地区独霸天下,地方语言文学的发展一直是迟缓的。编年史、史诗和传奇作品极少是15世纪以前的产物。

Southeast Asian local race **东南亚地域人种** 蒙古(亚洲)地理人种的一个亚群,大致相当于一个遗传隔离种群,包括越南、老挝、柬埔寨、泰国、印度尼西亚、马来西亚、菲律宾以及中国南方的主要居民。东南亚人具有以下体征:通常没有内眦褶(蒙古褶);身材矮小;皮肤浅褐色;脸、鼻均宽,但不似北方蒙古人种那样扁平;黑色直发;牙齿较大。他们易患各种营养缺乏症,这类疾病显然起到自然淘汰的作用,有利于摄取少量热量即能生存的人。此外,遗传异常以致不能产生乳糖酶的人也较多。乳糖酶为人体分解乳糖所必需,乳糖是含在乳汁中的蔗糖。人们如果缺乏乳糖酶就不能消化乳汁,特别是牛乳和人乳。参阅 **Mongoloid geographic race; northern Mongoloid local race**。

Southeast Celebes (Indonesiá) **东南西里伯斯** 参阅 **Sulawesi Tenggara** *东南苏拉威西*。

Southeast China Coastal Hilly Regions **东南沿海丘陵** 中国东南部沿海丘陵的总称。由浙闽丘陵和两广丘陵组成。浙闽丘陵包括武夷山、天目山以东的低山丘陵,海拔200～1 000米,少数山峰超过1 500米。大部分由火山岩组成,经过风化、侵蚀形成雁荡山、括苍山、天台山、会稽山等名峰。两广丘陵指南岭以南的低山、丘陵,广东境内多为花岗岩丘陵,广西境内以石灰岩为主;地势较低,多在200～400米左右,以丘陵、宽谷为主,少数山地可达1 000米。东南沿海丘陵因北部有山地阻挡,冬季温和,湿度较大,有利于发展多种经营,盛产亚热带水果柑橘、龙眼、荔枝、香蕉和菠萝等。

Southeast Svalbard Nature Reservation **东南斯瓦巴德自然保护区** 位于挪威斯瓦巴德群岛。1973年建立。面积6 450平方千米。其范围包括巴伦特和埃奇两岛,每个岛上的大部地区都有许多小的冰川盖。野生动物有斯瓦巴德驯鹿等。

Southeast University **东南大学** 中国理工科大学。校址设在南京。前身为1902年清朝两江总督张之洞创办的三江师范学堂。辛亥革命后学校改名为南京高等师范学校。1921年建立国立东南大学,设文、理、农、工、商、教育等6科31系。1925年在校学生达1 483人,与北京大学同为当时国内系科最全、规模最大的综合性大学。1927年以后,先后更名为第四中山大学、江苏大学和国立中央大学。抗日战争期间,学校西迁重庆,1946年返回南京复校。1952年经院系调整后在中央大学原址建立南京工学院,成为一所多科性理工科大学,1988年复更名为东南大学。2000年,南京铁道医学院、南京交通高等专科学校、南京地质学校并入。设有理学、人文、经济管理、土木工程、交通、建筑、医学、基础医学、临床医学、公共卫生等10个学院(含26系)及机械工程、动力工程、无线电工程、电子工程、自动控制、计算机科学与工程、材料科学与工程、电气工程、仪器科学与工程、外国语言、体育等11个系。有52个本科专业,129个硕士学位学科专业,59个博士学位学科专业,10个博士后科研流动站。有10个国家重点学科,数十个研究院、所、中心,其中2个国家重点实验室、2个国家工程研究中心。学校有中国科学院及中国工程院院士7人,博士生导师200余人。在校学生3万余人,其中研究生4 500余人。图书馆藏书140万册。校园面积155万平方米。出版物有《东南大学学报》。

Southeastern Conference　东南联合会　美国大学的体育运动协会。成立于1932年,由南方联合会扩充而成。会员有亚拉巴马大学、阿肯色(费耶特维尔)大学、奥本大学、佛罗里达大学、佐治亚大学、肯塔基大学、路易斯安那州立大学、密西西比大学、密西西比州立大学、南卡罗来纳大学、田纳西大学和范德比尔特大学。创始者之一田纳西州塞韦尼南方大学于1940年退出。60年代佐治亚理工学院和图兰大学也相继退出,因为它们认为南方联合会发展得太大不利于比赛的力量均衡。1992年阿肯色大学和南卡罗来纳大学加入,东南联合会形成两个分支。

Southend-on-Sea　滨海绍森德　英格兰埃塞克斯郡一区和自治市。濒临泰晤士河口湾和北海。为距伦敦最近(64千米外)的海滨胜地,筑有长2千米的防波堤。还有海滩、花园、游艇、露天剧场、欢庆表演、海滨灯饰等。区面积42平方千米。人口约176 000(1998)。

southern Africa　南部非洲　非洲大陆南部地区,包括以下各国:安哥拉、博茨瓦纳、莱索托、马拉维、莫桑比克、纳米比亚、南非、斯威士兰、赞比亚和津巴布韦。岛国马达加斯加因其独特的语言和文化传统,故不包括在此地区之内。南部非洲面积约5 999 000平方千米。人口约110 555 000(2000)。

南部非洲地区由一系列连绵起伏的高原构成,从南非西部和安哥拉中部一直延伸至赞比亚、津巴布韦以及莫桑比克的西部。该高原区按海拔高度自东向西分为三个分区:高斐勒得(荷兰移民称呼南非各类开阔地的名称)海拔大约1 200米;中斐勒得平均海拔在600～1 200米之间;低斐勒得海拔低于600米。卡拉哈里盆地是这一高原区的中央洼地。其两侧为大陆崖,这段山脉以近乎完整的弧形从赞比西河向南延伸,绕过好望角再向北进入安哥拉境内。虽然沿海平原位于莫桑比克的印度洋沿岸以及安哥拉、纳米比亚部分地区的大西洋沿岸,但在南部非洲的大部分地区,大陆崖仍被视为沿海地带的边界。

南部非洲基本上属热带气候,气温略低于赤道非洲地区。正常气温为20 °C左右。大部分地区年降雨量约760～1 270毫米。安哥拉南部和纳米比亚、博茨瓦纳等地区的大部气候较干燥,平均气温较高,尤其以纳米布和卡拉哈里两个沙漠最为明显。南部非洲大部分面积覆盖有热带大草原或半沙漠的灌木丛。在东部的马拉维、赞比亚、莫桑比克和津巴布韦的北部,有树木的草牧场则较为多见。

南部非洲土著居民按传统基本上以不同语言分为四部分:桑人(布须曼人)、科伊科伊人(霍屯督人)、贝加达马人(大马拉人)和班图人。桑人现多居于卡拉哈里沙漠及其周围地区。科伊科伊人则住在纳米比亚南半部。贝加达马人主要居住在纳米比亚的中部和北部。班图人人数众多,居住地区也分布很广,构成居住在南部非洲最大的部族。班图人中较大的种族集团有南非的科萨人、滕布人和祖鲁人;津巴布韦的恩德贝勒人;莫桑比克的特桑加人;博茨瓦纳的特斯纳人;津巴布韦和莫桑比克的绍纳人;以及纳米比亚的赫雷罗人和安博人。

从文化角度看,该地区大部分民族的历史相对而言是较近代的。最早的居民可能是桑人和科伊科伊人,远在旧石器时代他们就居住在这里的部分地区。公元初500年间,讲班图语的民族从东方和北方接踵而来,逐渐取代了原居住于该地的民族。到7～8世纪,班图语民族的铁器时代文化广泛传播于这一地区。公元初数百年间,这些文化基本上是以养牛及挤奶为主,间或有些使用铁器的农田耕作。

到公元8世纪,阿拉伯商人开始与当地居民往来贸易,以阿拉伯物品交换象牙、铜和黄金。14和15世纪,兴起石块建筑文化,其遗迹可见于津巴布韦境内的大津巴布韦的断壁残垣。这种文化及其先后的各种文化均以饲养牛群所获大量财富为基础,从而使他们与阿拉伯人在沿海地区的贸易中占据优先地位。但是16世纪葡萄牙商人和殖民者来到沿海地带之后,该地区的非洲文明在经济和文化上便开始衰落。17世纪,葡萄牙人向内陆推进,定居在赞比西河谷和今日的莫桑比克与安哥拉境内,征服了当地的几个王国。

17世纪下半叶后,荷兰殖民者在好望角(在今南非)的居民点数目增多,因此葡萄牙人从沿海地区到内陆的蚕食加剧。荷兰人移民的直接后果是好望角地区的土著科伊科伊人大批死亡。19世纪上半叶,南部非洲许多地区发生政治和经济大动乱。其部分原因是荷兰移民从好望角向北强制推进,但更重要的原因则是19世纪20年代沙卡建立祖鲁王国之举。他在现今南非的东南部建立了一个高度中央集权的军事王国,他的军队迫使许多邻近的民族向北进入津巴布韦、博茨瓦纳和莫桑比克。这种民族迁移,连同班图各种族分支散居各地,极大地决定了现今南部非洲东半部的种族地理布局。19世纪初期英国在好望角对荷兰人的统治产生了极深远的后果:从此白人在该地区的移民迅速增多;许多荷兰人的后裔布尔人向北迁移以逃避英国人的统治;19世纪后期及20世纪初,英国人在此建立了许多保护地、领地和殖民地,实际上包括了南部非洲整个中部地区。这些英国属地的东、西两侧分别是葡萄牙的莫桑比克和安哥拉殖民地,其西南则与德属西南非(今纳米比亚)交界。20世纪60年代,终于在英属南部非洲殖民地中产生出一批独立国家,它们是:赞比亚、马拉维、博茨瓦纳、莱索托和斯威士兰。1980年,由占多数的非洲黑人统治的津巴布韦获得独立。20世纪70年代莫桑比克和安哥拉摆脱葡萄牙的殖民统治相继独立。1988年南非接受联合国一项决议,同意在纳米比亚举行自由选举并撤出南非军队,1990年纳米比亚正式获得独立。

Southern African Development Coordination Conference (SADCC)　南部非洲发展协调会议　南部非洲国家的区域性组织,其宗旨为促进会员国经济合作与一体化,保持经济独立。会员国为:安哥拉、博茨瓦纳、莱索托、马拉维、莫桑比克、斯威士兰、坦桑尼亚、赞比亚和津巴布韦。该会议于1980年津巴布韦(罗得西亚)获得独立、建立黑人多数统治前夕成立。该会议的各项活动由每年举行一次的全体会员国政府首脑会议和部长理事会会议协调。南部非洲发展协调会议计划、协调和资助农业、畜牧业、能源、矿业、疾病控制、电信和区域贸易的各项规划,特别优先考虑的规划是改进成员国之间现有的铁路和公路网,以减轻他们的进出口装运对南非港口和运输线路的依赖。

Southern Alps　南阿尔卑斯山　大洋洲最高山脉,在新西兰南岛。海拔最低900米,有17个山峰在3 050米以上,最高点库克峰,海拔3 764米。山脉两侧气候明显不同,西部比东部降雨量多。冰川自常年积雪山顶向下流动,拉凯阿、朗伊塔塔,怀塔基等大河向东流经坎特伯雷平原。有丰富的水力资源。20世纪30年代起在怀塔基河及其支流和科尔里奇湖畔建起多座水电站。有铁路在阿瑟山

新西兰的南阿尔卑斯山
供图:Werner Stoy from Camera Hawaii

口的隧道穿越。

Southern and Antarctic Lands, French 参阅 **Terres Australes et Antarctiques Françaises** *法属南方和南极领地*。

Southern Aslian languages 南阿斯里诸语言 参阅 **Semelaic languages** *塞米莱诸语言*。

Southern Baptist Convention 南方浸礼联会 美国基督教浸礼会中最大的联合组织。南方许多浸礼会不同意北方浸礼会的反蓄奴立场与活动，遂于1845年在佐治亚州奥古斯塔市联合组成该会。在19世纪，南北两方浸礼会曾合作成立全国性国内外传教组织和出版机关。但不久因蓄奴问题引起争执，南方浸礼会遂别立门户。南方浸礼联会在教义上一般较美利坚合众国浸礼会保守，不积极参加教会联合活动。它是世界浸礼会联盟的成员，但不参加美国全国基督教协进会和世界基督教协进会。南方浸礼联会目前已成为全国性组织，是美国最大的基督教组织，而且发展迅速，20世纪末信徒总数已达1 400万左右。中心机构设在田纳西州纳什维尔市。

Southern Bihār Plains 比哈尔南部平原 印度东部比哈尔邦恒河中游平原的南部。南为焦达纳格布尔高原，北为北比哈尔平原，西为乌德平原，东为孟加拉盆地。面积约44 900平方千米。海拔高度由南部的150米降至北部的30米。宋河将之分为两部，西部为恒河-宋河分水岭，东部为摩揭陀-安加平原。恒河是整个平原的主要河流。平原上各河曾多次改道。土壤为冲积土。有密林。农业在经济中占主要地位。主要农作物为稻米、小麦和油籽。灌溉主要依靠恒河。开采铜、磷灰石、蓝晶石和其他矿藏。工业品有纺织品、糖、纸和植物油。该地区说三种印度方言。达尔米亚讷戈尔建有工业综合体。巴特那和格雅为教育中心。蒙吉尔有大型卷烟厂。贾马勒布尔有全国最主要的铁路机械厂。帕戈尔布尔以柞蚕丝著称。该地区有发达的铁路、公路、内河水运网。

Southern Carpathians (Romania) **南喀尔巴阡山** 参阅 **Transylvanian Alps** *特兰西瓦尼亚山脉*。

Southern Christian Leadership Conference (SCLC) 南方基督教领袖会议 美国不分宗派的组织。总部设在佐治亚州亚特兰大。1957年为马丁·路德·金牧师及其追随者所创建，旨在协调并支持地方组织以争取黑人在美国各个生活领域的彻底平等。该组织主要在南方及一些边境州中活动，对于领导人员培训方案、公民教育计划和选民登记运动进行指导，也充当直接行动计划中的顾问。该组织在1963年前往华盛顿的民权游行示威中，曾发挥重要作用；60年代早期在佐治亚州奥尔巴尼和亚拉巴马州伯明翰和塞尔马的反对种族歧视运动和选民登记运动中，起了主要作用——这些运动促使1964年《联邦民权法》和1965年《选举权法》的通过。1968年4月马丁·路德·金被暗杀后，由拉尔夫·大卫·艾伯纳西牧师接任会长。他们仍然奉行非暴力社会改革宗旨，停止举行大规模示威活动，而主要在南方开展一些小型活动。在60年代中期该组织有150名职员以及多达1 000名的义务工作人员，一年的预算超过100万美元。1970～1971年，员工人数下降到61名。经过几次分裂后，该组织就更加削弱了。

Southern Cross, The (constellation) 参阅 **Crux** *南十字座*。

Southern Dynasties 南朝(420～589) 中国历史上以建康(今南京)为都、相继建立的与北朝相峙并存的4个王朝。这4个王朝曾统治长江以南大部地区，它们是：宋(420～479)由刘裕建立，传8帝；齐(479～502)由萧道成建立，传7帝；梁(502～557)由萧衍建立，传4帝；陈(557～589)由陈霸先建立，传5帝。589年陈被隋所灭，南朝结束。在此之前的581年，隋灭北周。隋灭南朝陈后，实现了南北统一。南朝时期虽然政治上比较软弱，但在较长期间内，社会相对稳定，经济有了较大发展，文化繁荣昌盛。

Southern gothic 南方哥特派 美国南方许多作家所采用的一种写作风格，以美国南方为他们的小说背景，主要描写怪诞、恐怖和奇异的事件。南方哥特派作家包括F.奥康纳、T.威廉斯、T.卡波特、W.福克纳和C.麦卡勒斯等著名作家。参阅 **gothic**。

Southern Karoo (South Africa) **南卡鲁** 参阅 **Little Karoo** *小卡鲁*。

southern lights 南极光 又拼 aurora australis。在南半球的大气发光现象。参阅 **aurora**。

Southern Ocean 南部海 参阅 **Antarctic Ocean** *南极海*。

Southern Overland Mail Company 南方横贯大陆邮递公司 与美国政府签订合同(1858)，向太平洋沿岸地区递送邮件的机构。其邮递路线起自密苏里州的圣路易斯，经得克萨斯州的埃尔帕索和新墨西哥准州的图森直达旧金山。由公共马车运送邮件，每半周发出一辆，行程25天。美国南北战争爆发后，南方路线被废弃。

Southern Pacific Railroad 南太平洋铁路 美国最大的铁路系统之一，1861年由西部铁路建筑"四巨头"——C.P.亨廷顿、L.斯坦福、M.霍普金斯和C.克罗克——建立。1869年完成中央太平洋铁路加利福尼亚州到犹他州线段后，他们就开始修建通往加利福尼亚南部的支线南太平洋铁路。1877年修筑至亚利桑那州边境，1883年与那些从新奥尔良向西、越过得克萨斯州和新墨西哥州的铁路接轨。这些铁路线段总称为中央太平洋铁路系统。1884年南太平洋公司改组，一年后，中央太平洋公司的铁路系统也由其租赁。中央太平洋铁路成为发展南太平洋铁路系统的核心。南太平洋公司营运线遍及西部和西南部的15个州，包括太平洋和海湾沿岸地区，铁路网伸入南部，从西北的俄勒冈州以宽广弧形绕向伊利诺伊州。该铁路有35个国际报关口，较美国所有其他的铁路系统为多。货运收入中约有一半来自食品、木材、化学品和汽车的运输。与其他许多铁路公司相同，南太平洋公司于1971年自动放弃营运城市之间的客运业务，然仍有数条长途路线由联邦政府资助的全国铁路客运公司继续营运。它也继续提供旧金山和圣何塞间的长期车票的服务。1969年此铁路系统的持股公司合并为南太平洋运输公司，其附属公司还经营卡车运输、石油管道、土地开发、计算机租赁、金融业务和运输网路。1983年圣菲南太平洋财团企图将南太平洋运输公司与圣菲铁路公司合并，但在1987年州际贸易委员会否定了合并的提案，南太平洋运输公司被卖给拥有并经营丹佛及里约格兰德西部铁路系统的里约格兰德工业集团。

Southern painting (Japanese painting style) 参阅 **Nan-ga** *南画*。

Southern Railway Company 南方铁路公司 美国南部旧时铁道系统。1894年J.P.摩根为接收若干铁路而创立。嗣后公司先后收购许多其他铁路。到20世纪70年代公司铁路遍及俄亥俄河和波托马克河以南、密西西比河以东各州(西弗吉尼亚州除外)，从首都华盛顿和密苏里州圣路易斯延至佐治亚州布伦斯威克和佛罗里达州杰克逊维尔，后又延至亚拉巴马州莫比尔和路易斯安那州新奥尔良。从20世纪40年代起，南方铁路公司实行精简机构，到20世纪后期，铁路系统改由其几家独立的子公司经管，共有线路16 100千米。货运收入大多来自煤、纸浆和纸张、化学品的运输。1982年该公司并入诺福克-西方铁路公司，后由控股公司诺福克南方公司经营。

Southern rock 南方摇滚 一种流行音乐风格，结合了布鲁斯即兴演奏和布吉装饰乐句(带有强烈地方自豪感的歌词)。其有力而朴实的声音推动了20世纪70年代美国摇滚乐的振兴。自E.普雷斯利以来，摇滚乐一直是美国南方流行文化的表现形式，但直到70年代晚期P.沃尔登的摩羯座唱片公司兴起后，南方特性本身才被视为摇滚乐的优点。沃尔登在1969年签下"奥尔曼兄弟乐队"。待该乐队成名，沃尔登就利用南方摇滚的概念签下其他乐队。尽管南方摇滚乐手有共同的地理和文化自豪感，在音乐方面的共同之处却很少。虽有许多乐队继续坚持，但到80年代早期南方摇滚运动已经后继无力。80年代晚期，随着R.E.M.等另类摇滚乐队崛起于佐治亚州和南、北卡罗来纳州的大学城，有人试图将其归类为新南方摇滚音乐，但由于该乐队缺乏明显的地域特征，这个称号从未叫响过。

Southerne, Thomas 萨瑟恩(1660，爱尔兰都柏林奥克斯曼敦～1746-05-26，英格兰伦

敦） 爱尔兰剧作家。由于两部感伤悲剧而久负盛名，两剧均上演到19世纪以后很久。《致命的婚姻》(1694上演)预示18世纪家庭悲剧的兴起，而《奥鲁诺科》(1696)显示与德

供图：BBC Hulton Picture Library

莱顿早期的英雄剧有联系。两剧都是根据17世纪小说家和诗人A.贝恩的小说写成的。曾在都柏林三一学院受教育，约1680年后在伦敦生活。他的第一部剧本《忠实的兄弟》1682年在伦敦特鲁里街剧院上演。1685～1688年从军，但写了几部剧本，并为德莱顿的剧作写过开场白和结尾词。

Southey, Robert 骚塞(1774-08-12，英格兰格洛斯特布里斯托尔～1843-03-21，坎伯兰凯西克) 英国诗人、散文家，主要由于同早期浪漫主义运动领袖柯尔律治、华兹华斯结

伦敦国立肖像画陈列馆供图

交而出名。他的诗与后两者的作品几乎没有任何共同之处。现在除了几首抒情诗、民谣和滑稽可笑的诗外，他的诗已很少有人阅读，也不像他的散文那样受人推崇。他的散文作品文笔清新，其中有些长期为读者传诵，如《纳尔逊传》(1813)、《英国来信》(1807)、《医生》(1834～1847)等。他还写过两首史诗《破坏者撒拉巴》(1801)、《克哈马的诅咒》(1810)，都是关于因果报应的东方故事，其中有一些佳句，但总的说来缺乏创作灵感。骚塞在伦敦威斯敏斯特学校就读时就开始写作，由于在校刊上攻击学校施行体罚被开除。此事激起他本性中带有叛逆精神的一面，在牛津大学巴利奥尔学院读书时对法国大革命的理想表现出极大热忱，曾写诗一首《圣女贞德》(1796)，表达了对法国大革命的强烈支持。1794年与柯尔律治结识，两人志趣相合，合写诗剧《罗伯斯庇尔的堕落》(1794)。未获学位离开牛津大学后，打算实现柯尔律治的计划，前往美国，计划在萨斯奎汉纳河沿岸建立一个乌托邦式的农业公社。但他不久即失去兴趣，因而同柯尔律治不合。1795年同伊迪丝·弗里克秘密结婚后，前往葡萄牙，开始从革命转向保守。1800～1801年再次访葡时，就完全从革命转向保守了。1803年骚塞夫妇与华兹华斯结识，并建立了友谊。他们共有7个孩子，由于生活所迫，曾经手不停笔地写作诗歌、评论、历史故事、传记、新闻报道、翻译和编辑过去作家的文集。1809～1838年为保守党的《每季评论》写了95篇政论。1813年受封为桂冠诗人，1835年，政府给他的年金又增加到300英镑，生活始有保障。晚年前妻去世，续娶后夫妇不合，生活极不愉快。

Southington 索辛顿 美国康涅狄格州中西部哈特福德县城镇。濒临昆尼皮亚克河。1726年创建。1779年设镇。1947年同索辛顿自治镇(中心社区)合并。自19世纪初起即为农业和制造业社区。人口约39 728(2000)。

Southland 南部区 又称菲奥德兰。新西兰南岛西南部行政区。西临塔斯曼海，从西北部乔治海峡附近向南延伸250千米，至南部自然保护区入口，后向东伸展，囊括戈尔和因弗卡吉尔市。菲奥德兰国家公园是世界上最大的国家公园之一，总面积在120万公顷以上。公园南部2/3土地覆盖了境内西部地区。该区(包括南部斯图尔特岛)面积27 716平方千米，以西部多峡湾著称。峡湾受冰川侵蚀，呈U字形，往往有数条支叉，海水深入内陆达16～32千米。峡湾峭壁几乎直插水下最深处。附近高地海拔1 100米，高地上的冰川亦侵蚀许多大峡谷。因冰川碎块阻隔，峡谷积水成为湖泊，其中最大的有蒂阿瑙湖、马纳普里湖、莫诺怀湖、豪罗科湖及波特里特里湖。境内高地部分年降雨量6 350毫米，森林茂密。斯图尔特岛为该区的近海外露层。因弗卡吉尔位于福沃峡口，与斯图尔特岛隔海相望，是羊和奶牛饲养地的中心。该区于1642年和1770年先后被荷兰航海家阿贝尔·塔斯曼和J.库克船长所发现，但直至19世纪50年代才得以开发。峰峦起伏的西部景地基本保持原样，经荷马隧道(1954)可以到达。人口约103 442(1991)。

Southport 绍斯波特 英格兰默西赛德大都会地区塞夫顿区一处地方。为爱尔兰海海滨胜地和住宅区。距利物浦约32千米。19世纪发展迅速，有海滨沙滩、宽敞的花园、高尔夫球场和购物大街君主街。人口90 962(1981)。

Southwark 萨瑟克 英国大伦敦大都会地区的自治市。面积29平方千米。1965年合并下列三个原大都会自治市组成：伯蒙德西、坎伯韦尔和萨瑟克。位于伦敦市中心外，泰晤士河对岸，有许多公路桥、铁路桥和地下铁道与伦敦市中心相连。萨瑟克北部作为道路的枢纽和接近伦敦桥的险要地位，在历史上一直是个重要的城镇。正是由于它的这个位置，一直是个繁忙的贸易区。行业有食品加工和报纸印刷与发行等。教育、文化机构有达利奇学院(1619)和帝国战争博物馆。萨瑟克的战前建筑主要是维多利亚时代风格。战争的破坏及大规模重建已使部分地区面目全非。1295～1547年萨瑟克称作"自治市"。是今大伦敦范围内伦敦市外唯一在议会有代表的市镇。1327年被爱德华三世授予伦敦公民权，此后称为"桥外区"。从15世纪起，萨

萨瑟克的乔治客栈

供图：A. F. Kersting

瑟克以其小客栈、戏院、温泉、乡村胜地和其他娱乐场所而闻名。如同诗人乔叟所想象的那样，坎特伯雷朝圣者从市大街上的他巴客栈出发。乔治客栈是伦敦现存唯一的一家有长廊的客栈(现属托管会)。莎士比亚的许多戏剧首先在河滨区的环球戏院演出。人口约227 400(1992)。

Southwark and Lambeth delftware 萨瑟克和兰贝斯代尔夫特陶器 17世纪和18世纪产于伦敦萨瑟克以及附近的兰贝斯、沃克斯霍尔、伯蒙德西和奥尔德盖特地区的工厂

约1680年的兰贝斯代尔夫特陶花盆

伦敦维多利亚和艾伯特博物馆供图

的锡釉陶器。典型的17世纪产品有酒瓶、药罐和油膏罐。装饰有时是粗犷的水平线条和手书字体，有时是枝干、贝壳，假面和爱神丘比特。以蓝、绿、黄、橙和紫黑色绘制的圣经故事和其他景致的大型盘碟属于这一时期的产品。18世纪时，新的款式问世，颜色范围很广，有蓝、绿、橙黄、棕、棕紫和黄色(有时为黄褐色)。这一时期的盘子上出现了中国式的景物素描，内容有人物、树木和建筑物，用蓝色画在白坯上。绘画风格的基调是自由奔放甚至流于草率的毛笔画：用细的影线和粗的横、竖笔划以取得各种效果。花卉类垂花装饰、花束和小花枝皆用类似的、写意而非写

实的手法描绘。

Southwell, Robert 索思韦尔(1561,英格兰诺福克霍舍姆圣费斯～1595-03-04,伦敦) 英国诗人和天主教殉教者,因作为新教迫害时期耶稣会神父和传教士圣洁的一生及所写宗教诗而受人缅怀。曾在法国和罗马的耶稣会学院受教育。1585年受神职,并在罗马的英吉利学院任教务主任。1586年返回英格兰传教,成为安妮·霍华德的教士及因不信奉国教而被监禁在伦敦塔的她丈夫阿伦德尔伯爵第一的精神顾问。他隐居阿伦德尔邸中,写信安慰遭受迫害的天主教徒。《慰问书信》于1587年秘密出版,其他书信以手稿形式流传。1592年在做弥撒时被捕,囚禁在伦敦塔中,受到严刑逼供,1595年以叛国罪被处死。

Southwest 西南部 美国西南地区。包括密苏里、阿肯色、路易斯安那、得克萨斯、新墨西哥,亚利桑那、俄克拉何马、科罗拉多、犹他及内华达诸州的全部或部分地区。地形复杂。得克萨斯干旱高原的北部夹有深谷。落基山南部山崖一带,为气候凉爽、覆盖常绿林的水源区。落基山以西地区为大面积的多色沙岩构成,形成大片准平原,杂有方山或孤山。有很多壮观峡谷,以科罗拉多大峡谷最著名,大多已辟为国家公园。以西越过西北-东南走向的高地森林带,即为植物稀少的荒漠和南北走向相互平行的山岭。农作物依赖灌溉,水源来自科罗拉多河及格兰德河。《农垦法》(1902)通过之前及罗斯福水坝(1911)、胡佛水坝(1936)、格伦峡谷大坝(1966)未建成前,当地只能发展牧业。19世纪早期牧羊业规模很大。普韦布洛印第安人开始用羊毛替代当地棉花进行纺织。20世纪牧羊业衰落,继而兴起养牛业。西南部主要作物有棉花、苜蓿、柑橘、谷物和高粱。自19世纪开始,采铜业便极为重要。特别是亚利桑那州占全国年产量的2/3。20世纪早期俄克拉何马及得克萨斯发现石油和天然气使当地日趋繁荣。以休斯敦及其他墨西哥湾沿岸港口为中心的海湾沿岸工业区石油化工工业发达。第二次世界大战以后,以亚利桑那州和得克萨斯州为首的制造业亦十分重要,包括电子、通讯、航空、汽车组装及制铝业。人口及工业增长造成缺水情况,继而引发州际水源争端。气候干燥不利于农业,但风光绮丽、阳光充足却有益于旅游和疗养。游客对印第安文化、西班牙-美洲文化(当地建筑、印第安人舞蹈、西班牙宗教节日及牧人竞技)兴趣甚浓,西南部亦已成为美国人安度晚年的好去处。

Southwest Athletic Conference 西南体育联合会 美国大学体育运动组织。成立于1914年,拥有8个成员:得克萨斯农业机械学院(后改名为农业机械大学)、贝勒大学、俄克拉何马农业及矿业学院(后改名为俄克拉何马州立大学)、威廉·马什赖斯学院(后改名为赖斯大学)、西南大学、阿肯色大学、俄克拉何马大学和得克萨斯大学(后改名为得克萨斯州奥斯丁大学)。后来,西南大学(1916)、俄克拉何马大学(1920)和俄克拉何马农业及矿业学院(1925)退出,而南方卫理公会大学、得克萨斯基督教大学、得克萨斯工科大学和休斯敦大学最终加入该联合会。联合会原先举行橄榄球、棒球、篮球和田径锦标赛;随后增加了其他项目。

Southwest Indian 西南部印第安人 美洲印第安人,居住在现今美国西南部和墨西哥西北部;在美国境内的住区包括科罗拉多州南部、犹他州、亚利桑那州和新墨西哥州的大部分地区。西南部印第安人在文化上及语言上差别很大,大致可以分成4部分:①尤马诸部落,包括尤马人、莫哈维人、哈瓦苏帕人、瓦拉帕人、科科帕人、马里科帕人、亚瓦帕人;②皮马人和帕帕戈人;③普韦布洛印第安人,包括霍皮人、哈诺人、祖尼人、阿科马人、拉古纳人、黑米斯人、圣安纳人、基亚人、科奇蒂人、圣多明各人、圣费利佩人、圣胡安人、圣克拉拉人、圣伊尔德丰索人、南贝人、特苏克人、陶斯人、皮库里斯人、伊兹雷达人、桑迪亚人;④纳瓦霍人和阿帕切人。西南部印第安人使用尤马语、阿兹特克-塔诺语和阿萨巴斯卡语。

西南部印第安人中最著名的是*普韦布洛印第安人*(**Pueblo Indians**)。普韦布洛人的祖先曾建有大型悬崖村庄,现已是废墟,但仍然依稀可辨;他们也曾构筑同样引人注目的多房间砖石住宅。一些住宅仍有人居住。普韦布洛人所使用的各种语言和所遵循的各种仪节,最低限度都源于前西班牙时期。普韦布洛人的最大的群体中以霍皮人和祖尼人最为著称。

纳瓦霍人(**Navajo**)和*阿帕切人*(**Apache**)进入这一地区时,究竟是以一股破坏性力量出现的,还是一群和平的邻人,这点尚无定论。很可能初期阶段以敌对关系为其特点,而随着时间之推移,普韦布洛人同其纳瓦霍-阿帕切邻人彼此可以适应了。1680年,在驱逐西班牙人撤出新墨西哥的战役中,纳瓦霍人显然曾与普韦布洛人联合行动;而此后则有些里奥格兰德普韦布洛人的家庭与纳瓦霍人会合,并被接纳为该部落成员。一般认为,纳瓦霍人与阿帕切人所操语言同属阿萨巴斯卡语系,都来自北方,而且可能来自远方的加拿大,因为那里到20世纪仍可找到阿萨巴斯卡语系的大部分语言。1540年科罗纳多到达新墨西哥时,纳瓦霍人与阿帕切人早已生活在西南部了。可以推想,其最早的迁入活动曾发生在13世纪末,同普韦布洛人放弃他们在圣胡安河地区的大型居民聚落是同时出现的。在普韦布洛人来到西南部时,纳瓦霍人以狩猎和食物采集为生,居无定所,不过终究也从普韦布洛人那里学会了农作,并辅以制陶,生活方式有所改变。到18世纪初,农业已成为基础经济,并从事饲养绵羊和山羊,而且毛毯纺织也始于此时。阿帕切族系中,除了希卡里拉人和西阿帕切人以外,似乎所受西南部诸定居部落的影响甚少,而所受大平原印第安人的影响很多。

在科罗拉多河沿岸,一个操尤马语系语言的部落群体,以农作加野生植物种籽采集和狩猎这种经济模式为生。该群体中3个部落住在大峡谷附近地区,他们是亚瓦帕人、哈瓦苏帕人和瓦拉帕人。科罗拉多河下游的科科帕人、尤马人、莫哈维人、马里科帕人,主要从事农作,利用泛洪进行灌溉。他们所制陶器精美,器型多脱胎于普韦布洛陶器。

近年来,在缓和大多数西南部美洲印第安人所面临的困境方面,有所进展,但许多问题仍然存在。各部落失业率很高,在某些情况下,竟高达美国全国平均失业率的10倍,酗酒也是比较严重的社会问题之一。由于大多数部落在经济上不能自给自足,他们都不同程度地依靠外援,美国联邦政府曾设法提供各项援助。修筑道路,建立学校,创办医院,同时由政府及私人企业资助以开发这些部落的地下自然资源,如煤炭、铀矿、石油等。印第安人部落议事会鼓励使用印第安语言的学校教育和印第安人拥有的商业,同时也筹集奖学金以帮助培训印第安人的各种专门人才。各种信仰及传统已重新兴起,以便试图发展一种有活力的印第安文化独特风格,而印第安工艺美术品也在旅游者和收藏家中间找到了现成的市场。

Southwestern Yi 西南夷 中国古代西南地区少数民族的总称。首见于《史记·西南夷列传》。公元前3～5世纪分布在今云南省、贵州省、甘肃省南部、四川省西南部一带。战国时秦在西南地区置巴、蜀、汉中三郡。西汉武帝至东汉初继续经营,先后置犍为、牂牁、越嶲、汶山、沈黎、武都、益州和永昌等八郡。这一地区居民是氐羌、百越、百濮的许多部落。在滇中和滇东北有僰、滇、靡莫、劳浸、叟等;在滇西有嶲、昆明、斯榆、桐师、嶲唐、哀牢等;在滇东南和黔西有夜郎、句町、漏卧、且兰等;在滇北、川西南有邛都、徙、筰都、摩沙等;在川西北和甘南有冉駹、白马等。西南夷中氐羌占绝大多数。汉初滇国居民以僰为主,多定居坝区,农业发达。境内还有劳浸、靡莫和叟杂处其间。叟人即商周时的蜀人,是越嶲郡(今西昌一带)主要居民。斯榆即嶲、叟,分布于楪榆(今大理)、桐师(今保山)间。嶲、昆明从事游牧。与越嶲同时设置的沈黎郡(今四川省汉源)则是筰族住地。这些西南夷中的氐羌部落后来相互融合,成为近代汉藏语系藏缅语各族的先世。百越和百濮分布在云南南部、东南部和西南部。汉武帝在夜郎(今贵州省西、北部及与云南、四川二省邻接地区)置牂牁郡,是越人聚居地区。汉初牂牁居民多称为僚。濮水(今红河)流域居民鸠僚就是西汉初的滇越。东汉永平十二年(公元69)设永昌郡(今大理、保山、临沧、西双版纳、德宏等地区),鸠濮已同闽濮、濮等部落杂居。西南夷的百越和百濮是近代汉藏语系壮侗语各族和南亚语系孟高棉语各族的先世。

Southworth, Albert Sands; and Hawes, Josiah Johnson 索思沃思和霍斯(索思沃思1811-03-12,美国佛蒙特西费尔利～1894-03-03,马萨诸塞查尔斯敦;霍斯1808-02-20,东萨德伯里[今马萨诸塞韦兰]～1901-08-07,新罕布什尔克劳福德的诺奇) 美国摄影家,他们合作创作了一些19世纪前半期最优秀的达盖尔式照片。两人的经历完全不同。但在1840年,他们看到了第一幅传到美国的达盖尔式照片后,便决定做达盖尔式摄影家。1841年,他们在波士顿合伙开了一家照相馆。他们与

19世纪中叶关心销售量胜于关心照片质量的大多数达盖尔式人像摄影师不同，不对拍摄对象摆布姿势，也不用人工画的背景，而是根据每个顾客的不同情况，区别对待，因此拍

索思沃思和霍斯为H.B.斯托拍摄的达盖尔式肖像照，约1856年
纽约大都会艺术博物馆供图

出的照片神态自然，显示出人物的性格。由于作品质量很高，吸引了许多当时最著名的美国人士到他们的照相馆来照相，其中包括参议员韦伯斯特、克莱和作家斯托。其作品也用山水、城市风光和医院手术室等作题材。

Southworth, Emma　索思沃思(夫人)(1819-12-26，美国华盛顿[哥伦比亚特区]～1899-06-30，华盛顿[哥伦比亚特区]乔治敦)　19世纪最受欢迎的美国感伤作家之一。其叙述家庭生活的感伤小说，在美国和欧洲曾拥有广泛的读者达50余年。曾任教师5年，1844年离婚后以写作为生。第一部小说《报应》(1849)，销售20万册。其后继续写了66部小说，其中许多最初连载于《星期六晚邮报》等杂志。她为美国小说创造了两种新的人物典型：靠个人奋斗而成功的男人和独立的女人。其作品往往具有哥特式小说体的伤感情节，反映了当时流行的那种对于虔敬行为和家庭生活的看法。她的《伊斯梅尔》(1876)及其续篇《自奋》(1876)均极其成功。其他成功作品有《克利弗顿的灾祸》(1852)、《神秘的手》(1859)以及《不幸的婚姻》(1863)。

Soutine, Chaim　苏蒂恩(1893或1894?，俄罗斯帝国明斯克附近斯米洛维奇[今在白俄罗斯]～1943-08-09，法国巴黎)　俄国出生的法国画家，其画风以施厚颜色、运笔奔放和构图节奏激荡为特点。他的高度个人独特风格以及具有拨人心弦的心理内含，与20世纪初期的表现主义有密切关系。

苏蒂恩是白俄罗斯一个贫穷的犹太裁缝的第10个孩子。16岁时前往立陶宛的维尔纳(今维尔纽斯)，在一位友好的医师帮助下入美术学校学习3年。1913年移居巴黎，结识M.夏加尔、A.莫迪里阿尼和J.里普希茨，并入美术学院深造。莫迪里阿尼将他介绍给艺术品商人L.日波洛夫斯基，后者使他得以到法国南部的塞雷作画3年(1919～1922)。他在那里所作的充满狂热与幻觉的风景画标志着他的成熟风格的萌芽。此后，他的大半生是在巴黎度过的。生前很少展出作品，并毫不容情地修改或毁掉旧作。尽管如此，他的油画还是源源流入法国和美国私人收藏库以及博物馆里。1943年死于德国占领时期的法国。苏蒂恩描绘唱诗班男童和厨师的习作，以及一系列童仆的图像(如《马克西姆宅的小厮》，1927，布法罗的奥尔布赖特-诺克斯美术馆藏)最受欢迎。他描绘吊死的家禽和菜牛的尸体腐烂时其颜色和光泽的油画也非常著名。为了达到这样的效果，他用40支画

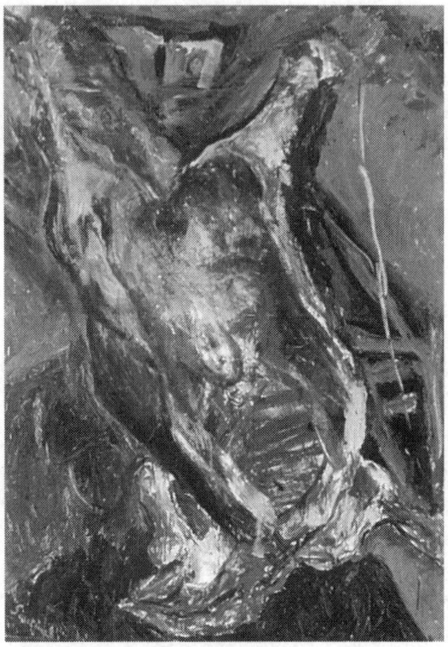

苏蒂恩绘《牛肋》(约1925)
奥尔布赖特-诺克斯艺术陈列馆供图

笔，调出40种不同的色调。从20世纪20年代起他还作了一些肖像画，特点是主题人物面部歪扭、四肢变形，每幅强调一种亮色(往往是红色)。这些油画是他最富有表现力的作品的一部分。

Soútsos, Aléxandros　苏佐斯(1803，君士坦丁堡～1863)　希腊诗人。创建希腊浪漫主义诗派。先后在希俄斯岛和巴黎求学，受法国浪漫主义和自由主义政见影响。他的讽刺诗是最富有生气的作品，曾促进希腊近代政治自由主义的早期发展。人们认为他的剧本和长篇散文作品《流亡》缺乏热情，矫揉造作，但是他的许多抒情诗尽管独创性不够，词藻华丽浮夸，仍受到时人的赞赏。他最长的一首诗《流浪者》是对拜伦的《恰尔德·哈罗尔德游记》的模仿。所著文集在1916年出版。

Souvanna Phouma　梭发那·富马(1901-10-07，老挝琅勃拉邦～1984-01-10，万象)　老挝中立派首相。西萨旺·冯国王的外甥。曾在法国学土木工程。1931年回国，在法属印度支那公共工程局工作。日本战败后他与同父异母弟苏发努冯参加老挝伊沙拉(自由寮)和万象临时政府。法国重新占领老挝时他流亡曼谷。1949年法国开始承认老挝自治后，他又回到老挝。1951～1954年任首相，1956年

供图：Christine Spengler—Liaison Agency

任联合政府首相。1958年巴特寮与右派之间发生内战。60和70年代他极力保持中立立场，但随着越南战争的临近，他无法保持中立，逐渐转而依靠美国的军事援助。美国退出该国内战后，万象政府与巴特寮达成停战协议，1974年4月成立联合政府，梭发那任首相至1975年12月老挝人民民主共和国成立。之后，担任政府顾问直至去世。

Sovereign Council　最高委员会　1663年4月法国成立的治理新法兰西的政府机构。新法兰西殖民地集中在今加拿大圣劳伦斯河谷。其权力包括：任命法官和下级官员，控制公共基金以及同法国的商务，管制同印第安人的毛皮贸易，发布有关殖民事务的政策法令。但委员会的权力并不是绝对的，总督有权否决其决定。起初，委员会包括总督、主教，委员5人以及检察总长、秘书各1人。总督和主教“共同一致地”任命其他成员，年末更换或连任。1675年6月，国王命令将委员人数增至7人。1685年后，法国行政长官逐步攫取了委员会的许多权力。1702年改称高级委员会。

sovereignty　主权　在政治理论中，指国家决策过程和维持秩序的最高负责者或权威。主权的概念是政治科学中争议最多的概念之一，它与国家和政府、独立和民主等难于解释的概念有着紧密的联系。在16世纪的法国，J.博丹用主权这一新概念支持了法国国王对反叛的封建领主的权力，促成由封建制向国家制的转变。17世纪末J.洛克和18世纪J.-J.卢梭的理论认为，国家是以公民的契约为基础的，公民通过契约赋予政府权力，这一理论便发展为民众主权论，在1776年《美国独立宣言》中得到表现。1791年法国宪法规定：“主权是一完整不可分割、不可侵犯的整体；它属于国家；任何集团或个人均不得据为己有。”这样就把民众主权思想和国家主权思想结合起来。在进一步考察由谁代表人民或国家行使主权时，英国法学家J.奥斯丁得出结论，认为一国的主权属于议会。议会是最高权力机关，它制定对一切别人有约束力的法律，但本身不受法律约束，而且能改变法律。但是这种描述只适合于一定形式的政府，如19世纪的英国。议会主权说不符合美国的实际情况。美国宪法并不赋予国会最高权力，而是对国会作出许多重大限制。而且

美国最高法院有权宣布法律违宪。但这并不能得出司法主权的概念，主权似乎是属于宪法本身。但宪法主权论也有问题，因为有权对宪法提出并通过修改的不只是国会，还有一些州和专门的修宪大会。因此联邦和联邦各组成单位均有主权的双重主权论也找到了理论根据。20世纪一些政治学家，如L.狄骥、H.克拉贝和H.J.拉斯基，提出多元主权论，认为主权由在一国政府中占主导地位的政治、经济、社会和宗教集团行使。按照这一理论，任一社会中的主权不归于任何具体之处，而是在不同集团间移动。

主权学说不仅对国家内部发展有重要影响，其最大影响还在于各国之间的关系。这方面的难题可追溯到1576年博丹的一个提法，他认为，制定法律的主权者不能受他所制定的法律的约束。这一提法常被解释为主权者不对任何人负责，也不受任何法律约束。然而仔细研究博丹的著作却不能得出这种解释。他所强调的是，主权者必须遵守来自神的法则、自然与理性的法则以及各国共同法则的基本规则。因此博丹的主权者是受着国家宪法法律和统治全人类的更高法则的严格约束的。事实上，博丹所讨论的约束国家的许多规则后来都成为国际法的内容，但他的理论一直被用来辩解对内政策中的绝对专制和国际领域中的各行其是。这种解释被T.霍布斯在《利维坦》(1651)中发展为合乎逻辑的结论，即主权者等于实力，而不是法律。在国际领域中这就导致永久的战争状态，一个主权者总是试图把他的意志强加于其他主权者。这种状况在其后200年间很少变化。主权国家继续认为它们有权判断它们自己的争议，有权以它们认为适宜的方式处置它们的公民，管理它们的经济生活，而完全不必理会其他国家可能有的反应。20世纪中，对国家的行动自由开始有了重大限制。1899年和1907年的海牙会议制定了在陆地和海上进行战争的详细规则。《国联盟约》严格限制进行战争的权力。1928年的《凯洛格-白里安公约》谴责用战争作为解决国际争端和推行国家政策的手段。《联合国宪章》(第2条)规定会员国有义务“以和平手段解决国际争端，而不危及国际和平与安全”。同时又把“全体会员国主权平等的原则”列为联合国基本原则之一。因此，主权不再被视为无限权力的同义语。各国接受限制其随意行动的主权的一定法律。这种限制通常被解释为出自赞同或自我约束。另外，新的规则不能不经本国赞同而由别国强加于一个国家。这样就在国际社会的需要与各国最大限度保护其主权的要求之间达到了一种平衡。

Sovetsk 苏维埃茨克 1946年以前称蒂尔西特。俄罗斯西部加里宁格勒州河港。位于涅曼河畔。1288年由条顿骑士团建立，是1807年拿破仑和亚历山大一世谈判条约的地点。1945年以前属普鲁士。现有木材加工和食品工业。设有师范学院和手工艺学校。人口约42 300(1991)。

Sovetskaya Gavan 苏维埃港 俄罗斯东部哈巴罗夫斯克(伯力)边疆区海港。位于鞑靼海峡的东南岸。是俄罗斯远东最好的天然港湾之一。第一次世界大战前夕，该港开始发展，1941年设市。现主要经济项目是木材加工和渔业。铁路从阿穆尔河畔共青城通达后，促进了该港的发展。由于该港濒临太平洋，贝加尔-阿穆尔铁路干线建成(1980)后进一步兴旺。人口约35 400(1991)。

soviet 苏维埃 苏维埃社会主义共和国联盟政权机关的基本单位——代表会议。在全苏联，共和国、省、市、区和村等各级兼有立法和行政职能。苏维埃是在1905年圣彼得堡骚乱时首次出现的。当时社会主义者领导下的罢工工人代表建立了工人代表苏维埃，以协调革命活动。它遭到沙皇政府的镇压。在1917年3月尼古拉二世退位和临时政府成立之前不久，社会主义领袖们建立了彼得格勒工人与士兵代表苏维埃，它由每1 000工人和每个连队各派一名代表组成，共2 500名代表，其中多数为社会革命党人，他们声称代表农民的利益。它成为与临时政府对立的第2个政府，苏维埃在全俄城镇出现。由于它真正反映人民的愿望，在人民中间享有权威。1917年6月，在彼得格勒召开了由地方苏维埃代表参加的全俄苏维埃第一次代表大会。第2次代表大会是布尔什维克在彼得格勒苏维埃获得多数并于1917年11月7日推翻临时政府后召开的。为了抗议这次政变，大会的非布尔什维克代表大多数退席，留下的布尔什维克控制了大会。在大会上成立了俄国新政府。苏维埃在全俄掌握了地方政权。1918年全俄苏维埃第五次代表大会制定了宪法，正式规定苏维埃为地方和地区的政权单位，并规定全俄苏维埃代表大会为国家最高机关。后来，1936年的宪法规定，直接选举最高苏维埃两院——按人口选出的代表组成的联盟院和按地区选出的代表组成的民族院。

Soviet Encyclopedia, Great 参阅 **Bolshaya Sovetskaya Entsiklopediya**《*苏联大百科全书*》。

Soviet-German Nonaggression Pact (1939) 参阅 **German-Soviet Nonaggression Pact**《*德苏互不侵犯条约*》。

Soviet law 苏维埃法 又称社会主义法(socialist law)。1917年俄国十月革命后在前苏联发展起来的法律，这种法律在第二次世界大战后为其他共产主义国家所吸收。虽然它具有民法系的许多特点，包括有类似的程序规则和法律方法论，但社会主义法与其他法系不同之处有：生产资料国有制对它的影响；共产党对它的全面深入的影响；法律制度与国家经济计划之间的种种联系；否认公法和私法之间的区别；认为法律是重建社会和促使国家走向共产主义的一种力量的根本观念。

苏联的法律制度是社会主义法制体系的其他成员(如蒙古、中国、东欧、古巴、越南)遵循的主要模式。1917年俄国革命以后发展起来的法律制度，其根源可以追溯到10世纪时的基辅罗斯，还反映出经由西欧的民法传统带来的拜占廷的世俗法和教会法以及罗马法的影响。

苏联当局于1918年正式废除了沙皇的全部法律，并从此开始建立走向共产主义的社会制度。社会主义法以卡尔·马克思和弗里德里希·恩格斯的著作为基础，他们提出的几条总的指导路线被新的社会主义法律制度的奠基者们所采纳。这几条路线是：①新的法律制度应当消灭资产阶级(拥有财产的中等阶级)的政治权力；②法律应当是国家的工具，而不是对那些制定政策的人的一种限制；③法律应当确立维护公共秩序的规则，这些规则有利于使国家过渡到社会主义并最终实现共产主义的理想；④法律应当教育公民怎样能够帮助实现共产主义的社会秩序。

在社会主义的法律制度中，法律的主要来源是立法；只有在个别的商业活动的情况下才依靠习惯法。主要的法院判决都要公布，但这些判决只构成对适用法律的指导，不构成一组判例。苏联宪法是基本法，最近的一部宪法是1977年的宪法，1978年由15个加盟共和国的宪法和20个自治共和国的宪法扩大了内容。根据苏联宪法，某些事务完全归联邦或“全联盟”管辖，另外一些事务则留给加盟共和国管辖。在一些主要的法律部门中，全联盟当局制定几组对全国都具有约束力的立法的“基本原则”，然后由各有关的加盟共和国将这些基本原则结合各自的具体情况制定出自己的成文法法典。主要的共和国法典包括刑法典、民法典、刑事诉讼法典、民事诉讼法典、家庭法典、劳动法典、森林法典、水法典、土地法典和劳动改造法典。航空法典和商业运输法典则完全是全联盟的法典。

1922年俄罗斯共和国建立了有3个等级的民事法院和刑事法院制度，这一制度在苏联的全部历史时期基本上保持不变。苏联的第一审法院是人民法院，它们审理全部民事案件和刑事案件中的95%的案件。无论是在哪一级法院进行的所有案件的第一审中，法院必须由两个非法律专业人员陪同审理，这两个人称为陪审员，由选举产生，任期两年半。陪审员每年执行职务两个星期，享有与法官同等的权利。审结案件以多数票表决的方法决定。上诉案件由专业法官主持的州法院处理，而最高一级的法院，即共和国最高法院，负责协调所有各州的政策。苏维埃法院不享有对最高苏维埃颁布的法令是否符合宪法的问题进行司法审查的权力。一个单独的军事法院系统负责审理涉及军人的案件。

苏联检察院是具有特殊重要性的机构。检察院是高度集中的机构，这一概念可以追溯到18世纪初沙皇彼得大帝一世时代。苏联总检察长由苏联最高苏维埃任命并只对苏联最高苏维埃负责。然后由总检察长任命下属的检察官。检察院负责监督大部分刑事案件的侦查工作，代表国家提起公诉，对司法判决和对行政行为和规范性法令草案的合法性行使全面的监督权。检察院还监督劳改机关的管理工作。

社会主义法律制度产生了许多新的机构。由于大部分生产性财富的私有制在大多数社会主义国家里已被废除，各种法典都倾向于反映国有财产的重要性，反映的方式是对盗窃国有财产比对盗窃私有的、非生产性财产施加更严厉的刑罚。有关销售、合同以及消费商品性能损坏的法律规定沿袭民法的传统，还发展了一些新的法律以管理涉及国有财产的交易。

在苏联，有一大类违法行为完全不受刑法或法院管辖。这类行为就是行政违法行为，可以由简易程序处以罚款，给以纪律处分；或者，在某些情况下，处以最多为15天的行政拘留。执行逮捕的官员或检查员也经常在现场实行罚款。这个法律制度的其他方面表明社会主义法怎样允许国家对各种社会主义关系进行干预。雇主在执行劳动合同时必须遵守严格的指导方针；财产所有者在使用他们的土地、农场或住宅时要受到很多限制，在有些国家里，如果不把这些财产用于生产，就可能被没收；几乎在所有实行社会主义法的国家里，结婚和离婚都实行非宗教化，目的是削弱宗教势力，以巩固在国家范围内对婚姻关系的控制。

Soviet Writers, Union of　苏联作家协会　根据苏联共产党中央委员会的指令于1932年成立。这项指令取消了原有的各个文学团体，把苏联所有专业作家都吸收到一个大的协会里。协会拥护共产党的政策，维护和阐释苏联文学的唯一创作方法即社会主义现实主义。除为作家们规定稿费、特权及其他利益以外，协会还设有培训年轻作家机构，并为协会会员提供别墅和休养所，在党和协会普通成员之间起联络作用。协会于1934年召开第一次全苏作家代表大会，以后大会不定期召开。

sovkhoz　国营农场　苏联按工业方式建立的大规模生产的专业化农场。农场工人领取工资，但也可耕种个人的园地。在1929年开始的农业集体化时期，国营农场的数目有所增加。20世纪50年代有一部分集体农庄改为国营农场。1953年展开的开垦处女地运动主要靠国营农场进行。1973年国营农场的总土地量第一次超过集体农庄。1990年俄罗斯政府开始鼓励国营农场逐步转为私人农场。

sow bug　潮虫　又作wood louse。又称丸虾。等足目的小型陆生甲壳动物，主要是潮虫属（*Oniscus*）的种类。与有亲缘关系的球潮虫一样，有时亦称丸虾。无鞍潮虫（*O. asel-*

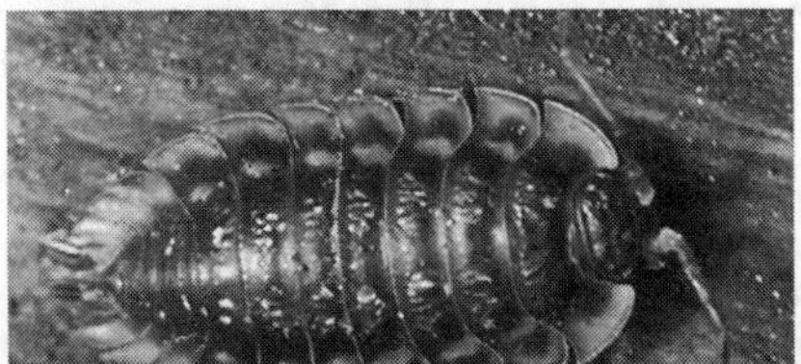

无鞍潮虫（*O. asellus*）
供图：Hugh Spencer

lus）长18毫米，广泛分布于欧洲，并引进到北美。体卵圆形、灰色，扁而背面拱起，有甲胄状的宽板。触角一对，弯曲肘状，足7对。常见于石下、潮湿的落叶层和地下室内。

Sower, Christopher　索尔（1693，莱茵河畔巴拉丁领地拉登堡［德国］～1758，宾夕法尼亚州日耳曼敦［美国］）　Sower又拼Sauer或Saur。德国出生的美国印刷商。宾夕法尼亚地区德国虔信派教徒的领导人。1724年他和妻子、儿子移居北美洲日耳曼敦。是一个具有浓厚宗教思想和多方面熟练技艺的匠人。1738年开始真正的印刷生涯，是美洲殖民地大批德国移民中第一个取得成绩的印刷商。其大量的出版物包括一份报纸、历书和150多种印刷品，大都是宗教的，并用德文印刷的。他要求立法阻止虐待外国移民，反对奴隶制度，设立医院和传播医学知识。死后其子继续他的工作。

Sowerby, Leo　索尔比（1895-05-01，美国密歇根大急流城～1968-07-07，俄亥俄克林顿港）　美国作曲家、管风琴家和教师。他的管风琴和合唱作品沟通了19和20世纪的教堂

芝加哥圣詹姆斯大教堂供图

音乐风格。他是第一个赢得罗马大奖去罗马学习的美国人。1925～1962年，在芝加哥的美国音乐学院教授作曲和音乐理论，1927～1962年任圣詹姆斯教堂管风琴乐师。1962年任华盛顿（哥伦比亚特区）教堂音乐家学院院长。索尔比把优异的旋律才华，同现代和声的应用结合起来。所写《太阳颂》（合唱与管弦乐队）于1946年获普利策奖。他在《切分音》（1924）和《单调》中试验性地运用了爵士乐。他的管弦乐作品中有一些音诗，著名的有《大草原》（1929），还有4首交响乐。亦作有室内乐和钢琴、大提琴、管风琴协奏曲，以及一些大型合唱和管风琴作品。

Soweto　索韦托　南非高滕省城市。原南非白人政府划出的供黑人居住的城市区。西南邻约翰内斯堡。索韦托原是两次世界大战之间从农村地区迁来的黑人劳工的贫民窟，1948年开始推行清除贫民窟，建造永久性住房计划。1976年当地发生闻名的"索韦托暴乱"：组织政治抗议活动，反对政府在索韦托中学中用阿非利堪斯语进行教学的主张。城市有社区委员会负责发展交通、道路、供水、排污、供电和住房事业。根据1994年废除种族隔离后的南非宪法，这些市政服务由大约翰内斯堡都市委员会或各省或国家机构负责。几无工业，大部分居民到约翰内斯堡供职。人口521 948（1985）。

sŏwŏn　书院　朝鲜李朝时期（1392～1910）的一种私塾式学堂，由在野的统治阶级成员建立，专门培养官宦和贵族子弟。往往建在与古代大儒有关的地方。最早成立的为白云洞书院，是1543年庆尚道郡守周世鹏为纪念朝鲜大儒安裕所建。书院在最初时期对儒家学说的传播作出一定贡献，但不久即成为家族集团和宗派势力活动的基地，加深了统治阶级之间的矛盾。书院全盛时期，共有600所。但大部在引进近代公共教育之前被关闭。

Sōya-Kaikyō（Russia）　**宗谷海峡**　参阅**La Perouse Strait 拉彼鲁兹海峡**。

soybean（*Glycine max*，or *G. soja*）　**大豆**　又作soja bean或soya bean。一年生豆科植物及其可食的种子，世界上最重要的豆类。大豆的起源不明，很多植物学家认为是由原产于中国中部的乌苏里大豆（*Glycine ussuriensis*）演生而来。大豆在中国栽培用作食物及药物已有5 000年历史，于1804年引入美国，20世纪中叶，在其南部及中西部成为重要作物。大豆是豆科植物中最富于营养而又易于消化的食物，是蛋白质最丰富最廉价的来源。在今日世界上许多地方是人和动物的主要食物。种子含17%的油和63%的粗粉，其中50%是蛋白质。因为大豆不含淀粉，所以适于糖尿病患者食用。在东亚，大豆广泛用于制豆浆、**豆腐（tofu）**；亦可烘烤用作小吃。大豆芽可用于沙拉，可作蔬菜。将大豆和麦粒压碎，加入霉菌，加盐水发酵，经6个月至1年以上，制成的褐色液体称为酱油，在东方的烹调中普遍应用。大豆植株直立，有分枝，高度

大豆（*Glycine max*）
供图：J.C. Allen and Son

自几厘米到2米以上。自花授粉，花白色或微带紫色。种子为黄、绿、褐、黑或双色。美国的商业品种每个荚果含1～4粒褐色或黄褐色种子。大豆在各类土壤上均可栽培，但在温暖、肥沃、排水良好的沙壤土中生长旺盛。晚霜过后播种，9月至10月成熟。在美国等大豆落叶后种子含水量降至13%以下时进行机械收获，以便贮藏。20世纪80年代初，美国是世界主要大豆生产国，巴西和中国次之。伊利诺伊州是美国主要生产大豆的州。美国98%的大豆用作牲畜饲料。现代研究使大豆的用途更多种多样。豆油可加工成人造黄油、起酥油、人造奶酪。豆油也是油漆、黏合剂、化肥、上浆剂、油毡、杀虫剂、灭火剂的成分。豆粉是代替肉类的高蛋白质食物，可制作多种食品，包括婴儿食品。可将豆

粉制成肉样质地,以加入碎肉及大红肠中。因为大豆用途多样,营养价值高,栽培广泛,便于出口,20 世纪后期在缓和世界性的饥饿问题上起了重要作用。

Soyinka, Wole 索因卡(1934-07-13,尼日利亚阿贝奥库塔～) 尼日利亚剧作家、诗人、小说家、评论家。1986 年获诺贝尔文学奖。他以讽刺笔调描写现代西非,以悲剧色

供图:Vernon L. Smith

彩描写人类进步的障碍。索因卡是约鲁巴族人,在伊巴丹从政府学院和大学学院毕业后,到英国利兹大学攻读英语,1958 年毕业。重返尼日利亚后,创建了一所国家剧院,名为"1960 年假面"(后更名为为奥里桑剧院),并为尼日利亚独立庆典写了他的第 1 部重要剧作《森林之舞》(1960 上演,1963 出版)。在一些气氛轻松的剧作中,他嘲笑了那些妄自尊大的西方化的教师,如《雄狮和宝石》(1963)。在一些比较严肃的剧作中,如《强种》(1963)、《孔其的收获》(1965,1966 年在达卡尔黑人艺术节首演)和《路》(1965),流露出他对非洲专制领导和整个尼日利亚社会所抱希望的幻灭。索因卡在其剧作中,把深深扎根于约鲁巴民间传说和宗教中的题材及戏剧技巧与西方艺术成分巧妙地结合在一起。他的第 1 部小说《译员们》(1965),描述了一群青年知识分子力图在翻译工作中像艺术家一样发挥职能,从而在联系周围世界中找到自己的位置。其他著名剧本有《疯子和专家》(1971,后更名为《疯子和科学家》和《死亡与国王的马夫》(1975)。诗集《艾丹雷及其他诗歌》(1967)和《狱中诗抄》(1969,1972 再版时更名为《地穴之梭》。他的诗句表现出他对语言的精确把握,以及对抒情诗、戏剧诗和冥想诗娴熟的运用。他是第一位被授予诺贝尔文学奖的非洲黑人作家。其自传《阿基:童年的岁月》于 1981 年出版。

Soyot(people) **索约特人** 参阅 **Tuvan** 图瓦人。

Soyuz "联盟"号飞船 1967 年以来发射的系列苏联/俄罗斯载人航天器,是服役时间最长的现役载人航天器。最初设计来自苏联航天器设计师 S. 科罗廖夫的苏联登月计划设计局(1974 年正式取消),主要用于往返地面和地球轨道航天站接送航天员,特别是"礼炮"号航天站、"和平"号航天站和国际航天站。这个 7 米长、7 吨重的飞行器有 3 个连成直线的舱,居中呈钟形的指令舱(最多可载 3 人)、后部呈圆柱形的设备舱和前部的轨道舱。这 3 个舱在飞行过程中始终相互连接,直到飞船脱离轨道;仅有指令舱完整返回地面。"联盟"号首次载人飞行是在 1967 年 4 月 23 日。飞船的单独试飞员 V. 科马罗夫因指令舱的降落伞在重返大气层之后未能打开死亡,飞船坠毁,这是航天飞行过程中首例人类死亡。1969 年登月竞赛失败后,苏联将"联盟"号改装用于接送航天员到航天站。"联盟"11 号于 1971 年 6 月将航天员送到"礼炮"1 号航天站,但在停留 23 天后,3 名航天员由于指令舱返回地球时突然减压造成死亡。为预先阻止此类事故再次发生重新设计了飞船,拆除一个座椅为个人增压服安装一个独立的生命保障系统。修改过的"联盟"号于 1975 年 7 月为阿波罗 - 联盟试验计划飞行,这是美苏两国首次联合太空活动。70 年代期间开发出"联盟"号的派生飞船"进步"号,作为航天站的货运飞船,它的货运和加油舱替代了按照"联盟"号设计的轨道舱和指令舱。1978 年"进步"号开始业务飞行,为"礼炮"6 号送去物品。1979 年开始对"联盟"号进行重新设计。该飞船称为"联盟"T 系列航天器,有更先进的设备和性能并恢复了第三个航天员座椅。"联盟"TM 系列航天器更新了多种系统,1987 年进行其首次载人飞行,将"和平"号第二批航天员送人当时尚未成熟的航天站。"联盟"TMA 系列于 2002 年首次飞行,将航天员送到国际航天站;该飞船的设计包括多处改动以符合美国国家航空航天局对于国际航天站"救生船"的某些要求,包括放宽对航天员身高和体重的限制。改进的"进步"号货运飞船也被用于向国际航天站运送物品。美国航天飞机轨道飞行器"哥伦比亚"号 2003 年 2 月在飞行途中爆炸,随后所有航天飞机停飞之后,"联盟"号飞船在一段时间里成为国际航天站人员轮换的唯一运载工具。

Sōzen, Yamana (15th-century Japanese clan head) **山名宗全** 参阅 **Yamana Mochitoyo** 山名持丰。

Sozialdemokratische Partei Deutschlands 参阅 **Social Democratic Party of Germany** 德国社会民主党。

Sozini, Fausto (Paolo) 参阅 **Socinus, Faustus** 索齐尼。

Sozini, Lelio (Francesco Maria) 参阅 **Socinus, Laelius** 索齐尼。

Sozomen 索佐门(约400,巴勒斯坦加沙附近贝塞利亚～约 450,拜占廷帝国君士坦丁堡[今土耳其伊斯坦布尔]) 希腊语拉丁字母转写作 Salamanes Hermeios Sozomenos。君士坦丁堡信奉基督教的律师,所著《教会史》可与大致同时代的史学家索克拉蒂斯的著作媲美。该书是献给当时的拜占廷皇帝狄奥多西二世的,共 9 卷,叙事起于 324 年,止于 439 年。但现存本止于 425 年,最后一部分可能被皇帝所禁,也可能散失。

Spa 斯帕 比利时东部列日省城市。是比利时国家医药卫生中心,也是冬季运动和旅

斯帕市的温泉浴场

供图:Authenticated News International

游胜地,设有许多娱乐设施,其中有赛马和赛车。有一小型机场。该市有一些冶金工业和一座软饮料瓶装厂。著名建筑有温泉浴场(1866～1868)和七点钟公园等。人口:城市区10 491(2004)。

spa 矿泉疗养地 有可供饮用或沐浴的温泉水或矿泉水的矿泉或旅游胜地。spa 一词从比利时列日附近的一个镇得名,其矿泉以有疗效著称,因而人们到那里去游憩。"取水"以治疗的做法,在 19 世纪达到全盛时期。英国巴斯温泉的建立,传说中是由于李尔王的父亲布拉杜德于公元前 863 年浸身在冒蒸汽的沼泽里治愈了疾病。罗马殖民者在巴斯温泉以及德比郡的巴克斯顿,发展了不少矿泉疗养地。矿泉往往含有多种盐溶液。热泉有两个来源:一是天落水,从地层深处沿隙缝冒出,吸收了所经过的岩石的温度;另一是火山水,以喷泉或温泉形式达到地面。大部分温泉水含有矿质溶液。但是,在矿泉疗养地治疗的大部分效果,很可能有赖于疗养地点的环境因素和设备。欧洲有许多矿泉疗养地处在高山的森林中,如瑞士的圣莫里茨和法国的埃维昂莱班、奥地利的巴德加斯泰因和意大利的博尔米奥。对许多人来说,水的治疗与结伴交游相比是次要的,在矿泉疗养地长期以来都是如此。对患病者和疗养者来说,矿泉疗养地提供了医药治疗,而对所有的人来说,矿泉疗养地则始终是以各种方法提高健康水平的场所。

Spaak, Paul-Henri 斯巴克(1899-01-25,比利时布鲁塞尔附近斯哈尔贝克～1972-07-31,布鲁塞尔) 第二次世界大战后比利时最杰出的政治家,欧洲合作的主要倡导者,在建立欧洲经济共同体、北大西洋公约组织和比荷卢联盟(比利时、荷兰、卢森堡关税同盟)中起了重大作用。1921～1931 年当律师,1932 年进入众议院。1936～1938 年任外交大臣。他是比利时的第一个社会党人首相(1938～1939)。1939～1945 年再次任外交大臣。1944 年在伦敦参加建立比荷卢关税同盟。1945 年参与起草《联合国宪章》,1946 年担任第一届联合国大会主席。1945～1947 年任外交大臣。1947～1950 年领导基督教社会党-社会党联合政府。1948 年签订《布鲁塞尔条约》,建立英法比荷卢防御同盟。次年促使

这些国家同美国结盟，创立北大西洋公约组织。1951年在劝告比利时国王利奥波德三世退位方面，起过重大影响。1948～1952年间主持几个欧洲政治和经济合作机构，包括欧

供图：Camera Press

洲煤钢联营。1957年领导《罗马条约》(1957)的谈判，后来根据这一条约建立了共同市场(或称欧洲经济共同体)和欧洲原子能联营。在再一次出任比利时外长(1954～1957)后，于1957～1961年任北大西洋公约组织秘书长。1961～1966年在泰奥·勒菲弗尔的联合政府中任副首相和外交大臣。1966年退出社会党从事私人事务。

Spaatz, Carl **斯帕茨**(1891-06-28，美国宾夕法尼亚博耶敦～1974-07-14，华盛顿[哥伦比亚特区]) 第二次世界大战中美国战斗空军的主要指挥官及独立的美国空军的第一任参

美国陆军部供图

谋长。毕业于纽约州西点军校(1914)。第一次世界大战期间为战斗飞行员，1919～1942年间获得广泛的参谋与指挥经验。1940年赴英格兰侦测德国军事实力，1942年7月在英格兰任第八航空队队长。1942年指挥美国对欧洲德占区的白日轰炸。1944年1月任欧洲美国战略空军司令，并指挥从英格兰与意大利起飞对德国进行的白日战略轰炸，直至欧战结束。1945年7月转至太平洋战场，指挥对日本的最后战略轰炸，执行H.S.杜鲁门总统的命令(虽然他本人反对)，对广岛和长崎投掷原子弹。1947年9月任新独立的美国空军的参谋长，因无意从事行政领导工作，于1948年退休。

space **空间** 无限的三维范围，在此范围内，物体存在，事件发生，且均有相对的位置和方向。

space charge **空间电荷** 三维空间中的电荷分布。例如在电子管中，由于从阴极发射的电子不能瞬时到达阳极(即板极)而造成的负电荷。这些电子在阴极周围形成"云"。这种云由于电子不断到达阳极而消耗，又由于阴极不断发射电子而得到补充。正是这种电子云产生了负的空间电荷。

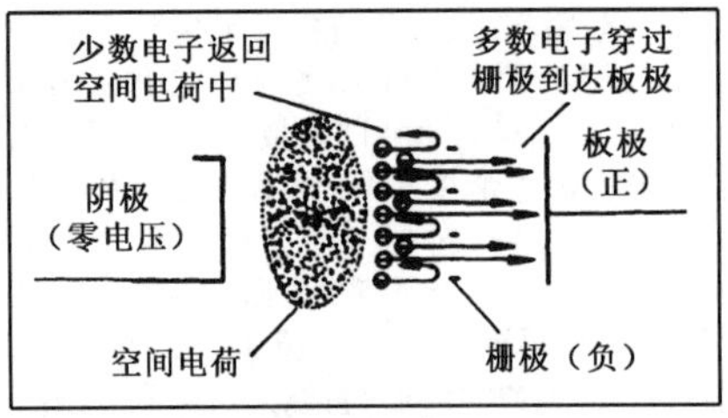

空间电荷

space contraction **空间收缩** 参阅 Lorentz-FitzGerald contraction 洛伦兹-斐兹杰惹收缩。

space exploration **太空探测** 又称空间探测。利用载人和不载人航天器对地球大气层外宇宙的各个领域进行探索研究。

对火箭用于航天飞行的科学研究始于20世纪初期，以K.E.齐奥尔科夫斯基(1903)、R.H.戈达德(1919)和H.奥伯特(1923)发表的著作最为著名。30年代初，德国对火箭推进技术进行了广泛研究，研制出V-2导弹。第二次世界大战后，美国和苏联在移居的德国科学家的帮助下，在高空火箭技术方面取得了实质性的进步。1957年10月4日苏联发射了第一颗人造地球卫星——"人造卫星"1号，并将其送入绕地球轨道。1958年1月31日美国发射第一颗地球卫星"探险者"1号。随后几年内两国发射了许多不载人航天器，其种类包括气象卫星、通信卫星和月球探测器。

太空探测的下一个重大步骤就是发射载人航天器。苏联科学家最先完成这一任务。1961年4月12日他们发射"东方"1号飞船，搭载航天员Y.A.加加林绕地球轨道飞行一圈。不到一个月之后美国于5月5日发射了第一艘载人航天器"水星"号，搭载航天员A.B.小谢泼德在亚轨道飞行了15分钟。随后美苏两国进行了一系列长航时和复杂的载人太空飞行。"东方"号和"水星"号飞行表明人在太空失重情况下仍能工作，但两种航天器都不具备真正实用的机动能力。20世纪60年代中期美国的"双子座"和苏联的"上升"号计划标志着在双人甚至3人太空飞行、在飞行中与不载人目标飞行器交会和对接，以及航天员在航天器外几乎真空的环境下首次自由漂动(舱外活动)等方面有了巨大的进步。1969年7月20日美国航天员N.A.阿姆斯特朗和E.N.奥尔德林离开"阿波罗"11号登月舱，成为第一批迈步踏上月球的人。随后的"阿波罗"飞行又进行了5次登月，其间航天员对月球表面进行了探测，收集了岩石和土壤样本，进行了各种科学实验。苏联没有进行载人登月飞行，但发射了许多月球探测器("月球"号和"探测器"号)，送回了重要的数据和土壤样本。例如"月球"16号于1970年9月在月球软着陆，采集土壤样本，用密封舱送回地面。苏联在70和80年代集中力量进行一系列"联盟"号飞行，其航天员多次与"礼炮"号轨道实验室对接并进入其中工作，"礼炮"号轨道实验室配有可以在地球轨道上长期进行科学实验和军事侦察的设备。

20世纪60和70年代间美国和苏联的科学家也利用不载人深空间探测器进行过雄心勃勃的行星研究。其中较为重要的飞行有在火星上着陆的"海盗"号探测器；飞经木星、土星和天王星的"旅行者"号探测器；探测金星表面的"金星"号探测器。"海盗"号着陆器于1976年成功地下降到火星表面，将火星表面详细的彩色图像发回地球，并对火星的土壤和大气层进行了分析。1979～1986年"旅行者"号飞经木星、土星和天王星，极大地丰富了人们对这些行星的科学知识，展现了它们的卫星、磁场和环系的新奇而又出人意料的特征。

轨道天文观测也是太空探测中至关重要的，它能够对遥远的宇宙物体进行观测而不受地球大气层的干扰和畸变效应的影响。例如利用1983年美国与英国、荷兰共同发射的不载人的"红外天文卫星"，人们已对远离太阳系的红外源了解了许多。同年苏联将称为"天文"的另一个先进的观察卫星送入地球轨道。"天文"卫星上装有一部法国研制的紫外望远镜，已对来自银河系内外的宇宙射线进行过研究。

载人实验航天站也用于进行科学研究。20世纪70年代初太空实验室上的美国航天员不仅对太阳现象进行过有价值的观察，而且还对长期处于太空零重力条件下人体有何反应进行过试验。80年代中期以前苏联航天员也在"礼炮"号航天站上进行过类似的试验。1986年苏联发射了更先进的"和平"号航天站，该航天站的核心部分是一个大型永久性的多乘员轨道装置，用于容纳各种扩充舱供航天员起居和安装研究设备。

70年代中期以来，美国集中力量研制航天飞机。这是一种像火箭一样起飞又像普通飞机一样着陆的可重复使用的航天器。航天飞机已广泛用于在地球轨道上施放和修理卫星，但根据计划，航天飞机最终将用于建造永久性轨道航天站。

1991年苏联解体为一群独立的共和国，俄罗斯继续其航天计划，但由于经济困难，其规模已大为减小。随着外层空间活动的诸多好处变得显而易见，许多其他国家也加入进来开发太空计划。其中一些西欧国家起初独自发展，1975年以后又通过欧洲宇航局合作发展，还有中国、日本、加拿大、印度、以色列和巴西等国。到21世纪初，世界上有30多个国家设立了外层空间机构或其他涉及外层空间活动的政府机构。中国于2003年10月15日发射了"神舟"5号载人航天器，是继苏联和美国之后世界上第3个将人送入外层空间的国家。

space group **空间群** 结晶学中，改变晶体的取向而使晶体中的原子位置在外观上不显出变化的各种操作的组合。这些变化既包括晶体的整体沿任意晶轴的位移，又包括绕轴旋转、在平面上反射、对中心反演或按序旋转反演等点群操作。正如19世纪90年代所证明的那样，这些可能的变化只能有230种性质不

同的组合,230 种组合规定了 230 个空间群。在用 X 射线结晶学对一种晶体的原子排列进行研究之后,可以把它归入上述空间群中的一种。参阅 **symmetry**(in crystallography)。

space law 外层空间法 又译太空法。指为世界各国所接受作为对其和其公民在外层空间和天体上的活动具有约束力的法规。外层空间的界限尚未确定,一般指地球大气层外、一个没有动力装置的人造卫星能在轨道上停留的区域,离地面约 70 ~ 100 英里以上。

新领域,旧原则 1957 年苏联地球卫星上天之后,人们就开始考虑国际法中哪些条文可适用于外层空间。一般认为现存国际法的大部分,包括《联合国宪章》,是适用于这个新领域的。但一开始,空间国家(苏联和美国)和其他所有国家的发言人以及几乎所有的学者都同意外层空间和天体不能被认为是传统概念中的无人之地,因此不能被任何国家的主权要求所控制。目前外层空间和天体向一切国家的和平利用开放的原则已正式成为国际法的一部分。第一次沿轨道飞行(1957 ~ 1958)没有引起任何国家的抗议。这表示外层空间飞行即使飞越一国的上空也应视为是在国家领土之外。

联合国的作用 联合国在处理国家在外层空间和天体上的活动方面曾起过决定性的作用。重要的步骤如下:1958 年,美、苏两国向联合国提出关于外层空间的建议。经讨论,一致认为外层空间只能用于和平的目的,一般文明国家的法律原则适用于外层空间,外层空间不能作为国家主权扩张的对象。1958 年设立了临时委员会,1959 年改组成为有 24 个成员的和平利用外层空间常设委员会。之后,联合国大会又于 1961 年通过关于探索和利用外层空间的原则,但重要的是 1963 年由于美苏冷战开始解冻,它们于同年 8 月缔结了《禁止核试验条约》,禁止在大气层和外层空间进行这种试验。同年 10 月 17 日在美、苏同意下,联合国大会还通过一个决议案,记录了先前在日内瓦裁军谈判中达成的谅解,即在外层空间不得存放核武器和其他大规模毁灭性武器。但更重要的是同年 12 月大会通过的有关探索和利用外层空间活动的 9 点宣言,其内容和下述的《外层空间条约》(1966)基本相同。当时它曾被誉为外层空间的大宪章,因此就是国际法。但它的约束力仍存在问题。

《外层空间条约》 该条约于 1966 年 12 月在联合国主持下通过,1967 年 1 月 27 日由 63 个国家的代表签字,目前已对大多数国家生效。它一共有 17 条,第 1 条宣告外层空间对一切国家的探索和利用开放,而在这些考察中,各国应促进并鼓励国际合作。第 2 条规定外层空间、月球和其他天体"不能依据国家主权要求,或通过使用或占领,或任何其他方法据为己有"。第 3 条规定一国探索和利用外层空间的行动必须遵守国际法,为维护国际和平与安全服务,为促进国际合作和谅解服务。第 4 条禁止在外层空间存放任何携带核武器或其他大规模毁灭性武器的物体,或在天体上或外层空间设置这类武器。并禁止在天体上设立军事基地或防御工事,进行武器试验或进行军事演习。虽然为了进行科研或为了其他和平目的,可以使用军事人员。第 5 条再一次重申航天员为"人类的使者",并规定,如遇事故紧急降落到别国领土内或公海上,他们应得到一切可能的援助,包括安全返回本国。在天体上,不同国家的航天员之间应彼此给予一切可能的援助。第 6 条要求一国对其在外层空间的活动负国际责任。第 7 条规定发射国或从其领土或设施发射一个物体的国家应对给其他国家的个人造成的任何损害负国际责任。第 8 条规定对外层空间和天体上运行的物体及其上面的人员的管辖权和控制权属于注册国。这种物体及其组成部分如果被发现在别国境内,应即交还注册国。第 9 条规定国家间的合作和互助以及避免对天体和地球环境的污染。第 10 条规定要求根据相互之间的协议使各国有机会观察其他国家的空间飞行。第 11 条规定各国应将在外层空间的活动向联合国秘书长和公众以及科学团体报告。第 12 条要求将一切外层空间的运载工具和在月球及其他天体上的建造物向其他缔约国开放并受其检查。

外层空间法律的继续发展 由于外层空间委员会的继续努力,1968 年 4 月 22 日,44 国又签订了关于救护和送还射入外层空间的航天员和器材的协议。它更精确地规定了如何使航天员得以安全和无条件地返回。但关于外层空间活动的责任草约一直到 1970 年才在联合国主持下以联大议案和 1967 年条约的附件的形式写成。

通信问题 已经表明,卫星在地球上的远距离通信中极为有用,而且价格也可能大大降低。美国于 1962 年所通过的《卫星通信法案》中曾设立一个混合的通信卫星公司来发展这一事业。该公司的一部分股票由公众拥有,一部分由国家的通信公司拥有,并由总统任命董事,以便通过外层空间媒介提供服务。这个通信卫星公司又是国际电信卫星联合公司中的美方"代表"和经理。它把通过卫星发出目前全部国际电讯的 90% 的国家联系在一起。这里既有美好的前景,也有下述的问题。美国在国际电信卫星联合公司的较大控制权,以及它的通信卫星公司在国内的垄断,都曾引起异议。卫星所占的地点以及向轨道发射卫星的多少也是问题,还有由卫星直接向用户传递信息,也都可能引起竞争。

其他安排 除了上述的安排之外,美国还曾通过双边的安排和许多国家签订了一系列利用外层空间的条约。另外若干国际组织如国际电信联盟、国际民用航空组织、世界气象组织、联合国教科文组织、世界卫生组织、国际原子能机构等也都在一些方面参加外层空间的工作,进行种种活动。

问题和将来的发展 虽然外层空间法发展迅速,但许多问题并未解决。如大气层和外层空间的界限,天体上资源的控制和所有权问题,从外层空间进行观察的问题,责任问题,机构问题,多边合作探索外层空间的问题。其中责任问题的解决尤为当务之急。

space perception 空间知觉 动物借以意识到自身与周围物体之间的相对位置关系的知觉过程。它能为动物在某种环境中的运动和定向活动提供各种感觉信息,如深度和距离等。

对空间知觉的研究只是近百年的事。18 世纪的英国哲学家 G.贝克莱认为:因为视网膜成像只是二维的平面图像,所以一个人必须学会正确地解释这种视觉材料,以推演出他和所视物体之间的空间关系。但现代心理学家们坚信人的这种空间知觉是一种先天能力。他们把研究的重点集中在各种复杂的问题上,如人是如何从单面视觉形象判断物体的整体性状的? 飞行中的飞行员是如何对那些非常少见的空间感觉进行补偿的? 等等。现在被普遍接受的观点是:空间知觉主要服务于一种综合性的环境意识,也就是说它能使人抓住或充分认识到他在某一环境中所处的位置。尤其是在可能遇到某种特定的、和行为者的切身利益密切相关的事物时,行为者运用和掌握对该事物的空间知觉就显得尤为自觉和重视。最突出的例子就是人们对旅途中可能遇到的危险的征兆特别敏感。此时的空间知觉的核心职能就是动员所有相关的感觉经验,排除一切与此时此刻、此事此地无关的杂念,全神贯注地测量着危险离他还有多远。空间知觉的另一重要功能就是能够解释运动。当一个物体正在移向或远离某人时,他对该物体的感觉也在变化。显然,他是根据对该物体的视觉形象的变化作出这种判断的,当然不是根据圆形变成了方的,而是根据近大远小之类的知觉证据。空间知觉的基础是*知觉恒常性*(**perceptural constancy**)。如果没有了知觉恒常,世界真不知道会变成什么样子! 空间知觉是各种感官感觉和本体感觉的一种高度综合。对于某种空间刺激,每一种感觉都有它自己对这种空间刺激的知觉内容。在正常情况下,机体对它的总的知觉形式应是五种感官感觉和本体感觉交织在一起的感觉形式。不过,视觉以其所谓"远距离感受器"的作用,显然应是空间知觉中最重要的知觉成分。由大量源于视觉的感觉信息被转换成为距离知觉,准确地讲,其中部分信息并不是来自视网膜,而是来自控制眼球运动的各组肌肉群。各眼肌在收缩幅度上轻微差异都会被中枢神经解释为空间距离上的变化。纯视觉性的空间知觉来自所谓双眼差异。由于眼距的关系,人的双眼视网膜成像并不完全一样。中枢神经把这种双眼的视觉差异解释为三维体验。也就是说,它把这种差异理解为深度知觉。运动性视差是另一种三维视觉信息,但这是一种单眼功能。如果一个人改变了他所在的位置,视网膜成像也会随之变化;但因双眼差异,双眼视网膜成像的变化幅度自然不同——这也被中枢解释为一种距离知觉。

盲人的空间知觉主要来自听觉,这种以听觉为主的空间知觉丝毫也不比来自视觉者弱。本体平衡觉在空间定向方面也有重要作用。此外,运动知觉、触觉的协同作用在帮助人判断其身体和周围事物之间的空间关系方面作用极大。实际上,儿童的空间知觉能力的发展就是从视觉和触觉的感觉协同开始的。

space shuttle 航天飞机 可重复使用的用运载火箭发射的飞行器,用于进入地球轨道,在地球与轨道航天器之间运送人员和物资，并滑翔降落于地面。第一架航天飞机由美国国家航空航天局研制，正式称为太空运输系统(STS)，于1981年4月12日发射升空。这种系统由3个主要部分组成：①带翼的轨道器，用于运载航天员和物资；②外部推进剂箱，用于携载供3台主发动机使用的液氢和液氧；③一对大型固体推进剂捆绑式助推火箭。整个系统的起飞重量达2 000吨，高56米。发射时，助推器和轨道器主发动机同时点火，推力达3 100万牛顿。起飞后约两分钟，助推火箭被抛弃并用降落伞降落，回收供再次使用。轨道器将外部推进剂箱中的推进剂消耗完时，已获得99%的轨道速度，于是抛弃。此推进剂箱在坠入大气层时解体。虽然航天飞机像常规载人航天器一样垂直发射，但与后者不同的是，它像普通喷气式飞机一样滑翔降落在跑道上。轨道器在设计上可重复使用100次，降低了航天飞行高昂的成本。航天飞机可将卫星和探测器装载于货舱中，在太空中施放，也可由航天员在太空中回收或修理轨道上不能使用的卫星。航天飞机的轨道器可以用作太空实验室，携带专门的研究设备进行各种科学实验。到20世纪80年代中期共有4架航天飞机服役："哥伦比亚"号、"挑战者"号、"发现"号和"亚特兰蒂斯"号。1986年"挑战者"号升空不久爆炸。此次事故之后，所有航天飞机全部停飞至1988年，使国家航空航天局有时间修改设计瑕疵并在飞行计划中执行相关的管理改变。1992年"奋进"号航天飞机首次升空。1995～1998年间，国家航空航天局进行了一系列到达俄罗斯轨道空间站"和平"号的飞行，给该机构提供空间站操作的经验以迎接模拟国际空间站的建设。从1998年开始，航天飞机就主要用于把国际空间站的装配件运送到轨道安装，并在地面与空间站之间往返运送航天员和补给。2003年2月1日，"哥伦比亚"号完成轨道飞行任务返回时在得克萨斯州中北部大约60千米的高空灾难性地突然解体。7名航天员全部罹难，包括进入太空的第一个以色列人I.拉芒。所有航天飞机再一次立即全部停飞。此次事故调查委员会推断，在航天飞机发射时一块隔热瓦从机身外部脱落并击中飞机左翼，降低了机身防热能力。当后来重返大气层时，飞机无法抵御高温空气，空气穿透并毁坏了机翼，导致飞机解体。与"挑战者"号空难分析一样，"哥伦比亚"号事故也被认为是机械和组织两方面的原因造成的，需要在航天飞机重新执行飞行任务之前得到解决。

space station　航天站　又译空间站。在固定轨道上运行的载人人造卫星，用作科学观察和实验的基地，并可用来给别的航天器加燃料或从上面发射卫星和导弹。苏联于1971年4月19日首先发射了"礼炮"1号航天站，重8 610千克，全长7.6米。原设计应在永久轨道上运行，但由于轨道低，6个月之后它进入地球大气层而告失败。美国于1973年5月14日发射了第一个成功的试验性航天站。这个叫"太空实验室"的航天站在1973年5月25日至1974年2月8日先后有3批乘员组进入，共载人飞行171天。航天员在上面进行了各种科学研究，包括观察太阳和科胡特克彗星、从熔化的金和锗的混合物中制造超导体。这个75吨重的航天站于1979年7月进入地球大气层并烧毁。苏联在1974～1982年成功地发射了一系列较小的航天站，从"礼炮"3号至7号。"礼炮"6号在空间运行676天，1982年重返地球大气层。苏联航天员在航天站上长时间从事生物医学和其他科研工作，其中最长的一次是1984年创纪录的237天飞行。1986年2月20日苏联发射了新的"和平"号航天站，打算用作永久性载人轨道飞行器的核心部分。该航天站有6个对接舱口，用来运送货物、与载人飞船对接，以及接上研究实验室和生活区的扩充舱。冷战结束后，1993年美俄之间开始空间合作。两国同意将各自现有的航天站合并为一个单轨道结构计划。这项综合计划的第一阶段需要向"和平"号空间站发射一系列飞船，使美国航空航天局获得与航天站对接的实际操作经验，并尽早启动微重力研究。由于这种合作，俄罗斯向"和平"号发射了最后两个舱，称作"光谱"号和"自然"号。1996年，在航天站开始组装10年后，"和平"号终于在轨组装完毕。美国航天航空局对"和平"号的兴趣主要是把它当作一个跳板，美国打算在1998年初最后一次航天飞机到航天站的飞行任务结束后不久，把它的多国计划，后来称作国际航天站的第一个部件发射到轨道。第一个舱称作"曙光"号，由俄罗斯安装在质子火箭上发射升空，用于为这个刚开始组装的航天站提供姿态控制和太阳能阵列板。此后不久，多位航天员搭乘航天飞机飞登上国际航天站并把美国建造的第一个部件"团结"号(一个有多个对接系统的连接舱)安装在航天站。后来开发遇到困难延迟了后续部件的发射，直到2000年中期"星辰"号服务舱才用质子火箭发射升空。两个星期后"星辰"号与"曙光"号主体货舱自动对接。同年晚些时候，首批国际航天站常驻人员，包括2名俄罗斯航天员和1名美国航天员，搭乘"联盟－TM"号飞船进站。12月1日美国"奋进"号航天员首次与航天站对接，5人进站安装了太阳能阵列板。2001年初，航天飞机又送去美国航天航空局的"命运"号微重力实验室。2003年"哥伦比亚"号发生爆炸事故，航天飞机暂停飞行后，国际航天站实际上只能进行一般性的维护工作，"联盟"号飞船成为接送航天站工作人员的唯一工具。欧洲宇航局和日本的国家太空发展局为航天站提供了多个专门的实验室。航天站的早期科学工作大多是在失重环境下进行的生物和材料科学研究。预计国际航天站至少在21世纪的前25年可以作为人类在地球轨道活动的基地。

space-time　时空　物理学中，爱因斯坦在相对论(1905、1915)中提出的把空间和时间结合在一起的概念。以前，人们凭普通的直觉设想两者之间无联系。物理空间被认为是一个平直的三维连续统(点的所有可能的位置的一种配置)，在其中欧几里得的公设成立。对于这样一个空间流形(**manifold**)，笛卡儿坐标看来自然是最适合的坐标，同时也便于使用直线。时间作为与空间分开的一维连续统，被认为是与空间无关的，并且在无限的延续中是完全均匀的。任何一个"现在"时刻都可以取作原点，从它向过去或未来取一段时间间隔可以达到任一别的时刻。在这样分割开来的空间和时间中，人们不可能从各种可能的运动状态中找出一个绝对静止的状态。匀速运动的空间坐标系添上均匀的时间连续统可表述所有非加速运动，这是特殊的一类惯性参考系，服从这种规定的宇宙称为牛顿宇宙。

利用四维时空连续统还可以构造另外一种定义明确的平直几何学，称闵可夫斯基宇宙。在这个宇宙里，一个坐标系的时间坐标依赖于另一个处于相对运动中的坐标系的时间和空间坐标。这就形成了爱因斯坦的狭义相对论所需要的本质上的变更。闵可夫斯基宇宙与牛顿宇宙一样，也含有特定的一类惯性参考系，同时也不受它内部物质(质量)存在的影响。这种宇宙中的每组坐标，或者说特别的时空事件，被说成是一个"这里-现在"或一个世界点。事件之间表观的时间间隔和空间间隔依赖于观测者的速度，而在任何情况下观测者的速度都不超过光速。所有物理规律在任何惯性参考系中是不变的。

对含有质点的四维连续统可以进一步导出宇宙几何学的另一形式，它在局部上仍相似于闵可夫斯基宇宙。这个连续统也是非欧几里得的，但它考虑到了作为动力学的力的引力消失的情形。它被爱因斯坦用于广义相对论(1915)中。在这个一般理论中，连续统仍是由世界点组成，它们仍可以用坐标(虽然不是唯一的)来辨认。对应于每个世界点有一个坐标系，利用它可以在该点周围的局部小区域内，近似地表示狭义相对论的时间。表示粒子轨道或光线的路径的任何世界点的轨迹，称为世界线或测地线。相对于一个观测者的最大速度仍然是由光的世界线来确定，其速率仍是常数 c。

闵可夫斯基连续统(无质点加速度)的测地线是一些直线，而含有质量集聚的广义相对论的宇宙(即黎曼宇宙)的测地线是弯曲的；引力场则可以被解释为时空曲率的一种表现。然而，总可以找到一些坐标系，在其中局部地不存在引力场的作用。这样一个附在选定的世界点的参考系，在某个质量集聚体的附近，自然地具有自由落体加速度。自由落体加速度这个概念只有在世界点的一个邻域，也就是说在空间和时间上都是有限的一个区域内，才有确切的定义。它所以向具有质量的物体自由下落可以说是由于外部产生的引力场的作用，或者可以等价地说是由于惯性参考系的内在性质。在数学上，黎曼空间的引力势可以通过张量分析的步骤来求值，这样就能够对于任一特殊的物质分布，得到在质点之外的爱因斯坦引力场方程的解。

德国天文学家K.史瓦西首先得到了关于单一球形质量的严格解(1916)。对于所谓小质量的情形，这个解与牛顿引力定律给出的解没有明显差别。但在质量大时，时空曲率半径可以接近以至超过实际物体的曲率半径，史瓦西解则预示出不平常的性质。对于白矮星的天文观测导致美国天体物理学家J.R.奥本海默与H.斯奈德作出了存在超密物质状态的假说(1939)。这些预示和假说以及其他一些关于引力坍缩的假设条件，被后来脉冲星和中子星(**neutron star**)的发现所证实，而且与据认为存在于星际空间内的黑洞(**black hole**)也有关系。时空理论的其他一些隐含内容，对于宇宙学及统一场论都是重要的。

spacecraft 航天器 又译宇宙飞船。有人或无人操作的运载工具，按照控制程序在地球上空的低大气层飞行。尽管早期的航天器概念通常描绘出流线型航天器，而流线在宇宙的真空里并没有特殊优势。实际的运载工具是根据其执行的任务设计不同而形状各异。第一艘航天器，苏联的人造卫星1号，于1957年10月4日发射，该卫星重达83.6千克。其后，苏联和美国其他无人驾驶航天器相继发射。4年后(1961年4月12日)，第一艘载人航天器“东方”1号发射，苏联航天员尤里·加加林进入太空。此后，许多其他载人和无人飞船纷纷发射，增进科学了解，加强国家安全，或者在诸如远距离通信和天气预报等领域提供重要服务。大多数航天器都不是自身推进，依靠发射运载工具提供的原始速度，发射运载工具完成其任务后会脱离航天器。一般说来，航天器或者在围绕地球的轨道上行走，或者在足够的速度推进下脱离地球引力，继续朝空间另一个目的地飞去。航天器经常自身携带小型火箭推进器，在空间操纵和改变方向。“阿波罗”计划使用的载人登月运载飞船登月舱，使用火箭推进器在月球上软着陆，然后又把登月航天员送回月球轨道的命令舱。这后一个飞船在附属的服务舱上也携带着足够的火箭动力，以便脱离月球轨道，开始返回地球的航程。美国的航天飞机轨道飞行器使用三个航天器载的液体推进器，由一个可弃外部储罐和一对固体助推器提供燃料，进入空间。航天器需要空载电力源，操纵它所运载的设备。设计在地球轨道运行的航天器，一般使用太阳能机翼构架延长期限，往往和蓄电池同时使用。航天飞机轨道飞行器按设计可在空间停留1～2周，使用的是氢氧燃料电池。各种远程空间探测器，例如进入木星轨道的“伽利略”号航天器和1997年向土星发射的“卡西尼”号航天器，通常都用小型寿命长的放射性元素，例如钚，把热能直接转变成电力。

spaceflight 太空飞行 在地球大气层之外的飞行。这个词汇涉及一些与无人或有人驾驶宇宙飞船的发射和返回，在太空中飞行、导航、交会和对接有关的基本概念。

太空环境 这里所说的太空，被定义为地球大气层之外的全部宇宙。目前还没有一个明确的边界用以区分宇宙空间和地球，但是按照对大气层飞行器的飞行高度限制，这个边界低至45千米。人造卫星的最低轨道大约是160千米。相对而言，月球轨道平均高度大约要高出2 400倍即384 400千米。然而，即便是这个距离，仍然比太阳系的范围小，在后者内部飞船要穿越以几亿到几十亿千米计的行星间距离，并且和宇宙的大小相比更是趋向无限小。与地球最邻近的星球都位于40多万亿千米之外。宇宙天体之间的空间并非空无一物，物质——大多数是氢——以极低的密度弥漫其间。不过，太空有着比地球上所能得到的更高的真空度。另外太空里充满了重力场、磁场、广谱电磁辐射以及高能宇宙射线。直到第二次世界大战结束前，所有关于太空的认识都基于透过大气层的带有失真的观测。探空火箭以及卫星、太空望远镜、探测器和载人宇宙飞船的出现使得直接探索太空成为可能。

宇宙飞船的种类 宇宙飞船是一个通称，包括探空火箭、人造卫星和太空探测器、空间站以及往返于太空的载人飞行器。除了探空火箭和航天飞机以外，宇宙飞船是指从运载火箭上分离并留在近地轨道上的部分。太空探测器是一种无人驾驶宇宙飞船，具有可以摆脱地球重力束缚的速度。深空探测器是一种可以发射到地-月轨道之外的探测器；如果发射到其他行星，它也被称为行星探测器。空间站是一个位于轨道上供人长期居住的人造结构。宇宙飞船在大小、形状、复杂度和功能上有很大的差别。那些在设计和功能上相似的飞船通常被分为一个家族——例如前苏联(现为俄罗斯)的“联盟”号、“金星”号、“礼炮”号和“地平线”号；美国的“探险者”号、“阿波罗”号、“旅行者”号和“导航星”号；以及欧洲航天局开发的“气象卫星”系列。重量轻和功能可靠是宇宙飞船设计的要点。宇宙飞船可能要在太空环境里度过几分钟、几天、几个月乃至几年。当暴露在高真空、极端的温度变化以及强辐射的环境中时，飞船必须能正常发挥功能。宇宙飞船通常的区别取决于功能——科研还是应用。科学卫星或者探测器携带仪器获取磁场、空间辐射、太阳或其他恒星、行星及其卫星以及其他天体和天文现象。应用型宇宙飞船有着实用目的，例如地球观测、军事侦察、远程通信以及导航和全球定位卫星等。

进入太空 *重力* 地球重力的束缚是太空飞行的主要障碍之一。受益于早期科学家的观察和计算，火箭先驱者们了解了牛顿运动定律和其他太空飞行原理，但是这些原理的应用不得不等待火箭动力的发展，使其可以让宇宙飞船达到所需的速度和高度。宇宙飞船和运载火箭借助气体在火箭发动机内燃烧并被高速喷出时产生的反作用力向上飞行。例如，如果在起飞时发动机的总升力(或推力)是整个飞船——运载火箭系统的重量的两倍，那么这个系统的初始上升加速度将是一个标准重力加速度(简写为g)，9.8米/秒^2。随着推进剂消耗，整个系统的重量不断地减轻同时加速度不断地提高。作用在上升飞船上的地球重力逐渐地减弱：高度160千米时，是地球表面的95%；高度2 700千米时，就只有50%了(4.9米/秒^2)。对于太空飞行，只用在几百万千米远的距离之外，地球重力才可以忽略不计，除非宇宙飞船飞往月球并且月球重力(地球的1/6)占到了主导地位。

级联 级联描述的是一种技术，用以把两个或多个火箭系统连接成一个直线序列，构成一个多级运载火箭。开始，最下面的一级(第一级)点火，它推动运载火箭增加速度(有时需要助推火箭的协助)直到推进剂耗尽为止。此时这一级脱离，减轻火箭重量，然后第二级点火，继续给剩余的运载火箭加速。其他几级通常遵循同样的方式使用。对于某些任务，在开始爬升进入太空时不会动用最后一级，留给后续飞行使用。例如，一艘宇宙飞船也许使用前两级进入环绕地球的较低的轨道，然后在第三级的推动下进入更高的轨道或者飞离地球。

加速度 通常，宇宙飞船离开地球并获得所需速度的时间越长，发射过程就会变得越不经济。在加速度较低时，运载火箭浪费了绝大部分的推进剂，因为在飞行中的每一秒中它耗费将近10米/秒的速度，仅仅是为了抵抗地球的重力加速度。加速度的上限受制于飞行器结构能承受的最大加速应力和飞船的最大有效载荷。对于载人飞行，当人体位于垂直于推动力的位置，即头部和心脏处于同一平面时，大约6倍于重力的加速度被认为是可承受的最大值。

飞行轨迹 通常有四种轨迹：探空火箭轨迹、环绕地球轨道、地球逃逸轨道以及行星际轨道。

探空火箭轨迹 探空火箭是唯一一种在45～160千米的高度——气球的最大飞行高度和卫星的最小飞行高度之间——进行科学测量的工具。它们可以是单级或者多级火箭并且几乎垂直地发射。在各级火箭消耗完燃料并脱离后，有效载荷部分继续向上飞行，在重力的作用下慢慢减速。到达最高点时，向上的速度降为零，然后有效载荷开始下落。一般来说，有效载荷通过降落伞回收并且可以再次发射。在降落伞打开之前，飞行路径是抛物线型，飞行时间少于30分钟。

环绕地球轨道 进入地球轨道通常是把火箭从地面垂直发射，然后偏转它的轨迹使得运载火箭在所需的高度上达到轨道速度时可以平行于地球表面飞行。在这个精确时刻，火箭发动机关机，火箭上的宇宙飞船围绕地球做自由落体运动，作用在飞船上的向心力等于地球的重力。在200千米高度，所需的速度大约是29 000千米/小时。因为这个高度在绝大部分大气层之上，所以气动阻力不大，飞船可以持续绕地球飞行一段时间。飞船飞完一圈所需的时间被称为轨道周期。在200千米高度，轨道周期大约是90分钟。随着高度增加，飞船的轨道速度下降并且轨道周期变长。例如，在1 730千米处，轨道速度是25 400千米/小时，周期是两小时。在大约35 800千米处，飞船的速度是11 100千米/小时，轨道周期是等于一个恒星日——相对于固定恒星测量的地球自转周期(比传统的24小时太阳日少4分钟)。在这个轨道上的飞船具有特殊的性质，例如，如果轨道位于地球的赤道平面上，飞船就会如同静止在空中。这个特殊的轨道，被称为地球同步轨道，为通信和气象卫星所使用。以上所有的情形都假设了一个圆形的轨道，对于宇宙飞船而言这是理想的轨道但是很难实现。通常飞船的轨道是一个有着近地点(离地球最近的距离)和远地点(离地球最远的距离)的椭圆。如果推力许可，一艘飞船的轨道可以通过在近地点减速(降低远地点高度)或者在远地点加速(升高近地点高度)而变得接近圆形。在发射飞船时，运载火箭一般在起飞后向东偏转。

向东发射是为了使火箭利用地球向东旋转的速度。这种速度在赤道表面最大，大约每小时1 670千米；在佛罗里达州卡纳维拉尔角是每小时1 470千米；在哈萨克斯坦境内的俄罗斯拜科努尔发射基地是每小时1 170千米。也可以向西发射飞船，但是与向东发射相比，达到同样的高度需要更大的速度，也要消耗更多的燃料。如果飞船打算进入一个极地轨道——穿过地球两极的轨道，它会向北或者向南发射。位于垂直于赤道的轨道上的飞船提供了其他优点。因为地球绕轴自传，飞船每飞行若干圈就可以飞越全球所有地区。监视地球环境的卫星，例如遥感卫星和某些气象卫星，使用极地轨道。20 世纪 90 年代起，通过借助从高空飞行的飞机上发射的运载火箭可以实现绕地飞行。一个有翼的多级运载火箭挂在喷气客机下面被带到大约 12 千米高空，在那里被投下。运载火箭自由下落后，它的第一级火箭点火，推动它远离飞机并开始上升。提供升力的翼片随着第一级的耗尽而脱落。这种系统适合于发射轻型卫星（500 千克）。

地球逃逸轨道 为了完全摆脱地球的重力，宇宙飞船需要达到大约每小时40 000千米的速度。如果之后没有受到其他天体的重力影响，它将像小行星一样进入围绕太阳的轨道。精确地选择时机后，飞船可以向着月球发射。对于“阿波罗”的登月飞行来说，飞船朝月球运行的前方发射，在月球重力的影响下转到月球背面。如果没有改变速度，飞船将会绕过月球并且朝向地球返回。通过在月球背面的减速，“阿波罗”的宇航员可以把他们的飞船驻留在受月球重力支配的月球轨道上。天体力学里面的三体问题（对“阿波罗”的任务来说，是地球、飞船和月球之间在重力影响下的相对运动）极端复杂而且没有通解。虽然在某些特定的条件下可以写出描述相对运动的方程，但是在高速计算机出现之前，连近似解也没有。计算机对运动方程进行数字积分，显示飞船在空间的位置，并且随时对实际飞行路线和预定路线进行比较。

行星际轨道 由于行星轨道是椭圆的，地球和其他行星之间的距离是变化的。例如，对于地球最近的邻居金星和火星，所谓的最佳发射时机大约每两年出现一次。飞行可以安排在其他时间，但是需要更高的速度和更长的时间，或者对给定的运载火箭，需要更轻的有效载荷重量。从地球到金星或者火星的轨道可以借助行星之间变化着的轨道关系来设计，以实现在燃料和能源上更为经济的飞行。这种便利的路径，被称为霍曼或转移轨道，提出于 20 世纪 20 年代。虽然这种轨道需要的速度最小，但是飞行时间很长——比如飞到火星就需要 260 天。因此通常使用一条折衷的轨道，如“水手”6 号和 7 号。发射于 1969 年 2 月 24 日的“水手”6 号在 157 个火星日之后在距火星3 430千米处通过，当时这颗行星距地球 9.28 亿千米。某些轨道通用进入行星的重力场的方式把行星的引力传递到宇宙飞船上，从而提高飞船的速度并改变它的飞行方向。这种重力辅助技术已经多次把星际探测器送往目的地。例如，伽利略探测器在前往木星的 6 年行程里得到金星和地球的助推，使其在 1995 年抵达最后的目标。同样的思路也应用在以其他深空天体（如小行星和彗星）为目的地的宇宙飞船。例如，2000 年到达小行星“爱神星”的“近地小行星交会”（NEAR）飞船在经过地球时就得到了轨道修正。

导航、对接以及再入 **导航** 鉴于物体所受到的诸多影响，太空中 A 点到 B 点的航行不会是一条直线或者保持一个恒定的速度。太空导航的基础是惯性制导——基于一个旋转的陀螺仪的惯性，与外力无关并且不用参照太阳或其他恒星。使用三个陀螺仪和加速度计，宇宙飞船的导航系统可以精确地测量任何速度变化，无论大小还是方向。通过调正姿态（绕轴旋转）和调节推进器，宇宙飞船可以校正它的轨道。地面和飞船上计算机不断的监测飞船不同时刻的位置。在发射阶段，对偏离预定飞行轨迹的校正通常通过调节小型推进器、燃气舵或者发动机偏转角来完成。当两艘飞船交会和对接时，雷达会告知乘员或计算机所需的校正。随着“导航星”全球定位系统的建立，宇宙飞船定位精度和速度精度可以达到几米以内。

交会和对接 交会是让两艘宇宙飞船相会到一起的过程；对接则是指其后的接触和物理连接。交会的基本原理是轨道匹配以及宇宙飞船之间近距离的移动，通常在 100 米之内。理想情况是两艘飞船都位于同一个轨道平面上。对于一般的交会，一艘飞船率先入轨，然后发射第二艘飞船与之相会。为了实现交会，第二艘飞船的发射要精确在几分之一秒之内。因为在轨的飞船相对地面的飞船已经具有很高的速度，第二艘飞船要在第一艘飞过它的上空之前发射，目的是建立一个比第一艘飞船低的共面的轨道。在这种布局下，位于较低轨道上的第二艘飞船以更快的速度飞行并且追上第一艘飞船。当稍微超过第一艘飞船时，它升高轨道，因而降低速度直到和第一艘飞船的轨道高度和速度相一致。对于这种操作，雷达系统和船载计算机是必需的。1965 年“双子座”6 号和 7 号首次完成了交会。在“阿波罗”登月计划中，登月舱的上升级从月球表面起飞和在轨的指令舱交会并对接。俄罗斯的“联盟”号和美国的航天飞机已经和地球轨道空间站定期地交会并对接。美国依靠飞船乘员完成交会和对接，俄罗斯飞船可以自动完成。由于有效载荷的限制，复杂或超大的宇宙飞船无法一次性地发射到地球轨道。建造一个国际空间站这样的大型结构或者类似结构，一艘未来的载人火星飞船，需要可靠的交会和对接技术把分别发射到轨道上的各个部件组装起来。进一步讲，航天员的轮换和紧急救援行动也需要交会和对接能力。

再入和回收 再入指的是宇宙飞船返回地球的大气层。包裹地球的致密大气有利于制动，或减速——一种来自空气阻力的作用。然而，随之而来的便是气体高速流动时产生的严重的摩擦热。起初，隔热罩由在燃烧时可以带走热量的易烧蚀材料制成，而航天飞机引入了抗烧蚀材料——硅化物隔热瓦和增强碳-碳材料。安全的再入必须有正确的再入角。这个相对于地平线的角度是 $-6.2°$，并且误差在 1°以内。如果再入角过小，宇宙飞船将会滑过或者弹出大气层并返回太空。如果角度过大，隔热罩将无法消除额外的加热率或者飞船无法承受过大的减速力。“阿波罗”指令舱返回时以40 000千米/小时的速度接近地球。即是在适当的再入角之内，太空舱的隔热罩也承受了高达3 000°C 的温度。在下降的最后阶段，某些飞船——特别是载人飞船——会用降落伞减速并软着陆。“阿波罗”指令舱采用这种技术在大洋上溅落。俄罗斯“联盟”号宇宙飞船通常在地面上软着陆。当打开降落伞向地球下降的时候，小型无人飞船，或者从卫星上弹出的物体（例如胶卷舱），可以在半空中通过飞机回收。有翼的航天飞机的回收过程明显不同：它与普通飞机一样滑翔下降并在跑道上着陆。

1985 年 1 月 27 日在佛罗里达州肯尼迪航天中心降落的“发现”号

美国不列颠百科全书公司供图

1971 年 2 月 9 日“阿波罗”14 号宇宙飞船溅落在南太平洋

美国不列颠百科全书公司供图

spadebill 扁嘴霸鹟 雀形目霸鹟科新大陆鸟类，共6种。喙三角形，极宽扁。白喉扁嘴霸鹟（短尾扁嘴霸鹟，*Platyrinchus mystaceus*）体长仅 10 厘米，分布最广，栖于从墨西哥南部到阿根廷的林下植物中。

白喉扁嘴霸鹟（*Platyrinchus mystaceus*）

绘图：John P. O'Neill